TAX AFFAIRS

2021년판

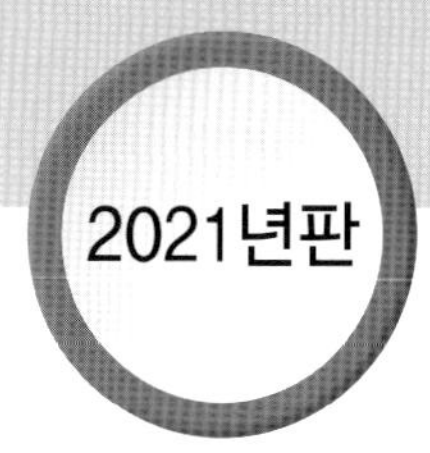

지방세 4법 해설과 실무사례

김종택 · 오정의 · 공지훈 공저

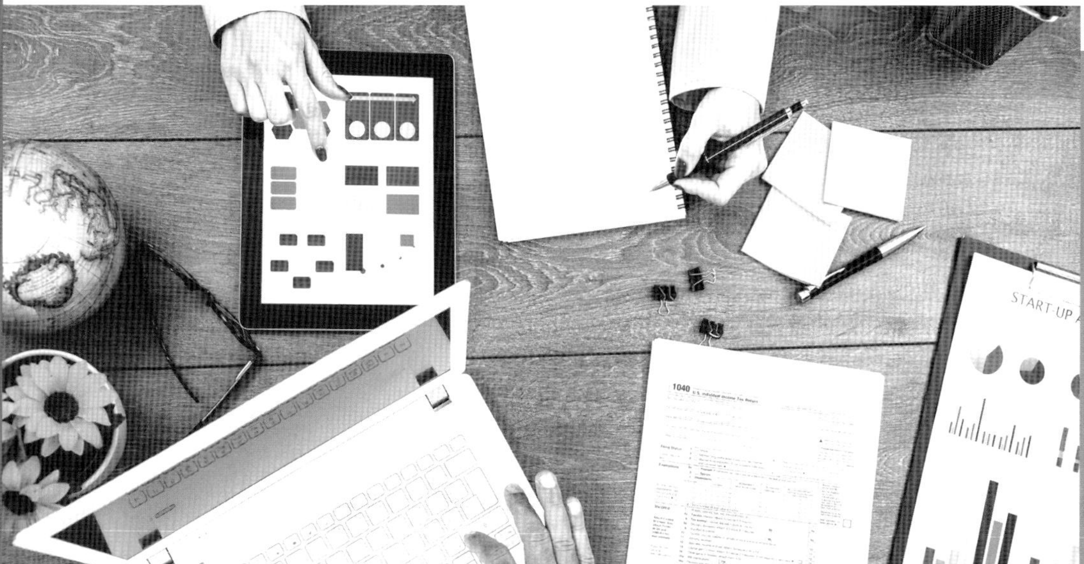

SAMIL | 삼일인포마인

www.samil*i*.com 사이트 **제품몰** 코너에서 본 도서 **수정사항**을 클릭하시면 정오표 및 중요한 수정 사항이 있을 경우 그 내용을 확인하실 수 있습니다.

2021년 개정증보판을 내면서

우리나라의 본격적인 지방자치시대의 문이 열린 시기가 1995년이다. 어느덧 지방자치 25년여의 세월이 흘렀다. 짧지 않은 지방자치 역사에도 불구하고 일부 지방자치단체에서는 지방세로 공무원 인건비마저 충당하지 못하는 경우가 있다고 한다. 우리나라 지방자치제도가 본궤도에 올라 있는지 의심하지 않을 수 없다.

그러나 지방자치제도가 풀뿌리 민주주의를 다져가는 중요한 초석이고 그 중심에 지방세가 있다. 지방자치단체는 지역의 행정서비스를 제공하기 위해 지방세를 통해 필요한 경비를 조달하고, 살림을 꾸려나가고 있다. 그동안 지방세수의 규모 측면에서도 괄목할 만한 신장을 보이고 있다. 2019년 기준으로 지방세수는 90조원을 넘어 조만간 지방세 100조 시대에 도래할 예정이다. 지방자치시대에 지방세는 앞으로 더욱 더 중요하게 부각될 것으로 생각한다.

2017년부터 지방세기본법에서 분리된 지방세징수법이 제정되어 지방세 4법 체계를 갖추게 되었는데, 매년 과세대상의 조정, 세율, 과세표준 및 과세절차까지 크고 작은 내용이 보완되어 개정되고 있다. 2020년 8월에는 정부 부동산 대책의 일환으로 다주택자 · 법인의 주택 취득세 중과 제도가 도입되었다. 지방세법은 복잡한 사회 현상을 반영하여 지속적으로 변천하고 있고, 그 과정에서 납세자와 과세당국 사이에는 수많은 법리 논쟁이 일어나고 있다. 본서는 이러한 지방세법의 적용과정에서 발생하는 쟁점 사례들을 체계적으로 정리하여 독자들로 하여금 지방세에 대한 포괄적인 이해를 돕고자 하는 취지에서 시작되었다.

본서는 지방세 4법 및 관련 시행령, 시행규칙까지 법령의 내용을 있는 그대로 전달하면서, 각각의 조문별로 입법취지와 주요 내용을 설명하였고, 최근에 개정된 법령에 대해서는 개정경위, 적용방식 등을 소개하였다. 무엇보다 해당 조문과 관련된 많은 사례들을 실었다. 특히 대법원, 조세심판원, 행정안전부 행정해석 등 많은 사례들을 유형화하고 상호 비교할 수 있도록 체계화하였다. 많은 양의 사례들을 싣기 위해 내용을 요약하고, 요약한 사례들을 또다시 1~2줄로 요약하여 독자들로 하여금 다양한 사례들을 효율적으로 접할 수 있게 하였다. 한편으로는 그 과정에서 사례의 의미가 확대되거나 왜곡되지 않도록 독자들의 주의 또한 당부를 드리는 바이다.

아무쪼록 지방세를 담당하는 공무원이나 납세자 등 모든 분들이 지방세 실무현장에서 지방세를 과세하고 납세하는 데 참고가 되기를 바라며, 부족한 부분은 향후 독자 여러분들의 질책과 조언으로 보완해 나갈 것을 약속드린다.

마지막으로 이 책을 출간하는 데 아낌없는 성원을 해 주신 삼일인포마인 이희태 대표이사님과 도움을 주신 관계 직원분들께도 고마운 마음을 전한다.

2021년 3월
저자

차 례

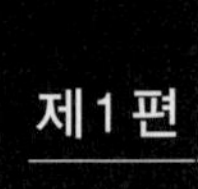

제1편 지방세기본법 / 29

제1장 총 칙 • 35

차례

차 례

차례

제 2 편 지방세징수법 / 289

제 1 장 총 칙 • 293

제 2 장 징 수 • 323

제 1 절 징수절차 • 325

차례

차례

제 3 편 지방세법 / 439

차례

제 4 장 레저세 • 933

제 5 장 담배소비세 • 943

차례

차례

차례

차 례

제 4 편 지방세특례제한법 / 1531

제 1 장 총 칙 • 1535

제 2 장 감 면 • 1559

제1절 농어업을 위한 지원 • 1561

차례

차례

차례

일러두기

○ 법문에서 2021년 시행된 개정 법령은 밑줄을 표시하여 강조하였음.

○ 지방세특례제한법, 지방세법 등 법조문에서 농어촌특별세가 비과세되는 경우 "농특비"로, 취득세 및 등록면허세 감면분에 대한 농어촌특별세 과세분이 비과세 대상인 경우 "감면분만 농비"로 표시하였음.

○ 이 책에서 소개된 사례는 최대한 핵심 내용을 원문을 그대로 전달하려고 하였으나, 지면상 어려움으로 일부 내용을 요약하였음.

○ 대법원 결정사례는 판결(선고)과 심리불속행기각판결을 구분하지 않았음.

○ 행정안전부(내무부, 행정자치부, 안전행정부 등) 행정해석 사례의 경우 행정안전부 등의 출처표시를 생략하였고, 바로 소관부서를 기재하였음.

※ 소속 부서 : 세정담당관, 세정과, 세제과, 심사과, 도세과, 시군세과, 지방세정책과, 지방세운영과, 지방세특례제도과, 부동산세제과, 지방소득소비세제과 등

○ 관련기관의 예규 등은 기재부, 국세청, 법제처 등 기관명을 기재하였고, 조세심판원 심판결정은 '조심', 감사원 심사결정은 '감심' 등 약칭으로 표시하였음.

○ 일부 법률명은 법제처 '약칭 법률명'에 따라 주로 약칭으로 고쳐 사용하였음.
가등기담보 등에 관한 법률 → 가등기담보법 / 개발제한구역의 지정 및 관리에 관한 특별조치법 → 개발제한구역법 / 경제자유구역의 지정 및 운영에 관한 특별법 → 경제자유구역법 / 공공기관 지방이전에 따른 혁신도시 건설 및 지원에 관한 특별법 → 혁신도시법 / 공익사업을 위한 토지 등의 취득 및 보상에 관한 법률 → 토지보상법 / 국토의 계획 및 이용에 관한 법률 → 국토계획법 / 도시 및 주거환경정비법 → 도시정비법(도정법) / 물류시설의 개발 및 운영에 관한 법률 → 물류시설법 / 부동산 가격공시 및 감정평가에 관한 법률 → 부동산공시법 / 부동산 거래신고에 관한 법률 → 부동산거래신고법 / 부동산 실권리자명의 등기에 관한 법률 → 부동산실명법 / 신에너지 및 재생에너지 개발 · 이용 · 보급 촉진법 → 신재생에너지법 / 자본시장과 금융투자업에 관한 법률 → 자본시장법 등

제 1 편

지방세기본법

□ 2011.1.1. 지방세법 분법에 따른 「지방세기본법」 제정(2010.3.31.)

2011.1.1. 기존의 지방세법이 지방세기본법, 지방세법, 지방세특례제한법의 3개 법률로 나누어졌다. 지방세기본법에서는 지방세의 기본적 · 공통적 사항 등에 관하여 체계적으로 규정하고, 국세기본법 등 여러 법률을 준용하던 예규적인 사항을 직접 규정하게 되었고, 수요자 중심의 지방세 제도개선을 추진함으로써 납세자 권익보호 및 지방세정 운영의 효율화를 도모할 수 있게 되었다.

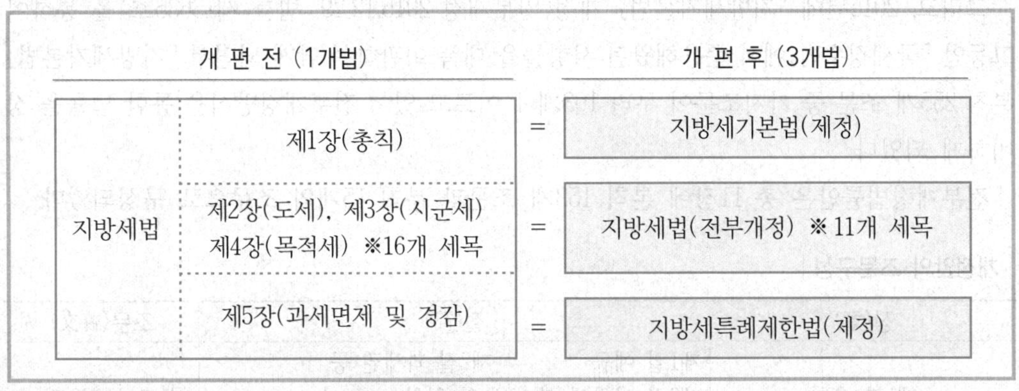

□ 2017.3.28. 「지방세기본법」 전부 개정(2016.12.27.)

2017년부터 국민들이 지방세 법령 체계를 효과적으로 파악할 수 있도록, 지방세의 징수 및 체납처분 분야를 지방세기본법에서 분리하여 「지방세징수법」을 제정함에 따라 지방세기본법의 관련 조문을 정비하게 되었다. 즉 기존의 징수(제4장) 및 체납처분(제5장)에 관한 사항을 분리하여 "지방세징수법안"으로 이관되었다.

|「지방세기본법」과 「지방세징수법」의 분법 개요 |

「지방세기본법」	「지방세징수법」
총칙, 납세의무, 부과	총 칙
<u>징수, 체납처분</u>	<u>징 수</u>
지방세와 타채권과의 관계	
납세자의 권리	<u>체납처분</u>
이의신청 및 심사청구와 심판청구	
과세자료의 제출 및 관리	
범칙행위 등에 대한 처벌 및 처벌절차	
보칙	

현행법은 총칙, 납세의무, 부과, 징수, 체납처분, 지방세와 타채권과의 관계, 납세자의 권리, 이의신청 및 심사청구와 심판청구, 범칙행위 등에 대한 처벌 및 처벌절차, 과세자료의 제출 및 관리, 보칙 등 총 11장에 본칙 255개의 조문으로 구성되어 있다. 국세의 경우 「국세기본법」, 「국세징수법」, 「조세범 처벌법」, 「조세범 처벌절차법」, 「과세자료의 제출 및 관리에 관한 법률」 등에서 규정하고 있는 내용을 지방세는 하나의 법률에서 모두 규율하고 있어 국세에 비하여 지방세의 법률체계가 다소 체계적이지 못한 측면이 있었다.

그리고, 2015년에 「지방세기본법」 개정(일부개정 2015.12.29. 법률 제13635호)을 통하여 그동안 「국세징수법」에서 준용해왔던 사항들을 대폭 이관하여 담게 되면서 「지방세기본법」 본칙 255개 조문 중 가지조문이 무려 103개에 이르고 있어 전부개정방식을 통한 법률을 정비하게 되었다.

전부개정법률안은 총 11장에 본칙 153개 조문과 부칙 15개의 조문으로 구성되었다.

| 개정안의 조문구성 |

장(章)	절(節)	조문(條文)
제1장 총칙	제1절 예규 제2절 과세권 등 제3절 지방세 부과 등의 원칙 제4절 기간과 기한 제5절 서류의 송달	제1조~제33조
제2장 납세의무	제1절 납세의무의 성립 및 소멸 제2절 납세의무의 확장 및 보충적 납세의무	제34조~제48조
제3장 부과	–	제49조~제59조
제4장 지방세환급금과 납세담보	제1절 지방세환급금과 지방세환급가산금 제2절 납세담보	제60조~제70조
제5장 지방세와 다른 채권의 관계	–	제71조~제75조
제6장 납세자의 권리	–	제76조~제88조
제7장 이의신청 및 심사청구와 심판청구	–	제89조~제100조
제8장 범칙행위 등에 대한 처벌 및 처벌절차	제1절 예규 제2절 범칙행위 처벌 제3절 범칙행위 처벌절차	제101조~제126조
제9장 과세자료의 제출 및 관리	–	제127조~제134조
제10장 지방세 업무의 정보화	–	제135조~제138조
제11장 보칙	–	제139조~제153조

* 제4장, 제10장은 새롭게 신설된 장임.

□ 2021.1.1. 시행 지방세기본법 개정내용

(법 §34 · §39 · §55 · §56 등) 납부지연에 따른 가산세 · 가산금 통합 등
(법 §35의 2) 수정신고의 효력 규정 신설
(법 §42, 영 §21 · §22 등) 상속으로 인한 납세의무 승계범위 확대
(법 §44) 법인의 분할 등에 따른 연대납세의무 부담 합리화
(법 §75) 제3자에게 명의신탁된 종중재산 물적 납세의무 지정
(법 §85, 영 §56) 세무조사 등의 결과통지 기간 명확화 및 합리화
(법 §86 · §135) 지방세 과세정보 제공 범위 합리화 등
(법 §88, 영 §58) 과세예고 및 과세전적부심사청구 대상 합리화
(법 §93의 2) 지방자치단체 선정 대리인 신청 대상자 명확화 등
(법 §89 · §100 등) 행정심판 필요적 전치주의 도입 후속조치
(법 §111) 지방세 범칙사건 고발권자 일원화
(법 §146) 포상금 지급대상 합리화 등
(법 §151) 지방세연구원 설립 목적 및 예산 출연 근거 신설
(법 §151의 2 등) 지방세조합 설립 근거 등 신설

□ 2021.1.1. 시행 지방세기본법 하위법령 개정내용

(영 §6) 신고 및 납부 기한 연장사유 추가
(영 §18) 공시송달의 사유 명확화
(영 §51의 2) 납세자보호관의 권한 확대
(영 §62) 불복청구인의 의견진술 기회 확대

제 1 장

지방세기본법

총 칙

제1절 통칙

제1조(목적)

법 제1조(목적) 이 법은 지방세에 관한 기본적이고 공통적인 사항과 납세자의 권리·의무 및 권리구제에 관한 사항 등을 규정함으로써 지방세에 관한 법률관계를 명확하게 하고, 공정한 과세를 추구하며, 지방자치단체 주민이 납세의무를 원활히 이행하도록 함을 목적으로 한다.

영 제1조(목적) 이 영은 「지방세기본법」에서 위임된 사항과 그 시행에 필요한 사항을 규정함을 목적으로 한다.

규칙 제1조(목적) 이 규칙은 「지방세기본법」 및 같은 법 시행령에서 위임된 사항과 그 시행에 필요한 사항을 규정함을 목적으로 한다.

지방세기본법 및 지방세기본법 시행령, 지방세기본법 시행규칙 제1조에서 법령의 입법 목적과 성격·적용범위를 규정하고 있다. 2011년 이전 지방세법에서는 목적에 관한 규정이 없었으나, 2011년 지방세법을 「지방세기본법」, 「지방세법」, 「지방세특례제한법」으로 체계화·분법화하고, 2017년 「지방세기본법」에서 「지방세징수법」을 분리·제정하면서 각각의 법률마다 그 목적과 성격 및 적용범위를 규정하고 있다.

제2조(정의)

법 제2조(정의) ① 이 법에서 사용하는 용어의 뜻은 다음과 같다. <개정 2017.7.26., 2018.12.24.>

1. "지방자치단체"란 특별시·광역시·특별자치시·도·특별자치도·시·군·구(자치구를 말한다. 이하 같다)를 말한다.
2. "지방자치단체의 장"이란 특별시장·광역시장·특별자치시장·도지사·특별자치도지사·시장·군수·구청장(자치구의 구청장을 말한다. 이하 같다)을 말한다.
3. "지방세"란 특별시세, 광역시세, 특별자치시세, 도세, 특별자치도세 또는 시·군세, 구세(자치구의 구세를 말한다. 이하 같다)를 말한다.
4. "지방세관계법"이란 「지방세징수법」, 「지방세법」, 「지방세특례제한법」, 「조세특례제한법」 및 「제주특별자치도 설치 및 국제자유도시 조성을 위한 특별법」을 말한다.
5. "과세표준"이란 「지방세법」에 따라 직접적으로 세액산출의 기초가 되는 과세물건의 수량·면적 또는 가액(價額) 등을 말한다.
6. "표준세율"이란 지방자치단체가 지방세를 부과할 경우에 통상 적용하여야 할 세율로서 재정상의 사유 또는 그 밖의 특별한 사유가 있는 경우에는 이에 따르지 아니할 수 있는 세율을 말한다.
7. "과세표준 신고서"란 지방세의 과세표준·세율·납부세액 등 지방세의 납부 또는 환급을 위하여 필요한 사항을 기재한 신고서를 말한다.
8. "과세표준 수정신고서"란 처음 제출한 과세표준 신고서의 기재사항을 수정하는 신고서를 말한다.
9. "법정신고기한"이란 이 법 또는 지방세관계법에 따라 과세표준 신고서를 제출할 기한을 말한다.
10. "세무공무원"이란 지방자치단체의 장 또는 지방세의 부과·징수 등에 관한 사무를 위임받은 공무원을 말한다.
11. "납세의무자"란 「지방세법」에 따라 지방세를 납부할 의무(지방세를 특별징수하여 납부할 의무는 제외한다)가 있는 자를 말한다.
12. "납세자"란 납세의무자(연대납세의무자와 제2차 납세의무자 및 보증인을 포함한다)와 특별징수의무자를 말한다.
13. "제2차 납세의무자"란 납세자가 납세의무를 이행할 수 없는 경우에 납세자를 갈음하여 납세의무를 지는 자를 말한다.
14. "보증인"이란 납세자의 지방세 또는 체납처분비의 납부를 보증한 자를 말한다.
15. "납세고지서"란 납세자가 납부할 지방세의 부과 근거가 되는 법률 및 해당 지방자치단체의 조례 규정, 납세자의 주소·성명, 과세표준, 세율, 세액, 납부기한, 납부장소, 납부기한까지 납부하지 아니한 경우에 이행될 조치 및 지방세 부과가 법령에 어긋나거나 착오가 있는 경우의 구제방법 등을 기재한 문서로서 세무공무원이 작성한 것을 말한다.
16. "신고납부"란 납세의무자가 그 납부할 지방세의 과세표준과 세액을 신고하고, 신고한 세금을 납부하는 것을 말한다.
17. "부과"란 지방자치단체의 장이 이 법 또는 지방세관계법에 따라 납세의무자에게 지방세를 부담하게 하는 것을 말한다.
18. "징수"란 지방자치단체의 장이 이 법 또는 지방세관계법에 따라 납세자로부터 지방자치단체

의 징수금을 거두어들이는 것을 말한다.

19. "보통징수"란 세무공무원이 납세고지서를 납세자에게 발급하여 지방세를 징수하는 것을 말한다.
20. "특별징수"란 지방세를 징수할 때 편의상 징수할 여건이 좋은 자로 하여금 징수하게 하고 그 징수한 세금을 납부하게 하는 것을 말한다.
21. "특별징수의무자"란 특별징수에 의하여 지방세를 징수하고 이를 납부할 의무가 있는 자를 말한다.
22. "지방자치단체의 징수금"이란 지방세 및 체납처분비를 말한다.
23. "가산세"란 이 법 또는 지방세관계법에서 규정하는 의무를 성실하게 이행하도록 하기 위하여 의무를 이행하지 아니할 경우에 이 법 또는 지방세관계법에 따라 산출한 세액에 가산하여 징수하는 금액을 말한다.
24. 삭제 〈2020.12.29.〉
25. "체납처분비"란 「지방세징수법」 제3장의 체납처분에 관한 규정에 따른 재산의 압류·보관·운반과 매각에 드는 비용(매각을 대행시키는 경우 그 수수료를 포함한다)을 말한다.
26. "공과금"이란 「지방세징수법」 또는 「국세징수법」에서 규정하는 체납처분의 예에 따라 징수할 수 있는 채권 중 국세·관세·임시수입부가세 및 지방세와 이에 관계되는 체납처분비를 제외한 것을 말한다.
27. "지방자치단체조합"이란 「지방자치법」 제159조 제1항에 따른 지방자치단체조합을 말한다.
28. "지방세통합정보통신망"이란 「전자정부법」 제2조 제10호에 따른 정보통신망으로서 행정안전부령으로 정하는 기준에 따라 행정안전부장관이 고시하는 지방세에 관한 정보통신망을 말한다.
29. "전자신고"란 과세표준 신고서 등 이 법 또는 지방세관계법에 따른 신고 관련 서류를 "지방세통합정보통신망"을 통하여 신고하는 것을 말한다.
30. "전자납부"란 지방자치단체의 징수금을 "지방세통합정보통신망" 또는 제136조 제1항 제1호에 따라 지방세통합정보통신망과 지방세수납대행기관 정보통신망을 연계한 인터넷, 전화통신장치, 자동입출금기 등의 전자매체를 이용하여 납부하는 것을 말한다.
31. "전자송달"이란 이 법 또는 지방세관계법에 따라 "지방세통합정보통신망" 또는 「정보통신망 이용촉진 및 정보보호 등에 관한 법률」 제2조 제1항 제1호에 따른 정보통신망으로서 이 법에 따른 송달을 위하여 "지방세통합정보통신망"과 연계된 정보통신망(이하 "연계정보통신망"이라 한다)을 이용하여 송달을 하는 것을 말한다.
32. "체납자"란 지방세를 납부기한까지 납부하지 아니한 납세자를 말한다.
33. "체납액"이란 체납된 지방세와 체납처분비를 말한다.
34. "특수관계인"이란 본인과 다음 각 목의 어느 하나에 해당하는 관계에 있는 자를 말한다. 이 경우 이 법 및 지방세관계법을 적용할 때 본인도 그 특수관계인의 특수관계인으로 본다.
    가. 혈족·인척 등 대통령령으로 정하는 친족관계
    나. 임원·사용인 등 대통령령으로 정하는 경제적 연관관계
    다. 주주·출자자 등 대통령령으로 정하는 경영지배관계
35. "과세자료"란 제127조에 따른 과세자료제출기관이 직무상 작성하거나 취득하여 관리하는 자료로서 지방세의 부과·징수와 납세의 관리에 필요한 자료를 말한다.

36. "세무조사"란 지방세의 부과 · 징수를 위하여 질문을 하거나 해당 장부 · 서류 또는 그 밖의 물건(이하 "장부등"이라 한다)을 검사 · 조사하거나 그 제출을 명하는 활동을 말한다.

② 이 법 또는 지방세관계법에 별도의 규정이 있는 경우를 제외하고는 특별시와 광역시에 관하여는 도(道)에 관한 규정을, 특별자치시와 특별자치도에 관하여는 도와 시 · 군에 관한 규정을, 구(區)에 관하여는 시 · 군에 관한 규정을 각각 준용한다. 이 경우 "도", "도세", "도지사" 또는 "도 공무원"은 각각 "특별시, 광역시, 특별자치시 또는 특별자치도", "특별시세, 광역시세, 특별자치시세 또는 특별자치도세", "특별시장, 광역시장, 특별자치시장 또는 특별자치도지사" 또는 "특별시 공무원, 광역시 공무원, 특별자치시 공무원 또는 특별자치도 공무원"으로, "시 · 군", "시 · 군세", "시장 · 군수" 또는 "시 · 군 공무원"은 각각 "특별자치시, 특별자치도 또는 구", "특별자치시세, 특별자치도세 또는 구세", "특별자치시장, 특별자치도지사 또는 구청장" 또는 "특별자치시 공무원, 특별자치도 공무원 또는 구 공무원"으로 본다.

영 제2조(특수관계인의 범위) ① 「지방세기본법」(이하 "법"이라 한다) 제2조 제1항 제34호 가목에서 "혈족 · 인척 등 대통령령으로 정하는 친족관계"란 다음 각 호의 어느 하나에 해당하는 관계(이하 "친족관계"라 한다)를 말한다.

1. 6촌 이내의 혈족 2. 4촌 이내의 인척 3. 배우자(사실상의 혼인관계에 있는 사람을 포함한다)
4. 친생자로서 다른 사람에게 친양자로 입양된 사람 및 그 배우자 · 직계비속

② 법 제2조 제1항 제34호 나목에서 "임원 · 사용인 등 대통령령으로 정하는 경제적 연관관계"란 다음 각 호의 어느 하나에 해당하는 관계(이하 "경제적 연관관계"라 한다)를 말한다.

1. 임원과 그 밖의 사용인 2. 본인의 금전이나 그 밖의 재산으로 생계를 유지하는 사람
3. 제1호 또는 제2호의 사람과 생계를 함께하는 친족

③ 법 제2조 제1항 제34호 다목에서 "주주 · 출자자 등 대통령령으로 정하는 경영지배관계"란 다음 각 호의 구분에 따른 관계를 말한다.

1. 본인이 개인인 경우 : 본인이 직접 또는 그와 친족관계 또는 경제적 연관관계에 있는 자를 통하여 법인의 경영에 대하여 지배적인 영향력을 행사하고 있는 경우 그 법인
2. 본인이 법인인 경우
   가. 개인 또는 법인이 직접 또는 그와 친족관계 또는 경제적 연관관계에 있는 자를 통하여 본인인 법인의 경영에 대하여 지배적인 영향력을 행사하고 있는 경우 그 개인 또는 법인
   나. 본인이 직접 또는 그와 경제적 연관관계 또는 가목의 관계에 있는 자를 통하여 어느 법인의 경영에 대하여 지배적인 영향력을 행사하고 있는 경우 그 법인

④ 제3항을 적용할 때 다음 각 호의 구분에 따른 요건에 해당하는 경우 해당 법인의 경영에 대하여 지배적인 영향력을 행사하고 있는 것으로 본다.

1. 영리법인인 경우
   가. 법인의 발행주식 총수 또는 출자총액의 100분의 50 이상을 출자한 경우
   나. 임원의 임면권의 행사, 사업방침의 결정 등 법인의 경영에 대하여 사실상 영향력을 행사하고 있다고 인정되는 경우
2. 비영리법인인 경우
   가. 법인의 이사의 과반수를 차지하는 경우
   나. 법인의 출연재산(설립을 위한 출연재산만 해당한다)의 100분의 30 이상을 출연하고 그 중

1명이 설립자인 경우

규칙 제2조(지방세통합정보통신망의 지정기준) 「지방세기본법」(이하 "법"이라 한다) 제2조 제1항 제28호에서 "행정안전부령으로 정하는 기준"이란 별표 1에 따른 기준을 말한다.

(예규) 기법 2-1(지방세의 정의) 지방세라 함은 특별시·광역시·특별자치시·도·특별자치도세 또는 시·군·구세(자치구의 구세를 말한다.)를 말하며 이에는 가산세가 포함된다.

(예규) 기법 2-2(납부기간) 「납부기간」이라 함은 지방세의 납부를 명하는 납세고지서에 지정한 지방세 납부의 시한을 말하며 공시송달에 의한 납부기한을 포함한다. 다만, 「지방세기본법」 제26조(천재지변 등으로 인한 기한의 연장) 등의 규정에 의하여 납부기한이 연장되는 경우에는 그 연장되는 납부기한을 말하며 「지방세징수법」 제22조(납기 전 징수) 및 「지방세징수법」 제25조(징수유예등의 요건) 규정에 의하여 납부기한이 변경되는 경우에는 그 변경되는 납부기한을 말한다.

(예규) 기법 2-3(납세고지서) 납세의무자가 부과처분의 내용을 상세하게 알 수 있도록 과세대상 재산을 특정하고, 그에 대한 과세표준액, 세율, 세액 산출방법 등 세액산출의 근거가 납세고지서에 구체적으로 기재되어 있는 경우, 납세고지서 법정서식의 기재사항에 일부 오류가 있다하더라도 적법한 것으로 본다.

「지방세기본법」과 지방세관계법에서 공통되는 용어를 정의하고 있다. 「지방세법」 제2조 및 「지방세특례제한법」 제2조에서 각각 그 법에서 별도의 규정이 없으면 「지방세기본법」의 정의를 따르도록 하고 있다.

「지방세기본법」과 지방세관계법을 적용함에 있어 각 법문에서 특별시·광역시·도, 시·군·구를 나열하지 않고, 도에 관한 규정은 특별·광역시에, 시·군에 관한 규정은 구에 각각 준용하도록 하고 있다. 다만 법문에 별도의 규정이 있는 경우에는 예외가 적용된다.

특수관계인의 범위

"특수관계인"은 출자자의 제2차 납세의무(지기법 제46조), 과점주주의 간주취득(지법 제7조 및 제10조) 등을 적용할 때 판단기준이 된다(관련규정 참고).

구분	세부내용
① 혈족·인척 등 친족관계	1. 6촌 이내의 혈족[1] 2. 4촌 이내의 인척[2] 3. 배우자(사실혼에 있는 사람 포함) 4. 친생자로 다른 사람에게 친양자로 입양된 자 및 그 배우자·직계비속
② 임원·사용인 등 경제적 연관관계	1. 임원과 그 밖의 사용인 2. 본인의 금전이나 그 밖의 재산으로 생계를 유지하는 사람 3. 제1호 및 제2호의 사람과 생계를 같이하는 사람
③ 주주·출자자 등 경영지배관계	1. 본인이 개인인 경우 : 본인이 직접 또는 ① 또는 ②를 통하여 법인의 경영에 대하여 지배력을 행사하고 있는 경우 그 법인 2. 본인이 법인인 경우 가. 개인 또는 법인이 직접 또는 ① 또는 ②를 통하여 본인인 법인의 경영에 지배력을 행사하는 개인 또는 법인 나. 본인이 직접 또는 ② 또는 가목의 관계에 있는 자를 통하여 지배적인 영향력을 행사하는 경우 그 법인

| 최근 개정법령_2016.1.1.| 체납액의 정의 보완(법 제2조)

기존 조문상 체납처분비는 체납된 것만 해당되는 것으로 오해할 여지가 있어, 체납액의 정의를 "체납된 지방세와 그 가산금, 체납처분비"로 보완하였다.

| 최근 개정법령_2019.1.1.| 전자송달의 정의에 기존의 지방세정보통신망(전자우편주소, 전자사서함)에 대다수 납세자가 이용하는 연계정보통신망의 전자고지함을 추가하였다.

(현 행)		(개 정)
전자우편주소, 전자사서함	⇒	전자우편주소, 전자사서함 연계정보통신망의 전자고지함

| 최근 개정법령_2020.1.1.| 세무조사의 정의 등 명확화(법 §2, §76, §82, §84 등)

현행 지방세기본법상 세무조사의 개념을 지방세 상황에 맞게 지방세 부과·징수하기 위하여 질문, 검사 또는 조사하는 경우로 제2조 "정의"에 명확히 하고, 또한, 세무조사 대상물인 "장부 등"을 장부·서류 또는 그 밖의 물건으로 명확히 하였다.

---

1) 자기의 직계존속과 직계비속을 직계혈족이라 하고 자기의 형제자매와 형제자매의 직계비속, 직계존속의 형제자매 및 그 형제자매의 직계비속을 방계혈족이라 한다(민법 제768조). 혈족은 다시 자연적인 혈통이 연결되는 자연혈족(自然血族)과 양자와 같이 혈통이 연결되어 있는 것으로 의제된 법정혈족(法定血族)으로 나누어진다.

2) 자기의 혈족의 배우자, 배우자의 혈족, 배우자의 혈족의 배우자를 말한다(민법 제769조). 인척관계는 혼인의 취소나 이혼에 의하여 소멸하며 부부의 일방이 사망한 후에 생존배우자가 재혼한 때에도 인척관계는 종료한다.

제3조(지방세관계법과의 관계)

법 제3조(지방세관계법과의 관계) 지방세에 관하여 지방세관계법에 별도의 규정이 있는 경우를 제외하고는 이 법에서 정하는 바에 따른다.

"지방세관계법"이란 「지방세법」과 「지방세특례제한법」을 말하며, 지방세에 관하여 지방세관계법에서 별도로 규정하고 있는 경우를 제외하고는 이 법을 적용하도록 규정함으로써 지방세에 관한 기본법으로서의 지위를 확인하고 적용범위를 명확히 하였다.

제2절 과세권 등

제4조(지방자치단체의 과세권)

> 법 제4조(지방자치단체의 과세권) 지방자치단체는 이 법 또는 지방세관계법에서 정하는 바에 따라 지방세의 과세권을 갖는다.

지방자치단체는 지방세기본법 및 지방세관계법에서 정하는 바에 따라 지방세 과세권을 갖는다. 과세권은 헌법 제38조에서 "모든 국민은 법률이 정하는 바에 의하여 납세의무를 진다."는 규정과 헌법 제59조의 "조세의 종목과 세율은 법률로써 정한다."고 한 규정을 근거로 하고 있으며, 지방세법에서는 구체적으로 지방세 부과·징수권이 귀속되는 주체를 정하고 있으며, 그 정하는 바에 따라 과세권을 갖게 된다.

○ **리스자동차의 과세권 귀속 관련, 납세자로부터 취득세를 신고납부받은 행위는 적법하며 이에 따른 취득세의 과세권은 청구인에게 귀속된다 할 것임**

자동차는 이동성이 강해 실제 사용지를 취득세 납세지로 정할 경우 과세기술상 이를 객관적으로 확인하여 확정하는 것은 사실상 불가능함. 결국 납세지를 어떻게 정할 것인가는 입법정책적인 문제이고 그 방안의 하나로 자동차관리법령에서 정하고 있는 차량등록과 관계된 차량등록지와 사용본거지 규정을 빌어 취득세 납세지로 정한 것은 과세요건의 객관성과 세정운영의 효율성 확보 측면에서 정당함. 자동차등록 관련 법령에 따라 유효하게 적용되고 있는 사용본거지를 임의로 지방세법에서 부정할 경우 지자체간 납세지 분쟁이 계속되어 세정운영 혼선[3]이 초래될 수 있음. 따라서 납세자가 요건을 갖추어 사업장을 적법하게 등록하였다면

3) 자치단체마다 차량등록원부상 등록된 사용본거지를 무시하고 해당 지자체 내에서 운행되는 차량에 대하여

당연 무효라 할 수 없음(지방세분석과-3528, 2012.11.19.).

◯ 지방세는 각 자치단체마다 과세권이 있어 다른 과세기관에 납부하는 것은 곤란

지방세는 과세주체가 하나인 국세와는 달리 각 지방자치단체(248개 단체)가 독립된 별개의 과세권을 갖고 관할 구역 내에 과세객체(과세대상)를 소유한 자 또는 주소지를 둔 주민에게 부과하는 조세임. 따라서, 과세기관을 달리하여도 지방세 납부가 가능하도록 하는 것은 독립된 과세권 행사와 관련하여 장기적으로 종합・검토하여야 할 사항임(세정 13407-211, 2002.3.5.).

제5조(지방세의 부과징수에 관한 조례)

> **법** 제5조(지방세의 부과징수에 관한 조례) ① 지방자치단체는 지방세의 세목(稅目), 과세대상, 과세표준, 세율, 그 밖에 지방세의 부과・징수에 필요한 사항을 정할 때에는 이 법 또는 지방세관계법에서 정하는 범위에서 조례로 정하여야 한다.
> ② 지방자치단체의 장은 제1항의 조례 시행에 따르는 절차와 그 밖에 조례 시행에 필요한 사항을 규칙으로 정할 수 있다.

지방세 과세요건 및 부과・징수에 관한 사항을 지방세기본법 또는 지방세관계법에서 정한 범위 내에서 조례로 정하여야 한다.

지방세 채권은 지방세기본법 또는 지방세관계법에서 정하는 일정한 요건을 구비한 때에 성립한다. 이러한 지방세 채권의 성립을 위해 필요한 요건을 총칭하여 과세요건이라 한다.

과세요건이란 납세의무 성립에 필요한 법률적 요건으로 일반적으로 납세의무자, 과세물건, 과세표준, 세율 등을 말한다. 따라서 지방자치단체는 과세요건과 기타 부과・징수에 관한 사항을 지방세법이 정한 범위 내에서 조례로 정함으로써 과세권이 직접적으로 주민에게 적용되는 효력을 갖게 된다.

또한, 헌법 제11조 제1항에서는 "지방자치단체는 주민의 복리에 관한 사무를 처리하고 재산을 관리하며, 법령의 범위 안에서 자치에 관한 규정을 제정할 수 있다."라고 규정하고 있고, 지방자치법 제22조에 따라 "지방자치단체는 법령의 범위 안에서 그 사무에 관하여 조례를 제정할 수 있다. 다만, 주민의 권리 제한 또는 의무 부과에 관한 사항이나 벌칙을 정할 때에는 법률의 위임이 있어야 한다."라고 규정하고 있으므로 조례에 규정되는 내용은 법률에 규정된 내용이나 위임된 내용에 한하므로 이 범위를 벗어난 조례가 제정된 경우에

과세권을 행사하겠다고 주장할 경우 등

는 당해 조문은 무효가 되는 것이다.

◎ 지자체 조례로 세무공무원의 질문 · 검사권을 유예(면제)하는 것은 타당치 아니함

지방자치단체는 법령의 범위 안에서 자치에 관한 규정을 제정할 수 있고(헌법 제117조), 법령의 범위 안에서 그 사무에 관하여 조례를 제정할 수 있음(지방자치법 제22조). 또한, 헌법 제59조에서 조세법률주의를 선언하고, 지방세기본법 제136조에서 지방세 과징 업무에 필수적이고 본질적인 권한인 질문검사권을 세무공무원에게 부여하고 있으므로, 법률에서 정한 「질문검사권」을 유예할 경우에는 법률에서 직접 규정하든지 위임근거규정을 두어 하위법령에서 규정하는 방법이 있음. 그러나 법률의 위임없이 법령에서 부여된 본질적 권한을 하위법령(조례)에서 직접 유예(면제)하도록 규정하는 것은 포괄위임금지 원칙이나 상위법우선 원칙에 부합되지 아니함(지방세운영과-1530, 2011.4.2.).

◎ 조례로 세율을 정하지 않은 경우 표준세율을 적용하여야 함

지자체는 지방세 부과징수에 필요한 사항을 정함에 있어서 지방세법의 규정에 준거하여 조례 혹은 규칙을 제정하고 이를 근거로 당해 지자체의 지방세를 부과 · 징수할 수 있는 것이므로, 지자체의 의회운영 사정으로 재산세 과세기준일 이전에 개정 지방세법에 따른 조례를 개정하지 않았을 경우에는 구세조례 제1조 및 지방세법 제2조 · 제3조에 근거한 지방세법의 준거법 내지 보정효력 등을 감안할 때 개정 지방세법령의 관련 규정을 적용할 수 있다고 보아야 할 것이며, 개정 지방세법에 따라 조례로써 세율을 정하지 않았을 경우에는 개정 지방세법의 표준세율을 적용할 수 있음(세정-844, 2005.5.23.).

지방세법 상 탄력세율 규정 현황

- (취득세 : 법 제14조) 지방자치단체의 장은 조례로 정하는 바에 따라 취득세의 세율을 제11조와 제12조에 따른 세율의 100분의 50 범위에서 가감할 수 있다.
- (주민세 균등분 : 법 제78조 ②) 지방자치단체의 장은 조례로 정하는 바에 따라 균등분의 세율을 제1항 제1호 나목 및 같은항 제2호의 표준세율의 100분의 50 범위에서 가감할 수 있다.
- (주민세 재산분 : 법 제81조 ②) 지방자치단체의 장은 조례로 정하는 바에 따라 재산분의 세율을 제1항의 세율 이하로 정할 수 있다.
- (주민세 종업원분 : 법 제84조의 3 ②) 지방자치단체의 장은 조례로 정하는 바에 따라 종업원분의 세율을 제1항에 따른 세율의 100분의 50 범위에서 가감할 수 있다.
- (개인지방소득세 : 법 제92조 ②) 지방자치단체의 장은 조례로 정하는 바에 따라 종합소득에 대한 개인지방소득세의 세율을 제1항에 따른 표준세율의 100분의 50 범위에서

가감할 수 있다.

- (법인지방소득세 : 법 제103조의 20 ②) 지방자치단체의 장은 조례로 정하는 바에 따라 각 사업연도의 소득에 대한 법인지방소득세의 세율을 제1항에 따른 표준세율의 100분의 50 범위에서 가감할 수 있다.
- (자동차세 소유분 : 법 제127조 ③) 지방자치단체의 장은 제1항에도 불구하고 조례로 정하는 바에 따라 자동차세의 세율을 배기량 등을 고려하여 제1항에 따른 표준세율의 100분의 50까지 초과하여 정할 수 있다.
- (지역자원시설세 : 법 제146조 ④) 지방자치단체의 장은 조례로 정하는 바에 따라 지역자원시설세의 세율을 제1항과 제2항의 표준세율의 100분의 50 범위에서 가감할 수 있다. 다만, 제1항 제5호 및 제6호는 세율을 가감할 수 없다.
- (등록면허세 부동산등기분 : 법 제28조 ⑥) 지방자치단체의 장은 조례로 정하는 바에 따라 등록면허세의 세율을 제1항 제1호에 따른 표준세율의 100분의 50 범위에서 가감할 수 있다.
- (재산세 : 법 제111조 ③) 지방자치단체의 장은 특별한 재정수요나 재해 등의 발생으로 재산세의 세율 조정이 불가피하다고 인정되는 경우 조례로 정하는 바에 따라 제1항의 표준세율의 100분의 50 범위에서 가감할 수 있다. 다만, 가감한 세율은 해당 연도에만 적용한다.

제6조(지방자치단체의 장의 권한 위탁·위임 등)

법 제6조(지방자치단체의 장의 권한 위탁·위임 등) ① 지방자치단체의 장은 이 법 또는 지방세관계법에 따른 권한의 일부를 소속 공무원에게 위임하거나 중앙행정기관의 장(소속기관의 장을 포함한다. 이하 이 조에서 같다), 다른 지방자치단체의 장 또는 제151조의 2에 따라 설립된 지방자치단체조합(이하 "지방세조합"이라 한다)의 장(이하 "지방세조합장"이라 한다)에게 위탁 또는 위임할 수 있다.

② 제1항에 따라 지방자치단체의 장의 권한을 위탁받거나 위임받은 중앙행정기관의 장, 지방자치단체의 장 또는 지방세조합장은 그 권한의 일부를 소속 공무원(지방세조합장의 경우에는 지방자치단체 등에서 파견된 공무원을 말한다. 이하 이 조에서 같다)에게 재위임할 수 있다.

③ 제1항에 따라 권한을 위탁 또는 위임받은 중앙행정기관의 장, 지방자치단체의 장 또는 지방세조합장과 제2항에 따라 권한을 재위임받은 소속 공무원은 세무공무원으로 본다.

영 제3조(권한 위탁의 고시) 지방자치단체의 장은 법 제6조 제1항에 따라 법 또는 지방세관계법에 따른 권한의 일부를 중앙행정기관의 장(소속기관의 장을 포함한다) 또는 다른 지방자치단체의 장에게 위탁한 경우에는 수탁자, 위탁업무, 위탁기간, 그 밖에 필요하다고 인정하는 사항을 공보 또는 지방자치단체의 정보통신망에 고시하여야 한다.

지방자치단체장의 권한의 일부를 소속 공무원 및 타 지방자치단체의 장에게 위임 또는 위탁할 수 있도록 하고 있다.

"위임"이란 당사자 일방(위임인)이 상대방에 대하여 사무의 처리를 위탁하고 상대방(수임인)이 이를 승낙함으로써 성립하는 계약이다(민법 제680조). 위임을 받은 행정청은 그 사무를 자기의 직권으로 행하게 되며, 위임의 본지(本誌)에 따라 선량한 관리자의 주의로써 위임사무를 처리할 의무가 있다(민법 제681조).

「행정권한의 위임 및 위탁에 관한 규정」에서는 '위임이란 법률에 규정된 행정기관의 장의 권한 중 일부를 그 보조기관 또는 하급행정기관의 장이나 지방자치단체의 장에게 맡겨 그의 권한과 책임 아래 행사하도록 하는 것을 말한다.'라고 규정하고 있고, '위탁이란 법률에 규정된 행정기관의 장의 권한 중 일부를 다른 행정기관의 장에게 맡겨 그의 권한과 책임 아래 행사하도록 하는 것을 말한다.'라고 규정하고 있다.

위탁이란 용어는 어떤 기관이 본래 그 권한에 속하는 사무를 대등한 관계에 서서 다른 기관에 의뢰하여 행하게 하는 공법관계에서 사용되는 용어로 보면 될 것이다. 즉, '위탁'은 대등한 기관 사이에 있어서, 또는 적어도 그 기관에 대하여 특별한 권력관계에 있지 아니한 사이에 있어서 구체적인 사무를 의뢰하는 경우에 사용되는 용어이다.

| 최근 개정법령_2017.3.28. | 지방자치단체장 권한의 중앙행정기관장에의 위탁 등 근거 마련(법 제6조)

입국자가 휴대품·탁송품·별송품으로 담배를 반입하는 경우 또는 외국으로부터 탁송의 방법으로 담배를 반입하는 경우 담배를 반입하는 납세의무자의 편의 제고를 위해 국세(관세·부가가치세·개별소비세)와 지방세(담배소비세·지방교육세)의 신고·납부 창구를 일원화하는 내용의 「지방세법」이 개정(2015.12.29.)되어 세관장은 담배소비세를 부과·징수할 수 있다. 이 경우 세관장은 지방자치단체의 장의 위탁을 받아 담배소비세를 징수하는 것으로 보도록 규정하고 있다(제60조 ⑦). 그런데, 현행법에서는 지방자치단체의 장으로 하여금 "소속 공무원에게 위임하거나 다른 지방자치단체의 장에게 위임 또는 위탁"할 수 있도록 규정하고 있어 지방자치단체장의 담배소비세 부과·징수권한을 세관장에게 위탁한 것으로 보도록 규정하고 있는 「지방세법」과 부합하지 않는 측면이 있다. 따라서, 지방자치단체의 장으로 하여금 중앙행정기관의 장에게 권한의 일부를 위탁할 수 있도록 하였다.

◎ 통 · 리장에게는 지방세 징수권한을 위임할 수 없다고 한 사례

지방세법 제4조에서 지방자치단체의 장은 지방세법에 규정된 그 권한의 일부를 소속공무원에게 위임하거나 다른 지방자치단체의 장에게 위임 또는 위탁할 수 있다고 규정하고 있고, 통 · 리장의 경우 지방공무원법 제2조에서 규정하고 있는 공무원의 범위에 포함되지 아니하므로 귀문의 경우, 지방세법상 수임권한이 없는 통 · 리장에게 지방세 징수권한을 위임할 수는 없다고 할 것임(세정-4419, 2006.9.13.).

◎ 부과처분을 구청장(행정구)에 위임한 것이 조세법률주의에 위배되지 아니함

구 지방세법 제4조는 지방자치단체의 장은 법에 규정된 그 권한의 일부를 소속공무원 등에게 위임할 수 있다고 규정하고 있고, 지방자치법 제95조 제1항은 지방자치단체의 장은 조례 또는 규칙이 정하는 바에 의하여 그 권한에 속하는 사무의 일부를 하부행정기관 등에게 위임할 수 있다고 규정하고 있으며, 한편 ○○시사무의 구 및 동 위임조례 제2조는 ○○시장의 사무 중 납세의 고지 등을 포함한 지방세 부과징수에 관한 사무를 구청장에게 위임한다고 규정하고 있는 바, 위 규정들에 의하면, 지방자치단체의 장인 ○○시장은 위 위임조례가 정하는 바에 따라 이른바 자치사무에 해당하는 지방세 부과징수 사무를 하부행정기관인 피고에게 권한위임할 수 있음(대법원 2000두5258, 2001.12.14.).

◎ 내부위임을 받아 자신의 명의로 처리한 압류처분은 권한없는 자에 의해 행해진 무효처분

피고가 소외 ○○(주)에 부과고지한 취득세가 체납되자 그 취득세와 가산금의 강제징수를 위하여 원고가 분양받아 대금을 완납하였으나 아직 위 소외 회사 명의로 소유권보존등기가 되어 있는 이 사건 부동산에 관하여 피고 자신의 명의로 압류처분을 한 사실을 인정한 다음, 위 인정사실과 지방세법 및 ○○세 조례의 각 관련규정을 종합하면 이 사건 체납취득세에 대한 압류처분권한은 ○○지사로부터 ○○시장에게 권한위임된 것이고, ○○시장으로부터 압류처분권한을 내부위임을 받은 데 불과한 피고로서는 ○○시장 명의로 압류처분을 대행처리할 수 있을 뿐이고 자신의 명의로 할 수 없으므로 이 사건 압류처분은 권한 없는 자에 의하여 행하여진 무효처분임(대법원 93누6621, 1993.5.27.).

제7조(지방세의 세목)

> **법** 제7조(지방세의 세목) ① 지방세는 보통세와 목적세로 한다.
> ② 보통세의 세목은 다음 각 호와 같다. 1. 취득세 2. 등록면허세 3. 레저세 4. 담배소비세 5. 지방소비세 6. 주민세 7. 지방소득세 8. 재산세 9. 자동차세
> ③ 목적세의 세목은 다음과 같다. 1. 지역자원시설세 2. 지방교육세

지방세의 세목을 보통세와 목적세로 구분한다.

2011.1.1. 지방세법이 현재와 같이 지방세기본법, 지방세법, 지방세특례제한법으로 분법되었으며, 세목도 11개 세목으로 통·폐합되었다. 그 전까지는 지방세의 세목은 모두 16개 세목으로 구성되어 있었으며, 이를 ① 동일세원에 대한 중복 과세 폐지 ② 유사세목 통합 ③ 정책목적을 상실한 영세세목 폐지 등 3가지 기준을 적용하여 11개 세목으로 간소화한 것이다.

지방세 세목이 간소화되면서 보통세와 목적세의 구분이 변경되었으며, 목적세는 현재 지역자원시설세와 지방교육세의 두 가지만 존치하고 있다.

| 지방세법 분법에 따른 세목 간소화 현황(2011.1.1.) |

구분	통·폐합 전(16개)		통·폐합 후(11개)
중복과세 통·폐합	취득세 + 등록세(취득관련분)	➡	취득세
	재산세 + 도시계획세		재산세
유사세목 통 합	등록세(취득무관분) + 면허세		등록면허세
	공동시설세 + 지역개발세		지역자원시설세
	자동차세 + 주행세		자동차세
폐 지	도축세		※ 폐 지
현행유지	주민세, 지방소득세, 지방소비세, 담배소비세, 레저세, 지방교육세		좌 동

제8조(지방자치단체의 세목)

> **법** 제8조(지방자치단체의 세목) ① 특별시세와 광역시세는 다음 각 호와 같다. 다만, 광역시의 군(郡) 지역에서는 제2항에 따른 도세를 광역시세로 한다.
> 1. 보통세
> 가. 취득세 나. 레저세 다. 담배소비세 라. 지방소비세 마. 주민세 바. 지방소득세 사. 자동차세
> 2. 목적세 가. 지역자원시설세 나. 지방교육세
> ② 도세는 다음 각 호와 같다.
> 1. 보통세 가. 취득세 나. 등록면허세 다. 레저세 라. 지방소비세
> 2. 목적세 가. 지역자원시설세 나. 지방교육세
> ③ 구세는 다음 각 호와 같다.
> 1. 등록면허세 2. 재산세
> ④ 시·군세(광역시의 군세를 포함한다. 이하 같다)는 다음 각 호와 같다.
> 1. 담배소비세 2. 주민세 3. 지방소득세 4. 재산세 5. 자동차세
> ⑤ 특별자치시세와 특별자치도세는 다음 각 호와 같다.
> 1. 취득세 2. 등록면허세 3. 레저세 4. 담배소비세 5. 지방소비세 6. 주민세 7. 지방소득세 8. 재산세 9. 자동차세 10. 지역자원시설세 11. 지방교육세

세금의 부과기준은 일반적으로 소득, 소비, 재산으로 나누어진다. 소득을 기준으로 세금을 과세할 수 있다면 가장 공평한 과세가 될 것이나 개별적으로 소득을 완벽하게 파악하여 과세하는 것이 불가능하기 때문에 보완적으로 소득을 소비하는 부분에 대하여 '소비과세'를 과세하고, 소비하지 않고 모아둔 재산을 과세대상으로 하여 '재산과세'를 과세하게 된다.

이와 함께 소득, 소비, 재산이라는 세원을 기준으로 국세와 지방세를 어떻게 배분할 것인가 하는 문제가 따른다. 일반적으로 지방세의 성격으로 부담분임의 원칙, 응익과세의 원칙, 보편성의 원칙, 안정성의 원칙, 정착성의 원칙 등을 고려할 때 재산과세가 지방세로 적합하다고 볼 수 있다.

국세와 지방세를 나눈 기준은 국가재정과 지방재정의 재정수요 및 징세행정의 편의성 등을 감안하여 인위적으로 조정한 측면이 있다. 특별·광역시 자치구의 세목배분은 대표적인 예라 하겠다. 1988년 지방자치법[4]이 개정되면서 특별·직할시(후에 광역시)의 자치구가 처음으로 나타나게 됨에 따라 '區 자치제 실시' 기반을 구축하기 위하여 자치구의 재정규모에 상응하는 독립세를 구세로 지정[5]하였다. 이 당시 자치구의 세목으로 지정된 세목은 재원이

4) 지방자치법 개정 : 법률 제4004호, 1988.4.6. 개정, 1988.5.1. 시행

초과하는 구가 발생하는 것을 억제하는 수준에서 세목 중 구간(區間)의 세원분포가 비교적 보편적인 세목인 면허세, 재산세, 토지과다보유세,[6] 사업소세의 4개 세목이었다. 그러나 당시 면허세는 도의 경우 도세로 분류되어 있었음을 감안할 때 기초자치단체세 지정에 일정한 기준이 있는 것은 아님을 알 수 있다.

| 각급 지방자치단체별 세수 귀속 |

특별·광역시세	자치구세
• 보통세 : 취득세, 레저세, 담배소비세, 지방소비세, 주민세*, 지방소득세, 자동차세 • 목적세 : 지역자원시설세, 지방교육세	• 보통세 : 등록면허세, 재산세**

도세	시·군세(광역시의 군 포함)
• 보통세 : 취득세, 등록면허세, 레저세, 지방소비세 • 목적세 : 지역자원시설세, 지방교육세	• 보통세 : 담배소비세, 주민세, 지방소득세, 자동차세, 재산세

* 광역시 : 주민세 재산분 및 종업원분은 구세로 함.
** 특별시 : 재산세는 시와 자치구간 공동과세, 도시지역분(종전 도시계획세)은 특별시세로 함.

◎ 군이 광역시세인 취득세를 납부받는다 하더라도 이의 귀속의 주체는 광역시

지방세법상 취득세를 광역시세로, 국세기본법 제2조 제1호에 의하면 농어촌특별세를 국세로 각 정하고 있는 바, 군이 광역시세인 취득세를 납부받는 것은 광역시의 사무 처리에 불과하고, 피고로서는 납부받은 취득세를 다시 광역시에 납입하게 되는 이상, 이로 인하여 이득을 얻는 주체는 광역시라고 할 것이며, 군이 취득세의 귀속주체가 되는 것은 아니고, 국세인 농어촌특별세 또한 마찬가지라 할 것임(대법원 2010다5588, 2010.4.15.).

5) 지방세법 개정 : 법률 제4007호, 1988.4.6., 지방자치법에 의해 구가 지방자치단체로 된 날로부터 시행
6) 토지과다보유세는 1989.6.16. 법률 제4128호로 지방세법이 개정되면서 종전의 토지분의 재산세와 유휴토지 및 비업무용토지를 주요대상으로 과세되고 있는 토지과다보유세를 통·폐합하여 전국에 있는 모든 토지를 소유자별로 합산한 후 누진세율을 적용하는 종합토지세제가 도입됨에 따라 그 후부터는 종합토지세가 구세가 되었다가 현재는 재산세로 일원화되었다.

제9조(특별시의 관할구역 재산세의 공동과세)

법 제9조(특별시의 관할구역 재산세의 공동과세) ① 특별시 관할구역에 있는 구의 경우에 재산세(「지방세법」 제9장에 따른 선박 및 항공기에 대한 재산세와 같은 법 제112조 제1항 제2호 및 같은 조 제2항에 따라 산출한 재산세는 제외한다)는 제8조에도 불구하고 특별시세 및 구세인 재산세로 한다.

② 제1항에 따른 특별시세 및 구세인 재산세 중 특별시분 재산세와 구(區)분 재산세는 각각 「지방세법」 제111조 제1항 또는 제111조의 2에 따라 산출된 재산세액의 100분의 50을 그 세액으로 한다. 이 경우 특별시분 재산세는 제8조 제1항의 보통세인 특별시세로 보고 구분 재산세는 같은 조 제3항의 보통세인 구세로 본다.

③ 「지방세법」 제112조 제1항 제2호 및 같은 조 제2항에 따른 재산세는 제8조 제1항 및 제3항에도 불구하고 특별시세로 한다.

서울특별시의 경우 1960년대 이후 소위 '강남개발'이라 일컬어지는 정책적인 지원으로 강남지역의 생활기반시설과 교육환경이 좋아지면서 서울은 물론 국가전체의 부(富)가 강남지역으로 이전되었고, 특히 1988년 올림픽 이후 이런 현상이 더욱 두드러지면서 자치구간 지방세수 기반의 차이가 커지게 되었다. 그리고 토지의 효율적인 이용을 위해 도입된 종합토지세는 전국의 토지를 합산하여 과세표준별로 배분하다보니 땅값이 높은 강남지역에 배분되는 액수도 커지게 되는 등 강남과 강북소재 구간(區間) 지방세수 격차가 2007년 예산기준으로 14.8배에 이르게 되었다. 이에 따라 서울특별시 자치구 간 세수 격차를 완화하기 위하여 자치구세인 재산세를 서울시와 자치구간의 공동세로 하되, 서울시분 재산세는 자치구에 균등배분하여 자치구간 재원의 불균형을 완화하였다.

2011년 재산세와 통합된 도시계획세(통합 후에는 '재산세 과세특례', 현재는 '재산세 도시지역분')의 경우도 서울특별시는 자치구간 세수불균형 완화를 위해 특별시세로 귀속되나, 광역시의 경우는 자치구세에 해당한다.

제10조(특별시분 재산세의 교부)

법 제10조(특별시분 재산세의 교부) ① 특별시장은 제9조 제1항 및 제2항에 따른 특별시분 재산세 전액을 관할구역의 특별시분 재산세의 교부기준 및 교부방법 등 필요한 사항은 구의 지방세수(地方稅收) 등을 고려하여구에 교부하여야 한다.

② 제1항에 따른 특별시의 조례로 정한다. 다만, 교부기준을 정하지 아니한 경우에는 구에 균등 배분하여야 한다.
③ 제1항과 제2항에 따라 특별시로부터 교부받은 재산세는 해당 구의 재산세 세입으로 본다.

특별시분 재산세는 그 전액을 자치구에 균등하게 교부하여야 하며, 자치구가 교부받은 재산세는 자치구의 세입(稅入)으로 본다. 여기서 자치구가 교부받은 서울특별시분 재산세는 자치구의 세입으로 보도록 한 것은 공동세가 자치구간 세수입의 격차를 완화하기 위한 취지를 반영한 것인데 이를 자치구세가 아닌 재정교부금과 같이 구분할 경우 공동세를 도입한 목적과 배치되기 때문이다.

제11조(주민세의 특례)

법 제11조(주민세의 특례) 광역시의 경우에는 「지방세법」 제7장 제3절 및 제4절에 따른 주민세 사업소분 및 종업원분은 제8조 제1항 제1호 마목에도 불구하고 구세로 한다.

광역시의 경우 주민세재산분[7] 및 주민세종업원분[8]은 지방세 세목통합 전과 같이 구의 세목으로 하고 있다. 2011년 지방세 세목통합전의 구세인 사업소세가 재산할은 현행의 주민세로 통합되고 종업원할은 지방소득세로 통합됨에 따라 분법 전과 같이 자치구의 세원확보를 위해 세수가 종전대로 귀속되도록 특례를 두고 있다. 한편 2014년부터는 종업원분(종전의 종업원할)이 주민세의 하위 세원으로 변경[9]됨에 따라 조문이 정비되었다.

7) 2011.1.1. 세목통합전의 재산할사업소세

8) 2011.1.1. 세목통합전의 종업원할사업소세 → 2011.1.1. 세목통합으로 지방소득세 종업원분 → 2014.1.1. 주민세종업원분으로 변경

9) 2014년부터 지방소득세가 독립세로 전환되면서 지방소득세 종업원분을 주민세 종업원분으로 변경하였다. 지방소득세 종업원분은 사업주가 종업원 급여지급 총액의 0.5%를 균등하게 납부하는 세목으로 세입성격이 지역 사업자의 행정서비스 이용에 대해 균등하게 세원을 징수하는 것이므로, 응능과세 성격을 가진 소득세 보다는 응익과세 성격을 가진 주민세로 조정하는 것이 합리적이라는 측면을 반영한 것이다.

제11조의 2(지방소비세의 특례)

법 제11조의 2(지방소비세의 특례) 「지방세법」 제71조 제3항 제3호 가목 및 나목에 따라 시·군·구에 납입된 금액은 제8조 제1항부터 제4항까지에도 불구하고 시·군·구세로 한다.

| 최근 개정법령 _ 2020.1.1. | 지방소비세 시·군·구세 세입처리 특례 신설(법 §11의 2)

지방소비세 전부가 시·도세인데, 그 중 일부를 시·군·구세로 하는 특례를 신설하였다. 즉 국고보조사업에서 지방사업으로 전환되는 사업의 비용 보전 및 이에 따라 감소하는 조정교부금 보전을 위해 시·군·구로 배분하는 지방소비세 금액은 시·군·구세로 한다(2022.12.31.까지 한시적 적용, 지방세법 부칙 제2조).

☞ 지방세법 제71조 지방소비세 납입방식 참고

* 시·군·구 전환사업 보전액(0.8조) + 조정교부금 보전액(0.8조) = 1.6조

배분액		안분 방식	납입(안분)받는 자	세입처리
3.6조	2.8조	사업전환에 따른 시·도 보전액	상생기금 → 시·도지사	지방소비세
	0.8조	사업전환에 따른 시·군·구 보전액	상생기금 → 시·군·구청장	세외수입 →지방소비세
0.9조	0.8조	조정교부금(시·군·구) 감소액	시장·군수·구청장	세외수입 →지방소비세
	0.1조	교육전출금(교육청) 감소액	시·도 교육청	이전수입
잔여분 (약 4조)		민간최종소비지수 × 지역별가중치 1:2:3	시·도지사	지방소비세

제12조(관계 지방자치단체의 장의 의견이 서로 다른 경우의 조치)

법 제12조(관계 지방자치단체의 장의 의견이 서로 다른 경우의 조치) ① 지방자치단체의 장은 과세권의 귀속이나 그 밖에 이 법 또는 지방세관계법을 적용할 때 다른 지방자치단체의 장과 의견이 달라 합의되지 아니할 경우에는 하나의 특별시·광역시·도(이하 "시·도"라 한다)내에 관한 것은 특별시장·광역시장·도지사(이하 "시·도지사"라 한다), 둘 이상의 특별시·광역시·특별자치시·도·특별자치도(이하 "시·도등"이라 한다)에 걸쳐 있는 것에 관하여는 행정안전부장관에게 그에 관한 결정을 청구하여야 한다. 〈개정 2017.7.26.〉

② 시·도지사 또는 행정안전부장관은 관계 지방자치단체의 장으로부터 제1항에 따른 결정의 청

> 구를 받아 수리(受理)하였을 때에는 청구를 수리한 날부터 60일 이내에 결정하고, 지체 없이 그 결과를 관계 지방자치단체의 장에게 통지하여야 한다. 〈개정 2017.7.26.〉
> ③ 제2항에 따른 시·도지사의 결정에 불복하는 시장·군수·구청장은 그 통지를 받은 날부터 30일 이내에 행정안전부장관에게 심사를 청구할 수 있다. 〈개정 2017.7.26.〉
> ④ 행정안전부장관은 제3항의 심사의 청구를 수리하였을 때에는 청구를 수리한 날부터 60일 이내에 그에 대한 재결(裁決)을 하고, 그 결과를 지체 없이 관계 지방자치단체의 장에게 통지하여야 한다. 〈개정 2017.7.26.〉

지방세의 과세권은 지방세법의 각 세목에서 지방자치단체와 과세물건과의 관계 등을 고려하여 정하여져 있다. 지방자치단체 간 과세권의 귀속이나 지방세기본법 또는 지방세관계법을 적용할 때 다툼이 있을 경우 그에 관한 결정을 도나 행정안전부에 청구할 수 있다.

- 자치단체간 과세권 귀속에 관한 의견이 다른 경우에 있어 안행부가 그 과세권을 정한 결정을 한 경우라도 해당 결정이 법적 구속력을 지니지 아니하여 자치단체의 권한을 침해하지 아니하므로 헌재에 대한 권한쟁의 심판청구 대상이 될 수 없어 각하 대상임(헌재 2012헌라4, 2014.3.27.). ※ 지방세분석과-2043, 2012.7.17. 관련 결정례

- 행정안전부장관의 과세권 귀속에 관한 사항에 해당 여부

  「지방세기본법」 제12조의 "관계 지방자치단체의 장의 의견이 서로 다른 경우의 조치"는 지방세관계법에서 정하지 않거나 규정이 불분명한 경우 행정안전부장관 등이 과세권 귀속 등을 결정하는 규정으로서 여러 자치단체에 사업장을 두고 있는 법인의 법인세분 지방소득세 과세와 관련하여 A 자치단체에서 다른 자치단체에 소재하는 과세대상물건을 제외하고 A 자치단체에 소재하는 과세대상물건을 추가하여 그 비율에 따라 안분 과세하여 다른 자치단체와 과세권의 의견이 다르게 된 귀 문의 경우에는 법인세분 지방소득세의 사업장 안분에 관한 다툼으로 이는 A 자치단체가 추가 또는 제외한 과세대상물건이 적정한 지를 지방세법령에 따라 판단할 수 있으므로 「지방세기본법」 제12조의 과세권 귀속에 관한 사항이 아닌 것으로 판단(지방세분석과-2043, 2012.7.17.)

제13조(시·군·구를 폐지·설치·분리·병합한 경우의 과세권 승계)

법 제13조(시·군·구를 폐지·설치·분리·병합한 경우의 과세권 승계) ① 특별자치시·특별자치도·시·군·구(이하 "시·군·구"라 한다)를 폐지·설치·분리·병합한 경우 그로 인하여 소멸한 시·군·구(이하 "소멸 시·군·구"라 한다)의 징수금의 징수를 목적으로 하는 권리(이하 "징수금에 관한 권리"라 한다)는 그 소멸 시·군·구의 지역이 새로 편입하게 된 시·군·구(이하 "승계 시·군·구"라 한다)가 각각 승계한다. 이 경우 소멸 시·군·구의 부과·징수, 그 밖의 절차와 이미 접수된 신고 및 그 밖의 절차는 각각 승계 시·군·구의 부과·징수 및 그 밖의 절차 또는 이미 접수된 신고 및 그 밖의 절차로 본다.

② 제1항에 따라 소멸 시·군·구의 징수금에 관한 권리를 승계할 승계 시·군·구가 둘 이상 있는 경우에 각각 승계할 그 소멸 시·군·구의 징수금에 관한 권리에 대하여 해당 승계 시·군·구의 장 사이에 의견이 달라 합의가 되지 아니할 때에는 하나의 시·도 내에 있는 것에 관하여는 시·도지사, 둘 이상의 시·도등에 걸쳐 있는 것에 관하여는 행정안전부장관에게 그에 관한 결정을 청구하여야 한다. 〈개정 2017.7.26.〉

③ 제2항의 청구와 그 청구에 대한 시·도지사 또는 행정안전부장관의 결정에 관하여는 제12조 제2항부터 제4항까지의 규정을 준용한다. 〈개정 2017.7.26.〉

④ 제1항부터 제3항까지의 규정에 따라 승계 시·군·구가 소멸 시·군·구의 징수금에 관한 권리를 승계하여 부과·징수하는 경우에는 소멸 시·군·구의 부과·징수의 예에 따른다.

영 제4조(소멸 시·군·구에 대한 지방세환급금의 처리) ① 법 제13조 제1항에 따라 소멸한 특별자치시·특별자치도·시·군 및 구(자치구를 말한다. 이하 같다)의 징수금에 관한 권리를 승계하는 특별자치시·특별자치도·시·군·구(이하 "승계 시·군·구"라 한다)가 둘 이상인 경우에 그 소멸한 특별자치시·특별자치도·시·군 및 구(이하 "소멸 시·군·구"라 한다)에 과오납된 지방자치단체의 징수금이 있으면 그 승계 시·군·구 간의 합의에 따라 충당·환급하여야 한다.

② 제1항에 따라 승계 시·군·구가 소멸 시·군·구의 과오납된 지방자치단체의 징수금을 충당·환급하는 경우에는 소멸 시·군·구의 충당·환급의 예에 따른다.

시·군을 폐지·설치·분리·병합한 경우에는 '소멸 시·군'의 과세권이 '승계 시·군'으로 승계된다. 지방자치법 제9조는 "지방자치단체는 관할구역의 자치사무와 법령에 따라 지방자치단체에 속하는 사무를 처리한다."고 규정하고 있다. 따라서 지방세 과세권의 범위는 지방자치법에 의한 행정구역별 관할범위 내에서만 행사된다.

제13조 제1항의 「시·군을 폐지·설치·분리·병합한 경우」라 함은 지방자치법 제4조에 규정한 지방자치단체의 폐지·설치·분리·병합하는 경우와 시·군 및 자치구의 관할구역 경계변경의 경우를 말한다(예 : 어떤 시·군·구의 일부 읍·면·동을 다른 시·군·구의 관할지역으로 하는 경우 등)(예규 기법 13-1).

제14조~제16조(과세권 승계 등)

법 제14조(시·군·구의 경계변경을 한 경우의 과세권 승계) ① 시·군·구의 경계변경이 있는 경우 또는 시·군·구의 폐지·설치·분리·병합으로 새로 설치된 시·군·구의 전부 또는 일부가 종래 속하였던 시·군·구에 아직 존속할 경우에는 그 경계변경이 있었던 구역이 종래 속하였던 시·군·구 또는 새로 설치된 시·군·구 지역의 전부 또는 일부가 종래 속하였던 시·군·구[이하 "구(舊)시·군·구"라 한다]의 해당 구역 또는 지역에 대한 지방자치단체의 징수금으로서 다음 각 호에 열거하는 징수금(제2호의 지방자치단체의 징수금은 그 경계변경 또는 폐지·설치·분리·병합이 있는 날이 속하는 연도분 후의 연도분으로 과세되는 것으로 한정한다)에 관한 권리는 해당 구역 또는 지역이 새로 속하게 된 시·군·구[이하 "신(新)시·군·구"라 한다]가 승계한다. 다만, 구(舊)시·군·구와 신(新)시·군·구가 협의하여 이와 다른 결정을 하였을 때에는 그 결정한 바에 따라 승계할 수 있다.

1. 신고납부의 방법으로 징수하는 지방자치단체의 징수금은 그 경계변경 또는 폐지·설치·분리·병합이 있은 날 전에 납부기한이 도래하지 아니한 것으로서 해당 구(舊)시·군·구에 수입(收入)되지 아니한 것
2. 그 밖의 지방자치단체의 징수금은 그 경계변경 또는 폐지·설치·분리·병합을 한 날 이전에 해당 구(舊)시·군·구에 수입되지 아니한 것

② 제1항 본문에 따라 승계하는 경우에는 제13조 제1항 후단 및 같은 조 제2항부터 제4항까지의 규정을 준용하고, 제1항 단서에 따라 승계하는 경우에는 제13조 제1항 후단 및 같은 조 제4항을 준용한다.

③ 제1항 및 제2항에 따라 지방자치단체의 징수금을 승계한 경우에는 구(舊)시·군·구는 신(新)시·군·구의 요구에 따라 그 징수금의 부과·징수에 편의를 제공하여야 한다.

제15조(시·도등의 경계변경을 한 경우의 과세권 승계) ① 시·도등의 경계가 변경된 경우에 그 경계변경된 구역에서의 시·도등의 징수금에 관한 권리의 승계는 제13조와 제14조에서 규정한 방법에 준하여 관계 시·도등이 협의하여 정한다.

② 제1항의 협의가 되지 아니할 경우에는 제12조를 준용하고, 제1항의 협의에 따라 경계변경된 구역에 대한 시·도등의 징수금에 관한 권리를 승계하는 경우에는 제13조 제1항 후단 및 같은 조 제4항을 준용한다.

제16조(대통령령의 위임) 제13조부터 제15조까지의 규정에서 정하는 과세권 승계 외에 시·군·구의 경계변경 또는 폐지·설치·분리·병합을 한 경우와 이로 인하여 시·도등의 경계가 변경된 경우의 과세권 승계에 필요한 사항은 대통령령으로 정한다.

시·군의 경계변경이 있는 경우 또는 시·군의 폐지·설치·분리·병합을 한 경우의 '구(舊)시·군'의 지방세 징수금에 관한 권리는 '신(新)시·군'으로 승계한다.

시·도의 경계변경을 한 경우의 도의 징수금 승계에 관한 사항과 시·군의 경계변경 또는 폐지·설치·분리·병합을 한 경우와 이로 인하여 도의 경계변경을 한 경우의 과세권의

승계에 필요한 사항은 대통령령으로 정하도록 하고 있다.[10)]

◎ 지방자치단체 관할구역의 경계변경이 없는 한 매립지는 종전 지방자치단체에 속함

종래 특정한 지방자치단체의 관할구역에 속하던 공유수면이 매립되는 경우에도 법률 또는 대통령령 등에 의한 경계변경이 없는 한 그 매립지는 지방자치단체의 관할구역에 편입됨(헌재 2000헌라2, 2004.9.23., 판례집 46-2, 404, 443 같은 뜻).

10) 대통령령에 위임하고 있으나 대통령령에서 별도의 규정을 두고 있지는 않다.

제3절

지방세 부과 등의 원칙

제17조(실질과세)

> **법** 제17조(실질과세) ① 과세의 대상이 되는 소득·수익·재산·행위 또는 거래가 서류상 귀속되는 자는 명의(名義)만 있을 뿐 사실상 귀속되는 자가 따로 있을 때에는 사실상 귀속되는 자를 납세의무자로 하여 이 법 또는 지방세관계법을 적용한다.
> ② 이 법 또는 지방세관계법 중 과세표준 또는 세액의 계산에 관한 규정은 소득·수익·재산·행위 또는 거래의 명칭이나 형식에 관계없이 그 실질내용에 따라 적용한다.

실질과세의 원칙은 헌법상의 기본이념인 평등의 원칙을 조세법률관계에 구현하기 위한 실천적 원리로서, 조세의 부담을 회피할 목적으로 과세요건사실에 관하여 실질과 괴리되는 비합리적인 형식이나 외관을 취하는 경우에 그 형식이나 외관에 불구하고 실질에 따라 담세력이 있는 곳에 과세함으로써 부당한 조세회피행위를 규제하고 과세의 형평을 제고하여 조세정의를 실현하고자 하는 데 주된 목적이 있다. 이는 조세법의 기본원리인 조세법률주의와 대립관계에 있는 것이 아니라 조세법규를 다양하게 변화하는 경제생활관계에 적용함에 있어 예측가능성과 법적 안정성이 훼손되지 않는 범위 내에서 합목적적이고 탄력적으로 해석함으로써 조세법률주의의 형해화를 막고 실효성을 확보한다는 점에서 조세법률주의와 상호보완적이고 불가분적인 관계에 있다고 할 것이다(대법원 2008두8499, 2012.1.19. 전원합의체).

1. 실질과세의 원칙을 반영한 사례

◎ 국기법 제14조에서 정한 실질과세 원칙과 조세법률주의의 관계 및 구 지방세법 제105조 제6항 에 따른 취득세 납세의무자를 판단하면서 실질귀속자 과세의 원칙을 적용한 사례

당해 주식이나 지분의 귀속 명의자는 이를 지배·관리할 능력이 없고 명의자에 대한 지배권 등을 통하여 실질적으로 이를 지배·관리하는 자가 따로 있으며, 그와 같은 명의와 실질의 괴리가 위 규정의 적용을 회피할 목적에서 비롯된 경우에는, 당해 주식이나 지분은 실질적으로 이를 지배·관리하는 자에게 귀속된 것으로 보아 그를 납세의무자로 삼아야 할 것임. 그리고 그 경우에 해당하는지는 당해 주식이나 지분의 취득 경위와 목적, 취득자금의 출처, 그 관리와 처분과정, 귀속명의자의 능력과 그에 대한 지배관계 등 제반 사정을 종합적으로 고려하여 판단하여야 함 ⇒ 모회사 갑 외국법인이 100% 지분을 소유하고 있는 자회사들인 을 외국법인과 병 외국법인이 정 내국법인의 지분 50%씩을 취득하고, 을 회사가 75% 지분을 소유하고 있는 무 내국법인의 나머지 지분 25%를 병 회사가 취득한 경우 갑의 취득세 납부 의무가 있음(대법원 2008두8499, 2012.1.19. 전원합의체).

◎ 주식이나 지분은 실질적으로 이를 지배·관리하는 자에게 귀속된 것으로 보아 과점주주 간주 취득세 납세의무자로 보아야 할 것임

당해 주식이나 지분의 귀속 명의자는 이를 지배·관리할 능력이 없고 그 명의자에 대한 지배권 등을 통하여 실질적으로 이를 지배·관리하는 자가 따로 있으며, 그와 같은 명의와 실질의 괴리가 간주취득세의 적용을 회피할 목적에서 비롯된 경우에는, 당해 주식이나 지분은 실질적으로 이를 지배·관리하는 자에게 귀속된 것으로 보아 그를 납세의무자로 삼아야 할 것임(대법원 2008두13293, 2012.2.9.).

2. 실질과세의 원칙을 부인한 사례

◎ 휴면법인을 매수한 경우 등록세 중과세 대상인 '법인의 설립'으로 볼 수 없음

납세자가 경제활동을 함에 있어서는 동일한 경제적 목적을 달성하기 위하여서도 여러 가지의 법률관계 중 하나를 선택할 수 있는 것이고, 과세관청으로서는 특별한 사정이 없는 한 당사자들이 선택한 법률관계를 존중하여야 할 것이되, 실질과세의 원칙에 의하여 당사자의 거래행위를 그 형식에도 불구하고 조세회피행위라고 하여 그 행위의 효력을 부인할 수 있으려면 조세법률주의 원칙상 법률에 개별적이고 구체적인 부인규정이 마련되어야 하는 것이므로, 휴면법인을 매수한 다음 법인의 임원, 자본, 상호, 목적사업 등을 변경하였다 하여 이를 '법인의 설립'으로 보아 등록세를 중과세 할 수 없음(대법원 2007두26629, 2009.4.9.).

☞ 납세의무자가 경제활동을 함에 있어서는 동일한 경제적 목적을 달성하기 위하여서도 여러 가

지의 법률관계 중 하나를 선택할 수 있는 것이고, 과세관청으로서는 특별한 사정이 없는 한 당사자들이 선택한 법률관계를 존중하여야 할 것이되, 실질과세의 원칙에 의하여 당사자의 거래행위를 그 형식에도 불구하고, 조세회피행위라고 하여 그 행위의 효력을 부인할 수 있으려면 조세법률주의 원칙상 법률에 개별적이고 구체적인 부인규정이 마련되어야 한다는 논리를 바탕으로 하였음. ※ '대법원 2008두8499, 2012.1.19.' 판결과 비교해 볼 수 있는 사례임.

제18조(신의성실)

> **법** 제18조(신의성실) 납세자와 세무공무원은 신의에 따라 성실하게 그 의무를 이행하거나 직무를 수행하여야 한다.

신의성실의 원칙은 상대방의 합리적인 기대나 신뢰를 배반할 수 없다는 법원칙으로서 신뢰보호의 원칙, 금반언(禁反言)의 법리 등으로 불리며, 본래 사법관계를 그 적용대상으로 하여 발전하여 왔다. 민법상의 신의성실의 원칙은 법률관계의 당사자는 상대방의 이익을 배려하여 형평에 어긋나거나 신뢰를 저버리는 내용 또는 방법으로 권리를 행사하거나 의무를 이행하여서는 안된다는 추상적 규범을 말한다(대법원 91다3802, 1991.12.10.).

1. 과세관청에 대한 신의칙 적용

신의성실의 원칙은 합법성을 희생하여서라도 납세자의 신뢰를 보호함이 정의·형평에 부합하는 것으로 인정되는 특별한 사정이 있는 경우에 적용되는 것이므로, 과세관청의 행위에 대하여 신의성실의 원칙이 적용되기 위해서는 판례는 다음과 같은 요건이 갖추어져야 된다고 밝히고 있다. (1) 과세관청이 납세자에게 신뢰의 대상이 되는 공적인 견해를 표명하여야 하고, (2) 납세자가 과세관청의 견해표명이 정당하다고 신뢰한 데 대하여 납세자에게 귀책사유가 없어야 하며, (3) 납세자가 그 견해 표명을 신뢰하고 이에 따라 무엇인가 행위를 하여야 하고, (4) 과세관청이 위 견해 표명에 반하는 처분을 함으로써 납세자의 이익이 침해되는 결과가 초래되어야 한다(대법원 84누593, 94누12159 등). 즉, 위와 같은 요건을 모두 충족한 경우에는 과세관청의 처분은 신의성실의 원칙에 위반되는 행위로서 위법하다고 볼 수 있다(대법원 84누593, 94누12159 등).

◎ 납세의무자가 종전 규정의 조세감면 등을 신뢰하였더라도 특별한 사정이 없는 한 납세의무 성립 당시의 법령을 적용함

납세의무자가 종전 규정에 의한 조세감면 등을 신뢰하여 종전 규정의 시행 당시에 과세요건의 충족과 밀접하게 관련된 직접적인 원인행위로 나아감으로써 일정한 법적 지위를 취득하거나 법률관계를 형성하는 등 그 신뢰를 마땅히 보호하여야 할 정도에 이른 경우에는 예외적으로 납세의무 성립 당시의 법령이 아니라 그 원인행위가 이루어진 당시의 법령인 종전 규정이 적용된다고 할 것이나, 이러한 정도에 이르지 않은 경우에는 설령 납세의무자가 종전 규정에 의한 조세감면 등을 신뢰하였더라도 이는 단순한 기대에 불과하므로, 원칙으로 돌아가 종전 규정이 아니라 납세의무 성립 당시의 법령이 적용된다고 할 것임(대법원 2015두42512, 2015.9.24.).

◎ 조세 법률관계에서 신의성실 원칙과 비과세 관행의 적용 요건

일반적으로 조세 법률관계에서 과세관청의 행위에 대하여 신의성실의 원칙이 적용되기 위하여는 과세관청이 납세자에게 신뢰의 대상이 되는 공적인 견해표명을 하여야 하고, 또한 국세기본법 제18조 제3항[11]에서 말하는 비과세 관행이 성립하려면 상당한 기간에 걸쳐 과세를 하지 아니한 객관적 사실이 존재할 뿐만 아니라 과세관청 자신이 그 사항에 관하여 과세할 수 있음을 알면서도 어떤 특별한 사정 때문에 과세하지 않는다는 의사가 있어야 하며 위와 같은 공적 견해나 의사는 명시적 또는 묵시적으로 표시되어야 하지만 묵시적 표시가 있다고 하기 위하여는 단순한 과세누락과는 달리 과세관청이 상당기간의 불과세 상태에 대하여 과세하지 않겠다는 의사표시를 한 것으로 볼 수 있는 사정이 있어야 하고, 이 경우 특히 과세관청의 의사표시가 일반론적인 견해표명에 불과한 경우에는 위 원칙의 적용을 부정하여야 할 것임(대법원 95누10181, 1995.11.14.).

◎ 과세관청이 납세자에게 신뢰의 대상이 되는 공적인 견해를 표명하였다는 사실은 납세자가 주장·입증하여야 함(대법원 91누9824 1992.3.31. 등).

◎ 과세관청의 공적인 견해표명은 원칙적으로 일정한 책임 있는 지위에 있는 세무공무원에 의하여 이루어짐을 요하나, 반드시 행정조직상의 형식적인 권한 분장에 구애될 것은 아니고 담당자의 조직상의 지위와 임무, 당해 언동을 하게 된 구체적인 경위 및 그에 대한 납세자의 신뢰가능성에 비추어 실질에 의해 판단하여야 함(대법원 94누12159, 1995.6.16.).

◎ 과세관청의 기관장이나 과장 등 책임자만을 의미하는 것이 아니라 업무상 당해 사항을 관장하고 있는 하위직 세무공무원이라도 족함(대법원 80누574, 1982.10.12., 대법원 88누5280,

11) 세법의 해석 또는 국세행정의 관행이 일반적으로 납세자에게 받아들여진 후에는 그 해석 또는 관행에 의한 행위 또는 계산은 정당한 것으로 보며, 새로운 해석 또는 관행에 의하여 소급하여 과세되지 아니한다.

1990.10.10. 등).

☞ 과세관청의 공적견해 표명에 해당한다고 본 사례(국세)로는 대법원 84누593, 88누5280, 93누22517 등이 있고, 공적견해 표명에 해당하지 아니한다고 본 사례로는 대법원 89누5584, 90누202, 92누12919, 94누1944, 98두2119 등이 있음.

1) 신의칙 인정 사례

- 과세관청의 회신이 납세자의 추상적인 질문에 대한 일반론적인 견해표명에 불과한 경우에는 공적 견해에 해당되지 않으나, 납세자가 자신의 사안에 관하여 구체적으로 질의를 하였고, 과세관청이 이에 대하여 비과세 의견으로 회신한 경우에는 공적인 견해표명에 해당된다고 보아야 함(대법원 93누22517, 1994.3.22.).
- 송전철탑에 진입하기 위해 진입로 설치비용은 철탑의 취득세 과표에 포함되지 않는다는 행안부의 질의회신은 신의칙 적용대상에 해당함(대법원 2009두5350, 2009.9.10.).
- 한국건설기술인협회의 경우 감면대상 기술진흥단체에 해당한다는 내무부 질의회신의 경우 신의칙 적용대상에 해당함(대법원 2008두1115, 2008.6.12.).
- 과세관청의 지위에 있는 구청장의 지시에 의하여 총무과 소속 공무원이 대체 부동산에 대한 취득세 면제 약속을 함에 따라 납세자가 이를 믿고 부동산의 매각의사를 결정한 경우라면, 과세관청의 공적견해표명으로 볼 수 있음(대법원 94누12159, 1995.6.16.).

2) 신의칙 부인 사례

- 납세자가 직접 질의한 것이 아닌 자치단체가 행안부에 질의한 사안에 대한 회신의 경우 신의칙 대상이 될 수 없음

  ○○광역시는 2011.4.26. 행정안전부에 원고가 이 사건 산업단지 내에 신축하여 분양 및 임대 예정인 '○○센터(판매시설, 집회시설 및 공연관)'가 구 지특법 제78조 제2항에 따른 취득세 감면 대상인지 여부를 질의하였고, 행정안전부는 2011.6.7. '구 지특법 제78조 제2항은 사업시행자가 산업단지를 개발, 조성하여 분양 또는 임대목적으로 취득하는 부동산이라고 규정하고 있어 감면 대상 부동산을 산업용 건축물로 한정할 수 없다'고 답변하였음. 그러나 ○○광역시의 질의에 대하여 행정안전부가 한 회신을 과세관청의 대외적 의사표시라고 할 수 없고, 달리 피고의 비과세 의사가 표시되었다고 볼 만한 사정도 없음(대법원 2019두45180, 2019.10.18. 확정).
- 과세관청이 질의회신 등을 통하여 어떤 견해를 표명하였다고 하더라도 그것이 중요한 사실관계와 법적인 쟁점을 제대로 드러내지 아니한 채 질의한 데 따른 것이라면 공적인 견해표명에 의하여 정당한 기대를 가지게 할 만한 신뢰가 부여된 경우라고 볼 수 없음(대법원 2011두

5940, 2013.12.26.).

◎ 임야를 비과세로 고지한 것은 신뢰의 대상이 되는 공적 견해 표명으로 볼 수 있으나, 그러한 신뢰에 기하여 재산상의 조치를 하였음을 인정할 증거가 없어 신의칙 위반이 아님

이 사건 부과처분은 이 사건 임야에 관한 2005년부터 2008년까지의 재산세 비과세처분의 취소와 위 기간 중 임야에 관한 재산세의 부과처분의 성질을 동시에 갖는 것으로 볼 수 있으므로 피고가 이 사건 각 부과처분과 별도로 재산세 비과세처분의 취소처분을 하지 아니하였다 하여 각 부과처분에 어떠한 하자가 있다고 볼 수 없음. 피고가 재산세 납부 통지를 하면서 이 사건 임야를 비과세로 고지한 것은 신뢰의 대상이 되는 공적 견해를 표명한 것으로 볼 수 있으나, 원고가 그러한 신뢰에 기하여 어떠한 재산상의 조치를 하였음을 인정할 증거가 없으므로, 신의성실 원칙 위반이 아님(대법원 2011두19864, 2011.11.10.).

◎ 신고납부용 고지서 교부는 단순한 사실행위에 불과하고, 취득세를 신고한 대로 과세관청이 수리하면서 이의를 제기하지 않았다 하여 신뢰를 가지게 한 것은 아님

종전에 원고의 취득세 등 신고를 신고한 대로 수리하면서 그 신고가액 등에 대하여 아무런 이의를 제기하지 않았고 그로부터 1년여의 시간이 경과하였다 하더라도 피고가 명시적이든 묵시적이든 원고로 하여금 신고한 세액대로 취득세 등이 확정되리라는 신뢰를 가지게 하였다거나 그에 관한 공적인 견해를 표명하였다고 볼 수 없음(대법원 2009두8014, 2011.7.28.).

◎ 감면신청에 대해 신고대로 감면하였으나, 사후 추징한 경우 신뢰보호원칙 대상이 아님

감면신청에 대하여 신고내용 대로 감면대상으로 보고 감면을 하였으나, 현황 조사결과 감면요건에 해당하지 아니한 것을 확인하여 감면을 배제하고 과세처분을 한 경우 비록 납세자가 감면대상에 해당한다고 신뢰를 하였다 하더라도 납세자에게도 귀책사유가 있으므로, 신뢰보호의 원칙이 적용될 수 없음(대법원 2010두15254, 2011.11.11.).

◎ 체납에도 불구하고 발급된 납세증명서를 보고 금융기관이 대출을 하고 이후 경매절차에서 국가가 체납세금을 교부청구한 경우 금융기관은 납세자가 아니므로 신의칙 위반이 아님

납세의무자에게 징수유예된 체납세금이 있음에도, 세무서장이 납세의무자에게 '징수유예 또는 체납처분유예의 내역'란을 공란으로 한 납세증명서를 발급하였고, 납세의무자는 그 납세증명서를 금융기관에 제출하여 금융기관이 납세의무자 소유의 부동산들에 근저당권을 설정하고 대출을 하였는데, 이후 금융기관의 신청에 의하여 개시된 임의경매절차에서 국가가 위 징수유예된 체납세금에 대한 교부청구를 한 사안에서, 금융기관은 문제가 된 조세의 납세의무자가 아니므로 조세법률관계에 있어서의 신뢰보호의 원칙이 적용될 수 없고, 교부청구가 신의칙 위반이나 권리남용으로 볼 수 없음(대법원 2003다18401, 2006.5.26.).

◎ 공무원이 취득신고서를 전산출력(일반세율 적용)하여 교부하더라도 신의칙 대상 아님

과세관청에서 취득신고서를 전산으로 출력하여 주고 있더라도, 이는 신고납세절차의 편의를 위하여 원래 납세자가 작성하여야 할 신고서에 조세공무원이 납세자의 동의를 전제로 세액 등을 대신 기재할 수 있도록 한 것에 불과하므로(대법원 98두16163, 1999.6.11.), 세무공무원이 중과세율이 아닌 일반 세율로 계산한 세액계산서를 작성하여 교부하였다 하더라도 신의칙 대상이 될 수 없음(대법원 2000두6393, 2005.10.13.).

◎ 회신 내용이 그 후 행정안전부 산하 기관이 발행한 공무원 교육용 교재나 행정안전부의 지방세 종합정보시스템에 수록되었다고 하여 그러한 비과세 관행이 존재한다고 볼 것도 아니라고 할 것임(대법원 2011두5940, 2013.12.26.).

◎ 중앙부처의 질의회신 내용에 종국적으로 과세권자가 사실 여부를 확인하여 결정할 사안임을 명시하고 있는 경우에는 그 질의회신이 신뢰보호의 근거가 되기에는 심히 부족함(대법원 2008두10188, 2008.10.9.).

◎ 인터넷 홈페이지를 통한 질의 답변의 경우에도 공적인 견해표명으로 볼 수 없음

인터넷 홈페이지를 통한 질의에 대해 국세청이 일반적인 법 해석에 관한 원칙을 답변하였다거나 이 사건 양도소득세를 기준시가로 신고·납부한 후 피고가 3년 동안 과세처분을 하지 않았다 하더라도 그것만으로 이 사건 양도에 대해 실지거래가액으로 과세처분을 하지 않겠다는 공적인 견해표명을 하였다고 볼 수 없음(대법원 2013두24532, 2014.3.13.).

◎ 감사원 심사청구 사건에서 청구인의 주장을 받아들여 인용 결정을 한 바 있다 할지라도 이를 피고의 공적인 견해표명으로 볼 수 없음(서울행법 2009구합41721, 2009.12.17. 대법 확정).

◎ 세무담당공무원이 아닌 사업부서의 세제해택에 대한 답변만으로는 신의칙 대상이 되는 공적인 표명으로 볼 수 없음(대법원 2011다91470, 2013.7.25.).

2. 납세의무자에 대한 신의칙 적용

납세의무자가 과세관청에 대하여 자기의 과거의 언동에 반하는 행위를 하였을 경우에는 세법상 조세감면 등 혜택의 박탈, 신고불성실·기장불성실·자료미제출가산세 등 가산세에 의한 제재, 각종 세법상의 벌칙 등 불이익처분을 받게 된다. 그리고 과세관청은 실지조사권을 가지고 있는 등 세법상 우월한 지위에서 조세과징권을 행사하고 있고, 과세처분의 적법성에 대한 입증책임은 원칙적으로 과세관청에 있는 점 등을 고려한다면, 납세의무자에 대한 신의성실의 원칙의 적용은 극히 제한적으로 인정하여야 하고 이를 확대해석하여서는 아니된다(대법원 95누18383, 1997.3.20. 전원합의체).

납세의무자에게 신의칙을 적용하기 위해서는 객관적으로 모순되는 행태가 존재하고, 그 행태가 납세의무자의 심한 배신행위에 기인하였으며, 그에 기하여 야기된 과세관청의 신뢰가 보호받을 가치가 있는 것을 그 요건으로 볼 수 있다(대법원 98두17968, 1999.11.28. 참조).

1) 신의칙 인정 사례

- 농지의 명의수탁자가 적극적으로 농가이거나 자경의사가 있는 것처럼 하여 소재지 관서의 증명을 받아 그 명의로 소유권이전등기를 마치고 그 농지에 관한 소유자로 행세하면서, 한편으로 증여세 등의 부과를 면하기 위하여 농가도 아니고 자경의사도 없었음을 들어 농지개혁법에 저촉되기 때문에 그 등기가 무효라고 주장함은 전에 스스로 한 행위와 모순되는 행위를 하는 것으로 자기에게 유리한 법지위를 악용하려 함에 지나지 아니하므로 이는 신의성실의 원칙이나 금반언의 원칙에 위배됨(대법원 89누8224, 1990.7.24.).
- 연속되는 일련의 거래과정에서 부가가치세 매출세액의 포탈을 목적으로 하는 악의적 사업자가 존재하고 그로 인하여 자신의 매입세액 공제·환급이 다른 세수의 손실을 가져온다는 사정을 알았거나 중대한 과실로 알지 못한 수출업자가 매입세액의 공제·환급을 구하는 것은 신의성실의 원칙 위반임(대법원 2009두13474, 2011.1.20.).
- 납세의무자가 명의신탁받은 부동산을 신탁자 등에게 임대한 것처럼 가장하여 사업자등록을 마치고 그 중 건물 등의 취득가액에 대한 매입세액까지 환급받은 다음, 임대사업의 폐업신고 후 잔존재화의 자가공급 의제규정에 따른 부가가치세 부과처분 등에 대하여 그 부동산은 명의신탁된 것이므로 임대차계약이 통정허위표시로서 무효라고 주장하는 것은 신의성실의 원칙에 위배됨(대법원 2006두14865, 2009.4.23.).

2) 신의칙 부인 사례

- 매매계약을 체결한 후 토지거래허가가 나지 아니하자 증여를 원인으로 한 소유권이전등기를 하였다면 그 계약은 확정적으로 무효가 되었고 그 소유권이전등기 또한 무효이어서 그에 대한 증여세 납부의무도 없다 할 것이므로, 그 무효 등기의 원상복구 여부와 관계없이 증여세 납부의무를 다툰다 하여 이를 신의성실의 원칙이나 금반언의 원칙에 위반되는 것이라 할 수 없음(대법원 95누18383, 1997.3.20.).
- 납세의무자가 자산을 과대계상하거나 부채를 과소계상하는 등의 방법으로 분식결산을 하고 이에 따라 과다하게 법인세를 신고·납부하였다가 그 과다납부한 세액에 대하여 취소소송을 제기하여 다툰다는 사정만으로 신의성실의 원칙에 위반될 정도로 심한 배신행위를 하였다고 볼 수는 없는 것이고, 과세관청이 분식결산에 따른 법인세 신고를 그대로 믿고 과세하였다고 하더라도 이를 보호받을 가치가 있는 신뢰라고 할 수도 없음(대법원 2005두6300, 2006.1.26.).

제19조(근거과세)

법 제19조(근거과세) ① 납세의무자가 지방세관계법에 따라 장부를 갖추어 기록하고 있을 때에는 해당 지방세의 과세표준 조사 및 결정은 기록한 장부와 이에 관계되는 증거자료에 따라야 한다.
② 제1항에 따라 지방세를 조사·결정할 때 기록 내용이 사실과 다르거나 누락된 것이 있을 때에는 그 부분에 대해서만 지방자치단체가 조사한 사실에 따라 결정할 수 있다.
③ 지방자치단체는 제2항에 따라 기록 내용과 다른 사실이나 누락된 것을 조사하여 결정하였으면 지방자치단체가 조사한 사실과 결정의 근거를 결정서에 덧붙여 적어야 한다.
④ 지방자치단체의 장은 납세의무자 또는 그 대리인의 요구가 있을 때에는 제3항의 결정서를 열람하게 하거나 사본을 발급하거나 그 사본이 원본(原本)과 다름이 없음을 확인하여야 한다.
⑤ 제4항의 요구는 구술로 한다. 다만, 해당 지방자치단체의 장이 필요하다고 인정하면 결정서를 열람하거나 사본을 발급받은 사람의 서명을 요구할 수 있다.

근거가 불충분한 과세를 지양하여 납세자의 재산권이 부당히 침해되지 않도록 자의적인 과세(恣意課稅)를 방지함으로써 납세의무자의 권리를 보장하는 것이 그 취지라 할 것이며, 실지조사결정, 결정근거의 부기, 결정서의 열람·복사를 그 내용으로 하고 있다.

◎ **취득신고를 하였다는 사실만으로 소유권 취득의 실질적 요건을 갖추었다고 볼 수 없음**
청구인은 잔금을 지급하지 아니하였다는 사실을 적극적으로 입증할 방법이 마땅하지 아니하고, 취득세를 징수하는 처분청으로서는 근거과세의 원칙상 과세의 근거가 되는 확실한 증빙자료를 갖춘 후에 과세하여야 할 기본적인 책임이 있다는 점에 비추어 청구인의 취득사실을 입증할 수 있는 구체적인 증빙이 없이 단순히 취득신고를 하였다는 사실만으로 이 사건 토지에 대한 소유권 취득의 실질적 요건을 갖추었다고 보는 것은 무리라 하겠음(지방세심사 2003-210, 2003.10.27.).

◎ **실지조사나 진부확인 없이 수사기관의 수사서류를 근거로 한 처분은 위법**
형사재판에서 조세포탈사실이 인정된 경우에는 이를 채용할 수 없는 특별한 사정이 없는 한 유력한 과세근거 자료가 될 수 있으나(대법원 89누4994, 1990.5.22.), 과세관청이나 그 상급관청 또는 수사기관의 일방적이고 억압적인 강요로 말미암아 그 작성자의 자유로운 의사에 반하여 별다른 합리적이고 타당한 근거도 없이 작성된 것(대법원 88누681, 1989.5.23.)이나 세무공무원이 수사기관에서 통보해 온 메모지와 잡기장 등 수사서류에 대한 진부확인이나 실지조사를 하지 않은 것(대법원 85누680, 1987.12.8.)을 근거 삼아 한 처분은 위법함.

제20조(해석의 기준 등)

> **법** 제20조(해석의 기준 등) ① 이 법 또는 지방세관계법을 해석·적용할 때에는 과세의 형평과 해당 조항의 목적에 비추어 납세자의 재산권이 부당하게 침해되지 아니하도록 하여야 한다.
> ② 지방세를 납부할 의무(이 법 또는 지방세관계법에 징수의무자가 따로 규정되어 있는 지방세의 경우에는 이를 징수하여 납부할 의무를 말한다. 이하 같다)가 성립된 소득·수익·재산·행위 또는 거래에 대해서는 의무 성립 후의 새로운 법에 따라 소급하여 과세하지 아니한다.
> ③ 이 법 및 지방세관계법의 해석 또는 지방세 행정의 관행이 일반적으로 납세자에게 받아들여진 후에는 그 해석 또는 관행에 따른 행위나 계산은 정당한 것으로 보며 새로운 해석 또는 관행에 따라 소급하여 과세되지 아니한다.

지방세기본법 및 지방세관계법을 해석·적용함에 있어서는 형평과 합목적성 등에 비추어 해석·적용하여야 하고, 납세의무 성립 후 새로운 세법이나 해석에 의하여 소급하여 과세되지 않는다. 「지방세기본법」 제20조 제3항에서 「이 법 및 지방세관계법의 해석 또는 지방세 행정의 관행이 일반적으로 납세자에게 받아들여진 후」라 함은 성문화의 여부에 관계없이 행정처분의 선례가 반복됨으로써 납세자가 그 존재를 일반적으로 확신하게 된 것을 말하며 명백히 법령위반인 경우는 제외한다(예규 기법 20-1). 새로운 세법해석의 적용시점과 관련하여 이 법 또는 「지방세관계법」의 새로운 해석이 종전의 해석과 상이한 경우에는 새로운 해석이 있는 날 이후에 납세의무가 성립하는 분부터 새로운 해석을 적용한다(예규 기법 20-2).

세법해석의 기준에 있어 조세법률주의에 근거한 엄격 해석의 원칙을 추구해야 하지만 한편으로는 조세법률주의가 지향하는 법적안정성·예측가능성의 범위 내에서 합목적적 해석이 가능하다.

◎ 조세법률주의에 근거한 엄격 해석의 원칙

조세법률주의의 원칙상 과세요건이거나 비과세요건 또는 조세감면요건을 막론하고 조세법규의 해석은 특별한 사정이 없는 한 법문대로 해석할 것이고, 납세자에게 유리하다고 하여 합리적 이유 없이 확장해석하거나 유추해석하는 것은 허용되지 아니하며, 특히 감면요건 가운데 명백히 특혜규정이라고 볼 수 있는 것은 엄격하게 해석하는 것이 조세공평의 원칙에도 부합한다고 할 것임(대법원 2003두7392, 2004.5.28. 등 참조).

◎ 조세법률주의가 지향하는 법적안정성·예측가능성의 범위 내에서 합목적적 해석은 가능

조세법률주의의 원칙상 조세법규의 해석은 특별한 사정이 없는 한 법문대로 해석하여야 하고 합리적 이유 없이 확장해석하거나 유추해석하는 것은 허용되지 않지만, 법규 상호 간의 해석을 통하여 그 의미를 명백히 할 필요가 있는 경우에는 조세법률주의가 지향하는 법적 안정성 및 예측가능성을 해치지 않는 범위 내에서 입법 취지 및 목적 등을 고려한 합목적적 해석을 하는 것은 불가피함(대법원 2007두4438, 2008.2.15.).

◎ 비과세 관행이라 함은 비록 잘못된 해석 또는 관행이라도 특정 납세자가 아닌 불특정한 일반 납세자에게 정당한 것으로 이의 없이 받아들여져 납세자가 그와 같은 해석 또는 관행을 신뢰하는 것이 무리가 아니라고 인정될 정도에 이른 것을 의미하고, 단순히 세법의 해석기준에 관한 공적인 견해의 표명이 있었다는 사실만으로 그러한 해석 또는 관행이 있다고 볼 수는 없으며, 그러한 해석 또는 관행의 존재에 대한 증명책임은 그 주장자인 납세자임(대법원 91누13670, 1992.9.8.).

◎ 새로운 해석이 있은 날 이후부터 건설자금에 충당한 금액의 이자를 취득세 과표에 포함

심사결정(제2006-16호, 2006.1.23.)에서 "회계처리방법의 차이에 상관없이 건설자금의 이자가 있는 경우에는 이를 취득세 과세표준에 포함하여 적용함이 타당하다"고 결정하였으므로, 법인의 회계처리에 관계없이 건설자금의 이자는 취득세 과세표준에 포함하여야 할 것이나, … 새로운 세법해석이 종전의 해석과 상이한 경우에는 새로운 해석이 있은 날 이후에 납세의무가 성립하는 분부터 새로운 해석을 적용하여야 하겠으므로, 건설자금에 충당한 금액의 이자는 2006.1.23. 이후 발생분부터 취득세 과세표준에 포함함(지방세정팀-3608, 2007.9.5., 세정-5200, 2007.12.5.).

◎ 새로운 세법해석은 새로운 해석이 있는 날 이후부터 적용(명의신탁해지 과점주주 관련)

새로운 세법 해석이 종전의 해석과 상이한 경우에는 새로운 해석이 있는 날 이후에 납세의무가 성립하는 분부터 새로운 해석으로 적용하는 것이므로 타인명의의 주식을 명의신탁해지로 본인명의로 환원되어 과점주주가 된 경우 실질주주의 주주명부상 명의회복에 불과하다는 대법원판결(대법원 98두7619, 1999.12.28.) 이후에 납세의무가 성립하는 부분부터 적용하는 것이며, 그 이전에 명의신탁해지로 과점주주의 납세의무가 성립된 경우에는 적용되지 아니하는 것임(세정 13430-725, 2002.8.2.).

◎ 전부 개정시 부칙규정의 효력 부담을 지우는 것이 아니라면 별도의 규정이 없더라도 종전의 경과규정이 실효되지 않고 계속 적용된다고 볼 수 있음

법령을 전부 개정하는 경우에는 법령의 내용 전부를 새로 고쳐 쓰므로 종전의 본칙은 물론 부칙 규정도 모두 소멸한다고 해석하는 것이 원칙이겠지만, 그 경우에도 종전 경과규정의 입법 경위와 취지, 그리고 개정 전후 법령의 전반적인 체계나 내용 등에 비추어 신법의 효력발생 이후에도 종전의 경과규정을 계속 적용하는 것이 입법자의 의사에 부합하고, 그 결과가 수범자

인 국민에게 예측할 수 없는 부담을 지우는 것이 아니라면 별도의 규정이 없더라도 종전의 경과규정이 실효되지 않고 계속 적용된다고 해석할 수 있음(대법원 2012재두299, 2013.3.28.).

◎ '주주'나 '과점주주'가 되는 시기는 사법상 주식 취득의 효력이 발생한 날을 의미함
구 지방세법 제22조 제2호에서 말하는 '주주'나 '소유'의 개념에 대하여 구 지방세법이 별도의 정의 규정을 두고 있지 않은 이상 민사법과 동일하게 해석하는 것이 법적 안정성이나 조세법률주의가 요구하는 엄격해석의 원칙에 부합하는 점, … 이들 규정에서 말하는 '주주'나 '과점주주'가 되는 시기는 특별한 사정이 없는 한 사법상 주식 취득의 효력이 발생한 날을 의미함(대법원 2011두24842, 2013.3.14.).

◎ 조세법령불소급의 원칙이라 함은, 그 조세법령의 효력발생 전에 완성된 과세요건 사실에 대해 당해 법령을 적용할 수 없다는 의미일 뿐, 계속된 사실이나 그 이후 발생한 과세요건 사실에 대한 새로운 법령적용까지 제한하는 것은 아님(대법원 94누6871, 1995.3.24.).

◎ 과세단위가 시간적으로 정해지는 조세에 있어 과세표준 기간인 과세연도 진행 중에 세율인상 등 납세의무를 가중하는 세법의 개정이 있는 경우에는 아직 충족되지 아니한 과세요건을 대상으로 하는 이른바 부진정소급효의 경우는 그 과세연도 개시로 소급적용 가능(대법원 98두8469, 1999.7.23.)

◎ 입법자가 헌법불합치 결정에 따라 위헌적 요소를 제거하거나 그 개선을 위하여 개정한 법률의 각 조항은 그것이 납세의무자에게 불리하게 적용되지 아니하는 한 당해 사건 등에 대하여 적용될 수 있음(대법원 93누17911, 1996.1.26.).

◎ 소송의 전제가 된 법률이 소송계류 중에 위헌결정이 된 경우 그 효력은 계류 중인 사건에도 영향을 미침(대법원 98두14327, 1999.5.11.).

◎ 법률 조항에 대한 법원의 해석을 다투는 것에 불과한 사안은 위헌법률 심판제청신청의 대상이 될 수 없음(대법원 2013아55, 2013.11.15.).

제21조(세무공무원의 재량의 한계)

법 제21조(세무공무원의 재량의 한계) 세무공무원은 이 법 또는 지방세관계법의 목적에 따른 한계를 준수하여야 한다.

세무공무원의 재량권의 한계 판단기준은 과세의 형평과 세법의 입법취지 등을 고려하여야 한다. 예를 들어 납세의무자에게 징수유예를 결정하는 경우 동일한 상황의 납세의무자에게 다르게 처분하는 것은 재량의 한계를 벗어나는 것이다.

제22조(기업회계의 존중)

법 제22조(기업회계의 존중) 세무공무원이 지방세의 과세표준과 세액을 조사·결정할 때에는 해당 납세의무자가 계속하여 적용하고 있는 기업회계의 기준 또는 관행이 일반적으로 공정하고 타당하다고 인정되는 것이면 존중하여야 한다. 다만, 지방세관계법에서 다른 규정을 두고 있는 경우에는 그 법에서 정하는 바에 따른다.

조세의 부과는 경제활동을 대상으로 하며, 이로부터 과세표준을 산출하여 세액을 계산하여야 하므로 기업회계는 당연히 존중되어야 한다. 다만, 지방세법 등에 명문 규정이 존재하는 경우에는 기업회계 존중의 원칙은 적용될 수 없다할 것이다.

○ 법인장부는 체계적으로 기재되고 거래가격을 조작할 가능성이 적어 취득가격으로 인정

지방세법 제111조 제5항 제3호, 지방세법 시행령 제82조의 2 제1항 제2호에 의하면, '법인이 작성한 원장·보조장·출납전표·결산서'(이하 '법인장부'라 한다)에 의하여 취득가격이 입증되는 경우에는 사실상의 취득가격을 과세표준으로 할 수 있도록 하고 있는데, 그 취지는 법인이 작성한 위와 같은 서류는 기업회계기준 등에 의하여 체계적으로 기재되고 있어서 거래가격을 조작할 가능성이 적다는 데에 있음(대법원 2008두22044, 2009.2.26.).

제 4 절

기간과 기한

제23조(기간의 계산)

> **법** 제23조(기간의 계산) 이 법 또는 지방세관계법과 지방세에 관한 조례에서 규정하는 기간의 계산은 이 법 또는 지방세관계법과 해당 조례에 특별한 규정이 있는 것을 제외하고는 「민법」을 따른다.

기간의 계산에 있어 지방세기본법 등에 별도의 규정이 없으면 「민법」을 따르도록 규정하고 있다.

기간의 기산점	기간을 일, 주, 월 또는 연으로 정한 때에는 초일은 산입하지 아니한다. 그러나 그 기간이 오전 영시로부터 시작하는 때와 이 법 또는 지방세관계법과 해당 조례에 특별한 규정이 있는 경우에는 그러하지 아니한다.
기간의 만료점	1. 기간을 일, 주, 월 또는 연으로 정한 때에는 기간말일의 종료로 기간이 만료한다. 2. 기간을 주, 월 또는 연으로 정한 때에는 역에 의하여 계산한다. 3. 주, 월 또는 연의 처음으로부터 기간을 기산하지 아니하는 때에는 최후의 주, 월 또는 연에서 그 기산일에 해당한 날의 전일로 기간이 만료한다. 4. 월 또는 연으로 기간을 정한 경우에 최종의 월에 해당일이 없는 때에는 그 월의 말일로 기간이 만료한다.

☞ 「기한의 개념」 미리 기약하여 한정한 시기(時期), 법률효과의 발생, 소멸 또는 채무의 이행을 장래에 도래할 것이 확실한 사실의 성부에 의존케 하는 부관(시기와 종기)

- 기한도래의 효과 : ① 시기있는 법률행위는 기한이 도래한 때로부터 그 효력이 생긴다. ② 종기있는 법률행위는 기한이 도래한 때로부터 그 효력을 잃는다(민법 §152).
- 기한의 이익과 포기 : ① 기한은 채무자의 이익을 위한 것으로 추정한다. ② 기한의 이익은 이를 포기할 수 있다. 그러나 상대방의 이익을 해하지 못한다(민법 §153).

제24조(기한의 특례)

법 제24조(기한의 특례) ① 이 법 또는 지방세관계법에서 규정하는 신고, 신청, 청구, 그 밖의 서류 제출, 통지, 납부 또는 징수에 관한 기한이 공휴일, 토요일이거나 「근로자의 날 제정에 관한 법률」에 따른 근로자의 날일 때에는 그 다음 날을 기한으로 한다.

② 이 법 또는 지방세관계법에서 규정하는 신고기한 또는 납부기한이 되는 날에 대통령령으로 정하는 장애로 인하여 지방세통합정보통신망의 가동이 정지되어 전자신고 또는 전자납부를 할 수 없는 경우에는 그 장애가 복구되어 신고 또는 납부를 할 수 있게 된 날의 다음 날을 기한으로 한다.

영 제5조(기한의 특례 사유) 법 제24조 제2항에서 "대통령령으로 정하는 장애로 인하여 지방세통합정보통신망의 가동이 정지되어 전자신고 또는 전자납부를 할 수 없는 경우"란 정전, 통신상의 장애, 프로그램의 오류, 그 밖의 부득이한 사유로 지방세통합정보통신망의 가동이 정지되어 전자신고 또는 전자납부를 할 수 없는 경우를 말한다.

기한의 말일이 공휴일·토요일 또는 근로자의 날인 때에는 그 다음 날을 기한으로 하고, 정전 등의 사유로 지방세통합정보통신망이 정지되어 전자신고 또는 전자납부를 할 수 없게 되는 경우도 그 장애가 복구된 날의 다음 날을 기한으로 한다.

- 납부기한이 공휴일인 경우 만료기한이 연장됨

지자체로부터 부과된 제1기분 자동차세를 납부기한인 6월 30일이 지난 7월 2일 납부하여 자동차세와 가산금을 함께 납부한 것이며, 일할 계산하여 연체이자를 납부하신 것이 아님. 또한, 8월 2일까지 가산금 납부기한이 지정된 것은 민법의 기간계산 방법에 따라 7월 31일과 8월 1일이 공휴일이어서 만료기한이 연장된 것임(지방세운영과-2872, 2010.7.7.).

- 전자납부에 있어서 납부기한을 연장할 수 있는 사유

국세기본법 제5조 제3항 및 같은 법 시행령 제1조의 2 제1항에 의하여 전자신고 또는 전자납부를 신청한 자가 같은 법 또는 세법에서 규정하는 신고 또는 납부기한일에 국세정보통신망이 정전, 통신상의 장애, 프로그램의 오류 및 그 밖의 부득이한 사유로 가동이 정지되어 전자신고 또는 전자납부를 할 수 없는 경우 그 장애가 복구되어 신고 또는 납부를 할 수 있게 된 날의 다음날까지 각각의 기한을 연장하는 것이고, 같은 법 제6조 ① 및 시행령 제2조 ① 제3호의 2에 의하여 일부 수납기관에 있어서 정전, 프로그램의 오류 기타 부득이한 사유로 납세자가 전자납부(HTS에 의한 전자납부를 제외한 인터넷, ARS, ATM, 신용카드인터넷, 신용카드ARS에 의한 납부 등)를 정하여진 기한까지 할 수 없는 경우 관할세무서장은 타 수납기관을 이용한 전자납부 가능여부 등 제반상황을 고려하여 당해 납세자가 정상적인 세금납부가 불가능하다고 인정될 경우 그 납부기한을 연장할 수 있음(국세청 징세 46101-126, 2003.3.25.).

- 「지방세기본법」 제24조 제1항에서 "공휴일"이란 「관공서의 공휴일에 관한 규정」에 따른 공휴일(대체공휴일을 포함한다)을 말함(예규 기법 24-1).

제25조(우편신고 및 전자신고)

법 제25조(우편신고 및 전자신고) ① 우편으로 과세표준 신고서, 과세표준 수정신고서, 제50조에 따른 경정청구에 필요한 사항을 기재한 경정청구서 또는 이와 관련된 서류를 제출한 경우 우편법령에 따른 통신날짜도장이 찍힌 날(통신날짜도장이 찍히지 아니하였거나 찍힌 날짜가 분명하지 아니할 때에는 통상 걸리는 우편 송달 일수를 기준으로 발송한 날에 해당한다고 인정되는 날)에 신고된 것으로 본다.

② 제1항의 신고서 등을 지방세통합정보통신망을 이용하여 제출하는 경우에는 해당 신고서 등이 지방세통합정보통신망에 저장된 때에 신고된 것으로 본다.

③ 전자신고에 의한 지방세과세표준 및 세액 등의 신고절차 등에 관한 세부적인 사항은 행정안전부령으로 정한다. 〈개정 2017.7.26.〉

규칙 제3조(전자신고의 방법·절차 등) ① 법 제25조 제2항에 따라 신고서 등을 지방세통합정보통신망을 이용하여 제출(이하 "전자신고"라 한다)하려는 경우에는 지방세통합정보통신망에서 본인확인 절차를 거친 후 할 수 있다.

② 행정안전부장관 또는 지방자치단체의 장은 지방세통합정보통신망에 해당 신고서 등이 전자신고된 경우에는 해당 신고서 등이 정상적으로 저장되었음을 전자신고한 자가 알 수 있도록 하여야 한다. 〈개정 2017.7.26.〉

③ 행정안전부장관은 다음 각 호의 사항을 고려하여 법 제25조 제2항에 따라 전자신고를 할 수 있는 세목, 그 밖의 신고절차를 정하여 고시하여야 한다. 〈개정 2017.7.26.〉

1. 세목별 특성 2. 전자신고에 필요한 기술적·지리적 여건 3. 그 밖에 전자신고에 필요한 사항

우편신고는 통신날짜도장이 찍힌 날, 전자신고는 지방세통합정보통신망에 입력된 때 신고한 것으로 본다.

제26조(천재지변 등으로 인한 기한의 연장)

법 제26조(천재지변 등으로 인한 기한의 연장) ① 지방자치단체의 장은 천재지변, 사변(事變), 화재(火災), 그 밖에 대통령령으로 정하는 사유로 납세자가 이 법 또는 지방세관계법에서 규정하는 신고·신청·청구 또는 그 밖의 서류 제출·통지나 납부를 정해진 기한까지 할 수 없다고 인정되는 경우에는 대통령령으로 정하는 바에 따라 직권 또는 납세자의 신청으로 그 기한을 연장할 수 있다.

② 지방자치단체의 장은 제1항에 따라 납부기한을 연장하는 경우 납부할 금액에 상당하는 담보의 제공을 요구할 수 있다. 다만, 사망, 질병, 그 밖에 대통령령으로 정하는 사유로 담보 제공을 요구하기 곤란하다고 인정될 때에는 그러하지 아니하다.

③ 이 법 또는 지방세관계법에서 정한 납부기한 만료일 10일 전에 제1항에 따른 납세자의 납부기한연장신청에 대하여 지방자치단체의 장이 신청일부터 10일 이내에 승인 여부를 통지하지 아니하면 그 10일이 되는 날에 납부기한의 연장을 승인한 것으로 본다.

영 제6조(기한의 연장사유 등) 법 제26조 제1항에서 "대통령령으로 정하는 사유"란 다음 각 호의 어느 하나에 해당하는 사유를 말한다. 〈개정 2017.7.26.〉

1. 납세자가 재해 등을 입거나 도난당한 경우
2. 납세자 또는 동거가족이 질병이나 중상해로 6개월 이상의 치료가 필요하거나 사망하여 상중(喪中)인 경우
3. 권한 있는 기관에 장부·서류 또는 그 밖의 물건(이하 "장부등"이라 한다)이 압수되거나 영치된 경우
4. 납세자가 사업에 현저한 손실을 입거나 사업이 중대한 위기에 처한 경우(납부의 경우로 한정한다)
5. 정전, 프로그램의 오류, 그 밖의 부득이한 사유로 다음 각 목의 어느 하나에 해당하는 정보처리장치나 시스템을 정상적으로 가동시킬 수 없는 경우
   가. 「지방회계법」 제38조에 따른 지방자치단체의 금고(이하 "지방자치단체의 금고"라 한다)가 운영하는 정보처리장치
   나. 「지방회계법 시행령」 제49조 제1항 및 제2항에 따라 지방자치단체 금고업무의 일부를 대행하는 금융회사 등(이하 "지방세수납대행기관"이라 한다)이 운영하는 정보처리장치
   다. 「지방회계법 시행령」 제62조에 따른 세입금통합수납처리시스템
6. 지방자치단체의 금고 또는 지방세수납대행기관의 휴무, 그 밖에 부득이한 사유로 정상적인 신고 또는 납부가 곤란하다고 행정안전부장관이 인정하는 경우
7. 「세무사법」 제2조 제3호에 따라 납세자의 장부 작성을 대행하는 세무사(같은 법 제16조의 4에 따라 등록한 세무법인을 포함한다) 또는 같은 법 제20조의 2 제1항에 따라 세무대리업무등록부에 등록한 공인회계사(「공인회계사법」 제24조에 따라 등록한 회계법인을 포함한다)가 재해 등을 입거나 해당 납세자의 장부(장부 작성에 필요한 자료를 포함한다)를 도난당한 경우(지방소득세에 관하여 신고·신청·청구 또는 그 밖의 서류 제출·통지를 하거나 납부하는 경우로 한정한다)

8. 제1호부터 제6호까지의 규정에 준하는 사유가 있는 경우

제7조(기한연장의 신청과 승인) ① 법 제26조 제1항에 따라 기한의 연장을 신청하려는 납세자는 기한 만료일 3일 전까지 다음 각 호의 사항을 적은 신청서를 해당 지방자치단체의 장에게 제출해야 한다. 다만, 지방자치단체의 장은 납세자가 기한 만료일 3일 전까지 기한의 연장을 신청할 수 없다고 인정하는 경우에는 기한 만료일까지 신청하게 할 수 있다.

1. 기한의 연장을 받으려는 자의 성명(법인인 경우에는 법인명을 말한다. 이하 같다)과 주소, 거소, 영업소 또는 사무소(이하 "주소 또는 영업소"라 한다)
2. 연장을 받으려는 기한 3. 연장을 받으려는 사유 4. 그 밖에 필요한 사항

② 법 제26조에 따라 지방자치단체의 장이 기한의 연장을 결정하였을 때에는 제1항 각 호에 준하는 사항을 적은 문서로 지체 없이 납세자에게 통지하여야 하며, 제1항 각 호 외의 부분 전단에 따른 신청에 대해서는 기한 만료일까지 그 승인 여부를 통지하여야 한다.

③ 지방자치단체의 장은 제2항에도 불구하고 다음 각 호의 어느 하나에 해당하는 경우에는 지방세통합정보통신망 또는 해당 지방자치단체의 게시판에 게시하거나 관보·공보 또는 일간신문에 게재하는 방법으로 통지를 갈음할 수 있다. 이 경우 지방세통합정보통신망에 게시하는 방법으로 통지를 갈음할 때에는 해당 지방자치단체의 게시판에 게시하거나 관보·공보 또는 일간신문에 게재하는 방법 중 하나의 방법과 함께 하여야 한다.

1. 제5조 제4호에 해당하는 사유가 전국적으로 한꺼번에 발생하는 경우
2. 기한연장의 통지대상자가 불특정 다수인인 경우
3. 기한연장의 사실을 그 대상자에게 개별적으로 통지할 시간적 여유가 없는 경우

제8조(기한연장의 기간과 분납기한 등) ① 법 제26조 제1항에 따른 기한연장의 기간은 그 기한연장을 결정한 날(납세자가 신청한 경우에는 기한연장을 승인한 날을 말한다)의 다음 날부터 6개월 이내로 한다.

② 지방자치단체의 장은 제1항에 따라 기한을 연장한 후에도 해당 기한연장의 사유가 소멸되지 아니하는 경우에는 6개월을 넘지 아니하는 범위에서 한 차례만 그 기한을 연장할 수 있다.

③ 법 제26조 제1항에 따라 납부기한을 연장하는 경우 연장된 기간 중의 분납기한 및 분납금액은 지방자치단체의 장이 정한다. 이 경우 지방자치단체의 장은 가능한 한 매회 같은 금액을 분납할 수 있도록 정하여야 한다.

제8조의 2(기한연장과 분납한도의 특례) ① 제8조에도 불구하고 다음 각 호의 어느 하나에 해당하는 자가 제6조 제1호·제2호 또는 제4호의 사유(이에 준하는 사유를 포함한다. 이하 이 조에서 같다)에 해당하는 경우 법 제26조 제1항에 따른 기한연장의 기간은 그 기한연장을 결정한 날(납세자가 신청한 경우에는 기한연장을 승인한 날을 말한다)의 다음 날부터 1년 이내로 한다. 다만, 본문에 따라 기한을 연장한 후에도 해당 기한연장의 사유가 소멸되지 아니하는 경우에는 제3항에 따른 기간의 범위에서 6개월마다 그 기한을 다시 연장할 수 있다.

1. 다음 각 목의 어느 하나의 지역에 사업장이 소재한 「조세특례제한법 시행령」 제2조에 따른 중소기업
   가. 「고용정책 기본법」 제32조의 2 제2항에 따라 선포된 고용재난지역
   나. 「고용정책 기본법 시행령」 제29조 제1항에 따라 지정·고시된 지역
   다. 「국가균형발전 특별법」 제17조 제2항에 따라 지정된 산업위기대응특별지역

2.「재난 및 안전관리 기본법」 제60조 제2항에 따라 선포된 특별재난지역(선포일부터 2년으로 한정한다) 내에서 피해를 입은 납세자

② 제1항 각 호 외의 부분 본문에 따른 납부기한의 연장은 제6조 제1호·제2호 또는 제4호의 사유로 제8조에 따라 납부 관련 기한연장을 받고 그 연장된 기간 중에 있는 경우에도 할 수 있다.

③ 제1항 각 호 외의 부분 단서(제2항에 따라 연장한 경우를 포함한다)에 따른 납부기한을 최대로 연장할 수 있는 기간은 2년으로 하되, 다음 각 호의 기간을 포함하여 산정한다.

1. 제1항 각 호 외의 부분 본문에 따라 연장된 기간 2. 제8조 및 이 조 제2항에 따라 연장된 기간

④ 제1항 및 제2항에 따라 납부기한을 연장하는 경우 연장된 기간 중의 분납기한 및 분납금액은 지방자치단체의 장이 정한다. [본조신설 2018.6.26.]

제9조(기한연장 시 납세담보 제공의 예외사유) 법 제26조 제2항 단서에서 "대통령령으로 정하는 사유"란 제6조 제1호·제2호 또는 제5호에 해당하는 사유와 그 밖에 이에 준하는 사유를 말한다.

규칙 제4조(기한연장의 신청) ① 법 제26조 제1항 및 「지방세기본법 시행령」(이하 "영"이라 한다) 제7조 제1항에 따른 기한의 연장 신청은 다음 각 호의 구분에 따른 서식에 따른다.

1. 법 또는 지방세관계법에서 규정하는 신고·신청·청구 또는 그 밖의 서류 제출·통지의 기한연장 신청 : 별지 제1호 서식의 지방세 기한연장 신청서
2. 법 또는 지방세관계법에서 규정하는 납부의 기한연장 신청 : 별지 제2호 서식의 지방세 납부기한 연장 신청서

제5조(기한연장의 결정 결과 등의 통지) ① 영 제7조 제2항에 따른 기한연장 신청에 대한 승인 여부 통지는 다음 각 호의 구분에 따른 서식에 따른다.

1. 법 또는 지방세관계법에서 규정하는 신고·신청·청구 또는 그 밖의 서류 제출·통지의 기한연장 신청에 대한 승인 여부 통지 : 별지 제3호 서식의 지방세 기한연장 승인 여부 통지
2. 법 또는 지방세관계법에서 규정하는 납부의 기한연장 신청에 대한 승인 여부 통지 : 별지 제4호 서식의 지방세 납부기한 연장 승인 여부 통지

② 영 제7조 제3항에 따른 기한연장 결정의 결과 통지는 별지 제5호 서식의 지방세 기한연장 결정 결과 통지에 따른다.

지방세 납세의무자에게 지방세 납부기한을 연장하여 주는 취지가 천재·지변 등의 발생으로 불가피하게 납기 내에 납세가 곤란한 자에 대하여 납부기한을 연장하여 줌으로써 납세의무자의 권익을 도모하고 지방자치단체의 세정운영도 원활히 하고자 하는 데 있다.

납부기한의 연장시에 과세관청은 납세자에 대해 담보제공을 요구할 수 있다. 납부기한의 연장은 그 기한연장 결정이 있는 날의 다음날부터 6개월 이내로 하고 6개월 범위 내에서 한차례 연장할 수 있다. 납부기한 연장의 경우 신청일부터 10일 이내에 승인여부를 통지하지 않을 경우 자동 승인되도록 규정하였으며, 사업의 위기 등과 관련한 기한연장은 납부기한에만 적용(영 제5조 5호)된다.

◎ **국세기본법에 의하여 법인세의 납부기한이 연장된 경우 주민세의 신고납부기한은 법인세 납부기한 만료일부터 1월 내에 신고납부하는 것임**

주민세 소득할은 소득세액이나 법인세액을 과세표준으로 하여 과세하는 조세이기는 하나 이들 법률과는 별개의 법률인 지방세법에 의하여 과세되는 것이므로 국세징수법에 의하여 법인세가 징수유예 되었더라고 하더라도 주민세는 지방세법에 의한 별도의 징수유예절차를 거쳐야 하는 것임. 다만, 지방세법 제177조의 2 제1항에서 법인세법 또는 국세기본법에 의하여 세액이 결정 또는 경정되는 경우에는 그 고지서의 납부기한, 신고기한을 연장하는 경우에는 그 연장된 신고기간의 만료일부터 1월 내로 신고납부 하도록 규정하고 있으므로 국세기본법에 의하여 법인세의 납부기한이 "기한 연장"된 경우 주민세의 신고납부기한은 위 규정에 의하여 연장되는 것임(세정 13407-516, 2001.11.6.).

◎ **사업이 중대한 위기에 처한 사실이 확인되지 않아 납기연장을 받아들일 수 없다는 사례**

청구인이 제출한 입출금내역서와 장부 등에 의하면 약 1,109백만원의 흑자운영 사실이 확인되고 있고, ○○○의 업무방해 및 자금횡령에 따른 자금 손실로 인하여 사업이 중대한 위기에 처한 사실이 달리 확인되고 있지 아니한 이상 청구인의 주장은 받아들일 수 없다고 하겠음(지방세심사 98-623, 1998.11.28.).

◎ **지방세법에 의한 신고기한 연장 절차**

국세징수법 제15조의 규정에 의거 관할세무서장으로부터 징수유예 승인을 받았다 하더라도 지방세의 신고기한 연장을 받기 위해서는 지방세법 제26조의 2의 규정에 따라 별도의 절차를 거쳐야 함(세정 13407-618, 1996.4.14.).

◎ **집중호우 피해주민 지원기준 시달**(지방세운영과-3608, 2011.7.28.)

- **지원대상** : 집중호우로 주택 등 재산상 피해를 입어 담세력이 취약해진 주민
- **(취득세 면제)** 주택, 선박, 자동차·기계 등이 파손·멸실되어 2년 이내에 이를 복구 또는 대체하여 취득하는 경우 취득세 면제(지특법 제92조 ①)
- **(등록면허세 면제)** 파손된 주택, 선박, 자동차·기계 등의 말소등기·등록 또는 2년 이내에 신축 및 개축하는 경우 건축허가 면허에 대해 등록면허세 면제(지특법 제92조 ②)
- **(자동차세 면제)** 자동차 등이 소멸, 파손되어 회수하거나 사용할 수 없는 것으로 자치단체장이 인정하는 경우 자동차세를 면제(지특법 제92조 ③)
- **(지방의회 의결)** 피해지역 자치단체장이 피해지원을 위해 지방의회의 의결을 얻어 재산세 등 감면 조치 가능(지특법 제4조 및 지특령 제2조)
- **(기한연장)** 지방세관계법이 정하는 신고·신청·청구 등의 기한연장 : 신청, 자치단체장 직권으로 6개월 범위 내 연장하되, 최대 1년까지 가능(기본법 제26조 및 영 제6조)

• (징수유예 등) 재산상의 손실로 인하여 지방세의 납부가 어려울 경우 고지유예, 분할고지, 징수유예, 체납액의 징수유예 가능 : 신청, 자치단체장 직권으로 6개월 범위 내로 하되, 최대 1년까지 가능(기본법 제80조 및 영 제67조)

제27조(납부기한 연장의 취소)

법 제27조(납부기한 연장의 취소) ① 지방자치단체의 장은 제26조에 따라 납부기한을 연장한 경우에 납세자가 다음 각 호의 어느 하나에 해당되면 그 기한의 연장을 취소하고, 그 지방세를 즉시 징수할 수 있다.

1. 담보의 제공 등 지방자치단체의 장의 요구에 따르지 아니할 때
2. 「지방세징수법」 제22조 제1항 각 호의 어느 하나에 해당되어 그 연장한 기한까지 연장된 해당 지방세 전액을 징수할 수 없다고 인정될 때
3. 재산상황의 변동 등 대통령령으로 정하는 사유로 인하여 납부기한을 연장할 필요가 없다고 인정될 때

② 지방자치단체의 장은 제1항에 따라 납부기한의 연장을 취소하였을 때에는 납세자에게 그 사실을 즉시 통지하여야 한다.

영 제10조(납부기한 연장의 취소와 취소통지) ① 법 제27조 제1항 제3호에서 "재산상황의 변동 등 대통령령으로 정하는 사유"란 다음 각 호의 어느 하나에 해당하는 경우를 말한다.

1. 재산상황, 그 밖에 사업의 변화로 인하여 기한을 연장할 필요가 없다고 인정되는 경우
2. 제6조 제5호에 해당하는 사유로 납부기한이 연장된 경우에 그 해당 사유가 소멸되어 정상적인 납부가 가능한 경우

② 법 제27조 제2항에 따른 납부기한 연장의 취소통지는 다음 각 호의 사항을 적은 문서로 한다.

1. 취소 연월일 2. 취소의 이유

지방자치단체의 담보 제공요구를 따르지 않는 등 일정한 사유가 있는 경우에는 납부기한 연장을 취소할 수 있다. 성실납세를 유도하고 과세권자의 정당한 권한을 보호하기 위하여 기한연장이 필요하지 않게 된 경우에 이를 취소하고 징수권을 행사하도록 한 것이다.

제 5 절

서류의 송달

제28조(서류의 송달)

> **법** 제28조(서류의 송달) ① 이 법 또는 지방세관계법에서 규정하는 서류는 그 명의인(서류에 수신인으로 지정되어 있는 자를 말한다. 이하 같다)의 주소, 거소, 영업소 또는 사무소(이하 "주소 또는 영업소"라 한다)에 송달한다. 다만, 제30조 제1항에 따른 전자송달인 경우에는 지방세통합정보통신망에 가입된 명의인의 전자우편주소나 지방세통합정보통신망의 전자사서함[「전자서명법」 제2조에 따른 인증서(서명자의 실지명의를 확인할 수 있는 것을 말한다) 또는 행정안전부장관이 고시하는 본인임을 확인할 수 있는 인증수단으로 접근하여 지방세 고지내역 등을 확인할 수 있는 곳을 말한다. 이하 같다] 또는 연계정보통신망의 전자고지함(연계정보통신망의 이용자가 접속하여 본인의 지방세 고지내역을 확인할 수 있는 곳을 말한다. 이하 같다)에 송달한다. 〈개정 2018.12.24.〉
> ② 연대납세의무자에게 서류를 송달할 때에는 그 대표자를 명의인으로 하며, 대표자가 없으면 연대납세의무자 중 지방세를 징수하기 유리한 자를 명의인으로 한다. 다만, 납세의 고지와 독촉에 관한 서류는 연대납세의무자 모두에게 각각 송달하여야 한다.
> ③ 상속이 개시된 경우에 상속재산관리인이 있을 때에는 그 상속재산관리인의 주소 또는 영업소에 송달한다.
> ④ 제139조에 따른 납세관리인이 있을 때에는 납세의 고지와 독촉에 관한 서류는 그 납세관리인의 주소 또는 영업소에 송달한다.

납세의 고지·독촉·체납처분 등 조세의 부과 및 징수처분, 이의신청·심사 및 심판청구에 대한 결정의 통지 기타 세법에서 정한 정부의 명령은 그 존재의 확실성과 내용의 정확성을 기하기 위하여 서류에 의하여 행하여지고 있다. 이는 헌법과 국세기본법(지방세기본법)이 규정하는 조세법률주의의 대원칙에 따라 처분청으로 하여금 자의를 배제하고 신중하고도 합리적인 처분을 행하게 함으로써 조세행정의 공정성을 기함과 동시에 납세의무자에게 부과처분의 내용을 상세하게 알려서 불복 여부의 결정 및 그 불복신청에 편의를 주려는 취지에 있다. 그에 따라 엄격히 해석 적용되어야 할 강행규정이므로 납세자가 과세처분의 내용을 이미 알고 있는 경우에도 납세고지서의 송달이 불필요하다고 할 수는 없다. 따라서 지방세법의 송달규정에서 정하고 있는 교부 또는 등기우편 등의 방법으로 송달되었다는 증거가 없는 경우에는 각 과세처분의 송달은 부적법한 것으로서 송달의 효력이 발생하지 아니하여 각 과세처분은 무효가 되고, 이에 대한 제소기간도 진행될 수 없다.

| 참고_서류의 송달방법 |

교부송달	○ 해당 행정기관의 소속 공무원이 서류를 송달할 장소에서 송달받아야 할 자에게 교부하는 방법 -송달받아야 할 자가 거부하지 아니하면 다른 장소에서도 송달가능 〈보완송달 및 유치송달〉 -(보충송달) 송달할 장소에서 송달받아야 할 자를 만나지 못하였을 때 그 사용인, 종업원, 동거인 등으로 사리를 판단할 수 있는 사람에게 전달 -(유치송달) 서류의 송달을 받아야 할 자 또는 보충송달을 받을 수 있는 자가 정당한 사유 없이 서류 수령을 거부할 때에는 송달할 장소에 서류를 둘 수 있다. 조례로 정하는 바에 따라 지방자치단체 하부조직을 통한 교부가능
우편송달	○ 우편송달은 통상우편송달과 등기우편송달로 구분 -일반으로 우편으로 송달한 경우는 송달기록을 비치하여야 함. ※ 납부·납입의 고지, 독촉과 체납처분은 등기우편송달이 원칙이었으나(2008.12.31. 법률 제9302호로 개정되기 전), 2009년부터 조례에 정하는 방법에 따르도록 개정되었다.
전자송달	○ 납세고지서 등 대통령령으로 정하는 서류를 행정안전부장관이 고시하는 정보통신망에 가입된 명의인의 전자우편 주소 또는 지방세통신망의 전자사서함에 송달하거나 열람할 수 있게 하는 송달
공시송달	○ 서류의 송달을 받아야 할 자에게 교부나 우편에 의한 정상적인 방법으로 송달할 수 없는 일정한 사유가 있는 경우 서류의 요지를 공고함으로써 서류가 송달된 것과 같은 효과를 발생시키는 제도

◎ 주소의 의미

「지방세기본법」 제28조에서 「주소」라 함은 생활의 근거가 되는 곳을 말하며, 이는 생계를 같이 하는 가족 및 자산의 유무 등 생활관계의 객관적 사실에 따라 판정한다. 이 경우 주소가 2이상인 때에는 주민등록법상 등록된 곳을 말한다. 그리고 법인의 주소는 본점 또는 주사무소의 소재지에 있는 것으로 한다(예규 기법 28-1).

◎ 거소의 의미

「거소」라 함은 다소의 기간 계속하여 거주하는 장소로서 주소와 같이 밀접한 일반적 생활관계가 발생하지 아니하는 장소를 말한다. 주소를 알 수 없는 때와 국내에 주소가 없는 경우에는 거소를 주소로 한다(예규 기법 28-2).

◎ 서류의 송달에 있어서 송달하여야 할 장소란 실제 송달받을 자의 생활근거지가 되는 주소·거소·영업소 또는 사무실 등 송달받을 자가 서류를 받아 볼 가능성이 있는 적법한 송달장소를 말한다 하겠고, 납세의무자로부터 수령권한을 위임받은 자가 거부하지 않는 경우 법정의 송달장소가 아닌 다른 장소에서 서류를 교부할 수 있으며, 송달을 받아야 할 자라 함은 납세의무자뿐만 아니라 그로부터 수령권한을 위임받은 자도 포함된다고 보아야 함(대법원 90누4334, 1990.12.21.).

◎ 구속된 사람에 대한 납세고지서 송달은 특별한 사정이 없으면 주소·거소·영업소 또는 사무소로 하고, 이 경우 송달받을 사람을 만나지 못한 때에는 그 사용인 기타 종업원 또는 동거인으로서 사리를 판별할 수 있는 자에게 송달할 수 있음(대법원 96다23184, 1999.3.18.).

1. 적법한 송달로 인정한 사례

◎ 납세고지서를 송달받은 사실이 없어 부과처분·압류처분이 무효라는 주장을 부인한 사례

등기우편의 방법으로 발송된 사실이 인정되고 달리 반송된 자료가 없으므로 송달되었다고 보아야 하고, 피고가 전산자료로 세목, 세액, 부과일자 및 납기일자가 기재된 지방세 과세내역조회 자료를 보유하고 있는 점, … 이 사건 나머지 과세처분 납세고지서의 보존기간이 경과된 이후에야 비로소 이 사건 소송을 제기한 점, 피고는 원고가 납세고지서 등 서류의 수령을 거부하거나 주소가 불분명한 적도 없어 이 사건 나머지 과세처분의 납세고지서를 공시송달의 방법으로 송달할 이유도 없었던 점 등에 비추어 보면 원고에게 적법하게 송달된 것임(대법원 2014두46027, 2015.4.23.).

◎ 등기 우편물이 반송되지 아니한 경우 수취인에게 송달된 것으로 봄이 상당함

우편물의 실제 수령일을 알 수 있는 아무런 자료가 없는 경우에는 경험칙상 당해 우편물이 보통의 경우 도달할 수 있었을 때에 도달한 것으로 추정함이 상당하며(대법원 87누183, 1987.8.18.), 등기취급의 방법으로 발송된 경우에는 반송되는 등과 같이 특별한 사정이 없는 한 그 무렵 수취인에게 배달되었다고 봄이 상당함(대법원 92누13127, 1992.12.11.).

◎ 직원의 우편물 수령이 확인된 경우 법인의 지배권 내에 적법하게 도달된 것으로 간주

송달을 받아야 할 자라 함은 납세의무자뿐만 아니라 그로부터 수령권한을 위임받은 자도 포

함된다고 보아야 할 것(대법원 90누4334, 1990.12.21. 참조)으로, 법인에게 송달되는 우편물 수령을 위해 해당 법인이 소속 직원을 당해 법인의 구내 우체국에 파견하였고, 이러한 직원이 해당 법인의 우편물을 수령하였음이 국내등기/소포우편(택배)조회에서 확인되는 것이라면 이때 법인에게 발송된 우편물은 해당 법인의 지배권 범위 내에 적법하게 도달된 것으로 봄이 타당함(세정-2040, 2007.6.5.).

◎ 묵시적으로 등기우편물 수령을 위임받은 경비원이 수령한 것은 적법한 송달에 해당

서류의 송달을 받을 자가 다른 사람에게 우편물 기타 서류의 수령권한을 명시적 또는 묵시적으로 위임한 경우에는 그 수임자가 해당 서류를 수령함으로써 그 송달받을 자 본인에게 해당 서류가 적법하게 송달된 것으로 보아야 하고(대법원 98두1161, 1998.4.10.), 그러한 수령권한을 위임받은 자는 반드시 위임인의 종업원이거나 동거인일 필요가 없으므로(대법원 98두17074, 2000.3.10.), 경비원이 수령한 것도 적법한 송달(대법원 2000두1164, 2000.7.4.)

◎ 메일을 확인하지 못한 것은 전자우편에 의한 납세고지의 잘못은 아님

처분청이 청구인의 전자우편주소에 납세고지 내용을 입력하고 그 안내문을 청구인의 주소지로 송달한 사실 … 메일을 확인하지 못한 것은 청구인 스스로도 공인인증서의 작동결함 때문이므로 전자우편에 의한 납세고지는 잘못이 없음(국심 2005중4142, 2005.12.30.).

◎ 어린이(만 9세)가 수령한 것도 적법한 송달에 해당

만 9세인 청구인의 아들이 공매통지서를 교부받고 통지서에 서명한 것이 분명한 이상, 사리를 변식할 지능이 있는 자에 대한 송달이라고 할 것이므로 공매통지서는 적법하게 송달되었다고 할 것임(지방세심사 2004-231, 2004.8.30.).

2. 적법한 송달로 인정하지 아니한 사례

◎ 경비원이 수령하여 우편함에 투입하였다는 사실만으로 이를 수취하였다고 할 수는 없음

아파트의 우편함에 우편물을 넣어 두었더라도 분실되는 경우가 흔히 있고 통상 우편함에는 보통의 우편물뿐만 아니라 광고전단 등도 아울러 투입되는 일이 많은 등 현실에 비추어 볼 때, 우편물이 수취인의 수중에 들어가지 않을 가능성이 적지 않고, 더욱이 78세의 단독 세대주에게 우편물이 오는 일 자체가 흔치 않았기 때문에 우편함을 수시로 살펴 확인하였을 것으로는 보이지 않고 … 경비원이 상속채무발생통보서를 우편함에 투입하였다는 사실만으로 이를 수취하였다고 추단할 수 없음(대법원 2005다66411, 2006.3.24.).

◎ 이사 후 새로운 거주자에게 우편물 수령권한을 위임한 경우 그에 대한 송달은 적법

국세기본법상 세법이 규정하는 서류는 그 명의인의 주소・거소・영업소 또는 사무소에 송달하도록 규정되어 있는 바, 여기서 주소라 함은 원칙적으로 생활의 근거가 되는 곳을 가리키

지만 민법 제21조 소정의 가주소 또는 그 명의인의 의사에 따라 전입신고된 주민등록지도 특별한 사정이 없는 한 이에 포함됨. 납세고지서의 명의인이 다른 곳으로 이사하였지만 주민등록을 옮기지 아니한 채 주민등록지로 배달되는 우편물을 새로운 거주자가 수령하여 자신에게 전달하도록 한 경우, 그 새로운 거주자에게 우편물 수령권한을 위임한 것으로 보아 그에게 한 납세고지서의 송달은 적법(대법원 98두1161, 1998.4.10.)

◎ **등기우편을 발송한 후 반송된 사실이 없다는 이유로 송달된 것으로 볼 수 없음**

납세의무자가 거주하지 아니하는 주민등록상 주소지로 납세고지서를 등기우편으로 발송한 후 반송된 사실이 인정되지 아니한다 하여 납세의무자에게 송달된 것이라고 볼 수는 없음(대법원 97누8977, 1998.2.12.).

◎ **세무서에 출두한 처남에게 도피중인 자에 대한 고지서를 교부한 것은 위법**

회사의 대표이사이자 회사의 제2차 납세의무자인 갑에 대한 국세고지절차에 관하여, 세무서장이 갑의 처남이자 같은 제2차 납세의무자인 을이 세무서에 출두하자 을에게 당시 도피 중이던 갑에 대한 납부통지서를 함께 교부하고 을로 하여금 "수령"이라고 기재하게 하고 그 회사의 대표이사 직인의 날인만을 받았다면, 을이 갑으로부터 그 서류를 송달받을 권한을 위임받았다는 사정이 없는 한, 위 방식에 의한 교부송달은 국세기본법상 송달할 장소 및 송달을 받아야 할 자를 그르쳐 위법(대법원 94다22774, 1994.10.25.)

◎ **납세자가 부과처분 제척기간이 임박하자 납세고지서의 수령을 회피하기 위하여 고지서 수령 약속을 어기고 일부러 집을 비워 두어서 세무공무원이 부득이 납세자의 아파트 문틈으로 납세고지서를 투입하였다 하여 신의성실의 원칙을 들어서 그 고지서가 송달되었다고 볼 수는 없음**(대법원 96누5094, 1997.5.23.).

◎ **해임된 이사에게 한 부과고지는 적법하지 아니함**(지방세심사 2002-212, 2002.5.27.)

3. 연대납세자에 대한 송달

☞ 지방세기본법 제44조 연대납세의무 참조

◎ **연대납세의무자 중 일부에게 적법한 납세고지를 송달하였다 하여 다른 연대납세의무자에게도 적법한 납세고지를 하였다고 볼 수는 없음**

납세고지서에 "고○만 외 1인"이라고만 기재되어 있어 원고 고○만 이외의 나머지 1인이 그 기재 자체로 누구인지 알 수 없으므로 원고 한○패에게는 적법한 과세처분이 있다고 볼 수 없고, 원고들이 연대납세의무자에 해당되어 피고가 원고들을 대표하여 원고 고○만에게만 납세고지서를 송달하였다고 하더라도, 연대납세의무자의 상호연대관계는 이미 확정된 조세채무의 이행에 관한 것이지 조세채무의 성립과 확정에 관한 것은 아니므로 연대납세의무자라 할지라도 각자의 구체적인 납세의무는 개별적으로 성립·확정됨을 요하는 것이어서 구체적인 납세의무확정의 효력발생요건인 과세처분은 별도로 되어야 함, 한○패에게 적법한 납세고지로서의 효력이 없음(대법원 94누2077, 1994.5.10.).

◎ **연대납세의무자 중 납세의무자로 특정되어 납세고지서를 송달받은 해당 고지는 유효함**
다른 연대납세자 전원에게 각자 개별적으로 납세고지가 이루어지지 않는 한 일부의 연대납세의무자에게는 납세고지를 할 수 없다거나 일부에 대한 납세고지라는 이유로만으로 당연히 위법한 것으로 된다고 볼 수는 없음. 이 사건 부동산은 원고 외 6인의 공유물인데, 납세고지를 함에 있어 원고를 제외한 나머지 6인의 연대납세의무자에게는 납세고지를 하지 아니하고 원고에 대하여만 납세의무자를 "원고 외 6인"으로 기재한 납세고지서를 송달 … 납세의무자로 특정되어 납세고지서를 송달받은 원고에 대하여는 적법한 부과처분으로서의 납세고지가 있는 것으로 보아야 함(대법원 86누702, 1987.5.12.).

제29조(송달받을 장소의 신고)

법 제29조(송달받을 장소의 신고) 제28조에 따라 서류를 송달받을 자가 주소 또는 영업소 중에서 송달받을 장소를 대통령령으로 정하는 바에 따라 지방자치단체에 신고하였을 때에는 그 신고된 장소에 송달하여야 한다. 이를 변경하였을 때에도 또한 같다.

영 제10조(송달을 받을 장소의 신고) 법 제29조에 따라 서류를 송달받을 장소를 신고(변경신고를 포함한다)하려는 자는 다음 각 호의 사항을 적은 문서를 해당 지방자치단체의 장에게 제출하여야 한다.
1. 납세자의 성명 2. 납세자의 주소 또는 영업소 3. 서류를 송달받을 장소 4. 서류를 송달받을 장소를 정하는 이유 5. 그 밖에 필요한 사항

납세자가 지방세에 관한 서류를 송달받기 편리한 장소에서 송달받을 수 있도록 송달받을 장소를 신고하는 경우에는 그 신고된 장소에 송달하여야 한다.

제30조(서류송달의 방법)

법 제30조(서류송달의 방법) ① 제28조에 따른 서류의 송달은 교부·우편 또는 전자송달로 하되, 해당 지방자치단체의 조례로 정하는 방법에 따른다.

② 제1항에 따른 교부에 의한 서류송달은 송달할 장소에서 그 송달을 받아야 할 자에게 서류를 건네줌으로써 이루어진다. 다만, 송달을 받아야 할 자가 송달받기를 거부하지 아니하면 다른 장소에서 교부할 수 있다.

③ 제2항의 경우에 송달할 장소에서 서류를 송달받아야 할 자를 만나지 못하였을 때에는 그의 사용인, 그 밖의 종업원 또는 동거인으로서 사리를 분별할 수 있는 사람에게 서류를 송달할 수 있으며, 서류의 송달을 받아야 할 자 또는 그의 사용인, 그 밖의 종업원 또는 동거인으로서 사리를 분별할 수 있는 사람이 정당한 사유 없이 서류의 수령을 거부하면 송달할 장소에 서류를 둘 수 있다.

④ 제1항부터 제3항까지의 규정에 따라 서류를 송달하는 경우에 송달받을 자가 주소 또는 영업소를 이전하였을 때에는 주민등록표 등으로 확인하고 그 이전한 장소에 송달하여야 한다.

⑤ 서류를 교부하였을 때에는 송달서에 수령인의 서명 또는 날인을 받아야 한다. 이 경우 수령인이 서명 또는 날인을 거부하면 그 사실을 송달서에 적어야 한다.

⑥ 지방자치단체의 장은 일반우편으로 서류를 송달하였을 때에는 다음 각 호의 사항을 확인할 수 있는 기록을 작성하여 갖추어 두어야 한다.

1. 서류의 명칭 2. 송달받을 자의 성명 또는 명칭 3. 송달장소 4. 발송연월일 5. 서류의 주요 내용

⑦ 제1항에 따른 전자송달은 대통령령으로 정하는 바에 따라 서류의 송달을 받아야 할 자가 신청하는 경우에만 한다.

⑧ 제7항에도 불구하고 지방세통합정보통신망 또는 연계정보통신망의 장애로 인하여 전자송달을 할 수 없는 경우와 그 밖에 대통령령으로 정하는 사유가 있는 경우에는 제1항에 따른 교부 또는 우편의 방법으로 송달할 수 있다. 〈개정 2018.12.24.〉

⑨ 제7항에 따라 전자송달을 할 수 있는 서류의 구체적인 범위 및 송달방법 등에 필요한 사항은 대통령령으로 정한다.

영 제12조(서류송달의 방법) 법 제30조 제1항에 따른 교부의 방법으로 서류를 송달하려는 경우에는 지방자치단체의 조례로 정하는 바에 따라 지방자치단체의 하부 조직을 통하여 송달할 수 있다.

제13조(송달서) 법 제30조 제5항에 따른 송달서는 다음 각 호의 사항을 적은 것이어야 한다.

1. 서류의 명칭 2. 송달받아야 할 자의 성명 또는 명칭
3. 수령인의 성명 4. 교부 장소 5. 교부 연월일 6. 서류의 주요 내용

제14조(전자송달의 신청 및 철회) ① 법 제30조 제7항에 따라 전자송달을 신청하거나 전자송달의 신청을 철회하려는 자는 다음 각 호의 사항을 적은 신청서를 지방자치단체의 장에게 제출해야 한다. 〈개정 2017.7.26.〉

1. 납세자의 성명·주민등록번호 등 인적사항 2. 납세자의 주소 또는 영업소 3. 납세자의 전화번호 또는 휴대전화번호 등 연락처 4. 전자송달을 받을 법 제28조 제1항 단서에 따른 전자우편

주소, 전자사서함 또는 전자고지함(이하 "전자우편주소등"이라 한다) 5. 전자송달 철회의 사유(전자송달의 신청을 철회하는 경우만 해당한다) 6. 그 밖에 행정안전부령으로 정하는 사항

② 지방자치단체의 장은 제1항에 따른 신청서를 접수한 날이 속하는 달의 다음 달부터 전자송달을 하여야 하며, 전자송달의 신청을 철회하는 경우에는 제1항에 따른 신청서를 접수한 날이 속하는 달의 다음 달부터 전자송달을 할 수 없다. 〈개정 2018.12.31.〉

③ 제1항에 따라 전자송달을 신청한 자가 기존의 전자송달을 철회하지 아니하고 종전과 다른 전자우편주소등을 적어 전자송달을 새로 신청한 경우에는 그 신청서를 접수한 날이 속하는 달의 다음 달 1일에 전자송달을 받을 전자우편주소등을 변경한 것으로 본다.

④ 전자송달을 받을 자가 다음 각 호의 어느 하나에 해당하는 경우에는 그 사유가 발생한 날이 속하는 달의 다음 달 1일에 전자송달을 철회한 것으로 본다.

1. 신청서에 기재된 전자우편주소등이 행정안전부장관이 고시하는 기준에 맞지 않아 더 이상 전자송달을 할 수 없는 것으로 확인된 경우
2. 전자송달을 받을 자가 전자송달된 서류를 5회 연속하여 법 제32조에 따른 송달의 효력이 발생한 때부터 60일 동안 확인 또는 열람하지 아니한 경우

제15조(전자송달 서류의 범위 등) 법 제30조 제9항에 따라 전자송달을 할 수 있는 서류는 납세고지서 또는 납부통지서, 지방세환급금 지급통지서, 법 제96조 제1항에 따른 결정서, 신고안내문, 그 밖에 행정안전부장관이 정하여 고시하는 서류로 한다. 다만, 「정보통신망 이용촉진 및 정보보호 등에 관한 법률」 제2조 제1항 제1호에 따른 정보통신망으로서 법에 따른 송달을 위하여 지방세통합정보통신망과 연계된 정보통신망으로 송달할 수 있는 서류는 납세고지서로 한다. 〈개정 2017.7.26., 2018.12.31.〉

제16조(전자송달이 불가능한 경우) 법 제30조 제8항에서 "대통령령으로 정하는 사유"란 다음 각 호의 어느 하나에 해당하는 경우를 말한다.

1. 전화(戰禍), 사변(事變) 등으로 납세자가 전자송달을 받을 수 없는 경우
2. 정보통신망의 장애 등으로 지방자치단체의 장이 전자송달이 불가능하다고 인정하는 경우

| 최근 개정법령_2016.1.1. | 전자송달 철회 간주 요건 신설(영 제13조)

그동안 전자송달된 문서를 장기간 미열람하는 경우 등에 대한 대책이 미흡한 상태였으며, 전자송달 신청서에 전자송달을 원하는 서식들의 선택조항이 없어 전자송달 범위에 대한 혼란이 있었다. 이에 따라 납세자가 5회 연속(국세의 경우 2회)하여 전자송달된 문서를 열람하지 않았을 경우 전자송달 신청을 철회한 것으로 간주하도록 하고, 전자송달 신청서의 신청서식을 보완하였다(전자송달 신청서식 선택 가능).

| 최근 개정법령_2019.1.1. | 전자송달 신청 · 철회 · 변경을 '접수한 날의 다음 날'에서 전자송달 신청 · 철회 · 변경을 '접수한 날이 속하는 달의 다음 달'로 조정하였다.

◎ 자치단체 조례로 자치단체장이 위촉하는 자로 하여금 납세고지서 등을 송달할 수 있도록 한 규정은 지방세법에 위반되지 아니함(지방세운영과-1806, 2009.5.6.).

| 소재불명 법인 등에 대한 서류송달 방식 |

소재불명 법인	법인의 소재가 불명한 때에는 법인대표자(청산 중인 경우에는 청산인)의 주소를 확인하여 서류를 송달하고 대표자의 주소도 불명한 때에는 공시송달한다.
무능력자	송달을 받아야 할 자가 제한능력자(민법에 따른 미성년자, 피한정후견인, 피성년후견인을 말한다)인 경우에는 그 법정대리인의 주소 또는 영업소에 서류를 송달한다.
파산자	송달을 받을 자가 파산선고를 받은 때에는 파산관재인의 주소 또는 영업소에 서류를 송달한다.
수감자	송달을 받을 자가 교도소 등에 수감 중이거나 이에 준하는 사유가 있는 경우에는 그 사람의 주소지에 서류를 송달한다. 그러나 주소가 불명인 경우와 서류를 대신 받아야 할 자가 없는 경우에는 그 사람이 수감되어 있는 교도소 등에 서류를 송달한다.
종업원	송달을 받아야 할 자와 고용관계에 있는 자를 말한다.
동거인	송달을 받을 자와 동일장소 내에서 공동생활을 하고 있는 자를 말하며, 생계를 같이 하는 것을 요하지 않는다.
사리를 분별할 수 있는 사람	서류의 송달취지를 이해하고, 수령한 서류를 송달받아야 할 자에게 교부할 것이라고 기대될 수 있는 능력이 있는 자를 말한다.
서류수령을 거부하였을 때	적법한 방법으로 서류를 송달하고자 하였으나 고의로 그 수령을 거부한 경우를 말한다.

※ 지방세기본법 운영예규 30-1에서 30-8까지의 내용

제31조(송달지연으로 인한 납부기한의 연장)

법 제31조(송달지연으로 인한 납부기한의 연장) ① 기한을 정하여 납세고지서, 납부통지서, 독촉장 또는 납부최고서를 송달하였더라도 다음 각 호의 어느 하나에 해당하면 지방자치단체의 징수금의 납부기한은 해당 서류가 도달한 날부터 14일이 지난 날로 한다.

1. 서류가 납부기한이 지난 후에 도달한 경우
2. 서류가 도달한 날부터 7일 이내에 납부기한이 되는 경우

② 제1항에도 불구하고 「지방세징수법」 제22조 제2항에 따른 고지의 경우에는 다음 각 호의 구분에 따른 날을 납부기한으로 한다.

1. 고지서가 납부기한이 지난 후에 도달한 경우 : 고지서가 도달한 날
2. 고지서가 납부기한 전에 도달한 경우 : 납부기한이 되는 날

◎ 송달지연이 부과처분의 효력에 영향을 끼치는 것은 아니라고 한 사례

국세기본법 제7조에 따르면 납세고지서를 송달한 경우 도달한 날에 이미 납부기한이 경과하였거나, 도달한 날로부터 7일 내에 납부기한이 도래하는 것에 대하여는 도달한 날로부터 7일이 경과하는 날을 납부기한으로 하도록 되어 있어 납세고지서의 송달이 지연된 경우에도 납부기한이 조정될 뿐 그 송달지연이 납세고지의 대상이 된 과세처분의 효력에 영향을 미치지는 아니하므로 앞서 본 바와 같이 이 사건 부과처분에 따른 납세고지서가 도달한 날로부터 7일 내에 납부기한이 도래하였다 하더라도 이 사건 부과처분의 효력에 영향을 끼친다고 할 수 없음(감심 99-361, 1999.12.21.).

제32조(송달의 효력 발생)

> 법 제32조(송달의 효력 발생) 제28조에 따라 송달하는 서류는 그 송달을 받아야 할 자에게 도달한 때부터 효력이 발생한다. 다만, 전자송달의 경우에는 송달받을 자가 지정한 전자우편주소, 지방세통합정보통신망의 전자사서함 또는 연계정보통신망의 전자고지함에 저장된 때에 그 송달을 받아야 할 자에게 도달된 것으로 본다. 〈개정 2018.12.24.〉

송달할 서류는 그 송달받아야 할 상대방에게 도달한 때로부터 효력이 발생한다. 지방세기본법 제32조에서 「도달」이라 함은 송달을 받아야 할 자에게 직접 교부하지 않더라도, 상대방의 지배권 내에 들어가 사회통념상 일반적으로 그 사실을 알 수 있는 상태에 있는 때(예컨대, 우편이 수신함에 투입된 때 또는 사리를 분별할 수 있는 자로서 동거하는 가족, 사용인이나 종업원이 수령한 때)를 말하며, 일단 이러한 상태에 들어간 후에 교부된 서류가 반송되더라도 송달의 효력에는 영향이 없다(예규 기법 32-1).

전자송달의 경우에는 송달받을 자가 지정한 전자우편주소, 지방세통합정보통신망의 전자사서함 또는 연계정보통신망의 전자고지함에 저장된 정보를 미열람하더라도 송달의 효력에 영향이 없다(예규 기법 32-2).

◎ 납부고지서 송달효력 미비로 무효확인된 과세처분의 취소청구 제소기간의 제한은 없음

행정청의 처분의 무효확인소송에는 제소기간의 제한이 없음(대법원 90누7128). 5~9처분은 피고가 원고에게 고지서를 송달하였다고 볼 만한 아무런 자료가 없고, 제4처분의 고지서 송달부에 서명한 사람이 누구인지 특정되지 않았으며, 위 최○수가 원고와의 관계에서 어떠한 지위에 있는 사람인지 역시 밝혀지지 않았으므로…고지서가 원고에게 적법하게 송달되었다

고 볼 수 없음. 따라서 송달의 효력이 발생하였다고 보기 어려우므로, 각 처분은 모두 무효라고 할 것인데, 행정처분의 무효확인을 구하는 의미에서 그 행정처분의 취소를 구하는 청구 역시 가능하므로(대법원 74누168), 무효확인을 구하는 의미에서 원고의 위 각 처분에 대한 취소청구는 이유 있음(대법원 2016두37188, 2016.6.28.).

- 주민세 체납 관련, 20여년전 종합소득세고지서 송달 하자를 이제와서 다투기는 어려움

이 사건 종합소득세의 납세고지서는 원고가 미국에 체류할 때 송달되었을 가능성이 높고, 원고가 1994.12.1. 국내 주민등록지에서 무단전출로 직권말소된 것으로 보아 그 납세고지서가 위 규정에 따라 공시송달되었을 가능성도 충분한 점, 송달에 관한 자료는 보관기간 경과로 현존하지 않고 있는 점(특히 공시송달이 관보 또는 일간신문 게재가 아닌 게시판 등에 게시하는 방법으로 이루어졌을 수도 있고, 이 경우 그 입증자료를 찾기는 사실상 어려움), 뒤에서 보는 바와 같이 원고는 그 소유의 부동산에 대한 압류사실을 알 수 있었을 것임에도 상당한 기간 동안 이의를 제기하지 아니한 점 등을 종합하면, 적법하게 송달되었다고 볼 수 있음(대법원 2015두55028, 2016.2.18.).

- 송달되었다는 증거가 없으면 송달의 효력이 발생하지 아니하여 처분은 무효가 됨

원고에 대한 이 사건 각 과세처분에 관한 납세고지서가 원고에게 지방세법의 송달규정에서 정하고 있는 교부 또는 등기우편 등의 방법으로 송달되었다는 증거가 없으므로 위 각 과세처분의 송달은 부적법한 것으로서 송달의 효력이 발생하지 아니하는 이상 위 각 과세처분은 수령거부로 무효이고 이에 대한 제소기간도 진행될 수 없음(대법원 2004두2363, 2004.7.8.).

- 공시송달된 경우 공고한 날부터 10일(현행 14일)이 경과한 때에 효력 발생

납세고지서의 송달을 받아야 할 자가 주소에서 그 고지서의 수령을 거부하여 그 서류가 공시송달의 방법에 의하여 송달된 경우에는 그 서류의 요지를 공고한 날부터 10일이 경과한 때에 송달의 효력이 발생하는 것으로 보아야 할 것이고 그 서류의 수령을 거부한 때에 송달의 효력이 발생하는 것이라고 할 수 없음(대법원 90누4778, 1990.9.25.).

- 여행으로 부재중에 그 종업원이 이의신청에 대한 결정서를 수령하여 그것을 후에 이의신청인에게 전달하였다 하더라도 결정서송달의 효력은 종업원에게 결정서가 송달된 날에 이미 발생한 것이고 그것이 이의신청인에게 현실적으로 전달되어야 비로소 송달의 효력이 발생하는 것은 아님(대법원 87누219, 1987.6.9.).

제33조(공시송달)

법 제33조(공시송달) ① 서류의 송달을 받아야 할 자가 다음 각 호의 어느 하나에 해당하는 경우에는 서류의 주요 내용을 공고한 날부터 14일이 지나면 제28조에 따른 서류의 송달이 된 것으로 본다.

1. 주소 또는 영업소가 국외에 있고 송달하기 곤란한 경우
2. 주소 또는 영업소가 분명하지 아니한 경우
3. 제30조 제1항에 따른 방법으로 송달하였으나 받을 사람(제30조 제3항에 규정된 자를 포함한다)이 없는 것으로 확인되어 반송되는 경우 등 대통령령으로 정하는 경우

② 제1항에 따른 공고는 지방세통합정보통신망, 지방자치단체의 정보통신망이나 게시판에 게시하거나 관보·공보 또는 일간신문에 게재하는 방법으로 한다. 이 경우 지방세통합정보통신망이나 지방자치단체의 정보통신망을 이용하여 공시송달을 할 때에는 다른 공시송달방법을 함께 활용하여야 한다.

③ 제1항에 따른 납세고지서, 납부통지서, 독촉장 또는 납부최고서를 공시송달한 경우 납부기한에 관하여는 제31조를 준용한다.

영 제17조(주소불분명의 확인) 법 제33조 제1항 제2호에 해당하는 경우는 주민등록표나 법인 등기사항증명서 등으로도 주소 또는 영업소를 확인할 수 없는 경우로 한다.

제18조(공시송달) 법 제33조 제1항 제3호에서 "대통령령으로 정하는 경우"란 다음 각 호의 어느 하나에 해당하는 경우를 말한다.

1. 서류를 우편으로 송달하였으나 받을 사람(법 제30조 제3항에 규정된 자를 포함한다)이 없는 것으로 확인되어 반송됨으로써 납부기한 내에 송달하기 곤란하다고 인정되는 경우
2. 세무공무원이 2회 이상 납세자를 방문[처음 방문한 날과 마지막 방문한 날 사이의 기간이 3일(기간을 계산할 때 공휴일 및 토요일은 산입하지 않는다) 이상이어야 한다]하여 서류를 교부하려고 하였으나 받을 사람(법 제30조 제3항에 규정된 사람을 포함한다)이 없는 것으로 확인되어 납부기한 내에 송달하기 곤란하다고 인정되는 경우

공시송달이란 서류의 송달을 받아야 할 자에게 교부나 우편에 의한 정상적인 방법으로 송달할 수 없는 일정한 사유가 있는 경우 서류의 요지를 공고함으로써 서류가 송달된 것과 같은 효과를 발생시키는 제도이다.

공시송달의 요건의 하나인 「주소 또는 영업소가 불분명할 경우」라 함은 납세자의 주소 또는 영업소로 서류를 송달하였으나, 송달되지 아니한 경우 송달받아야 할 자의 주소 또는 영업소를 다시 조사(시·읍·면·동의 주민등록사항, 인근자, 거래처 및 관계자 탐문, 등기부 등의 조사)하여도 그 주소 또는 영업소를 알 수 없는 경우를 말한다(예규 기법 33-1). 그리고, 공시송달이 적법한지 여부에 대한 입증책임은 원칙적으로 과세관청에 있다(대법원 96누3562, 1996.6.28.).

한편, 공시송달은 공고 후 14일이 경과하면 송달의 효력이 발생하므로 서류수령을 거절하는 경우까지 공시송달 사유로 규정할 경우에, 납세자가 고의적으로 기한의 연장효과를 얻기 위해 교부송달을 거부할 가능성이 있으므로 법 제30조에 의한 유치송달로 보완하도록 하였다.

| 최근 개정법령 _ 2016.1.1.| 공시송달 공고방법 추가(법 제33조 ②)

스마트폰의 대중화 등 정보통신환경의 발달에 따라 납세자가 지자체의 홈페이지를 통해 관련 정보를 인지하는 비중이 확대되었다. 그에 따라 지자체의 정보통신망(홈페이지)을 통한 게시를 공고방법에 추가하되, 이 경우 시・군 게시판 게시나 관보・공보・일간신문 게재를 의무적으로 병행토록 하였다.

1. 공시송달

◎ 공시송달 서류의 요지 : 여러 건의 납세고지서와 독촉장을 공시송달 하는 경우에는 아래의 서식에 따라 고지내역을 작성하여 별지 제10호 서식에 첨부한다(예규 기법 33-2).

연번	서류의 명칭	부과 년월일	과세 번호	주요 세목	총 세액	공시송달 대상자		공시송달 사유
						성명	주소 (영업소)	

◎ 공시송달하는 경우 도로명주소법에 따른 상세주소를 기재할 수 있음

개인정보보호법상 불특정 다수에게 공고되는 공시송달의 경우 상대방의 상세주소가 포함되어서는 안 된다는 의견이 있을 수 있음 … 불가피한 경우에는 개인정보를 제3자에게 제공 등을 할 수 있다고 규정하고 있고, 공시송달은 지방세의 부과・징수에 필요한 사항으로 원활한 납세의무 이행에 기여하는 지방세기본법에 따른 조세행정 업무의 하나임. 따라서 상세주소를 기재하여 공고할 수 있음(법제처-15-0670, 2015.12.23.).

◎ 주소지 파악 등을 위한 노력없이 단순히 고지서 반송을 이유로 공시송달할 수는 없음(지방세운영과-2528, 2009.6.23.).

◎ "공시송달을 할 수 있는 경우로서 주소 또는 영업소가 분명하지 않은 때"라 함은 주민등록표, 법인등기부 등에 의하여도 이를 확인할 수 없는 경우를 뜻함(대법원 87누375, 1988.6.14.).

◎ "송달불능"의 경우, 징수유예 또는 공시송달을 할 것인지는 과세권자가 결정할 사안

고지서 "송달불능"의 경우에도 납세자의 재산이 확인되는 경우에는 공시송달의 방법에 의하

여 조세채권을 확정하여 체납처분의 집행에 의하여 조세채권을 실현하여야 할 것이므로, 납세고지서의 "송달불능"의 경우, "송달불능으로 인한 징수유예(유예기간 포함)"를 할 것인지, "공시송달"을 통하여 징수절차를 진행할 지 여부는 과세권자가 가장 효과적인 방안을 선택하여 결정할 사안임(지방세운영과-2528, 2009.6.23.).

◎ **공시송달을 하였다 하더라도 징수유예 또는 부과철회 등의 절차는 진행할 수 있음**
지방세법 제42조의 2 제1항에는 "지방자치단체의 장은 주소·거소·영업소 또는 사무소의 불명으로 인하여 납세고지서를 송달할 수 없을 때에는 제52조의 규정에 불구하고 대통령령이 정하는 바에 의하여 징수유예 등을 할 수 있다"고 되어 있으므로, 비록 지방세 부과처분 효력발생의 전제조건인 납세고지서 송달이 불가능하여, 지방세 채무의 확정을 위한 공시송달을 하였다고 하더라도 징수유예 또는 부과철회 등의 절차를 진행할 수 있을 것으로 판단됨(지방세운영과-200, 2008.7.9.).

◎ '주소 또는 영업소에서 서류의 수령을 거부한 때'라 함은 송달을 받아야 할 자의 주소 또는 영업소에서 서류를 송달하려 하였으나 그 수령을 거부한 때를 가리킨다고 할 것이어서 그 이외의 장소에서 서류를 송달하려 하였으나 수령을 거부한 경우는 포함되지 아니함(대법원 96누3562, 1996.6.28.).

◎ **법인의 경우 본점 소재지 및 대표이사 주소지를 확인했음에도 송달불능인 경우 공시송달**
국세기본법상 공시송달을 할 수 있는 경우인 "주소 또는 영업소가 분명하지 아니한 때"라 함은 주민등록표, 법인등기부 등에 의하여도 확인할 수 없는 경우를 뜻하는 것이고, 법인에 대한 송달은 본점 소재지에서 대표이사가 이를 수령할 수 있도록 함이 원칙이나 그와 같은 송달이 불능인 경우에는 법인등기부 등을 조사하여 본점 소재지의 이전 여부 및 대표이사의 변경 여부나 대표이사의 법인등기부상의 주소지 등을 확인하여 송달하였는데도 송달이 불능인 경우 비로소 공시송달할 수 있음(대법원 92누6136, 1993.1.26.).

2. 적법한 공시송달

◎ **'주소가 분명하지 아니한 때'란 선량한 관리자의 주의를 다해 조사했으나 알지 못한 경우**
'주소 또는 영업소가 분명하지 아니한 때'라 함은 과세관청이 선량한 관리자의 주의를 다하여 송달을 받아야 할 자의 주소 또는 영업소를 조사하였으나 그 주소 또는 영업소를 알 수 없는 경우를 말함. 과세관청이 선량한 관리자로서의 주의를 다하여 수송달자의 주소를 조사하였으나 이를 알지 못한 경우에 해당하여 납세고지서를 공시송달한 것은 적법함(대법원 98두18701, 1999.5.11.).

◎ **무단전출로 주민등록이 직권말소된 상태를 확인하고 공시송달한 것은 적법한 고지임**

청구인의 2000.1월 면허세, 2000.6월 자동차세 등은, 처분청에서 납세고지서가 반송되자 주민등록표 등 공부에 의해 청구인이 1998.12.31. 무단전출로 주민등록이 직권말소된 상태에 있는 것을 확인하고 공시송달한 사실이 확인되므로 이는 적법한 고지가 이루어진 것으로 판단됨(조심 2008지648, 2009.6.17.).

◎ **공시송달 효력발생 전에 납부기한이 경과하였더라도 공시송달이 무효라 할 수는 없음**

"납세고지서 · 납부통지서 · 독촉장 또는 납부최고서를 송달한 경우에 도달한 날에 이미 납부기한이 경과하였거나 도달한 날로부터 7일 내에 납부기한이 도래하는 것에 대하여는 도달한 날로부터 7일이 경과하는 날을 납부기한으로 한다"고 규정하고 있어 공시송달의 효력이 발생하기 전에 위 납세고지서와 독촉장에 정해진 납부기한 또는 지정납부일이 경과하였다 하더라도 공시송달이 무효라 할 수 없음(대법원 2003두11117, 2004.7.22.).

3. 위법한 공시송달

◎ **주소확인 등 노력 없이 공시송달한 것은 적법한 납세고지서 송달이 아니라고 한 사례**

납세고지서를 청구법인의 법인등기부상 본점 소재지로 등기우편 방법으로 발송할 당시 청구법인은 휴업상태에 있었으므로 여기에서는 이러한 납세고지서 수령이 가능하였다고 볼 수 없다 하겠고, 납세고지서가 수취인 부재로 반송되었다면 당시 대표이사의 법인등기부상 주소지로 재차 발송하는 등의 조치를 취하였어야 함에도 이를 이행하지 아니하였을 뿐만 아니라 이 사건 등록세 등 부과처분 이전에 등기우편 방법으로 발송한 과세예고 통지서 또한 반송되었음에도 그러한 사유를 확인하지 아니한 채 공시송달하였으므로 고지서의 송달이 적법하게 이루어졌다고 보기 어려움(조심 2009지512, 2009.8.21.).

◎ 납부하여야 할 세액을 기재하지 아니하고 이루어진 공시송달은 위법한 것이므로 부과처분은 무효에 해당함(대법원 2009두20380, 2011.9.8.).

◎ "주소 또는 영업소가 분명하지 아니한 때"라 함은 주민등록표등에 의하여도 이를 확인할 수 없는 경우를 말하는 것으로, 납세의무자의 주소를 주민등록표에 의하여 충분히 확인할 수 있음에도 불구하고 그 주소지로 납부통지서를 발송하였다가 "수취인 부재"등의 사유로 반송되었다 하여 납부통지서를 공시송달 하였다면 이는 적법한 송달로 볼 수 없음(대법원 92누4246, 1992.7.10.).

제 2 장

지방세기본법

납세의무

제1절 납세의무의 성립 및 소멸

제34조(납세의무의 성립시기)

법 제34조(납세의무의 성립시기) ① 지방세를 납부할 의무는 다음 각 호의 구분에 따른 시기에 성립한다.

1. 취득세 : 과세물건을 취득하는 때
2. 등록면허세
   가. 등록에 대한 등록면허세 : 재산권과 그 밖의 권리를 등기하거나 등록하는 때
   나. 면허에 대한 등록면허세 : 각종의 면허를 받는 때와 납기가 있는 달의 1일
3. 레저세 : 승자투표권, 승마투표권 등을 발매하는 때
4. 담배소비세 : 담배를 제조장 또는 보세구역으로부터 반출(搬出)하거나 국내로 반입(搬入)하는 때
5. 지방소비세 : 「국세기본법」에 따른 부가가치세의 납세의무가 성립하는 때
6. 주민세
   가. 개인분 및 사업소 : 과세기준일　나. 종업원분 : 종업원에게 급여를 지급하는 때
7. 지방소득세 : 과세표준이 되는 소득에 대하여 소득세·법인세의 납세의무가 성립하는 때
8. 재산세 : 과세기준일
9. 자동차세
   가. 자동차 소유에 대한 자동차세 : 납기가 있는 달의 1일
   나. 자동차 주행에 대한 자동차세 : 과세표준이 되는 교통·에너지·환경세의 납세의무가 성립하는 때
10. 지역자원시설세
   가. 발전용수 : 발전용수를 수력발전(양수발전은 제외한다)에 사용하는 때
   나. 지하수 : 지하수를 채수(採水)하는 때　다. 지하자원 : 지하자원을 채광(採鑛)하는 때
   라. 컨테이너 : 컨테이너를 취급하는 부두를 이용하기 위하여 컨테이너를 입항·출항하는 때
   마. 원자력발전 : 원자력발전소에서 발전하는 때　바. 화력발전 : 화력발전소에서 발전하는 때
   사. 특정부동산 : 과세기준일 [사. 건축물 및 선박 : 과세기준일 (2021.1.1. 시행)]

11. 지방교육세 : 과세표준이 되는 세목의 납세의무가 성립하는 때
12. 가산세 : 다음 각 목의 구분에 따른 시기. 다만, 나목부터 마목까지의 규정에 따른 경우 제46조를 적용할 때에는 이 법 및 지방세관계법에 따른 납부기한(이하 "법정납부기한"이라 한다)이 경과하는 때로 한다.
  가. 제53조에 따른 무신고가산세 및 제54조에 따른 과소신고·초과환급신고가산세 : 법정신고기한이 경과하는 때
  나. 제55조 제1항 제1호에 따른 납부지연가산세 및 제56조 제1항 제2호에 따른 특별징수 납부지연가산세 : 법정납부기한 경과 후 1일마다 그 날이 경과하는 때
  다. 제55조 제1항 제2호에 따른 납부지연가산세 : 환급받은 날 경과 후 1일마다 그 날이 경과하는 때
  라. 제55조 제1항 제3호에 따른 납부지연가산세 : 납세고지서에 따른 납부기한이 경과하는 때
  마. 제55조 제1항 제4호에 따른 납부지연가산세 및 제56조 제1항 제3호에 따른 특별징수 납부지연가산세 : 납세고지서에 따른 납부기한 경과 후 1개월마다 그 날이 경과하는 때
  바. 제56조 제1항 제1호에 따른 특별징수 납부지연가산세 : 법정납부기한이 경과하는 때
  사. 그 밖의 가산세 : 가산세를 가산할 사유가 발생하는 때. 다만, 가산세를 가산할 사유가 발생하는 때를 특정할 수 없거나 가산할 지방세의 납세의무가 성립하기 전에 가산세를 가산할 사유가 발생하는 경우에는 가산할 지방세의 납세의무가 성립하는 때로 한다.

② 제1항에도 불구하고 다음 각 호의 지방세를 납부할 의무는 각 호에서 정한 시기에 성립한다.
1. 특별징수하는 지방소득세 : 과세표준이 되는 소득에 대하여 소득세·법인세를 원천징수하는 때
2. 수시로 부과하여 징수하는 지방세 : 수시부과할 사유가 발생하는 때
3. 「법인세법」 제67조에 따라 처분되는 상여(賞與)에 대한 주민세 종업원분
  가. 법인세 과세표준을 결정하거나 경정하는 경우 : 「소득세법」 제131조 제2항 제1호에 따른 소득금액변동통지서를 받은 날
  나. 법인세 과세표준을 신고하는 경우 : 신고일 또는 수정신고일

③ 이 조와 제7장에서 사용되는 용어 중 이 법에서 정의되지 아니한 용어는 「지방세법」을 따른다.

납세의무는 「지방세기본법」 제34조에서 정하는 충족요건 즉, 특정시기에 특정사실 또는 상태가 존재함으로써 과세대상(물건 또는 행위)이 납세의무자에게 귀속되어 법령이 정하는 바에 따라 과세표준의 산정 및 세율의 적용이 가능하게 되는 때에 구체적으로 성립한다(예규 기법 34-1). 즉, 각 세목에서 정한 바에 따라 과세표준을 계산하고 세율을 적용하여 과세할 수 있는 상태가 되었을 때 성립한다. 이와 같은 상태의 납세의무는 아직도 추상적인 납세의무에 지나지 아니하므로 구체적인 조세채무가 되려면 그 성립한 조세채무의 내용을 구체적으로 확정하는 절차를 밟아야 하는 데 그 확정절차가 납세의무자의 신고행위 또는 과세관청의 부과처분이다.

납세의무가 성립한 경우 소급과세가 금지되는 효과가 있으며, 각 세목의 규정에 따라 신고납부 세목의 경우 과세표준 및 세액을 신고할 의무가 발생하고, 부과고지 세목의 경우

과세관청은 부과처분 과정으로 넘어가게 된다.

※ 이하 납세의무성립관련 사례는 개별세목의 쟁점사례를 참조 바람.

| 최근 개정법령 _ 2015.5.18. | 주민세(종업원분) 납세의무 성립시기 보완(제34조 ② 3호)

인정상여는 주민세(종업원분) 신고납부 대상으로서, 주로 법인세 신고·조사과정 등에서 파악되므로 실제 지급시기 이후에 확인 가능하다. 그러나, 지방세기본법에서 주민세(종업원분)의 납세의무 성립시기를 단순히 "종업원에게 급여를 지급하는 때"로만 규정하고 있어 불합리한 점이 있었다. 따라서 인정상여에 대한 주민세(종업원분)의 납세의무 성립시기를 국세와 동일하게 소득금액변동통지서를 받은 날 또는 수정신고일(「소득세법」 제131조) 등으로 규정하였다. ※ 주민세 과세관청은 인정상여에 대해 국세청 경정통보 자료를 통해서만 인지할 수 있음. 개정법률 시행 후 「소득세법」 제131조 제2항의 예(例)에 따라 원천징수하는 경우부터 적용

납부지연에 따른 가산세·가산금 통합(2022년 시행)

2022년부터 가산세·가산금 제도가 대폭 개편된다. 기존 제도를 보면 다음과 같다. ① 납부불성실가산세는 신고납부 세목을 법정신고납부기한까지 납부하지 않거나 과소납부한 경우 산출세액에 가산하여 징수하는 금액이다(일할 계산, 지방세기본법 §55). ② 가산금은 지방세(전 세목)를 납부고지서 상 납부기한까지 납부하지 않았을 때(체납시점) 고지세액에 가산하여 징수하는 금액이다(1회, 지방세징수법 §30). ③ 중가산금은 지방세(전 세목)를 납부기한 이후 일정기한까지 납부하지 않았을 때(체납후 매 1개월) 고지세액에 추가 가산하여 징수하는 금액이다(월할계산, 지방세징수법 §31).

2022년부터는 가산세와 가산금에 대해 납세자의 이해를 제고하고 이중 부과 등 오해를 불식시키기 위해 납부불성실가산세와 (중)가산금을 가산세로 통합하였다. 동시에 납세자의 부정적인 인식을 해소하기 위해 납부불성실가산세를 보다 적합한 의미를 가진 명칭으로 순화하였다(납부지연가산세). 세부적인 내용은 다음과 같다[12](법 §34·§39·§55·§56 등).

첫째, 종전 (중)가산금 산정시 기준액은 본세+가산세이나, 가산세로 일원화 됨에 따라 그 기준액을 본세로 조정하였다(국세동일). 국세는 가산세(일할), 가산금(1회), 중가산금(월할)을 통합하면서 조속한 납부를 유도하기 위하여 중가산금을 일할 과세로 변경하였으나, 부과고지세목 위주의 지방세에는 일할 적용이 불합리하여 기존의 산정방식을 유지하였다(일할+월할).

둘째, 기존의 가산세의 납세의무 성립시기는 가산세별 성격과 의무위반 시기 등을 반영하지 않고 일률적으로 규정(가산세를 가산할 지방세의 납세의무가 성립하는 때)하고 있던

12) 행안부 2021년 시행 지방세관계법 개정 적용요령 참고

것을 가산세별로 규정하였다.

- 무신고가산세, 과소신고·초과환급가산세 : 법정신고기한이 경과한 때
- 납부지연가산세(종전 납부불성실가산세분) : 법정납부기한 경과 후 1일마다 그 날이 경과하는 때
- 납부지연가산세(종전 가산금분) : 납세고지서에 따른 납부기한이 경과하는 때
- 납부지연가산세(종전 중가산금분) : 납세고지서에 따른 납부기한 경과 후 1개월마다 그 날이 경과하는 때
- 특별징수 납부지연가산세 : 법정납부기한이 경과하는 때
- 그밖의 가산세 : 가산세를 가산할 사유가 발생하는 때. 다만, 가산세를 가산할 사유가 발생하는 때를 특정할 수 없거나 가산할 지방세의 납세의무가 성립하기 전에 가산세를 가산할 사유가 발생하는 경우 가산할 지방세의 납세의무가 성립하는 때

셋째, 납부지연가산세 신설 등에 따라 납세의무가 성립하는 때 별도의 절차없이 납세의무가 확정되도록 하였다.

넷째, 가산세 통합은 소멸시효에 영향을 미친다. 현행 지방세기본법상 5천만원 이상의 지방세는 10년, 그 외의 지방세는 5년이다. 가산세가 포함된 지방세의 부과고지를 언제 하느냐에 따라 고지금액이 달라 소멸시효 기간이 달라질 수 있다. 이러한 문제점을 방지하기 위해 "지방세"의 범위에 가산세는 제외토록 하였다. 아울러 시행령(§20)에서 규정하고 있는 소멸시효 기산일 규정을 조세법률주의에 부합하도록 법률로 상향하여 규정하였다.

넷째, 국세인 농특세에 대한 가산세 규정을 보완하였다. 지방세는 국세와 다르게(일할+월할↔일할) 가산세 일원화를 추진함에 따라, 유예기간 이후에도 불합리한 상황이 발생될 수 있다. 지방세에 부가되는 농특세의 가산세는 일할 적용됨에 따라 고지서 납부금액이 지방세는 변동이 없고 국세인 농특세는 매일 변경되는 문제가 발생한다. 이에 대해 지방세에 부가되는 농특세의 가산세는 지방세와 동일하게 적용하기 위하여 2021년 중 농어촌특별세법 개정을 추진할 예정이다.

◎ 특별징수하는 지방소득세는 그 과세표준이 되는 소득세를 원천징수하여야 할 때, 즉 원천징수의무자가 소득금액 또는 수입금액을 지급하는 때에 그 납세의무가 성립함(대법원 2003두8814, 2004.12.10.).

제35조(납세의무의 확정)~제35조의 2(수정신고의 효력)

> **법** 제35조(납세의무의 확정) ① 지방세는 다음 각 호의 구분에 따른 시기에 세액이 확정된다.
>
> 1. 납세의무자가 과세표준과 세액을 지방자치단체에 신고납부하는 지방세 : 신고하는 때. 다만, 납세의무자가 과세표준과 세액의 신고를 하지 아니하거나 신고한 과세표준과 세액이 지방세관계법에 어긋나는 경우에는 지방자치단체가 과세표준과 세액을 결정하거나 경정하는 때로 한다.
> 2. 삭제 〈2020.12.29.〉
> 3. 제1호 외의 지방세 : 해당 지방세의 과세표준과 세액을 해당 지방자치단체가 결정하는 때
>
> ② 제1항에도 불구하고 다음 각 호의 지방세는 납세의무가 성립하는 때에 특별한 절차 없이 세액이 확정된다.
>
> 1. 특별징수하는 지방소득세 2. 제55조 제1항 제3호 및 제4호에 따른 납부지연가산세
> 3. 제56조 제1항 제3호에 따른 특별징수 납부지연가산세
>
> 제35조의 2(수정신고의 효력) ① 제49조에 따른 수정신고(과세표준 신고서를 법정신고기한까지 제출한 자의 수정신고로 한정한다)는 당초의 신고에 따라 확정된 과세표준과 세액을 증액하여 확정하는 효력을 가진다.
>
> ② 수정신고는 당초 신고에 따라 확정된 세액에 관한 이 법 또는 지방세관계법에서 규정하는 권리·의무관계에 영향을 미치지 아니한다.

납세의무의 확정이라 함은 지방세의 납부 또는 징수를 위하여 법이 정하는 바에 따라 납부할 지방세액을 납세의무자 또는 지방자치단체의 일정한 행위나 절차를 거쳐서 구체적으로 확정하는 것을 말한다. 납세의무의 성립과 동시에 법률상 당연히 확정되는 것(예 : 특별징수하는 지방소득세)과 납세의무 성립 후 특별한 절차가 요구되는 것으로서 납세자의 신고에 의하여 확정되는 것(예 : 취득세 등) 및 지방자치단체의 결정에 의하여 확정되는 것(예 : 자동차세 등)이 있다(예규 기법 35-1).

납세의무가 성립된 상태에서의 조세채무를 추상적 조세채무, 확정된 상태에서의 조세채무를 구체적 조세채무라고 부른다. 납세의무의 성립은 조세 실체법상의 개념이고, 납세의무의 확정은 조세절차법상의 개념에 속한다. 납세의무 성립은 부과권의 제척기간과 연결되고, 납세의무의 확정은 징수권의 시효기간과 연결된다.

2021.1.1. 수정신고의 효력규정을 신설하였다(국세와 일치시킴). 제35조는 지방세 채권·채무(세액)의 확정 효력을 규정하고 있는데, 수정신고한 신고납부 세목의 확정 효력에 대해서는 규정이 없었다. 또한, 당초 신고에 따라 확정된 세액과 수정신고에 따라 증액된 세액 간, 조세쟁송 및 체납처분에 있어서 법률관계가 불명확하였다. 즉 쟁송 대상 및 소송물,

청구(제소)기간, 소멸시효 기산일, 체납처분 대상 등에 있어 하나의 대상인지 별개의 대상인지 불명확하였다. 그에 따라 수정신고한 신고납부 세목의 지방세 납세의무(지방세 채권·채무) 확정 효력을 명문화함으로써 수정신고한 신고납부 세목은 수정신고하는 때에 당초 신고에 따라 확정된 과세표준과 세액을 증액하여 확정하게 된다. 당초 신고에 따라 확정된 세액과 수정신고에 따라 증액된 세액 간 법률관계 명확히 함으로써 조세쟁송, 체납처분 등에 있어서 별개의 대상이 된다. 예를들어 당초세액과 증액된 세액은 독립하여 소송의 대상이 되고, 청구(제소)기간, 소멸시효 기산일, 체납처분 등에서 각각 별도의 대상이 된다.

◎ 납세의무의 성립과 확정에 관한 법리

신고납세방식을 채택하고 있는 취득세에 있어서 과세관청이 납세의무자의 신고에 의하여 취득세의 납세의무가 확정된 것으로 보고 그 이행을 명하는 징수처분으로 나아간 경우, 납세의무자의 신고행위에 하자가 존재하더라도 그 하자가 당연무효 사유에 해당하지 않는 한, 그 하자가 후행처분인 징수처분에 그대로 승계되지는 않는 것이고, … 이 사건 취득세 신고 후에 실제로 잔금 청산이 이루어지지 못하였다고 하더라도 그러한 하자는 중대하고도 명백한 하자로서 당연무효 사유에 해당한다고 볼 수는 없으므로, 피고가 이 사건 취득세 신고에 의하여 취득세의 납세의무가 확정되었음을 전제로 하여 이 사건 징수처분을 한 데에 잘못이 없음(대법원 2005두14394, 2006.9.8.).

◎ 취득세 납세고지서는 확정된 납세의무에 대한 징수처분의 성질만 가지는 것임

신고납세방식의 조세인 취득세에 있어 납세의무자가 과세표준 및 세액을 신고하였다면 이로써 취득세 납세의무가 확정되는 것이므로, 그 뒤에 납세고지서가 발부되었다고 하더라도, 이는 이미 확정된 취득세 납세의무의 이행을 명하는 징수처분에 지나지 아니한다고 할 것이고(대법원 94누910, 1995.2.3. 참조), … ○○구청장은 원고의 이 사건 취득세의 납세의무자 ×××의 신고에 의하여 확정된 것으로 보고, 이를 징수하기 위하여 이 사건 납세고지서를 발부하였으므로 이는 징수처분의 성질만을 가지는 것이고, ×××의 신고가 무효라 하더라도 달리 볼 것은 아님(대법원 2002두5115, 2003.10.23.).

◎ 납세의무가 확정되었더라도 신고납부세목의 가산세는 별도의 부과처분이 필요함

신고납부세목의 경우 신고하는 때에 확정되는 것이지만 그 신고를 제대로 하고서도 이를 납부하지 아니한 경우 납부불성실가산세 납세의무의 확정을 위하여는 과세관청의 가산세 부과처분이 별도로 필요함(대법원 95누15704, 1998.3.24.).

◎ 합의해제로 소유권이전등기가 말소되었어도 기 신고납부로 확정된 취득세는 변함이 없음

취득세는 재화의 이전이라는 사실을 포착하여 거기에 담세력을 부여하는 신고납세방식의 유

통세로서 취득자가 실질적으로 완전한 내용의 소유권을 취득하는가의 여부와 관계없이 소유권 이전형식을 포함한 사실상의 취득행위 자체를 과세객체로 하며(대법원 1994누10627, 1995.1.14.), 신고납세방식의 특성상 원칙적으로 납세의무자가 스스로 과세표준과 세액을 정하여 신고하는 행위에 의해 납세의무가 구체적으로 확정되는 바, 소유권이전등기(2011.4.6.) 후 합의해제로 소유권이전등기가 말소(2011.6.29.)되었다 하더라도 기 신고납부한 취득세 등은 환급되지 않음(지방세운영과-3773, 2011.8.8.).

◎ **리스계약 파기로 인한 자동차 구입계약 해제가 당초 신고행위를 무효로 할 수는 없음**

당초의 리스계약이 파기되어 자동차 구입계약이 해제되었을 경우 「지방세기본법」 제51조 제2항 제3호 및 같은 법 시행령 제30조 제2호에 따른 경정청구의 요건이 성립되므로 경정청구는 가능하나, 자동차를 취득하면서 취득세를 법정신고기한 내 신고납부하고 등록절차를 마쳤다면 실질적으로 취득행위가 있었다고 볼 수 있고, 리스계약 파기로 인한 자동차 구입계약 해제가 당초의 신고행위를 무효로 할 만큼 중대하고 명백한 하자로도 볼 수 없으므로 취득세를 경정할 수는 없다고 판단됨(지방세운영과-2996, 2011.6.24.).

◎ **'부동산 실명법' 위반에 따른 형사판결문은 재산세 납세의무자 변경 사유가 될 수 없음**

명의신탁 관계에 있어서는 「부동산 실권리자명의 등기에 관한 법률」 제4조에 따라 그 계약의 효력이 무효이나 등기관계를 믿은 선의의 제3자에 대하여는 대항하지 못하고, 명의신탁이 해지되고 소유권이전등기 절차가 이루어지기 전까지는 명의수탁자가 법률적 소유권을 행사하고 있는 점을 고려할 때, '소유권 이전'에 관한 판결도 아닌 「부동산 실명법」을 위반했다는 형사판결문은 납세의무자를 변경할 만한 입증 자료가 될 수 없고, 설사 소유권이전에 대한 판결이더라도 확정판결 자체만으로 취득을 인정할 수 없고, 소유권이전등기까지 완료되어야 취득(소유권변동)으로 인정할 수 있어(대법원 2000두9311, 2002.7.12.), 납세의무자는 공부상 소유자인 명의수탁자임(지방세운영과-4132, 2010.9.7.).

◎ **특별징수 주민세의 납세의무 확정시기는 세무결과통지서 및 소득금액변동통지서 수령일**

특별징수하는 주민세는 납세의무가 성립하는 때에 특별한 절차없이 그 세액이 확정되며, 「국세기본세법」상 원천징수하는 소득세는 소득금액 또는 수입금액을 지급하는 때를 납세의무 성립시기로 규정하고, 「소득세법 시행령」 제192조 ①에서 「법인세법」상 세무서장이 결정 또는 경정함에 있어 처분되는 배당 · 상여 및 기타 소득은 법인소득금액을 결정 또는 경정하는 세무서장 또는 지방국세청장이 그 결정일 또는 경정일부터 15일 내에 기획재정부령이 정하는 소득금액변동통지서에 의하여 당해 법인에게 통지하여야 하고, 당해 배당 · 상여 및 기타 소득은 그 통지서를 받은 날에 지급하거나 회수한 것으로 보므로, 주민세 납세의무는 과세물건인 갑종근로소득세의 증액경정처분이 있은 때, 즉 세무결과통지서 및 소득금액변동통지서를 수령한 날에 성립함(조심 2009지1115, 2010.7.20.).

◎ 과세표준을 재산정한 납부고지서를 교부한 행위는 처분에 해당됨

원고가 이 사건 회원권의 취득가액 및 과세표준액을 2,700만 원으로 신고한 사실, 피고가 회원권의 과세표준액을 3,380만 원으로 산정하여 이 사건 처분을 한 사실은 앞서 살핀 바와 같으므로, 피고가 원고가 신고한 2,700만 원보다 높은 3,380만 원을 이 사건 회원권의 과세표준액으로 삼아 원고에게 납세고지서를 교부한 이 사건 처분은, 피고가 원고의 신고 내용과 달리 이 사건 회원권의 과세표준과 세액을 결정하거나 경정한 것이므로, 항고소송의 대상이 되는 부과처분이라 할 것임(대법원 2017두32364, 2017.4.28.).

제36조(경정 등의 효력)

> **법** 제36조(경정 등의 효력) ① 지방세관계법에 따라 당초 확정된 세액을 증가시키는 경정은 당초 확정된 세액에 관한 이 법 또는 지방세관계법에서 규정하는 권리·의무관계에 영향을 미치지 아니한다.
>
> ② 지방세관계법에 따라 당초 확정된 세액을 감소시키는 경정은 그 경정에 따라 감소되는 세액 외의 세액에 관한 이 법 또는 지방세관계법에서 규정하는 권리·의무관계에 영향을 미치지 아니한다.

납세의무가 일단 확정된 후에도 내용에 오류나 누락이 있는 경우 수정신고나 결정 등의 청구를 인정하고 있으므로 잠정적으로 확정되는 것에 불과하여 조세채무의 변경이 일어나기도 한다. 변경의 유형으로는 과세관청의 경정결정이나 납세자의 경정청구, 납세자의 수정신고, 납세자의 기한 후 신고 등이 있을 수 있다. 그 중 과세관청의 경정처분에는 과세표준 및 세액을 증가시키는 증액경정처분과 감소시키는 감액경정처분이 있다.[13)]

그런데 당초처분과 경정처분의 관계에 있어, 서로 독립하여 별개로 존재하고 경정처분은 그 처분에 의해 추가로 확정된 과세표준 및 세액 부분에만 효력이 미친다는 주장(병존설)과, 당초처분은 경정처분에 흡수되어 소멸하고 경정처분의 효력은 처음부터 다시 조사 결정한 과세표준 및 세액 전체에 미친다는 주장(흡수설)[14)]이 있다.

---

13) 임승순, 2015, 「조세법」, 박영사, p.318~p.320 내용 참고

14) 이 경우 소송절차에서 증액부분만이 아니고 당초처분까지 취소를 구할 수 있으며 취소사유 역시 제한 없이 주장할 수 있음. 전심절차도 경정처분을 기준으로 판단. 납세자는 증액경정처분만을 쟁송대상으로 삼을 수 있고, 이 경우 신고에 의해 확정되었던 과세표준과 세액에 대하여도 증액경정처분이 경정청구기한 내에 이루어진 한 다시 다툴 수 있음.

지방세기본법 제36조 제1항[15]에 따르면 경정으로 인한 처분의 효력이 당초 확정된 납부세액에 영향을 주지 않는다. 즉 당초처분과 경정처분은 별개의 처분이 병존하므로 경정처분의 효력은 경정으로 증가된 과세표준과 세액에만 영향을 미치는 것으로 이해할 수 있다(병존설). 그런데 이러한 규정에도 불구하고 판례에서는 여전히 당초처분에 대해 증액경정처분을 통해 다툴 수 있고, 다만 불복기간 경과 등으로 확정된 당초 신고 또는 결정에서의 세액만큼은 불복이 제한된다(병존적 흡수설)고 판시한 사례를 볼 수 있다.

결정 · 경정 등 용어

부과과세방식의 조세에서 재산세의 경우 신고의무가 없기 때문에 과세관청이 처음으로 결정하는 처분을 '결정' 또는 '당초결정'이라 하고, 상속세 · 증여세의 경우 납세의무자의 신고행위에 조세채무의 확정의 효력이 없기 때문에 신고를 받아 과세관청이 처음으로 결정하는 처분을 '결정' 또는 '당초결정'이라 함. 이러한 당초결정에 오류 · 탈류가 있어서 다시 고쳐 결정하는 처분을 '경정결정'이라고 함.

신고납세방식의 조세에서는 납세의무자가 과세표준을 신고하지 않아 납세의무가 확정되지 않은 상태에서 과세관청이 조사하여 결정하는 처분만을 '결정' 또는 '당초결정'이라 하고, 과세표준신고가 있어서 납세의무가 확정되었는데 그 신고에 오류탈루가 있어서 납세의무의 내용을 다시 고쳐 결정하는 처분을 '경정결정'이라고 하고, 경정결정된 처분을 다시 고치는 처분은 '재경정결정'이라 함.

1. 흡수설에 따른 사례

◎ 증액경정처분이 있는 경우 당초 신고나 결정은 증액경정처분에 흡수됨

"경정 등의 효력 규정"의 입법 취지는 증액경정처분이 있더라도 불복기간의 경과 등으로 확정된 당초 신고 또는 결정에서의 세액만큼은 그 불복을 제한하려는 데 있는 점 등을 종합하여 볼 때, 증액경정처분이 있는 경우 당초 신고나 결정은 증액경정처분에 흡수됨으로써 독립된 존재가치를 잃게 된다고 보아야 할 것이므로, 원칙적으로는 당초 신고나 결정에 대한 불복기간의 경과 여부 등에 관계없이 증액경정처분만이 항고소송의 심판대상이 되고, 납세의무자는 그 항고소송에서 당초 신고나 결정에 대한 위법사유도 함께 주장할 수 있다고 해석함이 타당함(대법원 2006두17390, 2009.5.14.).

15) 국세기본법 개정(2002.12.18. 법률 제6782호)으로 관련규정이 신설되었고, 지방세기본법은 분법시행으로 국세기본법과 동일한 내용으로 들여왔음. 그동안 국세에서 논의되는 학설 및 판례를 지방세에도 그대로 적용해 볼 수 있음.

◎ 하자 있는 해당부분 세액을 감액하는 경정처분에 의해 당초처분의 하자를 시정할 수 있음

감액경정처분은 당초 처분의 일부 취소로서의 성질을 가지고 있으므로, 당초 처분에 취소사유인 하자가 있는 경우 그것이 처분 전체에 영향을 미치는 절차상 사유에 해당하는 등의 사정이 없는 한 당초 처분 자체를 취소하고 새로운 과세처분을 하는 대신 하자가 있는 해당부분 세액을 감액하는 경정처분에 의해 당초 처분의 하자를 시정할 수 있음(대법원 2003두2861, 2006.3.9.).

◎ 증액경정처분만이 쟁송대상이라고 한 사례

과세처분이 있은 후에 증액경정처분이 있는 경우, 그 증액경정처분은 당초 처분을 그대로 둔 채 당초 처분에서의 과세표준과 세액을 초과하는 부분만을 추가로 확정하는 것이 아니라 당초 처분에서의 과세표준과 세액을 포함시켜 전체로서 하나의 과세표준과 세액을 다시 결정하는 것이므로, 당초 처분은 증액경정처분에 흡수되어 당연히 소멸하고 그 증액경정처분만이 쟁송의 대상이 됨(대법원 98두16149, 2000.9.8.).

2. 병존적 흡수설에 따른 사례(대법원 2008두22280, 2011.4.14.)

◎ 취득세 과세표준이 잘못되어 증액경정처분은 취소대상이나, 당초처분의 취소는 불가

- (사실관계) 골프장 조성공사 중인 토지를 취득하고 이를 준공하여 지목변경 취득세를 2004.7월 신고 납부(당초처분)하였음. 이 과정에서 과세표준은 이전 사업자로부터 취득하는 과정에서 영업권(사업계획승인 등)을 취득가액에 포함하여 중과세(일부분)로 신고하였음. 이후 과세관청은 중과세분 산정이 잘못되었다하여 2005.6월 추가로 9억원(증액경정처분)을 부과하였음. 이에 대해 납세의무자는 영업권을 취득가액에 제외하여야 하므로 증액경정처분뿐 아니라 당초 신고납부한 취득세도 취소할 것을 주장

> - 2004.7.31. 납세자 신고납부(당초처분) : 1·2토지 지목변경 등 취득세 과표 624억, 세액 54억 신고납부
>   - 이 중 2토지 관련하여 세액 17억, 과표 257억(275억 중 시가표준액 18억 제외) 중 실제 지목변경분은 중과세. 나머지는 일반세율 적용
> - 2005.6. 과세관청의 증액경정처분
>   - 9억(과표 90억분에 대해서도 추가중과세 적용)
> - 2005.9. 증액경정처분에 대해 불복(감심 및 취소소송)
>   - 제2토지관련 257억은 영업권이므로 과세표준에서 제외할 것을 주장

• **증액경정처분(9억)은 위법** : 사업양수도 계약서상 사업계획승인 등의 영업권 대가가 특정되어 있지는 않지만 그 양수대가에 영업권의 대가도 포함되어 있다고 보아야 하고, 이 사건 제2토지 대금과 골프장 사업계획승인 등 영업권에 대한 대금의 구별이 사실상 불가능한 이상 공시지가를 초과하는 나머지 부분을 사업계획승인 등 영업권 양수대가로 보는 것은 불가피하다고 할 것이므로, 쟁점금액(257억)은 이 사건 영업권 양수대가에 해당한다고 보아 이에 반하는 취지의 이 사건 증액경정처분은 위법함.

• **당초처분(약 17억)은 취소불가** : 당초처분일인 2004.7.31.부터 90일 이내에 소송을 제기하거나 또는 지방세법상 이의신청, 심사청구 등의 절차를 거치지 않음으로써 당초처분에 불가쟁력이 발생하였고, 그 이후인 2005.6.10. 피고의 증액경정처분이 있었음은 명백하므로, 증액경정처분의 취소를 구하는 이 사건 소 중 당초처분세액의 취소를 구하는 부분은 부적법함.

◎ **증액경정처분의 경우 증액경정처분에 의해 증액된 세액을 한도로 취소를 구할 수 있음**

증액경정처분이 있는 경우 납세자는 그 항고소송에서 당초 신고나 결정에 대한 위법사유도 함께 주장할 수 있으나, 확정된 당초 신고나 결정에서의 세액에 관하여는 취소를 구할 수 없고 증액경정처분에 의하여 증액된 세액을 한도로 취소를 구할 수 있음.

3. 감액경정결정

◎ **감액경정결정을 한 경우 그 경정결정이 항고소송의 대상이 되는 것은 아님**

과세표준과 세액을 감액하는 경정처분은 당초 부과처분과 별개로 독립의 과세처분이 아니라 그 실질은 당초 부과처분의 변경이고, 그에 의하여 세액의 일부취소라는 납세자에게 유리한 효과를 가져오는 처분이라 할 것이므로 그 경정결정으로도 아직 취소되지 않고 남아 있는 부분이 위법하다 하여 다투는 경우 항고소송의 대상은 당초의 부과처분 중 경정결정에 의하여 취소되지 않고 남은 부분이고, 경정결정이 항고소송의 대상이 되는 것은 아님(대법원 93누9989, 1993.11.9.).

◎ 감액경정처분 자체는 납세의무자에게 이익되는 처분이므로 감액경정처분을 대상으로 그 취소를 구하거나 무효확인을 구할 소의 이익이 없고, 감액하고 남은 당초 처분에 대한 불복기산일은 감액경정처분일이 아닌 당초 처분일이 됨(대법원 2007두5844, 2008.5.29.).

◎ **감액경정처분의 통지로 감액된 세액과 종전과 동일한 납기를 기재한 납세고지서를 재발급한 경우 이를 새로운 과세처분을 한 것으로 볼 수 없고 이는 납세편의를 위한 것임**

지방세 부과처분 일부변경에 대한 통보를 하고 지방세법 시행규칙 제7조 소정의 취득세부과취소(변경)통지서의 교부와 함께 같은 법 시행규칙 제6조 소정의 납세고지서에 감액된 취득세액과 종전과 동일한 납기를 기재하여 재발급한 것은 이로써 과세관청이 당초 부과처분을 전부 취소하고 새로운 부과처분을 한 것이 아니라 감액경정처분에 따른 징수처분을 함과 아울러 납세자의 납세편의를 위한 것이라고 보아야 할 것임(대법원 93누9989, 1993.11.9.).

제37조(납부의무의 소멸)

> **법** 제37조(납부의무의 소멸) 지방자치단체의 징수금을 납부할 의무는 다음 각 호의 어느 하나에 해당하는 때에 소멸한다.
> 1. 납부·충당 또는 부과가 취소되었을 때
> 2. 제38조에 따라 지방세를 부과할 수 있는 기간 내에 지방세가 부과되지 아니하고 그 기간이 만료되었을 때
> 3. 제39조에 따라 지방자치단체의 징수금의 지방세징수권 소멸시효가 완성되었을 때

지방세 납세의무는 성립 → 확정 → 소멸의 단계를 거치게 되는데, 지방세의 납부·충당 또는 부과의 취소 등으로 납세의무는 소멸된다.

「납부」라 함은 당해 지방세의 납세자는 물론 납세보증인 기타 이해관계가 있는 제3자 등에 의한 납부를 모두 포함한다(예규 기법 37-1). 그리고 「충당」이라 함은 납세의무자에게 환급할 지방세환급금과 당해 납세의무자가 납부할 지방세·가산금 및 체납처분비 상당액을 서로 상계시켜 지방세 세입으로 하는 것을 말한다(예규 기법 37-2).

☞ 지방세 외 세외수입 충당 등은 불가하며, 이 경우 채권확보(압류 등) 절차를 준용해야 함.

제38조(부과의 제척기간)

> **법** 제38조(부과의 제척기간) ① 지방세는 대통령령으로 정하는 바에 따라 부과할 수 있는 날부터 다음 각 호에서 정하는 기간이 만료되는 날까지 부과하지 아니한 경우에는 부과할 수 없다. 다만, 조세의 이중과세를 방지하기 위하여 체결한 조약(이하 "조세조약"이라 한다)에 따라 상호합의절차가 진행 중인 경우에는 「국제조세조정에 관한 법률」 제51조에서 정하는 바에 따른다.
> 1. 납세자가 사기나 그 밖의 부정한 행위로 지방세를 포탈하거나 환급·공제 또는 감면받은 경우 : 10년
> 2. 납세자가 법정신고기한까지 과세표준 신고서를 제출하지 아니한 경우 : 7년. 다만, 다음 각 목에 따른 취득으로서 법정신고기한까지 과세표준 신고서를 제출하지 아니한 경우에는 10년으로 한다.

가. 상속 또는 증여를 원인으로 취득하는 경우
나. 「부동산 실권리자명의 등기에 관한 법률」 제2조 제1호에 따른 명의신탁약정으로 실권리자가 사실상 취득하는 경우
다. 타인의 명의로 법인의 주식 또는 지분을 취득하였지만 해당 주식 또는 지분의 실권리자인 자가 제46조 제2호에 따른 과점주주가 되어 「지방세법」 제7조 제5항에 따라 해당 법인의 부동산등을 취득한 것으로 보는 경우

3. 그 밖의 경우 : 5년

② 제1항에도 불구하고 다음 각 호의 경우에는 제1호에 따른 결정 또는 판결이 확정되거나 제2호에 따른 상호합의가 종결된 날부터 1년, 제3호에 따른 경정청구일 또는 제4호에 따른 지방소득세 관련 자료의 통보일부터 2개월이 지나기 전까지는 해당 결정·판결, 상호합의, 경정청구 또는 지방소득세 관련 자료의 통보에 따라 경정결정이나 그 밖에 필요한 처분을 할 수 있다.

1. 제7장에 따른 이의신청·심판청구, 「감사원법」에 따른 심사청구 또는 「행정소송법」에 따른 소송(이하 "행정소송"이라 한다)에 대한 결정 또는 판결이 있는 경우
2. 조세조약에 부합하지 아니하는 과세의 원인이 되는 조치가 있는 경우 그 조치가 있음을 안 날부터 3년 이내(조세조약에서 따로 규정하는 경우에는 그에 따른다)에 그 조세조약에 따른 상호합의가 신청된 것으로서 그에 대하여 상호합의가 이루어진 경우
3. 제50조 제1항·제2항 및 제4항에 따른 경정청구가 있는 경우
4. 「지방세법」 제103조의 59 제1항 제1호·제2호·제5호 및 같은 조 제2항 제1호·제2호·제5호에 따라 세무서장 또는 지방국세청장이 지방소득세 관련 소득세 또는 법인세 과세표준과 세액의 결정·경정 등에 관한 자료를 통보한 경우

③ 제2항 제1호의 결정 또는 판결에서 명의대여 사실이 확인된 경우에는 제1항에도 불구하고 그 결정 또는 판결이 확정된 날부터 1년 이내에 명의대여자에 대한 부과처분을 취소하고 실제로 사업을 경영한 자에게 경정결정이나 그 밖에 필요한 처분을 할 수 있다.

④ 제1항 각 호에 따른 지방세를 부과할 수 있는 날은 대통령령으로 정한다.

⑤ 제1항 제1호에서 "사기나 그 밖의 부정한 행위"란 다음 각 호의 어느 하나에 해당하는 행위로서 지방세의 부과와 징수를 불가능하게 하거나 현저히 곤란하게 하는 적극적 행위를 말한다(이하 제53조, 제54조 및 제102조에서 같다).

1. 이중장부의 작성 등 장부에 거짓으로 기록하는 행위 2. 거짓 증빙 또는 거짓으로 문서를 작성하거나 받는 행위 3. 장부 또는 기록의 파기 4. 재산의 은닉, 소득·수익·행위·거래의 조작 또는 은폐 5. 고의적으로 장부를 작성하지 아니하거나 갖추어 두지 아니하는 행위 6. 그 밖에 위계(僞計)에 의한 행위

영 제19조(부과 제척기간의 기산일) ① 법 제38조 제1항 각 호 외의 부분 본문에 따른 지방세를 부과할 수 있는 날은 다음 각 호의 구분에 따른다.

1. 법 또는 지방세관계법에서 신고납부하도록 규정된 지방세의 경우 : 해당 지방세에 대한 신고기한의 다음 날. 이 경우 예정신고기한, 중간예납기한 및 수정신고기한은 신고기한에 포함되지 아니한다.
2. 제1호에 따른 지방세 외의 지방세의 경우 : 해당 지방세의 납세의무성립일

② 제1항에도 불구하고 다음 각 호의 경우에는 해당 각 호에서 정한 날을 지방세를 부과할 수

> 있는 날로 한다.
> 1. 특별징수의무자 또는 「소득세법」 제149조에 따른 납세조합(이하 "납세조합"이라 한다)에 대하여 부과하는 지방세의 경우 : 해당 특별징수세액 또는 납세조합징수세액의 납부기한의 다음 날
> 2. 신고납부기한 또는 제1호에 따른 법정 납부기한이 연장되는 경우 : 그 연장된 기한의 다음 날
> 3. 비과세 또는 감면받은 세액 등에 대한 추징사유가 발생하여 추징하는 경우 : 다음 각 목에서 정한 날
>   가. 법 또는 지방세관계법에서 비과세 또는 감면받은 세액을 신고납부하도록 규정된 경우에는 그 신고기한의 다음 날
>   나. 가목 외의 경우에는 비과세 또는 감면받은 세액을 부과할 수 있는 사유가 발생한 날

지방세 부과의 제척기간은 권리관계를 조속히 확정・안정시키려는 것으로서 지방세징수권 소멸시효와는 달리 기간의 중단이나 정지가 없다. 각 세목별 납세의무 성립일로(신고납부세목인 경우는 신고기한의 다음 날)부터 부과제척기간인 5년(7년, 10년)이 경과하면 지방자치단체의 부과권은 소멸되어 과세표준이나 세액을 변경하는 어떠한 결정이나 경정도 할 수 없다(예규 기법 38-1). 다만 「지방세기본법」 제38조 제2항의 당해 판결・결정 또는 상호합의를 이행하기 위한 경정결정 등 기타 필요한 처분은 제외한다(특례제척기간 적용).

부과권의 제척기간은 납세의무가 성립된 상태에서 실체법적인 부과권을, 이 법 제39조의 소멸시효는 조세채권이 확정된 상태에서 절차법적인 징수권을 각각 그 대상으로 하고 있다는 점에서 구별된다.

| 참고 _ 제척기간 및 소멸시효의 비교 |

제척기간	○ 법률관계를 신속히 확정짓기 위하여 일정한 권리에 관하여 법률이 정하는 존속기간. 즉, 지방세 부과를 할 수 있는 기간, 시효중단이나 정지 등이 없음. -세법상 과세요건이 충족되어 성립된 조세채무도 제척기간 내에 조세의 부과처분이 없으면 소멸됨. 제척기간이 만료되면 새로운 결정이나 증액경정결정이나 감액경정결정 등 어떠한 처분도 할 수 없게 됨.
소멸시효	○ 지방자치단체의 지방세 징수권은 5년간 행사하지 않으면 시효로 소멸됨. 즉, 지방세의 징수가 가능한 기간, 시효중단이나 정지사유가 있음. 시효가 완성되면 조세채권은 소멸하고, 시효완성 후에 이루어진 과세처분은 당연무효임.

| 최근 개정법령 _ 2016.1.1. | 부과제척기간의 보완(법 제38조 ①)

현행법상 명의신탁약정 등 부동산 실명법의 위반, 증여 등 특수한 유형에 대해서는 부과제척기간을 별도로 규정하지 않아 지방세수의 일실이 발생하는 사례가 있었다. 이에 대해 부과제척기간을 연장(10년)하였다.

※ 국세의 경우에도 법정신고기한에 과세표준신고서를 제출하지 않은 경우 모든 세목에 대하여 부과제척기간을 7년으로 규정하고 있는 점을 고려한 것임.

| 최근 개정법령_2017.3.28.| **명의신탁으로 주식 또는 지분을 취득하여 과점주주가 되는 경우 부과제척기간 연장(법 제38조 ① 2호 단서)**

법인의 경우 주식 또는 지분의 실권리자가 취득세의 부과제척기간이 5년이라는 점을 악용하여 명의신탁으로 주식 또는 지분을 취득하고 5년이 경과한 후 주주명부상 주주명의를 실권리자 본인 명의로 개서하여 취득세 납부를 회피하는 사례가 발생하고 있다. 그에 따라 명의신탁으로 주식 또는 지분을 취득한 경우라 하더라도 취득세 납세의무자는 실권리자가 된다는 점, 해당 부동산의 취득시점은 실권리자가 주주명부상의 명의를 회복하는 때가 아니라 명의신탁으로 주식 또는 지분을 취득한 시점으로 보아야 한다는 점을 고려하여, 명의신탁으로 주식 또는 지분의 실권리자인 자가 과점주주가 되어 해당 법인의 부동산등을 취득한 것으로 보는 경우 부과의 제척기간을 5년에서 10년으로 연장하였다.

| 최근 개정법령_2019.1.1.| 후발적 경정청구와 같이 일반적 경정청구에 대하여도 부과제척기간의 특례(2개월)를 적용하였다. 또한 「지방세법」 제103조의 59 제1항 및 제2항에 따른 지방소득세 관련하여 소득세 또는 법인세 과세표준 및 세액의 결정·경정 등에 관한 자료의 통보가 있는 경우에는 통보일로부터 2개월 이내에 부과 또는 환급이 가능하도록 개선하였다.

1. 부과제척기간

1) 부과제척기간의 적용

◎ **선의의 경우 명의신탁계약은 유효하므로 잔금이 지급되었다면 계약명의수탁자의 취득세 납세의무는 성립되며, 전매는 10년의 부과제척기간이 적용됨.**

명의신탁자와 명의수탁자가 계약명의신탁약정을 맺고 명의수탁자가 당사자가 되어 명의신탁약정이 있다는 사실을 알지 못하는 소유자와 부동산에 관한 매매계약을 체결한 경우 그 계약은 일반적인 매매계약과 다를 바 없이 유효하므로, 그에 따라 매매대금을 모두 지급하면 소유권이전등기를 마치지 아니하였더라도 명의수탁자에게 취득세 납세의무가 성립하고, 이후 그 부동산을 제3자에게 전매하고서도 최초의 매도인이 제3자에게 직접 매도한 것처럼 소유권이전등기를 마친 경우에도 마찬가지이다. 원고는 남△우와 이 사건 부동산의 매수자를 주식회사 디◇◇하우징 등으로 변경하기로 합의하였고, 그에 따라 주식회사 디◇◇하우징 등이 남△우로부터 직접 위 부동산을 매수하는 내용의 매매계약서가 작성되었으며, 실제로 소유권이전등기도 원고를 거치지 아니한 채 바로 주식회사 디◇◇하우징 앞으로 마쳐진 점, 원고가 자신의 명의로 소유권이전등기를 마치지 아니한 것은 그에 따른 비용이나 조세부담 등을 회피하기 위한 것으로 보일 뿐이고, 이에 관하여 납득할 만한 다른 이유나 사정도 밝혀지지 아니한 점 등에 비추어 보면, 원고는 위 부동산의 취득과 관련하여 조세의 부과징수를 곤란하게 하는 적극적인 부정행위를 하였다고 봄이 타당하므로, 원고의 위 부동산 취득에 관해서는 10년의 부과제척기간이 적용되어야 한다고 판단하였다. 원심의 위와 같은 판단에 지방세의 부과제척기간에 관한 법리를 오해하는 등의 잘못이 없다(대법원 2015두39026, 2017.9.12.).

◎ 제척기간이 만료되면 과세권자로서는 새로운 결정이나 증액경정결정은 물론 감액경정결정 등 어떠한 처분도 할 수 없음이 원칙이라고 할 것임(대법원 94다3667, 1994.8.26.).

◎ 부과제척기간 도과 이전에는 징수권 소멸시효 완성 여부와 관계없이 경정처분 가능

납세자가 불복절차를 통하여 다투고 있는 경우에는 제척기간 만료와 관계없이 감액경정하거나 취소하는 것은 허용되고(대법원 2000두6657, 2002.9.24.), 부과제척기간이 도과하기 이전에는 징수권의 소멸시효 완성 여부와 관계없이 경정처분을 할 수 있음(대법원 2004두3625, 2006.8.24.).

◎ 납세자가 불복절차를 통하여 다투고 있는 경우에는 제척기간 만료와 관계없이 감액경정하거나 취소하는 것은 허용됨(대법원 2000두6657, 2002.9.24.).

◎ 과세관청은 부과의 취소를 다시 취소함으로써 원부과처분을 소생시킬 수는 없고 납세의무자에게 종전의 과세대상에 대한 납부의무를 지우려면 다시 법률에서 정한 부과절차에 좇아 동일한 내용의 새로운 처분을 하는 수밖에 없는 것이므로(대법원 94누7027, 1995.3.10.), 원부과처분을 소생시키는 새로운 부과처분은 당초 부과처분의 제척기간 내에만 가능함(대법원 96다204, 1996.9.24.).

◎ 토지 취득 이후의 건설자금 이자 등은 부과제척기간 이내 부과취소 대상임

납세의무자 ○○○이 납부한 취득세 등의 과세표준에 시행령 제82조의 2 제1항에 규정되지 아니한 이자 등이 포함된 것이 명백하게 확인되고, 부과제척기간이 지나지 않은 경우라면, 그 처분을 취소하거나 변경할 수 있을 것임(지방세정책과-125, 2014.12.2.).

◎ 수정신고기한의 과세표준과 세액에 대한 지방세부과 제척기간의 기산일

「지방세기본법 시행령」 제18조 제1항 제1호에서 「수정신고기한은 신고기한에 포함되지 아니한다」라 함은 수정신고기한의 다음 날을 지방세 부과제척기간의 기산일로 보지 아니하고, 당해 지방세의 과세표준과 세액에 대한 확정신고기한의 다음 날을 그 기산일로 보는 것을 말한다(예규 기법 38…18-1).

◎ 판결문상 확인된 잔금지급일이 부과제척기간을 경과한 경우는 취득세 납세의무가 없음

법원의 판결에서 "1996.5.20. 매매를 원인으로 한 소유권이전등기절차를 행하라"는 결정을 받아 소유권이전등기를 하는 경우 취득의 시기는 부동산 취득에 따른 잔금을 지급한 사실이

판결문상 확인이 되는 때에는 판결문상의 잔금지급일로 보아야 할 것이므로, 1996.5.20. 매매로 취득한 사실이 판결문에 의하여 확인되어 소유권을 이전한다 하더라도 부과제척기간이 경과하여 납세의무는 없음(세정-2508, 2007.7.2., 세정-473, 2008.1.31.).

◎ 비과세 또는 감면받은 세액 등에 대한 추징 관련 부과제척기간의 기산일

임대주택용 토지에 대한 지방세의 사후감면요건을 충족하지 못하여 과세대상이 된 경우 부과제척기간의 기산점은, '비과세 또는 감면받은 세액 등에 대한 추징사유가 발생하여 추징하는 경우에는 그 신고납부기한의 다음날'을 지방세를 부과할 수 있는 날로 정하는 구 지방세법 시행령(2005.1.5. 대통령령 제18669호로 개정되기 전의 것) 제14조의 2 제2항에 따라, 당해 토지의 취득일로부터 2년이 경과한 날에서 신고납부기한인 30일이 경과한 다음 날이라고 할 것임(대법원 2010두4094, 2010.6.24.).

◎ 원부과처분을 소생시키는 새로운 부과처분은 당초 부과처분의 제척기간 내에만 가능

과세관청은 부과의 취소를 다시 취소하므로써 원부과처분을 소생시킬 수는 없고 납세의무자에게 종전의 과세대상에 대한 납부의무를 지우려면 다시 법률에서 정한 부과절차에 좇아 동일한 내용의 새로운 처분을 하는 수밖에 없는 것이므로(대법원 94누7027, 1995.3.10.), 원부과처분을 소생시키는 새로운 부과처분은 당초 부과처분의 제척기간 내에만 가능함(대법원 96다204, 1996.9.24.).

2) 사기 기타 부정한 행위의 제척기간 적용

'사기 그 밖의 부정한 행위'는 조세의 포탈을 가능하게 하는 행위로서 사회통념상 부정이라고 인정되는 행위, 즉 조세의 부과징수를 불가능하게 하거나 현저히 곤란하게 할 정도의 위계 기타 부정한 적극적 행위를 말하고 다른 어떤 행위를 수반함이 없이 단순히 세법상의 신고를 하지 아니하는 경우에는 여기에 해당하지 아니한다 할 것이다(대법원 2008도9436, 2009.5.29. 예규 기법 38-2 등).

☞ 제53조의 2 · 제53조의 3 가산세, 제129조의 지방세 포탈관련 사례를 함께 참고할 것

◎ 부동산 미등기 전매는 사기나 그 밖의 부정한 행위라는 사례

타인의 부동산을 매수한 이후 등기를 하지 않은 채 그 부동산을 제3자에게 매도하는 행위(부동산 미등기 전매)로 당초 매수자가 부동산을 취득한 후 제3자에게 매각하였으나 당초 매수자가 전 소유자로부터 작성한 매매계약서를 조작, 제3자와 계약한 것으로 작성하는 등 적극적인 행위를 한 경우는 "사기 기타 부정한 행위"의 경우에 해당함(예규 기법 38-3).

◎ '사기 기타 부정한 행위'라 함은 조세의 부과와 징수를 불가능하게 하거나 현저히 곤란하게 하는 위계 기타 부정한 적극적인 행위를 말하고, 다른 어떤 행위를 수반함이 없이 단순히

세법상의 신고를 하지 아니하거나 허위의 신고를 함에 그치는 것은 해당하지 아니함(대법원 2004도2391, 2004.6.11.).

◎ 취득신고 없이 그 분양권을 매각한 경우 부과제척기간은 5년을 적용한다는 사례

갑은 허위의 매매계약서를 작성하는 등의 적극적인 행위 없이 단순히 분양대금의 잔금일부를 남겨놓은 상태에서 A아파트 분양권을 양도하면서 '부동산을 취득할 수 있는 권리'의 양도로 보아 그에 따른 양도소득세를 신고하였던 점, 갑은 어떤 다른 행위를 수반함이 없이 단순히 지방세법상의 취득세 신고를 하지 아니한 것으로 보이는 점 등으로 미루어 보아 갑이 조세포탈 의도를 가지고 '사기 기타 부정한 행위'를 하였다고 보기에는 무리가 있어 부과제척기간 5년을 적용함이 타당함(지방세분석과-238, 2014.1.15.).

◎ 건축물 사용승인 전에 사실상 사용하여 취득시기가 도래하였음에도 바로 취득세를 자진신고하지 않고, 사용승인일을 취득일로 기재하여 취득신고한 경우에는 이를 '사기나 기타 부정한 행위'로 볼 수 없음(대법원 2010두4469, 2010.6.10.).

◎ 법인이 취득세를 낮추기 위해 당초 매매계약보다 낮은 가액으로 매매계약서를 이중계약으로 작성하고 법인장부를 허위로 기재한 경우 '사기나 그 밖의 부정한 행위'에 해당함(부산지방법원 2008구합4825, 2009.8.27. : 대법원 확정).

◎ 조세면탈의 이익을 얻기 위한 미등기전매의 경우 부과제척기간 10년을 적용

구 지방세법 제30조의 4 제1항은 '납세자가 사기 그 밖의 부정한 행위로 지방세를 포탈하거나 환부 또는 경감받은 경우' 지방세의 부과제척기간을 10년으로 규정하고 있음. 그런데, 조세면탈의 이익을 포함한 각종 이익을 얻기 위하여 부동산의 미등기 전매를 한 후 그 거래에 관련하여 아무런 신고도 하지 아니한 것은 조세의 부과징수를 불능 또는 현저히 곤란케 하는 사기 그 밖의 부정한 행위에 해당함(대법원 91도318, 1991.6.25. 참조). 원고가 이 사건 부동산을 취득하였음에도 불구하고 아무런 신고도 하지 아니한 채 미등기 전매한 사실이 확인되고, 이는 '사기 그 밖의 부정한 행위'에 해당하므로, 취득세 부과제척기간은 10년이라 할 것임(하급심-고법)(대법원 2013두18506, 2013.12.26.).

◎ 취득신고시 사용승인일을 취득일로 기재하여 취득신고한 경우 … 취득세를 신고하면서 취득일자를 사용승인일자인 2005.5.31.로 기재하여 신고한 사실을 인정할 수 있으나, 이러한 사정만으로는 취득세의 부과징수를 불가능하게 하거나 현저히 곤란하게 할 정도의 위계 기타 부정한 적극적 행위를 하였다고 인정하기에 부족함(대법원 2013두4958, 2013.6.13.).

3) 점유취득시효의 제척기간

◎ **20년의 점유취득시효가 완성된 날이 취득의 시기이므로 제척기간 경과되었다는 사례**

부동산에 관한 점유취득시효가 완성되면 취득자는 유상승계취득에 있어 잔금이 청산된 경우와 같이 등기명의인에 대하여 소유권이전등기청구권을 가지게 되는 등 그 자체로 취득세의 과세객체가 되는 사실상의 취득행위가 존재한다고 봄이 상당함.… 이 사건 부동산을 취득한 시기는 피고의 주장과 같이 시효취득을 원인으로 원고가 제기한 소유권이전등기청구소송에서 이전등기를 명하는 법원의 결정이 확정된 2002.7.28.이 아니라 점유개시로부터 20년의 점유취득시효가 완성된 1991.6.9.이라고 할 것이며 이에 따른 취득세의 신고납부기한 다음날인 1991.7.9.부터 5년의 부과제척기간이 진행되어 이 사건 처분일인 2002.8.2.에는 이미 제척기간이 만료되었음(대법원 2003두13342, 2004.11.25.).

◎ **점유취득시효 완성으로 인한 취득의 부과제척기간 기산일은 점유취득 시효가 완성된 날**

점유취득시효의 완성으로 취득한 부동산의 취득시기는 취득시효 완성을 원인으로 한 소유권이전등기를 이행하라는 법원의 확정판결일 또는 소유권이전등기일이 아니라 점유개시일(1968.10.20.)로부터 20년의 점유취득시효가 완성된 날(1988.10.20.)이 되는 것이며(대법원 2003두13342, 2004.11.25. 참조)이며, 이에 따른 취득세의 신고납부기한의 다음날(1988.11.20.)로부터 지방세법 제30조의 4 제1항 제3호에서 규정한 지방세 부과제척기간(5년)이 진행되므로 취득세 부과고지일(2004.11.17.)에는 이미 제척기간이 만료되어 취득세를 부과할 수 없음(세정-4773, 2004.12.29.).

2. 특례제척기간

통상제척기간이 경과한 다음 쟁송절차에 관한 판결이 나온 경우 납세자가 자신에게 유리한 취소 내지 일부취소의 결정 또는 판결을 받았음에도 처분청이 부과권이 없어 경정결정 및 환급하지 못하는 경우가 발생하므로 이를 방지하기 위해 특례제척기간을 두고 있다.

◎ **특례제척기간이 반드시 납세자에게 유리한 결정이나 판결을 이행하기 위한 근거는 아님**

결정이나 판결이 확정된 날로부터 1년 내라 하여 당해 결정이나 판결에 따르지 아니하는 새로운 결정이나 증액경정결정까지 할 수 있다는 취지가 아님은 분명하나, 그렇다고 하여 위 규정을 오로지 납세자를 위한 것이라고 보아 납세자에게 유리한 결정이나 판결을 이행하기 위하여만 허용된다고 볼 근거는 없으므로, 납세고지의 위법을 이유로 과세처분이 취소되자, 과세관청이 그 판결 확정일로부터 1년 내에 그 잘못을 바로잡아 다시 지방세 부과처분을 하였다면, 이는 위 구 지방세법 제30조의 2 제2항이 정하는 당해 판결에 따른 처분으로 제1항이 정하는 제척기간의 적용이 없음(대법원 93누4885, 1996.5.10.).

◎ 납세고지의 위법을 이유로 과세처분이 취소된 경우, 판결에 따른 제척기간의 특례를 적용하여 과세관청이 그 판결 확정일로부터 1년 내에 그 잘못을 바로잡아 다시 지방세 부과처분을 할 수 있음(대법원 99두6972, 1999.9.21.).

◎ 판결에 따른 체척기간 특례 적용시 납세자를 변경하거나 세목을 달리하는 처분은 불가함
판결에 따른 제척기간의 특례 적용에 있어 판결이 확정된 날로부터 1년 내라 하여 당해 결정이나 판결에 따르지 아니하는 새로운 결정이나 증액경정결정까지 할 수 있다는 취지는 아니므로(대법원 96누68, 1996.9.24.), 납세자를 변경하거나(대법원 2005두1688, 2006.2.9.) 세목을 달리하는 처분(대법원 2005다68110, 2006.3.10.)은 할 수 없으며, 기각이나 각하 판결의 경우 제척기간 특례적용 대상이 아님(대법원 2004두11459, 2005.2.25.).

◎ 당해 판결 등을 받은 자로서 그 판결 등이 취소하거나 변경하고 있는 과세처분의 효력이 미치는 납세의무자에 대하여서만 그 판결 등에 따른 경정처분 등을 할 수 있을 뿐 그 취소나 변경의 대상이 된 과세처분의 효력이 미치지 아니하는 제3자에 대하여서까지 재처분을 할 수 있는 것은 아님(대법원 2003두9473, 2005.3.24.).

◎ 특례제척기간이 적용되지 않는 한 부과제척기간 경과 후에 이루어진 과세처분은 무효임
과세권자는 판결이나 심판결정 등이 확정된 날로부터 1년 내라 하더라도 납세의무가 승계되는 등의 특별한 사정이 없는 한, 당해 판결 등을 받은 자로서 그 판결 등이 취소하거나 변경하고 있는 과세처분의 효력이 미치는 납세의무자에 대하여서만 그 판결 등에 따른 경정처분 등을 할 수 있을 뿐 그 취소나 변경의 대상이 된 과세처분의 효력이 미치지 아니하는 제3자에 대하여서까지 재처분을 할 수 있는 것은 아니라고 할 것이므로, 위 법 제26조의 2 제2항 소정의 특례제척기간이 적용되지 않는 한 국세부과제척기간이 도과된 후에 이루어진 과세처분은 무효임(대법원 2003두9473, 2005.3.24.).

제39조(지방세징수권의 소멸시효)

> **법** 제39조(지방세징수권의 소멸시효) ① 지방자치단체의 징수금의 징수를 목적으로 하는 지방자치단체의 권리(이하 "지방세징수권"이라 한다)는 이를 행사할 수 있는 때부터 다음 각 호의 구분에 따른 기간 동안 행사하지 아니하면 소멸시효가 완성된다.
> 1. 가산세를 제외한 지방세의 금액이 5천만원 이상인 경우 : 10년
> 2. 가산세를 제외한 지방세의 금액이 5천만원 미만인 경우 : 5년
>
> ② 제1항의 소멸시효에 관하여는 이 법 또는 지방세관계법에 규정되어 있는 것을 제외하고는 「민법」에 따른다.
>
> ③ 제1항에 따른 지방세징수권을 행사할 수 있는 때는 다음 각 호의 날로 한다.
> 1. 과세표준과 세액의 신고로 납세의무가 확정되는 지방세의 경우 신고한 세액에 대해서는 그 법정납부기한의 다음 날
> 2. 과세표준과 세액을 지방자치단체의 장이 결정 또는 경정하는 경우 납세고지한 세액에 대해서는 그 납세고지서에 따른 납부기한의 다음 날
>
> ④ 제3항에도 불구하고 다음 각 호의 경우에는 각 호에서 정한 날을 제1항에 따른 지방세징수권을 행사할 수 있는 때로 본다.
> 1. 특별징수의무자로부터 징수하는 지방세로서 납세고지한 특별징수세액의 경우 : 납세고지서에 따른 납부기한의 다음 날
> 2. 제3항 제1호의 법정납부기한이 연장되는 경우 : 연장된 기한의 다음 날

지방세징수권은 부과에 의하여 확정된 조세채권을 실현하기 위하여 납세의무자에게 납부의 이행을 청구하는 권리로서 청구권에 해당한다. 청구권은 상대방이 이행하여야 행사가 가능한 권리로서 소멸시효의 적용대상이며 중단과 정지제도가 있다. 지방세에 있어서의 소멸시효의 대상에는 지방세, 가산금과 체납처분비를 포함한 징수권의 소멸시효와 과오납금에 대한 청구권이 포함된다.

법 제39조 제1항에서 「시효로 인하여 소멸한다」함은 시효기간의 경과로 소멸시효가 완성하면 지방세징수권이 당연히 소멸하는 것을 말한다(예규 기법 39-1). 종속된 권리의 소멸시효와 관련하여 지방세의 소멸시효가 완성한 때에는 그 지방세의 가산금, 체납처분비 및 이자상당액에도 그 효력이 미치며, 주된 납세의무자의 지방세가 소멸시효의 완성으로 인하여 소멸한 때에는 제2차 납세의무자, 납세보증인에도 그 효력이 미친다(예규 기법 39-2).

| 최근 개정법령 _ 2020.1.1. | 고액 지방세에 대한 소멸시효 연장(법 §39)

5천만원 이상의 고액 지방세에 대한 소멸시효를 10년으로 연장하였다. 한편 「국세기본법」 제27조에 따라 5억원 이상 국세의 소멸시효는 10년이다. 예를들어 양도소득세 5억원의 소멸시효

는 10년이지만, 지방소득세(양도) 5천만원의 소멸시효는 5년 적용되던 것을 5천만원 이상 지방세의 소멸시효를 10년으로 하여 국세와 일치시켰다. 이 법 시행(2020.1.1.) 이후 납세의무가 성립하는 5천만원 이상의 지방세(가산세 포함, 가산금 제외)부터 적용한다.

| 각종 채권의 소멸시표 비교 |

채권종류	민사채권	상사채권	국가채권	국세징수권
소멸시효	-보통의 채권 : 10년 -단기소멸시효 : 3년, 1년 -채권·소유권 외의 재산권 : 20년	5년	5년	-5억 이상 국세 : 10년 -그 밖의 국세 : 5년
근 거	민법 제162조 ~ 제165조	상법 제64조	국가재정법 제96조	국세기본법 제27조

◎ **지방세징수권의 소멸시효 중단관련 민법 제168조의 소멸시효 중단사유보다는 지방세기본법상 소멸시효 중단 규정을 적용하여야 함**

지방세기본법 제39조 ②에서 지방세징수권의 시효에 관하여는 이 법 또는 지방세관계법에 규정되어 있는 것을 제외하고는 민법을 따른다고 규정하고 있으므로, 지방세징수권의 소멸시효 중단 여부에 관하여는 지방세기본법 제40조에서 규정하고 있으므로 지방세기본법을 따르는 것이 타당함(지방세분석과-3933, 2012.12.17.).

☞ 민법 제168조(소멸시효의 중단사유) 소멸시효는 다음 각 호의 사유로 인하여 중단된다.
1. 청구 2. 압류 또는 가압류, 가처분 3. 승인

◎ 체납원인이 된 자동차 등록이 말소되었고 그 이후 타 재산에 대한 압류처분 등 시효의 중단 및 정지와 관련된 과세관청의 처분이 없는 경우라면, 자동차세 체납액의 경우 5년이 경과하였으므로 소멸시효가 완성되어 납세의무가 소멸된 것임(세정-184, 2006.1.1.).

◎ **과세관청이 취득사실을 몰랐다 하더라도 소멸시효기간 완성 후의 부과처분은 위법**

피고는 원고의 이 사건 부동산 취득에 대하여 그 자진신고만료일 다음 날부터 그 취득세를 부과징수할 수 있었다 할 것이고 그때부터 소멸시효가 진행되므로 원고가 자진신고를 하지 아니하여 피고로서는 위 소유권이전등기가 경료되기 전까지 원고의 위 취득사실을 몰랐다 하더라도 그러한 사유는 권리행사를 할 수 없는 법률상의 장애사유에는 해당되지 아니하여 소멸시효의 진행에 아무런 영향을 미치지 못한다 할 것임. 이 사건 부과처분은 시효소멸한 과세권에 기한 것으로 위법함(대법원 91누10978, 1992.10.13.).

◎ 소멸시효완성 이후에 있은 과세처분에 기하여 세액을 납부하였다 하더라도 이를 들어 바로 소멸시효의 이익을 포기한 것으로 볼 수 없으므로, 부당이득반환 청구시 반환대상임(대법원 87다카70, 1988.1.19.).

제40조(시효의 중단과 정지)

법 제40조(시효의 중단과 정지) ① 지방세징수권의 시효는 다음 각 호의 사유로 중단된다.

1. 납세고지 2. 독촉 또는 납부최고 3. 교부청구 4. 압류

② 제1항에 따라 중단된 시효는 다음 각 호의 기간이 지난 때부터 새로 진행한다.

1. 고지한 납부기간 2. 독촉 또는 납부최고에 따른 납부기간
3. 교부청구 중의 기간 4. 압류해제까지의 기간

③ 제39조에 따른 소멸시효는 다음 각 호의 어느 하나에 해당하는 기간에는 진행되지 아니한다. 〈개정 2018.12.24.〉

1. 「지방세법」에 따른 분할납부기간 2. 「지방세법」에 따른 연부(年賦)기간
3. 「지방세징수법」에 따른 징수유예기간 4. 「지방세징수법」에 따른 체납처분유예기간
5. 지방자치단체의 장이 「지방세징수법」 제39조에 따른 사해행위(詐害行爲) 취소의 소송을 제기하여 그 소송이 진행 중인 기간
6. 지방자치단체의 장이 「민법」 제404조에 따른 채권자대위 소송을 제기하여 그 소송이 진행 중인 기간
7. 체납자가 국외에 6개월 이상 계속하여 체류하는 경우 해당 국외 체류기간

④ 제3항 제5호 또는 제6호에 따른 사해행위 취소의 소송 또는 채권자대위 소송의 제기로 인한 시효정지는 소송이 각하·기각되거나 취하된 경우에는 효력이 없다.

소멸시효가 완성되기 위해서는 권리의 불행사라는 사실상태가 일정한 시효기간 동안 계속되어야 하는 데, 소멸시효의 계속을 방해하는 것이 있을 경우에 시효가 중단되며, 시효가 중단되면 그때까지 경과한 시효기간은 산입하지 않고 중단사유가 종료된 때로부터 새로이 시효가 진행된다. 시효중단 사유에는 납세고지, 독촉 또는 납부최고, 교부청구, 압류 등이 있다.

시효의 정지는 소멸시효진행 중에 권리자가 권리를 행사하는 것이 불가능하거나 현저히 곤란한 사유가 있는 때에 소멸시효의 완성을 일정기간 동안 유예하는 것을 말한다. 이 경우 정지사유가 종료한 후 잔여기간이 지나면 시효가 완성된다. 소멸시효의 정지사유는 분납, 징수유예, 체납처분유예, 연부연납 등이다.

| 최근 개정법령_2019.1.1. | 지방세 징수권 확보를 위하여 지방세 체납자가 6개월 이상 해외에 체류하는 경우 그 기간을 징수권 소멸시효 기간에서 제외토록 하였다.

○ 자동차에 대한 압류의 효력은 압류등록에 의하여 발생하고, 압류말소등록(압류해제)에 의하여 그 효력이 소멸하므로 자동차의 압류등록으로 중단된 지방세 징수권의 시효는 자동차 등록

말소로 압류가 해제되는 때부터 새로이 시작됨(지방세운영과-1681, 2009.4.27.).

◎ 시효의 이익을 받은 자(체납자)에 대하여 자동차 압류를 행하는 경우, 시효중단의 효력은 체납자에게 압류사실을 통지한 날이 아니라 압류의 등기 또는 등록이 완료된 때부터 적용(지방세운영과-213, 2008.7.11.).

◎ **압류가 해제될 때까지 징수권의 소멸시효는 중단됨**
압류처분이 없는 경우에는 일반적으로 독촉에 의한 납부기간이 경과한 때부터 소멸시효가 새로이 기산되나, 압류처분이 이루어진 이후 그 압류가 해제되지 아니한 경우라면 그 압류가 해제될 때까지 징수권의 소멸시효는 중단된다고 할 것임(세정-5199, 2006.10.2.).

◎ 가등기에 기한 본등기를 한 경우 그 사이에 이루어진 등기의 효력이 상실되므로, 본등기로 압류등기가 말소된 경우 그 날부터 새로이 소멸시효가 진행됨(대법원 2009두10413, 2009.10.15.).

◎ **경매절차에 참가하여 소멸시효가 중단된 채권에 대한 소멸시효가 다시 진행하는 시기는 배당표가 확정된 때임**
배당액 중 이의가 없는 부분과 배당받지 못한 부분의 배당표가 확정이 되었다면, 그와 같이 배당표가 확정된 부분에 관한 권리행사는 종료되고 그 부분에 대하여 중단된 소멸시효는 종료시점부터 다시 진행됨. 그리고 위 채권 중 배당이의의 대상이 된 부분은 그에 관하여 적법하게 배당이의의 소가 제기되고 그 소송이 완결된 후 그 결과에 따라 종전의 배당표가 그대로 확정 또는 경정되거나 새로 작성된 배당표가 확정되면 그 시점에서 권리행사가 종료되고 그때부터 다시 소멸시효가 진행됨(대법원 2008다89880, 2009.3.26.).

◎ **압류를 실행하지 못하고 수색조서를 작성하는데 그친 경우에도 소멸시효 중단 효력 있음**
국세징수권의 소멸시효의 중단사유로서 납세고지, 독촉 또는 납부최고, 교부청구 외에 '압류'를 규정하고 있는 바, 여기서의 '압류'란 세무공무원이 국세징수법 제24조 이하의 규정에 따라 납세자의 재산에 대한 압류 절차에 착수하는 것을 가리키는 것이므로, 세무공무원이 국세징수법 제26조에 의하여 체납자의 가옥・선박・창고 기타의 장소를 수색하였으나 압류할 목적물을 찾아내지 못하여 압류를 실행하지 못하고 수색조서를 작성하는 데 그친 경우에도 소멸시효 중단의 효력이 있음(대법원 2000다12419, 2001.8.21.).

◎ 소멸시효완성 이후에 있은 과세처분에 기하여 세액을 납부하였다 하더라도 이를 들어 바로 소멸시효의 이익을 포기한 것으로 볼 수 없으므로, 부당이득반환 청구시 반환대상임(대법원 87다카70, 1988.1.19.).

◎ 소멸시효의 중단은 소멸시효의 기초가 되는 권리의 불행사라는 사실상태와 맞지 않는 사정이 생기면 소멸시효의 진행을 중절케 하는 제도인 만큼 권리행사인 납세고지사실의 존재에

의하여 생긴 중단의 효력은 납세고지에 의하여 행하여진 부과처분이 취소된 경우에도 그 영향이 없음(대법원 86누15, 1987.2.24.).

- 납세고지에 의하여 시효가 중단되는 부분은 납세고지된 부분 및 그 액수에 한정되고 남은 세액에 대한 조세부과권에 대하여는 시효가 중단없이 진행함(대법원 84누649, 1985.2.13.).

시효의 중단 및 정지의 의미(예규 기법 40-1~40-3)

시효의 중단	「지방세기본법」 제40조 제1항 각 호에서 정한 처분의 효력의 발생으로 인하여 이미 경과한 시효기간의 효력이 상실되는 것을 말한다.
시효의 정지	일정한 기간 동안 시효의 완성을 유예하는 것을 말하며, 이 경우에는 그 정지사유가 종료한 후 다시 잔여 시효기간이 경과하면 소멸시효가 완성한다.
시효중단 후의 시효진행	「지빙세기본법」 제40조 제2항에서 「새로 진행한다」라고 하는 것은 시효가 중단된 때까지에 경과한 시효기간은 효력을 상실하고 중단사유가 종료한 때로부터 새로이 시효가 진행하는 것을 말한다.

제2절 납세의무의 확장 및 보충적 납세의무

제41조(법인의 합병으로 인한 납세의무의 승계)

> **법** 제41조(법인의 합병으로 인한 납세의무의 승계) 법인이 합병한 경우에 합병 후 존속하는 법인 또는 합병으로 설립된 법인은 합병으로 인하여 소멸된 법인에 부과되거나 그 법인이 납부할 지방자치단체의 징수금을 납부할 의무를 진다.

'납세의무의 확장'은 과세물건의 귀속자 외의 자에게 지방세 납부책임을 지우는 제도이다. 납세의무의 확장에는 납세의무의 승계, 연대납세의무, 보충적 납세의무(제2차 납세의무 등)가 있다.

법인이 합병한 경우 지방자치단체의 징수금에 관한 납세의무는 합병 후 존속법인이나 합병으로 인하여 설립된 법인에게 승계된다. 납세의무는 경제적 급부를 그 내용으로 하며 원칙적으로 금전채무로서 성질상 대체적 급부에 속하기 때문에 승계가 가능한 채무이다. 그러나 조세는 경제적 부담능력을 전제로 과세된다는 측면에서 납세의무자의 담세력, 인적 사정 등이 강조된다. 따라서 납세의무의 승계는 사인 상호간의 계약에 의하여 자유롭게 이루어질 수 없고, 오로지 법인의 합병이나 상속 등과 같은 포괄승계의 경우에 한하여 세법이 정하는 내용에 따라 이루어지게 된다.

◎ 법인합병으로 인한 납세의무의 승계

법인합병으로 인하여 승계 납세의무가 발생되는 존속법인이 부담할 납세의무의 범위는 소멸법인이 합병이전에까지 부담할 지방세 전액에 대하여 승계납세의무가 있게 되는 것이며, 개인이 상속으로 승계납세의무를 부담하는 경우에는 상속으로 인하여 얻은 재산을 한도로 하여 납부 또는 납입할 의무가 있는 것과는 차이가 있음. 또한, 지방세법 제166조의 규정에 의거 합병으로 인하여 소멸하는 법인이 납부한 면허세는 합병 후 존속하는 법인 또는 합병으로 인하여 설립된 법인이 납부한 것으로 간주를 하는 것임(세정 13407－자478, 1998.6.19.).

◎ **법인의 권리·의무와 재산을 포괄승계받은 경우 납세의무까지 승계받은 것으로 본 사례**

개정된 상호신용금고법에 따라 1998.3.31. 출연금 운용사업회계(기금관리계정 제외)는 예금보험공사로, 예탁금운용사업회계는 상호신용금고연합회에 포괄승계되었고, 기금관리계정은 신용관리기금법 부칙 제6조에 따라 계속 신용관리기금이 업무를 수행하여 오던 중 1999.1.1. 설립된 청구법인에 포괄승계되었는바, 청구인은 신용관리기금으로부터 모든 권리·의무와 재산을 포괄승계받았으므로 법인세할주민세 납세의무까지 승계받은 것으로 보아야 할 것으로, 신용관리기금 명의의 고지서를 청구인에게 송달하고, 이에 따라 납세의무를 승계한 청구인이 납부한 것은 적법(지방세심사 2001－49, 2001.1.30.).

☞ 모든 권리와 의무를 포괄적으로 승계한다 함은 양수인이 양도인으로부터 그의 모든 사업시설뿐만 아니라 그 사업에 관한 채권·채무 등 일체의 인적·물적 권리와 의무를 양수함으로써 양도인과 동일시되는 정도의 법률상의 지위를 그대로 승계하는 것을 의미

| 법인의 합병관련 개념 정리(예규 기법 41－1~41－5) |

법인의 합병	1. 「법인의 합병」이라 함은 2개 이상의 법인이 상법의 규정에 의하여 하나의 법인으로 되어 청산절차를 거치지 않고, 1개 이상 법인이 소멸되거나 권리의무를 포괄적으로 이전하는 일단의 행위를 말하며 합병의 효력 발생 시기는 법인의 합병등기를 마친 때이다. 2. 합병 후 존속법인과 설립법인은 합병으로 인하여 소멸된 법인에게 부과되거나 납부할 지방자치단체의 징수금을 납부할 승계납세의무를 진다.
법인의 합병시점	제41조에서 「합병한 경우」라 함은 합병 후의 존속법인 또는 합병으로 인한 신설법인이 그 본점소재지에서 합병등기를 한 때를 말한다.
부과되거나 납부할 징수금	제41조 및 제42조에서 「부과되거나… 납부할 지방자치단체의 징수금」이라 함은 합병(상속)으로 인하여 소멸된 법인(피상속인)에게 귀속되는 지방세·체납처분비 및 가산금과 세법에 정한 납세의무의 확정절차에 따라 장차 부과되거나 납부하여야 할 지방세·체납처분비 및 가산금을 말한다.
납세유예 등에 관한 효력의 승계	소멸법인에 대하여 다음의 경우에는 합병 후 존속법인 또는 합병으로 인한 신설법인은 당해 처분 등이 있는 상태로 그 지방세 등을 승계한다. 1. 납기연장의 신청, 징수유예의 신청 또는 물납의 신청 2. 납기연장, 징수 또는 체납처분에 관한 유예 3. 물납의 승인 등　4. 담보의 제공 등
합병법인에 대한 납세고지서 명의	법인의 합병시점인 합병등기일 이후에는 납세고지서 명의를 합병 후 존속하는 법인인 합병법인 명의로 한다.

제42조(상속으로 인한 납세의무의 승계)

법 제42조(상속으로 인한 납세의무의 승계) ① 상속이 개시된 경우에 상속인[「상속세 및 증여세법」 제2조 제5호에 따른 수유자(受遺者)를 포함한다. 이하 같다] 또는 「민법」 제1053조에 따른 상속재산관리인은 피상속인에게 부과되거나 피상속인이 납부할 지방자치단체의 징수금(이하 이 조에서 "피상속인에 대한 지방자치단체의 징수금"이라 한다)을 상속으로 얻은 재산의 한도 내에서 납부할 의무를 진다.

② 제1항에 따른 납세의무 승계를 피하면서 재산을 상속받기 위하여 피상속인이 상속인을 수익자로 하는 보험 계약을 체결하고 상속인은 「민법」 제1019조 제1항에 따라 상속을 포기한 것으로 인정되는 경우로서 상속포기자가 피상속인의 사망으로 보험금(「상속세 및 증여세법」 제8조에 따른 보험금을 말한다)을 받는 때에는 상속포기자를 상속인으로 보고, 보험금을 상속받은 재산으로 보아 제1항을 적용한다.

③ 제1항의 경우 상속인이 2명 이상일 때에는 각 상속인은 피상속인에 대한 지방자치단체의 징수금을 「민법」 제1009조 · 제1010조 · 제1012조 및 제1013조에 따른 상속분 또는 대통령령으로 정하는 비율(상속인 중에 수유자 또는 「민법」 제1019조 제1항에 따라 상속을 포기한 사람이 있거나 상속으로 받은 재산에 보험금이 포함되어 있는 경우로 한정한다)에 따라 나누어 계산한 금액을 상속으로 얻은 재산의 한도에서 연대하여 납부할 의무를 진다. 이 경우 각 상속인은 상속인 중에서 피상속인에 대한 지방자치단체의 징수금을 납부할 대표자를 정하여 대통령령으로 정하는 바에 따라 지방자치단체의 장에게 신고하여야 한다.

영 제21조(상속재산의 가액) ① 법 제42조 제1항에 따른 상속으로 인하여 얻은 재산은 다음 계산식에 따른 가액으로 한다.

상속으로 인하여 얻은 재산 = 상속으로 인하여 얻은 자산총액 - (상속으로 인하여 얻은 부채총액 + 상속으로 인하여 부과되거나 납부할 상속세)

② 제1항에 따른 자산총액과 부채총액의 가액은 「상속세 및 증여세법」 제60조부터 제66조까지의 규정을 준용하여 평가한다.

③ 제1항을 적용할 때 다음 각 호의 가액을 포함하여 상속으로 얻은 재산의 가액을 계산한다.

1. 법 제42조 제2항에 따라 상속재산으로 보는 보험금
2. 법 제42조 제2항에 따라 상속재산으로 보는 보험금을 받은 자가 납부할 상속세

④ 법 제42조 제3항 전단에서 "대통령령으로 정하는 비율"이란 각각의 상속인(법 제42조 제1항에 따른 수유자와 같은 조 제2항에 따른 상속포기자를 포함한다. 이하 이 항에서 같다)의 제1항에 따라 계산한 상속으로 얻은 재산의 가액을 각각의 상속인이 상속으로 얻은 재산 가액의 합계액으로 나누어 계산한 비율을 말한다.

제22조(상속인대표자의 신고 등) ① 법 제42조 제3항 후단에 따른 상속인대표자의 신고는 상속개시일부터 30일 이내에 대표자의 성명과 주소 또는 영업소, 그 밖에 필요한 사항을 적은 문서로 해야 한다.

② 지방자치단체의 장은 법 제42조 제3항 후단에 따른 신고가 없을 때에는 상속인 중 1명을 대표자로 지정할 수 있다. 이 경우 지방자치단체의 장은 그 뜻을 적은 문서로 지체 없이 모든 상속인에게 각각 통지해야 한다.

상속은 자연인의 사망사실에 의하여 개시된다. 상속이 개시되면 피상속인에게 전속하는 권리 · 의무를 제외한 모든 권리 · 의무가 상속인에게 포괄적으로 승계된다. 조세채무 역시 대체적 급부가 가능한 의무이므로 상속에 의하여 상속인에게 포괄 승계된다.

상속이 개시된 때에 그 상속인 또는 상속재산관리인은 피상속인에게 부과되거나 그 피상속인이 납부할 지방자치단체의 징수금을 상속으로 얻은 재산의 한도 내에서 납부할 의무가 있다.

상속으로 인한 납세의무를 승계하는 상속인에는 '수유자를 포함'하는 것으로 되어 있는데 이는 상속으로 인한 납세의무 승계의 범위에 수증자가 포함될 경우 생전증여자가 포함될 개연성이 있으므로 유증이나 사인증여를 받는 자를 지칭하는 수유자로 한정하고 있다.

「수유자(受遺者)」라 함은 유언에 의하여 유증을 받을 자로 정하여진 자를 말하며, 「지방세기본법」 제42조 제1항에 따른 "수유자(受遺者)"에는 사인증여[16](「민법」 제562조)를 받는 자를 포함한다(예규 기법 42-3).

수증자란 유언에 의한 증여(유증)를 받는 자를 말한다. 자연인뿐만 아니라 법인도 수증자가 될 수 있다. 수증자는 유언이 효력을 발생한 때(유언자가 사망한 때)에 생존해 있어야 한다.

지방세기본법 시행령 제20조 제1항에 따른 "자산총액"과 "부채총액"을 계산함에 있어서는 다음 사항에 유의한다(예규 기법 42…20-1).

1. 상속재산에는 사인증여 및 유증의 목적이 된 재산을 포함한다. 2. 생명침해 등으로 인한 피상속인의 손해배상청구권도 상속재산에 포함된다. 3. 피상속인의 일신에 전속하는 권리의무는 제외한다. 4. 피상속인이 수탁하고 있는 신탁재산은 수탁자의 상속재산에 속하지 아니한다.

| 최근 개정법령 _ 2021.1.1. | 상속으로 인한 납세의무 승계범위 확대(법 §42)

상속인이 상속포기로 납세의무의 승계는 회피하면서, 피상속인의 사망보험금은 수령하는 등 조세회피 사례가 발생하였다. 예를 들어 재산을 우회적으로 상속받기 위하여 피상속인이 상속인을 수익자로 하는 보험계약을 체결하고 피상속인 사망시 사망보험금을 수령하는 경우이다. 이에 대해 사망보험금에 대해 상속으로 인한 납세의무 승계범위를 확대하였다.

◎ 상속으로 인하여 얻은 재산이 없는 경우에는 납세의무는 승계되지 아니함

지방세법 제16조 ①에 의해 상속이 개시된 경우에 상속인은 피상속인에게 부과되거나 피상속인이 납부 또는 납입할 지방자치단체의 징수금을 '상속으로 인하여 얻은 재산을 한도'로 하여 납부 또는 납입할 의무가 있으므로, 국세기본법 제24조 및 영 제11조에 의해 계산된

16) 사인증여라 함은 증여자의 사망으로 효력이 발생하는 증여를 말한다.

승계 납부의무 한도액이 없는 경우라면 상속으로 인하여 얻은 재산이 없는 것이므로 납세의무는 승계되지 않음(세정 13407-307, 2001.9.10.).

◎ **피상속인 사망 후 주민세(소득할) 부과처분이 있었다 하더라도 국세가 확정되지 않아 주민세를 과세할 수 없었을 뿐 상속개시일 현재 피상속인에게 부과될 징수금에 해당**

소득세할주민세는 결국 양도소득세의 납세의무확정을 위한 결정이 있을 때에 비로소 납세의무가 완성되고, 그 부과권의 제척기간도 그때를 기산일로 하므로(대법원 98두11250, 1999.4.9.), 세무서장이 처분청에 통보한 주민세 과세자료에 의하면, 양도소득세 확정결정분임을 알 수 있는 바, 그 때부터 5년 이내에 한 부과처분은 부과제척기간을 경과하지 아니하였고, 또한 피상속인이 사망한 후 주민세의 부과처분이 있었다 하더라도 피상속인이 사망 전에는 양도소득세가 확정결정되지 않아 주민세를 과세할 수 없었을 뿐, 상속개시일 현재 피상속인에게 부과될 지자체의 징수금에 해당되므로 주민세를 부과고지한 처분은 적법함(심사 2000-161, 2001-50).

◎ **유류분 반환청구소송으로 상속지분 변동이 있더라도 그 이전에 발생한 승계국세 및 납부책임에는 영향을 미치지 아니함**

상속이 개시된 때에 피상속인에게 부과되거나 피상속인이 납부할 국세, 가산금 및 체납처분비는 상속인 또는 상속재산관리인에게 납세의무에 대한 별도의 지정조치 없이 국세기본법에 의하여 당연히 승계되는 것이고, 이때 상속인이 2인 이상인 때에는 각 상속인은 「민법」에 의한 그 상속분에 따라 안분하여 계산한 국세·가산금과 체납처분비를 상속으로 인하여 얻은 재산을 한도로 연대하여 납부할 의무를 지는 것이므로 피상속인에게 부과되거나 그 피상속인이 납부할 국세·가산금과 체납처분비를 상속인이 납부한 후 유류분 반환청구소송에 의하여 다른 상속인에게 반환하여 지분변동이 있더라도 그 이전에 발생한 승계국세 및 납부책임에는 영향을 미치지 아니함(국세청 징세-714, 2009.7.27.).

◎ **2개 이상의 자자체가 상속인에게 납세의무 승계 시 상속으로 얻은 재산가액을 초과하는 경우, 납세자의 의사에 따라 먼저 납부한 지자체의 징수금이 우선 징수된 것으로 봄**

체납처분 前 자치단체의 징수금은 납세자의 자유의사에 따라 납부하면 되는 것으로, 이 경우에도 상속인(납세자)의 선택에 따라 먼저 납부한 자치단체의 징수금이 우선 징수된 것으로 보고, 납부하고 남은 상속재산의 범위 내에서만 다른 지방자치단체가 징수 할 수 있다고 보는 것이 타당(행안부 지방세정책과-3020, 2019.7.17.)

◎ 적법하게 상속을 포기한 자는 승계 납세의무를 지는 '상속인'에 포함되지 않음(대법원 2013두1041, 2013.5.23.).

◎ 상속인은 상속으로 인하여 얻은 자산총액에서 부채총액과 그 상속세를 공제하고 남은 상속재산가액의 한도에서 상속으로 인하여 피상속인으로부터 승계한 국세 등 납세의무를 이행할 의무가 있는 것이므로 피상속인으로부터 승계되는 체납국세액은 위 부채총액에 포함되지 아니함(대법원 81누162, 1982.8.24.).

◎ **상속개시일로 소급하여 상속으로 인해 얻은 재산을 한도로 납세의무가 승계됨**

청구인은 이 건 토지에 대하여 등기가 경료된 2011.8.2. 이후부터 재산세 납세의무가 있고 등기경료일 이전 재산세 납세의무는 청구인의 모(母)에게 있다고 주장하지만, 공동상속인들이 작성한 상속재산분할협의서에서 이 건 토지는 청구인이 모두 상속하기로 하였음을 알 수 있으므로 상속이 개시된 때인 2003.9.1.로 소급하여 상속의 효력이 있고, 또한 청구인은 상속으로 인하여 얻은 재산을 한도로 하여 피상속인의 납세의무를 승계하였다고 봄이 타당함(조심 2011지770, 2011.12.14.).

◎ **국세기본법 제24조 ①의 상속으로 받은 재산에 상증세법 제8조의 보험금은 포함되지 않음**

상증세법 제8조 세1항은 피상속인의 사망으로 인하여 지급받는 생명보험 또는 손해보험의 보험금으로서 피상속인이 보험계약자가 된 보험계약에 의하여 지급받는 보험금이 실질적으로 상속이나 유증 등에 의하여 재산을 취득한 것과 동일하다고 보아 상속세 과세대상으로 규정하고 있으나, 상증세법 제8조가 규정하는 보험금의 경우 보험수익자가 가지는 보험금지급청구권은 본래 상속재산이 아니라 상속인의 고유재산이므로, 상증세법 제8조가 규정하는 보험금 역시 국세기본법 제24조 제1항이 말하는 '상속으로 받은 재산'에는 포함되지 않는다고 보아야 한다(대법원 2013두1041, 2013.5.23.).

☞ 위 판례로 인하여 위 제42조 2항을 개정함(2016.12.30.).

◎ **피상속인으로부터 승계되는 체납국세액은 부채총액에 포함되지 아니함**

상속인은 상속으로 인하여 얻은 자산총액에서 부채총액과 그 상속세를 공제하고 남은 상속재산가액의 한도에서 상속에 인하여 피상속인으로부터 승계한 국세 등 납세의무를 이행할 의무가 있는 것이므로 피상속인으로부터 승계되는 체납국세액은 위 부채총액에 포함되지 아니함. 또한, 상속인이 상속 재산의 한도 내에서 승계한 피상속인의 체납국세의 납부의무를 이행하지 아니하는 경우 압류는 반드시 상속재산에만 한정된다고 할 수 없고 상속인의 고유재산에 대해서도 압류할 수 있음. 아울러 이 사건 상속 재산에 대한 압류는 그 압류 이전에 피상속인이나 그 상속인인 원고에 대하여 부과될 양도소득세에 관하여 적법한 납세고지나 독촉이 없었으므로 무효임(대법원 81누162, 1982.8.24.).

|상속으로 인한 납세의무 승계관련 개념 정리(예규 기법 42-1~42-8)|

상속으로 인한 납세의무 승계범위	피상속인이 부담할 제2차 납세의무도 포함하며, 이러한 제2차 납세의무의 승계에는 반드시 피상속인의 생전에 「지방세기본법」 제45조에 따른 납부고지가 있어야 하는 것은 아님.
납세의무 승계에 관한 처리절차	상속이 개시된 경우에 피상속인에게 부과되거나 피상속인이 납부할 지방세, 가산금 및 체납처분비는 상속인 또는 상속재산관리인에게 납세의무에 대한 별도의 지정조치 없이 법에 의하여 당연히 승계되며, 피상속인의 생전에 피상속인에게 행한 처분 또는 절차는 상속인 또는 상속재산관리인에 대하여도 효력이 있음. 그러나 피상속인이 사망한 후 그 승계되는 지방세 등의 부과징수를 위한 잔여절차는 상속인 또는 상속재산관리인을 대상으로 하여야 함.
태아	태아에게 상속이 된 경우에는 그 태아가 출생한 때에 상속으로 인한 납세의무가 승계됨.
상속인이 명료하지 아니한 경우	피상속인이 혼인무효의 소 또는 조정이 계류 중에 있거나 기타 상속의 효과를 가지는 신분관계의 존부확정에 관하여 쟁송 중인 경우 등 상속인이 명확하지 아니한 경우에는, 원칙적으로 그 무효의 소 기타 그 쟁송사유가 없는 것으로 보는 경우의 상속인에 대하여 「지방세기본법」 제42조의 규정을 적용한다. • 이혼무효심판 중 : 이혼한 상태로 봄. • 친생자부인심판 중 : 친생자로 봄. • 상속신분부존재청구 중 : 상속신분존재로 봄. • 상속신분존재확인청구 중 : 상속신분부존재로 봄.
상속재산 분할방법의 지정이 명백하지 아니한 경우	상속재산 분할방법의 지정에 관한 유언의 효력에 대하여 분쟁이 있는 등 상속재산의 분할방법이 명백하지 아니한 경우와 상속재산의 분할방법을 정할 것을 위탁받은 자가 그 위탁을 승낙하지 않는 경우에는 「민법」 제1009조의 규정에 의한 법정상속분에 대하여 「지방세기본법」 제42조 제2항을 적용한다.
피상속인에게 독촉된 지방세의 납부촉구	피상속인이 사망하기 전에 독촉을 한 체납액에 관하여 그 상속인의 재산을 압류하고자 하는 경우에는 「지방세기본법」 제91조 제2항에 규정하는 사유가 있는 경우를 제외하고는 사전에 그 상속인에 대하여 승계세액의 납부를 촉구하여야 함.
상속절차 중의 체납처분	상속재산에 대하여는 「민법」 제1032조(채권자에 대한 공고, 최고) 및 제1056조(상속인 없는 재산의 청산)의 규정에 의한 채권 신청기간 내라도 체납처분을 할 수 있음.
상속인 등에게 변동이 생길 경우	인지, 태아의 출생, 지정상속인의 판명, 유산의 분할 및 기타 사유에 의하여 상속인, 상속지분 또는 상속재산에 변동이 있는 경우라도 그 이전에 발생한 승계지방세 및 납부책임에 대하여는 영향을 미치지 아니함.

제43조(상속재산의 관리인)

> **법** 제43조(상속재산의 관리인) ① 제42조 제1항의 경우 상속인이 있는지 분명하지 아니할 때에는 상속인에게 하여야 할 납세의 고지, 독촉, 그 밖에 필요한 사항은 상속재산관리인에게 하여야 한다.
> ② 제42조 제1항의 경우에 상속인이 있는지가 분명하지 아니하고 상속재산관리인도 없을 때에는 지방자치단체의 장은 그 상속개시지(相續開始地)를 관할하는 법원에 상속재산관리인의 선임(選任)을 청구할 수 있다.
> ③ 제42조 제1항의 경우에 피상속인에게 한 처분 또는 절차는 상속인 또는 상속재산관리인에게도 효력이 미친다.

상속인이 있는지 분명하지 않을 경우 상속재산관리인에게 고지할 수 있고, 상속재산관리인도 없는 경우에는 법원에 상속재산관리인 선임을 청구할 수 있다. 「상속재산의 관리인」이라 함은 「민법」 제1053조의 규정에 의하여 상속인이 없거나 존부가 분명하지 아니한 경우에 법원이 피상속인의 친족·기타 이해관계인 또는 검사의 청구에 의하여 선임하는 상속재산관리인을 말한다(예규 기법 43-1).

제44조(연대납세의무)

> **법** 제44조(연대납세의무) ① 공유물(공동주택의 공유물은 제외한다), 공동사업 또는 그 공동사업에 속하는 재산에 관계되는 지방자치단체의 징수금은 공유자 또는 공동사업자가 연대하여 납부할 의무를 진다. 〈개정 2017.12.26.〉
> ② 법인이 분할되거나 분할합병된 후 분할되는 법인(이하 이 조에서 "분할법인"이라 한다)이 존속하는 경우 다음 각 호의 법인은 분할등기일 이전에 분할법인에 부과되거나 납세의무가 성립한 지방자치단체의 징수금에 대하여 분할로 승계된 재산가액을 한도로 연대하여 납부할 의무가 있다.
> 1. 분할법인
> 2. 분할 또는 분할합병으로 설립되는 법인(이하 이 조에서 "분할신설법인"이라 한다)
> 3. 분할법인의 일부가 다른 법인과 합병하는 경우 그 합병의 상대방인 다른 법인(이하 이 조에서 "존속하는 분할합병의 상대방 법인"이라 한다)
>
> ③ 법인이 분할되거나 분할합병된 후 분할법인이 소멸하는 경우 다음 각 호의 법인은 분할법인에 부과되거나 납세의무가 성립한 지방자치단체의 징수금에 대하여 분할로 승계된 재산가액을 한도로 연대하여 납부할 의무가 있다.
> 1. 분할신설법인

2. 존속하는 분할합병의 상대방 법인

④ 법인이 「채무자 회생 및 파산에 관한 법률」 제215조에 따라 신회사(新會社)를 설립하는 경우 기존의 법인에 부과되거나 납세의무가 성립한 지방자치단체의 징수금은 신회사가 연대하여 납부할 의무를 진다.

⑤ 제1항부터 제4항까지의 연대납세의무에 관하여는 「민법」 제413조부터 제416조까지, 제419조, 제421조, 제423조 및 제425조부터 제427조까지의 규정을 준용한다.

연대납세의무는 하나의 납세의무를 둘 이상이 연대하여 납세의무를 지는 것을 말한다. 따라서 각자 독립하여 전체세액에 대한 납세의무가 있으며, 1인이 납부하면 다른 납세의무자의 납세의무가 소멸한다. 연대납세의무자에게 고지하는 경우 연대납세의무자 전원을 고지서에 기재하여야 하며 각자에게 모두 고지서를 발부하여야 한다. 지방세기본법상의 연대납세의무는 민법의 연대채무와 그 내용이 동일한 것으로 민법의 연대채무에 관한 규정의 대부분이 지방세연대납세의무에도 준용된다.

연대납세의무에 대하여는 공유물·공동사업에 관한 것, 법인의 분할 또는 분할합병 등 신회사를 설립하는 경우 등으로 구분하고 있다. 여기서 「공유물」이라 함은 「민법」 제262조(물건의 공유)의 규정에 의한 공동소유의 물건을 말하고, 「공동사업」이란 그 사업이 당사자 전원의 공동의 것으로서, 공동으로 경영되고 당사자 전원이 그 사업의 성공 여부에 대하여 이익배분 등 이해관계를 가지는 사업을 말한다(예규 기법 44-1).

| 최근 개정법령_2018.1.1. | 공동주택 자체가 연대납세의무가 전혀 없는 것으로 해석될 수 있는 문제를 차단하기 위해 공유물에 대해 그 공유자에게 연대납세의무를 부과하는 규정에서 "공동주택을 제외"하였다.

| 최근 개정법령_2021.1.1. | 법인의 분할 등에 따른 연대납세의무 부담 합리화(법 §44)
법인이 분할(분할합병)되는 경우 분할(분할합병)일 이전에 확정 또는 성립된 지자체 징수금에 대해 분할 및 신설법인 등이 연대납세의무를 진다. 종전 규정은 분할되는 재산 비율과 관계없이 분할 및 신설법인 등이 한도 없이 연대납세의무를 지게 되는 불합리한 점이 있었다. 그리고 분할일, 분할합병일의 개념이 명확하지 않아 연대납세의무 적용 대상 지방세의 범위 등에 대하여 실무상 혼선이 있었다. 이에 대해 상속 시 납세의무 승계 등과 같이, 이전되는 경제적 실질에 따라 납세자가 예측 가능한 범위(승계된 재산가액 한도) 내에서 납세의무를 부담하도록 개선하였다. 그리고 상법에서 분할 등의 효력을 등기 완료 시점 이후부터 인정하는 점을 고려하여 분할등기일로 명확히 하였다.

◎ 부과처분과 징수처분의 성격이 있는 납세고지는 연대납세의무자 각자에게 하여야 함

국세기본법 제8조 ②[17]에 따라 대표자를 명의인으로 하여 송달할 수 있는 납세고지는 이미 확정된 구체적 조세채권에 대하여 그 이행을 명하는 이른바 징수처분으로서의 납세고지에만 한하는 것이며, 부과납세방식의 조세에 있어서 그 부과결정의 통지를 납세고지서에 의하여 하는 경우 또는 신고납세방식의 조세에 있어서 무신고 또는 불성실신고시에 과세표준과 세액을 결정 또는 경정하고 그 통지를 납세고지서에 의하여 하는 경우의 납세고지는 연대납세의무자 각자에게 개별적으로 하여야 하고 제8조의 그 대표자나 국세징수상 편의한 자만을 명의인으로 하여 고지할 수 없음(대법원 85누81, 1985.10.22.).

☞ 과세관청이 과세표준과 세액을 결정 또는 경정하고 그 통지를 납세고지서에 의하여 행하는 경우의 납세고지는 그 결정 또는 경정을 납세의무자에게 고지함으로써 구체적 납세의무확정의 효력을 발생시키는 부과처분으로서의 성질과 확정된 조세채권의 이행을 명하는 징수처분으로서의 성질을 아울러 갖는 것임(대법원 85누81, 1985.10.22.).

◎ 수탁자와 위탁자를 공동사업자로 보아 연대납세의무를 지우기는 어려움

공동사업자에 대한 연대납세의무는 당해 공동사업에 속하는 재산에 관계되는 지방자치단체의 징수금이 있는 경우에 한한다고 할 것이나 공동주택 건설 사업계획승인 및 변경승인은 위탁자 단독명의로 이루어진 점, 이 건 취득세 또한 오로지 위탁자 단독명의로 이루어진 공동주택 건설 취득에 관계되는 징수금이라는 점, 부동산 신탁에 있어 수탁자 앞으로 소유권이전등기를 마치게 되면 소유권이 수탁자에게 이전되는 것이지 위탁자와의 내부관계에 있어 소유권이 위탁자에게 유보되는 것은 아닌 점(대법원 2010다84246 등) 등을 고려할 때, 토지에 대한 수탁자는 위탁자(시행사) 단독명의 공동주택 건설의 공동사업자로 보기는 어려우므로 연대납세의무를 지우기 어려움(지방세분석과-1596, 2014.4.1.).

◎ 지입화물의 개인 차주와 지입회사는 연대납세의무가 없음

지입화물의 경우 개인 차주가 지입회사와 지입계약을 하고 개인차량을 지입회사 명의로 등록하였더라도, 당해 차량에 대한 사업자등록을 지입회사와는 별개로 개인 차주 명의로 하여 자기 계산하에 독립적으로 운송사업을 영위하고 있고, 자동차등록원부 또는 자동차등록원부 기타사항 란에 현물출자한 차량임이 등록되어 있는 경우라면 개인 차주와 지입회사는 지방세기본법 제44조에 의한 연대납세의무가 없다고 할 것(지방세정팀-5042, 2006.10.16., 지방세정담당관-370, 2003.7.4. 등)이므로 지입회사와 연대납세 의무가 없는 개인 차주의 개인 차량에 대한 지방세가 모두 납부된 상태라면 과세관청은 그 차량에 대한 압류를 해제하는 것이 적절하다고 할 것임(지방세분석과-1895, 2013.7.25.).

17) 연대납세의무자에게 서류를 송달하고자 할 때에는 그 대표자를 명의인으로 한다. 다만, 대표자가 없는 때에는 연대납세의무자중 국세징수상 편의한 자를 명의인으로 한다.

- 처분청이 연대납세의무자에 대하여 이 사건 토지에 대한 종합토지세의 납세의무를 지우는 별도의 부과고지를 하지 아니하였으므로 막연히 연대납세의무자라는 이유만으로 그 공유지분에 대하여 압류등기를 한 것은 잘못(지방세심사 2005-54, 2005.3.3.).
- 연대납세의무자 1인에 대한 고지는 다른 연대납세의무자에 대한 효력은 발생하지 아니함
  연대납세의무자의 상호연대관계는 이미 확정된 조세채무의 이행에 관한 것이지 조세채무 자체의 확정에 관한 것은 아니므로, 연대납세의무자라 할지라도 각자의 구체적 납세의무는 개별적으로 확정함을 요하는 것이어서 연대납세의무자 각자에게 개별적으로 구체적 납세의무 확정의 효력발생요건인 부과처분의 통지가 있어야 함(대법원 85누81, 1985.10.22., 대법원 94누2077, 1994.5.10. 등). 따라서 연대납세의무자의 1인에 대해 납세고지를 하였더라도, 다른 연대납세의무자에게도 부과처분의 통지를 한 효력이 발생한다고 할 수는 없고, 다만 지방세법 제18조 제3항에 의하여 준용되는 민법 제416조에 따라 다른 연대납세의무자에게 징수처분의 통지를 한 효력이 발생할 수 있을 뿐임(대법원 96다31697, 1998.9.4.).

제45조(청산인 등의 제2차 납세의무)

법 제45조(청산인 등의 제2차 납세의무) ① 법인이 해산한 경우에 그 법인에 부과되거나 그 법인이 납부할 지방자치단체의 징수금을 납부하지 아니하고 남은 재산을 분배하거나 인도(引渡)하여, 그 법인에 대하여 체납처분을 집행하여도 징수할 금액보다 적은 경우에는 청산인과 남은 재산을 분배받거나 인도받은 자는 그 부족한 금액에 대하여 제2차 납세의무를 진다.

② 제1항에 따른 제2차 납세의무는 청산인에게는 분배하거나 인도한 재산의 가액을, 남은 재산을 분배받거나 인도받은 자에게는 각자가 분배·인도받은 재산의 가액을 한도로 한다.

영 제23조(청산인 등의 제2차 납세의무 한도) 법 제45조 제2항에 따른 재산의 가액은 해당 잔여재산(殘餘財産)을 분배하거나 인도한 날 현재의 시가(時價)로 한다.

제2차 납세의무 개요

제2차 납세의무는 주된 납세자가 납세의무를 이행할 수 없는 경우에 주된 납세자에 갈음하여 납세의무를 지는 자를 말한다. 따라서 제2차 납세의무자는 주된 납세자가 이행하지 못한 납세의무의 부족분에 대하여만 납세의무를 지는 것으로 보충적 납세의무의 한 형태이다.

제2차 납세의무자에 대한 납부고지는 형식적으로는 독립된 과세처분이지만 실질적으로는 과세처분 등에 의하여 확정된 주된 납세의무자의 징수절차상의 처분으로서의 성격을 가지는 것이므로, 제2차 납세의무자에 대해 납부고지를 하려면 선행요건으로서 주된 납세의

무자에 대한 과세처분 등을 하여 그의 구체적인 납세의무를 확정하는 절차를 마쳐야 할 것이고, 주된 납세의무자에 대한 과세처분 등의 절차를 거치지 않고 제2차 납세의무자에 대하여 행한 납부고지는 위법하다고 할 것이다(대법원 87누375, 1988.6.14. 참조).

즉, 제2차 납세의무자에 대한 납부고지는 주된 납세의무자에 대한 부과처분과는 독립된 것으로서, 제2차 납세의무가 성립하기 위해서는 주된 납세의무에 체납처분을 집행하여 부족액이 생기는 것을 요하지 아니하고 체납처분을 하면 객관적으로 징수부족액이 생길 것으로 인정되면 성립되는 것이며(대법원 2003두10718, 2004.5.14.), 그 납세의무의 성립시기는 주된 납세의무자 체납 등 그 요건이 해당하는 사실이 발생하여야 하므로, 적어도 주된 납세의무의 납부기한이 경과된 이후라 할 것이다(대법원 2010두13234, 2012.5.9. 참조).

지방세법상 제2차 납세의무는 청산인 등 출자자, 법인, 사업양수인 등 네 가지 경우에 대하여 규정하고 있으며 각각의 내용과 한도는 다음과 같다.

유형	주된 납세자	제2차 납세의무자	한도(범위)
청산인 등	해산한 법인	청산인	분배·인도한 재산가액
		잔여재산을 받은 자	분배·인도 받은 재산가액
출자자	법인(유가증권상장법인 제외)	무한책임사원 또는 과점주주	무한책임사원 : 없음 과점주주 : 지분율
법인	무한책임사원 또는 과점주주	법인	출자자의 지분율
사업양수인	사업양도인	사업양수인	양수한 재산가액

◎ 제2차 납세의무 성립시기는 적어도 '주된 납세의무의 납부기한'이 경과한 이후임

조세법령이 개정되면서 그 부칙에서 개정조문과 관련하여 별도의 경과규정을 두지 아니한 경우에는 '납세의무가 성립한 당시'에 시행되던 법령을 적용하여야 하는 것이고, 한편 제2차 납세의무가 성립하기 위하여는 주된 납세의무자의 체납 등 그 요건에 해당되는 사실이 발생하여야 하는 것이므로, 그 성립시기는 적어도 '주된 납세의무의 납부기한'이 경과한 이후임(대법원 2003두13083, 2005.4.15.).

◎ 제2차 납세의무자 지정처분만으로는 항고소송의 대상이 되는 행정처분이 아님

제2차 납세의무는 주된 납세의무자의 체납 등 그 요건에 해당하는 사실의 발생에 의하여 추상적으로 성립하고 납부통지에 의하여 고지됨으로써 구체적으로 확정되는 것이고, 제2차 납세의무자 지정처분만으로는 아직 납세의무가 확정되는 것이 아니므로 그 지정처분은 항고소송의 대상이 되는 행정처분이라고 할 수 없음(대법원 95누6632, 1995.9.15.).

◎ 체납처분을 하지 않더라도 국세 등에 충당하기에 부족함이 인정되면 납부고지 가능

제2차 납세의무자의 납세의무가 주된 납세자의 납세의무와의 관계에서 이른바 부종성과 보충성을 가지므로 제2차 납세의무자에 대하여 납세고지를 하려면 먼저 본래의 납세의무자에 대하여 납세의 고지를 함으로써 납세의무가 구체적으로 확정되어야 하나 본래의 납세의무자 재산에 대하여 먼저 체납처분을 하여야 하거나 체납처분 결과 징수할 국세, 가산금과 체납처분비에 충당하고도 부족한 금액에 관하여만 제2차 납세의무자에 대하여 납부고지를 할 수 있는 것은 아니고 본래의 납세의무자의 재산에 대하여 체납처분을 하더라도 징수할 국세, 가산금과 체납처분비에 충당하기에 부족할 것이라는 점이 인정되기만 하면 제2차 납세의무자에게 납부고지할 수 있음(대법원 87누415, 1989.7.11.).

| 제2차납세의무자 관련 개념 정리(예규 기법 45-1~45-10) |

제2차 납세의무자 상호간의 관계	제2차 납세의무자가 2인 이상인 경우에 상호간의 관계는 다음과 같다. 1. 제2차 납세의무자 1인에 대하여 발생한 이행(납부, 충당 등) 이외의 사유는 다른 제2차 납세의무자의 제2차 납세의무에는 영향을 미치지 아니한다. 따라서, 징수유예 등의 처분을 제2차 납세의무자 1인에 대하여 한 경우 다른 제2차 납세의무자에게는 징수유예 등의 효력은 미치지 아니한다. 2. 제2차 납세의무자 1인이 그의 제2차 납세의무를 이행한 경우에는 그 이행에 의하여 제2차 납세의무가 소멸된 세액이 다른 제2차 납세의무자의 제2차 납세의무의 범위에 포함되어 있으면 그 범위 내 제2차 납세의무도 소멸한다. 이 경우 "범위에 포함되어 있는지"에 관하여는 분배 등을 한 재산의 가액을 기준으로 하여 판정한다.
정리채권이 면책된 경우	주된 납세자가 「채무자 회생 및 파산에 관한 법률」 제251조(회생채권 등의 면책 등)의 규정에 의하여 지방세의 납세의무에 대하여 면책된 경우에 있어서도 제2차 납세의무에 관한 지방세의 납세의무에는 영향을 미치지 아니한다.
시효의 중단	주된 납세자의 납세의무의 시효중단의 효력은 제2차 납세의무에 미치며, 제2차 납세의무자에 대한 납부최고·압류처분 등으로 인한 시효중단의 효력도 주된 납세자의 납세의무에 대하여 그 효력이 미친다.
제2차 납세의무자로부터 징수할 금액	「지방세기본법」 제45조의 「납부통지서」에 기재하는 「제2차 납세의무자로부터 징수하고자 하는 금액」이라 함은 다음의 금액을 말하되, 주된 납세자에 대한 체납처분을 종결하기 전이라도 징수할 금액에 부족하다고 인정되는 범위 내에서 납부통지를 할 수 있다. 1. 출자자의 제2차 납세의무(「지방세기본법」 제46조)에 있어서는 법인에 대하여 체납처분을 집행하여도 징수할 금액에 부족한 체납액 중 출자지분율에 해당하는 금액 2. 재산 등의 가액을 한도로 하는 제2차 납세의무(법 제45조, 제46조, 제47조)에 있어서는 주된 납세자에 대하여 체납처분을 집행하여도 징수할 금액에 부족한 체납액의 범위 안에서 그 재산 등의 가액을 한도로 하는 금액
체납처분비와의 관계	「지방세기본법」 제45조의 「제2차 납세의무자로부터 징수할 금액」을 징수하기 위하여 필요한 체납처분비는 그 「징수할 금액」 외로 징수할 수 있다.

◎ 청산인 등의 제2차 납세의무자의 한계(예규 기법 45-4)

「지방세기본법」 제45조 제1항에서 "징수할 금액보다 적은 경우"라 함은 주된 납세의무자에게 귀속하는 재산(제3자 소유의 납세담보재산 및 보증인의 납세보증을 포함한다)을 체납처분(교부청구 및 참가압류를 포함한다)으로 징수할 수 있는 가액이 그 법인이 부담할 지방자치단체의 징수금 총액보다 부족한 경우를 말하며, 부족 여부의 판정은 납부통지를 하는 때의 현황에 의한다. 이 경우 상기의 재산가액 산정에 있어서는 다음 사항을 유의하여야 한다.

1. 매각하여 지방세 등을 징수하고자 하는 재산(이하 '재산'이라 한다)에 「지방세법」 또는 기타 법률의 규정에 의하여 지방세에 우선하는 채권, 공과금, 국세 등이 있는 경우에는 그 우선하는 채권액에 상당하는 금액을 그 재산의 처분예정가액에서 공제하여 그 재산가액을 산정한다.
2. 교부청구 등을 한 경우에는 장차 분배받을 수 있다고 인정되는 금액을 기준으로 하여 재산가액을 산정한다.
3. 재산 중에 「지방세징수법」 제40조(압류금지 재산) 등에 의하여 체납처분을 할 수 없는 재산이 있을 때에는 이를 제외하여 재산가액을 산정한다.
4. 재산의 종류가 채권인 경우에는 그 채권을 환가하는 경우의 평가액을 기준으로 하고, 장래의 채권 또는 계속수입 등의 채권은 장래의 이행가능성을 추정한 금액을 재산가액으로 산정한다.
5. 체납처분비가 필요하다고 인정되는 경우에는 그 징수예상가액은 체납처분비를 공제하여 재산가액을 산정한다.

제46조(출자자의 제2차 납세의무)

법 제46조(출자자의 제2차 납세의무)[18] 법인(주식을 「자본시장과 금융투자업에 관한 법률」에 따른 증권시장으로서 대통령령으로 정하는 증권시장에 상장한 법인은 제외한다)의 재산으로 그 법인에 부과되거나 그 법인이 납부할 지방자치단체의 징수금에 충당하여도 부족한 경우에는 그 지방자치단체의 징수금의 과세기준일 또는 납세의무성립일(이에 관한 규정이 없는 세목의 경우에는 납기개시일) 현재 다음 각 호의 어느 하나에 해당하는 자는 그 부족액에 대하여 제2차 납세의무를 진다. 다만, 제2호에 따른 과점주주의 경우에는 그 부족액을 그 법인의 발행주식총수(의결권이 없는 주식은 제외한다. 이하 이 조에서 같다) 또는 출자총액으로 나눈 금액에 해당 과점주주가 실질적으로 권리를 행사하는 소유주식수(의결권이 없는 주식은 제외한다) 또는 출자액을 곱하여 산출한 금액을 한도로 한다.

1. 무한책임사원
2. 주주 또는 유한책임사원 1명과 그의 특수관계인 중 대통령령으로 정하는 자로서 그들의 소유주식의 합계 또는 출자액의 합계가 해당 법인의 발행주식 총수 또는 출자총액의 100분의 50을 초과하면서 그에 관한 권리를 실질적으로 행사하는 자들(이하 "과점주주"라 한다)

영 제24조(제2차 납세의무를 지는 특수관계인의 범위 등) ① 법 제46조 각 호 외의 부분 본문에서 "대통령령으로 정하는 증권시장"이란 「자본시장과 금융투자업에 관한 법률 시행령」 제176조의9 제1항에 따른 유가증권시장을 말한다.
② 법 제46조 제2호에서 "대통령령으로 정하는 자"란 해당 주주 또는 유한책임사원과 제2조의 어느 하나에 해당하는 관계에 있는 자를 말한다.

주권비상장법인 또는 코스닥시장에 상장된 법인의 재산으로 그 법인에게 부과되거나 그 법인이 납부할 지방세 등에 충당하여도 부족한 경우에는 무한책임사원 또는 법인을 실질적으로 지배하는 과점주주는 그 부족액에 대하여 제2차 납세의무를 진다.

출자자의 제2차납세의무 관련 개념정리(예규 기법 47-1~47-4 등)

무한책임사원의 책임	무한책임사원의 책임은 퇴사등기 후 2년 또는 해산등기 후 5년이 경과하면 소멸(「상법」 제225조 및 제267조)하므로 제2차 납세의무를 지우기 위해서는 이 기간 내에 제2차 납세의무자에 대한 납부통지를 해야 한다. 단, 퇴사등기 또는 해산등기를 하기 전에 무한책임사원이 소속된 법인에게 지방세 납세의무가 이미 성립되어 있는 경우에 한한다.
주주	제46조에서 「주주」라 함은 주식의 소유자로서 주주명부 등에 기재유무와 관계없이 사실상의 주주권을 행사할 수 있는 자(실명주)를 말하므로 형식적인 명의자(차명주)는 이에 해당되지 아니하며, 주권의 발행 전에 주식 또는 주주권이 양도된 경우에는 그의 양수인을 말한다.
생계를 함께 하는 자	「지방세기본법 시행령」 제2조 제2항 제3호에서 "생계를 함께하는 친족"이라 함은 서로 도와서 일상생활비 등을 공통으로 부담하고 있는 자를 말하며, 반드시 동거하고 있는 것을 필요로 하지 않는다(기법 47…2.2-1).
과점주주의 요건	1. 법인의 주주에 대하여 제2차 납세의무를 지우기 위해서는 과점주주로서 주금을 납입하는 등 출자한 사실이 있거나 주주총회에 참석하는 등 운영에 참여하여 그 법인을 실질적으로 지배할 수 있는 위치에 있음을 요하며 형식상 주주명부에 등록되어 있는 것만으로는 과점주주라 할 수 없다. 2. 어느 특정주주와 그 친족·기타 특수관계에 있는 주주들의 소유주식합계 또는 출자액 합계가 당해 법인의 발행주식총수 또는 출자총액의 100분의 50을 초과

18) 지방세기본법 제46조는 「자본시장과 금융투자업에 관한 법률」 일부개정(법률 제11845호, 2013.5.28.)시 타법개정으로 개정되었다.

	하면 특정주주를 제외한 여타 주주들 사이에 친족 기타 특수관계가 없더라도 그 주주 전원을 과점주주로 본다. 기법 46-4【과점주주의 판정】 과점주주의 판정은 지방세의 납세의무성립일 현재 주주 또는 유한책임사원과 그 친족 기타 특수관계에 있는 자의 소유주식 또는 출자액을 합계하여 그 점유비율이 50%를 초과하는 지를 계산하는 것이며, 이 요건에 해당되면 당사자 개개인을 전부 과점주주로 본다.
친족관계	1. 「지방세기본법 시행령」 제24조에 규정하는 '친족관계'의 발생·소멸 여부에 관하여는 「지방세기본법」 또는 「국세기본법」 등에 특별한 규정이 있는 경우를 제외하고는 민법의 규정에 의한다. 2. 「민법」상 자연혈족인 친족관계는 사망에 의하여서만 소멸하므로 입양되거나 외국국적을 취득하더라도 그 관계에는 변함이 없다(기법 47…24-1).
사용인 또는 그 밖에 고용관계에 있는 자의 범위	법인의 특정주주 1인과 사용인 그 밖에 고용관계에 있지 않고 단순히 당해 법인의 「사용인 그 밖에 고용관계에 있는 주주」는 그 특정주주 1인과는 「지방세기본법 시행령」 제24조 제9호의 「사용인 또는 그 밖에 고용관계에 있는 자」에 해당하지 아니한다(기법 47…2.2-3).
생계를 유지하는 사람 (영 제24조 10호)	당해 주주 등으로부터 급부받은 금전, 기타의 재산 및 그 급부받은 금전이나 기타 재산의 운용에 의하여 발생하는 수입을 일상생활비의 주된 원천으로 하고 있는 자를 말한다(기법 47…2.2-4).

◎ 주민세할 법인세 납세의무 성립시기 당시 과점주주가 제2차납세의무자가 됨

세무서가 2003년도 귀속 법인세에 대하여 2008.7월에 법인세 경정분을 부과고지함에 따른 주민세할 법인세 납세의무 성립시기는 당해 법인세의 납세의무가 성립하는 2003사업연도 종료일(2003.12.31.)이 되며, 당해 법인이 법인세할 주민세를 납부하지 못한 경우 2003.12.31. 현재 과점주주가 제2차 납세의무자가 됨(지방세운영과-2471, 2009.6.18.).

◎ 주식이동상활명세서, 등기부등본상 입증되고, 의결권을 행사하지 않았다는 증빙이 없고, 현재까지 감사로 재직하고 있는 등 체납법인의 과점주주로써 제2차납세의무자에 해당

주식의 소유사실은 과세관청이 주주명부나 주식이동상황명세서 또는 등기부등본 등의 자료에 의하여 이를 입증하면 되는 점, ○○○과 체납법인의 종전 주주인 ○○○ 이 작성한 사실확인서는 사인간에 작성된 것으로 그 내용이 사실과 부합한다고 보기 어려운 점, 주주가 아니라거나 실질적으로 의결권을 행사하지 않았다는 사실을 입증할 만한 증빙을 제출하지 못한 점, ○○○은 체납법인 설립 당시부터 발기인 겸 주주로 참가하여 현재까지 감사로 재직하고 있고, … 등을 종합하여 볼 때, 명의를 도용당하여 체납법인의 주주명부에 등재되었다거나 실질 소유주 명의가 아닌 차명으로 등재되었다고 보기는 어려우므로, 체납법인의 과점주주로 보아 제2차납세의무자에 해당함(조심 2012지151, 2012.3.27.).

◎ 급여를 수령한 사실, 형식상 과점주주라는 입증이 없는 점 등 제2차 납세의무자 해당

청구인은 체납법인의 감사로서 출자지분의 30%를 소유한 과점주주로 확인되고, 청구인이 체납법인으로부터 2006년부터 2008년 기간 중 266,642천원의 급여를 수령한 사실이 확인되고 있는 반면, 청구인은 형식상 감사 및 과점주주에 불과하다는 주장을 입증할 만한 구체적이고 객관적인 자료를 제시하지 못하고 있으므로 처분청이 청구인을 체납법인의 제2차 납세의무자로 지정하고 체납액 중 청구인의 지분에 해당하는 금액을 납부통지한 처분은 잘못이 없음(조심 2011지888, 2012.1.27.).

◎ 납세의무 성립일 당시 주주권 행사 가능성이 없으면 제2차 납세의무를 지지 아니함

제2차 납세의무를 지우기 위해서는 현실적으로 주주권을 행사한 실적은 없더라도 적어도 납세의무 성립일 당시 소유하고 있는 주식에 관하여 주주권을 행사할 수 있는 지위에는 있어야 하므로, 납세의무 성립일 당시 주주권을 행사할 가능성이 없었던 경우에는 제2차 납세의무를 지지 아니함(대법원 2011두9287, 2012.12.26.).

◎ 제2차 납세의무에 대해서는 주된 납세의무와 별도로 부과제척기간이 진행하고, 제2차 납세의무가 성립하기 위하여는 주된 납세의무자의 체납 등 그 요건에 해당하는 사실이 발생하여야 하므로 그 성립시기는 적어도 '주된 납세의무의 납부기한'이 경과한 이후라고 할 것임(대법원 2010두13234, 2012.5.9.).

◎ 과점주주에 해당하는 자들은 모두 제2차 납세의무를 부담하되, 책임 범위는 자신의 소유지분 범위 내로 제한되고, 과점주주에 해당하는 주주 1인이 100분의 51 이상의 주식에 관한 권리를 실질적으로 행사할 것을 요구하는 것은 아님(대법원 2006두18386, 2008.1.24.).

◎ 제2차 납세의무가 성립하기 위하여는 주된 납세의무에 징수부족액이 있을 것을 요건으로 하지만 일단 주된 납세의무가 체납된 이상 그 징수부족액의 발생은 반드시 주된 납세의무자에 대하여 현실로 체납처분을 집행하여 부족액이 구체적으로 생기는 것을 요하지 아니하고, 다만 체납처분을 하면 객관적으로 징수부족액이 생길 것으로 인정되면 족하고, 제2차 납세의무자에 대한 처분 후 주된 납세의무자가 자력을 회복하여도 그 처분의 효력에는 영향이 없음(대법원 2003두10718, 2004.5.14.).

◎ 제2차 납세의무는 주된 납세의무자의 체납 등 그 요건에 해당되는 사실의 발생에 의하여 추상적으로 성립하고 납부통지에 의하여 고지됨으로써 구체적으로 확정되므로, 납부통지 없이는 제2차 납세의무자에 대한 조세채권의 조세우선권을 주장할 수 없음(대법원 89다카24872, 1990.12.26).

제47조(법인의 제2차 납세의무)

법 제47조(법인의 제2차 납세의무) ① 지방세(둘 이상의 지방세의 경우에는 납부기한이 뒤에 도래하는 지방세를 말한다)의 납부기간 종료일 현재 법인의 무한책임사원 또는 과점주주(이하 이 조에서 "출자자"라 한다)의 재산(그 법인의 발행주식 또는 출자지분은 제외한다)으로 그 출자자가 납부할 지방자치단체의 징수금에 충당하여도 부족한 경우에는 그 법인은 다음 각 호의 어느 하나에 해당하는 경우에만 그 출자자의 소유주식 또는 출자지분의 가액 한도 내에서 그 부족한 금액에 대하여 제2차 납세의무를 진다.

1. 지방자치단체의 장이 출자자의 소유주식 또는 출자지분을 재공매하거나 수의계약으로 매각하려 하여도 매수희망자가 없을 때
2. 법률 또는 법인의 정관에서 출자자의 소유주식 또는 출자지분의 양도를 제한하고 있을 때

② 제1항에 따른 법인의 제2차 납세의무는 그 법인의 자산총액에서 부채총액을 뺀 가액을 그 법인의 발행주식총액 또는 출자총액으로 나눈 가액에 그 출자자의 소유주식금액 또는 출자액을 곱하여 산출한 금액을 한도로 한다.

영 제25조(법인의 제2차 납세의무 한도) 법 제47조 제2항에 따른 자산총액과 부채총액의 평가는 해당 지방세(둘 이상의 지방세의 경우에는 납부기한이 뒤에 도래하는 지방세를 말한다)의 납부기간 종료일 현재의 시가에 따른다.

법인의 무한책임사원과 과점주주가 납부할 지방자치단체의 징수금을 납부하지 못하는 경우 당해 법인이 그 출자자의 소유주식 또는 출자지분 가액을 한도로 부족액에 대하여 제2차 납세의무를 진다. 법인에 대한 제2차 납세의무는 증권시장(유가증권시장 또는 코스닥시장)에 상장 여부와 관계없이 모든 법인에게 적용되며 주된 납세자인 출자자는 무한책임사원과 과점주주에 한정한다. 부채총액의 계산과 관련하여 영 제25조의 규정에 의한 평가일 현재 납세의무가 성립한 당해 법인의 지방세는 이를 부채총액에 산입한다(예규 기법 47-3).

◯ **주식인도 요구에 불응하여 주식을 압류하지 못한 경우 제2차 납세의무에 해당하지 아니함**

국세기본법 제40조 제1항 제1호는 출자자의 소유주식이나 출자지분을 압류한 다음 매각절차에까지 들어갔음에도 불구하고 매수 희망자가 없어 매각이 되지 아니하는 경우에 비로소 법인의 제2차 납세의무가 발생하는 것으로 규정하고 있음이 문리상 명백할 뿐만 아니라, 제2차 납세의무는 원래 국세 등의 체납절차 내에서 보충적으로 발생하는 성질의 것이고 … 주식인도 요구에 불응하여 주식을 압류하지 못하였다는 사실만으로는 위 법조항 소정의 요건을 갖추었다고 볼 수 없음(대법원 92누13219, 1993.3.12.).

◎ 지방세법 제23조 제2항에서는 "제1항의 규정에 의한 법인의 제2차 납세의무는 그 법인의 자산총액에서 부채총액을 공제한 가액을 그 법인의 발행주식총액 또는 출자총액으로 나눈 가액에 그 출자자의 소유주식금액 또는 출자액을 곱하여 산출한 금액을 한도로 한다."라고 규정하고 있는 바, 자산총계보다 부채총계가 41억원이 더 많은 경우 제2차 납세의무를 질 한도액이 없음(심사-83, 1983.8.29.).

◎ 합명회사 등의 지분양도의 제한(예규 기법 47-1)
합명회사 및 합자회사의 지분은 「상법」 제197조, 제269조, 제276조의 규정에 의하여 다른 무한책임사원 전원의 동의가 없으면 양도할 수 없으므로, 환가 전에 무한책임사원 중 1인이라도 환가에 의한 지분양도에 대하여 반대의사를 표시하는 경우는 「지방세기본법」 제47조 제1항 제2호에 규정하는 「양도가 제한되어 있을 때」에 해당한다.

◎ 주권 미발행 법인에 대한 제2차 납세의무(예규 기법 47-2)
1. 법인이 「상법」 제355조에 정한 주권의 발행시기가 경과하였음에도 불구하고 주권을 발행하지 아니한 경우, 지방자치단체의 장은 체납자인 주주가 회사에 대하여 가지는 주주권을 압류하고 일정기간 내에 주권을 발행하여 세무공무원에게 인도하라는 뜻을 통지하여야 한다.
2. 제1항의 기간 내에 주권을 발행하지 아니하고 「상법」 제335조 제3항 후단(회사 성립 후 또는 신주의 납입 기일 후 6월이 경과한 때)의 규정에 해당하는 때에는 주식에 대한 매각절차를 진행하여야 하며, 그 결과 매수 희망자가 없고 당해 체납자가 과점주주인 경우에는 「지방세기본법」 제48조의 규정에 의한 제2차 납세의무를 지울 수 있다.

제48조(사업양수인의 제2차 납세의무)

법 제48조(사업양수인의 제2차 납세의무) ① 사업의 양도·양수가 있는 경우 그 사업에 관하여 양도일 이전에 양도인의 납세의무가 확정된 지방자치단체의 징수금을 양도인의 재산으로 충당하여도 부족할 때에는 양수인은 그 부족한 금액에 대하여 양수한 재산의 가액 한도 내에서 제2차 납세의무를 진다.
② 제1항에서 "양수인"이란 사업장별로 그 사업에 관한 모든 권리와 의무를 포괄승계(미수금에 관한 권리와 미지급금에 관한 의무의 경우에는 그 전부를 승계하지 아니하더라도 포괄승계로 본다)한 자로서 양도인이 사업을 경영하던 장소에서 양도인이 경영하던 사업과 같거나 유사한 종목의 사업을 경영하는 자를 말한다.
③ 제1항에 따른 양수한 재산의 가액은 대통령령으로 정한다.

영 제26조(사업양수인의 제2차 납세의무 한도) 법 제48조 제1항에 따른 사업의 양도인에게 둘 이상의 사업장이 있는 경우에는 하나의 사업장을 양수한 자는 양수한 사업장과 관계되는 지방자치단체의 징수금(둘 이상의 사업장에 공통되는 지방자치단체의 징수금이 있는 경우에는 양수한 사업장에 배분되는 금액을 포함한다)에 대해서만 제2차 납세의무를 진다.

제27조(사업양수인에 대한 제2차 납세의무 범위) ① 법 제48조 제3항에 따른 양수한 재산의 가액은 다음 각 호의 가액으로 한다.

1. 사업의 양수인이 양도인에게 지급하였거나 지급하여야 할 금액이 있는 경우에는 그 금액
2. 제1호에 따른 금액이 없거나 그 금액이 불분명한 경우에는 양수한 자산 및 부채를 「상속세 및 증여세법」 제60조부터 제66조까지의 규정을 준용하여 평가한 후 그 자산총액에서 부채총액을 뺀 가액

② 제1항에도 불구하고 같은 항 제1호에 따른 금액과 시가의 차액이 3억원 이상이거나 시가의 100분의 30에 상당하는 금액 이상인 경우에는 같은 항 제1호의 금액과 제2호의 금액 중 큰 금액으로 한다.

사업양수인은 사업양도 이전에 확정된 양도인의 지방자치단체 징수금에 대하여 양도한 재산가액을 한도로 제2차 납세의무를 진다.

| 사업양수인의 제2차납세의무 관련 개념정리(예규 기법 48-1~48-3 등) |

사업의 양도·양수	1. 「사업의 양도·양수」란 계약의 명칭이나 형식에 관계없이 사실상 사업에 관한 권리와 의무 일체를 포괄적으로 양도·양수하는 것을 말하며, 개인간 및 법인간은 물론 개인과 법인 사이의 사업의 양도·양수도 포함한다. 2. 사업의 양도·양수계약이 그 사업장 내의 시설물, 비품, 재고상품, 건물 및 대지 등 대상목적에 따라 부분별, 시차별로 별도로 이루어졌다 하더라도 결과적으로 사회통념상 사업 전부에 관하여 행하여진 것이라면 사업의 양도·양수에 해당한다. 3. 사업의 양도에 대하여는 다음 사항에 유의하여야 한다. 가. 합명회사, 합자회사의 영업의 일부나 전부를 양도함에는 총사원 과반수의 결의가 필요하다. 나. 주식회사의 영업의 양도에는 특별결의가 필요하다. 다. 유한회사의 영업의 양도에는 특별결의가 필요하다. 라. 보험회사는 그 영업을 양도하지 못한다.
사업의 양도·양수로 보지 아니하는 경우	1. 강제집행절차에 의하여 경락된 재산을 양수한 경우 2. 「보험업법」에 의한 자산 등의 강제이전의 경우

사업을 재차 양도·양수한 경우	1. 법인의 사업을 갑이 양수하고, 갑이 다시 그 사업을 을에게 양도한 경우에 을은 법인의 제2차 납세의무를 지지 않는다. 그러나 갑이 을에게 사업을 양도할 당시에 법인에 대한 제2차 납세의무의 지정을 받았을 경우에는 그러하지 않다. 2. 사업의 양도로 인한 제2차 납세의무는 사업의 양도·양수 사실이 발생할 때마다 그 요건에 해당되면 제2차 납세의무의 지정을 해야 한다.

◎ **체납자의 부도로 사업이 중단되자 보증사고 처리를 위해 해당 사업의 권리를 양수받은 분양보증사의 경우 제2차 납세의무자로 볼 수 있음**

분양보증사가 해당 사업자산에 대하여 보존등기를 하고 체납자(당초 사업시행자)와의 협약 및 양도각서를 받아 분양대금 채권 및 사업권 등 당해 사업과 관련된 일체의 권리를 취득하였다면, 해당 사업용 자산, 영업권 및 그 사업에 관한 모든 권리와 의무를 계약에 따라 연달아 취득하는 등으로 사회통념상 양도인과 동일시되는 정도로 법률상의 지위를 승계한 것으로 볼 수 있으므로 이는 제2차 납세의무를 지게 되는 사업의 포괄적 승계에 해당함(지방세분석과-485, 2012.4.20.).

◎ **실질상 매매에 해당하는 임의경매를 통해 사업시설 전부를 양수한 경우 제2차납세의무**

실질상 매매에 해당하는 임의경매를 통하여 사업시설 전부를 양수함으로써 전 영업주와 동일시되는 정도의 법률적 지위를 그대로 승계하였다면 경락자가 사업양수인으로서의 제2차 납세의무를 지는 것임. 부동산 매매계약서, 납부확약서 등에 의하면, 청구법인이 ○○○(주)가 공개매각한 체납법인의 사업시설 전부를 경락받은 사실, 체납법인의 체납세액 일부를 납부하고 나머지는 분납하기로 한 사실, 체납법인의 관광사업자 지위를 승계한 후 동일장소에서 동종의 영업을 영위하고 있는 사실이 확인되는 바 이는 사회통념상 청구법인이 체납법인과 동일시되는 정도의 법률적 지위를 그대로 승계하였다고 봄이 상당함(조심 2009지933, 2010.7.6.).

◎ 경매와 이외의 방법을 통하여 복합적으로 사업을 양수한 경우에도 제2차납세의무를 지울 수 있으나, 이때 경매가격이나 이외 계약에 의하여 취득한 가액을 사업 양수인이 지급한 금액으로 볼 수 없으므로, 자산의 총액에서 부채총액을 뺀 가액을 '양수한 재산의 가액'으로 산정함(대법원 2009두11058, 2009.12.10.).

◎ **일부를 경매로 낙찰받고, 일부는 별도의 양도계약으로 취득하여 사업을 승계한 경우 경제적 가치에 대한 일괄적 평가가 결여된 것으로 보아 상증세법에 따라 평가한 가액을 적용**

양수인이 사업을 포괄적으로 양도·양수하려는 의도로 사업용 자산 일부를 임의경매 집행절차에 의하여 낙찰받아 취득하는 한편 나머지 사업용 자산 및 그 사업에 관한 모든 권리와 의무를 양도인과의 별도의 양도계약에 의하여 연달아 취득함으로써 양도인의 사업을 포괄적으로 승계한 경우, 그 사업의 경제적 가치에 대한 일괄적 평가가 결여되어 있으므로, 특별한 사정이 없는 한 그 경매가액이나 나머지 사업용 자산의 양도계약에서 정한 각각의 양도대금이 지방세법 시행령 제7조 제1호에서 말하는 '사업의 양수인이 지급하였거나 지급하여야 할 금액'이라고 할 수 없고, 그렇다면 제2호의 규정에 의하여 '양수한 재산의 가액'을 산정할 수 밖에 없음(대법원 2006두1166, 2009.1.30.).

◎ 사회통념상 양도인과 동일시되는 정도의 법률상 지위를 승계하였다면 제2차 납세의무를 지는 사업양수인에 해당함

임의경매 집행절차에서 낙찰에 의하여 골프장의 주된 사업용 자산(제1물건)을 취득하고, 나머지 모든 사업용 시설과 영업권, 상호권, 허가권 등(제2물건)을 종전 사업자 사이에 별도의 매매계약에 의하여 양수한 경우, 제1, 2물건의 인수 경위, 인수 내용 및 그 후의 경과 등에 비추어 그 양수인은 종전 사업자의 사업에 관한 모든 권리와 의무를 포괄적으로 취득함으로써 사회통념상 전체적으로 보아 양도인과 동일시되는 정도로 법률상의 지위를 그대로 승계한 것이라고 봄이 상당하므로, 제2차 납세의무를 지는 사업양수인에 해당함(대법원 2000두4095, 2002.6.14.).

◎ 사업자가 수 개의 장소에서 동일한 사업을 영위하다가 그 중 일부 장소에서의 사업을 포괄양도한 경우도 사업의 양도·양수에 포함됨

원고가 소외 회사와 사이에, 별도로 사업자등록이 된 소외 회사의 14개 지점을 양수하면서 양수자산의 가액에서 인수채무액을 공제한 금액을 소외 회사에 지급하기로 하는 내용의 점포양도 및 상품시설매매계약을 체결하고, 이 사건 각 지점에 종사하던 직원을 원고의 직원으로 신규채용하였다면, 원고는 각자 독립된 사업단위인 이 사건 각 지점에 관하여 양도인인 소외 회사와 동일시되는 정도의 법률상 지위를 승계하였다 할 것임. 그리고 각 지점을 양수하게 된 동기가 외상매출채권의 확보에 있었다거나 그 양수와 관련하여 결손을 보았다고 하더라도, 납부고지처분이 적법함(대법원 97누17469, 1998.3.13.).

◎ 사업의 양도 후 양도인에게 부과된 국세는 양수인에게 제2차 납세의무를 지울 수 없음

법인이 사업양수인으로서 같은 법 제41조에 따라 사업의 양도인에게 부과된 당해 사업에 관한 국세·가산금에 대하여 제2차 납세의무를 지게 된 때에는, 그 양도인에게 부과된 국세·가산금도 그 법인의 과점주주가 제2차 납세의무를 지는 "그 법인에게 부과되거나 그 법인이 납부할 국세 가산금"에 포함된다고 보아야 할 것임. 그러나 사업의 양도·양수 당시 이미 부과되어 있는 국세에 대하여만 양수인이 제2차 납세의무를 지게 되는 것이므로 사업의 양도·양수 후에 양도인에게 부과된 국세나 이에 관한 가산금에 대하여는 사업의 양수인에게 제2차 납세의무를 지울 수 없음(대법원 92누10210, 1993.5.11.).

◎ **포괄적 승계란 양도인과 동일시되는 정도의 법률상 지위를 그대로 승계하는 것을 말함**

포괄적으로 승계한다고 하는 것은 양수인이 양도인으로부터 그의 모든 사업시설뿐만 아니라 상호, 영업권, 무체재산권 및 그 사업에 관한 채권·채무 등 일체의 인적, 물적 권리와 의무를 양수함으로써 양도인과 동일시되는 정도의 법률상의 지위를 그대로 승계하는 것을 말함(대법원 89누6327, 1989.12.12.).

제 3 장

지방세기본법

부 과

제49조(수정신고)

법 제49조(수정신고) ① 이 법 또는 지방세관계법에 따른 법정신고기한까지 과세표준 신고서를 제출한 자 및 제51조 제1항에 따른 납기 후의 과세표준 신고서를 제출한 자는 다음 각 호의 어느 하나에 해당할 때에는 지방자치단체의 장이 지방세관계법에 따라 그 지방세의 과세표준과 세액을 결정하거나 경정하여 통지하기 전으로서 제38조 제1항부터 제3항까지의 규정에 따른 기간이 끝나기 전까지는 과세표준 수정신고서를 제출할 수 있다.

1. 과세표준 신고서 또는 납기 후의 과세표준 신고서에 기재된 과세표준 및 세액이 지방세관계법에 따라 신고하여야 할 과세표준 및 세액보다 적을 때
2. 과세표준 신고서 또는 납기 후의 과세표준에 기재된 환급세액이 지방세관계법에 따라 신고하여야 할 환급세액을 초과할 때
3. 그 밖에 특별징수의무자의 정산과정에서 누락 등이 발생하여 그 과세표준 및 세액이 지방세관계법에 따라 신고하여야 할 과세표준 및 세액 등보다 적을 때

② 제1항에 따른 수정신고로 인하여 추가납부세액이 발생한 경우에는 그 수정신고를 한 자는 추가납부세액을 납부하여야 한다.

③ 과세표준 수정신고서의 기재사항 및 신고절차에 관한 사항은 대통령령으로 정한다.

영 제28조(과세표준 수정신고서) 법 제49조에 따른 과세표준 수정신고서에는 다음 각 호의 사항을 적어야 하며, 수정한 부분에 대해서는 그 수정한 내용을 증명하는 서류(종전의 과세표준 신고서에 첨부한 서류가 있는 경우에는 이를 수정한 서류를 포함한다)를 첨부하여야 한다.

1. 종전에 신고한 과세표준과 세액 2. 수정신고하는 과세표준과 세액 3. 그 밖에 필요한 사항

제29조(수정신고의 절차) ① 법 제49조에 따라 수정신고를 하려는 자는 종전에 과세표준과 세액을 신고한 지방자치단체의 장에게 과세표준 수정신고서를 제출하여야 한다.

② 제1항에 따라 과세표준 수정신고서를 제출할 때에는 수정신고사유를 증명할 수 있는 서류를 함께 제출하여야 한다.

(예규) 기법 49-1(법정신고기한) 법 제49조, 제50조 및 제51조에서 "법정신고기한"이라 함은 지방세관계법에 규정하는 과세표준과 세액에 대한 신고기한 또는 신고서의 제출기한을 말한다. 다만, 법 제24조 및 제26조의 규정에 의하여 신고기한이 연장된 경우에는 그 연장된 기한을 법정신고기한으로 본다.

수정신고는 과세표준 및 세액을 과소하게 신고한 경우 등에 있어서 과세권자가 부과고지하기 전에 자발적으로 수정하여 신고하는 기회를 부여하여 추가 납부할 수 있는 기회를 부여하는 제도이다. 신고납세방식의 조세에 있어서는 납세의무자의 신고에 의하여 조세채무가 확정되는데, 법정신고기한까지 과세표준신고서를 제출한 납세의무자는 당초의 신고에 의하여 조세채무가 확정되었다고 하더라도 위와 같은 요건이 구비된 경우 수정신고를 할 수 있고, 적법한 수정신고가 이루어지면 과세관청의 별도의 처분을 기다릴 필요 없이 당초

의 신고는 수정신고에 흡수되어 소멸하고 수정신고의 내용대로 조세채무가 확정된다(대법원 2014두46348, 2015.3.27.). 지방세 납부없이 신고만 한 경우나 후발적 사유 외 착오 등에 의한 과소신고 시에도 부과고지 전이라면 납세자가 자발적으로 수정신고할 수 있다.

| 최근 개정법령_2016.1.1. | 수정신고 · 기한후신고시의 동시납부 규정 등 삭제(법 제50조 ②, 제52조 ② · ③, 제54조 ③)

신고만 하더라도 세원포착이 가능하고 가산세도 신고불성실과 납부불성실로 구분되어 있음에도, 신고와 동시에 납부하게 하거나 납부하지 않았다고 하여 가산세까지 감면하지 않는 것은 불합리한 측면이 있었다. 이에 대해 기한후 신고 또는 수정신고시의 동시납부 규정을 삭제하고, 신고와 동시에 미납부하더라도 해당 가산세는 감면토록 하였다. ※ 국세의 경우 상기 개정사항이 2015.1.1.부터 적용

| 최근 개정법령_2020.1.1. | 기한 후 신고자의 수정신고 및 경정청구 허용 등(법 §49, §50, §51)

법정신고기한까지 과세표준신고서를 제출한 자에 한해 경정청구가 허용되었으나, 법정신고기한을 경과하여 과세표준 신고를 한 자도 신고내용에 오류가 있는 경우에는 수정신고 및 경정청구를 가능하게 하여 납세자 권익을 제고하였다. 또한, 수정신고는 경정청구와 달리 과세관청의 결정 · 경정이 없으므로 기한 후 신고자의 수정신고에 대해서는 결정 · 경정 통지의무를 추가하였다.

※ 권익위는 "현행 법정신고 기한내 과세표준 신고자에게만 허용하고 있는 경정청구 및 수정신고를 기한 후 신고서를 제출한 자에게도 허용"하도록 「국세기본법」 개정을 권고한 바 있음(2018.1.10.).

〈수정신고 · 경정청구 · 기한후신고의 효력 등 비교〉

구분	수정신고	경정청구	기한 후 신고
효력	확정력 있음 (결정 · 경정 없음)	확정력 없음 (결정 · 경정 있음)	확정력 없음 (결정 · 경정 있음)
통지의무	없음	2개월 이내 결정 · 경정 또는 이유 없음 통보 (2개월 이내 미 통보시 불복청구 가능)	3개월 이내 결정

◎ **감면조례가 소급 적용되는 경우도 신고납부 후의 특별한 사정변경으로 본다는 사례**

부동산 취득 당시의 감면조례에 따라 등록세, 취득세 등을 신고납부한 후에 감면조례가 납세자에게 유리하게 개정되고 그 부칙에 의하여 감면조례가 소급 적용되어 결과적으로 등록세 등이 면제되는 경우도 신고납부 후의 특별한 사정변경으로 인하여 그 신고납부사항을 변경할 수밖에 없는 사유에 해당하여 지방세법 제71조 ①의 감액수정신고를 할 수 있고, 그 신고에 따른 세액 감면을 거부한 과세관청의 행위는 위법한 처분임(대법원 2001두10639, 2003.6.27.).

☞ 2010년 이전(경정청구 제도 도입 이전) 수정신고 당시의 사례임.

◎ 취득신고 후 매매가액 정정이 착오기재 등으로 명백한 경우 경정청구 대상

계약신고 및 취득신고를 한 후 법정신고기한이 경과하였으나 착오기재 등 명백한 이유로 지방세기본법 제50조 ① 각 호 및 제51조 ① 각 호의 요건에 해당하는 경우, 수정신고하여 추가납부하거나 경정청구하여 환급받을 수 있는 대상임(지방세운영과-559, 2011.2.7.).

◎ 검증이 이루어져 적법하게 신고되었다면 수정신고 및 경정청구 대상이 아님

「지방세법」 제10조 제5항 제5호 "「공인중개사의 업무 및 부동산 거래신고에 관한 법률」 제27조에 따른 신고서를 제출하여 같은 법 제28조에 따라 검증이 이루어진 취득"의 경우 지방세 관계법에 따라 신고하여야 할 과세표준 및 세액에 해당하는 만큼 적법하게 신고되었으므로 수정신고 및 경정청구 요건의 대상에 해당하지 아니함. 다만, 「지방세법 시행령」 제20조 제1항 및 제2항 단서를 준용하여 해당 취득물건을 등기·등록하지 아니하고 취득일로부터 60일 이내에 계약이 변경된 사실이 화해조서·인낙조서·공정증서 등으로 입증되는 경우에는 수정신고 및 경정청구 가능(지방세운영과-1043, 2011.3.8.)

◎ 공사비 정산 등으로 추가납부세액이 발생된 경우 가산세를 반영하여 수정신고하여야 함

법정신고기한 경과 후 공사비 정산 등으로 인하여 추가납부세액이 발생된 경우 수정신고 대상이라 사료됨. 이 경우 법 제54조 ② 본문에 따라 법정신고기한 경과 후 6개월 이내 수정신고시 신고불성실가산세에 대하여만 50% 경감하고, 1년 이내 수정신고시 20%를 경감하며, 2년 이내 수정신고시 10%를 경감하도록 규정하고 있는 바, 신고불성실가산세는 기간이 맞는 가산세 감면을 적용하여 가산세를 가산한 금액으로 수정신고납부하여야 함(지방세운영과-1043, 2011.3.8.).

◎ 법정신고기한

법 제49조, 제50조 및 제51조에서 "법정신고기한"이라 함은 지방세관계법에 규정하는 과세표준과 세액에 대한 신고기한 또는 신고서의 제출기한을 말한다. 다만, 법 제24조 및 제26조의 규정에 의하여 신고기한이 연장된 경우에는 그 연장된 기한을 법정신고기한으로 본다(예규 기법 49-1).

제50조(경정 등의 청구)

법 제50조(경정 등의 청구) ① 이 법 또는 지방세관계법에 따른 과세표준 신고서를 법정신고기한까지 제출한 자 및 제51조 제1항에 따른 납기 후의 과세표준 신고서를 제출한 자는 다음 각 호의 어느 하나에 해당할 때에는 법정신고기한이 지난 후 5년 이내[「지방세법」에 따른 결정 또는 경정이 있는 경우에는 그 결정 또는 경정이 있음을 안 날(결정 또는 경정의 통지를 받았을 때에는 통지받은 날)부터 90일 이내(법정신고기한이 지난 후 5년 이내로 한정한다)를 말한다]에 최초신고와 수정신고를 한 지방세의 과세표준 및 세액(「지방세법」에 따른 결정 또는 경정이 있는 경우에는 그 결정 또는 경정 후의 과세표준 및 세액 등을 말한다)의 결정 또는 경정을 지방자치단체의 장에게 청구할 수 있다.

1. 과세표준 신고서 또는 납기 후의 과세표준 신고서에 기재된 과세표준 및 세액(「지방세법」에 따른 결정 또는 경정이 있는 경우에는 그 결정 또는 경정 후의 과세표준 및 세액을 말한다)이 「지방세법」에 따라 신고하여야 할 과세표준 및 세액을 초과할 때
2. 과세표준 신고서 또는 납기 후의 과세표준에 기재된 환급세액(「지방세법」에 따른 결정 또는 경정이 있는 경우에는 그 결정 또는 경정 후의 환급세액을 말한다)이 「지방세법」에 따라 신고하여야 할 환급세액보다 적을 때

② 과세표준 신고서를 법정신고기한까지 제출한 자 또는 지방세의 과세표준 및 세액의 결정을 받은 자는 다음 각 호의 어느 하나에 해당하는 사유가 발생하였을 때에는 제1항에서 규정하는 기간에도 불구하고 그 사유가 발생한 것을 안 날부터 90일 이내에 결정 또는 경정을 청구할 수 있다.

1. 최초의 신고·결정 또는 경정에서 과세표준 및 세액의 계산 근거가 된 거래 또는 행위 등이 그에 관한 소송의 판결(판결과 동일한 효력을 가지는 화해나 그 밖의 행위를 포함한다)에 의하여 다른 것으로 확정되었을 때
2. 조세조약에 따른 상호합의가 최초의 신고·결정 또는 경정의 내용과 다르게 이루어졌을 때
3. 제1호 및 제2호의 사유와 유사한 사유로서 대통령령으로 정하는 사유가 해당 지방세의 법정신고기한이 지난 후에 발생하였을 때

③ 제1항 및 제2항에 따라 결정 또는 경정의 청구를 받은 지방자치단체의 장은 청구받은 날부터 2개월 이내에 그 청구를 한 자에게 과세표준 및 세액을 결정·경정하거나 결정·경정하여야 할 이유가 없다는 것을 통지하여야 한다. 다만, 청구를 한 자가 2개월 이내에 아무런 통지를 받지 못한 경우에는 통지를 받기 전이라도 그 2개월이 되는 날의 다음 날부터 제7장에 따른 이의신청, 심판청구 또는 「감사원법」에 따른 심사청구를 할 수 있다.

④ 「국세기본법」 제45조의 2 제4항에 따른 원천징수대상자가 지방소득세의 결정 또는 경정의 청구를 하는 경우에는 제1항부터 제3항까지의 규정을 준용한다. 이 경우 제1항 각 호 외의 부분 중 "과세표준 신고서를 법정신고기한까지 제출한 자 및 제51조 제1항에 따른 납기 후의 과세표준 신고서를 제출한 자"는 "「지방세법」 제103조의 13, 제103조의 18, 제103조의 29, 제103조의 52에 따라 특별징수를 통하여 지방소득세를 납부한 특별징수의무자 또는 해당 특별징수 대상 소득이 있는 자"로, "법정신고기한이 지난 후"는 "「지방세법」 제103조의 13, 제103조의 29에 따른 지방

소득세 특별징수세액의 납부기한이 지난 후"로, 제1항 제1호 중 "과세표준 신고서 또는 납기 후의 과세표준 신고서에 기재된 과세표준 및 세액"은 "지방소득세 특별징수 계산서 및 명세서 또는 법인지방소득세 특별징수 명세서에 기재된 과세표준 및 세액"으로, 제1항 제2호 중 "과세표준 신고서 또는 납기 후의 과세표준 신고서에 기재된 환급세액"은 "지방소득세 특별징수 계산서 및 명세서 또는 법인지방소득세 특별징수 명세서에 기재된 환급세액"으로, 제2항 각 호 외의 부분 중 "과세표준 신고서를 법정신고기한까지 제출한 자"는 "「지방세법」 제103조의 13, 제103조의 18, 제103조의 29, 제103조의 52에 따라 특별징수를 통하여 지방소득세를 납부한 특별징수의무자 또는 해당 특별징수 대상 소득이 있는 자"로 본다.

⑤ 결정 또는 경정의 청구 및 통지절차에 관하여 필요한 사항은 대통령령으로 정한다.

영 제30조(후발적 사유) 법 제50조 제2항 제3호에서 "대통령령으로 정하는 사유"란 다음 각 호의 어느 하나에 해당하는 경우를 말한다.

1. 최초의 신고·결정 또는 경정(更正)을 할 때 과세표준 및 세액의 계산근거가 된 거래 또는 행위 등의 효력과 관계되는 관청의 허가나 그 밖의 처분이 취소된 경우
2. 최초의 신고·결정 또는 경정을 할 때 과세표준 및 세액의 계산근거가 된 거래 또는 행위 등의 효력과 관계되는 계약이 해당 계약의 성립 후 발생한 부득이한 사유로 해제되거나 취소된 경우
3. 최초의 신고·결정 또는 경정을 할 때 장부 및 증명서류의 압수, 그 밖의 부득이한 사유로 과세표준 및 세액을 계산할 수 없었으나 그 후 해당 사유가 소멸한 경우
4. 제1호부터 제3호까지의 규정에 준하는 사유가 있는 경우

제31조(경정 등의 청구) 법 제50조 제1항 또는 제2항에 따른 결정 또는 경정의 청구를 하려는 자는 다음 각 호의 사항을 적은 결정 또는 경정 청구서를 지방자치단체의 장에게 제출(지방세통합정보통신망에 의한 제출을 포함한다)하여야 한다.

1. 청구인의 성명과 주소 또는 영업소
2. 결정 또는 경정 전의 과세표준 및 세액
3. 결정 또는 경정 후의 과세표준 및 세액
4. 결정 또는 경정의 청구를 하는 이유
5. 그 밖에 필요한 사항

경정청구는 과세표준신고서에 기재된 과세표준 또는 세액 등에 잘못이 있기 때문에 하는 경정의 청구(제1항, 통상적 경정청구)와 후발적 이유에 의하여 과세표준 또는 세액 등의 계산의 기초에 변동이 생겼기 때문에 하는 경정의 청구(제2항, 후발사유에 의한 경정청구)가 있다.

후발적 경정청구제도는 납세의무 성립 후 일정한 후발적 사유의 발생으로 말미암아 과세표준 및 세액의 산정기초에 변동이 생긴 경우 납세자로 하여금 그 사실을 증명하여 감액을 청구할 수 있도록 함으로써 납세자의 권리구제를 확대하려는 데 있다. 여기서 말하는 후발적 경정청구사유 중 '거래 또는 행위 등이 그에 관한 소송에 대한 판결에 의하여 다른 것으로 확정된 경우'는 최초의 신고 등이 이루어진 후 과세표준 및 세액의 계산근거가 된 거래 또는 행위 등에 관한 분쟁이 발생하여 그에 관한 소송에서 판결에 의하여 그 거래 또는 행

위 등의 존부나 그 법률효과 등이 다른 내용의 것으로 확정됨으로써 최초의 신고 등이 정당하게 유지될 수 없게 된 경우를 의미한다(대법원 2017두41740, 2017.9.7., 관세법 시행령 제34조 ② 1호의 사례 등).

2015.5.18. 지방세 경정청구 기간을 3년에서 5년으로 연장하였다(법 제51조 ①). 지방세법 개정법률 시행일 현재 경정청구 기간(3년)이 경과하지 아니한 경우에도 적용한다(5년 연장). 예를들어 2012.5.30.이 법정신고기한일인 경우 2017.5.29.까지 경정청구 기간이 연장되었다(기존에는 2015.5.29.까지 가능). 그리고 경정청구에 대한 통지가 없는 경우에도 불복청구가 가능하도록 하였다(법 제51조 ③ 단서).

2017.3.28. 후발적 사유로 인한 경정청구기간을 연장했다(법 제50조 ②). 후발적 사유로 인한 경정청구기간을 연장하는 경우 납세자의 권익 구제에 기여할 수 있다는 점을 고려하여 후발적 사유로 인한 경정청구기간을 그 사유가 발생한 것을 안 날부터 3개월로 연장(국세와 동일)하였다. 2019.1.1. 국세와 동일하게 지방세 특별징수대상자에 대하여도 경정청구 절차를 신설하였다.

- 무변론 판결(소유권이전등기말소절차를 이행하라)도 판결과 같이 경정청구 대상
  원고는 이 사건 계약(교환계약)이 기망에 의하여 체결되었음을 이유로 원고가 마친 소유권이전등기의 말소를 구하는 소를 제기하였고, 무변론 승소 판결을 받았음… 피고는 '소유권이전등기말소절차를 이행하라'고만 되어 있을 뿐 이전등기가 원인무효라고 판시한 것이 아니라는 경정청구를 거부 … 지방세기본법 제50조 제2항 제1호는 그 문언상 경정청구 사유가 되는 판결의 종류에 대하여 아무런 제한을 두고 있지 않고, 판결의 주문에 재화취득의 원인이 된 거래 또는 행위 등의 효력에 대한 판단이 나타나 있을 것을 요구하고 있지도 않은 점, … 무변론 판결은 사건의 실체에 대한 심리를 거치지 않고 이루어지는 것이기는 하나, 위 조항은 판결뿐 아니라 판결과 동일한 효력을 가지는 화해나 그 밖의 행위도 모두 경정청구 사유로 포함시키고 있는 바, 화해 등도 사건의 실체가 아니라 당사자의 의사와 양보를 바탕으로 이루어지는 것이므로, 무변론 판결만을 제외하고 있다고 해석하기 어려움(대법원 2017두72119, 2018.3.15.).
- 감액경정청구에 대한 거부처분 취소소송이 제기된 후 과세관청의 증액경정처분이 이루어진 경우에는 당초신고나 감액경정청구, 감액경정청구에 대한 거부처분은 그 후에 이루어진 과세관청의 증액경정처분에 흡수・소멸되지 아니하나, 증액경정처분에 대하여도 취소소송이 제기된 경우에는 감액경정처분의 거부처분 취소의 소는 부적법하게 됨(대법원 2004두8972, 2005.10.14.).

◎ 법원 조정에 의한 계약금액의 감액은 후발적 경정청구 대상 사유에 해당함

화해가 사실상의 취득가격에서 제외된다는 규정과 후발적 경정청구의 요건 규정과는 별개의 사안이므로, 법원 조정에 의한 계약금액의 감액은 후발적 경정청구 대상 사유에 해당함(대법원 2014두39272, 2014.11.27.).

◎ 계약서상 잔금지급일이 아닌 사실상 잔금지급일을 기준으로 경정청구가 가능하다는 사례

개인 간의 유상승계취득의 경우 그 취득시기를 계약상의 잔금지급일에 취득한 것으로 본다고 규정하고 있는 것은 「지방세법」 제7조 제2항에서 규정한 "사실상으로 취득한 때"가 불분명하거나 사실상의 취득이 계약상의 잔금지급일과 관련되었을 때 그 취득시기에 대한 의제일 뿐 현저하고 명백한 사실상의 취득시기를 배제하는 것은 아니라고 할 것이므로 비록, 당초 처분청에 제출한 쟁점매매계약서상의 잔금지급일이 2011.3.3.로 기재되어 있다하더라도 청구인이 2011.4.4. 주택의 잔금을 지급한 사실이 통장거래 내역 및 수표 등에서 나타나는 점, 2011.4.4. 이전등기가 경료된 점 등에 미루어 보면 사실상 2011.4.4. 잔금을 지급하고 취득한 것으로 보는 것이 타당함(조심 2011지968, 2012.6.15.).

◎ 연부취득 계약당시 취득가액이 9억원 초과로 50% 감면 대상이었으나, 나머지 대금의 일괄 납부로 선납 할인받아 9억원 이하가 되었더라도 계약금 취득세분에 대한 경정청구 불가

「지방세법」 제10조(과세표준) 단서에서 연부(年賦)로 취득하는 경우에는 연부금액(매회 사실상 지급되는 금액을 말하며, 취득금액에 포함되는 계약보증금을 포함한다)으로 한다고 규정하고 있는 바, 실제 연부금액을 지급한 날에 그 지급금액에 대한 분만큼 취득한 것으로 보아야 하고, 동시에 납세의무가 성립하는 것이므로 연부금 지급당시의 취득가액에 따라 감면율을 적용하여야 하며, 이미 확정된 납세의무를 적법하게 이행한 이후에 사인간 계약의 변경에 따라 발생한 사유는 경정청구 대상에 해당하지 않는 것으로 판단됨(지방세운영과-208, 2012.1.16.).

◎ 리스계약 파기로 인한 자동차 구입계약이 해제된 경우 취득세를 경정할 수 없음

당초의 리스계약이 파기되어 자동차 구입계약이 해제되었을 경우 경정청구의 요건(영 제30조 2호)이 성립되므로 경정청구는 가능하나, 자동차를 취득하면서 취득세를 법정 신고기한 내 신고납부하고 등록절차를 마쳤다면 실질적으로 취득행위가 있었다고 볼 수 있고, 리스계약 파기로 인한 자동차 구입계약 해제가 당초의 신고행위를 무효로 할 만큼 중대하고 명백한 하자로도 볼 수 없어 취득세 경정 불가(지방세운영과-2996, 2011.6.24.).

◎ 계약해제 등에 따른 후발적 경정청구관련 지방세법상 취득의 시기가 우선 적용

매매계약 해제된 경우 3년 이내 경정청구 해당 여부와 관련, 지방세기본법 제3조에서 지방세에 관하여 지방세관계법에 별도의 규정이 있는 경우를 제외하고는 이 법에서 정하는 바에

따른다고 규정하고 있으므로 지방세법에 규정이 있는 경우 지방세법의 규정을 우선해야 함. 또한, 지방세법 제5조에서 지방세의 부과 · 징수에 관하여 이 법 또는 다른 법령에서 규정한 것을 제외하고는 「지방세기본법」을 적용한다고 규정하고 있으므로 「지방세법」에 규정되어 있는 법조문이 우선 적용되는 것임. 따라서 지방세법 제10조 및 같은 법 시행령 제20조에서 관련 사항을 직접 규정하고 있으므로 「지방세법」이 「지방세기본법」보다 우선 적용됨(지방세운영과-1043, 2011.3.8.).

☞ 부동산 취득세는 부동산의 취득행위를 객체로 하여 부과하는 행위세이므로 그에 대한 조세채권은 그 취득행위라는 과세요건사실이 존재함으로써 당연히 발생하고, 일단 적법하게 취득한 다음에는 그 후 합의에 의하여 계약을 해제하고 그 재산을 반환하는 경우에도 이미 성립한 조세채권의 행사에 영향을 줄 수 없음(대법원 95누7970, 1995.9.15.).

◎ 할부이자를 포함하여 신고하였다가 취득 후 상환하였더라도 경정청구 대상이 아님

취득한 차량에 대한 취득세를 지급할 할부이자를 포함한 가액을 과세표준으로 하여 신고납부한 것은 「지방세법」 제10조에 따른 적법한 신고납부이므로 취득 후 일시 상환함으로써 실제 지급한 할부금이 신고납부 당시 과세표준에 포함된 할부이자보다 적다 하더라도 「지방세기본법」 제51조 ①에서 규정하는 취득당시 취득세의 과세표준 및 세액이 「지방세법」에 따라 신고하여야 할 과세표준 및 세액을 과다신고한 경우에 해당되지 않으며, 「지방세기본법」 제51조 ② 및 시행령 제30조 각 호에서 규정하는 거래 또는 행위효력 등이 취소되거나 해제되는 "후발적 사유"에도 해당되지 않으므로, 제51조의 요건을 충족하는 경정청구 대상에 해당되지 아니함(지방세운영과-4159, 2012.10.12.).

◎ 계약변경 사실이 입증되더라도 적법하게 신고한 이상 수정신고 · 경정청구 대상이 아님

취득일로부터 60일 경과되어 계약변경된 사실이 화해조서 등에서 입증된다하더라도 「지방세법 시행령」 제20조 ① · ② 단서규정에 따른 취득배제요건이 충족되지 않아 결국 "취득"으로 보아야 하는 것으로 귀착되고 이 경우 「지방세법」 제10조 ①에서 "취득세의 과세표준은 취득당시의 가액으로 한다."는 규정 및 동법 제2항에서 "제1항에 따른 취득 당시의 가액은 취득자가 신고한 가액으로 한다."는 규정에 따라 적법하게 신고한 것이므로 수정신고 및 경정청구 대상에 해당되지 아니함. 다만, 60일 이내에 계약이 변경된 사실이 화해조서 등으로 입증되는 경우에는 가능(지방세운영과-1043, 2011.3.8.)

◎ (경정 등의 청구기간) 지방세기본법 또는 지방세관계법에 따른 과세표준신고서를 제출한 경우라 하더라도 지방세법에 따른 결정 또는 경정이 있는 경우에는 지방세기본법 제118조 및 제119조에 따른 이의신청, 심사청구 또는 심판청구 대상으로 함(예규 51-1).

제51조(기한 후 신고)

법 제51조(기한 후 신고) ① 법정신고기한까지 과세표준 신고서를 제출하지 아니한 자는 지방자치단체의 장이 「지방세법」에 따라 그 지방세의 과세표준과 세액(이 법 및 「지방세법」에 따른 가산세를 포함한다. 이하 이 조에서 같다)을 결정하여 통지하기 전에는 납기 후의 과세표준 신고서(이하 "기한후신고서"라 한다)를 제출할 수 있다.

② 제1항에 따라 기한후신고서를 제출한 자로서 지방세관계법에 따라 납부하여야 할 세액이 있는 자는 그 세액을 납부하여야 한다.

③ 제1항에 따라 기한후신고서를 제출하거나 제49조 제1항에 따라 기한후신고서를 제출한 자가 과세표준 수정신고서를 제출한 경우 지방자치단체의 장은 「지방세법」에 따라 신고일부터 3개월 이내에 그 지방세의 과세표준과 세액을 결정하여 신고인에게 통지하여야 한다. 다만, 그 과세표준과 세액을 조사할 때 조사 등에 장기간이 걸리는 등 부득이한 사유로 신고일부터 3개월 이내에 결정 또는 경정할 수 없는 경우에는 그 사유를 신고인에게 통지하여야 한다.

④ 기한후신고서의 기재사항 및 신고절차 등에 필요한 사항은 대통령령으로 정한다.

영 제32조(기한 후 신고) 법 제51조에 따라 기한 후 신고를 하려는 자는 지방세관계법에서 정하는 납기 후의 과세표준 신고서(이하 "기한후신고서"라 한다)를 지방자치단체의 장에게 제출하여야 한다.

'기한 후 신고'는 법정납부기한이 경과하였다고 하더라도 미신고자가 과세기관이 부과고지하기 전까지는 자발적으로 신고납부를 하게 함으로써 납세의무를 담보하기 위한 제도이다.

법정신고기한 내 무신고시 과세권자는 부과제척기간 동안 언제든지 부과(결정통지)가 가능하나 납세자는 신고할 수 있는 제도가 없어 경제적 불이익을 당할 수 있다. 따라서 법정신고기한까지 과세표준신고서를 제출하지 않은 자는 지방자치단체장이 지방세법에 따라 지방세의 과세표준과 세액을 결정하여 통지하기 전까지 기한 후 신고서를 제출할 수 있다.

2019.1.1. 지방자치단체장이 기한 후 신고에 대한 처리결과를 신고인에게 통지하도록 의무화하였다.

◎ **기한 후 신고는 경정청구의 대상이 아님**

신고납세방식의 조세라 하더라도 법정신고기한 내에 신고하지 아니하여 그 기한이 경과된 경우에는 부과납세방식의 조세로 변경된다고 보아야 할 것이므로, 기한 후 신고는 납세의무를 확정시키는 효력이 없어 경정청구 대상이 아님(대법원 2003다66271, 2005.5.27.).

◎ **등기 종료일로부터 1개월 이내 취득세를 신고한 경우 기한 후 신고로 보아 가산세 감면**

청구인은 쟁점부동산을 취득(2011.3.2.)하기 전에 등기를 경료(2011.2.28.)한 경우로서 이 경우 취득세 납부기한인 등기일(2011.2.28.)을 법정신고기한으로 보아야 하고, 법정신고기한(2011.2.28.) 경과일부터 1개월 이내에 취득세를 신고납부(2011.3.2.) 하였으므로 이는 기한 후 신고로 보아 신고불성실가산세 100분의 50을 감면하는 것이 타당함(조심 2011지765, 2012.3.8.).

제52조(가산세의 부과)

> **법** 제52조(가산세의 부과) ① 지방자치단체의 장은 이 법 또는 지방세관계법에 따른 의무를 위반한 자에게 이 법 또는 지방세관계법에서 정하는 바에 따라 가산세를 부과할 수 있다.
> ② 가산세는 해당 의무가 규정된 지방세관계법의 해당 지방세의 세목으로 한다.
> ③ 제2항에도 불구하고 지방세를 감면하는 경우에 가산세는 감면대상에 포함시키지 아니한다.

'가산세'란 지방세기본법 또는 지방세관계법에서 규정하는 의무의 성실한 이행을 확보하기 위하여 의무를 이행하지 아니할 경우에 지방세기본법 또는 지방세관계법에 따라 산출한 세액에 가산하여 징수하는 금액을 말한다(지기법 제2조 ① 23호).

조세법은 조세행정의 원활과 조세의 공평부담을 실현하기 위하여 본래적 납세의무 이외에 과세표준 신고의무, 성실납부의무, 특별징수의무, 과세자료 제출의무 등의 여러 가지 협력의무를 부과하고 있다. 지방세법은 이와 같은 협력의무의 위반을 방지하고 그 위반의 결과를 시정하기 위한 제도적 장치로서 성실한 의무이행을 유도하기 위한 세제상의 혜택을 부여하거나(자동차세액 일시납부시 감액제도 등) 의무위반에 대한 제재로서 가산세 제도를 두고 있다.

가산세는 조세법상의 의무위반에 대하여 가하여지는 행정(질서)질서벌인 과태료라는 견해와 조세법상의 의무위반에 대하여 가하여지는 불이익으로서의 행정상의 제재라는 견해가 있다. 가산세는 행정질서벌의 성격을 띠고 있으며, 그 징수절차상 편의 때문에 지방세법이 정하는 지방세의 세목으로 하여 지방세법에 의하여 산출한 본세의 세액에 가산한다.

| 가산세 규정 개정 현황 |

<table>
<tr><th colspan="3" rowspan="2">구분</th><th colspan="2">2012년 이전</th><th colspan="3">2013년 이후</th><th>2019년 이후</th></tr>
<tr><th>종류</th><th>가산세율</th><th colspan="2">종류</th><th>가산세율</th><th>가산세율</th></tr>
<tr><td rowspan="12">납세 의무자</td><td colspan="2" rowspan="5">일반 공통 〈기본법〉</td><td rowspan="4">신고불성실[19]</td><td rowspan="4">10% 또는 20%</td><td rowspan="2">과소 신고</td><td>일반 과소신고</td><td>10%</td><td>종전과 같음</td></tr>
<tr><td>부정 과소신고</td><td>40%</td><td>종전과 같음</td></tr>
<tr><td rowspan="2">무신고</td><td>일반 무신고</td><td>20%</td><td>종전과 같음</td></tr>
<tr><td>부정 무신고</td><td>40%</td><td>종전과 같음</td></tr>
<tr><td>납부불성실</td><td>1일 0.03%</td><td colspan="2">종전과 같음</td><td>1일 0.03%</td><td>1일 0.025%</td></tr>
<tr><td rowspan="7">세목 〈지방세법〉</td><td rowspan="2">취득세</td><td>–</td><td>–</td><td colspan="2">장부 기록 · 비치의무 위반 가산세 (신설)[20]</td><td>10%</td><td>종전과 같음</td></tr>
<tr><td>미등기전매</td><td>80%</td><td colspan="2" rowspan="4">종전과 같음</td><td>80%</td><td>종전과 같음</td></tr>
<tr><td>레저세</td><td>의무위반</td><td>10%</td><td>10%</td><td>종전과 같음</td></tr>
<tr><td rowspan="2">담배 소비세</td><td>의무위반 Ⅰ (기장의무 불이행 등)</td><td>10%</td><td>10%</td><td>종전과 같음</td></tr>
<tr><td>의무위반 Ⅱ (면제담배 타용도 사용 등)</td><td>30%</td><td>30%</td><td>종전과 같음</td></tr>
<tr><td rowspan="2">지방 교육세</td><td>신고불성실</td><td>10%</td><td colspan="3">폐지[21]</td><td>종전과 같음</td></tr>
<tr><td>납부불성실</td><td>1일 0.03%</td><td colspan="3">종전과 같음</td><td>종전과 같음</td></tr>
<tr><td colspan="3" rowspan="2">특별징수의무자[22] 〈기본법〉</td><td rowspan="2">신고납부 또는 납부불성실</td><td rowspan="2">10%</td><td colspan="2">납부불성실 (기본)</td><td>3%</td><td>종전과 같음</td></tr>
<tr><td colspan="2">납부불성실 (추가)</td><td>1일 0.03%</td><td>1일 0.025%</td></tr>
</table>

◎ 법령의 부지는 가산세 감면의 정당한 사유에 해당하지 아니함

세법상 가산세는 과세권의 행사 및 조세채권의 실현을 용이하게 하기 위하여 납세자가 정당한 이유 없이 법에 규정된 신고, 납세 등 각종 의무를 위반한 경우에 법이 정하는 바에 따라 부과하는 행정상 제재로서 납세자의 고의 · 과실은 고려되지 아니하고 법령의 부지 등은 그 의무위반을 탓할 수 없는 정당한 사유에 해당하지 아니함(대법원 2001두4689, 2002.11.13.).

19) 2012년 이전 신고불성실가산세율(10%, 20%)의 적용대상 세목 간에는 이를 달리 취급할 차별성이 모호하여 구별실익이 없음.

20) 법인의 취득가액 입증 위한 장부 및 관련 증빙서류 기록 · 비치 의무 위반 시 가산세

21) 부가세(Sur-tax)에 대한 가산세의 이중과세문제를 해소하기 위해 지방교육세 가산세를 폐지(2012.1.1.)한 국세와 균형을 맞추어 가산세를 정비

22) 납부불성실가산세 3%(2015.5.18. 당초 5%에서 변경)를 기본으로 납부지연일수에 비례하는 납부불성실가산세를 부과하되 합계가 10%를 넘지 않게 하고 특별징수의무자가 국가, 지방자치단체 등인 경우에는 가산세 부과대상에서 제외(국세기본법 제47조의 5 : 기본(3%)에 1일 10만분의 25을 합하여 부가하되 한도 10%)

◎ 법령상 기재사항을 누락한 가산세 고지서는 위법

하나의 납세고지서에 의하여 본세와 가산세를 함께 부과할 때에는 납세고지서에 본세와 가산세 각각의 세액과 산출근거 등을 구분하여 기재해야 하는 것이고, 또 여러 종류의 가산세를 함께 부과하는 경우에는 그 가산세 상호 간에도 종류별로 세액과 산출근거 등을 구분하여 기재함으로써 납세의무자가 납세고지서 자체로 각 과세처분의 내용을 알 수 있도록 하는 것이 당연한 원칙이므로, 가산세 부과처분이라고 하여 그 종류와 세액의 산출근거 등을 전혀 밝히지 않고 가산세의 합계액만을 기재한 경우에는 그 부과처분은 위법(대법원 2010두12347, 2012.10.18. 전원합의체 참조). 다만 납세고지에 관계법령에서 요구하는 기재사항을 누락한 하자가 있더라도 과세관청이 과세처분에 앞서 납세의무자에게 보낸 과세예고통지서 등에 납세고지서의 필요적 기재사항이 이미 모두 기재되어 있어 납세의무자가 그 처분에 대한 불복여부의 결정 및 불복신청에 전혀 지장을 받지 않은 것이 명백하다면, 이로써 납세고지의 하자는 보완되거나 치유될 수 있음(대법원 99두8039, 2001.3.27. 등).

◎ 가산세는 행정상의 제재로써 납세자의 고의 또는 과실을 고려하지 아니함

지방세법에 의한 가산세는 과세권의 행사 및 조세채권의 실현을 용이하게 하기 위하여 납세자가 정당한 이유 없이 규정된 신고납부의무를 위반한 경우에 법이 정하는 바에 의하여 부과하는 행정상의 제재로써 납세자의 고의 또는 과실은 고려하지 아니하는 것이고, 비록 세무공무원의 정확한 지적이 없어서 그 신고납부의무를 이행하지 아니하였더라도 그것이 관계법령에 어긋나는 것임이 명백한 때에는 그러한 사유만으로는 정당한 사유가 있는 경우에 해당된다고 할 수 없음(대법원 2000두5944, 2002.4.12.).

◎ 가산세 납세고지시 법령상 기재사항을 누락시 그 가산세 부과처분은 위법하다고 한 사례

가산세 부과처분이라고 하여 그 종류와 세액의 산출근거 등을 전혀 밝히지 않고 가산세의 합계액만을 기재한 경우에는 그 부과처분은 위법함을 면할 수 없음. 신고불성실가산세와 납부불성실가산세를 부과한 이 사건 납세고지서에는 위 각 가산세가 종류별로 구분되지 아니한 채 그 합계액이 본세액과 별도로 기재되어 있을 뿐, 각 가산세의 산출근거도 기재되어 있지 아니함. 이 사건 신고불성실가산세 및 납부불성실가산세의 납세고지는 관계법령에서 요구하는 기재사항을 누락하는 등의 하자가 있고 달리 그 하자가 보완되거나 치유되었다고 볼 사정도 없으므로, 그 부과처분은 위법하다고 할 것임(대법원 2010두12347, 2012.10.18.).

◎ 세무공무원의 잘못된 설명으로 신고의무를 이행하지 않았더라도 가산세 면제사유는 아님

취득세 등 중과세요건 등 법령에 그 과세근거가 명확하고, 이 사건 건물을 본점의 사업용 부동산으로 사용하고 있는 상황에서 단지 처분청의 잘못된 세무지도와 이에 근거한 등록세 중과처분을 처분청의 공적인 견해표명이라 믿었다는 것만으로는 취득세 중과 신고·납부에 대한 그 의무위반을 탓할 수 없는 정당한 사유에 해당된다고 볼 수 없음(감심 2011-412, 2011.12.9.).

제53조(무신고가산세)

> **법** 제53조(무신고가산세) ① 납세의무자가 법정신고기한까지 과세표준 신고를 하지 아니한 경우에는 그 신고로 납부하여야 할 세액(이 법과 지방세관계법에 따른 가산세와 가산하여 납부하여야 할 이자상당액이 있는 경우 그 금액은 제외하며, 이하 "무신고납부세액"이라 한다)의 100분의 20에 상당하는 금액을 가산세로 부과한다.
>
> ② 제1항에도 불구하고 사기나 그 밖의 부정한 행위로 법정신고기한까지 과세표준 신고를 하지 아니한 경우에는 무신고납부세액의 100분의 40에 상당하는 금액을 가산세로 부과한다. 〈개정 2018.12.24.〉
>
> ③ 제1항 및 제2항에 따른 가산세의 계산 및 그 밖에 가산세 부과 등에 필요한 사항은 대통령령으로 정한다.

지방세에 관한 신고의무 불이행에 따른 무신고가산세는 일반무신고(20%)와 부정무신고(40%)로 구분하여 차등 적용한다.

|최근 개정법령 _ 2016.1.1.| 무신고 · 과소신고가산세 산출근거 변경(법 제53조의 2, 제53조의 3)

「지방세법」에 따른 산출세액을 기준으로 무신고가산세를 부과함에 따라 전액 감면대상으로 납부세액이 없는 경우에도 가산세를 납부해야 하는 불합리한 측면이 있었다. 즉, 전액 감면대상자에 대한 무신고가산세 제도는 신속한 세원포착, 납세의식 고취 등을 위해 도입(2013년)되었으나 대장과세 위주인 지방세의 특성상 그 효과는 미미하고, 반면 반복적인 신고의무(재산분 · 종업원분 주민세 등의 경우 전액 면제대상임에도 반복적인 신고의무를 부여하고 있음)로 인해 민원의 급증 등 부작용이 발생하였다. 한편, 「국세기본법」의 경우 무신고가산세의 산출근거를 기존 "세법에 따른 산출세액"에서 "납부해야 할 세액"으로 변경(2015.1.1.)하였다. 이와 같은 사정을 고려하여 무신고가산세의 산출근거를 "「지방세법」에 따른 산출세액"에서 "납부해야 할 세액"으로 변경하였다.

※ 「지방세법」에 따라 산출한 세액 → 이 법 및 지방세관계법에 따라 산출한 납부할 세액으로 지방세관계법에 따른 가산세 및 이자상당 가산액은 제외한 세액을 의미

〈개정 전후 비교 사례〉 「지방세법」에 따른 산출세액이 500만원이나 「지특법」에 따른 전액 감면대상으로 법정신고기한까지 신고하지 않은 경우 : (개정전) 무신고가산세 100만원 발생(500만원 × 20%) ⇒ (개정후) 무신고가산세 미발생[(500만원 - 500만원) × 20%]

◈ 과소신고가산세 산출근거는 무신고가산세 산출근거를 준용토록 하여 납부해야 할 금액을 기준으로 실제 과소신고한 금액에 대해서만 가산세 부과 (예) 「지방세법」에 따른 산출세액이 500만원이고 「지특법」에 따른 50% 감면대상인바 법정신고기한 내에 산출세액(납부세액)을 200만원만 신고한 경우 : (개정전) 과소신고가산세 30만원 발생[300만원(500 - 200)

× 10%]

⇒ (개정후) 과소신고가산세 5만원 발생[50만원(250 - 200) × 10%]

◎ **취득세 감면신고가 있었다면 무신고 및 과소신고에 해당되지 않음**

착오로 취득세 감면신청을 하였다가 추후 감면대상에 해당되지 아니한다고 확인된 경우라도 감면신청 당시에 취득세 과세표준과 세율을 곱한 산출세액을 함께 신고하였다면 취득세 신고를 한 경우에 해당하고, 산출세액을 전액 감면세액으로 보아 감면신청을 하였더라도 정당한 산출세액이었다면 산출세액을 적게 신고한 것은 아니라 할 것이므로 무신고가산세 및 과소신고가산세 부과대상이 아님(지방세정책과-3646, 2018.9.11.).

◎ **산출세액을 정당하게 신고한 이상 감면세액에 대한 판단을 그르쳐 최종적으로 납부하여야할 세액을 잘못 신고하였다 하더라도 신고불성실가산세를 부과할 수 없음**

납부불성실가산세는 원칙적으로 납세의무자가 최종적으로 납부하여야 할 세액의 납부의무를 이행하지 아니한 것에 대한 제재인 데 비하여 신고불성실가산세는 납세의무자가 과세표준이나 산출세액 등의 신고의무를 이행하지 아니한 것에 대한 제재로서 입법정책에 따라 세목별로 신고의무의 대상과 신고불성실가산세의 산정기초를 다양하게 정하고 있는 것으로 보이는 점 등을 종합하여 보면, 취득세와 등록세의 납세의무자가 그 각 과세표준에 세율을 곱한 '산출세액'을 정당하게 신고한 이상 신고불성실가산세를 부과할 수 없음(대법원 2014두125050, 2015.5.28.).

제54조(과소신고가산세 · 초과환급신고가산세)

법 제54조(과소신고가산세 · 초과환급신고가산세) ① 납세의무자가 법정신고기한까지 과세표준 신고를 한 경우로서 신고하여야 할 납부세액보다 납부세액을 적게 신고(이하 "과소신고"라 한다)하거나 지방소득세 과세표준 신고를 하면서 환급받을 세액을 신고하여야 할 금액보다 많이 신고(이하 "초과환급신고"라 한다)한 경우에는 과소신고한 납부세액과 초과환급신고한 환급세액을 합한 금액(이 법과 지방세관계법에 따른 가산세와 가산하여 납부하여야 할 이자상당액이 있는 경우 그 금액은 제외하며, 이하 "과소신고납부세액등"이라 한다)의 100분의 10에 상당하는 금액을 가산세로 부과한다.

② 제1항에도 불구하고 사기나 그 밖의 부정한 행위로 과소신고하거나 초과환급신고한 경우에는 다음 각 호의 금액을 합한 금액을 가산세로 부과한다.

1. 사기나 그 밖의 부정한 행위로 인한 과소신고납부세액등(이하 "부정과소신고납부세액등"이라 한다)의 100분의 40에 상당하는 금액

2. 과소신고납부세액등에서 부정과소신고납부세액등을 뺀 금액의 100분의 10에 상당하는 금액

③ 제1항 및 제2항에도 불구하고 다음 각 호의 어느 하나에 해당하는 사유로 과소신고한 경우에는 가산세를 부과하지 아니한다. 〈개정 2017.12.26.〉

1. 신고 당시 소유권에 대한 소송으로 상속재산으로 확정되지 아니하여 과소신고한 경우
2. 「법인세법」 제66조에 따라 법인세 과세표준 및 세액의 결정 · 경정으로 「상속세 및 증여세법」 제45조의 3부터 제45조의 5까지의 규정에 따른 증여의제이익이 변경되는 경우(부정행위로 인하여 법인세의 과세표준 및 세액을 결정 · 경정하는 경우는 제외한다)에 해당하여 「소득세법」 제88조 제2호에 따른 주식등의 취득가액이 감소됨에 따라 양도소득에 대한 지방소득세 과세표준을 과소신고한 경우

④ 부정과소신고납부세액등의 계산 및 그 밖에 가산세 부과에 필요한 사항은 대통령령으로 정한다.

영 제33조(과소신고가산세 · 초과환급신고가산세) 법 제54조 제2항을 적용할 때 같은 항 제1호의 부정과소신고납부세액등(이하 "부정과소신고납부세액등"이라 한다)과 같은 항 제2호의 과소신고납부세액등에서 부정과소신고납부세액등을 뺀 금액(이하 이 조에서 "일반과소신고납부세액등"이라 한다)이 있는 경우로서 부정과소신고납부세액등과 일반과소신고납부세액등을 구분하기 곤란한 경우 부정과소신고납부세액등은 다음의 계산식에 따라 계산한 금액으로 한다.

$$\text{과소신고분 세액} \times \frac{\text{부정과소신고분 과세표준}}{\text{과소신고분 과세표준}}$$

지방세 과소신고(신고하여야 할 산출세액에 미달한 금액)에 대한 가산세는 일반과소신고(10%)와 부정과소신고(40%)로 구분하여 차등 적용한다.

| 최근 개정법령 _ 2016.1.1. | 과소신고가산세 산출방식 신설(영 제32조의 2)

법 제53조의 3 ④ (과소신고가산세)에서 부정과소신고분 가산세액의 계산에 필요한 사항을 대통령령에서 정하도록 하고 있다. 그러나, 부정과소신고분과 그 밖의 과소신고분(일반)이 혼재된 경우 이를 구분하기 곤란한 경우에는 가산세액 산출에 혼선이 초래되었다[예. 과소신고가산세액 = (부정과소신고분×40%) + (일반과소신고분×10%)]. 특히 지방소득세는 누진과세체계이므로 부정과소신고분과 일반과소신고분의 과세표준 적용 순서에 따라 가산세액 등이 변동되는 사례도 발생하게 된다. 이에 따라 부정과소신고분에 대한 구분 및 가산세액의 계산 방식을 구체적으로 규정하였다.

※ 「국세기본법 시행령」 제27조의 2 제3항과 동일한 방식으로 규정

| 최근 개정법령 _ 2017.3.28. | 초과환급신고가산세 및 환급불성실가산세 신설(법 제54조 · 제55조)

현행법에서는 납세의무자가 신고하여야 할 납부세액보다 납부세액을 적게 신고한 경우 과소신고세액의 10%, 사기나 그 밖의 부정한 행위로 과소신고한 경우에는 40%에 해당하는 과소신고가산세를 납부하도록 하고, 납부불성실가산세를 납부하도록 규정하고 있으나, 납세의무자가 초과환급신고한 경우와 초과환급을 받은 경우에는 별도의 가산세 규정을 두고 있지 않고

있다. 그에 따라 초과환급신고가산세 및 환급불성실가산세 규정을 명시하였다(국세와 동일, 기존 운영을 구체화한 것임).

| 최근 개정법령_2018.1.1. | 법인세 결정·경정으로 수혜법인의 세후영업이익이 감소함에 따라 증여의제 이익이 감소하여 양도 주식 등의 취득가액이 감소될 경우의 양도소득에 대한 지방소득세 과소신고로 인한 가산세 적용 배제하였다.

| 최근 개정법령_2019.1.1. | 과소신고·초과환급신고가산세에 지방세법상의 가산세와 이자상당 가산세액은 제외하되, 납부·환급불성실가산세에 대한 이자상당 가산세액은 포함되도록 하였다.

가산세 구분	국세		지방세			
			현행		개정	
	가산세	이자 상당 가산액	가산세*	이자 상당 가산액	가산세	이자 상당 가산액
무신고	제외	제외	제외	제외	제외	제외
과소신고·초과환급신고	제외	제외	규정없음	규정없음	제외	제외
납부·환급불성실	–	포함	–	규정없음	–	포함

* 소득과 무관한 가산세(예. 지급명세서제출불성실가산세 : 지급금액×1%)

제55조(납부지연가산세) 2022.2.3. 시행

법 제55조(납부지연가산세) ① 납세의무자(연대납세의무자, 제2차 납세의무자 및 보증인을 포함한다. 이하 이 조에서 같다)가 납부기한까지 지방세를 납부하지 아니하거나 납부하여야 할 세액보다 적게 납부(이하 "과소납부"라 한다)하거나 환급받아야 할 세액보다 많이 환급(이하 "초과환급"이라 한다)받은 경우에는 다음 각 호의 계산식에 따라 산출한 금액을 합한 금액을 가산세로 부과한다. 이 경우 제1호 및 제2호의 가산세는 납부하지 아니한 세액, 과소납부분(납부하여야 할 금액에 미달하는 금액을 말한다. 이하 같다) 세액 또는 초과환급분(환급받아야 할 세액을 초과하는 금액을 말한다. 이하 같다) 세액의 100분의 75에 해당하는 금액을 한도로 하고, 제4호의 가산세를 부과하는 기간은 60개월(1개월 미만은 없는 것으로 본다)을 초과할 수 없다.

1. 과세표준과 세액을 지방자치단체에 신고납부하는 지방세의 법정납부기한까지 납부하지 아니한 세액 또는 과소납부분 세액(지방세관계법에 따라 가산하여 납부하여야 할 이자상당액이 있는 경우 그 금액을 더한다) × 법정납부기한의 다음 날부터 자진납부일 또는 납세고지일까지의 일수 × 금융회사 등이 연체대출금에 대하여 적용하는 이자율 등을 고려하여 대통령령으로 정하는 이자율

2. 초과환급분 세액(지방세관계법에 따라 가산하여 납부하여야 할 이자상당액이 있는 경우 그 금액을 더한다) × 환급받은 날의 다음 날부터 자진납부일 또는 납세고지일까지의 일수 × 금융회사 등이 연체대출금에 대하여 적용하는 이자율 등을 고려하여 대통령령으로 정하는 이자율

3. 납세고지서에 따른 납부기한까지 납부하지 아니한 세액 또는 과소납부분 세액(지방세관계법에 따라 가산하여 납부하여야 할 이자상당액이 있는 경우 그 금액을 더하고, 가산세는 제외한다) × 100분의 3

4. 다음 계산식에 따라 납세고지서에 따른 납부기한이 지난 날부터 1개월이 지날 때마다 계산한 금액

납부하지 아니한 세액 또는 과소납부분 세액(지방세관계법에 따라 가산하여 납부하여야 할 이자상당액이 있는 경우 그 금액을 더하고, 가산세는 제외한다) × 금융회사 등이 연체대출금에 대하여 적용하는 이자율 등을 고려하여 대통령령으로 정하는 이자율

② 제1항에도 불구하고 「법인세법」 제66조에 따라 법인세 과세표준 및 세액의 결정·경정으로 「상속세 및 증여세법」 제45조의 3부터 제45조의 5까지의 규정에 따른 증여의제이익이 변경되는 경우(부정행위로 인하여 법인세의 과세표준 및 세액을 결정·경정하는 경우는 제외한다)에 해당하여 「소득세법」 제88조 제2호에 따른 주식등의 취득가액이 감소됨에 따라 양도소득에 대한 지방소득세를 과소납부하거나 초과환급받은 경우에는 제1항 제1호 및 제2호의 가산세를 적용하지 아니한다.

③ 지방소득세를 과세기간을 잘못 적용하여 신고납부한 경우에는 제1항을 적용할 때 실제 신고납부한 날에 실제 신고납부한 금액의 범위에서 당초 신고납부하였어야 할 과세기간에 대한 지방소득세를 신고납부한 것으로 본다. 다만, 해당 지방소득세의 신고가 제53조에 따른 신고 중 부정행위로 무신고한 경우 또는 제54조에 따른 신고 중 부정행위로 과소신고·초과환급신고한 경우에는 그러하지 아니하다. 〈신설 2018.12.24.〉

④ 제1항을 적용할 때 납세고지서별·세목별 세액이 30만원 미만인 경우에는 같은 항 제4호의 가산세를 적용하지 아니한다.

⑤ 제1항을 적용할 때 납세의무자가 지방자치단체 또는 지방자치단체조합인 경우에는 같은 항 제3호 및 제4호의 가산세를 적용하지 아니한다.

영 제34조(납부불성실가산세·환급불성실가산세 등에 대한 이자율) 법 제55조 제1항 제1호·제2호 및 제56조 제2호의 계산식에서 "대통령령으로 정하는 이자율"이란 각각 1일 1십만분의 25를 말한다. 〈개정 2017.12.29., 2018.12.31.〉

지방세 납부불성실 가산세는 과소납부금액 × 과소납부기간 × 이자율(1일 0.025%)로 산정한다.

※ 지방세기본법 제34조 "납부지연에 따른 가산세·가산금 통합" 참조

| 최근 개정법령 _ 2015.5.18. | 가산세가 조세의 납부회피 등에 대한 제재인 점을 감안하더라도 무제한적인 가산세는 납세자의 납부의지 저하 등의 부작용을 야기할 우려가 있었다. 그에 따라 납부불성실 가산세의 한도를 당초 산출세액의 최대 75%까지로 설정하였다[※ 국세의 경

우 가산세를 50백만원으로 제한(국세기본법 제49조)].

| 최근 개정법령_2019.1.1.| 과세기간을 단순 착오하여 신고·납부한 경우는 정당한 과세기간에 납부한 것으로 간주하였다. 또한 납부불성실가산세의 부담 완화를 위해 시중 연체금리(연 6%~8%) 등을 감안하여 1일 0.03%(연 10.95%)에서 1일 0.025%(연 9.125%)로 인하하였다.

◎ 납부불성실가산세 성립 및 납세의무

납부불성실가산세는 본세의 납세의무가 아예 성립하지 아니한 경우에는 이를 부과·징수할 수 없고, 불복기간 등의 경과로 본세의 납세의무를 더 이상 다툴 수 없게 된 경우에도 마찬가지임(대법원 2013두27128, 2014.4.24.).

◎ 기한연장된 경우 납부불성실 가산세의 기산일은 기한연장된 납부기한의 다음 날임

국세기본법 제6조 및 동법 시행령 제4조 규정에 의한 납부기한의 승인이 있은 후 미납부시 납부불성실가산세의 기산일은 국세기본법 운영예규 48-0…1에 의거 기한연장의 승인이 있는 때에는 그 승인된 기한까지는 동법 제47조의 가산세는 부과하지 아니하므로 기산일은 기한연장된 납부기한의 다음 날이 되는 것임(국세청 서면3팀-1800, 2005.10.18.).

제56조(특별징수납부 납부지연가산세) 2022.2.3. 시행

법 제56조(특별징수 납부지연가산세) ① 특별징수의무자가 징수하여야 할 세액을 법정납부기한까지 납부하지 아니하거나 과소납부한 경우에는 납부하지 아니한 세액 또는 과소납부분 세액의 100분의 50(제1호 및 제2호에 따른 금액을 합한 금액은 100분의 10)을 한도로 하여 다음 각 호의 계산식에 따라 산출한 금액을 합한 금액을 가산세로 부과한다. 이 경우 제3호의 가산세를 부과하는 기간은 60개월(1개월 미만은 없는 것으로 본다)을 초과할 수 없다.

1. 납부하지 아니한 세액 또는 과소납부분 세액 × 100분의 3
2. 납부하지 아니한 세액 또는 과소납부분 세액 × 법정납부기한의 다음 날부터 자진납부일 또는 납세고지일까지의 일수 × 금융회사 등이 연체대출금에 대하여 적용하는 이자율 등을 고려하여 대통령령으로 정하는 이자율
3. 다음 계산식에 따라 납세고지서에 따른 납부기한이 지난 날부터 1개월이 지날 때마다 계산한 금액

납부하지 아니한 세액 또는 과소납부분 세액(가산세는 제외한다) × 금융회사 등이 연체대출금에 대하여 적용하는 이자율 등을 고려하여 대통령령으로 정하는 이자율

② 제1항을 적용할 때 납세고지서별·세목별 세액이 30만원 미만인 경우에는 같은 항 제3호의 가산세를 적용하지 아니한다.

지방세 특별징수납부자의 불성실신고 가산세는 과소납부세액의 10% 한도로 한다.

| 최근 개정법령_ 2016.1.1. | 납세자 세부담 완화와 국세 원천징수 불성실가산세와의 차이를 고려하여 특별징수 납부불성실가산세율을 5%에서 3%로 조정하였다.

제57조(가산세의 감면 등)

법 제57조(가산세의 감면 등) ① 지방자치단체의 장은 이 법 또는 지방세관계법에 따라 가산세를 부과하는 경우 그 부과의 원인이 되는 사유가 제26조 제1항에 따른 기한연장 사유에 해당하거나 납세자가 해당 의무를 이행하지 아니한 정당한 사유가 있을 때에는 가산세를 부과하지 아니한다.

② 지방자치단체의 장은 다음 각 호의 어느 하나에 해당하는 경우에는 이 법 또는 지방세관계법에 따른 해당 가산세액에서 다음 각 호의 구분에 따른 금액을 감면한다. 〈개정 2017.12.26.〉

1. 과세표준 신고서를 법정신고기한까지 제출한 자가 법정신고기한이 지난 후 2년 이내에 제49조에 따라 수정신고한 경우(제54조에 따른 가산세만 해당하며, 지방자치단체의 장이 과세표준과 세액을 경정할 것을 미리 알고 과세표준 수정신고서를 제출한 경우는 제외한다)에는 다음 각 목의 구분에 따른 금액
   가. 법정신고기한이 지난 후 1개월 이내에 수정신고한 경우 : 해당 가산세액의 100분의 90에 상당하는 금액 나. 법정신고기한이 지난 후 1개월 초과 3개월 이내에 수정신고한 경우 : 해당 가산세액의 100분의 75에 상당하는 금액 다. 법정신고기한이 지난 후 3개월 초과 6개월 이내에 수정신고한 경우 : 해당 가산세액의 100분의 50에 상당하는 금액 라. 법정신고기한이 지난 후 6개월 초과 1년 이내에 수정신고한 경우 : 해당 가산세액의 100분의 30에 상당하는 금액 마. 법정신고기한이 지난 후 1년 초과 1년 6개월 이내에 수정신고한 경우 : 해당 가산세액의 100분의 20에 상당하는 금액 바. 법정신고기한이 지난 후 1년 6개월 초과 2년 이내에 수정신고한 경우 : 해당 가산세액의 100분의 10에 상당하는 금액
2. 과세표준 신고서를 법정신고기한까지 제출하지 아니한 자가 법정신고기한이 지난 후 6개월 이내에 제51조에 따라 기한 후 신고를 한 경우(제53조에 따른 가산세만 해당하며, 지방자치단체의 장이 과세표준과 세액을 결정할 것을 미리 알고 기한후신고서를 제출한 경우는 제외한다)에는 다음 각 목의 구분에 따른 금액
   가. 법정신고기한이 지난 후 1개월 이내에 기한 후 신고를 한 경우 : 해당 가산세액의 100분의 50에 상당하는 금액 나. 법정신고기한이 지난 후 1개월 초과 3개월 이내에 기한 후 신고를 한 경우 : 해당 가산세액의 100분의 30에 상당하는 금액 다. 법정신고기한이 지난 후 3개월 초과 6개월 이내에 기한 후 신고를 한 경우 : 해당 가산세액의 100분의 20에 상당하는 금액
3. 제88조에 따른 과세전적부심사 결정·통지기간 이내에 그 결과를 통지하지 아니한 경우(결정·통지가 지연되어 해당 기간에 부과되는 제55조에 따른 가산세만 해당한다)에는 해당 기간에 부과되는 가산세액의 100분의 50에 상당하는 금액
4. 「지방세법」 제103조의 5에 따른 양도소득에 대한 개인지방소득세 예정신고기한 이후 확정신고

기한까지 과세표준 신고 및 수정신고를 한 경우로서 다음 각 목의 어느 하나에 해당하는 경우에는 해당 가산세액의 100분의 50에 상당하는 금액

가. 예정신고를 하지 아니하였으나 확정신고기한까지 과세표준 신고를 한 경우(제53조에 따른 무신고가산세만 해당하며, 지방자치단체의 장이 과세표준과 세액을 경정할 것을 미리 알고 과세표준 신고를 하는 경우는 제외한다)

나. 예정신고를 하였으나 납부하여야 할 세액보다 적게 신고하거나 환급받을 세액을 신고하여야 할 금액보다 많이 신고한 경우로서 확정신고기한까지 과세표준을 수정신고한 경우(제54조에 따른 과소신고가산세 또는 초과환급신고가산세만 해당하며, 지방자치단체의 장이 과세표준과 세액을 경정할 것을 미리 알고 과세표준 신고를 하는 경우는 제외한다)

③ 제1항 또는 제2항에 따른 가산세 감면 등을 받으려는 자는 대통령령으로 정하는 바에 따라 감면 등을 신청할 수 있다.

영 제35조(가산세의 감면 신청 등) ① 법 제57조 제1항 또는 제2항에 따라 가산세의 감면 등을 받으려는 자는 다음 각 호의 사항을 적은 신청서를 지방자치단체의 장에게 제출하여야 한다.
1. 감면 등을 받으려는 가산세와 관계되는 세목, 과세연도 2. 감면 등을 받으려는 가산세의 종류 및 금액 3. 해당 의무를 이행할 수 없었던 사유(법 제57조 제1항의 경우만 해당한다)

② 제1항의 경우에 같은 항 제3호의 사유를 증명할 수 있는 서류가 있을 때에는 이를 첨부하여야 한다.

③ 지방자치단체의 장은 법 제57조에 따라 가산세의 감면 등을 하였을 때에는 지체 없이 그 사실을 문서로 해당 납세자에게 통지하여야 한다. 이 경우 제1항에 따른 가산세의 감면 등의 신청을 받은 경우에는 그 승인 여부를 신청일부터 5일 이내에 통지하여야 한다.

제36조(가산세 감면의 제외 사유) 법 제57조 제2항 제1호 · 제2호 및 제4호에 따른 경정 또는 결정할 것을 미리 알고 제출하거나 신고한 경우는 해당 지방세에 관하여 세무공무원(지방소득세의 경우 「국세기본법」 제2조 제17호에 따른 세무공무원을 포함한다)이 조사를 시작한 것을 알고 과세표준 신고서, 과세표준 수정신고서 또는 기한후신고서를 제출한 경우로 한다. 〈개정 2017.12.29.〉

세법상 가산세는 과세권의 행사 및 조세채권의 실현을 용이하게 하기 위하여 납세자가 법에 규정된 신고, 납세 등 각종 의무를 위반한 경우에 개별세법이 정하는 바에 따라 부과되는 행정상의 제재로서 납세자의 고의, 과실은 고려되지 않는 것이 원칙이다. 그런데 천재지변, 사변, 화재 등 지방세법상 기한연장 사유에 해당하거나 해당의무를 이행하지 못한데 대한 정당한 사유가 있는 경우는 가산세를 면제한다. 그 밖에 수정신고 등의 경우 가산세를 감면한다. 이 경우 '정당한 사유'가 쟁점이 될 수 있는데 일반적으로 납세자가 그 의무를 알지 못한 것이 무리가 아니었다고 할 수 있어서 그를 정당시 할 수 있는 사정이 있거나 또는 그 의무의 이행을 당사자에게 기대하는 것이 무리라고 할 만한 사정이 있을 때, 즉 책임을 물을 만한 기대가능성이 없을 때에 정당한 사유가 있다고 할 것이나 이는 개별적으로 판단되어야 할 것이다(대법원 95누14602, 2004두930 등).

| 최근 개정법령 _ 2016.1.1. | 수정신고시의 감면 제외 사유 보완(영 제34조)

수정신고시 가산세가 감면되지 않는 대상에 국세 세무조사를 시작한 것을 미리 알고 수정신고하는 경우(지방소득세)를 포함하였다. 즉 지방소득세에 한해 세무공무원의 범위에 「국세기본법」 제2조에 따른 국세 세무공무원을 포함하였다. ※ 이 영 시행 이후(2016.1.1) 수정신고하는 분부터 적용

| 최근 개정법령 _ 2017.3.28. | 기한 후 신고에 대한 가산세 감면 추가(법 제57조 ②)

국세의 경우 법정신고기한이 지난 후 1개월 초과 6개월 이내에 기한 후 신고를 한 경우 가산세액의 20%를 감면하도록 하고 있다는 점, 법정신고기한이 지난 후 1개월이 초과하더라도 가산세액의 20%를 감면하여 납세의무자의 기한 후 신고를 유도함과 동시에 납세편의를 제고할 수 있다는 점 등을 감안하여 가산세 감면을 추가하였다.

| 최근 개정법령 _ 2018.1.1. | 예정신고기한에 무신고하거나 과소신고한 이후 확정신고기한까지 기한후 신고, 수정신고하는 경우까지 가산세 감면(50%) 적용 확대하였다.

| 최근 개정법령 _ 2020.1.1. | 가산세 감면 관련 감면율 조정 및 세분화(법 제57조)

납세의무자의 자발적인 조기 시정을 유도하기 위하여 수정신고시 과소신고 가산세 감면 및 기한 후 신고 시 무신고 가산세 감면 제도의 감면율을 인상하고 감면구간을 세분화하였다(국세와 동시 개정). 이 법 시행(2020.1.1.) 전에 법정신고기한이 만료되고 이 법 시행 이후 최초로 수정신고하거나 기한 후 신고의 경우에는 개정 규정을 적용한다. 반면 이 법 시행 전에 한 수정신고, 기한 후 신고에 대하여 이 법 시행 후 다시 수정신고하거나 기한 후 신고하는 분에 대해서는 종전 규정을 적용한다. 개정규정에 따른 가산세 감면 적용을 종합하면 다음과 같다. ① 수정신고(과소신고 가산세)의 경우 법정신고기간 경과 후 1개월 이내 90% 감면, 2개월~3개월 이내 75% 감면, 3개월~6개월 이내 50% 감면, 6개월~1년 이내 30% 감면, 1년~1년 6개월 이내 20% 감면, 1년 6개월~2년 이내 10% 감면한다. ② 기한후 신고(무신고 가산세)의 경우 1개월 이내 50%, 2개월~3개월 이내 30% 감면, 4개월~6개월 이내 20% 감면한다. ③ 그리고 과세전적부심사 지연(납부불성실 가산세)의 경우 50% 감면한다.

감면신청과 무신고 가산세 관계를 다음과 같이 사례별로 살펴볼 수 있다. 취득당시 감면신청을 거쳐 감면을 받은 상태에서 감면 목적사업에 사용은 하였지만 법에서 요구하는 일정기간을 채우지 못한 상태에서 타용도로 전용했거나 매각한 경우라면 신고하여 다시 납부해야 한다. 유형별로 보면 ① 취득 후 해당부동산을 감면목적에 사용하였지만 감면요건인 일정기간을 채우지 못한 상태에서 타 용도에 전용하였다면(매각포함) 그 시점부터 60일 이내에 신고해야 한다. ② 취득 후 해당부동산을 공실상태에서 감면목적으로 전혀 사용하지 않은 채 바로 타용도로 전환하는(매각포함) 경우에도 그 시점부터 60일 이내 신고하여야

한다. ③ 그런데, 애초부터 감면대상이 아닌데 감면을 적용한 경우(물론 감면신청에 따른 확인과정에서 걸러질 수는 있음)에는 취득시점에 잘못 신고한 경우이므로 취득일로부터 60일 이내 정상적으로 신고해야 하는데 잘못 신고한 것으로 봐야 한다. 이 경우는 감면요건 중 주체요건에 해당하지 않음에도 감면을 신청한 경우라 할 것이다. 예를 들어 종교단체가 종교목적으로 신청한 경우 또는 장애인 자동차 감면을 신청한 경우로서 취득당시 종교단체 또는 장애인이 아닌 경우인데 감면신청한 경우이다. 이 경우 언제를 재신고 기산일로 봐야 하는지 명확하지 않은데 재신고할 사유가 없기 때문에 그에 따른 무신고 가산세도 논의할 여지가 없어진다. 이는 다양한 개별 사안에 따라 판단할 사안이다.

한편, 2020.1.15. 개정된 지특법에 따라 취득세 감면을 받은 자가 추징 사유에 해당하여 감면된 세액을 납부하는 경우에는 이자상당액을 가산하여 납부하여야 한다. 즉 당초부터 취득세 감면대상이 아니라고 보아 신고기한 익일부터 납부하는 시점까지 1일 0.25%의 이자상당액(납부불성실 가산세에 상응함)을 추가로 납부하여야 한다. 다만, 파산 등 대통령령으로 정하는 부득이한 사유가 있는 경우에는 이자상당액을 가산하지 아니한다.

| 가산세 감면 관련 개념정리(예규 기법 57-1~57-6) |

가산세 감면사유의 발생시기	가산세의 부과원인이 되는 기한 즉, 세법의 규정에 의한 의무 이행기한내 「지방세기본법」 제54조에서 규정하는 사유가 발생한 경우 가산세를 감면할 수 있다.
정당한 사유	1. 납세자가 수분양자의 지위에서 과세물건을 취득하고 법정신고기한까지 과세표준신고서를 제출하였으나 추후 분양자의 공사비정산 등으로 인해 수정신고를 하는 경우에는 이에 따른 과소신고가산세와 납부불성실 가산세를 부과하지 아니한다. 2. 납부불성실 가산세를 가산하여 납세의 고지를 하였으나 기재사항 누락으로 위법한 부과처분이 되어 당초의 고지를 취소하고 다시 고지를 하는 경우에는 추가로 늘어나는 기간에 대한 납부불성실 가산세는 부과하지 아니한다. 3. 처분청이 경정청구를 받아들여 환급하였다가 다시 추징하거나, 이후에도 동일하게 신고한 경우 납세자에게 귀책사유를 지우기 어려운 정당한 사유가 있는 것으로 보아 가산세를 부과하지 아니한다.
기한연장의 승인과 가산세의 감면	「지방세기본법 시행령」 제35조에 의한 기한연장의 승인이 있는 때에는 그 승인된 기한까지는 「지방세기본법」 제54조 가산세는 부과하지 아니한다.
가산세의 감면배제	조세포탈을 위한 증거인멸을 목적으로 하거나 납세자의 고의적인 의도나 행동에 의하여 「지방세기본법」 제54조 제1항에 규정하는 사유가 발생한 경우에는 같은 법 제57조 제1항의 규정을 적용하지 아니한다.
직권에 의한 가산세의 감면	「지방세기본법」 제57조 제1항에 규정하는 사유가 집단적으로 발생한 경우에는 납세자의 신청이 없는 경우에도 지방자치단체의 장이 조사하여 직권으로 가산세를 감면할 수 있다.

수정신고에 따른 가산세 면제의 배제	당초 신고한 과세표준과 세액의 과소신고로 인하여 부과되는 가산세가 아니고 과세표준 신고에 있어서 필수적인 첨부서류 등을 제출하지 아니하여 신고된 것으로 보지 않음으로써 부과되는 가산세는 수정신고서를 제출하더라도 감면되지 아니한다.

1. 가산세 감면을 인정한 사례

◎ 취득세 감면의 세법 해석상 견해의 대립이 있는 경우 가산세 감면의 정당한 사유가 있음

창업중소기업에 해당하는 개인기업이 창업중소기업에 해당하는 법인으로 전환되는 과정에서 취득세를 면제받은 재산이 해당 법인에게 이전된 경우에 그것이 구 조특법 제120조 제3항 단서 소정의 '정당한 사유 없이 해당 사업에 직접 사용하지 아니하거나 다른 목적으로 사용·처분하는 경우'에 해당하는지를 명시적으로 선언한 대법원 판례는 없는 상태임. 한편 행자부는 "창업일부터 2년 이내에 사업양수도방법에 의하여 법인으로 전환되는 경우라면 개인이 설립한 창업중소기업의 당해 사업에 직접 사용하지 못한 정당한 사유가 있으므로 취득세가 추징되지 않는다."는 취지의 유권해석(세정-2907, 2006.7.11.)을 한 바 있음. 이 같이 '정당한 사유'가 인정되는지를 둘러싸고 단순한 법률의 부지나 오해의 범위를 넘어 세법해석상 의의(疑意)로 인한 견해의 대립이 있다고 볼 수 있음(대법원 2019두55194, 2020.1.30.).

◎ 납세고지서의 흠은 치유되었다고 볼 수 있지만 가산세 부분은 위법하다는 사례

이 사건 납세고지서에는 이 사건 취득세, 지방교육세의 각 본세와 그에 대한 가산세를 합한 세목별 세액의 합계액만이 기재되어 있고, 산출근거와 가산세의 종류가 기재되어 있지 않은 사실, 피고가 앞서 원고에게 보낸 지방세과세통지서에도 본세와 가산세의 산출근거가 기재되어 있지 아니한 사실, 그러나 원고가 최초 취득세 감면신청을 하면서 과세표준, 세율 및 산출세액을 명시하였고, 그에 따라 피고가 과세대상과 과세표준액을 표시하고 취득세, 농어촌특별세 및 지방교육세를 0원으로 한 납부서겸 영수증을 교부한 사실이 인정 … 교부된 취득세 납부서겸 영수증의 기재로 말미암아 원고가 그 부과 처분에 대한 불복 여부의 결정 및 불복신청에 전혀 지장을 받지 않았음이 명백하므로 납세고지서의 흠이 보완되거나 치유되었다고 볼 수 있음. 그러나 가산세의 납세고지와 지방세과세통지서는 그 하자가 보완되거나 치유되었다고 볼 수도 없으므로, 가산세 부분은 위법함(대법원 2018두37731, 2018.5.15.).

◎ 납세자 변경, 과세표준 산정오류 등이 가산세 면제의 정당한 사유에 해당된다는 사례

이 사건 대법원판결이 선고되기 전까지는 토지의 지목 변경으로 인한 취득세의 납세의무자에 관하여 세법해석상 견해의 대립이 있었던 점, 피고도 당초에는 위탁자인 레○○드에게 취득세 등을 부과하였던 점, 나아가 레○○드의 신고와 피고의 레○○드에 대한 부과처분이 이미 이루어진 상황에서 원고가 스스로 세법 규정을 자신에게 불리하게 해석하여 취득세 등

을 신고 · 납부할 것을 기대하기는 어려운 점 등을 종합하면, 원고가 취득세 등을 신고 · 납부하지 아니하였다고 하더라도 이 사건 대법원판결이 선고되기 전까지는 그 의무해태를 탓할 수 없는 정당한 사유가 있음(대법원 2016두44711, 2016.10.27.).

◎ 등록세 중과판단에 있어 부과처분 중 가산세부분은 위법하다는 사례

원고로서는 이 사건 부동산의 취득이 위와 같이 위 등록세 중과규정의 입법목적에 배치되지 않는 경우에 해당한다고 판단할 여지가 있었던 것으로 보이고, 여기에 이 사건 제1심과 환송 전 당심에서도 같은 이유로 이 사건 소유권이전등기가 등록세 중과대상에 해당하지 않는다는 취지의 판결이 선고된 점 등 … 농어촌특별세의 신고 · 납부 의무를 게을리 한 점을 탓할 수 없는 정당한 사유가 있음(대법원 2008두4893, 2008.5.15.).

◎ 과세관청의 질의회신 등을 기초로 비과세로 신고한 경우 가산세를 면할 정당한 사유 해당

원고가 세무법령의 해석에 대한 질의회신 사례, 건축허가 실무 등을 통하여 지하발전소 내 터널(교통로)인 이 사건 각 터널이 취득세 과세대상이 아니라고 이해할 여지가 충분히 있었고, 그 부과경위에 비추어 가산세를 부과하는 것이 가혹하다고 보이므로, 원고가 이 사건 각 터널 공사비를 비과세 대상으로 신고 · 납부함으로써 결과적으로 그 의무이행을 해태하였다 하더라도 원고에게 그 의무를 게을리 한 점을 탓할 수 없는 정당한 사유가 있다고 봄이 타당(대법원 2014두3976, 2014.5.29.)

◎ 세무서장이 조세채권 확보를 목적으로 상속대위등기를 하고 3일 후에 등록면허세를 신고 납부한 경우 상속인에게 가산세 감면의 정당한 사유가 있다는 사례

청구인의 경우, ○○○이 조세채권확보를 목적으로 청구인을 대위하여 직접 상속대위등기 신청을 한 후 등록면허세를 신고 납부하여 등기권리자이자 납세의무자인 청구인은 이 건 부동산에 대한 상속등기 사실을 알 수 없었으므로, 등록면허세 납세의무의 발생 여부를 알 수 없는 청구인에게 그 신고 납부의 이행을 기대하는 것은 무리라 할 것이므로 등록면허세를 납부하지 아니한 정당한 사유가 있다고 보는 것이 타당(조심 2012지336, 2012.7.31.).

◎ 부칙 규정의 해석상 비과세 소득으로 해석할 여지가 있고, 과세관청이 확실한 견해를 가지지 못한 점 등을 감안할 때, 정당한 사유로 보아 가산세를 부과할 수 없음

부칙의 경과규정의 해석과 관련하여 토지의 양도차익이 종전과 마찬가지로 비과세 소득인 것으로 이해할 여지가 상당하였던 점이나 그 해석과 관련하여 전문가로부터 자문과 세무조정을 받아 비과세로 신고한 점, 과세관청 역시 관계 규정의 해석에 있어서 확실한 견해를 가지지 못하였던 점, 부과경위에 비추어 가산세를 부과하는 것이 가혹하다고 인정되는 점 등 여러 사정을 종합하면, 관계 세법규정에 대한 해석상 의의로 인해 납세의무자에게 그 의무를 게을리 한 점을 탓할 수 없는 정당한 사유가 있음(대법원 2002두66, 2002.8.23.).

◎ 그 밖에 가산세 감면을 인정한 사례

- 법원의 촉탁등기로 인해 등록세의 신고·납부 기회를 부여받지 못함으로써 발생된 경우라면 가산세 면제 대상임(대법원 2009두17179, 2010.4.29.).
- 채권자들이 가처분을 위해 사전 건축주의 동의 없이 행한 소유권보전등기에 따른 등록세 신고납부불성실 가산세는 면제 대상임(서울고등법원 2006누24758, 2007.6.14.).
- 세무공무원의 납세자가 신고한 세액대로 고지서를 발급하지 않고 임의로 계산한 세액을 고지함에 따라 등록세를 등기접수일 이전에 납부하지 못한 경우(대법원 98두17685, 2000.8.22.)
- 별장에 해당됨에도 장기간 재산세를 중과세하지 않아 새로이 취득하는 납세자가 취득세를 중과로 신고하지 않은 경우 가산세 면제 대상임(대법원 2012두11676, 2012.9.13.).
- 처분청의 감면대상에 해당한다는 과세예고 취소통지를 믿고 납세자가 지방세를 자진신고 납부하지 않은 경우 가산세 면제 대상임(서울행법 2011구합32935, 2012.3.16. : 대법원 확정).
- 법령의 해석에 대한 질의회신, 건축허가 실무 등을 통하여 취득세 과세대상이 아니라고 믿고 신고납부를 하지 않은 경우에는 가산세 면제 대상임(대법원 2014두3976, 2014.5.29.).
- 사업장을 이전하는 과정에서 법인세할 주민세의 납세지를 착오로 이전 후 사업장에 잘못 납부한 경우에는 가산세 면제 대상임(대법원 2003두13861, 2004.2.27.).

2. 가산세 면제 대상이 아니라는 사례

◎ 과세관청의 잘못된 안내 및 법 적용상의 잘못으로 인한 가산세 부과가 타당하다는 사례

납세의무자가 세무공무원의 잘못된 설명을 믿고 그 신고·납부의무를 이행하지 아니하였다 하더라도 그것이 관계 법령에 어긋나는 것임이 명백한 때에는 그러한 사유만으로는 정당한 사유가 있는 경우에 해당한다고 할 수 없음(대법원 2003두10350) … 설령 원고가 피고의 안내에 따라 이 사건 건물에 대한 취득세가 면제될 것으로 믿었다는 사정이 있다고 하더라도, 원고에게 취득세 신고·납부의무의 불이행이 인정되는 이상 납부불성실로 인한 가산세 부과사유가 존재한다고 할 것이므로 이 사건 처분 중 가산세 부과처분 부분이 위법하다고 볼 수 없음(대법원 2017두68431, 2018.2.8.).

◎ 구법에 따라 감면신고하였지만 신법에 따라 감면대상이 아닌 것으로 간주되어 가산세까지 부과된 경우 가산세에 대해 정당한 사유가 없다고 본 사례

원고가 구법을 기준으로 취득세 등을 신고·납부한 것은 단순히 법령의 부지·착오에 불과하여 원고에게 그 의무위반을 탓할 수 없는 정당한 사유가 있다고 보기 어려우므로, 가산세 부분에 실체적 하자가 있다고 볼 수 없음(대법원 2015두38054, 2015.4.3.).

◎ **취득세 신고 후 공사비용을 보정정산하여 수정신고하는 경우 가산세 면제대상이 아님**

과소신고는 납세자의 회계처리에 의해 비롯된 것으로서 이는 법인이 보유한 회계전문가와 회계시스템의 효율적 운영을 통해 법정 신고기한 내에 신고의무를 이행할 수 있다고 사료되는 바, 「전기사업회계규칙」에서 자산계정의 회계처리를 1년 이내 정산한다는 내부규정만을 근거로 가산세가 면제되는 정당한 사유로 볼 수 없음(지방세분석과-488, 2012.2.20.).

◎ **납세의무자의 법령 무지 또는 오인으로 인한 납부지연은 정당한 사유로 볼 수 없음**

지방세법상 정당한 납세의무자가 과세대상 물건을 취득한 후 신고납부기한까지 납부하지 않은 경우라면, 비록 조세심판원 심판결정에 의하여 납세의무자가 변경된 경우라고 하더라도 정당한 납세의무자의 법령 무지 또는 오인 등으로 인한 납부지연이므로 납부지연의 정당한 사유로 볼 수 없어 납부불성실가산세 과세대상에 해당될 것임(지방세운영과-3027, 2010.7.15.).

◎ **기타 가산세 면제대상이 아니라는 사례**

- 납세의무자가 세무공무원의 잘못된 설명을 믿고 그 신고납부의무를 이행하지 아니하였다 하더라도 그것이 관계 법령에 어긋나는 것임이 명백한 때에는 그러한 사유만으로 정당한 사유가 있다고 볼 수 없으므로(대법원 2003두10350), 세무공무원이 중과대상을 일반세율에 의한 납부고지서를 발급하였다고 하여 가산세 면제대상이 아님(대법원 2005두6393, 2005.10.13.).
- 법무사가 퇴근시간에 임박하여 등록세납세고지서 발급요청을 하는 과정에서 당일 등록세를 납부하지 못한 상태로 미리 접수해 놓은 등기가 처리된 경우, 비록 그 다음날 보정이 되었다 하더라도 가산세를 면제할 수 없음(대법원 98두17685, 2000.8.22., 서울고법 2005누6852, 2006.2.15.).
- 등기접수시에는 납부하지 않았으나 등기완료 시점까지 등록세를 납부한 경우라도 신고납부 지연에 따른 가산세를 면제할 수 없음(대법원 2014두40193, 2014.12.11.).

3. 수정신고에 대한 가산세 감면

◎ **수정신고와 기한 후 신고의 가산세 경감규정이 상이한 것은 합리적임**

법정신고기한 경과 후 6개월 이내에 수정신고시 신고불성실가산세 50%, 1년 이내 20%, 2년 이내 10% 각각 감면, 기한 후 신고의 경우 법정신고기한 경과 후 부과결정 전까지 1개월 이내에 신고시 50% 감면 … 수정신고는 신고만 한 경우 또는 과소신고시 과세권자가 부과고지하기 전에는 자발적으로 수정신고 기회를 부여하여 추가납부할 수 있도록하는 제도인 반면, 기한 후 신고제도는 법정납부기한이 경과하였다 하더라도 미신고자가 과세기관이 부과고지하기 전까지는 자발적으로 신고납부를 하게 함으로써 납세의무를 담보하기 위한 제도임. 각 신고제도의 취지·목적·신고대상자가 상이하므로 가산세 감면적용방법에 차등을 두는 것은 합리적임(지방세운영과-1043, 2011.3.8.).

제58조(부과취소 및 변경)

> **법** 제58조(부과취소 및 변경) 지방자치단체의 장은 지방자치단체의 징수금의 부과·징수가 위법 또는 부당한 것임을 확인하면 즉시 그 처분을 취소하거나 변경하여야 한다.

지방자치단체의 장은 지방자치단체의 징수금의 부과·징수가 위법 또는 부당한 것임을 확인하면 즉시 그 처분을 취소하거나 변경하여야 한다. 그런데 위 규정을 근거로 경정청구권을 인정하게 되면 확정된 부과처분에 대하여도 납세의무자가 언제나 다툴 수 있게 되어 조세법률관계가 불확실하게 되는 문제가 발생한다. 따라서 위 규정의 '부과취소 및 변경'은 과세권자가 납세자의 편익과 공평과세의 입장에서 미확정 상태의 위법 또는 부당한 부과징수를 직권으로 취소하거나 변경하여야 한다는 것을 선언한 규정으로 이해해야 하며, 납세의무자에게 취소나 변경을 구할 수 있는 경정청구권을 인정하는 규정으로 볼 수는 없다(대법원 2009두1600, 2009.4.23.).

◎ 과세처분이 위법한 경우라도 정당세액 범위 내의 부과고지처분까지 취소할 수 없음

과세처분의 취소를 구하는 소송에서 그 과세처분의 위법 여부는 그 과세처분에 의하여 인정된 세액이 정당한 세액을 초과하는지 여부에 의하여 판단하여야 할 것이므로, 과세관청이 과세표준과 세액의 산출·결정과정에서 잘못을 저질러 과세처분이 위법한 경우라도 그와 같이 하여 부과고지된 세액이 정당한 산출 세액의 범위를 넘지 아니하고 잘못된 방식이 과세단위와 처분사유의 범위를 달리하는 정도의 것이 아니라면 정당세액 범위 내의 부과고지처분이 위법하다 하여 이를 취소할 것은 아님(대법원 2004두3823, 2006.6.15.).

◎ 구체적인 소송과정에서 과세요건 사실이 추정되는 사실이 밝혀지면 그 과세처분의 부당함의 입증책임은 납세의무자에게 있음

일반적으로 세금부과처분취소소송에 있어서 과세요건사실에 관한 입증책임은 과세권자에게 있다 할 것이나, 구체적인 소송과정에서 경험칙에 비추어 과세요건 사실이 추정되는 사실이 밝혀지면 상대방이 문제로 된 당해 사실이 경험칙 적용의 대상 적격이 되지 못하는 사정을 입증하지 않는 한, 당해 과세처분이 과세요건을 충족시키지 못한 위법한 처분이라고 단정할 수 없음(대법원 97누13894, 2003두14284 등).

◎ 이의신청 등의 기간이 경과하였더라도 납세의무 없는 세금의 부과처분은 취소가능

지방세법 제25조의 2에 의하면 지방자치단체의 장은 지방세의 부과징수가 위법 또는 부당한 것임을 확인한 때에는 즉시 그 처분을 취소하거나 변경하여야 한다라고 규정되어 있으므로

지방세법령상 이의신청 등의 기간이 경과하였더라도 납세의무가 없는 취득·등록세액을 납부하고 그 납부세액에 대한 과오납환부청구권 시효(납부일 익일부터 5년)가 진행 중이라면 과세관청은 그 착오납부된 세액인지의 여부 등을 면밀히 확인하여 부과처분 취소 및 환부여부를 결정할 수 있음(세정-28, 2007.2.25.).

◎ 착오로 중과세율을 적용한 경우 법 제25조의 2에 의거 즉시 그 처분을 취소하여야 함

중소기업창업투자회사가 법인설립 후 1개월 이내에 등록하는 경우에는 동법 제138조 규정에 의한 등록세 중과세의 예외대상으로 규정하고 있는 바, 중소기업창업지원법 제11조 규정에 의하여 대도시내에서 법인을 설립한 후 1월 이내에 각각 등록한 2개의 중소기업창업투자회사가 합병하면서 소멸 법인의 부동산을 존속 법인으로 소유권이전등기하는 경우 이는 등록세의 중과세 예외대상이 되지만 착오로 중과세율을 적용하여 신고납부하였다면 지방자치단체의 장은 지방세법 제25조의 2의 규정에 의거 즉시 그 처분을 취소하거나 변경하고 과오납된 금액을 환부하여야 함(세정-3356, 2004.10.8.).

〈무효확인을 구하는 소송〉

행정소송법 제20조 제1항 본문은 '취소소송은 처분 등이 있음을 안 날부터 90일 이내에 제기하여야 한다'고 규정하고 있다. 행정심판을 청구하는 방법을 선택한 때에는 처분이 있음을 안 날부터 90일 이내에 행정심판을 청구하고 행정심판의 재결서를 송달받은 날부터 90일 이내에 취소소송을 제기하여야 한다. 따라서 처분이 있음을 안 날부터 90일 이내에 행정심판을 청구하지도 않고 취소소송을 제기하지도 않은 경우에는 그 후 제기된 취소소송은 제소기간을 경과한 것으로서 부적법하다.

현행 행정소송법은 제3조에서 행정소송의 유형을 항고소송, 당사자소송, 민중소송, 기관소송으로 나누고 있고, 같은 법 제4조는 항고소송의 유형을 행정청의 처분 등의 취소나 변경을 구하는 '취소소송', 행정청의 처분 등의 효력 유무 또는 존재 여부를 확인하는 '무효 등 확인소송', 행정청의 부작위가 위법하다는 것을 확인하는 '부작위위법확인소송'으로 정하고 있다.

행정청의 부과처분에 대한 취소소송은 90일 이내에 제기하여 위법 여부를 다퉈야 한다. 90일이 경과하였다면 취소소송을 제기할 수 없고, 이 경우 행정처분의 당연무효를 주장하여 그 무효확인을 구하는 행정소송을 제기할 수 있다. 이 때 납세자에게 그 행정처분이 무효인 사유를 주장, 입증할 책임이 있다(대법원 99두11851). 과세관청이 조세를 부과하고자 할 때에는 해당 조세법규가 규정하는 조사방법에 따라 얻은 정확한 근거에 바탕을 두어 과세표준액을 결정하고 세액을 산출하여야 하며, 이러한 조사방법 등을 완전히 무시하고 아무런 근거도 없이 막연한 방법으로 과세표준액과 세액을 결정·부과하였다면 이는

그 하자가 중대하고도 명백하여 당연무효라 할 것이다. 하지만 그와 같은 조사결정절차에 단순한 과세대상의 오인, 조사방법의 잘못된 선택, 세액산출의 잘못 등의 위법이 있음에 그치는 경우에는 취소사유로 될 뿐이다(대법원 96누12634).

재산세 부과처분에서 과세구분체계가 잘못되었다는 이유로 납세자가 부과처분의 취소를 구하고자 하는 경우 위의 불복기간 이내에 부과처분의 취소에 대한 이의신청, 심판청구, 행정소송을 제기하여야 한다. 그렇지 않으면 무효 등 확인 소송에서 다퉈야 하는데 부과처분이 중대하고 명백해야 당연무효에 이를 수 있다. 취득세보다 재산세에서 이와같은 소송이 주로 발생한다.

취득세의 경우 신고납부세목이기 때문에 지방세관계법에 따른 과세표준 신고서를 법정신고기한까지 제출한 자의 경우 법정신고기한이 지난 후 5년 이내에 신고를 한 지방세의 과세표준 및 세액의 경정을 지방자치단체의 장에게 청구할 수 있다. 이에 대해 지자체장이 거부처분을 하면 불복절차를 진행할 수 있다. 그렇지 않으면 무효확인을 구하는 소송에서 다퉈야 하는데 부과처분이 중대하고 명백해야 당연무효에 이를 수 있다. 취득세는 2011년 경정청구 제도가 도입된 이후부터는 이러한 소송은 대폭 줄어들었다.

○ 당연무효의 요건

일반적으로 과세대상이 되는 법률관계나 사실관계(소득 또는 행위)가 전혀 없는 사람에게 한 과세처분은 그 하자가 중대하고도 명백하다고 할 것이지만, 과세대상이 되지 아니하는 어떤 법률관계나 사실관계에 대하여 이를 과세대상이 되는 것으로 오인할 만한 객관적인 사정이 있는 경우에 그것이 과세대상이 되는지의 여부가 그 사실관계를 정확히 조사하여야 비로소 밝혀질 수 있는 경우라면, 그 하자가 중대한 경우라도 외관상 명백하다고 할 수 없으므로 과세요건 사실을 오인한 위법의 과세처분을 당연무효라고 볼 수 없음(대법원 2000다17339, 2001.6.29.).

☞ 신고납부방식의 조세의 경우 납세의무자가 스스로 과세표준과 세액을 정하여 신고하는 행위에 의하여 납세의무가 구체적으로 확정됨. 따라서 그와 같이 확정된 납세의무를 이행함에 따라 지방자치단체가 납부된 세액을 보유하는 것은 납세의무자의 신고행위가 중대하고 명백한 하자로 인하여 당연무효로 되지 아니하는 한 부당이득이 된다고 할 수 없음. 이때 신고행위의 하자가 중대하고 명백하여 당연무효에 해당하는지 여부는 신고행위의 근거가 되는 법규의 목적, 의미, 기능 및 하자 있는 신고행위에 대한 법적 구제수단 등을 목적론적으로 고찰함과 동시에 신고행위에 이르게 된 구체적 사정을 개별적으로 파악하여 합리적으로 판단하여야 함(대법원 94다31419, 1995.2.28., 대법원 2006다81257, 2009.4.23. 등 참조).

☞ 신고납부방식의 조세채무와 관련된 과세요건이나 조세감면 등에 관한 법령의 규정이 특정 법률관계나 사실관계에 적용되는지 여부가 법리적으로 명확하게 밝혀져 있지 아니한 상태에서

과세관청이 그 중 어느 하나의 견해를 취하여 해석·운영하여 왔고 납세의무자가 그 해석에 좇아 과세표준과 세액을 신고·납부하였는데, 나중에 과세관청의 해석이 잘못된 것으로 밝혀졌더라도 그 해석에 상당한 합리적 근거가 있다고 인정되는 한 그에 따른 납세의무자의 신고·납부행위는 하자가 명백하다고 할 수 없어 당연무효라고 할 것은 아님(대법원 2012다23382, 2014.1.16.).

| **참고_당연무효 인정사례** |

- 과세관청이 면제신청을 거부하여 자진신고 해태에 따른 가산세의 부담을 회피하기 위해 자진신고를 한 경우에 있어 그 신고행위(대법원 99다11618, 2001.4.27.)
- 조세특례제한법상 추징할 수 있다는 아무런 근거규정이 없음에도 과세관청에서 한 추징처분(대법원 2001다52735, 2002.9.24.)
- 위임장, 취득신고서 날인 등과 같은 정당한 대리절차 없이 행하여진 법무사의 취득신고(대법원 2011두9034, 2011.7.28.)
- 주식 소유비율이 50%로 과점주주 요건에 미달한 자를 제2차납세의무자로 지정한 처분(대법원 2012다990, 2012.3.29.)
- 취득자 의사에 기하지 아니한 취득행위는 중대하고 명백한 하자로 무효임

취득자 모르게 법무사에게 위임하여 한 것으로서 취득자 의사에 기하지 아니한 채 이루어진 중대하고 명백한 하자가 있고, 사후에 원고로부터 추인을 받은 것으로 보기도 어려워 무효이며, 이에 기초한 취득세 등의 본세 징수처분과 그 가산세의 부과 및 징수처분도 무효해당(대법원 2014두10967, 2014.11.27.).

| **참고_당연무효 부인사례** |

- 법률관계나 사실관계에 대하여 그 법규의 적용 여부에 관한 법리가 명백히 밝혀지지 아니하여 그 해석에 다툼의 여지가 있는 때에는 행정관청이 이를 잘못 해석하여 행정처분을 하였더라도 이는 하자가 명백하다고 할 수 없어 당연 무효로 볼 수 없음(대법원 2012다23382, 2014.1.16.).
- 구체적 사실관계를 가려 보아야만 비과세대상에 해당하는지 여부를 확정할 수 있는 경우에 있어 취득세 자진신고 행위는 당연 무효로 볼 수 없음(대법원 98다38029, 2000.4.11.).
- 납세자가 비과세 요건임에도 취득세를 자진신고납부한 경우 과세관청이 이를 수령하였다고 하여 당연무효로 볼 수 없음(대법원 94다50212, 1995.6.30.).
- 상속 전 매수자의 소제기로 소유권이 매수자에게로 이전되었다고 하더라도, 재산세 과세기준일 현재 상속등기가 이루어지지 아니하고 사실상의 소유자가 신고되지도 아니하였던 이

상, 상속인을 재산세 납세의무자로 보고 과세처분을 하였던 것을 무효로 볼 수 없음(대법원 2012두12228, 2014.3.27.).

◎ 도로를 취득한 후 취득세를 자진신고납부하고 등기까지 마친 이후 매도자와 국가 간의 부당이득금 반환의 소에서 당해 부동산이 매도자가 아닌 국가소유로 보아야 한다는 판결이 있었던 경우라도 매수자의 취득세 신고행위가 당연무효에 해당하지 않음(대법원 2011다91470, 2013.7.25.).

◎ 비과세대상인 사도에 대하여 재산세를 과세하였다고 하더라도 구체적인 사실관계를 파악하여야만 비과세 여부를 확인가능한 경우에는 당연무효로 볼 수 없음(대법원 2000다17339, 2001.6.29.).

◎ 자동차가 폐차되었더라도 자동차등록원부상의 말소등록이 되어 있지 아니한 상태에서 부과된 자동차세 부과처분은 당연무효라 할 수도 없음(대법원 2004두1292, 2004.4.28.).

◎ 무상취득을 유상취득으로 오인하여 등록세를 자진 신고납부하였다고 하더라도 당연무효에 해당하지 않음(대법원 94다40420, 1995.9.29.).

◎ 법률상 비과세 대상에 대하여 과세한 경우와는 달리, 면제대상임에도 법률 해석을 잘못하여 과세처분을 한 경우에는 그 하자가 명백하다고 할 수 없고 당연무효 아님(대법원 98다871, 1998.4.24.).

◎ 중과대상 고급주택으로 오인하여 취득세를 자진신고 하였다고 하더라도 그 신고행위는 당연무효에 해당하지 않음(대법원 95다4186, 1995.4.14.).

◎ 주택조합이 취득세 납세의무가 없음에도 납세의무가 있는 것으로 오인하여 신고납부한 것에 불과한 경우 당연 무효에 해당하지 않음(대법원 96다3807, 1996.4.12.).

◎ 대도시 밖으로의 공장이전에 따른 취득세 면제대상임에도 취득세를 신고·납부한 경우 그 신고행위가 당연무효에 해당하지는 않음(대법원 97다52486, 1998.3.10.).

◎ 기부채납에 따른 비과세 대상이 됨에도 납세자 스스로 취득세를 자진신고한 경우 당연무효에 해당하지 않음(대법원 2012다201472, 2013.10.11.).

◎ 담보가등기에 따른 본등기에 대하여 법원의 무효 및 말소 결정이 있었던 경우라도 당해 본등기 과정에서의 취득신고가 당연 무효가 되는 것은 아님(대법원 2011다15476, 2014.4.10.).

◎ 취득세 신고 당시까지 잔금지급이나 소유권이전등기를 모두 이행하지 않았으나, 상당부분의 매매대금을 지급하고 소유권이전 서류까지 교부받은 경우에는 그 취득신고가 당연무효에 해당하지 않음(서울고등법원 2009누36950, 2010.12.21. : 대법원 확정).

◎ 과점주주 명의신탁 해지에 따른 간주취득세는 성립되지 않음에도 간주취득세를 자진신고한 경우 당연무효에 해당하지 않음(대법원 2010다34036, 2010.8.26.).

◎ 취득세 과표를 신고함에 있어 영업권을 포함하여 신고한 경우라도 이를 당연무효로 보기 어려움(대법원 2012다7595, 2012.5.24.).

◎ **사도에 대한 종토세 부과처분이 중대한 하자는 있으나, 비과세인지 여부는 구체적으로 확인해 봐야 알 수 있어 과세요건 사실을 오인한 부과처분을 당연무효로 볼 수는 없음**
그 사실관계를 정확히 조사하여야 비로소 밝혀질 수 있는 경우라면, 그 하자가 중대한 경우라도 외관상 명백하다고 할 수 없으므로 과세요건 사실을 오인한 위법의 과세처분을 당연무효라고 볼 수 없음. 비과세대상인 사도에 대한 종합토지세 등의 부과처분은 중대한 하자가 있는 것이나, 계쟁 토지 부분이 비과세대상인 사도에 해당하는지 여부에 관하여는 구체적으로 확인해 보아야만 판단할 수 있는 경우, 부과처분에 대한 하자가 외관상 명백하다고 볼 수 없어 부과처분이 당연무효가 아님(대법원 2000다17339, 2001.6.29.).

◎ **주식양도양수계약서상의 양수인 명의에도 불구하고 주식등변동상황명세표상의 양수인을 사실상의 주주로 보아 과세하는 처분은 정당함**
'주식등변동상황명세서'를 제출할 무렵 법인세법 시행령 제161조 ⑥은 '주식등변동상황명세서'에는 주식등의 '실제소유자'를 기준으로 '사업연도 중의 주식등의 변동사항'을 기재하도록 개정되었으며, 이 사건 주식의 양수인이 원고가 아니라 하더라도, 피고가 주주등의 변동에 따른 과세당국의 적정한 과세실현을 위하여 세무관서에 제출할 것이 요구되는 법정서류인 '주식등변동상황명세서'에 원고가 이 사건 주식을 취득하였다고 기재되어 있음에 근거하여 이 사건 처분에 이른 이상 이 사건 처분의 위와 같은 하자는 사실관계의 자료를 정확히 조사하여야 비로소 그 하자 유무가 밝혀질 수 있었으므로 이러한 하자는 외관상 명백하다고 할 수도 없음(대법원 2016두43763, 2016.10.27.).

제 4 장

지방세기본법

지방세환급금과 납세담보

제 1 절

지방세환급금과 지방세환급가산금

제60조(지방세환급금의 충당과 환급)

법 제60조(지방세환급금의 충당과 환급) ① 지방자치단체의 장은 납세자가 납부한 지방자치단체의 징수금 중 과오납한 금액이 있거나 「지방세법」에 따라 환급하여야 할 환급세액(지방세관계법에 따라 환급세액에서 공제하여야 할 세액이 있을 때에는 공제한 후 남은 금액을 말한다)이 있을 때에는 즉시 그 오납액, 초과납부액 또는 환급세액을 지방세환급금으로 결정하여야 한다. 이 경우 착오납부, 이중납부로 인한 환급청구는 대통령령으로 정하는 바에 따른다.

② 지방자치단체의 장은 지방세환급금으로 결정한 금액을 대통령령으로 정하는 바에 따라 다음 각 호의 지방자치단체의 징수금에 충당하여야 한다. 다만, 제1호(「지방세징수법」 제22조 제1항 각 호에 따른 납기 전 징수 사유에 해당하는 경우는 제외한다) 및 제3호의 지방세에 충당하는 경우에는 납세자의 동의가 있어야 한다.

1. 납세고지에 따라 납부하는 지방세 2. 체납액
3. 이 법 또는 지방세관계법에 따라 신고납부하는 지방세

③ 제2항 제2호의 징수금에 충당하는 경우 체납액과 지방세환급금은 체납된 지방세의 법정납부기한과 제62조 제1항 각 호에서 정하는 날 중 늦은 때로 소급하여 같은 금액만큼 소멸한 것으로 본다.

④ 납세자는 지방세관계법에 따라 환급받을 환급세액이 있는 경우에는 제2항 제1호 및 제3호의 지방세에 충당할 것을 청구할 수 있다. 이 경우 충당된 세액의 충당청구를 한 날에 그 지방세를 납부한 것으로 본다.

⑤ 지방세환급금 중 제2항에 따라 충당한 후 남은 금액은 지방세환급금의 결정을 한 날부터 지체 없이 납세자에게 환급하여야 한다.

⑥ 제5항에도 불구하고 지방세환급금 중 제2항에 따라 충당한 후 남은 금액이 10만원 이하이고, 지급결정을 한 날부터 6개월 이내에 환급이 이루어지지 아니하는 경우에는 대통령령으로 정하는

바에 따라 제2항 제1호 및 제3호의 지방세에 충당할 수 있다. 이 경우 제2항 단서의 동의가 있는 것으로 본다.

⑦ 제5항 및 제6항에도 불구하고 지방세를 납부한 납세자가 사망한 경우로서 제2항에 따라 충당한 후 남은 금액이 10만원 이하이고, 지급결정을 한 날부터 6개월 이내에 환급이 이루어지지 아니한 경우에는 지방세환급금을 행정안전부령으로 정하는 주된 상속자에게 지급할 수 있다. 〈개정 2017.7.26.〉

⑧ 제5항에 따른 지방세환급금(제62조에 따른 지방세환급가산금을 포함한다)의 환급은 「지방재정법」 제7조에도 불구하고 환급하는 해의 수입금 중에서 환급한다.

⑨ 지방자치단체의 장이 지방세환급금의 결정이 취소됨에 따라 이미 충당되거나 지급된 금액의 반환을 청구할 때에는 「지방세징수법」에 따른 고지·독촉 및 체납처분을 준용한다. 〈개정 2018.12.24.〉

⑩ 제1항에도 불구하고 제55조 제3항 본문에 해당하는 경우에는 제1항을 적용하지 아니한다. 〈신설 2018.12.24.〉

영 제37조(지방세환급금의 충당) ① 법 제60조 제2항에 따라 지방세환급금을 충당할 경우에는 같은 항 제2호의 체납액에 우선 충당하여야 한다.

② 법 제60조 제6항에 따른 지방세환급금의 충당은 납세자가 납세고지에 따라 납부하는 지방세로 한정한다.

③ 법 제60조 제6항에 따른 지방세환급금의 충당은 다음 각 호의 기준에 따른다. 다만, 지역실정을 고려하여 필요한 경우에는 특별시·광역시 또는 도의 조례로 충당 기준을 달리 정할 수 있다.

1. 과세기준일이 정해져 있는 세목이 있는 경우에는 해당 세목에 우선 충당할 것
2. 지방세에 부가되는 지방교육세가 있는 경우에는 해당 지방세에 우선 충당할 것
3. 납세자에게 같은 세목으로 여러 건이 부과되는 경우에는 과세번호가 빠른 건에 우선 충당할 것

④ 제1항 또는 제2항에 따라 충당할 지방세환급금이 2건 이상인 경우에는 소멸시효가 먼저 도래하는 것부터 충당하여야 한다.

⑤ 지방자치단체의 장은 제1항 또는 제2항에 따라 충당하였을 때에는 그 사실을 권리자에게 통지하여야 한다. 이 경우 통지의 방법 등 필요한 사항은 행정안전부령으로 정한다. 〈개정 2017.7.26.〉

제38조(지방세환급금의 환급) ① 법 제60조에 따라 결정한 지방세환급금(법 제62조에 따른 지방세환급가산금을 포함한다. 이하 이 조부터 제44조까지에서 같다)을 미납된 지방자치단체의 징수금에 충당하고 남은 금액이 생겼거나 충당할 것이 없어서 이를 환급하여야 할 경우에는 지체 없이 지급금액, 지급이유, 지급절차, 지급장소, 그 밖에 필요한 사항을 권리자에게 통지하여야 한다.

② 납세의무자 또는 특별징수의무자와 그 자에 대한 지방자치단체의 징수금의 제2차 납세의무자가 각각 그 일부를 납부한 지방세에 지방세환급금이 생겼을 경우 그 지방세환급금의 환급 또는 충당에 대해서는 우선 제2차 납세의무자가 납부한 금액에 대하여 지방세환급금이 생긴 것으로 본다.

③ 지방자치단체의 장은 제2항에 따라 환급하거나 충당한 경우에는 그 사실을 납세의무자 또는 특별징수의무자와 제2차 납세의무자에게 통지하여야 한다.

④ 법 제60조 제1항 후단에 따라 환급청구를 하려는 자는 환급 방법, 환급금 내역 등을 적은 지방세 환급청구서를 지방자치단체의 장에게 제출하여야 한다.

⑤ 지방자치단체의 장은 제1항에 따라 통지하거나 제4항에 따라 환급청구를 받은 경우에는 지방

자치단체의 금고에 지방세환급금 지급명령서를 송부하여야 한다. 이 경우 지방세환급금 지급명령서는 전자적 형태로 송부할 수 있다.

제39조(지방세환급금의 지급절차) ① 제38조 제1항에 따른 통지를 받거나 같은 조 제4항에 따라 환급청구한 자는 지방자치단체의 금고에 지방세환급금 지급청구를 하여야 한다.

② 지방자치단체의 금고는 제38조 제5항에 따라 지방세환급금 지급명령서를 송부받은 지방세환급금에 대하여 제1항에 따른 지급청구를 받으면 즉시 이를 지급하고, 지방세환급금 지급확인통지서를 지방자치단체의 장에게 송부하여야 한다. 이 경우 제38조 제5항 후단에 따라 지방세환급금 지급명령서를 전자적 형태로 송부받은 경우에는 지방세환급금 지급확인통지서를 전자적 형태로 송부할 수 있다.

③ 지방자치단체의 금고는 제2항에 따라 지방세환급금을 지급할 때에는 주민등록증이나 그 밖의 신분증을 제시하도록 하여 상대방이 정당한 권리자인지를 확인하고, 지방세환급금 지급명령서의 권리자란에 수령인의 주민등록번호 등을 적은 후 그 서명을 받아야 한다.

④ 지방자치단체의 금고는 지방세환급금의 권리자가 금융회사 또는 체신관서에 계좌를 개설하고 이체입금하는 방법으로 지급청구를 하는 경우에는 그 계좌에 이체입금하는 방법으로 지방세환급금을 지급할 수 있다.

⑤ 특별시세·광역시세 또는 도세(이하 "시·도세"라 한다)에 대한 지방세환급금은 시장·군수 또는 구청장(자치구의 구청장을 말한다. 이하 같다)이 지급하되, 이에 필요한 자금은 시·도세 수납액 중에서 충당한다. 다만, 시·도세 수납액이 환급하여야 할 금액보다 적을 경우에는 시장·군수 또는 구청장의 요구에 따라 특별시장·광역시장 또는 도지사(이하 "시·도지사"라 한다)가 그 부족액을 직접 환급할 수 있다.

⑥ 제5항 단서에 따라 시·도지사가 지방세환급금을 직접 환급하는 경우와 지방세환급금을 환급받을 자가 다른 지방자치단체에 있는 경우에는 송금의 방법으로 지급할 수 있다.

제40조(지방세환급금 지급계좌의 신고) 납세자는 지방세환급금이 발생할 때마다 계좌에 이체입금하는 방법으로 지급받으려는 경우에는 금융회사 또는 체신관서의 계좌를 지방자치단체의 장에게 신고하여야 한다.

제41조(지방세환급금의 직권지급) ① 지방자치단체의 장은 다음 각 호의 어느 하나에 해당하는 경우에는 제39조 제1항에 따른 지방세환급금 권리자의 지급청구가 없더라도 해당 계좌에 이체입금하는 방법으로 지방세환급금을 지급할 수 있다.

1. 「지방세징수법」 제24조에 따라 지방세를 자동계좌이체로 납부한 자 중 지방세환급금의 직권지급에 미리 동의한 경우
2. 제31조에 따른 결정 또는 경정 청구서, 제38조 제4항에 따른 지방세 환급청구서, 제44조 제1항에 따른 지방세환급금 양도신청서에 지급계좌를 기재한 경우(해당 지방세환급금으로 한정한다)
3. 제40조에 따라 지방세환급금의 지급계좌를 신고한 경우

② 제1항에 따라 지방세환급금을 직권으로 지급한 경우에는 그 사실을 지방세환급금의 권리자에게 통지하여야 한다.

규칙 제21조(주된 상속자의 기준) 법 제60조 제7항에서 "행정안전부령으로 정하는 주된 상속자"란 「민법」에 따른 상속지분이 가장 높은 사람을 말한다. 이 경우 상속지분이 가장 높은 사람이 두 명 이상이면 그 중 나이가 가장 많은 사람으로 한다. 〈개정 2017.7.26.〉

1. 지방세환급금 개요

납세의무자가 납부해야 할 금액을 초과하여 지방세를 납부했거나(과납), 착오에 의해 납부할 의무가 없는 지방세를 납부한 경우(오납), 그리고 지방세법에 의하여 환급할 세액이 있는 경우에 지방자치단체의 장은 이를 납세자에게 반환하여야 한다. 이러한 금액을 지방세환급금이라 한다.

지방세환급금결정이나 환급거부결정이 항고소송의 대상이 되는 행정처분인가에 대하여 대법원의 판단을 보면, 조세환급금에 대한 결정은 이미 납세의무자의 환급청구권이 확정된 조세환급금에 대하여 내부적인 사무처리절차로서 과세관청의 환급절차를 규정한 것에 지나지 않으므로, 조세환급을 구하는 신청에 대한 환급거부결정은 불복대상 처분으로 볼 수 없고(대법원 92누14250, 1994.12.2. 등), 환급금의 충당도 불복대상이 아니라고(대법원 2005다15482, 2005.6.10.) 판단하였다.

지방세환급금은 지방자치단체의 징수금에 충당할 수 있다. 이 경우 납세고지에 따라 납부하는 지방세(납기전 징수사유에 해당하는 것은 제외), 신고・납부하는 지방세는 납세자의 동의나 청구가 있어야 한다. 다만, 충당 후 미 환급된 지방세환급금이 10만원 이하이고 지급결정일로 6개월 경과한 경우에는 납세고지에 따라 납부하는 지방세, 신고・납부하는 지방세에 충당할 수 있도록 하고 있다.

한편, 지방세환급금 충당의 효력은 충당결정을 한 때부터 발생하므로 충당결정 전에 제3자가 지방세환급금을 압류하는 경우 체납지방세를 징수할 수 없게 되는 문제가 있었다. 이에 2013.1.1.부터는 지방세환급금 충당의 실효성을 높이기 위하여 체납된 지방세의 법정납부기한과 지방세환급금 발생일 중 늦은 때에 소급하여 충당될 지방세에 납부된 것으로 간주토록 하였다(유사 입법례 : 국세기본법 제51조 제3항).

| 최근 개정법령 _ 2019.1.1. | 지방세 납세자에게 지방세 환급금 청구를 촉구하기 위한 환급금 청구의 안내와 통지를 하더라도 환급청구권 소멸시효에는 영향을 미치지 아니한다는 것을 명확하게 규정하였다.

◎ **제2차 납세의무 이행후 감액이 이루어진 경우, 감액 이후 체납세액을 기준으로 제2차 납세의무 재지정 후 제2차 납세의무자가 과다 납부한 금액은 환급함이 타당**

제2차 납세의무는 주된 납세의무의 존재를 전제로, 주된 납세의무에 대하여 발생한 사유는 원칙적으로 제2차 납세의무에도 영향을 미치게 되는 이른바 부종성을 가지고 있으므로(대법원 2006도14926 등) 감액이 발생하였다면, 그 감액된 지방자치단체의 징수금을 기준으로 제2차 납세의무를 지는 것이 바람직함(국심 2006중3732, 2007.5.28.). 따라서, 감액 이후의 체납세액을 기준으로 제2차 납세의무 재지정 후 제2차 납세의무자가 과다납부한 금액은 환급함(행안부 지방세정책과-1206, 2019.3.28.).

◎ 과세관청이 납세의무자의 환급신청을 거부한 것은 항고소송의 대상으로 볼 수 없음

국세기본법 제51조 제1항은 정의, 공평의 견지에서 국가가 납세의무자의 납부세액 중에서 과오납부한 금액 및 환급세액을 납세의무자에게 즉시 반환하여야 한다는 부당이득법리를 표현한 것으로서, 위 규정에 의한 환급금의 존부나 범위는 오납액에 있어서는 법률상의 원인이 없는 것이어서 처음부터 확정되어 있고, 초과납부액은 납부, 징수의 기초가 된 처분의 취소 등으로 확정되며, 환급세액에 있어서는 개별세법에서 각 규정하고 있는 환급요건에 따라서 확정된다고 할 것이어서 과세관청의 결정으로 인하여 과오납부금액 및 환급세액의 존부나 범위가 비로소 확정되거나 변경되는 것은 아님. 따라서 과세관청이 납세의무자의 환급신청을 거부하였다 하여 이는 단순한 금전채무의 이행거절에 해당될 뿐 항고소송의 대상이 되는 행정처분으로 볼 수 없음(대법원 85누883, 1989.1.31.).

◎ 국세환급금 및 국세가산금 결정이나 환급 거부 결정이 항고소송의 대상이 되는 처분이 아님

국세기본법 제51조 및 제52조 국세환급금 및 국세가산금결정에 관한 규정은 이미 납세의무자의 환급청구권이 확정된 국세환급금 및 가산금에 대하여 내부적 사무처리절차로서 과세관청의 환급절차를 규정한 것에 지나지 않고 그 규정에 의한 국세환급금(가산금 포함)결정에 의하여 비로소 환급청구권이 확정되는 것은 아니므로, 국세환급금결정이나 이 결정을 구하는 신청에 대한 환급거부결정 등은 납세의무자가 갖는 환급청구권의 존부나 범위에 구체적이고 직접적인 영향을 미치는 처분이 아니어서 항고소송의 대상이 되는 처분이라고 볼 수 없음(대법원 88누6436, 1989.6.15.).

◎ 지방세 부과제척기간이 경과된 경우에는 감액결정 및 환급이 불가함

납세의무자가 구 등록세를 과다 신고・납부한 후, 이의신청, 심사청구 및 심판청구의 기간은 지났으나 부과제척기간 내에 과다납부액의 환급청구를 하였고, 과세관청이 검토 중에 지방세 부과의 제척기간이 경과된 경우에는 과세관청이 직권으로 감액결정하여 과다납부액을 환급할 수는 없다고 할 것임(법제처 법령해석 14-0229, 2014.7.11.).

2. 지방세환급금의 환급방법

지방세환급금은 환급 대상자별로 환급방법이 상이하므로 아래의 세부내용에 따라 환급하여야 한다.

| 환급대상별 환급 방법(예규 기법 60-4~60-17) |

환급대상자	환급방법
지방세환급금의 환급대상자	지방세환급금을 받을 수 있는 자는 환급하여야 할 지방세, 가산금 또는 체납처분비를 납부한 지방세 납부고지서 등에 기재된 납세의무자 또는 특별징수의무자를 원칙으로 한다. 다만, 「지방세법」 또는 다른 법령에 특별한 규정이 있는 때에는 그러하지 아니하다.
제2차 납세의무자에의 환급	1. 제2차 납세의무자가 지방세 등을 납부한 후에 제2차 납세의무가 없는 것으로 밝혀진 때에는 지방자치단체의 장이 제2차 납세의무자가 실제로 납부한 지방세 등을 확인하여 제2차 납세의무자에게 충당 또는 환급한다. 2. 제2차 납세의무자가 체납자의 지방세 등을 납부한 후 체납자에게 환급할 지방세환급금이 발생한 경우에 제2차 납세의무자가 동 환급금의 환급을 청구한 때에는 지방자치단체의 장은 구상권 행사여부를 조사하여 제2차 납세의무자가 승계납부한 한도 내에서 환급할 수 있다. 3. 2인 이상의 제2차 납세의무자가 납부한 지방세 등에 대하여 발생한 지방세환급금은 체납자와의 구상권 행사 여부를 조사하여 각자가 납부한 금액에 비례하여 안분계산한 환급금을 각자에게 충당 또는 환급한다.
보증인	「지방세법」에 의한 보증인이 납부한 지방세 등에 대하여 지방세환급금이 발생한 때에는 피보증인인 납세자에게 충당 또는 환급한다. 다만, 보증인이 보증채무의 금액을 초과하여 납부함으로써 발생한 환급금은 당해 보증인에게 충당 또는 환급한다.
연대납세의무자에의 환급	1. 연대납세의무자로서 납부한 후 연대납세의무자가 아닌 것이 밝혀진 때에는 당해 연대납세의무자가 실지로 부담·납부한 지방세 등을 지방자치단체의 장이 구체적으로 확인하여 충당 또는 환급한다. 2. 2인 이상의 연대납세의무자가 납부한 지방세 등에 대하여 발생한 지방세환급금은 각자가 납부한 금액에 따라 안분한 금액을 각자에게 충당 또는 환급할 수 있다.
상속인에의 환급	상속이 개시된 후에 피상속인에게 지방세환급금이 발생한 때에는 상속인 또는 상속재산관리인에게 충당 또는 환급한다. 이 경우 상속인이 2인 이상인 때에는 다음 각 호의 규정에 의하여 충당 또는 환급한다. 1. 지방세환급금이 상속재산으로 분할된 때에는 그 분할된 바에 의하여 각 상속인에게 충당 또는 환급한다. 2. 지방세환급금이 상속재산으로 분할되지 아니한 경우에는 「민법」 제1009조 내지 제1013조(법정상속분 등)의 규정에 의한 상속분에 따라 안분한 지방세환급금을 각 상속인에게 충당 또는 환급한다.
합병법인	법인이 합병한 후에 합병으로 인하여 소멸한 법인에 지방세환급금이 발생한 경우에는 합병 후 존속하는 법인 또는 합병으로 인하여 신설된 법인에게 충당 또는 환급한다.

환급대상자	환급방법
청산인	정상적인 청산 중인 법인에 발생한 지방세환급금은 대표청산인에게 환급하되, 청산간주 중 등인 재건축・재개발 조합인 경우에는 조합원 1/3 이상의 동의서를 첨부하거나 조합원들에게 환부사실, 환부일자, 환부받은 자(조합장 등), 환부금액, 지급계좌 등이 포함된 안내서신을 발송한다.
무능력자 등	지방세환급금의 환급을 받을 납세자가 무능력자 또는 피한정후견인인 경우에도 당해 납세자에게 환급한다. 다만, 법정대리인이 명백히 존재하는 경우에는 환급받을 자를 명시하여 법정대리인에게 환급한다.
전부명령이 있는 경우의 환급	지방세환급금의 청구권이 「민사집행법」 제227조(금전채권의 압류)의 규정에 의하여 압류되어 전부명령 또는 추심명령이 있는 경우에는 지방자치단체의 장은 동 명령에 관한 지방세환급금을 그 압류채권자에게 충당 또는 환급한다.
체납처분에 의한 압류채권자	지방세환급금의 청구권이 법에 의한 체납처분(체납처분의 예에 의한 처분을 포함한다)에 의하여 압류된 경우에는 지방세환급금을 그 압류채권자에게 환급한다.
청산종료 법인	법인이 해산된 후 경정결정 등으로 환급금이 발생한 경우에 법인이 청산종결등기를 필한 때에는 법인격이 소멸하고 실체 또한 존재하지 아니하며 권리능력을 상실하게 되므로 청산종결등기를 필한 법인에게는 지방세환급금을 환급할 수 없다. 다만, 「지방세기본법」 또는 지방세관계법의 규정에 의하여 납세의무가 존속하는 때에는 충당 또는 환급할 수 있다.
채권・질권자	지방자치단체의 장이 압류한 체납자의 채권에 제3자의 질권이 설정되어 있는 경우에 있어서 그 채무자로부터 지방세를 우선 지급받은 후 당해 지방세의 감액결정으로 지방세환급금이 발생한 경우에, 채권・질권자가 질권에 의하여 담보된 채권 중 변제받지 못한 금액의 범위 안에서 동 환급금의 지급을 청구한 때에는 지방자치단체의 장은 이를 확인하여 당해 질권자에게 충당 또는 환급할 수 있다.
납세관리인	「지방세기본법」 제139조의 규정에 의한 「납세관리인」이 지방세환급금의 지급을 받고자 할 때에는 지방세환급금 송금통지서에 소관 지방자치단체의 장이 발행한 납세관리인지정통지서와 납세관리인의 인감증명서를 첨부하여 제출하여야 한다.
지방세환급금의 충당시기	지방자치단체의 장은 지방세환급금을 지급결정한 후에는 법 제60조 제2항의 규정에 의하여 지방세 등에 충당할 수 있으나, 영 제37조 규정에 의하여 지방세환급금의 환급결정을 하고 이를 지방자치단체의 금고에 지급청구한 후에는 납세자가 지방세의 충당에 동의하거나 체납된 지방세가 있더라도 그 환급금으로 충당할 수 없다.

3. 지방세환급금의 충당

◎ 지방세환급금 충당의 순위

지방자치단체의 장이 「지방세기본법」 제76조 제2항의 규정에 의하여 지방세환급금을 지방세 등에 충당하는 때에는 다음 각 호의 순위에 따라 충당한다. 다만, 동 순위에 따라 충당함으로써 조세채권이 일실될 우려가 있다고 인정되는 때에는 그러하지 아니하다(예규 기법 76-1).

1. 체납액은 체납처분비, 지방세, 가산금의 순으로 충당하며, 2 이상의 체납액이 있는 때에는 납부기한이 먼저 경과한 체납액부터 순차로 소급하여 순차적으로 충당한다.
2. 납기 중에 있는 지방세가 2 이상인 때에는 고지납부기한이 먼저 도래하는 지방세부터 순차적으로 충당한다(납세자가 충당에 동의하거나 충당을 청구하는 경우에 한함. 단 납기전 징수사유가 있을 경우 제외).
3. 「지방세기본법」 및 지방세관계법에 따라 자진납부하는 지방세에 충당한다(납세자가 충당에 동의하거나 충당을 청구하는 경우에 한함).

◎ 다른 지방자치단체의 장의 체납세액에 충당 여부(예규 기법 76-2)

1. 지방세 과오납금을 결정한 지방자치단체의 장은 체납조회(전국 체납조회를 포함한다)를 하여야 한다. 2.「지방세기본법」 제76조 제2항에 따른 충당 후 지방세환급금의 잔여액이 있고 타 지방자치단체에 체납액이 있는 경우에는 즉시 해당 지방자치단체의 장에게 지방세환급금에 관한 사안을 알려야 한다. 3. 2의 통보를 받은 지방자치단체의 장은 즉시 지방세환급금을 압류하여야 한다.

4. 지방세환급금 관련 사례

◎ **연부취득 중인 과세물건의 마지막 연부금 지급일 전에 연부계약이 해제되었을 때, 이미 납부한 취득세의 환급금 소멸시효기산일은 계약해제 등의 취소사유 발생 시점**

초과납부액에 대한 납세의무자의 환급청구권은 신고 또는 부과처분의 취소 또는 경정에 의하여 조세채무의 전부 또는 일부가 소멸한 때에 확정되어, 그 때 비로소 법률상 행사가 가능하다고할 것이므로, 착오납부·이중납부 등 과오납부된 환급금 외에 적법하게 납부 또는 납입된 후에 계약취소 등 변경사유가 발생할 경우 지방세환급금과 환급가산금에 관한 권리를 행사할 수 있는 때라 함은 해당 사유 발생시점으로 보아야 할 것임. 또한, 잔금지급일 전에 계약이 취소되었다면 납부한 취득세를 전액 환부하게 되는 것이며(구 지방세법 운용세칙 제105-5 제4호), 계약해제 등의 취소사유 발생한 시점을 소멸시효 기산일로 보는 것이 타당(지방세정책과-787, 2015.3.5.)

◎ 동일법인의 법인세할 주민세의 안부세액 계산착오로 인하여 납부한 익일부터 5년 이내에 과오납이 발생된 경우에는 과오납된 법인세할 주민세는 환부대상에 해당됨(세정 13407-245, 1999.12.2.).

◎ **부과처분 및 물납허가처분이 취소되어 부동산을 반환받는 경우, 환급가산금 대상이 아님**

국세환급가산금은 국세환급금에 대한 법정이자로서의 성질을 가진 지급금이라 할 것이므로, 납세자가 세액을 금전으로 납부하였다가 환급받는 경우에만 적용된다고 보는 것이 타당하고, 물납허가를 받아 물납을 하였다가 상속세 부과처분과 물납허가처분의 각 취소처분으로 인하여 그 물납재산을 반환받는 경우는 '국세환급금'에 당연히 포함된다고 해석할 수 없으므로, 국세환급가산금에 관한 규정이 물납재산의 보유로 인한 이득 반환의 범위를 정함에 있어서까지 적용된다고 보는 것은 조세법규를 합리적 이유없이 확장 또는 유추해석하는 것에 해당하여 허용될 수 없음(대법원 98다63278, 2000.11.28.).

◎ **취득세 신고납부가 계산착오로 과오납임이 명백하고 5년이 경과하지 않았다면 환부대상**

지방세법 제25조의 2 규정에 의거 지방자치단체의 장은 지방세의 부과징수가 위법 또는 부당한 것임을 확인한 때에는 즉시 그 처분을 취소하거나 변경하여야 한다라고 규정하고 있고, 동법 제30조의 5 제2항의 규정에 의거 지방자치단체 징수금의 과오납으로 인하여 생긴 지방자치단체에 대한 청구권은 그 권리를 행사할 수 있는 때부터 5년간 행사하지 아니한 때에는 시효로 인하여 소멸하도록 규정하고 있으므로, 취득세 신고납부가 계산착오로 과오납임이 명백하고 5년이 경과하지 않는 경우라면 그 과오납된 분에 대하여는 환부대상이 됨(세정 13407－148, 2000.2.2.).

◎ **취득세 자진신고 및 등기 이후, 매도자와 국가간의 소에 따라 계약해제 위치에 있더라도 취득세 신고납부가 당연무효가 아니므로 부당이득금 반환청구는 이유 없음**

설사 원고들이 궁극적으로 이 사건 부동산 매매계약에 대하여 ○○○와 ○○구 사이의 소송결과를 이유로 이를 해제할 위치에 있다 할지라도, 원고들과 ○○○ 사이의 부동산 매매계약은 형식적으로 적법·유효하게 체결·성립되었으므로, 과세대상이 되는 법률관계나 사실관계가 있는 것으로 인식될 만한 객관적인 사정이 있었다고 할 것이고, 매매계약에 해제사유가 있는지 여부는 사실관계를 정확히 조사하여야만 밝혀질 수 있고, ○○○와 ○○구 사이의 소송물은 부당이득금 반환채권의 존부일 뿐 이 사건 부동산에 관한 소유권의 존부는 아니었을 뿐만 아니라 판결의 효력이 원고들에게 미치는 것도 아니므로, 설령 원고들의 취득세 등 신고·납부행위에 내용상 하자가 있다 하더라도 적어도 그 하자가 외관상 명백하다고 할 수 없어, 취득세 등 신고·납부 행위가 당연 무효임을 전제로 한 부당이득금 반환청구는 이유 없음(대법원 2011다91470, 2013.7.25.).

☞ 원납세의무자의 신고행위가 중대하고 명백한 하자로 인하여 당연무효로 되지 아니하는 한 그것이 바로 부당이득에 해당한다고 할 수 없음. 여기에서 신고행위의 하자가 중대하고 명백하여 당연무효에 해당하는지 여부는 신고행위의 근거가 되는 법규의 목적, 의미 및 기능, 하자 있는 신고행위에 대한 법적 구제수단 등을 목적론적으로 고찰함과 동시에 신고행위에 이르게

된 구체적 사정을 개별적으로 파악하여 합리적으로 판단하여야 함(대법원 99다11618, 2001.4.27., 대법원 2009다5001, 2009.4.23. 등).

◎ **보증보험증권을 활용하여 강제징수하였으나 그 처분이 무효가 되어 이를 환급함에 있어 납세자 외 보증보험회사에게도 부당이득금 반환청구권이 있음**

사법상의 계약에 의하여 조세채무를 부담하게 하거나 이를 보증하게 하여 이들로부터 조세채권의 종국적 만족을 실현하는 것은 허용될 수 없는 것이므로, 납세담보도 세법이 제공을 요구하도록 규정된 경우에 한하여 과세관청이 요구할 수 있고, 따라서 세법에 근거 없이 제공한 납세보증은 공법상 효력이 없음(대법원 2004다58277, 2005.8.25.).

◎ **초과환급금 액수 누락은 위법하다고 볼 수 없음**

납세고지서에 초과환급금의 환수처분이라는 점과 환수를 요하는 구체적인 사유 등을 알 수 있을 정도라면, 환급환수라는 근거 규정을 적시하지 아니하였다거나 초과환급금 액수의 구체적 계산내역을 기재하지 아니하였다는 사정만으로 그에 관한 환수처분을 위법하다고 볼 것은 아님(대법원 2013두17305, 2014.1.16.).

5. 신탁재산의 과오납환급금 처리

◎ **신탁재산에 대한 과오납환급금 처리 적용요령**

신탁재산의 재산세 납세의무는 위탁자별, 신탁계약별로 구분되는 납세의무자로 규정(지방세법 제107조 및 같은 법 시행령 제106조 ①)되어 있고, 자치단체에서는 신탁재산에 속하는 채권(체납액 징수권)과 신탁재산에 속하지 아니하는 채무(고유재산에서 발생한 과오납환급금 지급의무)를 상계(相計)하지 못하고, 역으로 신탁회사도 고유재산에서 발생한 과오납환급금 지급청구권과 신탁재산에서 발생한 체납액(신탁재산에 속하는 채무)을 상계하지 못하도록 규정하고 있으므로 자치단체에서는 신탁재산에 속하는 채권(체납액 징수권)과 신탁재산에 속하지 아니하는 채무(고유재산에서 발생한 과오납환급금 지급의무)를 지방세기본법 제76조(지방세환급금의 충당과 환급) 제2항에 따라 충당할 수 없고, 위탁자별로 구분되는 신탁재산간에도 서로 상계할 수 없음. 아울러, 자치단체에서는 신탁재산 관련 지방세 환급시, 반드시 위탁자(신탁재산)별로 구분한 내역을 함께 수탁자에게 고지(지방세특례제도과-978, 2015.4.3.)

※ 신탁법 제25조(상계금지) ① 신탁재산에 속하는 채권과 신탁재산에 속하지 아니하는 채무는 상계(相計)하지 못한다. 다만, 양 채권·채무가 동일한 재산에 속하지 아니함에 대하여 제3자가 선의이며 과실이 없을 때에는 그러하지 아니하다. ② 신탁재산에 속하는 채무에 대한 책임이 신탁재산만으로 한정되는 경우에는 신탁재산에 속하지 아니하는 채권과 신탁재산에 속하는 채무는 상계하지 못한다. 다만, 양 채권·채무가 동일한 재산에 속하지 아니함에 대하여 제3자가 선의이며 과실이 없을 때에는 그러하지 아니하다.

제61조(물납재산의 환급)

법 제61조(물납재산의 환급) ① 납세자가 「지방세법」 제117조에 따라 재산세를 물납(物納)한 후 그 부과의 전부 또는 일부를 취소하거나 감액하는 경정결정에 따라 환급하는 경우에는 그 물납재산으로 환급하여야 한다. 다만, 그 물납재산이 매각되었거나 다른 용도로 사용되고 있는 경우 등 대통령령으로 정하는 경우에는 제60조를 준용한다.

② 제1항 본문에 따라 환급하는 경우에는 제62조를 적용하지 아니한다.

③ 물납재산을 수납할 때부터 환급할 때까지의 관리비용 부담 주체 등 물납재산의 환급에 관한 세부적인 사항은 대통령령으로 정한다.

영 제42조(물납재산의 환급) ① 법 제61조 제1항 본문에 따라 물납재산을 환급하는 경우에 지방자치단체가 해당 물납재신을 유지 또는 관리하기 위하여 지출한 비용은 지방지치단체의 부담으로 한다. 다만, 지방자치단체가 물납재산에 대하여 「법인세법 시행령」 제31조 제2항에 따른 자본적 지출을 한 경우에는 이를 납세자의 부담으로 한다.

② 법 제61조 제1항 단서에서 "그 물납재산이 매각되었거나 다른 용도로 사용되고 있는 경우 등 대통령령으로 정하는 경우"란 다음 각 호의 어느 하나에 해당하는 경우를 말한다.

1. 해당 물납재산이 매각된 경우 2. 해당 물납재산의 성질상 분할하여 환급하는 것이 곤란한 경우
3. 해당 물납재산이 임대 중이거나 다른 행정용도로 사용되고 있는 경우
4. 해당 물납재산에 대한 사용계획이 수립되어 그 물납재산으로 환급하는 것이 곤란하다고 인정되는 경우

③ 물납재산의 수납 이후 발생한 과실(법정과실 및 천연과실을 말한다)은 납세자에게 환급하지 아니한다.

| 최근 개정법령 _ 2016.1.1. | 물납재산의 환급규정 신설(법 제76조의 2, 영 제64조의 2)

종전 규정에 따르면 물납재산에 대한 환급규정이 없어 국세의 관련을 준용하고 있었다. 그러나 세목의 특성 등의 차이로 적용상 혼란의 소지가 있었고, 이에 대해 관련 규정을 명확히 하였는바, 지방세에 적합한 물납재산 환급규정을 신설하고 관리비용의 부담 주체, 환급불가 사유 등을 시행령으로 위임하였다(※ 국세의 경우 상속세, 증여세, 소득세, 법인세, 종부세 물납제도 운영).

제62조(지방세환급가산금)

법 제62조(지방세환급가산금) ① 지방자치단체의 장은 지방세환급금을 제60조에 따라 충당하거나 지급할 때에는 다음 각 호의 구분에 따른 날의 다음 날부터 충당하는 날 또는 지급결정을 하는 날까지의 기간과 금융회사의 예금이자율 등을 고려하여 대통령령으로 정하는 이율에 따라 계산한 금액(이하 "지방세환급가산금"이라 한다)을 지방세환급금에 가산하여야 한다. 〈개정 2017.12.26.〉

1. 착오납부, 이중납부 또는 납부 후 그 납부의 기초가 된 신고 또는 부과를 경정(제6호 및 제7호에 해당하는 경우는 제외한다)하거나 취소함에 따라 발생한 지방세환급금의 경우에는 그 지방세의 납부일. 다만, 그 지방세가 둘 이상의 납기가 있는 경우와 2회 이상 분할납부된 경우에는 그 마지막 납부일로 하되, 지방세환급금이 마지막에 납부된 금액을 초과하는 경우에는 그 금액이 될 때까지 납부일의 순서로 소급하여 계산한 지방세의 각 납부일로 하며, 특별징수에 의한 납부액은 해당 세목의 법정신고기한 만료일에 납부된 것으로 본다.
2. 「지방세법」 제128조 제3항에 따라 연세액(年稅額)을 일시납부한 경우로서 같은 법 제130조에 따른 세액의 일할계산(日割計算)으로 인하여 발생한 환급금의 경우에는 소유권이전등록일·양도일 또는 사용을 폐지한 날. 다만, 납부일이 소유권이전등록일·양도일 또는 사용을 폐지한 날 이후일 경우 그 납부일로 한다.
3. 적법하게 납부된 지방세의 감면으로 발생한 지방세환급금의 경우에는 그 결정일
4. 적법하게 납부된 후 법령 또는 조례가 개정되어 발생한 지방세환급금의 경우에는 그 법령 또는 조례의 시행일
5. 이 법 또는 지방세관계법에 따른 환급세액의 신고 또는 잘못된 신고에 따른 경정(제6호에 해당하는 경우는 제외한다)을 원인으로 하여 지방세를 환급하는 경우에는 그 신고를 한 날(법정신고기일 전에 신고한 경우에는 그 법정신고기일)부터 30일이 지난 날. 다만, 환급세액을 신고하지 아니함에 따른 결정으로 발생한 환급세액을 환급하는 경우에는 그 결정일부터 30일이 지난 날로 한다.
6. 제50조에 따른 경정의 청구에 따라 납부한 세액 또는 환급한 세액을 경정함으로 인하여 환급하는 경우에는 그 경정청구일(경정청구일이 지방세 납부일보다 이른 경우에는 지방세 납부일)
7. 다음 각 목의 어느 하나에 해당하는 사유로 지방소득세를 환급하는 경우에는 지방자치단체의 장이 지방세환급금으로 결정한 날부터 30일이 지난 날
   가. 제50조에 따른 경정청구 없이 세무서장 또는 지방국세청장이 결정 또는 경정한 자료에 따라 지방소득세를 환급하는 경우
   나. 「지방세법」 제103조의 62에 따라 법인지방소득세 특별징수세액을 환급하는 경우
   다. 「지방세법」 제103조의 64 제3항 제2호에 따라 지방소득세를 환급하는 경우

② 제60조 제6항에 따라 지방세환급금을 지방세에 충당하는 경우 지방세환급가산금은 지급결정을 한 날까지 가산한다.

③ 제1항 및 제2항에서 규정한 사항 외에 지방세환급가산금에 관하여 필요한 사항은 대통령령으로 정한다.

영 제43조(지방세환급가산금의 계산) 법 제62조 제1항 각 호 외의 부분에서 "대통령령으로 정하는 이율"이란 「국세기본법 시행령」 제43조의 3 제2항에 따른 이자율을 말한다.

지방세환급가산금은 환급금에 대하여 법정이자 상당액을 지방자치단체가 변상하는 제도이다. 이는 납세의무자가 지방세를 체납했을 때 가산금을 징수하는 제도와 형평을 이루고 있다. 지방자치단체의 장은 지방세환급금을 충당하거나 지급결정을 하는 때에는 지방세환급가산금을 결정하여야 한다.

일반적인 환급가산금의 기산일은 착오납부 등은 납부일, 감면의 경우는 결정일이지만, 납세자가 환급세액을 신고 또는 잘못된 신고에 따른 경정을 원인으로 하여 지방세를 환급하는 경우에는 세액계산, 환급세액 결정, 통보소요 시간 등을 감안, 그 신고일로부터 30일이 경과한 때를 기산일로 규정하고 있다.

- **환급가산금 계산의 대상금액 :** 「지방세기본법」 제62조의 규정에 의한 환급가산금의 계산에 있어서 그 대상이 되는 금액에는 납세자가 납부한 본세, 가산금, 중가산금, 체납처분비 및 연부연납이자세액이 포함된다(예규 기법 77-1).
- **지방세환급가산금의 기산일**(예규 기법 62-2)
  1. 당초 감면 대상자에 대한 추후 감면 적용으로 지방세환급금이 발생한 경우에는 「지방세기본법」 제77조 제1항 제1호를 적용한다.
  2. 연부계약의 경개계약이나 해제에 따라 지방세환급금이 발생한 경우에는 「지방세기본법」 제77조 제1항 제1호를 적용한다.
  3. 「지방세특례제한법」 제4조 제4항에 따라 지방세환급금이 발생한 경우에는 「지방세기본법」 제77조 제1항 제3호를 적용한다.
  4. 조례의 개정으로 지방세환급금이 발생한 경우에는 「지방세기본법」 제77조 제1항 제4호를 적용한다.
  5. 취득세를 비과세, 과세면제 또는 경감 받은 후에 해당 과세물건이 취득세 부과대상 또는 추징대상이 되어 농어촌특별세의 환급금이 발생한 경우에는 「지방세기본법」 제62조 제1항 제1호를 적용한다.

| 최근 개정법령 _ 2016.1.1. | 환급가산금 기산일을 납부일의 다음날에서 경정청구일의 다음날로 변경(법 제77조 ① 6호)

종전 규정에 따르면 지방세법상 납세자가 과다 신고 납부하거나 환급세액을 과소 신고하여 경정을 거쳐 환급세액이 결정되는 경우, 그 환급가산금 기산일을 납부일의 다음날로 규정하고 있다. 그 결과 특별징수와 경정청구로 인한 환급금 발생시 환급가산금의 이자계산 기산일이 국세와 불일치하여 지방소득세 운영 과정 등에서 혼란이 발생할 여지가 있었고, 그에 따라 이를 보완한 것이다.

| 최근 개정법령_2017.3.28.| 지방세환급금 정비(법 제60조, 제62조)

지방세환급금 충당의 대상이 되는 지방자치단체의 징수금 가운데 "체납된 지방자치단체의 징수금"의 용어를 "체납액"으로 변경하였다. 그리고 현행법에서 법률 개정에 따른 지방세환급가산금의 기산일만을 규정하고 있어 시행령 · 시행규칙 및 조례의 개정에 따른 지방세환급금의 기산일을 보완할 필요가 있어 법령 또는 조례가 개정되어 발생한 지방세환급가산금의 기산일을 그 법령 또는 조례 시행일의 다음 날로 하였다. 또한 현행법에서는 세무서 또는 지방자치단체가 신고 또는 부과를 경정하거나 취소함으로 인한 지방세환급금의 기산일은 지방세 납부일의 다음 날로, 납세자가 직접 경정청구한 경우의 기산일은 경정청구일의 다음 날로 규정하고 있어 유사한 사안에 대하여 세무서 또는 지방자치단체가 직권으로 신고 또는 부과를 경정하거나 취소한 경우 납세자에게 더 유리한 기산일을 적용하고 있다는 점, 국세의 경우에도 경정 또는 결정으로 인하여 환급하는 경우 국세환급가산금의 기산일을 국세환급세액 결정일부터 30일이 지난 날의 다음 날로 규정하고 있다는 점 등을 고려하여 법인지방소득세 특별징수세액을 환급하거나 세무서장 또는 지방국세청장이 결정 또는 경정한 자료에 따라 지방소득세를 환급하는 경우의 기산일을 지방자치단체의 장이 지방세환급금 결정일부터 30일이 지난 날의 다음 날로 하였다.

| 최근 개정법령_2020.1.1.| 자동차세 환급가산금 기산일 명확화(법 §62 ①)

자동차세 연세액(年稅額) 일시납부 후 소유권이전에 따른 일할계산으로 인한 환급가산금 기산일은 소유권이전등록일 · 양도일 또는 사용을 폐지한 날이 원칙이나, 납부일이 소유권이전등록일 · 양도일 또는 사용을 폐지한 날 이후에 납부한 경우에는 그 납부일의 다음날을 기산일로 보완하였다.

1) 환급가산금 적용

◎ 체납처분절차에서 지방세에 잘못 배분된 금액은 환부이자를 가산하여 지급하여야 함

그것이 지방자치단체의 장이 스스로 개시한 체납처분절차에서 잘못 배분한 것이든 이미 개시된 체납처분절차에서 교부청구를 하여 잘못 배분받은 것이든 불문하고, 이를 지방세에 우선하는 채권자에게 지급함에 있어서 지방세법 제46조에 의한 환부이자를 가산하여 지급하여야 함(대법원 2007다84697, 2009.1.30.).

◎ 부과처분과 물납허가처분이 취소되어 납세자가 물납 부동산을 반환받는 경우, 환급가산금 규정이 유추 적용되지 않음(대법원 98다63278, 2000.11.28.).

◎ 지방세기본법상 환급가산금은 민법에 대한 특칙이므로 민법상 규정을 따를 필요가 없음

피고는 원고가 납부한 과오납금에 대하여 그 납부일 다음날부터 원고의 반환 청구일까지는 지방세기본법 등의 환급가산금 규정에 의한 법정이자를 지급할 의무를 부담하고, 이는 민법상 법정이자 규정에 대한 특칙으로서 민법상 법정이자에 관한 규정이 적용될 여지가 없으므

로, 이에 따라 피고가 민법상 법정이자가 아닌 위 지방세기본법 등의 규정에 따른 환급가산금 118,310원을 지급하겠다고 통보한 것은 정당함. … 원고는 소송촉진 등에 관한 특례법이 정한 연 20%의 이율을 주장하나, 소송촉진 등에 관한 특례법상의 법정이율은 금전채무의 이행을 명하는 판결을 선고할 경우에 관한 것으로서, 행정처분을 취소하는 내용의 행정소송에는 적용될 여지가 없음(대법원 2015다214097, 2016.8.31.).

◎ **당해연도 법인세분이 결손되어 차감조정이 없어 환급할 경우 환급가산금을 적용**

동 단서조항은 동일법인이 수개 사업연도분의 법인세액을 추가납부 또는 환급받았을 경우 그 세액이 소액임에도 매번 납부 또는 환부받아야 하는 납세자의 번거로움을 덜어주기 위한 규정(세정 13407-1339, 1996.11.20.)으로 볼 수 있음. 따라서, 2010년 결손으로 인해 가감조정할 세액 없이 환급세액만 발생하여 A법인이 환급세액을 청구한 경우 타 지방세 환급과 마찬가지로 지방세기본법 제76조 및 제77조에 따른 지방세환급금과 지방세환급가산금을 적용하는 것이 지방세법 제91조 단서규정의 입법 취지 및 관련 유권해석을 종합적으로 고려할 때 타당함(지방세운영과-4494, 2011.9.21.).

2) 환급가산금 기산일

◎ **연부계약이 경개계약으로 인해 매수자가 A에서 B로 변경된 경우 당초 A는 후발적 사유에 해당되어 경정청구가 가능하고, 환급금 기산일은 경정청구의 다음날임**

지방세기본법상 과세표준 신고서를 법정신고기한까지 제출한 자는 최초의 신고·결정 또는 경정을 할 때 과세표준 및 세액의 계산근거가 된 거래 또는 행위 등의 효력과 관계되는 계약이 해당 계약의 성립 후 발생한 부득이한 사유로 해제되거나 취소된 경우 그 사유가 발생한 것을 안 날부터 3개월 이내에 결정 또는 경정을 청구할 수 있고, 따라서, 연부계약이 경개계약으로 매수자가 A에서 B로 바뀐 경우에는 후발적 사유에 해당되어(조심 2016지0391, 2016.10.31.) 경정청구가 가능하고, 지방세기본법상(제62조 ① 6호)에 따라 경정의 청구에 따라 환급하는 경우에는 그 경정청구일(납부일보다 이른 경우에는 납부일)의 다음날을 환급가산금의 기산일임(행안부 지방세정책과-1848, 2019.5.10.).

◎ **지방소득세의 환급은 경정청구를 거치지 아니하고, 세무서의 종합소득세 환급에 따라 이루어진 것인 이상, 지방소득세의 환급결정일로부터 30일이 지나야 적용**

(사실관계) 2014.12.22. 종합소득세 수정신고서를 세무서장에게 제출하면서, 지방소득세도 신고납부, 세무서는 2017.11.28. 청구인이 납부한 종합소득세를 착오납부로 보아 환급가산금(기산일 : 2014.12.22.)을 가산하여 전액환급, 지자체는 환급가산금 미지급. (판단) 법 제62조 제1항 제7호 가목에서 경정청구 없이 세무서장이 결정·경정한 자료에 따라 지방소득세를 환급하는 경우 지자체장이 지방세환급금으로 결정한 날부터 30일이 지난 날의 다음날부

터 가산하도록 규정하고 있는바, 지방소득세 환급은 경정청구를 거치지 아니하고, 세무서의 환급에 따라 이루어진 이상, 지방소득세 환급결정일(2017.12.27.)로부터 30일이 지나지 않아 환급가산금을 지급하지 않는 것이 타당(조심 2018지1179, 2019.1.16)

◎ **법인세분 지방소득세를 신고납부한 후 경정결정으로 추가 납부하였는 바, 이후 최초 신고납부한 세액이 경정된 경우 최초 신고납부를 기준으로 환급기산일 적용**

2006년 귀속 법인세분 지방소득세를 2007.7.31. 최초 신고 납부한 다음 2011.7.28. 경정결정에 따른 지방소득세를 추가 납부하였으나, 2011.10.11. 2007년 신고 납부분에 대한 경정으로 인해 환급세액으로 결정된 경우 2007년 납부일이 지방소득세 환급가산금의 기산일임. 즉 법인세 추가납부 이후 발생한 환급세액이 당초 2007년도에 신고납부한 세액의 경정에 따라 발생한 것이 명백하다면 그에 대한 환급금은 2007년 납부일부터 기산해야 하는 것으로 보임(지방세분석과-793, 2013.5.10.).

☞ [유사사례] 법인세 환급사유가 발생한 한미조세협약에 의한 상호합의 건은 법인세 추가납부가 발생한 우주항공 사업부문과는 별개의 사안으로 보임. 따라서 법인세 경정결정 관련 법인세할 주민세 환부이자의 기산일은 당초 신고납부한 법인세할 주민세 납부일의 익일로 계산함이 타당함(시군세-113, 2008.3.25.).

◎ **담배소비세의 환급가산금 기산일은 환급신청일로부터 30일이 경과한 다음날임**

담배의 훼손 등으로 인하여 담배소비세를 환급하게 되는 경우 그 환급이자에 대한 기산일을 담배소비세 납부일이 아닌 담배소비세 환급신청일로부터 30일이 경과한 다음날이 됨(대법원 2003다25812, 2003.10.9.).

◎ 법령에 따라 지방세가 면제대상임에도 착오로 납부한 경우에는 착오로 납부한 날의 익일부터 환급이자가 기산되어야 할 것으로 판단됨(지방세운영과-571, 2008.8.11.).

◎ 지방세법 제47조 제1호의 규정에 의거 지방세환급금이 2 이상의 납기 또는 2회 이상 분할납부 또는 납입된 것인 때에는 그 최후의 납부 또는 납입일의 익일이 환부이자의 기산일이 되므로 최후의 납부일의 익일이 환부이자의 기산일이 됨(세정 13407-1123, 1999.9.9.).

◎ **등록세를 적법하게 납부한 이후 법률의 변경으로 과오납금이 발생한 경우 환부이자 기산일**

구 「지방세법」 제47조 제3호에서 환부이자 기산일을 법률로만 한정하고 있는 점, 「조세특례제한법」 제119조 ① 31호에서 공공기관이 민영화 등의 구조개편을 위해 2010.12.31.까지 분할을 하는 경우 등록세(법인설립)를 면제하면서 그 범위 등을 대통령령에 위임하고 있지만, … 시행령 규정이 없더라도 위 「조특법」 그 자체만으로도 변경의 효과를 가져 올 수 있다고 볼 수 있는 점, 청구법인은 위 조세특례제한법령의 관련 조항이 신설되기 이전에 이미 민영화 등의 구조개편을 위해 ○○○이 개정되어 설립된 점 등을 종합하여 볼 때, 이 건 등록세

환부이자 기산일을 위「조세특례제한법」시행일의 익일인 2010.1.2.이며「조특법 시행령」시행일의 익일이 아님(조심 2010지569, 2011.2.11.).

제63조(지방세환급금에 관한 권리의 양도)

법 제63조(지방세환급금에 관한 권리의 양도) 납세자의 지방세환급금(환급가산금을 포함한다)에 관한 권리는 대통령령으로 정하는 바에 따라 타인에게 양도할 수 있다.

영 제44조(지방세환급금의 양도) ① 납세자는 법 제63조에 따라 지방세환급금을 타인에게 양도하려는 경우에는 다음 각 호의 사항을 적은 신청서를 해당 지방자치단체의 장에게 제출하여야 한다.

1. 권리자(양도인)의 성명과 주소 또는 영업소 2. 양수인의 성명과 주소 또는 영업소
3. 양도하려는 지방세환급금이 발생한 연도 · 세목과 금액

② 지방자치단체의 장은 제1항에 따른 신청서를 접수하였을 때에는 양도인과 양수인의 다른 체납액이 없으면 이에 응하여야 한다.

③ 제1항에 따른 지방세환급금 양도 신청이 있는 경우 지방자치단체의 장은 그 처리 결과를 7일 이내에 양도인과 양수인에게 통지하여야 한다.

지방세환급금을 받을 권리도 일반재산권의 양도와 마찬가지로 재산권의 일종이므로 타인에게 양도할 수 있다. 납세자가 자신이 환급받을 조세환급금채권을 타인에게 양도한 다음 양도인 및 양수인의 주소와 성명, 양도하고자 하는 권리의 내용 등을 기재한 문서로 과세관청의 장에게 통지하여 그 양도를 요구하면, 과세관청의 장은 양도인이 납부할 다른 체납 조세 등이 있는지 여부를 조사 · 확인하여 체납 조세 등이 있는 때에는 지체 없이 체납 조세 등에 먼저 충당한 후 그 잔여금이 있으면 이를 양수인에게 지급하여야 한다. 지방세환급금의 권리가 양도되면 지방세환급가산금의 권리도 함께 양도되어 양수인에게 가산금이 환급되는 것이다.

지방세환급금의 양도신청에 따른 처리방법을 보면, 지방세환급금의 양도신청을 접수한 지방자치단체의 장은 양도자와 양수자의 체납조회(전국 체납조회를 포함한다)를 하여야 하며, 체납액(타 지방자치단체의 체납액을 포함한다)이 있을 경우에는 양도를 허가하지 않아야 한다(예규 기법 63…44-1).

| 최근 개정법령 _ 2016.1.1. | 지방세환급금의 양도 · 양수요건 보완(영 제66조 ②)

지방세환급금 양도 · 양수 신청시 양도인의 미납금(지방세 체납액, 고지 후 납부기한이 도래하지 않은 지방세)이 없을 경우에는 양도를 허가하고 있는 바, 양도인과 달리 양수인에 대해서는

미납금이 있더라도 환급금으로 충당할 수 있는 규정이 없어 체납액 징수가 불가하였다. 이에 따라 환급금 양수자가 미납금이 있을 경우 양수받는 환급금으로 충당할 수 있도록 신설하였다.

◎ **환급금의 양수인이 적법하게 요구한 환급요구를 세무서장이 거부하더라도 환급금 채권은 확정적으로 양수인에게 귀속됨. 즉, 양도인의 체납 국세에 충당하는 경우 소급효가 없음**

세무서장이 적법한 양도 요구를 받았음에도 지체 없이 충당을 하지 않는 경우에는 양수인이 양수한 환급금채권은 확정적으로 양수인에게 귀속되고, 그 후 세무서장이 양도인의 체납 국세에 충당을 하더라도 충당에는 소급효가 없어 장래에 향하여만 효력이 있으므로, 이러한 충당은 결국 양수인에게 확정적으로 귀속되어 더 이상 양도인 소유가 아닌 재산에 대하여 조세채권을 징수한 결과가 되어 그 효력이 발생하지 아니함(대법원 2002다31834, 2003.9.26.).

◎ **지방세환급금에 관한 권리의 양도**(예규 기법 63…44-2)

법 제63조에 따라 지방세환급금에 관한 권리를 양도한 경우에, 양도인과 양수인간에 지방세환급가산금에 관한 특별한 약정이 없는 때에는 다음 각호에 따라 환급한다.

1. 지방세환급금 전액을 양도한 때에는 양수인에게 지방세환급가산금을 충당 또는 환급한다.
2. 지방세환급금 중 일부를 양도·양수한 때에는 그 양도·양수한 금액에 대하여 양도한 날을 기준으로 양도일까지의 가산금은 양도인에게 충당 또는 환급하고, 양도일의 다음 날부터 지급일까지의 가산금은 양수인에게 충당 또는 환급한다.

제64조(지방세환급금의 소멸시효)

> **법** 제79조(지방세환급금의 소멸시효) ① 지방세환급금과 지방세환급가산금에 관한 납세자의 권리는 행사할 수 있는 때부터 5년간 행사하지 아니하면 시효로 인하여 소멸한다.
>
> ② 제1항의 소멸시효에 관하여는 이 법 또는 지방세관계법에 별도의 규정이 있는 것을 제외하고는 「민법」을 따른다. 이 경우 지방세환급금 또는 지방세환급가산금과 관련된 과세처분의 취소 또는 무효확인 청구의 소 등 행정소송을 청구한 경우 그 시효의 중단에 관하여는 「민법」 제168조 제1호에 따른 청구를 한 것으로 본다.
>
> ③ 제1항의 소멸시효는 지방자치단체의 장이 납세자의 지방세 환급청구를 촉구하기 위하여 납세자에게 하는 지방세 환급청구의 안내·통지 등으로 인하여 중단되지 아니한다. 〈신설 2018.12.24.〉

지방세환급금과 지방세환급가산금에 대한 청구권은 이를 행사할 수 있는 때로부터 5년간 행사하지 아니하면 소멸시효가 완성된다. 소멸시효에 대하여는 별도의 규정이 있는 경우를 제외하고는 민법의 규정에 따르도록 하고 있다.

| 최근 개정법령 _ 2016.1.1.| 행정소송을 소멸시효 중단사유로 규정(법 제79조 ② 단서)

현행법상 소멸시효에 관하여는 이 법 또는 지방세관계법에 별도의 규정이 있는 것을 제외하고는 「민법」을 따르도록 규정하고 있는데, 행정소송으로 인한 환급금 등의 청구는 「민법」상의 "청구"에 해당되지 않아 시효중단 사유로 인정되지 않는다. 그런데, 소송으로 인한 환급청구는 대부분 부과처분의 취소 등 행정소송으로 청구되므로 행정소송으로 환급금 등을 청구하는 경우에도 소멸시효가 중단될 수 있도록 하여 납세의무자의 법익을 보호할 수 있게 하였다.

※ 「민법」 제168조(소멸시효의 중단사유) 소멸시효는 다음 각 호의 사유로 인하여 중단된다.

1. 청구 2. 압류 또는 가압류, 가처분 3. 승인

◎ **지방세환급금의 소멸시효 기산일**(예규 기법 64-1)

「지방세기본법」 제64조에서 「지방세환급금에 관한 권리를 행사할 수 있는 때」라 함은 「지방세기본법」 제62조 제1항 각 호의 날을 말한다. 다만, 납부 후 그 납부의 기초가 된 신고 또는 부과를 경정하거나 취소하여 지방세환급금이 발생된 경우에는 경정결정일 또는 부과취소일을 말하며, 연부계약의 경개계약이나 해제로 지방세환급금이 발생한 경우에는 계약해제일을 말한다.

1. 착오납부, 이중납부 또는 납부 후 그 납부의 기초가 된 신고 또는 부과를 경정하거나 취소함으로 인한 지방세환급금의 경우에는 그 납부일
3. 적법하게 납부된 지방세에 대한 감면으로 인한 지방세환급금의 경우에는 그 결정일
4. 적법하게 납부된 후 법률의 개정으로 인한 지방세환급금의 경우에는 그 법률의 시행일
5. 납세자가 이 법 또는 지방세관계법에 따른 환급세액을 신고 또는 잘못된 신고에 따른 경정을 원인으로 하여 지방세를 환급하는 경우에는 그 신고를 한 날(신고한 날이 법정 신고기일 전인 경우에는 해당 법정신고기일)부터 30일이 지난 때. 다만, 환급세액을 신고하지 아니함에 따른 결정으로 발생한 환급세액을 환급할 때에는 그 결정일부터 30일이 지난 때로 한다.

◎ **농어촌특별세환급금의 소멸시효 기산일**(예규 기법 64-2)

취득세를 비과세, 과세면제 또는 경감 받은 후에 해당 과세물건이 취득세 부과대상 또는 추징대상이 되었을 때 발생하는 농어촌특별세의 환급금에 대한 소멸시효 기산일은 그 본세인 취득세의 경정결정일을 말한다.

◎ **법인세분 주민세는 산출 기초가 되는 국세의 경정일을 환급금의 소멸시효기산일로 봄**

법인세법 제72조에 따른 환급으로 인하여 세액이 달라진 경우에는 그 환급세액에 따라 소득분의 세액을 환급하도록 되어 있으므로 주민세(법인세분) 환급금 소멸시효의 기산은 법인세액이 감액 경정된 날부터 하는 것이 합리적임(지방세분석과-1638, 2013.7.8.).

◎ 착오부과에 따른 환급청구 소멸시효 기산점은 지방세를 납부한 날임

지방자치단체의 장이 법령의 개정으로 과세 근거규정이 없어졌음에도 지방세를 부과하여 납부자가 이를 납부한 경우에 지방세환급금에 관한 권리의 소멸시효 기산점인 "이를 행사할 수 있는 때"는 납세자가 지방세를 납부한 날이라고 할 것임(법제처 법령해석 12-0675, 2012.12.14.).

◎ 압류금지 재산 압류를 무효로서 시효중단 효력도 발생되지 아니함

압류금지 재산(개인별 예금잔액이 120만원 미만인 예금)을 압류한 경우 압류해지시까지 개인별 예금잔액이 120만원 미만이라면 이 압류는 국세징수법 제31조에 따라 무효인 행정행위에 해당하므로 지방세기본법 제40조의 규정에 의한 시효의 중단효력도 발생하지 않는다고 할 것임(지방세분석과-639, 2013.2.26.).

◎ 지방세환급 청구권의 소멸시효인 5년이 경과하기 전에 납세자가 사망하여 상속인이 그 청구권을 승계한 경우 지방세환급 청구권의 소멸시효는 정지됨

지방세기본법에서는 지방세환급금 등의 소멸시효만 규정되어 있을 뿐 시효의 중지 및 정지 등에 대해서는 민법을 따르도록 하고 있으므로 귀문의 경우와 같이 납세자가 지방세법상 감면대상인 취득세액을 납부한 다음 5년 이내에 사망하고 그 상속자가 재산을 상속받는 경우에는 민법 제181조의 규정에 따라 상속 확정일부터 6월 동안 지방세환급금 청구권의 소멸시효가 정지된다고 할 것임(지방세분석과-643, 2013.2.26.).

◎ 확정판결일 익일부터 과오납환부청구권이 발생되어 소멸시효가 기산되는 것임

소멸시효는 객관적으로 권리가 발생하여 그 권리를 행사할 수 있는 때로부터 진행하고 그 권리를 행사할 수 없는 동안만은 진행하지 않는 것으로서, "권리를 행사할 수 없는"경우라 함은 그 권리행사에 법률상의 장애사유, 예컨대, 기간의 미도래나 조건불성취 등이 있는 경우를 말하는 것(대법원 2003두10763, 2004.4.27.)인 바, 동 규정에서 "그 권리를 행사할 수 있는 때"라 함은 근로소득세를 경정토록 확정판결을 받음에 따라 비로소 근로소득세가 감액되고 이를 과세표준으로 하여 납부하는 지방소득세(구 주민세)의 경우도 비로소 감액사유가 발생되는 것이어서 확정판결일 익일부터 과오납환부청구권이 발생되어 기산(세정과-1487, 2004.6.7. 참조)되어야 함(지방세운영과-831, 2010.2.26.).

◎ 그 위법이 중대하고도 명백하여 당연 무효이거나 신고 또는 부과처분의 부존재로 인한 부당이득금반환청구권의 경우도 민법과 달리 소멸시효기간은 5년이 적용됨

구 지방세법 제48조 ②은 "… 5년간 행사하지 아니할 때에는 시효로 인하여 소멸한다."고 규정하고 있는 바, 위 규정에 따른 5년의 소멸시효기간이 적용되는 징수금의 오납에는, 납부 또는 징수의 기초가 된 신고(신고납세의 경우) 또는 부과처분(부과과세의 경우)에 단순히 취소할 수 있는 위법사유가 있는 경우뿐만 아니라 그 위법이 중대하고도 명백하여 당연무효

이거나 신고 또는 부과처분이 부존재하여 그로 인한 부당이득반환청구권을 바로 행사할 수 있는 경우도 포함됨(대법원 96다29878, 1996.11.12.).

☞ 소멸시효기간에 관한 일반 규정인 민법 제162조 제1항을 적용하여 그 소멸시효기간을 10년으로 보아야 한다는 원고의 주장을 배척

◎ 당연무효인 경우 이러한 오납금은 납부 또는 징수시가 소멸시효 기산일

과세처분이 부존재하거나 당연무효인 경우에 이러한 오납금은 법률상 원인이 없이 납부 또는 징수된 것이므로, 납부 또는 징수시가 소멸시효 기산일임(대법원 88누6436, 1989.6.15.).

◎ 소유권 취득이 원인무효인 경우 그 확정판결일로부터 5년 이내에 취득세 환부청구 가능

실체적인 법률관계에 있어서 그 소유권을 취득한 것이라고 볼 수 없는 원인무효의 등기명의자는 취득세의 납세의무자가 될 수 없다 할 것(대법원 2006두14384, 2007.1.25. 참조)이므로, 부동산을 취득·등기한 후 법원에서 법률상 원인무효에 해당하여 소유권이전등기의 말소등기절차를 이행하라는 확정판결을 받은 경우 원인무효 사유로 그 말소를 명하는 판결이 확정된 시점에 매수인의 해당 부동산 취득은 법률상 무효가 되어 취득으로 볼 수 없으므로 소유권말소등기가 이행되지 않은 상태라 하더라도 기 납부한 취득세는 원인무효 확정판결일로부터 5년 이내에 환부청구를 할 수 있음(지방세운영과-1710, 2009.4.29.).

◎ 위법 또는 부당한 처분에 의한 재산세라 하더라도 5년 이내에 청구하지 아니하면 소멸

지방세법 제186조 제5호에서 보안림 등의 임야에 대해서는 재산세를 용도구분에 의한 비과세를 하도록 되어 있으므로 재산세의 부과징수가 위법 또는 부당한 것임을 확인한 때에는 지방세법 제25조의 2의 규정에 따라 즉시 그 처분을 취소하거나 변경할 수 있음. 다만, 지방세법 제30조의 5 제2항에서 과세관청의 과오로 인하여 생긴 과오납금은 그 권리를 행사할 수 있는 날로부터 5년간 그 권리를 청구하지 않는 경우에는 시효로 소멸하도록 별도로 규정하고 있으므로, 위법 또는 부당한 처분에 의한 재산세 부과라 하더라도 과세관청에 과오납된 재산세액을 청구하지 않은 경우라면 1986년~1997년 부과분에 대한 재산세 환급은 법령상 불가함(지방세운영과-2552, 2008.12.17.).

◎ 과세처분의 취소 또는 무효확인청구의 소가 비록 행정소송이라고 할지라도 조세환급을 구하는 부당이득반환청구권의 소멸시효중단사유인 재판상 청구에 해당한다고 볼 수 있음(대법원 91다32053, 1992.3.31.).

◎ 소멸시효가 진행되지 않는 '권리를 행사할 수 없다'라고 함은 그 권리행사에 법률상의 장애사유, 예컨대 기간의 미도래나 조건불성취 등이 있는 경우를 말하는 것이고, 사실상 권리의 존재나 권리행사 가능성을 알지 못하였고 알지 못함에 과실이 없다고 하여도 이러한 사유는 법률상 장애사유에 해당하지 않음(대법원 84누572, 1984.12.26.).

제2절 납세담보

제65조(담보의 종류)

> **법** 제65조(담보의 종류) 이 법 또는 지방세관계법에 따라 제공하는 담보(이하 "납세담보"라 한다)는 다음 각 호의 어느 하나에 해당하는 것이어야 한다.
> 1. 금전 2. 국채 또는 지방채 3. 지방자치단체의 장이 확실하다고 인정하는 유가증권 4. 납세보증보험증권 5. 지방자치단체의 장이 확실하다고 인정하는 보증인의 납세보증서 6. 토지 7. 보험에 든 등기되거나 등록된 건물·공장재단·광업재단·선박·항공기 또는 건설기계

납세담보는 조세채권의 실현을 확보하기 위하여 납세자 등으로부터 제공 받은 물적·인적 담보를 말한다. 물적 담보는 납세자 또는 제3자의 특정재산에 대한 담보이고, 인적 담보는 보증인의 보증에 의한 담보이다.

납세담보는 세법에 의하여 납세의무자에게 담보제공의무가 과하여진 경우에 한하여 세법이 정한 절차에 따라 과세관청의 요구에 의하여 제공되는 공법상의 담보이다. 납세담보는 물적 담보를 원칙으로 하고, 그것이 불가능한 경우에는 인적 담보가 허용된다.

현행 지방세기본법 및 지방세관계법에서 납세담보를 필요로 하는 경우는 다음과 같다. ① 천재지변으로 등으로 인한 납부기한의 연장(지기법 제26조), ② 징수유예 등에 관한 담보(지징법 제27조), ③ 납세자에게 납기 전 징수사유가 있어서 납세자에게 부과를 하는 경우로서 그 지방세를 징수할 수 없다고 인정될 때(지징법 제22조), ④ 체납처분의 유예(지징법 제105조), ⑤ 담배소비세의 납세보전(지방세법 제64조), ⑥ 자동차 주행에 대한 자동차세 납세보전(지방세법 제137조의 2)에 대하여 규정하고 있다.

◎ 국세기본법 제29조 및 같은 법 운영예규 3-5-1…29에 의거 비상장주식은 납세담보로 제공할 수 없는 것임(국세청 징세 46101-1269, 2000.8.26.).

◎ 공탁서는 납세담보에 해당하지 아니함

○○공사는 ○○특별시 ○○지구 도시개발사업으로 편입되는 공공용지협의취득과 관련하여 피상속인에게 96억584만원을 지급하여야 하나, 피상속인의 사망으로 재산상속인들(청구인, 정○○, 정○○, 장○○ 등)간의 다툼으로 인하여 94억9,160만원 상당의 용지보상채권을 공탁한 것으로 나타난다. 살피건대, 공탁서는 국가에 대한 공탁물 출급청구권을 증명하는 서류 중의 하나에 불과하여 이를 국채·지방채 또는 유가증권에 해당된다고 볼 수 없음은 물론 「국세기본법」 제29조에 열거된 납세담보 중 어느 것에도 해당된다고 볼 수 없는 것이므로, 처분청이 청구인의 연부연납허가신청을 불허한 처분은 정당한 것임(조심 2010서4033, 2011.4.14.).

◎ 법 제85조 제3호의 지방자치단체의 장이 확실하다고 인정하는 유가증권

1. 한국은행 통화안정증권 등 특별법에 의하여 설립된 법인이 발행한 채권 2. 한국증권거래소에 상장된 법인의 사채권 중 보증사채 및 전환사채 3. 한국증권거래소에 상장된 유가증권 또는 금융투자협회에 등록된 유가증권 중 매매사실이 있는 것 4. 양도성 예금증서 5. 「자본시장과 금융투자업에 관한 법률」에 의한 수익증권 중 무기명 수익증권 6. 「증권투자신탁업법」에 의한 수익증권 중 환매청구 가능한 수익증권(예규 기법 65-1)

◎ 법 제65조 제5호의 지방자치단체의 장이 확실하다고 인정하는 보증인

1. 「은행법」의 규정에 의한 금융기관 2. 「신용보증기금법」의 규정에 의한 신용보증기금 3. 보증채무를 이행할 수 있는 자력이 충분하다고 지방자치단체의 장이 인정하는 자(예규 기법 65-2)

◎ 납세담보재산의 보험계약금액

「지방세기본법」 제65조 제7호에서 규정하는 「보험에 든 재산」인 경우 당해 재산의 보험계약금액은 그 재산에 의하여 담보된 지방세·가산금과 체납처분비의 합계액(선순위에 피담보채권이 있을 때는 그 피담보채권액을 가산한 금액) 이상이어야 한다(예규 기법 65-3).

제66조(담보의 평가)

법 제66조(담보의 평가) 납세담보의 가액은 다음 각 호에 따른다.
1. 국채, 지방채 및 유가증권 : 대통령령으로 정하는 바에 따라 시가(時價)를 고려하여 결정한 가액
2. 납세보증보험증권 : 보험금액 3. 납세보증서 : 보증액
4. 토지, 주택, 주택 외 건축물, 선박, 항공기 및 건설기계 : 「지방세법」 제4조 제1항 및 제2항에 따른 시가표준액
5. 공장재단 또는 광업재단 : 감정기관이나 그 재산의 감정평가에 관한 전문적 기술을 보유한 자의 평가액

영 제45조(납세담보 시 국채 등의 평가) 법 제66조 제1호에 따른 시가를 고려하여 결정한 가액은 법 제65조에 따른 납세담보(이하 "납세담보"라 한다)로 제공하는 날의 전날을 평가기준일로 하여 「상속세 및 증여세법 시행령」 제58조 제1항을 준용하여 계산한 가액으로 한다.

지방자치단체에 제공되는 납세담보의 가액은 국채 및 지방채는 시가, 유가증권은 담보제공 전날의 평가액, 납세보증보험증권은 보험금액, 납세보증서는 보증액, 토지, 주택, 주택 외 건축물, 선박, 항공기 및 건설기계 등은 「지방세법」 제4조 제1항 및 제2항에 따른 시가표준액, 공장재단 등은 감정평가액으로 평가하도록 하고 있다.

〈국세기본법 시행령〉

제13조(납세담보의 종류 및 평가) ③ 법 제30조 제1호에서 "대통령령으로 정하는 바에 따라 시가(時價)를 고려하여 결정한 가액"이란 담보로 제공하는 날의 전날을 평가기준일로 하여 「상속세 및 증여세법 시행령」 제58조 제1항을 준용하여 계산한 가액을 말한다.

납세담보의 평가 및 변경

「상속세 및 증여세법」 제71조의 규정에 의하여 연부연납을 신청하면서 「국세기본법」 제31조 및 같은 법 시행규칙 제9조의 규정에 따라 유가증권시장에 상장된 주식을 공탁하고 납세담보제공서 및 공탁수령증을 제출한 경우, 납세담보의 평가는 「국세기본법」 제30조 및 같은 법 시행령 제13조 제1항 제1호의 규정에 따라 납세담보제공서 및 공탁수령증을 제출한 날의 전일에 한국증권선물거래소가 공표하는 최종시세가액으로 하는 것이고, 납세자가 이미 제공한 납세담보를 변경하고자 하는 경우로서 「국세기본법 시행령」 제15조 제1항 각 호의 1에 해당하는 때에는 세무서장의 승인을 얻어 그 담보를 변경할 수 있는 것임(국세청 서면1팀-322, 2006.3.10.).

제67조(담보의 제공방법)

법 제87조(담보의 제공방법) ① 금전 또는 유가증권을 납세담보로 제공하려는 자는 이를 공탁하고 공탁영수증을 지방자치단체의 장에게 제출하여야 한다. 다만, 등록된 국채·지방채 또는 사채(社債)의 경우에는 담보제공의 뜻을 등록하고 등록확인증을 제출하여야 한다.

② 납세보증보험증권 또는 납세보증서를 납세담보로 제공하려는 자는 그 보험증권 또는 보증서를 지방자치단체의 장에게 제출하여야 한다.

③ 토지, 주택, 주택 외 건물, 선박, 항공기, 건설기계 또는 공장재단·광업재단을 납세담보로 제공하려는 자는 등기필증, 등기완료통지서 또는 등록확인증을 지방자치단체의 장에게 제시하여야 하며, 지방자치단체의 장은 이에 따라 저당권 설정을 위한 등기 또는 등록의 절차를 밟아야 한다.

영 제46조(납세담보의 제공) ① 법 제67조에 따라 납세담보를 제공하려는 자는 담보할 지방세의 100분의 120(현금 또는 납세보증보험증권의 경우에는 100분의 110) 이상의 가액에 상당하는 납세담보의 제공과 함께 행정안전부령으로 정하는 납세담보제공서를 제출하여야 한다. 다만, 그 지방세가 확정되지 아니한 경우에는 지방자치단체의 장이 정하는 가액에 해당하는 납세담보를 제공하여야 한다. 〈개정 2017.7.26.〉

② 법 제67조 제2항에 따라 납세담보로 제공하는 납세보증보험증권은 그 보험증권의 보험기간이 납세담보를 필요로 하는 기간에 30일 이상을 더한 것이어야 한다. 다만, 납부기한이 확정되지 아니한 지방세의 경우에는 지방자치단체의 장이 정하는 기간에 따른다.

③ 지방자치단체의 장은 납세자가 토지, 주택, 주택 외 건물, 선박, 항공기, 건설기계 또는 공장재단·광업재단을 납세담보로 제공하려는 경우에는 법 제67조 제3항에 따라 제시된 등기필증, 등기완료통지서 또는 등록확인증이 사실과 일치하는지 조사하여 다음 각 호의 어느 하나에 해당하는 경우에는 다른 담보를 제공하게 하여야 한다.

1. 법 또는 지방세관계법에 따라 담보제공이 금지되거나 제한된 경우. 다만, 주무관청의 허가를 받아 제공하는 경우는 제외한다. 2. 법 또는 지방세관계법에 따라 사용·수익이 제한된 것으로 납세담보의 목적을 달성할 수 없다고 인정된 경우 3. 그 밖에 납세담보의 목적을 달성할 수 없다고 인정된 경우

④ 보험에 든 주택, 주택 외 건물, 선박, 항공기, 건설기계 또는 공장재단·광업재단을 납세담보로 제공하려는 자는 그 화재보험증권을 제출하여야 한다. 이 경우 그 보험기간은 제2항을 준용한다.

⑤ 법 제67조 제3항에 따라 저당권을 설정하기 위한 등기 또는 등록을 하려는 경우에는 다음 각 호의 사항을 적은 문서로 등기·등록관서에 촉탁하여야 한다

1. 재산의 표시 2. 등기 또는 등록의 원인과 그 연월일 3. 등기 또는 등록의 목적 4. 저당권의 범위 5. 등기 또는 등록 권리자 6. 등기 또는 등록 의무자의 주소 또는 영업소와 성명

규칙 제23조(납세담보의 제공) ① 법 제67조 및 영 제46조 제1항에 따른 납세담보제공서는 별지 제29호서식의 납세담보제공서에 따른다.

② 법 제67조 제2항에 따른 납세보증서는 별지 제30호서식의 납세보증서에 따른다.

③ 법 제67조 제3항 및 영 제46조 제5항에 따른 저당권 설정을 위한 등기 또는 등록의 촉탁은 별지 제31호 서식의 납세담보에 따른 저당권설정 등기(등록) 촉탁서에 따른다.

납세담보는 담보할 지방세액의 120% 이상의 가액에 상당하는 담보를 제공하여야 한다. 그러나 그 담보물이 현금 또는 납세보증보험증권인 경우에는 담보할 지방세액의 110%이상이면 된다. 만약 납세담보의 제공시점 현재 피담보 지방세가 확정되지 아니한 경우에는 지방자치단체의 장이 정하는 가액으로 한다.

◎ 「지방세기본법」 제67조 제1항 단서에 따른 "담보제공의 뜻을 등록"이란 「국채법」 제9조와 「공사채 등록법」 제8조에 따른 등록을 말한다(예규 기법 67-1).

제68조(담보의 변경과 보충)

법 제68조(담보의 변경과 보충) ① 납세담보를 제공한 자는 지방자치단체의 장의 승인을 받아 담보를 변경할 수 있다.

② 지방자치단체의 장은 납세담보물의 가액 또는 보증인의 지급능력 감소, 그 밖의 사유로 그 납세담보로써 지방자치단체의 징수금의 납부를 담보할 수 없다고 인정하면 담보를 제공한 자에게 담보물 추가제공 또는 보증인 변경을 요구할 수 있다.

영 제47조(납세담보의 변경과 보충) ① 지방자치단체의 장은 납세자가 법 제68조 제1항에 따라 납세담보의 변경승인을 신청한 경우에는 다음 각 호의 어느 하나에 해당하면 이를 승인하여야 한다.

1. 보증인의 납세보증서를 갈음하여 다른 담보재산을 제공한 경우
2. 제공한 납세담보의 가액이 변동되어 과다하게 된 경우
3. 납세담보로 제공한 유가증권 중 상환기간이 정해진 것이 그 상환시기에 이른 경우

② 제1항에 따른 납세담보의 변경승인 신청 또는 법 제68조 제2항에 따른 납세담보물의 추가제공이나 보증인 변경의 요구는 문서로 하여야 한다.

납세자가 이미 제공한 납세담보의 변경을 요구하는 경우에 일정한 요건이 갖춘 경우 지방자치단체의 장은 이를 승인하여야 하며, 지방자치단체의 장은 납세담보물 가액의 감소 등의 경우 납세담보의 보충 또는 추가제공을 요구할 수 있다.

◎ 납세자가 제공한 납세담보가 공시지가 상승으로 평가액이 과다하게 된 경우, 「국세기본법 시행령」 제15조 제1항 제2호의 납세담보의 변경승인 신청사유에 해당되는 것임(국세청 서면1팀-742, 2007.6.7.).

제69조(담보에 따른 납부와 징수)~제70조(담보의 해제)

법 제69조(담보에 따른 납부와 징수) ① 납세담보로 금전을 제공한 자는 그 금전으로 담보한 지방자치단체의 징수금을 납부할 수 있다.

② 지방자치단체의 장은 납세담보를 제공받은 지방자치단체의 징수금이 담보의 기간에 납부되지 아니하면 대통령령으로 정하는 바에 따라 그 담보로써 그 지방자치단체의 징수금을 징수한다.

영 제48조(납세담보에 의한 납부와 징수) ① 법 제69조 제1항에 따라 납세담보로 제공한 금전으로 지방자치단체의 징수금을 납부하려는 자는 그 뜻을 적은 문서로 지방자치단체의 장에게 신청하여야 한다. 이 경우 신청한 금액에 상당하는 지방자치단체의 징수금을 납부한 것으로 본다.

② 지방자치단체의 장은 법 제69조 제2항에 따라 납세담보로 지방자치단체의 징수금을 징수하려는 경우 납세담보가 금전이면 그 금전을 해당 지방자치단체의 징수금에 충당하고, 납세담보가 금전 외의 것이면 다음 각 호의 구분에 따른 방법으로 징수하거나 환가한 금전을 해당 지방자치단체의 징수금에 충당한다.

1. 국채 · 지방채나 그 밖의 유가증권, 토지, 주택, 주택 외 건물, 선박, 항공기, 건설기계 또는 공장재단 · 광업재단인 경우 : 「지방세징수법」 제3장 제10절에서 정하는 공매절차에 따라 매각
2. 납세보증보험증권인 경우 : 해당 납세보증보험사업자에게 보험금의 지급을 청구
3. 납세보증서인 경우 : 법에서 정하는 납세보증인으로부터의 징수절차에 따라 징수

③ 제2항에 따라 납세담보를 환가한 금액이 징수할 지방자치단체의 징수금을 충당하고 남은 경우에는 「지방세징수법」 제3장 제11절에서 정하는 공매대금의 배분 방법에 따라 배분한 후 납세자에게 지급한다.

법 제70조(담보의 해제) 지방자치단체의 장은 납세담보를 제공받은 지방자치단체의 징수금이 납부되면 지체 없이 담보 해제 절차를 밟아야 한다.

영 제49조(납세담보의 해제) ① 법 제70조에 따른 납세담보의 해제는 그 뜻을 적은 문서를 납세담보를 제공한 자에게 통지함으로써 한다. 이 경우 납세담보를 제공할 때 제출한 관계 서류가 있으면 그 서류를 첨부하여야 한다.

② 제1항을 적용할 때 제46조 제5항에 따라 저당권의 등기 또는 등록을 촉탁한 경우에는 같은 항 각 호에 준하는 사항을 적은 문서로 등기 · 등록관서에 저당권 말소의 등기 또는 등록을 촉탁하여야 한다.

지방자치단체의 장은 납세담보의 제공을 받은 지방자치단체 징수금이 담보의 기간 내에 납부되지 아니한 때에는 그 담보로서 징수금으로 징수하고, 납세담보의 목적이 되는 지방자치단체의 징수금이 납부되면 납세담보는 당연히 해제되어야 한다.

◎ 납세담보에 의한 납부와 징수

국세기본법 제31조 제2항의 규정에 의하여 납세담보를 세무서장이 확실하다고 인정하는 보증인의 납세보증서로 제출한 경우에 있어서 주된 납세자의 국세·가산금과 체납처분비가 담보의 기간 내에 납부되지 아니한 때에는 납세보증인으로부터 그 국세·가산금과 체납처분비를 국세기본법 시행령 제16조(납세담보에 의한 납부와 징수) 제2항 제3호 및 국세징수법 제12조(제2차 납세의무자에 대한 납부고지)에서 정하는 바에 의하여 징수하는 것임(국세청 서삼 46019-10550, 2003.4.3.).

◎ 납세담보의 제공을 받은 국세·가산금과 체납처분비가 담보의 기간 내에 납부되지 아니한 때에는 같은 법 시행령 제16조 제2항에 따라 당해 담보로써 그 국세·가산금과 체납처분비를 징수하는 것임(국세청 징세-344, 2010.4.2.).

◎ 제3자가 납세자의 납세를 담보하기 위해 납세담보물을 제공하는 것은 국세·가산금과 체납처분비를 담보의 기간 내에 납부할 것을 담보하는 것이므로, 납세자 또는 제3자가 담보의 기간 내에 국세·가산금과 체납처분비를 납부하지 않으면 세무서장은 별도의 고지나 압류 등의 절차 없이 담보권의 행사로써 납세담보물을 매각하여 곧바로 징수할 수 있는 것임(국세청 서면1팀-284, 2005.3.11.).

◎ 국세기본법 제29조는 토지와 보험에 든 등기된 건물 등을 비롯하여 납세보증보험증권이나 납세보증서도 납세담보의 하나로 규정하고 있을 뿐 납세담보를 납세의무자 소유의 재산으로 제한하고 있지 아니한 점 등을 종합하여 보면, 납세담보물에 대하여 다른 조세에 기한 선행 압류가 있더라도 매각대금은 납세담보물에 의하여 담보된 조세에 우선적으로 충당하여야 함(대법원 2013다204959, 2015.4.23.).

◎ 납세담보의 해제

납부기한 연장을 위해 납세담보를 제공하는 자가 「납세담보제공동의서」에 "담보제공에 관계된 국세내용"을 명시하여 납세담보를 제공하고 세무서장이 근저당권 설정 등기 또는 등록한 후 납세자가 담보제공에 관련된 국세·가산금과 체납처분비를 납부하고 세무서장에게 납세담보 해제요청을 한 경우 동 근저당과 관련한 납세담보의 효력은 담보제공에 관련된 국세 등에만 미치는 것으로, 세무서장은 「국세기본법」 제34조에 따라 지체없이 담보 해제 절차를 밟아야 함(국세청 징세과-634, 2011.6.27.).

제 5 장

지방세기본법

지방세와 다른 채권과의 관계

제71조(지방세의 우선 징수)

법 제71조(지방세의 우선 징수) ① 지방자치단체의 징수금은 다른 공과금과 그 밖의 채권에 우선하여 징수한다. 다만, 다음 각 호의 어느 하나에 해당하는 공과금과 그 밖의 채권에 대해서는 우선 징수하지 아니한다.

1. 국세 또는 공과금의 체납처분을 하여 그 체납처분 금액에서 지방자치단체의 징수금을 징수하는 경우의 그 국세 또는 공과금의 체납처분비
2. 강제집행·경매 또는 파산절차에 따라 재산을 매각하여 그 매각금액에서 지방자치단체의 징수금을 징수하는 경우의 해당 강제집행·경매 또는 파산절차에 든 비용
3. 다음 각 목의 어느 하나에 해당하는 기일(이하 "법정기일"이라 한다) 전에 전세권·질권·저당권의 설정을 등기·등록한 사실 또는 「주택임대차보호법」 제3조의 2 제2항 및 「상가건물임대차보호법」 제5조 제2항에 따른 대항요건과 임대차계약증서상의 확정일자(確定日字)를 갖춘 사실이 대통령령으로 정하는 바에 따라 증명되는 재산을 매각하여 그 매각금액에서 지방세(그 재산에 대하여 부과된 지방세는 제외한다)를 징수하는 경우의 그 전세권·질권·저당권에 따라 담보된 채권, 등기 또는 확정일자를 갖춘 임대차계약증서상의 보증금
   가. 과세표준과 세액의 신고에 의하여 납세의무가 확정되는 지방세의 경우 신고한 해당 세액에 대해서는 그 신고일 나. 과세표준과 세액을 지방자치단체가 결정 또는 경정하는 경우에 고지한 해당 세액(제55조 제1항 제3호·제4호에 따른 납부지연가산세 및 제56조 제1항 제3호에 따른 특별징수 납부지연가산세를 포함한다)에 대해서는 납세고지서의 발송일 다. 특별징수의무자로부터 징수하는 지방세의 경우에는 가목 및 나목의 기일과 관계없이 그 납세의무의 확정일 라. 양도담보재산 또는 제2차 납세의무자의 재산에서 지방세를 징수하는 경우에는 납부통지서의 발송일 마. 「지방세징수법」 제33조 제2항에 따라 납세자의 재산을 압류한 경우에 그 압류와 관련하여 확정된 세액에 대해서는 가목부터 라목까지의 기일과 관계없이 그 압류등기일 또는 등록일
4. 「주택임대차보호법」 제8조 또는 「상가건물임대차보호법」 제14조가 적용되는 임대차관계에 있는 주택 또는 건물을 매각하여 그 매각금액에서 지방세를 징수하는 경우에는 임대차에 관한 보증금 중 일정액으로서 각 규정에 따라 임차인이 우선하여 변제받을 수 있는 금액에 관한 채권
5. 사용자의 재산을 매각하거나 추심하여 그 매각금액 또는 추심금액에서 지방세를 징수하는 경우에는 「근로기준법」 제38조 제2항 및 「근로자퇴직급여 보장법」 제12조 제2항에 따라 지방세에 우선하여 변제되는 임금, 퇴직금, 재해보상금

② 납세의무자를 등기의무자로 하고 채무불이행을 정지조건으로 하는 대물변제의 예약(豫約)을 근거로 하여 권리이전의 청구권 보전(保全)을 위한 가등기(가등록을 포함한다. 이하 같다)와 그 밖에 이와 유사한 담보의 대상으로 된 가등기가 되어 있는 재산을 압류하는 경우에 그 가등기를 근거로 한 본등기가 압류 후에 되었을 때에는 그 가등기의 권리자는 그 재산에 대한 체납처분에 대하여 그 가등기를 근거로 한 권리를 주장할 수 없다. 다만, 지방세(그 재산에 대하여 부과된 지방세는 제외한다)의 법정기일 전에 가등기된 재산에 대해서는 그 권리를 주장할 수 있다.

③ 지방자치단체의 장은 제2항에 따른 가등기 재산을 압류하거나 공매할 때에는 가등기권리자에

게 지체 없이 알려야 한다.

④ 지방자치단체의 장은 납세자가 제3자와 짜고 거짓으로 그 재산에 대하여 제1항 제3호에 따른 임대차계약, 전세권·질권 또는 저당권의 설정계약, 제2항에 따른 가등기설정계약 또는 제75조에 따른 양도담보설정계약을 하고 확정일자를 갖추거나 등기 또는 등록 등을 하여, 그 재산의 매각 금액으로 지방자치단체의 징수금을 징수하기 어렵다고 인정하면 그 행위의 취소를 법원에 청구할 수 있다. 이 경우 납세자가 지방세의 법정기일 전 1년 내에 그의 특수관계인 중 대통령령으로 정하는 자와 「주택임대차보호법」 또는 「상가건물임대차보호법」에 따른 임대차계약, 전세권·질권 또는 저당권의 설정계약, 가등기설정계약 또는 양도담보설정계약을 한 경우에는 상대방과 짜고 한 거짓계약으로 추정한다.

⑤ 제1항 제3호 각 목 외의 부분 및 제2항 단서에 따른 그 재산에 대하여 부과된 지방세는 지방세 중 재산세·자동차세(자동차 소유에 대한 자동차세만 해당한다)·지역자원시설세(소방분에 대한 지역자원시설세만 해당한다) 및 지방교육세(재산세와 자동차세에 부가되는 지방교육세만 해당한다)로 한다.

영 제50조(지방세의 우선) ① 법 제71조 제1항 제3호에 따른 전세권·질권·저당권의 설정을 등기·등록한 사실 또는 「주택임대차보호법」 제3조의 2 제2항 및 「상가건물임대차보호법」 제5조 제2항에 따른 대항요건과 임대차계약증서상의 확정일자를 갖춘 사실은 다음 각 호의 어느 하나에 해당하는 것으로 증명한다.

1. 등기사항증명서 2. 공증인의 증명 3. 질권에 대한 증명으로서 지방자치단체의 장이 인정하는 것
4. 금융회사 등의 장부등으로 증명되는 것으로서 지방자치단체의 장이 인정하는 것
5. 그 밖에 공부(公簿)상으로 증명되는 것

② 지방자치단체의 장은 법 제71조 제1항 제4호 및 제5호에 따른 지방세에 우선하는 채권과 관계있는 재산을 압류한 경우에는 그 사실을 해당 채권자에게 다음 각 호의 사항을 적은 문서로 통지하여야 한다. 다만, 법 제71조 제1항 제5호에 따른 채권을 가진 자가 여러 명인 경우에는 지방자치단체의 장이 선정하는 대표자에게 통지할 수 있으며 통지를 받은 대표자는 공고 또는 게시의 방법으로 그 사실을 해당 채권의 다른 채권자에게 알려야 한다.

1. 체납자의 성명과 주소 또는 영업소
2. 압류와 관계되는 체납액의 과세연도·세목·세액과 납부기한
3. 압류재산의 종류·대상 및 수량과 소재지 4. 압류 연월일

③ 법 제71조 제3항에 따른 가등기권리자에 대한 압류의 통지는 제2항을 준용한다.

제51조(상대방과 짜고 한 거짓계약으로 추정되는 계약의 특수관계인의 범위) 법 제71조 제4항 후단에서 "대통령령으로 정하는 자"란 해당 납세자와 제2조의 어느 하나에 해당하는 관계에 있는 자를 말한다.

조세는 국가 또는 지방자치단체가 존립하기 위한 재정적 기초를 이루는 것이므로 가장 효율적인 방법으로 그 징수가 확보되어야 한다. 지방세기본법 제5장에서 제99조(지방세의 우선), 제72조(직접체납처분비의 우선), 제73조(압류선착수로 인한 지방세의 우선), 제74조(담보가 있는 지방세의 우선)에 걸쳐 지방세의 우선권에 대하여 규정하고 있다.

지방세의 우선권은 지방세채권이 모든 경우에 다른 공과금과 채권에 우선하여 징수된다는 뜻이 아니라, 납세자의 재산이 강제집행 · 경매 · 체납처분 등의 절차에서 강제환가 되고 그 환가대금이 경합되는 공과금 기타 채권의 변제에 충당되는 경우 그 성립의 전후에 관계없이 지방세 채권이 공과금 기타 다른 채권에 우선하여 변제받을 수 있다는 것을 뜻한다(예규 기법 99-1). 결국 지방세의 우선권은 납세자에게 지방세의 체납사실이 있고 그의 재산이 강제 환가된 경우 지방세채권의 효율적인 확보를 위하여 제한된 범위 내에서 다른 채권보다 우선하여 변제받을 수 있는 세법상 인정되는 특수한 권리이다.

국세와 지방세 채권 상호간의 우열에 관하여 아무런 규정을 두고 있지는 않으므로 국세와 지방세를 포함한 모든 조세채권은 원칙적으로 그 징수순위가 동일하다. 다만 압류선착주의(압류우선주의)와 담보부 지방세의 우선(제74조)이 적용된다.

또한, 조세와 전세권 · 질권 또는 저당권(이하 전세권 등)의 피담보채권 사이의 우열은 담보물권이 조세의 법정기일 전에 성립된 것인지 여부에 따라 결정되는 것이 원칙이나, 전세권 등의 목적인 재산에 부과된 국세나 지방세(이른바 當該稅)와 그 가산금은 비록 그 담보권이 '법정기일' 전에 설정된 경우라도 그 전세권 등의 피담보채권에 우선한다. 이를 당해세 우선의 특례(원칙)라고 한다.

그 밖에 「주택임대차보호법」 또는 「상가건물임대차보호법」이 적용되는 임대차 관계에 있는 주택 또는 건물을 매각할 때 그 매각대금 중에서 지방세와 가산금을 징수하는 경우에는 임대차에 관한 보증금 중 일정액은 임차인이 우선 변제받을 수 있다.

1. 체납처분비

국세 또는 공과금의 체납처분 시 그 체납처분 금액 중에서 지방자치단체의 징수금을 징수하는 경우의 그 국세 또는 공과금의 체납처분비는 조세우선의 원칙에 대한 예외가 적용된다(법 제99조 ① 1호).

2. 강제집행비용

강제집행 · 경매 또는 파산절차에 따른 재산의 매각에서 그 매각금액 중 지방자치단체의 징수금을 징수하는 경우의 해당 "강제집행 · 경매 또는 파산절차에 든 비용"은 조세우선의 원칙에 대한 예외가 적용된다(법 제99조 ① 2호).

강제집행 등에 포함되는 비용(예규 기법 99-2)

1. 강제집행의 경우에는 강제집행의 준비비용인 집행문의 부여, 판결의 송달, 집행신청을 하기 위한 출석에 필요한 비용(재판 외의 비용에 한함) 등과 강제집행의 개시에 의하여 발생한 비용인 집달관의 수수료, 체당금(위임사무처리의 비용), 감정비용, 담보공여의 비용, 압류재산의 보존비용 등에서 채무자가 부담하여야 할 비용
2. 「민사소송법」에 의한 경매절차의 경우에는 전호에 준하는 비용
3. 「파산절차의 경우에는 채무자회생 및 파산에 관한 법률」 제473조(재단채권의 범위) 제3호에 규정한 관리, 환가 및 배당에 관한 비용, 같은 법 제348조 제1항 단서의 규정에 의거 파산관재인이 파산재단을 위한 강제집행 등의 절차를 속행하는 경우의 비용 등

3. 피담보채권의 우선관계

법정기일 전에 전세권·질권·저당권의 설정을 등기·등록한 사실이 증명되는 재산의 매각에서 그 매각금액 중 지방세와 가산금(그 재산에 대하여 부과된 지방세와 가산금은 제외)을 징수하는 경우, 그 피담보채권에 대해서는 조세채권이 우선할 수 없다(법 제99조 ① 3호).

1) 법정기일

법정기일은 국세채권과 저당권 등에 의하여 담보된 채권간의 우선여부를 결정하는 기준일이며, 일반인이 조세의 존재를 확인할 수 있는 시점, 즉 조세가 공시된 것으로 볼 수 있는 시점을 말한다(법 제99조 ① 3호).

신고에 의하여 납세의무가 확정되는 경우 그 신고일, 지방자치단체가 결정·경정 또는 수시부과결정하는 경우 그 납세고지서의 발송일, 특별징수분 지방세는 그 납세의무의 확정일, 양도담보재산 또는 제2차 납세의무자(보증인 포함)의 재산에서 징수하는 경우 납부통지서 발송일, 납기전 징수사유에 따라 재산을 압류한 경우 그 압류등기일, 그리고 가산금의 경우 그 가산금을 가산하는 고지세액의 납부기한이 지난 날이 각각 법정기일이 된다.

법에서 정한 신고일·발송일 등의 구체적인 사항은 다음과 같다(예규 기법 71-3).

「신고일」	「지방세기본법」 및 같은 법 시행령, 지방세관계법령에 의한 신고서를 지방자치단체의 장에게 제출하는 날
「발송일」	① 우편송달의 경우 : 통신일부인이 찍힌 날 ② 교부송달의 경우 : 고지서 등을 받아야 할 자에게 교부한 때 ③ 공시송달의 경우 : 반송 또는 수령거부된 당초 고지서 등의 발송일. 다만, 주소불

	분명 등으로 처음부터 공시송달에 의하는 경우에는「지방세기본법」 제33조의 규정에 의한 공고일 ④ 전자송달의 경우 : 지방세통합정보통신망에 저장된 때
「압류등기일 또는 등록일」	등기부 또는 등록부에 기재된 압류서류의 접수일을 말함

| 최근 개정법령 _ 2016.1.1. | 가산금에 대한 법정기일 신설(법 제99조 ① 제3호 바목)

가산금에 대한 법정기일이 명확하지 아니하여 미배당되는 등의 문제가 있었다. 이에 대해 가산금에 대한 법정기일을 그 가산금을 가산하는 고지세액의 납부기한이 지난 날로 명확히 규정하였다. ※ 이 법 시행(2016.1.1.) 후 가산금을 가산하는 고지세액의 납부기한이 지나는 분부터 적용

2) 피담보채권과 조세채권의 경쟁 사례

- 양수한 저당부동산에 대한 당해세라도 당해 저당권에 앞서지는 못함
  저당부동산이 저당권설정자로부터 제3자에게 양도되고 위 설정자에게 저당권에 우선하여 징수당할 아무런 조세의 체납이 없었다면 양수인에게 부과한 지방세의 법정기일이 앞선다거나 당해세라 하여 우선 징수할 수 없음(대법원 2012다200530, 2012.9.27.).

- 납세의무자가 취득세를 신고만 하고 납부하지 아니하였다고 하더라도 저당권의 목적이 되는 재산에 대한 근저당권 설정일보다 납세의무자가 취득세를 신고한 날이 앞선 이상 지방세가 우선함(세정-1405, 2006.4.6.).

- 공매차량에 대한 근저당설정일보다 교부청구한 체납지방세의 법정기일이 앞서는 경우 공매대금을 배분함에 있어 체납지방세가 우선 배분됨(세정-1010, 2006.3.15.).

- 법인세할 주민세의 징수 우선 법정기일은, 그 과세표준과 세액을 신고한 경우에는 신고일이, 지방자체단체에서 보통징수한 경우에는 그 고지서의 발송일이 됨(세정-936, 2004.4.26.).

- 경매물건의 근저당권 설정등기일보다 늦게 법정기일이 도래한 취득세 가산금 등을 교부청구하여 과세관청에 배분되었다면, 이는 후순위 채권자에게 환급하는 것이 타당함(세정 13407-177, 2003.3.6.).

- 취득세와 같이 신고에 의해 납세의무가 확정되는 지방세의 경우, 그 신고일을 기준으로 다른 채권과의 우선순위가 결정됨(세정 13407-438, 2001.4.19.).

- 취득세 신고 후 체납에 의해 압류한 경우, 납세의무확정 전 압류가 아니므로 그 법정기일은 '신고일'임(세정 13407-811, 2000.6.26.).

◎ 법정기일 전에 설정된 저당권 등의 목적인 재산매각시 그 재산에 부과된 지방세징수금이 우선하는 규정은 1996.1.1. 이후 시행되므로 그 이전에 설정된 것은 그 담보된 채권이 우선함(세정 13407-202, 1996.2.22.).

◎ 압류재산 매각 취소로 발생한 계약보증금을 배분함에 있어 법정기일이 확정일자보다 뒤에 도래하는 지방세에 먼저 충당한 것은 타당

개정규정의 취지가 계약보증금을 국고에 그대로 귀속하도록 정하였던 이 사건 법률조항에 대한 헌법재판소의 헌법불합치결정 이후 이를 체납처분비, 압류와 관계된 국세 · 가산금 순서로 충당하고, 잔액은 체납자에게 지급하도록 함으로써 조세채권을 신속히 확보할 수 있도록 개선 · 보완하려는 데 있다는 사정까지 보태어 본다면, 압류에 관계되는 지방세가 여럿 있고 계약보증금이 그 지방세들의 총액에 부족한 경우에 공매 대행자인 피고가 민법상 법정변제충당의 법리에 따르지 아니하고 어느 지방세에 먼저 충당하더라도, 체납자의 변제이익을 해하는 것과 같은 특별한 사정이 없는 한 그 조치를 위법하다고 할 수 없음(대법원 2005다11848, 2007.12.14.).

◎ 취득세 신고납부 후 그 증액경정처분으로 증액된 취득세와 근저당권에 의해 담보된 채권간의 우선순위 판단 기준일은 '증액된 세금의 납세고지서 발송일'과 '근저당설정등기일'임(대법원 2002다63732, 2003.1.24.).

◎ 가산금의 법정기일은 납부기한이 경과되고 그 납세의무가 확정되는 날로 봄이 상당

지방세를 납부기한까지 납부하지 아니한 때에 지방세법에 의하여 고지세액에 가산하여 징수하는 가산금 및 납기경과 후 일정기한까지 납부하지 아니한 때에 그 금액에 다시 가산하는 중가산금과 저당권 등에 의하여 담보된 채권 사이의 우선순위를 가리는 법정기일은 본세가 아니라 가산금 자체를 기준으로 결정하는 것이 타당하다 할 것인 바, 가산금의 법정기일에 관하여는 따로 규정이 없으나, 가산금은 납부기한 또는 그 이후 소정의 기한까지 체납된 세액을 납부하지 아니하면 과세관청의 가산금 확정절차 없이 당연히 발생하고 그 액수도 확정되는 점에 비추어 보면 가산금의 법정기일은 납부기한이 경과되고 그 납세의무가 확정되는 날로 봄이 상당하다 할 것임(대법원 2000다52882, 2001.12.28.).

◎ 지방세 가산금은 그 본세의 과세기준일 또는 납세의무 성립일을 기준하여 그 후에 성립된 저당권 등에 의해 담보된 채권에 대하여는 우선 징수됨(대법원 96다40264, 1997.4.11.).

◎ 지방세의 가산금과 저당권 등에 의해 담보된 채권과의 우선기준은 본세의 납기한이 아니라 가산금 자체의 납기한인 가산금의 발생일을 말함(1991.12.14. 개정전)(대법원 97다8939, 1999.4.27.).

- 지방세와 저당권 등에 의해 담보된 채권과의 우선 여부의 기준시점인 '납부기한'은 법정납부기한을 말하므로 부동산등기에 대한 등록세의 경우 그 등기를 경료한 날이 됨(1991.12.14. 개정전)(대법원 97다8939, 1999.4.27.).
- 취득세에 대한 가산세 및 가산금의 납세의무 성립일은 자진신고기간인 30일 도과된 이후로서 그 기간이 근저당권 설정일보다 후인 경우 그 가산세 및 가산금은 우선 안됨(구지방세법)(대법원 95다51113, 1996.3.8.).
- 납세자가 2007년도분 재산세 등을 체납함에 따라 과세기관이 2008.3.11. 납세자소유 부동산을 압류하였으며, 납세자는 2008.6.30. 압류부동산을 B에게 소유권 이전하였고, 2008.7.8. 재산세 등이 부과고지된바, 2008.3.11. 납세자소유 부동산에 대한 압류 효력은 2008.6.30. 소유권이 B에게 이전되기 전에 법정기일이 도래한 지방세에 한하여 효력이 있음(지방세운영과-2216, 2010.5.26.).
- 조세채권과 담보권 사이의 우선순위

  국세기본법상 조세채권과 담보권 사이의 우선순위를 가리는 기준시점은 조세우선권을 인정하는 공익목적과 담보권의 보호 사이에 조화를 이루는 시점에서 담보권자가 조세채권의 존부 및 범위를 확인할 수 있고, 과세관청 등에 의하여 임의로 변경될 수 없는 시기를 기준으로 삼아 규정한 이상 그 기준시기를 국세납부고지서를 발송한 날짜로 규정하였다 하더라도 이를 헌법에 위배되어 무효라고 볼 수 없다(대법원 95다39175, 1995.1.23.).

| 피담보채권의 내용 및 담보되는 채권의 범위(예규 기법 71-4~71-10) |

피담보채권	내용	담보되는 채권의 범위
전세권	전세금을 지급하고 타인의 부동산을 점유하여 그 부동산의 용도에 좇아 사용·수익하는 것을 내용으로 하는 권리로서 등기된 것을 말함	전세금 외에 위약금이나 배상금 등으로 등기된 금액을 포함
질권	납세자에 대한 채권으로 납세자의 재산에 질권을 설정하고 있는 경우와 납세자 이외의 자에 대한 채권으로 납세자의 재산에 질권을 설정하고 있는 경우(납세자가 물상보증인이 되고 있는 경우 등)를 포함	설정행위에 특별한 규정이 없는 한 「민법」 제334조에서 규정하는 원본, 이자, 위약금, 질권실행비용, 질물보존의 비용 및 채무불이행 또는 질물의 하자로 인한 손해배상금 등이 포함됨
저당권	채무자 또는 제3자(물상보증인)가 채무의 담보로 제공한 부동산 기타의 목적물을 채권자가 인도받지 아니하고 담보제공자의 사용·수익에 맡겨두면서 변제가 없을 때에 그 목적물로부터 우선변제를 받는 것을 목적으로 하는	채권의 원금, 이자, 위약금, 채무불이행으로 인한 손해배상 및 저당권실행비용을 포함하되 등기된 채권최고액의 범위 이내에 한함. 지방세에 우선하는 채권액은 저당권

피담보채권	내용	담보되는 채권의 범위
	담보물권, 「민법」 제357조의 근저당을 포함. 지방세의 법정기일 전에 설정등기된 저당권의 범위에는 본인의 채무를 담보하기 위해 설정등기한 저당권은 물론, 제3자를 위한 연대보증채무를 담보하기 위해 설정등기한 저당권도 포함됨	이 설정된 재산의 가액을 한도로 하며, 그 「매각대금」에는 부합물, 종물, 과실 등 저당권의 효력이 미치는 것의 매각대금을 포함

3) 피담보채권에 대한 당해세(當該稅)의 우선

조세우선의 원칙에 따라 조세채권이 민사채권에 대해 우선하지만 법정기일 전에 설정된 피담보채권에 대해서는 우선하지 못한다. 그럼에도 불구하고 그 재산에 대하여 부과된 조세, 이른바 당해세는 예외를 인정하여 우선권을 인정하고 있는 바 이를 당해세 우선의 원칙이라고 한다(법 제71조 ① 3호의 괄호).

◎ 그 재산에 대하여 부과된 국세(이른바 당해세)의 범위

국세기본법 제35조 제1항 제3호는 공시를 수반하는 담보물권과 관련하여 거래의 안전을 보장하려는 사법적(私法的) 요청과 조세채권의 실현을 확보하려는 공익적 요청을 적절하게 조화시키려는 데 그 입법의 취지가 있으므로, 당해세가 담보물권에 의하여 담보되는 채권에 우선한다고 하더라도 이로써 담보물권의 본질적 내용까지 침해되어서는 아니 되고, 따라서 같은 법 제35조 제1항 제3호 단서에서 말하는 '그 재산에 대하여 부과된 국세'라 함은 담보물권을 취득하는 사람이 장래 그 재산에 대하여 부과될 것을 상당한 정도로 예측할 수 있는 것으로서 오로지 당해 재산을 소유하고 있는 것 자체에 담세력을 인정하여 부과되는 국세만을 의미하는 것으로 보아야 함(대법원 96다23184, 1999.3.18.).

☞ 지방세법(1995.12.6. 법률 제4995호로 개정된 것) 제31조 ② 3호는 공시를 수반하는 담보물권과 관련하여 거래의 안전을 보장하려는 사법적(私法的) 요청과 조세채권의 실현을 확보하려는 공익적 요청을 적절하게 조화시키려는 데 그 입법의 취지가 있으므로, 당해세가 담보물권에 의하여 담보되는 채권에 우선한다고 하더라도 이로써 담보물권의 본질적 내용까지 침해되어서는 아니되고, '그 재산에 대하여 부과된 지방세'라 함은 담보물권을 취득하는 자가 장래 그 재산에 대하여 부과될 것을 상당한 정도로 예측할 수 있는 것으로서 오로지 당해 재산을 소유하고 있는 것 자체에 담세력을 인정하여 부과되는 지방세만을 의미하는 것으로 보아야 함(대법원 2001다74018, 2002.2.8.).

☞ 저당권등의 설정시기와 관계없이 그 피담보채권보다 우선징수되는 지방세에 대해 '당해 재산의 소유 그 자체'에 부과되는 '재산세'등에 한하는 한 위헌이 아님(헌재 98헌바91, 2000.7.20.).

◎ 1996.1.1.부터 시행된 지방세법의 당해세 우선조항은 그 시행 전에 설정된 근저당권에 대하

여는 효력이 미치지 아니함(대법원 98다59125, 1999.3.12., 대법원 98다60880, 1999.4.9.).

◎ **당해세라도 배당요구종기까지 교부청구를 한 금액에 한하여만 배당받을 수 있음**

근저당권에 우선하는 당해세에 관한 것이라고 하더라도, 배당요구의 종기까지 교부청구한 금액만을 배당받을 수 있을 뿐이고, 그 당해세에 대한 부대세의 일종인 가산금 및 중가산금의 경우에도, 교부청구 이후 배당기일까지의 가산금 또는 중가산금을 포함하여 지급을 구하는 취지를 배당요구종기 이전에 명확히 밝히지 않았다면, 배당요구종기까지 교부청구를 한 금액에 한하여만 배당받을 수 있음(대법원 2011다44160, 2012.5.10.).

◎ 신탁을 원인으로 신탁회사로 소유권이 이전된 재산이 경매되는 경우 위탁자를 납세의무자로 보아 부과하는 재산세도 그 재산에 대하여 부과된 지방세에 해당됨(지방세운영과-1081, 2010.3.17.).

◎ **소방공동시설세는 소유자체에 담세력을 인정·과세하고, 예측가능하므로 당해세에 해당**

소방공동시설세는 소방시설에 필요한 비용에 충당할 것을 목적으로 하여 그 소방시설로 인하여 이익을 받는 건축물 또는 선박의 소유사가 건축물·선박을 소유하고 있는 것 자체에 담세력을 인정하여 부과되는 지방세라고 볼 수 있고, 담보물권을 취득하는 자로서도 장래 그 건축물·선박에 대하여 매년 과세기준일 현재의 소유자에게 소방공동시설세가 부과되리라는 것을 쉽게 예측할 수 있으므로, 소방공동시설세는 지방세법(1995.12.6. 개정) 제31조 ②의 "그 재산에 대하여 부과된 지방세"에 해당한다(대법원 2001다74018, 2002.2.8.).

◎ '종합토지세'와 종합토지세 납세의무자에게 부과되는 '도시계획세'는 법정기일 전의 피담보채권에 우선 징수되는 "그 재산에 대해 부과된 지방세"에 해당함(대법원 2000다58088, 2001.2.23.).

4. 소액임차 보증금

「주택임대차보호법」 제8조 또는 「상가건물임대차보호법」 제14조가 적용되는 임대차관계에 있는 주택 또는 건물을 매각할 때 그 매각금액 중에서 지방세와 가산금을 징수하는 경우에는 임대차에 관한 보증금 중 일정액으로서 각 규정에 따라 임차인이 우선하여 변제받을 수 있는 금액에 관한 채권보다는 우선징수 될 수 없다.

◎ 광역시 내 주택을 1인이 임차보증금 3천만원 초과하는 임차계약했다가 3인으로 나누어 계약한 바 신빙성 없어 우선변제권 있는 임차인에 해당하지 않고, 전입일이 고지일보다 늦어 우선변제가 안된다는 사례(지방세심사 2000-558, 2000.7.25.)

◎ **임차인이 우선변제 받을 수 있는 채권**(예규 기법 71-12)

「지방세기본법」 제99조 제1항 제4호에서 「임차인이 우선 변제받을 수 있는 채권」이라 함은 다음과 같고 각 법의 소액임차보증금이 지방세보다 우선하기 위하여는 「지방세기본법」 제93조의 15에 따른 공매공고일 이전에 「주택임대차보호법」 제3조 또는 「상가건물임대차보호법」 제3조에 의한 대항력을 갖추어야 한다.

주택임대차보호법 제8조	① 서울특별시 : 보증금 9,500만원 이하인 경우에 대하여 3,200만원 이하의 금액 ② 「수도권정비계획법」에 따른 과밀억제권역(서울특별시는 제외) : 보증금 8,000만원 이하인 경우에 대하여 2,700만원 이하의 금액 ③ 광역시(「수도권정비계획법」에 따른 과밀억제권역에 포함된 지역과 군지역은 제외), 안산시, 용인시, 김포시 및 광주시 : 보증금 6,000만원 이하인 경우에 대하여 2,000만원 이하의 금액 ④ 그 밖의 지역 : 보증금 4,500만원 이하인 경우에 대하여 1,500만원 이하의 금액
상가건물임대차 보호법 제14조	① 서울특별시 : 보증금 6,500만원 이하인 경우에 대하여 2,200만원 이하의 금액 ② 수도권정비계획법에 따른 과밀억제권역(서울특별시 제외) : 보증금 5,500만원 이하인 경우에 대하여 1,900만원 이하의 금액 ③ 광역시(「수도권정비계획법」에 따른 과밀억제권역에 포함된 지역과 군지역은 제외), 안산시, 용인시, 김포시 및 광주시 : 보증금 3,800만원 이하인 경우에 대하여 1,300만원 이하의 금액 ④ 그 밖의 지역 : 보증금 3,000만원 이하인 경우에 대하여 1,000만원 이하의 금액

5. 임금 등 채권

사용자의 재산을 매각하거나 추심(推尋)할 때 그 매각금액 또는 추심금액 중에서 국세나 가산금을 징수하는 경우에 「근로기준법」 제38조 또는 「근로자퇴직급여 보장법」 제12조에 따라 국세나 가산금에 우선하여 변제되는 임금, 퇴직금, 재해보상금, 그 밖에 근로관계로 인한 채권의 경우 우선하여 변제된다.

◎ 우선변제권이 인정되는 '최종 3월분의 임금'의 의미

최종 3월분의 임금 채권이란 최종 3개월 사이에 지급사유가 발생한 임금 채권을 의미하는 것이 아니라, 최종 3개월간 근무한 부분의 임금 채권을 말한다. 구정, 추석, 연말의 3회에 걸쳐 각 기본급의 일정비율씩 상여금을 지급받고 그 상여금이 근로의 대가로 지급되는 임금의 성질을 갖는 경우, 근로기준법 소정의 우선변제권이 인정되는 상여금은 퇴직 전 최종 3개월 사이에 있는 연말과 구정의 각 상여금 전액이 아니라 퇴직 전 최종 3개월의 근로의 대가에 해당하는 부분의 임금채권을 말함(대법원 2001다83838, 2002.3.29.).

◎ '임금채권'임을 구체적으로 입증하는 서류의 제출이 없어 공매대금 배분대상에서 제외함은 정당함(지방세심사 2002-382, 2002.11.25.).

◎ 최종 3개월의 임금과 최종 3년분 퇴직금 이외의 임금은 법정기일이 우선하는 지방세나 저당권에 의해 담보된 채권에 우선해 변제받을 수 없음(지방세심사 2000-557, 2000.7.25.).

◎ (임금채권 등의 우선변제) 임차인의 보증금 중 일정액 및 임금채권과 지방세 등 다른 채권과의 우선순위에 관하여는 「지방세기본법」 제99조 제1항 제4호 및 제5호, 「주택임대차보호법」 제8조 그리고 「근로기준법」 제37조의 규정을 종합하여 판단하여야 하는 바, 그 우선순위는 다음과 같다(예규 기법 71-13).

1. 압류재산에 법정기일 전에 질권 또는 저당권에 의하여 담보된 채권이나 등기 또는 확정일자를 갖춘 임대차계약증서상의 보증금이 있는 경우	① 임차인의 보증금 중 일정액, 최종 3월분의 임금과 최종 3년간의 퇴직금 및 재해보상금 → ② 질권 또는 저당권에 의하여 담보된 채권 → ③ 최종 3월분 이외의 임금 및 기타 근로관계로 인한 채권 → ④ 지방세 → ⑤ 일반채권
2. 압류재산에 법정기일 이후에 질권 또는 저당권에 의하여 담보된 채권이나 등기 또는 확정일자를 갖춘 임대차계약증서상의 보증금이 있는 경우	① 임차인의 보증금 중 일정액, 최종 3월분의 임금과 최종 3년간의 퇴직금 및 재해보상금 → ② 지방세 → ③ 질권 또는 저당권에 의하여 담보된 채권 → ④ 최종 3월분 이외의 임금 및 기타 근로관계로 인한 채권 → ⑤ 일반채권
3. 압류재산에 질권 또는 저당권에 의하여 담보된 채권이나 등기 또는 확정일자를 갖춘 임대차계약증서상의 보증금이 없는 경우	① 임차인의 보증금 중 일정액, 최종 3월분의 임금과 최종 3년간의 퇴직금 및 재해보상금 → ② 최종 3월분 이외의 임금 및 기타 근로관계로 인한 채권 → ③ 지방세 → ④ 일반채권

6. 그 밖의 조세 채권의 우선 관련 사례

◎ 현행법상 국세체납절차와 민사집행절차와의 관계

현행법상 국세체납절차와 민사집행절차는 별개의 절차로서 그 절차 상호간의 관계를 조정하는 법률의 규정이 없으므로 한 쪽의 절차가 다른 쪽의 절차에 간섭을 할 수 없는 반면 쌍방 절차에서의 각 채권자는 서로 다른 절차에서 정한 방법으로 그 다른 절차에 참여할 수밖에 없는 것이어서 유체동산에 대한 가압류집행이 있다고 하더라도 국세체납처분에 의한 공매처분이 종결되면 위 유체동산가압류의 효력은 상실되며 국세에 충당하고 남은 환가금에 대한 채무자의 반환채권에 위 가압류의 효력이 미친다고 볼 수 없음(대법원 88다카42, 1989.1.31.).

◎ 국세징수법에 의한 체납처분절차에서 압류에 관계되는 국세가 여럿 있고 공매대금 중 그 국세들에 배분되는 금액이 국세들의 총액에 부족한 경우 그 충당의 방법

민사집행법상의 강제집행절차에서 세무서장이 국세징수법 제56조에 따라 집행법원에 체납국세에 대한 교부청구를 한 결과 배당된 배당금이 당해 배당절차에서 교부청구된 여러 국세

의 총액에 부족한 경우의 충당에 있어서, 국세징수법에 의한 체납처분절차에서의 배분대금의 충당과 다른 법리에 의하도록 하는 것은 적절하다고 할 수 없으므로, 세무서장이 경매절차에서 받은 배당금을 민법상 법정변제충당의 법리에 따르지 아니하고 어느 국세에 먼저 충당하였다고 하더라도, 체납자의 변제이익을 해하는 것과 같은 특별한 사정이 없는 한 위법하다 할 수 없음(대법원 2005다11848, 2007.12.14.).

- 특정부동산에 대해 부과된 세금을 당해 부동산의 환가대금에서 먼저 충당 않고, 납세의무자 소유의 다른 부동산에 관해 선택적으로 교부청구 가능함(대법원 97다38763, 1997.12.12.).

- 후순위저당채권 등에의 배당
  저당채권 등에 우선하는 지방세채권에 대한 배당없이 저당권 등이 경락대금 등을 배당받았으면 지방세채권을 부당이득한 것으로 본다(예규 기법 71-11).

- 압류된 토지가 수용될 경우 수용 전 토지에 대한 체납처분에 의한 우선권이 수용보상금채권에 대한 배당절차에서 종전 순위대로 유지된다고 볼 수 없음
  구 토지수용법 제67조 ①에 의하면, 기업자는 토지를 수용한 날에 그 소유권을 취득하며 그 토지에 관한 다른 권리는 소멸하는 것인 바, 수용되는 토지에 대해 체납처분에 의한 압류가 집행되어 있어도 토지수용으로 기업자가 그 소유권을 원시취득함으로써 그 압류의 효력은 소멸되는 것이고, 토지에 대한 압류가 그 수용보상금청구권에 당연히 전이되어 그 효력이 미치게 된다고는 볼 수 없으므로, 수용 전 토지에 대해 체납처분으로 압류를 한 체납처분청이 다시 수용보상금에 대하여 압류를 하였다고 하여 물상대위의 법리에 의하여 수용 전 토지에 대한 체납처분에 의한 우선권이 수용보상금채권에 대한 배당절차에서 종전 순위대로 유지된다고 볼 수도 없음(대법원 2001다83777, 2003.7.11.).

7. 가등기된 재산의 채권확보(법 제71조 ②·③)[23]

- 지방세의 법정기일 이후에 권리이전의 청구권보전을 위한 가등기(가등록을 포함)와 1984.1.1. 이후 담보 가등기(가등기담보 등에 관한 법률은 1984.1.1. 시행)된 재산을 압류한 경우 지방세가 우선하므로 가등기 권리자에게 그 뜻을 통지하고 체납처분을 속행한다. 다만, 지방세 또는 가산금(그 재산에 대하여 부과된 지방세와 가산금은 제외한다)의 법정기일 전에 가등기된 재산인 경우의 가등기권리자는 그 권리를 주장할 수 있다.
  ※ 지방세기본법 제99조 제2항의 대물변제의 예약을 근거로 한 권리이전의 청구권보전 가등기의 경우 "가등기담보 등에 관한 법률"이 적용되나, 부동산등기법에 의한 순수 매매예약에 의한 소유권이전청구권 보전 가등기의 경우 가등기 이후의 압류등기는 본등기로 인해 직권말소되

23) 지방세채권 확보에 따른 배분업무 등 처리요령(지방세특례제도과-1512, 2014.8.27.)

므로 압류실익이 없을뿐더러, 본등기전에 압류에 터잡아 공매처분을 하더라도 사실상 매수희망자가 전무(全無)할 것임(∵소유권이전 후 가등기에 기한 본등기시 소유권이전등기 말소).

> **〈가등기담보 등에 관한 법률〉**
>
> 제1조(목적) 이 법은 차용물의 반환에 관하여 차주가 차용물을 갈음하여 다른 재산권을 이전할 것을 예약할 때 그 재산의 예약 당시 가액이 차용액과 이에 붙인 이자를 합산한 액수를 초과하는 경우에 이에 따른 담보계약과 그 담보의 목적으로 마친 가등기 또는 소유권이전등기의 효력을 정함을 목적으로 함.
>
> ※ 가등기담보 등에 관한 법률에 의한 담보가등기는
> ① 가등기담보권을 공시하는 역할을 하지만 저당권설정등기와는 달리, 담보되는 채권에 한하여(채권액·채무자등) 일체 기재하지 않으며, 담보가등기와 보통의 가등기는 등기부상의 기재만으로는 구별이 어려움. ② 일반적으로 가등기는 순위보전의 효력만 가지는 것으로 이해되나, 담보가등기는 그 밖에 실체적 효력이 인정됨. 즉 가등기 담보의 목적물이 다른 채권자에 의해 경매에 붙여진 경우, 가등기담보권자는 가등기인 채로 그 가등기의 순위를 가지고 우선변제권을 행사할 수 있음. 따라서 이 경우, 담보가등기는 마치 본등기와 같은 효력을 가짐. ③ 가등기 담보계약(제1조의 법률요건 충족하는 계약)을 하고, 담보가등기를 갖춘 경우에만 '가등기담보 등에 관한 법률'이 적용됨.

- 「가등기담보 등에 관한 법률」이 적용되는 담보가등기권리는 저당권으로 보아 체납처분을 하여야 한다(가담법 제17조 ③).
- 가등기 원인이 순수한 매매예약*인 경우는 즉시 잔여금에 대하여 조건부 채권압류통지를 하여 지방세 채권을 확보하여야 한다.

  * 장기간의 계약기간에 따라 매수인이 안전하게 소유권이전등기를 하기 위해서 매매예약 가등기시, 매도인(채무자)의 매수인(제3채무자)에 대한 매매대금지급청구권을 압류
- 담보목적의 가등기로서 가등기를 바탕으로 한 본등기시 법원(등기소)으로부터 가등기 후에 이루어진 지방세 압류 등기의 직권말소 통지를 받을 경우 지방세의 우선 여부를 확인한 후 이의가 있는 경우 법원에 이의를 제기하여야 한다.

| 우선순위 관련 개념 정리(예규 기법 99-14~99-17) |

대물변제의 예약	제71조 제2항에서 「정지조건부대물변제의 예약」이라 함은 소비대차의 당사자간에서 채무자가 기한 내에 변제를 하지 않으면 채권담보의 목적물의 소유권이 당연히 채권자에게 이전된다고 미리 약정하는 것을 말한다.
가등기, 가등록	본등기 또는 본등록을 할 수 있는 형식적 또는 실질적 요건을 완비하지 못한 경우에 장래의 본등기 또는 본등록의 순위보존을 위하여 하는 등기, 등록을 말하며 가등기, 가등록에 기한 본등기, 본등록의 순위는 가등기, 가등록의 순위에 의한다.

압류사실통지를 받지 못한 우선채권	「지방세기본법」 제71조 제3항에 규정하는 통지를 받지 못한 자라도 지방세보다 우선하는 채권임이 확인되는 경우에는 지방세보다 우선 변제된다.
지방세 우선징수권의 예외	지방세의 우선징수에 대하여 타법에 다음과 같은 예외가 있음을 유의 1. 「채무자 회생 및 파산에 관한 법률」 제477조(재단부족의 경우 변제방법)의 규정에 의거 재단채권으로 있는 지방세가 타의 공익채권 또는 재단채권과 동등 변제되는 것 2. 「관세법」 제3조(관세징수의 우선)의 규정에 의한 관세를 납부하여야 할 물품에 대하여는 관세가 다른 조세 등에 우선한다.

제72조(직접 체납처분비의 우선)~제74조(담보가 있는 지방세의 우선)

법 제72조(직접 체납처분비의 우선) 지방자치단체의 징수금 체납으로 인하여 납세자의 재산에 대한 체납처분을 하였을 경우에 그 체납처분비는 제71조 제1항 제3호 및 제74조에도 불구하고 다른 지방자치단체의 징수금과 국세 및 그 밖의 채권에 우선하여 징수한다.

제73조(압류에 따른 우선) ① 지방자치단체의 징수금의 체납처분에 의하여 납세자의 재산을 압류한 후 다른 지방자치단체의 징수금 또는 국세의 교부청구가 있으면 압류에 관계되는 지방자치단체의 징수금은 교부청구한 다른 지방자치단체의 징수금 또는 국세에 우선하여 징수한다.

② 다른 지방자치단체의 징수금 또는 국세의 체납처분에 의하여 납세자의 재산을 압류한 후 지방자치단체의 징수금 교부청구가 있으면 교부청구한 지방자치단체의 징수금은 압류에 관계되는 지방자치단체의 징수금 또는 국세의 다음으로 징수한다.

제74조(담보가 있는 지방세의 우선) 납세담보가 되어 있는 재산을 매각하였을 때에는 제73조에도 불구하고 해당 지방자치단체에서 다른 지방자치단체의 징수금과 국세에 우선하여 징수한다.

조세채권 상호간에는 징수순위가 동일하다. 담보 없는 국세 상호간이나 담보 없는 지방세 상호간에도 우선순위가 없다. 그러나 담보 있는 조세와 담보 없는 조세간에서는 전자가 우선 징수되고, 압류와 관계된 조세와 압류와 관계되지 않은 조세간에서는 압류와 관계된 조세가 우선 징수된다.

지방세를 징수하기 위한 체납처분절차에서 국세 등과 공과금의 교부청구가 있는 경우에는 지방세와 체납처분비가, 국세를 징수하기 위한 체납처분절차에서 지방세 등과 공과금의 교부청구가 있는 경우에는 국세의 체납처분비가, 공과금을 징수하기 위한 체납처분절차에서 국세 등 및 지방세 등의 교부청구가 있는 경우에는 공과금과 체납처분비가 각각 그 교부청구한 조세 및 그 각 가산금과 체납처분비에 우선한다.

◎ 지방세 체납처분에 소요된 체납처분비는 체납자가 부담함이 타당

지방세법 제28조 제4항에서 「… 국세체납처분의 예에 의한다」라고 규정되어 있고, 국세기본법 제2조 제6호에서 「체납처분비라 함은 국세징수법 중 체납처분에 관한 규정에 의한 재산의 압류・보관・운반과 매각에 소요된 비용(매각을 대행시키는 경우 그 수수료를 포함한다)을 말한다.」라고 규정하고 있으며, 국세징수법 제9조 제2항에서 「세무서장은 납세자가 체납액 중 국세와 가산금을 완납한 경우에 체납처분비를 징수하고자 할 때에는 납세자에게 국세징수법 시행령 제17조에 정하는 바에 의하여 고지서를 발부하여야 한다.」라고 규정하고 있음(세정-3858, 2007.9.18.).

◎ 체납세액을 징수하기 위한 체납자 소유의 부동산에 대한 공매가 무효가 된 경우, 그 공매과정에서 발생한 체납처분비를 체납자에게 부과한 처분은 부당함(지방세심사 2003-289, 2003.12.24.).

◎ 압류선착주의에 관한 국세기본법 제36조 제1항에서 말하는 '압류에 관계되는 국세'의 의미

압류등기를 하고 나면 동일한 자에 대한 압류등기 이후에 발생한 체납세액에 대하여도 새로운 압류등기를 거칠 필요 없이 당연히 압류의 효력이 미친다는 것이므로, 압류선착주의에서 의미하는 '압류에 관계되는 국세'란 압류의 원인이 된 국세뿐만 아니라 위와 같이 국세징수법 제47조에 의하여 압류의 효력이 미치는 국세를 포함하는 것이다(대법원 2005다11848, 2007.12.14.).

◎ 조세징수에 있어서 이른바 압류선착주의의 취지 및 구 민사소송법에 의한 강제집행절차를 통하여 조세가 징수되는 경우에도 압류선착주의가 적용되는지 여부

이른바 압류선착주의(압류선착주의)의 취지는 다른 조세채권자보다 조세채무자의 자산 상태에 주의를 기울이고 조세징수에 열의를 가지고 있는 징수권자에게 우선권을 부여하고자 하는 것이고, 이러한 압류선착주의의 입법 취지와, 압류재산이 금전채권인 경우에 제3채무자가 그의 선택에 의하여 체납처분청에 지급하는지 집행법원에 집행공탁을 하는지에 따라 조세의 징수액이 달라지는 것은 부당하다는 점을 고려하여 보면, 압류선착주의는 조세가 체납처분절차를 통하여 징수되는 경우뿐만 아니라 구 민사소송법(2002.1.26. 법률 제6626호로 개정되기 전의 것)에 의한 강제집행절차를 통하여 징수되는 경우에도 적용되어야 한다(대법원 2001다83777, 2003.7.11.).

◎ 담보물권 설정일 이전에 법정기일이 도래한 조세채권과 담보물권 설정일 이후에 법정기일이 도래한 조세채권에 기한 압류가 모두 이루어진 경우, 당해세를 제외한 조세채권과 담보물권 사이의 우선순위는 그 법정기일과 담보물권 설정일의 선후에 의하여 결정하고, 이와 같은 순서에 의하여 매각대금을 배분한 후, 압류선착주의에 따라 각 조세채권 사이의 우선순위가

결정됨(대법원 2005두9088, 2005.11.24.).

◎ 압류선착주의는 조세가 체납처분절차를 통하여 징수되는 경우뿐만 아니라 구 민사소송법에 의한 강제집행절차를 통하여 징수되는 경우에도 적용됨(대법원 2001다83777, 2003.7.11.).

◎ 토지와 보험에 든 등기된 건물 등을 비롯하여 납세보증보험증권이나 납세보증서도 납세담보의 하나로 규정하고 있을 뿐 납세담보를 납세의무자 소유의 재산으로 제한하고 있지 아니한 점 등을 종합하여 보면, 납세담보물에 대하여 다른 조세에 기한 선행압류가 있더라도 그 매각대금은 납세담보물에 의하여 담보된 조세에 우선적으로 충당하여야 하고, 그 납세담보물이 납세의무자의 소유가 아닌 경우라고 하여 달리 볼 것은 아님(대법원 2013다204959, 2015.4.23.).

◎ **납세담보물에 다른 조세에 기한 선행압류가 있더라도 매각대금은 납세담보물에 의하여 담보된 조세에 우선 충당, 납세담보물이 납세의무자의 소유가 아닌 경우에도 마찬가지임**

납세담보물에 관하여 다른 조세에 기한 선행압류가 있더라도 납세담보권을 가진 조세채권자는 '담보 있는 조세의 우선 원칙'에 따라 납세담보물의 매각대금에서 자신의 조세를 우선하여 징수할 수 있음. … 토지와 보험에 든 등기된 건물 등을 비롯하여 납세보증보험증권이나 납세보증서도 납세담보의 하나로 규정하고 있을 뿐 납세담보를 납세의무자 소유의 재산으로 제한하고 있지 아니한 점 등을 종합하여 보면, 납세담보물에 대하여 다른 조세에 기한 선행압류가 있더라도 그 매각대금은 납세담보물에 의하여 담보된 조세에 우선적으로 충당하여야 하고, 그 납세담보물이 납세의무자의 소유가 아닌 경우라고 하여 달리 볼 것은 아님(대법원 2013다204959, 2015.4.23.).

☞ [사실관계] 이 사건 아파트에 대해 2010.11.12. 지방소득세 체납을 이유로 압류가 이루어진 후, 2011.1.5. 소외 2의 양도소득세 납세를 담보하기 위한 이 사건 근저당권이 설정된 사실, 이후 이 사건 아파트의 경매절차에서 경매법원은 지방소득세를 징수하는 원고보다 양도소득세를 징수하는 피고에게 우선하여 매각대금을 배당하는 내용의 배당표를 작성

제75조(양도담보권자 등의 물적 납세의무)

법 제75조(양도담보권자 등의 물적 납세의무) ① 납세자가 지방자치단체의 징수금을 체납한 경우에 그 납세자에게 양도담보재산이 있을 때에는 그 납세자의 다른 재산에 대하여 체납처분을 집행하고도 징수할 금액이 부족한 경우에만 그 양도담보재산으로써 납세자에 대한 지방자치단체의 징수금을 징수할 수 있다. 다만, 지방자치단체의 징수금의 법정기일 전에 담보의 대상이 된 양도담보재산에 대해서는 지방자치단체의 징수금을 징수할 수 없다.

② 제1항에 따른 양도담보재산은 당사자 간의 양도담보설정계약에 따라 납세자가 그 재산을 양도

한 때에 실질적으로 양도인에 대한 채권담보의 대상이 된 재산으로 한다.
③ 납세자가 종중(宗中)인 경우로서 지방자치단체의 징수금을 체납한 경우에 그 납세자에게 「부동산 실권리자명의 등기에 관한 법률」 제8조 제1호에 따라 종중 외의 자에게 명의신탁한 재산이 있을 때에는 그 납세자의 다른 재산에 대하여 체납처분을 집행하고도 징수할 금액이 부족한 경우에만 그 명의신탁한 재산으로써 납세자에 대한 지방자치단체의 징수금을 징수할 수 있다.

본래의 납세의무자가 지방세를 체납한 경우에 그 체납자에게 양도담보로 제공한 재산이 있는 경우에는 그 양도담보재산으로써 지방자치단체 징수금을 징수할 수 있다.

이는 ① 납세자(양도담보 설정자・채무자)가 지방세 등을 체납하고 있고, ② 채무의 담보로 제공한 양도담보재산이 있으며, ③ 그 양도담보재산 이외의 납세자의 다른 재산에 대하여 체납처분을 집행하여도 징수할 금액에 미치지 못하는 경우에, ④ 그 체납 지방세의 법정기일 후에 설정된 양도담보재산으로부터 그 부족액을 징수하는 제도이다.

여기서 양도담보재산이라고 함은 당사자 간의 계약에 의하여 납세자가 그 재산을 양도하였을 때에 실질적으로 양도인에 대한 채권담보의 목적이 된 재산을 말한다(국기법 제42조 ②). 양도담보권자가 물적 납세의무의 납부고지를 받을 당시 이미 양도담보권을 실행하여 담보권이 소멸되었다면 물적 납세의무는 없다.

양도담보권자로부터 지방세 등을 징수할 때에는 제2차 납세의무자에 대한 납부통지(제45조)에 준하여 미리 납세의 고지를 하여야 한다.

지방세관계법 상 납세의무의 확장에는 '연대납세의무', '제2차 납세의무', '물적납세의무' 등이 있으며, 체납처분 순서 및 목적물에서 차이가 있다. 연대납세의무는 원래 납세의무자의 재산과 연대납세의무자의 재산 중 체납처분이 용이한 순서대로 체납처분을 할 수 있다. 제2차 납세의무의 경우 원래 납세의무자의 재산 전체에 대해 체납처분을 먼저하고, 제2차 납세의무자의 재산 전체에 대해 보충적으로 진행한다. 물적납세의무는 원래의 납세의무자의 재산 전체에 대해 체납처분을 먼저하고 양도담보된 재산에 대해 보충적으로 체납처분을 진행한다.

| 최근 개정법령_2021.1.1.| 개인에게 명의신탁된 종중재산 물적 납세의무 지정(법 §75)

종중 소유 부동산은 「부동산실명법」 제8조의 특례에 따라 예외적으로 제3자에게 명의신탁이 가능하다. 명의신탁이 이루어지는 경우 실소유자는 종중, 등기부상 소유자는 제3자가 된다. 그런데 재산세 부과와 관련하여 과세관청에 종중소유임을 신고한 경우에는 종중에게, 신고하지 아니한 경우에는 제3자(주로 종중원)에게 재산세를 부과하게 되는데, 종중에게 체납이 발생한 경우 등기소유자(제3자)와 납세자(종중)가 상이하여 압류 등 채권확보가 곤란해진다. 즉 등기부 상 종중 소유가 아님에도 재산세는 부과되는 경우가 있고 체납에 이른 경우가 발생하는데 종중 명의의 다른 재산까지 없다면 채권확보는 곤란해진다. 이에 대해 제3자에게 명의신탁된 종중 재산의 경우, 종중에 체납 발생 시 제3자에게 신탁 재산을 한도로 보충적 물적납세의무 지정할 수 있도록 하였다.

한편 양도담보와 명의신탁을 비교하면, 양도담보 관계는 부동산에 대한 실권리자는 채무자(A)이고 등기부상권리자(B)는 채권자인데 양도담보 계약으로 A재산이 B로 이전된다. 명의신탁 관계는 실권리자는 종중(명의신탁자)이고 등기부상권리자는 제3자(명의수탁자)인데 명의신탁 계약으로 A재산이 B로 이전된다. 이와같이 명의신탁이 기존의 양도담보와 법률관계가 유사한 점을 고려한 것으로 보인다.

| 양도담보재산 관련 개념 정리(예규 기법 75-1~75-5) |

양도담보재산	법 제75조에서 "양도담보재산"이란 납세자가 자기 또는 제3자의 채무를 담보하기 위하여 채권자 또는 제3자에게 양도한 재산을 말하며, 다음 각 호의 어느 하나에 해당하는 양도담보설정계약에 의하는 것으로 한다. 1. 채권의 담보목적을 위하여 담보의 목적물을 채권자에게 양도하고 그 담보된 채무를 이행하는 경우에는 채권자로부터 그 목적물을 반환받고 불이행하는 경우에는 채권자가 그 재산을 매각하여 우선변제를 받거나 그 재산을 확정적으로 취득한다는 취지의 양도담보설정계약(협의의 양도담보) 2. 담보를 위한 권리이전을 매매형식에 의하고 매도인이 약정기간 내에 매매대가를 반환하면 매수인으로부터 목적물을 되돌려 받을 수 있는 권리를 유보한 매매(환매약관부매매)의 형식을 취한 양도담보설정계약 또는 매도한 목적물에 대하여 매도인이 장래 예약완결권을 행사함으로써 재차 매매계약이 성립하여 목적물을 다시 매도인에게 돌려준다는 취지의 예약(재매매의 예약)의 형식을 취한 양도담보설정계약(매도담보)
양도담보의 목적물	동산, 유가증권, 채권, 부동산, 무체재산권 등과 그 이외에 법률상으로 아직 권리로 인정되어 있지 않은 것이라도 양도할 수 있는 것은 모두 양도담보의 목적물이 된다.
양도담보의 공시방법	양도담보의 공시는 다음 각 호의 방법에 의하여 목적물의 권리를 이전함에 의한다. 1. 동산 … 인도 또는 점유개정 2. 부동산 … 등기 3. 무기명채권 및 지시채권 … 증서의 교부 4. 지명채권 … 양도인으로부터 통지 또는 채무자의 승낙 5. 기타 … 인도, 등기 또는 등록 등 위 각호에 준함.
제2차 납세의무자의 재산에 대한 양도담보권자의 물적납세의무	제2차 납세의무자도 「지방세기본법」 제2조 제1항 제12호의 규정에 의하여 납세자에 해당하므로 그 소유재산에 대한 양도담보권자는 물적납세의무를 진다.

양도담보권의 실행과 물적납세의무	「지방세기본법」 제75조에 의한 양도담보권자의 물적납세의무에 해당되어 납세고지를 받기 전에 양도담보권을 실행하여 소유권을 취득하고 양도담보권자의 대금채무와 양도담보설정자의 피담보채무를 상계하였으면 양도담보권은 이미 소멸한 것이므로 물적납세의무를 지울 수 없다.

◎ **양도담보권자가 고지를 받기 전 양도담보권이 실행된 경우 물적 납세의무가 없음**

세무서장이 「국세기본법」 제42조에 따른 물적 납세의무의 대상이 되는 양도담보재산에 해당되는 양도담보채권의 채무자에게 채권압류를 통지한 경우라도 그 양도담보권자가 「국세징수법」 제13조에 따른 납부의 고지를 받기 전에 양도담보권을 실행하여 이미 그 양도담보권이 소멸된 경우에는 더 이상 「국세기본법」 제42조에 따른 물적 납세의무를 부담하지 않는 것임(국세청 재조세-478, 2011.4.20.).

◎ **법정기일 전에 담보의 목적이 된 양도담보재산에 대해 물적 납세의무를 지울 수 없음**

체납자에게 양도담보재산이 있는 때에는 그 납세자의 다른 재산에 대하여 체납처분을 집행하여도 징수할 금액에 부족한 경우에 한하여 그 양도담보재산으로써 납세자의 국세·가산금과 체납처분비를 징수할 수 있으며, 다만, 국세의 법정기일 전에 담보의 목적이 된 양도담보재산에 대하여는 그러하지 아니함. … 압류된 기계장치는 압류에 관계된 국세인 부가가치세의 법정기일 전에 담보의 목적이 된 양도담보재산이므로 세무서장은 양도담보권자인 농협이나 대위변제자로서 채권자로부터 양도담보물을 교부받아 양도담보에 관한 권리를 행사하는 기술신용보증기금에 대하여 양도담보권자의 물적 납세의무를 지울 수 없으며 나아가 양도담보재산을 압류할 수 없음(국심 2006중3299, 2006.12.26.).

◎ 양도담보권자로부터 납세자의 국세·가산금 또는 체납처분비를 징수하고자 할 때에는 양도담보권자에게 납부의 고지를 하여야 하는 것임(국세청 징세과-830, 2010.8.30.).

◎ **양도담보권자의 물적납세의무(채권 확보에 따른 배분업무 등 처리요령)**[24]

(전제 ①) 지방자치단체의 징수금의 법정기일 전에 담보의 대상이 된 양도담보재산에 대하여는 지방자치단체의 징수금을 징수할 수 없고, "양도담보재산"이란 당사자 간의 양도담보설정계약에 따라 납세자가 그 재산을 양도한 때에 실질적으로 양도인에 대한 채권담보의 대상이 된 재산을 말한다.

(전제 ②) 납세자가 지방자치단체의 징수금을 체납한 경우에 그 납세자에게 양도담보재산이 있을 때에는 그 납세자의 다른 재산에 대하여 체납처분을 집행하고도 징수할 금액이 부족한 경우에만 그 양도담보재산으로써 납세자의 지방자치단체의 징수금을 징수할 수 있다.

(제2차납세의무자 고지방법 준용) 지방세의 징수금을 양도담보권자로부터 징수하려면 양도

24) 지방세채권 확보에 따른 배분업무 등 처리요령(지방세특례제도과-1512, 2014.8.27.)

담보권자로부터 징수할 금액 및 그 산출근거 등을 기록한 납부통지서(지방세기본법 시행규칙 제49조)로 고지(납세고지서 첨부)하여야 하고, 이 경우 납세자에게 그 사실을 알려야 한다. 양도담보권자가 고지된 납부통지서의 납부기한까지 납부의무를 이행하지 아니하면 납부최고서의 발급을 생략하고 즉시 압류할 수 있다.

(특칙) 양도담보권자에게 고지를 하거나 양도담보재산을 압류한 후 그 재산의 양도에 따라 담보된 채권이 채무불이행이나 그 밖의 변제 외의 이유로 소멸된 경우에도 양도담보재산으로 존속하는 것으로 본다.

(양도담보와 관련된 개별세법의 규정) 채무의 변제를 담보하기 위하여 양도담보계약을 체결한 경우에는 형식적인 소유권이전에 불과하므로 양도로 보지 아니한다. 그러나 해당 자산이 채무의 변제에 충당된 경우에는 그 충당된 때에 양도한 것으로 본다(소득세법 시행령 제151조 ①). 담보제공(질권, 저당권 또는 양도담보의 목적으로 동산, 부동산 및 부동산상의 권리를 제공하는 것을 말함)은 채권담보의 목적에 불과하므로 재화의 공급으로 보지 아니한다(부가가치세법 제10조 ⑧ 및 시행령 제22조).

제 6 장

지방세기본법

납세자의 권리

제76조(납세자권리헌장의 제정 및 교부)

법 제76조(납세자권리헌장의 제정 및 교부) ① 지방자치단체의 장은 제78조부터 제87조까지의 사항과 그 밖에 납세자의 권리보호에 관한 사항을 포함하는 납세자권리헌장을 제정하여 고시하여야 한다.

② 세무공무원은 다음 각 호의 어느 하나에 해당하는 경우에는 제1항에 따른 납세자권리헌장의 내용이 수록된 문서를 납세자에게 내주어야 한다.

1. 제102조부터 제109조까지의 규정에 따른 지방세에 관한 범칙사건(이하 "범칙사건"이라 한다)을 조사(이하 "범칙사건조사"라 한다)하는 경우
2. 세무조사를 하는 경우

③ 세무공무원은 범칙사건조사나 세무조사를 시작할 때 신분을 증명하는 증표를 납세자 또는 관계인에게 제시한 후 납세자권리헌장을 교부하고 그 요지를 직접 낭독해 주어야 하며, 조사사유, 조사기간, 제77조 제2항에 따른 납세자보호관(이하 "납세자보호관"이라 한다)의 납세자 권리보호 업무에 관한 사항·절차 및 권리구제 절차 등을 설명하여야 한다. 〈신설 2018.12.24.〉

④ 세무공무원은 범칙사건조사나 세무조사를 서면으로 하는 경우에는 제3항에 따라 낭독해 주어야 하는 납세자권리헌장의 요지와 설명하여야 하는 사항을 납세자 또는 관계인에게 서면으로 알려주어야 한다. 〈신설 2018.12.24.〉

납세자권리헌장에는 납세자의 성실성 추정, 세무조사의 사전통지·결과통지·연기신청, 세무조사시 조력을 받을 권리, 중복조사의 금지, 과세정보의 비밀유지, 권리행사에 필요한 정보의 제공, 불복청구에 관한 사항, 지방세공무원으로부터의 공정한 대우 등의 내용이 포함되어야 한다. 2019년부터 세무조사 개시하는 때 세무공무원의 법적의무인 납세자권리헌장 교부 및 납세자보호관 등 설명의무를 규정하였다(제80조 제3항을 삭제하고 이곳으로 이관하여 규정함).

◎ 납세자권리헌장의 교부시기 및 효력 등

국세기본법 제81조의 2에서 규정한 납세자권리헌장의 교부시기는 사업자등록증을 교부하는 경우, 법인세 등 부과처분을 위한 실지조사 및 범칙조사를 하는 경우 등으로, 세무조사시 한 번 더 납세자의 권리보호사항을 알게 하기 위한 것이므로 세무조사의 적법성에 문제가 없는 한 납세자권리헌장의 교부여부는 조사의 효력에 영향이 없는 것이며, 범칙조사시 납세자권리헌장의 송달 및 송달방법 등은 국세기본법 제1장 제3절(서류의 송달)에 의하여 판단하여야 할 것임. 또한, 조사사무처리규정에는 세무조사사전통지서에 기재된 조사대상기간이 아니더라도 조사사항이 다른 연도와 관련이 있는 등 일정한 요건이 되면 조사관할 관서장의 승인 없이도 조사대상기간을 확대할 수 있는 경우 및 조사관할 관서장의 승인을 받아야 확대

할 수 있는 경우를 각각 규정하고 있는 바, 질의의 경우 사전승인 대상인지의 여부는 사실판단에 관한 사항이며, 조사대상기간 확대의 승인절차 및 방법은 당해 관서장이 조사 등 일련의 부과절차 과정에서 내부적으로 이루어지는 것으로 국세기본법 제81조의 5의 세무조사대상에 해당하는 한 부과처분은 적법한 것임(국세청 서삼 46019-11588, 2003.10.10.).

제77조(납세자 권리보호)

법 제77조(납세자 권리보호) ① 지방자치단체의 장은 직무를 수행할 때 납세자의 권리가 보호되고 실현될 수 있도록 하여야 한다. 〈개정 2017.12.26.〉

② 지방자치단체의 장은 납세자보호관을 배치하여 지방세 관련 고충민원의 처리, 세무상담 등 대통령령으로 정하는 납세자 권리보호업무를 전담하여 수행하게 하여야 한다. 〈개정 2017.12.26.〉

③ 납세자보호관의 자격 · 권한 등 제도의 운영에 필요한 사항은 대통령령으로 정한다. 〈신설 2017.12.26., 2018.12.24.〉

영 제51조의 2(납세자보호관의 업무 · 권한 · 자격 등) ① 법 제77조 제2항에서 "대통령령으로 정하는 납세자 권리보호업무"란 다음 각 호의 업무를 말한다.

1. 지방세 관련 고충민원의 처리, 세무상담 등에 관한 사항 2. 세무조사 · 체납처분 등 권리보호 요청에 관한 사항 <u>2의 2. 세무조사 과정에서 위법 · 부당한 행위를 한 세무공무원 교체 명령 요구 및 징계 요구</u> 3. 납세자권리헌장 준수 등에 관한 사항 4. 세무조사 기간 연장 및 연기에 관한 사항 5. 그 밖에 납세자 권리보호와 관련하여 조례로 정하는 사항

② 납세자보호관이 제1항의 업무를 처리하기 위한 권한은 다음 각 호와 같다.

1. 위법 · 부당한 처분에 대한 시정요구 2. 위법 · 부당한 세무조사의 일시중지 요구 및 중지 요구
3. 위법 · 부당한 처분이 행하여 질 수 있다고 인정되는 경우 그 처분 절차의 일시중지 요구
4. 그 밖에 납세자의 권리보호와 관련하여 조례로 정하는 사항

③ 납세자보호관은 지방자치단체 소속 공무원 또는 조세 · 법률 · 회계 분야의 전문지식과 경험을 갖춘 사람 중에서 그 직급 또는 경력 등을 고려하여 해당 지방자치단체의 조례로 정하는 바에 따라 지방자치단체의 장이 임명하거나 위촉한다.

④ 지방자치단체의 장은 납세자보호관의 납세자 권리보호 업무 추진실적을 법 제149조에 따른 통계자료의 공개시기 및 방법에 준하여 정기적으로 공개하여야 한다.

⑤ 제1항에 따른 납세자보호관의 업무처리 기간 및 방법, 그 밖의 납세자보호관 제도의 운영에 필요한 사항은 조례로 정한다. 〈개정 2018.12.31.〉 [본조신설 2017.12.29.]

납세자 권리보호를 위하여 납세자 권리보호업무를 전담하여 수행하는 납세자보호관의 배치와 구체적 업무 및 처리기간 등을 규정하고 있다. 2018년 납세자보호관을 지자체 '조례에 의해 임의 배치'하였던 것을 '법률에 의해 의무 배치'할 수 있도록 하였다. 2019년부터

납세자보호관의 업무처리 기간을 고충민원의 처리기간과 같이 규정할 수 있도록 하였다. 「민원 처리에 관한 법률 시행령」 제17조에서 일반적인 고충민원의 처리기간은 7일로 규정하고 있다.

제78조(납세자의 성실성 추정)~제79조(납세자의 협력의무)

> **법** 제78조(납세자의 성실성 추정) 세무공무원은 납세자가 제82조 제2항 제1호부터 제3호까지의 어느 하나에 해당하는 경우를 제외하고는 납세자가 성실하며 납세자가 제출한 서류 등이 진실한 것이라고 추정하여야 한다.
>
> 제79조(납세자의 협력의무) 납세자는 세무공무원의 적법한 질문 · 조사, 제출명령에 대하여 성실하게 협력하여야 한다.

세무공무원은 납세자가 성실하다는 추정아래 세무행정을 하여야 하며, 다만 납세자가 지방세관계법에 따른 신고 · 납부 등 납세협력의무를 이행하지 아니한 경우, 구체적인 탈세제보가 있는 경우, 신고내용에 탈루나 오류의 혐의가 있는 경우 등에 대해서는 그러하지 않다.

◎ 납세자의 성실성 추정이 세무조사를 제한하지는 아니함

사유발생지역을 관할하는 시장 · 군수는 납세자가 제출한 당해 사유의 발생사실을 증명하는 서류를 진실한 것으로 추정하여 담배소비세 공제 · 환부증명서를 발급할 수 있음. 그러나 지방세법상 납세자의 성실성 추정이 세무조사를 제한하지 아니하므로, 세무공무원은 필요하다고 판단되는 경우 담배소비세 공제 · 환부에 관하여 세무조사를 실시할 수 있음. 또한 시장 · 군수는 납세자가 제출한 당해 발생사실을 증명하는 서류에 대하여 사실확인이 필요하다고 판단되는 경우 지방세법상 질문 · 검사권에 근거하여 공제 · 환부에 관한 별도의 사실확인절차를 진행할 수 있음(지방세정팀-1674, 2005.7.15.).

제80조(조사권의 남용 금지)

법 제80조(조사권의 남용 금지) ① 지방자치단체의 장은 적절하고 공평한 과세의 실현을 위하여 필요한 최소한의 범위에서 세무조사를 하여야 하며, 다른 목적 등을 위하여 조사권을 남용해서는 아니 된다.

② 지방자치단체의 장은 다음 각 호의 경우가 아니면 같은 세목 및 같은 과세연도에 대하여 재조사를 할 수 없다. 〈개정 2017.12.26., 2018.12.24.〉

1. 지방세 탈루의 혐의를 인정할 만한 명백한 자료가 있는 경우
2. 거래상대방에 대한 조사가 필요한 경우 3. 둘 이상의 사업연도와 관련하여 잘못이 있는 경우
4. 제88조 제5항 제2호 단서, 제96조 제1항 제3호 단서 또는 제100조에 따라 심판청구에 관하여 준용하는 「국세기본법」 제65조 제1항 제3호 단서에 따른 필요한 처분의 결정에 따라 조사를 하는 경우
5. 납세자가 세무공무원에게 직무와 관련하여 금품을 제공하거나 금품제공을 알선한 경우
6. 제84조의 3 제3항에 따른 조사를 실시한 후 해당 조사에 포함되지 아니한 부분에 대하여 조사하는 경우
7. 그 밖에 제1호부터 제6호까지의 경우와 유사한 경우로서 대통령령으로 정하는 경우

③ 세무공무원은 세무조사를 하기 위하여 필요한 최소한의 범위에서 장부등의 제출을 요구하여야 하며, 조사대상 세목 및 과세연도의 과세표준과 세액의 계산과 관련 없는 장부등의 제출을 요구해서는 아니 된다.

④ 누구든지 세무공무원으로 하여금 법령을 위반하게 하거나 지위 또는 권한을 남용하게 하는 등 공정한 세무조사를 저해하는 행위를 하여서는 아니 된다.

영 제52조(재조사 금지의 예외) 법 제80조 제2항 제5호에서 "대통령령으로 정하는 경우"란 다음 각 호의 어느 하나에 해당하는 경우를 말한다.

1. 법 제102조부터 제109조까지의 규정에 따른 지방세에 관한 범칙사건을 조사(이하 "범칙사건조사"라 한다)하는 경우 2. 세무조사 중 서면조사만 하였으나 법 또는 지방세관계법에 따른 경정을 다시 할 필요가 있는 경우
3. 각종 과세정보의 처리를 위한 재조사나 지방세환급금의 결정을 위한 확인조사 등을 하는 경우

세무조사는 세무공무원이 세법에 규정된 질문검사권을 행사하여 과세요건의 충족여부를 사후적으로 확인하는 절차이다. 세법이 정하는 질문조사권 또는 질문검사권 등에 의거 납세의무불이행, 불성실신고 또는 탈세에 관한 증거를 탐지하거나 장부·서류 기타 물건을 검사, 조사 또는 확인하는 행위를 말한다. 세무조사는 질문검사권에 그 근거를 두는 것으로 임의조사[25]에 속하기 때문에 납세자에게는 진술거부권이 없다. 세무공무원의 질문검사권

25) 피조사자의 동의 또는 승낙을 받아 행하는 조사를 말한다. 피조사자의 의사에 반하여 강제적으로 행하는 강제조사와 반대된다. 강제조사에 있어서는 피조사자에게 진술거부권이 보장된다.

행사에 대하여 허위진술을 하거나 그 직무집행을 거부 또는 기피한 자는 500만원 이하의 과태료를 부과한다.

세무공무원은 적정하고 공평한 과세의 실현을 위하여 필요한 최소한의 범위 안에서 세무조사를 행하여야 하며 다른 목적을 위해 조사권을 남용하여서는 아니된다. 그리고 세무조사와 직접 관련 없는 자료 제출의 요구를 금지하고 있다(2020.1.1. 신설 법 제80조 ②・③). 조사대상 세목・과세기간의 과세표준・세액의 계산과 관련 없는 자료는 요구할 수 없다. 또한, 종전 부분세무조사분 외의 사항은 조사할 수 있음을 명확히 하였다.

◎ 다른 증거서류 등에 의하여 사실관계를 확인할 수 있는 경우라면 납세자의 동의를 받지 않고 현장을 촬영하였다는 사정만으로 위법한 처분이 될 수 없음

피고 소속 공무원이 2016.9.5. 원고 동의를 받지 않고 이 사건 부동산 현황을 촬영한 것으로 보이기는 함. 그러나 위와 같은 현장조사는 이 사건 부동산 현황을 단순 확인한 것에 그친 것으로서 원고에게 수인의무를 부과하거나 영업의 자유 등을 침해한 것은 아닌 점, 위와 같은 현장확인을 통하여 알게 된 부동산 현황이 아니더라도 원고가 서면조사에 응하여 제출한 사업자등록증, 재무상태표, 손익계산서, 제조원가명세서 등 자료를 통해서 취득일로부터 2년 이내에 정당한 사유 없이 직접 사용하지 아니하였다는 사실을 충분히 확인할 수 있는 점 등에 비추어 보면, 피고 소속 공무원이 원고 동의를 받지 않고 부동산 현황을 촬영하였다는 사정만으로 이 사건 처분이 위법하다고 볼 수 없음(대법원 2020두32524, 2020.4.29. 확정).

◎ 중복조사의 예외사유에 해당하는지 여부는 구체적인 정황 및 자료에 의해 판단할 사항

1998 귀속분은 ○○ 지방국세청 조사상담관실에서 이미 조사 제외 조치하여 질의의 대상이 아니고, 1999 귀속분의 중복조사 여부에 있어서는 국세기본법 제81조의 3(세무조사권의 남용금지) 제2항 및 같은 법 시행령 제63조의 2(중복조사의 금지) 각 호에서 규정하고 있는 중복조사의 예외사유에 해당되는지 여부를 구체적인 정황 및 자료에 의하여 사실 판단하여야 할 사항임(국세청 서면1팀-604, 2004.4.28.).

◎ 법원의 직권 증거조사가 가능하나 입증을 촉구하기 위해 석명권의 한계를 넘어서면 안됨

행정소송법 제26조는 법원이 필요하다고 인정할 때에는 직권으로 증거조사를 할 수 있고 당사자가 주장하지 아니한 사실에 대하여 판단할 수 있다고 규정하고 있으나, 이는 행정소송에 있어서 원고의 청구범위를 초월하여 그 이상의 청구를 인용할 수 있다는 뜻이 아니라 원고의 청구범위를 유지하면서 필요에 따라 주장 외의 사실에 관하여 판단할 수 있다는 뜻이고 또 법원의 석명권[26]은 당사자의 진술에 모순, 흠결이 있거나 애매하여 그 진술의 취지를 알 수

26) 법원이 사건의 진상을 명확히 하기 위하여 당사자에게 사실상 및 법률상의 사항에 관하여 질문을 하고, 입증(立證)을 촉구하는 권한

없을 때 이를 보완하여 명료하게 하거나 입증책임 있는 당사자에게 입증을 촉구하기 위하여 행사하는 것이지 그 정도를 넘어 당사자에게 새로운 청구를 할 것을 권유하는 것은 석명권의 한계를 넘어서는 것임(대법원 91누6030, 1992.3.10.).

◎ **탈루사실이 확인될 상당한 정도의 개연성이 객관성·합리성이 인정되는 경우 재조사 가능**

재조사가 예외적으로 허용되는 경우의 하나로 '조세탈루의 혐의를 인정할 만한 명백한 자료가 있는 경우'라 함은 조세의 탈루사실이 확인될 상당한 정도의 개연성이 객관성과 합리성이 뒷받침되는 자료에 의하여 인정되는 경우로 엄격히 제한되어야 하므로, 객관성과 합리성이 뒷받침되지 않는 한 탈세제보가 구체적이라는 사정만으로는 여기에 해당한다고 보기 어려움(대법원 2008두10461, 2010.12.23.).

제81조(세무조사 등에 따른 도움을 받을 권리)

> **법** 제81조(세무조사 등에 따른 도움을 받을 권리) 납세자는 범칙사건조사 및 세무조사를 받는 경우에 변호사, 공인회계사, 세무사로 하여금 조사에 참석하게 하거나 의견을 진술하게 할 수 있다.

제82조(세무조사 대상자 선정)

> **법** 제82조(세무조사 대상자 선정) ① 지방자치단체의 장은 다음 각 호의 어느 하나에 해당하는 경우에 정기적으로 신고의 적정성을 검증하기 위하여 대상을 선정(이하 "정기선정"이라 한다)하여 세무조사를 할 수 있다. 이 경우 지방자치단체의 장은 제147조 제1항에 따른 지방세심의위원회의 심의를 거쳐 객관적 기준에 따라 공정하게 대상을 선정하여야 한다.
>
> 1. 지방자치단체의 장이 납세자의 신고내용에 대한 성실도 분석결과 불성실의 혐의가 있다고 인정하는 경우 2. 최근 4년 이상 지방세와 관련한 세무조사를 받지 아니한 납세자에 대하여 업종, 규모 등을 고려하여 대통령령으로 정하는 바에 따라 신고내용이 적절한지를 검증할 필요가 있는 경우 3. 무작위추출방식으로 표본조사를 하려는 경우
>
> ② 지방자치단체의 장은 정기선정에 의한 조사 외에 다음 각 호의 어느 하나에 해당하는 경우에는 세무조사를 할 수 있다.
>
> 1. 납세자가 이 법 또는 지방세관계법에서 정하는 신고·납부, 담배의 제조·수입 등에 관한 장부의 기록 및 보관 등 납세협력의무를 이행하지 아니한 경우 2. 납세자에 대한 구체적인 탈세 제보가 있는 경우 3. 신고내용에 탈루나 오류의 혐의를 인정할 만한 명백한 자료가 있는 경우 4. 납세자가 세무조사를 신청하는 경우

> 영 제53조(정기 세무조사 대상자 선정 기준) 법 제82조 제1항 제2호에 따라 실시하는 세무조사는 납세자의 이력, 사업 현황, 과세정보 등을 고려하여 지방자치단체의 장이 정하는 기준에 따른다.

세무조사 대상자는 정기선정과 정기선정외로 구분한다. 세무조사 대상자는 객관적 기준에 따라 공정하게 선정하여야 한다. 세법에서 정한 세무조사대상 선정사유가 없음에도 세무조사대상으로 선정하여 과세자료를 수집하고 그에 기하여 과세처분을 하는 것은 특별한 사정이 없는 한 위법한 세무조사라 할 것이다(대법원 2012두911, 2014.6.26.).

세무조사 희망법인에 대한 세무조사를 할 수 있는 근거를 두고 있다(2016.1.1. 법 제110조 ② 제4호). 장기간의 간격을 두고 실시하는 정기세무조사는 납세자의 업무 및 경제적 부담(추징세액 발생시 가산세 등)을 가중시키는 측면이 있는 바, 이에 대해 납세자가 납부세액을 신속히 확정하고자 자발적으로 세무조사를 신청하고 싶어도 관련규정이 없는 상태였다. 이에 대해 납세자가 세무조사를 신청할 수 있는 근거를 신설하였고, 세무조사 실시여부는 과세관청에서 판단하게 된다.

지방세심의위원회의 세무조사 대상자 선정 기능을 추가하였다(2020.1.1. 법 제82조, 제147조). 지방세 세무조사 대상선정의 객관성 및 투명성을 확보하기 위해 별도의 선정기구에서 세무 조사대상자 선정해야 한다. 전 지자체에 기 설치된 지방세심의위원회에 세무조사 대상자 선정 업무를 추가하였다.

제83조(세무조사의 사전통지와 연기신청)

> 법 제83조(세무조사의 사전통지와 연기신청) ① 세무공무원은 지방세에 관한 세무조사를 하는 경우에는 조사를 받을 납세자(제139조에 따른 납세관리인이 정해져 있는 경우에는 납세관리인을 포함한다. 이하 이 조에서 같다)에게 조사를 시작하기 15일 전까지 조사대상 세목, 조사기간, 조사 사유 및 그 밖에 대통령령으로 정하는 사항을 알려야 한다. 다만, 사전에 알릴 경우 증거인멸 등으로 세무조사의 목적을 달성할 수 없다고 인정되는 경우에는 사전통지를 생략할 수 있다.
> ② 제1항에 따른 통지를 받은 납세자는 천재지변이나 그 밖에 대통령령으로 정하는 사유로 조사를 받기 곤란한 경우에는 대통령령으로 정하는 바에 따라 지방자치단체의 장에게 조사를 연기해 줄 것을 신청할 수 있다.
> ③ 제2항에 따른 연기신청을 받은 지방자치단체의 장은 그 승인 여부를 결정하고 조사를 시작하기 전까지 그 결과를 납세자에게 알려야 한다.
> ④ 세무공무원은 제1항 단서에 따라 사전통지를 생략하고 세무조사를 하는 경우 세무조사를 개시

할 때 다음 각 호의 사항이 포함된 세무조사통지서를 세무조사를 받을 납세자에게 교부하여야 한다. 다만, 폐업 등 대통령령으로 정하는 경우에는 그러하지 아니하다.〉

1. 제1항 본문에 따른 사전통지 사항 2. 제1항 단서에 따라 사전통지를 하지 아니한 사유

영 제54조(세무조사의 사전통지와 연기신청 등) ① 법 제83조 제1항 본문에서 "대통령령으로 정하는 사항"이란 다음 각 호의 사항을 말한다.

1. 납세자 및 법 제139조에 따른 납세관리인(이하 "납세관리인"이라 한다)의 성명과 주소 또는 영업소 2. 조사대상 기간 3. 세무조사를 수행하는 세무공무원의 인적사항
4. 그 밖에 필요한 사항

② 법 제83조 제2항에서 "대통령령으로 정하는 사유"란 다음 각 호의 어느 하나에 해당하는 경우를 말한다.

1. 화재 및 도난, 그 밖의 재해로 사업상 중대한 어려움이 있는 경우 2. 납세자 또는 납세관리인의 질병, 중상해, 장기출장 등으로 세무조사를 받는 것이 곤란하다고 판단되는 경우 3. 권한 있는 기관에 장부등이 압수되거나 영치된 경우 4. 제1호부터 제3호까지에 준하는 사유가 있는 경우

③ 법 제83조 제2항에 따라 세무조사를 연기하여 줄 것을 신청하려는 자는 다음 각 호의 사항을 적은 신청서를 해당 지방자치단체의 장에게 제출하여야 한다.

1. 세무조사를 연기받으려는 자의 성명과 주소 또는 영업소 2. 세무조사를 연기받으려는 기간
3. 세무조사를 연기받으려는 사유 4. 그 밖에 필요한 사항

④ 법 제83조 제4항 각 호 외의 부분 단서에서 "폐업 등 대통령령으로 정하는 경우"란 다음 각 호의 어느 하나에 해당하는 경우를 말한다. 〈신설 2018.12.31.〉

1. 납세자가 세무조사 대상이 된 사업을 폐업한 경우
2. 납세자가 납세관리인을 정하지 않은 경우로서 국내에 주소 또는 거소를 두지 않은 경우
3. 납세자 또는 납세관리인이 세무조사통지서의 수령을 거부하거나 회피하는 경우

[제목개정 2018.12.31.]

규칙 제29조(세무조사의 사전 통지와 연기 신청) 생략

세무조사의 사전통지를 받을 권리는 납세자의 권리이다. 세무공무원은 지방세에 관하여 세무조사를 실시하려는 경우에는 납세자에게 조사개시 10일 전까지 조사대상 세목 및 조사사유, 조사기간 등을 알려야 한다. 세무조사의 통지를 받은 납세자는 천재지변 등 사유가 있는 경우에는 세무조사의 연기를 신청할 수 있다.

2018년부터 세무조사 대상자의 권익을 보호하기 위해 충분한 준비기간을 조사시작일 10일 전에서 15일로 확대하였다(2018.1.1.). 그리고 세무조사 사전통지를 생략하고 바로 세무조사하는 경우에도 조사대상 세목, 기간, 사유, 사전통지 생략이유 등에 대하여, 세무조사를 개시하는 때 세무조사통지서에 기재하여 교부하도록 규정하였다. 또한, 폐업으로 세무조사 통지가 불가능한 경우 등은 세무조사 통지서 교부 예외사유로 규정하였다(2019.1.1.).

제84조(세무조사 기간)

법 제84조(세무조사 기간) ① 지방자치단체의 장은 조사대상 세목·업종·규모, 조사 난이도 등을 고려하여 세무조사 기간을 20일 이내로 하여야 한다. 다만, 다음 각 호의 어느 하나에 해당하는 사유가 있는 경우에는 그 사유가 해소되는 날부터 20일 이내로 세무조사 기간을 연장할 수 있다. 〈개정 2017.12.26., 2018.12.24.〉

1. 납세자가 장부등의 은닉, 제출지연, 제출거부 등 조사를 기피하는 행위가 명백한 경우
2. 거래처 조사, 거래처 현지 확인 또는 금융거래 현지 확인이 필요한 경우
3. 지방세 탈루 혐의가 포착되거나 조사 과정에서 범칙사건조사로 조사 유형이 전환되는 경우
4. 천재지변, 노동쟁의로 조사가 중단되는 등 지방자치단체의 장이 정하는 사유에 해당하는 경우
5. 세무조사 대상자가 세금 탈루 혐의에 대한 해명 등을 위하여 세무조사 기간의 연장을 신청한 경우
6. 납세자보호관이 세무조사 대상자의 세금 탈루 혐의의 해명과 관련하여 추가적인 사실 확인이 필요하다고 인정하는 경우

② 지방자치단체의 장은 납세자가 자료의 제출을 지연하는 등 대통령령으로 정하는 사유로 세무조사를 진행하기 어려운 경우에는 세무조사를 중지할 수 있다. 이 경우 그 중지기간은 제1항에 따른 세무조사 기간 및 세무조사 연장기간에 산입하지 아니한다.

③ 세무공무원은 제2항에 따른 세무조사의 중지기간 중에는 납세자에 대하여 세무조사와 관련한 질문을 하거나 장부등의 검사·조사 또는 그 제출을 요구할 수 없다. 〈신설 2018.12.24.〉

④ 지방자치단체의 장은 제2항에 따라 세무조사를 중지한 경우에는 그 중지사유가 소멸되면 즉시 조사를 재개하여야 한다. 다만, 조세채권의 확보 등 긴급히 조사를 재개하여야 할 필요가 있는 경우에는 중지사유가 소멸되기 전이라도 세무조사를 재개할 수 있다. 〈개정 2018.12.24.〉

⑤ 지방자치단체의 장은 제1항 단서에 따라 세무조사 기간을 연장할 때에는 연장사유와 그 기간을 미리 납세자(제139조에 따른 납세관리인이 정해져 있는 경우에는 납세관리인을 포함한다)에게 문서로 통지하여야 하고, 제2항 또는 제4항에 따라 세무조사를 중지하거나 재개하는 경우에는 그 사유를 문서로 통지하여야 한다. 〈개정 2018.12.24.〉

⑥ 지방자치단체의 장은 세무조사 기간을 단축하기 위하여 노력하여야 하며, 장부기록 및 회계처리의 투명성 등 납세성실도를 검토하여 더 이상 조사할 사항이 없다고 판단될 때에는 조사기간 종료 전이라도 조사를 조기에 종결할 수 있다. 〈개정 2018.12.24.〉

영 제55조(세무조사의 중지) 법 제84조 제2항 전단에서 "납세자가 자료의 제출을 지연하는 등 대통령령으로 정하는 사유"란 다음 각 호의 어느 하나에 해당하는 경우를 말한다. 〈개정 2018.12.31.〉

1. 법 제83조 제2항 및 이 영 제54조 제2항에 따른 세무조사 연기신청 사유에 해당되어 납세자가 세무조사 중지를 신청한 경우
2. 국외자료의 수집·제출 또는 상호합의절차 개시에 따라 외국 과세기관과의 협의가 필요한 경우
3. 다음 각 목의 어느 하나에 해당하여 세무조사를 정상적으로 진행하기 어려운 경우
   가. 납세자의 소재를 알 수 없는 경우 나. 납세자가 해외로 출국한 경우
   다. 납세자가 장부등을 은닉하거나 그 제출을 지연 또는 거부한 경우

라. 노동쟁의가 발생한 경우 마. 그 밖에 이와 유사한 사유가 있는 경우

4. 제51조의 2 제2항 제2호에 따라 납세자보호관이 세무조사의 일시중지 또는 중지 요구를 하는 경우

법 제84조의 2(장부등의 보관 금지) ① 세무공무원은 세무조사(범칙사건조사를 포함한다. 이하 이 조에서 같다)의 목적으로 납세자의 장부등을 지방자치단체에 임의로 보관할 수 없다.

② 제1항에도 불구하고 세무공무원은 제82조 제2항 각 호의 어느 하나의 사유에 해당하는 경우에는 조사 목적에 필요한 최소한의 범위에서 납세자, 소지자 또는 보관자 등 정당한 권한이 있는 자가 임의로 제출한 장부등을 납세자의 동의를 받아 지방자치단체에 일시 보관할 수 있다.

③ 세무공무원은 제2항에 따라 납세자의 장부등을 지방자치단체에 일시 보관하려는 경우 납세자로부터 일시 보관 동의서를 받아야 하며, 일시 보관증을 교부하여야 한다.

④ 세무공무원은 제2항에 따라 일시 보관하고 있는 장부등에 대하여 납세자가 반환을 요청한 경우에는 그 반환을 요청한 날부터 14일 이내에 장부등을 반환하여야 한다. 다만, 조사목적을 달성하기 위하여 필요한 경우에는 납세자보호관의 승인을 거쳐 한 차례만 14일 이내의 범위에서 보관기간을 연장할 수 있다.

⑤ 제4항에도 불구하고 세무공무원은 납세자가 제2항에 따라 일시 보관하고 있는 장부등의 반환을 요청한 경우로서 세무조사에 지장이 없다고 판단될 때에는 요청한 장부등을 즉시 반환하여야 한다.

⑥ 제4항 및 제5항에 따라 납세자에게 장부등을 반환하는 경우 세무공무원은 장부등의 사본을 보관할 수 있고, 그 사본이 원본과 다름없다는 사실을 확인하는 납세자의 서명 또는 날인을 요구할 수 있다.

⑦ 제1항부터 제6항까지에서 규정한 사항 외에 장부등의 일시 보관 방법 및 절차 등에 관하여 필요한 사항은 대통령령으로 정한다.

제84조의 3(통합조사의 원칙) ① 세무조사는 이 법 및 지방세관계법에 따라 납세자가 납부하여야 하는 모든 지방세 세목을 통합하여 실시하는 것을 원칙으로 한다.

② 제1항에도 불구하고 다음 각 호의 어느 하나에 해당하는 경우에는 특정한 세목만을 조사할 수 있다.

1. 세목의 특성, 납세자의 신고유형, 사업규모 또는 세금탈루 혐의 등을 고려하여 특정 세목만을 조사할 필요가 있는 경우
2. 조세채권의 확보 등을 위하여 특정 세목만을 긴급히 조사할 필요가 있는 경우
3. 그 밖에 세무조사의 효율성 및 납세자의 편의 등을 고려하여 특정 세목만을 조사할 필요가 있는 경우로서 대통령령으로 정하는 경우

③ 제1항 및 제2항에도 불구하고 다음 각 호의 어느 하나에 해당하는 경우에는 해당 호의 사항에 대한 확인을 위하여 필요한 부분에 한정한 조사를 실시할 수 있다.

1. 제50조 제3항에 따른 경정 등의 청구에 따른 처리, 제58조에 따른 부과취소 및 변경 또는 제60조 제1항에 따른 지방세환급금의 결정을 위하여 확인이 필요한 경우
2. 제88조 제5항 제2호 단서, 제96조 제1항 제3호 단서 또는 제100조에 따라 심판청구에 관하여 준용하는 「국세기본법」 제65조 제1항 제3호 단서에 따른 재조사 결정에 따라 사실관계의 확인이 필요한 경우
3. 거래상대방에 대한 세무조사 중에 거래 일부의 확인이 필요한 경우

4. 납세자에 대한 구체적인 탈세 제보가 있는 경우로서 해당 탈세 혐의에 대한 확인이 필요한 경우
5. 명의위장, 차명계좌의 이용을 통하여 세금을 탈루한 혐의에 대한 확인이 필요한 경우
6. 그 밖에 세무조사의 효율성 및 납세자의 편의 등을 고려하여 특정 사업장, 특정 항목 또는 특정 거래에 대한 조사가 필요한 경우로서 대통령령으로 정하는 경우

영 제55조의 2(장부등의 일시 보관 방법 및 절차) ① 세무공무원은 법 제84조의 2 제2항에 따라 장부등을 일시 보관하려는 경우 장부등의 일시 보관 전에 납세자, 소지자 또는 보관자 등 정당한 권한이 있는 자(이하 이 조에서 "납세자등"이라 한다)에게 다음 각 호의 사항을 고지해야 한다.
1. 법 제82조 제2항 각 호의 사유 중 장부등을 일시 보관하는 사유
2. 납세자등이 동의하지 않으면 장부등을 일시 보관할 수 없다는 내용
3. 납세자등이 임의로 제출한 장부등에 대해서만 일시 보관할 수 있다는 내용
4. 납세자등이 요청하는 경우 일시 보관 중인 장부등을 반환받을 수 있다는 내용

② 납세자등은 조사목적이나 조사범위와 관련이 없다는 사유 등으로 일시 보관에 동의하지 않는 장부등에 대해서는 세무공무원에게 일시 보관할 장부등에서 제외할 것을 요청할 수 있다. 이 경우 세무공무원은 정당한 사유 없이 해당 장부등을 일시 보관할 수 없다.

③ 법 제84조의 2 제4항 및 제5항에 따라 장부등을 반환한 경우를 제외하고 세무공무원은 해당 세무조사를 종결할 때까지 일시 보관한 장부등을 모두 반환해야 한다.

제55조의 3(특정 세목에 대한 세무조사 사유) ① 법 제84조의 3 제2항 제3호에서 "대통령령으로 정하는 경우"란 법 제82조 제2항 제4호에 따라 납세자가 특정 세목에 대하여 세무조사를 신청한 경우를 말한다.

② 법 제84조의 3 제3항 제6호에서 "대통령령으로 정하는 경우"란 무자료거래, 위장·가공 거래 등 특정 거래 내용이 사실과 다른 구체적인 혐의가 있는 경우로서 조세채권의 확보 등을 위하여 긴급한 조사가 필요한 경우를 말한다.

세무조사기간은 20일 내 하도록 하고, 납세자가 장부·서류의 은닉 등의 사유가 있는 경우에는 그 기간을 연장할 수 있다. 세무조사의 투명성을 보장하고 장기간 세무조사로 인한 납세자 피해를 예방하기 위해 세무조사 기간을 20일 이내로 제한하고 있으며, 특별한 사유에 한해 20일 이내로 연장할 수 있다.

세무조사 관련 그동안의 입법 경위를 보면 다음과 같다. 2016.1.1. 세무조사 중지사유를 신설하였다(법 제112조, 영 제92조의 2). 기 통지한 조사기간에 부득이한 사유로 세무조사를 진행할 수 없는 경우가 있을 수 있는 바, 이에 대한 근거규정이 미비하여 세무조사 중단사유를 신설하였다(시행령 위임).

2019.1.1. 납세자보호관이 납세자의 세금 탈루혐의의 해명을 위하여 추가적인 사실 확인이 필요하다고 인정하는 경우를 기간연장 사유로 규정하였다. 또한 세무조사 중지기간 중에 세무조사와 관련한 질문을 하거나 장부 등의 검사·조사 또는 그 제출을 요구할 수 없도록 규정하였다.

2020.1.1. 세무조사 시 장부의 임의보관 금지 원칙을 명시하였다(법 제84조의 2 등). 세무조사 시 장부보관 절차 등을 신설하였는데, 납세자의 권익보호를 위하여 과세권자가 납세자의 장부 등을 임의로 보관할 수 없도록 하고, 구체적 탈세 제보 등이 있는 경우 등과 같이 예외적인 사유 발생 시 납세자의 장부를 일시보관하고 반환하는 등에 관한 절차를 신설하였다. 예외적인 사유는 정기조사 외 세무조사 가능 사유와 동일(법 제84조의 2 제2항)하다. 그리고 부분 세무조사의 법적 근거를 명확히 하였다(법 제84조의 3). 통합조사를 원칙으로 하고, 예외적으로 세금탈루 혐의 등이 있는 경우에는 특정세목·항목 등의 부분조사가 가능토록 명문화하였다.

- 국세기본법상 세무조사기간을 연장하려는 때에는 연장사유와 기간을 납세자에게 문서로 조사기간이 종료되기 전에 통지하여야 하며, 조사기간 종료 후에 통지한 조사기간 연장통지는 연장의 효력이 없음(국세청 재조세-191, 2010.2.12.).

제85조(세무조사 등의 결과통지)

법 제85조(세무조사 등의 결과 통지) 세무공무원은 범칙사건조사 및 세무조사(서면조사를 포함한다)를 마친 날부터 20일(제33조 제1항 각 호의 어느 하나에 해당하는 경우에는 40일) 이내에 다음 각 호의 사항이 포함된 조사결과를 서면으로 납세자(제139조에 따른 납세관리인이 정해져 있는 경우에는 납세관리인을 포함한다. 이하 이 조에서 같다)에게 알려야 한다. 다만, 조사결과를 통지하기 곤란한 경우로서 대통령령으로 정하는 경우에는 결과 통지를 생략할 수 있다.

1. 세무조사 내용 2. 결정 또는 경정할 과세표준, 세액 및 산출근거
3. 그 밖에 대통령령으로 정하는 사항

② 세무공무원은 제1항에도 불구하고 다음 각 호의 어느 하나에 해당하는 사유로 제1항에 따른 기간 이내에 조사결과를 통지할 수 없는 부분이 있는 경우에는 납세자의 동의를 얻어 그 부분을 제외한 조사결과를 납세자에게 설명하고, 이를 서면으로 통지할 수 있다.

1. 「국제조세조정에 관한 법률」 및 조세조약에 따른 국외자료의 수집·제출 또는 상호합의절차 개시에 따라 외국 과세기관과의 협의가 진행 중인 경우
2. 해당 세무조사와 관련하여 지방세관계법의 해석 또는 사실관계 확정을 위하여 행정안전부장관에 대한 질의 절차가 진행 중인 경우

③ 제2항 각 호에 해당하는 사유가 해소된 때에는 그 사유가 해소된 날부터 20일(제33조 제1항 각 호의 어느 하나에 해당하는 경우에는 40일) 이내에 제2항에 따라 통지한 부분 외에 대한 조사결과를 납세자에게 설명하고, 이를 서면으로 통지하여야 한다.

영 제56조(세무조사의 결과 통지의 예외사유) ① 법 제85조 제1항 제3호에서 "대통령령으로 정하

는 사항"이란 다음 각 호의 사항을 말한다.
1. 세무조사 대상 기간 및 세목 2. 과세표준 및 세액을 결정 또는 경정하는 경우 그 사유
3. 법 제49조에 따라 과세표준 수정신고서를 제출할 수 있다는 사실
4. 법 제88조 제2항에 따라 과세전적부심사를 청구할 수 있다는 사실
② 법 제85조 제1항 각 호 외의 부분 단서에서 "대통령령으로 정하는 경우"란 다음 각 호의 어느 하나에 해당하는 경우를 말한다.
1. 「지방세징수법」 제22조에 따른 납기 전 징수의 사유가 있는 경우 2. 조사결과를 통지하려는 날부터 부과 제척기간의 만료일 또는 지방세징수권의 소멸시효 완성일까지의 기간이 3개월 이하인 경우 3. 납세자의 소재가 불명하거나 폐업으로 통지가 불가능한 경우
4. 납세관리인을 정하지 아니하고 국내에 주소 또는 영업소를 두지 아니한 경우
5. 법 제88조 제5항 제2호 단서, 제96조 제1항 제3호 단서 또는 법 제96조 제6항 및 「국세기본법」 제81조에 따라 준용되는 같은 법 제65조 제1항 제3호 단서에 따른 재조사 결정에 따라 조사를 마친 경우 6. 세무조사 결과 통지서의 수령을 거부하거나 회피하는 경우

세무공무원은 범칙사건의 조사 및 세무조사를 마치면 그 결과를 빠른 시일 내에 서면으로 납세자에게 통지하여야 한다. 세무조사 결과통지는 납세의무를 확정시키는 부과처분이 아니라 세무조사를 받은 자에게 세무조사의 결과를 통지하고 앞으로 그에 따라 과세할 예정임을 알리는 것이다.

2019.1.1. 세무조사 결과통지서에 세무조사 내용, 결정 · 경정할 과세표준, 세액 및 산출근거 등을 구체적으로 명시하도록 하였다. 또한 납세자가 세무조사통지서 수령을 거부하거나 회피하는 경우에는 결과통지 예외 사항으로 규정하여 제외하도록 하였다.

| 최근 개정법령 _ 2021.1.1. | 세무조사 등의 결과통지 기간 명확화 및 합리화(법 §85)

지방세는 지방자치단체 규칙(세무조사 운영규칙)에서 조사결과 통지기간을 정하고는 있는데, 법률에서 조사결과 통지기간을 명확히 할 필요가 있었다. 아울러 기간 내에 조사결과를 통지할 수 없는 경우에 대한 처리방법도 함께 규정하였다. 즉 세무조사 결과를 조사를 마친 후 20일 이내에 통지하도록 하고, 소재불분명 등 공시송달 요건에 해당하는 경우에는 40일 이내 통지토록 하였다. 그리고 조사결과를 기간 내에 통지할 수 없는 경우에는 납세자의 동의를 얻어 일부만 통지할 수 있고, 사유가 해소된 날부터 20일 이내 통지한다.

◎ 세무조사 결과를 통지하지 아니하고 한 부과처분은 위법 · 무효로 볼 수 없음

처분청은 세무조사를 실시한 후 그 결과를 청구인에게 서면으로 통지하지 아니하고 과세예고 없이 바로 과세권을 행사한 것은 사실이라 하겠으나, 이로 인하여 이 사건 부과처분이 위법이 되거나 무효로 된다고 볼 수 없고, 또한 지방세법 제73조 및 제74조에서 이 사건 부과

처분에 대해서도 이의신청 및 심사청구를 할 수 있도록 규정하고 있으며, 행정소송을 제기할 수도 있으므로 청구인의 주장은 받아들일 수 없다고 할 것임(지방세심사 2003-123, 2003.6.30.).

제86조(비밀유지)

법 제86조(비밀유지) ① 세무공무원은 납세자가 이 법 또는 지방세관계법에서 정한 납세의무를 이행하기 위하여 제출한 자료나 지방세의 부과 또는 징수를 목적으로 업무상 취득한 자료 등(이하 "과세정보"라 한다)을 다른 사람에게 제공 또는 누설하거나 목적 외의 용도로 사용해서는 아니 된다. 다만, 다음 각 호의 어느 하나에 해당하는 경우에는 그 사용 목적에 맞는 범위에서 납세자의 과세정보를 제공할 수 있다. 〈개정 2017.7.26.〉

1. 국가기관이 조세의 부과 또는 징수의 목적에 사용하기 위하여 과세정보를 요구하는 경우
2. 국가기관이 조세쟁송을 하거나 조세범을 소추(訴追)할 목적으로 과세정보를 요구하는 경우
3. 법원의 제출명령 또는 법관이 발급한 영장에 의하여 과세정보를 요구하는 경우
4. 지방자치단체 상호 간 또는 지방자치단체와 지방세조합 간에 지방세의 부과・징수, 조세의 불복・쟁송, 조세범 소추, 범칙사건조사・세무조사・질문・검사, 체납확인, 체납처분 또는 지방세 정책의 수립・평가・연구에 필요한 과세정보를 요구하는 경우
5. 행정안전부장관이 제135조 제2항 각 호, 제150조 제2항 및 「지방세징수법」 제11조 제4항에 따른 업무 또는 지방세 정책의 수립・평가・연구에 관한 업무를 처리하기 위하여 과세정보를 요구하는 경우
6. 통계청장이 국가통계 작성 목적으로 과세정보를 요구하는 경우
7. 「사회보장기본법」 제3조 제2호에 따른 사회보험의 운영을 목적으로 설립된 기관이 관련 법률에 따른 소관업무의 수행을 위하여 과세정보를 요구하는 경우
8. 국가기관, 지방자치단체 및 「공공기관의 운영에 관한 법률」에 따른 공공기관이 급부・지원 등을 위한 자격심사에 필요한 과세정보를 당사자의 동의를 받아 요구하는 경우
9. 지방세조합장이 「지방세징수법」 제8조, 제9조, 제11조 및 제71조 제5항에 따른 업무를 처리하기 위하여 과세정보를 요구하는 경우
10. 그 밖에 다른 법률에 따라 과세정보를 요구하는 경우

② 제1항 제1호・제2호・제4호(제135조 제2항에 따라 지방세통합정보통신망을 이용하여 다른 지방자치단체의 장에게 과세정보를 요구하는 경우는 제외한다) 및 제6호부터 제10호까지의 경우에 과세정보의 제공을 요구하는 자는 다음 각 호의 사항을 기재한 문서로 해당 지방자치단체의 장 또는 지방세조합장에게 요구하여야 한다.

1. 납세자의 인적사항 2. 사용목적 3. 요구하는 정보의 내용

③ 세무공무원은 제1항 또는 제2항을 위반한 과세정보 제공을 요구받으면 거부하여야 한다.

④ 제1항 단서에 따라 과세정보를 알게 된 자(이 항 단서에 따라 행정안전부장관으로부터 과세정보를 제공받아 알게 된 자를 포함한다)는 이를 다른 사람에게 제공 또는 누설하거나 그 사용 목적

외의 용도로 사용해서는 아니 된다. 다만, 행정안전부장관이 제1항 제5호에 따라 알게 된 과세정보를 제135조 제2항에 따라 지방세통합정보통신망을 이용하여 제공하는 경우에는 그러하지 아니하다. 〈개정 2017.7.26., 2018.12.24.〉

⑤ 세무공무원(지방자치단체의 장 또는 행정안전부장관을 포함한다)은 제1항 제4호 또는 제5호에 따라 지방세 정책의 수립·평가·연구를 목적으로 과세정보를 이용하려는 자가 과세정보의 일부의 제공을 요구하는 경우에는 그 사용 목적에 맞는 범위에서 개별 납세자의 과세정보를 직접적 또는 간접적 방법으로 확인할 수 없는 상태로 가공하여 제공하여야 한다.

⑥ 이 조에 따라 과세정보를 제공받아 알게 된 사람 중 공무원이 아닌 사람은 「형법」이나 그 밖의 법률에 따른 벌칙을 적용할 때에는 공무원으로 본다.

세무공무원은 국가기관이 조세의 부과 또는 징수의 목적에 사용하기 위하여 과세정보를 요구하는 경우 등 일정한 경우를 제외하고는 납세자의 과세정보를 다른 사람에게 제공하거나 누설하여서는 아니 된다. 과세자료를 타인에게 제공 또는 누설하거나 목적 외의 용도로 사용한 자는 3년 이하의 징역 또는 1천만원 이하의 벌금이 부과된다(지기법 제134조).

◎ 납세자 본인 이외에 이해관계나 사적관계에 있는 제3자 보호를 이유로 제공할 수 없음

세무공무원의 과세정보자료에 대하여는 본인의 과세정보자료를 요구하거나 국가 등이 과징목적으로 요구하는 등 공공목적 외에 사적인 자료제공을 엄격히 금지하도록 세무공무원에게 비밀준수·누설금지의무를 법률에서 명시규정하고 있어 납세자 본인관련 과세자료를 본인이 요구하거나 국가 등이 과징목적 등 공공목적으로 사용하기 위하여 법률근거에 따라 요구하는 경우에는 제공이 가능하지만, 본인인 납세자 이외 이해관계나 사적관계에 있는 제3자를 보호한다는 이유로 제3자가 특정납세자의 과세정보자료를 요구한다 하여 제공할 수 없는 것으로 사료되며, 특정 납세자의 과세정보자료를 그와 이해관계나 채권관계에 있는 제3자(채권자)가 요구한다 하여 제공할 수는 없음(지방세운영과-1778, 2010.4.29.).

◎ '관계법령의 규정에 의하여 공개가 허용되는 신용정보'의 의미

'관계법령의 규정에 의하여 공개가 허용되는 신용정보'라 함은 주민등록법 제18조의 2 규정과 같이 관계법령에 자료이용에 관한 근거와 절차가 규정되어 있어서 그에 의거하여 제공받을 수 있는 정보를 의미한다 할 것이므로 과세자료는 지방세법에 일반적으로 이를 제공하게 할 수 있는 근거와 절차가 있는 것도 아니어서 '관계법령의 규정에 의하여 공개가 허용되는 신용정보'에 해당하지 아니하고, 또한 동 규정은 지방세법 제69조 제1항 제6호 규정에 따른 과세정보제공에 대한 명문규정으로 볼 수 없으므로 이를 근거로 과세관청에 과세정보를 요청할 수는 없음(세정 13430-263, 2001.8.28.).

◎ 이름 · 주민등록번호 등에 의해 특정인을 식별할 수 있는 개인정보는 비공개 대상

공공기관의 정보공개에 관한 법률 제3조 · 제6조는 정보공개의 원칙과 정보공개청구권을 규정하고 있지만, 같은 법 제7조 제1항은 공개하지 아니할 수 있는 정보를 규정하고 있음. 청구인이 공개를 청구한 이 사건 정보는 당해 정보에 포함되어 있는 이름 · 주민등록번호 등에 의하여 특정인을 식별할 수 있는 개인에 관한 정보로 공공기관의 정보공개에 관한 법률 제7조 제1항 제6호에 해당하는 정보이고 공개될 경우 국민의 생명 · 신체 및 재산의 보호를 현저히 해할 우려가 있다고 인정되는 정보이므로 공공기관의 정보공개에 관한 법률 제7조 제1항 제3호에 해당하는 정보임. 그러므로 이 사건 정보는 비공개정보에 해당함(감심 2003-122, 2003.9.23.).

◎ 납세자의 과세정보를 조회한 로그인 자료는 비공개 대상

공개대상 정보가 컴퓨터 시스템에 의하여 단순히 검색 · 편집할 수 있어 새로운 정보의 생산 또는 가공에 해당하지 않는 경우에는 공개대상이나, 납세자의 과세정보를 조회한 로그인 자료와 같이 자료의 백업 등 수차의 절차를 거쳐야 하고 시스템운영에 지장을 초래할 수 있는 경우에는 과세관청이 보유 · 관리하고 있는 정보로 볼 수 없어 공개대상에 해당하지 아니함(대법원 2011두9942, 2013.9.13.).

제87조(납세자 권리 행사에 필요한 정보의 제공)

법 제87조(납세자 권리 행사에 필요한 정보의 제공) ① 세무공무원은 납세자(세무사 등 납세자로부터 세무업무를 위임받은 자를 포함한다)가 본인의 권리 행사에 필요한 정보를 요구하면 신속하게 정보를 제공하여야 한다.

② 제1항에 따라 제공하는 정보의 범위와 수임대상자 등 필요한 사항은 대통령령으로 정한다.

영 제57조(제공 정보의 범위 등) ① 법 제87조 제1항에 따라 세무공무원이 제공하는 정보의 범위는 다음 각 호의 구분에 따른다. 〈개정 2018.12.31.〉

1. 납세자 본인이 요구하는 경우 : 납세자 본인의 납세와 관련된 정보와 납세자 본인에 대한 체납처분, 행정제재 및 고발 등과 관련된 정보
2. 납세자로부터 세무업무를 위임받은 자가 요구하는 경우 : 제1호에 따른 정보로서 「개인정보 보호법」 제23조에 따른 민감정보에 해당하지 아니하는 정보

② 세무공무원은 제1항에 따라 정보를 제공하는 경우에는 주민등록증 등 신분증명서에 의하여 정보를 요구하는 자가 납세자 본인 또는 납세자로부터 세무업무를 위임받은 자임을 확인하여야 한다. 다만, 세무공무원이 정보통신망을 통하여 정보를 제공하는 경우에는 전자서명 등을 통하여 그 신원을 확인하여야 한다.

③ 지방소득세 납부내역을 제공받으려는 「지방세법」 제85조 제1항 제4호 및 제7호에 따른 비거주

자 또는 외국법인은 다음 각 호의 어느 하나에 해당하는 서류를 같은 법 제89조에 따른 납세지를 관할하는 지방자치단체의 장에게 제출하여야 한다.
1. 지방소득세를 납부한 영수증 2. 특별징수의무자가 발급한 특별징수영수증 또는 특별징수명세서
3. 그 밖에 지방소득세를 납부한 사실을 확인할 수 있는 서류
④ 제3항에 따른 납부내역 제공 요청을 받은 지방자치단체의 장은 제3항 각 호의 어느 하나에 해당하는 서류가 제출되지 아니하거나 지방소득세 납부내역을 알 수 없는 경우에는 납부내역을 제공하지 아니할 수 있다.
⑤ 제1항부터 제4항까지에서 규정한 사항 외에 납세자의 권리 행사에 필요한 정보의 제공 방법과 절차 등에 관하여 필요한 사항은 행정안전부장관이 정한다. 〈개정 2017.7.26.〉

세무공무원은 납세자가 요구하는 경우 납세자 권리 행사에 필요한 정보를 제공할 의무가 있다. 2019.1.1. 납세자 권리 행사에 필요한 정보를 '납세와 관련된 정보' 외에 '납세자에게 처분한 징수와 관련된 정보'까지 확대하였다.

◎ 제3자의 지방세 과세자료 신청시 위임장의 범위

지방세법상 납세의무자가 아닌 다른 사람에게 지방세 관련 자료를 제공할 수 없으나, 납세의무자의 위임이 있는 경우에는 납세의무자가 신청한 것으로 보아 납세증명서 발급 및 지방세 관련 자료를 제공하고 있음. 이 경우, 납세의무자의 위임의사 확인은 납세의무자의 위임의사를 날인한 위임장과 위임받은 사람의 신분증 등 확인을 종합하여 납세증명서 발급기관인 과세관청의 판단에 의하고 있음. 다만, 지방세수납리스트 등 지방세 과세자료를 제공할 경우에는 위임장 제출 등에 대한 명문규정이 없으므로 과세관청은 납세증명서 발급 신청시 제출토록 되어 있는 위임장에 준하여 납세의무자의 위임여부를 확인해야 할 사안임(지방세운영과-1208, 2008.9.12.).

제88조(과세전적부심사)

법 제88조(과세전적부심사) ① 지방자치단체의 장은 다음 각 호의 어느 하나에 해당하는 경우에는 미리 납세자에게 그 내용을 서면으로 통지(이하 이 조에서 "과세예고통지"라 한다)하여야 한다.
1. 지방세 업무에 대한 감사나 지도·점검 결과 등에 따라 과세하는 경우. 다만, 제150조, 「감사원법」 제33조, 「지방자치법」 제169조 및 제171조에 따른 시정요구에 따라 과세처분하는 경우로서 시정요구 전에 과세처분 대상자가 지적사항에 대한 소명안내를 받은 경우는 제외한다.
2. 세무조사에서 확인된 해당 납세자 외의 자에 대한 과세자료 및 현지 확인조사에 따라 과세하는

경우

3. 비과세 또는 감면 신청을 반려하여 과세하는 경우(「지방세법」에서 정한 납기에 따라 납세고지하는 경우는 제외한다)

4. 비과세 또는 감면한 세액을 추징하는 경우

5. 납세고지하려는 세액이 30만원 이상인 경우(「지방세법」에서 정한 납기에 따라 납세고지하는 경우 등 대통령령으로 정하는 사유에 따라 과세하는 경우는 제외한다)

② 다음 각 호의 어느 하나에 해당하는 통지를 받은 자는 통지받은 날부터 30일 이내에 지방자치단체의 장에게 통지내용의 적법성에 관한 심사(이하 "과세전적부심사"라 한다)를 청구할 수 있다.

1. 세무조사결과에 대한 서면 통지 2. 제1항 각 호에 따른 과세예고통지

3. 삭제 〈2020.12.29.〉

③ 다음 각 호의 어느 하나에 해당하는 경우에는 제2항을 적용하지 아니한다.

1. 삭제 〈2020.12.29.〉

2. 범칙사건조사를 하는 경우

3. 세무조사결과 통지 및 과세예고통지를 하는 날부터 지방세 부과 제척기간의 만료일까지의 기간이 3개월 이하인 경우

4. 그 밖에 법령과 관련하여 유권해석을 변경하여야 하거나 새로운 해석이 필요한 경우 등 대통령령으로 정하는 경우

④ 과세전적부심사청구를 받은 지방자치단체의 장은 제147조 제1항에 따른 지방세심의위원회의 심사를 거쳐 제5항에 따른 결정을 하고 그 결과를 청구받은 날부터 30일 이내에 청구인에게 알려야 한다. 이 경우 대통령령으로 정하는 사유가 있으면 30일의 범위에서 1회에 한정하여 심사기간을 연장할 수 있다.

⑤ 과세전적부심사청구에 대한 결정은 다음 각 호의 구분에 따른다.

1. 청구가 이유 없다고 인정되는 경우 : 채택하지 아니한다는 결정

2. 청구가 이유 있다고 인정되는 경우 : 채택하거나 일부 채택한다는 결정. 다만, 구체적인 채택의 범위를 정하기 위하여 사실관계 확인 등 추가적으로 조사가 필요한 경우에는 제2항 각 호의 통지를 한 지방자치단체의 장으로 하여금 이를 재조사하여 그 결과에 따라 당초 통지 내용을 수정하여 통지하도록 하는 재조사 결정을 할 수 있다.

3. 청구기간이 지났거나 보정기간에 보정하지 아니하는 경우 : 심사하지 아니한다는 결정

⑥ 과세전적부심사에 관하여는 「행정심판법」 제15조, 제16조, 제20조부터 제22조까지, 제29조, 제36조 제1항 및 제39조부터 제42조까지의 규정을 준용한다. 이 경우 "위원회"는 "지방세심의위원회"로 본다.

⑦ 제2항 각 호의 어느 하나에 해당하는 통지를 받은 자는 과세전적부심사를 청구하지 아니하고 그 통지를 한 지방자치단체의 장에게 통지받은 내용의 전부 또는 일부에 대하여 과세표준 및 세액을 조기에 결정 또는 경정결정을 해 줄 것을 신청할 수 있다. 이 경우 해당 지방자치단체의 장은 신청받은 내용대로 즉시 결정 또는 경정결정을 하여야 한다.

⑧ 과세전적부심사에 관하여는 제92조, 제93조, 제94조 제2항, 제95조, 제96조 제1항 각 호 외의 부분 단서 및 같은 조 제4항·제5항을 준용한다.

⑨ 과세전적부심사의 청구절차 및 심사방법, 그 밖에 필요한 사항은 대통령령으로 정한다.

영 제58조(과세전적부심사) ① 법 제88조 제2항에 따라 과세전적부심사를 청구하려는 자는 다음 각 호의 사항을 적은 과세전적부심사청구서에 증거서류나 증거물을 첨부(증거서류나 증거물이 있는 경우에 한정한다)하여 지방자치단체의 장(법 제90조에 따른 이의신청의 결정기관을 말한다)에게 제출해야 한다.

1. 청구인의 성명과 주소 또는 영업소 2. 법 제88조 제2항 각 호의 통지를 받은 연월일
3. 청구세액 4. 청구 내용 및 이유

② 제1항에 따라 과세전적부심사청구서를 제출받은 지방자치단체의 장은 그 청구부분에 대하여 법 제88조 제4항에 따른 결정이 있을 때까지 과세표준 및 세액의 결정이나 경정결정을 유보해야 한다. 다만, 법 제88조 제3항 각 호의 어느 하나에 해당하는 경우에는 그렇지 않다.

③ 법 제88조 제1항 제5호에서 "「지방세법」에서 정한 납기에 따라 납세고지하는 경우 등 대통령령으로 정하는 사유에 따라 과세하는 경우"란 다음 각 호의 경우를 말한다.

1. 「지방세법」에서 정한 납기에 따라 납세고지하는 경우
2. 납세의무자가 신고한 후 납부하지 않은 세액에 대하여 납세고지하는 경우
3. 세무서장 또는 지방국세청장이 결정 또는 경정한 자료에 따라 지방소득세를 납세고지하는 경우
4. 「지방세징수법」 제22조 제2항 전단에 따라 납기 전에 징수하기 위하여 고지하는 경우
5. 「지방세법」 제62조 · 제98조 · 제103조의 9 · 제103조의 26 및 제128조 제2항 단서에 따라 수시로 그 세액을 결정하여 부과 · 징수하는 경우
6. 법 제88조 제5항 제2호 단서, 제96조 제1항 제3호 단서 또는 제96조 제6항 및 「국세기본법」 제81조에 따라 준용되는 같은 법 제65조 제1항 제3호 단서에 따른 재조사 결정을 하여 그 재조사한 결과에 따라 과세하는 경우

④ 삭제 〈2020.12.29.〉

⑤ 법 제88조 제3항 제4호에서 "법령과 관련하여 유권해석을 변경하여야 하거나 새로운 해석이 필요한 경우 등 대통령령으로 정하는 경우"란 다음 각 호의 어느 하나에 해당하는 경우를 말한다.

1. 법령과 관련하여 유권해석을 변경하여야 하거나 새로운 해석이 필요한 경우
2. 「국제조세조정에 관한 법률」에 따라 조세조약을 체결한 상대국이 상호합의절차의 개시를 요청한 경우

3. · 4. 삭제 〈2020.12.29.〉

⑥ 법 제88조 제4항 후단에서 "대통령령으로 정하는 사유"란 다음 각 호의 어느 하나에 해당하는 경우를 말한다.

1. 다른 기관에 법령해석을 요청하는 경우
2. 풍수해, 화재, 천재지변 등으로 법 제147조에 따른 지방세심의위원회를 소집할 수 없는 경우
3. 청구인의 요청이 있거나 관련 자료의 조사 등을 위하여 필요한 경우로서 법 제147조에 따른 지방세심의위원회에서 심사기간의 연장을 결정하는 경우
4. 법 제93조의 2 제2항에 따른 대리인의 선정 등을 위해 필요한 경우

과세전적부심사는 과세관청에서 지방세를 고지하기 전에 과세할 내용을 납세자에게 미리 통보하여 불복사유가 있을 경우 이의를 제기할 수 있도록 하는 사전적 구제제도이다.

세무조사결과의 통지를 받거나 과세예고통지 및 비과세·감면 신청 반려통지를 받는 자는 지방자치단체의 장에게 통지내용의 적법성에 관한 과세전적부심사를 청구할 수 있다.

2016.1.1. 납세자 권익 향상을 위해 관계서류 열람, 기한의 연장, 보정요구 등 납세자 권리를 명확히 하고, 과세예고 통지절차를 구체적으로 규정하였다. 그리고 감사원 감사결과에 따라 과세하는 경우는 과세예고통지 대상에서 제외하였다.

2018.1.1. 이의신청 등이 이유가 있어 청구대상 처분의 취소·경정 등을 위해 사실관계 확인 등 추가적인 조사가 필요한 경우 이의신청 등에 대한 재조사 결정 사유 및 그 처리절차 등을 새로이 규정하였다.

2019.1.1. 과세전적부심사 및 불복청구 재조사 결정에 따라 세무조사를 다시 하는 경우 그에 대한 조사결과통지는 과세전적부심사 청구대상에서 제외하도록 하였다.

2020.1.1. 지방세 과세예고 통지대상을 확대하였다(법 제88조). 납세자의 과세전적부심사 청구 기회와 절차적 권리보호를 위해 과세예고 통지 대상을 확대하고 시행령 규정을 법률으로 상향 조정하였다. 통지의무의 실효성을 제고하기 위해 고지금액 30만원 이상(중가산금 부과 기준)으로 한정하였다. 다만, 「지방세법」에서 정한 납기에 따라 고지(재산세, 자동차세, 균등할 주민세)하는 경우는 과세예고 통지 대상에서 제외한다(국세도 중가산금 부과기준인 고지금액 100만원 이상에 대하여 과세예고 통지의무 규정 신설, 2018.12.31.).

| 최근 개정법령 _ 2021.1.1. | 과세예고 및 과세전적부심사청구 대상 합리화(법 §88)

법과 시행령에 비효율적으로 산재되어 있는 과세예고통지 대상과 과세전적부심사 대상을 합리적으로 조정하였다. 과세예고통지 대상에 비과세·감면 신청을 반려하는 경우와 비과세·감면 세액을 추징하는 경우를 추가하고, 현행 과세예고통지 대상에 대한 예외 사유를 대통령령으로 정할 수 있도록 하는 근거 조항을 추가하였다.

- 과세예고통지의 범위 : 현지조사 등에 따른 감면세액의 추징대상 중 지방자치단체의 장이 과세예고통지가 필요하다고 인정하는 경우는 「지방세기본법 시행령」 제94조 제2항 제1호에 따른 과세예고통지대상에 포함(예규 기법 88…58-1)
- 과세예고통지의 예외 : 감사원 감사결과 처분지시 또는 시정요구에 따라 과세하는 경우는 「지방세기본법 시행령」 제58조 제3항 제1호에 따른 과세예고통지대상에서 제외(예규 기법 88…58-2).

제 7 장

지방세기본법

이의신청 및 심사청구와 심판청구

제89조(청구대상)

> 법 제89조(청구대상) ① 이 법 또는 지방세관계법에 따른 처분으로서 위법·부당한 처분을 받았거나 필요한 처분을 받지 못하여 권리 또는 이익을 침해당한 자는 이 장에 따른 이의신청 또는 심판청구를 할 수 있다.
> ② 다음 각 호의 처분은 제1항의 처분에 포함되지 아니한다.
> 1. 이 장에 따른 이의신청 또는 심판청구에 대한 처분. 다만, 이의신청에 대한 처분에 대하여 심판청구를 하는 경우는 제외한다. 2. 제121조 제1항에 따른 통고처분
> 3. 「감사원법」에 따라 심사청구를 한 처분이나 그 심사청구에 대한 처분
> 4. 과세전적부심사의 청구에 대한 처분 5. 이 법에 따른 과태료의 부과

조세 법률관계를 발생·변경·소멸시키는 세무행정에 있어서 위법·부당한 조세부과처분 등으로 인하여 침해받은 권리·이익을 공정성과 합리성이 보장된 절차에 의하여 구제받는 권리는 국민의 기본권 보장측면에서 중요한 절차이다.

지방세 과세처분은 일반 행정처분에 비하여 대량으로 반복하여 이루어지고, 전문성, 기술성, 복잡성, 계속성 및 정형성 등의 특징을 지니고 있다. 이런 이유로 제소에 앞서 과세관청의 전문적인 지식과 경험을 활용함으로써 남소를 방지하고 사실관계에 대한 쟁점을 분명하게 할 수 있다는 점에서 전심절차를 두고 있다.

지방세 전심절차에는 이의신청, 심사청구, 심판청구가 있으며, 이의신청과 심사청구는 지방자치단체의 장에게 청구하는 것을 말하고, 심판청구는 조세심판원장에게 청구한다.

청구대상은 지방세기본법 또는 지방세관계법에 따른 처분으로서 위법 또는 부당한 처분을 받았거나 필요한 처분을 받지 못함으로써 권리 또는 이익을 침해당한 자로 규정하여 개괄주의의 입법례를 취하고 있다.

지방세 불복절차는 2001.6.28. 헌법재판소 위헌 결정으로 필요적 전치주의에서 임의적 전치주의로 바뀌었고, 이의신청, 심사(심판)청구를 모두 거치거나 그 중 어느 하나를 거치거나 모두 가능하게 되었으며, 전심절차를 거치지 아니하고 바로 행정소송을 제기할 수도 있다.

그런데 2020.1.1. 행정심판 전치주의를 다시 도입하게 되었다(아래 최근 개정 법령 내용 참고).

| 최근 개정법령 _ 2016.1.1. | 재조사 결정 등 불복청구 대상 조정(법 제117조)

재조사 결정으로 인한 경정 등의 처분시 재차 불복청구가 가능한지에 대해 혼란이 있었고 이에 대해 동일사안에 대한 중복청구 방지 등 불복제도의 효율화를 위해 "재조사 결정[27]에 따른

처분"은 불복청구 대상에서 제외하였다. 아울러 과태료의 경우에도 「질서위반행위규제법」 적용 대상으로써 불복청구 대상에서 제외되는 점을 명확히 하였다.

| 최근 개정법령_2020.1.1.| 지방세 불복청구 대상 확대(법 §89)

과세전적부심, 이의신청 또는 심사청구 등에서 추가적으로 처분청으로 하여금 사실관계 등을 재조사하여 필요한 취소·결정 등 처분을 하도록 하는 재조사 결정이 있을 수 있다. 그동안 이의신청 등에서의 재조사 결정에 따른 지방자치단체의 처분은 불복청구 대상에서 제외하였으나, 과세관청의 재조사 이후 처분에 대해서도 납세자가 부당하다고 판단될 경우에는 이의신청 등 불복청구가 가능하도록 개선하였다. 국세의 경우는 재조사 결정에 따른 처분청의 처분에 대해서는 해당 재조사 결정을 한 재결청에 불복청구가 가능하다.

| 최근 개정법령_2020.1.1.| 지방세 행정심판 전치주의 재도입(법 §13, §89, §91, §98 등)

지방세 행정소송에서 조세심판원 심판청구에 대한 필요적 전치주의로 환원하였는데, 조세심판원 심판청구(감사원 심사청구)를 거친 후 행정소송 제기가 가능하다. 다만 재조사 결정에 따른 처분은 심판청구 없이 바로 소송이 가능하다. 시·도의 시·군·구 지방세 심사청구 제도는 폐지하였다. 조세심판전치주의는 2021.1.1. 이후 행정소송을 제기하는 경우부터 적용(적용 시기 1년 유예)하며 2021.1.1. 당시 종전의 심사청구를 거친 경우에는 심판청구를 거친 것으로 보고, 2021.1.1. 당시 심사청구 중인 사건에 대해서는 종전의 심사청구 규정을 적용한다. 아울러 불복청구 결정기간 내에 조세심판원이 결정의 통지를 하지 못한 경우, 그 결정기간이 지난 날부터 행정소송이 가능함을 규정하였다.

◎ **추징처분은 당초 감면처분과 요건을 달리하는 별개의 처분으로 불복청구대상 처분에 해당**

지방세특례제한법 제178조 제1호의 추징처분은 취득세를 감면받은 자가 당초 감면받은 취지에 합당한 사용을 하지 아니한 것을 요건으로 한 처분으로서, 감면요건을 갖추지 못한 경우에 대한 본래의 취득세 부과처분과는 요건을 달리하는 별개의 처분임(대법원 97누1846, 1998.8.21., 대법원 99두2000, 2001.6.29. 등 참조). 따라서 피고가 2016.5.4. 원고에 대하여 한 취득세 등 추징결정은 원고가 이 사건 각 토지를 취득일로부터 1년 이내에 고유목적사업에 사용하지 아니하였음을 요건으로 한 처분에 해당함. 이와 다른 전제에 있는 피고의 주장은 이유 없음(서울고법 2018누48566, 2019.3.6., 대법원 2019두40833, 2019.8.14. 확정).

◎ **세금 체납으로 압류되어 있는 부동산을 인수한 매수자에 대한 체납액 징수행위는 항고소송 대상이 되는 행정처분에 해당되지 않음**

① 납세자가 세금을 체납하여 국가가 국세징수법 제24조 제1항에 따라 납세자 소유의 부동

27) 당초 처분의 적법성에 관하여 재조사하여 그 결과에 따라 과세표준과 세액을 경정하거나 당초 처분을 유지하는 등의 처분을 하도록 하는 결정에 따른 처분[지방세 사례-2013지172(2014.6.30.) 등 다수]

산을 압류하여 압류등기를 마친 경우 그 압류에는 처분제한의 효력이 있어서 그 후 그 부동산을 양도하는 등의 방법으로 이를 처분하여도 양수인은 압류채권자인 국가에게 대항할 수 없으므로, 법적으로 평가한다면 이 사건 토지에 대한 공매는 어디까지나 △△인베스트먼트 소유의 재산에 대하여 이루어진 것이지, 원고에 대하여 이루어진 것으로 볼 수는 없는 점, ② 납세자 또는 제3자의 분납계획서의 작성은 당사자들이 납세의무의 발생 또는 세금 체납 사실을 확인한 후 자발적으로 체납된 세액을 납입하겠다는 의사의 표시에 지나지 않고, 제3자인 원고가 분납계획서를 작성하고 체납된 세액 일부를 납입한 것도 위 공매에 따라 반사적으로 발생할 수 있는 소유권 상실을 방지하려는 경제적 동기에 따른 것이라고 보이는 점, ③ 과세관청인 피고가 원고 제출의 세금 분납계획서 또는 세액 일부를 수령한 것은, 원칙적으로 세액은 일괄하여 납부되어야 하지만 이해관계가 있는 제3자인 원고의 경제적 부담을 고려하여 시혜적으로 기간에 따라 분할하여 납부하도록 허용한 것에 불과한 점 등을 종합해 보면, 피고가 △△인베스트먼트에 대한 체납처분에 기하여 이 사건 토지에 대한 공매절차를 진행하거나 원고로부터 분납계획서 또는 체납된 세액 일부를 수령한 행위가 원고에 대한 행정처분으로서 항고소송의 대상에 해당한다고 볼 수 없음(춘천지법 2015구합972, 2016.4.20., 대법원 2016두58611, 2017.2.23. 확정).

◎ 지방세 불복청구 대상변경에 따른 업무처리 요령

구 지방세법에서는 신고납부 등을 한 경우에는 그 신고납부를 한 때에 처분이 있었던 것으로 보도록 규정하고 있었으나, 지방세법령의 개정에 따라 신고납부를 처분으로 볼 수 있는 근거 규정이 삭제되고, 2011.1.1.부터 지방세 경정청구제도가 시행되었다. 그에 따라 2010.12.31. 이전에는 지방세를 신고납부한 자는 바로 불복청구 가능했으나, 2011.1.1. 이후에는 지방세를 신고납부한 자는 신고납부행위가 처분에 해당되지 아니함에 따라 바로 불복청구를 할 수 없음(지방세운영과-641, 2011.2.14.).

※ 납세의무자가 취득세를 신고납부하는 과정에서 과세관청이 이를 수납하는 행위는 단순한 사실행위로서 취득세를 부과하는 행정처분이 아니므로 부과처분이 아님(대법원 2000두6350, 2000.11.14.).

◎ 공매예고통지는 항고소송의 대상이 되는 행정처분으로 볼 수 없음

항고소송의 대상이 되는 행정처분이란 행정청의 공법상 행위로서 특정 사항에 대하여 법규에 의한 권리의 설정 또는 의무의 부담을 명하거나 기타 법률상 효과를 발생하게 하는 등으로 일반 국민의 권리의무에 직접 영향을 미치는 행위를 말하므로, 상대방 또는 기타 관계자들의 법률상 지위에 직접적인 법률적 변동을 일으키지 아니하는 행위는 항고소송의 대상이 되는 행정처분이 아님(대법원 2005두12398, 2005.2.23. 등 참조). 따라서 이 사건 예고통지는 항고소송의 대상이 되는 처분 등에 해당하지 않으므로, 이 사건 소 중 이 사건 예고통지의 무효

확인을 구하는 부분은 부적법하다(춘천지법 2012구합1400, 2013.6.14.)고 할 것임(대법원 2014두7381, 2014.8.20.).

◎ 과태료 부과처분은 지방세법상의 처분에 해당되지 아니함

구 공인중개사의 업무 및 부동산 거래신고에 관한 법률 제27조 제1항 및 제51조 제3항 제2호의 규정에 의한 실거래가 신고위반으로 인한 이 사건 과태료 부과처분은 지방세법 제72조 제1항에서 규정하는 처분에 해당되지 아니하므로 지방세법 제72조의 규정에 의한 본안심의의 대상에 해당되지 아니한다 할 것임(지방세심사 2007-486, 2007.10.1.).

◎ 감면신청 반려처분이 심사청구의 대상이 되는 행정처분이라고 할 수 없음

창업중소기업이 취득한 사업용 부동산으로서 감면신청을 하였으나 처분청에서 2002.8.6. 감면신청서를 반려한 사실이 있으나, 감면신청서 반려가 독립된 처분으로서 심사청구의 대상이 되는 행정처분이 된다고 하기 위해서는 그 신청에 따른 행정행위를 해 줄 것을 요구할 수 있는 법규상 또는 조리상의 권리가 있어야 하며 이러한 권리에 의하지 아니한 국민의 신청을 행정청이 받아들이지 아니하고 거부한 경우에는 이로 인하여 신청인의 권리나 법적 이익에 어떤 영향을 주는 것이 아니므로 심사청구의 대상이 되는 행정처분이라고 할 수 없음(대법원 90누5597, 1991.2.6.).

◎ 행정처분의 당연무효요건 및 그 판단기준

행정처분이 당연무효라고 하기 위해서는 처분에 위법사유가 있다는 것만으로는 부족하고 하자가 법규의 중요한 부분을 위반한 중대한 것으로서 객관적으로(외형상으로) 명백한 것이어야 하며, 하자의 중대·명백 여부를 판별함에 있어서는 법규의 목적, 의미, 기능 등을 목적론적으로 고찰함과 동시에 구체적 사안 자체의 특수성에 관하여도 합리적으로 고찰함을 요함(대법원 93누11432, 1993.12.7.).

◎ 제2차 납세의무자 지정통지가 항고소송의 대상이 되는 행정처분에 해당하지 아니함

제2차 납세의무는 주된 납세의무자의 체납 등 그 요건에 해당되는 사실의 발생에 의하여 추상적으로 성립하고 납부통지에 의하여 고지됨으로써 구체적으로 확정된다 할 것이니, 구체적으로 납세의무가 발생하지 아니하는 제2차 납세의무자 지정통지는 항고소송의 대상이 되는 행정처분이라 볼 수 없음(대법원 81누80, 1982.6.24.).

◎ 지목변경의 추징처분에 대한 소를 제기하면서 불복청구기간이 도과한 토지의 승계취득분에 대하여도 함께 소를 제기할 수 없음(대법원 1997누2254, 1999.9.3.).

◎ 징수유예 결정 이후 납세고지서 교부행위는 후속 징수절차에 불과하므로 불복청구 대상 부과처분으로 볼 수 없음(서울고등법원 2011누24851, 2012.4.4.).

◎ 행정소송법에 의한 부존재확인의 소(대법원 99두2765, 2000.9.8.) 및 무효확인의 소(대법원 1993누2117, 1993.8.24.), 민사상 부당이득반환청구의 소(대법원 2005다12544, 2005.5.13.)는 처분청이 아닌 권리주체를 상대로 소를 제기하여야 함.

◎ 업무를 위임하여 구청장 명의로 과세처분을 하였다면 위임자인 시장이 아닌 구청장이 피고에 해당됨(대법원 98두19438, 1999.4.9.).

| **불복청구 관련 개념정리(예규 기법 89-1~89-8)** |

지방세기본법 또는 지방세관계법에 따른 처분	감사원장의 시정요구에 따른 처분도 제117조 제1항의 처분으로 본다.
필요한 처분을 받지 못한 경우 (제89조 ①)	처분청이 다음 각 호의 사항을 명시적 또는 묵시적으로 거부하거나(거부처분) 아무런 의사 표시를 하지 아니하는 것(부작위)을 말한다. 1. 비과세·감면신청에 대한 결정 2. 지방세의 환급 3. 압류해제 4. 기타 전 각 호에 준하는 것
권리 또는 이익의 침해를 당한 자	1. 「권리 또는 이익의 침해를 당한 자」라 함은 위법·부당한 처분을 받거나 필요한 처분을 받지 못한 직접적인 당사자를 말한다. 2. 제3자적 지위에 있는 자도 당해 위법·부당한 처분으로 인하여 자신의 권리 또는 이익의 침해를 당한 경우는 불복청구할 수 있다. 다만, 간접적 반사적인 이익의 침해를 받은 자는 불복청구를 할 수 없다.
이의신청·심사청구와 감사원 심사청구와의 관계	동일한 처분에 대하여 이의신청, 심사청구 또는 심판청구와 감사원 심사청구를 중복 제기한 경우에는 청구인에게 감사원 심사청구를 취하하지 아니하면 불복신청이 각하됨을 통지하여야 한다. 다만, 감사원 심사청구가 청구기간을 경과한 때에는 이의신청, 심사청구 또는 심판청구의 기간 내에 제기된 불복청구를 처리한다.
제2차 납세의무자의 불복	1. 제2차 납세의무자로 지정되어 납부통지서를 받은 납세의무자는 그 납부통지에 대하여 불복청구를 할 수 있다. 2. 제2차 납세의무자 또는 납세보증인은 납부통지된 처분에 대하여 불복한 경우에 그 납부통지의 원천이 된 본래 납세의무자에 대한 처분의 확정 여부에 관계없이 독립하여 납부통지된 세액의 내용에 관하여 다툴 수 있다.
체납처분에 대한 불복	1. 납세자에 대한 재산의 압류·매각 및 청산(배분)의 체납처분은 불복청구의 대상이 된다. 2. 체납처분으로 압류한 재산이 제3자의 소유인 경우 제3자는 압류처분에 대하여 불복청구를 할 수 있다.

불이익 변경금지의 원칙	1. 이의신청 또는 심사청구에 있어서는 청구인의 주장하지 아니한 내용에 대하여도 불이익한 변경이 아닌 한도 안에서 심사하여 결정할 수 있다. 2. 동일한 처분내용에 대한 불복청구인 경우 이의신청 과정에서 주장하지 아니한 불복 이유를 추가하여 심사청구를 하였을 경우에는 그 추가이유를 심사하여야 한다.
법정대리인의 불복청구	친권자, 후견인, 재산관리인, 상속재산 관리인등의 법정대리인은 본인을 대리하여 불복청구를 할 수 있다. 이 경우 법정대리인임을 입증하는 서면을 제출하여야 한다.

◎ 취소한 부과처분을 번복하여 종전 처분을 되풀이하는 것은 허용되지 않음

원고가 종전 처분의 처분사유를 다투며 이 사건 이의신청을 하자, 피고는 원고의 사업장에 대한 현장조사를 실시한 후 '구 조세특례제한법 제120조 제3항에서 규정하는 창업중소기업에 해당함'을 전제로 종전 처분을 시정하기 위해 직권으로 이 사건 감면결정을 하고, 기 납부세액을 반환한 점, 이 사건 처분의 처분사유는 종전 처분의 처분사유와 동일하고, 이 사건 감면결정 당시에도 판단의 대상이 되었던 사유라 할 것인 점, … 피고가 종전 처분에 관한 이의신청절차에서 원고의 이의신청 사유가 옳다고 인정하여 직권으로 시정하고 감면결정을 하였음에도, 특별한 새로운 사유 없이 종전 처분을 되풀이한 처분은 위법함(울산지방법원 2016구합5826, 2016.11.24.).

☞ 과세처분에 관한 불복절차과정에서 그 불복사유가 옳다고 인정하고 이에 따라 필요한 처분을 하였을 경우에는 불복제도와 이에 따른 시정방법을 인정하고 있는 법 취지에 비추어 동일 사항에 관하여 특별한 사유 없이 이를 번복하고 다시 종전의 처분을 되풀이 할 수는 없음(대법원 77누266, 89누6426).

제90조(이의신청)

법 제90조(이의신청) 이의신청을 하려면 그 처분이 있은 것을 안 날(처분의 통지를 받았을 때에는 그 통지를 받은 날)부터 90일 이내에 대통령령으로 정하는 바에 따라 불복의 사유를 적어 특별시세·광역시세·도세[도세 중 소방분 지역자원시설세 및 시·군세에 부가하여 징수하는 지방교육세와 특별시세·광역시세 중 특별시분 재산세, 소방분 지역자원시설세 및 구세(군세 및 특별시분 재산세를 포함한다)에 부가하여 징수하는 지방교육세는 제외한다]의 경우에는 시·도지사에게, 특별자치시세·특별자치도세의 경우에는 특별자치시장·특별자치도지사에게, 시·군·구세[도세 중 소방분 지역자원시설세 및 시·군세에 부가하여 징수하는 지방교육세와 특별시세·광역시세 중 특별시분 재산세, 소방분 지역자원시설세 및 구세(군세 및 특별시분 재산세를 포함한

다)에 부가하여 징수하는 지방교육세를 포함한다]의 경우에는 시장·군수·구청장에게 이의신청을 하여야 한다.

영 제59조(이의신청) ① 법 제90조에 따라 이의신청을 하려는 자는 다음 각 호의 사항 등을 적은 이의신청서 2부에 증명서류를 각각 첨부하여 소관 지방자치단체의 장(이하 "이의신청기관"이라 한다)에게 제출하여야 한다.

1. 신청인의 성명과 주소 또는 영업소 2. 통지를 받은 연월일 또는 처분이 있은 것을 안 연월일 3. 통지된 사항 또는 처분의 내용 4. 불복의 사유

② 처분청이 이의신청기관을 잘못 통지하여 이의신청서가 다른 기관에 접수된 경우 또는 이의신청을 하려는 자가 이의신청서를 처분청에 제출하여 접수된 경우에는 정당한 권한이 있는 이의신청기관에 해당 이의신청서가 접수된 것으로 본다.

③ 제2항에 따라 정당한 권한이 있는 이의신청기관이 아닌 다른 기관이 이의신청서를 접수하였을 때에는 이를 정당한 권한이 있는 이의신청기관에 지체 없이 이송하고 그 사실을 신청인에게 통지하여야 한다. 이 경우 처분청이 이의신청서를 접수하였을 때에는 이의신청서 중 1부만을 이송한다.

④ 법 제96조 제1항에 따른 결정기간을 계산하는 경우 제3항에 따라 정당한 권한이 있는 이의신청기관이 이의신청서를 이송받은 날을 기산일로 한다.

⑤ 이의신청기관이 시·도지사인 경우 시·도지사는 제1항에 따라 이의신청서를 제출받았을 때에는 지체 없이 그 중 1부를 처분청에 송부하고, 처분청은 그 이의신청서를 송부받은 날(제3항 후단에 따라 처분청이 이의신청서를 접수한 경우에는 이의신청서를 접수한 날을 말한다)부터 10일 이내에 의견을 시·도지사에게 제출하여야 한다.

⑥ 제5항에 따른 의견서에는 법 제88조 제4항에 따른 과세전적부심사에 대한 결정서(결정이 있은 경우만 해당한다), 처분의 근거·이유 및 그 사실을 증명할 서류, 청구인이 제출한 증거서류 및 증거물, 그 밖의 심리자료 모두를 첨부해야 한다.

이의신청은 그 처분이 있은 것을 안 날(처분의 통지를 받았을 때에는 그 통지를 받은 날)부터 90일 이내에 도지사에게, 시·군세는 시장·군수에게 신청하여야 하며, 도세 중 특정부동산에 대한 지역자원시설세 및 시·군세에 부가하여 징수하는 지방교육세, 특별·광역시세 중 특별시분 재산세, 특정부동산에 대한 지역자원시설세 및 구세(군세 및 특별시분 재산세 포함)에 부가하여 징수하는 지방교육세는 시장·군수에게 이의신청을 하여야 한다.

◎ 이의신청의 관할청(예규 기법 90-1)

1. 지방자치단체의 관할구역변경으로 처분의 통지를 한 자치단체와 불복청구할 때의 지방자치단체가 다른 경우에는 불복청구를 할 당시의 납세지를 관할하는 지방자치단체의 장이 이의신청의 관할청이 된다. 2. 납세자가 부과처분의 통지를 받은 후 주소 또는 사업장을 변경한 경우에는 처분의 통지를 한 지방자치단체의 장(납세지 변경 전 지방자치단체의 장)이 이의신청의 관할청이 된다.

◎ 이의신청, 심사청구 또는 심판청구의 기산일(예규 기법 91-1)

1. 「지방세기본법」 제33조 제1항 각 호의 사유에 해당하여 공시송달한 처분에 대하여 이의가 있을 때에는 공시송달의 공지일로부터 14일 경과한 날
2. 부과의 결정을 철회하였다가 재결정하여 통지한 처분에 대하여 이의가 있을 때에는 재결정의 통지를 받은 날의 다음날
3. 처분의 통지서를 사용인, 기타 종업원 또는 동거인이 받은 경우는 사용인, 기타 종업원 또는 동거인이 처분의 통지를 받은 날의 다음날
4. 피상속인의 사망 전에 피상속인에게 행하여진 처분에 대하여 상속인이 불복청구를 하는 경우에는 피상속인이 당해 처분의 통지를 받은 날의 다음 날

◎ 취하한 사건에 대한 불복

청구인이 이의신청 또는 심사청구를 취하한 경우에도 청구기간 내에는 다시 이의신청 또는 심사청구를 할 수 있다(예규 기법 118-3).

◎ 이의신청 결정통지를 받지 못한 경우의 심사청구 또는 심판청구

이의신청 결정기간 내에 결정통지를 받지 못한 경우에는 그 결정기간이 경과한 날부터 심사청구 또는 심판청구를 할 수 있다. 다만, 결정기간이 경과한 후에 이의신청을 기각하는 결정의 통지를 받은 경우에는 그 결정통지를 받은 날로부터 90일내에 심사청구 또는 심판청구를 하여야 한다(예규 기법 91-3).

◎ 재산세 부과처분 이후 감액경정이 있었더라도 감액경정일이 아닌 당초 부과처분일을 기준으로 불복청구 기간을 산정함

과세표준과 세액을 감액하는 경정처분은 당초의 부과처분과 별개 독립의 과세처분이 아니라 그 실질은 당초의 부과처분의 변경이고, 그에 의하여 세액의 일부 취소라는 납세자에게 유리한 효과를 가져오는 처분이므로, 그 경정처분으로도 아직 취소되지 아니하고 남아 있는 부분이 위법하다 하여 다투는 경우, 항고소송의 대상은 당초의 부과처분 중 경정처분에 의하여 아직 취소되지 않고 남은 부분이고, 그 경정처분이 항고소송의 대상이 되는 것은 아니므로(대법원 99두1021, 1999.5.28., 대법원 2006두16403, 2009.5.28.). 이 경우 제소기간 내에 소를 제기하였는지 여부도 당초 처분을 기준으로 판단하여야 함(대법원 2020두41467, 2020.9.24. 확정).

◎ 이의신청은 서면행위에 해당하므로 구두에 의한 것은 인정되지 아니하므로 서면에 의한 이의신청이 있었음을 입증하지 못한 경우에는 각하 대상에 해당됨

피고 측 담당자가 휴대폰 문자메시지를 통하여 원고에게, 영농관련 비용지출 증빙자료를 이메일로 보내줄 것을 각 요청하였고, 원고가 원하는 기준에 맞추어 과세처분을 하는 것은 불가능하다는 답변을 한 사실은 인정됨. 그러나 지방세기본법에 의하면 이의신청은 불복의 사

유 등 일정한 사항을 기재한 이의신청서에 의하도록 규정하고 있으므로 지방세기본법상 이의신청은 서면행위로서 구두에 의한 이의신청은 인정되지 않고(대법원 93누12190), 한편, 서면에 의한 이의신청을 하여 접수되었음을 인정할 아무런 증거가 없고, 원고가 2017.8.11. 피고에게 추가로 제출하였다고 하는 소명자료(갑 제3호증) 또한 위 소명자료가 그 무렵 피고에게 제출되었음을 인정할 증거가 없으므로, 위 인정사실만으로는 원고가 이 사건 처분에 대한 적법한 이의신청 절차를 거쳤다고 보기 어려움(대법원 2020두34582, 2020.6.2. 확정).

◎ 고지서를 수령한 날로부터 90일 이내에 이의신청을 제기하지 아니하였다면 이의신청 기간 도과로 심의대상이 아님(지방세심사 2003-26, 2003.2.24.).

◎ 국세기본법상 구두에 의한 이의신청이 인정되지 아니함

과세처분의 납세고지서를 받은 후 담당 세무공무원을 찾아가 구두로 이의를 제기한 사실은 인정되나 이러한 이의제기가 국세기본법상 이의신청에 해당한다고 볼 수 없음(대법원 93누12190, 1993.10.12.).

제91조(심판청구)

법 제91조(심판청구) ① 이의신청을 거친 후에 심판청구를 할 때에는 이의신청에 대한 결정 통지를 받은 날부터 90일 이내에 하여야 한다.

② 제96조에 따른 결정기간에 이의신청에 대한 결정 통지를 받지 못한 경우에는 제1항에도 불구하고 결정 통지를 받기 전이라도 그 결정기간이 지난 날부터 심판청구를 할 수 있다.

③ 이의신청을 거치지 아니하고 바로 심판청구를 할 때에는 그 처분이 있은 것을 안 날(처분의 통지를 받았을 때에는 통지받은 날)부터 90일 이내에 조세심판원장에게 심판청구를 하여야 한다.

영 제60조(심판청구) ① 법 제91조에 따라 심판청구를 하려는 자는 다음 각 호의 사항을 적은 심판청구서 2부에 증명서류를 각각 첨부하여 조세심판원장에게 제출해야 한다.

1. 청구인의 성명과 주소 또는 영업소 2. 이의신청에 대한 결정의 통지를 받은 연월일 또는 이의신청을 한 연월일 3. 이의신청에 대한 결정사항 4. 불복의 취지와 그 사유
5. 그 밖에 필요한 사항

② 제1항에 따른 심판청구서의 제출·접수 및 이송, 청구기간의 계산, 의견서의 제출 등에 대해서는 제59조 제2항부터 제6항까지의 규정을 준용한다. 이 경우 "처분청"은 "이의신청기관"으로, "이의신청기관"은 "심판청구기관"으로, "이의신청서"는 "심판청구서"로, "이의신청"은 "심판청구"로, "시·도지사"는 "조세심판원장"으로 "과세전적부심사"는 "과세전적부심사 또는 이의신청"으로 본다.

③ 제2항에도 불구하고 조세심판원장은 법 제91조 제3항에 따라 심판청구서를 접수했을 때에는 지체 없이 그 중 1부를 처분청에 송부해야 하며, 처분청은 그 심판청구서를 송부받은 날부터 10일

이내에 의견서(특별시세·광역시세·특별자치시세·도세 및 특별자치도세에 관한 심판청구서를 제출받은 경우에는 특별시장·광역시장·특별자치시장·도지사 및 특별자치도지사의 의견서를 말한다) 및 제59조 제6항에 따른 자료 일체를 조세심판원장에게 제출해야 한다.

○ **가산세 부과처분이 위법하다는 이의 신청이 기각된 이후 본세를 포함한 전부에 대해 심판청구 하였는바, 본세부과처분은 90일이 경과하였으므로 부적법한 심판청구에 해당**

본세와 가산세 부과처분은 각각 별개의 처분으로 볼 수밖에 없어 이의신청 또는 심판청구를 제기하고자 하였다면 각각 불복절차를 거쳐야 할 것으로, 청구법인은 납세고지서 수령일인 2011.3.18. 가산세를 포함한 이 건 취득세 등의 부과처분에 관한 통지를 받은 다음 2011.5.30. 이의신청을 함에 있어서 가산세의 부과처분만이 위법하다고 주장하였고, 그 후 2011.8.10. 기각결정을 송달받은 다음 2011.11.3. 청구를 변경하여 이 건 부과처분 전부(본세 포함)의 취소를 주장하였는데, 본세 부과처분에 관한 심판청구는 90일이 경과하여 제기한 부적법한 심판청구에 해당됨(조심 2012지50, 2012.11.8.).

| 지방세 구제제도 |

구분		심리·의결	결정	결정서 명의
과세 前	과세전 적부심사	지방세 심의위원회	시·군세 : 시장·군수 도　세 : 도지사	시·군세 : 시장·군수 도　세 : 도지사
과세 後	이의신청	〃	〃	〃
	심판청구 (조세심판원)	조세심판관 회의	조세심판관	조세심판관
	심사청구 (감사원)	감사위원회의	감사원	감사원
	행정소송	판사	판사	판사

제92조(관계 서류의 열람 및 의견진술권)~제93조(이의신청 등의 대리인)

법 제92조(관계 서류의 열람 및 의견진술권) 이의신청인, 심판청구인 또는 처분청(처분청의 경우 심판청구로 한정한다)은 그 신청 또는 청구에 관계되는 서류를 열람할 수 있으며, 대통령령으로 정하는 바에 따라 지방자치단체의 장 또는 조세심판원장에게 의견을 진술할 수 있다.

영 제61조(관계 서류의 열람신청) ① 법 제92조에 따라 이의신청 또는 심판청구에 관계되는 서류를 열람하려는 자는 구술로 해당 지방자치단체의 장 또는 조세심판원장에게 그 열람을 요구할 수 있다.

② 제1항에 따른 요구를 받은 해당 지방자치단체의 장 또는 조세심판원장은 그 서류를 열람 또는 복사하게 하거나 그 사본이 원본과 다름이 없음을 확인하여야 한다.

③ 제1항에 따른 요구를 받은 해당 지방자치단체의 장 또는 조세심판원장은 필요하다고 인정하는 경우에는 열람하거나 복사하는 자의 서명을 요구할 수 있다.

제62조(의견진술) ① 법 제92조에 따라 의견을 진술하려는 자는 진술자의 성명과 주소 또는 영업소(진술자가 처분청인 경우 처분청의 명칭과 소재지를 말한다), 진술하려는 내용의 개요를 적은 문서로 해당 지방자치단체의 장 또는 조세심판원장에게 신청하여야 한다.

② 제1항에 따른 신청을 받은 지방자치단체의 장 또는 조세심판원장은 출석 일시 및 장소와 필요하다고 인정되는 진술시간을 정하여 법 제147조에 따른 지방세심의위원회, 법 제96조 제6항에 따라 준용하는 「국세기본법」 제7장 제3절에 따른 조세심판관회의 또는 조세심판관합동회의 회의개최일 3일 전까지 신청인에게 통지하여 의견진술의 기회를 주어야 한다.

③ 제2항의 경우 의견진술이 필요없다고 인정되면 지방자치단체의 장 또는 조세심판원장은 이유를 구체적으로 밝혀 신청인에게 통지하여야 한다.

④ 법 제92조에 따라 의견진술을 하는 자는 간단하고 명료하게 하여야 하며, 필요한 경우에는 이에 관한 증거와 그 밖의 자료를 제시할 수 있다.

⑤ 제4항에 따른 의견진술은 진술하려는 의견을 기록한 문서의 제출로 갈음할 수 있다.

⑥ 제2항의 통지는 서면으로 하거나 청구서에 적힌 전화, 휴대전화를 이용한 문자전송, 팩시밀리 또는 전자우편 등의 방법으로 할 수 있다.

법 제93조(이의신청 등의 대리인) ① 이의신청인과 처분청은 변호사, 세무사 또는 「세무사법」 제20조의 2 제1항에 따라 등록한 공인회계사를 대리인으로 선임할 수 있다.

② 이의신청인은 신청 또는 청구 금액이 1천만원 미만인 경우에는 그의 배우자, 4촌 이내의 혈족 또는 그의 배우자의 4촌 이내 혈족을 대리인으로 선임할 수 있다.

③ 대리인의 권한은 서면으로 증명하여야 하며, 대리인을 해임하였을 때에는 그 사실을 서면으로 신고하여야 한다.

④ 대리인은 본인을 위하여 그 신청 또는 청구에 관한 모든 행위를 할 수 있다. 다만, 그 신청 또는 청구의 취하는 특별한 위임을 받은 경우에만 할 수 있다.

제93조의 2(지방자치단체 선정 대리인) ① 과세전적부심사 청구인 또는 이의신청인(이하 이 조에서 "이의신청인등"이라 한다)은 지방자치단체의 장에게 다음 각 호의 요건을 모두 갖추어 대통령령

으로 정하는 바에 따라 변호사, 세무사 또는 「세무사법」 제20조의 2 제1항에 따라 등록한 공인회계사를 대리인으로 선정하여 줄 것을 신청할 수 있다.

1. 이의신청인등의 「소득세법」 제14조 제2항에 따른 종합소득금액과 소유 재산의 가액이 각각 대통령령으로 정하는 금액 이하일 것 2. 이의신청인등이 법인(제153조에 따라 준용되는 「국세기본법」 제13조에 따라 법인으로 보는 단체를 포함한다)이 아닐 것 3. 대통령령으로 정하는 고액·상습 체납자 등이 아닐 것 4. 대통령령으로 정하는 금액 이하인 청구 또는 신청일 것 5. 담배소비세, 지방소비세 및 레저세가 아닌 세목에 대한 청구 또는 신청일 것

② 지방자치단체의 장은 제1항에 따른 신청이 제1항 각 호의 요건을 모두 충족하는 경우 지체 없이 대리인을 선정하고, 신청을 받은 날부터 7일 이내에 그 결과를 이의신청인등과 대리인에게 각각 통지하여야 한다.

③ 제1항에 따른 대리인의 권한에 관하여는 제93조 제4항을 준용한다.

④ 제1항에 따른 대리인의 선정, 관리 등 그 운영에 필요한 사항은 대통령령으로 정한다.

영 제62조의 2(지방자치단체 선정 대리인) ① 법 제93조의 2 제1항에 따라 대리인의 선정을 신청하려는 자는 다음 각 호의 사항을 적은 문서를 지방자치단체의 장에게 제출해야 한다.

1. 과세전적부심사 청구인 또는 이의신청인(이하 이 조에서 "이의신청인등"이라 한다)의 성명과 주소 또는 거소 2. 이의신청인등이 법 제93조의 2 제1항 각 호의 요건을 충족한다는 사실 3. 지방자치단체의 장이 이의신청인등의 법 제93조의 2 제1항 각 호의 요건 충족 여부를 확인할 수 있다는 것에 대한 동의에 관한 사항

② 법 제93조의 2 제1항 제1호에서 "대통령령으로 정하는 금액"이란 다음 각 호의 구분에 따른 금액을 말한다.

1. 종합소득금액의 경우 : 5천만원(배우자의 종합소득금액을 포함한다). 이 경우 「소득세법」 제70조에 따른 신고기한 이전에 대리인의 선정을 신청하는 경우 그 신청일이 속하는 과세기간의 전전 과세기간의 종합소득금액을 대상으로 하고, 그 신고기한이 지난 후 신청하는 경우 그 신청일이 속하는 과세기간의 직전 과세기간의 종합소득금액을 대상으로 한다.
2. 소유 재산의 가액의 경우 : 다음 각 목에 따른 재산(배우자 소유 재산의 가액을 포함한다)의 평가 가액 합계액이 5억원. 다만, 지역 실정을 고려하여 필요한 경우에는 5억원을 초과하지 않는 범위에서 조례로 달리 정할 수 있다.
   가. 「지방세법」 제6조 제2호에 따른 부동산 나. 「지방세법」 제6조 제14호부터 제18호까지의 회원권 다. 「지방세법 시행령」 제123조 제1호 및 제2호에 따른 승용자동차

③ 법 제93조의 2 제1항 제3호에서 "대통령령으로 정하는 고액·상습체납자 등"이란 「지방세징수법」 제8조에 따른 출국금지 대상자 및 같은 법 제11조에 따른 명단공개 대상자를 말한다.

④ 법 제93조의 2 제1항 제4호에서 "대통령령으로 정하는 금액"이란 1천만원을 말한다.

⑤ 특별시장·광역시장·특별자치시장·도지사 또는 특별자치도지사는 대리인을 선정하는 경우 미리 위촉한 사람 중에서 선정하고, 시장·군수·구청장은 특별시장·광역시장·도지사가 위촉한 사람 중에서 선정할 수 있다.

⑥ 제1항부터 제5항까지에서 규정한 사항 외에 소유 재산의 평가 방법, 대리인의 임기·위촉, 대리인 선정을 위한 신청 방법·절차 등 지방자치단체 선정 대리인 제도의 운영에 필요한 사항은 해당 지방자치단체의 조례로 정한다.

이의신청인, 심사·심판청구인은 그 신청 또는 청구 등에 관계되는 서류를 열람할 수 있고, 의견진술의 기회를 가질 수 있다.

| **최근 개정법령 _ 2016.1.1.** | 이의신청 등에 대한 대리인제도 신설(법 제120조의 2)

현재 이의신청, 심사청구, 심사청구시의 대리인 선임 등에 관한 사항은 「국세기본법」 제59조를 준용하고 있다. 그러나, 국세기본법을 준용함에 따라 납세자가 인지하지 못하는 사례가 발생하는 등 문제가 있었고, 그에 따라 불복청구시의 대리인에 관한 사안을 직접 규정하여, 납세자 권익향상 등을 도모하려는 취지이다.

아울러 납세자 권익향상을 도모하기 위해 불복청구시의 대리인에 관한 사안을 「지방세기본법」에 직접 규정하여, 세무사, 변호사 등의 선임 근거 및 소액 청구금액에 대한 특례를 규정하였다. 그에 따라 청구금액이 1천만원 미만인 경우 배우자, 4촌 이내의 혈족 등을 대리인으로 선임할 수 있다.

| **최근 개정법령 _ 2020.1.1.** | 영세납세자 지원 위한 자치단체 선정 대리인 도입(법 제93조의 2)

지방세 과세전적부심사, 이의신청에 대해 영세납세자가 자치단체 선정 대리인을 통해 무료로 불복업무를 대리할 수 있도록 개선하였다.

| 국선대리인과 자치단체 선정 대리인 비교 |

구분	국선대리인	자치단체 선정 대리인
위촉대상	변호사, 세무사, 공인회계사	〈좌 동〉
신청세액	청구세액 3천만원	청구세액 1천만원
적용요건	보유재산 5억원 이하 & 종합소득금액 5천만원 이하 개인	보유재산 5억원 이하 (조례에서 따로 정함) & 종합소득금액 5천만원 이하 개인(배우자 포함) ※ 단, 고액·상습체납자 제외
보유재산 범위	부동산, 승용차, 골프·콘도회원권, 전세금, 주식·출자지분	부동산, 승용차, 회원권
적용제외 세목	상속·증여세, 종합부동산세	담배·지방소비세, 레저세

제94조(청구기한의 연장 등)

> **법** 제94조(청구기한의 연장 등) ① 이의신청인, 심사청구인 또는 심판청구인이 제26조 제1항에서 규정하는 사유(신고·신청·청구 및 그 밖의 서류의 제출·통지에 관한 기한연장사유로 한정한다)로 인하여 이의신청, 심사청구 또는 심판청구기간에 이의신청, 심사청구 또는 심판청구를 할 수 없을 때에는 그 사유가 소멸한 날부터 14일 이내에 이의신청, 심사청구 또는 심판청구를 할 수 있다. 이 경우 신청인 또는 청구인은 그 기간 내에 이의신청, 심사청구 또는 심판청구를 할 수 없었던 사유, 그 사유가 발생한 날 및 소멸한 날, 그 밖에 필요한 사항을 기재한 문서를 함께 제출하여야 한다.
> ② 제90조 및 제91조에 따른 기한까지 우편으로 제출(우편법령에 따른 통신날짜도장이 찍힌 날을 기준으로 한다)한 이의신청서, 심사청구서 또는 심판청구서가 신청기간 또는 청구기간이 지나서 도달한 경우에는 그 기간만료일에 적법한 신청 또는 청구를 한 것으로 본다.
> ③ 제90조 및 제91조의 기간은 불변기간으로 한다.

이의신청인, 심사·심판청구인은 천재지변 등 기한의 연장사유에 해당하는 경우에는 그 사유가 소멸한 날로부터 14일 이내 구제신청을 할 수 있다. 이 경우에는 그 사유를 기재한 문서를 청구서와 함께 제출하여야 한다. 이의신청 및 심사·심판 청구기간은 불변기간으로 규정하고 있다.

- 과세관청의 견해가 있는 경우, 제소기간 특례 적용의 기산점
  취득세가 취소되면 재산세도 취소해 주겠다는 과세관청의 견해를 신뢰하여 재산세 소송을 제기하지 않은 경우라면 제소기간 특례를 적용할 수 있기는 하나, 재산세를 직권취소하여 주지 못하겠다는 처분청의 견해가 있었다면 이때로부터 제소기간의 특례의 기산점이 되기 때문에 14일 이내 소를 제기하여야 함(서울고법 2000누12357, 2001.9.6.).

- 납세의무자가 과세처분의 이의신청시 대리인을 선임하였다고 하더라도 대리인이 아닌 납세의무자에게 그 이의신청에 대한 결정서를 송달하였다고 하여 이를 위법이라고 할 수는 없음. 납세의무자가 심사청구제기기간 동안 중풍후유증으로 통원 치료 등을 받아 온 경우, 국세기본법 시행령 제2조 제1항 제2호 소정의 "질병이 위중한 때"에 해당한다고 볼 수 없다고 한 사례(대법원 99두9346, 2000.1.14.)

제95조(보정요구)

법 제95조(보정요구) ① 이의신청 또는 심사청구를 받은 지방자치단체의 장은 그 신청 또는 청구의 서식 또는 절차에 결함이 있는 경우와 불복사유를 증명할 자료의 미비로 심의할 수 없다고 인정될 경우에는 20일간의 보정기간을 정하여 문서로 그 결함의 보정을 요구할 수 있다. 다만, 보정할 사항이 경미한 경우에는 직권으로 보정할 수 있다.

② 제1항에 따른 보정을 요구받은 이의신청인 또는 심사청구인은 문서로 결함을 보정하거나, 지방자치단체에 출석하여 보정할 사항을 말하고, 말한 내용을 지방자치단체 소속 공무원이 기록한 서면에 서명하거나 날인함으로써 보정할 수 있다.

③ 제1항에 따른 보정기간은 제96조에 따른 결정기간에 포함하지 아니한다.

영 제63조(보정요구) ① 이의신청기관, 심사청구 또는 심판청구의 결정기관(법 제96조 제1항 및 제6항에 따라 결정을 하는 기관을 말한다. 이하 같다)의 장은 법 제95조 제1항 본문, 법 제100조에서 준용하는 「국세기본법」 제63조 및 제81조에 따른 보정요구를 할 때에는 다음 각 호의 사항을 포함해야 한다. 〈개정 2017.12.29.〉

1. 보정할 사항 2. 보정을 요구하는 이유 3. 보정할 기간 4. 그 밖에 필요한 사항

② 이의신청기관 또는 심판청구의 결정기관은 법 제95조 제1항 본문, 법 제100조에서 준용하는 「국세기본법」 제63조 및 제81조에 따라 직권으로 보정했을 때에는 그 결과를 해당 신청인 또는 청구인에게 문서로 통지해야 한다.

이의신청, 심사청구가 있는 경우 서식이나 절차의 결함 및 자료의 미비 등 보정이 필요한 경우에는 20일간의 기간을 정하여 문서로써 보정을 요구할 수 있다. 이의신청서, 심사청구서 또는 심판청구서의 형식을 취하지 아니하고 처분의 취소, 변경 또는 필요한 처분을 요구하는 서면이 제출되었을 경우에는 보정을 요구하여 심리할 수 있다. 대리인을 선임하여 불복청구를 한 경우 보정요구서의 송달은 본인 또는 대리인 중 누구에게도 할 수 있다. 그리고 불복청구서가 법정양식과 상이(구양식, 「국세기본법」의 양식 사용 등)하거나 경미한 사항에 착오 또는 누락 등이 있는 경우에는 직권으로 보정할 수 있다(예규 기법 122-1~122-3).

제96조(결정 등)

법 제96조(결정 등) ① 이의신청 또는 심사청구를 받은 지방자치단체의 장은 신청·청구를 받은 날부터 90일 이내에 제147조에 따른 지방세심의위원회의 의결에 따라 다음 각 호의 구분에 따른 결정을 하고 신청인 또는 청구인에게 이유를 함께 기재한 결정서를 송달하여야 한다. 다만, 이의신청 또는 심사청구 기간이 지난 후에 제기된 이의신청 또는 심사청구 등 대통령령으로 정하는 사유에 해당하는 경우에는 제147조에 따른 지방세심의위원회의 의결을 거치지 아니하고 결정할 수 있다. 〈개정 2017.12.26.〉

1. 이의신청 또는 심사청구가 적법하지 아니한 때(행정소송, 심판청구 또는 「감사원법」에 따른 심사청구를 제기하고 이의신청을 제기한 경우를 포함한다) 또는 이의신청·심사청구 기간이 지났거나 보정기간에 필요한 보정을 하지 아니할 때 : 신청·청구를 각하하는 결정
2. 이의신청 또는 심사청구가 이유 없다고 인정될 때 : 신청·청구를 기각하는 결정
3. 이의신청 또는 심사청구가 이유 있다고 인정될 때 : 신청·청구의 대상이 된 처분의 취소, 경정 또는 필요한 처분의 결정. 다만, 처분의 취소·경정 또는 필요한 처분의 결정을 하기 위하여 사실관계 확인 등 추가적으로 조사가 필요한 경우에는 처분청으로 하여금 이를 재조사하여 그 결과에 따라 취소·경정하거나 필요한 처분을 하도록 하는 재조사 결정을 할 수 있다.

② 제1항에 따른 결정은 해당 처분청을 기속(羈束)한다.

③ 제1항에 따른 결정을 하였을 때에는 해당 처분청은 결정의 취지에 따라 즉시 필요한 처분을 하여야 한다.

④ 제1항 제3호 단서에 따른 재조사 결정이 있는 경우 처분청은 재조사 결정일부터 60일 이내에 결정서 주문에 기재된 범위에 한정하여 조사하고, 그 결과에 따라 취소·경정하거나 필요한 처분을 하여야 한다. 이 경우 처분청은 제83조 또는 제84조에 따라 조사를 연기하거나 조사기간을 연장하거나 조사를 중지할 수 있다. 〈신설 2017.12.26.〉

⑤ 제1항 제3호 단서 및 제4항에서 규정한 사항 외에 재조사 결정에 필요한 사항은 대통령령으로 정한다. 〈신설 2017.12.26.〉

⑥ 심판청구에 관하여는 이 법 또는 지방세관계법에서 규정한 것을 제외하고는 「국세기본법」 제7장 제3절을 준용한다. 〈개정 2017.12.26.〉

⑦ 지방자치단체의 장은 이의신청 또는 심사청구의 대상이 되는 처분이 「지방세법」 제91조, 제103조, 103조의 19, 103조의 34, 103조의 41 및 제103조의 47에 따른 지방소득세의 과세표준 산정에 관한 사항인 경우에는 「소득세법」 제6조 또는 「법인세법」 제9조에 따른 납세지를 관할하는 국세청장 또는 세무서장에게 의견을 조회할 수 있다. 〈개정 2017.12.26.〉

영 제64조(결정 등) ① 이의신청기관 또는 심판청구의 결정기관은 법 제96조에 따른 결정을 한 때에는 주문(主文)과 이유를 붙인 결정서를 정본(正本)과 부본(副本)으로 작성하여 정본은 신청인 또는 청구인에게 송달하고, 부본은 처분청에 송달해야 한다. 다만, 심판청구에 관한 사항은 「국세기본법」 제78조 제5항을 준용한다.

② 제1항에 따라 이의신청에 관한 결정서를 송달할 때에는 그 결정서를 받은 날부터 90일 이내에 이의신청인이 심판청구를 제기할 수 있다는 뜻과 제기해야 하는 기관을 함께 적어야 하며, 심판

청구에 관한 결정서를 송달할 때에는 그 결정서를 받은 날부터 90일 이내에 심판청구인이 행정소송을 제기할 수 있다는 뜻을 적어야 한다.

③ 법 제96조 제1항 각 호 외의 부분 단서에서 "대통령령으로 정하는 사유에 해당하는 경우"란 다음 각 호의 어느 하나에 해당하는 경우를 말한다. 〈신설 2017.12.29.〉

1. 이의신청의 내용이 다음 각 목의 어느 하나에 해당하는 경우
   가. 법 제96조 제1항 제1호에 따른 각하결정사유에 해당하는 경우
   나. 이의신청 금액이 100만원 이하로서 유사한 이의신청에 대하여 법 제147조에 따른 지방세심의위원회(이하 "지방세심의위원회"라 한다) 의결을 거쳐 법 제96조 제1항 제3호 본문에 따른 결정이 있었던 경우
2. 신청기간이 지난 후에 이의신청이 제기된 경우

④ 이의신청 또는 심사청구의 내용이 다음 각 호의 어느 하나에 해당하는 경우에는 제3항 제1호 나목에도 불구하고 지방세심의위원회 의결을 거쳐 결정한다. 〈신설 2017.12.29.〉

1. 지방세심의위원회의 의결사항과 배치되는 새로운 조세심판, 법원 판결 또는 행정안전부장관의 해석 등이 있는 경우
2. 지방세심의위원회의 위원장이 지방세심의위원회 의결을 거쳐 결정할 필요가 있다고 인정하는 경우

⑤ 이의신청기관 또는 심판청구의 결정기관은 법 제96조 제1항 또는 제6항에 따른 신청 또는 청구에 대한 결정기간(이하 이 조에서 "결정기간"이라 한다)이 지나도 결정을 하지 못했을 때에는 지체 없이 이의신청인에게는 결정기간이 경과한 날부터 심판청구 또는 행정소송을 제기할 수 있다는 뜻과 제기해야 하는 기관을, 심판청구인에게는 결정기간이 경과한 날부터 행정소송을 제기할 수 있다는 뜻을 통지해야 한다.

⑥ 처분청은 법 제96조 제4항(법 제88조 제8항에서 준용하는 경우를 포함한다)에 따라 신청 또는 청구의 대상이 된 처분의 취소·경정을 하거나 필요한 처분을 하였을 때에는 그 처분결과를 지체 없이 서면으로 이의신청인(법 제88조 제8항에서 준용하는 경우에는 과세전적부심사 청구인을 말한다)에게 통지해야야 한다.

이의신청, 심사청구의 결정에는 각하결정, 기각결정, 취소·경정결정, 필요한 처분의 결정이 있으며, 이러한 결정은 해당 처분청을 기속한다.

각하결정은 이의신청이나 심사청구에 대하여 요건을 심리한 결과 신청·청구기간의 경과 등 신청요건을 갖추지 못한 경우 내용심리(본안심리)를 하지 아니하고 신청 그 자체가 부적합하다고 판단하는 결정이다.

기각결정은 신청요건은 갖추었으나 청구의 내용을 심리한 결과, 신청인의 주장이 이유가 없다고 결정기관이 내리는 판단(결정)을 말한다.

취소·경정결정은 신청요건이 갖추어져 내용심리를 한 결과, 신청인의 주장이 이유가 있다고 결정기관이 내리는 판단을 말한다. 즉, 결정기관이 신청인의 불복을 받아들여 처분청의 처분 등을 취소 또는 변경하는 것이다.

필요한 처분의 결정은 신청요건이 갖추어져 내용심리를 한 결과, 신청인의 불복한 내용인 「필요한 처분」을 받지 못한 것이 위법·부당하다는 주장을 받아들이는 결정이다. 따라서 이 결정에 의하여 필요한 처분을 거부한 지방자치단체의 장은 그 결정에 따라 신청인이 요구하는 처분을 하여야 한다.

| 최근 개정법령_2018.1.1. | 청구금액이 1백만원 이하로서 납세자 주장대로 심의결정된 사례가 있거나 단순사실 등 일정요건에 해당할 경우 지방세심의위원회 심의·의결 절차를 생략할 수 있도록 하였다.

◎ 재조사 결정에 따른 재조사의 경우는 세무조사 재조사 금지대상에서 제외되도록 보완

◎ 각하결정사항(예규 기법 96-1)

1. 법 제96조 제1항 제1호의 각하결정을 하여야 하는 때에는 다음의 경우를 포함한다.
   가. 불복청구의 대상이 된 처분이 존재하지 않을 때(처분의 부존재) 나. 불복청구의 대상이 된 처분에 의하여 권리 또는 이익의 침해를 당하지 않은 자의 불복(당사자 적격의 부존재) 다. 불복청구 대상이 되지 아니하는 처분에 대한 불복(청구대상 적격의 부존재) 라. 대리권 없는 자의 불복
2. 이의신청 또는 심사청구를 한 동일한 처분에 대하여 감사원 심사청구가 불복제기 기간 내에 중복 제기되었을 때에는 이의신청 또는 심사청구를 각하한다.
3. 동일한 처분에 대하여 청구기간 내에 이의신청·심사청구 또는 심판청구가 중복제기되었을 때에는 청구인의 의사를 확인하여 처리한다. 이 경우 청구인이 선택하지 않은 불복청구는 각하한다.
4. 이의신청이 각하결정된 사항에 대하여 심사청구 또는 심판청구를 하였을 경우에는 전심(이의신청)의 각하결정에 흠이 없는 한 심사청구 또는 심판청구도 각하한다.

◎ 동일 사안에 대하여 과거분 재산세를 부과취소한 것은 재처분 금지에 해당되지 않음

과세관청이 납세자의 이의신청 사유가 옳다고 인정하여 과세처분을 직권으로 취소한 경우, 납세자가 허위의 자료를 제출하는 등 부정한 방법에 기초하여 직권취소되었다는 등의 특별한 사유가 없는데도 이를 번복하고 종전과 동일한 과세처분을 하는 것은 위법하나(대법원 2007두18161 등), 이와 같은 재처분금지의 법리는 동일한 과세처분인 경우에 적용되고 과세단위를 달리하는 경우에도 적용된다고 볼 수는 없음. 재산세는 보유하는 재산에 담세력을 인정하여 부과되는 수익세적 성격을 지닌 보유세이며 1년 단위의 기간과세에 해당하므로 과세기간마다 별개의 과세단위가 된다고 할 것인데, 2014.9.15.자 처분과 이 사건 처분은 원고가 이 사건 환지예정지의 사실상 소유자인지 여부가 동일한 쟁점이더라도 과세기간이 서

로 달라 별개의 처분에 해당하므로 금지된 재처분을 하였다고 할 수 없음(대법원 2020두33053, 2020.5.14. 확정).

◎ **취소판결이 확정된 경우 처분청은 동 행정소송의 사실심변론 종결 이전의 사유를 내세워 다시 확정판결에 저촉되는 행정처분을 할 수 없음. 확정판결의 기판력에 저촉됨**

피고는 동 판결이 확정된 후 토지 용도를 다시 조사한 결과 과세토지 1,398평 중 542평만을 주유소 부지로 임대하였고, 나머지 856평은 주유소와 관계없는 주차장 용지로 임대하였음이 판명되어 비업무용토지라는 이유로 다시 중과세율을 적용하여 부과하였음 … 비록 856평의 토지부분이 원고의 고유목적사업과 관계없다는 사실을 위 확정판결 이후 알게 되었다 하더라도 이는 동 소송의 사실심 최종변론기일 이후에 발생된 새로운 사실이라고 할 수 없을 뿐더러 위 확정판결이 본건 과세대상 토지를 포함한 당초의 과세대상토지 전부가 비업무용토지가 아니라는 사실을 확정한 이상 다시 비업무용토지라 하여 재산세를 부과한 과세처분은 허용될 수 없음(대법원 79누152, 1980.6.10.).

◎ **직권으로 취소한 부과처분을 다시 재처분할 수는 없음**

이의신청 진행 중에 납세자의 주장을 인정하여 처분청에서 직권으로 부과처분을 취소하였다가, 이후 유사 사례가 대법원 결정으로 과세가 정당하다고 최종 판단된 경우 직권으로 취소한 부과처분을 다시 재처분할 수는 없음(대법원 2009두1020, 2010.9.30.).

◎ **재조사결정의 효력 발생시기는 후속처분의 통지를 받는 날부터 기산됨**

재조사결정은 처분청의 후속처분에 의하여 그 내용이 보완됨으로써 이의신청 등에 대한 결정으로서의 효력이 발생한다고 할 것이므로, 재조사결정에 따른 심사청구기간이나 심판청구기간 또는 행정소송의 제소기간은 이의신청인 등이 후속처분의 통지를 받은 날부터 기산된다고 봄이 상당함(대법원 2007두12514, 2010.6.25.).

◎ **종전 대법원 확정판결과 소송물이 동일하므로 종전 판결과 모순되는 판결을 할 수 없음**

원고는 위헌법률심판제청신청을 위한 요건을 갖추기 위해 이 사건 소를 제기한 점…이 사건 등록세 등 부과처분 무효확인 및 이 사건 취득세 등 부과처분 취소는 종전에 확정된 판결과 동일한 점(종전에 확정된 판결과 달리 이 사건 취득세 등 부과처분을 나누어 4차 처분 무효확인을 별도로 구하는 점만 차이), 원고가 내세우고 있는 무효 또는 취소사유는 종전에 확정된 판결의 변론종결시까지 존재하였던 공격방어방법이거나 처분사유에 불과한 점 등을 고려할 때, 이 사건 등록세 등 부과처분 무효확인 및 이 사건 취득세 등 부과처분 취소는 종전에 확정된 판결과 소송물이 동일하고, 종전에 확정된 판결과 모순되는 판단을 할 수 없음(대법원 2015두52609, 2015.12.24.).

제97조(결정의 경정)

법 제97조(결정의 경정) ① 이의신청 또는 심사청구에 대한 결정에 오기, 계산착오, 그 밖에 이와 비슷한 잘못이 있는 것이 명백할 때에는 지방자치단체의 장은 직권으로 또는 이의신청인 · 심사청구인의 신청을 받아 결정을 경정할 수 있다.
② 제1항에 따른 경정의 세부적인 절차는 대통령령으로 정한다.

영 제65조(결정의 경정) 지방자치단체의 장은 법 제97조 제1항에 따른 경정 결과를 지체 없이 이의신청인에게 통지하여야 한다.

이의신청 또는 심사청구에 명백한 오기 · 오산이 있는 경우에는 직권 또는 신청에 의해 결정내용을 경정할 수 있다.

제98조(다른 법률과의 관계)

법 제98조(다른 법률과의 관계) ① 이 법 또는 지방세관계법에 따른 이의신청 또는 심사청구의 대상이 되는 처분에 관한 사항에 관하여는 「행정심판법」을 적용하지 아니한다. 다만, 이의신청 또는 심사청구에 대해서는 같은 법 제15조, 제16조, 제20조부터 제22조까지, 제29조, 제36조 제1항 및 제39조부터 제42조까지의 규정을 준용하며, 이 경우 "위원회"는 "지방세심의위원회"로 본다.
② 심판청구의 대상이 되는 처분에 관한 사항에 관하여는 「국세기본법」 제56조 제1항을 준용한다.

지방세기본법 또는 지방세관계법에 따른 이의신청 등의 대상이 되는 처분에 관하여는 행정심판법을 적용하지 아니한다. 다만, 행정심판법 제15조(선정대표자), 제16조(청구인의 지위승계), 제20조(심판참가), 제21조(심판참가 요구), 제22조(참가인의 지위), 제29조(청구의 변경), 제39조(직권심리), 제40조(심리의 방식) 등은 이의신청 또는 심사청구에 대하여 준용한다. 이 경우 행정심판법상의 "위원회"는 "지방세심의위원회"로 본다.

〈국세기본법〉

제56조(다른 법률과의 관계) ① 제55조에 규정된 처분에 대해서는 「행정심판법」의 규정을 적용하지 아니한다. 다만, 심사청구 또는 심판청구에 관하여는 「행정심판법」 제15조, 제16조, 제20조부터 제22조까지, 제29조, 제36조 제1항, 제39조, 제40조, 제42조 및 제51조를 준용하며, 이 경우 "위원

회"는 "국세심사위원회", "조세심판관회의" 또는 "조세심판관합동회의"로 본다.

제99조(청구의 효력 등)

법 제99조(청구의 효력 등) ① 이의신청, 심사청구 또는 심판청구는 그 처분의 집행에 효력이 미치지 아니한다. 다만, 압류한 재산에 대해서는 대통령령으로 정하는 바에 따라 그 공매처분을 보류할 수 있다.
② 이의신청, 심사청구 또는 심판청구에 관한 심의절차 및 그 밖에 필요한 사항은 대통령령으로 정한다.

영 제66조(이의신청 등에 따른 공매처분의 보류기한) 법 제99조 제1항 단서에 따라 공매처분을 보류할 수 있는 기한은 이의신청 또는 심판청구의 결정이 있는 날부터 30일까지로 한다.

이의신청, 심사·심판청구 등 불복절차를 진행 중이라도 그 청구의 목적이 된 처분의 집행에는 영향을 주지 않는다. 따라서 불복기간 중에도 과세관청은 독촉·압류 등을 할 수 있다(행정처분의 집행부정지 효력). 다만, 압류한 재산의 공매처분은 불복청구의 결과를 보아가면서 집행할 필요성도 있기 때문에 처분을 보류할 수 있다.

제100조(이의신청 및 심사청구와 심판청구에 관한 「국세기본법」의 준용)

법 제100조(이의신청 및 심사청구와 심판청구에 관한 「국세기본법」의 준용) 이 장에서 규정한 사항을 제외한 이의신청 등의 사항에 관하여는 「국세기본법」 제7장을 준용한다.

이의신청, 심사·심판청구와 관련하여 지방세기본법에 정한 것을 제외하고는 국세기본법을 준용하고 있다.

한편, 지방세의 경우 필요적 전치주의를 취하고 있었는데 헌법불합치결정(헌재, 2001.6.28.)에 따라 국세(심판청구 필요적 전치주의[28])와 달리 2002년부터 임의적 전치주의[29])로 운영

28) 국세기본법 제56조 제2항 : 조세처분에 대한 행정소송은 심판(심사) 후 제기 가능

하고 있다. 그런데 지방세 3법 분법(2011.1.1. 시행) 당시, 지방세 이의신청 등에 관하여 국세기본법 제7장(제55조~제81조)을 준용토록 규정하고, 행정소송을 위해서는 심사(심판)청구 전치주의를 규정한 국세기본법 제56조 제2항도 준용토록 하여 혼란이 있었다. 이에 2013.1.1.부터는 지방세에 관한 쟁송에서의 임의적 전치주의를 명확히 할 수 있도록 국세기본법 제56조 제2항의 적용을 배제하도록 보완하였다(2013.1.1. 시행).

29) 행정소송법 제18조에 따라 일반 행정심판은 임의적 전치주의로 운영

제 8 장

지방세기본법

보 칙

제139조(납세관리인)

법 제139조(납세관리인) ① 국내에 주소 또는 거소를 두지 아니하거나 국외로 주소 또는 거소를 이전하려는 납세자는 지방세에 관한 사항을 처리하기 위하여 납세관리인을 정하여야 한다.

② 제1항에 따른 납세관리인을 정한 납세자는 대통령령으로 정하는 바에 따라 지방자치단체의 장에게 신고하여야 한다. 납세관리인을 변경하거나 해임할 때에도 또한 같다.

③ 지방자치단체의 장은 납세자가 제2항에 따른 신고를 하지 아니하면 납세자의 재산이나 사업의 관리인을 납세관리인으로 지정할 수 있다.

④ 재산세의 납세의무자는 해당 재산을 직접 사용·수익하지 아니하는 경우에는 그 재산의 사용자·수익자를 납세관리인으로 지정하여 신고할 수 있다.

⑤ 지방자치단체의 장은 재산세의 납세의무자가 제4항에 따라 재산의 사용자·수익자를 납세관리인으로 지정하여 신고하지 아니하는 경우에도 그 재산의 사용자·수익자를 납세관리인으로 지정할 수 있다.

⑥ 삭제 〈2020.12.29.〉

영 제77조(납세관리인의 지정 및 변경 등 신고) ① 법 제139조 제2항 전단, 같은 조 제4항 또는 제6항에 따라 납세관리인 지정의 신고를 하려는 자는 다음 각 호의 사항을 적은 신고서를 지방자치단체의 장에게 제출하여야 한다.

1. 납세자의 성명과 주소 또는 영업소 2. 납세관리인의 성명과 주소 또는 영업소 3. 지정의 이유

② 법 제139조 제2항 후단에 따라 납세관리인의 변경 또는 해임의 신고를 하려는 자는 다음 각 호의 사항을 적은 신고서를 지방자치단체의 장에게 제출하여야 한다.

1. 제1항 제1호와 제2호의 사항 2. 변경 후의 납세관리인의 성명과 주소 또는 영업소(변경신고의 경우에만 해당한다) 3. 변경의 이유(변경신고의 경우에만 해당한다)

제78조(납세관리인의 변경요구 등) ① 지방자치단체의 장은 법 제139조 제2항 및 제4항에 따라 신고된 납세관리인이 부적당하다고 인정될 때에는 납세자에게 기한을 지정하여 그 변경을 요구할 수 있다.

② 지방자치단체의 장은 제1항에 따른 요구를 받은 납세자가 그 지정기한까지 납세관리인 변경의 신고를 하지 아니하였을 때에는 납세관리인의 지정이 없는 것으로 보고, 법 제139조 제3항 및 제5항에 따라 납세자의 재산이나 사업의 관리인을 납세관리인으로 지정할 수 있다.

③ 지방자치단체의 장은 법 제135조 제3항·제5항 및 이 조 제2항에 따라 납세관리인을 지정하였을 때에는 그 납세자와 납세관리인에게 지체 없이 통지하여야 한다.

납세자가 국내에 주소 또는 거소를 두지 아니한 경우 등에 대해 납세자에 의해 선임된 자로서 지방세 관련 신고서의 제출, 고지와 독촉 및 세무조사 사전통지 서류의 수령 등 지방세에 관한 사무의 처리를 위임받은 자를 납세관리인이라고 한다.

납세관리인을 설정·변경·해임한 때에는 지방자치단체의 장에게 신고하여야 한다.

◎ (예규) 기법 135-1(납세관리인의 지정)

납세의무자 또는 특별징수의무자가 국내에 주소 또는 거소를 두지 아니하는 경우에는 납세에 관한 사항을 처리하기 위하여 납세관리인을 신고하여야 하나 신고가 없을 경우에는 재산이나 사업의 관리인을 납세관리인으로 과세권자가 지정할 수 있다.

◎ (예규) 기법 135-2(납세관리인의 권한소멸)

납세관리인은 다음 각 호에 게기하는 사유가 발생한 때 그 권한이 소멸한다. 1. 납세자의 해임행위(「민법」 제128조) 2. 납세자의 사망 3. 납세관리인의 사망, 피성년후견인 지정 또는 파산 등

◎ (예규) 기법 135-3(납세관리인의 권한 소멸후의 효과)

납세관리인의 권한 소멸 후 그 소멸한 사실을 모르고 그 납세관리인에게 행한 행위 또는 그 납세관리인이 행한 행위는 당해 납세자(납세의무승계자 포함)에게 효력이 있다.

제140조(세무공무원의 질문·검사권)

법 제140조(세무공무원의 질문·검사권) ① 세무공무원은 지방세의 부과·징수에 관련된 사항을 조사하기 위하여 필요할 때에는 다음 각 호의 자에게 질문하거나 그 자의 장부, 서류, 그 밖의 물건을 검사할 수 있다.
1. 납세의무자 또는 납세의무가 있다고 인정되는 자 2. 특별징수의무자
3. 제1호 또는 제2호의 자와 금전 또는 물품을 거래한 자 또는 그 거래를 하였다고 인정되는 자
4. 그 밖에 지방세의 부과·징수에 직접 관계가 있다고 인정되는 자
② 제1항의 경우에 세무공무원은 신분을 증명하는 증표를 지니고 관계인에게 보여 주어야 한다.
③ 세무공무원은 조사에 필요한 경우 제1항 각 호의 자로 하여금 보고하게 하거나 그 밖에 필요한 장부, 서류 및 물건의 제출을 요구할 수 있다.

영 제79조(자격증명서) 법 제140조 제2항에 따른 신분을 증명하는 증표는 세무공무원에 대하여 지방자치단체의 장이 다음 각 호의 사항을 증명한 증표로 한다.
1. 소속 2. 직위, 성명 및 생년월일
3. 질문·검사·수사 또는 지방세 체납자의 재산압류 권한에 관한 사항

세무공무원은 지방세의 부과·징수 등 그 직무상 필요한 때에 납세의무자 및 그 이외의 일정한 범위 내에 해당하는 자에 대하여 질문하거나 당해 장부·서류 기타 물건을 조사하거나 그 제출을 명할 수 있다. 이것이 세무공원의 질문검사권이다.

세무공무원이 행하는 질문·검사는 행정조사절차인 것이고 강제조사는 아니다. 그러나

질문 · 검사를 받아야 할 상대방이 질문에 대하여 거짓으로 진술하거나 그 직무집행을 거부 또는 기피하면 과태료가 부과되므로(제131조의 2), 직접적인 강제력을 가진 것은 아니지만 그 상대방은 질문검사권의 행사에 대하여 수인의무가 있는 것이다.

따라서 질문검사권에 대하여는 직접적 · 물리적 강제를 인정하지 않게 되는데, 이는 과세의 공평한 부과와 확실한 조세징수를 위하여 필요한 자료의 수집을 목표로 하는 데 그치는 것이기 때문이다.

◎ 「지방세기본법」 제136조의 「질문」은 구두 또는 서면에 의하여 할 수 있으며, 구두에 의한 질문의 내용이 중요한 사항인 때에는 그 전말을 기록하여야 하고, 전말을 기록한 서류에는 답변자의 서명날인을 받아야 하며, 답변자가 서명날인을 거부할 때는 그 뜻을 부기하여야 한다(예규 기법 136-1).

◎ **세무조사와 무관한 자료제출 요구 및 현장조사 · 확인의 경우 납세자의 동의가 필요함**

납세자의 동의가 있는 경우와 「지방세기본법」 제108조(세무조사권 남용금지) 제2항 또는 제110조(세무조사 대상자 선정) 제2항 등 예외적인 경우를 제외하고는 자치단체의 세무공무원이라 하더라도 「지방세기본법」 제110조 내지 제112조에 의한 '세무조사'와 무관한 자료제출 요구 및 현장조사 · 확인 등의 경우에는 동법 제136조(세무공무원의 질문 · 검사권)를 적용할 수 없다고 할 것임(지방세특례제도과-1819, 2016.7.28.).

제146조(포상금의 지급)

제147조(지방세심의위원회의 설치 · 운영)

제148조(지방세예규심사위원회)

제149조(통계의 작성 및 공개)

제150조(지방세 운영에 대한 지도 등)

제151조(지방세연구기관의 설립·운영)

제152조(지방세발전기금의 설치·운용)

제152조의 2(가족관계등록 전산정보의 공동이용)

제153조(「국세기본법」 등의 준용)

> 법 제153조(「국세기본법」 등의 준용) 지방세의 부과·징수에 관하여 이 법 또는 지방세관계법에서 규정한 것을 제외하고는 「국세기본법」과 「국세징수법」을 준용한다.

지방세의 부과·징수에 관하여 지방세기본법 또는 지방세관계법에서 규정한 것을 제외하고는 「국세기본법」과 「국세징수법」을 준용하고 있다.

- 소득세할의 신고·납부기한이 소득세와 동일하고 지방세법에 소득세할 주민세의 환급이자 기산일 적용에 관한 별도 규정이 없으므로 국세기본법 제52조 규정을 준용하여 해석하는 것이 타당함(세정-949, 2006.3.9.).
- 국세기본법운영예규 등의 준용
  지방세의 부과와 징수에 관하여 이 법 운영예규에서 규정한 것을 제외하고는 「국세기본법운영예규」과 「국세징수법운영예규」을 준용한다(예규 기법 147-1).

제154조(전환 국립대학법인의 납세의무에 대한 특례)

> 법 제154조(전환 국립대학법인의 납세의무에 대한 특례) 지방세관계법에서 규정하는 납세의무에도 불구하고 종전에 국립대학 또는 공립대학이었다가 전환된 국립대학법인에 대한 지방세의 납세의무를 적용할 때에는 전환 국립대학법인을 별도의 법인으로 보지 아니하고 국립대학법인으로 전환되기 전의 국립학교 또는 공립학교로 본다. 다만, 전환국립대학법인이 해당 법인의 설립근거가 되는 법률에 따른 교육·연구 활동에 지장이 없는 범위 외의 수익사업에 사용된 과세대상에 대한 납세의무에 대해서는 그러하지 아니하다.

국립대학에서 전환된 국립대학법인이 기존 국립대학과 동일한 공적 기능 및 책무를 계속 수행할 수 있도록 납세의무와 관련하여 다른 국립대학과 동일하게 보는 특례를 신설하였다. 그런데 수익사업에 사용된 과세대상에 대한 납세의무에 대해서는 특례가 인정되지 않는다.

한편 같은 내용으로 동시에 국세기본법도 개정되었는데, 현행 「국세기본법」에는 국가에 대해서는 원천징수납부 등 불성실가산세 납부의무가 없으나, 국립대학법인에 대해서는 내국법인으로서 원천징수납부 등 불성실가산세 납세의무가 있다. 국세기본법 개정안에 따라 국립대학법인을 국가와 동일하게 취급하여 원천징수납부 등 불성실가산세 적용을 배제하게 된다.[30)]

30) 국세기본법 일부개정법률안 심사보고서(2019.12. 국회 기획재정위원회) 내용임.

부 칙

법 〈법률 제17768호, 2020.12.29.〉

제1조(시행일) 이 법은 2021년 1월 1일부터 시행한다. 다만, 다음 각 호의 개정규정은 각 호의 구분에 따른 날부터 시행한다.

1. 제9조 제2항의 개정규정 : 공포한 날
2. 제6조, 제146조 제1항(지방세조합과 관련된 개정사항으로 한정한다) · 제8항 · 제9항, 제147조 제1항(지방세조합과 관련된 개정사항으로 한정한다), 같은 조 제2항부터 제4항까지 및 제151조의 2의 개정규정 : 공포 후 1년이 경과한 날
3. 제2조 제1항 제14호 · 제22호부터 제24호까지 · 제26호 · 제33호, 제34조 제1항 제12호, 제35조 제2항, 제39조 제1항부터 제4항까지, 제55조 제1항 · 제2항 · 제4항 · 제5항, 제56조, 제71조 제1항 · 제2항, 제86조 제1항 제4호(지방세조합과 관련된 개정사항으로 한정한다) · 제1항 제9호 · 제2항, 제135조 제1항 · 제2항 제3호(지방세조합과 관련된 개정사항으로 한정한다) 및 법률 제16854호 지방세기본법 일부개정법률 제135조 제5항의 개정규정 : 2022년 2월 3일

제2조(지방세징수권의 소멸시효에 관한 적용례) 제39조 제1항, 제3항 및 제4항의 개정규정은 부칙 제1조 제3호에 따른 시행일 이후 납세의무가 성립하는 분부터 적용한다.

제3조(상속으로 인한 납세의무의 승계에 관한 적용례) 제42조 제2항 및 제3항의 개정규정은 이 법 시행 이후 상속이 개시되는 분부터 적용한다.

제4조(명의신탁된 종중 재산의 물적 납세의무에 관한 적용례) 제75조 제3항의 개정규정은 이 법 시행 이후 납세의무가 성립하는 분부터 적용한다.

제5조(세무조사 등의 결과 통지에 관한 적용례) 제85조 제1항 각 호 외의 부분 본문, 같은 조 제2항 및 제3항의 개정규정은 이 법 시행 이후 범칙사건조사 또는 세무조사를 개시하는 경우부터 적용한다.

제6조(납부지연가산세 및 특별징수 납부지연가산세에 관한 경과조치) 부칙 제1조 제3호에 따른 시행일 전에 납세의무가 성립된 분에 대해서는 제2조 제1항 제14호 · 제22호부터 제24호까지 · 제26호 · 제33호, 제55조 제1항 · 제2항 · 제4항 · 제5항, 제56조 및 제71조 제1항 제3호부터 제5호까지 및 같은 조 제2항 단서의 개정규정에도 불구하고 종전의 규정에 따른다. 부칙 제1조 제3호에 따른 시행일 전에 제45조부터 제48조까지의 규정에 따른 주된 납세자의 납세의무가 성립한 경우의 제2차 납세의무자에 대해서도 또한 같다.

제7조(가산세 납세의무 성립시기에 관한 경과조치) 부칙 제1조 제3호에 따른 시행일 전에 종전의 제34조 제1항 제12호에 따라 납세의무가 성립한 가산세에 대해서는 같은 개정규정에도 불구하고 종전의 규정에 따른다.

제8조(지방세 납세의무의 확정에 관한 경과조치) 부칙 제1조 제3호에 따른 시행일 전에 제35조 제1항에 따라 세액이 확정된 가산세에 대해서는 같은 조 제2항 제2호 및 제3호의 개정규정에도 불구하고 종전의 규정에 따른다.

제9조(연대납세의무의 한도에 관한 경과조치) 이 법 시행 전에 법인이 분할되거나 분할합병된 경우의 연대납세의무 한도에 대해서는 제44조 제2항 및 제3항의 개정규정에도 불구하고 종전의 규정

에 따른다.

제10조(과세전적부심사 청구에 관한 경과조치) ① 이 법 시행 전에 종전의 제88조 제2항 제3호에 따른 통지를 받은 경우에는 같은 개정규정에도 불구하고 종전의 규정에 따른다.

② 이 법 시행 전에 종전의 제88조 제2항 각 호에 따른 통지를 받은 경우에는 같은 조 제3항 제1호의 개정규정에도 불구하고 종전의 규정에 따른다.

시행령 **〈대통령령 제31341호, 2020.12.31.〉**

제1조(시행일) 이 영은 2021년 1월 1일부터 시행한다.

제2조(공시송달에 관한 적용례) 제18조 제2호의 개정규정은 납세자에 대한 첫 방문이 이 영 시행 이후인 경우부터 적용한다.

제3조(지방세법규해석심사위원회 위원의 제척 · 회피에 관한 경과조치) 이 영 시행 전에 지방세법규해석심사위원회의 위원이 질의의 대상이 되는 처분에 대한 심사청구에 관하여 증언 또는 감정을 했거나 질의의 대상이 되는 처분에 대한 심사청구에 관여했던 경우에는 제89조 제1항 제4호 및 제5호의 개정규정에도 불구하고 종전의 규정에 따라 해당 안건에 대한 지방세법규해석심사위원회의 회의에서 제척되며, 스스로 회피해야 한다.

◎ 법률의 개정시 종전 법률 부칙의 경과규정을 두지 않았다고 하여도 부칙의 경과규정이 당연히 실효되는 것은 아님

법률의 개정시에 종전 법률 부칙의 경과규정을 개정하거나 삭제하는 명시적인 조치가 없다면 개정 법률에 다시 경과규정을 두지 않았다고 하여도 부칙의 경과규정이 당연히 실효되는 것은 아니지만, 개정 법률이 전문 개정인 경우에는 기존 법률을 폐지하고 새로운 법률을 제정하는 것과 마찬가지이어서 종전의 본칙은 물론 부칙 규정도 모두 소멸하는 것으로 보아야 할 것이므로 특별한 사정이 없는 한 종전의 법률 부칙의 경과규정도 모두 실효된다고 보아야 한다(대법원 2001두11168, 2002.7.26.).

◎ 부칙에서 별도의 경과규정을 두지 않았다면 '납세의무가 성립한 당시' 법령을 적용함

조세법령이 개정되면서 그 부칙에서 개정조문과 관련하여 별도의 경과규정을 두지 아니한 경우에는 '납세의무가 성립한 당시'에 시행되던 법령을 적용하여야 하는 것이고, 한편 제2차 납세의무가 성립하기 위하여는 주된 납세의무자의 체납 등 그 요건에 해당되는 사실이 발생하여야 하는 것이므로, 그 성립시기는 적어도 '주된 납세의무의 납부기한'이 경과한 이후임(대법원 2003두13083, 2005.4.15.).

◎ '종전의 예에 의한다'는 개정 지방세법 효력발생 이후의 과세요건사실에 대해 적용불가

개정된 지방세법 부칙 제1조는 "이 법은 1990년 1월 1일부터 시행한다."고 규정하고, 제5조는 "이 법 시행당시 종전의 규정에 의하여 부과 또는 감면하였거나 부과 또는 감면하여야 할 지방세에 대하여는 종전의 예에 의한다."고 규정하고 있는 바, 위 부칙 제1조는 납세의무가 성립될 당시의 세법이 적용되어야 한다는 일반원칙에 서서 그 적용시기를 규정하고 있는 것이고, 위 부칙 제5조는 법률불소급의 원칙에 대한 예외로서 납세의무자에게 불리하게 세법이 개정된 경우에는 기득권 내지 신뢰보호를 위하여 예외적으로 납세의무자에게 유리한 종전의 법률을 적용한다는 특별규정으로서 위 개정된 지방세법의 효력발생 이후에 과세요건 사실이 발생한 경우에는 적용될 여지가 없음(대법원 01두5101, 2001.12.14.).

제2편

지방세징수법

□ 2017.3.28. 시행 「지방세징수법」의 제정(2016.12.27.)

종전 「지방세기본법」은 총칙, 납세의무, 부과, 징수, 체납처분, 지방세와 타채권과의 관계, 납세자의 권리, 이의신청 및 심사청구와 심판청구, 범칙행위 등에 대한 처벌 및 처벌절차, 보칙 등 총 10장에 본칙 255개의 조문으로 구성되어 있는데, 국세에 비하여 다소 체계적이지 못한 측면이 있었다.

| 지방세와 국세의 법률체계 비교 |

지방세	국세
지방세기본법	국세기본법, 국세징수법, 조세범 처벌법, 조세범 처벌절차법, 과세자료 제출에 관한 법률
지방세법	소득세법, 법인세법 등 12개 개별 법률
지방세특례제한법	조세특례제한법

그리고, 2015년에 「지방세기본법」 개정을 통하여 그동안 「국세징수법」에서 준용해왔던 사항들을 대폭 이관하여 담게 되면서 「지방세기본법」 본칙 255개 조문 중 가지조문이 무려 103개에 이르는 등 법률체계 정비의 필요성이 인정되었다.

이에, 국민들이 지방세의 징수규정을 쉽게 확인할 수 있도록 2017년부터 종전 「지방세기본법」의 징수·체납과 관련된 조문을 분리하여 지방세징수법을 제정·시행하였다.

제정안은 현행 「지방세기본법」에서 규정하고 있는 징수(제4장) 및 체납처분(제5장)에 관한 사항을 분리하고(제2장 및 제3장), 납세증명서의 제출·발급 및 납기 전 징수(제5조 및 제22조)·외국인 체납자료 제공 등(제10조)·신용카드에 의한 지방세 납부(제23조)·배분금전의 예탁(제103조)·체납처분의 중지와 그 공고(제104조) 등에 관한 사항을 보완하여 별도의 독자적인 법률체계로 구성되었다.

| 제정안의 조문구성 |

장(章)	절(節)		조문(條文)
제1장 총칙	-		제1조~제11조
제2장 징수	제1절 징수절차 제2절 징수유예	제3절 독촉	제12조~제32조
제3장 체납처분	제1절 체납처분의 절차 제2절 압류금지 재산	제7절 무체재산권 등의 압류 제8절 압류의 해제	제33조~제107조

장(章)	절(節)		조문(條文)
	제3절 체납처분의 효력 제4절 동산과 유가증권의 압류 제5절 채권의 압류 제6절 부동산등의 압류	제9절 교부청구 및 참가압류 제10절 압류재산의 매각 제11절 청산 제12절 체납처분의 중지·유예	

□ 2021.1.1. 시행 지방세징수법 개정내용

(법 §11의 2) 분산 고액 체납자에 대한 합산 제재 근거 마련
(법 §8, §9, §11, §11의 2, §11의 3) 지방세조합에 합산 제재 권한 부여
(법 §24의 2) 가족관계등록 전산정보자료 요청 근거 명확화
(법 §25, §25의 2, §25의 3, §26 등) 징수유예의 종류, 요건·절차 명확화
(법 §30, §31 등) 가산세 및 가산금 통합에따른 조문정비
(법 §39의 2) 고액·상습체납자 수입품 체납처분 권한 위탁 근거 마련
(법 §48, §81, §89) 부부공유의 동산·유가증권에 대한 체납처분 합리화
(법 §71) 공매 대행기관에 '지방세조합' 추가

□ 2021.1.1. 시행 지방세징수법 하위법령 개정내용

(영 §15 1호) 고액체납자 출국금지 대상 확대
(영 §19) 고액·상습 체납자 명단공개 제외대상 축소
(영 §30의 2) 가족관계등록 전산정보자료 제공 절차 규정
(영 §31 등) 징수유예 절차 체계화
(영 §45의 2 등) 수입품 체납처분 위탁 절차 및 위탁 철회 사유 규정
(영 §6 등) 타법 개정에 따른 조문 정비 등
(규칙 별지 제8호) 행정심판 필요적 전치주의 도입에 따른 고지서 서식 개정
(규칙 별지 제8호 등) 납세자 개인정보보호 강화를 위한 납세고지서 등 서식 변경

제 1 장

지방세징수법

총 칙

제1조(목적)

법 제1조(목적) 이 법은 지방세 징수에 필요한 사항을 규정함으로써 지방세수입을 확보함을 목적으로 한다.

영 제1조(목적) 이 영은 「지방세징수법」에서 위임된 사항과 그 시행에 필요한 사항을 규정함을 목적으로 한다.

규칙 제1조(목적) 이 규칙은 「지방세징수법」 및 같은 법 시행령에서 위임된 사항과 그 시행에 필요한 사항을 규정함을 목적으로 한다.

지방세징수법의 그 목적과 성격 및 적용범위를 규정하고 있다.

제2조(정의)

법 제2조(정의) ① 이 법에서 사용하는 용어의 뜻은 다음과 같다.

1. "체납자"란 납세자로서 지방세를 납부기한까지 납부하지 아니한 자를 말한다.
2. "체납액"이란 체납된 지방세와 체납처분비를 말한다.

② 제1항 외에 이 법에서 사용하는 용어의 뜻은 「지방세기본법」에서 정하는 바에 따른다.

지방세징수법에서 사용되는 지방세 체납에 관한 용어를 규정하고 있으며, 지방세 체납 외의 용어는 지방세기본법의 용어를 준용하도록 규정하고 있다.

제3조(다른 법률과의 관계)

법 제3조(다른 법률과의 관계) 이 법에서 규정한 사항 중 「지방세기본법」이나 같은 법 제2조 제1항 제4호에 따른 지방세관계법(이 법은 제외한다. 이하 "지방세관계법"이라 한다)에 특별한 규정이 있는 것에 관하여는 그 법률에서 정하는 바에 따른다.

"지방세관계법"이란 「지방세법」과 「지방세특례제한법」 및 「조세특례제한법」과 「제주특별자치도 설치 및 국제자유도시 설치를 위한 특별법」을 말하며, 지방세징수에 관하여 지방세관계법에서 별도로 규정하고 있는 경우를 제외하고는 「지방세기본법」이나 이 법을 적용하도록 규정하고 있다.

제4조(지방자치단체의 징수금 징수의 우선순위)

> 법 제4조(지방자치단체의 징수금 징수의 순위) ① 지방자치단체의 징수금의 징수 순위는 다음 각 호의 순서에 따른다.[1)]
> 1. 체납처분비 2. 지방세(가산세는 제외한다) 3. 가산세
> ② 제1항 제2호의 경우에 제17조에 따라 징수가 위임된 도세는 시·군세에 우선하여 징수한다.

지방자치단체의 징수금의 순위를 규정하고 있다. 가산세에 우선하여 본세부터 징수하도록 함으로써 납세자의 납세부담을 경감하고 체납액도 줄일 수 있도록 하였다.

제17조(도세의 징수위임)에 따라 시장·군수는 그 시·군내의 도세를 징수하여 도에 납입할 의무를 지게 되는데, 이때 시·군은 징수위임을 받은 도세의 징수를 해당 시·군세에 우선하여 징수하도록 하고 있다.

| 최근 개정법령 2020.12.29. | 2022.2.3. 시행되는 지방세기본법 개정으로 가산세와 가산금이 납부지연가산세로 통합됨에 따라 지방세 징수순위에서 본세의 범위에서 가산세를 제외하고 가산금을 삭제하여 징수 순위를 조정하였다.

제5조(납세증명서의 제출 및 발급)

> 법 제5조(납세증명서의 제출 및 발급) ① 납세자(미과세된 자를 포함한다. 이하 이 조에서 같다)는 다음 각 호의 어느 하나에 해당하는 경우에는 대통령령으로 정하는 바에 따라 납세증명서를 제출하여야 한다. 다만, 제4호에 해당하여 납세증명서를 제출할 때에는 이전하는 부동산의 소유자에게 부과되었거나 납세의무가 성립된 해당 부동산에 대한 취득세, 재산세, 지방교육세 및 지역

1) 체납액 납부금의 우선 징수순위 개선(2010.7.9.) : 지방자치단체가 지방세 체납액을 징수하는 경우, 지방세가 아닌 가산금(통상 본세의 3%)부터 충당함에 따라 체납액을 줄이는 데 어려움이 발생하여 종전의 체납처분비, 가산금, 지방세의 순서로 징수하던 것을 체납처분비, 지방세, 가산금의 순서로 변경하여 신속한 체납정리를 도모하기 위해 개선하였음.

자원시설세의 납세증명서로 한정한다.

1. 국가·지방자치단체 또는 대통령령으로 정하는 정부관리기관으로부터 대금을 받을 때
2. 지방세를 납부할 의무가 있는 외국인이 출국할 때 3. 내국인이 외국으로 이주하거나 1년을 초과하여 외국에 체류할 목적으로 외교부장관에게 거주목적의 여권을 신청할 때
4. 「신탁법」에 따른 신탁을 원인으로 부동산의 소유권을 수탁자에게 이전하기 위하여 등기관서의 장에게 등기를 신청할 때

② 납세자로부터 납세증명서의 발급신청을 받으면 세무공무원은 그 사실을 확인하여 즉시 발급하여야 한다.

영 제2조(납세증명서) 「지방세징수법」(이하 "법"이라 한다) 제5조 제1항 각 호 외의 부분에 따른 납세증명서는 발급일 현재 다음 각 호의 금액을 제외하고는 다른 체납액이 없다는 사실을 증명하는 것으로 한다.

1. 법 제25조·제26조 또는 제105조에 따른 유예액 2. 「채무자 회생 및 파산에 관한 법률」 제140조에 따른 징수유예액 또는 체납처분에 따라 압류된 재산의 환가유예에 관련된 체납액

제3조(정부관리기관) 법 제5조 제1항 제1호에서 "대통령령으로 정하는 정부관리기관"이란 「감사원법」 제22조 제1항 제3호 및 제4호에 따라 검사대상이 되는 법인 또는 단체 등을 말한다.

제4조(납세증명서의 제출) 법 제5조 제1항 제1호에 따른 대금을 지급받는 자가 원래의 계약자 외의 자인 경우에는 다음 각 호의 구분에 따라 납세증명서를 제출하여야 한다.

1. 채권양도로 인한 경우 : 양도인과 양수인 양쪽의 납세증명서를 제출할 것
2. 법원의 전부명령(轉付命令)에 의한 경우 : 압류채권자의 납세증명서를 제출할 것
3. 「하도급거래 공정화에 관한 법률」 제14조 제1항 제1호 및 제2호에 따라 건설공사의 하도급대금을 직접 지급받는 경우 : 수급사업자의 납세증명서를 제출할 것

② 법 제5조 제1항 제2호에서 "체류기간 연장허가 등 대통령령으로 정하는 체류 관련 허가"란 다음 각 호의 어느 하나에 해당하는 것을 말한다.

1. 「재외동포의 출입국과 법적 지위에 관한 법률」 제6조에 따른 국내거소신고
2. 「출입국관리법」 제20조에 따른 체류자격 외 활동허가
3. 「출입국관리법」 제21조에 따른 근무처 변경·추가에 관한 허가 또는 신고
4. 「출입국관리법」 제23조에 따른 체류자격 부여
5. 「출입국관리법」 제24조에 따른 체류자격 변경허가
6. 「출입국관리법」 제25조에 따른 체류기간 연장허가
7. 「출입국관리법」 제31조에 따른 외국인등록

제5조(납세증명서 제출의 예외) ① 법 제5조 제1항 제1호의 경우에 다음 각 호의 어느 하나에 해당하면 납세증명서를 제출하지 아니하여도 된다.

1. 「국가를 당사자로 하는 계약에 관한 법률 시행령」 제26조 제1항 각 호의 규정(같은 항 제1호라목은 제외한다) 및 「지방자치단체를 당사자로 하는 계약에 관한 법률 시행령」 제25조 제1항 각 호의 규정(같은 항 제7호 가목은 제외한다)에 해당하는 수의계약과 관련하여 대금을 지급받는 경우 2. 국가 또는 지방자치단체가 대금을 지급받아 그 대금이 국고 또는 지방자치단체의 금고에 귀속되는 경우
3. 지방세의 체납처분에 의한 채권압류에 의하여 세무공무원이 그 대금을 지급받는 경우

4. 「채무자 회생 및 파산에 관한 법률」 제355조에 따른 파산관재인이 납세증명서를 발급받지 못하여 파산절차의 진행이 곤란하다고 관할법원이 인정하고, 해당 법원이 납세증명서의 제출 예외를 지방자치단체의 장에게 요청하는 경우 5. 납세자가 계약대금 전액을 체납세액으로 납부하거나 계약대금 중 일부금액으로 체납세액 전액을 납부하려는 경우

5. 납세자가 계약대금 전액을 체납세액으로 납부하거나 계약대금 중 일부금액으로 체납세액 전액을 납부하려는 경우

② 법 제5조 제1항 제4호의 경우로서 신탁 대상 부동산의 소유권 이전 관련 확정판결, 그 밖에 이에 준하는 집행권원(執行權原)에 의하여 등기를 신청하는 경우에는 납세증명서를 제출하지 않을 수 있다.

③ 납세자가 법 제5조 제1항 각 호의 어느 하나에 해당하여 납세증명서를 제출하여야 하는 경우에 해당 주무관청 등은 지방자치단체의 장에게 조회(지방세정보통신망을 통한 조회에 한정한다)하거나 납세자의 동의를 받아 「전자정부법」 제36조 제1항에 따른 행정정보의 공동이용을 통하여 그 체납사실 여부를 확인함으로써 납세증명서의 제출을 생략하게 할 수 있다.

제6조(납세증명서의 신청 및 발급) ① 법 제5조 제2항에 따라 납세증명서를 발급받으려는 자는 세무공무원에게 다음 각 호의 사항을 적은 문서(전자문서를 포함한다)로 신청해야 한다.

1. 납세자의 성명(법인인 경우에는 법인명을 말한다. 이하 같다)과 주소, 거소, 영업소 또는 사무소[「지방세기본법」 제2조 제1항 제28호에 따른 지방세정보통신망(이하 "지방세정보통신망"이라 한다) 또는 같은 항 제31호에 따른 연계정보통신망(이하 "연계정보통신망"이라 한다)을 이용하여 송달하는 경우에는 다음 각 목에 따른 전자우편주소, 전자사서함 또는 전자고지함을 말한다. 이하 "주소 또는 영업소"라 한다]
   가. 지방세정보통신망에 가입된 명의인의 전자우편주소
   나. 지방세정보통신망의 전자사서함[「전자서명법」 제2조에 따른 인증서(서명자의 실지명의를 확인할 수 있는 것으로 한정한다) 또는 행정안전부장관이 고시하는 본인임을 확인할 수 있는 인증수단으로 접근하여 지방세 고지내역 등을 확인할 수 있는 곳을 말한다]
   다. 연계정보통신망의 전자고지함(연계정보통신망의 이용자가 접속하여 본인의 지방세 고지내역을 확인할 수 있는 곳을 말한다)
2. 납세증명서의 사용목적
3. 납세증명서의 수량

② 세무공무원은 제1항에 따라 납세증명서의 발급신청을 받은 때에는 해당 납세자의 체납액(다른 지방자치단체의 체납액을 포함한다)을 확인하여 납세증명서를 발급하여야 한다.

제7조(납세증명서의 유효기간) ① 법 제5조에 따른 납세증명서의 유효기간은 발급일부터 30일로 한다. 다만, 발급일 현재 해당 신청인에게 고지된 지방세가 있거나 발급일부터 30일 이내에 법정납부기한의 말일이 도래하는 지방세(신고납부하거나 특별징수하여 납부하는 지방세는 제외한다)가 있는 때에는 해당 지방세의 납부기한까지로 유효기간을 단축할 수 있다.

② 세무공무원은 제1항 단서에 따라 유효기간을 단축하였을 때에는 해당 납세증명서에 유효기간과 그 사유를 분명히 밝혀 적어야 한다.

규칙 제2조(납세증명서의 신청 및 발급) ① 「지방세징수법」(이하 "법"이라 한다) 제5조 및 「지방세징수법 시행령」(이하 "영"이라 한다) 제6조에 따른 납세증명서의 발급신청 및 납세증명은 별지

제1호 서식의 지방세 납세증명(신청)서에 따른다.

② 제1항에 따른 납세증명서의 발급은 무료로 한다.

납세자가 국가 지방자치단체 등으로부터 대금을 받거나 외국으로 출국할 때 등 일정한 경우에는 지방세의 납세증명서를 제출하여야 한다. 납세증명서 유효기간은 30일간이다.

납세자가 납세의무를 이행하지 아니할 때에는 직접적인 이행강제 수단으로서 자력집행권에 의한 체납처분절차가 있으나, 이러한 방법 이외에 체납자에 대한 사실상의 불이익을 주어 납세의무의 이행을 간접적으로 강제하기 위한 수단으로 납세완납증명제도와 관허사업 제한제도(제7조)가 있다. 이는 체납자에게 심리적인 압박을 주어 납세의무의 이행을 간접적으로 확보하려는 조세행정상의 제재이다.

납세증명서는 납세자의 발급신청을 받아 발급하며, 발급일 현재 해당 납세자가 징수유예 등을 제외하고는 체납세액이 없다는 것을 확인하는 것이다. 따라서 납세증명서는 납세자가 징수유예 등을 제외한 체납세액이 있는지를 확인(다른 지방자치단체의 체납액 포함)하여 발급하여야 한다.

지방세 세목별 과세증명서는 납세자에 대하여 과세관청이 세목별로 과세(납세) 사실이 있음을 증명하는 증명서로 「지방세기본법」 제87조 및 「민원사무처리에 관한 법률」 및 「민원사무처리기준표」에 의해 발급하며, 체납이 있어도 발급이 가능하다.

한편, 「신탁법」에 따라 신탁재산의 소유권을 이전등기할 경우 위탁자의 체납세액이 없음을 증명하는 납세증명서를 등기관서에 제출하도록 의무화하였다(2014.1.1. 시행).

| 최근 개정법령_2017.3.28.| 신탁재산 이전 시 납세증명서의 제출 · 발급대상 확대 및 납기 전 징수근거 신설 (법 제5조 · 제22조 ① 제8호)

현행 「지방세기본법」에서는 신탁을 원인으로 부동산의 소유권을 수탁자에게 이전하기 위하여 등기관서의 장에게 등기를 신청할 때 이전하는 부동산의 소유자에게 부과된 지방세의 납세증명서도 제출하도록 규정하고 있다. 그런데, 재산세의 납세의무가 성립하는 시점(6월 1일)과 재산세가 부과되는 시점(7월 10일 또는 9월 10일) 사이의 기간에는 재산세의 납세의무가 성립하나 재산세 부과가 이루어지지 않게 된다. 이 경우 해당 기간에는 신탁을 원인으로 부동산의 소유권을 수탁자에게 이전하기 위하여 등기관서의 장에게 등기를 신청할 때 납세증명서를 제출하도록 하는 근거가 마련되어 있지 아니하여 위탁자로 하여금 재산세를 납부하게 하는 장치가 미비하고, 위탁자가 재산세를 체납하게 될 우려가 있었다. 그에 따라 신탁을 원인으로 부동산의 소유권을 수탁자에게 이전하기 위하여 등기관서의 장에게 등기를 신청할 때 이전하는 부동산의 소유자에게 납세의무가 성립된 지방세의 납세증명서도 제출하도록 하고, 납기 전 이미 납세의무가 성립된 지방세를 징수할 수 있도록 납기 전 징수의 근거를 마련하였다.

| 최근 개정법령_2019.1.1.| 신탁법에 따른 소유권이전등기의 원인이 확정판결 등 집행권원에 따른 경우 납세증명서를 제출하지 않도록 하여 판결에 따른 이행절차를 진행하도록 하였다.

1. 납세증명서

◎ 납세증명서의 발급(예규 징법 5-1)

1. 납세증명서는 사실증명과는 달리 지방세를 보전하기 위하여 「지방세징수법」 제5조 및 같은 법 시행령 제2조에 따라 발급한 증명서를 말한다.
2. 지방세납세증명서를 제출하는 경우는 「지방세징수법」 제5조 제1항 각 호의 경우로 한정하고, 제5조 제2항에 따라 발급한다.

◎ 납세증명서의 발급신청(예규 징법 5-2)

「납세증명서」의 발급신청은 본인 이외의 제3자도 할 수 있으며, 우편에 의하여도 할 수 있다. 다만, 제3자가 신청할 경우에는 위임장, 본인의 주민등록등본, 재직증명서 등 본인의 동의 여부를 확인할 수 있는 서류를 함께 제출하여야 한다.

◎ 지방세. 납세증명서 발급대상

보상금 수령시 납세증명서 제출의무 여부 관련, 「공익사업을 위한 토지 등의 취득 및 보상에 관한 법률」에 의거 토지 보상금을 지급하였다 하더라도, 이는 '지방자치단체에서 납세자에게 대금을 지급한 것'으로 보아야 함으로 지방세 납세증명서 발급대상으로 판단됨(지방세운영과-3780, 2010.8.20.).

◎ 지방세 납세증명서 제출의무

귀 회가 「국가를 당사자로 하는 계약에 관한 법률 시행령」 제26조 제1항 제1호 내지 제8호(제7호 가목 내지 다목을 제외한다)에 규정하는 수의계약과 관련하여 대금을 지급받는 때에 국세납세증명서를 제출하지 않아도 될 경우에는 지방세법 제38조 제1항에 의하여 지방세 납세증명서를 제출하지 않아도 됨(세정-3362, 2007.8.22.).

◎ 지방세 납세증명서와 위임장

지방세법 제38조와 지방세 납세증명서 발급지침에 따라서 납세의무자 본인이 아닌 제3자가 과세(납세)증명서 발급 신청을 할 경우 위임장을 제출하도록 하고 있으며, 위임장을 제출하도록 한 취지는 납세자 개인의 재산권을 보호함과 아울러 재산권 관련 개인정보를 보호하기 위한 것이고, 주민등록등본에 함께 등재된 가족의 경우에도 민법상 별개의 재산권을 행사하는 개인으로서 납세의무자 본인이 아니라면 제3자의 지위에 선다고 보아야 할 것이므로, 제3

자의 예와 동일하게 재산세 과세(납세)증명서 발급에 위임장을 제출하도록 하는 것은 정당한 절차에 해당된다고 볼 수 있음(세정-4833, 2004.12.31.).

◎ 납세증명서의 효력

납세증명서 등의 서류를 제출하도록 한 취지는 조세의 체납을 방지하며 그 징수를 촉진하고자 함에 목적이 있는 것이므로 국가로부터 위 증명서 등의 제출을 요구받고도 불응하면 계약의 체결이나 금원의 지급을 거절할 수 있는 사유가 될 수 있을 뿐 위 증명서등의 제출이 계약 또는 채권행사의 유효요건이 되는 것은 아니므로, 체납자의 채권자가 체납자의 납세증명서 없이 공사대금의 지급을 요구할 수 있음(대법원 96누1627, 1996.4.26.).

◎ 신탁회사의 고유재산과 신탁재산을 구분하여 고유재산에 대해서만 납세증명서 발급 가능

수탁자 명의로 등기된 신탁재산에 지방세 체납이 있더라도 수탁회사의 고유재산에 체납이 없으면, 고유재산과 신탁재산을 구분하여 고유재산에 대해서만 발급 가능. 즉, 수탁자 명의로 등기된 신탁재산도 위탁자별로 구분하여 그 신탁재산에 대한 체납액만 고려하여 납세증명서 발급이 가능하고, 다른 위탁자의 신탁재산 또는 다른 신탁의 납세완납증명 발급을 제한할 수 없음(지방세특례제도과-978, 2015.4.3.).

2. 세목별 과세증명서

◎ 양도인의 위임장이 없는 양수인은 양도인의 세목별 납세증명을 발급받을 수 없음

양수인의 양도인에 대한 납세증명 발급은 납세의무자가 아닌 자에 대한 발급이므로, "납세의무자에 대한 과세(납세) 사실의 발급"이라고 하는 납세증명 본래의 취지에 어긋남. 「공공기관의 개인정보에 관한 법률」 제12조는 "본인의 정보"에 대하여 열람을 허용하고 있으며, 제10조는 개인 정보의 부적법한 이용 또는 공개를 금하고 있음. 따라서 양도인의 위임장을 소지하지 아니한 양수인에게 양도인의 세목별 납세증명을 발급하지 않도록 함. ※ 다만 양도인의 위임장을 소지한 양수인에게는 양도인의 세목별 납세증명을 발급할 수 있음(위임장을 소지한 제3자의 경우와 동일하게 간주함)(세정과-3181, 2004.9.23.).

◎ 「세목별 과세증명서」의 확인기간을 5년으로 한정하는 것은 적정함

납세자로부터 「세목별 과세사실증명서」의 제출을 요구하는 기관·단체에서는 현재의 재산유무를 간접적으로 파악하기 위한 수단으로 「증명서」 제출을 요구하는 것이라 할 것이므로 재산세나 자동차세의 경우 10년 동안의 과세사실에 대한 확인은 가능할 수는 있으나 10년 동안 똑같은 물건에 매년 정기적으로 과세되는 사실을 확인하더라도 5년 동안 과세사실 증명보다 현재 시점의 재산파악을 위한 보조수단으로서 더 실효적이라고 보기 어려운 점, 공직자선거후보자 등에 대한 과세 및 체납사실증명서도 5년 동안 과세사실증명으로 충분한 점

등을 고려할 때, 5년 동안 과세사실을 확인해도 충분하므로 과세사실 확인기간을 5년으로 한정함이 적정함(지방세운영과-1541, 2011.4.1.).

3. 지방세 납세증명서 및 세목별과세증명서 발급 매뉴얼2)

1) 지방세 납세증명서

- **(의의)** : 지방세 납세증명서는 발급일 현재 징수유예액 등을 제외하고는 지방세에 대한 다른 체납액이 없다는 사실을 증명하는 서류임. 과세사실이 있는 경우에는 증명서 발급일 현재 지방세기본법시행령 제41조에 따른 징수유예액 등을 제외하고는 다른 체납액이 없는 경우에 발급가능함. 그리고 과세사실이 없는 경우 발급일 현재까지 과세사실 없는(미과세) 경우라도 신청이 있는 경우에는 발급하되 '징수유예 등 또는 체납처분의 유예의 내역'란에 '과세사실 없음'을 표기하여 발급
- **(제출용도)** : 국가 등으로부터 납세의무자가 대금을 받을 때, 지방세 납부의무가 있는 외국인이 출국할 때, 외국이주 또는 1년 초과 외국 체류 목적의 여권 신청시, 신탁등기 신청시 의무적 제출을 요하고, 그 이외에는 납세의무자가 필요(계약・입찰용, 신용보증용, 특허신청용 등)에 의해 신청
- **(신청인 및 신청방법)** : 신청인은 납세의무자 및 위임받은 자이고, 신청방법은 전국 어느 자치단체를 방문, '어디서나 민원처리제' 이용 또는 '민원24'의 인터넷 신청
- **(증명기간)** : 증명기간은 발급일 현재까지 지방세 납부사실(징수유예 등을 제외하고는 다른 체납액이 없는 경우). 다만, 미과세인 경우는 발급일 현재까지 과세사실이 없다는 사실(※ 지방세 전산시스템으로 확인이 가능한 기간으로 제한함)
- **(유효기간)** : 원칙적으로 유효기간은 발급일부터 30일로 하되, 발급일 현재 당해 납세의무자에게 고지된 지방세가 있거나 발급일부터 30일 이내에 법정납기의 말일이 도래하는 지방세(신고납부・특별징수 지방세 제외)가 있는 때에는 그 납기말일(이 경우 당해 증명서에 유효기간을 명시). 다만, 납기 전에 고지된 지방세를 납부한 증빙서류 등을 지참하여 발급 신청하는 경우는 발급일부터 30일(예. 7.10. 발급신청시 재산세 납기가 7.31.이므로 7.31.까지 유효기간 표기)

2) 지방세세목별 과세증명서

- **(의의)** : 과세관청이 납세의무자에 대하여 증명서 발급일부터 소급하여 5년 이내 해당 지방세 세목에 대한 세목별 과세사실을 증명. 「근거 : 민원사무처리에 관한 법률 제20조

---

2) 행자부 운영지침(지방세특례제도과-914, 2014.2.26.)을 요약하였음.

제1항 및 민원사무처리기준표」(고시 제2013-3호, 2013.1.31.)

- **(발급용도)** : 대출용 · 보증용 · 공직선거후보자등록용 · 학비감면신청용 등 납세의무자가 요구하는 용도, 다만, 재산 소유유무의 확인용으로는 사용할 수 없음(증명서에 표기).
- **(신청인 및 신청방법)** : 신청인은 납세의무자 및 위임받은 자이고, 전국 어느 자치단체를 방문, 어디서나 민원처리제 이용 또는 "민원24"의 인터넷 신청
- **(발급방법)** : 특정 자치단체가 특정 납세의무자에 대한 지방세 납부사실을 증명하는 증명서이므로 다른 자치단체의 과세사실을 확인할 필요는 없으나(당해 지방자치단체에서 과세한 것만 기재) 납세의무자가 특정 자치단체 또는 전국 모든 자치단체의 과세증명 발급을 요구할 경우에는 요구내용대로 발급
- **(증명서 기재요령)** : 그 용도가 대출용 또는 보증용으로서 전주소지에 과세사실을 확인해야 할 필요가 있는 재산세 관련 증명이 대부분이므로 민원인이 요청하는 세목별 과세사실만을 증명. 체납인 경우에는 비고란에 '체납'임을 표기하여 발급하고, 비과세 · 면제 · 소액부징수인 경우에는 비고란에 '비과세', '면제', '소액부징수'임을 표기하여 발급, 미과세인 경우 과세사실이 없는(미과세) 경우에도 발급요청이 있는 경우에는 발급하되 '과세사실 없음'으로 표기하여 발급. 과세물건지란에 과세대상물건이 수개인 경우 처리는 「~외~」식으로 표기하여 발급하되, 납세의무자가 물건지별로 발급 요구시는 요구대로 발급(세무부서 방문민원만 가능)
- **(증명기간)** : 발급일로부터 소급하여 5년간. 다만, 납세의무자가 최근연도로 기간을 지정하여 발급신청시는 요구내용에 따라 발급하고, 5년을 초과하는 경우라도 전산자료 확인이 가능한 경우는 초과하여 발급 가능함. 유효기간은 사실증명이므로 일반적으로 유효기간 기재 불필요

위임장 제출 등 세부 신청방법

- 납세의무자가 신청하는 경우 신분증을 제시하고 신청(장애인등록증, 여권, 외국인인 경우 외국인 등록증 또는 여권 포함). 납세의무자가 사망하여 상속인이 신청하는 경우- 피상속인과의 관계가 표시된 가족관계증명서(제적등본 가능)와 신청인의 신분증 제출
- 제3자가 신청하는 경우 납세의무자의 위임장 및 신분증(사본 가능), 본인의 신분증을 제출하여야 함. 위임장에는 납세의무자의 서명, 날인 또는 무인이 있어야 함. 그리고 본인(납세의무자)의 가족 또는 양도인(납세의무자)의 과세물건 양수자, 지방세기본법 제63조 제1항 제4호에 따른 수탁자도 제3자 범위에 포함되므로 위임장 제출대상에 해당됨. 위임장 서식은 '어디서나 민원처리제 운영지침' 별지 제2호를 원칙으로 하되, 별지 제2호를

참조하여 자치단체별로 별도로 규정 가능

- 법인인 경우 위임장, 위임받은 자의 신분증, 법인인감증명서(사본)를 제출하여야하고 법인 대표이사가 신청시 제3자가 아니므로 위임장 및 법인인감증명서(사본) 불필요함. 법인등기부등본은 별도 제출을 요구하지 말고 발급 담당자가 민원24 또는 "e하나로민원(www.share.go.kr)" 등에서 확인 후 발급

제6조(미납지방세 등의 열람)

법 제6조(미납지방세 등의 열람) ① 「주택임대차보호법」 제2조에 따른 주거용 건물 또는 「상가건물 임대차보호법」 제2조에 따른 상가건물을 임차하여 사용하려는 자는 건물에 대한 임대차계약을 하기 전에 임대인의 동의를 받아 임대인이 납부하지 아니한 지방세의 열람을 임차할 건물 소재지의 지방자치단체의 장에게 신청할 수 있다. 이 경우 지방자치단체의 장은 열람신청에 응하여야 한다.

② 제1항에 따라 임차인이 열람할 수 있는 지방세는 다음 각 호의 어느 하나에 해당하는 지방세로 한정한다.

1. 임대인의 체납액, 납세고지서 또는 납부통지서를 발급한 후 납기가 되지 아니한 지방세
2. 지방세관계법에 따라 신고기한까지 신고한 지방세 중 납부하지 아니한 지방세

③ 제1항에 따른 열람신청에 필요한 사항은 대통령령으로 정한다.

영 제8조(미납지방세 등의 열람신청) ① 법 제6조에 따라 미납지방세 등의 열람을 신청하려는 자는 다음 각 호의 사항을 적은 신청서에 임대인의 동의를 증명할 수 있는 서류와 임차하는 자의 신분을 증명할 수 있는 서류를 첨부하여 지방자치단체의 장에게 제출하여야 한다.

1. 열람을 신청하는 자의 성명과 주소 또는 영업소
2. 임대인의 성명과 주소 또는 영업소 3. 임차하려는 건물에 관한 사항
3. 임차하려는 건물에 관한 사항

② 제1항에 따른 열람신청을 받은 지방자치단체의 장은 지방세관계법에 따른 과세표준 및 세액의 신고기한까지 임대인이 신고한 지방세 중 납부하지 아니한 지방세에 대해서는 신고기한부터 30일이 경과한 때부터 열람신청에 응하여야 한다.

규칙 제3조(미납지방세 등의 열람신청) 법 제6조 및 영 제8조에 따른 미납지방세 등의 열람신청은 별지 제2호 서식의 미납지방세 등 열람신청서에 따른다.

주거용 건물이나 상가건물을 임차하여 사용하려는 자는 임대인에게 미납 지방세 등이 있는지 여부에 대하여 열람할 수 있도록 함으로써 체납처분으로 인한 임대보증금 미환수에 대비할 수 있는 기회를 제공하고 임대인의 성실한 납세의무 이행을 유도하고자 하는 제도이다.

제7조(관허사업의 제한)

법 제7조(관허사업의 제한) ① 지방자치단체의 장은 납세자가 대통령령으로 정하는 사유 없이 지방세를 체납하면 허가·인가·면허·등록 및 대통령령으로 정하는 신고와 그 갱신(이하 "허가등"이라 한다)이 필요한 사업의 주무관청에 그 납세자에게 허가등을 하지 아니할 것을 요구할 수 있다.

② 지방자치단체의 장은 허가등을 받아 사업을 경영하는 자가 지방세를 3회 이상 체납한 경우로서 그 체납액이 30만원 이상일 때에는 대통령령으로 정하는 경우를 제외하고, 그 주무관청에 사업의 정지 또는 허가등의 취소를 요구할 수 있다.

③ 지방자치단체는 30만원 이상 100만원 이하의 범위에서 제2항에 따른 사업의 정지 또는 허가등의 취소를 요구할 수 있는 기준이 되는 체납액을 해당 지방자치단체의 조례로 달리 정할 수 있다.

④ 지방자치단체의 장은 제1항 또는 제2항의 요구를 한 후 해당 지방세를 징수하였을 때에는 지체 없이 요구를 철회하여야 한다.

⑤ 제1항 또는 제2항에 따른 지방자치단체의 장의 요구를 받은 주무관청은 정당한 사유가 없으면 요구에 따라야 한다.

영 제9조(허가 등의 제한 예외사유) 법 제7조 제1항에서 "대통령령으로 정하는 사유"란 다음 각 호의 어느 하나에 해당하는 경우로서 지방자치단체의 장이 그 사유를 인정하는 경우를 말한다.

1. 공시송달의 방법에 의하여 납세가 고지된 경우 2. 납세자가 풍수해, 낙뢰, 화재, 전화(戰禍), 그 밖의 재해를 입었거나 도난을 당하여 납부가 곤란한 경우 3. 납세자나 그 동거가족의 질병으로 인하여 납부가 곤란한 경우 4. 납세자가 그 사업에 심한 손해를 입어서 납부가 곤란한 경우 5. 납세자에게 다음 각 목의 어느 하나에 해당하는 사유가 있는 경우

가. 강제집행을 받은 경우 나. 파산의 선고를 받은 경우 다. 경매가 개시된 경우 라. 법인이 해산한 경우

6. 납세자의 재산이 법 제104조에 따른 체납처분의 중지사유에 해당하는 경우
7. 제1호부터 제6호까지의 규정에 준하는 사유가 있는 경우

제10조(관허사업 제한 대상 신고) 법 제7조 제1항에서 "대통령령으로 정하는 신고"란 「지방세법 시행령」 별표 1에 규정된 사업을 적법하게 영위하기 위하여 필요한 신고를 말한다.

제11조(관허사업 제한 절차 및 방법) 지방자치단체의 장이 법 제7조 제1항에 따라 주무관청에 같은 항에 따른 허가등(이하 "허가등"이라 한다)을 하지 아니할 것을 요구하는 경우에 그 절차와 방법은 행정안전부령으로 정한다. 〈개정 2017.7.26.〉

제12조(체납횟수의 계산과 관허사업의 정지 또는 허가등의 취소의 예외사유) ① 법 제7조 제2항에 따른 체납은 납세고지서 1매를 1회로 보아 그 횟수를 계산한다.

② 법 제7조 제2항에서 "대통령령으로 정하는 경우"란 제9조 각 호의 어느 하나에 해당하는 경우로서 지방자치단체의 장이 그 사유를 인정하는 경우를 말한다.

제13조(관허사업의 정지 또는 허가등의 취소 절차) 지방자치단체의 장은 법 제7조 제2항에 따라 주무관청에 관허사업의 정지 또는 허가등의 취소를 요구하려는 경우에는 다음 각 호의 사항을 적은 문서로 하여야 한다.

1. 사업자의 성명과 주소 또는 영업소 2. 사업종목
3. 사업의 정지 또는 허가등의 취소가 필요한 이유 4. 그 밖의 참고사항

제14조(관허사업 제한 등의 요구에 관한 조치 결과 회신) 법 제7조 제1항 또는 제2항에 따른 지방자치단체의 장의 요구가 있을 때에는 해당 주무관청은 그 조치 결과를 지체 없이 해당 지방자치단체의 장에게 알려야 한다.

지방세의 납세의무의 이행을 간접적으로 강제하기 위한 수단으로 납세증명제도(제5조)와 함께 관허사업 제한제도가 있다.

여기서 관허사업이라고 하면 법령에 의한 일반적인 제한, 금지를 특정한 경우에 해제하거나 권리를 설정하는 허가, 인가, 면허, 등록, 특허 등의 행정처분에 의하여 영위하는 사업 모두가 포함된다. 특히, 2011.1.1.부터는 그동안 논란이 제기되어왔던 신고업종도 포함되었다.

한편, 관허사업 정지·취소요건을 종래 '3회 이상 체납'으로 하던 것을 2011년부터 생계형 영세 체납자 지원을 위하여 '3회 이상 체납 + 체납액 100만원 이상'으로 완화[3])하였다. 그러나 지방세 평균 체납액이 2010년 말 현재 79,600원에 불과하여 종전 관허사업 제한(정지·취소)의 대상 체납자가 대부분 제외됨에 따라 지방세 체납액 징수를 위한 관허사업 제한의 실효성에 의문이 제기되었다. 이에 2013.1.1.부터 관허사업 취소·정지제도의 실효성 확보 및 지방세 건당 체납액의 영세성을 고려하여 관허사업 취소·정지요건을 '3회 이상 체납 + 체납액 30만원 이상'으로 하향조정하되 자치단체의 징수여건이 상이하므로 체납액 요건은 30만원~100만원 범위 내에서 지역실정에 따라 조례로 정할 수 있도록 하였다.

Ⅰ. 관허사업제한 업무 개요[4])

○ (근거) 지방세기본법 제65조 및 같은법 시행령 제48조 내지 제51조, 자치단체별 지방세조례(예. 서울특별시 시세기본조례 제15조)

○ 신규사업(소극적) 제한 : 신규·갱신사업 제한 요청(법 제65조 ①)

- 납세자가 법령(영 제48조)으로 정한 사유없이 지방세를 체납하면 관허(이하 "허가등"이라 한다)가 필요한 사업의 주무관청에 당해 체납자에게 허가 등을 하지 아니할 것을 요구

○ 기존사업(적극적) 제한 : 기존사업의 정지·취소 요청(법 제65조 ②)

- 관허사업을 영위하고 있는 자가 지방세를 3회 이상 체납한 경우로서 그 체납액이

3) 국세의 경우도 2009년부터 관허사업 정지·취소요건을 '3회 이상 체납'에서 '3회 이상 체납 + 체납액 500만원'으로 완화·시행

4) 이하 행자부가 관허사업제한 업무처리 매뉴얼(지방세특례제도과-561, 2014.6.5.) 내용을 정리하였음.

30만원 이상*일 때에는 법령(영 제50조)으로 정한 사유**를 제외하고, 기존 허가 등의 정지 또는 취소 요구

* 서울시는 체납액 100만원 이상(시세기본조례 제15조), 국세는 체납액 500만원 이상

** 법령으로 정한 사유 : 소극적 제한에서의 사유 + 그 밖에 납세자에게 납세가 곤란한 사정이 있는 경우로서 지자체장이 인정하는 경우

Ⅱ. 관허사업의 범위 및 판단기준

가. 관허사업의 범위(관허+사업을 동시에 충족)

○ 국가 또는 지방자치단체로부터 허가·인가·면허·등록 등이 필요한 사업, 여기서 허가·등록 등은 예시적 표현에 불과하고 신고·검열·지정 등이라도 권리를 설정하거나 금지를 해제하는 성격의 관허사업이라면 제한대상에 포함

○「지방세법 시행령」 별표에서 규정(면허에 대한 등록면허세를 부과할 면허의 종류와 종별구분)된 사업을 적법하게 영위하기 위하여 필요한 신고와 그 갱신

※ **(예규) 징법 7-1(관허사업)** : 허가, 인가, 면허, 등록, 신고 등 그 용어에 구애됨이 없이 법령에 따른 일반적인 제한·금지를 특정한 경우에 해제하거나 권리를 설정하여 적법하게 일정한 사실행위 또는 법률행위를 할 수 있게 하는 행정처분을 거쳐서 영위하는 각종 사업

나. 관허사업 여부

㉮ 관허사업(법률적 행정행위에 따른 사업)

○ 일반적인 제한이나 금지를 해제하는 행정행위에 따라 영위하는 관허사업. (예) 유기장영업허가(대법원 84누369), 주류제조면허(대법원 89누46)

○ 특정인에게 권리를 설정하는 행정행위로 영위하는 관허사업. (예)자동차운수사업법에 의한 개인택시운송사업(대법원 96누6172)

☞ 행정처분(법률적인 행정행위)이 있을 것(지방세법 시행령 별표의 등록면허세 신고대상 등), 그 행정처분에 기하여 영업이나 사업을 영위할 것

㉯ 비(非)관허사업

○ 사업(일시적, 단속적이 아닌 잠재적 지속성을 내포)을 하기 위한 법적절차로서의 허가 등이 아니라, 등기·등록·신고 등 그 자체가 목적인 것은 제외

(예) 자동차등록, 부동산등기, 건축물 착공신고, 건축물대장 기재사항 말소신청, 건축물 사용승인, 토지거래허가, 토지분할신청, 토지거래 계약신고, 부동산 매매계약서의 검인, 도로점용허가, 여권발급, 사업자등록 등

○ 준법률적 행정행위(공증, 통지, 수리, 확인)는 제외

○ 관련법령의 법적절차로서 그 법령상의 사업을 하기 위한 것이 아니라, 단순한 신고행위만 있는 것은 제외. (예) 미준공건물의 건축주 명의변경 신고, 배출시설 및 방지시설의 가동개시 신고, 비산먼지 발생사업(변경) 신고 등

다. 관허사업 제한의 객체

○ 신규사업(소극적) 및 기존사업(적극적)의 제한 객체는 납세의무자뿐만 아니라 연대납세의무자, 제2차납세의무자, 납세보증인, 특별징수의무자도 해당

※ 3회 이상 체납횟수 계산시, 연대납세의무자, 제2차납세의무자, 양도담보권자의 물적납세의무 등에 기인한 체납액도 포함

○ 관허사업 제한 요청은 체납처분이 아니므로 징수시효의 정지 및 중단문제가 발생하지 않고, 체납처분도 병행할 수 있지만, 과잉금지의 원칙 및 비례의 원칙에 의거 체납자의 제반사정을 충분히 고려하여 집행

라. 체납횟수의 계산기간과 계산방법

○ "1회계연도"와 관계없이 관허사업 제한 요구시점에서 체납횟수와 체납금액을 계산함. 그리고, 지방세에 대한 납세(입)고지서 1매를 1회로 하므로, 1고지서에 수개의 세목이 병기 고지되어도 1회로 계산함. 예를 들어 자동차세에 지방교육세가 병기고지되어 체납한 경우, 세목수와 관계없이 1회의 체납으로 계산

○ 신규사업 제한과 기존사업의 취소대상의 구분 운용. 예를들어 취득세 및 자동차세를 체납시 신규사업 제한은 가능하나, 2회 체납에 불과하여 기존사업을 취소요청 할 수는 없음.

○ 기존사업 정지 또는 취소의 제한요건 중 체납액 30만원 이상의 체납액 범위에 가산세는 포함되나, 가산금과 중가산금 및 체납처분비는 제외

※ **(예규) 징법 7-2(체납횟수계산방법과 계산시점)** 「지방세징수법」 제7조 제2항 및 영 제12조에서 규정하는 3회 이상의 체납횟수 계산의 기초가 되는 체납에는 관허사업 자체에 관한 것에 국한하지 아니하고 기타의 원인으로 인한 지방세의 체납과 본래의 납세의무 외의 제2차 납세의무, 납세보증인의 의무, 연대납세의무 등에 기인하는 체납액이 포함되며, 그 체납액은 100만원 이상인 경우를 말하고 「3회 이상 체납한 때」라 함은 관허사업제한 요구시점에 3건 이상의 체납이 있어야 하는 것으로 한다.

Ⅲ. 관허사업제한 업무처리

가. 관허사업제한 업무 흐름도

○ 관허사업 제한 요구시

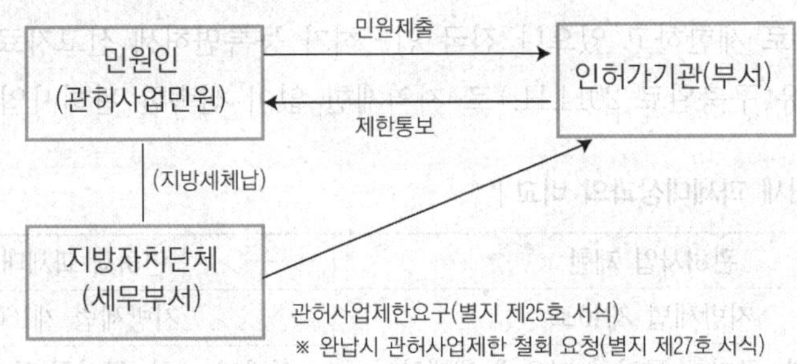

○ 관허사업 취소, 정지 요구시

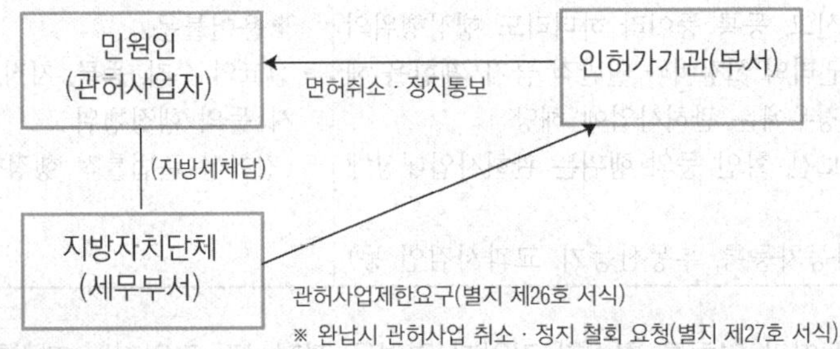

나. 관허사업제한의 요구와 철회

○ 주무관청에 문서로서 요청(별지 제25호 서식 내지 제27호 서식)

관허사업 신규 · 갱신 제한 요청시	관허사업 취소 · 정지 요청시
• 납세자의 주소, 영업장소와 성명 • 체납내역 • 허가등을 제한하는 이유 • 그 밖의 참고사항	• 영업자의 주소, 영업장소와 성명 • 영업 종목 • 영업의 정지 또는 허가취소가 필요한 이유 • 그 밖의 참고사항

○ 체납세를 징수하였을 경우 지체없이 제한요구 등을 철회

다. 관허사업제한 요구를 받은 주무관청의 조치(법 제65조 ⑤) : 주무관청은 정당한 사유가 없는 한 관허사업의 요청에 응하여야 하며, 동 요청에 불응시는 법령위반으로 징계사유에 해당

※ (예규) 징법 7-3(주무관청) 「지방세징수법」 제7조 제1항 내지 제4항에서의 「주무관청」이라 함은 허가, 인가, 면허, 등록 등을 직접 행하는 행정관청을 말한다.

라. 관허사업제한과 민원사무처리와의 관계 : 민원사무는 다른 업무에 우선 처리하며, 그 민원사무와 관련되지 아니하는 공과금 등의 미납을 이유로 처리를 지연해서는 아니되나, 해당 민원사무가 관허사업 제한대상이고 민원인이 지방세를 체납한 경우에는 제한할 수 있는 것임(세정 13407-720, 1997.7.3.).

마. 관허사업제한 업무 전국 확대(2014.11.) : 현재 전국 인·허가 정보 미공유로 주로 관내분 위주로 제한하고 있으나 전국 인·허가 등록면허세 신고자료 및 체납정보의 상호 공유(구축완료 2014.11.)로 지역제한 없이 신속한 관허사업제한

| 관허사업범위와 면허세 과세대상과의 비교 |

구분	관허사업 제한	면허세 과세대상
근거	지방세법 제40조	지방세법 제160조
범위	• 일반적 제한, 금지를 특정한 경우에 해제하거나 권리를 설정하는 행정처분 ※ 용어불문 • 용어가 신고, 등록 등이라 하더라도 행정행위의 내용이 권리의 설정이나 일반적 금지, 제한을 해제하는 경우에는 관허사업에 해당 • 권리의 보전, 확인 등의 행위는 관허사업대상에서 제외 (예 : 자동차등록, 부동산등기, 교과서검인 등)	• 일반적 제한, 금지를 특정한 경우에 해제하거나 권리를 설정하는 행정처분. ※용어불문 • 신고의 수리, 등록, 지정, 검사, 검열, 심사 등의 행정행위 (강학상 준법률적 행정행위)

◎ **관허제한요구에 따라 면허를 취소할 것인지 영업을 정지시킬 것인지는 재량행위에 속함**

국세징수법 제7조 제2항, 제4항 및 구 건설업법(1984.12.31. 법률 제3765호로 개정되기 전의 법) 제38조 제1항 제18호의 규정취지에 비추어 보면 세무서장으로부터 건설업자의 국세체납을 이유로 사업의 정지나 면허의 취소등 사업의 제한요구가 있을 때에는 건설부장관은 정당한 사유가 없는 한 이에 응하여야 하나 세무서장이 그 사업의 제한요구로 면허의 취소를 요구하고 있다 하더라도 위 건설업법 제38조 제1항 소정의 면허를 취소할 것인지 또는 2년 이내의 기간을 정하여 영업을 정지시킬 것인지는 건설부장관의 재량에 속한다고 할 것임(대법원 84누615, 1985.2.26.).

◎ 지방세 체납 법인인 매도자의 미준공 건물을 매수자인 제3자가 취득하여 체납자인 매도자의 '명의변경 동의'를 받아 소유권이전에 따른 건축주 명의변경 신고를 하는 경우, 체납자인 매도자의 '명의변경 동의권'은 관허사업 제한대상에 포함되지 아니함(지방세분석과-792, 2013.5.10.).

◎ **일반음식점 등 '신고'를 함으로써 새로운 권리가 설정되는 경우 관허사업제한대상에 해당**

건축물의 용도변경이나 착공신고 등 1회성으로 종결되는 면허, 권리변동이 없는 단순신고 또는 사업이 아닌 행정행위 등의 경우에는 관허사업제한 실익이 없어 관허사업제한대상으로 볼 수 없으나, 일반음식점 등 신고를 함으로써 새로운 권리가 설정되거나 금지가 해제되는 신고의 경우에는 관허사업제한대상에 해당되는 것으로 보는 것이 타당함(지방세운영과-1043, 2011.3.8.).

○ **권리변동이 없는 단순신고는 관허사업제한대상에서 제외됨, 건축물용도변경이나 착공신고 등 1회성 면허로 종결되는 경우 관허사업제한대상으로 볼 수 없음**

내무부 지침(세정 13407－1214, 1997.10.4.)에 의하면 건축물의 용도변경허가 및 건축물의 착공신고는 관허사업제한 대상이 아닌 것으로 보았으나 현 지방세기본법 시행령 제48조의 2의 "대통령령으로 정하는 신고"란 「지방세법 시행령」 별표에서 규정된 사업으로 이를 포함하고 있음. 그런데 시행령 별표 규정에 의한 등록면허세 대상인 "신고"를 관허사업제한으로 지방세기본법 시행령 제48조에서 규정하고 있더라도, 권리변동이 없는 단순신고는 관허사업제한 실익이 없어 관허사업제한대상에서 제외됨. 건축물용도변경이나 착공신고 등 1회성 면허로 종결되는 경우 권리변동이 없는 단순신고 또는 사업이 아닌 단순 사실행위 등의 경우 관허사업제한대상으로 볼 수 없음(지방세운영과－559, 2011.2.7.).

☞ 새로이 권리를 설정하거나 금지를 해제함으로써 실질적으로 인가 또는 허가의 성격이 있는 신고의 경우에는 관허사업제한의 실익이 있겠지만 권리변동이 없는 단순신고는 관허사업제한 실익이 없어 관허사업제한대상에서 제외

○ **납세의무가 소멸된 때에는 관허사업제한 요구 또한 철회된 것으로 보는 것이 타당**

지방세법 제30조의 5 제1항에서 지방세 징수권은 그 권리를 행사할 수 있는 때부터 5년간 행사하지 아니한 때에는 시효로 인하여 소멸한다고 정하고 있고, 같은 법 제30조의 2 제3호에서 지방자치단체의 징수금의 징수권의 소멸시효가 완성된 때 납세의무는 소멸한다고 규정하고 있으므로 지방세법 제40조 제1항의 관허사업제한은 납세자의 조세납부를 간접적으로 강제하는 제도로, 체납자에 대한 지방세법 제40조 ①에 의한 관허사업 제한 요구 후 지방세 징수권의 소멸시효 완성으로 납세의무가 소멸된 때에는 관허사업제한 요구 또한 철회된 것으로 보는 것이 타당함(지방세운영과－3929, 2009.9.18.).

○ **공장 설립신청에 대한 승인은 관허사업으로 볼 수 없고, 공장등록은 관허사업이라 할 것임**

공장 설립(변경)신청은 공장을 건축하기 위한 절차적 사실행위이며 이에 대한 승인은 "일정한 행정처분을 거쳐 영위하는 사업"의 허가에 해당하지 않으므로 관허사업으로 볼 수 없으나, 공장등록은 공장을 영위하고자 하는 자가 공장설립 완료신고를 하여 시장·군수·구청장이 공장등록대장에 등재하는 행위로서 공장을 가동하여 제품을 생산할 수 있도록 하는 행정처분으로 보는 것이 타당하므로 관허사업이라 할 것임(세정－2875, 2004.9.3.).

○ **부동산중개업 등록은 관허사업에 해당되므로 일정요건이 충족한다면 제한대상이 됨**

지방세법 제40조 제2항 규정에 따르면 지방세를 3회 이상 체납한 때에는 관허사업 제한을 할 수 있도록 되어 있으며, 이 경우 관허사업이라 함은 허가, 인가, 면허, 등록, 신고 등 그 용어에 구애됨이 없이 법령에 의한 일반적인 제한·금지를 특정한 경우에 해제하거나 권리를 설정하여 적법하게 일정한 사실행위 또는 법률행위를 할 수 있게 하는 행정처분을 거쳐서

영위하는 각종 사업을 말하므로, 부동산중개업 등록은 관허사업에 해당되어 등록의 취소 등 제한대상이 됨(세정 13407-489, 2001.5.4.).

- 신문 등의 자유와 기능보장에 관한 법률 제12조에 따라 인터넷신문의 등록을 한 자가 세금을 체납한 경우 인터넷 신문의 등록취소 등의 사유가 될 수 있음(법제처 09-0180, 2009.7.3.).
- 전기통신사업법에 의한 부가통신사업은 지방세법 제40조의 관허사업 제한대상에 해당하지 않음(법제처 08-0135, 2008.6.25.).
- 객관적으로 납세자에게 법령에서 정한 납세가 곤란한 사정이 있음에도 불구하고, 이를 간과하거나 동 조항에서 정한 제외사유에 해당하지 않는 것으로 보아 관허사업 제한요구를 한 경우 위법한 것임(대법원 2006두7942, 2006.9.22.).
- 관허사업은 널리 허가, 인가, 면허 등을 얻어 경영하는 사업 모두가 포함된다고 해석함이 타당하다 할 것이므로, 건설업면허도 관허사업에 포함됨(대법원 74누284, 1976.4.27.).
- **(지침)선순위채권자로 경매배당금이 체납액 충당에 부족할 것으로 예견되고, 납세자가 납부의지가 없는 것으로 판단될 경우라도 경매개시 후에는 관허사업제한이 배제됨**

  「지방세법」 상 대통령령으로 정하는 "정당한 사유없이" 지방세를 체납한 때에는 허가 등을 요하는 사업의 주무관청에 당해 허가 등을 하지 아니할 것을 요구할 수 있고, "정당한 사유" 중의 하나로 법 제26조(납기전징수) ① 4호에서 "경매가 개시되었을 때"를 규정하고 있음. 따라서 "경매가 개시되었을 때"를 지방세를 체납함에 있어 "정당한 사유"로 규정하고 있는 이상, 단순히 선순위채권자가 있어 배당금을 체납액에 충당하여도 부족할 것이 예견된다거나 납세자가 체납액을 납부할 의지가 없는 것으로 판단된다는 정황만으로 체납함에 있어 정당한 사유로 볼 수 있는 것은 아니어서 이러한 주관적 사정에 불구하고 경매가 개시된 후에는 관허사업제한이 배제되는 것이라 사료됨(지방세운영과-2153, 2010.5.24.).
- **수탁자가 신탁재산 체납시, 관허사업제한 적용요령**

  신탁재산의 재산세 납세의무는 위탁자별, 신탁계약별로 구분되는 납세의무자로 규정(지방세법 제107조 및 같은 법 시행령 제106조 제1항)되어 있으므로 수탁자 명의로 등기된 신탁재산에 지방세 체납이 있다고 해서 신탁회사(수탁자)에게 관허사업 등을 하지 아니할 것을 필요한 사업의 주무관청에 요구할 수 없으며, 위탁자별로 구분된 수탁자 명의의 신탁재산에 지방세를 3회 이상 체납한 경우로서 그 체납액이 30만원 이상일 때에도 신탁회사가 영위하는 사업의 정지 또는 허가등의 취소를 요구할 수 없음.

  ※ 위탁자별로 구분된 신탁재산(구분된 납세자 부분)으로 신탁회사의 영위사업(전체)을 제한할 수 없음(지방세특례제도과-978, 2015.4.3.).

제8조(출국금지 요청 등)

법 제8조(출국금지 요청 등) ① 지방자치단체의 장 또는 「지방세기본법」 제151조의 2에 따른 지방자치단체조합(이하 "지방세조합"이라 한다)의 장(지방자치단체의 장으로부터 체납된 지방세의 징수에 관한 업무를 위탁받은 경우로 한정한다. 이하 "지방세조합장"이라 한다)은 정당한 사유 없이 3천만원 이상(지방세조합장의 경우에는 각 지방자치단체의 장으로부터 징수를 위탁받은 체납 지방세를 합산한 금액이 5천만원 이상인 경우를 말한다)의 지방세를 체납한 자 중 대통령령으로 정하는 자에 대하여 법무부장관에게 「출입국관리법」 제4조 제3항에 따라 출국금지를 요청하여야 한다.

② 법무부장관은 제1항에 따른 출국금지 요청에 따라 출국금지를 한 경우에는 지방자치단체의 장 또는 지방세조합장에게 그 결과를 「정보통신망 이용촉진 및 정보보호 등에 관한 법률」 제2조 제1항 제1호에 따른 정보통신망 등을 통하여 통보하여야 한다.

③ 지방자치단체의 장 또는 지방세조합장은 다음 각 호의 어느 하나에 해당하는 경우에는 즉시 법무부장관에게 출국금지의 해제를 요청하여야 한다.

1. 체납자가 체납액을 진부 납부한 경우 2. 체납자 재산의 압류, 담보 제공 등으로 출국금지 사유가 해소된 경우 3. 지방자치단체의 징수금의 징수를 목적으로 하는 지방자치단체의 권리(이하 "지방세징수권"이라 한다)의 소멸시효가 완성된 경우 4. 그 밖에 대통령령으로 정하는 사유가 있는 경우

④ 제1항부터 제3항까지에서 규정한 사항 외에 출국금지 요청 등의 절차에 관하여 필요한 사항은 대통령령으로 정한다.

영 제15조(출국금지 또는 해제의 요청) ① 법 제8조 제1항에서 "대통령령으로 정하는 자"란 다음 각 호의 어느 하나에 해당하는 사람으로서 지방자치단체의 장이 압류·공매, 담보 제공, 보증인의 납세보증서 등으로 조세채권을 확보할 수 없고, 체납처분을 회피할 우려가 있다고 인정하는 사람을 말한다.

1. 배우자 또는 직계존비속이 국외로 이주(국외에 3년 이상 장기체류 중인 경우를 포함한다)한 사람 2. 출국금지 요청일 기준으로 최근 2년간 미화 3만달러 상당액 이상을 국외로 송금한 사람 3. 미화 3만달러 상당액 이상의 국외자산이 발견된 사람 4. 법 제11조 제1항에 따라 명단이 공개된 고액·상습체납자 5. 출국금지 요청일 기준으로 최근 1년간 체납된 지방세가 3천만원 이상인 상태에서 국외 출입 횟수가 3회 이상이거나 국외 체류 일수가 6개월 이상인 사람. 다만, 사업목적, 질병치료, 직계존비속의 사망 등 정당한 사유가 있는 경우에는 출입 횟수나 체류 일수에서 제외한다. 6. 법 제39조에 따라 사해행위의 취소 및 원상회복 소송 중이거나 「지방세기본법」 제71조 제4항에 따라 제3자와 짜고 한 거짓계약에 대한 취소소송 중인 사람

② 지방자치단체의 장은 법 제8조 제1항에 따라 법무부장관에게 체납자에 대한 출국금지를 요청하는 경우에는 다음 각 호의 사항을 구체적으로 밝혀야 한다.

1. 제1항 각 호 중 체납자가 해당되는 항목
2. 압류·공매, 담보 제공, 보증인의 납세보증서 등으로 조세채권을 확보할 수 없는 사유
3. 체납자가 체납처분을 회피할 우려가 있다고 인정하는 사유

③ 법 제8조 제3항 제4호에서 "대통령령으로 정하는 사유가 있는 경우"란 체납액의 납부 또는 부과결정의 취소 등에 따라 체납된 지방세가 3천만원 미만으로 된 경우를 말한다.
④ 지방자치단체의 장은 출국금지 중인 사람이 다음 각 호의 어느 하나에 해당하는 경우로서 체납처분을 회피할 목적으로 국외로 도피할 우려가 없다고 인정할 때에는 법무부장관에게 출국금지의 해제를 요청할 수 있다.
1. 국외건설계약 체결, 수출신용장 개설, 외국인과의 합작사업 계약 체결 등 구체적인 사업계획을 가지고 출국하려는 경우 2. 국외에 거주하는 직계존비속이 사망하여 출국하려는 경우
3. 제1호 및 제2호의 사유 외에 본인의 질병치료 등 불가피한 사유로 출국금지를 해제할 필요가 있다고 인정되는 경우

| 최근 개정법령_2015.5.18. | 지방세체납자에 대한 출국금지 규정 신설(법 제65조의 2)
「지방세기본법」 제147조(국세기본법 등의 준용)에 따라 5천만원 이상의 지방세를 정당한 사유 없이 체납한 사람은 출국금지가 가능했다. 그러나 그동안 「국세징수법」 등을 준용함에 따라 체납자가 관련 사안을 인지하지 못하는 등 제도의 실효성이 미흡했다. 그에 따라 제도의 실효성을 확보하고, 지방세에 적합한 출국금지제도의 시행을 위해 출국금지의 대상과 절차 등을 지방세기본법에서 직접 규정하게 되었다.

| 최근 개정법령 2017.12.26. | 체납자에 대한 출국금지 요청대상 체납금액을 5천만원 이상에서 3천만원 이상으로 확대하였다(시행 2018.6.27.).

| 최근 개정법령 2020.12.29. | 2022.2.3. 이후 지방세조합장은 각 지방자치단체의 장으로부터 징수를 위탁받은 체납액을 합산하여 고액체납자의 출국금지를 요청하도록 하였다.

◎ 추징금 미납자에 대하여 재산의 해외도피 우려 여부를 확인하지 아니한 채 추징금 미납 사실만으로 출국금지처분을 하는 것은 적법하지 아니함

출국금지업무처리규칙 제4조 등, 출입국관리법 제4조 ① 1호 등 관련 규정의 취지를 종합하면, 추징금 미납을 이유로 한 출국금지는 그 추징금 미납자가 출국을 이용하여 재산을 해외로 도피하는 등으로 강제집행을 곤란하게 하는 것을 방지함에 주된 목적이 있는 것이지, 단순히 출국을 기화로 해외로 도피하거나 시효기간 동안 귀국하지 아니하고 외국에 체재하여 그 시효기간을 넘기는 것을 방지하는 등 신병을 확보하기 위함에 있는 것이 아니므로, 재산의 해외 도피 우려 여부를 확인하지 아니한 채 단순히 미납사실 자체만으로 바로 출국금지처분을 하는 것은 출국금지업무처리규칙 제2조 제2항에 위반되거나 과잉금지의 원칙에 비추어 허용되지 아니함(대법원 2001두3365, 2001.7.27.).
☞ 같은 취지의 국세체납 관련 출국금지연장처분취소판결(대법원 2013두16647, 2014.1.29.) 참조

◎ 재산의 해외 도피 가능성 여부에 관한 판단방법

재량권을 일탈하거나 남용하여서는 아니된다고 할 것이며, 한편 재산의 해외 도피 우려 여부는 추징금 처분의 범죄사실, 추징금 미납자의 성별·연령·학력·직업·성행이나 사회적 신분, 추징금 미납자의 경제적 활동과 그로 인한 수입의 정도·재산상태와 그 간의 추징금 납부의 방법이나 수액의 정도, 그 간의 추징금 징수처분의 집행과정과 그 실효성 여부, 그 간의 출국 여부와 그 목적·기간·행선지·해외에서의 활동 내용·소요 자금의 수액과 출처 등은 물론 가족관계나 가족의 생활 정도·재산상태·직업·경제활동 등을 종합하여 판단하여야 함(대법원 2001두3365, 2001.7.27.).

〈출입국관리법〉

제4조(출국의 금지) ① 법무부장관은 다음 각 호의 어느 하나에 해당하는 국민에 대하여는 6개월 이내의 기간을 정하여 출국을 금지할 수 있다.

4. 대통령령으로 정하는 금액 이상의 국세·관세 또는 지방세를 정당한 사유 없이 그 납부기한까지 내지 아니한 사람
5. 그 밖에 제1호부터 제4호까지의 규정에 준하는 사람으로서 대한민국의 이익이나 공공의 안전 또는 경제질서를 해칠 우려가 있어 그 출국이 적당하지 아니하다고 법무부령으로 정하는 사람

③ 중앙행정기관의 장 및 법무부장관이 정하는 관계 기관의 장은 소관 업무와 관련하여 제1항 또는 제2항 각 호의 어느 하나에 해당하는 사람이 있다고 인정할 때에는 법무부장관에게 출국금지를 요청할 수 있다.

〈출입국관리법시행령〉

제1조의 3(벌금 등의 미납에 따른 출국금지 기준) ② 법 제4조 제1항 제4호에서 "대통령령으로 정하는 금액"이란 5천만원을 말한다.

제3조(출국금지의 해제 절차) ① 법무부장관은 법 제4조의 3 제1항에 따라 출국금지를 해제하려는 경우에는 출국금지 사유의 소멸 또는 출국금지의 필요 여부를 판단하기 위하여 관계 기관 또는 출국금지 요청기관의 장에게 의견을 묻거나 관련 자료를 제출하도록 요청할 수 있다. 다만, 출국금지 사유가 소멸되거나 출국금지를 할 필요가 없음이 명백한 경우에는 즉시 출국금지를 해제하여야 한다.

〈출입국관리법시행규칙〉

제6조의 6(출국금지의 해제) ① 법무부장관은 출국금지된 사람이 다음 각 호의 어느 하나에 해당하면 영 제3조 제1항 단서에 따라 즉시 출국금지를 해제하여야 한다.

② 법무부장관은 출국이 금지된 사람이 다음 각 호의 어느 하나에 해당되면 출국금지를 해제할 수 있다.

1. 출국금지로 인하여 생업을 유지하기 어렵다고 인정되는 경우
2. 출국금지로 인하여 회복하기 어려운 중대한 손해를 입을 우려가 있다고 인정되는 경우

3. 그 밖에 인도적인 사유 등으로 출국금지를 해제할 필요가 있다고 인정되는 경우

제9조(체납 또는 결손처분 자료의 제공)

법 제9조(체납 또는 결손처분 자료의 제공) ① 지방자치단체의 장 또는 지방세조합장은 지방세 징수 또는 공익 목적을 위하여 필요한 경우로서 「신용정보의 이용 및 보호에 관한 법률」 제2조에 따른 신용정보회사 또는 신용정보집중기관, 그 밖에 대통령령으로 정하는 자가 다음 각 호의 어느 하나에 해당하는 체납자 또는 결손처분자의 인적사항, 체납액 또는 결손처분액에 관한 자료(이하 "체납 또는 결손처분 자료"라 한다)를 요구한 경우에는 자료를 제공할 수 있다. 다만, 체납된 지방세와 관련하여 「지방세기본법」에 따른 이의신청, 심사청구, 심판청구 또는 행정소송이 계류 중인 경우, 그 밖에 대통령령으로 정하는 경우에는 그러하지 아니하다.

1. 체납 발생일부터 1년이 지나고 체납액(결손처분하였으나 지방세징수권 소멸시효가 완성되지 아니한 분을 포함한다. 이하 이 조, 제10조 및 제11조의 2에서 같다)이 대통령령으로 정하는 금액 이상(지방세조합장의 경우에는 각 지방자치단체의 장으로부터 징수를 위탁받은 체납액을 합산한 금액이 대통령령으로 정하는 금액 이상인 경우를 말한다)인 자
2. 지방세를 1년에 3회 이상 체납하고 체납액이 대통령령으로 정하는 금액 이상(지방세조합장의 경우에는 각 지방자치단체의 장으로부터 징수를 위탁받은 체납액을 합산한 금액이 대통령령으로 정하는 금액 이상인 경우를 말한다)인 자

② 제1항에 따른 체납 또는 결손처분 자료의 제공절차 등에 필요한 사항은 대통령령으로 정한다.

③ 제1항에 따라 체납 또는 결손처분 자료를 제공받은 자는 이를 업무 외의 목적으로 누설하거나 이용해서는 아니 된다.

영 제16조(체납 또는 결손처분 자료의 제공) ① 법 제9조 제1항 각 호 외의 부분 단서에서 "대통령령으로 정하는 경우"란 다음 각 호의 어느 하나에 해당하는 경우를 말한다.

1. 법 제25조 제1호부터 제3호까지의 사유에 해당되는 경우
2. 법 제105조 제1항에 따라 체납처분이 유예된 경우

② 법 제9조 제1항 제1호 및 제2호에서 "대통령령으로 정하는 금액"이란 각각 500만원을 말한다.

제17조(체납 또는 결손처분 자료의 요구 등) ① 법 제9조에 따라 체납 또는 결손처분 자료를 요구하는 자(이하 이 조에서 "요구자"라 한다)는 다음 각 호의 사항을 적은 문서를 지방자치단체의 장에게 제출하여야 한다.

1. 요구자의 성명과 주소 또는 영업소
2. 요구하는 자료의 내용 및 이용목적

② 제1항에 따라 체납 또는 결손처분 자료를 요구받은 지방자치단체의 장은 제3항에 따른 체납 또는 결손처분 자료파일(자료보관장치, 그 밖에 이와 유사한 매체에 체납 또는 결손처분 자료가 기록·보관된 것을 말한다. 이하 같다) 또는 문서로 이를 제공할 수 있다.

③ 지방자치단체의 장은 체납 또는 결손처분 자료를 전산정보처리조직에 의하여 처리하는 경우에는 체납 또는 결손처분 자료파일을 작성할 수 있다.

④ 제2항에 따라 제공한 체납 또는 결손처분 자료가 체납액의 납부, 결손처분의 취소 등의 사유로 인하여 제공대상 자료에 해당되지 아니하게 된 경우에는 그 사실을 사유발생일부터 15일 이내에 요구자에게 통지하여야 한다.
⑤ 제1항부터 제4항까지에서 규정한 사항 외에 체납 또는 결손처분 자료의 요구, 제공, 정리, 관리 및 보관 등에 필요한 사항은 지방자치단체의 장이 정한다.

일정요건에 해당하는 체납자 또는 결손처분자의 관련 자료를 신용정보회사 등이 요구하는 경우 이를 제공할 수 있도록 하고 있다. 체납기간이 길고 체납액이 과다한 체납자 또는 결손처분자의 관련 자료를 신용정보회사 등에 제공할 수 있도록 하여 체납자 또는 결손처분자의 무분별·무책임한 거래에서 발생할 수 있는 사회적 비용을 사전에 차단하고 간접적으로 납부를 독려하려는 취지이다.

지방자치단체의 장은 지방세 징수 등을 위하여 필요한 경우로서 「신용정보의 이용 및 보호에 관한 법률」 제2조에 따른 신용정보업자 또는 신용정보집중기관, 그 밖에 대통령령으로 정하는 자가 체납일부터 1년이 지나거나 1년에 3회 이상 체납하고 체납액이 500만원 이상인 자, 결손처분액이 500만원 이상인 자에 해당하는 체납자 또는 결손처분자의 인적사항, 체납액 또는 결손처분액에 관한 자료를 요구한 경우에는 자료를 제공할 수 있다(법 제9조 ①).

| 최근 개정법령 2020.12.29. | 2022.2.3. 이후는 지방세조합장도 지방자치단체의 장으로부터 징수를 위탁받은 체납액을 합산하여 일정요건에 해당되는 경우 고액체납자의 체납 또는 결손처분 자료를 제공할 수 있다.

※ 신용정보제공 제외사유 : 체납된 지방세와 관련하여 이 법에 따른 이의신청, 심사청구, 심판청구 또는 행정소송이 계류 중인 경우, 풍수해, 벼락, 화재, 전쟁, 그 밖의 재해 또는 도난으로 재산에 심한 손실을 입은 경우, 사업에 현저한 손실을 입은 경우, 사업이 중대한 위기에 처한 경우

| 최근 개정법령_2016.1.1. | 신용정보기관 자료제공기준 체납액에 결손액 포함(법 제66조 ①)
종전 규정에 따르면 지방세 징수 또는 공익목적을 위하여 필요한 경우로서 신용정보업자 등이 체납 또는 결손처분 자료를 요구한 경우에는 자료를 제공할 수 있도록 규정하고 있는데, 제공기준이 체납액 및 결손처분액으로 구분되어 있어 결손처분액이 포함되지 아니한 체납액을 기준으로 할 경우 일부 체납자가 그 대상에서 누락되는 사례가 발생할 가능성이 있었다[예. 체납액이 200만원이고 결손처분액이 350만원인 대상자는 누락(합계 550백만원)]. 이에 따라 결손처분액의 성격 등을 감안하여 제공기준을 체납액으로 일원화하고 결손처분액도 체납액에 포함하도록 함으로써 지방세 징수업무의 효율성을 강화하였다.

〈신용정보의 이용 및 보호에 관한 법률〉

제2조(정의) 이 법에서 사용하는 용어의 뜻은 다음과 같다. 〈개정 2011.5.19.〉

1. "신용정보"란 금융거래 등 상거래에 있어서 거래 상대방의 신용을 판단할 때 필요한 다음 각 목의 정보로서 대통령령으로 정하는 정보를 말한다.
   가. 특정 신용정보주체를 식별할 수 있는 정보 나. 신용정보주체의 거래내용을 판단할 수 있는 정보 다. 신용정보주체의 신용도를 판단할 수 있는 정보 라. 신용정보주체의 신용거래 능력을 판단할 수 있는 정보 마. 그 밖에 가목부터 라목까지와 유사한 정보
2. "개인신용정보"란 신용정보 중 개인의 신용도와 신용거래능력 등을 판단할 때 필요한 정보로서 대통령령으로 정하는 정보를 말한다. 3. "신용정보주체"란 처리된 신용정보로 식별되는 자로서 그 신용정보의 주체가 되는 자를 말한다. 4. "신용정보업"이란 제4조 제1항 각 호에 따른 업무의 전부 또는 일부를 업(業)으로 하는 것을 말한다. 5. "신용정보회사"란 신용정보업을 할 목적으로 제4조에 따라 금융위원회의 허가를 받은 자를 말한다. 6. "신용정보집중기관"이란 신용정보를 집중하여 관리·활용하는 자로서 제25조 제1항에 따라 금융위원회에 등록한 자를 말한다.

○ 수탁자가 신탁재산 체납시, 신용정보제공 적용요령

신탁재산의 재산세 납세의무는 위탁자별, 신탁계약별로 구분되는 납세의무자로 규정(지방세법 제107조 및 같은 법 시행령 제106조 ①)되어 있으므로 수탁자 명의로 등기된 신탁재산에 지방세 체납이 있다고 해서 신탁회사(수탁자)의 신용정보제공 등을 제공할 수 없으나, 위탁자별로 구분된 수탁자 명의의 신탁재산이 지방세기본법 제66조 제1항의 요건에 해당하는 경우에는 자료를 제공할 수 있음. 단, 제공시에도 위탁자별로 구분된 신탁재산의 재산세 납세의무자인 신탁사는 신탁사의 고유재산에 대한 납세의무자와 다른 자임을 명확히 하기 위하여 '수탁자의 성명 또는 상호(신탁재산 체납)'를 명기하여 제공함(지방세특례제도과-978, 2015.4.3.).

제10조(외국인 체납자료 제공 등)

법 제10조(외국인 체납자료 제공 등) ① 행정안전부장관 또는 지방자치단체의 장은 지방세를 체납한 외국인에 대한 관리와 지방세 징수 등을 위하여 법무부장관에게 다음 각 호의 어느 하나에 해당하는 외국인 체납자의 인적사항, 체납액에 관한 자료를 제공할 수 있다. 〈개정 2017.7.26.〉
1. 체납 발생일부터 1년이 지나고 체납액이 100만원 이상의 범위에서 대통령령으로 정하는 금액 이상인 자 2. 지방세를 3회 이상 체납하고 체납액이 5만원 이상의 범위에서 대통령령으로 정하는 금액 이상인 자
② 제1항에 따른 체납액에 관한 자료의 제공 방법 및 절차, 그 밖에 필요한 사항은 대통령령으로 정한다.
③ 제1항에 따라 체납액에 관한 자료를 제공받은 법무부장관은 이를 업무 외의 목적으로 누설하거나 이용해서는 아니 된다.

영 제18조(외국인 체납자료 제공범위 및 절차 등) ① 법 제10조 제1항 제1호에서 "대통령령으로 정하는 금액"이란 100만원을 말한다.
② 법 제10조 제1항 제2호에서 "대통령령으로 정하는 금액"이란 5만원을 말한다.
③ 행정안전부장관 또는 지방자치단체의 장은 법 제10조 제1항에 따른 외국인 체납자료를 전산정보처리조직에 의하여 처리하는 경우에는 체납 자료파일을 작성하여 지방세정보통신망을 통하여 법무부장관에게 제공할 수 있다. 〈개정 2017.7.26.〉

| 최근 개정법령 _ 2017.3.28. | 외국인 체납자료 제공 신설(법 제10조)

외국인의 체납액이 지속적으로 증가하고 있고, 체납된 지방세를 징수하기 위한 체납처분이나 행정제재가 내국인에 비해 상대적으로 어렵다. 그에 따라 외국인 체납자의 성실한 지방세 납세를 도모할 수 있도록 외국인 체납자의 인적사항 및 체납액에 관한 자료를 법무부장관에게 제공하여 법무부장관이 그 자료를 체류기간 연장허가에 활용할 수 있도록 하였다.

제11조(고액 · 상습체납자의 명단공개)

법 제11조(고액 · 상습체납자의 명단공개) ① 지방자치단체의 장 또는 지방세조합장은 「지방세기본법」 제86조에도 불구하고 체납 발생일부터 1년이 지난 지방세(결손처분하였으나 지방세징수권 소멸시효가 완성되지 아니한 분을 포함한다)가 1천만원 이상(지방세조합장의 경우에는 각 지방자치단체의 장으로부터 징수를 위탁받은 체납 지방세를 합산한 금액이 1천만원 이상인 경우를 말한다)인 체납자에 대해서는 「지방세기본법」 제147조 제1항에 따른 지방세심의위원회(지방세조합장의 경우에는 같은 조 제2항에 따른 지방세징수심의위원회를 말한다. 이하 이 조에서 "지방

세심의위원회"라 한다)의 심의를 거쳐 그 인적사항 및 체납액 등(이하 "체납정보"라 한다)을 공개할 수 있다. 다만, 체납된 지방세와 관련하여 「지방세기본법」에 따른 이의신청, 심판청구, 「감사원법」에 따른 심사청구 또는 행정소송이 계류 중이거나 그 밖에 대통령령으로 정하는 사유가 있는 경우에는 체납정보를 공개할 수 없다.

② 제1항 본문에 따른 체납정보 공개(지방자치단체의 장이 공개하는 경우로 한정한다)의 기준이 되는 최저 금액은 1천만원 이상 3천만원 이하의 범위에서 조례로 달리 정할 수 있다.

③ 지방자치단체의 장 또는 지방세조합장은 지방세심의위원회의 심의를 거친 공개대상자에게 체납자 명단공개 대상자임을 알려 소명할 기회를 주어야 하며, 통지일부터 6개월이 지난 후 지방세심의위원회로 하여금 체납액의 납부이행 등을 고려하여 체납자 명단공개 여부를 재심의하게 하여 공개대상자를 선정한다.

④ 제1항에 따른 공개는 관보 또는 공보 게재, 행정안전부 또는 지방자치단체의 정보통신망이나 게시판에 게시하는 방법, 지방세조합의 인터넷 홈페이지에 게시하는 방법, 「언론중재 및 피해구제 등에 관한 법률」 제2조 제1호에 따른 언론이 요청하는 경우 체납정보를 제공하는 방법으로 한다.

⑤ 제1항에 따라 공개되는 체납정보는 체납자의 성명·상호(법인의 명칭을 포함한다), 나이, 직업, 주소 또는 영업소(「도로명주소법」 제2조 제3호에 따른 도로명 및 같은 조 제5호에 따른 건물번호까지로 한다), 체납액의 세목·납부기한 및 체납요지 등으로 한다.

⑥ 제1항부터 제5항까지의 규정에 따른 체납자 명단공개 등에 필요한 사항은 대통령령으로 정한다.

영 제19조(고액·상습체납자의 명단공개) ① 법 제11조 제1항 단서에서 "대통령령으로 정하는 사유가 있는 경우"란 다음 각 호의 어느 하나에 해당하는 경우를 말한다.

1. 체납액(가산금을 포함한다)의 100분의 50 이상을 납부한 경우
2. 「채무자 회생 및 파산에 관한 법률」 제243조에 따른 회생계획인가의 결정에 따라 체납된 지방세의 징수를 유예받고 그 유예기간 중에 있거나 체납된 지방세를 회생계획의 납부일정에 따라 납부하고 있는 경우
3. 재산 상황, 미성년자 해당 여부 및 그 밖의 사정 등을 고려할 때 「지방세기본법」 제147조에 따른 지방세심의위원회가 공개할 실익이 없거나 공개하는 것이 부적절하다고 인정하는 경우

② 지방자치단체의 장은 법 제11조 제3항에 따라 공개대상자에게 체납자 명단공개 대상자임을 알리는 경우에는 체납된 세금을 납부하도록 촉구하고, 공개 제외 사유에 해당하는 경우에는 이에 관한 소명자료를 제출하도록 안내하여야 한다.

③ 법인인 체납자의 명단을 공개하는 경우에는 법인의 대표자를 함께 공개할 수 있다.

법 제11조의 2(둘 이상의 지방자치단체에 체납액이 있는 경우의 처리) 다음 각 호의 구분에 따른 지방자치단체의 장 또는 지방세조합장은 체납자가 둘 이상의 지방자치단체에 체납한 지방세, 체납액 또는 체납 횟수 등(이하 이 조에서 "체납액등"이라 한다)을 다음 각 호의 구분에 따라 합산하여 제8조 제1항, 제9조 제1항 또는 제11조 제1항의 기준에 해당하는 경우에는 제8조에 따른 출국금지 요청, 제9조에 따른 체납·결손처분 자료의 제공 또는 제11조에 따른 체납정보 공개를 할 수 있다.

1. 동일한 특별시·광역시·도의 체납액등 또는 그 관할 지방자치단체의 체납액등을 합산하는 경우 : 해당 특별시장·광역시장 또는 도지사
2. 전국 단위로 체납액등을 합산하는 경우 : 해당 특별시·광역시·특별자치시·도·특별자치도

또는 그 관할 지방자치단체의 체납액등을 합산한 금액이 가장 많은 특별시장 · 광역시장 · 특별자치시장 · 도지사 · 특별자치도지사 또는 지방세조합장

법 제11조의 3(고액체납자의 거래정보등의 제공 요구) 지방세조합장은 각 지방자치단체의 장으로부터 징수를 위탁받은 체납액을 합산한 금액이 1천만원 이상인 체납자에 대한 재산조회를 위하여 「금융실명거래 및 비밀보장에 관한 법률」 제2조 제3호에 따른 금융거래의 내용에 대한 정보 또는 자료(이하 이 조에서 "거래정보등"이라 한다)의 제공을 같은 법 제4조 제2항 각 호 외의 부분 단서에 따라 거래정보등을 보관 또는 관리하는 부서에 요구할 수 있다.

지방세 체납자 중 체납발생일로부터 1년이 지난 체납지방세가 1천만원 이상인 체납자에 대하여는 그 명단을 공개할 수 있다.

2016.1.1. 시행일 이후 최초로 지방세심의위원회의 심의를 거치는 공개대상자부터 적용토록 하고 있어, 공개대상 체납금액, 공개절차 등에 대한 지자체(조례 위임금액을 별도로 정한 기초 지자체 포함)의 조례 · 규칙 개정이 필요하다.

2021.1.1. 이후 둘 이상의 지방자치단체에 분산된 체납액을 합산하여 징수법상 제재요건에 해당하는 경우 광역자치단체의 장이 해당 제재조치를 할 수 있도록 근거 마련하였다(법 제11조의 2). 이에 따라 2021.1.1. 이후부터 광역자치단체의 장이 관할 기초지자체의 체납액을 합산하여 제재를 수행할 수 있으며, 2022.2.3. 이후는 2개 이상의 광역지자체 간 분산체납액 존재 시 체납액이 가장 많은 광역자치단체장이 합산하여 제재를 수행하게 된다.

2022.2.3. 이후 지방세조합장은 각 지방자치단체의 장으로부터 징수를 위탁받은 체납액을 합산하여 제제요건에 해당되는 경우 고액체납자의 거래정보등을 요구(법 제11조의 3)할 수 있다.

| 최근 개정법령 _ 2015.5.18. | 체납세 징수의 실효성을 향상하고 조세정의를 실현한다는 취지로 고액 체납자에 대한 명단공개 기준금액을 확대하였음(법 제140조 ① · ②)

현행 "3천만원 이상"에서 "1천만원 이상"으로 조정. 조례 위임금액도 조정(현행 3천만원 이상 ~ 5천만원 이하 → 1천만원 이상 ~ 3천만원 이하), 그리고 공개정보의 범위를 도로명과 건물 번호까지로 한정하였다.

지방자치단체의 장은 지방세기본법 제86조(비밀유지의무)에도 불구하고 체납 발생일부터 1년이 지난 지방세(결손처분한 지방세로서 징수권 소멸시효가 완성되지 아니한 것을 포함)가 1천만원 이상인 체납자에 대하여는 지방세기본법 제147조에 따른 지방세심의위원회의 심의를 거쳐 그 인적사항 및 체납액을 공개할 수 있다(법 제11조).

※ 명단공개 제외사유 : 체납된 지방세가 이의신청·심사청구 등 불복청구 중이거나 체납액(가산금을 포함한다)의 100분의 30 이상을 납부한 경우, 「채무자 회생 및 파산에 관한 법률」 제243조에 따른 회생계획인가의 결정에 따라 체납된 지방세의 징수를 유예받고 그 유예기간 중에 있거나 체납된 지방세를 회생계획의 납부일정에 따라 납부하고 있는 경우, 재산 상황, 미성년자 해당 여부 및 그 밖의 사정 등을 고려할 때 지방세기본법 제147조에 따른 지방세심의위원회가 공개할 실익이 없거나 공개하는 것이 부적절하다고 인정하는 경우

◇ 자치단체 조례·규칙 개정사항

- 공개대상 체납금액(기존 : 3천만원 → 변경 : 1천만원)
- 명단공개 대상자 선정기준일(기존 : 매년 3.1. → 변경 : 매년 1.1.)
- 명단공개일(기존 : 매년 12월 셋째주 월요일 → 변경 : 매년 10월 셋째주 월요일)
- 기타 명단공개 절차 등

※ 2015년부터 출납폐쇄일이 12.31.로 변경(기존은 익년 2.28.)

명단공개대상 고액체납자의 체납액의 산정기준

"체납액"에 관하여 어떤 제한이나 기타 특별한 규정을 두고 있지 않으며, 「지방세 고액체납자명단 공개제도」는 고액체납자 명단을 매년 선정·공개하여 납세의무의 이행을 간접 강제함으로써 성실납세 문화를 조성함을 목적으로 하는 것임을 비추어 볼 때, "체납액"은 당해에 명단공개 대상자를 선정하는 기준일 현재의 지방세 체납액을 말하는 것임(지방세분석과-1224, 2012.5.7.).

대상자의 주소 등이 분명하지 않은 경우 공시송달을 거친 다음 명단을 공개해야 함

명단공개 대상자임을 알리기 위해서는 같은 법 제28조에 의거 우편 등으로 송달하여야 하나, 주소 또는 영업소가 국외에 있거나 분명하지 아니한 경우 등은 같은 법 제33조의 규정에 따라 공시송달하도록 되어 있음. 이와 같이 "공시송달"이란 「지방세기본법」 제140조의 규정에 따른 명단공개를 하기 위하여 선행되어야 하는 또 다른 절차적 행정행위이므로 명단공개 대상자의 주소 등이 분명하지 않은 경우에는 위의 공시송달을 거친 다음 명단을 공개하는 것이 타당함(지방세분석과-3498, 2012.11.16.).

제 2 장

지방세징수법

징 수

제1절 징수절차

제12조(납세의 고지등)

법 제12조(납세의 고지 등) ① 지방자치단체의 장은 지방세를 징수하려면 납세자에게 그 지방세의 과세연도 · 세목 · 세액 및 그 산출근거 · 납부기한과 납부장소를 구체적으로 밝힌 문서(전자문서를 포함한다. 이하 같다)로 고지하여야 한다.

② 지방자치단체의 장은 체납액 중 지방세만을 완납한 납세자에게 체납처분비를 징수할 때에는 대통령령으로 정하는 바에 따라 문서로 고지하여야 한다.

영 제20조(납세의 고지) 법 제12조에 따른 납세의 고지는 다음 각 호의 사항을 적은 납세고지서 또는 납부통지서로 하여야 한다.

1. 납부할 지방세의 과세연도 · 세목 · 세액 및 납부기한
2. 세액의 산출근거와 납부장소. 다만, 하나의 납세고지서 또는 납부통지서로 둘 이상의 과세대상을 동시에 고지하는 경우에는 세액의 산출근거를 생략할 수 있으며, 이 경우 납세자가 세액 산출근거의 열람을 신청하는 때에는 세무공무원은 지체 없이 열람할 수 있도록 하여야 한다.

제21조(체납처분비의 납부고지) 법 제12조 제2항에 따른 체납처분비고지서에는 다음 각 호의 사항을 적어야 한다.

1. 체납처분비의 징수에 관계되는 지방세의 과세연도 및 세목
2. 체납처분비와 그 산출근거 · 납부기한 및 납부장소

조세채무는 세법이 정하는 과세요건의 충족에 의하여 자동적으로 성립되지만, 이와 같이 성립한 조세채무는 당해 채무의 금액을 확인한 다음 이를 납세의무자에게 통지하는 절차에 의하여 확정된다. 과세처분은 납세고지에 의하여 완결되고 징수절차는 납세고지에 의하여 개시된다. 예를 들어 재산세 납세고지는 조세채무를 확정짓고 그 효력을 발생시키는 부과처분의 성질과 확정된 조세채무의 이행을 촉구하는 징수처분의 성격을 겸하게 된다.

"납세고지서"란 납세자가 납부할 지방세에 대하여 그 부과의 근거가 되는 법률 및 해당 지방자치단체의 조례의 규정, 납세자의 주소, 성명, 과세표준, 세율, 세액, 납부기한, 납부장소, 납부기한까지 납부하지 아니한 경우에 취하여지는 조치 및 부과의 위법 또는 착오가 있는 경우의 구제방법 등을 기재한 문서로서 세무공무원이 작성한 것을 말한다(지기법 제2조 ① 15호). 아울러 납세고지서는 조세법률주의의 원칙에 따라 처분청으로 하여금 자의를 배제하고 신중하고도 합리적인 처분을 하게 하여 조세행정의 공평을 기함과 동시에 납세의무자에게 과세처분의 내용을 상세히 알려 불복 여부의 결정 및 그 불복신청의 편의를 주기 위한 취지에서 나온 강행규정이라 할 것이다. 따라서 납세고지서의 기재에 하자가 있을 경우 처분은 위법 또는 무효의 처분이 된다.

1. 납세고지서

◎ 필요적 기재사항 중 일부를 누락시킨 하자가 있는 경우 이로써 그 부과처분은 위법하게 되지만, 그 고지서가 납세자에게 송달된 이상 당연무효의 사유는 되지 않음(대법원 2000두6619, 2002.4.26.).

◎ **시설대여업자가 납세자인 경우 시설대여업자의 인적사항을 기재하여 발급하여야 함**

지방세법 시행령 제74조 제2항 규정에 의하여 시설대여업자가 과세물건의 취득세 납세의무자가 되는 경우 취득세 납부 고지서에는 납세의무자인 시설대여업자의 주소·성명·주민(법인)등록번호 등을 기재하여 발급하여야 함(세정-3805, 2006.8.18.).

2. 납세고지서가 유효한 경우

◎ **무통장 수납에 따른 업무처리에 하자가 없는 한 위법은 아님**

재산세를 징수하기 위해서는 과세권자는 납세의무자에게 납부하여야 할 금액·기한·장소 등을 기재한 문서로써 납부 또는 납입의 고지를 해야 한다고 규정하고 있으나, 납부장소가 원거리에 있거나 납부기한 내에 고지서 송달 등의 문제, 기타 납세자의 편의 등을 위해 각 지방자치단체에서는 인터넷 납부, 신용카드 수납, 자동이체, 무통장 수납 등을 통한 민원행정 서비스를 실시하고 있으므로, 해당 공무원의 재산세 납부고지서의 무통장 수납에 따른 업무처리에 하자가 없는 한 위법은 아님(세정-685, 2005.2.7.).

◎ **주민등록번호의 잘못 기재가 부과처분의 취소대상으로 볼 수 없다고 한 사례**

과세관청이 납세고지를 하면서 납세의무자 주민등록번호를 "381001-XXXXXXX"를 "391001-XXXXXXX"로 잘못 기재하여 고지하였더라도 취득세의 세액산출이 정확하고, 납세고지서의 필요적 기재사항을 기재하여 정상적으로 송달되었다면 그 납세고지는 유효하고, 부과처분 취소대상으로 볼 수 없음(세정 13407-76, 1999.1.25.).

◎ **세율이 누락되고 근거법령이 총괄적으로 기재되었더라도 과세예고통지, 취득세 환급, 감면신청 등을 전후 사정을 감안할 때 해당 납세자에 대한 납세고지는 위법하지 아니함**

적용세율은 납세고지서에 기재된 과세표준과 세액을 비교함으로써 용이하게 파악할 수 있는 데다가, 부과처분 이전에 보낸 과세예고통지서에 과세표준과 세율, 세액 등이 기재되어 있어 세액의 산출근거를 쉽게 알 수 있었던 것으로 보이는 점, 근거 법령이 완전히 누락된 것이 아니라 총괄적으로 기재되어 있는 점, 더구나 이 사건 토지를 매수한 직후 그에 대한 취득세를 신고·납부하였다가 환급받았을 뿐 아니라, 제2 부과처분에 의하여 부과될 지방세의 감면을 신청하기도 하였으므로, 세액 산출근거와 근거 법령에 관하여 이미 잘 알고 있었던 것으로 보이는 점 등, 불복신청에 지장을 받지 않았을 것임이 명백하므로, 납세고지가 위법하다고 할 수 없음(대법원 2008두5773, 2010.11.11.).

◎ **과세예고통지에 필요사항이 기재되어 있었다면 고지서의 하자가 치유될 수 있음**

납세고지서에 그 기재사항의 일부가 누락되었다고 하더라도 지방세부과처분에 앞서 보낸 과세예고통지서(또는 납세안내서)에 납세고지서의 필요적 기재사항이 제대로 기재되어 있었다면, 납세의무자로서는 과세처분에 대한 불복 여부의 결정 및 불복신청에 전혀 지장을 받지 않을 것이어서 이로써 납세고지서의 흠결이 보완되거나 하자가 치유될 수 있음(대법원 96누7878, 1996.10.15.).

3. 납세고지서가 위법한 경우

◎ **납세고지서상 과세연도, 세목, 근거 법률, 성명, 과세표준액, 세액, 구제방법 등의 의의**

조세법률주의의 원칙에 따라 과세관청으로 하여금 신중하고 합리적인 처분을 하게 함으로써 조세행정의 공정성을 기함과 동시에 납세의무자에게 과세처분의 내용을 상세하게 알려 불복 여부의 결정 및 불복신청에 편의를 주려는 데 그 입법 취지가 있는 만큼, 납세고지서에는 원칙적으로 납세의무자가 부과처분의 내용을 상세하게 알 수 있도록 과세대상 재산을 특정하고 그에 대한 과세표준액, 적용할 세율 등 세액의 산출근거를 구체적으로 기재하여야 하고, 위 규정은 강행규정으로서 위 규정에서 요구하는 사항 중 일부를 누락시킨 하자가 있는 경우 그 과세처분은 위법함(대법원 2008두5773, 2010.11.11.).

☞ 납세고지 하자는 납세의무자가 그 나름대로 산출근거를 알고 있다거나 사실상 이를 알고서 쟁송에 이르렀다 하더라도 치유되지 않음(대법원 2015두38931, 2015.9.24.).

◎ 납세고지서 기재사항은 강행규정으로 일부 누락이라도 위법함

납세고지서에는 원칙적으로 납세의무자가 부과처분의 내용을 상세하게 알 수 있도록 과세대상 재산을 특정하고 그에 대한 과세표준액, 적용할 세율 등 세액의 산출근거를 구체적으로 기재하여야 하고, 위 규정은 강행규정으로서 위 규정에서 요구하는 사항 중 일부를 누락시킨 하자가 있는 경우 그 과세처분은 위법(대법원 96누14272, 1997.8.22.)

◎ 가산세 산출근거가 누락된 부과처분은 위법하다는 사례

신고불성실가산세와 납부불성실가산세를 부과한 납세고지서에 각 가산세가 종류별로 구분되지 아니한 채 그 합계액이 본세액과 별도로 기재되어 있을 뿐이고, 각 가산세의 산출근거도 기재되어 있지 않은 경우에는, 관계 법령에서 요구하는 기재사항을 누락하는 등의 하자가 있어 그 부과처분은 위법함(대법원 2010두12347, 2012.10.18.).

◎ ○○○외 3인으로 기재된 고지서의 경우 3인에 대해서는 고지의 효력이 없음

취득세납세고지서에 "갑 외 3인, 세액 합계 금 37,350,140원"이라고 기재되어 있다면 갑을 제외한 나머지 3인은 누구인지 알 수 없어 위 3인에게는 적법한 과세처분이 있었다고 할 수 없고 갑에게만 전부 과세되었다고 보는 것이 상당함(대법원 91누11889, 1992.4.28.).

◎ 과세대상 토지와 세액산출근거를 사전에 구두로 예고했더라도 하자가 치유되지는 않음

토지 11필지에 대한 재산세납세고지서에 과세객체(대상)를 "동자동 14-80 외"라고만 기재하고 그 과세표준액도 그 총금액만 기재하였다면, 이는 과세대상을 특정하지 아니하여 어느 재산에 대한 과세인지를 알 수 없을 뿐 아니라, 어느 재산의 과세표준액이 얼마인지도 알아볼 수 없는 내용이어서 이를 관계법령에서 요구하는 세액의 산출근거를 밝힌 기재라 할 수 없으므로 그 과세처분은 위법함(대법원 90누3409, 1991.3.27.).

◎ 구체적인 지방세법 조항 및 세율이 없고, 가산세가 구분되어 기재되지 아니한 경우 위법

납세고지서에는 취득세에 관한 지방세법 조항 모두(제○○조-제○○조)가 기재되어 있을 뿐 이 사건에 적용된 구체적인 지방세법 조항이 특정되어 있지 아니하고, 부과내역 난에 과세표준액은 기재되어 있으나 세율은 기재되어 있지 아니하며, 세액도 취득세액과 가산세액을 구분하지 아니한 채 그 합계액만을 기재한 경우에는 납세고지의 하자로 과세분이 위법함(대법원 96누14272, 1997.8.22.).

◎ 토지분 재산세의 과세구분별 과세표준 등을 누락한 납세고지서는 위법함

토지분 재산세 납세고지서에 종합합산과세, 별도합산과세, 분리과세에 관한 과세표준과 세율 및 그 부과의 근거가 되는 법률이 기재되지 아니한 경우에는 필요적 기재사항을 누락한 납세고지서에 의하여 행하여진 것으로서 위법함(대법원 2010두3466, 2010.5.27.).

제13조(납세고지서의 발급시기)~제14조(납부기한의 지정)

법 제13조(납세고지서의 발급시기) 납세고지서의 발급시기는 다음 각 호의 구분에 따른다.
1. 납부기한이 일정한 경우 : 납기가 시작되기 5일 전
2. 납부기한이 일정하지 아니한 경우 : 부과결정을 한 때
3. 법령에 따라 기간을 정하여 징수유예 등을 한 경우 : 그 기간이 만료한 날의 다음 날

제14조(납부기한의 지정) 지방자치단체의 장은 지방자치단체의 징수금의 납부기한을 납세 또는 납부의 고지를 하는 날부터 30일 이내로 지정할 수 있다.

지방자치단체 징수금의 납부기한은 납세고지일로부터 30일 이내로 하고 있다. 세무조사에 따라 경정 또는 부과결정을 하는 경우 등에 대해 과세권자가 납기를 정함에 있어서는 30일 이내로 한정함으로써 재량권의 남용을 방지하고 있다.

◎ 납세고지서의 발부시기 경과후에 발부한 납세고지서의 효력

납세고지서의 발부시기에 관한 법 제13조의 규정은 훈시규정이므로, 동조의 발부시기 이후에 발부된 고지서도 그 효력에는 영향이 없다(예규 징법 13-1).

제15조(제2차 납세의무자에 대한 납부고지)

법 제15조(제2차 납세의무자에 대한 납부고지) 지방자치단체의 장은 납세자의 지방자치단체의 징수금을 「지방세기본법」 제45조부터 제48조까지의 규정에 따른 제2차 납세의무자(보증인을 포함한다. 이하 같다)로부터 징수하려면 제2차 납세의무자에게 징수하려는 지방자치단체의 징수금의 과세연도·세목·세액 및 그 산출근거·납부기한·납부장소와 제2차 납세의무자로부터 징수할 금액 및 그 산출근거, 그 밖에 필요한 사항을 기록한 납부통지서로 고지하여야 한다. 이 경우 납세자에게 그 사실을 알려야 한다.

영 제22조(제2차 납세의무자에 대한 납부고지) 법 제15조에 따른 제2차 납세의무자에 대한 납부통지서에는 다음 각 호의 사항을 적어야 한다.
1. 납세자의 성명과 주소 또는 영업소 2. 체납액의 과세연도·세목·세액·산출근거 및 납부기한 3. 제2호의 체납액 중 「지방세기본법」 제45조부터 제48조까지에 따른 제2차 납세의무자로부터 징수할 금액, 그 산출근거·납부기한과 납부장소 4. 제2차 납세의무자에게 적용한 규정

제2차 납세의무는 주된 납세자가 납세의무를 이행할 수 없는 경우에 주된 납세자에 갈음하여 납세의무를 지는 자를 말한다. 따라서 제2차 납세의무자는 주된 납세자가 이행하지 못한 납세의무의 부족분에 대하여만 납세의무를 지는 것으로 보충적 납세의무의 한 형태이다.

제2차 납세의무자에 대한 납부고지는 형식적으로는 독립된 과세처분이지만 실질적으로는 과세처분 등에 의하여 확정된 주된 납세의무자의 징수절차상의 처분으로서의 성격을 가지는 것이므로, 제2차 납세의무자에 대해 납부고지를 하려면 선행요건으로서 주된 납세의무자에 대한 과세처분 등을 하여 그의 구체적인 납세의무를 확정하는 절차를 마쳐야 할 것이고, 주된 납세의무자에 대한 과세처분 등의 절차를 거치지 않고 제2차 납세의무자에 대하여 행한 납부고지는 위법하다고 할 것이다(대법원 87누375, 1988.6.14. 참조).

즉, 제2차 납세의무자에 대한 납부고지는 주된 납세의무자에 대한 부과처분과는 독립된 것으로서, 제2차 납세의무가 성립하기 위해서는 주된 납세의무에 체납처분을 집행하여 부족액이 생기는 것을 요하지 아니하고 체납처분을 하면 객관적으로 징수부족액이 생길 것으로 인정되면 성립되는 것이며(대법원 2003두10718, 2004.5.14.), 그 납세의무의 성립시기는 주된 납세의무자 체납 등 그 요건이 해당하는 사실이 발생하여야 하므로, 적어도 주된 납세의무의 납부기한이 경과된 이후라 할 것이다(대법원 2010두13234, 2012.5.9. 참조).

지방세법상 제2차 납세의무는 청산인 등, 출자자, 법인, 사업양수인 등 네 가지 경우에 대하여 규정하고 있으며 각각의 내용과 한도는 다음과 같다.

유형	주된 납세자	제2차 납세의무자	한도(범위)
청산인 등	해산한 법인	청산인	분배・인도한 재산가액
		잔여재산을 받은 자	분배・인도 받은 재산가액
출자자	법인(유가증권상장법인 제외)	무한책임사원 또는 과점주주	무한책임사원 : 없음 과점주주 : 지분율
법인	무한책임사원 또는 과점주주	법인	출자자의 지분율
사업양수인	사업양도인	사업양수인	양수한 재산가액

제2차 납세의무자 중 1인의 압류에 따른 시효중단의 효력이 주된 납세의무자 및 다른 제2차 납세의무자의 시효중단 효력에 미치지 않음

대법원은 제2차 납세의무의 성격에 대해 "주된 납세의무자에 대하여 부과된 조세의 최종 납부시한으로부터 5년이 지난날에 그 징수권이 소멸시효의 완성으로 소멸한 이상 제2차 납세의무자에 대한 징수권도 소멸하며, 따라서 징수권이 소멸한 후에 제2차 납세의무자가 납부한 세금은 과세권자가 법률상 원인 없이 이득을 얻은 것이어서 부당이득이 된다."라고 판시하였는바, 주된 납세자에 대한 납세의무의 시효중단의 효력은 제2차 납세의무에 미친다고 할 것이나, 제2차 납세의무자에 대한 시효중단의 효력은 주된 납세자의 납세의무에 대하여 그 효력이 미치지 아니함(행안부 지방세특례제도과-2076, 2019.5.29.).

◎ 제2차 납세의무 성립시기는 적어도 '주된 납세의무의 납부기한'이 경과한 이후임

조세법령이 개정되면서 그 부칙에서 개정조문과 관련하여 별도의 경과규정을 두지 아니한 경우에는 '납세의무가 성립한 당시'에 시행되던 법령을 적용하여야 하는 것이고, 한편 제2차 납세의무가 성립하기 위하여는 주된 납세의무자의 체납 등 그 요건에 해당되는 사실이 발생하여야 하는 것이므로, 그 성립시기는 적어도 '주된 납세의무의 납부기한'이 경과한 이후임(대법원 2003두13083, 2005.4.15.).

◎ 제2차 납세의무자 지정처분만으로는 항고소송의 대상이 되는 행정처분이 아님

제2차 납세의무는 주된 납세의무자의 체납 등 그 요건에 해당하는 사실의 발생에 의하여 추상적으로 성립하고 납부통지에 의하여 고지됨으로써 구체적으로 확정되는 것이고, 제2차 납세의무자 지정처분만으로는 아직 납세의무가 확정되는 것이 아니므로 그 지정처분은 항고소송의 대상이 되는 행정처분이라고 할 수 없음(대법원 95누6632, 1995.9.15.).

◎ 체납처분을 하지 않더라도 국세 등에 충당하기에 부족함이 인정되면 납부고지 가능

제2차 납세의무자의 납세의무가 주된 납세자의 납세의무와의 관계에서 이른바 부종성과 보충성을 가지므로 제2차 납세의무자에 대하여 납세고지를 하려면 먼저 본래의 납세의무자에 대하여 납세의 고지를 함으로써 납세의무가 구체적으로 확정되어야 하나 본래의 납세의무자 재산에 대하여 먼저 체납처분을 하여야 하거나 체납처분 결과 징수할 국세, 가산금과 체납처분비에 충당하고도 부족한 금액에 관하여만 제2차 납세의무자에 대하여 납부고지를 할 수 있는 것은 아니고 본래의 납세의무자의 재산에 대하여 체납처분을 하더라도 징수할 국세, 가산금과 체납처분비에 충당하기에 부족할 것이라는 점이 인정되기만 하면 제2차 납세의무자에게 납부고지 할 수 있음(대법원 87누415, 1989.7.11.).

| 제2차납세의무자 관련 개념 정리(예규 징법 15-1~15-5) |

제2차 납세의무자 상호간의 관계	제2차 납세의무자가 2인 이상인 경우에 상호간의 관계는 다음과 같다. 1. 제2차 납세의무자 1인에 대하여 발생한 이행(납부, 충당 등) 이외의 사유는 다른 제2차 납세의무자의 제2차 납세의무에는 영향을 미치지 아니한다. 따라서, 징수유예 등의 처분을 제2차 납세의무자 1인에 대하여 한 경우 다른 제2차 납세의무자에게는 징수유예 등의 효력은 미치지 아니한다. 2. 제2차 납세의무자 1인이 그의 제2차 납세의무를 이행한 경우에는 그 이행에 의하여 제2차 납세의무가 소멸된 세액이 다른 제2차 납세의무자의 제2차 납세의무의 범위에 포함되어 있으면 그 범위 내 제2차 납세의무도 소멸한다. 이 경우 "범위에 포함되어 있는지"에 관하여는 분배 등을 한 재산의 가액을 기준으로 하여 판정한다.
정리채권이 면책된 경우	주된 납세자가 「채무자 회생 및 파산에 관한 법률」 제251조(회생채권 등의 면책 등)의 규정에 의하여 지방세의 납세의무에 대하여 면책된 경우에 있어서도 제2차 납세의무에 관한 지방세의 납세의무에는 영향을 미치지 아니한다.
시효의 중단	주된 납세자의 납세의무의 시효중단의 효력은 제2차 납세의무에 미치며, 제2차 납세의무자에 대한 납부최고·압류처분 등으로 인한 시효중단의 효력도 주된 납세자의 납세의무에 대하여 그 효력이 미친다.
제2차 납세의무자로부터 징수할 금액	「지방세기본법」 제45조의 「납부통지서」에 기재하는 「제2차 납세의무자로부터 징수하고자 하는 금액」이라 함은 다음의 금액을 말하되, 주된 납세자에 대한 체납처분을 종결하기 전이라도 징수할 금액에 부족하다고 인정되는 범위 내에서 납부통지를 할 수 있다. 1. 출자자의 제2차 납세의무(「지방세기본법」 제46조)에 있어서는 법인에 대하여 체납처분을 집행하여도 징수할 금액에 부족한 체납액 중 출자지분율에 해당하는 금액 2. 재산 등의 가액을 한도로 하는 제2차 납세의무(법 제45조, 제47조, 제48조)에 있어서는 주된 납세자에 대하여 체납처분을 집행하여도 징수할 금액에 부족한 체납액의 범위 안에서 그 재산 등의 가액을 한도로 하는 금액
체납처분비와의 관계	「지방세기본법」 제45조의 「제2차 납세의무자로부터 징수할 금액」을 징수하기 위하여 필요한 체납처분비는 그 「징수할 금액」 외로 징수할 수 있다.

제16조(양도담보권자로부터의 징수절차)

법 제16조(양도담보권자로부터의 징수절차) ① 지방자치단체의 장은 「지방세기본법」 제75조에 따라 양도담보권자로부터 납세자의 지방자치단체의 징수금을 징수할 때에는 제15조를 준용하여 미리 납부의 고지를 하여야 한다.

② 양도담보권자로부터 납세자의 지방자치단체의 징수금을 징수하는 경우는 제22조를 준용한다.

③ 제1항에 따른 고지를 하거나 양도담보재산을 압류한 후 그 재산의 양도에 따라 담보된 채권이 채무불이행이나 그 밖의 변제 외의 이유로 소멸된 경우(양도담보재산의 환매, 재매매의 예약, 그 밖에 이와 유사한 계약을 체결한 경우에 기한의 경과 등 그 계약의 이행 외의 이유로 계약의 효력이 상실되었을 때를 포함한다)에도 양도담보재산으로 존속하는 것으로 본다.

영 제23조(양도담보권자에 대한 고지 등) 법 제16조 제1항에 따른 양도담보권자에 대한 납부의 고지는 다음 각 호의 사항을 적은 문서로 하여야 한다.

1. 납세자 및 양도담보권자의 성명과 주소 또는 영업소
2. 체납액의 과세연도 · 세목 · 세액 및 납부기한
3. 제2호의 세액 중 양도담보권자로부터 징수하여야 할 납세자의 지방자치단체의 징수금의 세액 및 그 산출근거 · 납부기한과 납부장소
4. 납세자 및 양도담보권자에게 적용한 규정

본래의 납세의무자가 지방세를 체납한 경우에 그 체납자에게 양도담보로 제공한 재산이 있는 경우에는 그 양도담보재산으로써 지방자치단체 징수금을 징수할 수 있다.

이는 ① 납세자(양도담보 설정자 · 채무자)가 지방세 등을 체납하고 있고, ② 채무의 담보로 제공한 양도담보재산이 있으며, ③ 그 양도담보재산 이외의 납세자의 다른 재산에 대하여 체납처분을 집행하여도 징수할 금액에 미치지 못하는 경우에, ④ 그 체납 지방세의 법정기일 후에 설정된 양도담보재산으로부터 그 부족액을 징수하는 제도이다.

여기서 양도담보재산이라고 함은 당사자 간의 계약에 의하여 납세자가 그 재산을 양도하였을 때에 실질적으로 양도인에 대한 채권담보의 목적이 된 재산을 말한다(국기법 제42조 ②). 양도담보권자가 물적 납세의무의 납부고지를 받을 당시 이미 양도담보권을 실행하여 담보권이 소멸되었다면 물적 납세의무는 없다.

양도담보권자로부터 지방세 등을 징수할 때에는 제2차 납세의무자에 대한 납부통지(제45조)에 준하여 미리 납세의 고지를 하여야 한다.

◎ 양도담보권자가 고지를 받기 전 양도담보권이 실행된 경우 물적 납세의무가 없음

세무서장이 「국세기본법」 제42조에 따른 물적 납세의무의 대상이 되는 양도담보재산에 해당

되는 양도담보채권의 채무자에게 채권압류를 통지한 경우라도 그 양도담보권자가 「국세징수법」 제13조에 따른 납부의 고지를 받기 전에 양도담보권을 실행하여 이미 그 양도담보권이 소멸된 경우에는 더 이상 「국세기본법」 제42조에 따른 물적 납세의무를 부담하지 않는 것임(국세청 재조세-478, 2011.4.20.).

- **법정기일 전에 담보의 목적이 된 양도담보재산에 대해 물적 납세의무를 지울 수 없음**
  체납자에게 양도담보재산이 있는 때에는 그 납세자의 다른 재산에 대하여 체납처분을 집행하여도 징수할 금액에 부족한 경우에 한하여 그 양도담보재산으로써 납세자의 국세·가산금과 체납처분비를 징수할 수 있으며, 다만, 국세의 법정기일 전에 담보의 목적이 된 양도담보재산에 대하여는 그러하지 아니함. … 압류된 기계장치는 압류에 관계된 국세인 부가가치세의 법정기일 전에 담보의 목적이 된 양도담보재산이므로 세무서장은 양도담보권자인 농협이나 대위변제자로서 채권자로부터 양도담보물을 교부받아 양도담보에 관한 권리를 행사하는 기술신용보증기금에 대하여 양도담보권자의 물적 납세의무를 지울 수 없으며 나아가 양도담보재산을 압류할 수 없음(국심 2006중3299, 2006.12.26.).

- 양도담보권자로부터 납세자의 국세·가산금 또는 체납처분비를 징수하고자 할 때에는 양도담보권자에게 납부의 고지를 하여야 하는 것임(국세청 징세과-830, 2010.8.30.).

- **양도담보권자의 물적납세의무(채권 확보에 따른 배분업무 등 처리요령)[5]**
  (전제 ①) 지방자치단체의 징수금의 법정기일 전에 담보의 대상이 된 양도담보재산에 대하여는 지방자치단체의 징수금을 징수할 수 없고, "양도담보재산"이란 당사자 간의 양도담보설정계약에 따라 납세자가 그 재산을 양도한 때에 실질적으로 양도인에 대한 채권담보의 대상이 된 재산을 말한다.
  (전제 ②) 납세자가 지방자치단체의 징수금을 체납한 경우에 그 납세자에게 양도담보재산이 있을 때에는 그 납세자의 다른 재산에 대하여 체납처분을 집행하고도 징수할 금액이 부족한 경우에만 그 양도담보재산으로써 납세자의 지방자치단체의 징수금을 징수할 수 있다.
  (제2차납세의무자 고지방법 준용) 지방세의 징수금을 양도담보권자로부터 징수하려면 양도담보권자로부터 징수할 금액 및 그 산출근거 등을 기록한 납부통지서(지방세기본법 시행규칙 제49조)로 고지(납세고지서 첨부)하여야 하고, 이 경우 납세자에게 그 사실을 알려야 한다. 양도담보권자가 고지된 납부통지서의 납부기한까지 납부의무를 이행하지 아니하면 납부최고서의 발급을 생략하고 즉시 압류할 수 있다.
  (특칙) 양도담보권자에게 고지를 하거나 양도담보재산을 압류한 후 그 재산의 양도에 따라 담보된 채권이 채무불이행이나 그 밖의 변제 외의 이유로 소멸된 경우에도 양도담보재산으

5) 지방세채권 확보에 따른 배분업무 등 처리요령(지방세특례제도과-1512, 2014.8.27.)

로 존속하는 것으로 본다.

(양도담보와 관련된 개별세법의 규정) 채무의 변제를 담보하기 위하여 양도담보계약을 체결한 경우에는 형식적인 소유권이전에 불과하므로 양도로 보지 아니한다. 그러나 해당 자산이 채무의 변제에 충당된 경우에는 그 충당된 때에 양도한 것으로 본다(소득세법 시행령 제151조 ①). 담보제공(질권, 저당권 또는 양도담보의 목적으로 동산, 부동산 및 부동산상의 권리를 제공하는 것을 말함)은 채권담보의 목적에 불과하므로 재화의 공급으로 보지 아니한다(부가가치세법 제10조 ⑧ 및 시행령 제22조).

제17조(도세 등에 대한 징수의 위임)

법 제17조(도세 등에 대한 징수의 위임) ① 시장·군수·구청장은 그 시·군·구 내의 특별시세·광역시세·도세(이하 "시·도세"라 한다)를 징수하여 특별시·광역시·도(이하 "시·도"라 한다)에 납입할 의무를 진다. 다만, 특별시장·광역시장·도지사(이하 "시·도지사"라 한다)는 필요한 경우 납세자에게 직접 납세고지서를 발급할 수 있다.

② 제1항의 시·도세 징수의 비용은 시·군·구가 부담하고, 시·도지사는 대통령령으로 정하는 교부율과 교부기준에 따른 시·도의 조례로 정하는 바에 따라 그 처리비용으로 시·군·구에 징수교부금을 교부하여야 한다. 다만, 해당 지방세와 함께 징수하는 시·도세와 「지방세기본법」 제9조에 따른 특별시분 재산세를 해당 지방세의 고지서에 병기하여 징수하는 경우에는 징수교부금을 교부하지 아니한다.

영 제24조(특별시세·광역시세·도세 징수의 위임 등) ① 시장·군수·구청장(자치구의 구청장을 말한다. 이하 같다)이 법 제17조 제1항 본문에 따라 징수하는 그 시·군·구(자치구를 말한다. 이하 같다) 내의 특별시세·광역시세·도세에 대하여 체납처분을 하는 경우에 드는 비용은 시·군·구의 부담으로 하고, 체납처분 후에 징수되는 체납처분비는 시·군·구의 수입으로 한다.

② 법 제17조 제2항에 따른 교부율(시·군·구에서 징수하여 특별시·광역시·도에 납입한 징수금액에 대한 각 시·군·구별 분배 금액의 합계액의 비율을 말한다)은 100분의 3으로 한다.

③ 법 제17조 제2항에 따른 시·군·구별 교부기준(징수교부금으로 확정된 특별시세·광역시세·도세 징수금의 일정부분을 각 시·군·구에 분배하는 기준을 말한다)은 각 시·군·구에서 징수한 특별시세·광역시세·도세 징수금액의 100분의 3으로 한다. 다만, 지역실정을 고려하여 필요할 경우에는 특별시·광역시·도의 조례로 징수금액 외에 징수건수를 반영하는 등 교부기준을 달리 정할 수 있으며, 징수건수를 반영할 경우에는 레저세의 징수건수는 포함하지 아니한다.

④ 시장·군수·구청장이 징수한 특별시세·광역시세·도세는 납입서를 첨부하여 다음 각 호의 구분에 따라 지정된 기한 내에 특별시·광역시·도의 금고에 납입하거나 지정된 은행 또는 체신관서를 통하여 특별시·광역시·도의 금고에 납입하여야 한다.

1. 특별시·광역시·도의 금고, 지정된 은행 또는 체신관서 소재지에 있는 시·군·구는 수납한

날의 다음 날까지
2. 특별시·광역시·도의 금고, 지정된 은행 또는 체신관서 소재지 외에 있는 시·군·구는 수납한 날부터 5일 이내

규칙 제11조(징수한 지방세의 납부) ① 영 제24조 제4항에 따라 시장·군수·구청장(자치구의 구청장을 말한다. 이하 같다)이 징수한 특별시세·광역시세·도세를 특별시·광역시·도의 금고에 납입할 경우에는 별지 제12호 서식의 납입서에 따른다.
② 시장·군수·구청장이 징수한 시·군·구(자치구를 말한다. 이하 같다)세를 시·군·구의 금고에 납입할 경우에는 제1항을 준용한다.

도세를 시장·군수에게 위임하여 징수하도록 하고 그 처리비용으로 징수금액의 3%의 징수교부금을 교부하도록 하고 있다. 징수교부금의 교부기준으로 징수건수를 고려할 수 있도록 하고 있다.

◎ **구가 취득세를 신고납부받은 경우 취득세 귀속주체는 서울시(부당이득금 반환청구 대상)**

구(區)가 특별시세인 취득세 등을 신고납부받은 경우, 취득세 등의 신고행위가 중대하고 명백한 하자가 있는 것으로서 무효라고 하더라도 위 취득세 등의 귀속주체는 특별시이므로 구를 상대로 부당이득의 반환청구를 할 수 없음(대법원 2005다12544, 2005.5.13.).

◎ **구(區)가 특별시세인 취득세를 신고 납부받아 특별시에 납입할 경우의 귀속주체는 특별시, 농특세를 취득세에 부가하여 신고 납부받아 국고에 납입할 경우의 귀속주체는 국가**

구 지방세법(1997.8.30. 이전) 제6조 제1항 제1호 (가)목, 제53조, 구 지방세법 시행령(1997.10.1. 이전) 제41조 제1항을 종합하여 볼 때, 구(區)가 특별시세인 취득세를 신고 납부받아 특별시에 납입하는 것은 특별시 사무의 처리에 불과하여 구가 취득세를 신고 납부받는다고 하더라도 이로 인한 취득세의 귀속주체는 특별시라 할 것이고, 국세기본법, 농어촌특별세법 및 시행령 관련 규정을 종합하여 보면, 구가 국세인 농어촌특별세를 지방세인 취득세에 부가하여 신고 납부받아 국고에 납입하는 것은 국가 사무의 처리에 불과하여 구가 농어촌특별세를 신고 납부받는다고 하더라도 이로 인한 농어촌특별세의 귀속주체는 국가라 할 것임(대법원 99두2765, 2000.9.8.).

☞ 납세의무부존재확인의 소는 공법상의 법률관계 그 자체를 다투는 소송으로서 당사자소송이라 할 것이므로 행정소송법 제3조 제2호, 제39조에 의하여 그 법률관계의 한쪽 당사자인 국가·공공단체 그 밖의 권리주체가 피고적격을 가짐(대법원 99두2765, 2000.9.8.). 취득세와 농특세에 대한 당사자소송의 주체는 특별시와 국가임.

◎ **(지침) 징수교부금 지급기준에 징수건수 반영 근거 마련(2010.7.9.)**

징수교부금은 시도세 징수에 대한 보상성격임에도 시도세 징수금의 3%를 일률적으로 지급

함에 따라 시군구간 세수불균형이 심화되어 지역갈등이 조장될 여지가 있어, 징수교부금의 교부기준을 징수금액 및 징수건수 등을 감안하여 지역실정에 맞게 시도 조례로 정할 수 있도록 개선, 시행일 이후부터는 현행 3%의 징수교부금 교부기준을 징수금액 외에 징수건수를 반영하여 시도실정에 따라 조례로 규정하여 달리 운영 가능

제18조(징수촉탁)

법 제18조(징수촉탁) ① 「지방세기본법」, 이 법이나 지방세관계법에 따라 지방자치단체의 징수금을 납부할 자의 주소 또는 재산이 다른 지방자치단체에 있을 때에는 세무공무원은 그 주소지 또는 재산 소재지의 세무공무원에게 그 징수를 촉탁할 수 있다.

② 제1항에 따라 징수를 촉탁받은 세무공무원이 속하는 지방자치단체는 촉탁받은 사무의 비용과 송금비용 및 체납처분비를 부담하고, 징수한 지방자치단체의 징수금에서 다음 각 호의 금액을 뺀 나머지 금액을 촉탁한 세무공무원이 속하는 지방자치단체에 송금하여야 한다.

1. 지방자치단체의 징수금에서 체납처분비를 뺀 금액에 대통령령으로 정하는 비율을 곱하여 산정한 금액 2. 체납처분비

③ 지방자치단체는 상호 간에 지방세의 징수촉탁에 관한 협약을 체결할 수 있다. 이 경우 징수촉탁에 관한 협약에는 징수촉탁사무의 내용과 범위, 촉탁사무의 관리 및 처리비용, 경비의 부담 등에 관한 사항이 포함되어야 한다.

영 제25조(징수촉탁의 절차 등) ① 법 제18조에 따라 징수촉탁을 하려는 세무공무원은 다음 각 호의 사항을 적은 문서로 하여야 한다.

1. 납세자의 변경 전과 변경 후의 주소 또는 영업소 2. 징수촉탁을 하는 지방세의 과세연도·세목·과세대상·과세표준·세율·납부기한 및 그 금액 3. 독촉장 또는 납부최고서를 발급한 사실이 있는지와 그 발급 연월일 4. 그 밖의 참고사항

② 제1항에 따라 징수촉탁을 받은 세무공무원은 징수촉탁을 한 세무공무원에게 지체 없이 인수서를 발송하여야 한다.

③ 제1항 및 제2항에 따라 징수촉탁을 한 경우에 그 징수가 지연되거나 그 밖에 특별한 사유가 있을 때에는 징수촉탁을 한 세무공무원은 징수촉탁을 받은 세무공무원과 협의하여 직접 징수촉탁을 받은 지방자치단체의 구역에서 해당 체납자에 대하여 체납처분을 할 수 있다.

④ 법 제18조 제2항 제1호에서 "대통령령으로 정하는 비율"이란 100분의 30을 말한다.

규칙 제12조(징수촉탁 등) ① 법 제18조 및 영 제25조 제1항에 따른 징수촉탁은 별지 제13호 서식의 징수촉탁서에 따른다.

② 영 제25조 제2항에 따라 징수촉탁서를 받은 세무공무원이 발송하여야 하는 인수서는 별지 제14호 서식의 징수촉탁 인수서에 따른다. 다만, 지방자치단체의 징수금을 납부할 자가 그 관할구역에 거주하지 아니하거나 압류할 재산이 없어 그 인수가 불가할 때에는 그 사실을 별지 제15호 서식의 징수촉탁 인수 불가 통지서에 따라 징수촉탁을 한 세무공무원에게 통지하여야 한다.

> ③ 세무공무원은 제2항 본문에 따른 인수서를 발송한 때에는 지방자치단체의 징수금을 납부할 자에게 납부기한을 지정하여 별지 제16호 서식의 징수촉탁 인수 통지서를 발부하여야 한다.

지방자치단체의 징수금을 다른 지방자치단체의 세무공무원에게 징수촉탁할 수 있도록 하는 근거규정이다.

종전에는 구 지방세기본법 제68조 제3항의 자동차세에 한해서 징수촉탁 협약을 체결할 수 있도록 하고 있었으나, 2011.1.1.부터는 모든 지방세에 대하여 징수촉탁협약을 체결할 수 있도록 개정하였다. 자치단체간에 징수촉탁에 관하여 협약을 체결하는 것이 반드시 별도의 법률상 근거를 필요로 하는 것은 아니라고 볼 수도 있으나, 징수촉탁의 협약에 의해 자동차 번호판 영치 등 국민의 재산권 침해의 소지가 발생할 수 있는 권력적 행정행위가 수반될 수 있는 만큼, 지방세에 대한 징수촉탁 협약 체결의 법적 근거를 별도로 명확하게 규정함으로써, 법 해석상의 혼란을 방지하는 한편, 징수촉탁제도의 실효성 제고 및 제도 운영의 활성화를 도모하도록 한 것이다.

◎ (지침) 징수촉탁에 의하여 번호판영치시 지역적 범위(지방세운영과-2227, 2010.5.27.)

수탁자치단체가 위탁자치단체의 체납된 자동차세를 징수를 촉탁받아 징수함에 있어 수탁자치단체의 관할지역을 벗어나서 자동차 번호판을 영치하는 것도 징수교부금 교부하는 자동차세 징수촉탁에 해당되는지 여부 ⇒ 수탁자치단체의 지역적 범위를 넘어서 번호판을 영치하는 경우에는 징수촉탁에 해당되지 아니함.

☞ 원칙적으로 징수촉탁이라 하면 「지방세법」 제56조 제1항에서 특정 자치단체의 징수금을 납부할 자의 주소 또는 재산이 다른 자치단체에 있는 경우에 한하여 그 자치단체에 징수를 촉탁하여 위탁기관의 징수금에 징수할 수 있는 제도라는 입법취지를 고려할 때, 동조 제1항의 규정에 의한 징수촉탁의 개념은 동조 제3항에서 규정하는 "자동차세의 징수촉탁"의 경우에도 동일하게 적용되는 것이라 할 것이므로 「지방세법」 제56조 제3항 및 자치단체간 협약에 의하여 위탁자치단체가 수탁자치단체에 징수촉탁하여 위탁자치단체의 징수금을 징수함에 있어 수탁자치단체가 자동차 번호판을 영치할 수 있는 지역적 범위는 수탁자치단체 관할지역 내에 한정되는 것으로 보아야 할 것이므로, 수탁자치단체의 지역적 범위를 넘어서 번호판을 영치하는 경우에는 「지방세법」 제56조 제3항에서 규정하는 자동차세 징수촉탁에 해당되지 않는 것으로 사료됨.

◎ 자동차세 징수촉탁제도 개요[6](지방세운영과-5661, 2010.12.1. 참조)

- 자동차세 5회 이상 체납 자동차를 대상으로 하여 위탁단체가 자동차소재 자치단체에 징수촉탁함으로써 수탁단체가 위탁자치단체의 체납자동차세를 징수하여 주면 위탁단체가 징

6) 「자동차세징수촉탁」 표준매뉴얼내용을 정리한 것임.

수촉탁수수료 30%를 수탁단체에 교부하는 제도임. 자동차세 징수촉탁은 지방세법 제56조 및 광역자치단체간에 체결한 협약서 및 「업무처리표준매뉴얼」에 근거하여 2009.11.1.~2010.10.31. 1년간 시범실시하다가 3년(2010.11.1.~2013.12.31.)간 연장 실시중

- **교부청구가능한 "이해관계인"의 범위** : 자동차등록원부에는 자동차 소유자, 압류권자 및 각종 권리설정자 등이 등재되는 바, 당해 자동차를 공매시 소유자, 압류권자 및 각종 권리설정자 등은 모두 압류우선순위 등에 따라 공매매각대금에 대한 배당받을 권리가 있으므로, 위탁 기관은 물론, 등록원부상 저당권설정자 등 이해관계인도 교부청구대상자로 봄이 타당
- **교부청구가능 세목** : 「자동차세 징수촉탁」과 관련, 체납된 자동차세 외에도 그 자동차관련 취득세 등 징수금도 압류의 효력이 미쳐 매각대금을 배당받을 수 있어 당해 자동차관련 체납된 세목은 모두 교부청구 가능

◎ 징수촉탁 공매차량에 대한 매각대금배분시 근저당권자 등이 미수령한 배분금이 수탁기관세입인지, 위탁기관세입인지 여부 ⇒ 수탁기관이 위탁기관의 매각・배분절차 대행에 불과, 미수령배분금은 "위탁기관세입"이 타당(지방세운영과-5513, 2010.11.23.)

◎ 체납액 납부시 압류해제권한도 징수촉탁 대상인지 ⇒ 자동차세징수촉탁은 체납된 지방세 "징수"만을 촉탁하는 것이고, 체납액 납부시 압류해제는 등록부서에서 하는 것이므로 압류해제권한은 징수촉탁대상이 아님(지방세운영과-2864, 2010.7.6.).

◎ 수탁기관이 관할지역을 넘어 번호판영치 가능여부 ⇒ 위탁자치단체의 징수금을 체납하면서 그 체납자의 주소나 재산이 다른 자치단체에 있을 경우 그 단체에 징수촉탁하여 징수하는 것이므로 수탁기관은 관할지역내 소재자동차만 번호판영치가 가능(지방세운영과-2227, 2010.5.27.)

제19조(지방자치단체의 징수금에 대한 납부의무 면제)

> **법** 제19조(지방자치단체의 징수금에 대한 납부의무 면제) ① 시・군・구세 또는 특별시세・광역시세・특별자치시세・도세・특별자치도세의 특별징수의무자는 받았던 지방자치단체의 징수금을 불가피한 사고로 잃어버렸을 때에는 그 사실을 증명하여 시・군・구세는 시장・군수・구청장에게, 특별시세・광역시세・특별자치시세・도세・특별자치도세는 특별시장・광역시장・특별자치시장・도지사・특별자치도지사에게 지방자치단체의 징수금 납부의무의 면제를 신청할 수 있다.

② 지방자치단체의 장은 제1항의 신청을 받은 날부터 30일 이내에 면제 여부를 결정하여야 한다.
③ 제2항의 결정에 불복하는 자는 결정의 통지를 받은 날부터 14일 이내에 특별시세·광역시세·특별자치시세·도세·특별자치도세의 경우에는 행정안전부장관에게, 시·군·구세의 경우에는 시·도지사에게 심사를 청구할 수 있다. 〈개정 2017.7.26.〉
④ 행정안전부장관 또는 시·도지사는 제3항의 심사청구를 받은 날부터 30일 이내에 결정을 하여야 한다. 〈개정 2017.7.26.〉

영 제26조(불가피한 사고) 법 제19조 제1항에 따른 불가피한 사고는 선량한 관리자의 주의를 다하고도 예방할 수 없는 사고로 한다.

특별징수의무자가 불가피한 사고로 인하여 지방자치단체의 징수금을 잃어버렸을 때에는 그 사실을 증명하여 징수금 납부의무의 면제를 신청할 수 있다.

제20조(제3자의 납부)

법 제20조(제3자의 납부) ① 지방자치단체의 징수금은 납세자를 위하여 제3자가 납부할 수 있다.
② 제1항에 따른 제3자의 납부는 납세자의 명의로 납부하는 것으로 한정한다.
③ 제1항에 따라 납세자를 위하여 지방자치단체의 징수금을 납부한 제3자는 지방자치단체에 대하여 그 반환을 청구할 수 없다.

지방자치단체의 징수금은 제3자가 납부할 수 있다. 그런데, 체납자의 조세채무임을 알면서 체납자 명의로 그 세금을 납부한 경우에는 체납자의 조세채무 이행으로서 원칙적으로 유효하고, 이 경우 조세채무는 소멸하므로 세금을 납부한 제3자와 처분청 사이에 부당이득의 문제는 생기지 아니하고, 다만 제3자와 체납자 사이에서 사무관리 또는 부당이득의 문제만 발생할 뿐이다(대법원 98다27579, 1998.10.9.).

무효에 해당하는 체납처분압류에 기인한 제3자 납부라도 부당이득금반환 대상이 아님

원고가 납세자인 ○○○의 명의로 피고에게 체납액을 납부한 것은 조세채무의 이행으로서 유효하고, 이로 인하여 피고의 ○○○에 대한 조세채권은 소멸하였음. 따라서 이 사건 압류가 무효라고 하더라도 피고가 체납액을 납부받은 것에 법률상 원인이 없다고 할 수 없고, 지방세기본법 제70조 ③, 구 지방세법 시행령 제47조 ②에 따라 원고는 피고에 대하여 부당이득반환을 청구할 수 없음(대법원 2014다36221, 2015.11.12.).

◎ **지법원 판결에 따라 자동차 소유권을 양수자 명의로 강제 이전하면서 양수자가 납부할 취득세를 양도자가 납부한 경우에도 취득세 환급은 불가함**

「자동차관리법」 제12조 제4항에 따라 자동차의 양도자가 양수자 명의로 이전등록을 하기 위해 양수자가 납부해야 할 취득세를 대신 납부한 경우라면 해당 취득세는 환급할 수 없음(지방세운영과-844, 2014.3.10.).

◎ 지방세기본법 제70조에 따라 제3자가 해당 납세자의 징수금을 납세자 명의로 납부할 수 있으며, 지방세를 대납한 제3자는 반환청구를 할 수 없음(지방세분석과-1162, 2013.6.5.).

◎ **체납세액을 제3자가 납부한 경우 유효한 납부가 되고, 환급청구권은 존재하지 아니함**

제3자의 납부는 납세의무자의 명의로 납부하는 것에 한하며, 납세의무자를 대신하여 납부한 제3자는 지방자치단체에 대하여 구상권을 행사할 수 없다라고 규정하고 있으므로, 납세의무자 명의로 고지된 체납세액을 제3자가 납부한 경우에는 지방세법 제60조 및 같은법 시행령 제47조 제1항 및 제2항에 의하여 정당하고 유효한 납부가 되므로 그 납부금에 대한 환급청구권은 존재하지 아니함(세정-1427, 2005.6.30.).

제21조(지방세에 관한 상계금지)

> 법 제21조(지방세에 관한 상계금지) 지방자치단체의 징수금과 지방자치단체에 대한 채권으로서 금전의 급부(給付)를 목적으로 하는 것은 법률에 따로 규정이 있는 것을 제외하고는 상계(相計)할 수 없다. 환급금에 관한 채권과 지방자치단체에 대한 채무로서 금전의 급부를 목적으로 하는 것에 대해서도 또한 같다.

지방자치단체의 징수금과 지방자치단체에 대한 채권은 법률에 특별한 규정이 따로 있는 경우를 제외하고는 서로 상계를 할 수 없다.

◎ **상계의 금지 : 채권이 압류된 경우 제3채무자가 가지는 반대채권과 피압류채권과의 상계적상에 관하여는 다음에 유의한다**(예규 징법 21-1).

1. 제3채무자는 수동채권이 압류된 후에 취득한 채권을 자동채권으로 하여 상계할 수 없다(민법 제498조 참조). 2. 제3채무자가 압류 전에 자동채권을 취득한 경우에도 압류시에 상계상에 있지 아니하면 상계로써 지방자치단체에 대항하지 못한다. 3. 제3채무자가 가지는 자동채권은 수동채권의 압류 전에 변제기가 도래하였으나 수동채권은 변제기가 도래하지 아니한 경우에도 수동채권에 관하여 제3채무자가 기한의 이익을 포기할 수 있는 때에는 압류 후

에 있어서도 상계할 수 있다(대법원 79다662, 1979.6.12. 참조).

- 지방세법 제63조의 규정에 의거 지방자치단체의 징수금과 지방자치단체의 채권으로서 금전급부를 목적으로 하는 것은 법률에 따른 규정이 있는 것을 제외하고는 상계할 수 없는 것이므로, 수용에 따른 보상금과 환지청산금을 각각 별개로 하여 지방세법 제109조 제1항 및 제3항 제2호의 규정에 의하여 처리하여야 함(세정 13430-245, 2002.3.13.).

제22조(납기 전 징수)

법 제22조(납기 전 징수) ① 지방자치단체의 장은 납세자에게 다음 각 호의 어느 하나에 해당하는 사유가 있을 때에는 납기 전이라도 이미 납세의무가 성립된 지방세를 확정하여 지방자치단체의 징수금을 징수할 수 있다.

1. 국세, 지방세, 그 밖의 공과금에 대하여 체납처분을 받을 때
2. 강제집행을 받을 때
3. 경매가 시작되었을 때
4. 법인이 해산하였을 때
5. 지방자치단체의 징수금을 포탈하려는 행위가 있다고 인정될 때
6. 「어음법」 및 「수표법」에 따른 어음교환소에서 거래정지처분을 받았을 때
7. 납세자가 납세관리인을 정하지 아니하고 국내에 주소 또는 거소를 두지 아니하게 되었을 때
8. 「신탁법」에 따른 신탁을 원인으로 납세의무가 성립된 부동산의 소유권을 이전하기 위하여 등기관서의 장에게 등기를 신청할 때

② 지방자치단체의 장은 제1항에 따라 납기 전에 징수하려면 납부기한을 정하여 그 취지를 납세자에게 고지하여야 한다. 이 경우 이미 납세고지를 하였으면 납부기한의 변경을 문서로 고지하여야 한다.

영 제27조(납기 전에 징수하는 지방세) 법 제22조 제1항에 따라 납기 전이라도 징수할 수 있는 지방자치단체의 징수금은 다음 각 호의 어느 하나에 해당하는 것으로서 지방자치단체의 장이 납부기한까지 기다려서는 해당 지방세를 징수할 수 없다고 인정하는 것으로 한정한다.

1. 신고납부를 하거나 납세의 고지를 하는 지방세
2. 특별징수하는 지방세
3. 납세조합이 징수하는 지방세

제28조(납기 전 징수의 고지) 법 제22조 제2항에 따른 고지를 할 때에는 같은 조 제1항에 따라 납기 전에 징수를 하는 뜻을 제20조에 따른 납세고지서 또는 납부통지서에 적어야 한다. 다만, 이미 납세의 고지를 하였거나 납세의 고지를 요하지 아니하는 경우에는 납부기한을 변경하는 뜻을 적은 문서(전자문서를 포함한다)로 고지하여야 한다.

체납처분, 강제집행, 경매 등 일정한 사유가 있는 경우 지방세 납세의무가 확정된 징수금은 당해 징수금의 납기 전에 징수할 수 있다. 납기 전 징수를 하려면 납부기한을 정하여 그 취지를 납세자에게 고지하여야 한다.

◎ 신고납부기한 경과 후 수시부과하는 때에는 납기 전 징수에 해당하는 사유가 발생되는 경우라면 압류를 할 수 있음

지방세법 제28조 제2항의 규정에 의거 수시부과를 하는 경우에 당해 지방세를 징수할 수 없다고 인정하는 때에는 납세의무자 또는 특별징수의무자에 대하여 납세담보의 제공을 요구할 수 있고, 이 경우에 납세의무자 또는 특별징수의무자가 이에 응하지 아니하는 때에는 납세의무가 확정되리라고 추정되는 금액을 한도로 하여 납세의무자 또는 특별징수의무자의 재산을 압류할 수 있도록 규정하고 있으므로, 취득세 신고납부기한 내라면 수시부과를 할 수 없으므로 압류를 할 수 없으나, 신고납부기한 경과 후 수시부과하는 때에는 납세고지서상의 납기가 경과되지 아니한 때라도 납기 전 징수에 해당하는 사유가 발생되는 경우라면 압류할 수 있음(세정 13407-248, 1999.12.2.).

◎ 납기전 징수 대상자에 대하여도 압류처분이 가능함.

납기전 징수와 보전압류의 대상 "납세자"에는 주된 납세의무자뿐만 아니라 제2차 납세의무자도 포함되므로, 주된 납세의무의 확정절차나 그에 대한 체납처분절차를 거치지 아니하고 더 나아가 제2차 납세의무자지정통지를 하지 아니한 상태라 하더라도 제2차 납세의무자에 대하여 압류처분 할 수 있음(대법원 87다카684, 1989.2.28.).

| 납기전 징수 관련 용어의 정의(예규 징법 22-1~22-5) |

용어	정의
납기전	「기법 2-2」에 게기하는 법정 납부기한의 도래 전을 말한다.
납세의무가 확정	「지방세기본법」 제35조 제1항 및 제2항 각 호에 해당되어 세액이 확정되는 것을 말한다.
지방세, 공과금	「국세」, 「공과금」이라 함은 각각 「국세기본법」 제2조 제1호(국세의 정의) 및 「지방세기본법」 제2조 제1항 제26호(공과금의 정의)에 정한 것을 말한다.
강제집행	「민사집행법」 제2편에 의한 강제집행을 말하는 것이나 가압류 및 가처분은 포함되지 아니한다.
지방세를 포탈하고자 하는 행위	사기, 기타 부정한 방법으로 지방세 등을 면하거나 면하고자 하는 행위, 지방세 등의 환급・공제를 받거나 받고자 하는 행위 또는 지방세 등의 체납처분의 집행을 면하거나 면하고자 하는 행위를 말한다.

제23조(신용카드에 의한 지방세 납부)

법 제23조(신용카드에 의한 지방세 납부) ① 납세의무자는 「지방세기본법」 또는 지방세관계법에 따라 신고하거나 지방자치단체의 장이 결정 또는 경정하여 고지한 지방세 중 대통령령으로 정하는 세목에 대해서는 대통령령으로 정하는 지방세수납대행기관(이하 "지방세수납대행기관"이라 한다)을 통하여 신용카드로 납부할 수 있다.

② 납세의무자는 「지방세기본법」 제35조 제1항 제3호에 따른 지방세를 지방세수납대행기관을 통하여 신용카드로 자동납부할 수 있다. 다만, 납부기한이 지난 것은 그러하지 아니하다.

③ 제1항 및 제2항에 따라 신용카드로 지방세를 납부하는 경우에는 지방세수납대행기관의 승인일을 납부일로 본다. ④ 삭제 〈2018.12.24.〉

⑤ 신용카드에 의한 지방세 납부에 관하여 그 밖에 필요한 사항은 대통령령으로 정한다.

영 제29조(납부 및 수납의 방법) ① 납세자가 지방자치단체의 징수금을 납부할 때에는 지방자치단체의 금고 또는 법 제23조 제1항에 따른 지방세수납대행기관(이하 "지방세수납대행기관"이라 한다)에 현금, 신용카드(법 제23조에 따른 납부로 한정한다) 또는 「증권에 의한 세입납부에 관한 법률」에 따른 증권으로 납부하여야 한다.

② 지방세는 지방자치단체의 금고 또는 지방세수납대행기관에서 수납하여야 하며, 세무공무원은 이를 수납할 수 없다. 다만, 다음 각 호의 어느 하나에 해당하는 경우에는 세무공무원이 지방세를 수납할 수 있다.

1. 지방자치단체의 금고 및 지방세수납대행기관이 없는 도서·오지 등으로서 지방자치단체의 조례로 정하는 지역에서 수납하는 경우
2. 지방자치단체의 조례로 정하는 금액 이하의 소액 지방세를 수납하는 경우

③ 제2항 단서에 따라 세무공무원이 징수한 지방세를 각 지방자치단체의 금고에 납입할 때에는 제24조 제4항을 준용한다.

제30조(신용카드에 의한 지방세 납부) ① 법 제23조 제1항에서 "대통령령으로 정하는 세목"이란 자동차 주행에 대한 자동차세를 제외한 모든 지방세(부가되는 농어촌특별세, 가산세 및 가산금을 포함한다)를 말한다.

② 법 제23조 제1항에서 "대통령령으로 정하는 지방세수납대행기관"이란 「지방회계법 시행령」 제49조 제1항 및 제2항에 따라 지방자치단체 금고업무의 일부를 대행하는 금융회사 등을 말한다.

③ 삭제 〈2018.12.31.〉

납세의무자는 레저세, 담배소비세, 자동차 주행에 대한 자동차세를 제외한 모든 지방세는 지방세수납대행기관을 통하여 신용카드로 납부할 수 있다.

| 최근 개정법령 _ 2019.1.1. | 지방세를 체납한 자의 신용카드에 의한 지방세 납부 제한 규정을 삭제하였다.

◎ 신용카드 승인을 하지 않아 납부를 이행하지 못한 경우 10% 가산세 대상이라는 사례

"B"법인이 "A"카드사에 인터넷 카드납부를 위해 "지방소득세 특별징수분 납입서 및 영수필통지서"를 FAX를 발송하였으나, 지방세수납대행기관인 "A"카드사 지방세 납부 승인이 없었다면 납부하였다고 볼 수 없으므로 특별징수의무자가 지방세법 제173조의 3 제1항의 규정에 의하여 특별징수세액을 징수하였을 경우에는 그 징수일에 속하는 달의 다음달 10일까지 관할 시·군에 납입하여야 함에도 지방세수납대행기관(A카드사)이 신용카드 승인을 하지 아니하여 납부를 이행하지 아니한 결과를 초래하게 된 경우에는 100분의 10에 해당하는 가산세를 부과하여야 할 것임(지방세운영과-2780, 2010.7.1.).

제24조(자동계좌이체에 의한 지방세 납부)

> 법 제24조(자동계좌이체에 의한 지방세 납부) 지방세수납대행기관에 예금계좌가 설치되어 있는 납세의무자는 「지방세기본법」 제35조 제1항 제3호에 따른 지방세를 해당 예금계좌로부터 자동이체하여 납부할 수 있다. 다만, 납부기한이 지난 것은 그러하지 아니하다.

지방세수납대행기관에 예금계좌가 설치되어 있는 납세의무자는 자동이체의 방법으로 지방세를 납부할 수 있도록 하여 납세자의 편의를 도모하고 있다.

제24조의 2(가족관계등록 전산정보자료 요청)

> 법 제24조의 2(가족관계등록 전산정보자료 요청) ① 행정안전부장관 또는 지방자치단체의 장은 다음 각 호의 업무를 처리하기 위하여 필요한 경우 법원행정처장에게 「가족관계의 등록 등에 관한 법률」 제11조 제6항에 따른 등록전산정보자료의 제공을 요청할 수 있다. 이 경우 요청을 받은 법원행정처장은 특별한 사유가 없으면 이에 협조하여야 한다.
> 1. 제8조에 따른 출국금지 요청
> 2. 제36조 제7호에 해당하는 자에 대한 질문·검사
> 3. 제47조에 따른 상속인에 대한 체납처분
> 4. 「금융실명거래 및 비밀보장에 관한 법률」 제4조 제1항 제2호에 따른 재산조회 등을 위하여 필요로 하는 거래정보등의 제공
>
> ② 행정안전부장관은 제1항에 따라 제공받은 등록전산정보자료를 대통령령으로 정하는 바에 따라 지방자치단체의 장에게 제공할 수 있다.

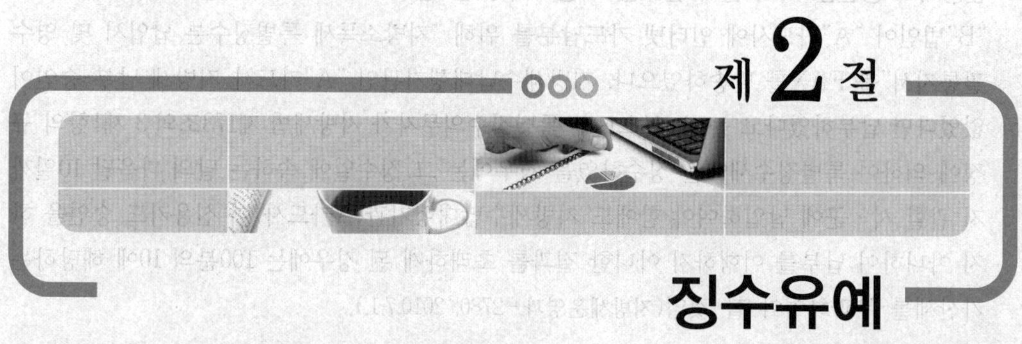

제2절 징수유예

제25조(납기 시작 전의 징수유예)~제25조의 3(징수유예등의 신청 및 통지)

법 제25조(납기 시작 전의 징수유예) 지방자치단체의 장은 납기가 시작되기 전에 납세자가 다음 각 호의 어느 하나에 해당하는 사유로 지방세를 납부할 수 없다고 인정할 때에는 대통령령으로 정하는 바에 따라 납세 고지를 유예(이하 "고지유예"라 한다)하거나 결정한 세액을 분할하여 고지(이하 "분할고지"라 한다)할 것을 결정할 수 있다.

1. 풍수해, 벼락, 화재, 전쟁, 그 밖의 재해 또는 도난으로 재산에 심한 손실을 입은 경우
2. 사업에 현저한 손실을 입은 경우
3. 사업이 중대한 위기에 처한 경우
4. 납세자 또는 동거가족이 질병이나 중상해(重傷害)로 장기치료를 받아야 하는 경우
5. 조세조약에 따라 외국의 권한 있는 당국과 상호합의절차가 진행 중인 경우. 이 경우 「국제조세조정에 관한 법률」 제24조 제2항 · 제4항 및 제6항에 따른 징수유예의 특례에 따른다.
6. 제1호부터 제4호까지의 경우에 준하는 사유가 있는 경우

제25조의 2(고지된 지방세 등의 징수유예) 지방자치단체의 장은 납세자가 납세의 고지 또는 독촉을 받은 후에 제25조 각 호의 어느 하나에 해당하는 사유로 고지된 지방세 또는 체납액을 납부기한까지 납부할 수 없다고 인정할 때에는 대통령령으로 정하는 바에 따라 납부기한을 다시 정하여 징수를 유예(이하 "징수유예"라 한다)할 수 있다. 다만 외국의 권한 있는 당국과 상호합의절차가 진행 중인 경우 징수유예는 「국제조세조정에 관한 법률」 제24조 제3항부터 제6항까지에서 정하는 징수유예의 특례에 따른다.

제25조의 3(징수유예등의 신청 및 통지) ① 납세자는 고지유예, 분할고지 또는 징수유예(이하 "징수유예등"이라 한다)를 받으려는 때에는 대통령령으로 정하는 바에 따라 지방자치단체의 장에게 신청할 수 있다.

② 제1항에 따라 징수유예등을 신청 받은 지방자치단체의 장은 고지 예정이거나 고지된 지방세의

납부기한, 체납된 지방세의 독촉기한 또는 최고기한(이하 이 조에서 "납부기한등"이라 한다)의 만료일까지 해당 납세자에게 승인 여부를 통지하여야 한다.

③ 납세자가 납부기한등의 만료일 10일 전까지 제1항에 따른 신청을 한 경우로서 지방자치단체의 장이 신청일부터 10일 이내에 승인 여부를 통지하지 아니하면 그 10일이 되는 날에 제1항에 따른 신청을 승인한 것으로 본다.

④ 지방자치단체의 장은 징수유예등을 하였을 때에는 즉시 납세자에게 그 사실을 통지하여야 한다.

영 제31조(징수유예등의 결정 및 기간 등) ① 지방자치단체의 장이 법 제25조 제1호부터 제4호까지 또는 제6호의 사유로 법 제25조에 따른 고지유예, 분할고지 또는 법 제25조의 2에 따른 징수유예(이하 "징수유예등"이라 한다)를 하는 경우 징수유예등의 기간은 그 징수유예등을 결정한 날의 다음 날부터 6개월 이내로 하고, 분할하여 납부할 수 있도록 할 경우 그 기간 중의 분납기한과 분납금액은 관할 지방자치단체의 장이 정한다.

② 제1항에 따른 징수유예등의 기간이 만료될 때까지 징수유예등의 사유가 지속되는 경우에는 한 차례에 한정하여 6개월 이내의 기간을 정하여 다시 징수유예등을 결정할 수 있으며, 그 기간 중의 분납기한과 분납금액은 관할 지방자치단체의 장이 정한다.

③ 법 제25조 제5호의 사유로 인한 징수유예등의 기간은 세액의 납부기한 다음 날 또는 상호합의 절차의 개시일 중 나중에 도래하는 날부터 상호합의절차의 종료일까지로 한다.

제31조의 2(징수유예등의 결정 및 기간의 특례) ① 제31조에도 불구하고 다음 각 호의 어느 하나에 해당하는 자에 대해 법 제25조 제1호부터 제4호까지 또는 제6호의 사유로 징수유예등을 결정하는 경우 그 징수유예등의 기간은 징수유예등을 결정한 날의 다음 날부터 1년 이내로 한다. 다만, 본문에 따라 징수유예등을 결정한 후에도 해당 징수유예등의 사유가 지속되는 경우에는 제3항에 따른 기간의 범위에서 6개월마다 징수유예등의 결정을 다시 할 수 있다.

1. 다음 각 목의 어느 하나의 지역에 사업장이 소재한 「조세특례제한법 시행령」 제2조에 따른 중소기업
   가. 「고용정책 기본법」 제32조의 2 제2항에 따라 선포된 고용재난지역
   나. 「고용정책 기본법 시행령」 제29조 제1항에 따라 지정·고시된 지역
   다. 「국가균형발전 특별법」 제17조 제2항에 따라 지정된 산업위기대응특별지역
2. 「재난 및 안전관리 기본법」 제60조 제2항에 따라 선포된 특별재난지역(선포일부터 2년으로 한정한다) 내에서 피해를 입은 납세자

② 제1항 각 호 외의 부분 본문에 따른 징수유예등의 결정은 법 제25조 제1호부터 제4호까지 또는 제6호의 사유로 제31조에 따른 징수유예등의 결정을 받고 그 징수유예등의 기간 중에 있는 경우에도 할 수 있다.

③ 제1항 각 호 외의 부분 단서(제2항에 따라 징수유예등을 결정한 경우를 포함한다)에 따라 징수유예등을 결정할 수 있는 기간은 최대 2년으로 하되, 다음 각 호의 기간을 포함하여 산정한다.

1. 제1항 각 호 외의 부분 본문에 따라 징수유예등이 된 기간
2. 제31조 및 이 조 제2항에 따라 징수유예등이 된 기간

④ 제1항 또는 제2항에 따라 징수유예등을 결정하는 경우 그 기간 중의 분납기한과 분납금액은 지방자치단체의 장이 정한다. [본조신설 2018.6.26.]

제32조(징수유예등의 신청절차) ① 납세자는 법 제25조의 3 제1항에 따라 징수유예등을 신청하려는 경우 고지 예정이거나 고지된 지방세의 납부기한, 체납된 지방세의 독촉기한 또는 최고기한(이하 이 조에서 "납부기한등"이라 한다)의 3일 전까지 다음 각 호의 사항을 적은 신청서(전자문서를 포함한다)를 지방자치단체의 장에게 제출해야 한다. 다만, 지방자치단체의 장이 납부기한등의 3일 전까지 신청서를 제출할 수 없다고 인정하는 납세자의 경우에는 납부기한등의 만료일까지 제출할 수 있다.

1. 납세자의 성명과 주소 또는 영업소 2. 납부할 지방세의 과세연도·세목·세액 및 납부기한
3. 제2호의 세액 중 징수유예등을 받으려는 세액 4. 징수유예등을 받으려는 이유와 기간
5. 분할납부의 방법에 의하여 징수유예등을 받으려는 경우에는 그 분할납부 세액 및 횟수

② 지방자치단체의 장은 징수유예등의 사유가 있을 때에는 직권으로 징수유예등을 할 수 있다.

제33조(징수유예등에 관한 통지) ① 지방자치단체의 장이 법 제25조의 3 제2항에 따라 징수유예등을 승인하거나 같은 조 제4항에 따라 징수유예등을 통지하는 경우에는 다음 각 호의 사항을 적은 문서로 납세자에게 알려야 하고, 징수유예등을 하지 않기로 결정했을 경우에는 그 사유를 적은 문서로 납세자에게 알려야 한다

1. 징수유예등을 한 지방세의 과세연도·세목·세액 및 납부기한
2. 분할납부의 방법으로 징수유예등을 하였을 때에는 그 분할납부 금액 및 횟수
3. 징수유예등의 기간 4. 그 밖에 필요한 사항

② 지방자치단체의 장이 징수유예등을 하지 않기로 결정했을 경우에는 그 사유를 적은 문서로 납세자에게 알려야 한다.

③ 징수유예등의 결정의 효력은 다음 각 호의 구분에 따른 날에 발생한다.

1. 납세자의 신청에 의하여 결정하는 경우에는 그 신청일
2. 직권으로 결정하는 경우에는 그 통지서의 발급일

납세자에게 확정된 조세채무의 이행을 곤란하게 하는 개별적인 특별한 사정이 있는 경우에 그 조세의 징수를 일정기간 늦추어주는 제도를 징수유예라고 하고 '징수유예 등'에는 고지유예, 분할고지, 징수유예, 체납액의 징수유예가 있다.

조세채권이 확정되면 원칙적으로 납세자는 이를 납부하여야 하고, 납부하지 않을 경우 과세관청은 강제징수절차를 이행하여야 하나, 일정한 법정요건에 해당하는 경우에는 그 징수를 늦추어 줌으로써 납세자로 하여금 사업을 계속할 수 있게 하고, 납세자의 인간다운 생활을 보호하는 것이 조세행정을 수행함에 있어서 더 효과적인 경우가 있다. 따라서 징수유예제도는 납세자 보호를 위한 징수절차상의 탄력적인 조치인 것이다.

징수유예 등은 납세자의 신청에 의하거나 지방자치단체의 장이 직권으로 결정할 수 있으며, 징수유예 등의 기간은 경정한 다음날로부터 6개월로 하되 한차례에 한하여 6개월 이내의 기간을 정하여 연장할 수 있다.

| 사유발생일에 따른 "징수유예 등" 예시 |

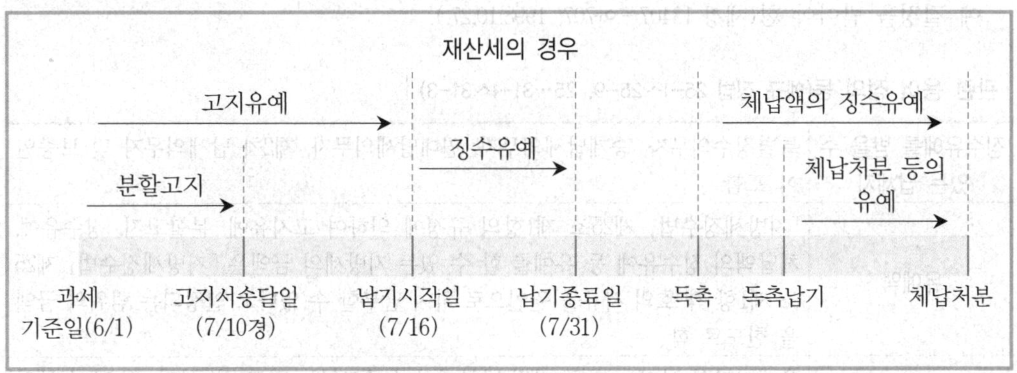

◎ 신탁관계에 있는 갑(위탁자), 을(수탁자) 두 법인 모두에게 자치단체 징수금이 있는 경우 갑의 징수유예 사유를 이유로 을도 징수유예를 할지 여부는 사실인정에 관한 사항

징수유예 등의 판단은 납세자가 지방세기본법 제80조 제1항의 사유로 지방자치단체의 징수금을 납부할 수 없다고 지방자치단체장이 인정하는 경우로 규정하고 있는 점, 징수금을 납부할 수 없다고 인정하는 범위에는 지방세의 징수절차를 즉시 강행하는 경우 납세자에게 돌이킬 수 없는 손해를 가하여 그의 경제생활을 위태롭게 할 우려가 있는 경우도 포함하고 있는 점(예규 지법 80-7), 징수유예 등은 자금경색으로 부도발생 등의 우려가 있는 경우에 한하여 엄격하게 적용하는 것이 타당하다고 할 것이나 이에 대한 판단은 지방자치단체장의 사실인정 사항인 점(세정-3407, 2006.8.2.) 등을 고려 … 지방자치단체장의 사실인정 사항임(지방세특례제도과-73, 2014.4.9.).

◎ 자금경색으로 인한 징수유예시 부도발생, 도산 등 엄격하게 적용하는 것이 타당

세칙 41-3에서는 "사업에 중대한 위기"라 함은 판매의 급격한 감소, 재고의 누적, 매출 채권의 회수곤란, 노동쟁의로 인한 조업중단, 기타의 사정에 의한 자금경색으로 부도 발생 또는 기업 도산의 우려가 있는 경우를 말한다고 규정하고 있고, 만약 기업체의 단순한 자금경색까지 폭 넓게 인정한다면 징수유예를 받지 아니한 납세자와의 불형평이 야기 … 자금경색으로 인한 징수유예를 하기 위해서는 기업체의 부도 발생 또는 기업 도산 등의 우려가 있는 경우에 한하여 엄격하게 적용함(세정-3407, 2006.8.2.).

◎ 법인세 징수유예 결정을 받았다 하여 법인세할 주민세도 징수유예가 된 것은 아님

법인세할의 납세의무자는 법인세법 또는 국세기본법에 의하여 세액이 결정 또는 경정되는 경우에는 그 고지서의 납부기한, 신고기한을 연장하는 경우에는 그 연장된 신고기간의 만료일, 수정신고를 하는 경우에는 그 신고일로부터 각각 30일 내에 관할시장, 군수에게 납부하여야 한다고 규정하고 있으므로, 국세징수법 제15조 제1항의 규정에 의하여 징수유예 결정

을 받았다고 하여 당연히 주민세의 납부기한이 연장되는 것은 아니며 지방세법상의 징수유예 결정을 받아야 함(세정 13407-아707, 1998.10.27.).

관련 용어 정의 등(예규 징법 25-1~25-9, 25…31-1~31-3)

징수유예를 받을 수 있는 납세자	특별징수의무자, 승계납세의무자, 연대납세의무자, 제2차 납세의무자 및 보증인이 포함
유예액	「지방세징수법」 제25조 제1항의 규정에 의하여 고지유예, 분할고지, 징수유예, 체납액의 징수유예 등 유예를 할 수 있는 지방세의 금액은 「지방세징수법」 제25조 제1항 각 호의 사유를 원인으로 하여 납부할 수 없다고 인정되는 범위의 금액을 한도로 함
유예기간의 시기	유예기간의 시기는 당초 지정 납부기한이 종료하는 날로 함. 다만, 그 날이 부적당하다고 인정하는 때에는 별도로 그 시기를 지정할 수 있음
재해	천재, 풍수해, 낙뢰, 한해, 냉해 기타 자연현상의 이변에 의한 재해와 화재, 화약류의 폭발, 광해, 교통사고 기타의 인위에 의한 이상한 재해를 포함
사업에 현저한 손실	납세자가 경영하는 사업에 관하여 현저한 결손을 받은 것을 말하며, 그 손실에는 사업에 관하여 생긴 손실 이외의 사유로 인한 손실은 포함하지 아니함
사업의 중대한 위기	판매의 급격한 감소, 재고의 누적, 매출채권의 회수곤란, 노동쟁의로 인한 조업중단, 기타의 사정에 의한 자금경색으로 부도발생 또는 기업도산의 우려가 있는 경우 등을 말함
동거가족	납세자와 「민법」 제779조(가족의 범위)의 규정에 의한 가족관계에 있는 자로서 생계를 같이하는 자를 말함
징수유예를 할 수 있는 기타 사유	지방세의 징수절차를 즉시 강행하는 경우, 납세자에게 돌이킬 수 없는 손해를 가하여 경제생활을 위태롭게 할 우려가 있는 경우로서 다음의 어느 하나에 해당하는 경우를 말함 1. 납세자와 「지방세기본법 시행령」 제2조 제1항에 따른 친족관계에 있는 자(동거가족 제외)가 질병이 있어 납세자가 그 치료비용을 부담해야 하는 경우 2. 사업을 영위하지 아니하는 납세자로서 소득이 현저히 감소하거나 전혀 없는 경우 3. 납세자의 거래처 등이 다음 각 목에 따른 사유가 있어 납세자가 매출채권 등을 회수하기 곤란하게 된 경우 가. 파산선고 나. 회생절차의 개시결정 다. 어음교환소의 거래정지처분 라. 사업의 부진 또는 부도로 인하여 휴·폐업 마. 위 "가"부터 "라"까지의 사유와 유사한 사유 4. 「채무자 회생 및 파산에 관한 법률」에 따라 회생결정을 받고 납부계획서를 제출한 경우 5. 1부터 4까지의 경우와 유사한 경우

징수유예가 취소된 체납액의 유예	고지된 지방세를 징수유예를 한 후에 「지방세징수법」 제29조의 규정에 의하여 그 유예를 취소한 경우에는 그 지방세를 다시 「지방세징수법」 제25조(징수유예 등의 요건)의 규정에 의하여 징수유예를 할 수 없음
납기 개시전	지방자치단체의 장이 납세의 고지를 하는 날의 전을 말함
유예기간의 시작일	유예기간의 시작일은 납기나 납입기한이 종료하는 날로 한다. 다만, 그날이 부적당하다고 인정하는 때에는 과세권자가 별도로 그 시작일을 지정할 수 있다.
유예기간의 연장	지방자치단체의 장은 징수유예를 한 후 징수유예의 사유가 해제되지 않고 징수유예의 취소에 해당되지 아니하는 경우에는 납세자의 신청에 의하여 징수유예기간의 범위(1회에 한하여 6월 안의 기간을 정하여) 안에서 이미 유예한 유예기간을 다시 연장할 수 있음

제26조(송달불능으로 인한 징수유예등과 부과 철회)

법 제26조(송달불능으로 인한 징수유예등과 부과 철회) ① 지방자치단체의 장은 주소 또는 영업소가 분명하지 아니한 경우 등 대통령령으로 정하는 사유로 납세고지서를 송달할 수 없을 때에는 대통령령으로 정하는 기간 동안 징수유예등을 할 수 있다.

② 지방자치단체의 장은 제1항에 따라 징수유예등을 한 지방세의 징수를 확보할 수 없다고 인정할 때에는 그 부과 결정을 철회할 수 있다.

③ 지방자치단체의 장은 제1항에 따라 징수유예등을 하거나 제2항에 따라 부과결정을 철회한 후 납세자의 행방 또는 재산을 발견하였을 때에는 지체 없이 부과 또는 징수의 절차를 밟아야 한다.

영 제34조(송달불능으로 인한 징수유예등) ① 법 제26조 제1항에서 "주소 또는 영업소가 분명하지 아니한 경우 등 대통령령으로 정하는 사유"란 다음 각 호의 어느 하나에 해당하는 경우를 말한다.

1. 납세자의 주소 또는 영업소가 분명하지 아니하여 등기우편에 의한 고지를 하여도 반송된 경우
2. 납세자의 주소 또는 영업소가 국외에 있어 고지할 수 없는 경우
3. 제1호 및 제2호에 준하는 사유가 있는 경우

② 법 제26조 제1항에서 "대통령령으로 정하는 기간"이란 징수유예등을 결정한 날부터 6개월 이내의 기간을 말한다.

지방세 납세고지서를 송달할 수 없는 경우 공시송달에 의한 부과처분을 하는 대신 징수유예 등을 할 수 있다. 송달불능으로 인한 징수유예 등은 상대방에 대한 통지절차가 없으므로 그 효과가 외부적으로 발생할 여지가 없고 내부적인 효력만 갖게 된다. 따라서 징수유예기간 동안에도 지방세의 소멸시효의 정지가 없이 계속 진행된다고 보아야 하며, 가산금의 문제도 일어나지 않는다.

납세고지서의 송달불능으로 인한 부과철회의 경우에는 고지의 효력이 발생하지 아니하므로 조세채권에 대한 시효중단의 효력이 없다(예규 징법 26-3).

- 납세고지서 송달이 불가능하여 지방세 채무의 확정을 위한 공시송달을 하였다고 하더라도 징수유예 또는 부과철회 등의 절차를 진행할 수 있음(지방세운영과-200, 2008.7.9.).
- 법인의 부도로 행불상태여서 납세고지서 송달불능으로 징수유예 가능하나, 재산발견시는 공시송달로 조세채권 확정하고, 체납처분을 집행함(세정 13407-1450, 1996.12.19.).

| 관련 용어 정의 등(예규 징법 26-1, 2) |

납세고지서를 송달할 수 없는 때	「지방세기본법」 제30조(서류송달의 방법)의 규정에 의한 송달을 할 수 없는 때를 말하며, 「지방세기본법」 제33조(공시송달)는 이에 포함되지 아니함
지방세의 징수를 확보할 수 없다고 인정	당해 납세자로부터 지방세를 징수할 수 없을 뿐 아니라 제2차 납세의무자(「지방세기본법」 제45조부터 제49조까지)등도 발견되지 아니하여 지방세의 징수를 확보할 수 없다고 판단되는 것을 말함

제27조~제29조(징수유예 등에 관한 담보 등)

법 제27조(징수유예등에 관한 담보) 지방자치단체의 장은 징수유예등을 결정할 때에는 그 유예에 관계되는 금액에 상당하는 납세담보의 제공을 요구할 수 있다.

제28조(징수유예 등의 효과) ① 지방자치단체의 장은 제25조의 2에 따라 징수유예를 한 경우에는 그 징수유예기간이 끝날 때까지 「지방세기본법」 제55조 제1항 제3호에 따른 납부지연가산세를 징수하지 아니한다.

② 지방자치단체의 장은 제25조의 2에 따라 징수유예를 한 경우에는 그 징수유예기간이 끝날 때까지 「지방세기본법」 제55조 제1항 제4호에 따른 납부지연가산세 및 같은 법 제56조 제1항 제2호 · 제3호에 따른 특별징수 납부지연가산세를 징수하지 아니한다.

③ 지방자치단체의 장은 제25조의 2에 따라 징수유예를 한 기간 중에는 그 유예한 지방세 또는 체납액에 대하여 체납처분(교부청구는 제외한다)을 할 수 없다.

④ 「채무자 회생 및 파산에 관한 법률」 제140조에 따라 징수가 유예되었을 경우 그 유예기간은 「지방세기본법」 제55조 제1항 제3호 · 제4호에 따른 납부지연가산세 및 같은 법 제56조 제1항 제2호 · 제3호에 따른 특별징수 납부지연가산세의 계산기간에 산입하지 아니한다.

⑤ 외국의 권한 있는 당국과의 상호합의절차가 진행중이라는 이유로 지방세 또는 체납액의 징수를 유예한 경우에는 제1항 및 제2항의 규정을 적용하지 아니하고 「국제조세조정에 관한 법률」 제24조 제5항을 적용한다.

제29조(징수유예등의 취소) ① 지방자치단체의 장은 징수유예등을 받은 자가 다음 각 호의 어느 하나에 해당하게 되었을 때에는 그 징수유예등을 취소하고 그 징수유예등에 관계되는 지방세 또는 체납액을 한꺼번에 징수할 수 있다.

1. 지방세와 체납액을 지정된 기한까지 납부하지 아니하였을 때
2. 담보의 변경이나 그 밖에 담보 보전에 필요한 지방자치단체의 장의 명령에 따르지 아니하였을 때
3. 징수유예등을 받은 자의 재산상황, 그 밖에 사업의 변화로 인하여 유예할 필요가 없다고 인정될 때
4. 제22조 제1항 각 호의 어느 하나에 해당되어 그 유예한 기한까지 유예에 관계되는 지방자치단체의 징수금 또는 체납액의 전액(全額)을 징수할 수 없다고 인정될 때

② 지방자치단체의 장은 제1항에 따라 징수유예등을 취소하였을 때에는 납세자에게 그 사실을 통지하여야 한다.

③ 지방자치단체의 장은 제1항 제1호, 제2호 또는 제4호에 따라 징수유예를 취소한 경우에는 그 지방세 또는 체납액에 대하여 다시 징수유예를 할 수 없다.

영 제35조(징수유예등의 취소통지) 법 제29조 제2항에 따른 징수유예등의 취소통지는 다음 각 호의 사항을 적은 문서로 하여야 한다.

| 최근 개정법령 _ 2020.12.29. | 현행 '징수유예 등의 요건' 조문을 '납기 시작 전의 징수유예(고지유예 · 분할고지, 법 §25)'와 '고지된 지방세 등의 징수유예(법 §25의 2)'로 분리하고, 지자체 장이 징수유예 신청을 받은 경우 납부기한등의 만료일까지 승인여부 통지의무를 신설(법 §25의 3 ②)하였다. 그리고 납세자가 납부기한 등의 만료일 10일 전까지 신청한 경우, 승인여부 미통지시 신청일부터 10일이 되는날 승인한 것으로 간주(법 §25의 3 ③)한다. 아울러 징수유예 의무불이행자에 대한 체납처분 등 제재조치를 신설(법 §28 ③)하고, 의무 불이행시 해당 지방세 또는 지방세 체납액에 대해 재차 징수유예를 금지(법 §29 ③)하였다.

1. 징수유예 등에 관한 담보

징수유예 등은 납세자의 사업 등의 중대한 위기 등에 대하여 그 징수 등을 일정기한 연기함으로써 기한의 이익을 부여하여 납세자의 경제활동을 보호하고자 하는 것이다. 처분청이 징수유예를 할 때 그 유예에 관계되는 금액에 상당하는 담보의 제공을 요구할 수 있도록 한 것은 징수유예 등으로 장래에 발생할 수 있는 조세채권의 일실을 방지하고자 함에 있는 것이므로, 장래에 조세채권의 일실이 발생할 수 있는 상태에서 징수유예에 따른 납세담보를 요구하는 것은 조세채권의 확보를 위한 최소한의 안전장치이다.

납세담보는 물적 담보와 인적 담보로 대별된다. 물적 담보는 납세자 또는 제3자의 특정재산에 대한 담보이고, 인적 담보는 보증인의 보증에 의한 담보이다. 납세담보는 세법에 의하여 납세의무자에게 담보제공 의무가 과하여진 경우에 한하여 세법이 정한 절차에 따라

과세관청의 요구에 의하여 제공되는 공법상의 담보이다.

◎ 징수유예 등에 관한 담보

「지방세징수법」 제27조의 「그 유예에 관계되는 금액에 상당한 담보」란 징수유예하는 지방세액을 초과하는 담보를 말하며, 이미 저당권설정 등의 우선순위 담보가 있는 경우에는 그 담보를 제외하고도 지방세를 확보할 수 있어야 한다(예규 징법 27-1).

◎ 유동성 위기가 발생할 것이 예상되고 빠른 시일 내 호전될 것이라는 기대도 할 수 없는 상태에서 과세관청이 징수유예에 따른 납세담보를 요구하는 것은 적법함(지방세심사 2007-660, 2007.11.26.).

◎ 사업이 중대한 위기에 처하였다고 주장하면서 취득세 등의 징수유예를 신청하였으나 이에 상당하는 금액의 담보물건을 제공하지 아니하였다는 사유로 이를 거부한 처분이 적법함(조심 2009지166, 2009.11.6.).

◎ 담보제공을 하지 않은 경우 징수유예 신청의 거부는 잘못이 없음

건설경기의 극심한 침체로 인한 영업손실 및 자금난으로 부도위기 등 사업의 중대한 위기에 처해 있다고 인정한다 하더라도 취득세 등의 징수유예를 신청하면서 이에 상응하는 담보를 제공하지 아니하였을 뿐만 아니라 청구법인의 신탁사업에 대한 우선수익자로 처분청을 지정함으로써 조세채권을 확보케 하는 방법은 「지방세법」 제42조 및 같은 법 시행령 제32조에서 정하고 있는 담보의 종류가 아닌 이상 청구법인이 이 건 취득세 등의 부과처분에 대한 징수유예를 신청한 것에 대하여 처분청이 이를 거부한 처분은 잘못이 없음(조심 2009지166, 2009.11.6.).

2. 징수유예 등의 효과

징수유예 등을 한 경우 징수유예 기간 중에는 가산금 등을 부과할 수 없도록 함으로써 징수유예 등의 효과가 감소하지 않도록 하려는 것이다.

◎ 유예기간 중의 지방세환급금의 충당

징수유예기간 중에 납세자에 대하여 지방세환급금의 결정이 있는 경우 지방자치단체의 장은 징수유예가 취소사유에 해당되는지 여부를 검토하여 징수유예 등의 취소가 되는 때에 한하여 지방세환급금을 징수유예한 지방세액에 충당한다(예규 징법 28-1).

3. 징수유예 등의 취소

징수유예 등의 취소는 징수유예 기간 중에 특별한 사유가 발생하여 그 기간 만료 전에

유예한 지방세를 징수함이 적당하다고 인정되는 경우 징수완화의 기간이익을 납세자로부터 박탈하는 것이다. 징수유예 등이 취소되면 그 징수유예에 관계되는 지방자치단체의 징수금 또는 체납액을 한꺼번에 징수할 수 있다.

◎ **담보로 제공한 부동산 이외에도 다수의 부동산을 소유하고 있어 징수유예 취소사유인 '징수금을 포탈하려는 행위'로 볼 수 없다는 사례**

'징수유예를 받은 자'는 이○하 아닌 '원고'라 할 것이고, 달리 이○하의 이 사건 매각행위를 원고의 재산에 대한 매각행위로 보거나 원고의 재산상황, 그 밖에 사업의 변화로 볼 아무런 증거가 없음. 이○하는 이 사건 담보부동산 이외에도 ○○시 … 각 소유하고 있고, 이○철 등에게 …16필지를 명의신탁한 사실을 인정할 수 있는 바, 원고가 자신의 과점주주인 이○하의 이 사건 매각행위를 감추고 이 사건 징수유예를 신청하였던 사정만으로는 이 사건 징수유예 신청 자체가 이 사건 징수금을 포탈하는 행위에 해당한다거나 징수금 전액을 징수할 수 없게 되었다고 인정하기에 부족함(대법원 2016두36482, 2016.7.14.).

◎ **심사청구 행위는 징수유예 취소사유에 해당되지 아니한다고 한 사례**

귀 문의 경우와 같이 과세관청으로부터 징수유예 받은 당해 지방세에 대하여 조세불복절차로서 감사원 심사청구를 하였다 하더라도 그 심사청구 행위는 징수유예 취소사유에 해당되지 아니함(세정 13407-817, 1997.7.15.).

| 관련 개념 정리(예규 징법 29-1~29-5) |

일시에 징수	분할고지를 허용한 경우에 기한 미도래의 유예금액까지 징수하는 것을 말함.
유예기간경과 후 체납처분절차	제25조(징수유예 등의 요건)의 규정에 의하여 징수를 유예한 금액을 유예한 기한까지 납부하지 않는 때에는 그 징수유예의 취소절차를 밟을 필요없이 바로 독촉 또는 체납처분을 할 수 있음.
지정된 기한	분할납부하는 경우의 각 분납기한을 말함.
기간의 단축	납부자력의 증가 등의 사유가 생긴 경우에는 징수유예의 취소 대신에 유예기간을 단축하는 것도 허용됨.
변명의 청취	지방자치단체의 장은 제29조의 규정에 의하여 징수유예를 취소하는 경우, 동조 제1항 제4호에 해당하는 사실이 있는 때를 제외하고는 유예를 받은 자의 사전변명을 들어 참고하여야 함.

제3절 독촉

제30조(가산금)

> **법** 제30조(가산금) 지방세를 납부기한까지 완납하지 아니하면 납부기한이 지난 날부터 체납된 지방세의 100분의 3에 상당하는 가산금을 징수한다. 다만, 국가와 지방자치단체(「지방자치법」 제176조에 따른 지방자치단체조합을 포함한다)에 대해서는 가산금을 징수하지 아니한다.
>
> 제30조(가산금) 삭제 〈2020.12.29.〉
>
> **영** 제36조(가산금) 법 제30조에 따른 가산금 및 법 제31조 제1항에 따른 중가산금은 해당 세목의 세입으로 한다.

"가산금"이란 지방세를 납부기한까지 납부하지 아니할 때에 이 법 또는 지방세관계법에 따라 고지세액에 가산하여 징수하는 금액과 납부기한이 지난 후 일정기한까지 납부하지 아니할 때에 그 금액에 다시 가산하여 징수하는 금액을 말한다. 가산금 및 중가산금은 해당 세목의 세입으로 한다(2022.2.2.까지 적용).

가산금 및 중가산금은 일반적으로 납세의무의 전부 또는 일부의 이행지체에 대하여 부담하는 지연배상금(지연이자)의 성질을 띠고 있다. 이러한 점에서 조세법상의 의무위반에 대하여 가하여지는 행정상 제재의 일종인 가산세와 구별된다.

| 최근 개정법령 _ 2020.12.29. | 가산금 및 중가산금이 납부지연가산세로 통합됨에 따라 현행 가산금 규정을 삭제한다. 다만, 2022.2.2.까지는 현행 가산금 규정이 그대로 적용된다.

- (가산금) 고지된 지방세 중 일부가 체납된 경우에도 당해 체납된 지방세에 대한 가산금을 징수한다(예규 징법 30-1).

- (체납된 지방세의 범위) 「지방세징수법」 제30조의 「체납된 지방세」의 범위는 납세고지서의 건별·세목별로 계산한다(예규 징법 30-2).

- 비과세 대상 토지에 대한 가산금

  처분청에서 이 건 토지에 대한 2007년도 재산세 등을 지방세법 제25조 소정의 납세고지서에 납부기한을 2007.9.30.까지로 하여 2007.9.10. 발부하였고, 2007.9.12. 이를 송달받았으나 납기인 2007.9.30.까지 이 건 재산세 등을 납부하지 아니하였으므로 지방세법 제1조 제1항 제13호, 같은 법 제27조 제1항의 규정에 의하여 이 건 재산세 등의 납부기한이 경과한 2007.10.1. 체납된 세액의 100분의 3에 해당하는 가산금은 당연히 발생되었다고 보아야 하고, 이미 납세의무가 확정된 이후 이 건 재산세 과세대상 토지 중 일부가 비과세 대상에 해당된다고 하더라도 비과세 대상 토지에 대한 재산세 등과 이에 대한 가산금을 제외한 재산세 등의 가산금에는 아무런 영향을 미칠 수 없음(조심 2008지319, 2008.8.26.).

- 원천징수의 경우 다음달 10일까지 납부하지 아니하였다하여 체납으로 볼 수는 없음

  원천징수의무자가 법인세를 위 규정에서 정한 기한까지 납부하지 않은 채 그 기한을 도과하였다고 하더라도 가산세를 부과할 수 있음은 별론으로 하고 이를 체납이라고 할 수는 없으며, 이 경우 관할세무서장은 국세징수법의 절차에 정한 징수결정에 의하여 원천징수의무자에게 납부기한을 정한 납부고지서를 발송하고, 원천징수의무자가 그 납부고지서상의 납부기한 내에 납부고지서상의 법인세(가산세 포함)를 납부하지 않은 채 납부기한을 도과하면 그때에 비로소 법인세를 체납하였다고 할 것임(대법원 2001다21120, 2001.10.30.).

- 가산금 또는 중가산금의 고지는 항고소송대상의 처분이라고 볼 수 없음

  가산금과 중가산금은 조세를 납부기한까지 납부하지 아니하면 과세청의 확정절차 없이도 법률 규정에 의하여 당연히 발생하는 것이므로 가산금 또는 중가산금의 고지가 항고소송의 대상이 되는 처분이라고 볼 수 없음(대법원 2000두2013, 2000.9.22.).

- 당초 부과세액의 감액시는 가산금도 따라 감액대상임

  가산금은 부과된 국세채권의 이행을 독촉하는 수수료의 성질을 띤 금원이라고 할 것이나, 다만 당초 부과된 고지세액 등이 결정취소 또는 경정결정 등으로 인하여 감액된 경우에는 가산금 역시 이에 따라 결정취소 또는 감액된다고 봄(대법원 86누76, 1986.9.9.).

- 독촉장에 의하여 가산금의 납부를 최고하는 독촉은 징수처분에 해당하여 그 납부독촉이 부당하거나 하자가 있는 경우에는 이에 대한 불복은 가능함(대법원 96누1627, 1996.4.26.).

제31조(중가산금)

법 제31조(중가산금) ① 체납된 지방세를 납부하지 아니하였을 때에는 납부기한이 지난 날부터 1개월이 지날 때마다 체납된 지방세의 1만분의 75에 상당하는 가산금(이하 "중가산금"이라 한다)을 제30조에 따른 가산금에 더하여 징수한다. 이 경우 중가산금을 가산하여 징수하는 기간은 60개월을 초과할 수 없다. 〈개정 2018. 12. 24.〉

② 제1항은 제30조 단서의 경우와 체납된 납세고지서별 세액이 30만원 미만일 때에는 적용하지 아니한다. 이 경우 같은 납세고지서에 둘 이상의 세목이 함께 적혀 있을 때에는 세목별로 판단한다.

③ 외국의 권한 있는 당국과 상호합의절차가 진행 중이라는 이유로 체납액의 징수를 유예한 경우에는 제1항을 적용하지 아니하고 「국제조세조정에 관한 법률」 제49조 제5항에 따른 가산금에 대한 특례를 적용한다.

제31조(중가산금) 삭제 〈2020.12.29.〉

체납된 지방세를 계속하여 납부하지 않을 경우, 가산금에 더하여 중가산금을 가산하도록 하고 있다. 다만, 중가산금은 60개월을 초과하지 못하도록 하고 있어 체납액의 45%를 한도로 한다. 납세고지서별 세액이 30만원 미만인 경우에는 중가산금을 적용하지 아니하고 국가와 자치단체에 대해서는 가산금은 물론 중가산금도 적용하지 아니한다(2022.2.2.까지 적용).

※ 지방세기본법 제34조 "납부지연에 따른 가산세 · 가산금 통합" 참고

| 최근 개정법령_2019.1.1. | 납부기한이 지난 날부터 1개월이 지날 때마다 발생하는 중가산금을 종전 체납된 지방세의 1천분의 12에서 1만분의 75로 인하하였다.

| 최근 개정법령_2020.12.29. | 가산금 및 중가산금이 납부지연가산세로 통합됨에 따라 중가산금 규정을 삭제한다. 다만, 2022.2.2.까지는 현행 중가산금 규정이 그대로 적용된다.

◎ 중가산금가산시 기간계산(예규 징법 31-1)

제31조의 기간계산은 민법의 기간계산의 방법에 따르며, 특히 다음에 유의하여야 함.

1. 기간의 말일이 공휴일에 해당한 때에는 기간은 그 익일로 만료한다.
2. 「지방세징수법」 제25조(징수유예 등의 요건)의 규정에 의한 징수유예 등의 기간은 이 기간계산에 포함하지 아니한다.
3. 「지방세징수법」 제105조 제2항(결손처분)의 규정에 의하여 결손처분을 취소한 때에는 결손처분 기간을 이 기간계산에 포함하여 당초 결손처분이 없는 것으로 보아 다시 중가산금을 계산한다.

◎ 가산금 · 중가산금의 법정기일은 고지된 납부기한이나 그 이후의 소정의 기한을 도과할 때

지방세를 납부기한까지 납부하지 아니한 때에는 가산금을 가산하여 징수하고 납기경과 후 일정기한까지 납부하지 아니한 때에는 그 금액에 다시 소정의 중가산금을 가산하여 징수하므로, 가산금 · 중가산금은 법 제25조 소정의 납세고지서에 의한 본세의 납부고지에서 고지된 납부기한이나 그 이후의 소정의 기한까지 체납된 세액을 납부하지 아니하면 과세관청의 가산금 · 중가산금에 대한 별도의 확정절차없이 당연히 발생하고 그 액수도 확정되는 것이고, 따라서 가산금 · 중가산금의 법정기일은 가산금 · 중가산금 자체의 납세의무가 확정되는 때, 즉 납부고지에서 고지된 납부기한이나 그 이후의 소정의 기한을 도과할 때로 보아야(대법원 97다12037, 1998.9.8.) 할 것임(대법원 2001다74018, 2002.2.8.).

☞ 지방세기본법 제99조 제1항 제3호 바목 개정(2016.1.1.)내용 참조

◎ 중가산금의 가산대상 판단은 아파트 1구를 기준으로 판단하는 것이 타당함

재산세는 건물 등을 과세객체로 하여 부과하는 조세로서 지방세법 제188조 제3항 및 같은 법 시행령 제142조에서 아파트 등 공동주택의 경우 1세대가 독립하여 사용할 수 있도록 구획된 부분을 1구의 주택으로 규정하고 있으므로 아파트에 대한 재산세 고지서는 과세물건별로 작성함이 원칙임. 다만, 납세자에게 의무부담을 주지 아니하는 범위에서 동일 납세자의 과세대상을 합하여 고지할 수 있으나 중가산금의 가산대상을 판단함에 있어서는 아파트 1구를 기준으로 판단하는 것이 타당함(세정 13407-39, 1999.10.20.).

◎ 국세징수법 제21조, 제22조가 규정하는 가산금 또는 중가산금은 국세를 납부기한까지 납부하지 아니하면 과세청의 확정절차 없이도 법률 규정에 의하여 당연히 발생하는 것이므로 가산금 또는 중가산금의 고지가 항고소송의 대상이 되는 처분이라고 볼 수 없음(대법원 2005다15482, 2005.6.10.).

제32조(독촉과 최고)

법 제32조(독촉과 최고) ① 지방자치단체의 장은 납세자(제2차 납세의무자는 제외한다)가 지방세를 납부기한까지 완납하지 아니하면 납부기한이 지난 날부터 50일 이내에 독촉장을 문서로 고지하여야 한다. 다만, 제22조에 따라 지방세를 징수하는 경우에는 그러하지 아니하다.

② 지방자치단체의 장은 제2차 납세의무자가 체납액을 그 납부기한까지 완납하지 아니하면 제22조 제1항에 따라 징수할 경우를 제외하고는 납부기한이 지난 후 10일 이내에 납부최고서를 발급하여야 한다.

③ 독촉장 또는 납부최고서를 발급할 때에는 납부기한을 발급일부터 20일 이내로 한다. 〈개정 2018.12.24.〉

영 제37조(독촉장의 기재사항) 법 제32조 제1항 본문에 따른 독촉장에는 납부할 지방세의 과세연도·세목·세액·가산금·납부기한 및 납부장소를 적어야 한다.

제38조(제2차 납세의무자에 대한 납부최고) 법 제32조 제2항에 따른 제2차 납세의무자에 대한 납부최고는 다음 각 호의 사항을 적은 문서로 하여야 한다.

1. 납세자의 성명과 주소 또는 영업소 2. 제2차 납세의무자로부터 징수하려는 지방세의 과세연도·세목·세액·가산금·납부기한 및 납부장소

규칙 제20조(독촉장) ① 법 제32조 제1항 본문 및 영 제37조에 따른 독촉장은 별지 제29호 서식에 따른다.

② 제1항에 따른 독촉장은 각 납세고지서별로 발부하여야 한다.

제21조(제2차 납세의무자에 대한 납부최고) 법 제32조 제2항 및 영 제38조에 따른 제2차 납세의무자에 대한 납부최고서는 별지 제30호 서식에 따른다.

제22조(체납액 고지서의 발부) 지방자치단체의 장은 법 제32조 제3항에 따른 독촉장 또는 납부최고서에 기재된 납부기한까지 지방세 및 가산금이 완납되지 아니한 경우에는 별지 제31호 서식의 체납액 고지서를 발부할 수 있다.

지방세를 납부기한까지 완납하지 아니하는 경우에는 납부기한 경과일로부터 50일 이내에 납세의무 이행을 하도록 납세자에게는 독촉장을, 제2차 납세의무자에게는 납부최고서를 보내야 한다.

일반적으로 당초 고지서로 납기 후 1월 내 납부가 가능함에도 1개월 이내의 기간에 또 독촉장이 발부될 경우 납세자의 혼란이 우려되므로 독촉장 발부기한을 납부기한이 지난 날부터 50일 이내로 규정하였다. 다만, 지방세징수법 제22조(납기전징수)에 따라 지방세를 징수하는 경우에는 독촉이나 최고 없이 징수금을 징수 할 수 있다.

| 최근 개정법령 _ 2016.1.1. | 제2차 납세의무 미이행에 따른 최고규정의 보완(법 제61조 ①·②)

신속한 채권확보, 전산시스템 운영현황 등을 감안하여 제2차 납세의무자에 대한 납부최고서 발급기간을 납부기한 후 50일 이내에서 10일 이내로 단축시켰다. 이는 납부최고서 발급을 신속하게 하고, 지방세 징수업무의 효율성을 제고하기 위한 것으로 국세의 경우에도 10일 이내에 발급토록 한 점을 고려한 것이다.

| 최근 개정법령 _ 2019.1.1. | 독촉장·납부최고서 발급 후 도달하기까지의 통상적인 우편송달 기일 등을 감안하여 10일 이내에서 20일 이내로 연장하였다.

| 독촉 관련 내용 정리(예규 징법 32-1~32-3) |

연대납세의무자에 대한 독촉	공유물·공동사업자 등 연대납세의무자에 대한 독촉은 연대납세의무자 각 개인별로 독촉장을 발부하여야 하며, 각각 독촉장을 발부하지 아니한 경우에는 그 효력이 없다.
독촉장의 발부기한 등	납부기한으로부터 50일이 경과한 후에 발부한 독촉장도 그 효력에는 영향이 없으며, 독촉장에서 납부기한을 발부일로부터 20일 후로 지정하더라도 20일 이내의 납부기한을 붙인 독촉장을 발부한 것으로 본다.
독촉을 생략할 수 있는 경우	독촉은 체납처분의 전제가 되나 "자동차세"의 경우에는 독촉없이 체납처분이 가능하며,「지방세징수법」 제22조(납기전 징수)의 규정에 의하여 납기전 징수를 하는 경우와「지방세징수법」 제33조 제2항의 규정에 의하여 확정전 보전압류(납세의무가 확정되리라고 추정되는 금액을 한도로 하는 재산압류)를 하는 경우에는 독촉을 요하지 아니한다.

◎ **과세관청의 체납세액고지서 발부는 지방세징수권의 소멸시효 중단사유에 포함되지 아니함**

지방세기본법 제40조 제1항 제2호에 따른 지방세징수권의 소멸시효가 중단되는 납부의 독촉은 같은 법 제61조 제1항에 따른 독촉장 또는 납부최고서만 해당되고 동 시행규칙 제21조에 의한 체납세액고지서는 체납세액 징수를 위한 과세관청의 독려과정에 해당하는 것이어서 이는 소멸시효 중단사유에 해당하지 아니함(지방세분석과-1032, 2013.5.29.).

◎ **결손처분 취소시에는 체납처분 전에 독촉절차 이행이 필요하지 않다고 한 사례**

체납된 지방세를 과세관청에서 결손처분 하였으나 체납자의 다른 재산을 발견하여 그 재산을 압류하는 경우에는 결손처분 전에 행한 독촉절차 외에 추가적인 독촉절차를 이행토록 하는 별도의 규정이 없으므로, 결손처분 전에 과세관청이 독촉절차를 이행한 경우라면 과세관청이 결손처분을 취소하고 별도의 독촉절차가 없이 행한 압류처분의 경우에도 유효한 것으로 판단되며, 비록 결손처분을 하기 전의 독촉절차가 없었다고 하더라도 이러한 사유만으로 압류처분이 무효로 되게 되는 중대하고도 명백한 하자라고 보기 어렵다(대법원 87누1009, 1988.6.28.)할 것임(지방세운영과-21, 2009.1.5.).

◎ 압류처분단계에서 독촉장의 송달이 없었더라도 그 이후의 공매절차에서 공매통지서가 적법하게 송달된 경우, 매수인이 매각결정에 따른 매각대금을 납부한 이후에는 당해 공매처분을 취소할 수 없음(대법원 2004두14717, 2006.5.12.).

◎ 독촉절차 없이 이루어진 압류처분은 취소 사유에는 해당하나 당연무효에는 해당하지 않음(대법원 87누383, 1987.9.22.).

제 3 장

지방세징수법

체납처분

제1절 체납처분의 절차

제33조(압류)

법 제33조(압류) ① 지방자치단체의 장은 다음 각 호의 어느 하나에 해당하는 경우에는 납세자의 재산을 압류한다.

1. 납세자가 독촉장(납부최고서를 포함한다. 이하 같다)을 받고 지정된 기한까지 지방자치단체의 징수금을 완납하지 아니할 때
2. 제22조 제1항에 따라 납세자가 납부기한 전에 지방자치단체의 징수금의 납부 고지를 받고 지정된 기한까지 완납하지 아니할 때

② 제1항에도 불구하고 지방자치단체의 장은 제22조 제1항 각 호의 어느 하나에 해당하는 사유로 이미 납세의무가 성립한 그 지방세를 징수할 수 없다고 인정되는 경우에 납세자의 재산을 납기 전이라도 압류할 수 있다. 이 경우 지방자치단체의 장은 납세의무가 확정되리라고 추정되는 금액의 한도에서 압류하여야 한다.

③ 납세의 고지 또는 독촉을 받고 납세자가 도피할 우려가 있어 납부기한까지 기다려서는 고지한 지방세나 그 체납액을 징수할 수 없다고 인정되는 경우에는 제2항을 준용한다.

④ 지방자치단체의 장은 제2항 또는 제3항에 따라 재산을 압류하였으면 해당 납세자에게 문서로 알려야 한다.

⑤ 지방자치단체의 장은 다음 각 호의 어느 하나에 해당할 때에는 제2항 또는 제3항에 따른 재산의 압류를 즉시 해제하여야 한다.

1. 제4항에 따른 통지를 받은 자가 납세담보를 제공하고 압류해제를 요구할 때
2. 압류를 한 날부터 3개월이 지날 때까지 압류에 의하여 징수하려는 지방세를 확정하지 아니하였을 때

⑥ 지방자치단체의 장은 제2항 또는 제3항에 따라 압류한 재산이 금전, 납부기한까지 추심할 수 있는 예금 또는 유가증권인 경우 납세자가 신청할 때에는 그 압류 재산을 확정된 지방자치단체의 징수금에 충당할 수 있다.

영 제39조(공유물에 대한 체납처분) 압류할 재산이 공유물인 경우에 그 몫이 정해져 있지 아니하면 그 몫이 균등한 것으로 보아 체납처분을 집행한다.
제40조(압류통지) 법 제33조 제4항에 따른 압류통지의 문서에는 다음 각 호의 사항을 적어야 한다.
1. 납세자의 성명과 주소 또는 영업소 2. 압류에 관계되는 지방세의 과세연도·세목 및 세액
3. 압류재산의 종류·수량 및 품질과 소재지 4. 압류 연월일 5. 조서 작성 연월일
6. 압류의 사유 7. 압류해제의 요건
제41조(체납처분의 속행) 지방자치단체의 장은 체납자가 파산선고를 받은 경우에도 이미 압류한 재산이 있을 때에는 체납처분을 속행하여야 한다.

납세자가 확정된 조세채무를 납부기한까지 납부하지 아니할 때 이를 조세의 체납이라고 한다. 조세가 체납되면 먼저 독촉(납부최고)을 하고 그 독촉에 의한 납부기한까지도 조세를 납부하지 아니하면 과세관청은 납세자의 재산을 압류한 후 이를 매각하여 그 대금을 조세에 충당하는 등 체납처분 또는 강제징수의 절차를 이행하게 된다.

체납처분방법에는 협의의 체납처분과 교부청구 및 참가압류가 있다. 전자는 과세관청이 스스로 납세자의 재산을 압류하고 압류재산의 매각, 매각대금의 충당·배분의 행정처분으로 이루어지는 것이며, 후자는 이미 다른 기관에 의하여 강제 환가절차가 개시된 경우 그 집행기관에 대하여 환가대금의 교부를 청구하거나 압류에 참가하는 방법으로 조세채권을 실현하는 절차이다.

압류는 체납처분의 제1단계 절차로서 조세채권의 내용을 실현하고 그 만족을 얻기 위하여 납세자의 재산을 강제적으로 확보하는 행위이다. 체납자의 특정재산에 관하여 법률상 또는 사실상의 처분을 금지하는 효력이 있으므로 이에 반한 채무의 변제, 채권의 양도, 권리의 설정 등과 같은 압류채권자에게 불리한 처분은 압류채권자에게 대항할 수 없다.

압류는 납세자가 독촉장 또는 납부최고서를 송달받고 그 지정된 기한까지 조세와 가산금을 완납하지 아니한 때에 할 수 있다. 독촉장은 본래의 납세의무자에 대하여, 납부최고서는 제2차 납세의무자, 물적납세의무자 또는 납세보증인에 대하여 사용하는 용어이다. 독촉은 조세의 자주적 납세를 촉구함과 동시에 체납처분의 개시를 예고하는 것이다.

| 최근 개정법령 _ 2016.1.1. | 지방세 체납에 따른 불리한 압류절차 정비(법 제91조 ②)
종전 규정에 따르면 납기 전 징수사유에 해당되어 압류하는 경우 사전에 납세담보를 요구할 수 있도록 하였으나, 납기 전 징수사유를 고려할 때, 압류 전에 납세담보를 요구하는 것은 모순적인 측면이 있었다. 이에 따라 납기전 징수사유에 따른 경우 납세담보 요구대상에서 제외하였다(국세도 납세담보 요구 규정 없음. 「국세징수법」 제24조).

| 지방세 체납자 행정제재 유형 |

종류	요건	시기
재산압류	• 독촉후 체납발생시	• 수시(지자체별)
재산공매	• 압류후 계속 체납시	• 수시(지자체별)
신용불량자등록	• 5백만원 이상	• 수시(지자체별)
관허사업제한	• 3회 이상 + 30만원 이상	• 수시(지자체별)
명단공개	• 1년 이상 + 3천만원 이상	• 매년 12월(지자체별)
출국금지	• 5천만원 이상, 재산도피 우려자	• 수시(지자체별)

※ (2014.12.31. 기준)

1. 압류의 효력

○ 압류는 그 대상이 된 재산의 법률상 또는 사실상 처분을 금지하는 효력이 있다. 따라서 압류 후에 그 재산의 양도 또는 권리설정 등의 법률상 처분은 압류채권자인 지방자치단체에 대항하지 못한다. 이 경우 압류에 의하여 금지되는 법률상 또는 사실상의 처분은 압류채권자인 지방자치단체에 불이익한 것에 한하므로 지방자치단체에 유리한 처분은 포함되지 아니한다(예 : 압류재산에 관한 전세계약의 해제)(예규 징법 33-20).

처분금지의 효력	○ 체납자는 그의 소유물로서 압류된 재산에 대하여 법률상 또는 사실상의 처분을 할 수 없다. 따라서 압류에 반하여 채무의 변제, 채권의 양도, 권리의 설정 등과 같은 압류채권자에 불리한 처분은 압류채권자에게 대항할 수 없다. ○ 그러나 체납처분에 의한 채권압류는 제3채무자의 상계권까지 제한하는 것은 아니다. 따라서 제3채무자는 그 압류통지의 송달 이전에 채무자에 대한 상계적상[7]에 있었던 반대채권을 가지고 그 압류 송달 이후에도 상계로서 대항할 수 있다. ○ 압류 전에 매매의 예약, 정지조건 또는 기한부 매매 등 권리변동에 관한 계약이 성립되어 있어도 그러한 계약에 기한 권리의 변동이 압류 후에 생긴 경우에는 원칙적으로 그 권리의 변동을 가지고 압류채권자에게 대항할 수 없다.
시효중단의 효력	○ 압류는 지방세징수권의 소멸시효를 중단시킨다. 따라서 압류를 해제하면 지방세징수권의 소멸시효가 새로이 다시 그 진행을 개시한다.
우선징수의 효력	○ 압류에 관계되는 지방세는 참가압류 또는 교부청구한 조세보다 우선 징수하는 효력이 있다.
가압류 · 가처분에 대한 효력	○ 국세징수법 제35조는 "재판상의 가압류 또는 가처분 재산이 체납처분 대상인 경우에도 이 법에 따른 체납처분을 한다."고 규정하여, 체납자의 재산에 가압류 또는 가처분이 되어 있더라도 체납처분에 의한 압류나 그 후의 절차에 아무런 영향을 미치지 않고 그 처분을 할 수 있다.

계속수입·과실에 대한 효력	○ 급료·임금·봉급·세비·퇴직연금, 그 밖에 이와 유사한 채권의 압류는 체납액을 한도로 하여 압류 후에 수입(收入)할 금액에 미친다(국징법 제44조). ○ 압류의 효력은 압류재산의 종물에도 효력을 미친다(민법 제100조). 압류의 효력은 압류재산으로부터 생기는 천연과실과 법정과실에도 미치지만, 체납자 또는 제3자가 압류재산을 사용 또는 수익하는 경우에는 그 재산으로부터 생기는 천연과실에 대하여는 그러하지 아니한다.
질물인도요구의 효력	○ 세무공무원이 질권이 설정된 재산을 압류하고자 할 때에는 그 질권자는 질권의 설정시기 여하에 불구하고 질권을 세무공무원에게 인도하여야 한다(국징법 제34조).
채권자 대위의 효력	○ 채권을 압류한 과세관청은 체납액을 한도로 하여 체납자인 채권자를 대위(代位)한다(국징법 제41조).
부동산 압류의 효력	○ 부동산·공장재단·광업재단·항공기·건설기계·선박 등에 대한 압류의 효력은 그 압류의 등기 또는 등록이 완료된 때에 발생하고, 그 압류는 해당 압류재산의 소유권이 제3자에게 이전되기 전에 법정기일이 도래한 다른 국세의 체납액에 대하여도 그 효력이 미친다(국징법 제47조).

◎ 납세자가 아닌 제3자의 재산을 대상으로 한 압류처분은 당연 무효에 해당

체납처분으로서 압류의 요건을 규정하는 국세징수법 제24조 각 항의 규정을 보면, 어느 경우에나 압류의 대상을 납세자의 재산에 국한하고 있으므로, 납세자가 아닌 제3자의 재산을 대상으로 한 압류처분은 그 처분의 내용이 법률상 실현될 수 없는 것이어서 당연 무효임(대법원 2000다68924, 2001.2.23.).

◎ 과세관청이 부동산을 압류한 이후에 소유권이전등기를 마친 사람은 원고적격이 없음

과세관청이 부동산을 압류한 이후에 소유권이전등기를 마친 사람은 그 압류처분에 대하여 사실상이고 간접적인 이해관계를 가질 뿐 법률상 직접적이고 구체적인 이익을 가지는 것은 아니어서 그 압류처분의 취소를 구할 당사자적격이 없음(대법원 2004두6051, 2004.9.24.).

2. 압류 대상

◎ 압류의 대상이 되는 재산은 압류당시에 체납자에게 귀속되고 있는 것이어야 한다. 재산이 다음 각 호의 1에 해당하는 경우에는 체납자에게 귀속되는 것으로 추정한다[예규 징법 33-2(재산의 귀속)].

7) 상계적상(相計適狀) : 〈법률〉 당사자가 서로 같은 종류의 채권을 가지고 있어서 이행기(履行期)에 이르러 서로의 채권을 같은 액수만큼 없앨 수 있는 상태에 있는 일

1. 동산 및 유가증권 … 체납자가 소지하고 있을 것(「민법」 제197조 참조)
2. 등록공사채 등 … 등록명의가 체납자일 것(「국채법」 제5조, 「공사채등록법」 제6조 참조)
3. 등기 또는 등록된 부동산, 선박, 건설기계, 자동차, 항공기 및 전화가입권, 지상권, 광업권 등의 권리와 특허권 기타의 무체재산권 등 … 등기 또는 등록의 명의인이 체납자일 것
4. 미등기의 부동산소유권, 기타의 부동산에 관한 권리 및 미등록의 저작권…점유의 사실, 가옥대장, 토지대장 기타 장부서류의 기재 등에 의해 체납자에게 귀속한다고 인정되는 것
5. 합명회사 및 합자회사의 사원의 지분 … 정관 또는 상업등기부상 사원의 명의가 체납자일 것(「상법」 제37조, 제179조, 제180조, 제183조, 제269조, 상업등기처리규칙 제66조 참조)
6. 유한회사의 사원의 지분 … 정관, 사원명부 또는 상업등기부상 명의인이 체납자일 것(「상법」 제543조, 제549조, 제557조 참조)
7. 채권 … 차용증서, 예금통상, 매출상 기타 거래관계 상부서류 등에 의해 체납자에게 귀속한다고 인정되는 것

◎ 부부 또는 동거친족재산의 귀속(예규 징법 33-3)

배우자(사실혼 관계를 포함한다) 또는 동거친족이 납세자의 재산 또는 수입에 의하여 생계를 유지하고 있을 때에는 납세자의 주거에 있는 재산은 납세자에 귀속한 것으로 추정한다. 다만, 「민법」 기타 법령에 특별한 규정이 있는 경우에는 그러하지 아니하다.

◎ 재산의 소재(예규 징법 33-4)

압류의 대상이 되는 재산은 이 법의 효력이 미치는 지역 내에 있는 재산이어야 하고 재산의 소재지 결정에 있어서는 상속세 및 증여세법 제5조(상속재산 등의 소재지)의 규정을 준용한다.

◎ 재산의 금전적 가치(예규 징법 33-5)

압류의 대상이 되는 재산은 금전적 가치를 가진 것이어야 한다. 따라서 금전 또는 물건의 급부를 목적으로 하지 않는 행위(예 : 연주를 하는 것 등) 또는 부작위(예 : 경업금지)를 목적으로 하는 채권 등은 압류의 대상이 되지 아니한다.

◎ 재산의 양도 또는 추심가능성(예규 징법 33-6)

압류의 대상이 되는 재산은 양도 또는 추심할 수 있는 것이어야 하고, 양도 또는 추심가능성에 관하여는 다음 사항에 유의한다.

① 유가증권 중 지시금지어음 및 수표는 「어음법」 제11조(당연한 지시증권성) 또는 「수표법」 제14조(당연한 지시증권성)의 규정에 의하며 지명채권의 양도방식에 따라 양도할 수 있다(민법 제508조 참조).

② 상속권, 부양청구권, 위자료청구권, 재산분할청구권 등과 같이 납세자의 일신에 전속하는 권리는 양도할 수 없다. 다만, 그 권리의 행사로 인하여 금전적 채권 등으로 전환되었을 때는 예외이다.

③ 요역지의 소유권에 부종하는 지역권 또는 채권에 부종하는 유치권, 질권, 저당권 등은 주된 권리와 분리하여 양도할 수 없다.

④ 상호는 영업을 폐지하거나 영업과 함께 하는 경우가 아니면 양도할 수 없다(상법 제25조 참조).

◎ **양도금지의 특약이 있는 재산**(예규 징법 33-7)

당사자 간의 계약에 의하여 양도금지의 특약이 있는 재산도 압류의 대상이 된다.

◎ 체납처분으로서의 압류의 요건을 규정하고 있는 국세징수법 제24조 각 항의 규정을 보면 어느 경우에나 압류의 대상을 납세자의 재산에 국한하고 있으므로, 납세자가 아닌 제3자의 재산을 대상으로 한 압류처분은 그 처분의 내용이 법률상 실현될 수 없는 것이어서 당연무효(대법원 96다17424, 1996.10.15.)

◎ 상속인이 상속 재산의 한도 내에서 승계한 피상속인의 체납국세의 납부의무를 이행하지 아니하는 경우 그 징수를 위해서 하는 압류는 반드시 상속재산에만 한정된다고 할 수 없고 상속인의 고유재산에 대해서도 압류할 수 있음(대법원 81누162, 1982.8.24.).

◎ **체납자가 매수한 물품을 합의해제하여 점유 개정에 의한 인도를 한 후에 행하여진 동 물품에 대한 압류의 효력(위법)**

체납자가 체납처분에 의한 압류를 면하고자 원고로부터 매수하여 팔다 남은 제품에 대하여 매매계약의 합의해제 및 점유개정에 의한 인도를 한 것이라 하여 당연히 그 효력이 부정되는 것이 아니므로 체납자가 1981.4.1. 원고와의 매매계약을 합의해제하고 점유개정의 방법에 의한 인도 후인 동년 4.8.에 피고가 위 제품에 대하여 한 압류는 체납자의 재산이 아닌 원고 소유건물에 대한 것으로서 위법함(대법원 82누18, 1982.9.14.).

3. 압류시 고려사항

부과 등의 처분에 쟁송이 있는 경우의 압류	과세에 관한 처분, 고지 등에 대하여 이의신청, 심사, 심판의 청구, 소송 등이 계속 중인 경우에도 그 처분이 취소될 때까지는 쟁송에 관련된 지방세의 체납에 기하여 재산을 압류할 수 있다.
재산의 선택	세무공무원이 압류재산을 선택하는 것은 재량에 속하나 다음의 사항을 고려하여 선택하여야 한다. 1. 압류재산이 환가하기에 편리하고 보관 및 인도에 편리할 것 2. 압류재산이 납세자의 생계유지 및 사업계속에 지장이 적을 것
압류재산상에 제3자가 가진 권리의 보호	세무공무원이 압류재산을 선택함에 있어서는 체납처분의 집행에 지장이 없는 한 그 재산에 관하여 제3자가 가진 권리(질권, 저당권, 유치권, 전세권, 임차권, 사용대차권, 지상권 등)를 해하지 아니하도록 선택하여야 한다.
압류전의 최고	독촉장, 납부최고서 또는 양도담보권자에 대한 고지서를 발부한 후 6월 이상을 지나서 압류를 하려 할 때에는 미리 납부를 촉구하여야 한다.

공유재산에 대한 압류	압류할 재산이 법률의 규정 또는 당사자의 의사표시에 의하여 공유로 된 경우에 각자의 지분이 정하여지지 아니하거나 불명인 때에는 그 지분이 균등한 것으로 추정하여 압류한다(「민법」 제262조 제2항 참조).
초과압류의 금지	재산의 압류는 지방세를 징수하기 위하여 필요한 범위를 초과할 수 없다. 다만, 불가분물 등 부득이한 경우는 예외로 한다.

※ 지방세징수법 예규 징법 33-8~11·14·17 내용

◎ 과세관청의 과세표준과 세액의 결정고지가 없이 된 압류는 무효임

과세관청이 국세의 과세표준과 세액을 결정하여 이를 납세의무자에게 고지한 때에 납세의무 확정의 효력이 발생하는 것으로서 그 결정의 고지가 없는 한 유효한 부과처분이 있다고 볼 수 없으므로 이러한 결정의 고지가 없이 된 압류는 무효임. 법인세법 제37조 … 각 규정에 의한 납세고지는 부과결정을 고지하는 과세처분의 성질과 확정된 세액의 납부를 명하는 징수처분의 성질을 아울러 갖는 것으로서 납세고지를 한 사실이 인정되지 않는 한 부과처분의 존재를 인정할 수 없음(대법원 85다카2539, 1988.9.13.).

◎ 부과취소된 처분에 의한 부동산의 압류는 무효로서 압류해제의 요건이 됨(세정 13407-353, 2001.9.20.).

◎ 납세의 고지나 독촉이 적법하게 납세자에게 송달되지 아니한 상태에서 압류된 경우라면 압류의 요건을 갖추지 못하였으므로 압류의 효력이 없음(세정 13407-770, 2000.6.21.).

4. 양도담보재산 및 가등기 재산 등의 압류

◎ 양도담보재산(예규 징법 33-13)

양도담보재산은 양도담보권자에게 속하는 재산으로서 그 양도담보권자의 체납액의 징수를 위하여 압류할 수 있으며, 또한 그 양도인의 체납액의 징수를 위하여 「지방세징수법」 제16조(양도담보권자의 물적납세책임)의 규정에 의하여 압류할 수 있다.

◎ 조건부 또는 기한부 법률행위에 의하여 재산이 이전된 경우 등(예규 징법 33-15)

조건부 또는 기한부 법률행위의 목적이 된 재산을 압류한 경우 압류 후에 그 조건의 성취 또는 기한의 도래에 의하여 권리를 취득한 자는 그 권리의 취득으로 지방자치단체에 대항하지 못한다. 매매계약 또는 재매매의 예약의 목적이 된 재산을 압류한 경우 압류 후에 그 매매를 완결하는 의사표시에 의하여 소유권을 취득한 자 또한 같다. 다만, 이들 권리를 보전하기 위하여 압류 전에 가등기가 된 경우에는 「예규 징법 33-16」에 의한다.

◎ **가등기된 재산의 압류에 대한 유의사항**(예규 징법 33-16)

가등기된 재산에 대하여는 등기의 명의인의 재산으로 압류할 수 있으나 압류 후 가등기에 기한 본등기가 되는 때에는 그 본등기의 순위는 가등기의 순위에 따르므로(「부동산등기법」 제6조 참조) 그 본등기가 압류의 대상인 권리를 이전하는 것인 경우에는 압류의 효력이 상실된다. 다만, 담보목적의 가등기를 한 재산인 경우에는 「지방세기본법」 제99조 제2항에 따른다.

☞ 순위보전 가등기의 경우 세무공무원은 가등기원인을 조사하여 담보의 목적으로 가등기가 된 것으로 인정되는 때에는 일단 압류한 후 본등기 이전시에는 가등기권자에게 「지방세징수법」 제16조(양도담보권자의 물적납세책임)의 규정에 의한 양도담보권자로서 물적납세책임을 지정할 것을 검토하여 조세채권의 일실을 방지하여야 한다.

◎ **압류등기 이전에 가등기가 경료되고 이후 본등기가 이루어진 경우, 그 가등기가 소유권이전청구권보전가등기인 경우 압류는 말소되고, 담보가등기라면 압류는 유효함**

압류등기 이전에 소유권이전청구권 보전의 가등기가 경료되고 그 후 본등기가 이루어진 경우에, 그 가등기가 매매예약에 기한 순위보전의 가등기라면 그 이후에 경료된 압류등기는 효력을 상실하여 말소되어야 할 것이므로 압류해제 사유에 관한 국세징수법 제53조 제1항 제2호는 적용의 여지가 없게 되는 반면, 그 가등기가 채무담보를 위한 가등기 즉 담보가등기라면 그 후 본등기가 경료되더라도 가등기는 담보적 효력을 갖는 데 그치므로 압류등기는 여전히 유효함(대법원 95누15193, 1996.12.20.).

5. 체납처분 절차의 위법 여부

1) 압류과정의 고지·독촉 등 절차적 하자

◎ 조세의 부과처분과 압류 등의 체납처분은 별개의 행정처분으로서 독립성을 가지므로 부과처분에 하자가 있더라도 그 부과처분이 취소되지 아니하는 한 그 부과처분에 의한 체납처분은 위법이라고 할 수는 없지만, 그 부과처분이 당연무효인 경우에는 그 부과처분의 집행을 위한 체납처분도 무효라 할 것임(대법원 87누383, 1987.9.22.).

◎ 납세의 고지나 독촉이 적법하게 납세자에게 송달되지 않은 상태에서 압류한 경우 압류의 요건을 갖추지 못해 압류의 효력 없음(세정 13407-770, 2000.6.21.).

◎ 상속 재산에 대한 압류는 그 압류 이전에 피상속인이나 그 상속인인 원고에 대하여 부과될 이 사건 양도소득세에 관하여 적법한 납세고지나 독촉이 없었으므로 무효임(대법원 81누162, 1982.8.24.).

◎ 압류처분의 근거가 된 여러 개의 부과처분 중 하나의 납세고지서 송달이 부적법하다는 이유로 무효로 밝혀지더라도, 그 압류처분이 무효라고 단정할 수는 없음(대법원 2009두20380,

2011.9.8.).

◎ **납세의무자에 대한 과세표준과 세액의 결정고지 없이 압류된 경우 효력은 무효**

과세관청이 국세의 과세표준과 세액을 결정하여 이를 납세의무자에게 고지한 때에 납세의무 확정의 효력이 발생하는 것으로서 그 결정의 고지가 없는 한 유효한 부과처분이 있다고 볼 수 없으므로 이러한 결정의 고지가 없이 된 압류는 무효임(대법원 85다카2539, 1988.9.13.).

◎ 서류보존기간의 경과로 송달을 입증할 수 없다고 하더라도, 그로 인한 체납처분과정에서 부동산 압류통지 송달사실 등 다른 간접 증빙자료가 입증되고 장기간 납세고지에 이의를 제기하지 않았다면 압류처분이 위법하다고 볼 수 없음(서울고법 2009누16048, 2010.1.15.).

◎ **체납처분에 의한 채권압류통지서에 "압류에 관계되는 국세의 과세연도, 세목, 세액과 납부기한"의 기재가 누락된 경우, 채권압류가 당연무효는 아님**

채권압류통지서에 의해 피압류채권이 특정되지 않거나 채권압류통지서에 피압류채권에 대한 지급금지의 문언이 기재되어 있지 않다면 그 효력이 없으나, 채권압류통지서에 국세징수법시행령 제44조의 기재사항들 중 하나인 "압류에 관계되는 국세의 과세연도, 세목, 세액과 납부기한"의 기재가 누락되었다고 하여 채권압류통지에 중대하고 명백한 하자가 있어 채권압류가 당연무효라고 볼 수 없음(대법원 95다41611, 1997.4.22.).

◎ **압류시 채무자 및 체납자에 대한 통지의무가 있으나 통지하지 아니하였더라도 무효는 아님**

국세징수법 제52조에서 채무자에게 통지할 것을 규정하고 있는 제41조 제1항을 준용하고 있지는 않으므로 '가'항의 압류시 그 뜻을 채무자에게 별도로 통지할 필요는 없고, 같은 법 제52조 제2항은 체납자에게 통지할 것을 규정하고 있는 같은 법 제41조 제3항의 규정을 준용하고 있어서 이에 따라 체납자에게는 그 뜻을 통지하여야 하지만 그와 같은 통지를 하지 아니하였다 하여 압류가 무효가 되는 것은 아님(대법원 95누3282, 1995.8.25. 압류등록무효확인).

◎ **과세처분 및 그 체납처분 절차의 근거 법령에 대한 위헌결정으로 후속 체납처분을 진행할 수 없는 경우, 압류의 근거를 상실하거나 압류를 지속할 필요성이 없게 된 경우에 해당**

택지소유상한에 관한 법률의 위헌결정의 취지에 따라 체납 부담금에 대한 징수가 불가능하게 되어 압류처분을 해제함에 있어 국세징수법 제53조 ①을 유추적용하여 압류를 해제하여야 할 것인 바, 국세징수법상 압류의 필요적 해제사유로 '납부, 충당, 공매의 중지, 부과의 취소, 기타의 사유로 압류의 필요가 없게 된 때'를 들고 있고, 이는 '압류의 필요가 없게 된 때'에 해당하는 사유를 예시적으로 열거한 것이므로 '기타의 사유'는 위 법정사유와 같이 납세의무가 소멸되거나 혹은 체납처분을 하여도 체납세액에 충당할 잉여가망이 없게 된 경우는 물론 위헌결정으로 후속 체납처분을 진행할 수 없어 압류의 근거를 상실하거나 지속할 필요성이 없게 된 경우도 포함하는 것임(대법원 2002두3317, 2002.7.12.).

☞ (같은 취지의 사례) 위헌결정 이후에 조세채권의 집행을 위한 새로운 체납처분에 착수하거나 이를 속행하는 것은 더 이상 허용되지 않고, 나아가 이러한 위헌결정의 효력에 위배하여 이루어진 체납처분은 당연무효임(대법원 2010두10907, 2012.2.16.).

◎ 동일한 채권에 대하여 강제집행절차와 체납처분절차가 경합하는 경우에 체납처분에 의한 압류채권의 추심이 이루어진 후에 그 조세부과처분이 취소됨으로써 체납처분에 의하여 징수한 금원이 납세의무자에 대한 관계에서 부당이득이 성립하는 때에도, 국가로서는 체납처분 당시 경합하고 있었던 압류채권자 등에게 그 채권을 보전하거나 집행할 수 있도록 배려하거나 납세의무자에 대한 부당이득반환채무가 발생하였다는 점을 통지할 신의칙상 주의의무가 있다고 할 수는 없음(대법원 2000다26036, 2002.12.24.).

2) 공매처분 과정의 위법 여부

◎ 공매사실을 체납자에게 통지하는 이유

국세징수법 제66조에서 체납자는 직접, 간접을 불문하고 압류재산을 매수하지 못하도록 정하고 있기는 하나, 공매절차에서 매각결정이 있은 이후에도 매수인이 매수대금을 납부하기 전에 체납자가 체납세액, 가산금과 체납처분비를 완납한 경우에는 공매절차를 중지하고, 이미 이루어진 매각결정까지 취소하여야 한다 할 것이므로, 체납자는 공매절차에서 매수인이 매수대금을 납부하기 전까지는 체납세액 등을 납부하고 목적 부동산의 소유권을 보존할 수 있다 할 것이고, 나아가 조세체납처분의 목적은 국가적 강제에 의하여 체납된 조세를 징수하는 것에 불과할 뿐 체납자의 재산권을 상실시키는 것이 그 목적이 아니라는 점과 체납자는 국세징수법 제66조에 의하여 직접이든 간접이든 압류재산을 매수하지 못하도록 되어 있음에도 불구하고 굳이 국세징수법이 체납자에게 공매통지를 하도록 정하고 있는 점 및 위에서 본 법리를 종합하여 보면, 공매사실을 체납자에게 통지하는 이유 중에 체납자로 하여금 체납세액을 납부하고 공매절차를 중지 · 취소시킴으로써 소유권을 보존할 기회를 갖도록 하기 위한 점이 고려되지 아니하였다고 할 수는 없음(대법원 2002다42322, 2002.10.25.).

◎ 공매처분을 하면서 체납자 등에게 공매통지를 하지 않았거나 공매통지를 하였더라도 그것이 적법하지 아니한 경우에는 절차상의 흠이 있어 그 공매처분은 위법함

☞ 공매통지는 공매의 요건이 아니라 공매사실 자체를 체납자 등에게 알려주는 데 불과한 것이라는 취지로 판시한 당초의 대법원 70누161, 95누12026을 변경한 것임(대법원 2007두18154, 2008.11.20.).

◎ 체납자 등에 대한 공매통지는 공매사실 그 자체를 체납자에게 알려주는데 불과함

구 국세징수법(1961.12.8. 법률 제819호) 제76조에 의한 세무서장의 압류재산공매공고와 동시에 체납자에게 하게 되어 있는 통지는 공매의 요건이 아니고 공매사실 그 자체를 체납자에게

알려주는데 불과한 것이며 또 법인의 부동산취득등기에는 그 대표자의 성명은 기재하게 되어 있는 것이 아니므로 법인인 체납자가 상업등기부에는 대표자변경등기를 하였다 하여도 법인세법에 따른 변경신고를 하지 않은 탓으로 세무서장이 종전 대표자명의로 공매통지를 하였다면 그 공매공고절차가 위법이라 할 수 없음(대법원 70누161, 1971.2.23.). ⇒ 대법원 2007두18154로 변경됨(2008.11.20.).

6. 신탁재산 압류

◎ **신탁법상 신탁이 이루어진 경우, 위탁자의 조세채권에 기하여 신탁재산을 압류할 수 없음**

위탁자가 수탁자에게 부동산의 소유권을 이전하여 당사자 사이에 신탁법에 의한 신탁관계가 설정되면 단순한 명의신탁과는 달리 신탁재산은 수탁자에게 귀속되고, 신탁 후에도 여전히 위탁자의 재산이라고 볼 수는 없으므로, 위탁자에 대한 조세채권에 기하여 수탁자 명의의 신탁재산에 대하여 압류할 수 없음(대법원 96다17424, 1996.10.15.).

◎ **위탁자가 상속받은 재산을 신탁한 경우, 그 재산상속에 따라 위탁자에게 부과된 상속세 채권이 신탁법 제21조 제1항의 '신탁 전의 원인으로 발생한 권리'에 해당하지 아니함**

신탁법 제21조 제1항은 신탁재산에 대하여 신탁 전의 원인으로 발생한 권리 또는 신탁사무의 처리상 발생한 권리에 기한 경우에만 강제집행 또는 경매를 허용하고 있는 바, 신탁대상재산이 신탁자에게 상속됨으로써 부과된 국세라 하더라도 신탁법상의 신탁이 이루어지기 전에 압류를 하지 아니한 이상, 그 조세채권이 신탁법 제21조 제1항 소정의 '신탁 전의 원인으로 발생한 권리'에 해당된다고 볼 수 없음(대법원 96다17424, 1996.10.15.).

◎ **명의신탁에 의해 체납자에게 소유권보존등기가 경료된 부동산에 대한 압류처분은 정당**

압류대상이 된 재산이 등기되어 있는 부동산인 경우에 그 재산이 납세자의 소유에 속하는 여부는 등기의 효력에 의하여 판단하여야 할 것이고, 압류대상건물들에 관한 체납자명의의 소유권보존등기가 원고의 의사에 기한 명의신탁에 의하여 이루어진 것이라면 비록 그 건물을 원고가 체납자 명의로 건축허가를 받아 신축한 것이었다 하더라도 그 소유권은 명의신탁의 법리에 따라 대외적으로는 체납자에게 귀속되었다고 보아야 할 것이므로 피고(세무서장)가 대외적으로 체납자에게 소유권이 귀속되어 있는 재산을 압류한 이상 그 압류처분은 유효하다 할 것이고 그 대내적인 소유권 귀속관계를 알고 있었다 하여 그 압류처분의 효력을 부정할 사유는 없음(대법원 83누506, 1984.2.24.).

◎ **계약서상 약정(신탁회사가 지방세 납부)을 이유로 신탁회사로부터 직접 징수할 수 없음**

조세법이 아닌 사법상의 계약에 의하여 조세채무를 부담하게 하거나 이를 보증하게 하여 이들로부터 일반채권의 행사방법에 의하여 조세채권의 종국적 만족을 실현하는 것은 허용될 수 없으므로(대법원 87다카2939, 1988.6.14.), 신탁계약서상의 신탁회사의 지방세 납부의무의 규정을 들어 체납자가 아닌 신탁회사로부터 지방세를 직접 징수할 수는 없음(대법원 2013다217054, 2014.3.13.).

신탁재산의 재산세 납세의무자 변경 전후 압류 사례

1) 2013년 이전 신탁재산 압류

- **위탁자의 지방세 체납을 이유로 수탁자의 재산을 압류하는 것은 부당**

  ① 「신탁법」에 의한 신탁재산은 소유권이 수탁자에게 귀속되는 점(대법원 2007다54276, 2008.3.13.), ② 「신탁법」 제21조 ①에 따라 '신탁사무의 처리상 발생한 권리'에 기한 경우에 신탁재산에 대해서는 강제집행을 할 수 있으나 이는 수탁자가 채무자인 경우에 해당하는 것이지 위탁자를 채무자로 하는 경우에는 해당되지 않는 점, ③ 납세자가 아닌 제3자 재산을 대상으로 하는 압류는 무효인 점(대법원 96다17424, 1996.10.15.) 등을 고려하여, 위탁자를 납세자로 하여 부과한 국세·지방세 체납을 원인으로, 수탁자가 소유한 신탁재산을 압류하는 처분은 무효라고 판결하고 있는 점(대법원 2011두16865, 2012.6.28. 등) 등을 종합해 볼 때 수탁자의 재산을 압류하는 것은 부당(지방세분석과-2043, 2012.7.17.)

- 취득세 등 채권은 위탁자인 (주)○○에 대한 채권으로서 '신탁사무의 처리상 발생한 권리'에 해당한다고 할 수 없다는 이유로 소외 회사에 대한 조세 채권에 기하여 원고 소유의 신탁재산을 압류한 이 사건 처분은 무효(대법원 2011두11006, 2012.4.13.)

- **위탁자에 대한 VAT·종부세 채권에 기하여 수탁자 소유의 신탁재산 압류는 무효**

  부가가치세 및 종합부동산세 채권은 위탁자인 소외 회사에 대한 채권으로서 수탁자가 신탁사무와 관련한 행위를 함으로써 수탁자에 대하여 발생한 권리를 의미하는 신탁법 제21조 제1항 단서 소정의 '신탁사무의 처리상 발생한 권리'에 해당한다고 볼 수 없어 신탁재산을 압류한 이 사건 처분은 무효임(대법원 2011두24491, 2012.4.12.).

- 위탁자 명의로 부과된 신탁재산에 대한 취득세, 재산세 등의 체납을 이유로 당해 신탁재산에 대해 압류하거나 교부청구를 한 것은 무효이며(대법원 2010다67593, 2012.7.12.), 그 신탁의 내용이 부동산담보신탁의 경우에도 동일함(대법원 2010두27998, 2013.1.24.).

2) 신탁재산의 재산세 납세의무자 변경에 따른 신탁재산의 압류방법

재산세 납세의무자가 위탁자에서 수탁자로 변경(2014.1.1. 시행)되어 해당 신탁재산에 대한 재산세 체납은 '신탁사무의 처리상 발생한 권리'에 해당한다. 따라서 종전에는 신탁재산에 대한 압류가 불가했으나 법 개정 이후부터는 압류가 가능해졌다.

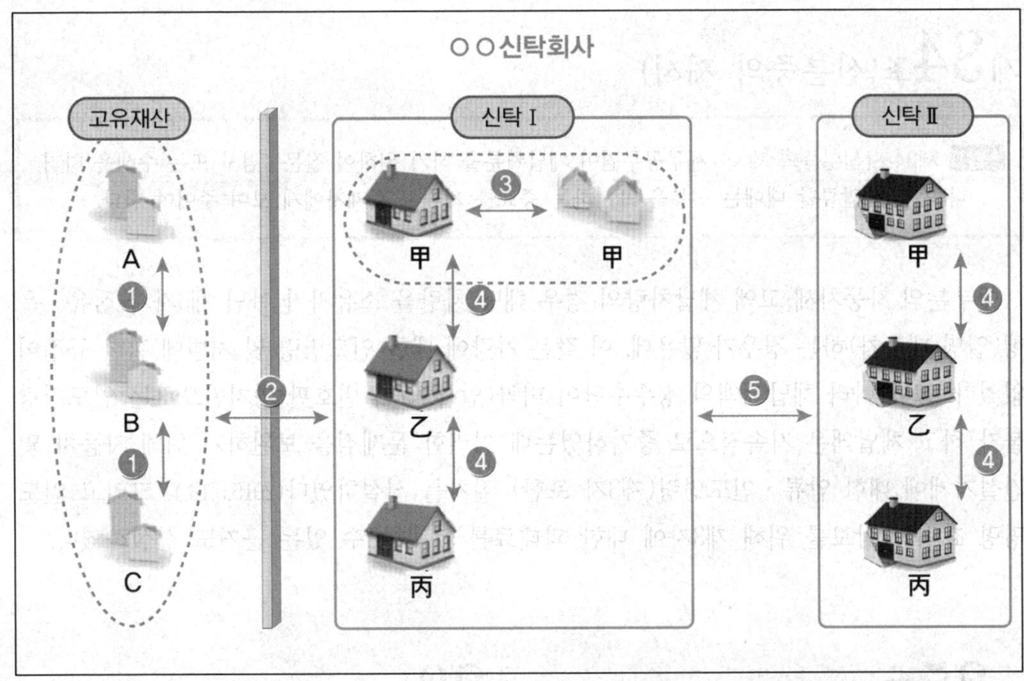

① 신탁재산에 대한 지방세 체납 외에 신탁업자에게 부과된 체납액에 대하여는 기존과 동일하게 신탁업자의 고유재산 압류가능 ② 고유재산과 신탁재산으로 구분되어 상호 압류불가 ③ 신탁별로 위탁자가(甲)같은 경우에 상호 압류가능 ④ 신탁이 같더라도 위탁자가 甲, 乙, 丙으로 다를 경우 압류불가 ⑤ "신탁Ⅰ"과 "신탁Ⅱ" 등으로 서로 다른 신탁인 경우 위탁자가 같더라도 상호 압류불가 … 위와 같이 신탁재산을 압류하였다면 그 압류처분에 터잡아 공매처분 및 배분을 통해 체납액에 충당할 수 있음. 위탁자별로 구분된 수탁자 명의의 등기 신탁재산에 대한 재산세가 체납됨에 따른 그 재산에 대한 압류 및 공매처분은 신탁법 제22조 제1항 상의 강제집행 금지 규정과 법률충동사항이 아님. 2014.1.1. 이후부터 납세의무자가 위탁자에서 수탁자로 변경되어 해당 신탁재산에 대한 재산세 체납은 '신탁사무의 처리상 발생한 권리'에 해당함(지방세특례제도과-978, 2015.4.3.).

제34조(신분증의 제시)

법 제34조(신분증의 제시) 세무공무원이 체납처분을 하기 위하여 질문·검사 또는 수색을 하거나 재산을 압류할 때에는 신분을 표시하는 증표를 지니고 관계자에게 보여 주어야 한다.

대부분의 자동차세 고액 체납차량의 경우 해당 차량을 소유자가 아닌 제3자가 점유·운행(일명 대포차)하는 경우가 많은데, 이 같은 차량에 대한 인도명령 및 처벌에 관한 규정이 없었다. 그에 따라 체납세액의 징수수단이 미약(압류 없이 번호판 영치만으로는 인도명령 불가)하고 체납액은 지속적으로 증가하였는데 이러한 문제점을 보완하기 위해 자동차 및 건설기계에 대한 압류·인도명령(제3자 포함) 절차를 신설하였다(2015.5.18.). 그리고 인도명령 효력의 담보를 위해 제3자에 대한 과태료를 부과할 수 있는 근거도 신설하였다.

제35조(수색의 권한과 방법)~제38조(압류조서)

법 제35조(수색의 권한과 방법) ① 세무공무원은 재산을 압류하기 위하여 필요할 때에는 체납자의 가옥·선박·창고 또는 그 밖의 장소를 수색하거나 폐쇄된 문·금고 또는 기구를 열게 하거나 직접 열 수 있다. 체납자의 재산을 점유하는 제3자가 재산의 인도(引渡)를 거부할 때에도 또한 같다.

② 세무공무원은 제3자의 가옥·선박·창고 또는 그 밖의 장소에 체납자의 재산을 은닉한 혐의가 있다고 인정될 때에는 제3자의 가옥·선박·창고 또는 그 밖의 장소를 수색하거나 폐쇄된 문·금고 또는 기구를 열게 하거나 직접 열 수 있다.

③ 제1항 또는 제2항에 따른 수색은 해뜰 때부터 해질 때까지만 할 수 있다. 다만, 해가 지기 전에 시작한 수색은 해가 진 후에도 계속할 수 있다.

④ 주로 야간에 대통령령으로 정하는 영업을 하는 장소에 대해서는 제3항에도 불구하고 해가 진 후에도 영업 중에는 수색을 시작할 수 있다.

⑤ 세무공무원은 제1항 또는 제2항에 따라 수색을 하였으나 압류할 재산이 없을 때에는 수색조서를 작성하여 체납자 또는 제37조에 따른 참여자와 함께 서명날인하여야 하며, 참여자가 서명날인을 거부할 경우 그 사실을 수색조서에 함께 적어야 한다.

⑥ 세무공무원은 제5항에 따라 수색조서를 작성하였을 때에는 그 등본을 수색을 받은 체납자 또는 참여자에게 내주어야 한다.

영 제42조(야간수색 대상 영업) 법 제35조 제4항에서 "대통령령으로 정하는 영업"이란 다음 각 호의 어느 하나에 해당하는 영업을 말한다.

1. 객실을 설비하여 음식과 주류를 제공하고, 유흥종사자에게 손님을 유흥하게 하는 영업

2. 무도장(舞蹈場)을 설치하여 일반인에게 이용하게 하는 영업

3. 주류, 식사, 그 밖의 음식물을 제공하는 영업 4. 제1호부터 제3호까지의 규정과 유사한 영업

법 제36조(체납처분에 따른 질문 · 검사권) 세무공무원은 체납처분을 집행하면서 압류할 재산의 소재 또는 수량을 알고자 할 때에는 다음 각 호의 어느 하나에 해당하는 자에게 질문하거나 장부, 서류, 그 밖의 물건의 검사 또는 제출을 요구할 수 있다.

1. 체납자 2. 체납자와 거래관계가 있는 자 3. 체납자의 재산을 점유하는 자

4. 체납자와 채권 · 채무 관계가 있는 자 5. 체납자가 주주 또는 사원인 법인

6. 체납자인 법인의 주주 또는 사원

7. 체납자의 재산을 은닉한 혐의가 있다고 인정되는 자로서 대통령령으로 정하는 자

영 제43조(체납처분 집행 중의 출입 제한) 세무공무원은 다음 각 호의 어느 하나에 해당하는 경우로서 필요하다고 인정하면 체납처분 집행 중 그 장소에 있는 관계인이 아닌 사람에게 나가 달라고 하거나 관계인이 아닌 사람이 그 장소에 출입하는 것을 제한할 수 있다.

1. 법 제33조에 따라 재산을 압류하는 경우 2. 법 제35조에 따라 수색을 하는 경우

3. 법 제36조에 따라 질문 또는 검사를 하는 경우

제44조(질문 · 검사 등의 요구) 법 제36조 제7호에서 "대통령령으로 정하는 자"란 체납자와 「지방세기본법 시행령」 제2조 제1항에 따른 친족관계에 있는 자 또는 같은 조 제2항에 따른 경제적 연관관계에 있는 자를 말한다.

법 제37조(참여자 설정) ① 세무공무원은 제35조 또는 제36조에 따라 수색 또는 검사를 할 때에는 수색 또는 검사를 받는 사람과 그의 가족 · 동거인이나 사무원, 그 밖의 종업원을 증인으로 참여시켜야 한다.

② 제1항의 경우에 참여자가 없을 때 또는 참여 요청에 따르지 아니할 때에는 성년자 2명 이상 또는 다른 지방자치단체의 공무원이나 경찰공무원을 증인으로 참여시켜야 한다.

제38조(압류조서) ① 세무공무원은 체납자의 재산을 압류할 때에는 압류조서를 작성하여야 한다. 이 경우 압류재산이 다음 각 호의 어느 하나에 해당할 때에는 그 등본을 체납자에게 내주어야 한다.

1. 동산 또는 유가증권 2. 채권 3. 채권과 소유권을 제외한 재산권(이하 "무체재산권등"이라 한다)

② 세무공무원은 압류조서에 제37조에 따른 참여자의 서명날인을 받아야 하며, 참여자가 서명날인을 거부하였을 때에는 그 사실을 압류조서에 함께 적어야 한다.

③ 세무공무원은 질권(質權)이 설정된 동산 또는 유가증권을 압류하였을 때에는 그 동산 또는 유가증권의 질권자에게 압류조서의 등본을 내주어야 한다.

④ 세무공무원은 채권을 압류하였을 때에는 채권의 추심이나 그 밖의 처분을 금지한다는 뜻을 압류조서에 함께 적어야 한다.

- **압류할 수 있는 세무공무원** : 제35조 ①에서 「세무공무원」이라 함은 납세자의 지방세를 관할하는 지방자치단체의 장과 그 위임을 받은 공무원을 말함(예규 징법 35-1).
- 지방자치단체의 장은 야간, 토요일, 일요일 기타 공휴일에는 특히 필요하다고 인정하는 경우를 제외하고는 압류를 하지 아니함(예규 징법 35-11).

◎ 체납처분으로서의 채권압류에 있어서 압류조서의 작성 등 절차상의 사소한 하자가 압류의 효력에 영향이 없다는 사례(대법원 88다19033, 1989.11.14.)

제39조(사해행위의 취소 및 원상회복)~제39조의 2(체납처분의 위탁)

> **법** 제39조(사해행위의 취소 및 원상회복) 지방자치단체의 장은 체납처분을 집행할 때 납세자가 지방세 징수를 피하기 위하여 재산권을 목적으로 한 법률행위(「신탁법」에 따른 사해신탁을 포함한다)를 한 경우에는 「민법」 제406조·제407조 및 「신탁법」 제8조를 준용하여 사해행위의 취소 및 원상회복을 법원에 청구할 수 있다.
>
> **영** 제45조(사해행위 취소 등의 절차) 지방자치단체의 장은 법 제39조에 따른 사해행위의 취소 및 원상회복을 요구할 때에는 「민법」과 「민사소송법」에 따라 체납자 또는 재산양수인을 상대로 소송을 제기하여야 한다.
>
> **법** 제39조의 2(체납처분의 위탁) ① 지방자치단체의 장은 제11조 제1항 본문에 따른 명단공개 기준에 해당하는 고액·상습체납자의 수입물품에 대한 체납처분을 세관장에게 위탁할 수 있다.
> ② 제1항에 따른 체납처분의 위탁 또는 위탁 철회에 필요한 사항은 대통령령으로 정한다.

체납처분을 집행할 때 체납자가 지방세 징수를 피하기 위하여 사해행위를 한 경우 이에 대해 취소 및 원상회복을 법원에 청구할 수 있다.

지방세법상 사해행위 취소의 요건으로는 민법상의 사해행위취소권과 마찬가지로 ① 조세채권 존재 ② 체납자의 고의(악의) ③ 양수인(수익자) 또는 전득자의 고의(악의) ④ 체납자의 사해행위(재산권을 목적으로 하는 법률행위)를 요구하고 있다.

체납자의 고의라 함은 체납자가 조세의 징수를 면하려는 의사, 즉 조세징수권을 해하는 의사를 가진 것을 말하다. 민법 제406조 제1항의 '채권자를 해함을 알고'라는 주관적 요건, 즉 사해의 의사에 대하여 인식하는 것으로 충분하고 적극적으로 이를 의욕할 필요는 없다는 이른바 인식설(認識說)이 통설과 판례의 입장이다.[8] 체납자의 고의는 사해행위 당시에 존재하여야 하며, 이는 사해행위 성립을 위한 적극적인 요건의 하나이므로 채권자인 과세관청이 이를 입증하여야 한다.

민법 제406조 제1항에서 요구하는 수익자 또는 전득자의 악의와 동일한 차원에서 사해행위취소에 있어서도 양수인(수익자) 또는 전득자가 체납자와의 법률행위 당시 또는 전득 당

8) 사법연수원, 「조세법총론 I」, 2014. p.224~225

시 채권자를 해함을 알지 못한 때에는 사해행위취소권을 행사하지 못한다. 다만, 채무자의 악의가 입증되면 수익자 또는 전득자의 악의도 추정되므로, 사해행위취소권 행사를 저지하기 위해서는 수익자 또는 전득자 스스로 선의임을 입증하여야 한다.

| 최근 개정법령 2020.12.29. | 지자체 장이 고액·상습체납자의 수입품에 대한 체납처분(압류·매각) 권한을 세관장에게 위탁할 수 있는 근거를 마련하였다. 2021.1.1. 이후 세관장에게 체납처분을 위탁하는 경우부터 적용한다.

- 민법 제406조(채권자취소권) ① 채무자가 채권자를 해함을 알고 재산권을 목적으로 한 법률행위를 한 때에는 채권자는 그 취소 및 원상회복을 법원에 청구할 수 있다. 그러나 그 행위로 인하여 이익을 받은 자나 전득한 자가 그 행위 또는 전득당시에 채권자를 해함을 알지 못한 경우에는 그러하지 아니하다. ② 전항의 소는 채권자가 취소원인을 안 날로부터 1년, 법률행위 있은 날로부터 5년 내에 제기하여야 한다.
- 민법 제407조(채권자취소의 효력) 전조의 규정에 의한 취소와 원상회복은 모든 채권자의 이익을 위하여 그 효력이 있다.

| **사해행위 취소 관련 개념 정리** |

구분	내용
체납처분을 집행할 때	「체납처분을 집행할 때」라 함은 지방자치단체의 장이 사해행위의 취소를 요구할 수 있는 시점을 정한 것으로서 사해행위의 시점을 정한 것이 아님
지방세가 목적물의 가액보다 적은 경우의 처리	사해행위 취소의 소를 제기하는 경우에 있어 지방세의 액이 사해행위의 목적이 된 재산의 처분예정가액보다 적은 때에는 다음에 의한다. 1. 사해행위의 목적이 된 재산이 가분인 때에는 지방세에 상당하는 사해행위의 일부의 취소와 재산의 일부의 반환을 청구하는 것으로 한다. 2. 사해행위의 목적이 된 재산이 불가분인 때에는 사해행위의 전부취소와 재산의 반환을 청구하는 것으로 한다. 다만, 그 재산의 처분예정가액이 현저히 지방세를 초과할 때는 그 재산의 반환 대신에 상당액의 손해배상을 청구하여도 무방하다.
취소후의 체납처분 등	사해행위의 취소에 의하여 납세자의 일반재산에 복귀한 재산 또는 재산의 반환에 대신한 손해배상금에 대한 체납처분은 다음에 의한다. 1. 인도를 받은 동산·유가증권에 대하여는 압류를 한다. 또한 판결이 있음에도 불구하고 피고가 인도하지 아니할 때에도 같다. 2. 등기를 말소하여야 할 취지의 판결을 받은 부동산 기타 재산에 관하여는 즉시 그 판결에 의하여 등기말소를 함과 동시에 압류를 한다. 3. 손해의 배상금액의 지급을 받은 경우에는 채권압류시에 있어서 제3채무자로부터 급부를 받은 금전에 준하여 처리한다. 또한 판결이 있음에도 불구하고 피고가 지급을 하지 아니할 때에는 집행문 부여를 받아 민사집행법에 의하여 강제집행을 한다. 4. 반환을 받은 재산에 대하여 체납처분을 하고 지방세에 충당한 후 잔여가 있는

	경우에는 그 잔여분은 체납자에게 주지 아니하고 그 재산의 반환을 한 수익자 또는 전득자에게 반환한다.
사해행위 취소법률	세무공무원은 「민법」 제406조 및 제407조의 규정을 준용하여 사해행위의 취소를 법원에 청구할 수 있다.

※ 예규 징법 39-1·2, 징법 39…85-1·2 내용

- 지방세법 시행령 제73조 제2항의 규정에 의거 증여로 취득한 부동산에 대해 법원이 사해행위를 원인으로 한 증여계약 취소판결로 인하여 증여취득자의 소유권등기가 말소되고 원래의 소유자에게 환원되었다면 취득한 것으로 볼 수 없어 증여취득으로 기납부한 취득세는 지방세법 제45조의 규정에 의하여 환부대상임(세정 13407-183, 2001.2.15.).

- 부동산에 대한 소유권이전등기 후 국가의 사해행위 취소로 인하여 소유권이전등기가 말소되었다 하더라도 이러한 말소를 원인으로 취득세 등을 환부할 수 없는 것임(지방세심사 2004-335, 2004.11.30.).

- **납세자가 보유한 유일재산에 대하여 등록세만 납부하고 취득세를 납부하지 아니한 상태에서 신탁한 경우 사해행위 취소 대상으로 보아 소유권이전 등기를 말소할 수 있음**

  이 사건 조세채권은 소외 회사가 이 사건 아파트에 대한 소유권을 취득하는 경우 당연히 발생하는 법정채권으로서, 아파트 신축사업을 시행할 때부터 채권발생이 이미 예견되어 있었고, 조세채권의 법정기일은 소외 회사가 아파트에 대한 과세표준과 세액을 신고한 이후 아파트에 관하여 담보권을 취득하게 될 채권자들에 우선하였던 점, 그럼에도 소외 회사는 신탁계약을 체결하면서 우선징수권이 있는 이 사건 조세채무의 변제 및 정산방법에 대하여는 아무런 조항을 두지 아니하였고, 소유권보존등기를 마치는 데 필요한 등록세만을 납부한 다음 조세채무를 전혀 납부하지 않다가 신탁계약을 체결하고 신탁등기를 마침으로써 원고에 의한 압류 및 조세징수절차를 원천적으로 봉쇄한 점, 이 사건 신탁계약에 의하면 조세채권은 그 법정기일과 상관없이 피고의 신탁비용 채권보다 후순위가 되어 채권상호간의 우열관계를 당사자의 합의에 의하여 마음대로 변경하는 결과를 초래하게 되는 점, 소외 회사는 현재까지 이 사건 조세채무 중 2600만원만을 납부하였을 뿐 나머지 세액을 납부하기 위한 별다른 노력을 기울이지 않고 있는 점 등을 종합하면, 신탁계약 당시 원고를 해한다는 의사가 있었음이 추단됨(대법원 2013다201479, 2013.5.23.).

- **압류 및 조세징수절차를 원천적으로 봉쇄하고 체납세 미납부시는 사행해위에 해당**

  채무초과 상태에 있는 채무자가 그 소유의 부동산을 채권자 중의 어느 한 사람에게 채권담보로 제공하는 행위는 특별한 사정이 없는 한 다른 채권자들에 대한 관계에서 사해행위에 해당하므로(대법원 97다10864, 1997.9.9.), 채무초과 상태에서 유일한 적극재산을 등록세만 납부하

고 취득세 등을 전혀 납부하지 않은 상태에서 신탁회사에 신탁하고 금융기관을 우선 수익자로 정하여 압류 및 조세징수절차를 원천적으로 봉쇄하고 이후 관련 체납세를 전혀 납부하지 않은 것은 조세회피 목적의 사행해위에 해당함(대법원 2013다201479, 2013.5.23.).

◎ '취소원인을 안 날'이란 채권자의 해함을 인지하고 사해행위한 날을 알게 된 날을 의미

채권자취소권 행사에 있어서 제척기간(1년)의 기산점인 채권자가 '취소원인을 안 날'이라 함은 채무자가 채권자를 해함을 알면서 사해행위를 하였다는 사실을 알게 된 날을 의미한다고 할 것이므로, 단순히 채무자가 재산의 처분행위를 하였다는 사실을 아는 것만으로는 부족하고, 채권의 공동담보에 부족이 생기거나 이미 부족상태에 있는 공동담보가 한층 더 부족하게 되어 채권을 완전하게 만족시킬 수 없게 되었으며 나아가 채무자에게 사해의 의사가 있었다는 사실까지 알 것을 요함(대법원 2001다11239, 2002.11.26.).

◎ 국세징수법상 사해행위 취소의 소(訴)도 민법상(제406조 ②) 제소기간 이내여야 함

국세징수법 제30조와 같은 법 시행령 제36조가 규정하는 바의 사해행위 취소의 소도 민법 제406조가 정하는 사해행위 취소의 소의 일종임이 명백하고, 그 행사에 있어서 민법의 규정과 달리하여야 하는 특별한 규정이 없으므로 민법 제406조 제2항의 제소기간 내에 제기되어야 함(대법원 91다14079, 1991.11.8.).

◎ 사해행위 취소의 소를 제기함에 있어서도 그 제척기간의 적용을 받음

체납자 소유의 부동산에 관하여 경료된 가등기와 본등기가 전혀 원인 없는 허위표시에 의하여 이루어졌다고 하더라도 그와 같은 사유가 있다 하여 사해행위 취소의 소를 제기함에 있어 그 제척기간의 적용을 면하는 것이라고 할 수 없음(대법원 91다14079, 1991.11.8.).

◎ 가등기 경료 후 본등기시, 사해행위 취소의 제척기간은 가등기시점부터 진행

채권담보를 위한 가등기이든 매매예약에 기한 청구권보전의 가등기이든 체납자 소유의 부동산에 관하여 가등기를 경료한 후 본등기 하였을 때 그 기본이 된 가등기를 한 법률행위와 본등기를 한 법률행위가 명백히 다른 원인으로 된 경우가 아니라면 가등기를 한 법률행위를 제쳐 두고 그 본등기를 한 법률행위만이 취소의 대상이 되는 위 "가"항의 사해행위라고 할 것은 아니므로 본등기한 때로부터 따로 제척기간이 진행된다고 할 수 없음(대법원 91다14079, 1991.11.8.).

◎ 다액의 조세채권과 배우자 사이의 이혼 및 재산분할 문제로 그 명의의 은행계좌를 사용한 것으로 보이고 사행행위취소대상이 되는 금원이 양도자를 위해 사용되었으므로 사해행위에 해당하지 아니함(대법원 2011다90842, 2012.1.12.).

◎ 바다이야기 게임사업장에 대해 매출총액을 과세표준으로 부가세를 부과한 사례가 없었던 시기에 동 부동산을 취득하였다면 선의의 수익자이므로 사행행위의 취소는 부당함(대법원 2009다31956, 2009.7.9.).

◎ 국세가 체납된 상태에서 강제집행을 피하기 위하여 자신이 분양받아 두었던 유일한 재산인 토지를 자신의 처인 피고에게 양도하여 채무초과의 상태에 이르렀는 바, 동 양도계약은 원고를 해하는 사행행위로 취소되어야 한다는 사례(부산동부 2005가합1406, 2006.12.14.)

제2절 압류금지 재산

제40조(압류금지 재산)~제43조(초과압류의 금지)

법 제40조(압류금지 재산) 다음 각 호의 재산은 압류할 수 없다.

1. 체납자와 그 동거가족의 생활에 없어서는 아니 될 의복, 침구, 가구와 주방기구
2. 체납자와 그 동거가족에게 필요한 3개월간의 식료와 연료
3. 인감도장이나 그 밖에 직업상 필요한 도장 4. 제사·예배에 필요한 물건, 비석 및 묘지
5. 체납자 또는 그 동거가족의 상사(喪事)·장례에 필요한 물건
6. 족보나 그 밖에 체납자의 가정에 필요한 장부·서류 7. 직무상 필요한 제복
8. 훈장이나 그 밖의 명예의 증표 9. 체납자와 그 동거가족의 학업에 필요한 서적과 기구
10. 발명 또는 저작에 관한 것으로서 공표되지 아니한 것
11. 법령에 따라 급여하는 사망급여금과 상이급여금(傷痍給與金)
12. 의료·조산(助産)의 업(業) 또는 동물진료업에 필요한 기구·약품과 그 밖의 재료
13. 「주택임대차보호법」 제8조 및 같은 법 시행령에 따라 우선변제를 받을 수 있는 금액
14. 체납자의 생계유지에 필요한 소액금융재산으로서 대통령령으로 정하는 것

영 제46조(압류금지 재산) ① 법 제40조 제14호에서 "대통령령으로 정하는 것"이란 다음 각 호의 구분에 따른 보장성보험의 보험금, 해약환급금 및 만기환급금과 개인별 잔액이 185만원 이하인 예금(적금, 부금, 예탁금과 우편대체를 포함한다)을 말한다.

1. 사망보험금 중 1천만원 이하의 보험금
2. 상해·질병·사고 등을 원인으로 체납자가 지급받는 보장성보험의 보험금 중 다음 각 목에 해당하는 보험금
   가. 진료비, 치료비, 수술비, 입원비, 약제비 등 치료 및 장애 회복을 위하여 실제 지출되는 비용을 보장하기 위한 보험금 나. 치료 및 장애 회복을 위한 보험금 중 가목에 해당하는 보험금을 제외한 보험금의 2분의 1에 해당하는 금액
3. 보장성보험의 해약환급금 중 150만원 이하의 금액

4. 보장성보험의 만기환급금 중 150만원 이하의 금액

② 체납자가 보장성보험의 보험금, 해약환급금 또는 만기환급금 채권을 취득하는 보험계약이 둘 이상인 경우에는 다음 각 호의 구분에 따라 제1항 각 호의 금액을 계산한다.

1. 제1항 제1호, 제3호 및 제4호 : 보험계약별 사망보험금, 해약환급금, 만기환급금을 각각 합산한 금액
2. 제1항 제2호 나목 : 보험계약별 금액

법 제41조(조건부 압류금지 재산) 다음 각 호의 재산은 체납자가 체납액에 충당할 만한 다른 재산을 제공할 때에는 압류할 수 없다.

1. 농업에 필요한 기계 · 기구, 가축류의 사료, 종자와 비료
2. 어업에 필요한 어망(漁網) · 어구(漁具)와 어선 3. 직업 또는 사업에 필요한 기계 · 기구와 비품

제42조(급여채권의 압류 제한) ① 급료 · 연금 · 임금 · 봉급 · 상여금 · 세비 · 퇴직연금, 그 밖에 이와 비슷한 성질을 가진 급여채권에 대해서는 그 총액의 2분의 1은 압류할 수 없다. 다만, 그 금액이 표준적인 가구의 「국민기초생활 보장법」에 따른 최저생계비를 고려하여 대통령령으로 정하는 금액에 미치지 못하는 경우 또는 표준적인 가구의 생계비를 고려하여 대통령령으로 정하는 금액을 초과하는 경우에는 각각 대통령령으로 정하는 금액을 압류할 수 없다.

② 퇴직금이나 그 밖에 이와 비슷한 성질을 가진 급여채권에 대해서는 그 총액의 2분의 1은 압류할 수 없다.

영 제47조(급여의 압류 범위) ① 법 제42조에 따른 총액은 지급받을 수 있는 급여금 전액에서 그 근로소득 또는 퇴직소득에 대한 소득세 및 개인지방소득세를 뺀 금액으로 한다.

② 법 제42조 제1항 단서에서 "「국민기초생활 보장법」에 따른 최저생계비를 고려하여 대통령령으로 정하는 금액"이란 월 185만원을 말한다.

③ 법 제42조 제1항 단서에서 "표준적인 가구의 생계비를 고려하여 대통령령으로 정하는 금액"이란 제1호와 제2호의 금액을 더한 금액을 말한다.

1. 월 300만원
2. 다음의 계산식에 따라 계산한 금액. 다만, 계산한 금액이 0보다 작은 경우에는 0으로 본다.
   [법 제42조 제1항 본문에 따른 압류금지금액(월액으로 계산한 금액을 말한다) - 제1호의 금액] × 1/2

법 제43조(초과압류의 금지) 지방자치단체의 장은 지방세를 징수하기 위하여 필요한 재산 외의 재산을 압류할 수 없다.

| 최근 개정법령 _ 2016.1.1. | 추가된 압류금지재산(제91조의 8 제13호)의 경우 이 법 시행 후 압류하는 분부터 적용한다.

〈2016년 행자부 적용요령〉「주택임대차보호법」 제8조 및 같은 법 시행령에 따라 우선변제를 받을 수 있는 금액

구분	서울	과밀억제권역	광역시	그 밖의 지역
적용 대상(A) - 보증금 기준 -	9.5천만원 이하	8천만원 이하	6천만원 이하	4.5천만원 이하
압류 금지 금액(B)	3.2천만원	2.7천만원	2천만원	1.5천만원
압류 가능 금액(A-B)	6.3천만원	5.3천만원	4천만원	3천만원

- 컴퓨터, 냉장고 등은 생활상 없어서는 안될 도구가 아니고, 동산은 점유의 방법으로 소유권을 공시하기 때문에 이를 압류할 수 있음(지방세심사 2004-32, 2004.1.29.).

- 피상속인의 납세의무를 승계받아 관련 세액을 체납한 장애인의 정기적금예탁금은 압류금지 재산에 해당한다고 봄이 타당함(지방세심사 2006-403, 2006.10.30.).

- 사립학교 교지에 대한 압류처분의 효력(무효)

  사립학교법 제28조 제2항, 같은 법 시행령 제12조 제1항의 학교법인의 재산 중 당해 학교법인이 설치·경영하는 사립학교의 교육에 직접 사용되는 교지 등의 재산은 매도 또는 담보에 제공할 수 없도록 규정하고 있는 취지는, 그것이 매매계약의 목적물이 될 수 없다는 데에 그치는 것이 아니고 매매로 인한 소유권이전 가능성을 전부 배제하는 것으로 국세징수법상 체납처분 절차에 의한 매도도 금지하는 것이어서, 이에 대하여는 국세징수법에 의한 압류가 허용되지 아니함이 명백하다(대법원 96누4947, 1996.11.15.).

- 강제집행 대상 채권의 범위

  사립학교법 제43조 제1항, 보조금의 예산 및 관리에 관한 법률 제22조 제1항 등에 의하여 국가 또는 지방자치단체로부터 교육의 진흥상 필요하다고 인정되어 사립학교 교육의 지원을 위하여 교부되고 그 목적 이외의 사용이 금지되는 보조금은, 그 금원의 목적 내지 성질상 국가나 지방자치단체와 학교법인 사이에서만 수수, 결제되어야 하므로 그 보조금교부채권은 성질상 양도가 금지된 것으로 보아야 하고 따라서 강제집행의 대상이 될 수 없음(대법원 96마1302, 1303, 1996.12.24.).

- 학교법인의 수익용 기본재산을 압류한 처분은 정당함(지방세심사 2001-112, 2001.3.27.).

- 압류금지 재산의 압류는 무효로서 시효중단 효력도 발생되지 아니함

  압류금지 재산(개인별 예금잔액이 120만원 미만인 예금)을 압류한 경우 압류해지시까지 개인별 예금잔액이 120만원 미만이라면 이 압류는 국세징수법 제31조에 따라 무효인 행정행위에 해당하므로 지방세기본법 제40조의 규정에 의한 시효의 중단효력도 발생하지 않는다고 할 것임(지방세분석과-639, 2013.2.26.).

◎ 압류금지 재산인 소액금융재산에 해당하는지 여부는 휴면예금 여부와 관계없이 체납자의 전체 예금 잔액이 120만원 미만인 예금을 의미

"휴면예금"이란 은행 및 우체국의 요구불예금, 저축성예금 중에서 관련 법률의 규정 또는 당사자의 약정에 따라 청구권의 소멸시효 완성 후 휴면예금관리재단 등에 출연되어 관리되는 예금이며 국세징수법에서 압류의 대상이 되는 채권재산은 체납자에게 귀속되어 있는 차용증서, 예금통장 등으로 규정(예규 24-02…2)하고 있을 뿐, 휴면예금에 대하여 별도 구분을 하고 있지 않음. 따라서, 압류금지 재산인 소액금융재산에 해당하는지 여부는 휴면예금 여부와 관계없이 체납자의 전체 예금 잔액이 120만원 미만인 예금을 의미한다고 할 것임(지방세분석과-4598, 2012.11.23.).

제 3 절

체납처분의 효력

제44조~제47조(질권이 설정된 재산의 압류 등)

법 제44조(질권이 설정된 재산의 압류) ① 세무공무원이 질권이 설정된 재산을 압류하려는 경우에는 그 질권자에게 문서로써 그 질권의 대상물의 인도를 요구하여야 한다. 이 경우 질권자는 질권의 설정 시기에 관계없이 질권의 대상물을 세무공무원에게 인도하여야 한다.

② 세무공무원은 질권자가 제1항에 따라 질권의 대상물을 인도하지 아니하는 경우에는 즉시 압류하여야 한다.

제45조(가압류 · 가처분 재산에 대한 체납처분의 효력) 재판상의 가압류 또는 가처분 재산이 체납처분 대상인 경우에도 이 법에 따른 체납처분을 한다.

영 제48조(가압류 · 가처분 재산에 대한 압류 통지) 세무공무원이 법 제45조에 따라 재판상의 가압류 또는 가처분을 받은 재산을 압류할 때에는 그 뜻을 해당 법원, 집행공무원 또는 강제관리인에게 통지하여야 한다. 그 압류를 해제할 때에도 또한 같다.

법 제46조(과실에 대한 압류의 효력) 압류의 효력은 압류재산으로부터 생기는 천연과실(天然果實) 또는 법정과실(法定果實)에 미친다. 다만, 체납자 또는 제3자가 압류재산을 사용하거나 수익하는 경우에는 그 재산으로부터 생기는 천연과실(그 재산의 매각으로 인하여 권리를 이전할 때까지 거두어들이지 아니한 천연과실은 제외한다)에 대해서는 미치지 아니한다.

영 제49조(과실에 대한 압류의 효력의 특례) 법 제46조에 따른 천연과실(天然果實) 중 성숙한 것은 토지 또는 입목(立木)과 분리하여 동산으로 볼 수 있다.

법 제47조(상속 · 합병의 경우에 대한 체납처분의 효력) ① 체납자의 재산에 대하여 체납처분을 집행한 후 체납자가 사망하였거나 체납자인 법인이 합병으로 소멸되었을 때에도 그 재산에 대한 체납처분은 계속 진행하여야 한다.

② 체납자가 사망한 후 체납자 명의의 재산에 대하여 한 압류는 그 재산을 상속한 상속인에 대하여 한 것으로 본다.

◎ **(종물에 대한 압류의 효력)** 주물을 압류한 때에는 종물에도 효력이 미친다(「민법」 제100조 제2항 참조)(예규 징법 46-18).

제4절 동산과 유가증권의 압류

제48조~제50조(동산과 유가증권의 압류 등)

법 제48조(동산과 유가증권의 압류) ① 동산 또는 유가증권의 압류는 세무공무원이 점유함으로써 한다.

② 세무공무원은 체납자와 그 배우자의 공유재산으로서 체납자가 단독으로 점유하거나 배우자와 공동으로 점유하고 있는 동산 또는 유가증권을 제1항에 따라 압류할 수 있다.

제49조(압류 동산의 사용·수익) ① 제48조에도 불구하고 운반하기 곤란한 동산은 체납자 또는 제3자로 하여금 보관하게 할 수 있다. 이 경우 봉인(封印)이나 그 밖의 방법으로 압류재산임을 명백히 하여야 한다.

② 지방자치단체의 장은 제1항에 따라 압류한 동산을 체납자 또는 그 동산을 사용하거나 수익할 권리를 가진 제3자에게 보관하게 한 경우에는 지방세 징수에 지장이 없다고 인정되면 그 동산의 사용 또는 수익을 허가할 수 있다.

영 제50조(압류동산의 표시) 세무공무원은 법 제49조 제1항 후단에 따라 압류재산임을 표시할 때에는 압류 연월일과 압류한 세무공무원이 소속된 지방자치단체의 명칭을 명백히 하여야 한다.

제51조(압류 동산의 사용·수익 절차) ① 법 제49조 제2항에 따라 압류된 동산을 사용하거나 수익하려는 자는 행정안전부령으로 정하는 압류재산 사용·수익 허가신청서를 지방자치단체의 장에게 제출하여야 한다. 〈개정 2017.7.26.〉

② 제1항에 따라 압류재산 사용·수익 허가신청서를 받은 지방자치단체의 장은 해당 사용·수익 행위가 압류재산의 보전(保全)에 지장을 주는지를 조사하여 그 허가 여부를 신청인에게 통지하여야 한다.

③ 제2항에 따라 허가를 받은 자는 압류재산을 사용하거나 수익할 때 선량한 관리자의 주의를 다하여야 하며, 지방자치단체의 장이 해당 재산의 인도를 요구하는 경우에는 지체 없이 이에 따라야 한다.

법 제50조(유가증권에 관한 채권의 추심) ① 지방자치단체의 장은 유가증권을 압류하였을 때에는 그 유가증권에 관계되는 금전채권을 추심할 수 있다.
② 지방자치단체의 장은 제1항에 따라 금전채권을 추심하였을 때에는 추심한 금액의 한도에서 체납자의 압류에 관계되는 체납액을 징수한 것으로 본다.

체납자에 대한 조세채권 징수를 위해 체납자와 그 배우자 공유의 동산·유가증권에 대해 압류할 수 있으며, 자치단체의 장은 징수에 지장이 없다고 인정되는 경우 그 점유자에게 사용·수익하게 할 수 있다.

| 최근 개정법령 _ 2020.12.29. | 「민사집행법」 제190조 및 대법원 판례를 반영하여 부부공유의 동산·유가증권에 대한 압류 근거 명확화하게 하였다.

- 부부 공유 유체동산의 압류에 관한 민사집행법 제190조의 규정은 체납처분의 경우에 유추적용을 배제할 만한 특수성이 없으므로 이를 체납처분의 경우에도 유추적용할 수 있다(대법원 2005두15151, 2006.4.13.).
- 체납자가 체납처분에 의한 압류를 면하고자 원고로부터 매수하여 팔다 남은 제품에 대하여 매매계약의 합의해제 및 점유개정에 의한 인도를 한 것이라 하여 당연히 그 효력이 부정되는 것이 아니므로 체납자가 1981.4.1. 원고와 간의 매매계약을 합의해제하고 점유개정의 방법에 의한 인도 후인 동년 4.8에 피고가 위 제품에 대하여 한 압류는 체납자의 재산이 아닌 원고 소유건물에 대한 것으로서 위법(대법원 82누18, 1982.9.14.)
- 세무공무원이 동산 또는 유가증권의 압류를 실시함에 있어서 국세징수법 제29조에 의한 압류조서를 작성하고 체납자에게 압류동산을 보관시켰다 하더라도 봉인 기타의 방법으로 압류재산임을 명백히 하지 아니한 이상 압류의 효력이 없음(대법원 82누18, 1982.9.14.).
- 동산압류에 있어서 보관증을 제출받지 아니하는 등 사소한 절차상의 하자를 이유로 압류처분 자체를 무효라고 보기 어려움(지방세심사 2003-199, 2003.9.29.).
- 납세의무자의 재산이 등기되지 아니하는 '가설건축물'인 경우, '동산'의 압류절차에 따라 압류가능함(세정 13407-1002, 2002.10.25.).

제 5 절

채권의 압류

제51조~제54조(채권의 압류 절차 등)

법 제51조(채권의 압류 절차) ① 지방자치단체의 장은 채권을 압류할 때에는 그 뜻을 해당 채권의 채무자(이하 "제3채무자"라 한다)에게 통지하여야 한다.

② 지방자치단체의 장은 제1항에 따른 통지를 하였을 때에는 체납액을 한도로 하여 체납자인 채권자를 대위(代位)한다.

③ 지방자치단체의 장은 제1항에 따라 채권을 압류하였을 때에는 그 사실을 체납자에게 통지하여야 한다.

영 제52조(조건부채권의 압류) 지방자치단체의 장은 신원보증금, 계약보증금 등의 조건부채권을 그 조건 성립 전에도 압류할 수 있다. 이 경우 압류한 후에 채권이 성립되지 아니할 것이 확정된 때에는 그 압류를 지체 없이 해제하여야 한다.

제53조(채무불이행에 따른 절차) ① 지방자치단체의 장은 법 제51조 제1항에 따라 채권 압류의 통지를 받은 채무자가 채무이행의 기한이 지나도 이행하지 아니하는 경우에는 최고를 하여야 한다.

② 지방자치단체의 장은 제1항에 따라 최고를 받은 채무자가 최고한 기한까지 채무를 이행하지 아니하는 경우에는 채권자를 대위(代位)하여 채무자를 상대로 소송을 제기하여야 한다. 다만, 채무이행의 자력(資力)이 없다고 인정하는 경우에는 채권의 압류를 해제할 수 있다.

법 제52조(채권 압류의 효력) 채권 압류의 효력은 채권 압류 통지서가 제3채무자에게 송달된 때에 발생한다.

제53조(채권 압류의 범위) 지방자치단체의 장은 채권을 압류할 때에는 체납액을 한도로 하여야 한다. 다만, 압류할 채권이 체납액을 초과하는 경우에 필요하다고 인정하면 그 채권 전액을 압류할 수 있다.

제54조(계속수입의 압류) 급료 · 임금 · 봉급 · 세비 · 퇴직연금, 그 밖에 이와 유사한 채권의 압류는 체납액을 한도로 하여 압류 후에 수입(收入)할 금액에 미친다.

- **제3채무자가 체납자에게 지급할 채무액에 여러 건의 채권압류가 있는 경우 선압류권자인 지자체에 채권액을 전액 지급하여 다른 압류권자에게 배분하게 할 수 없음**

  지방세징수법상(제53조, 제97조 ① 2호) 채권 압류는 체납액을 한도로 하여야 하고, 채권, 유가증권, 무체재산권등의 압류로 인하여 체납자 또는 제3채무자로부터 받은 금전은 지방자치단체의 장이 배분하여야 함. 따라서 채권의 압류는 체납액을 한도로 그 효력이 있으며, 압류의 범위를 넘어선 금전까지 지급받는 것은 '압류로 인하여 받은 금전'의 범위(제97조)를 넘어 부당이득에 해당하는 것이므로 지방자치단체에서 수령하여 배분하는 것은 불가함(행안부 지방세정책과-1315, 2019.9.26.).

- **채권압류로 인한 시효중단 효력은 압류일 이후 과세된 체납 지방세에는 미치지 않음**

  지방자치단체의 장이 채권압류를 하는 경우 「지방세징수법」 제51조 내지 제53조에 따라 채권압류의 효력은 압류 당시 채권압류통지서에 기재된 체납액에 한하여 효력을 미치는 것이며, 장래에 법정기일이 도래하는 체납액에는 효력이 없다 할 것이므로 압류일 이후 과세된 지방세에 대하여 시효중단의 효력은 미치지 않음(행안부 지방세특례제도과-2349, 2019.6.19.).

- 수개의 회사가 공동 도급받은 공사의 시행을 위한 '공동수급체'가 '조합'에 해당하고 당해 '공사대금'은 조합에 합유적으로 귀속되므로 어느 한 회사의 지방세체납에 대한 압류대상채권 아님(지방세심사 2001-4, 2001.1.30.).

- 장래발생할 채권이나 조건부 채권도 현재 그 권리의 특정이 가능하고 가까운 장래에 발생할 것이 상당 정도 기대되는 경우에는 압류할 수 있으므로(대법원 82다카508, 1982.12.26.), 재직공무원의 명예퇴직 수당도 채권압류의 대상이 될 수 있음(대법원 2009다76799, 2010.2.25.).

- 건설공사의 공동수급업체가 갖는 공사대금 채권이 '조합채권'에 해당하여 조합원 전원에게 합유적으로 귀속되므로 공동수급업체 중 특정업체의 체납액에 대한 압류대상 채권 아님(지방세 심사 2001-174, 2001.4.30.).

- **마이너스 대출계좌로서, 압류당시 이미 대출한도액을 모두 출금(-1000만원)하여 출금 가능액은 0원으로 압류 이후 입금액도 전혀 없는 계좌인 경우 압류의 효력 불인정**

  "마이너스 통장"이란 대출의 일환으로 대출금을 직접 수령하는 것이 아니라 지정된 통장에서 정해진 한도 내에서 자유롭게 쓸 수 있는 통장으로, 귀 문의 경우와 같이 대출한도액을 모두 출금하여 출금 가능액이 0원인 경우에는 국세징수법 시행령 제36조에 따른 압류금지 대상에 해당하는 것으로 압류의 효력이 인정되지 않는다고 보는 것이 타당할 것임(지방세분석과-2988, 2012.10.4.).

◎ **"전자예금압류시스템"을 이용, 예금계좌를 특정하지 않은 채 전자적으로 이루어지는 포괄예금 압류처분이 지방세기본법상 부합되지 아니함**

체납자의 예금채권 압류는 은행명, 계좌번호, 예금종류, 계좌잔액을 확정하여 압류조서에 기재하고, 체납자 및 제3채무자(금융기관)에 채권압류사실을 통지하여야 함. … 압류권자가 압류조서 및 채권압류통지서에 체납자의 예금계좌 등을 기재하지 않은 채 체납자가 거래하는 금융기관의 예금을 압류하는 경우에는 피압류채권의 특정여부를 둘러싼 압류처분의 효력에 대한 다툼이 제기될 여지가 있고, 또한 국세징수법상 압류를 금지하는 소액금융재산(개인별 잔액 120만원 미만)에 대하여도 압류가 되거나 같은 법 제33조의 2에서 초과압류를 금지하고 있으므로 위 압류시스템에 의한 압류가 이를 위반할 경우 지방세기본법에 부합되는 압류처분으로 보기 어려움(지방세운영과-3396, 2011.7.18.).

◎ **보험에 가입된 재산**

압류재산이 보험에 가입된 경우 화재 등에 의하여 멸실된 때에는 지방자치단체장은 지체없이 보험계약에 기한 보험금청구권에 대하여 압류절차를 밟아야 한다(예규 징법 51-19).

◎ **체납자와 법률관계가 없는 제3자가 착오로 체납자의 계좌로 잘못 이체한 예금계좌를 압류하였더라도 유효한 압류처분에 해당됨**(대법원 2005다59673, 2006.3.24.).

◎ **(지침) 「연말정산 환급금에 대한 압류」 지침**(지방세운영과-5230, 2010.11.5.)

- **근거규정** : 국세징수법 제33조(급여채권의 압류제한), 영 제37조(급여의 압류범위)
- **급여범위** : 급료 · 연금 · 임금 · 봉급 · 상여금 · 세비 · 퇴직연금 그 밖에 이와 비슷한 성질을 가진 급여로서 그 명칭을 불문하고 근로를 제공하는 등 그 대가로 받는 일체의 금원을 말하며, 일직료, 숙직료, 통근수당 및 현물급여를 포함함.

  ※ 연말정산 환급금을 환부시 급여 범위에 포함

- **연말정산 환급금에 대한 압류 요령**

  ① 급여채권 중 그 총액의 2분의 1에 해당하는 금액에 한하여 압류

  "총액"이라 함은 지급받을 수 있는 급여금의 전액에서 그 근로소득 또는 퇴직소득에 대한 소득세 및 소득세분 지방소득세를 공제한 금액을 말함.

  ○ 월 급여총액 : 근로소득-(소득세+소득세분 지방소득세)
  퇴직소득-(소득세+소득세분 지방소득세)

  예) 월 급여액이 400만원으로서 원천징수 소득세 40만원, 소득세분 지방소득세 4만원인 경우 압류대상 범위를 판단하기 위한 월 급여 총액의 범위는 ⇒ 400만원-(40만원+4만원) = 356만원

  ② 급여채권의 압류제한액

| 월 급여 총액별 압류 가능 범위 |

월 급여 총액	급여 압류 범위
월 120만원 이하	전액 압류금지(0원)
월 120만원 초과~240만원 이하	월 급여 - 120만원
월 240만원 초과~600만원 이하	월 급여 ÷ 2
월 600만원 초과	월 급여 - {300만원 + [(월 급여/2) - 300만원]/2} = (월 급여 × 3/4) - 150만원

| 금액별 압류 가능액 예시 |

(단위 : 만원)

급여액	100	120	150	200	240	250	300	400	500	600	700	800	1000
압류가능금액	0	0	30	80	120	125	150	200	250	300	375	450	600

◎ **금전채권의 압류의 효력 범위와 압류경합된 채권에 대한 전부명령의 효력**

일반적으로 금전채권의 압류에 관하여 특히 피압류채권의 수액에 특별한 제한을 둔 바 없다면 압류의 효력은 채권 전액에 미치는 것이며, 압류가 경합된 채권에 대한 전부명령은 그 효력이 없음(대법원 91다12233, 1991.10.11.).

☞ 전부명령(轉付命令) : 채무자가 제3채무자에 대하여 가지는 압류한 금전채권을 집행채권과 집행비용청구권의 변제에 갈음하여 압류채권자에게 이전시키는 집행법원의 결정임. 압류채권자는 전부명령과 추심명령 중 하나를 선택하여 신청할 수 있는데(민사집행법 제229조 ①), 전부명령은 다른 채권자의 배당가입이 허용되지 않고 압류채권자가 우선적 변제를 받을 수 있는 장점이 있음.

◎ 국세징수법 제24조 제2항에 의하여 국세확정 전 압류로서 채권을 압류한 경우, 피압류채권에 대하여 추심권을 취득하는 시기와 관련하여, 그 국세가 확정되었을 때 국가가 피압류채권에 대하여 추심권을 취득함(대법원 95다41611, 1997.4.22.).

제 6 절

부동산 등의 압류

제55조~제60조(부동산 등의 압류절차 등)

법 제55조(부동산 등의 압류 절차) ① 지방자치단체의 장은 부동산, 공장재단, 광업재단 또는 선박을 압류할 때에는 압류조서를 첨부하여 압류등기를 소관 등기소에 촉탁하여야 한다. 그 변경의 등기에 관하여도 또한 같다.

② 지방자치단체의 장은 압류하기 위하여 부동산, 공장재단 또는 광업재단을 분할하거나 구분할 때에는 분할 또는 구분의 등기를 소관 등기소에 촉탁하여야 한다. 합병 또는 변경의 등기에 관하여도 또한 같다.

③ 지방자치단체의 장은 등기되지 아니한 부동산을 압류할 때에는 토지대장 등본, 건축물대장 등본 또는 부동산종합증명서를 갖추어 보존등기를 소관 등기소에 촉탁하여야 한다.

④ 지방자치단체의 장은 제1항 또는 제3항에 따라 압류하였을 때에는 그 사실을 체납자에게 통지하여야 한다.

영 제54조(부동산 등의 압류등기 등) ① 지방자치단체의 장은 법 제55조 제1항에 따라 부동산·공장재단 또는 광업재단의 압류등기 또는 그 변경등기를 촉탁할 때에는 다음 각 호의 사항을 적은 문서로 하여야 한다.

1. 재산의 표시 2. 등기원인과 그 연월일 3. 등기의 목적 4. 등기권리자 5. 등기의무자의 주소와 성명

② 지방자치단체의 장은 법 제55조 제1항에 따라 선박의 압류등기 또는 그 변경등기를 촉탁할 때에는 다음 각 호의 사항을 적은 문서로 하여야 한다.

1. 선박의 표시 2. 선적항 3. 선박소유자의 성명 또는 명칭 4. 등기원인과 그 연월일 5. 등기의 목적 6. 등기권리자 7. 등기의무자의 주소와 성명

제55조(부동산 등의 분할 또는 구분 등기 등) ① 법 제55조 제2항에 따른 부동산, 공장재단 또는 광업재단의 분할·구분·합병 또는 변경 등기의 촉탁에 대해서는 제54조 제1항을 준용한다.

② 지방자치단체의 장은 제1항에 따라 제54조 제1항을 준용하는 경우에는 그 촉탁서에 대위등기

의 원인을 함께 적어야 한다.

제56조(부동산의 보존등기 절차) ① 법 제55조 제3항에 따른 미등기 부동산에 대한 보존등기의 촉탁에 대해서는 제54조 제1항 및 제55조 제2항을 준용한다.

② 지방자치단체의 장은 체납처분을 할 때 필요하면 소관 관서에 토지대장 등본이나 건축물대장 등본 또는 부동산종합증명서를 발급하여 줄 것을 요구할 수 있다.

법 제56조(자동차 등의 압류절차) ① 지방자치단체의 장은 「자동차관리법」에 따라 등록된 자동차 또는 「건설기계관리법」에 따라 등록된 건설기계(이하 "자동차 또는 건설기계"라 한다), 「항공법」에 따라 등록된 비행기나 회전익(回轉翼)항공기(이하 "항공기"라 한다)를 압류하는 경우에는 압류의 등록을 관계 기관에 촉탁하여야 한다. 변경의 등록에 관하여도 또한 같다.

② 지방자치단체의 장은 제1항에 따라 자동차 또는 건설기계를 압류하였을 때에는 체납자(해당 자동차 또는 건설기계를 점유한 제3자를 포함한다)에게 해당 자동차 또는 건설기계를 인도할 것을 명하여 점유할 수 있다.

③ 지방자치단체의 장은 제1항에 따라 압류하였을 때에는 그 사실을 체납자에게 통지하여야 한다.

영 제57조(자동차 등의 압류등록 등) 법 제56조 제1항에 따른 자동차, 건설기계 또는 항공기의 압류등록 또는 그 변경등록의 촉탁에 대해서는 제54조 제1항을 준용한다.

법 제57조(부동산 등의 압류의 효력) ① 제55조 또는 제56조에 따른 압류의 효력은 그 압류의 등기 또는 등록이 완료된 때에 발생한다.

② 제1항에 따른 압류는 압류재산의 소유권이 이전되기 전에 「지방세기본법」 제71조 제1항 제3호에 따른 법정기일이 도래한 지방세의 체납액에 대해서도 그 효력이 미친다.

제58조(저당권자 등에 대한 압류 통지) ① 지방자치단체의 장은 전세권·질권 또는 저당권이 설정된 재산을 압류하였을 때에는 그 사실을 해당 채권자에게 통지하여야 한다.

② 지방세보다 우선권을 가진 채권자가 제1항에 따른 통지를 받고 그 권리를 행사하려면 통지를 받은 날부터 10일 내에 그 사실을 지방자치단체의 장에게 신고하여야 한다.

제59조(압류 부동산 등의 사용·수익) ① 체납자는 압류한 부동산, 공장재단, 광업재단, 선박, 항공기, 자동차 또는 건설기계를 사용하거나 수익할 수 있다. 다만, 지방자치단체의 장은 그 가치가 현저하게 줄어들 우려가 있다고 인정할 때에는 사용 또는 수익을 제한할 수 있다.

② 압류한 부동산, 공장재단, 광업재단, 선박, 항공기, 자동차 또는 건설기계를 사용하거나 수익할 권리를 가진 제3자의 경우에는 제1항을 준용한다.

③ 지방자치단체의 장은 체납처분을 집행할 때 필요하다고 인정하면 선박, 항공기, 자동차 또는 건설기계에 대하여 일시 정박 또는 일시 정류를 하게 할 수 있다. 다만, 출항준비(出航準備)를 완료한 선박 또는 항공기에 대해서는 일시 정박 또는 일시 정류를 하게 할 수 없다.

④ 지방자치단체의 장은 제3항에 따라 일시 정박 또는 일시 정류를 하게 하였을 때에는 감시와 보존에 필요한 처분을 하여야 한다.

영 제58조(압류 부동산 등의 사용·수익 절차) 법 제59조 제1항 및 제2항에 따라 압류된 재산을 압류 당시와 달리 사용하거나 수익하려는 경우에는 제51조를 준용한다.

법 제60조(제3자의 소유권 주장) 압류한 재산에 대하여 소유권을 주장하고 반환을 청구하려는 제3자는 매각 5일 전까지 소유자임을 확인할 수 있는 증거서류를 지방자치단체의 장에게 제출하여야 한다.

영 제59조(제3자의 소유권 주장) ① 세무공무원은 법 제60조에 따라 제3자가 압류재산에 대하여 소유권을 주장하고 반환을 청구하는 경우에는 그 재산에 대한 체납처분의 집행을 정지하여야 한다.
② 세무공무원은 제1항에 따른 청구의 이유가 정당하다고 인정하면 지체 없이 압류를 해제하여야 하며, 그 청구의 이유가 부당하다고 인정하면 지체 없이 그 뜻을 청구인에게 통지하여야 한다.
③ 세무공무원은 제2항에 따라 통지를 받은 청구인이 통지받은 날부터 15일 이내에 체납자를 상대로 그 재산에 대하여 소송을 제기한 사실을 증명하지 아니하면 지체 없이 체납처분을 계속 집행하여야 한다.

◎ 압류의 효력이 미치는 체납액의 범위

조세채권의 확보와 제3취득자의 보호라는 서로 상충되는 이념을 조화롭게 구현하기 위하여는 압류는 제3자 앞으로 소유권이전등기가 경료된 때를 기준으로 하여 그때까지 전소유자의 납세의무가 성립한 세액에 관하여 발생한 체납액에 대하여만 효력이 미치고, 그 소유권이전등기가 경료된 후에 전소유자의 납세의무가 성립한 세액에 관하여 발생한 체납액에 대하여는 그 효력이 미치지 아니함(대법원 94누13305, 1996.2.27.).

◎ '압류에 관계되는 국세'의 범위는 압류의 효력이 미치는 국세(소유권이 이전되기 전에 법정기일이 도래한 국세)에 대한 체납액을 포함하는 것임

국세기본법 제36조 제1항은 … 이른바 압류선착주의를 규정하고 있고, 국세징수법 제47조 제2항은 같은 법 제45조에 의한 부동산 등의 압류는 당해 압류 재산의 소유권이 이전되기 전에 법정기일이 도래한 국세에 대한 체납액에 대하여도 그 효력이 미친다고 규정하고 있는데, 위 규정의 취지는 한번 압류등기를 하고 나면 동일한 자에 대한 압류등기 이후에 발생한 체납세액에 대하여도 새로운 압류등기를 거칠 필요 없이 당연히 압류의 효력이 미친다는 것이므로, 압류선착주의에서 의미하는 '압류에 관계되는 국세'란 압류의 원인이 된 국세뿐만 아니라 위와 같이 국세징수법 제47조에 의하여 압류의 효력이 미치는 국세를 포함하는 것임(대법원 2005다11848, 2007.12.14.).

◎ 납세자 아닌 제3자의 재산을 대상으로 한 압류처분의 효력(무효)

납세자에 대한 체납처분으로서 제3자의 소유 물건을 압류하고 공매하더라도 그 처분으로 인하여 제3자가 소유권을 상실하는 것이 아니고, 체납처분으로서 압류의 요건을 규정하는 국세징수법 제24조 각 항의 규정을 보면 어느 경우에나 압류의 대상을 납세자의 재산에 국한하고 있으므로, 납세자가 아닌 제3자의 재산을 대상으로 한 압류처분은 그 처분의 내용이 법률상 실현될 수 없는 것이어서 당연무효임(대법원 2005두15151, 2006.4.13.).

◎ 체납자가 국가 또는 공공단체에 대하여 가지고 있는 국·공유재산에 관한 소유권이전청구권의 압류절차 및 효력 발생시기

국세징수법 제52조 ①은 체납자가 국가 또는 공공단체와의 사이에 국유 또는 공유재산에 관하여 매매계약을 체결하였으나 아직 그 소유권을 취득하지 아니한 경우에 체납자가 국가 또는 공공단체에 대하여 가지고 있는 국·공유재산에 관한 소유권이전청구권의 압류절차에 관하여 규정하고 있으며, 이에 따른 같은 법 시행령 제57조는 같은 법에 의한 권리를 압류하고자 할 때에는 압류조서를 첨부하여 관계 관서에 등록을 촉탁하여야 한다고 규정하고 있는바, 그 압류의 효력은 영 제57조에 의한 관계 관서에 대한 압류등록의 촉탁서가 관계 관서에 송달된 때에 발생함(대법원 95누3282, 1995.8.25.).

◎ 이전등기 경료 후 전소유자에게 납세의무가 성립한 체납세액에는 압류효력이 미치지 않음

국세징수법상 압류등기를 한 부동산이 제3자에게 양도되어 소유권이전등기가 경료된 경우 그 압류는 그 때까지 전소유자의 납세의무가 성립한 세액에 관하여 발생한 체납액에 대하여만 효력이 미치는 것이고 그 등기가 경료된 후에 전소유자의 납세의무가 성립한 세액에 관하여 발생한 체납액에 대하여는 미치지 아니함(대법원 91누1462, 1992.2.14.).

◎ 압류가 미해제된 사이에 동일인에 대해 부과된 국세가 체납되었다면 압류의 효력이 미침

피고 ○○에 대한 증여세 등의 체납으로 그 소유토지 4필지가 압류되었다가 그 지상 근저당권자의 임의경매신청으로 그 중 2필지가 경락되어 그 대금에서 체납액이 전부 교부됨으로써 그 체납절차는 종료되었으나 나머지 이 사건 토지 2필지에 관하여 아직 압류가 해제되지 아니한 사이에 동일인에 대하여 부과된 양도소득세가 다시 체납되었다면 위 압류의 효력은 당연히 이에도 미친다 할 것이므로, 소정의 체납처분절차에 따라 피고가 적법하게 소유권을 취득한 것으로 판시하고, 그 소유권이전등기의 말소를 구하는 원고의 청구를 배척한 조치는 타당함(대법원 88다카17174, 1989.5.9.).

무체재산권 등의 압류

제61조~제62조(무체재산권 등의 압류 등)

법 제61조(무체재산권 등의 압류) ① 지방자치단체의 장은 무체재산권 등을 압류하였을 때에는 그 사실을 해당 권리자에게 통지하여야 한다.

② 지방자치단체의 장은 무체재산권 등을 압류할 때 그 무체재산권 등의 이전에 관하여 등기 또는 등록이 필요한 것에 대해서는 압류의 등기 또는 등록을 관계 관서에 촉탁하여야 한다. 변경의 등기 또는 등록에 관하여도 또한 같다.

③ 지방자치단체의 장은 제2항에 따라 압류하였을 때에는 그 사실을 체납자에게 통지하여야 한다.

영 제60조(무체재산권등의 압류 등기 또는 등록 등) ① 지방자치단체의 장은 법 제61조 제2항에 따라 법 제38조 제1항 제3호에 따른 무체재산권등(이하 "무체재산권등"이라 한다)의 압류 등기 또는 등록과 그 변경 등기 또는 등록을 촉탁할 때에는 다음 각 호의 사항을 적은 문서로 하여야 한다.

1. 무체재산권등의 표시 2. 등기 또는 등록의 원인과 그 연월일 3. 등기 또는 등록의 목적 4. 등기 또는 등록의 권리자 5. 무체재산권등의 권리자의 주소와 성명

② 지방자치단체의 장은 제1항의 문서에 압류조서를 첨부하여야 한다.

법 제62조(국유·공유 재산에 관한 권리의 압류) ① 지방자치단체의 장은 체납자가 국유 또는 공유 재산을 매수한 것이 있을 때에는 소유권 이전 전이라도 그 재산에 관한 체납자의 정부 또는 공공단체에 대한 권리를 압류한다.

② 지방자치단체의 장은 제1항에 따라 압류하였을 때에는 그 사실을 체납자에게 통지하여야 한다.

③ 제1항에 따른 압류재산을 매각함에 따라 이를 매수한 자는 그 대금을 완납한 때에 그 국유 또는 공유 재산에 관한 체납자의 정부 또는 공공단체에 대한 모든 권리·의무를 승계한다.

영 제61조(국유·공유 재산에 관한 권리의 압류등록) ① 지방자치단체의 장은 법 제62조 제1항에 따라 국유 또는 공유 재산에 관한 권리를 압류할 때에는 다음 각 호의 사항을 적은 문서로 압류의 등록을 관계 관서에 촉탁하여야 한다.

1. 계약자의 주소 또는 거소와 성명 2. 국유 · 공유 재산의 표시 3. 그 밖에 필요한 사항
② 제1항에 따라 촉탁을 받은 관계 관서는 관계 대장에 그 사실을 등록하고 그 뜻을 지체 없이 지방자치단체의 장에게 통지하여야 한다.
③ 지방자치단체의 장은 제1항의 문서에 압류조서를 첨부하여야 한다.

압류의 해제

제63조~제65조(압류해제의 요건 등)

법 제63조(압류해제의 요건) ① 지방자치단체의 장은 다음 각 호의 어느 하나에 해당하는 경우에는 압류를 즉시 해제하여야 한다.

1. 납부, 충당, 공매의 중지, 부과의 취소, 그 밖의 사유로 압류가 필요 없게 되었을 때
2. 압류한 재산에 대한 제3자의 소유권 주장이 상당한 이유가 있다고 인정할 때
3. 제3자가 체납자를 상대로 소유권에 관한 소송을 제기하여 승소 판결을 받고 그 사실을 증명하였을 때

② 지방자치단체의 장은 다음 각 호의 어느 하나에 해당하는 경우에는 압류재산의 전부 또는 일부에 대하여 압류를 해제할 수 있다. 다만, 제5호의 경우에는 즉시 압류를 해제하여야 한다.

1. 압류 후 재산가격의 변동 또는 그 밖의 사유로 그 가격이 징수할 체납액의 전액을 현저히 초과할 때 2. 압류에 관계되는 체납액의 일부가 납부되거나 충당되었을 때 3. 부과의 일부를 취소하였을 때 4. 압류할 수 있는 다른 재산을 체납자가 제공하여 그 재산을 압류하였을 때 5. 압류한 금융재산 중 「국민기초생활 보장법」에 따른 급여, 「장애인복지법」에 따른 장애수당, 「기초연금법」에 따른 기초연금, 「한부모가족지원법」에 따른 복지급여 등 국가 또는 지방자치단체로부터 지급받은 급여금품으로서 법률에 따라 압류가 금지된 재산임을 증명한 때

제64조(압류의 해제) ① 지방자치단체의 장은 재산의 압류를 해제하였을 때에는 그 사실을 그 재산의 압류통지를 한 권리자, 제3채무자 또는 제3자에게 알려야 한다.

② 제1항의 경우에 압류의 등기 또는 등록을 한 것에 대해서는 압류해제조서를 첨부하여 압류말소의 등기 또는 등록을 관계 관서에 촉탁하여야 한다.

③ 지방자치단체의 장은 제3자에게 압류재산을 보관하게 한 경우에 그 재산에 대한 압류를 해제하였을 때에는 그 재산을 보관한 자에게 압류해제의 통지를 하고, 압류재산은 체납자 또는 정당한 권리자에게 반환하여야 한다. 이 경우 압류재산의 보관증을 받았을 때에는 보관증을 반환하여야 한다.

④ 지방자치단체의 장은 제3항의 경우 필요하다고 인정하면 재산을 보관한 자로 하여금 그 재산을 체납자 또는 정당한 권리자에게 인도하게 할 수 있다. 이 경우 재산을 보관한 자로부터 압류재산을 받을 것을 체납자 또는 정당한 권리자에게 알려야 한다.

⑤ 지방자치단체의 장은 보관 중인 재산을 반환할 때에는 영수증을 받아야 한다. 다만, 압류조서에 영수 사실을 기입(記入)하여 서명·날인하게 함으로써 영수증을 갈음할 수 있다.

영 제62조(압류해제조서) 지방자치단체의 장은 법 제63조에 따라 재산의 압류를 해제할 때에는 행정안전부령으로 정하는 압류해제조서를 작성하여야 한다. 다만, 압류를 해제하려는 재산이 동산이나 유가증권인 경우에는 압류조서의 여백에 해제 연월일과 그 이유를 덧붙여 적는 것으로 압류해제조서를 갈음할 수 있다. 〈개정 2017.7.26.〉

제63조(압류해제의 통지) 법 제64조 제1항에 따른 압류해제의 통지는 문서로 하여야 한다.

제64조(압류말소의 등기 또는 등록) 법 제64조 제2항에 따른 압류말소의 등기 또는 등록의 촉탁에 대해서는 제54조 제1항 및 제2항을 준용한다.

법 제65조(부동산 등기 수수료의 면제) 지방자치단체가 지방세를 징수하기 위하여 부동산에 대한 등기를 신청하는 경우에는 「부동산등기법」 제22조 제3항에 따른 수수료를 면제한다.

압류의 해제는 압류의 효력을 장래에 향하여 소멸시키는 행정처분이므로 해제할 때까지 이루어진 압류처분의 효과(예. 시효의 중단, 과실의 수취 등)에는 영향을 미치지 않는다. 이에 반하여 압류의 취소는 압류의 효력을 당초에 소급하여 소멸시키는 것으로 압류해제의 요건에 해당되는 사유는 압류처분의 효력을 소급적으로 소멸시키는 취소사유는 될 수 없다.

과세관청이 재산의 압류를 해제한 때에는 그 뜻을 당해 재산의 압류통지를 한 권리자·채무자 또는 제3자에게 통지하여야 한다. 또한, 압류의 등기 또는 등록을 한 것에 대하여는 압류해제조서를 첨부하여 압류등기의 말소의 등기 또는 등록을 관계관서에 촉탁하여야 한다.

1. 납부·충당 부과 취소 등

◎ 공매처분을 하여도 충당하고 잔여가 생길 여지가 없는 경우 압류해제사유에 해당

압류해제신청 당시 과세관청이 압류토지를 공매한다고 하더라도 국세체납액에 우선하는 압류토지의 가등기담보권 피담보채권액이 토지가액을 훨씬 넘게 됨이 분명하여, 공매처분에 의하여 체납처분비에 충당하고 잔여가 생길 여지가 없는 것으로 판명된 경우라면, 이는 국세징수법 제53조의 '기타의 사유로 압류의 필요가 없게 된 때'에 해당하는 것이므로 세무서장은 압류를 해제하여야 함(대법원 95누15193, 1996.12.20.).

◎ 체납세액의 납부나 충당을 조건으로 압류해제를 신청한 경우 이를 거부해도 위법은 아님

세무서장은 오로지 국세징수법 제53조 ① 1호의 해제사유가 이미 확정적으로 발생한 경우에 한하여 압류를 해제할 수 있는 것이므로, 가령 체납세액의 납부나 충당을 조건으로 압류해제를 신청한 경우 이에 응하여 조건부로 압류해제를 할 수 있는 것은 아니므로 이러한 압류해제신청을 거부하였더라도 위법하지 아니함(대법원 95누5189, 1996.6.11.).

◎ 압류해제 신청을 과세관청이 거부한 경우 그 거부처분 통지에 대해 심사청구 가능

과세관청이 체납처분의 일환으로 납세자의 재산을 압류하였으나 그 후 국세징수법상 압류해제사유가 발생한 경우 세무서장은 압류를 해제하여야 하고, 납세자 및 압류해제에 대하여 법률상 이익을 갖는 자는 압류해제사유가 있는 한 언제든지 과세관청에 대하여 압류해제를 신청할 수 있으며, 만일 과세관청이 당사자의 압류해제신청을 거부한 경우에는 그 상대방은 국세기본법 제55조 ①, 제61조 ①에 의하여 당해 거부처분의 통지를 받은 날로부터 60일 이내에 심사청구를 할 수 있음(대법원 95누15193, 1996.12.20.).

◎ 시(市)출장소장이 한 행정처분에 대하여 시장을 상대로 한 소는 부적법

압류해제신청거부처분을 한 시출장소장이 아닌 시장을 상대로 한 소송은 처분청이 아니어서 피고적격이 없는 관청을 당사자로 한 점에서 부적법함(대법원 92누15055, 1993.4.27.).

2. 제3자의 소유권 주장 등

◎ 압류처분 이후 제3자가 소유권이전 승소판결을 받더라도 압류해제 요건이 아님

압류처분 이후에 제3자가 체납자를 상대로 지분소유권이전등기소송을 제기하여 승소판결을 받고 그 판결에 기하여 제3자 명의의 지분소유권이전등기를 경료하였다 하여도 압류된 재산이 압류당시 제3자의 소유로 되는 것은 아니므로(대법원 84누520, 1985.5.14.) 신탁자(○○○)가 체납자(수탁자)를 상대로 소유권에 관한 소송(서울중앙지법, 2004가단1279 공유물분할)을 제기하여 「명의신탁해지를 원인으로 한 소유권이전등기 이행」 확정판결을 받았다하더라도 압류해제의 요건에 해당되지 않음(세정-2732, 2005.9.16.).

◎ 체납으로 압류된 차량을 승계취득한 경우 체납액 납부가 없는 경우 압류해제 불가

기압류등기가 된 부동산을 제3자가 승계하는 이전등기를 하는 경우에는 기존에 압류된 경우 그 효력은 승계된 자에게도 미치는 것이므로, 지방세 체납으로 압류된 A회사의 차량을 B회사가 승계등록한 경우라고 하더라도 지방세 체납액의 납부가 없는 경우에는 B회사 명의로 등록된 차량에 대해 압류해제가 되지 않음(세정-318, 2004.3.8.).

◎ 압류등기된 A소유 재산에 대해 체납세를 완납하고 B가 소유권이전등기 했어도 그 소유권이전등기 전에 부과고지한 세액이 있는 경우 당해 세액을 완납하지 않으면 압류해제 안됨(세정 13407-1063, 1997.9.5.).

◎ 징수금 체납자를 상대로 소유권에 관한 소송을 제기하여 승소판결을 받고 제3자명의로 소유권이전등기를 경료하였다면 지체없이 그 물건에 대한 압류를 해제하여야 하는 것임(세정-1550, 2005.7.8.).

◎ 압류당시 제3자 소유가 아니라면 이후 제3자에게 이전등기되었어도 해제요건이 아님
국세징수법상 압류해제는 재산을 압류할 당시를 기준으로 제3자의 소유권 주장이 상당하다고 인정되는 것을 전제로 하므로, 세무서장의 압류처분 당시 압류목적물이 체납자의 소유로서 제3자의 소유에 속하지 아니하였다면 그 이후 제3자 명의로 소유권이전등기가 경료되었다 하더라도 압류해제 요건에 해당하지 아니함(대법원 95누15193, 1996.12.20.).

◎ 압류등기 이후의 압류재산의 매수자는 압류처분의 취소나 무효를 구할 원고적격이 없음
국세체납처분을 원인으로 한 압류등기 이후에 압류부동산을 매수한 자는 위 압류처분에 대하여 사실상이며 간접적인 이해관계를 가진데 불과하여 위 압류처분의 취소나 무효확인을 구할 원고적격이 없음(대법원 82누524, 1985.2.8.).

| 최근 개정법령 _ 2016.1.1.| 부동산 압류 및 말소 등기 수수료 면제 근거 신설(법 제93조의 2)
지방세 징수를 목적으로 부동산에 대한 등기 신청하는 경우에는 국세 체납처분과 같이 등기수수료를 면제토록 하였다. 2018.1.1. 등기하는 분부터 적용(부칙 제1조, 등기특별회계가 폐지되는 시점 반영)

제9절 교부청구 및 참가압류

제66조~제70조(교부청구 및 참가압류 등)

법 제66조(교부청구) 지방자치단체의 장은 제22조 제1항 제1호부터 제4호까지 또는 제6호에 해당할 때에는 해당 관서, 공공단체, 집행법원, 집행공무원, 강제관리인, 파산관재인 또는 청산인에 대하여 체납액의 교부를 청구하여야 한다.

영 제65조(파산선고에 따른 교부청구) 지방자치단체의 장이 법 제66조에 따라 파산관재인에게 교부청구를 할 때에는 다음 각 호에 따라야 한다.

1. 압류한 재산의 가액이 징수할 금액보다 적거나 적다고 인정될 때에는 재단채권(財團債權)으로서 파산관재인에게 그 부족액을 교부청구할 것
2. 납세담보물 제공자가 파산선고를 받아 체납처분에 의하여 그 담보물을 공매하려는 경우에는 「채무자 회생 및 파산에 관한 법률」 제447조에 따른 절차를 밟은 후 별제권(別除權)을 행사하여도 부족하거나 부족하다고 인정되는 금액을 교부청구할 것. 다만, 파산관재인이 그 재산을 매각하려는 경우에는 징수할 금액을 교부청구하여야 한다.

법 제67조(참가압류) ① 지방자치단체의 장은 압류하려는 재산을 이미 다른 기관에서 압류하고 있을 때에는 제66조에 따른 교부청구를 갈음하여 참가압류 통지서를 그 재산을 이미 압류한 기관(이하 "기압류기관"이라 한다)에 송달함으로써 그 압류에 참가할 수 있다.

② 지방자치단체의 장은 제1항에 따라 압류에 참가하였을 때에는 그 사실을 체납자와 그 재산에 대하여 권리를 가진 제3자에게 통지하여야 한다.

③ 지방자치단체의 장은 제1항에 따라 참가압류하려는 재산이 권리의 변동에 등기 또는 등록이 필요한 것일 때에는 참가압류의 등기 또는 등록을 관계 관서에 촉탁하여야 한다.

제68조(참가압류의 효력 등) ① 제67조에 따라 참가압류를 한 후에 기압류기관이 그 재산에 대한 압류를 해제하였을 때에는 그 참가압류(제67조 제3항에 해당하는 재산에 대하여 둘 이상의 참가

압류가 있는 경우에는 그 중 가장 먼저 등기 또는 등록된 것으로 하고, 그 밖의 재산에 대하여 둘 이상의 참가압류가 있는 경우에는 그 중 가장 먼저 참가압류 통지서가 송달된 것으로 한다)는 다음 각 호의 구분에 따른 시기로 소급하여 압류의 효력이 생긴다.

1. 제67조 제3항에 해당하는 재산 외의 재산 : 참가압류 통지서가 기압류기관에 송달된 때
2. 제67조 제3항에 해당하는 재산 : 참가압류의 등기 또는 등록이 완료된 때

② 기압류기관은 압류를 해제하였을 때에는 압류가 해제된 재산 목록을 첨부하여 그 사실을 참가압류한 지방자치단체의 장에게 통지하여야 한다.

③ 기압류기관은 압류를 해제한 재산이 동산 또는 유가증권으로서 기압류기관이 점유하고 있거나 제3자에게 보관하게 한 재산일 때에는 압류에 참가한 지방자치단체의 장에게 직접 인도하여야 한다. 다만, 제3자가 보관하고 있는 재산에 대해서는 그 제3자가 발행한 보관증을 인도함으로써 재산의 직접 인도를 갈음할 수 있다.

④ 압류에 참가한 지방자치단체의 장은 기압류기관이 그 압류재산을 장기간 매각하지 아니할 때에는 이에 대한 매각처분을 기압류기관에 최고할 수 있다.

⑤ 매각처분을 최고한 지방자치단체의 장은 제4항에 따라 매각처분을 최고받은 기압류기관이 최고받은 날부터 3개월 이내에 다음 각 호의 어느 하나에 해당하는 행위를 하지 아니하면 그 압류재산을 매각할 수 있다.

1. 제71조 제5항 및 제72조 제2항에 따라 공매 또는 수의계약의 대행을 의뢰하는 서면 송부
2. 제72조에 따른 수의계약 방식으로 매각하려는 사실을 체납자 등에게 통지
3. 제78조 제2항에 따른 공매공고

⑥ 매각처분을 최고한 지방자치단체의 장이 제5항에 따라 압류재산을 매각하려는 경우에는 그 내용을 기압류기관에 통지하여야 한다.

⑦ 제6항에 따른 통지를 받은 기압류기관은 점유 중이거나 제3자로 하여금 보관하게 한 동산 또는 유가증권 등 압류재산을 제4항에 따라 매각처분을 최고한 지방자치단체의 장에게 인도하여야 한다. 이 경우 인도 방법에 관하여는 제3항을 준용한다.

영 제66조(기압류기관의 동산 등 인도 통지) 법 제67조 제1항에 따른 기압류기관(이하 "기압류기관"이라 한다)은 법 제68조 제3항에 따라 압류를 해제한 동산 또는 유가증권을 압류에 참가한 지방자치단체의 장에게 인도하거나 같은 조 제7항에 따라 압류재산의 매각처분을 최고한 지방자치단체의 장에게 인도할 때에는 행정안전부령으로 정하는 참가압류재산 인도통지서를 보내야 한다. 이 경우 압류재산을 제3자가 보관하고 있는 상태로 인도하려면 참가압류재산 통지서에 그 보관증과 보관자에 대한 인도지시서를 첨부하여야 한다. 〈개정 2017.7.26.〉

제67조(참가압류한 동산 등의 인수) ① 압류에 참가한 지방자치단체의 장이 제66조에 따라 기압류기관으로부터 동산 또는 유가증권의 인도 통지를 받았을 때에는 지체 없이 해당 동산 또는 유가증권을 인수하여야 한다.

② 제1항에 따라 동산 또는 유가증권을 인수한 지방자치단체의 장은 해당 재산이 제3자가 보관하고 있는 재산인 경우에는 제66조 후단에 따라 받은 보관증과 인도지시서를 그 보관자에게 내주어야 한다.

③ 제1항에 따라 동산 또는 유가증권을 인수한 지방자치단체의 장은 필요하다고 인정하면 인수한 동산 또는 유가증권을 체납자 또는 그 재산을 점유한 제3자에게 보관하게 할 수 있다.

④ 압류에 참가한 지방자치단체의 장이 제1항에 따라 동산 또는 유가증권을 인수하였을 때에는 인도를 한 기압류기관에 지체 없이 그 사실을 통지하여야 한다.

제68조(일반 압류 규정의 준용) 참가압류에 대하여 이 영에 특별한 규정이 없는 경우에는 이 영 중 일반 압류에 관한 규정을 준용한다.

법 제69조(압류 해제에 관한 규정의 준용) 참가압류의 해제에 관하여는 제63조부터 제65조까지의 규정을 준용한다.

제70조(교부청구의 해제) ① 지방자치단체의 장은 납부, 충당, 부과의 취소나 그 밖의 사유로 교부를 청구한 체납액의 납부의무가 소멸되었을 때에는 교부청구를 해제하여야 한다.

② 제1항에 따른 교부청구의 해제는 교부청구를 받은 기관에 그 뜻을 통지함으로써 한다.

| 교부청구와 참가압류의 비교 |

교부청구	○ 교부청구는 다른 과세기관이 진행 중인 강제환가 절차에 가입하여 체납된 조세의 배당을 구하는 것으로서 강제집행에서의 배당요구와 같은 성질을 가진다. ○ 교부청구는 납세자에게 ① 국세, 지방세, 그 밖의 공과금에 대하여 체납처분을 받을 때, ② 강제집행을 받을 때, ③ 경매가 시작되었을 때, ④ 법인이 해산하였을 때, ⑤ 「어음법」 및 「수표법」에 따른 어음교환소에서 거래정지처분을 받은 때 등의 경우에 과세관청이 스스로 압류하지 아니하고 당해 관서 · 공공단체 · 집행법원 · 집행공무원 · 강제관리인 · 파산관재인 또는 청산인에 대하여 체납액의 교부를 청구하여야 한다(국징법 제56조). ○ 교부청구하는 조세는 그 납부기한이 도래하여 있어야 하고, 그 시기도 배당요구 시기와 같다. 체납처분의 경우에는 관계기관이 배분계산서를 작성하기 전(국징법 제83조 ① 후문)까지, 민사집행법의 강제집행의 경우에는 재산별로 각 법정된 시기(민사집행법 제85조, 제220조)까지 교부청구를 하여야 배당을 받을 수 있다.
참가압류	○ 참가압류는 압류하고자 하는 재산이 이미 다른 기관에 의하여 압류된 때에 교부청구에 갈음하여 참가압류통지서를 기 압류기관에 통지함으로써 압류에 참가하는 것을 말한다(국징법 제57조 ①). ○ 체납자의 재산이 다른 기관에 의하여 압류된 때에 과세관청은 중복압류가 금지되는 것이 원칙이므로 그 집행기관에 대하여 교부청구를 해야 한다. 그런데 이 교부청구는 다른 기관의 압류가 취소 또는 해제된 경우 교부청구의 효력도 따라서 상실되어 버리므로 참가압류는 이러한 불안전성을 보완하기 위한 제도이다. 참가압류는 선행의 압류가 해제되거나 취소된 경우에 압류로 전환된다. ○ 참가압류는 압류의 요건을 갖추어야 하므로 독촉이 필요한 경우 독촉절차를 밟아야 한다. 그러나 독촉절차를 결여하여도 참가압류가 당연 무효가 되는 것은 아니다. 참가압류는 선행압류가 해제 또는 취소되지 아니하고 압류재산이 공매된 경우에는 교부청구의 효력, 즉 배당요구의 효력이 있다.

1. 교부청구 등

- 체납처분에 의하여 선행 압류가 되어 있는 재산에 체납처분을 하고자 하는 자는 교부청구 또는 참가압류의 방식으로 선행의 체납처분 절차에 참가할 수 있을 뿐이고, 이중으로 압류를 하는 것은 허용되지 않는다고 보아야 하므로, 이중으로 압류하였다고 하더라도 이는 교부청구 또는 참가압류의 효력밖에는 없으므로 이중압류에 기한 매각처분은 위법하나, 당연무효라고는 할 수 없음(대법원 2004다46328, 2005.2.17.).
- 체납자의 부동산에 대해 강제집행절차가 진행된 경우에도 과세권자가 결손처분을 취소한 후에 교부청구할 수 있음(세정-449, 2004.2.3.).
- 기본예규상 교부청구를 하지 않을 수 있다 하더라도 교부청구가 위법하다고 볼 수 없음
  국세징수법기본예규 3-9-3…56은 "세무서장은 교부청구를 함에 있어서 납세자가 따로 매각이 용이한 재산으로 제3자의 권리의 목적으로 되어 있지 아니한 것을 보유하고 있고 그 재산에 의하여 체납국세의 전액을 징수할 수 있다고 인정될 경우에는 교부청구를 하지 아니할 수 있다."고 하여 교부청구 여부를 재량으로 하고 있을 뿐 아니라, 기본예규란 과세관청 내부에 있어서 세법의 해석기준 및 집행기준을 시달한 행정규칙에 불과하고 법원이나 국민을 기속하는 효력이 있는 법규가 아니므로, 세무서장이 교부청구를 하였다고 하더라도 그러한 사정만으로 그 교부청구가 위법하다고 볼 수는 없음(대법원 99다22311, 2001.11.27.).
- 적법한 교부청구가 없었다면 국세채권이 다른 채권에 우선한다 하더라도 배당할 수 없음
  국세징수법 제56조에 규정된 교부청구는 과세관청이 이미 진행중인 강제환가절차에 가입하여 체납된 국세의 배당을 구하는 것으로서 민사소송법에 규정된 부동산경매절차에서의 배당요구와 같은 성질의 것이므로 당해 국세는 교부청구 당시 체납되어 있음을 요하고 또한 과세관청이 경락기일까지 교부청구를 한 경우에 한하여 비로소 배당을 받을 수 있으며, 적법한 교부청구를 하지 아니한 세액은 그 국세채권이 실체법상 다른 채권에 우선하는 것인지의 여부와 관계없이 배당할 수 없음(대법원 99다22311, 2001.11.27.).
- 경매개시결정 기입등기 이후에 체납처분에 의한 압류등기가 마쳐진 경우, 조세채권자인 국가는 경매법원에 경락기일까지 별도의 배당요구로서 교부청구를 하여야만 배당가능
  부동산에 관한 경매개시결정 기입등기 이전에 체납처분에 의한 압류등기가 마쳐져 있는 경우에는 경매법원으로서도 조세채권의 존재와 그의 내용을 알 수 있으나, 경매개시결정 기입등기 이후에야 체납처분에 의한 압류등기가 마쳐진 경우에는 조세채권자인 국가가 경매법원에 대하여 배당요구를 하지 않는 이상 경매법원으로서는 조세채권이 존재하는지의 여부조차 알지 못하므로, 경매개시결정 기입등기 후에 체납처분에 의한 압류등기가 마쳐지게 된 경우에는 조세채권자는 경매법원에 경락기일까지 배당요구로서 교부청구를 하여야만 배당을 받

을 수 있음(대법원 2000다21154, 2001.5.8.).

◎ **조세채권자가 경락기일까지 세액을 계산할 수 있는 증빙서류를 제출하지 않았더라도 경매법원은 압류등기촉탁서에 의한 체납세액을 조사하여 배당할 수 있음**

세무서장이 국세징수법 제56조에 따라서 경매법원에 대하여 국세의 교부를 청구하는 것은 민사소송법에 규정된 부동산경매절차에서 하는 배당요구와 성질이 같은 것이므로 국세의 교부청구도 배당요구와 마찬가지로 경락기일까지만 할 수 있으나, 경매부동산에 관하여 국세체납처분의 절차로서 압류의 등기가 되어 있는 경우에는 교부청구를 한 효력이 있는 것으로 보아야 하고, 이 경우 세무서장이 경락기일까지 체납된 국세의 세액을 계산할 수 있는 증빙서류를 제출하지 아니한 때에는 경매법원으로서는 당해 압류등기촉탁서에 의한 체납세액을 조사하여 배당할 수 있음(대법원 96다51585, 1997.2.14.).

◎ **참가압류 → 체납세액 일부누락된 채 교부청구 → 제3자가 경매목적물 양수, 교부청구된 체납세 대납 → 참가압류해제신청 → 과세관청의 거부처분은 신의칙에 반하지 아니함**

경매절차가 진행 중인 부동산에 대하여 참가압류가 이루어진 후 과세관청이 착오로 국세체납액의 일부가 누락된 금액의 교부청구를 한 경우, 참가압류가 이루어진 이상 당연히 교부청구가 있는 것으로 보게 되므로 그 후에 행한 교부청구는 배당에 참여할 체납액의 범위를 확인하는 의미에 불과할 뿐만 아니라, 부동산을 양수하고 경매절차에서 교부청구된 전소유자의 체납액을 대납한 자는 선행된 경매절차에 있어서의 이해관계인이 아닌 제3자에 불과하므로, 과세관청의 교부청구가 대납자에 대하여 전소유자의 체납세액을 한정하는 공적인 견해표명의 의미를 갖는 것이라고 볼 수 없고, 더구나 경매신청의 취하로 인하여 부동산에 대한 참가압류등기가 남아 있는 이상 경매절차에서의 교부청구된 체납세액을 납부하였다고 하더라도 그 참가압류의 효력은 교부청구에서 누락된 체납액에 대하여도 미치므로, 과세관청이 대납자의 참가압류해제신청을 거부한 처분이 조세법에서의 신의성실의 원칙에 반한다고 할 수 없음(대법원 94누1944, 1994.9.13.).

◎ **교부청구의 법적 성질 및 교부청구 당시 당해 조세의 체납(납부기한 도래)을 요함**

국세징수법 제56조에 규정된 교부청구는 과세관청이 이미 진행 중인 강제환가절차에 가입하여 체납된 조세의 배당을 구하는 것으로서 강제집행에 있어서의 배당요구와 같은 성질의 것이므로 당해 조세는 교부청구 당시 체납되어 있음을 요하고, 또 같은 법 제14조 제1항에 의하여 당해 조세에 대한 납기 전 징수를 하는 경우에도 같은 조 제2항에 의하여 납부기한을 미리 정하여 고지하거나 이미 납부고지가 된 때에는 납부기한의 변경을 고지하도록 되어 있으므로, 교부청구 당시 납기 전 징수를 위하여 정하거나 변경한 납부기한이 이미 도래하였음을 요함(대법원 91다44834, 1992.4.28. 부당이득금).

2. 참가압류 등

◎ 참가압류시 착오로 인하여 실제 체납세액보다 적게 기재하였다 하더라도 대상 부동산이 제3자에게 양도되기 전까지 발생한 체납액에도 효력이 미침

참가압류의 효력은 압류의 경우와 마찬가지로 이미 발생한 체납세액은 물론 참가압류등기 후에 대상 부동산이 제3자에게 양도되기 전까지 발생한 체납액에 대하여도 미친다 할 것이고, 참가압류시 과세관청이 기압류기관이나 체납자와 그 재산에 대하여 권리를 가진 제3자에 대하여 참가압류통지를 함에 있어 착오로 인하여 실제 체납세액보다 적게 기재하였다고 하더라도 기재된 세액에 한하여 그 효력이 미치는 것이라고 볼 수 없음(대법원 94누1944, 1994.9.13.).

◎ 독촉절차를 거치지 아니한 것이 참가압류처분을 무효로 할만큼 중대·명백한 하자는 아님

납세의무자가 세금을 납부기한까지 납부하지 아니하기 때문에 과세청이 그 징수를 위하여 참가압류처분에 이른 것이라면 참가압류처분에 앞서 독촉절차를 거치지 아니하였고 또 참가압류조서에 납부기한을 잘못 기재한 잘못이 있다고 하더라도 이러한 위법사유만으로는 참가압류처분을 무효로 할만큼 중대하고도 명백한 하자라고 볼 수 없음(대법원 91누6030, 1992.3.10.).

◎ 결손처분으로 납세의무가 소멸한 경우라도 참가압류처분이 실효되거나 무효는 아님

과세관청이 국세징수법에 의한 참가압류처분을 한 후 같은 법 제86조의 규정에 의한 결손처분을 하여 납세의무자의 납세의무가 소멸하였다고 하여도 이와 같은 사유로 참가압류처분이 당연히 실효되거나 무효로 되는 것이 아니며 이는 압류처분이 있은 후 부과세액을 납부함으로써 납세의무가 소멸한 경우에도 그 압류처분이 당연무효로 되지 않는 것과 마찬가지임(대법원 91누6030, 1992.3.10.).

◎ 국세징수법 제24조 제1항에 의한 압류처분에 대한 무효확인청구와 같은 법 제53조에 의한 압류해제신청을 거부한 처분에 대한 취소청구는 각 별개의 독립된 청구이므로, 참가압류처분무효확인청구의 소송에서 심판의 대상이 되지 아니한 참가압류해제신청에 대한 거부처분에 관하여 직권으로 심리판단하지 아니하거나, 석명권을 행사하여 원고에게 예비적으로 위 거부처분의 취소청구로 경정하도록 권유하지 아니하였다고 하여 행정소송에 있어서의 직권심리조사의 범위에 관한 법리오해나 석명권 불행사의 위법을 저질렀다고 할 수 없음(대법원 91누6030, 1992.3.10.).

압류재산의 매각

제71조~제96조(공매 및 매각결정 등)

법 제71조(공매) ① 지방자치단체의 장은 압류한 동산, 유가증권, 부동산, 무체재산권등과 제51조 제2항에 따라 체납자를 대위하여 받은 물건[통화(通貨)는 제외한다]을 대통령령으로 정하는 바에 따라 공매한다.

② 제1항에도 불구하고 지방자치단체의 장은 압류된 재산이 「자본시장과 금융투자업에 관한 법률」에 따른 증권시장(이하 "증권시장"이라 한다)에 상장된 증권일 때에는 해당 시장에서 직접 매각할 수 있다.

③ 제33조 제2항에 따라 압류한 재산은 그 압류에 관계되는 지방세의 납세의무가 확정되기 전에는 공매할 수 없다.

④ 「지방세기본법」에 따른 이의신청 · 심판청구 또는 「감사원법」에 따른 심사청구 절차가 진행 중이거나 행정소송이 계속 중인 지방세의 체납으로 압류한 재산은 그 신청 또는 청구에 대한 결정이나 소(訴)에 대한 판결이 확정되기 전에는 공매할 수 없다. 다만, 그 재산이 제72조 제1항 제2호에 해당하는 경우는 그 신청 또는 청구에 대한 결정이나 소에 대한 판결이 확정되기 전이라도 공매할 수 있다.

⑤ 지방자치단체의 장은 압류한 재산의 공매에 전문 지식이 필요하거나 그 밖에 특수한 사정이 있어 직접 공매하기에 적당하지 아니하다고 인정할 때에는 대통령령으로 정하는 바에 따라 「금융회사부실자산 등의 효율적 처리 및 한국자산관리공사의 설립에 관한 법률」에 따른 한국자산관리공사(이하 "한국자산관리공사"라 한다) 또는 지방세조합으로 하여금 공매를 대행하게 할 수 있으며, 이 경우의 공매는 지방자치단체의 장이 한 것으로 본다.

⑥ 제5항에 따라 압류한 재산의 공매를 한국자산관리공사 또는 지방세조합이 대행하는 경우에는 "지방자치단체의 장"은 "한국자산관리공사 또는 지방세조합"으로, "세무공무원"은 "한국자산관리공사 또는 지방세조합"의 직원(임원을 포함하며, 지방세조합의 경우에는 지방자치단체에서 파견된 공무원을 포함한다. 이하 같다)"으로, "공매를 집행하는 공무원"은 "공매를 대행하는 한국

자산관리공사 또는 지방세조합의 직원"으로, "지방자치단체"는 "한국자산관리공사의 본사·지사·출장소 또는 지방세조합"으로 본다.

⑦ 지방자치단체의 장은 제5항에 따라 한국자산관리공사 또는 지방세조합이 공매를 대행하는 경우에는 대통령령으로 정하는 바에 따라 수수료를 지급할 수 있다.

⑧ 제5항에 따라 한국자산관리공사 또는 지방세조합이 공매를 대행하는 경우에 제6항에 따른 한국자산관리공사 또는 지방세조합의 직원은 「형법」이나 그 밖의 법률에 따른 벌칙을 적용할 때에는 세무공무원으로 본다.

⑨ 제5항에 따라 한국자산관리공사 또는 지방세조합이 대행하는 공매에 필요한 사항은 대통령령으로 정한다.

제71조의 2(전문매각기관의 매각대행 등) ① 지방자치단체의 장은 압류한 재산이 예술적·역사적 가치가 있어 가격을 일률적으로 책정하기 어렵고, 그 매각에 전문적인 식견이 필요하여 직접 매각하기에 적당하지 아니한 물품(이하 "예술품등"이라 한다)인 경우에는 직권이나 납세자의 신청에 따라 예술품등의 매각에 전문성과 경험이 있는 기관 중에서 전문매각기관을 선정하여 예술품등의 매각을 대행하게 할 수 있다.

② 제1항에 따라 선정된 전문매각기관(이하 "전문매각기관"이라 한다) 및 전문매각기관의 임직원은 직접적으로든 간접적으로든 매각을 대행하는 예술품등을 매수하지 못한다.

③ 지방자치단체의 장은 제1항에 따라 전문매각기관이 매각을 대행하는 경우 대통령령으로 정하는 바에 따라 수수료를 지급할 수 있다.

④ 제1항에 따른 납세자의 신청절차, 전문매각기관의 선정절차 및 예술품등의 매각절차에 필요한 세부적인 사항은 대통령령으로 정한다.

⑤ 제1항에 따라 전문매각기관이 매각을 대행하는 경우 전문매각기관의 임직원은 「형법」 제129조에서 제132조까지의 규정을 적용할 때에는 공무원으로 본다.

[본조신설 2017.12.26.]

영 제69조(공매방법) ① 지방자치단체의 장은 법 제71조 제1항에 따라 공매하는 경우에는 각각의 재산별로 공매하여야 한다. 다만, 지방자치단체의 장이 공매할 재산이 여러 개인 경우로서 해당 재산의 위치·형태·이용관계 등을 고려하여 이를 일괄하여 공매하는 것이 적합하다고 인정하는 경우에는 직권으로 또는 이해관계인의 신청에 따라 일괄하여 공매할 수 있다.

② 제1항 단서에 따라 여러 개의 재산을 일괄하여 공매할 때 각 재산의 매각대금을 특정할 필요가 있는 경우에는 각 재산에 대한 매각예정가격의 비율을 정하여야 하며, 각 재산의 매각대금은 총매각대금을 각 재산의 매각예정가격비율에 따라 나눈 금액으로 한다.

③ 제1항 단서에 따라 여러 개의 재산을 일괄하여 공매할 수 있는 경우라 하더라도 그 가운데 일부의 매각대금으로 체납액을 변제하기에 충분하면 다른 재산은 공매하지 아니한다. 다만, 토지와 그 위의 건물을 일괄하여 공매하는 경우나 재산을 분리하여 공매하면 그 경제적 효용이 현저하게 떨어지는 경우 또는 체납자의 동의가 있는 경우에는 그러하지 아니하다.

④ 제3항 본문의 경우에 체납자는 그 재산 가운데 매각할 것을 지정할 수 있다.

제70조(체납자 등에 대한 공매대행의 통지) ① 지방자치단체의 장은 법 제71조 제5항에 따라 압류재산의 공매를 「금융회사부실자산 등의 효율적 처리 및 한국자산관리공사의 설립에 관한 법률」에 따른 한국자산관리공사(이하 "한국자산관리공사"라 한다)에 대행하게 하는 경우에는 행정안전부

령으로 정하는 공매대행 의뢰서를 한국자산관리공사에 보내야 한다. 〈개정 2017.7.26.〉

② 지방자치단체의 장은 제1항에 따른 공매대행의 사실을 체납자, 납세담보물 소유자, 그 재산에 전세권·질권·저당권 또는 그 밖의 권리를 가진 자와 법 제49조 제1항 전단에 따라 압류재산을 보관하고 있는 자에게 통지하여야 한다.

제71조(압류재산의 인도) ① 지방자치단체의 장은 법 제71조 제5항에 따라 한국자산관리공사에 공매를 대행하게 하였을 때에는 점유하고 있거나 제3자에게 보관하게 한 압류재산을 한국자산관리공사에 인도할 수 있다. 다만, 제3자에게 보관하게 한 재산에 대해서는 그 제3자가 발행한 해당 재산의 보관증을 인도함으로써 재산의 인도를 갈음할 수 있다.

② 한국자산관리공사는 제1항에 따라 압류재산을 인수하였을 때에는 인계·인수서를 작성하여야 한다.

제72조(공매대행의 해제 요구) ① 한국자산관리공사는 공매대행을 의뢰받은 날부터 2년이 지나도 공매되지 아니한 재산이 있는 경우에는 지방자치단체의 장에게 해당 재산에 대한 공매대행 의뢰를 해제해 줄 것을 요구할 수 있다.

② 제1항에 따라 해제 요구를 받은 지방자치단체의 장은 특별한 사정이 있는 경우를 제외하고는 해제 요구에 따라야 한다.

제73조(공매대행의 세부사항) 법 제71조 제5항에 따라 한국사산관리공사가 대행하는 공매에 필요한 사항으로서 이 영에서 정하지 아니한 것은 행정안전부장관이 한국자산관리공사와 협의하여 정한다. 〈개정 2017.7.26.〉

제74조(공매대행 수수료) 법 제71조 제7항에 따른 수수료는 공매대행에 드는 실제 비용을 고려하여 행정안전부령으로 정한다. 〈개정 2017.7.26.〉

제74조의 2(전문매각기관의 매각대행) ① 지방자치단체의 장은 다음 각 호의 어느 하나에 해당하는 기관 중에서 법 제71조의 2 제1항에 따른 전문매각기관(이하 "전문매각기관"이라 한다)을 선정한다.

1. 지방자치단체의 장이 법 제71조의 2 제1항에 따른 예술품등(이하 "예술품등"이라 한다)의 매각에 전문성과 경험을 갖춘 기관으로 인정하여 공보 및 해당 지방자치단체의 홈페이지에 공고한 기관　2. 국세청장이 「국세징수법 시행령」 제68조의 7 제1항에 따라 관보 및 국세청 홈페이지에 공고한 기관

② 제1항에도 불구하고 시장·군수·구청장은 필요한 경우 특별시장·광역시장·도지사가 제1항 제1호에 따라 공고한 기관 중에서 전문매각기관을 선정할 수 있다.

③ 법 제71조의 2 제1항에 따라 예술품등의 매각대행을 신청하려는 납세자는 행정안전부령으로 정하는 신청서를 작성하여 지방자치단체의 장에게 제출하여야 한다.

④ 지방자치단체의 장은 직권 또는 제3항의 신청에 따라 전문매각기관을 선정하여 예술품등의 매각대행을 의뢰한 경우 매각 대상인 예술품등을 소유한 납세자에게 그 사실을 통지하여야 한다.

⑤ 지방자치단체의 장은 법 제71조의 2 제1항에 따라 전문매각기관에 예술품등의 매각을 대행하게 하였을 때에는 직접 점유하고 있거나 제3자에게 보관하게 한 매각 대상 예술품등을 전문매각기관에 인도할 수 있다. 다만, 제3자에게 보관하게 한 예술품등에 대해서는 그 제3자가 발행한 해당 예술품등의 보관증을 인도함으로써 예술품등의 인도를 갈음할 수 있다.

⑥ 전문매각기관은 제5항에 따라 매각 대상 예술품등을 인수하였을 때에는 인계·인수서를 작성하여야 한다.

⑦ 제1항부터 제6항까지에서 규정한 사항 외에 전문매각기관의 선정 및 예술품등의 매각 절차에 필요한 세부적인 사항은 지방자치단체의 조례로 정한다. [본조신설 2018.3.27.]

제74조의 3(전문매각기관의 매각대행 수수료) 법 제71조의 2 제3항에 따른 수수료는 매각대행에 드는 실제 비용을 고려하여 행정안전부령으로 정한다. [본조신설 2018.3.27.]

법 제72조(수의계약) ① 압류재산이 다음 각 호의 어느 하나에 해당하는 경우에는 수의계약으로 매각할 수 있다.

1. 수의계약으로 매각하지 아니하면 매각대금이 체납처분비에 충당하고 남을 여지가 없는 경우 2. 부패 · 변질 또는 감량되기 쉬운 재산으로서 속히 매각하지 아니하면 재산가액이 줄어들 우려가 있는 경우 3. 압류한 재산의 추산(推算) 가격이 1천만원 미만인 경우 4. 법령으로 소지(所持) 또는 매매가 규제된 재산인 경우 5. 제1회 공매 후 1년간 5회 이상 공매하여도 매각되지 아니한 경우 6. 공매하는 것이 공익을 위하여 적절하지 아니한 경우

② 지방자치단체의 장은 필요한 경우 제1항에 따른 수의계약을 대통령령으로 정하는 바에 따라 한국자산관리공사로 하여금 대행하게 할 수 있다. 이 경우 수의계약은 지방자치단체의 장이 한 것으로 보며, 수의계약에 관하여는 제71조 제6항부터 제9항까지의 규정을 준용한다.

영 제75조(수의계약) ① 지방자치단체의 장은 압류재산을 법 제72조에 따라 수의계약으로 매각하려는 경우에는 추산가격조서를 작성하고 매수하려는 2인 이상으로부터 견적서를 받아야 한다. 다만, 법 제72조 제1항 제5호에 해당하여 수의계약을 하는 경우로서 그 매각금액이 최종 공매 시의 매각예정가격 이상인 경우에는 견적서를 받지 아니할 수 있다.

② 지방자치단체의 장은 압류재산을 법 제72조에 따라 수의계약으로 매각하려는 경우에는 그 사실을 체납자, 납세담보물소유자, 그 재산에 전세권 · 질권 · 저당권 또는 그 밖의 권리를 가진 자에게 통지하여야 한다.

③ 법 제72조 제2항에 따라 한국자산관리공사가 수의계약을 대행하는 경우에 수의계약 대행의 통지, 압류재산의 인도, 해제 요구, 수수료 등에 대해서는 제70조부터 제74조까지 및 제81조를 준용한다.

법 제73조(공매대상 재산에 대한 현황조사) ① 지방자치단체의 장은 제74조에 따라 매각예정가격을 결정하기 위하여 공매대상 재산의 현 상태, 점유관계, 임차료 또는 보증금의 액수, 그 밖의 현황을 조사하여야 한다.

② 세무공무원은 제1항에 따른 조사를 위하여 건물에 출입할 수 있고, 체납자 또는 건물을 점유하는 제3자에게 질문하거나 문서 제시를 요구할 수 있다.

③ 세무공무원은 제2항에 따라 건물에 출입하기 위하여 필요할 때에는 잠긴 문을 여는 등 적절한 처분을 할 수 있다.

제74조(매각예정가격의 결정) ① 지방자치단체의 장은 압류재산을 공매하려면 그 재산의 매각예정가격을 결정하여야 한다.

② 지방자치단체의 장은 매각예정가격을 결정하기 어려울 때에는 대통령령으로 정하는 바에 따라 감정인에게 평가를 의뢰하여 그 가액(價額)을 참고할 수 있다.

영 제76조(감정인) ① 지방자치단체의 장이 법 제74조 제2항에 따라 공매대상 재산의 평가를 의뢰할 수 있는 감정인은 다음 각 호의 구분에 따른 자로 한다.

1. 공매대상 재산이 부동산인 경우 : 「감정평가 및 감정평가사에 관한 법률」 제2조 제4호에 따른 감정평가업자
2. 공매대상 재산이 제1호 외의 재산인 경우 : 해당 재산과 관련된 분야에 5년 이상 종사한 전문가

② 지방자치단체의 장은 법 제74조 제2항에 따라 감정인에게 공매대상 재산의 평가를 의뢰한 경우에는 행정안전부령으로 정하는 바에 따라 수수료를 지급할 수 있다. 〈개정 2017.7.26.〉

법 제75조(공매 장소) 공매는 관할 지방자치단체의 청사 또는 공매재산이 있는 지방자치단체의 청사에서 한다. 다만, 지방자치단체의 장이 필요하다고 인정할 때에는 다른 장소에서 공매할 수 있다.

제76조(공매보증금) ① 지방자치단체의 장은 압류재산을 공매하는 경우에 필요하다고 인정하면 공매보증금을 받을 수 있다.

② 공매보증금은 매각예정가격의 100분의 10 이상으로 한다.

③ 공매보증금은 국채 또는 지방채, 증권시장에 상장된 증권 또는 「보험업법」에 따른 보험회사가 발행한 보증보험증권으로 갈음할 수 있다. 이 경우 필요한 요건은 대통령령으로 정한다.

④ 낙찰자 또는 경락자(競落者)가 매수계약을 체결하지 아니하였을 때에는 지방자치단체의 장은 공매보증금을 체납처분비, 압류와 관계되는 지방세의 순으로 충당한 후 남은 금액은 체납자에게 지급한다.

영 제77조(국공채 등의 공매보증금 갈음) 입찰자 등은 법 제76조 제3항에 따라 국채 또는 지방채, 증권시장에 상장된 증권 또는 「보험업법」에 따른 보험회사가 발행한 보증보험증권(이하 "국공채등"이라 한다)으로 공매보증금을 갈음하려는 경우에는 해당 국공채등에 다음 각 호의 구분에 따른 서류를 첨부하여 지방자치단체의 장에게 제출하여야 한다.

1. 무기명국채 또는 미등록공사채로 납부하는 경우 : 질권설정서
2. 등록국채 또는 등록공사채로 납부하는 경우 : 다음 각 목의 서류
   가. 담보권등록증명서
   나. 등록국채 또는 등록공사채 기명자의 인감증명서 또는 본인서명사실확인서를 첨부한 위임장
3. 주식(출자증권을 포함한다)으로 납부하는 경우 : 다음 각 목의 구분에 따른 서류
   가. 무기명주식인 경우 : 해당 주식을 발행한 법인의 주식확인증
   나. 기명주식인 경우 : 질권설정에 필요한 서류. 이 경우 질권설정에 필요한 서류를 제출받은 지방자치단체의 장은 질권설정의 등록을 해당 법인에 촉탁하여야 한다.

법 제77조(매수인의 제한) 다음 각 호의 어느 하나에 해당하는 자는 직접적으로든 간접적으로든 압류재산을 매수하지 못한다.

1. 체납자
2. 세무공무원
3. 매각 부동산을 평가한 「감정평가 및 감정평가사에 관한 법률」에 따른 감정평가업자(같은 법 제29조에 따른 감정평가법인인 경우 그 감정평가법인 및 소속 감정평가사를 말한다)

영 제78조(공매보증금을 갈음하는 국공채등의 평가) 제77조에 따라 공매보증금을 갈음하는 국공채등을 제출하는 경우에 그 가액의 평가에 대해서는 「지방세기본법」 제66조 제1호 및 제3호의

규정을 준용한다. 이 경우 「지방세기본법」 제66조 제1호에 따라 「지방세기본법 시행령」 제45조를 준용할 때 "담보로 제공하는 날"은 "납부하는 날"로 본다.

법 제78조(공매의 방법과 공고) ① 공매는 입찰 또는 경매(정보통신망을 이용한 것을 포함한다)의 방법으로 한다.

② 지방자치단체의 장은 공매를 하려면 다음 각 호의 사항을 공고하여야 한다. 이 경우 동일한 재산에 대한 공매·재공매 등 여러 차례의 공매에 관한 사항을 한꺼번에 공고할 수 있다.

1. 매수대금의 납부기한 2. 공매재산의 명칭, 소재, 수량, 품질, 매각예정가격, 그 밖의 중요한 사항 3. 입찰 또는 경매의 장소와 일시(기간입찰의 경우에는 입찰기간) 4. 개찰(開札)의 장소와 일시 5. 공매보증금을 받을 때에는 그 금액 6. 공매재산이 공유물의 지분인 경우 공유자(체납자는 제외한다. 이하 같다)에게 우선매수권이 있다는 사실 7. 배분요구의 종기(終期) 8. 배분요구의 종기까지 배분을 요구하여야 배분받을 수 있는 채권 9. 매각결정 기일 10. 매각으로도 소멸하지 아니하는 공매재산에 대한 지상권, 전세권, 대항력 있는 임차권 또는 가등기가 있는 경우 그 사실 11. 공매재산의 매수인에게 일정한 자격이 필요한 경우 그 사실 12. 제82조 제2항 각 호에 따른 자료의 제공 내용 및 기간 13. 제90조에 따른 차순위 매수신고의 기간과 절차

③ 제2항에 따른 공매공고는 지방자치단체, 그 밖의 적절한 장소에 게시한다. 다만, 필요에 따라 관보·공보 또는 일간신문에 게재할 수 있다.

④ 지방자치단체의 장은 제3항에 따른 공매공고를 할 때에는 게시 또는 게재와 함께 정보통신망을 통하여 그 공고 내용을 알려야 한다.

⑤ 제2항 제7호에 따른 배분요구의 종기(이하 "배분요구의 종기"라 한다)는 절차에 필요한 기간을 고려하여 정하되, 최초의 입찰기일 이전으로 하여야 한다. 다만, 공매공고에 대한 등기 또는 등록이 지연되거나 누락되는 등 대통령령으로 정하는 사유로 공매절차가 진행되지 못하는 경우 지방자치단체의 장은 배분요구의 종기를 최초의 입찰기일 이후로 연기할 수 있다.

⑥ 제2항 제9호에 따른 매각결정 기일은 같은 항 제4호에 따른 개찰일부터 3일 이내로 정하여야 한다.

⑦ 경매의 방법으로 재산을 공매할 때에는 경매인을 선정하여 이를 취급하게 할 수 있다.

⑧ 제2항에 따른 공고에 필요한 사항은 대통령령으로 정한다.

영 제79조(공매공고 사항) ① 지방자치단체의 장은 법 제78조 제2항에 따라 공매공고를 할 때 공매할 토지의 지목(地目) 또는 지적(地籍)이 토지대장의 표시와 다른 경우에는 그 사실을 공매공고문에 함께 적어야 한다.

② 지방자치단체의 장은 법 제78조 제2항에 따라 공고한 사항이 변경되었을 때에는 변경된 사항을 지체 없이 다시 공고하여야 한다.

제80조(공매공고의 통지) 한국자산관리공사는 법 제71조 제5항에 따라 공매를 대행함으로써 법 제78조 제2항에 따라 공매공고를 하였을 때에는 지체 없이 그 사실을 해당 지방자치단체의 장에게 통지하여야 한다.

제81조(압류 해제의 통지) ① 지방자치단체의 장은 한국자산관리공사에 압류재산의 공매를 대행하게 한 후 공매기일 전에 해당 재산의 압류를 해제하였을 때에는 지체 없이 그 사실을 한국자산관리공사에 통지하여야 한다.

② 제1항에 따라 통지를 받은 한국자산관리공사는 지체 없이 해당 재산의 공매를 중지하고 그

사실을 관할 지방자치단체의 장에게 통지하여야 한다.

제82조(배분요구의 종기 연기사유) 법 제78조 제5항 단서에서 "공매공고에 대한 등기 또는 등록이 지연되거나 누락되는 등 대통령령으로 정하는 사유"란 다음 각 호의 어느 하나에 해당하는 경우를 말한다.

1. 공매공고의 등기 또는 등록이 지연되거나 누락된 경우 2. 법 제80조에 따른 공매통지가 누락되는 등의 사유로 다시 법 제78조에 따른 공매공고를 하여야 하는 경우 3. 그 밖에 이와 유사한 사유로 공매공고를 다시 진행하는 경우

법 제79조(공매공고에 대한 등기 또는 등록의 촉탁) 지방자치단체의 장은 제78조에 따라 공매공고를 한 압류재산이 등기 또는 등록을 필요로 하는 경우에는 공매공고를 한 즉시 그 사실을 등기부 또는 등록부에 기입하도록 관계 관서에 촉탁하여야 한다.

제80조(공매 통지) 지방자치단체의 장은 제78조 제2항에 따른 공매공고를 하였을 때에는 즉시 그 내용을 다음 각 호의 자에게 통지하여야 한다.

1. 체납자 2. 납세담보물 소유자

3. 다음 각 목의 구분에 따른 자

가. 공매재산이 공유물의 지분인 경우 : 공매공고의 등기 또는 등록 전날을 기준으로 한 공유자

나. 공매재산이 부부공유의 동산·유가증권인 경우 : 체납자의 배우자

4. 공매재산에 대하여 공매공고의 등기 또는 등록 전일 현재 전세권·질권·저당권 또는 그 밖의 권리를 가진 자

제81조(배분요구 등) ① 제79조에 따른 공매공고의 등기 또는 등록 전까지 등기되지 아니하거나 등록되지 아니한 다음 각 호의 채권을 가진 자는 제99조 제1항에 따라 배분을 받으려면 배분요구의 종기까지 지방자치단체의 장에게 배분을 요구하여야 한다.

1. 압류재산에 관계되는 체납액 2. 교부청구와 관계되는 체납액·국세 또는 공과금

3. 압류재산에 관계되는 전세권·질권 또는 저당권에 의하여 담보된 채권

4. 「주택임대차보호법」 또는 「상가건물 임대차보호법」에 따라 우선변제권이 있는 임차보증금 반환채권 5. 「근로기준법」 또는 「근로자퇴직급여 보장법」에 따라 우선변제권이 있는 임금, 퇴직금, 재해보상금 및 그 밖에 근로관계로 인한 채권

6. 압류재산에 관계되는 가압류채권 7. 집행력 있는 정본에 의한 채권

② 매각으로 소멸되지 아니하는 전세권을 가진 자가 배분을 받으려면 배분요구의 종기까지 배분을 요구하여야 한다.

③ 제1항 및 제2항에 따른 배분요구에 따라 매수인이 인수하여야 할 부담이 달라지는 경우 배분요구를 한 자는 배분요구의 종기가 지난 뒤에는 요구를 철회할 수 없다.

④ 지방자치단체의 장은 공매공고의 등기 또는 등록 전에 등기되거나 등록된 제1항 각 호의 채권을 가진 자(이하 "채권신고대상채권자"라 한다)로 하여금 채권의 유무, 그 원인 및 액수(원금, 이자, 비용, 그 밖의 부대채권을 포함한다)를 배분요구의 종기까지 지방자치단체의 장에게 신고하도록 최고하여야 한다.

⑤ 지방자치단체의 장은 채권신고대상채권자가 제4항에 따른 신고를 하지 아니할 때에는 등기사항증명서 등 공매 집행기록에 있는 증명자료에 따라 해당 채권신고대상채권자의 채권액을 계산한다. 이 경우 해당 채권신고대상채권자는 채권액을 추가할 수 없다.

⑥ 지방자치단체의 장은 제1항 및 제2항에 해당하는 자와 다음 각 호의 기관의 장에게 배분요구의 종기까지 배분요구를 하여야 한다는 사실을 안내하여야 한다.

1. 행정안전부 2. 국세청 3. 관세청 4. 「국민건강보험법」에 따른 국민건강보험공단
5. 「국민연금법」에 따른 국민연금공단 6. 「산업재해보상보험법」에 따른 근로복지공단

⑦ 지방자치단체의 장은 제80조에 따라 공매 통지를 할 때 제4항에 따른 채권 신고의 최고 또는 제6항에 따른 배분요구의 안내에 관한 사항을 포함한 경우에는 각 해당 항에 따른 최고 또는 안내를 한 것으로 본다.

⑧ 제6항에 따른 안내는 지방세정보통신망을 통하여 할 수 있다.

⑨ 체납자의 배우자는 공매재산이 제48조 제2항에 따라 압류한 부부공유의 동산 또는 유가증권에 해당하는 경우 배분요구의 종기까지 매각대금 중 공유지분에 상응하는 대금을 지급하여 줄 것을 지방자치단체의 장에게 요구할 수 있다.

제82조(공매재산명세서의 작성 및 비치 등) ① 지방자치단체의 장은 공매재산에 대하여 제73조에 따른 현황조사를 기초로 다음 각 호의 사항이 포함된 공매재산명세서를 작성하여야 한다.

1. 공매재산의 명칭, 소재, 수량, 품질, 매각예정가격, 그 밖의 중요한 사항 2. 공매재산의 점유자 및 점유 권원, 점유할 수 있는 기간, 임차료 또는 보증금에 관한 관계인의 진술 3. 제81조 제1항 및 제2항에 따른 배분요구 현황 및 같은 조 제4항에 따른 채권신고 현황 4. 공매재산에 대하여 등기된 권리 또는 가처분으로서 매각으로 효력을 잃지 아니하는 것 5. 매각에 따라 설정된 것으로 보게 되는 지상권의 개요

② 지방자치단체의 장은 다음 각 호의 자료를 입찰 시작 7일 전부터 입찰 마감 전까지 지방자치단체에 갖추어 두거나 정보통신망 등을 이용하여 게시함으로써 입찰에 참가하려는 자가 열람할 수 있게 하여야 한다.

1. 제1항에 따른 공매재산명세서 2. 제74조 제2항에 따라 감정인이 평가한 가액에 관한 자료
3. 그 밖에 입찰가격을 결정하는 데 필요한 자료

제83조(공매의 취소 및 공고) ① 지방자치단체의 장은 다음 각 호의 어느 하나에 해당하는 경우에는 공매를 취소할 수 있다.

1. 해당 재산의 압류를 해제한 경우 2. 제105조에 따라 체납처분을 유예한 경우
3. 「행정소송법」 제23조에 따라 법원이 체납처분에 대한 집행정지의 결정을 한 경우
4. 그 밖에 공매를 진행하기 곤란한 경우로서 대통령령으로 정하는 경우

② 지방자치단체의 장은 제1항에 따라 공매를 취소한 후 그 사유가 소멸되어 공매를 계속할 필요가 있다고 인정할 때에는 제91조에 따라 재공매할 수 있다.

③ 지방자치단체의 장은 제78조 제2항 제9호에 따른 매각결정 기일(이하 "매각결정 기일"이라 한다) 전에 공매를 취소하면 공매 취소 사실을 공고하여야 한다.

영 제83조(공매취소의 사유) 법 제83조 제1항 제4호에서 "대통령령으로 정하는 경우"란 지방자치단체의 장이 직권으로 또는 제72조 제1항에 따른 한국자산관리공사의 요구에 따라 해당 재산에 대한 공매대행 의뢰를 해제한 경우를 말한다.

법 제84조(공매공고 기간) 공매는 공고한 날부터 10일이 지난 후에 한다. 다만, 그 재산을 보관하는 데에 많은 비용이 들거나 재산의 가액이 현저히 줄어들 우려가 있으면 10일이 지나기 전이라도 할 수 있다.

제85조(공매의 중지) ① 공매를 집행하는 공무원은 매각결정 기일 전에 체납자 또는 제3자가 그 체납액을 완납하면 공매를 중지하여야 한다. 이 경우 매수하려는 자들에게 구술(口述)이나 그 밖의 방법으로 알림으로써 제83조에 따른 공고를 갈음한다.

② 여러 재산을 한꺼번에 공매하는 경우에 그 일부의 공매대금으로 체납액 전액에 충당될 때에는 남은 재산의 공매는 중지하여야 한다.

제86조(공매공고의 등기 또는 등록 말소) 지방자치단체의 장은 다음 각 호의 어느 하나에 해당하는 경우에는 제79조에 따른 공매공고의 등기 또는 등록을 말소할 것을 관계 관서에 촉탁하여야 한다.

1. 제83조에 따라 공매취소의 공고를 한 경우 2. 제85조에 따라 공매를 중지한 경우
3. 제95조에 따라 매각결정을 취소한 경우

제87조(공매참가의 제한) 지방자치단체의 장은 다음 각 호의 어느 하나에 해당한다고 인정되는 사실이 있는 자에 대해서는 그 사실이 있은 후 2년간 공매장소 출입을 제한하거나 입찰에 참가시키지 아니할 수 있다. 그 사실이 있은 후 2년이 지나지 아니한 자를 사용인이나 그 밖의 종업원으로 사용한 자와 이러한 자를 입찰 대리인으로 한 자에 대해서도 또한 같다.

1. 입찰을 하려는 자의 공매참가, 최고가격 입찰자의 결정 또는 매수인의 매수대금 납부를 방해한 사실 2. 공매에서 부당하게 가격을 낮출 목적으로 담합한 사실 3. 거짓 명의로 매수신청을 한 사실

영 제84조(공매참가 제한의 통지) ① 지방자치단체의 장은 법 제87조에 따라 공매참가를 제한하였을 때에는 그 사실을 한국자산관리공사에 통지하여야 한다.

② 한국자산관리공사는 법 제71조 제5항에 따라 공매를 대행함으로써 법 제87조에 따라 공매참가를 제한하였을 때에는 그 사실을 해당 지방자치단체의 장에게 통지하여야 한다.

법 제88조(입찰과 개찰) ① 입찰하려는 자는 주소 또는 거소, 성명, 매수하려는 재산의 명칭, 입찰가격, 공매보증금, 그 밖에 필요한 사항을 적어 개찰이 시작되기 전에 공매를 집행하는 공무원에게 제출하여야 한다.

② 개찰은 공매를 집행하는 공무원이 공개하여야 하고 각각 적힌 입찰가격을 불러 입찰조서에 기록하여야 한다.

③ 매각예정가격 이상의 최고액 입찰자를 낙찰자로 한다.

④ 낙찰이 될 가격의 입찰을 한 자가 둘 이상일 때에는 즉시 추첨으로 낙찰자를 정한다.

⑤ 제4항의 경우에 해당 입찰자 중 출석하지 아니한 자 또는 추첨을 하지 아니한 자가 있을 때에는 입찰 사무에 관계없는 공무원으로 하여금 대신 추첨하게 할 수 있다.

⑥ 매각예정가격 이상으로 입찰한 자가 없을 때에는 즉시 그 장소에서 재입찰에 부칠 수 있다.

제89조(공유자·배우자의 우선매수권) ① 공매재산이 공유물의 지분인 경우 공유자는 매각결정 기일 전까지 제76조에 따른 공매보증금을 제공하고 매각예정가격 이상인 최고입찰가격과 같은 가격으로 공매재산을 우선매수하겠다는 신고를 할 수 있다.

② 체납자의 배우자는 공매재산이 제48조 제2항에 따라 압류된 부부공유의 동산 또는 유가증권인 경우 제1항을 준용하여 공매재산을 우선매수하겠다는 신고를 할 수 있다.

③ 지방자치단체의 장은 제1항 또는 제2항에 따른 우선매수 신고가 있는 경우 제88조 제3항·제4항 및 제91조 제1항에도 불구하고 그 공유자 또는 체납자의 배우자에게 매각한다는 결정을 하여야 한다.

④ 지방자치단체의 장은 여러 사람의 공유자가 우선매수 신고를 하고 제2항의 절차를 마쳤을 때에는 특별한 협의가 없으면 공유지분의 비율에 따라 공매재산을 매수하게 한다.

⑤ 지방자치단체의 장은 제2항에 따른 매각결정 후 매수인이 매각대금을 납부하지 아니하였을 때에는 매각예정가격 이상의 최고액 입찰자에게 다시 매각결정을 할 수 있다.

제90조(차순위 매수신고) ① 제88조에 따라 낙찰자가 결정된 후에 그 낙찰자 외의 입찰자는 매각결정 기일 전까지 공매보증금을 제공하고 제95조 제1항 제2호에 해당하는 사유로 매각결정이 취소되는 경우에 최고입찰가격에서 공매보증금을 뺀 금액 이상의 가격으로 공매재산을 매수하겠다는 신고(이하 "차순위 매수신고"라 한다)를 할 수 있다.

② 제1항에 따라 차순위 매수신고를 한 자(이하 "차순위 매수신고자"라 한다)가 둘 이상인 경우에 지방자치단체의 장은 최고액의 매수신고자를 차순위 매수신고자로 정한다. 다만, 최고액의 매수신고자가 둘 이상인 경우에는 추첨으로 차순위 매수신고자를 정한다.

③ 지방자치단체의 장은 차순위 매수신고가 있는 경우에 제95조 제1항 제2호에 해당하는 사유로 매각결정을 취소한 날부터 3일 이내에 차순위 매수신고자를 매수인으로 정하여 매각결정을 할 것인지를 결정하여야 한다. 다만, 다음 각 호의 어느 하나에 해당하는 사유가 있는 경우에는 차순위 매수신고자에게 매각한다는 결정을 할 수 없다.

1. 제92조 제1항 제1호 · 제3호 또는 제4호에 해당하는 경우
2. 차순위 매수신고자가 제87조에 따라 공매참가가 제한된 자로 확인된 경우

제91조(재공매) ① 재산을 공매하여도 매수 희망자가 없거나 입찰가격이 매각예정가격 미만일 때에는 재공매한다.

② 공매재산의 매수인이 매수대금의 납부기한까지 대금을 납부하지 아니하였을 때에는 그 매매를 해약하고 재공매한다.

③ 지방자치단체의 장은 재공매할 때마다 매각예정가격의 100분의 10에 해당하는 금액을 차례로 줄여 공매하며, 매각예정가격의 100분의 50에 해당하는 금액까지 차례로 줄여 공매하여도 매각되지 아니할 때에는 제74조에 따라 새로 매각예정가격을 정하여 재공매할 수 있다. 다만, 제88조 제6항에 따라 즉시 재입찰에 부친 경우에는 그러하지 아니하다.

④ 제1항 및 제2항에 따른 재공매의 경우에는 제74조부터 제78조까지 및 제80조부터 제90조까지의 규정을 준용한다. 다만, 지방자치단체의 장은 제84조에도 불구하고 공매공고 기간을 5일까지 단축할 수 있다.

제92조(매각결정 및 매수대금의 납부기한 등) ① 지방자치단체의 장은 제88조에 따라 낙찰자를 결정하였을 때에는 낙찰자를 매수인으로 정하여 다음 각 호의 사유가 없으면 매각결정 기일에 매각결정을 하여야 한다.

1. 매각결정 전에 제85조에 따른 공매 중지 사유가 있는 경우 2. 낙찰자가 제87조에 따라 공매참가가 제한된 자로 확인된 경우 3. 제89조에 따라 공유자가 우선매수 신고를 한 경우
4. 그 밖에 매각결정을 할 수 없는 중대한 사실이 있다고 지방자치단체의 장이 인정하는 경우

② 매각결정의 효력은 매각결정 기일에 매각결정을 한 때에 발생한다.

③ 지방자치단체의 장은 매각결정을 하였을 때에는 매수인에게 매수대금의 납부기한을 정하여 매각결정 통지서를 발급하여야 한다. 다만, 권리 이전에 등기 또는 등록이 필요하지 아니한 재산의 매수대금을 즉시 납부시킬 때에는 구술로 통지할 수 있다.

④ 제3항에 따른 납부기한은 매각결정을 한 날부터 7일 내로 한다. 다만, 지방자치단체의 장이 필요하다고 인정할 때에는 그 납부기한을 30일을 한도로 연장할 수 있다.

영 제85조(매각결정 여부의 통지) ① 지방자치단체의 장은 법 제92조 제1항 각 호의 사유로 매각결정을 할 수 없을 때에는 낙찰자에게 그 사유를 통지하여야 한다.

② 한국자산관리공사는 법 제71조 제5항에 따라 공매를 대행하는 중에 이 조 제1항 또는 법 제92조 제3항에 따라 통지를 하였을 때에는 지체 없이 그 사실을 해당 지방자치단체의 장에게 통지하여야 한다.

법 제93조(매수대금의 납부최고) 지방자치단체의 장은 매수인이 매수대금을 지정된 기한까지 납부하지 아니하였을 때에는 다시 기한을 지정하여 최고하여야 한다.

영 제86조(매수대금 납부최고 기한) 지방자치단체의 장은 법 제93조에 따라 매수대금의 납부를 최고할 때에는 납부기한을 최고일부터 10일 이내로 정한다.

법 제94조(매수대금 납부의 효과) ① 매수인은 매수대금을 납부한 때에 매각재산을 취득한다.

② 지방자치단체의 장이 매수대금을 수령하였을 때에는 체납자로부터 매수대금만큼의 체납액을 징수한 것으로 본다.

제95조(매각결정의 취소) ① 지방자치단체의 장은 다음 각 호의 어느 하나에 해당하는 경우에는 압류재산의 매각결정을 취소하고 그 사실을 매수인에게 통지하여야 한다.

1. 제92조에 따른 매각결정을 한 후 매수인이 매수대금을 납부하기 전에 체납자가 매수인의 동의를 받아 압류와 관련된 체납액을 납부하고 매각결정 취소를 신청하는 경우
2. 제93조에 따라 최고하여도 매수인이 매수대금을 지정된 기한까지 납부하지 아니하는 경우

② 제1항 제1호에 해당하여 압류재산의 매각결정을 취소하는 경우 공매보증금은 매수인에게 반환하고, 제1항 제2호에 해당하여 압류재산의 매각결정을 취소하는 경우 공매보증금은 체납처분비, 압류와 관계되는 지방세의 순으로 충당하며, 남은 금액은 체납자에게 지급한다.

영 제88조(매각결정 취소의 통지) 한국자산관리공사는 법 제71조 제5항에 따라 공매를 대행하는 중에 법 제95조 제1항에 따라 매각결정을 취소하였을 때에는 지체 없이 그 사실을 해당 지방자치단체의 장에게 통지하여야 한다.

법 제96조(매각재산의 권리이전 절차) 매각재산에 대하여 체납자가 권리이전의 절차를 밟지 아니할 때에는 대통령령으로 정하는 바에 따라 지방자치단체의 장이 대신하여 그 절차를 밟는다. 다만, 제71조 제5항 또는 제72조 제2항이 적용될 때에는 한국자산관리공사가 그 절차를 대행할 수 있으며 이 경우 절차 이행은 지방자치단체의 장이 한 것으로 본다.

영 제89조(권리이전등기의 촉탁) 지방자치단체의 장 또는 한국자산관리공사는 법 제96조에 따라 매각재산의 권리이전 절차를 밟을 때에는 권리이전의 등기 또는 등록이나 매각에 수반하여 소멸되는 권리의 말소등기 촉탁서에 다음 각 호의 문서를 첨부하여 촉탁하여야 한다.

1. 매수인이 제출한 등기청구서 2. 매각결정통지서 또는 그 등본이나 배분계산서 등본

제90조(국유·공유 재산의 매각 통지) ① 지방자치단체의 장은 체납처분에 따라 국유·공유 재산을 매수한 자가 그 매수대금을 완납하였을 때에는 해당 국유·공유 재산의 매수대금 중 체납자가 아직 지급하지 못한 금액을 납입하고, 지체 없이 매각사실을 관계 관서에 통지하여야 한다.

② 제1항에 따라 통지를 받은 관계 관서는 소유권 이전에 관한 서류를 매수인에게 발급하여야 한다.

| 최근 개정법령 _ 2018.3.27. | 압류재산 공매 시 매각에 전문성이 필요한 예술품 등의 경우에는 전문성이 있는 기관을 선정하여 매각을 대행하게 할 수 있도록 전문매각기관의 매각대행 규정을 신설하였다.

| 최근 개정법령 2020.12.29. | 지방세 관련 압류재산 공매 대행기관에 지방세조합 추가하고(법 §71 ⑤), 부부공유의 동산 · 유가증권 압류 시 배우자의 우선매수권 · 매각대금 지급 요구권과 압류 시 배우자의 우선 매수권, 매각대금 지급 요구권 및 배우자에 대한 공매 통지 의무를 신설하였다. 이에 배우자는 최고가 매수신청가격과 같은 가격으로 공매재산을 우선매수할 수 있으며(법 §89 ②), 배우자는 배분요구 종기까지 자신의 공유지분에 따른 매각대금의 지급 요구도 가능(법 §81 ⑨)하다.

◎ **매각대금이 완납된 후에 성립 · 확정된 조세채권도 배분계산서가 작성되기 전까지 교부청구가 있었다 하더라도 매각대금의 배분대상에 포함되지 않음**

(사실관계) : 피고 보조참가인(검사)은 '08.6.17. 김○○의 추징금 17조원 체납으로 주식압류 → '09.1.15. 피고(자산관리공사)에게 공매 · 권리이전 · 매각대금 배분을 대행케 함 → '09.12.30. 주식공매공고 → '12.8.6. △△수산 매각결정 → '12.9.13. 완납 / 원고(서초구청장)는 '12.9.21. 김○○에 대하여 주식공매(양도)를 이유로 지방소득세 21억원 수시부과결정(납기 '12.9.26.) → '12.10.2. 피고에게 배분요구(교부청구서 송달) / 피고는 '12.10.5. 주식 매각대금에 관한 배분계산서를 작성하면서, 지방세채권을 배분하지 않고, 보조참가인의 추징금채권에 배분(이 사건 처분) … 세무서장 등은 늦어도 매각대금이 완납되어 압류재산이 매수인에게 이전되기 전까지 성립 · 확정된 조세채권에 관해서만 교부청구를 할 수 있고, 그 이후에 성립 · 확정된 조세채권은 설령 배분계산서 작성 전까지 교부청구를 하였더라도 압류재산 매각대금 등의 배분대상에 포함될 수 없음(대법원 2014두4085, 2016.11.24. 공매대금배분처분취소).

◎ **지방자치단체의 장은 압류재산을 매수할 수 없다고 한 사례**

지방세 체납으로 압류한 재산 중 공매의 실익이 없어 수의계약을 하여 압류한 재산을 매각하고자 할 때에는 수의계약 물건의 추산가격의 적정성 및 공정성을 담보하고자 2인 이상으로부터 견적서(감정평가서)를 받아야 하며, 또한, 압류재산매각의 공정을 기하기 위하여 관계인(체납자, 지방자치단체장)의 매수를 금지하고 있으므로 지방자치단체장은 압류재산을 매수할 수 없는 것으로 판단됨(지방세운영과-1766, 2009.5.4.).

◎ **한국자산공사의 재공매(입찰)결정 및 공매통지는 항고소송 대상이 되는 행정처분이 아님**

한국자산공사가 당해 부동산을 인터넷을 통하여 재공매(입찰)하기로 한 결정 자체는 내부적인 의사결정에 불과하여 항고소송의 대상이 되는 행정처분이라고 볼 수 없고, 또한 한국자산공사가 공매통지는 공매의 요건이 아니라 공매사실 자체를 체납자에게 알려주는 데 불과한 것으로서, 통지의 상대방의 법적 지위나 권리·의무에 직접 영향을 주는 것이 아니므로 행정처분에 해당한다고 할 수 없음(대법원 2006두8464, 2007.7.27.).

◎ **매수인이 매각결정에 따른 매각대금을 납부한 이후에는 공매처분을 취소할 수 없음**

매각결정에 따른 매수대금을 완납한 이후에는 소유권을 취득한 것으로 신뢰한 매수인의 권리·이익을 보호하여 거래의 안전을 도모하여야 할 필요성이 있는 점, 체납처분의 전제요건으로서의 독촉은 체납처분을 당하는 것을 피할 수 있는 기회를 제공하기 위한 것인데, 설사 독촉장의 송달이 흠결되었다 하더라도 그 이후 공매통지서가 체납자에게 적법하게 송달된 경우에는 실질적으로 체납자의 절차상의 권리나 이익이 침해되었다고 보기 어려운 점 … 비록 압류처분 단계에서 독촉의 흠결과 같은 절차상의 하자가 있었다 하더라도 이후 공매통지서가 적법하게 송달되었다면 매수대금을 납부한 이후에는 특별한 사정이 없는 한 당해 공매처분을 취소할 수 없음(대법원 2004두14717, 2006.5.12.).

◎ 공매의 대행을 의뢰한 처분청이 매각결정을 취소하였다 하여 한국자산관리공사에게 매각결정을 취소하여야 할 의무가 있다고 할 수 없음(지방세심사 2006-47, 2006.1.23.).

◎ **경매절차가 무효로 된 경우, 경락인은 채권자의 배당금에 대해 부당이득반환청구 가능**

경락인이 강제경매절차를 통하여 부동산을 경락받아 대금을 완납하고 그 앞으로 소유권이전등기까지 마쳤으나, 그 후 강제경매절차의 기초가 된 채무자 명의의 소유권이전등기가 원인무효의 등기이어서 경매 부동산에 대한 소유권을 취득하지 못하게 된 경우 강제경매는 무효라고 할 것이므로 경락인은 경매 채권자에게 경매대금 중 그가 배당받은 금액에 대하여 일반 부당이득의 법리에 따라 반환을 청구할 수 있고, 민법 제578조 제1항, 제2항에 따른 경매의 채무자나 채권자의 담보책임은 인정될 여지가 없음(대법원 2003다59259, 2004.6.24.).

◎ **원인무효로 등기된 부동산에 관한 체납처분으로서 한 공매의 효력(당연무효)**

이 사건 부동산에 관하여 피고 앞으로의 소유권이전등기가 원인무효의 등기라고 한다면 특별한 사정이 없는 한 등기의 추정력에 불구하고 이 부동산을 피고의 소유라고 볼 수 없는 것이고 따라서 관할 세무서장이 피고에 대한 국세체납처분으로서 이 부동산을 공매한 것은 결국 권한없이 체납자가 아닌 제3자의 재산을 공매한 것이 되어 그 하자가 중대하고 명백한 경우에 해당하여 당연무효의 행정처분임(대법원 76다2972, 1997.4.26.).

◎ **압류부동산 매각결정 이후에 한 공매처분 집행정지 결정이 적법하다는 사례**

공매처분의 무효확인소송 등이 제기된 경우 그 소송이 계속된 법원이 위 공매처분의 집행정지결정을 함에 있어서 국세징수법 제71조 공매중지에 관한 규정의 적용을 받는 것이 아니므로 압류부동산의 매각결정을 한 이후에 법원이 공매처분의 집행정지결정을 하였다 하여 위법하다 할 수 없음(대법원 86두21, 1986.11.27.).

◎ 공매처분의 무효확인소송과 전심절차

본안소송으로 공매처분의 무효확인청구 등을 제기한 경우에는 위 공매처분의 전제가 되는 국세부과처분에 대하여 전심절차를 거치지 아니하였다고 하더라도 법원의 집행정지결정이 위법하다할 수 없음(대법원 86두21, 1986.11.27.).

◎ 가처분한 물건을 국세징수법에 의하여 압류 공매한 경우 위 공매처분에 대하여는 동 물건에 대한 가처분이 있다하여 그 가처분으로써 우선권을 주장할 수 없음

국가가 국세징수법에 의하여 피고에 대한 세금채권의 집행으로 압류하여 공매처분한 사실을 인정하고 그렇다면 원고로서는 국가가 한 공매처분에 대하여 특단의 사정이 없는 한 동 물건에 대한 가처분이 있다하여 그 가처분으로써 우선권을 주장할 수는 없다고 하였음은 국세징수법에 의한 체납처분은 재판상 가처분으로 인하여 그 집행이 구애되지 아니하는 것(국세징수법 제49조)임에 비추어 정당한 판단이며, 그와 같이 이미 공매된 이상 현존치 않게 되어 소송상 존재하지 않는 것이라고 보았음에도 정당(대법원 85누308, 1985.12.24.)

◎ 가처분한 물건을 국세징수법에 의하여 압류 공매한 경우 위 공매처분에 대하여는 동 물건에 대한 가처분이 있다하여 그 가처분으로써 우선권을 주장할 수 없음(대법원 73다905, 1974.1.15., 사해행위취소 등).

◎ 채권자의 국세체납으로 압류된 채권에 대해 채무자는 세무공무원에게만 지급하여야 함

국세징수법 제41조 제1항, 제2항, 동법 시행령 제44조 제1항 3, 4호의 규정에 의하면 채권이 국세체납으로 인하여 압류된 경우에는 채무자는 채권자에게 그 채무를 지급할 수가 없고 오직 소관 세무공무원에게만 지급하여야 할 것이므로 채권자는 그 압류된 채권을 행사할 수 없음(대법원 87다카2931, 1989.1.17.).

◎ 국세징수법 제75조 소정 10일의 공매공고기간이 경과하지 아니한 공매처분은 위법함(대법원 73누186, 1974.2.26., 대지공매처분취소).

◎ 국세징수법에 따라 재공매하는 경우, 최초 매각예정가격의 50% 미만의 가격으로도 가능

체납처분절차에 의하여 압류재산을 매각함에 있어, 매각예정가격을 최초 가격의 100분의 50에 해당하는 금액까지 체감하여도 매각되지 아니하는 경우, 한국자산관리공사 등은 위 압류재산을 반드시 같은 법 제62조 제1항에 따라 수의계약에 의하여 매각하여야 하는 것은 아니고, 같은 법 제74조 제4항에 따라 최초 매각예정가격의 100분의 50 미만의 가격으로 재공매할 수도 있음(대법원 2006두8464, 2007.7.27.).

◎ 매각예정가격을 최초 가격의 100분의 50에 상당하는 금액까지 체감하여도 매각되지 아니하는 경우에는 최초 가격의 100분의 50 미만으로 재공매할 수 없고, 같은 법 제62조에 따라 수의계약에 의하여 매각하여야 함(대법원 97누8236, 1998.3.13.).

제11절

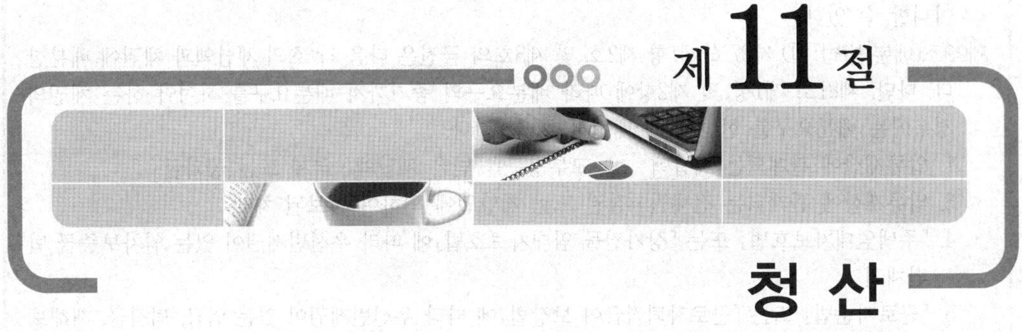

청 산

제97조(배분금전의 범위)~제103조(배분금전의 예탁)

법 제97조(배분금전의 범위) ① 지방자치단체의 장은 다음 각 호의 금전을 제99조에 따라 배분하여야 한다. 다만, 제71조 제5항 또는 제72조 제2항이 적용될 때에는 한국자산관리공사가 그 배분을 대행할 수 있으며, 이 경우 금전 배분은 지방자치단체의 장이 한 것으로 본다.

1. 압류한 금전
2. 채권·유가증권·무체재산권등의 압류로 인하여 체납자 또는 제3채무자로부터 받은 금전
3. 압류재산의 매각대금 및 그 매각대금의 예치 이자 4. 교부청구에 의하여 받은 금전

② 제1항 단서에 따라 금전의 배분을 한국자산관리공사가 대행하는 경우에는 제71조 제8항을 준용한다.

영 제87조(공매보증금 등의 인계 등) ① 한국자산관리공사는 공매 또는 수의계약을 대행하여 다음 각 호의 금액을 수령하였을 때에는 법 제97조 제1항 각 호 외의 부분 단서에 따라 배분을 대행하는 경우를 제외하고는 그 금액을 지체 없이 해당 지방자치단체의 세입세출외현금출납원에게 인계하거나 세입세출외현금출납원 계좌에 입금하여야 한다.

1. 법 제76조 제1항에 따른 공매보증금 2. 법 제92조 제3항에 따른 매수대금

② 한국자산관리공사는 제1항에 따라 수령한 공매보증금 등을 세입세출외현금출납원 계좌에 입금하였을 때에는 지체 없이 그 사실을 세입세출외현금출납원에게 통지하여야 한다.

법 제98조(배분기일의 지정) ① 지방자치단체의 장은 제97조 제1항 제2호 및 제3호의 금전을 배분하려면 체납자, 제3채무자 또는 매수인으로부터 해당 금전을 받은 날부터 30일 이내에서 배분기일을 정하여 배분하여야 한다. 다만, 30일 이내에 배분계산서를 작성하기 곤란한 경우에는 배분기일을 30일 이내에서 연기할 수 있다.

② 지방자치단체의 장은 제1항에 따른 배분기일을 정하였을 때에는 체납자, 채권신고대상채권자 및 배분요구를 한 채권자(이하 "체납자등"이라 한다)에게 통지하여야 한다.

③ 제2항에도 불구하고 체납자등이 외국에 있거나 있는 곳이 분명하지 아니할 때에는 통지하지

아니할 수 있다.

제99조(배분 방법) ① 제97조 제1항 제2호 및 제3호의 금전은 다음 각 호의 체납액과 채권에 배분한다. 다만, 제81조 제1항 및 제2항에 따라 배분요구의 종기까지 배분요구를 하여야 하는 채권의 경우에는 배분요구를 한 채권에 대해서만 배분한다.

1. 압류재산에 관계되는 체납액 2. 교부청구를 받은 체납액·국세 또는 공과금
3. 압류재산에 관계되는 전세권·질권 또는 저당권에 의하여 담보된 채권
4. 「주택임대차보호법」 또는 「상가건물 임대차보호법」에 따라 우선변제권이 있는 임차보증금 반환채권
5. 「근로기준법」 또는 「근로자퇴직급여 보장법」에 따라 우선변제권이 있는 임금, 퇴직금, 재해보상금 및 그 밖에 근로관계로 인한 채권
6. 압류재산에 관계되는 가압류채권 7. 집행력 있는 정본에 의한 채권

② 제97조 제1항 제1호 및 제4호의 금전은 각각 그 압류 또는 교부청구에 관계되는 체납액에 충당한다.

③ 제1항과 제2항에 따라 금전을 배분하거나 충당하고 남은 금액이 있을 때에는 체납자에게 지급하여야 한다.

④ 지방자치단체의 장은 매각대금이 제1항 각 호의 체납액과 채권의 총액보다 적을 때에는 「민법」이나 그 밖의 법령에 따라 배분할 순위와 금액을 정하여 배분하여야 한다.

⑤ 지방자치단체의 장은 제1항에 따른 배분이나 제2항에 따른 충당을 할 때 지방세에 우선하는 채권이 있음에도 불구하고 배분 순위의 착오나 부당한 교부청구 또는 그 밖에 이에 준하는 사유로 체납액에 먼저 배분하거나 충당한 경우에는 그 배분하거나 충당한 금액을 지방세에 우선하는 채권자에게 지방세환급금 환급의 예에 따라 지급한다.

제100조(국유·공유 재산 매각대금의 배분) 제62조 제1항에 따라 압류한 국유 또는 공유 재산에 관한 권리의 매각대금의 배분 순위는 다음 각 호의 순서에 따른다.

1. 국유 또는 공유 재산의 매수대금 중 체납자가 아직 지급하지 못한 금액을 지급
2. 체납액에 충당
3. 제1호에 따라 지급하거나 제2호에 따라 충당하고 남은 금액을 체납자에게 지급

제101조(배분계산서의 작성) ① 지방자치단체의 장은 제97조에 따라 금전을 배분할 때에는 배분계산서 원안(原案)을 작성하여 배분기일 7일 전까지 갖추어 두어야 한다.

② 체납자등은 지방자치단체의 장에게 교부청구서, 감정평가서, 채권신고서, 배분요구서, 배분계산서 원안 등 배분금액 산정의 근거가 되는 서류의 열람 또는 복사를 신청할 수 있다.

③ 지방자치단체의 장은 제2항에 따른 열람 또는 복사의 신청을 받았을 때에는 열람·복사하도록 제공하여야 한다.

제102조(배분계산서에 대한 이의) ① 배분기일에 출석한 체납자등은 배분기일이 끝나기 전까지 자기의 채권에 관계되는 범위에서 제101조 제1항에 따른 배분계산서 원안에 기재된 다른 채권자의 채권 또는 채권의 순위에 대하여 이의를 제기할 수 있다.

② 제1항에도 불구하고 체납자는 배분기일에 출석하지 아니하였더라도 배분계산서 원안이 갖추어진 이후부터 배분기일이 끝나기 전까지 서면으로 이의를 제기할 수 있다.

③ 지방자치단체의 장은 제1항 및 제2항에 따른 이의제기가 없거나 이의의 내용이 정당하다고

인정하지 아니할 때에는 배분계산서를 원안대로 즉시 확정한다.

④ 지방자치단체의 장은 제1항 및 제2항에 따른 이의의 내용이 정당하다고 인정하거나 배분계산서 원안과 다른 체납자등의 합의가 있을 때에는 배분계산서 원안을 수정하여 배분계산서를 확정한다.

영 제91조(배분금전 예탁의 통지) 지방자치단체의 장은 법 제103조 제2항에 따라 예탁한 사실을 통지할 때에는 법 제102조 제3항 및 제4항에 따라 확정된 배분계산서 등본을 첨부하여야 한다.

법 제103조(배분금전의 예탁) ① 지방자치단체장은 배분한 금전 중 채권자 또는 체납자에게 지급하지 못한 것은 「지방회계법」 제38조에 따라 지정된 금고에 예탁하여야 한다.

② 지방자치단체장은 제1항에 따라 예탁하였을 때에는 그 사실을 채권자 또는 체납자에게 통지하여야 한다.

| 최근 개정법령_2017.3.28.| 배분금전 예탁 규정 신설(법 제103조)

지방자치단체의 체납처분에 따른 배분금전의 경우에도 국세와 같이 예탁을 의무화함으로써 질권자를 보호할 필요에서, 지방자치단체의 장으로 하여금 배분한 금전 중 채권자 또는 체납자에게 지급하지 못한 것을 금고에 예탁하도록 하고, 그 사실을 채권자 또는 체납자에게 통지하도록 하였다.

공매대금(주식공매) 완납 이후에 성립된 조세채권의 배분대상에 포함되지 않음

구 국세징수법에서 비록 세무서장 등이 언제까지 성립·확정된 조세채권에 관하여 배분요구를 하여야만 압류재산의 매각대금 등의 배분대상이 될 수 있는지에 관하여 명시적인 규정을 두고 있지 아니하지만, 세무서장 등은 늦어도 매각대금이 완납되어 압류재산이 매수인에게 이전되기 전까지 성립·확정된 조세채권에 관해서만 교부청구를 할 수 있고, 그 이후에 성립·확정된 조세채권은 설령 배분계산서 작성 전까지 교부청구를 하였더라도 압류재산 매각대금 등의 배분대상에 포함될 수 없음(대법원 2014두4085, 2016.11.24.).

제12절

체납처분의 중지 · 유예

제104조(체납처분의 중지와 그 공고)

법 제104조(체납처분의 중지와 그 공고) ① 체납처분의 목적물인 총재산의 추산가액이 체납처분비에 충당하고 남을 여지가 없을 때에는 체납처분을 중지하여야 한다.

② 체납처분의 목적물인 재산이 「지방세기본법」 제71조 제1항 제3호에 따른 채권의 담보가 된 재산인 경우에 그 추산가액이 체납처분비와 해당 채권금액에 충당하고 남을 여지가 없을 때에도 체납처분을 중지하여야 한다. 다만, 체납처분의 목적물인 재산에 대하여 제66조에 따른 교부청구 또는 제67조에 따른 참가압류가 있는 경우 지방자치단체의 장은 체납처분을 중지하지 아니할 수 있다.

③ 지방자치단체의 장은 제1항 또는 제2항에 따라 체납처분의 집행을 중지하려는 경우에는 「지방세기본법」 제147조 제1항에 따른 지방세심의위원회의 심의를 거쳐 대통령령으로 정하는 바에 따라 그 사실을 1개월간 공고하여야 한다.

④ 체납자(체납자와 체납처분의 목적물인 재산의 소유자가 다른 경우에는 그 소유자를 포함한다)는 제1항 또는 제2항의 체납처분 중지 사유에 해당하는 경우 체납처분의 중지를 지방자치단체의 장에게 요청할 수 있다.

영 제92조(체납처분 집행의 중지와 공고) ① 지방자치단체의 장은 법 제104조 제3항에 따라 체납처분 집행의 중지를 공고할 때에는 지방자치단체의 정보통신망이나 게시판에 다음 각 호의 사항을 게시하여야 한다. 다만, 필요한 경우에는 관보 · 공보 또는 일간신문에 게재할 수 있다.

1. 체납자의 성명과 주소 또는 영업소 2. 체납액 3. 체납처분 중지의 이유 4. 그 밖에 필요한 사항

② 제1항에 따른 공고는 지방자치단체의 장이 「지방세기본법」 제147조에 따른 지방세심의위원회로부터 체납처분 집행의 중지에 관한 의결을 통지받은 날부터 10일 이내에 하여야 한다.

③ 지방자치단체의 장은 제2항에 따른 통지를 받아 체납처분의 집행을 중지하였을 때에는 해당 재산의 압류를 해제하여야 한다.

체납처분의 목적물인 총재산의 추산가액이 체납처분비에 충당하고 잔여가 생길 여지가 없는 때에는 체납처분을 중지하여야 하며, 이는 무익한 체납처분을 회피하여 행정력을 절감하고 납세자의 생활을 보호하기 위한 취지라 할 것이다.

| 최근 개정법령 _ 2016.1.1. | 체납처분 집행의 중지와 공고 신설(영 제82조 ①)

법 제94조에 따라 체납처분을 중지하였을 경우 체납처분 집행 중지의 공고에 관한 근거를 마련하였다.

| 최근 개정법령 _ 2017.3.28. | 지방세 체납처분 중지의 지방세심의위원회 심의 및 공고(법 제104조 ③)

현행 「지방세기본법」 제94조에서는 체납자의 재산을 압류한 후 공매처분의 실익이 없는 경우 체납처분을 중지하도록 규정하고 있으나, 체납처분의 중지가 지방세 징수의 포기로 비추어질 것을 우려하는 실무자 입장에서는 지방세 감사 등에 따른 부담으로 체납처분의 중지를 적용하기 현실적으로 어려운 측면이 있다는 점을 고려할 때, 지방세심의위원회의 심의를 통하여 체납처분의 중지를 결정하도록 하는 등 체납처분 중지 결정의 객관성과 투명성을 확보하고, 징수행정의 효율성을 제고하였다. 또한, 체납처분의 중지 사실을 1개월간 공고하도록 하였다.

◎ 재산적 가치가 미미하고, 수년간 매각되지 아니한 점, 매각되더라도 잔여가 생길 여지가 없는 점, 기초생활수급자로 생활하고 있는 점을 감안 체납처분은 취소되어야 함

이 건 부동산의 경우 그 재산적 가치가 미미하여 청구인의 다른 압류재산이 모두 매각되는 동안에도 수년간 매각되지 아니한 점, 설령 매각이 된다 하더라도 체납처분비와 선순위채권액에 충당한 후 이 건 체납세액에 충당할 잔여가 생길 가망이 없는 점, 청구인의 경우 현재 기초생활수급자로 생활하고 있는 점 등을 감안할 때 이 건 부동산에 대한 압류해제 권한이 처분청에 있음은 별론으로 하더라도 처분청이 이 건 부동산에 대한 체납처분을 속행하는 것은 실익이 없다 할 것이므로 이 건 처분은 취소되어야 할 것임(조심 2009지133, 2009.11.30.).

◎ 유효한 변제공탁이 아닌 경우 처분청이 공탁을 수령하지 않는 이상 체납처분 가능

○○○이 청구인을 대위하여 체납액(192,528,310원) 중 일부(40,709,050원)를 공탁하였다고 하더라도, 채무의 일부 변제공탁은 그 채무를 변제함에 있어 일부의 제공이 유효한 제공이라고 인정할 수 있는 특별한 사정이 있는 경우를 제외하고는 채권자가 이를 수락하지 않는 한 유효한 변제공탁이라고 할 수 없으므로(대법원 85다카, 1988.1.19.), 처분청이 이를 수령하지 않는 이상 체납처분이 가능하므로, 처분청이 청구인의 체납처분의 중지요청을 거부한 것이 잘못이 없음(지방세심사 2001-393, 2001.8.27.).

◎ 압류재산이 매각된다 하더라도 체납세액에 충당할 잔여가 생길 가망이 없는 경우 체납처분 중지 요청을 거부한 것은 부당함(조심 2009지133, 2009.11.30.).

제105조(체납처분 유예)

법 제105조(체납처분 유예) ① 지방자치단체의 장은 체납자가 다음 각 호의 어느 하나에 해당하는 경우에는 그 체납액에 대하여 체납처분에 의한 재산의 압류나 압류재산의 매각을 대통령령으로 정하는 바에 따라 유예할 수 있다.

1. 지방자치단체의 조례로 정하는 기준에 따른 성실납부자로 인정될 경우
2. 재산의 압류나 압류재산의 매각을 유예함으로써 사업을 정상적으로 운영할 수 있게 되어 체납액을 징수할 수 있다고 인정될 경우

② 지방자치단체의 장은 제1항에 따라 유예를 하는 경우에 필요하다고 인정하면 이미 압류한 재산의 압류를 해제할 수 있다.

③ 지방자치단체의 장은 제1항 및 제2항에 따라 재산의 압류를 유예하거나 압류한 재산의 압류를 해제하는 경우에는 그에 상당하는 납세담보의 제공을 요구할 수 있다.

④ 제1항에 따른 유예의 신청·승인·통지 등의 절차에 관하여 필요한 사항은 대통령령으로 정한다.

⑤ 체납처분 유예의 취소와 체납액의 일시징수에 관하여는 제29조를 준용한다.

영 제93조(체납처분 유예) ① 법 제105조 제1항에 따른 체납처분 유예의 기간은 그 유예한 날의 다음 날부터 1년 이내로 한다.

② 제1항에도 불구하고 다음 각 호의 어느 하나에 해당하는 자에 대하여 체납처분을 유예하는 경우(제1항에 따라 체납처분을 유예받고 그 유예기간 중에 있는 자에 대하여 유예하는 경우를 포함한다) 그 체납처분 유예의 기간은 체납처분을 유예한 날의 다음 날부터 2년(제1항에 따라 체납처분을 유예받은 분에 대해서는 그 유예기간을 포함하여 산정한다) 이내로 할 수 있다. 〈신설 2018.6.26.〉

1. 다음 각 목의 어느 하나의 지역에 사업장이 소재한 「조세특례제한법 시행령」 제2조에 따른 중소기업
   가. 「고용정책 기본법」 제32조의 2 제2항에 따라 선포된 고용재난지역
   나. 「고용정책 기본법 시행령」 제29조 제1항에 따라 지정·고시된 지역
   다. 「국가균형발전 특별법」 제17조 제2항에 따라 지정된 산업위기대응특별지역
2. 「재난 및 안전관리 기본법」 제60조 제2항에 따라 선포된 특별재난지역(선포일로부터 2년으로 한정한다) 내에서 피해를 입은 납세자

③ 지방자치단체의 장은 체납처분이 유예된 체납액을 제1항 또는 제2항에 따른 체납처분 유예기간 내에 분할하여 징수할 수 있다. 〈개정 2018.6.26.〉

④ 체납처분 유예의 신청·통지·취소통지 등에 대해서는 제32조, 제33조 및 제35조를 준용한다. 〈개정 2018.6.26.〉

체납처분유예제도는 납세자가 지방세를 체납하고 있다 하더라도 그동안 지방세를 성실하게 납부한 자로서 그에게 체납세금의 납부를 어렵게 하는 특별한 사정이 있어 재산의 압류

나 압류재산의 매각을 유예함으로써 사업을 정상적으로 운영하게 할 경우 체납된 세금을 받을 수 있다고 인정될 때에는 재산의 압류나 압류재산의 매각을 유예하는 제도이다.

체납처분유예는 체납 지방세로서 독촉납부기한이 경과한 것에 대하여 강제징수를 완화하는 제도로 성실납세자의 보호 및 성실납세자의 회생기회를 부여하기 위해 신설(2011.1.1.)하고, 성실납부자의 기준은 조례로 정하도록 하였다.

| 최근 개정법령 _ 2016.1.1. | 체납처분 유예요건 완화(법 제95조 ①)

체납자에 대한 경제적 재기여건을 조성하고, 국세 사례 등을 감안하여 현행 체납처분 유예요건을 '모두 충족'에서 '선택적 충족'으로 완화하였다. ※ (현행 유예요건) ① 지자체의 조례로 정하는 기준에 따른 성실납부자로 인정 ② 재산의 압류나 압류재산의 매각을 유예함으로써 사업을 정상적으로 운영할 수 있게 되어 체납액을 징수할 수 있다고 인정

- 체납처분유예(공매처분 유예 포함)란 지방자치단체의 징수금에 대한 체납처분 등을 하기 전에 징수유예 사유가 발생하여 체납처분(공매처분) 등을 유예하는 경우를 말함(세정-384, 2005.4.22.).

- **체납처분유예시 체납처분의 집행뿐 아니라 중가산금의 징수 또한 유예됨**

  「체납처분등의 유예」는 체납자가 사업을 정상적으로 운영할 수 있도록 일정기간 재산의 압류 또는 압류재산의 매각을 유보하는 것으로 미루어 보면 체납처분을 유예한 경우에는 체납처분의 집행을 유예할 뿐만 아니라 중가산금의 징수 또한 유예된다고 볼 수 있음(세정 13430-170, 1997.4.9.).

제106조(결손처분)

법 제106조(결손처분) ① 지방자치단체의 장은 납세자에게 다음 각 호의 어느 하나에 해당하는 사유가 있을 때에는 결손처분을 할 수 있다.

1. 체납처분이 종결되고 체납액에 충당된 배분금액이 그 체납액보다 적을 때
2. 체납처분을 중지하였을 때 3. 지방세징수권의 소멸시효가 완성되었을 때
4. 체납자의 행방불명 등 대통령령으로 정하는 바에 따라 징수할 수 없다고 인정될 때

② 지방자치단체의 장은 제1항에 따라 결손처분을 한 후 압류할 수 있는 다른 재산을 발견하였을 때에는 지체 없이 그 처분을 취소하고 체납처분을 하여야 한다. 다만, 제1항 제3호에 해당하는 경우에는 그러하지 아니하다.

영 제94조(결손처분) ① 법 제106조 제1항 제4호에 따른 결손처분은 다음 각 호의 어느 하나에

해당하는 경우로 한정한다.

1. 체납자가 행방불명이거나 재산이 없다는 것이 판명된 경우 2.「채무자 회생 및 파산에 관한 법률」 제251조에 따라 체납한 회사가 납부의무를 면제받게 된 경우

② 지방자치단체의 장은 제1항 제1호에 따라 결손처분을 하려는 때에는 체납자와 관계가 있다고 인정되는 행정기관에 체납자의 행방 또는 재산의 유무를 확인(「전자정부법」 제36조 제1항에 따른 행정정보의 공동이용을 통하여 조회하여 확인하는 것을 포함한다)하여야 한다. 다만, 체납된 지방세가 30만원 미만인 때에는 그러하지 아니하다.

③ 지방자치단체의 장은 법 제106조 제2항에 따라 결손처분을 취소하였을 때에는 지체 없이 납세자에게 그 취소사실을 통지하여야 한다.

결손처분은 조세채권이 일정한 사유의 발생·존재로 인하여 징수할 수 없다고 인정되는 경우 또는 징수권의 소멸시효가 완성된 경우에 과세관청이 조세의 징수절차를 중지 내지 유보하거나 또는 납세의무의 소멸 등을 확인하는 처분이다.

체납처분을 중지한 때, 체납자가 행방불명이거나 재산이 없다고 판명되는 경우 등에 따라 행하는 결손처분은 지방세의 납세의무의 소멸사유에 해당하지 않는다. 따라서 이때의 결손처분은 지방세채권을 소멸시키는 것이 아니고 그 징수절차를 중지 내지 유보하는 것에 불과하다고 할 것이다.[9)]

결손처분을 한 후 압류할 수 있는 다른 재산을 발견한 때에는 지체 없이 그 결손처분을 취소하고 체납처분을 하여야 한다.

◎ 지방세 체납에 대하여 결손처분을 한 이후 당해 체납세액에 대한 결손처분의 취소 및 통지 절차를 이행하지 아니하고 강제집행 절차에서 배당요구를 한 경우에도 배당을 받을 수 없음

지방세법 및 지방세기본법, 지방세징수법의 개정 연혁에 따르면, 이 사건에 적용되는 구 지방세기본법(2016.12.27. 법률 제14474호로 전부 개정되기 전의 것, 이하 '법'이라고 함)은 물론 현행 지방세징수법하에서도, 지방세의 결손처분은 국세의 결손처분과 마찬가지로 더 이상 납세의무가 소멸하는 사유가 아니라 체납처분을 종료하는 의미만을 가지게 되었고, 결손처분의 취소 역시 국민의 권리와 의무에 영향을 미치는 행정처분이 아니라 과거에 종료되었던 체납처분 절차를 다시 시작한다는 행정절차로서의 의미만을 가지게 되었다고 할 것임(대법원 2010두25527, 2011.3.24. 등 참조). 그런데 지방세의 체납처분은 납세자의 재산으로부터 지방세채권의 강제적 실현을 도모하는 절차로서 조세법률주의의 원칙에 따라 지방세의 징수에 관하여 법령이 정한 방법과 절차에 따라 진행되어야 함. 특히 납세자를 보호하기 위하여 마

9) 최명근, 「세법학 총론」, 세경사, 2004. p.670

련된 절차는 조세행정의 명확성과 납세자의 법적 안정성 및 예측가능성을 보장한다는 입법 취지에 충실하도록 더욱 엄격히 준수되어야 한다. 이러한 관련 규정의 문언 및 체계, 개정 연혁과 취지를 종합하여 보면 법 제96조 제2항 본문 및 시행령 제84조 제3항은 지방세채권을 강제적으로 실현시키는 체납처분 절차에서 체납자의 권리 내지 재산상의 이익을 보호하기 위해 마련된 강행규정으로 보아야 함. 따라서 지방자치단체의 장이 결손처분을 하였다가 체납처분의 일환으로 지방세의 교부청구를 하는 과정에서 앞서 본 규정들을 위반하여 결손처분의 취소 및 그 통지에 관한 절차적 요건을 준수하지 않았다면, 강제집행 절차에서 적법한 배당요구가 이루어지지 아니한 경우와 마찬가지로, 해당 교부청구에 기해서는 이미 진행 중인 강제 환가절차에서 배당을 받을 수 없다고 봄이 타당함(대법원 2018다272407, 2019.8.9.).

- 지방세를 결손처분한 후 새로운 재산이 발견되었을 때, 결손처분을 취소하지 않고 한 압류처분은 결손처분한 것에 대해서는 효력이 미치지 않는다고 한 사례

  대법원 판례(95다46043, 1996.3.12.)에서도 조세법률주의 원칙에 비추어 조세행정의 명확성과 납세자의 법적 안정성과 예측가능성을 보장하기 위하여 그 처분의 취소는 납세고지절차, 혹은 징수유예의 취소절차에 준하여 적어도 그 취소의 사유와 범위를 구체적으로 특정한 서면에 의하여 납세자에게 통지함으로써 그 효력이 발생한다고 명시하고 있으므로 결손처분 후 새로이 체납자의 재산이 발견되어 결손처분한 것을 취소하지 않고 압류를 하였다면 「지방세기본법」 제96조 제2항에 따라 압류의 효력은 결손처분한 것에 대해서는 효력이 미치지 않는 것으로 판단됨(지방세분석과-3933, 2012.12.17.).

- 국세가 결손처분된 경우 소득세할 주민세 결손처분 여부는 지방자치단체의 장 또는 그 위임을 받은 공무원이 체납자의 재산이 없다는 것 등의 결손처분 요건을 확인한 후 결정함(세정-212, 2004.2.27.).

- 결손처분기간 중 징수권에 대한 시효는 계속 진행되며, 결손처분취소에 따른 체납처분시, 결손처분시점 이후의 중가산금은 포함됨(세정 13407-504, 2001.5.11.).

- 국세가 결손처분 됐어도 지방세가 당연히 결손처분되는 것은 아니며, 결손처분사유 조사 후 그 여부를 결정함(세정 13407-368, 1999.12.27.).

- 지방세징수권의 소멸시효 완성 전까지는 결손처분 이후 취득한 재산을 발견한 경우도 결손처분을 취소하고 체납처분 할 수 있음(1997.10.1. 이후)(세정 13407-592, 1998.7.4.).

- 결손처분이 적법하게 취소되면 결손처분은 당초부터 없었던 것으로 되나 결손처분된 국세는 소급하여 소멸하는 것이 아니라고 한 사례

  결손처분의 취소처분은 결손처분된 당해 국세의 부과제척기간과는 관계없이 국세징수권의 소멸시효기간 내에 이루어지면 되는 것이고, 또 구 국세징수법(1999.12.28. 법률 제6053호로

개정되기 전의 것) 제86조 제2항이 정하는 바에 따라 과세관청이 체납자에게 은닉된 재산이 있음을 발견하고 지체 없이 결손처분을 취소함과 동시에 압류처분을 하고 그 압류통지서와 결손처분취소통지서를 바로 체납자에게 송달하였으나 체납자의 주소 변경 등으로 송달이 지연된 경우에는 비록 압류처분 당시에는 결손처분 취소의 효력이 발생하지 않았다고 하더라도 사후에 취소통지서가 송달되어 결손처분 취소의 효력이 발생함으로써 압류처분의 하자가 치유되는 것으로 보아야 할 것이고, 이와 같이 결손처분이 적법하게 취소되면 취소의 소급효에 의하여 결손처분은 당초부터 없었던 것으로 되어 결손처분된 국세는 소급하여 소멸하지 않는 것으로 보게 된다(대법원 2003두11117, 2004.7.22.).

결손처분의 취소

「지방세징수법」 제106조 제2항의 규정에 의하여 결손처분을 취소한 때에는 당해 결손처분은 당초부터 없었던 것으로 보며, 지방세징수권의 소멸시효는 결손처분이 되어 있었던 기간에 관계없이 당초부터 진행되는 것으로 한다(예규 징법 106-1).

제107조(체납처분에 관한 「국세징수법」의 준용)

> **법** 제107조(체납처분에 관한 「국세징수법」의 준용) 지방자치단체의 징수금의 체납처분에 관하여는 「지방세기본법」, 이 법이나 지방세관계법에서 규정하고 있는 사항을 제외하고는 국세 체납처분의 예를 준용한다.

체납처분에 관하여 지방세기본법 및 지방세법 등에서 규정하지 않은 사항이 있는 경우에는 국세체납의 예를 준용한다.

세외수입 관련 규정의 국세징수에 관한 준용은 자력집행이 있음을 규정한 것에 불과

세외수입 관련 규정의 국세징수에 관한 준용 규정은 체납처분의 절차에 따라 강제징수할 수 있다는 소위 자력집행권이 있음을 규정한 것이지, 국세·지방세가 저당권 등에 우선한다는 등 국세우선권의 규정은 준용할 수 없음(대법원 89다카17898, 1990.3.9.).

부 칙

법 〈법률 제17770호, 2020.12.29.〉

제1조(시행일) 이 법은 2021년 1월 1일부터 시행한다. 다만, 제2조 제1항 제2호, 제4조 제1항 제2호·제3호, 제8조, 제9조(지방세조합장의 체납액 합산 제재와 관련된 개정사항에 한정한다), 제11조, 제11조의 2 제2호, 제11조의 3, 제12조 제2항, 제28조 제1항·제2항·제4항(가산금과 관련된 개정사항에 한정한다), 제30조, 제31조, 제76조 제4항 및 제95조 제2항의 개정규정은 2022년 2월 3일부터 시행하고, 제71조의 개정규정은 공포 후 1년이 경과한 날부터 시행한다.

제2조(둘 이상의 지방자치단체에 체납액이 있는 경우의 처리에 관한 적용례) ① 제9조 제1항 제1호 및 제11조의 2 제1호의 개정규정은 이 법 시행 이후 둘 이상의 지방자치단체의 체납액 등을 합산하여 제8조 제1항, 제9조 제1항 또는 제11조 제1항의 각 기준에 해당하는 경우부터 적용한다.
② 제11조의 2 제2호의 개정규정은 2022년 2월 3일 이후 둘 이상의 지방자치단체의 체납액 등을 합산하여 제8조 제1항, 제9조 제1항 또는 제11조 제1항의 각 기준에 해당하는 경우부터 적용한다.

제3조(징수유예등의 승인 여부 및 통지에 관한 적용례) 제25조의 3 제2항 및 제3항의 개정규정은 이 법 시행 이후 납세자가 징수유예등을 신청하는 경우부터 적용한다.

제4조(가산금 폐지에 따른 경과조치) 부칙 제1조 단서에 따른 시행일 전에 납세의무가 성립된 분에 대해서는 제2조 제1항 제2호, 제4조 제1항 제2호·제3호, 제12조 제2항, 제28조 제1항·제2항·제4항, 제30조, 제31조, 제76조 제4항 및 제95조 제2항의 개정규정에도 불구하고 종전의 규정에 따른다.

제5조(가산금 폐지에 따른 다른 법령의 적용에 관한 경과조치) 부칙 제1조 단서에 따른 시행일 당시 다른 법령에서 가산금에 관하여 「지방세징수법」 제30조 또는 제31조를 인용하고 있는 경우에는 종전의 「지방세징수법」 제30조 및 제31조의 규정을 인용한 것으로 보아 해당 규정에 따라 가산금을 징수한다.

시행령 〈대통령령 제31342호, 2020.12.31.〉

제1조(시행일) 이 영은 2021년 1월 1일부터 시행한다.

제2조(출국금지 요청 대상 확대에 따른 적용례) 제15조 제1항 제2호 및 제3호의 개정규정은 이 영 시행 당시 같은 개정규정의 출국금지 요청 요건을 충족한 사람에 대해서도 적용한다.

제3조(고액·상습체납자 명단공개 제외 기준 강화에 따른 적용례) 제19조 제1항 제1호의 개정규정은 이 영 시행 이후 고액·상습체납자 명단공개 대상을 정하는 경우부터 적용한다.

제4조(징수유예등의 신청절차에 관한 적용례) 제32조 제1항의 개정규정은 이 영 시행 이후 징수유예등을 신청하는 경우부터 적용한다.

제5조(징수유예등의 통지에 관한 적용례) 제33조 제1항 및 제2항의 개정규정은 이 영 시행 이후 징수유예등에 관한 결정을 하는 경우부터 적용한다.

◎ 법률의 개정시 종전 법률 부칙의 경과규정을 두지 않았다고 하여도 부칙의 경과규정이 당연히 실효되는 것은 아님

법률의 개정시에 종전 법률 부칙의 경과규정을 개정하거나 삭제하는 명시적인 조치가 없다면 개정 법률에 다시 경과규정을 두지 않았다고 하여도 부칙의 경과규정이 당연히 실효되는 것은 아니지만, 개정 법률이 전문 개정인 경우에는 기존 법률을 폐지하고 새로운 법률을 제정하는 것과 마찬가지이어서 종전의 본칙은 물론 부칙 규정도 모두 소멸하는 것으로 보아야 할 것이므로 특별한 사정이 없는 한 종전의 법률 부칙의 경과규정도 모두 실효된다고 보아야 함(대법원 2001두11168, 2002.7.26.).

◎ 부칙에서 별도의 경과규정을 두지 않았다면 '납세의무가 성립한 당시' 법령을 적용함

조세법령이 개정되면서 그 부칙에서 개정조문과 관련하여 별도의 경과규정을 두지 아니한 경우에는 '납세의무가 성립한 당시'에 시행되던 법령을 적용하여야 하는 것이고, 한편 제2차 납세의무가 성립하기 위하여는 주된 납세의무자의 체납 등 그 요건에 해당되는 사실이 발생하여야 하는 것이므로, 그 성립시기는 적어도 '주된 납세의무의 납부기한'이 경과한 이후임(대법원 2003두13083, 2005.4.15.).

◎ '종전의 예에 의한다'는 개정 지방세법 효력발생 이후의 과세요건사실에 대해 적용불가

개정된 지방세법 부칙 제1조는 "이 법은 1990년 1월 1일부터 시행한다."고 규정하고, 제5조는 "이 법 시행당시 종전의 규정에 의하여 부과 또는 감면하였거나 부과 또는 감면하여야 할 지방세에 대하여는 종전의 예에 의한다."고 규정하고 있는 바, 위 부칙 제1조는 납세의무가 성립될 당시의 세법이 적용되어야 한다는 일반원칙에 서서 그 적용시기를 규정하고 있는 것이고, 위 부칙 제5조는 법률불소급의 원칙에 대한 예외로서 납세의무자에게 불리하게 세법이 개정된 경우에는 기득권 내지 신뢰보호를 위하여 예외적으로 납세의무자에게 유리한 종전의 법률을 적용한다는 특별규정으로서 위 개정된 지방세법의 효력발생 이후에 과세요건사실이 발생한 경우에는 적용될 여지가 없음(대법원 01두5101, 2001.12.14.).

제 3 편

지방세법

〈지방세법의 구성체계〉

2011.1.1. 기존의 단행법이던 지방세법이 지방세기본법, 지방세법, 지방세특례제한법의 3개 법률로 나누어지면서 종전 지방세법의 16개 세목체계를 ① 동일 세원에 대한 중복 과세 폐지 ② 유사세목 통합 ③ 정책목적을 상실한 영세 세목 폐지 등 3가지 기준을 적용하여 11개 세목으로 간소화하였다.

또한 지방세법 편제도 분법 전에는 도세→시·군세→목적세→과세면제 및 경감 순이었던 것을 전면 개편하여 현재와 같은 순서로 나열하였다. 현재의 지방세법 편제는 제1장에 총칙을 두어 이 법의 목적과 지방세 각 세목에 공통으로 적용되어야 할 정의, 과세주체, 부동산 등의 시가표준액 등의 내용을 담고 있다.

제2장부터는 각 세목에 대한 장으로 제2장 취득세, 제3장 등록면허세(등록분, 면허분), 제4장 레저세, 제5장 담배소비세, 제6장 지방소비세, 제7장 주민세(균등분, 재산분, 종업원분), 제8장 지방소득세, 제9장 재산세, 제10장 자동차세(소유분, 주행분), 제11장 지역자원시설세, 제12장 지방교육세의 순으로 편제되어 있다.

| 참고_ 지방세목 통·폐합 현황 |

구 분	현 행	세목간소화
중복과세 통·폐합	① 취득세 + ② 등록세(취득관련분)	① 취득세
	③ 재산세 + ④ 도시계획세	② 재산세
유사세목 통 합	② 등록세(취득무관분) + ⑤ 면허세	③ 등록면허세
	⑥ 공동시설세 + ⑦ 지역개발세	④ 지역자원시설세
	⑧ 자동차세 + ⑨ 주행세	⑤ 자동차세
폐 지	⑯ 도축세	-
기존유지	⑩ 주민세 ⑪ 지방소득세 ⑫ 지방소비세 ⑬ 담배소비세 ⑭ 레저세 ⑮ 지방교육세	⑥ 주민세 ⑦ 지방소득세 ⑧ 지방소비세 ⑨ 담배소비세 ⑩ 레저세 ⑪ 지방교육세

□ 2021.1.1. 시행 지방세법 개정내용

(법 §12) R&D 차량등 미등록 대상 차량의 취득세율 명확화
(법 §20, §30) 대위등기시 취득세 신고 법적근거 신설
(법 §35 ①) 등록면허세(면허분) 연납공제율 폐지
(법 §47) 담배소비세 과세대상 담배의 범위 확대
(법 §60 ⑦) 입국자 담배 관련 세관장의 지방세 정보통신망 이용근거 마련
(법 §74~§76, §78~§84, §150~§152) 납세자 중심의 주민세 과세체계 개편
(법 §87 ①, §103의 58 등) 지방소득세 신탁세제 개선
(법 §103의 3, §103의 6) 신탁 수익권 양도에 대한 지방소득세 과세
(법 §92 ①, §103의 3 ① 등) 개인지방소득세 최고세율 조정
(법 §93 ⑫) 주택임대소득에 대한 지방소득세의 혜택 기준 변경 등
(법 §93 ⑰) 가상자산소득에 대한 과세
(법 §103의 3 ⑦ 등) 타법 개정 등에 따른 조문 정비 등
(법 §103의 7) 국외전출자의 납부유예 신청시 납세담보 규정 신설
(법 §103의 9) 감정가액을 취득가액으로 적용 시 가산세 부과
(법 §103의 13) 지방소득세 반기 특별징수의무자 납세지 규정 개정
(법 §103의 19 등) 법인지방소득세 외국납부세액 제도 개선
(법 §106, §107, §119의 2) 신탁재산 납세의무자 변경 등
(법 §111의 2, §112, §113) 1세대 1주택자 세율 특례 신설

□ 2021.1.1. 시행 지방세법 하위법령 개정내용

(영 §4 ①)「양식산업발전법」 제정에 따른 인용법률 현행화 (영 §4 ⑨, ⑩)「시가표준액 조사사업」 수행기관 대상 정비 (영 §4 ①) 오피스텔에 대한 별도의 시가표준액 조정기준 마련 (영 §23 ①) R&D 차량 등 미등록대상 차량의 취득세율 명확화 (영 §28 ④) 고급주택 중과세 요건 개선 (영 §28의 2) 조합설립 추진위원회 멸실예정 주택 취득 중과 제외 (영 §28의 2) 주택건설 목적 멸실예정 주택 취득 중과제외 기준 마련 (영 §28의 5 ①) 관리처분대상 주택의 일시적 2주택 기준 개선 (영 §28의 2, §28의 6) 적격 분할로 인한 주택 취득세 중과 제외 (영 §39 관련 별표 1) 면허의 종류와 종별 구분 변경 (영 §78의 2) 종업원분 과세표준에서 출산휴가자 급여 제외 (영 §79~§85) 주민세 과세체계 개편에 따른 용어 정비 (영 §91의 2) 주택임대소득 개인지방소득세 세액계산 우대주택 축소 (영 §100) 지방소득세 중과세율 개정에 따른 조문정비 등 (영 §100의 10) 외국납부세액의 과세표준 차감 시 세부규정 신설 (영 §100의 18) 결손금 소급공제에 따른 법인지방소득세 환급 한도 명확화 (영 §100의 21) 법인의 주택양도 지방소득세 계산 시 과세대상 제외 농어촌주택 범위 (영 §102) 분리과세대상 토지의 명확화 (영 §125 ⑥) 자동차세 연납 시 적용하는 공제이자율 명확화 (영 §136~§139) 지역자원시설세 과세체계 개편에 따른 조문 정비 (영 §136) 화력발전 과세대상 조정에 따른 바이오에너지 과세제외 (영 §136) 광산 면세기준 명확화 (영 §138) 지역자원시설세 중과대상 세율 명확화 (영 §138) 지역자원시설세 중과대상 공장 범위 명확화 (규칙 §7의 2) 주택건설 목적 멸실예정주택 취득 중과제외 기준 마련 (규칙 §9 ③) 대위등기시 납부확인서 발급 규정 (규칙 §13 ①) 등록면허세(등록분)신고시 첨부서류 제출근거 마련 (규칙 별지 제42호) 지방소득세 특별징수 납부서 작성방법 명확화 (규칙 §48의 4, 별지 제43호의 12 등) 외국법인세액 과세표준 차감명세서 신설 (규칙 별지 제43호의 9) 결손금 소급공제 신청시 작성방법 명확화

제 1 장

지방세법

총 칙

제1조(목적)~제2조(정의)

법 제1조(목적) 이 법은 지방자치단체가 과세하는 지방세 각 세목의 과세요건 및 부과·징수, 그 밖에 필요한 사항을 규정함을 목적으로 한다.

영 제1조(목적) 이 영은 「지방세법」에서 위임된 사항과 그 시행에 필요한 사항을 규정함을 목적으로 한다.

규칙 제1조(목적) 이 규칙은 「지방세법」 및 같은 법 시행령에서 위임된 사항과 그 시행에 필요한 사항을 규정함을 목적으로 한다.

법 제2조(정의) 이 법에서 사용하는 용어의 뜻은 별도의 규정이 없으면 「지방세기본법」 및 「지방세징수법」에서 정하는 바에 따른다.

제3조(과세 주체)

법 제3조(과세 주체) 이 법에 따른 지방세를 부과·징수하는 지방자치단체는 「지방세기본법」 제8조 및 제9조의 지방자치단체의 세목 구분에 따라 해당 지방세의 과세 주체가 된다.

지방세법에서는 지방자치단체의 세목을 별도로 구분하지 않고, 「지방세기본법」 제8조 및 제9조의 지방자치단체별 세목구분에 따라 각각의 지방자치단체장이 해당세목의 과세주체가 된다.

| 참고 _ 지방자치단체의 세목(지방세기본법 제8조) |

특별·광역시세	자치구세
○보통세 : 취득세, 레저세, 담배소비세, 지방소비세, 주민세[1], 지방소득세, 자동차세 ○목적세 : 지역자원시설세, 지방교육세	○보통세 : 등록면허세, 재산세[2]
○보통세 : 취득세, 등록면허세, 레저세, 지방소비세 ○목적세 : 지역자원시설세, 지방교육세	○보통세 : 담배소비세, 주민세, 지방소득세, 자동차세, 재산세

1) 광역시의 경우 주민세 재산분 및 종업원분은 구세로 하고 있다.

2) 특별시의 재산세는 시와 자치구간 공동과세로 하고, 도시지역 분(종전 도시계획세)은 특별시세로 조정하였다.

제4조(부동산 등의 시가표준액)

법 제4조(부동산 등의 시가표준액) ① 이 법에서 적용하는 토지 및 주택에 대한 시가표준액은 「부동산 가격공시에 관한 법률」에 따라 공시된 가액(價額)으로 한다. 다만, 개별공시지가 또는 개별주택가격이 공시되지 아니한 경우에는 특별자치시장·특별자치도지사·시장·군수 또는 구청장(자치구의 구청장을 말한다. 이하 같다)이 같은 법에 따라 국토교통부장관이 제공한 토지가격비준표 또는 주택가격비준표를 사용하여 산정한 가액으로 하고, 공동주택가격이 공시되지 아니한 경우에는 대통령령으로 정하는 기준에 따라 특별자치시장·특별자치도지사·시장·군수 또는 구청장이 산정한 가액으로 한다.

② 제1항 외의 건축물(새로 건축하여 건축 당시 개별주택가격 또는 공동주택가격이 공시되지 아니한 주택으로서 토지부분을 제외한 건축물을 포함한다), 선박, 항공기 및 그 밖의 과세대상에 대한 시가표준액은 거래가격, 수입가격, 신축·건조·제조가격 등을 고려하여 정한 기준가격에 종류, 구조, 용도, 경과연수 등 과세대상별 특성을 고려하여 대통령령으로 정하는 기준에 따라 지방자치단체의 장이 결정한 가액으로 한다.

③ 행정안전부장관은 제2항에 따른 시가표준액의 적정한 기준을 산정하기 위하여 조사·연구가 필요하다고 인정하는 경우에는 대통령령으로 정하는 관련 전문기관에 의뢰하여 이를 수행하게 할 수 있다. 〈신설 2015.12.29.〉

④ 제1항과 제2항에 따른 시가표준액의 결정은 「지방세기본법」 제147조에 따른 지방세심의위원회에서 심의한다. 〈개정 2015.12.29.〉

영 제2조(토지 및 주택의 시가표준액) 「지방세법」(이하 "법"이라 한다) 제4조 제1항 본문에 따른 토지 및 주택의 시가표준액은 「지방세기본법」 제34조에 따른 세목별 납세의무의 성립시기 당시에 「부동산 가격공시에 관한 법률」에 따라 공시된 개별공시지가, 개별주택가격 또는 공동주택가격으로 한다.

제3조(공시되지 아니한 공동주택가격의 산정가액) 법 제4조 제1항 단서에서 "대통령령으로 정하는 기준"이란 지역별·단지별·면적별·층별 특성 및 거래가격 등을 고려하여 행정안전부장관이 정하는 기준을 말한다. 이 경우 행정안전부장관은 미리 관계 전문가의 의견을 들어야 한다.

제4조(건축물 등의 시가표준액 결정 등) ① 법 제4조 제2항에서 "대통령령으로 정하는 기준"이란 과세대상별 구체적 특성을 고려하여 다음 각 호의 방식에 따라 행정안전부장관이 정하는 기준을 말한다.

1. 오피스텔 : 행정안전부장관이 고시하는 표준가격기준액에 다음 각 목의 사항을 적용한다.
   가. 오피스텔의 용도별·층별 지수
   나. 오피스텔의 규모·형태·특수한 부대설비 등의 유무 및 그 밖의 여건에 따른 가감산율(加減算率)

1의 2. 제1호 외의 건축물 : 「소득세법」 제99조 제1항 제1호 나목에 따라 산정·고시하는 건물신축가격기준액에 다음 각 목의 사항을 적용한다.
   가. 건물의 구조별·용도별·위치별 지수 나. 건물의 경과연수별 잔존가치율
   다. 건물의 규모·형태·특수한 부대설비 등의 유무 및 그 밖의 여건에 따른 가감산율(加減算率)

2. 선박 : 선박의 종류·용도 및 건조가격을 고려하여 톤수 간에 차등을 둔 단계별 기준가격에 해당 톤수를 차례대로 적용하여 산출한 가액의 합계액에 다음 각 목의 사항을 적용한다.
   가. 선박의 경과연수별 잔존가치율　나. 급랭시설 등의 유무에 따른 가감산율
3. 차량 : 차량의 종류별·승차정원별·최대적재량별·제조연도별 제조가격(수입하는 경우에는 수입가격을 말한다) 및 거래가격 등을 고려하여 정한 기준가격에 차량의 경과연수별 잔존가치율을 적용한다.
4. 기계장비 : 기계장비의 종류별·톤수별·형식별·제조연도별 제조가격(수입하는 경우에는 수입가격을 말한다) 및 거래가격 등을 고려하여 정한 기준가격에 기계장비의 경과연수별 잔존가치율을 적용한다.
5. 입목(立木) : 입목의 종류별·수령별 거래가격 등을 고려하여 정한 기준가격에 입목의 목재 부피, 그루 수 등을 적용한다.
6. 항공기 : 항공기의 종류별·형식별·제작회사별·정원별·최대이륙중량별·제조연도별 제조가격 및 거래가격(수입하는 경우에는 수입가격을 말한다)을 고려하여 정한 기준가격에 항공기의 경과연수별 잔존가치율을 적용한다.
7. 광업권 : 광구의 광물매장량, 광물의 톤당 순 수입가격, 광업권 설정비, 광산시설비 및 인근 광구의 거래가격 등을 고려하여 정한 기준가격에서 해당 광산의 기계 및 시설취득비, 기계설비 이전비 등을 뺀다.
8. <u>어업권·양식업권</u> : 인근 같은 종류의 <u>어장·양식장의 거래가격과 어구 설치비 등을 고려하여 정한 기준가격에 어업·양식업의 종류, 어장·양식장의 위치, 어구 또는 장치, 어업·양식업의</u> 방법, 채취물 또는 양식물 및 면허의 유효기간 등을 고려한다.
9. 골프회원권, 승마회원권, 콘도미니엄 회원권, 종합체육시설 이용회원권 및 요트회원권 : 분양 및 거래가격을 고려하여 정한 기준가격에 「소득세법」에 따른 기준시가 등을 고려한다.
10. 토지에 정착하거나 지하 또는 다른 구조물에 설치하는 시설 : 종류별 신축가격 등을 고려하여 정한 기준가격에 시설의 용도·구조 및 규모 등을 고려하여 가액을 산출한 후, 그 가액에 다시 시설의 경과연수별 잔존가치율을 적용한다.
11. 건축물에 딸린 시설물 : 종류별 제조가격(수입하는 경우에는 수입가격을 말한다), 거래가격 및 설치가격 등을 고려하여 정한 기준가격에 시설물의 용도·형태·성능 및 규모 등을 고려하여 가액을 산출한 후, 그 가액에 다시 시설물의 경과연수별 잔존가치율을 적용한다.

② 제1항 제11호에 따른 건축물에 딸린 시설물(이하 이 항에서 "시설물"이라 한다)의 시가표준액을 적용할 때 그 시설물이 주거와 주거 외의 용도로 함께 쓰이고 있는 건축물의 시설물인 경우에는 그 건축물의 연면적 중 주거와 주거 외의 용도 부분의 점유비율에 따라 제1항 제11호에 따른 시가표준액을 나누어 적용한다.

③ 법 제4조 제2항에 따른 건축물, 선박, 항공기 및 그 밖의 과세대상에 대한 시가표준액은 매년 1월 1일 현재 특별자치시장·특별자치도지사·시장·군수 또는(자치구의 구청장을 말한다. 이하 "시장·군수·구청장"이라 한다)이 제1항의 행정안전부장관이 정하는 기준에 따라 산정하여 특별자치시장 및 특별자치도지사는 직접 결정하고, 시장·군수·구청장(특별자치시장 및 특별자치도지사는 제외한다)은 특별시장·광역시장 또는 도지사(이하 이 조에서 "도지사"라 한다)의 승인을 받아 결정한다. 다만, 시가의 변동 또는 그 밖의 사유로 이미 결정한 시가표준액을 그대로

적용하는 것이 불합리하다고 인정되는 경우에는 도지사·특별자치시장 또는 특별자치도지사는 행정안전부장관의 승인을 받아 해당 시가표준액을 변경결정할 수 있다.

④ 도지사·특별자치시장 또는 특별자치도지사는 제3항에 따라 시가표준액을 승인하거나 변경결정할 때 필요하다고 인정되는 경우에는 관할 지방국세청장과 협의할 수 있다.

⑤ 행정안전부장관은 제3항 본문에 따라 결정된 시가표준액에 대하여 조정이 필요하다고 인정되는 경우에는 국세청장과 협의하여 조정기준을 정한 후 해당 도지사·특별자치시장 또는 특별자치도지사에게 통보할 수 있다.

⑥ 도지사·특별자치시장 또는 특별자치도지사는 제3항에 따라 승인하거나 변경결정한 시가표준액을 관할 지방법원장에게 통보하여야 한다.

⑦ 제3항 본문에 따라 결정된 시가표준액은 시장·군수·구청장이 고시하고, 같은 항 단서에 따라 변경결정된 시가표준액은 도지사·특별자치시장 또는 특별자치도지사가 고시하여 일반인이 열람할 수 있도록 하여야 한다.

⑧ 행정안전부장관은 제1항·제3항 또는 제5항에 따라 시가표준액에 관한 기준을 정하거나 승인을 할 때에는 미리 관계 전문가의 의견을 들어야 한다.(후단삭제) 〈개정 2014.1.1., 2015.12.31.〉

⑨ 법 제4조 제3항에서 "대통령령으로 정하는 관련 전문기관"이란 다음 각 호의 어느 하나에 해당하는 기관 또는 단체를 말한다. 〈신설 2015.12.31.〉

1. 「지방세기본법」 제151조에 따른 지방세연구원
2. <u>그 밖에 시가표준액의 기준 산정에 관한 전문성이 있는 것으로 행정안전부장관이 인정하여 고시하는 기관</u>

규칙 제2조(건축물·선박·항공기 등의 시가표준액 결정 절차) ① 특별자치시장·특별자치도지사·시장·군수 또는 구청장(구청장은 자치구의 구청장을 말한다. 이하 "시장·군수·구청장"이라 한다)은 「지방세법」(이하 "법"이라 한다) 제4조 제2항에 따른 건축물, 선박, 항공기 및 그 밖의 과세대상에 대한 시가표준액 결정을 위하여 「지방세법 시행령」(이하 "영"이라 한다) 제4조 제3항 본문에 따라 특별시장·광역시장 또는 도지사(이하 이 조에서 "도지사"라 한다)의 승인을 받으려는 경우(특별자치시장 및 특별자치도지사는 제외한다)에는 승인신청서에 직전 연도의 시가표준액에 관한 자료 등 승인에 필요한 자료를 첨부하여 그 결정일 30일 전까지 도지사에게 제출하여야 한다.

② 도지사는 제1항에 따라 시가표준액 승인신청서를 받은 때에는 승인신청서를 받은 날부터 30일 이내에 그 결과를 시장·군수·구청장(특별자치시장 및 특별자치도지사는 제외한다)에게 통보하여야 한다.

시가표준액이란 지방세 부과에 따른 과세표준을 산정하는 과정에서 부동산의 시가 그 자체는 아니지만 표준적인 자료를 바탕으로 하여 시가로 고시하여 의제한 가격을 말한다. 시가표준액은 과세표준의 하위개념이고, 과세표준 산정을 위한 하나의 개념적 도구라 할 수 있다(2012헌바432, 2014.6.3.). 실무적으로 과세당국이 재산세, 취득세 등의 과세를 목적으로 과세표준을 정하기 위한 최저한의 표준가격으로서 결정·고시한 가액을 의미한다.[3]

주택과 토지의 시가표준액은 「부동산의 가격 및 감정평가에 관한 법률」에 따라 결정·고시된 가액을 말한다. 건축물, 선박, 항공기 및 그 밖의 과세대상에 대한 시가표준액은 거래가격, 수입가격, 신축·건조·제조가격 등을 고려하여 정한 기준가격에 종류, 구조, 용도, 경과연수 등 과세대상별 특성을 고려하여 행정안전부장관이 정하는 기준에 따라 지방자치단체의 장이 매년 1월 1일 결정·고시한 가액으로 한다.[4)]

| 참고 _ 시가표준액 산정방법 및 결정주체 |

구 분	산정방법	결정주체
토 지	○ 시가방식(개별공시지가) 1990년부터 적용(그 이전에는 토지등급제 활용)	▶ 표준지 : 국토교통부장관 ▶ 개별필지 : 토지가격비준표를 사용하여 시장·군수·구청장이 산정
주 택	○ 시가방식(개별주택가격) 2005년부터 주택으로 일괄 평가 (그 이전에는 토지, 건물 구분 적용)	▶ 표준주택 : 국토교통부장관 ▶ 공동주택 : 국토교통부장관 ▶ 개별주택 : 주택가격비준표를 사용하여 시장·군수·구청장이 산정
일 반 건축물	○ 원가방식 건물신축가격기준액×구조·용도·위지지수×경과연수별 잔가율×면적(㎡)×가감산특례	▶ 시장·군수·구청장 건물신축가격기준액 : 국세청·행정안전부 협의 ☞ 2021년 740,000원/㎡ 조정기준 마련 : 행정안전부장관
선박 등 기타물건	○ 시가방식 물건별 기준가격 × 경과연수별 잔가율	▶ 시장·군수·구청장 시가조사 및 조정기준 마련 : 행정안전부장관

1. 시가표준액 일반

시가표준액은 시가 자체가 아니기 때문에 시가와 차이가 나타날 수 밖에 없다. 그 정도의 차이가 지나쳐 가끔 과세 불형평을 초래하고 소송으로 이어지기도 한다. 시가표준액이 과다하게 책정되어 과세처분이 위법하다는 사례가 있지만, 대부분의 사례에서는 법정 절차에 따라 산정된 시가표준액을 그대로 인정하고 있다. 한편 시가표준액은 재산세 세부담의 결정적인 요인이 되지만 지방세법에서 시가표준액에 대한 검증방법이나 별도의 이의절차를 규정하고 있지는 않다. 하지만 지방세법에서 시가표준액에 대한 검증방법이나 별도의 이의절차를 규정하고 있지 않다고 하여 해당 법률조항들이 헌법상 보장된 재산권을 침해한다고

3) 행정안전부 지방세운영과-2782, 2016.11.3. : "2017년 적용 건축물 및 기타물건 시가표준액 조정기준"
4) 2021년 건축물차량기타물건 시가표준액 조정기준(행안부) 참고(http://www.olta.re.kr/cop/)

볼 수는 없다(대법원 2008아17, 2008.6.12.).

◎ 토지와 건물을 구분하여 산정하는 시가표준액이 상속세·증여세 부과의 기준이 되는 기준시가에 비해 현저히 높다하더라도 이는 입법정책적인 문제임

토지의 시가표준액 산정방식이 합리적인 요소를 바탕으로 한 객관적인 방식이어야 하지만 국세와 반드시 같아야 할 근거는 없고, 구분소유하고 있는 지하상가 점포의 각 집합건물 내의 층수나 위치 등 입지조건은 …그 구분건물에 대한 시가표준액을 산정하는 과정에서 반영하면 충분하며, 관계 법령에서 정한 절차와 기준에 따라 시가표준액을 산정하였고, 건축물과 이에 딸린 토지를 일괄하여 그 가액을 산정하는 방식이 거래현실에 보다 부합하는 면이 있다 하더라도 그 산정방식은 재산세 과세표준의 효율적인 산정, 적정한 조세징수비용, 안정적인 세수 확보 가능성 등 여러 공익적 요소까지 고려하여 정하여야 할 입법정책의 문제임(대법원 2015두37730, 2015.5.14.).

◎ 시가표준액이 시가보다 높은 경우 건물의 시가반영 차등 감산특례(취득세 과표적용) 관련건물의 감정평가는 토지와 건물을 함께 감정한 가액이라야 함

시가는 시장·군수·구청장이 거래가격 등을 조사하여 당해 거래와 유사한 상황에서 불특정 다수인간의 자유로이 거래가 이루어지는 경우에 통상 성립된다고 인정하는 가액 또는 2개 이상의 감정평가기관의 평균 감정가액으로 하도록 되어 있으므로, 시가는 건물뿐만 아니라 토지가액을 포함하는 개념으로 개별공시지가 등으로 토지의 시가표준액이 결정되어 있다 하더라도 시가는 건물의 부속토지를 포함한 가액이므로 감정평가시 토지와 건물을 함께 감정해야 함(지방세운영과-5796, 2011.12.22.).

◎ 상속에 의한 취득시 감정평가금액을 제시하더라도 시가표준액을 과세표준으로 하여야 함

"신고한 가액"이라 함은 취득세 과세물건을 취득함에 있어 소요된 거래가액을 의미하고, 상속 등 무상승계취득의 경우에는 그 취득가액이 없으므로 지방세법상 시가표준액을 과세표준으로 삼아야 할 것(대법원 2002두240, 2003.9.26. 참조)이므로 부동산을 상속으로 취득하면서 감정기관이 감정평가한 금액을 부동산의 취득가격으로 제시하였다 하더라도 무상취득의 경우로서 위 규정에서 말하는 신고한 가액으로 볼 수 없으므로 동 부동산에 대한 취득세 등 과세표준은 지방세법 제111조 규정에 따른 시가표준액을 적용하여야 할 것임(지방세운영과-5005, 2009.11.27.).

◎ 감정가액을 과세표준액으로 하는 경우 감정평가 수수료는 조정요구자가 부담하여야 함

시가표준액이 시가보다 높은 건물의 시가반영 차등 감산특례에는 '시가는 시장·군수·구청장이 거래가격 등을 조사하여 당해 거래와 유사한 상황에서 불특정다수인간에 자유로이 거래가 이루어지는 경우에 통상 성립되는 가액 또는 2개 이상의 전문평가기관의 평균 감정가

액으로 한다'라고 규정되어 있으므로, 자유로이 거래가 없는 경우, 2개 이상의 전문 감정평가 기관의 감정평가를 받아 그 평균 감정가액으로 하여야 할 것이며, 당해 건물의 시가표준액이 현저하게 불합리하다고 판단되는 경우 그에 대한 입증책임은 이를 다투는 자에게 있으므로, 감정평가 수수료는 수익자 부담원칙에 의해 조정요구자가 부담하여야 할 것(대법원 94누12920, 1995.3.28.)으로 판단됨(지방세운영과-3535, 2011.7.26.).

- 공용부분이 특정구분소유자들만 위한 것이 외형상 명백하지 아니한 경우에는 공용부분의 일부를 특정구분소유자가 사용하고 있다는 현황만으로 이를 특정구분소유자에게 귀속하여 시가표준액을 산정할 수는 없음(대법원 2004두11473, 2005.10.27.).

1) 납세자가 주장한 취득가액을 불인정한 사례

공시지가가 감정가액이나 실제 거래가격을 초과한다는 사유만으로 그것이 현저하게 불합리한 것이라고 볼 수 없고(대법원 2013두6138), 건물시가표준액이 건물의 층별 매매시가를 현실적으로 반영하지 못하고 있다고 하더라고 위법한 시가표준액으로 볼 수 없다(대법원 2013두35112). 특히 1층의 경우 상권의 발달 정도에 따라 시가와 시가표준액의 차이가 매우 크다. 하지만 1층과 비교해 분양가 등이 차이가 많이 남에도 시가표준액은 차이가 미미하다는 사정만으로 건물의 과세시가표준액이 현저히 불합리한 것이라 볼 수 없다(대법원 2006두11019, 2006.9.14.). 그리고 경매로 취득하는 경우 취득가액이 시세보다 낮고 낙찰가액이 과세표준이 된다. 그런데 이를 제3자가 다시 취득하는 경우(특히 시가표준액이 과표가 되는 개인간의 거래의 경우) 과세표준 산정 과정의 불합리함을 주장하기도 한다. 하지만 경매 낙찰가격보다 시가표준액이 높더라도 최초 감정가액, 분양가액 등을 고려할 때 불합리하지 않은 경우 위법한 시가표준액으로 보지 않는 것(대법원 2013두18506)이 일반적이다.

- 실거래가격을 반영하지 못한다고 하여 위법하다고 볼 수 없음
  이 사건 건물의 각 층별로 건축시기에 따른 경과연수별 잔가율을 달리하여 산정되었으며, 제104호는 1층인 점이 가감산 요소로 참작되어 5/100가 가산되는 등으로 관련 법령이 규정한 요건에 맞게 차등을 두어 산정・부과된 점, 이 사건 처분을 함에 있어 산정・적용한 단위면적(㎡)당 기준금액은 제104호, 제201호 각 535,000원, 제301호 576,000원으로서 원고가 주장하는 실제 거래가격(㎡당 제104호 1,000만 원, 제201호 350만 원, 제301호 250만 원)에 훨씬 미치지 못하는 점 등에 비추어 볼 때, 제104호, 제201호, 제301호에 관하여 산출된 각 세액이 실제 거래가격을 반영하지 못하여 위법하다고 볼 수 없음(대법원 2013두35112, 2014.2.27.).

- 건물의 시가표준액을 과표로 과세한 취득세가 정당하다고 한 사례
  검증체계를 갖추지 못한 것이 원고 주장과 같이 원고와는 무관하게 국가 등의 책임으로 보아

야 한다 하더라도 그러한 사정만으로 이 사건 실거래가격에 대한 검증이 이루어진 것과 같이 볼 수 없으며, 한편 취득세와는 그 부과요건과 당사자 등 제반 사정을 달리하는 양도소득세 부과에 있어 원칙적으로 실거래가액을 과세표준 산정 기준으로 삼는다는 사정이 있어 향후 원고가 이 사건 상가를 양도할 경우에는 이 사건 실거래가액이 과세표준이 될 가능성이 있다 하여도 그러한 사정만으로 또한 이 사건 실거래가액이 위 법령 소정의 검증을 거친 사실상의 취득가격에 해당하는 것으로 볼 사유가 되지 않음(대법원 2012두16138, 2012.10.11.).

2) 납세자가 주장한 취득가액을 인정한 사례

◎ 시가표준액이 현저하게 불합리한 경우는 위법하여 취소대상

원고의 건물가액은 시가표준액의 1/10에도 미치지 못할 정도로 현저히 낮고 이 사건 건물에 관하여 위 각 지수 등의 기계적 적용으로 불합리한 결과가 발생할 것이 명백하다면, 피고로서는 위 조정기준에 따라 하향 조정을 하든지 위 구 지방세법 시행령 규정에 따라 변경 결정 절차를 밟는 등의 조치를 취하여야 함에도 어떠한 조치도 취한 바 없기 때문에 정당한 시가 등을 확인할 수 있는 방법이 없어 정당한 세액을 산출할 수 없으므로, 이 사건 처분을 전부 취소할 수밖에 없음(대법원 2015두43797, 2015.9.10.).

◎ 시가표준액은 재산의 객관적인 가치, 즉 시가를 적절히 반영하여야 할 것인 바 지자체장이 결정한 시가표준액이라 하더라도 시가나 기타 사정에 비추어 현저히 불합리한 경우에 그 시가표준액 결정은 위법하다고 할 것이므로, 시가표준액이 시가의 1.945배에 이르는 시가표준액을 기준으로 취득세 등을 과세하는 것은 재산권 침해에 해당함(대법원 2009두15982, 2010.1.14.).

◎ 시가가 과세시가표준액보다 현저히 낮아 불합리한 경우에는 그 과세시가표준액은 효력을 인정할 수 없다 할 것이어서, 그러한 경우에는 과세시가표준액이 결정되지 아니한 것으로 보아 재산세 과세기준일 현재의 시가를 기준으로 삼아야 할 것임(대법원 94누1333, 1994.5.27.).

2. 토지 시가표준액

토지에 관한 시가표준액은 「부동산 가격공시에 관한 법률」에 따라 공시된 가액(價額)으로 한다. 다만, 개별공시지가가 공시되지 아니한 경우에는 국토교통부장관이 제공한 토지가격비준표를 사용하여 시장·군수가 산정한 가액으로 한다.

토지 시가표준액에 대한 변천 내용을 간단히 살펴보면 다음과 같다.

1974년부터 1989년 말까지 토지과표는 토지등급제를 사용하였는데, ㎡당 등급(365등급)을 지방자치단체에서 과세기준으로 결정·고시하고 지방세 과표로 활용하였다.

1989년에는 토지공개념 도입과 관련하여 정부는 부동산세제 강화를 위해 종합토지세 도입과 함께 토지과표 현실화를 위하여 1989년까지 토지과표로 사용하던 토지등급제[5]를 1990년부터는 공시지가로 변경하였다.

한편 1957년 토지과세기준조사법이 제정됨으로써 우리나라의 토지평가제도의 골격을 갖추게 되었다. 토지과세평가제도의 변천을 살펴보면 크게 1960년대의 수익방식적용시대, 1970~1980년대의 비교방식시대, 1990년대 이후에는 공시지가의 시대로 구별해 볼 수 있다.

1960년대의 토지과세평가는 수익방식인 임대가격에 의한 평가가 주축을 이루어 왔다. 1960년부터 토지과세기준조사법에 의하여 평가가 이루어졌는데, 평가방법은 임대가격에 재무부장관이 지역별 및 지목별로 정하는 소정의 배율을 곱하여 산출한 금액을 과세시가표준액으로 하는 것이었다. 1967년에 등록세 과세시가표준액 고시업무가 재무부에서 국세청으로 이관되었다. 1974년에는 수익평가방식에서 비교방식으로 전환하여 과세시가표준액이 토지등급을 기준으로 하여 결정되는 토지의 평당가격제를 채택하였다. 1975년부터는 국세청의 부동산과표업무가 내무부로 이관되었다. 1977년부터 지방세심의위원회에 과세표준분과위원회를 두고 부동산과세시가표준액 결정에 관한 사항을 조사심의토록 하였고, 1979년부터 내무부장관의 과표결정승인권을 시·도지사에게 위임하였다. 1984년도에 토지등급체계를 변경하여 당초 96등급으로 분류되었던 것을 365등급으로 세분화하였다.

1989년도에 지가공시 및 토지 등의 평가에 관한 법률을 제정하는 한편, 공시지가를 참작하여 지방세 과표를 결정하도록 하여 1991년부터 일선 세무공무원들이 실시하던 시가조사를 없애고 개별공시지가에 의하도록 하였다. 1995년부터는 개별공시지가를 지방세 과세표준으로 참작하여 사용하던 것을 직접 공시지가로 바로 사용하였으며 일정비율을 적용하도록 하였다. 2002년부터는 취득세와 등록세의 과세표준에 적용되는 토지분 개별공시지가의 적용비율을 100%로 하여 사실상 개별공시지가를 과세표준으로 적용하도록 하고 있다. 2005년부터 부동산 보유세제의 개편에 따라 부동산공시법을 개정하고 주택의 경우 토지와 건물을 일괄 평가하도록 하였다.

한편 1995년 12월 6일의 지방세법 개정을 통해 1996년 1월 1일부터는 종합토지세의 과표산정방식이 과세시가표준액에서 개별공시지가에 지방자치단체장이 결정·고시하는 과표액 적용비율을 곱한 가액으로 변경되었다. 즉 1995년까지는 종합토지세 과세 대상 토지의 가액은 대통령령으로 정한 과세시가표준액을 따랐으나, 1996년부터는 지가공시 및 토지 등의 평가에 관한 법률에 의한 개별공시지가(개별공시지가가 없는 토지의 경우에는 시장·

5) 1974년부터 1989년 말까지 토지과표는 토지등급제를 사용하였는데, ㎡당 등급(365등급)을 지방자치단체에서 과세기준으로 결정 고시하고 지방세 과표로 활용하였다.

군수가 동법 제10조의 규정에 의하여 건설교통부장관이 제공한 토지가격비준표를 사용하여 산정한 지가)에 대통령령이 정하는 바에 의하여 그 지방자치단체의 장이 결정 고시한 과세표준액 적용비율을 곱하여 산정한 가액으로 변경하였다.[6)]

1) 공시지가의 효력

◎ **공시지가에 대한 이의 절차를 밟지 않은 채 조세소송에서 그 위법성을 다툴 수 없음**

표준지로 선정된 토지의 공시지가에 대하여 불복하기 위하여는 지가공시법 제8조 제1항 소정의 이의절차를 거쳐 처분청인 건설부장관을 상대로 그 공시지가결정의 취소를 구하는 행정소송을 제기하여야 하는 것이지(93누10828, 1994.3.8. 등), 그러한 절차를 밟지 아니한 채 조세소송에서 그 표준지 공시지가의 위법성을 다툴 수는 없으므로, 위 제4기재 토지에 대한 토지초과이득세 부과처분의 취소를 구하는 이 사건 소송에서는 그 공시지가의 위법성을 다툴 수 없음(대법원 93누16468, 1995.11.10.).

◎ **개별공시지가가 변경되기 전까지는 토지분 시가표준액 정정은 어려움**

지방세법 제111조 제2항 제1호에서 토지의 경우 「부동산공시법」에 의하여 공시된 가격을 시가표준액으로 사용하도록 규정하고 있고, 선행처분과 후행처분이 서로 독립하여 별개의 법률효과를 목적으로 하는 때에는 선행처분의 하자를 이유로 후행처분의 효력을 다툴 수 없는 것이므로 토지분 시가표준액을 정정하기 위해서는 선행처분인 개별공시지가의 결정에 대하여 「부동산공시법」에서 정한 불복절차를 거치거나, 처분청을 상대로 개별공시지가 결정의 취소를 구하는 행정소송을 제기하여 개별공시지가가 잘못 결정되었다고 확정되어야 비로소 정정이 가능한 것이므로, 개별공시지가가 변경되기 전까지는 토지분 시가표준액을 정정하기는 어려움(세정-582, 2006.2.7.).

◎ **공시지가가 정정된 경우 그 정정된 시가표준액으로 소급하여 재산세 적용가능**

구 지방세법상 「부동산공시법」에 의하여 가격이 공시되는 토지에 대하여는 "「부동산공시법」에 의하여 공시된 가액"을 "시가표준액"으로 하며, 「부동산공시법」 제13조는 시장·군수는 공시지가에 명백한 오류가 있는 경우 이를 정정하여야 한다고 규정하고 있음. 아울러 공시지가 산정에 명백한 잘못이 있어 「부동산공시법」에 따라 정정 결정되어 공고된 이상 당초에 결정·공고된 공시지가는 그 효력을 상실하고 경정 결정된 새로운 공시지가가 그 공시기준일에 소급하여 효력을 발생하므로(대법원 93누16925, 1993.12.7.), 공시지가를 소급적용하여 과세표준을 산정·과세할 수 있음(지방세운영과-3923, 2011.8.19.).

---

6) 또한 토지에 대한 취득세와 등록세의 과세표준이 되는 신고금액의 최저한과 토지분 도시계획세의 과세표준도 과세시가표준액에서 공시지가에 지방자치단체의 장이 정하는 비율을 적용하여 산정한 금액으로 전환되었다.

◎ **표준지 선정 및 토지이용상황을 잘못 평가하여 위법하게 산출한 공시지가의 효력**

2010년도 개별공시지가가 표준지 선정 및 토지이용상황을 잘못 평가하여 위법하게 산출된 것이라 가정하더라도, 선행처분과 후행처분이 서로 독립하여 별개의 법률효과를 목적으로 하고 선행처분에 불가쟁력이 생겨 그 효력을 다툴 수 없게 된 경우에는 선행처분의 하자가 중대하고 명백하여 당연무효인 경우에만 선행처분의 하자를 이유로 후행처분의 효력을 다툴 수 있다고 할 것인데(대법원 2007두13159, 2009.4.23., 95누10075, 1996.3.22. 등 참조), 선행처분인 위 개별공시지가 산출 처분에 대하여 이미 불가쟁력이 발생하였고, 원고 주장과 같은 사유만으로 위 개별공시지가 산출 처분의 하자가 중대·명백하여 당연무효라고 볼 수도 없으므로, 그 하자를 이유로 후행처분인 이 사건 처분의 효력을 다툴 수는 없음(대법원 2011두18731, 2011.11.10.).

◎ 건물이 없는 것을 가정하여 산정한 공시지가를 건축물 부속토지의 시가표준액으로 사용하였다 하더라도 위법한 것으로 볼 수 없음(의정부지법 2007구합4754, 2008.7.22. : 대법확정).

◎ 취득세 신고납부기한 중에 새로운 공시지가가 공시되었다고 하더라도 이를 시가표준액으로 사용할 수는 없고 납세의무 성립일 현재 공시되어 있는 전년도 개별공시지가를 시가표준액으로 사용하는 것이 타당함(대법원 2001두531, 2001.11.9.).

◎ **(지침) 공시지가 확인철저**(재산세 부과징수 운영요령, 지방세운영과-2241, 2010.5.28.)

부동산공시법에 의한 개별공시지가가 공시되지 아니한 경우 외에는 적법한 절차에 따라 결정·공시된 공시지가를 기준으로 재산세 부과(법 제187조 제1항, 법 제111조 제2항 제1호). 공시지가에 대한 불복은 처분청을 상대로 공시지가결정 취소소송을 제기해야 하며 조세 소송에서 공시지가의 위법성을 다툴 수 없음(대법원 93누16468, 1995.11.10.).

※ 선행처분(개별공시지가)과 후행처분(재산세 과세처분)이 서로 독립하여 별개의 법률효과를 목적으로 하므로 선행처분의 하자가 중대·명백한 경우를 제외하고는 선행처분의 하자를 이유로 후행처분의 효력을 다툴 수 없음(대법원 93누8542, 1994.1.25.).

〈유의 사항〉 기 결정·공시된 공시지가가 중대하고도 명백한 하자가 아니라면 당해 공시지가를 기준으로 재산세를 과세하여야 함. 그에 따라 공시지가가 부적절하게 산정되었음에도 당해 개별공시지가는「부감법」에 의하여 정정할 수 없는 경우에는 그 부적절한 공시지가를 기초로 재산세가 과세되는 점을 감안할 때, 정확한 공시지가를 바탕으로 재산세가 과세될 수 있도록 불합리한 공시지가에 대한 적극적인 모니터링 ※ 특히, 대규모 택지지구 내 토지의 공시지가 산정과정 확인 철저

※ [개별공시지가 정정] 시장·군수는 개별공시지가가 위산(違算), 오기, 표준지선정, 공시절차, 용도지역, 토지가격비준표 적용 등의 명백한 오류를 발견한 때에는 지체없이 정정하여야 함(부동산가격공시 및 감정평가에 관한 법률 제13조).

2) 공시지가 관련 사례

◎ 개발사업지에 대해 적법하게 산정된 공시지가가 있는 경우 이를 시가표준액으로 적용

기 산정·공시된 개별공시지가가 「2012년도 적용 개별공시지가 조사·산정 지침」에 따라 실제 이용상황 등을 기준으로 조사하는 등 적법하게 조사하여 산정된 경우라면 「지방세법」 제4조 제1항의 「부동산공시법」에 따라 공시된 가액으로 보아 시가표준액을 적용해야 하며, 그 외의 경우에는 개별공시지가가 공시되지 아니한 경우로 보아 시장·군수 또는 구청장이 같은 법에 따라 국토해양부장관이 제공한 토지가격비준표를 사용하여 산정한 가액을 시가표준액으로 하여야 함(지방세운영과-4057, 2012.12.14.).

◎ 공시지가 공시이후 용도지역이 변경되었더라도 개별공시지가 없는 토지로 보기 어려움

공시기준일(1.1.) 이후 분할·합병, 신규등록, 형질변경·용도변경으로 지목이 변경된 토지 등은 7.1. 기준으로 10.31.까지 결정·공시한다고 규정(부감법 제11조 ②, 영 제15조)하고, 「소득세법」상 개별공시지가가 없는 토지로 신규등록 토지, 분할·합병 토지, 형질·용도변경으로 지목변경 토지, 개별공시지가의 결정·공시가 누락된 토지 등을 규정(영 제164조 ①)하고 있으며, 「국토의 계획 및 이용에 관한 법률」상 각종 용도지역·용도지구·용도구역의 변경으로 당연히 지적법상의 지목변경이 수반되는 것은 아닌 점, '토지의 용도변경'이라 함은 용도지역 등의 변경을 일컫는 것이 아니라 지적법상의 지목분류 기준인 토지의 실제 이용상황의 변경을 의미하는 점(대법원 2007두13180, 2009.5.14.) 등을 감안, 공시지가 공시이후 용도지역이 변경되었다 하더라도, 개별공시지가가 없는 토지로 보기가 어려움(지방세운영과-1878, 2011.4.21.).

◎ 택지개발사업 실시계획승인을 받고 가지번의 나지로 산정·공시된 경우 그 가격으로 과세

「부감법 시행령」 제16조에서 택지개발사업지구 내의 토지로서 확정예정지번이 부여되기 전의 토지는 종전의 이용상황을 기준으로 지가를 산정하고, 확정예정지번이 부여된 경우는 당해 사업 목적의 나지를 상정하여 지가를 산정하고, 「지방세법」 제187조에 따라 「부감법」에 의하여 가격이 공시되는 토지는 동법에 의하여 공시된 가액을 재산세 과세표준으로 함. … 택지개발사업지구에 실시계획승인을 받고 가지번이 부여되어 나지로 지가를 산정·공시한 경우라면 그 공시된 가격을 재산세 과세표준으로 하여 재산세를 과세하는 것이 타당함(행심 2000-712, 2000.9.26., 지방세운영과-649, 2009.2.10.).

◎ 재산세 과세기준일 현재 등록 전환된 토지의 과세표준 산정방법

재산세 과세기준일 현재 해당 토지가 등록전환 되었으나 그 등록전환된 사항이 개별공시지가에 반영되어 개별공시지가가 결정·공시되어 있지 않은 경우라면 개별공시지가가 공시되지 아니한 경우에 해당되어 시장·군수가 「부동산 가격공시 및 감정평가에 관한 법률」의 규

정에 의한 토지가격비준표를 사용하여 산정한 개별공시지가를 적용하여 재산세를 과세함이 타당함(지방세운영과-134, 2009.1.11.).

◎ **6.1. 현재 형질변경된 사항이 개별공시지가에 반영이 되지 않은 경우 과세표준 산정방법**

재산세는 과세대상 물건이 공부상 현황과 사실상의 현황이 상이한 경우는 사실상의 현황에 의하여 재산세를 부과하므로 귀문의 경우 재산세 과세기준일(6.1.) 현재 해당 토지의 형질변경된 사항이 개별공시지가에 반영이 되지 않은 경우라면 개별공시지가가 결정공시되지 아니한 경우로 보아 시장·군수가 「부동산 공시법」에 의하여 토지가격비준표를 사용하여 산정한 개별공시지가를 적용하여 재산세를 과세함이 타당함(지방세운영과-1748, 2008.10.10.).

◎ **6.1 이전에 개발사업 확정예정지번이 부여되고 개발이 진행되어 토지 특성이 실질적으로 달라진 상태라면 '공시지가가 없는 토지'로 봄이 타당함**

'개별공시지가가 없는 토지'라 함은 지목변경 전 토지에 관한 개별공시지가가 고시되어 있다고 하더라도 지적법상의 지목변경으로 인하여 개별공시지가 산정의 기초자료가 되는 토지 특성이 달라져서 지목변경 전의 개별공시지가를 지목변경 후의 그것으로 보는 것이 불합리하다고 볼 '특별한 사정'이 있는 경우를 의미함(대법원 2007두13180). 이 사건 과세기준일인 현재 이미 개발사업에 따른 확정예정지번이 부여되고 전체 사업부지 평탄화 작업 등이 일정 부분 진행된 결과, 개별공시지가 산정의 기초자료가 되는 토지 특성이 실질적으로 달라진 상태임. 공부상 등재 현황이 아닌 '사실상 현황'을 재산세 부과기준으로 한 지방세법 시행령 및 대법원 판례의 취지 등을 고려하면, 비록 개별공시지가가 고시되어 있고, 사업목적인 공장용지로 지목변경이 이루어지지는 않았다 하더라도, 개별공시지가를 그대로 시가표준액으로 적용하는 것이 불합리하다고 볼 '특별한 사정'이 있고, 따라서 '개별공시지가가 공시되지 아니한 경우'에 해당(대법원 2017두37253, 2017.6.15.)

◎ **단순히 건축물의 용도가 변경된 경우는 지목변경으로 보지 않지만 새로운 건물이 신축된 경우는 토지의 용도변경에 해당되므로 소득세법상 '개별공시지가가 없는 토지'에 해당**

이 사건 토지는 그 지상에 주유소가 건축되어 있다가 철거된 후 근린생활시설이 신축된 것이어서 건축물의 용도변경으로 인하여 지목이 변경된 것이라는 이유로 '개별공시지가가 없는 토지'에 해당하지 아니한다고 판단하였으니, 원심의 판단에는 해석·적용을 그르친 잘못이 있음. 또한, 건축법상 건축물의 용도변경은 이미 사용승인을 받은 건축물의 용도를 변경하는 것이라는 점에서, 이 사건과 같이 기존의 건물이 철거되고 새로운 건물이 신축된 경우에는 건축물의 용도변경으로 인한 지목변경이 아니라 토지 자체의 용도가 변경되어 지목이 변경된 경우로 보아야 함(대법원 2007두13180, 2009.5.14.).

◎ **과세기준일 현재 토지의 이용현황이 자동차운전학원(잡종지)으로 변경되었다는 이유로 "개별**

공시지가가 없는 토지"로 판단한 것은 잘못

"개별공시지가가 없는 토지"라 함은 지적법 제15조 내지 제16조에 규정되어 있는 신규등록, 등록전환 및 같은 법 제17조 내지 제18조, 제20조 내지 제21조에 의한 분할·합병·지목변경된 토지와 토지구획정리사업지구 내의 토지 및 비과세지에서 과세지로 전환된 토지 중 개별공시지가가 없는 토지 등을 말하는 것으로서, 이건 토지의 경우와 같이 1998.1.1. 현재로 공시지가를 결정고시하였고, 이 때에 이건 토지의 공부상 지목은 염전이나 사실상 현황이 폐염전인 잡종지인 사실을 반영하여 한국감정원으로부터 지가에 대한 검증결과를 통보받아 일정절차를 거쳐 ㎡당 가액을 16,300원에서 33,600원으로 결정하여 1998.6.30. 고시하였고, 1999년도에는 1999.6.30.에 다시 129,000원으로 변경결정 하였음에도, 1999년도 종합토지세과세기준일인 1999.6.1. 현재 이건 토지의 이용현황이 자동차운전학원(잡종지)으로 변경되었다는 이유로 "개별공시지가 없는 토지"로 판단한 것은 잘못(행심 2000-377, 2000.4.26.).

◎ **주택재개발 사업구역 내 토지의 개별공시지가가 용도구획별 획지(블록·롯트) 단위로 공시된 경우, 전체 획지의 개별공시지가를 가중 평균하여 소유 지분(면적)에 따라 산정함**

주택건축이 진행 중인 주택재개발 사업구역 내 토지의 경우 여러 개의 새로운 용도구획별 획지(블록·롯트)로 구분되어 부동산공시법에서 정한 절차에 따라 적법하게 고시되었다면 이는 지방세법 제4조 제1항 단서에서 말하는 개별공시지가가 공시되지 아니한 토지에 해당한다고 볼 수는 없음. 따라서, 개별 토지소유자에 대한 공시지가 적용은 새로운 용도구획별 획지를 기준으로 전체 획지의 개별공시지가를 가중 평균하여 개별토지소유자의 토지소유 지분(면적)에 따라 적용해야 할 것임(지방세운영과-2017, 2015.7.8.).

◎ **개별공시지가가 공시된 개발제한구역내 농지에 대해 해당 주택의 정원으로 불법 전용하여 사용하고 있는 경우 주택에 대한 시가표준액을 재산정하여야 함**

사실상 주택 부속토지로 사용되고 있는 지목상 농지의 경우 토지(농지)에 대한 개별공시지가만 공시되었다면 주택의 건물부분과 토지부분을 하나의 대상으로 하여 가격을 공시하는 개별주택가격은 공시되지 않은 경우로 보는 것이 타당한 점, 개발행위에 제한되더라도 주택의 효용과 편익을 위해 사용되는 것이 확인된다면 이를 고려하여 달리 적용할 합리적 이유가 없어 보이는 점 등을 종합해 볼 때, 해당 토지를 주택에 포함하여 주택가격비준표를 사용하여 시가표준액을 재산정하여야 함(지방세운영과-1022, 2018.5.2.).

◎ **개별공시지가결정처분에 하자가 있더라도 재산세 부과처분이 당연무효는 아님**

설령 개별공시지가결정처분 과정에서 하자가 있다 하더라도, ① 개별공시지가는 부동산 가격공시에 관한 법률 등 관련 법령에 따라 감정평가업자의 검증, 토지소유자의 의견 청취 및 이의신청 등 행정절차를 준수하여 결정·고시된 것으로 보이는 점, ② 표준지 선정에 있어서는 토지이용상황만을 고려하는 것이 아니라 토지의 용도, 유사가격권 해당 여부 등 제반 사정을 종합하여 고려하여야 하는 점, ③ 토지이용상황 만을 고려하여 표준지 선정 및 개별공시지가 산정이 이루어질 경우 인접한 토지나 유사가격권 토지의 공시지가와 현저한 차이가 나게 되어 지가 불균형을 초래할 가능성이 있는 점 등 … 개별공시지가결정처분의 하자가 명백하다고 인정하기 부족하고, 중대하고도 명백한 하자가 있다는 점을 인정할 만한 증거가 없음(대법원 2020두46301, 2020.11.26.).

☞ 원고는 ○○군수가 2013년부터 2017년까지 책정 공시한 개별공시지가 결정의 취소를 구했는데, 통상 고시 또는 공고에 의한 행정처분을 하는 경우에는 그 처분의 상대방이 불특정 다수인이고 그 처분의 효력이 불특정 다수인에게 일률적으로 적용되는 것이므로, 그 행정처분에 이해관계를 갖는 자는 고시 또는 공고가 있었다는 사실을 현실적으로 알았는지 여부에 관계없이 고시가 효력을 발생하는 날에 행정처분이 있음을 알았다고 보아야 하고, 따라서 그에 대한 취소소송은 그 날부터 90일 이내에 제기하여야 함(대법원 2004두3847). 이 사건 소는 제소기간이 도과한 후 제기된 것으로 부적법한 소에 해당함. 이에 따라 재산세 부과처분의 무효확인을 구하는 소를 제기하였지만 위 결정과 같이 중대하고도 명백한 하자가 있다고 볼 수 없어 당연무효로 볼 수 없다고 보았음.

3. 주택 시가표준액

주택에 관한 시가표준액은 「부동산 가격공시에 관한 법률」에 따라 공시된 가액(價額)으로 한다. 다만, 개별주택가격이 공시되지 아니한 경우에는 국토교통부장관이 제공한 주택가격비준표를 사용하여 시장·군수가 산정한 가액으로 한다. 특히, 공동주택가격이 공시되지 아니한 경우에는 지역별·단지별·면적별·층별 특성 및 거래가격을 고려하여 행정안전부장관이 정하는 기준에 따라 시장·군수가 산정한 가액으로 한다.

주택시가표준액은 재산세 과세표준 산정시 중요한 기준이 될 뿐 아니라, 고급주택 중과세(9억원 초과) 기준이 되며, 특히 2020.8.12. 다주택자법인의 주택 유상거래 취득세 중과제도 시행에 따라 중과제외되는 공시가격 1억원 이하 여부, 또는 조정지역내 무상취득시 과세기준이 되는 공시가격 3억원 판단시에도 중요한 기준이 된다. 과세요건 적용 시점에 공시되어 있는 가액을 의미하고, 공시가 이루어지지 않은 경우에는 별도의 기준에 따라 산정한 가액에 따라 적용한다.

◎ (지침) 미고시 공동주택 시가조사 및 과표산정기준 통보(지방세정팀-12, 2006.1.2.)

시가조사된 공동주택 과표와 원가방식에 의한 공동주택 과표와의 과세불형평 문제가 제기되고 있고, 과세형평성을 제고하기 위하여 금번 지방세법 시행령 개정으로 미고시 공동주택에 대하여 시가를 조사하여 과표를 적용하도록 개선됨에 따라 미공시 공동주택에 대한 시가조

사기준 마련

〈현 황〉 2005년에는 단독주택에 대하여 개별주택가격을 시가조사하여 과표로 활용하고, 공동주택에 대하여는 국세청기준시가를 과표로 활용하고 있으나, 미공시 공동주택에 대하여는 종전의 원가방식에 의하여 과표를 산정하여 적용하거나 시가를 조사하여 적용토록 함.

※ 미공시 공동주택 과표산정기준 시달(세정-20, 2005.1.4.)

◎ (지침) 미공시 공동주택 시가조사 및 과표산정 기준

- 대 상 : 미공시 공동주택으로 납세의무성립일 현재 국세청기준시가 미고시 공동주택·연립주택 및 건설교통부장관이 공시하지 아니한 다세대주택 등
- 조사방법 : 원칙적으로 「거래사례 비교법」에 의거 시가로 조사·산정, 시·군·구에서 개별공동주택의 지역별·단지별·면적별·층별·위치별 특성 및 거래시가 등을 참작하여 「시가」를 직접 조사하거나 한국감정원 등 전문평가기관에 시가조사를 의뢰하여 시가조사 결과를 참작하여 시가를 정함.

  ※ 공동주택의 조사 및 산정지침(건설교통부훈령 제562호) : [참고자료 1]
- 시가조사방식 : 분양사례 등을 통하여 시가조사가 필요 없는 경우를 제외하고는 원칙적으로 현장 시가 조사하되, 당해 공동주택 거래가격 등을 중개업소 등을 통하여 시가조사 요령에 따라 조사

  ※ 공동주택 시가조사요령 : [별첨]
- 조사시가의 검증·산정 및 과표 결정 : 급매매, 특수거래 등을 구분하여 조사시가를 사정보정 및 시점 수정작업을 병행 실시하여 조정함. 조사시가를 검증한 후 산정된 조정시가에 과표 적용률(80%)을 반영하여 과표로 산정토록 함.

◎ **건물부분만 공동주택가격이 공시된 주택부속토지에 대한 재산세 과세표준은 「지방세법」 제4조 제1항 단서 및 동법 시행령 제3조에 따라 재산정한 가액으로 적용**

주택 부속토지 여부는 토지의 권리관계·소유형태 또는 필지수를 불문하고 당해 토지가 이용되고 있는 실태가 하나의 주거생활에 제공되는 건물의 효용과 편익을 위하여 사용되는지 여부에 따라 결정되어야 함(대법원 90누7425, 1991.5.10.). … 쟁점주택은 공동주택가격을 조사·산정한 한국감정원에서 신축시부터 대지권이 없는 아파트로 판단하여 건물부분만 적정가격을 조사·산정하였음을 회신함으로써 주택부속토지 부분이 공시가격 산정시 제외되었음이 확인되므로, 재산정한 가액을 시가표준액으로 적용하는 것이 타당함(지방세운영과-1526, 2018.7.2.).

4. 건축물 시가표준액

건축물 시가표준액은 건물신축가격기준액에 구조별, 용도별, 위치별 지수와 경과연수별

잔가율을 곱하여 제곱미터당 금액을 산출하고 전체 면적을 곱하여 산정한다. 가감산특례에 해당하는 건축물에 대하여는 해당 가액에 일정률의 가감한 가액을 시가표준액으로 한다.

건축물 시가표준액은 재산세뿐 아니라 신·증축 등 원시취득에 대한 취득세 부과시 법인이 아닌 개인이 건축주인 경우에 과세표준이 된다. 주택을 신축하는 경우에도 마찬가지이다.

건축물에 대한 지방세시가표준액은 국세청장이 산정고시하는 기준시가[7] 산출방식과 유사하다. 그런데, 지방세시가표준액의 경우 주거용건축물에 비해 상업용 건축물의 시가표준액이 높고 고급오락장 같은 사치성 재산의 경우 높게 산정되는 등 시세와 무관하게 산정되는 경우가 있다. 이는 시가표준액 산정에 세금에 관한 정책적 취지가 반영되어 있다고 볼 수 있다.

| 최근 개정법령 _ 2021.1.1. | 오피스텔에 대한 별도의 시가표준액 소정기준 바련(영 §4 ①)

오피스텔에 대해 건축물에 적용되는 조정기준과 다른 별도의 조정기준을 마련하였다. 표준가격기준액, 용도별·층별지수, 규모·형태 및 특수설비 유무 등을 고려한 가감산율 적용하게 된다. 2022.1.1. 기준 시가표준액 결정·고시되는 오피스텔부터 적용한다.

1) 각종 지수적용

◎ 시가표준액조정기준상 대규모점포(지수 135)에 '복합쇼핑몰'이 포함되어 있음

이 사건 조정기준이 대규모점포의 종류를 열거하면서 '복합쇼핑몰'을 누락한 것은 입법기술상의 착오에 불과하고, 상위법령의 위임 취지에 따라 이 사건 조정기준상 대규모점포의 종류에도 '복합쇼핑몰'이 포함되어 있는 것으로 해석하는 것이 법적안정성 및 예측가능성을 해친다고 볼 수 없으므로 조세법률주의에 어긋난다고 볼 수 없다.…이 사건 처분은 위와 같은 사정변경에 따라 시가표준액을 변경한 경우(지수의 조정)에 해당하지 않고, 단지 이 사건 조정기준의 용도지수를 올바른 내용으로 적용함에 따라 이루어졌을 따름(대법원 2018두55500, 2018.12.13.).

◎ 집합건물의 공용부분인 주차장 용도지수는 차량관련시설 지수를 적용함

여러 가지 용도로 사용되고 있는 집합건축물의 공용부분이라도 시가표준액 조정기준에 그 용도지수가 별도로 규정되어 있지 않은 계단, 복도, 승강시설 등과 달리 그 용도가 명확하게 구분되어 주차장으로 명시된 경우는 차량관련시설 용도지수 80을 적용(세정 13407-1210, 2002.12.2. 유권해석 참고)함이 타당함(지방세운영과-735, 2013.3.15.).

---

7) "기준시가"란 오피스텔 및 상업용 건물에 대하여 건물의 종류·규모·거래상황·위치 등을 참작하여 매년 1회 이상 국세청장이 토지와 건물에 대하여 일괄하여 산정·고시하는 가액을 말한다.

◎ **골프장 내 공구창고 용도지수는 체육시설로 보아 적용하여야 함**

위 질의대상 건물의 경우에는 건축물 대장상 주용도가 운동시설(공구창고)로 등재되어 있다는 점, 「건물 시가표준액 조정기준」상 체육시설인 골프장이라는 범위 안에 있다는 점, 1동의 건물 중 일부만을 창고로 사용하고 있다는 점 등을 종합적으로 고려해 볼 때 「건물 시가표준액 조정기준」상 생산시설(80)로 보기보다는 골프장에 부속된 시설로서 체육시설(125)로 보아 용도지수를 적용하는 것이 타당하다고 판단됨(지방세운영과-2796, 2012.9.5.).

◎ **회원제 골프장 내 건축물 용도지수는 체육시설이 아닌 개별용도를 기준으로 적용**

건축물 용도에 따라 용도지수를 달리 적용하는 것이 건축물 시가표준액 산정기준에 부합하며(기존 유권해석도 공장 내 사무실, 근린생활시설 내 주차장 등을 각각의 용도를 기준으로 적용토록 함), 건축물 시가표준액 산정기준은 1구 또는 1동의 건축물이 2이상의 용도로 사용되는 경우에는 각각의 용도대로 구분하도록 규정하고 있음. 한편 회원제 골프장 내 건축물을 골프장 용도지수로 적용하는 것은 취득세 중과대상인 회원제 골프장의 범위를 확대 해석하여 적용한 결과일 뿐, 골프장용 용도지수를 적용할 합리적 근거가 없다고 할 것임(지방세운영과-1189, 2015.4.21.).

◎ 1층은 판매장으로 사용하고 2층은 임대하여 사무실로 사용하는 경우 용도지수 적용은 : 1층 판매장이 대규모 점포시설(유통산업발전법 시행령 제3조에 의한)에 해당하면 대규모 점포시설 용도지수(135)를 적용하고, 일반적인 판매장에 해당하면 근린생활 용도지수(125)를 적용하도록 하고 있으며, 2층의 사무실에 대하여는 사무실 용도지수(125)를 적용해야 할 것임(지방세정팀-3425, 2007.8.24.).

◎ **공장 경계구역 내 사무실에 대한 용도지수는 공장(지수 80)을 적용**

공장의 재산세 시가표준액 산출과 관련한 용도지수 적용에 있어 지방세법 시행규칙 제72조에서 공장용 건축물의 범위에 공장 경계구역 안에 설치되는 사무실도 포함되기 때문에 담장이나 철조망 등으로 구획된 공장 경계구역 안에 사무실이 있는 경우 그 건축물의 용도지수 적용은 공장(지수 : 80)을 적용해야 할 것임(지방세정팀-147, 2007.2.8.).

◎ **건물 벽면의 주된 구조 역시 벽면을 구성하는 주된 재료를 기준으로 판단**

같은 철골조로 지어진 건물이라 하더라도 건물 벽면이 조립식패널이나 시멘트블럭인 경우 콘크리트 등 다른 구성물질로 되어 있을 때 보다 내구성·강도·사용성 등이 떨어지기 때문에 재산으로서의 가치가 낮아 일반 철골조 구조물보다 구조지수를 하향하여 적용하고, 건물 구조는 주된 재료와 기둥 등에 의하여 분류하고 있으므로, 건물 벽면의 주된 구조 역시 벽면을 구성하는 주된 재료를 기준으로 판단해야 할 것이므로 여기서 주된 재료라 함은, 건축물 벽면 전체 면적 중 가장 큰 면적을 차지하는 재료를 주된 구조로 보아야 할 것임(지방세운영과-4749, 2011.10.8.).

◎ 내부에 벽이 없는 경우에는 특수구조 건물의 "무벽"으로 볼 수는 없음

벽의 중앙 일부가 빈 공간, 유리창, 환기창인 경우와 건축물 내부에 벽이 없는 경우, 지방세 건물 시가표준액 산출시 감산대상인 특수구조 건물에서 "무벽"이란 건물을 감싸는 외벽 1면 이상이 무벽인 건물을 의미하는 것으로, 건물의 둘레를 막는 구조물로써 건축자재로 고정되어 있다면 "무벽면적비율"을 적용할 수 없음(지방세운영과-261, 2010.1.20.).

◎ 철골조 건물벽면의 주된구조가 칼라강판(형강 사이에 단열재를 넣음)인 경우 '지수 60'

2011년도 건물 및 구분지상권 시가표준액 조정기준에서 조립식패널은 살이 얇은 형강(압연해서 만든 단면이 ㄴ, ㄷ, H, I, 원주형 등의 일정한 모양을 이루고 있는 구조용 강철재)사이에 단열재인 폴리스텐폼을 넣어 만든 것으로 규정하고 있으므로, 철골조 건물벽면의 주된 구조가 칼라강판으로 되어 있는 경우, 그 칼라강판이 형강사이에 단열재를 넣어 만든 것인지 여부에 따라 다음과 같이 적용해야 할 것으로 판단되며 구체적 사실관계 확인은 필요 … 형강사이에 단열재를 넣어 만든 경우는 구조지수 60, 단순히 강판에 도료나 필름을 부착한 경우는 구조지수 100 적용(지방세운영과-3996, 2011.8.24.)

2) 증축, 멸실개축, 대수선 등

증축 건축물에 대한 시가표준액은 증축 시 기초공사를 한 건축물과 기초공사를 하지 않은 건축물로 구분하고 해당 건축물의 구조별 신축건축물시가표준액에 별표1의 비율을 곱하여 산출한 금액을 ㎡당 시가표준액으로 하며, 해당부분에 대하여는 증축연도를 신축연도로 본다.

개축이란 기존 건축물의 전부 또는 일부(내력벽·기둥·보·지붕틀 중 3개 이상이 포함되는 경우를 말함)를 철거하고 그 대지 안에 종전 규모의 범위 안에서 다시 축조하는 것을 말한다. 시가표준액은 다음과 같이 적용한다. 기존 건축물의 전부 또는 일부를 철거하고 다시 축조하는 경우 그 해당 부분은 별표1 증축 건축물의 시가표준액 산출요령을 적용한다. 그리고 개축에 해당되는 부분은 개축연도를 신축연도로 본다.

대수선이란 건축법 제2조 제1항 제9호 및 같은 법 시행령 제3조의 2에 따른 대수선을 말하는데 신고와 허가로 구분된다. 대수선 신고는 건축법 제14조 제1항 제3호 및 제4호에 다른 대수선을 말하고, 대수선 허가는 같은 법 제11조에 따라 건축허가를 받아서 하는 대수선을 말한다. 대수선 건축물에 대한 취득세 부과시의 시가표준액은 해당 건축물의 신축 건축물 시가표준액에 별표2의 비율을 곱하여 산출한 금액을 ㎡당 시가표준액으로 한다. 다만, 미관지구 안에서 건축물 외부형태를 변경하여, 변경층의 외부벽면 중 1/2 이하를 변경하는

경우에는 산출된 시가표준액의 50%를 적용한다.

증축건축물에 대한 시가표준액은 기초공사를 한 건축물은 100%, 기초공사를 하지 않은 건축물은 80%~85%, 기초공사를 하지 않은 건축물 중 중층건축물(1개층을 복층으로 증축)은 60%~65%로 각각 구분하여 적용한다.

◎ **주거용 옥탑을 무단증축한 경우 기초공사를 하지 않은 건축물로 보아 시가표준액 적용**

"기초공사"는 구조물에 작용하는 하중이나 구조물의 자체 무게 등을 지지하는 지반 등에 대해 안전하게 지지할 수 있도록 구조물의 바닥을 단단히 안정시키는 공사를 의미함. 따라서, 쟁점사건의 경우 '무단증축 전 기존 건축물의 기초공사'를 뜻한다고 판단됨. 쟁점건물의 경우 기존 다세대 주택 건물위에 옥탑층을 주거용으로 무단 증축한 경우로, 기초공사가 되어 있는 기존 건축물 위에 불법으로 무단증축한 점 등을 고려해 볼 때, 이행강제금 산출시 기초공사를 하지 않은 경량철골조 건축물에 해당하는 비율을 적용하는 것이 타당함(지방세운영과-1221, 2015.4.24.).

◎ **'멸실개축'은 신축 또는 증축하는 의미로, '멸실외 개축'은 대수선과 유사한 의미로 봐야 함**

"멸실 개축"이 "멸실외 개축"보다 내용연수가 더 많이 축소되는 점, 시가표준액이 더 높게 산정되는 점 등을 고려해 볼 때 "멸실 개축"은 건축물을 신축 또는 증축하는 의미인 건축물 전체 부분 또는 전체 건축물 중 내력벽·기둥·보·지붕틀 중 3이상을 포함하는 일부분 전체를 철거하는 경우를 말하는 것이고, "멸실외 개축"은 건축물을 대수선하는 것과 유사한 의미로서 건축물의 내력벽·기둥·보·지붕틀 중 3이상만을 해체하는 등 종전 범위 안에서 다시 축조하는 경우를 말함(지방세운영과-2665, 2012.8.22.).

◎ 증축에 대한 시가표준액을 산정함에 있어 기초공사를 하였는지 여부는 건물전체가 아닌 증축된 부분을 기준으로 판단하여야 하므로, 옥상에 증축된 것은 기초공사를 하지 않은 것으로 보아 시가표준액을 산정하여야 함(대법원 2010두8942, 2011.12.8.).

3) 시설, 시설물 등

◎ **수로터널의 시가표준액 산정시 내부직경을 적용하여야 함**

전체 길이 중 일부가 '수압철관'으로 되어 있고, 나머지는 '철근콘크리트'로 되어 있음. 수압철관은 철근콘크리트보다 공사비용이 m당 2배 이상 차이가 나고, 수로터널의 형태, 구조 및 재질뿐만 아니라 공법 자체에도 차이가 있어 철근코크리트와 동일하게 적용하는 것은 무리. 따라서, 우선 해당 시설물의 최초 취득가격을 조사하여 잔가율을 곱하여 산출한 금액을 시가표준액으로 하고, 최초 취득가격이 없는 경우에는 실제 거래가격을 적용해야 함. 또한, 관의 내부직경, 외부직경 판단에 관한 사항은 조정기준 상 따로 규정이 없는바, 건설업계에서 유량 파악을 위해 통상 내부직경을 사용한다는 점, 지자체에서 대부분 내부직경으로 과세하고 있다는 점, 급・배수시설의 주기능인 물의 이동량을 결정하는 것은 관의 내부직경이라는 점, 양수발전소 소개 등 현황 게시되는 직경이 내부직경인 점 등을 고려할 때 내부직경을 적용하는 것이 타당함(지방세운영과-1857, 2012.6.15.).

◎ 승강기의 시가표준액은 신축시 이미 건축물 시가표준액에 포함되어 있어 승강기만을 별도로 과세할 필요 없음

건축물을 신축할 때 설치하는 필수 부수시설은 당해 건축물과 일체가 되는 것으로 보아 건축물의 시가표준에 포함된다는 점, 시가표준액조정기준에 따르면 승강기가 없는 5층이상의 건축물의 경우 감산율이 적용되므로 승강기를 설치한 건축물은 시가표준액에 이미 승강기 가액이 반영되었다고 볼 수 있는 점 등을 감안할 때 승강기의 시가표준액은 건축물에 이미 포함되어 있어 취득세 시가표준액 산정시 제외하여야 할 것임(지방세운영과-1982, 2015.7.1.).

5. 차량

시가표준액은 차량종류별 기준가격표에 의한 기준가격에 당해 차량의 경과연수별 잔가율을 곱하여 산출한 금액으로 한다(천원 이하 금액은 절사함). 이때 경과연수 적용은 제작연도(사실상의 제작연도를 알 수 없는 경우에는 모델연도)를 기준으로 한다. 다만, 내용연수가 경과된 차량을 취득한 때에는 최종 내용연수의 잔가율을 적용한다. 등록 기록이 있는 중고차, 말소등록 부활로 신규등록을 하는 경우를 제외하고는 자동차를 제작・조립 또는 수입하는 자(이들로부터 자동차의 판매위탁을 받은 자를 포함)가 공급하는 신규등록대상(신조차) 차량의 경우에는 잔가율을 적용하지 아니한다.

기준가격표에 기준가격이 없을 때에는 최초의 취득가격에 당해 차량의 경과연수별 잔가율을 곱하여 산출한 금액을 시가표준액으로 하되, 최초 취득가격을 알 수 없을 경우나 시가표준액이 시가와 현저한 차이가 있어 이 시가표준액을 적용하기가 불합리하다고 인정되는 경우에는 실제거래가격 또는 유사한 종류의 시가표준액을 적용한다. 자동차전부손해증명서(손해보험협회장발급), 풍수해로 인한 피해사실증명서(지자체발급)를 통해 침수사실이 증명된 차량은 산출된 시가표준액의 30%를 특별 감가(천원 이하 절사)한다.

◎ 자동차제조・판매자가 최초 공급하는 신조차의 경우 잔가율을 적용하지 아니함

신조차(新造車)는 자동차를 제작・조립 또는 수입하는 자(이들로부터 자동차의 판매위탁을 받은 자를 포함하며, 이하 "자동차제조・판매자"라 한다)가 최초 소비자에 공급하여 사용에 따른 가치 감소가 발생하지 아니한 신차를 말하며, "조정기준"에서의 "잔가율"은 자동차의

사용으로 인해 발생하는 자산의 가치감소분(감가상각비용)을 공제한 잔존가치 비율을 뜻하고 있어, 자동차제조·판매자가 최초 공급하는 신규등록대상(신조차) 차량의 경우에는 잔가율을 적용하지 아니함(지방세운영과-2904, 2010.7.8.).

◎ 차량등록증이 아닌 자동차등록원부(갑)상의 제작연도를 기준으로 경과연수를 적용

2007년도 차량 시가표준액 적용요령에 의하면 「시가표준액은 차량종류별 기준가격표에 의한 기준가격에 당해 차량의 경과연수별 잔가율을 곱하여 산출한 금액으로 하며(천원이하 금액은 절사), 이 때 경과연수 적용은 연식(실질적인 제작연도)을 기준으로 한다」라고 규정되어 있으므로 차량을 이전등록할 때 그 시가표준액 산정시 자동차등록증상의 연식과 자동차등록원부(갑)상의 제작연월일 및 최초등록일자가 서로 다르게 등록되어 있다면 자동차등록원부상의 제작연월일(제작연도)을 기준으로 한 경과연수를 적용하여 시가표준액을 산정하여야 함(세정-2606, 2007.7.6.).

◎ 이사물품으로 들여온 차량에 대한 고시된 고시가액이 없는 경우에는 실제 외국에서 취득한 가격과 실제 제작연도를 기준으로 시가표준액을 산정하여야 함(서울행법 2012구합3286, 2012.5.25.).

◎ 10톤 미만의 선박에 대한 시가표준액 산정시 소수점 첫째자리까지 산출하여야 함

「시가표준액 조정기준」에서는 선박에 대한 〈적용요령〉 2)에서 "선박의 톤수는 총 톤수에 의하되 1톤 미만의 단수는 1톤으로 계산한다.(단, 10톤 미만 선박의 경우 소수점 첫째자리까지 산출하여 톤당 과표로 안분한다)"고 규정하고 있음. 이때, 선박의 톤당 기준가격의 단계별 분류시 구간이 최소 10톤에서 최대 500톤인 규모를 고려했을 때, 〈적용요령〉 2)에서 본문(선박의 톤수는 총 톤수에 의하되 1톤 미만의 단수는 1톤으로 계산한다.)은 일반적인 규모의 선박에 대해 적용되고, 단서(단, 10톤 미만 선박의 경우 소수점 첫째자리까지 산출하여 톤당 과표로 안분한다)는 10톤 미만의 소규모 선박에 제한하여 적용되는 규정으로 봄이 타당함(지방세운영과-1978, 2018.8.28.).

제5조(「지방세기본법」의 적용)

법 제5조(「지방세기본법」의 적용) 지방세의 부과·징수에 관하여 이 법 및 다른 법령에서 규정한 것을 제외하고는 「지방세기본법」 및 「지방세징수법」을 적용한다.

제 2 장

지방세법

취득세

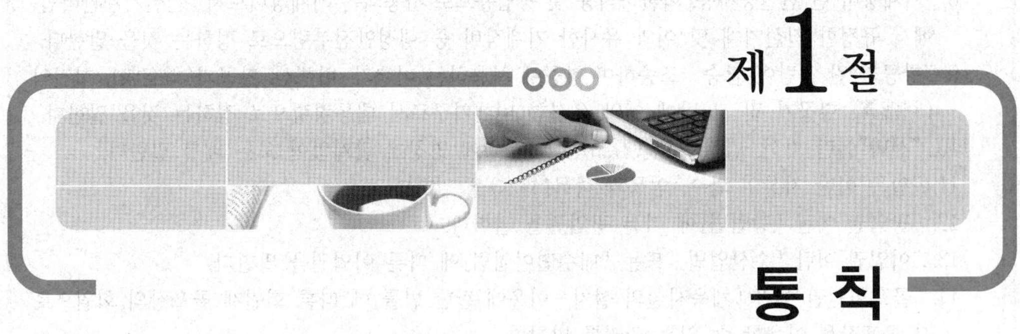

제1절 통 칙

제6조(정의)

법 제6조(정의) 취득세에서 사용하는 용어의 뜻은 다음 각 호와 같다.

1. "취득"이란 매매, 교환, 상속, 증여, 기부, 법인에 대한 현물출자, 건축, 개수(改修), 공유수면의 매립, 간척에 의한 토지의 조성 등과 그 밖에 이와 유사한 취득으로서 원시취득(수용재결로 취득한 경우 등 과세대상이 이미 존재하는 상태에서 취득하는 경우는 제외한다), 승계취득 또는 유상·무상의 모든 취득을 말한다. 〈개정 2016.12.27.〉
2. "부동산"이란 토지 및 건축물을 말한다.
3. "토지"란 「공간정보의 구축 및 관리 등에 관한 법률」에 따라 지적공부(地籍公簿)의 등록대상이 되는 토지와 그 밖에 사용되고 있는 사실상의 토지를 말한다.
4. "건축물"이란 「건축법」 제2조 제1항 제2호에 따른 건축물(이와 유사한 형태의 건축물을 포함한다)과 토지에 정착하거나 지하 또는 다른 구조물에 설치하는 레저시설, 저장시설, 도크(dock)시설, 접안시설, 도관시설, 급수·배수시설, 에너지 공급시설 및 그 밖에 이와 유사한 시설(이에 딸린 시설을 포함한다)로서 대통령령으로 정하는 것을 말한다.
5. "건축"이란 「건축법」 제2조 제1항 제8호에 따른 건축을 말한다.
6. "개수"란 다음 각 목의 어느 하나에 해당하는 것을 말한다.
   가. 「건축법」 제2조 제1항 제9호에 따른 대수선
   나. 건축물 중 레저시설, 저장시설, 도크(dock)시설, 접안시설, 도관시설, 급수·배수시설, 에너지 공급시설 및 그 밖에 이와 유사한 시설(이에 딸린 시설을 포함한다)로서 대통령령으로 정하는 것을 수선하는 것
   다. 건축물에 딸린 시설물 중 대통령령으로 정하는 시설물을 한 종류 이상 설치하거나 수선하는 것
7. "차량"이란 원동기를 장치한 모든 차량과 피견인차 및 궤도로 승객 또는 화물을 운반하는 모든 기구를 말한다.

8. "기계장비"란 건설공사용, 화물하역용 및 광업용으로 사용되는 기계장비로서 「건설기계관리법」에서 규정한 건설기계 및 이와 유사한 기계장비 중 행정안전부령으로 정하는 것을 말한다.
9. "항공기"란 사람이 탑승·조종하여 항공에 사용하는 비행기, 비행선, 활공기(滑空機), 회전익(回轉翼) 항공기 및 그 밖에 이와 유사한 비행기구로서 대통령령으로 정하는 것을 말한다.
10. "선박"이란 기선, 범선, 부선(艀船) 및 그 밖에 명칭에 관계없이 모든 배를 말한다.
11. "입목"이란 지상의 과수, 임목과 죽목(竹木)을 말한다.
12. "광업권"이란 「광업법」에 따른 광업권을 말한다.
13. "어업권"이란 「수산업법」 또는 「내수면어업법」에 따른 어업권을 말한다.
14. "골프회원권"이란 「체육시설의 설치·이용에 관한 법률」에 따른 회원제 골프장의 회원으로서 골프장을 이용할 수 있는 권리를 말한다.
15. "승마회원권"이란 「체육시설의 설치·이용에 관한 법률」에 따른 회원제 승마장의 회원으로서 승마장을 이용할 수 있는 권리를 말한다.
16. "콘도미니엄 회원권"이란 「관광진흥법」에 따른 콘도미니엄과 이와 유사한 휴양시설로서 대통령령으로 정하는 시설을 이용할 수 있는 권리를 말한다.
17. "종합체육시설 이용회원권"이란 「체육시설의 설치·이용에 관한 법률」에 따른 회원제 종합체육시설업에서 그 시설을 이용할 수 있는 회원의 권리를 말한다.
18. "요트회원권"이란 「체육시설의 설치·이용에 관한 법률」에 따른 회원제 요트장의 회원으로서 요트장을 이용할 수 있는 권리를 말한다.
19. "중과기준세율"이란 제11조 및 제12조에 따른 세율에 가감하거나 제15조 제2항에 따른 세율의 특례 적용기준이 되는 세율로서 1천분의 20을 말한다.
20. "연부(年賦)"란 매매계약서상 연부계약 형식을 갖추고 일시에 완납할 수 없는 대금을 2년 이상에 걸쳐 일정액씩 분할하여 지급하는 것을 말한다.

영 제5조(시설의 범위) ① 법 제6조 제4호 및 같은 조 제6호 나목에 따른 레저시설, 저장시설, 독(dock)시설, 접안시설, 도관시설, 급수·배수시설 및 에너지 공급시설은 다음 각 호에서 정하는 시설로 한다.

1. 레저시설 : 수영장, 스케이트장, 골프연습장(「체육시설의 설치·이용에 관한 법률」에 따라 골프연습장업으로 신고된 20타석 이상의 골프연습장만 해당한다), 전망대, 옥외스탠드, 유원지의 옥외오락시설(유원지의 옥외오락시설과 비슷한 오락시설로서 건물 안 또는 옥상에 설치하여 사용하는 것을 포함한다)
2. 저장시설 : 수조, 저유조, 저장창고, 저장조 등의 옥외저장시설(다른 시설과 유기적으로 관련되어 있고 일시적으로 저장기능을 하는 시설을 포함한다)
3. 독시설 및 접안시설 : 독, 조선대(造船臺)
4. 도관시설(연결시설을 포함한다) : 송유관, 가스관, 열수송관
5. 급수·배수시설 : 송수관(연결시설을 포함한다), 급수·배수시설, 복개설비
6. 에너지 공급시설 : 주유시설, 가스충전시설, 환경친화적 자동차 충전시설, 송전철탑(전압 20만볼트 미만을 송전하는 것과 주민들의 요구로 「전기사업법」 제72조에 따라 이전·설치하는 것은 제외한다)

② 법 제6조 제4호 및 같은 조 제6호 나목에서 "대통령령으로 정하는 것"이란 각각 잔교(棧橋)

(이와 유사한 구조물을 포함한다), 기계식 또는 철골조립식 주차장, 차량 또는 기계장비 등을 자동으로 세차 또는 세척하는 시설, 방송중계탑(「방송법」 제54조 제1항 제5호에 따라 국가가 필요로 하는 대외방송 및 사회교육방송 중계탑은 제외한다) 및 무선통신기지국용 철탑을 말한다. 〈개정 2014.1.1., 2014.8.12.〉

제6조(시설물의 종류와 범위) 법 제6조 제6호 다목에서 "대통령령으로 정하는 시설물"이란 다음 각 호의 어느 하나에 해당하는 시설물을 말한다. 〈개정 2014.1.1., 2014.8.12.〉

1. 승강기(엘리베이터, 에스컬레이터, 그 밖의 승강시설)
2. 시간당 20킬로와트 이상의 발전시설
3. 난방용·욕탕용 온수 및 열 공급시설
4. 시간당 7천560킬로칼로리급 이상의 에어컨(중앙조절식만 해당한다)
5. 부착된 금고
6. 교환시설
7. 건물의 냉난방, 급수·배수, 방화, 방범 등의 자동관리를 위하여 설치하는 인텔리전트 빌딩시스템 시설
8. 구내의 변전·배전시설

제7조(원동기를 장치한 차량의 범위) ① 법 제6조 제7호에서 "원동기를 장치한 모든 차량"이란 원동기로 육상을 이동할 목적으로 제작된 모든 용구(총 배기량 50시시 미만이거나 최고정격출력 4킬로와트 이하인 이륜자동차는 제외한다)를 말한다. 〈개정 2011.12.31.〉

② 법 제6조 제7호에서 "궤도"란 「궤도운송법」 제2조 제1호에 따른 궤도를 말한다.

제8조(콘도미니엄과 유사한 휴양시설의 범위) 법 제6조 제16호에서 "대통령령으로 정하는 시설"이란 「관광진흥법 시행령」 제23조 제1항에 따라 휴양·피서·위락·관광 등의 용도로 사용되는 것으로서 회원제로 운영하는 시설을 말한다.

제9조 삭제 〈2010.12.30.〉

규칙 제3조(기계장비의 범위) 법 제6조 제8호에서 "행정안전부령으로 정하는 것"이란 별표 1에 규정된 것을 말한다.

1. 건축물

취득세 과세대상으로 부동산을 열거하고 있는데, 부동산은 건축물과 토지를 의미한다. "건축물"이란 「건축법」 제2조 제1항 제2호에 따른 건축물이 대표적이다. 그리고 토지에 정착하거나 지하 또는 다른 구조물에 설치하는 레저시설, 저장시설, 도크(dock)시설, 접안시설, 도관시설, 급수·배수시설, 에너지 공급시설 및 그 밖에 이와 유사한 시설(이에 딸린 시설 포함)도 건축물의 범위에 포함하고 있다. 지방세법에서는 이를 '시설'로 규정하고 있는데, 엘리베이터, 냉난방시설 등 '시설물'과는 구분된다. 그리고 건축(신축·증축·재축·이축)은 물리적인 취득세 과세대상이 아니라 취득의 행위(유상취득, 승계취득, 원시취득 등) 측면에서 구분되는 개념이다.

시설은 주된 건축물과 분리되어 설치하거나 취득의 시기를 달리하여 독립적으로 설치한다면 건축물과 별도의 독립적인 납세의무가 성립하는 과세대상으로 볼 수 있다. 이는 원시취득 과정에서 취득세 납세의무가 성립할 때 구분 실익이 있는데, 만약 건축법 제2조 제1항

제2호에 따른 주된 건축물과 연계하여 설치하는 시설(예. 급배수시설, 저장시설, 도관시설 등)이라면 이를 포함한 전체에 대해 취득세율(2.8%)이 적용되어야 한다. 그렇지 않고 시설이 독립적으로 설치된다면 시설에 대해 특례세율(2%)이 적용된다.

지방세법에서 건축물의 범위를 건축법상 건축물의 개념을 차용하고 있고, 레저시설, 급·배수시설 등 시설도 건축물의 범위에 포함하고 있다. 또한 건축법상 건축물외에 "이와 유사한 형태의 건축물을 포함한다"(괄호규정)라고 하여 과세대상을 폭넓게 규정하고 있다.

건축법상(제2조 ① 2호) "건축물"이란 토지에 정착(定着)하는 공작물 중 지붕과 기둥 또는 벽이 있는 것과 이에 딸린 시설물(~)로 규정하고 있다. 건축법에서 딸린 시설물에 대해 구체적으로 규정하고 있지는 않지만 다음의 개념들을 참고할 수 있다. '건축설비', '부속구조물', '실내건축' 등 물리적인 건축물 자체와 관련된 내용을 규정하고 있는데, "건축설비"란 건축물에 설치하는 전기·전화 설비, 초고속 정보통신 설비, 지능형 홈네트워크 설비, 가스·급수·배수(配水)·배수(排水)·환기·난방·냉방·소화(消火)·배연(排煙) 및 오물처리의 설비, 굴뚝, 승강기, 피뢰침, 국기 게양대, 공동시청 안테나, 유선방송 수신시설, 우편함, 저수조(貯水槽), 방범시설, 그 밖에 국토교통부령으로 정하는 설비를 말한다(제2조 4호). "부속구조물"이란 건축물의 안전·기능·환경 등을 향상시키기 위하여 건축물에 추가적으로 설치하는 환기시설물 등 대통령령으로 정하는 구조물을 말한다(제21호). "실내건축"이란 건축물의 실내를 안전하고 쾌적하며 효율적으로 사용하기 위하여 내부 공간을 칸막이로 구획하거나 벽지, 천장재, 바닥재, 유리 등 대통령령으로 정하는 재료 또는 장식물을 설치하는 것을 말한다(제20호).

건축물과 관련하여 지방세법 및 건축법에서 시설, 시설물, 건축설비, 부속구조물이라는 용어를 사용하고 있고, 구 지방세법에서는 구축물, 부대설비라는 용어도 사용되었는데 건축물을 취득하는 것은 이러한 시설 등 일체를 취득하는 것이다.

지방세법상(제7조 ③) 건축물 중 조작(造作) 설비, 그 밖의 부대설비에 속하는 부분으로서 그 주체구조부(主體構造部)와 하나가 되어 건축물로서의 효용가치를 이루고 있는 것에 대하여는 주체구조부 취득자 외의 자가 가설(加設)한 경우에도 주체구조부의 취득자가 함께 취득한 것으로 본다고 규정하고 있다. 이는 납세의무자에 관한 규정이지만 건축물의 용도와 기능측면에서 과세대상의 범위에 관한 의미를 갖는다.

부대설비 등을 주된 건축물과 일체를 이루는지 여부는 그 설치비용이 취득세 과세표준에 포함되는지와 직접적인 관련이 있다. 건축물을 신축하면서 그에 부합되거나 부수되는 시설물을 함께 설치하는 경우라면 그 설치비용 역시 해당 건축물에 대한 취득세의 과세표준이 되는 취득가격에 포함된다. 시설물의 물리적 구조, 용도와 기능면에서 볼 때 건축물 자체와 분리할 수 없을 정도로 부착・합체되어 일체로서 효용가치를 이루고 있고, 건축물과 독립하여서는 별개의 거래상 객체가 되거나 경제적 효용을 가질 수 없는 경우라면 이러한 시설물은 건축물에 부합되거나 부수되었다고 볼 수 있다(대법원 2003다14959, 2012두1600).

지방세법에서 시설과 시설물을 규정하고 있는데, 이를 건축물에 부수되는 "딸린 시설물"로 볼 경우 별도의 구분 실익이 없을 수 있다. 하지만 건축물의 원시취득과 무관하게 시설과 시설물을 독립적으로 설치하는 경우 취득세 과세와 관련하여, 지방세법상 열거된 시설 또는 시설물에 해당하는 경우에 한해 과세대상이 된다. 예를 들어 건축물의 건축과 별개로(또는 신축 이후) 시설을 설치하는 경우 건축물의 취득으로서 독립적인 과세대상이 된다. 건축물과 분리된 시설 자체만을 승계 취득하는 경우에도 취득세 과세 대상이다. 한편 엘리베이트 등 시설물을 설치하는 것은 '개수'로 구분하여 취득세가 과세된다. 시설물을 건축물 분리하여 승계취득하는 경우는 과세대상으로 볼 수 없고(이러한 취득은 있을 수 없을 것임), 주된 건축물을 승계로 취득하면 시설물은 건축물에 부수되어 즉 딸린 시설물로서 주된 건축물에 포함되어 과세된다.

◎ 건축설비 및 부속건축물 모두 부동산 범위에 해당

「건축법」 제2조 제1항 제4호에서 규정하고 있는 건축설비의 경우 건축물을 구성하는 필수적인 요소로서 건축물과 일체를 이루는 설비이고, 같은 법 시행령 제2조 제12호의 부속건축물의 경우 주된 건축물을 이용 또는 관리하는 데에 그 목적이 있다고 하나 그 자체는 건축물에 해당한다고 할 것이므로, 건축설비 및 부속건축물 모두 「지방세법」 제109조 제1항에서 규정하고 있는 부동산의 범위에 해당됨(지방세운영과-801, 2009.2.20.).

◎ 아파트 준공검사 이전에 발코니 확장공사를 한 경우 취득세 과세표준에 포함

신규아파트를 취득하면서 아파트 취득시기(준공일) 이전에 발코니 확장공사를 완료하고 그에 대한 비용을 지급하였다면 발코니확장한 부분도 아파트에 연결되거나 부착하는 방법으로 설치되어 아파트와 일체로 유상 취득하는 경우이므로 당해 아파트 취득가격에 포함되는 것이며, 발코니 확장공사를 다른 사업자와 별도계약방식에 의하여 설치하였다 하더라도 주체구조부와 일체가 되어 건축물로서 효용가치를 이루고 있는 경우에는 당해 아파트의 취득자가 취득한 것으로 간주하는 것이므로 취득세 및 등록세 과세표준에 포함하여 신고납부하여야 하는 것임(지방세운영과-1876, 2008.10.21.).

◎ (지침) 필로티(무벽차고) 취득세 적용세율

「건축법 시행령」 에서 필로티 기타 이와 유사한 구조의 부분은 이를 바닥면적에 산입하지 아니하나, 「지방세법」 제6조 제4호에서 취득세 과세대상 건축물은 「건축법」 제2조 제1항 제2호에 따른 건축물(이와 유사한 형태의 건축물을 포함)이라고 규정하고 있으며, 지방세법령

에서 위 「건축법 시행령」 규정의 적용에 관한 명문의 규정을 두고 있지 아니하는 이상 지방세법령에 의하여 독자적인 기준에 따라 판단하여야 하므로(대법원 2009두2832, 2009.4.23. 참조) 「지방세법」 제7조 제1항에서 취득세는 부동산(토지 및 건축물)을 취득한 자에게 부과한다고 규정하고 있을 뿐이어서, 필로티는 취득세 과세대상인 건축물에 해당. 아울러, 분법시행 후 등록세가 취득세로 통합되고, 취득세 납세의무자는 등기 여부와 관계없이 사실상 취득자에게 부과되므로 등기 여부와 관계없이 종전 등록세율을 포함한 현행 취득세율을 과세하여야 함(지방세운영과-1043, 2011.3.8.).

◎ 주거용 오피스텔의 취득세는 취득일 현재의 공부상 현황에 의하여 과세

주거용으로 사용 중인 오피스텔에 적용할 재산세율과 거래세율(취·등록세) 및 종합부동산세의 합산과세에 해당하는지 여부 관련, 오피스텔은 건축법상 그 용도가 업무용 시설로 취득세·등록세는 과세기준일 현재의 사용 현황에 따라 세금을 부과하는 것이 아니라, 취득(구입)시점에 적용할 세율 등이 결정되는 것이므로 취득일 현재의 공부상 현황에 의하여 과세하는 것이 타당함(세정-1081, 2006.3.17.).

◎ 재개발사업 내 토지의 상속은 입주권 승계가 아닌 토지의 취득이므로 취득세 과세대상

정비사업에 참여한 토지 등 소유자들의 종전 자산에 대한 소유권은 관리처분계획의 인가로 인하여 소멸하는 것이 아니라, … 이전고시가 있을 때까지 사용·수익이 제한될 뿐이고, 재개발사업이 진행 중인 동안에도 존속하다가 이전고시일을 기점으로 새로 분양받은 대지 또는 건축물에 대한 소유권으로 전환됨 …, 위 소유자들의 토지 등에 대한 소유권이 주택재개발조합으로 이전되는 것도 아니므로 … 나아가 주택재개발조합은 공법상 법인으로서 민법상 조합과 달리 합유의 형태로 소유권을 취득하는 것도 아님, … 상속을 원인으로 하여 이 사건 토지를 취득하였다고 할 것임(대법원 2014두41831, 2015.1.15.).

◎ 블록형 단독주택단지 내 도로·공지는 주택(부속토지)에 포함되지 않는다는 사례

필지 등이 명확히 구분되는 블록형 단독주택단지 내 도로와 공지가 단지 내 주택(부속토지) 포함 여부 관련, 본건의 경우 단지 내 도로 및 공지는 울타리 담장 등으로 주택(부속토지)과 경계가 명확히 구분되어 있는 점, 등기부등본·토지대장 등 관련공부에서도 별도의 필지로 구분되어 있는 점, 공동주택의 공유토지처럼 반드시 건축물과 함께 처분해야 하는 대상도 아닌 점, 단독주택들의 이용 또는 관리에 필요한 부속건축물이 건축되어 있지도 않은 점 등을 종합적으로 고려할 때 주택(부속토지)에 포함된다고 보기는 어렵다(지방세운영과-2010, 2010.5.12. 참조)고 판단됨(지방세운영과-691, 2012.3.5.).

◎ 신축건물 공사 중 임차인(백화점 운영)이 설치한 인테리어 공사비용은 주체구조부와 하나가 되어 건축물로서의 효용가치를 이루는 것으로 볼 수 없어 과표산정에서 제외된다는 사례

① 백화점을 운영하는 업체는 소비자에게 다른 업체와 구별되는 고급스러움, 편리함 등의 긍정적인 인상을 주기 위하여 어느 정도 상이한 내·외부 구조 및 인테리어 형태를 갖추도록 백화점을 공사하는 것이 일반적임. 그러므로 동일한 장소를 임차하여 영업할 수 있는 다른 백화점 업체 또한 철거 또는 변경하지 아니하고 그대로 활용하기에 충분하다고 판단될 때에만 '판매시설(백화점)'의 용도를 갖는 건축물의 주체구조부와 일체를 이루어 건축물 자체의 효용가치 증대에 기여하는 시설물에 해당할 수 있음 ② 계약기간 만료시 임대인 소유가 아닌 비품, 상품, 설비 시설물 등을 반출하여 원상회복한 뒤 임대인에게 명도하여야 한다고 정하고 있음 ③ 설치된 시설물 중 어느 부분이 이 사건 부동산 자체의 '판매시설(백화점)'로서의 효용가치를 증대시키는 것인지 여부를 구별할 수 없음(대법원 2020두36908, 2020.6.25.).

◎ **육묘재배를 위한 공동육묘장(시설물)은 취득세 과세대상 건축물에 해당**

가설건축물은 건축법상 건축물이 아니지만(대법원 2010두9334), 지방세법 제6조 제4호는 건축법상 건축물 이외에 '이와 유사한 형태의 건축물'도 취득세 과세대상에 포함시키고 있음. … 이 사건 시설물은 주기둥과 천장부분을 철골조로, 지붕부분은 철파이프를 아치형태로 연결한 구조로 지붕과 기둥 및 벽의 형태를 갖추고 있는 것으로 보이는 점, 이 사건 시설물의 지지대에 볼트가 설치되어 있다고는 하나 이 사건 시설물의 구조와 규모에 비추어 쉽게 이동설치할 수 있다고 보기 어려운 점 등에 비추어 볼 때, 이 사건 시설물은 건축법상 건축물과 유사한 형태의 건축물로서 지방세법이 정한 취득세 과세대상에 해당한다고 보아야 하고, 건축법상의 가설건축물로 신고한 적이 없다고 하여 달리 볼 것도 아님(대법원 2018두33562, 2018.5.11.).

2. 토지

취득세 과세대상이 되는 "토지"란 지적공부(地籍公簿)의 등록 대상이 되는 토지뿐만 아니라 등록 여부와 무관하게 실제로 사용되고 있는 사실상의 토지를 포함한다. 매립·간척 등으로 토지를 원시취득하는 경우가 있는데 관계 법령에 따라 매립·간척 등으로 토지를 원시취득하는 경우에는 공사준공인가일을 취득일로 본다. 다만, 공사준공인가일 전에 사용승낙·허가를 받거나 사실상 사용하는 경우에는 사용승낙일·허가일 또는 사실상 사용일 중 빠른 날을 취득일로 본다(영 제20조 ⑧).

토지는 나대지, 임야, 농지 등 토지 자체를 단독으로 취득하는 경우가 있고, 건축물(주택포함)의 부속토지로 취득하는 경우가 있다. 토지와 건축물은 한꺼번에 취득하더라도 각각 독립적인 과세대상으로 볼 수 있다. 그런데 토지는 그 용도가 건축물의 용도에 종속되어 있고 세율적용을 달리하는 것이 아니므로 토지와 건축물의 구분실익이 없다. 예외적으로 토지와 건축물의 구분이 필요한 경우를 생각해 볼 수는 있다. 토지를 취득 후 해당토지에 중과대상 건축물(사치성재산, 법인의 본점 사무실용 부동산)을 신축하는 경우에는 과거로 소급하여 5년내 토지 취득분에 대해 중과세율이 적용되어 추가로 신고납부하여야 한다.

재산세에서는 건축물과 토지 이외에 주택이라는 별도의 과세대상을 규정하고 있다. 주택은 부속토지를 포함하고, 과세표준(시가표준액에 공정시장가액비율을 곱함)은 취득가격이 아닌 부동산평가법에 따라 산정된 주택공시가격(시가표준액)에 적용률(60%)을 곱한 가격이다. 그런데 취득세는 재산세와 달리 주택을 별도로 구분하고 있지 않다. 아파트를 신축하거나 단독주택을 신축하는 경우 등 주택의 건축물 부분을 원시 취득하는 경우에는 건축물 취득과 동일하게 취득세를 과세한다. 반면 취득세 특례 세율이 적용되는 주택유상거래의 경우 주택 여부의 구분이 중요한데, 이 경우 부속토지를 포함하며 주택의 부속토지만 따로 취득하는 경우에도 주택의 취득으로 보아 주택유상거래세율을 적용한다(제11조 ① 8호).

◎ 공유수면을 매립하여 토지 준공 전에 사용승낙이 없는 상태에서 건축 등 허가내용이 담겨있는 실시계획의 변경고시로 제반시설을 신축한 경우 변경고시일이 토지의 취득시기임

산업입지 및 개발에 관한 법률 제21조 ① 및 공유수면 관리 및 매립에 관한 법률 제39조 ②에 따라 매립 실시계획의 승인을 받은 경우 점용·사용 허가를 받은 것으로 의제하고 있는 바, … 건축 등 허가내용이 담겨있는 실시계획의 변경고시가 있는 경우에는 토지를 사실상 사용할 수 있는 권능을 부여받은 것으로 보아 취득세 과세대상인 토지에 해당되는 점, 당초 취득시기와 관련한 시행령 관련규정의 최초 입법 시 「공유수면매립법」 제13조 규정을 비추어 볼 때 사실상 사용 행위에 대해 취득시기를 규정하기 위함이라고 보는 것이 합리적인 점 등을 감안할 때, 실시계획 변경고시가 있는 날을 사실상 사용하는 날로 보아 취득시기로 판단하여야 할 것임(지방세운영과-1050, 2015.4.3.).

3. 시설(영 제5조)

시설은 "건축물"의 범위에 포함되며, 토지에 정착하거나 지하 또는 다른 구조물에 설치하는 레저시설, 저장시설, 도크(dock)시설, 접안시설, 도관시설, 급수·배수시설, 에너지 공급시설 및 그 밖에 이와 유사한 시설(이에 딸린 시설을 포함한다)을 말한다. 시설을 취득하는 경우 취득세 과세대상이 되고, 재산세 과세기준일 현재 시설을 소유하고 있는 경우 재산세가 과세된다.

| 최근 개정법령 _ 2020.1.1. | 친환경차량 충전시설 취득세 과세 명확화(영 §5 ①)

전기차, 수소차 등 환경친화적 자동차 충전시설을 과세 대상으로 명시하였다.

1) 저장조

◎ **액비저장조는 건축물에 해당되지 않아 취득세 과세대상 아님**

액비저장조는 「건축법」 제2조에 의한 건축물이 아니며, 가축 분뇨 등을 단순히 저장하는 시설이라기보다는 지상에 고착된 상태로 분뇨의 고형성분이 침전되지 않도록 동력을 이용한 수중교반기로 지속적으로 섞어주고, 분뇨가 액비로 잘 발효시키기 위한 필수요소인 공기를 동력을 이용한 신기장치로 지속적 주입시켜 분뇨를 액비로 가공·생산하는 생산시설의 일종으로 「지방세법」 제104조 제4호의 시설물도 아닌 기계장치라고 볼 수 있음. 따라서 액비저장조가 「지방세법」 제104조 제4호의 취득세 과세대상인 건축물에 해당되지 않아 취득세 과세대상에 해당되지 아니함(지방세운영과-3399, 2010.8.5.).

◎ 고농도의 폐수를 처리하는 혐기성 소화조는 「지방세법」 제104조 제4호의 취득세 과세대상 건축물에 해당되지 아니하므로 취득세 과세대상이 아님(지방세운영과-3556, 2010.8.13.).

2) 도관시설

◎ **해저생산시설 및 해상생산시설에 연결된 이설배관 등은 과세대상 가스관에 해당**

이설배관 및 해저운송배관은 이 사건 생산시설을 하나로 잇는 연결배관으로서 해상생산시설에서 일차로 가공된 유가스를 육상생산시설로 운반하는 통로 역할을 하고, 해저, 해상 및 육상생산시설 사이에서 유가스를 운반하기 위한 통로 역할을 할 뿐 생산시설의 필수불가결한 요소로서 생산시설과 일체를 이루는 시설에 해당한다거나 생산시설에 부합되어 있다고 보기는 어려움. 따라서 생산시설에 연결되어 있다는 사정만으로 과세대상인 '가스관'에 해당하지 않는다고 볼 수는 없음(같은 취지 대법원 2013두13716)(대법원 2020두30832, 2020.4.29.).

◎ **열수송관 설치를 위해 해저터널을 굴착한 경우 굴착비용은 열수송관의 취득가액에 포함**

해당 해저터널은 해수로부터 열수송관을 보호하기 위한 설비로서 열수송관의 유지보수시 통로로 사용되는 점, 용도와 기능면에서 열수송관과 분리할 수 없을 정도로 효용가치를 이루고 있는 점, 열수송관과 독립하여서는 별개의 거래상 객체가 되기 어려운 점 등을 감안할 때, 해저터널의 굴착비용은 열수송관과의 일체의 시설로서 취득세 과세표준에 포함(지방세운영과-3113, 2015.10.5.).

◎ **사유지인 도로에 매설된 가스관으로서 가스회사의 취득행위가 없었다면 납세의무는 없음**

취득세는 취득행위를 과세객체로 하여 납세의무를 부과하는 행위세에 해당하므로 취득행위로 볼 수 있는 과세요건 사실이 존재해야 그 납세의무가 있다고 할 것임. 따라서, 사유지인 도로에 매설된 가스관으로서 가스회사가 해당 가스관 매립을 위한 공사비 지급이나 가스관의 수증(受贈) 또는 등기·등록한 사실이 없고 법인장부 등에 자산으로 기재하지도 않았다면 가스회사의 취득세 납세의무는 없음(지방세운영과-1814, 2013.8.6.).

◎ 집단에너지 열원시설 구내에 위치한 순환펌프는 취득세 대상 수송관에 해당되지 않음
집단에너지 열원시설 구내에 위치한 순환펌프(공급 및 회수펌프, 연결배관 포함) 및 변전시설의 취득세 과세대상 해당 여부 관련, 열공급시설을 구분하는 「집단에너지사업법 시행규칙」에서 열원을 생산하는 시설내의 열수송관 및 순환펌프를 열수송관으로 보고 있지 않으므로 집단에너지 열원시설 구내에 위치한 순환펌프(공급 및 회수펌프, 연결배관 포함)는 취득세 과세대상인 열수송관에 해당되는지 않는 것이고, 해당 집단에너지 시설구내 변전시설 중에서 생산시설에 사용되는 변전시설은 취득세 과세대상으로 볼 수 없고, 해당 건물의 유지관리에 사용되는 변전시설은 취득세 과세대상으로 볼 수 있음(지방세운영과-5117, 2010.10.27.).

◎ 육상에서 해상으로 연결되어 해상에 위치하는 가스관이 과세대상이라는 사례
해양법에 관한 국제연합 협약 제60조 제2호에서 배타적 경제수역에서의 인공섬, 시설 및 구조물에 대하여 연안국은 관세·재정·위생·안전 및 출입국관리 법령에 관한 관할권을 포함한 배타적 관할권을 가진다고 규정하고 있으므로, 배타적 경제수역 내 취득세 과세대상 물건에 대해 우리나라의 과세권이 미침(지방세운영과-2285, 2016.9.2.).
☞ 납세지는 영해 밖으로 연장되는 연결시설에 대해 육상처리시설에 위치한 해당 자치단체를 납세지로 보는 것이 합리적

◎ 취득세 과세대상이 되는 가스관은 가스(LPG, LNG)를 운반하기 위하여 지하나 지상 또는 고가 및 다리에 설치된 도시가스사업법에 의한 본관과 공급관을 말하는 것으로 사용자 공급관은 취득세 과세대상에서 제외됨(세정-1691, 2004.6.22.).

◎ 선박 제조(도장건조 열풍작업 등)에 필요한 도시가스 공급을 위해 공장부지 내에 매설한 가스관은 "내관"에 해당되어 취득세 과세대상으로 판단됨(지방세운영과-2675, 2012.8.23.).

◎ '생산설비'로서의 기능역할을 하는 가스불순물 제거시설·냉각방지시설·원격제어시설 등은 취득세 과세대상인 '가스관'으로 볼 수 없으나, 가스차단 시설·계량시설은 '가스관의 연결시설'로 보아 과세대상임(세정 13407-62, 2002.1.17.).

◎ 가스관 등을 지지하는 파이프랙(지지대)은 온배수관로 등을 보호하기 위한 시설(연결시설)로서 도관시설에 해당함(조심 2011지0427, 2012.7.26.).

3) 급배수시설

◎ 지하수 관정이 지하수를 공급하는 급수기능을 발휘하고 있다면 과세대상이 아닌 다른 생산설비와 연결하여 사용된다 하더라도 취득세 과세대상에 해당
과세대상인 급수·배수시설이란 구조, 형태, 용도, 기능 등을 전체적으로 고려할 때 토지에

정착하거나 지하 또는 다른 구조물에 설치되어 급수와 배수기능을 발휘하는 시설을 의미하는 것이며, 과세대상이 아닌 다른 시설과 연결하여 사용된다고 하여 과세대상인 급수·배수시설에 해당하지 않는다고 볼 것은 아님(대법원 2013두13716). 따라서 해당 지하수 관정이 지하수를 공급하는 급수기능을 발휘하고 있다면 과세대상이 아닌 다른 생산설비와 연결하여 사용되더라도 취득세 과세대상(지방세운영과-2405, 2018.10.12.)

◎ **비점오염원으로부터 배출되는 수질오염물질을 제거하거나 감소하게 하는 시설인 비점오염저감시설을 설치할 경우 비점오염저감시설이 급·배수시설에 해당됨**

급수·배수시설이란 구조·형태·용도·기능 등을 전체적으로 고려하여 급수와 배수기능을 발휘하는 시설이면 족하다 할 것(대법원 89누5638, 1990.7.13. 참조)이며, 이 건의 경우 비점오염저감시설은 사업장 부지 내에 수질오염 방지대책으로 비점오염원을 집수 및 정화처리하기 위하여 설치·운용된다고 하더라도, 그 기능이 실제 우수 등을 저장하였다가 여과처리를 거쳐 공용하천으로 배출되도록 설치·운용되고 있는 시설이라 하면 지방세법에서 규정한 급·배수시설로 보아야 할 것임(지방세운영과-2604, 2014.8.7.).

◎ **단순히 스프링클러만 설치한 경우와 환풍기인 덕트는 취득세 과세대상이 아님**

설치한 시설물이 지방세법 시행령 제76조에서 규정하고 있는 시설물에 해당된다면 취득세 과세대상에 포함되는 것이며, 시설물의 설치, 교체가 아닌 주된 시설물의 부수물 등을 교체하여 수익적 지출로 처리한 시설물의 수선공사비는 취득세 과세대상이 되지 않으며, 스프링클러가 인텔리젼트빌딩시스템의 일부로써 설치된 것이라면 취득세 과세대상이나 단순히 스프링클러만 설치한 경우와 환풍기인 덕트는 취득세 과세대상이 아님(세정-1942, 2005.7.27.).

4) 잔교, 세차시설 등 기타

레저시설, 저장시설, 도크시설, 도관시설, 급배수시설, 에너지저장시설 이외에 대통령령으로 정하는 시설로서 잔교, 기계식 또는 철골조립식 주차장, 차량·기계장비 세차시설, 방송중계탑, 무선통신기지국용 철탑을 열거하고 있다.

「2020년 시가표준액 조정기준」에 따르면 잔교(棧橋)란 ⅰ) 배와 육지, 절벽과 절벽 등을 연결하여 사람이나 물건의 이동을 위한 구조물을 말하며, 해안선이 접한 육지나 선창 또는 부두와 선박 사이에 사람이나 차량이 접근하기 쉽도록 설치한 구조물 또는 물품을 운반하기 쉽도록 설치한 구조물, ⅱ) 절벽과 절벽 사이의 계곡을 가로질러 높이 걸쳐놓은 구조물, ⅲ) 위 구조물과 유사한 구조물로 정의하고 있다. 「국토해양용어사전」에서는 "잔교"를 해안선이 접한 육지에서 직각 또는 일정한 각도로 돌출한 접안시설로서 말뚝, 우물통, 각주구 등을 설치하여 직립부를 만들고 이를 수평으로 연결해서 선박의 접·이안이 용이하도록 설치한 것으로, "안벽"을 선박이 안전하게 접안하여 화물 및 여객을 처리할 수 있도록 설치한 부두의 바다 방향에 수직으로 쌓은 벽을 말한다고 각각 정의하고 있다.

| 최근 개정법령_ 2015.1.1.| 2015년부터 차량이나 기계장비를 자동으로 세차하는 시설[차량 또는 세차시설이 이동하면서 세차하는 시설로서 문형(Gate)과 터널형(Tunner)으로 구분되며 토지에 정착]은 고액의 설치비용이 소요되고 폐수배출 등에 따른 공공비용을 유발하므로 과세형평성 제고 등의 차원에서 취득세·재산세 과세대상인 시설에 포함하였다(2014.8.12. 시행령 개정). 취득세는 2015.1.1. 이후 취득분부터 과세하고 재산세는 2015년부터 기존 설치대상을 포함하여 과세하게 되었다. 과세대상과 관련하여, 세차시설을 비롯한 폐수배출시설 설치시 「수질 및 수생태계 보전에 관한 법률」에 의거, 지자체에 신고 또는 허가를 받아야 한다. 따라서, 실무운영상 과세대상은 신고 또는 허가받는 세차시설로 하되, 최종적으로 토지정착 여부 등을 감안하여 과세여부를 결정하여야 한다. 그리고 기술의 발전과 소득의 향상 등으로 다양한 난방장치가 설치·운영되고 있는 점을 고려하여 "보일러"(화석연료 또는 전기 등에 의해 물 등을 가열하여 증기 또는 온수를 발생시켜 공급하는 장치) 규정을 "온수 및 열 공급시설"로 변경하여 용어에 따른 운영혼란을 방지하였다. 따라서 사용연료 또는 열원 발생방법 등과는 관련 없이 난방용과 욕탕용으로 사용되는 온수 또는 열을 공급하는 장치는 시설물에 포함된다.

◎ **물 위에 기둥을 박고 그 상부표면을 콘크리트로 포장한 것으로서, 수위의 변동에 관계없이 물에 뜨도록 설치된 구조물은 부잔교로 허가를 받더라도 과세대상 잔교에 해당**

기술 발전 등으로 '잔교'와 유사한 구조물이 증가되자, 과세형평성 등을 고려하여 명칭과 관계없이 유사한 구조를 가진 시설까지도 취득세 과세대상 잔교로 보도록 개선(2014.1.1.)하였던 점, 해당 구조물은 바다 위에 기둥을 박고 그 위에 콘크리트나 철판 등으로 상부시설을 설치하여 잔교와 유사한 구조로 설계되어 기둥과 상부시설이 좌우전후로 고정되어 있는 점, 잔교는 수위가 높을 경우에는 물 속에 잠길 수 있고 낮을 경우에는 선박으로의 이동에 어려움이 따를 수 있으나, 해당 구조물은 기둥과 콘크리트를 연결하는 부분에 롤러를 설치하여 상하로 움직여 수위에 영향을 받지 않도록 한 것에서 볼 때, 일반 잔교보다 효용 가치가 더 크다고 볼 수 있는 점 … 육지에서 바다 방향으로 직각으로 돌출되어 있으며, 바다 위의 강관으로 기둥을 박고 그 상부표면을 콘크리트로 포장한 요트 계류장 시설은 취득세 과세대상(지방세운영과-345, 2017.4.13.)

◎ **단독주택 출입용 교량은 잔교에 해당되지 아니함**

기타물건 시가표준액 조정기준에서는 잔교란 선창이나 부두에서 선박을 접근시켜 화물이나 승객이 오르기 편하도록 물위에 설치한 구조물과 절벽과 절벽 사이의 계곡을 가로질러 높이 걸쳐 놓은 구조물을 말하고 그 용도로는 승객용, 일반화물용, 송유관 및 석탄・시멘트 운반용 등이라고 정의하고 있어 이러한 의미를 모두 종합하여 판단하여 볼 때, 거주자가 통행을 위하여 설치한 단독주택 출입용 교량과 같은 일반적인 교량으로서 다리는 지방세법 제75조의 2에서 열거하는 잔교에 해당되지 아니하므로 과세대상에서 제외되어야 할 것임(도세과-116, 2008.3.20.).

◎ **의장안벽으로 사용하기 위한 잔교식 안벽은 취득세 과세대상이 아님**

일반부두의 구조형식이 잔교식 안벽으로 축조되어 의장안벽(艤裝岸壁)용으로 사용되고 있는 경우, 항만법에 의한 부두시설인 안벽(岸壁)은 부두에서 선박을 연결하는 교량으로서 승객의 승・하선 및 화물의 하역이 편리하도록 물위에 설치한 구조물로 보기 어렵고, 또한 도크에서 만든 선박의 의장작업(선박기기 설치 등 마무리 공사)을 위한 안벽으로 사용되어 선박의 건조공정의 일부로서 기능을 하는 생산설비라면 지방세법 시행령 제75조의 2 제7호에 따른 취득세 과세대상에 해당되지 않음(지방세운영과-525, 2010.2.5.).

◎ **육지에 접안 및 고정되어 요트 등의 계선시설로 사용되는 경우 유선장은 건축물에 해당**

취득세의 과세대상인 선박에 해당하기 위하여 자력으로 항행할 것까지 요구되지는 않는 것(대법원 2014두3945, 2014.6.26.)이므로 부선도 이에 포함되나, 부선 중 항구적으로 고정되어 항행용으로 사용할 수 없는 것은 선박으로 볼 수 없다고 할 것(조심 2012지423, 2012.10.16.)임. 따라서 해당 유선장이 강물속 콘크리트구조물과는 쇠사슬 등으로 연결 및 고정되어 있어 자력항행능력이 없으며, 토지에 정착되어 있어 구조상 해체를 하지 않고서는 이동이 불가능하여 항구적으로 항행용으로 사용할 수 없는 경우라면, 취득세 과세대상 건축물에 해당됨(지방세운영과-2144, 2015.7.17.).

◎ **선박 건조를 위한 작업원 통로나 자재 운반 등에 사용되는 구조물은 "잔교"로 볼 수 있음**

「국토해양용어사전」 및 「건물 및 기타물건 시가표준액표」 규정 등을 종합적으로 검토하여 볼 때 "잔교"와 "안벽"을 사전(辭典)적인 기능과 목적으로 구분할 수는 없다고 할 것임. 따라서, "잔교"와 "안벽"은 구조적인 형식 등으로 구분하는 것이 합리적일 것인바, 「국토해양용어사전」에서 "잔교"는 해안선이 접한 육지에서 직각 또는 일정한 각도로 돌출한 접안시설을,"안벽"은 부두의 바다 방향에 수직으로 쌓은 벽을 말한다고 각각 정의하고 있는 것을 감안했을 때, 부두에서 직각으로 길게 돌출된 본 건 구조물은 "잔교"에 해당된다고 보는 것이 합리적일 것으로 판단됨(지방세운영과-25, 2013.3.26.).

◎ **선박제조용 안벽(岸壁)은 취득세 과세대상인 잔교로 보기 어렵다는 사례**

「항만법」상 안벽, 물양장, 잔교, 부잔교, 돌핀, 선착장 등을 항만의 기본시설로 규정하고 있으나, 「지방세법」에서는 이들 기본시설 중 "잔교"만을 취득세 과세대상으로 규정하고 있는 바, 위 안벽은 선박기자재를 선적하고 마무리 공사(의장작업)에 사용하는 의장안벽으로서 취득세 과세대상인 "잔교"로는 보기는 어려움(조심 2011지0427, 2012.7.26.).

◎ **도크 안벽은 취득세 과세대상임**

일반부두의 구조형식이 잔교식 안벽으로 축조되어 의장안벽(艤裝岸壁)용으로 사용되고 있는 경우, 항만법에 의한 부두시설인 안벽(岸壁)은 부두에서 선박을 연결하는 교량으로서 승객의 승·하선 및 화물의 하역이 편리하도록 물위에 설치한 구조물로 보기 어렵고, 또한 도크에서 만든 선박의 의장작업(선박기기 설치 등 마무리 공사)을 위한 안벽으로 사용되어 선박의 건조공정의 일부로서 기능을 하는 생산설비라면 지방세법 시행령 제75조의 2 제7호에 따른 취득세 과세대상이 아님(지방세운영과-525, 2010.2.5.).

◎ **리스회사로부터 임차하여 설치·사용하는 세차시설은 주유시설 소유자가 납세의무자**

건축법상 주유소의 기계식 세차설비는 건축물에 딸린 시설물로 규정한 점에서 해당 건축물에 포함된다는 점, 지방세법상 주체구조부와 하나가 되어 건축물로서의 효용가치를 이루고 있는 것에 대해서는 주체구조부 취득자 외의 자가 가설하였다고 할지라도 주체구조부의 취득자에게 납세의무를 부여하고 있는 점 등을 종합적으로 감안할 때, 자동세차시설을 리스회사로부터 임차하여 주유시설 부지 내에 설치·사용하는 경우 주유시설 소유자에게 취득세 납세의무가 있는 것으로 판단됨(지방세운영과-2040, 2015.7.8.).

◎ **공사현장에서 사용되는 세륜시설은 취득세 과세대상 시설에 해당되지 않음**

공사장 등 사업현장에서 설치·사용되는 해당 세륜시설은 센서가 아닌 차량의 무게를 인식하여 작동되며, 고압분사방식이 아닌 물에 씻기는 정도의 세척력을 가지는 것으로 도로 주행시 먼지 등 환경오염을 줄이기 위한 최소한의 시설로서, 과세하는 경우 입법취지에 맞지 않는 점 등을 고려할 과세대상 시설이 아님(지방세운영과-3116, 2015.10.5.).

4. 시설물(영 제6조)

시설물은 승강기(엘리베이터, 에스컬레이터, 그 밖의 승강시설), 시간당 20킬로와트 이상의 발전시설, 난방용·욕탕용 온수 및 열 공급시설, 시간당 7천560킬로칼로리급 이상의 에어컨(중앙조절식만 해당), 부착된 금고, 교환시설, 건물의 냉난방, 급수·배수, 방화, 방범 등의 자동관리를 위하여 설치하는 인텔리전트 빌딩시스템 시설, 구내의 변전·배전시설을 말하며, 이러한 시설물을 설치하거나 수선하는 경우 '개수'로 보아 취득세가 과세된다. 시설물은 시설과 달리 재산세 과세대상에는 포함되지 않는다.

1) 발전시설

◎ **태양광 발전시설(건축물 유지관리에 사용)은 발전용량에 관계없이 신축 건축물 과세표준에 포함되고, 신축 이후 설치한 시설물은 20kw 이상에 한해 개수로써 취득세 과세대상**

건축물을 신축하면서 그에 부합되거나 부수되는 시설물을 함께 설치하는 경우라면 그 설치 비용 역시 당해 건축물에 대한 취득세의 과세표준이 되는 취득가격에 포함되므로(대법원 2012두1600), 건축물을 신축하면서 20kw 미만의 태양광 발전시설을 설치하여 건축물의 일반 조명, 보일러 가동 등 건축물의 건물의 유지관리에 사용하는 경우라면, 지방세법상 개수(改修)에 해당하는지에 관계없이 신축건축물의 취득세 과세표준에 포함되며, 건축물 준공 후에 옥상 또는 옥외 주차장에 20kw 이상의 발전시설을 설치하여 건축물의 유지관리에 사용하는 경우, 해당 건축물과 유기적으로 연결되어 건축물의 효용가치를 증가시키는 건축물에 딸린 시설로서 취득세 과세대상 개수에 해당(지방세운영과-682, 2017.10.17.)

◎ **옥외주차장 태양광 발전시설이 전기생산을 위한 시설이라면 취득세 과세대상이 아님**

시설물은 건축물에 부속되어 부합물이나 종물 등으로서 그 건축물 자체의 경제적 효용을 증가시키는 설비 등을 의미하고, 그 중 제2호에 열거된 "20KW 이상의 발전시설"은 일반조명, 보일러 가동, 급·배수 등 주로 건물의 유지관리에 사용할 목적으로 설치한 시설을 말하며, 공장 등에서 주로 생산시설의 가동을 위하여 설치한 발전시설은 제외됨. 따라서 전기사업자가 한국전력공사와 전력수급계약에 의해 판매목적으로 전력을 생산·공급하기 위하여 태양광 발전시설을 옥외 토지상에 설치한 경우, 건축물에 부수되어 효용가치를 증가시키는 시설물이 아닌 전기생산을 위한 발전사업용으로 공여되는 생산시설이라면 취득세 과세대상으로 볼 수 없음(지방세운영과-4095, 2009.9.28.).

2) 난방용·욕탕용 온수시설 등

◎ **냉·난방기가 난방용 보일러에 해당하지 아니하여 취득세 과세대상이 아니라는 사례**

이 건 냉·난방기는 1대의 최고용량이 11KW이고 실내기 44대, 실외기 10대를 건축물의 각실에 별도로 설치하여 여름에는 냉방기로, 겨울철에는 난방기로 사용하는 것으로서 7천560킬로칼로리급 이상의 중앙조절식에어컨에 해당되지 않고, 난방용보일러라 하면 통상 석유, 석탄 등의 연료를 연소시켜 그 연소열을 물에 전하여 압력이 높은 증기를 발생시키는 장치로서 선박 등 증기기관이나 건축물의 난방용 등의 증기를 공급하는 기구를 말한다 할 수 있으나 이 건 냉·난방기는 실내기 및 실외기를 통하여 압축·응축·팽창·증발과정을 통하여 더운 공기를 만든 후 닥트 등을 통하여 건물의 각 실내에 공급하는 등 취득세 과세대상 난방용 보일러에 해당되지 아니함(조심 2008지598, 2009.2.27.).

◎ 지열냉난방보일러 설비를 설치한 경우 취득세 과세대상 개수에 해당됨

「지방세법」상 "개수(改修)"라 함은 「건축법」 제2조 제1항 제9호에 따른 대수선과 건축물에 딸린 시설물 중 대통령령으로 정하는 시설물을 한 종류 이상 설치하거나 수선하는 것을 말하는 것으로서, 난방용·욕탕용 보일러는 시설물의 한 종류에 해당되므로 이를 설치할 경우에는 취득세를 납부해야 하는 것임. 한편, 2013년 시가표준액 조정기준에 따르면, 난방용·욕탕용 보일러 중 동물온실용에 대해서는 용도별·면적별로 0.90~1.40에 해당하는 부과지수를 적용해야 함. 이와 같은 사안들을 종합하여 볼 때, 모돈(母豚) 육성을 위한 건축물에 지열냉난방보일러 설비를 설치하는 것은 「지방세법」상 "개수(改修)"에 해당됨(지방세운영과-1466, 2013.7.10.).

3) 변전·배전시설

◎ 발전소 내 구내 변전·배전시설 등이 건축물의 유지관리 목적이 아닌 생산시설의 일부로 사용되는 경우라면 취득세 과세대상에서 제외됨

"20킬로와트 이상의 발전시설"은 일반조명, 보일러 가동, 급·배수 등 건물의 유지관리에 사용할 목적으로 설치한 시설이며, 공장 등에서 주로 생산시설의 가동을 위하여 설치한 발전시설은 제외(지방세운영과-4095, 2009.9.28.)되며, "구내의 변전·배전시설"이라 함은 건물구내에서 시설의 유지관리를 위하여 사용되는 전력의 전압변경을 위한 시설과 배전을 위한 시설을 의미하고, 일반의 수요에 공하기 위한 변전·배전시설 등은 건축물의 부수시설물이 아니라 할 것(대법원 2006두7416, 2006.7.28.)이므로, 발전소 내 구내 변전·배전시설 등 '시설물'이 건축물의 유지관리 목적이 아닌 생산시설의 일부로 사용되는 경우라면 취득세 과세대상에서 제외(지방세운영과-3115, 2015.10.5.).

◎ 생산설비에 공하는 변전시설은 취득세 과세대상에서 제외

구내의 변전·배전시설이라 함은 건물구내(울타리 내)에서 시설의 유지관리를 위하여 사용되는 전력의 전압변경을 위한 시설과 배전을 위한 시설을 말하고, 생산설비를 가동하기 위한 것은 포함되지 아니하는 것인 바, 위 변전시설 중 생산설비에 공하는 부분에 대하여는 취득세 과세대상에서 제외하는 것이 타당함(조심 2011지0427, 2012.7.26.).

◎ 구내의 변전·배전시설을 공장의 생산설비 가동용과 사무용으로 공용 사용하는 경우

생산설비의 가동을 위한 변전·배전시설의 경우에는 취득세 과세대상에서 제외되므로, 공용으로 사용하는 경우라면, 합리적인 비율로 안분하여 생산시설에 해당하지 아니하는 비용에 대해 과세대상에 해당(지방세운영과-2271, 2016.9.2.)

4) 인텔리전트 빌딩시스템 시설

◎ **인텔리젼트 빌딩시스템과 별개로 운영되는 CCTV감시시스템, 사무자동화시설(OA)과 정보·통신시설(TC)에 해당되는 종합정보시스템(CMS)은 취득세 과세대상이 아님**

카지노장의 경우 건물의 냉·난방, 급·배수, 방화 등을 중앙관제시스템에서 자동 관리하고 있으므로 인텔리젼트 빌딩시스템을 갖추고 있다고 볼 수 있으나, 카지노장 영업의 건전화를 위하여 게임장면, 계산장면 등의 행위를 녹화하기 위하여 설치한 CCTV감시시스템은 별도의 장소에서 인텔리젼트 빌딩시스템과는 별개로 운영되고 있으므로 CCTV감시 시스템이 인텔리젼트 빌딩시스템의 구성요소로 보기는 어렵고, 종합정보시스템(CMS) 역시 취득세 과세대상이 아님(세정-3959, 2005.11.24.).

5) 시설물 관련 기타 사례

◎ **지하발전소는 건축물에 해당되고 진입터널 등은 건축물에 부수되는 시설물에 포함됨**

지하발전소는 지붕과 벽을 갖춘 발전시설의 일종으로서 건축법상의 건축물 또는 이와 유사한 형태의 건축물에 해당하고, 각 터널은 이 사건 지하발전소에 부합되었거나 그에 부수되는 시설물에 해당한다는 이유로 환송 전 당심의 판단이 위법하다고 보아 환송 전 당심판결을 파기하여 환송하였음. 이러한 환송판결의 판단에 비추어 보면, 원고의 위 주장은 상고법원이 파기이유로 한 위 사실상·법률상의 판단에 저촉되는 것이므로 이를 받아들일 수 없다(대구고법 2013누1318, 2014.1.17.)고 할 것임(대법원 2014두3976, 2014.5.29.).

◎ **양수발전소의 지상과 지하발전소 등을 연결하는 발전소진입터널, 발전소하부진입터널, 하부조압수조진입터널, 모선터널을 발전소건축물 부수시설로써 취득세 과세대상 포함됨**

이 사건 지하발전소는 지붕과 벽을 갖춘 발전시설의 일종으로서 건축법상의 건축물 또는 이와 유사한 형태의 건축물에 해당한다고 할 것인데, 이 사건 각 터널은 이 사건 지하발전소에 이르는 각종 교통로 내지는 거기에서 생산된 전력을 운반하는 송전선로로서 물리적 구조, 용도와 기능면에서 볼 때 지하발전소 자체와 분리할 수 없을 정도로 부착·합체되어 일체로서 효용가치를 이루고 있고, 지하발전소와 독립하여서는 별개의 거래상 객체가 되거나 경제적 효용을 가질 수 없다고 할 것이므로, 이 사건 각 터널은 이 사건 지하발전소에 부합되었거나 그에 부수되는 시설물에 해당한다고 봄이 타당. 피고가 이 사건 지하발전소를 신축하면서 이 사건 각 터널을 함께 설치한 이상 이 사건 지하발전소에 대한 취득세의 과세표준이 되는 취득가격에는 이 사건 지하발전소 공사비뿐만 아니라 그에 부합되거나 부수된 이 사건 각 터널 공사비 역시 포함된다고 할 것이고, 이는 이 사건 각 터널이 시행령 제76조 제2호의 '개수'의 대상이 되는 '20KW 이상의 발전시설'에 해당하지 아니한다고 하여 달리 볼 것이 아님(대법원 2012두1600, 2013.7.11.).

5. 개수

개수는 부동산이나 차량과 같이 취득세 과세대상 중의 하나로 보는 것이 아니라 취득의 유형(원인) 중의 하나로 '건축'과는 별개의 개념으로 규정하고 있다.

"개수"란 ①「건축법」 제2조 제1항 제9호에 따른 대수선, ② 건축물 중 레저시설, 저장시설, 도크시설, 접안시설, 도관시설, 급수·배수시설, 에너지 공급시설 등 시설을 수선하는 경우, ③ 건축물에 딸린 시설물 중 대통령령으로 정하는 시설물을 한 종류 이상 설치하거나 수선하는 것을 말한다. 건축물의 단순한 수선은 대수선에 해당하지 않기 때문에 개수에 해당하지 않고, 시설(② 해당)을 설치하는 것은 건축물의 취득(원시취득)에 해당하고 개수에 해당하지 않는다. 개수에 해당하는지 여부에 따라 세율적용을 달리하기 때문에 명확한 구분이 필요한데, 개수는 2%의 세율이 적용되고 건축(원시취득)은 2.8%의 세율이 적용된다.

한편 개수를 취득의 원인으로서 과세대상으로 규정하고 있지만, 건축물의 신축과정에서 개수에 해당하는 시설의 수선, 시설물의 설치나 수선은 건축물의 신축에 따른 취득세 과세대상에 포함되기 때문에 개수 여부를 별도로 논할 실익은 없다.

◎ **냉장설비 공사는 개수에 해당하지 않고, 냉동창고에 부수되는 시설물도 아님(과표제외)**

원고는 냉장창고 증축공사를 마쳤고, 증축공사 중 냉장설비를 설치하였는데, 과세관청은 냉장설비 공사비용(쟁점)까지 과표에 포함 … ① 냉장창고 증축공사가 "개수"에 해당하기 위해서는 건축물 중 저장창고, 저장조 등의 존재를 전제로 해당 시설의 구조나 외부 형태 중 낡거나 하자가 발생한 부분을 고치는 공사여야 함. 그런데 창고증축공사는 냉장창고 부분을 새로 증축하는 공사로 보이고, 저장창고 등의 옥외저장시설을 수선하는 공사로 볼 수 없음. ② 건축물을 신축하면서 그에 부합되거나 부수되는 시설물을 함께 설치하는 경우라면 그 설치비용 역시 해당 건축물에 대한 취득세 과세표준에 포함됨. 그러나 이 사건 냉장설비의 각 부분은 과다한 비용을 지출하지 않고 이 사건 창고와 물리적으로 쉽게 분리될 것으로 보이므로, 이 사건 냉장설비와 이 사건 창고는 일체로서 효용가치를 이루고 있다고 보기 어려움 (대법원 2019두41362, 2019.8.30.).

◎ **개수대상 시설물의 지방세 감면대상 부동산 해당 여부**

건축물에 딸린 승강기, 시간당 7천560킬로칼로리급 이상의 중앙조절식 에어컨 등의 생산제품 그 자체는 동산의 일종으로서 취득세 과세대상에 해당되지 아니할 것이나, 주체구조부 건축물과 일체가 되어 건축물의 기능향상 등 경제적 효용가치를 증대시키는 설비로서 사회통념상 별도의 건축물에 부합 또는 부착됨으로써 비로소 부동산화(化)되는 것이고, 이를 개수로 취득하는 경우는 부동산을 취득하는 경우라고 할 것이므로 이는 취득세 등 감면대상 부동산에 해당된다고 할 것임(지방세운영과-1510, 2012.5.15.).

◎ 단순 보수공사만 한 경우 법인장부에 자산으로 계상되었어도 취득(개수)으로 볼 수 없음

기존 건축물의 환경개선을 목적으로 보수공사를 하고 법인의 자산으로 계상을 한 경우 취득세가 과세되는지 여부 관련, 기존 건축물의 노후화 및 기능향상을 위하여 건축물 리모델링 공사 등을 한 경우 당해 공사가 건축법 시행령 제3조의 2에서 규정하는 대수선에 해당되거나 지방세법 시행령 제76조에서 열거하는 시설물을 설치한 경우라면 개수에 따른 취득세가 과세되는 것이라 하겠으나 이에 해당하지 않는 단순한 보수공사만 한 것이라면 법인장부상에 자산계정으로 계상하였다 하더라도 개수에 따른 취득으로 볼 수 없음(지방세운영과-2232, 2008.11.20.).

◎ 형광등 공사 등의 비용도 대수선에 포함되는 공사의 일부라는 사례

취득이란 증축, 대수선 등 유무상을 불문한 일체의 취득이라고 할 것인데 이 사건에서는 증축과 대수선이 2층과 지하1층 전반에 걸쳐 동시에 일괄적으로 이루어지면서 물리적 관점에서는 단순 수선이라고 볼 수 있는 공사부분이 증축과 대수선 공사와 그 기능과 공정에 있어서 불가분하게 일체로서 이루어짐으로써 경제적 법률적으로 각 층별로 일련의 증축 또는 대수선 공사라고 봄이 타당하다며, 같은 맥락에서 과세대상이 아니라고 주장하는 형광등 공사등도 단순히 노후화된 부분을 수리(수익적지출, 당해연도 비용)하는 것이 아니고 대수선에 포함되는 공사의 일부임(감심 2007-87, 2007.8.16.).

◎ 대수선이 아닌 단순 리모델링 공사시 각종 배관 교체는 과세대상 개수로 볼 수 없음

「지방세법」 제6조 및 같은 법 시행령 제5조에 따라 급수·배수시설을 수선하는 경우, 개수로서 취득세의 과세대상에 해당되나, 건축물 내부에 있는 배관은 건축물의 필수 불가결한 시설일 뿐이므로 쟁점 배관 등을 교체하는 것이 건물내 기존 급수·배수관의 교체공사로서, 「건축법」 상 대수선에 해당하지 않는다면, 개수로 인한 취득세 과세대상으로 볼 수 없음(부동산세제과-1123, 2020.5.19.).

6. 차량 및 기계장비

"차량"이란 원동기를 장치한 모든 차량과 피견인차 및 궤도로 승객 또는 화물을 운반하는 모든 기구를 말한다. "기계장비"란 건설공사용, 화물하역용 및 광업용으로 사용되는 기계장비로서 「건설기계관리법」에서 규정한 건설기계 및 이와 유사한 기계장비 중 행정안전부령으로 정하는 것을 말한다.

| 최근 개정법령 _ 2020.1.1. | 전기이륜차 취득세율 체계 마련(영 §7 ①, §23 ④, §42의 2 ①)

최고정격출력 기준으로 전기이륜차에 대한 취득세 등 세율체계를 신설하였다. 취득세 비과세 기준(배기량 50cc)에 상응하는 '최고정격출력 4KW'를 전기이륜차에 대한 비과세 기준으로 명확히 하였는데, 종전 운영기준과 동일한 방식으로 입법보완한 것으로 볼 수 있다.

☞ 제12조 차량 세율체계 참조

- **사람이 탑승하여 원동기에 의해 공장구내를 이동・청소하는 전동 청소차는 취득세 과세대상인 차량에 해당함**(지방세운영과-470, 2013.2.15.).

- **광업용 선별기(기계장비)의 경우 취득세 과세대상에 해당됨**

  선별기는 골재 선별장치를 가진 것으로 원동기가 장치된 모든 것을 규정하고 있을 뿐, 골재 선별기에 대해 「골재채취법」 규정에 의한 골재만을 한정하고 있지 않은 점 등을 종합적으로 감안할 때, 취득세 과세대상이 되는 선별기에는 광업용으로 사용하는 색도를 분류하는 선별기도 포함된다고 보아야 할 것임(지방세운영과-2041, 2015.7.9.).

- **"최고정격출력 4킬로와트 이하인 전기이륜자동차"는 50cc 미만의 이륜자동차에 해당**

  「자동차관리법」 제3조 제1항 제5호에 따르면 이륜자동차란 총배기량 또는 정격출력의 크기와 관계없이 1인이나 2인의 사람을 운송하기에 적합하게 제작된 이륜의 자동차 및 그와 유사한 구조로 되어 있는 자동차를 말하며, 같은 법 시행규칙 별표 1의 규모별 세부기준에서는 배기량이 50시시 미만이거나 최고정격출력이 4킬로와트 이하인 경우에는 경형이륜자동차로 분류하고 있음. 따라서 최고정격출력 4킬로와트 이하인 전기이륜자동차도 취득세 과세대상에서 제외(지방세운영과-283, 2013.1.28.) ※ 2020.1.1. 입법 보완

- **지게차의 경우 「건설기계관리법」의 규정과 관련 없이 취득세 과세대상임**

  「지방세법」 제6조 제1항 제8호에 따르면 "기계장비"란 건설공사용, 화물하역용 및 광업용으로 사용되는 기계장비로서 「건설기계관리법」에서 규정한 건설기계 및 이와 유사한 기계장비 중 행정안전부령으로 정하는 것을 말하며, 같은 법 시행규칙 제3조 [별표 1]에 따르면 지게차는 들어올림 장치를 가진 모든 것을 말하는 것이므로, 들어올림 장치를 가진 지게차의 경우라면 「건설기계관리법」의 규정과 관련 없이 취득세 과세대상에 해당된다고 판단됨(지방세운영과-2861, 2012.9.10.).

- **사람이 탑승하여 공장의 바닥 등을 청소하는 청소차량은 취득세 과세대상 차량에 해당**

  승용식 전동청소차의 경우 청소차량 자체에 원동기를 구비하고 사람이 탑승하여 원동기에 의하여 육상을 이동할 수 있는 기능을 수행하도록 제작된 용구라면 외부도로를 주행하지 않고 공장 내부에서만 사용된다 하더라도 지방세법상 취득세 과세대상이 되는 차량에 해당(지방세운영과-1921, 2009.5.13.).

☞ (비교사례) 전동 청소차량이 차량에 해당하는지 여부 관련, 모든 청소차량이 원동기를 장치한 용구에는 해당되나 육상을 이동할 목적으로 제작된 용구가 아니고, 단지 공장내부에서만 사용하는 청소용구라면 취득세 과세대상이 되는 "차량"에 해당되지 아니하는 것으로 봄이 타당함(세정-1436, 2005.6.30.).

◎ 원동기를 장치하지 않은 소형트레일러는 피견인차량으로써 취득 · 등록세 과세대상

지방세법상 차량이라 함은 원동기를 장치한 모든 차량과 피견인차 및 궤도나 삭도에 의하여 승객 또는 화물을 반송하는 모든 기구를 말하는 것이므로 원동기를 장치하지 아니한 소형트레일러는 피견인 차량으로써 취득세과세대상이며, 관계법령에 의하여 등기 또는 등록을 할 경우에는 등록세 납세의무가 있음(세정 13407-83, 1999.11.1.).

◎ 기중기의 본체와 부속장비를 취득(수입)한 경우 그 부속장비도 취득세 과세대상

기중기 본체에 부속된 장비(Accessories)는 기중기에 부착된 종물로서 기중기와 일체를 이루고 있을 뿐만 아니라, 그 자체로서 독립된 기능을 수행하는 물건으로 볼 수는 없다 할 것이므로 쟁점기계장비의 부속장비(Accessories)의 취득가액에 대하여 취득세를 부과고지한 것은 달리 잘못이 없음(조심 2011지0942, 2012.6.26.).

◎ 화물하역용으로 이용 중인 크레인을 취득세 과세대상인 기계장비로 볼 수 있음

쟁점크레인은 고정식 크레인으로서 공장부지의 야적장이나 강재장에 보관하기 위한 강재를 견인할 목적으로 사용되고 있는 사실이 확인되는 이상 쟁점크레인은 취득세 과세대상에 해당함(조심 2011지0915, 2012.6.26.).

◎ 민자철도사업 일환으로 자치단체에 공급하기 위하여 제조사로부터 철도차량을 취득한 자는 '실수요자'인 최초의 승계취득자로 볼 수 없어 취득세 납세의무가 성립하지 아니함(대법원 2011두22198, 2012.3.29.).

◎ '실수요자'란 자동차 제조회사나 판매회사에 대응하는 소비자 내지는 수요자를 가리키는 것에 불과하여 판매목적으로 차량을 취득한 것이 아닌 이상 그 취득 목적에 관계없이 '실수요자'에 해당하므로, 시험용으로 타사 차량을 취득하는 경우 취득세 납세의무 있음(대법원 2004두6426, 2005.6.9.).

7. 항공기 및 선박

"항공기"란 사람이 탑승 · 조종하여 항공에 사용하는 비행기, 비행선, 활공기(滑空機), 회전익(回轉翼) 항공기 및 그 밖에 이와 유사한 비행기구로서 대통령령으로 정하는 것을 말한다.

"선박"이란 기선, 범선, 부선(艀船) 및 그 밖에 명칭에 관계없이 모든 배를 말한다.

〈선박등기법〉

제2조(적용 범위) 이 법은 총톤수 20톤 이상의 기선(機船)과 범선(帆船) 및 총톤수 100톤 이상의 부선(艀船)에 대하여 적용한다. 다만, 「선박법」 제26조 제4호 본문에 따른 부선에 대하여는 적용하지 아니한다.

〈선박법〉

제1조의 2(정의) ② 이 법에서 "소형선박"이란 다음 각 호의 어느 하나에 해당하는 선박을 말한다.
1. 총톤수 20톤 미만인 기선 및 범선 2. 총톤수 100톤 미만인 부선

제8조(등기와 등록) ① 한국선박의 소유자는 선적항을 관할하는 지방해양항만청장에게 국토교통부령으로 정하는 바에 따라 그 선박의 등록을 신청하여야 한다. 이 경우 「선박등기법」 제2조에 해당하는 선박은 선박의 등기를 한 후에 선박의 등록을 신청하여야 한다.

〈수상레저안전법〉

제30조(등록) ① 동력수상레저기구(「선박법」 제8조에 따라 등록된 선박은 제외한다. 이하 이 조에서 같다)의 소유자(이하 "소유자"라 한다)는 주소지를 관할하는 시장·군수·구청장(구청장은 자치구의 구청장을 말하며, 특별자치도의 경우 특별자치도지사를 말한다. 이하 이 장에서 같다)에게 동력수상레저기구를 소유한 날부터 1개월 이내에 등록신청을 하여야 한다.
③ 제1항에 따라 등록의 대상이 되는 동력수상레저기구는 수상레저활동에 이용하거나 이용하려는 것으로서 다음 각 호의 어느 하나에 해당하는 것을 말한다.
1. 수상오토바이 2. 선내기 또는 선외기인 모터보트로서 대통령령으로 정하는 모터보트
3. 공기를 넣으면 부풀고 접어서 운반할 수 있는 고무보트를 제외한 대통령령으로 정하는 고무보트
4. 총톤수 20톤 미만으로 대통령령으로 정하는 요트

〈항공법〉

제3조(항공기의 등록) 항공기를 소유하거나 임차하여 항공기를 사용할 수 있는 권리가 있는 자(이하 "소유자등"이라 한다)는 항공기를 국토교통부장관에게 등록하여야 한다. 다만, 대통령령으로 정하는 항공기는 그러하지 아니하다.

〈항공법 시행령〉

제12조(등록을 필요로 하지 아니하는 항공기의 범위) 법 제3조 단서에서 "대통령령으로 정하는 항공기"란 다음 각 호의 것을 말한다.
1. 군 또는 세관에서 사용하거나 경찰업무에 사용하는 항공기
2. 외국에 임대할 목적으로 도입한 항공기로서 외국 국적을 취득할 항공기
3. 국내에서 제작한 항공기로서 제작자 외의 소유자가 결정되지 아니한 항공기
4. 외국에 등록된 항공기를 임차하여 법 제2조의 2에 따라 운영하는 경우 그 항공기

- 준설선에 대해 취득세를 납부하고 건설기계로 등록한 자가 해상안전 정책상 선박으로 등기·등록을 한 경우 재차 취득세 납세의무가 성립하지는 않음

본인 소유 부동산을 경매로 본인이 경락 받아 취득·등기하는 경우 취득세 과세대상에서 제외(행자부 세정 13407-513, 2001.5.12.)하는 점, '사실상 취득'에 따른 취득세 납세의무가 성립한 후, 그 사실상의 취득자가 소유권이전등기를 마치더라도 잔금지급일에 성립한 취득세 납세의무와 별도로 그 등기일에 법 제7조 제2항에서 규정한 '취득'을 원인으로 한 새로운 취득세 납세의무가 성립하는 것은 아닌 점(대법원 2010두28151) 등 … 법령 개정 등으로 건설기계 등록을 말소하고 「선박법」에 따른 선박으로 등기·등록을 하더라도 취득세 납세의무가 성립하지 않는다고 할 것임(지방세운영과-346, 2017.4.13.).

◎ 바다에서 선박을 만들 수 있도록 고안된 반잠수식 선박건조 야외작업장인 플로팅 독은 부양성, 적재성 및 이동성을 갖추고 있는 등 취득세 과세대상 선박에 해당

취득세 과세대상인 선박에 해당하기 위하여 자력으로 항행할 것까지 요구되지는 않는 점, 물 위에 떠 있다가 선박이 건조되면 이를 적재하여 예인선에 끌리거나 밀려 수심이 깊은 바다로 나아간 다음 잠수함의 원리를 이용하여 선박을 진수하므로 부양성·적재성·이동성을 갖추고 있는 점, 건조계약서에도 '근해구역 항해능력을 갖춘 선박'을 건조하는 내용 등이 담겨 있고, 선박건조증명서와 선박총톤수 측정증명서가 작성된 후 선박등록 및 소유권보존등기까지 마쳐진 점, 바다에 떠 있는 상태에서 계선줄에 의하여 부두와 연결되어 있을 뿐 토지에 정착하거나 지하 또는 다른 구조물에 설치되어 있지 아니한 점 등을 종합하면, '선박'에 해당함(대법원 2014두3945, 2014.6.26.).

◎ 준설선이 부양성·적재성·이동성을 모두 갖춘 경우 선박에 해당되나, 범프식·바켓식·그래브식으로 자력으로 항해가 불가한 경우 기계장비에 해당

취득세 과세대상이 되는 선박은 수상 또는 수중에서 항행용으로 사용하거나 사용할 수 있는 모든 배를 말한다고 할 것임(조심 2012지423, 2012.11.19.). 따라서 준설선은 수상에서 자유롭게 이동하며 바닥에 있는 흙·모래·자갈 등을 파내는 시설을 설치한 것으로 선박(배)이 되기 위한 조건인 부양성, 적재성, 이동성을 모두 갖추고 있다고 볼 수 있으므로 지방세법 제6조 제10호에서 규정하는 "선박"에 해당하여 재산세 과세대상으로 포함되어야 한다고 판단되나, 지방세법 제6조 제8호 및 지방세법시행규칙 제3조 관련 별표 1에서 펌프식·바켓식·딧퍼식 또는 그래브식으로서 자력으로 항해가 불가능한 준설선은 기계장비로 규정하고 있음(지방세운영과-1231, 2013.6.26.).

◎ 항공법상 항공기가 아닌 초경량 비행장치는 항공기에 해당되고, 감면대상은 아님

비록 항공법상 소정의 공허중량(224.5kgs) 및 연료용량(38ℓ)에 미달하는 헬리콥터가 초경량비행장치로 구분되어 있다고 하더라도 지방세법상 당연히 독립한 과세객체로서의 항공기로 보아야 할 것으로서, 이 사건 헬리콥터의 경우, 000사가 한국실정에 맞게 공허중량 및 연료용량이 항공기 기준요건에 미달되게끔 특수제작한 것으로서 안전성인증을 받은 다음 초경량 비행장치로 증명된 것이 확인되나 동력장치를 갖추어 회전익으로 양력을 얻어 사람이 탑승·조정하여 비행하는 회전익항공기가 분명한 이상 지방세법상 항공기로 볼 수 있음. 또한, 항공법상 운송사업체로 등록되거나 면허받은 사항이 없으므로 이 사건 헬리콥터는 감면대상이 아님(지방세심사 2006-448, 2006.10.30.).

8. 입 목

"입목"이란 지상의 과수, 임목(林木), 죽목을 말한다(법 제6조 11호). 지상의 과수란 지상에 생립(生立)하고 있는 과수목, 임목이란 일정한 장소에 집단적으로 생립하고 있는 수목의 집단을, 죽목이란 지상에 생립하고 있는 죽목을 말한다(2020년 시가표준액 조정 기준표).

◎ **리조트 내 건물과 도로 주변에 식재된 입목이 취득세 과세대상에 해당**

취득세 과세대상 입목이란 수종에 관계없이 집단으로 생육하면서 토지와 구분되어 별개의 거래대상 등이 될 수 있는 수목을 의미한다고 볼 수 있으며, 집단성 여부는 동일한 주체의 관리범위에 속하는 특정영역 등을 기준으로 판단하는 것이 합리적이며, 리조트 진입에 이용되는 사도(私道)의 중앙부분에 일렬로 식재되어 있어 사실상 가로수 역할을 하는 경우라면 집단성이 있다고 보기는 어려우므로 취득세 과세대상인 입목에 해당되지 않는다고 판단되며, 리조트 내 건물과 도로 주변에 산발적으로 식재되어 있는 경우에는 특정영역 내에서 집단생육하고 있는 것으로 볼 수 있으므로 입목에 해당(감심 2011-177, 2011.10.20.)된다고 판단됨(지방세운영과-1623, 2012.5.24.).

◎ **농지에 포함된 과수목의 일괄취득시 취득세 과세대상인 별도의 입목에 해당되지 않음**

농지(과수원)를 취득하면서 따로 등기가 되어 있거나 별도로 계산하여 취득하는 명인방법을 갖추고 있는 과수목을 취득하는 경우라면 이는 지방세법상 입목에 해당되어 취득세 납세의무가 성립된다 하겠고, 다만 농지(과수원)를 취득하면서 그 지상에 있는 과수목을 구분하지 아니하고 일괄 취득하는 경우라면 과수목에 대한 취득세 납세의무가 별도로 발생되지 아니한다 할 것임(세정-3600, 2007.9.4.).

9. 회원권

회원권은 일정 기간 동안 특정시설을 배타적 이용하거나 일반 이용자보다 유리한 조건으로 사용할 수 있는 권리이다. 요트회원권은 2014.1.1.부터 취득세 과세대상으로 편입되었다.

| 취득세 과세대상 회원권 |

구 분	적용법규	이용시설	자격	가격요소
골프회원권	체육시설의 설치 · 이용에 관한 법률 (체육법)	골프장	회원	보증금 입회비
종합체육시설이용회원권		종합체육시설	회원	
승마회원권		승마장	회원	
콘도미니엄회원권	관광진흥법	콘도미니엄	회원	
요트회원권	체육법	요트	회원	

○ 기존과 동일한 조건의 골프회원권을 새로이 교부받는 경우 취득세 과세대상이 아님

유상승계취득의 경우 대금의 지급과 같은 소유권취득의 실질적 요건 또는 소유권이전의 형식을 갖추지 아니한 이상 취득세 납세의무가 성립하였다고 볼 수 없으므로, 골프회원권 취득 후 해당 골프장이 준공 전 경매로 소유권이 이전되고 그 승계한 골프장사업자가 기존 골프장 사업자가 분양한 골프회원권의 지위를 인정받지 못하여 사용하지 못하다가, 기존 사업자로부터 분양받은 골프회원권의 지위가 인정된다는 법원의 결정에 따라 별도의 입회금 납부 등 실질적 취득 행위 없이 기존과 동일한 조건의 골프회원권을 새로이 교부받는 경우라면 비록 기존의 골프회원권과 등록번호가 상이하다고 하더라도 사실상 취득으로 볼 수 없어 취득세 과세대상이 아님(지방세운영과-623, 2011.2.10.).

○ 선불카드는 사실상 취득세 과세대상인 골프회원권에 해당됨

문화체육관광부는 일정금액을 선불로 납부하도록 하면서 주요혜택으로 일정횟수의 부킹을 보장하고 이러한 주중 · 주말부킹을 보장하는 것이 해당 시설을 이용하는 일반이용자보다 '우선적으로 이용' 또는 '유리한 조건'으로 이용할 수 있는 혜택에 해당한다면, 명목상 선불카드라 하더라도 회원권과 유사하다고 볼 수 있고, 이러한 유사 · 편법으로 회원을 모집한 것은 「체시법」 제17조의 회원모집계획서를 제출하지 아니하고 회원을 모집한 경우로 시정명령 대상이 될 수 있다고 보는 점(체육진흥과-2874, 2012.7.24.). 선불카드의 소유회원은 그린피가 3분의 1 이상 저렴하고 부킹횟수 등이 보장되며 지정 숙박시설 이용료가 할인되는 점, 선불카드는 타인에게 양도할 수 있어 재산권의 성격을 갖고 있는 점 등을 감안했을 때, 선불카드는 골프회원권에 해당(지방세운영과-2522, 2012.8.7.)

☞ 같은 내용의 (조심 2014지0412, 2014.6.30.) 참조

○ 골프장 부지만을 취득하였을 뿐, 골프장의 인적조직이나 회원에 대한 권리의무를 승계하지 않은 경우에는 골프장 영업을 양도받은 것으로 볼 수 없으므로 골프회원권을 취득한 것이 아니어서 이에 대한 취득세 과세는 부당(대법원 2008두13958, 2008.11.27.)

◎ **시설투자예치금을 납부한 것은 새로운 골프회원권의 취득으로 볼 수 없음**

회원제 골프장을 인수하면서 골프회원들의 동의에 따라 시설투자예치금(개보수공사비 분담금)을 선택적으로 추가 납부하게 하였다 하더라도, 시설투자예치금의 납부 여부와 납부 금액에 따라 회원들의 골프장 이용료를 조정하였고, 기존의 회원권을 반납하고 새로운 회원권을 취득한다는 내용의 계약서를 작성하거나 입회금을 반환받은 적이 없는 점 등을 미루어 볼 때 회원들이 시설투자예치금을 납부한 것은 새로운 골프회원권의 취득으로 볼 수 없으므로 취득세 과세대상이 아님(대법원 2007두20195, 2010.2.10.).

◎ **회원제 종합체육시설이용권에 포함된 호텔회원권은 취득세 과세대상임**

회원제 종합체육시설이용권 취득세 과세 관련, 「관광진흥법」에 따른 호텔업과 「체육시설의 설치 · 이용에 관한 법률」에 따른 종합체육시설업으로 운영되는 시설물을 이용할 수 있는 회원권을 취득하는 것이므로, 甲법인이 분양하는 호텔회원권에 호텔부대시설을 이용할 수 있는 회원제 종합체육시설이용권이 포함되어 있다면 호텔회원권과 함께 취득세를 과세하는 것이 타당하다고 판단됨(지방세운영과-941, 2010.3.9.).

제7조(납세의무자 등)

법 제7조(납세의무자 등) ① 취득세는 부동산, 차량, 기계장비, 항공기, 선박, 입목, 광업권, 어업권, 골프회원권, 승마회원권, 콘도미니엄 회원권, 종합체육시설 이용회원권 또는 요트회원권(이하 이 장에서 "부동산등"이라 한다)을 취득한 자에게 부과한다. 〈개정 2014.1.1.〉

② 부동산등의 취득은 「민법」, 「자동차관리법」, 「건설기계관리법」, 「항공안전법」, 「선박법」, 「입목에 관한 법률」, 「광업법」 또는 「수산업법」 등 관계 법령에 따른 등기 · 등록 등을 하지 아니한 경우라도 사실상 취득하면 각각 취득한 것으로 보고 해당 취득물건의 소유자 또는 양수인을 각각 취득자로 한다. 다만, 차량, 기계장비, 항공기 및 주문을 받아 건조하는 선박은 승계취득인 경우에만 해당한다.

③ 건축물 중 조작(造作) 설비, 그 밖의 부대설비에 속하는 부분으로서 그 주체구조부(主體構造部)와 하나가 되어 건축물로서의 효용가치를 이루고 있는 것에 대하여는 주체구조부 취득자 외의 자가 가설(加設)한 경우에도 주체구조부의 취득자가 함께 취득한 것으로 본다. 〈개정 2013.1.1.〉

④ 선박, 차량과 기계장비의 종류를 변경하거나 토지의 지목을 사실상 변경함으로써 그 가액이 증가한 경우에는 취득으로 본다.

⑤ (생략) 과점주주 간주취득세 납세의무 관련 내용

⑥ 외국인 소유의 취득세 과세대상 물건(차량, 기계장비, 항공기 및 선박만 해당한다)을 직접 사용하거나 국내의 대여시설 이용자에게 대여하기 위하여 임차하여 수입하는 경우에는 수입하는

자가 취득한 것으로 본다.
⑦ 상속(피상속인이 상속인에게 한 유증 및 포괄유증과 신탁재산의 상속을 포함한다. 이하 이 장과 제3장에서 같다)으로 인하여 취득하는 경우에는 상속인 각자가 상속받는 취득물건(지분을 취득하는 경우에는 그 지분에 해당하는 취득물건을 말한다)을 취득한 것으로 본다. 이 경우 상속인의 납부의무에 관하여는 「지방세기본법」 제44조 제1항 및 제5항을 준용한다. 〈개정 2010.12.27.〉
⑧ 「주택법」 제11조에 따른 주택조합과 「도시 및 주거환경정비법」 제35조 제3항 및 「빈집 및 소규모주택 정비에 관한 특례법」 제23조에 따른 재건축조합 및 소규모재건축조합(이하 이 장에서 "주택조합등"이라 한다)이 해당 조합원용으로 취득하는 조합주택용 부동산(공동주택과 부대시설·복리시설 및 그 부속토지를 말한다)은 그 조합원이 취득한 것으로 본다. 다만, 조합원에게 귀속되지 아니하는 부동산(이하 이 장에서 "비조합원용 부동산"이라 한다)은 제외한다.
⑨ 「여신전문금융업법」에 따른 시설대여업자가 건설기계나 차량의 시설대여를 하는 경우로서 같은 법 제33조 제1항에 따라 대여시설이용자의 명의로 등록하는 경우라도 그 건설기계나 차량은 시설대여업자가 취득한 것으로 본다. 〈신설 2010.12.27.〉
⑩ 기계장비나 차량을 기계장비대여업체 또는 운수업체의 명의로 등록하는 경우(영업용으로 등록하는 경우로 한정한다)라도 해당 기계장비나 차량의 구매계약서, 세금계산서, 차주대장(車主臺帳) 등에 비추어 기계장비나 차량의 취득대금을 지급한 자가 따로 있음이 입증되는 경우 그 기계장비나 차량은 취득대금을 지급한 자가 취득한 것으로 본다. 〈신설 2010.12.27., 2015.7.24.〉
⑪ 배우자 또는 직계존비속의 부동산등을 취득하는 경우에는 증여로 취득한 것으로 본다. 다만, 다음 각 호의 어느 하나에 해당하는 경우에는 유상으로 취득한 것으로 본다. 〈신설 2014.1.1., 2015.12.29.〉
1. 공매(경매를 포함한다. 이하 같다)를 통하여 부동산등을 취득한 경우
2. 파산선고로 인하여 처분되는 부동산등을 취득한 경우
3. 권리의 이전이나 행사에 등기 또는 등록이 필요한 부동산등을 서로 교환한 경우
4. 해당 부동산등의 취득을 위하여 그 대가를 지급한 사실이 다음 각 목의 어느 하나에 의하여 증명되는 경우
   가. 그 대가를 지급하기 위한 취득자의 소득이 증명되는 경우
   나. 소유재산을 처분 또는 담보한 금액으로 해당 부동산을 취득한 경우
   다. 이미 상속세 또는 증여세를 과세(비과세 또는 감면받은 경우를 포함한다) 받았거나 신고한 경우로서 그 상속 또는 수증 재산의 가액으로 그 대가를 지급한 경우
   라. 가목부터 다목까지에 준하는 것으로서 취득자의 재산으로 그 대가를 지급한 사실이 입증되는 경우
⑫ 증여자의 채무를 인수하는 부담부(負擔附) 증여의 경우에는 그 채무액에 상당하는 부분은 부동산등을 유상으로 취득하는 것으로 본다. 다만, 배우자 또는 직계존비속으로부터의 부동산등의 부담부 증여의 경우에는 제11항을 적용한다.
⑬ 상속개시 후 상속재산에 대하여 등기·등록·명의개서(名義改書) 등(이하 "등기등"이라 한다)에 의하여 각 상속인의 상속분이 확정되어 등기등이 된 후, 그 상속재산에 대하여 공동상속인이 협의하여 재분할한 결과 특정 상속인이 당초 상속분을 초과하여 취득하게 되는 재산가액은 그 재분할에 의하여 상속분이 감소한 상속인으로부터 증여받아 취득한 것으로 본다. 다만, 다음

각 호의 어느 하나에 해당하는 경우에는 그러하지 아니하다. 〈신설 2014.1.1.〉

1. 제20조 제1항에 따른 신고·납부기한 내에 재분할에 의한 취득과 등기등을 모두 마친 경우
2. 상속회복청구의 소에 의한 법원의 확정판결에 의하여 상속인 및 상속재산에 변동이 있는 경우
3. 「민법」 제404조에 따른 채권자대위권의 행사에 의하여 공동상속인들의 법정상속분대로 등기등이 된 상속재산을 상속인사이의 협의분할에 의하여 재분할하는 경우

⑭ 「공간정보의 구축 및 관리 등에 관한 법률」 제67조에 따른 대(垈) 중 「국토의 계획 및 이용에 관한 법률」 등 관계 법령에 따른 택지공사가 준공된 토지에 정원 또는 부속시설물 등을 조성·설치하는 경우에는 그 정원 또는 부속시설물 등은 토지에 포함되는 것으로서 토지의 지목을 사실상 변경하는 것으로 보아 토지의 소유자가 취득한 것으로 본다. 다만, 건축물을 건축하면서 그 건축물에 부수되는 정원 또는 부속시설물 등을 조성·설치하는 경우에는 그 정원 또는 부속시설물 등은 건축물에 포함되는 것으로 보아 건축물을 취득하는 자가 취득한 것으로 본다.

⑮ 「신탁법」 제10조에 따라 신탁재산의 위탁자 지위의 이전이 있는 경우에는 새로운 위탁자가 해당 신탁재산을 취득한 것으로 본다. 다만, 위탁자 지위의 이전에도 불구하고 신탁재산에 대한 실질적인 소유권 변동이 있다고 보기 어려운 경우로서 대통령령으로 정하는 경우에는 그러하지 아니하다. 〈신설 2015.12.29.〉

영 제10조(재산세 과세대장에의 등재) 법 제7조 제4항에 따라 토지의 지목변경에 대하여 취득세를 과세한 시장·군수·구청장은 재산세 과세대장에 지목변경 내용을 등재하고 관계인에게 통지하여야 한다.

제11조의 2(소유권 변동이 없는 위탁자 지위의 이전 범위) 법 제7조 제15항 단서에서 "대통령령으로 정하는 경우"란 다음 각 호의 어느 하나에 해당하는 경우를 말한다.

1. 「자본시장과 금융투자업에 관한 법률」에 따른 부동산집합투자기구의 집합투자업자가 그 위탁자의 지위를 다른 집합투자업자에게 이전하는 경우
2. 제1호에 준하는 경우로서 위탁자 지위를 이전하였음에도 불구하고 신탁재산에 대한 실질적인 소유권의 변동이 없는 경우 [본조신설 2015.12.31.]

제20조(취득의 시기 등) ① 무상승계취득의 경우에는 그 계약일(상속 또는 유증으로 인한 취득의 경우에는 상속 또는 유증 개시일을 말한다)에 취득한 것으로 본다. 다만, 해당 취득물건을 등기·등록하지 아니하고 다음 각 호의 어느 하나에 해당하는 서류에 의하여 취득일부터 60일 이내에 계약이 해제된 사실이 입증되는 경우에는 취득한 것으로 보지 아니한다. 〈개정 2014.8.12., 2015.7.24., 2015.12.31.〉

1. 화해조서·인낙조서 2. 취득일부터 60일 이내에 작성된 공정증서 등
3. 취득일부터 60일 이내에 제출된 행정안전부령으로 정하는 계약해제신고서

② 유상승계취득의 경우에는 다음 각 호에서 정하는 날에 취득한 것으로 본다. 〈개정 2014.8.12., 2015.12.31.〉

1. 법 제10조 제5항 제1호부터 제4호까지의 규정 중 어느 하나에 해당하는 유상승계취득의 경우에는 그 사실상의 잔금지급일
2. 제1호에 해당하지 아니하는 유상승계취득의 경우에는 그 계약상의 잔금지급일(계약상 잔금지급일이 명시되지 아니한 경우에는 계약일부터 60일이 경과한 날을 말한다). 다만, 해당 취득물건을 등기·등록하지 아니하고 다음 각 목의 어느 하나에 해당하는 서류에 의하여 취득일부터

60일 이내에 계약이 해제된 사실이 입증되는 경우에는 취득한 것으로 보지 아니한다.
가. 화해조서 · 인낙조서
나. 취득일부터 60일 이내에 작성된 공정증서 또는 「부동산 거래신고에 관한 법률」 제3조에 따라 시장 · 군수 · 구청장이 교부한 거래계약 해제를 확인할 수 있는 서류 등
다. 취득일부터 60일 이내에 제출된 행정안전부령으로 정하는 계약해제신고서
☞ 영 제20조 ②은 지방세법 제7조 제2항과 연계하여 확인, 뒤편 '취득의 시기'에서 다시 안내

「지방세법」 제6조 제1호 및 제7조 제1항에 따르면, "취득"이란 매매, 교환, 상속, 증여, 기부, 법인에 대한 현물출자, 건축, 개수(改修), 공유수면의 매립, 간척에 의한 토지의 조성 등과 그 밖에 이와 유사한 취득으로서 원시취득, 승계취득 또는 유상 · 무상의 모든 취득을 의미하며 부동산, 차량, 기계장비 등을 취득한 자는 취득세 납세의무가 있다.

건축물의 부대설비 등의 경우는 주체구조부의 취득자가 납세의무자가 되며, 토지의 지목 변경이나 선박 · 차량 · 기계장비의 종류변경으로 가액이 증가한 경우도 취득으로 보아 그 취득자에게 취득세가 과세된다. 또한, 과점주주의 취득, 외국인 소유 차량 등을 수입하는 자, 상속으로 인한 취득, 주택조합 등의 조합원, 시설대여업자, 지입차주 등 특정 주체에 대하여 납세의무자로 규정하고 있다.

취득세는 재화의 이전이라는 사실 자체를 포착하여 거기에 담세력을 인정하고 부과하는 유통세의 일종으로서, 취득자가 실질적으로 완전한 내용의 소유권을 취득하는가의 여부와 관계없이 사실상의 취득행위 자체를 과세객체로 하는 것이며(대법원 98두14228, 1998.12.8.), '사실상의 취득'은 등기와 같은 소유권 취득의 형식적 요건을 갖추지 못하였어도 잔금지급과 같은 소유권 취득의 실질적 요건을 갖춘 경우를 말한다.

☞ 납세의무자는 취득의 시기와 관련이 있으므로 시행령 제20조 참고

| 참고 _ 취득세 납세의무자 |

구 분	과세대상자산	납세의무자
• 부동산	토지, 건축물	취득한 자
• 부동산에 준하는 것	차량, 기계장비, 선박, 항공기, 임목	
• 각종 권리(회원권)	광업권, 어업권, 골프회원권, 승마회원권, 콘도미니엄 회원권, 종합체육시설이용회원권, 요트회원권	

| 참고 _ 취득유형별 취득세 납세의무자 |

취득 유형	납세의무자
• 건축물의 주체구조부와 하나가 되어 건축물의 효용가치를 이루는 조작설비, 부대설비 등	주체구조부 취득자
• 선박 · 차량 · 기계장비의 종류변경, 토지의 지목변경	소유자
• 외국인 소유의 차량 · 기계장비 · 항공기 및 선박을 직접사용하거나 대여하기 위하여 임차하여 수입하는 경우	수입하는 자
• 주택조합등이 해당 조합원용으로 취득하는 조합주택용 부동산(조합원에게 귀속되지 아니하는 부동산 제외)	조합원
• 「여신전문금융업법」에 따른 시설대여업자가 건설기계나 차량을 대여시설이용자의 명의로 등록하는 경우	시설대여업자 (리스업자)
• 운수업체 명의로 등록되었더라도 취득대금을 지급한 자가 따로 있는 경우(지입차량)	취득대금 지급 자

1. 부동산 등을 취득한 자의 취득세 납세의무

취득세에서 취득 여부에 대한 판단은 취득세 과세대상(부동산, 차량, 선박, 항공기 등 물리적인 과세대상물이나 회원권 등 무형의 재산적 가치가 있는 권리)에 대해 유상, 무상, 원시취득 등 일정한 유형의 취득행위(예를들어 당사자가 거래관계를 맺는 행위)가 있었는지를 따지는 것이고 그 취득행위의 구체적인 판단은 취득의 시기가 도래했는지 여부에 따른다. 먼저 취득세 과세요건인 취득의 행위가 있었는지에 대해 아래의 사례를 통해 살펴본다. 그리고 구체적인 취득의 시기에 관한 쟁점은 취득의 시기편을 참조하기 바란다.

1) 취득세 부과가 타당하다는 사례

◎ 채무의 인수와 사실상 취득

구 지방세법 제105조 제2항은 민법 등 관계 법령의 규정에 의한 등기 등을 이행하지 아니한 경우라도 사실상으로 취득한 때에는 취득한 것으로 본다고 규정하고 있는 바, 여기에서 사실상의 취득이라 함은 일반적으로 등기와 같은 소유권 취득의 형식적 요건을 갖추지는 못하였으나 대금의 지급과 같은 소유권 취득의 실질적 요건을 갖춘 경우를 말하고(대법원 2005두13360 등), 부동산의 매수인이 매매목적물에 관한 채무를 인수하는 한편 그 채무액을 매매잔대금에서 공제하기로 약정한 경우 사실상의 취득시점은 구체적인 사실관계에 따라 일반매매에 있어서 잔대금이 지급된 것과 동일시할 수 있는 상황이 도래한 때라 할 것이고 이를 판단함에 있어서는 채무인수의 성질에 따라 채권자의 승낙이나 수익의 의사표시가 있었는지, 단순한 이행의 인수라 하더라도 소유권이전등기서류의 교부가 있었는지 등의 사정을 종합하여 결정하여야 함(대법원 2000두2204, 2001.2.9.).

◎ 매도인들과 매매계약을 체결하면서 대출채무를 인수한 경우 취득으로 인정

원고는 이 사건 계약상 계약일 즉시 이 사건 부동산을 인도받기로 하였고, 비록 원고 앞으로 소유권이전등기를 마치기 전이라 매도인들의 명의로 임대차계약을 체결하였으나, 임대차계약상 원고 앞으로 소유권이전등기를 마치면 원고가 임대인의 지위를 승계하기로 명시하였으며, 매도인들과 원고는 그 보증금으로 원고의 취득세를 납부하기로 하고, 매도인들이 위 임대차계약의 내용과 조건을 미리 원고에게 알려주었는바, 이러한 사정을 고려할 때 원고는 이 사건 계약일에 이미 이 사건 부동산을 매도인들로부터 인도받아 사용·수익할 수 있는 지위를 취득하였다고 봄이 타당함(대법원 2018두64221, 2019.3.14.).

◎ 대물변제와 사실상 취득

사실상의 취득이라 함은 일반적으로 등기와 같은 소유권 취득의 형식적 요건을 갖추지는 못하였으나 대금의 지급과 같은 소유권 취득의 실질적 요건을 갖춘 경우를 말하고(대법원 92누16843 등), 대물변제는 본래의 채무에 갈음하여 다른 급부를 현실적으로 하는 때에 성립하는 요물계약으로서 부동산의 경우 소유권이전등기를 완료하여야만 대물변제가 성립되어 기존 채무가 소멸하는 것이므로 채권자로서는 소유권이전등기를 경료한 때에 납세의무가 성립함(대법원 98두17067, 1999.11.12.).

◎ 도시개발사업 관련, 해당 공사 관련 대가를 공사업체(A법인)가 해당 시행사로부터 기성률에 따라 현물인 토지로 받아 상계처리한 경우 토지에 대한 취득세 납세의무자임

대물변제는 소유권이전등기를 완료하여야만 대물변제가 성립되고 채권자에게는 납세의무가 성립하는 점(대법원 98두17067, 1999.11.12.), 본 사안의 경우 대물변제 계약이 아닌 토지분양계약으로 체결한 점, 토지의 분양대금을 공사비로 대체한 것으로 볼 수 있고 이는 토지를 분양 받을 권리를 취득하기 위해 공사를 진행하였다고 보이는 점, 권리의무승계서상 시행사가 아닌 A(법인)가 갑(개인)에게 쟁점토지를 양도하였다는 점 등을 고려하면 대물변제 계약이라기보다는 토지의 분양대금을 공사비로 상계하는 계약으로 보는 것이 타당함. 따라서 매수자인 A(법인)가 현물지급용지대금확인서 상에서 상계를 완료한 날 사실상 잔금이 지급되어 취득세 납세의무가 성립되었음(지방세운영과-606, 2015.2.23.).

◎ 대물변제로 받은 다른 급부가 취득세 과세대상 부동산등에 해당하고 대물변제의 이행으로 인하여 채권이 소멸되는 경우에는, 취득세 과세대상 대물변제 물건을 취득하고 그에 대한 매매대금을 지급한 것으로 볼 수 있어 취득세 과세객체인 사실상의 취득에 해당한다고 할 것(지방세운영과-993, 2016.4.19.)

◎ 토지를 사실상 취득(3억)한 후 다른 토지로 변경(4억)하는 경우, 등기여부와 관계없이 2회의 취득이 각각 성립한 것이므로 종전토지의 취득가격을 제외할 수 없음

종전토지의 잔금을 치른 후 매매계약서(변경)를 작성하여 종전토지의 비용을 공제하고 추가대금을 지급한 것은, 이미 보유한 종전토지를 포기하고, 그 금원을 포함하여 쟁점토지를 취득한 것으로 보아야 할 것이므로, 종전토지에 대해 사실상 잔금을 치른 이상, 비록 등기를 이행하지 아니하고, 계약을 해제하였다고 하더라도 이미 성립한 종전토지의 납세의무에 영향을 줄 수 없고, 그 이후 변경계약을 통해 종전토지 대금을 제외하고 추가대금을 지급하여 쟁점토지를 취득하였다고 하더라도 종전토지의 취득가액을 쟁점토지의 취득세 과세표준에서 제외할 수 없다고 할 것임(지방세운영과-3161, 2016.12.19.)

◎ 원시취득일 전에 권리의무를 제3자에게 양도하였으나, 「부동산 특별 조치법」에 따라 준공 이후 등기를 이행하는 경우, 취득세 납세의무 성립

토지조성공사가 완료(준공)되기 전에 토지대금을 완납하고 이를 제3자에게 양도하였더라도, 「부동산등기 특조법」에 따라 순차등기를 경료한 후 최종소유자에게 소유권이전등기를 하는 경우라면 최초분양자는 취득세(舊취득세 및 舊등록세) 납세의무가 있다고 할 것(행자부 세정-290, 2005.1.17.)이므로, 원시취득일 전에 잔금을 지급하고 분양권을 전매한 경우 사실상 취득에 해당하지는 아니하나(행자부 지방세운영과-2359, 2015.7.31.), 「부동산 특조법」에 따라 소유권 이전 등기를 이행하는 경우라면 취득세 납세의무가 성립된다고 할 것임(지방세운영과-280, 2017.8.30.)

◎ 등기신청을 각하하였더라도 검인계약서상 잔금을 완납한 것으로 된 이상 취득이 성립

지방세법 제105조 제2항 소정의 "사실상 취득"이라 함은 일반적으로 등기와 같은 소유권취득의 형식적 요건을 갖추지는 못하였으나 대금의 지급과 같은 소유권 취득의 실질적 요건을 갖춘 경우를 말한다(대법원 99두5955, 2001.2.9.) 할 것으로, 등기불능 사유를 원인으로 등기관서에서 등기신청을 각하하였다고 하여 검인계약서상 잔금을 완납한 것으로 된 이상 이를 취득이 성립되었다 할 것임(지방세정팀-898, 2007.3.28.).

◎ 잔금을 지급할 당시까지도 매매계약의 효력이 유지된 이상, 이후 법원판결에 의하여 매수인의 지위가 변경된 경우라도 취득세 납세의무에 영향이 없음

이 사건 부동산의 매수인으로서 그 매매대금을 모두 지급할 당시까지도 이 사건 매매계약이 그 효력을 그대로 유지하고 있었던 사실이 인정되는 이상, … ○○주택이 이 사건 매매계약의 매수인 지위를 승계하였다고 하더라도, 이 사건 부동산의 매수인으로서 매매계약에 따른 매매대금을 모두 지급한 사실이 없어지는 것은 아니므로, 원고는 이 사건 부동산에 관하여 소유권 취득의 실질적 요건을 갖추었고, 따라서 취득세 납세의무는 성립하였다고 볼 것임(대법원 2011다23248, 2012.12.13.).

◎ **잔금지급 후 회원권 명의개서를 받지 못한 경우라도 기납부 취득세는 환급대상 아님**

골프회원권을 甲으로부터 취득하고 회원권에 대한 잔금지급을 완료하였다면 지방세법 시행령 제73조 제1항의 규정에 의하여 그 잔금지급일에 취득세 납세의무가 성립된 것이므로 잔금지급 후 명의개서를 받지 못하였다 하더라도 당초 신고납부한 취득세는 환부되지 아니하는 것임(지방세운영과-2151, 2008.11.12.).

◎ **경매자체의 무효가 아닌 이상 이미 성립한 납세의무는 영향이 없다고 한 사례**

강제경매에서 매각허가결정에 따라 부동산을 경락받고 경락대금을 완납한 후 경매취소로 기납부한 매각대금을 환급받았을 경우 … 대금완납 이후 경락인이 집행법원에 경매에 의한 매매계약 해제 의사표시를 하여 집행법원이 매각허가를 취소하고 매수인에게 매각대금을 반환하였다면 그 강제경매 자체의 무효로 인한 것이 아닌 이상 경락인에게 이미 성립된 취득세 납세의무에는 영향을 줄 수 없음(지방세운영과-1405, 2009.4.8.).

◎ **매입허가를 받지 않고 부도임대주택을 취득한 경우 원인무효로 볼 수 없음**

「임대주택법」 제16조 제4항에 따르면 부도임대주택 등을 다른 임대사업자가 매입하려면 임대주택의 관리계획, 「주택법」 제60조에 따른 국민주택기금 융자금의 변제계획 등의 요건을 갖추어 시장·군수·구청장에게 매입허가를 신청하여야 하며 시장·군수·구청장이 매입허가신청을 받은 경우에는 임대주택분쟁조정위원회의 심의를 거쳐 매입허가 여부를 결정하여야 하는 것임. 그러나 매입허가 등 「임대주택법」에 따른 절차를 준수하지 않고 부도임대주택을 취득한 것이 사법(私法)상 유효하다면 비록 허가를 받지 못해 잔금을 완납한 후 계약을 해제하였다 하더라도 기 성립한 취득세 납세의무에는 영향이 없다고 할 것임(지방세운영과-2564, 2013.10.11.).

2) 취득세 부과가 부당하다는 사례

◎ **무변론 판결(소유권이전등기말소절차를 이행하라)도 판결과 같이 경정청구 대상**

원고는 이 사건 계약(교환계약)이 기망에 의하여 체결되었음을 이유로 원고가 마친 소유권이전등기의 말소를 구하는 소를 제기하였고, 무변론 승소 판결을 받았음… 피고는 '소유권이전등기말소절차를 이행하라'고만 되어 있을 뿐 이전등기가 원인무효라고 판시한 것이 아니라는 경정청구를 거부 … 지방세기본법 제50조 제2항 제1호는 그 문언상 경정청구 사유가 되는 판결의 종류에 대하여 아무런 제한을 두고 있지 않고, 판결의 주문에 재화취득의 원인이 된 거래 또는 행위 등의 효력에 대한 판단이 나타나 있을 것을 요구하고 있지도 않은 점, … 무변론 판결은 사건의 실체에 대한 심리를 거치지 않고 이루어지는 것이기는 하나, 위 조항은 판결뿐 아니라 판결과 동일한 효력을 가지는 화해나 그 밖의 행위도 모두 경정청구

사유로 포함시키고 있는 바, 화해 등도 사건의 실체가 아니라 당사자의 의사와 양보를 바탕으로 이루어지는 것이므로, 무변론 판결만을 제외하고 있다고 해석하기 어려움(대법원 2017두72119, 2018.3.15.).

◎ 농지를 취득할 수 없는 법인의 농지매매계약은 무효이며, 계약이 무효인 경우 취득행위로 볼 수 없어 취득세 납세의무가 성립되지 않음

농지를 취득할 수 없는 회사가 체결한 농지매매계약은 원시적 불능인 급부를 목적으로 하는 계약으로서 무효임(대법원 2007다65665 등). 한편, 계약이 무효인 경우에는 처음부터 취득세의 과세대상이 되는 사실상의 취득행위가 있다고 할 수 없음(대법원 2013두2778). 원고는 농지법상 농업진흥구역으로 지정된 이천시 ◇◇면 ◇◇리 528 답 4,200㎡의 경우에는 농지전용허가를 얻을 수 없어 이를 취득할 수 없고, 전 2,472㎡의 경우에는 그 중 일정 부분이 국토계획법상 도시계획시설(도로)[8]로 지정되어 있으므로 설령 이를 취득한다고 하더라도 매수 목적을 달성할 수 없음. 따라서 이 사건 매매계약 중 답 4,200㎡의 경우에는 윤○한의 소유권이전등기의무가 원시적으로 이행불능이고, 전 2,472㎡의 경우에도 계약 체결 당시부터 복합체육시설 및 연수원 건축 목적을 달성할 수 없었던 것으로 보이므로, 토지 부분 매매계약은 원시적 불능인 급부를 목적으로 하는 계약으로서 무효임. 이 사건 토지 부분 매매계약이 위와 같이 무효인 이상 취득세의 과세대상이 되는 사실상 취득행위가 있었다고 할 수 없음(대법원 2017두43166, 2017.8.24. 확정).

◎ 취득자의 의사에 기하지 아니한 취득신고 및 이에 기한 징수처분은 무효인 처분에 해당함

제3자가 부동산 취득자의 의사와 관계없이 법무사에세 취득신고를 위임하여 취득신고를 한 경우 그 취득신고 및 이에 기초하여 이루어진 처분청의 징수처분이 무효인 처분에 해당. 이 사건 취득세 등의 신고는 ○○○가 원고 모르게 법무사 ○○○에게 위임하여 한 것으로서 원고의 의사에 기하지 아니한 채 이루어진 중대하고 명백한 하자가 있고, 사후에 원고로부터 추인을 받은 것으로 보기도 어려워 무효이며, 따라서 이에 기초하여 이루어진 취득세 등의 본세 징수처분과 그 가산세의 부과 및 징수처분에 해당하는 이 사건 처분은 무효라고 판단(대법원 2014두10967, 2014.11.27.)

◎ 유상승계취득의 경우 대금 지급과 같은 소유권 취득의 실질적 요건 또는 소유권 이전의 형식도 갖추지 않은 이상 잔금지급일이 도래하였다고 하여 납세의무가 성립되지 않음

지방세법 제105조 제2항은 부동산의 취득에 있어서 민법 등 관계 법령의 규정에 의한 등기 등을 이행하지 아니한 경우라도 사실상 취득한 때에는 이를 취득한 것으로 본다고 규정하고

---

8) 도시계획시설(도로)로 지정되지 않은 나머지 부분은 원고의 매수 목적에 따라 사용할 수 있다고 볼 여지도 있으나 도시계획시설(도로) 부분을 제외한 나머지 부분만으로 원고의 매수 목적을 달성할 수 있을지는 의문이다.

있으며, 위 규정의 사실상 취득이란 일반적으로 등기와 같은 소유권취득의 형식적 요건을 갖추지는 못하였으나 대금의 지급과 같은 소유권취득의 실질적 요건을 갖춘 경우를 말하는 것이므로(대법원 99두5595, 2001.2.9.), 유상승계취득의 경우 대금의 지급과 같은 소유권취득의 실질적 요건 또는 소유권이전의 형식도 갖추지 아니한 이상 구 시행령 제73조 제1항 소정의 잔금지급일이 도래하였다고 하여도 취득세 납세의무가 성립하였다고 할 수 없음(대법원 2002두5115, 2003.10.23.).

◎ 분양전환가격이 대법원판결로 무효가 된 부분은 취득으로 볼 수 없음

취득의 무효 관련, 취득세는 원칙적으로 납세의무자가 스스로 과세표준과 세액을 신고함으로써 납세의무가 확정되지만, 과세표준이었던 분양전환가격이 대법원 확정판결로 일부무효가 되었다면 무효가 된 계약 일부에 대해서는 실체적인 법률관계에 있어서 소유권을 취득한 것이라고 볼 수 없으므로 그 부분에 대한 취득세는 환급대상으로 판단됨(지방세운영과-2844 2011.6.17.).

◎ 공부상 면적이 증가하였으나 대가 지급이 없는 경우 취득세 과세대상이 아님

납세자의 귀책사유 없이 취득세 신고납부 후 측량으로 당초 과세물건 면적이 증가한 경우, 취득세는 취득을 과세요건으로 하는 행위세이고 그 납세의무는 취득시 발생하는 것이므로(대법원 92누15895, 1993.4.27.) 취득 이후에 측량 등으로 그 면적에 오류가 발견되어 공부상 면적이 증가된다고 하더라도 추가로 대가를 지급한 사실이 없다면 취득세 과세대상이 되지 않는다고 판단됨(지방세운영과-981, 2012.3.30.).

◎ "계약자 지위이전 계약" 체결시 시공사로부터 토지를 새로 취득한 것으로 볼 수 없음

시공사가 당초 토지분양에 대한 잔금과 취득세는 모두 납부하였으나 수정계약으로 발생한 추가대금 등을 정산하지 않고 아파트를 분양·신축한 상태에서 부도로 인해 실체가 없어져 버려 분양대금과 취득세 등을 이미 납부한 수분양자들이 시공사의 중간등기를 생략하기 위해 대법원 등기선례에 따라 "계약자 지위이전 계약" 등을 체결하고 시공사의 계약자 지위를 승계받는 경우라면, 단순히 "계약자 지위이전 계약"을 체결한다고 하여 수분양자들이 시공사로부터 토지를 새로이 승계취득한다고 볼 수는 없으므로 이에 대한 취득세 납세의무는 없다고 판단됨(지방세운영과-2161, 2012.7.10.).

◎ 등기와 같은 소유권이전의 형식도 갖추지 못하고, 계약금 등 매매대금도 지급하지 않아 실질적 취득의 요건도 갖추지 못한 상태에서 이루어진 취득신고는 당연무효

원고가 이 사건 부동산에 관하여 등기와 같은 소유권 취득의 형식적 요건을 갖추지 못하였을 뿐만 아니라 계약금을 비롯한 매매대금의 지급이 전혀 이루어지지 아니하여 소유권 취득의 실질적 요건도 갖추지 못함에 따라 이 사건 부동산의 취득에 기초한 이익 등을 향유한 바

없는 것으로 보이는 점 등 그 판시와 같은 사정을 들어 이 사건 처분이 당연무효라고 판단(대법원 2009두12501, 2014.3.27.)

◎ 그 밖에 취득세 납세의무가 성립하지 않는다는 사례

- 채무이행을 회피하려고 허위로 증여를 원인으로 소유권이전등기하여, 당해 소유권이전등기가 원인무효에 해당하게 되는 경우 납세의무가 성립되지 않음(대법원 2012두12709, 2014.5.29.).
- 허위의 매매계약서를 작성하여 본인 앞으로 등기를 하기 위해 취득세를 자진신고한 경우 그 취득신고는 당연무효이나 이는 민법 제746조 소정의 불법원인급여에 해당하여 반환을 구할 수 없음(대법원 2011다75706, 2011.11.10).
- 착오로 취득한 건물의 호수를 잘못 기재하여 소유권 이전등기한 경우에는 취득세 납세의무가 성립되지 아니함(대법원 2006두14384, 2007.1.25.).
- 실체적인 법률관계 없는 원인무효 소유권이전등기(소유자가 아닌 자가 사기로 매도한 부동산을 이전등기)에 기한 소유권 취득은 납세의무가 성립되지 않음(대법원 64누84, 1964.11.24.).

2. 계약 해제와 취득세 납세의무

「지방세법」 제7조 제2항(구 제105조 ②)에서 부동산 등의 취득은 「민법」 등 관계 법령에 따른 등기 등을 하지 아니한 경우라도 사실상 취득하면 각각 취득한 것으로 보고 해당 취득물건의 소유자 또는 양수인을 각각 취득자로 보도록 규정되어 있고, 여기서 말하는 사실상의 취득이란 등기와 같은 소유권 취득의 형식적 요건을 갖추지 못하였어도 대금의 잔금과 같은 소유권 취득의 실질적 요건을 갖춘 경우를 말한다. 부동산 취득세는 부동산의 취득행위를 과세객체로 하여 부과하는 행위세이므로, 그에 대한 조세채권은 그 취득행위라는 과세요건 사실이 존재함으로써 당연히 발생하며, 일단 적법하게 취득한 다음에는 그 후 합의에 의하여 계약을 해제하고 그 재산을 반환하는 경우에도 이미 성립한 조세채권의 행사에 영향을 줄 수는 없다(대법원 2012두27015 등).

소유권이전등기 또는 사실상 취득(잔금지급) 이후에 매매계약이 합의해제되거나, 해제조건의 성취 또는 해제권의 행사 등에 의하여 소급적으로 실효되었다 하더라도 이미 성립한 취득세 납세의무에는 영향을 미치지 못한다(대법원 99두6651, 2001.4.10.).

1) 계약이 해제되더라도 납세의무 성립에 영향이 없다는 사례

◎ 조정에 갈음하는 결정(해제권 행사로 계약 해제)이 있더라도 취득세에는 영향이 없음

조세채권은 그 취득행위라는 과세요건 사실이 존재함으로써 당연히 발생하고, 일단 적법하

게 취득한 이상 그 이후에 매매계약이 합의해제되거나, 해제조건의 성취 또는 해제권의 행사 등에 의하여 소급적으로 실효되었다 하더라도, 이로써 이미 성립한 조세채권의 행사에 아무런 영향을 줄 수 없음(대법원 99두6651 등). 이러한 취득세의 성격과 본질 등에 비추어 보면, 매매계약에 따른 소유권이전등기를 마친 이후 계약이 잔금 지체로 인한 해제권 행사로 해제되었음을 전제로 한 조정에 갈음하는 결정이 확정되었다고 하더라도, 일단 적법한 취득행위가 존재하였던 이상 취득당시의 과세표준을 기준으로 성립한 조세채권의 행사에 아무런 영향을 줄 수 없음, 지방세기본법상 통상의 경정청구나 후발적 경정청구를 할 수도 없음(대법원 2018두38345, 2018.9.13.).

◎ **매수대금을 마련하지 못하여 계약을 취소한 경우라도 납세의무 성립에 영향 없음**

등기・등록 등을 이행하지 아니한 경우라도 사실상으로 취득한 때에 취득한 것으로 보도록 규정하고 있고 증여계약이 성립한 이후 이 사건 부동산을 취득하여 그에 대한 조세채권이 성립하였고, 이 사건 단서조항에 따라 취득일부터 60일 이내에 이 사건 계약이 해제된 사실이 화해조서・인낙조서・공정증서 등으로 입증되지 않으므로, 원고는 이 사건 부동산을 사실상 취득하였다고 볼 것이고, 매수할 돈을 준비하지 못하여 이 사건 계약이 취소 또는 해제되었다 하더라도 그와 같은 사정만으로 이미 성립한 조세채권의 행사에 영향을 줄 수는 없음(대법원 2015두48105, 2015.10.29.).

◎ **매매대금을 모두 지급하였으나 소유권이전등기를 마치지 아니한 상태에서 매매계약을 합의해제하고 부동산을 반환한 경우, 이미 성립한 조세채권의 행사에 영향을 줄 수 없음**

유상승계취득의 경우 사실상의 잔금지급일 등을 원칙적인 취득시기로 보도록 규정하고 있으므로, 부동산에 관한 매매계약을 체결하고 매매대금을 모두 지급하면 소유권이전등기를 마치지 아니하였더라도 취득세의 과세대상이 되는 사실상의 취득행위가 존재하게 되어 그에 대한 조세채권이 당연히 성립하고, 그 후 합의에 의하여 매매계약을 해제하고 그 부동산을 반환하였더라도 이미 성립한 조세채권의 행사에 영향을 줄 수 없음(대법원 2011두27551, 2013.11.28.).

◎ **분양대금 납부 후 당초 분양면적 분양이 불가능하여 그 계약이 해지된 경우라도 정산합의로 분양대금을 모두 납부한 이상 사실상 취득이 성립되어, 이후 정산합의가 해제되었다고 하더라도 당초 취득세 납세의무에 영향이 없음**

원고는 정산합의에 따라 분양대금을 모두 납부한 것이 되어 이 사건 점포를 사실상 취득하였다고 할 것임. 그리고 정산합의가 합의해제되었다고 인정할 자료가 없고, 설령 정산합의가 원심 판시의 이 사건 처분 후에 합의해제되었다고 하더라도 이는 이미 성립한 취득세채권의 행사에 영향을 미칠 수 없으며, 이 사건 분양계약의 해제도 마찬가지로 취득세채권의 행사에 영향을 미칠 수 없음(대법원 2011두13613, 2014.5.29.).

◎ **금융기관 및 건축주로부터 받은 대출금 · 보증금 등으로 분양대금을 지급한 이후 대출금을 변제하지 못해 소유권이전등기를 못한 상태에서 특약에 따라 분양계약이 해지된 경우**

○○은행 및 ○○○○로부터 받은 대출금, ○○○으로부터 받은 보증금 등으로 2005.10.5. ○○○○에게 이 사건 분양계약에 따른 분양대금의 지급을 모두 완료한 점, 2005.9.경 이 사건 상가에 관한 임시사용승인이 나자 ○○○에게 임대하여 임대차보증금을 지급받고 2005.10.5.부터 2007.10.5.까지 차임을 수령하는 등 사실상 소유하고 그 수익을 취해 온 점, 비록 그 후 ○○은행 및 ○○○○에 대한 대출금을 변제하지 못하여 이 사건 상가분양계약이 2010.1.8.경 해제되었으나, 이는 분양계약상 금융기관에 대한 대출금을 변제하지 못할 경우 분양계약을 해제할 수 있다는 특약에 따른 것이고, 분양대금을 납입하지 못한 것은 아닌 점 등을 종합하면, 위 잔금지급일인 2005.10.5.경부터 분양계약이 해제된 2010.1.8.경까지 사실상 취득 · 소유하였다고 봄이 상당함(대법원 2014두11625, 2014.12.11.).

◎ **취득신고 후 대출실행 불능으로 잔금을 지급하지 못한 상태에서 계약이 해지된 경우 취득신고 행위를 당연무효에 이를 정도의 하자로 볼 수 없어 징수처분을 취소할 수 없음**

① 원고는 매매계약의 잔금지급일 이후 스스로 피고에게 이 사건 신고를 한 점, ② 매매계약서에는 잔금지급을 위한 대출을 받지 못할 경우 계약을 취소하기로 하는 약정이 기재되어 있지 않고 …, ③ 원고가 ○○○로부터 계약금을 돌려받거나, 계약금을 포기하기로 하는 등의 계약금에 대한 법률관계가 불분명하고, 따라서 매매계약이 확정적으로 해제 또는 취소되었다고 보기 어려운 점, ④ ○○○가 이 사건 매매계약 이후 부동산을 신탁회사에 신탁하고 담보대출을 받은 사정은 원고가 등기부상 이 사건 부동산에 대한 소유권을 취득하지 못하였다는 사실에 대한 근거에 불과한 점 등을 종합하면, 이 사건 신고는 당연무효에 이를 정도의 하자로 볼 수 없음(하급심)(대법원 2013두3023, 2013.5.23.).

◎ **사실상의 잔금지급이 이루어지거나 법인과의 매매계약에 있어서는 계약해제에 따른 부동산거래계약해제등확인서를 제출하였더라도 납세의무가 소멸할 수 없음**

청구인들은 계약체결일인 2009.7.7. 매매대금 전부를 지급하는 내용의 이 건 부동산 매매계약을 체결한 후 2009.8.4. 부동산거래계약신고 및 취득신고를 한 반면, 취득에 따른 대금을 실제 지급하지 않았음을 입증할만한 자료를 제출하지 못하고 있으므로 계약상 잔금지급일에 매매대금을 완납하여 사실상 취득하였다 하겠고, 그 후 계약상 잔금지급일부터 30일이 경과한 2009.10.27.과 2009.10.28.에 매매계약을 해제하였다는 부동산거래계약해제등확인서를 제출하였더라도 사실상의 잔금지급이 이루어지거나 법인과의 매매계약에 있어서는 「지방세법 시행령」 제73조 ① 2호 단서 규정을 적용할 수는 없는 것이어서 납세의무가 소급하여 소멸되

었다고 인정할 수 없음(조심 2010지51, 2010.12.17.).[9]

◎ **법인이 잔금을 지급하여 사실상 취득을 완료한 후 30일 이내에 계약을 해제하고 이를 신고하였다 하더라도 취득세 납세의무 성립에 영향 없음**

이 사건 아파트에 관한 계약상 잔금지급일은 2010.5.31.부터 2010.7.30.까지인 사실, 원고는 위 기간 중인 2010.7.23. ○○물산에게 잔금지급을 완료한 후, 2010.8.20. 위 분양계약을 해제한 사실에 의하면, 원고는 2010.7.23. 잔금지급을 완료함으로써 이 사건 아파트를 사실상 취득하였다고 할 것임. 이와 같이 현저하고 명백한 사실상의 취득시기가 판명된 경우에는 구 지방세법 제105조 ②(現 제7조 ②)에 의하여 그 때 취득세의 납세의무가 성립하고, 구 시행령 제73조 ① 제2호(現 제20조 ② 2호)는 적용되지 않으므로, 원고가 계약상 잔급 지급일부터 30일 내에 위 분양계약을 해제하였다 하더라도, 취득세 납세의무의 성립 여부에는 영향을 미치지 아니함(대법원 2012두9130, 2012.8.30.).

◎ **합의해제를 통한 소유권이전등기 말소는 기 성립한 취득세 납세의무에 영향이 없음**

합의해제를 통한 소유권이전등기 말소 판결 관련, 실체적인 법률관계에 있어서 그 소유권을 취득한 것이라고 볼 수 없는 원인무효의 등기명의자는 취득세의 납세의무자가 될 수 없다 할 것(대법원 2006두14384, 2007.1.25. 참조)이나, 귀문의 경우 부동산을 취득·등기한 후 법원에서 당사자간 합의해제를 통한 소유권이전등기 말소하라는 판결을 받은 경우라면 당사자간의 의사표시로 인한 매매계약의 취소판결에 해당되어 이미 적법하게 성립한 취득세 등의 납세의무에 영향을 줄 수 없다 할 것이므로 매수인이 기 납부한 취득세는 환부대상에 해당되지 않음(지방세운영과-1920, 2009.5.13.).

◎ **농지취득자격증명 발급 반려로 인해 매매계약이 해제되었더라도 취득세 납세의무 성립**

농지취득 자격증명은 농지를 취득하는 자가 그 소유권에 관한 등기를 신청할 때에 첨부하여야 할 서류로서, 농지를 취득하는 자에게 농지취득의 자격이 있다는 것을 증명하는 것일 뿐 농지취득의 원인이 되는 법률행위의 효력을 발생시키는 요건은 아니고, 해당 지역은 토지거래계약 허가구역 내에 있지도 아니하므로, 거래대금을 완납한 이상, 농지거래에 대한 허가를 득하지 못했다는 사실만으로 쟁점 부동산을 사실상 취득하지 아니한 것으로 볼 수는 없음(부동산세제과-899, 2020.4.23.).

---

9) 지방세법 시행령 [시행 2007.1.1.] [대통령령 제19817호, 2006.12.30., 일부개정] 다. 개인간 유상승계취득 시기의 개선(영 제73조 제1항) (1) 개인간 유상승계취득의 시기를 사실상 잔금지급일과 계약상 잔금지급일로 각각 적용하고 있음. (2) 개인간 유상승계취득의 경우 사실상 잔금지급일이 불명확하므로 계약상 잔금지급일을 취득시기로 하도록 함. ("1. 법 제111조 제5항 각 호의 1에 해당하는 유상승계취득의 경우에는 그 사실상의 잔금지급일"에서 "1. 법 제111조 제5항 제1호 내지 제4호의 어느 하나에 해당하는 유상승계취득의 경우에는 그 사실상의 잔금지급일"로 변경)

2) 합의해제로 환원되는 경우 당초 양도인의 재취득

◎ **합의해제로 인해 이전되었던 소유권은 당연 매도인에게 복귀되는 것이므로 취득이 아님**

부동산매매계약 합의해제가 계약의 소급적 소멸을 목적으로 했다면 그 합의해제로 인하여 매수인 앞으로 이전되었던 부동산소유권은 당연 매도인에게 복귀되는것이므로 매도인이 원상회복방법으로 소유권 이전등기 했더라도 부동산취득에 해당하지 않음. 이 사건 부동산을 위 방×선으로부터 매수한 것처럼 관계문서를 만들어 1984.9.1.에 소유권이전등기를 마친 사실을 인정할 수 있을 뿐 원고가 이 사건 부동산을 소외 방×선으로부터 다시 취득한 것이 아니므로 지방세법 제105조에서 말하는 부동산의 취득에 해당하지 않는다는 취지로 판단하였음(대법원 85누1008, 1986.3.25).

☞ 진정명의회복을 원인으로 한 소유권이전등기는 이전등기의 형식을 취하고 있다고 하더라도 진정한 소유자의 등기명의를 회복하기 위한 것으로서 소유권에 기한 방해배제청구권 행사의 일환으로서 행해지는 것으로 그 실질은 소유권이전등기의 말소등기와 같다고 할 것이므로(대법원 99다37894), 진정명의회복을 원인으로 한 이 사건 등기는 무효인 명의신탁 약정에 터잡은 물권변동의 외관을 제거하기 위한 것으로서 그 실질이 소유권의 회복이어서 지방세법 제7조 제1항이 취득세 과세대상으로 삼는 부동산의 취득에 해당하지 않는다고 할 것임(인천지법 2013구합684, 2013.6.30.).

◎ **A에서 B로 소유권이전등기 후 계약해제 사유로 환원된 경우 A는 취득세 납세의무 없음**

'부동산 취득'이란 소유권이전의 형식에 의한 부동산취득의 모든 경우를 포함한다고 할 것(대법원 2005두9491, 2007.4.12.)이나, 소유권이전등기의 원인이었던 계약을 소급적으로 실효시키는 합의해제 약정에 기초하여 소유권이전등기를 말소하는 원상회복조치의 결과로 그 소유권을 취득한 것은 취득세 과세대상이 되는 부동산취득에 해당하지 않으며(대법원 93누11319, 1993.9.1., 조심 2014지930, 2014.10.6. 등), 합의해제가 계약의 소급적 소멸을 목적으로 했다면 그 합의해제로 인하여 매수인 앞으로 이전되었던 부동산의 소유권이 당연히 매도인에게 복귀되는 것이므로 매도인이 원상회복의 방법으로 소유권이전등기를 했다고 하더라도 부동산 취득에 해당하지 않는다(대법원 85누1008, 1986.3.25.)는 등의 판시내용을 감안할 때, 이미 자기 앞으로 소유권을 표상하는 등기가 되어 있었던 자가 원인무효 등기의 외관을 제거하고 소유권을 원상회복할 경우 취득세 과세대상 부동산을 취득한 것으로 볼 수 없음(지방세운영과-2043, 2015.7.9.).

☞ 증여를 원인으로 소유권이전등기를 경료한 후 합의해제에 의해 증여했던 부동산을 당초 증여자에게 반환하는 경우 당초 증여자에게 취득세 납세의무가 있다는 취지의 기존 유권해석(지방세운영과-3006, 2013.11.20.)을 변경한 것임.

◎ **원고인 수익자가 위탁자의 부도로 수탁자로부터 소유권을 환원받은 경우 실질은 매매계약의**

해제에 따른 원상회복에 해당하므로 취득세 과세대상으로 볼 수 없음

원고(한국○○공사)는 ○○허브(26개 법인 컨소시엄)와 국제업무지구 개발사업 시행 목적의 협약체결, ○○허브는 원고 소유토지를 4차례에 걸쳐 취득·등기, ○○허브는 대한토지신탁과 담보신탁계약 체결(위탁자·채무자 드림허브, 수탁자 대한토지신탁, 제1순위 우선수익자 금융권, 제2순위 원고)함과 동시에 협약위반시 원고에게 토지귀속 및 대금반환 등에 관해 합의, 이후 ○○허브의 부도로 원고는 사업협약 해제를 통지하고 토지 소유권을 반환. 이에 대해 피고는 원고가 담보신탁계약상 수익자로서 수탁자로부터 신탁재산인 이 사건 토지의 소유권을 이전받은 것이므로 취득세 과세대상으로 과세 (판단) 형식적으로 신탁재산인 부동산을 수탁자로부터 수익자에게 이전하는 모든 경우에 취득세 과세대상이 된다고는 볼 수 없고, 그 소유권 이전의 실질에 비추어 해제로 인한 원상회복의 방법으로 이루어진 경우에는 취득세 과세대상인 취득에 해당하지 않음(대법원 2018두32927, 2020.1.30.).

☞ 합의해제가 새로운 계약으로 기존 계약을 소급적으로 소멸시키는 것에 비하여, 법정해제나 약정해제는 계약 체결 당시부터 특정한 사유 발생에 따른 해제권 행사가 예정되어 있음.

3. 명의신탁[10)]

당사자간에 명의신탁 계약을 통해 부동산을 취득하게 되면 대금은 명의신탁자가 지급하지만 명의수탁자 앞으로 등기를 하게 되므로 수탁자가 취득세를 신고납부하게 된다. 법원의 판례에 따르면 명의수탁자에게는 납부한 취득세를 환급하고 명의신탁자에게 취득세를 다시 부과해야 한다. 그런데 당사자간에 다툼이 없으면 과세관청은 인지하지 못하고 취득세문제도 나타나지 않지만, 소유권분쟁으로 인해 법원의 판결로 명의신탁 재산이 확인되면 명의수탁자는 명의신탁자가 취득세 납세의무자라고 주장하며 자신이 납부한 취득세를 돌려달라고 할 것이다. 법원은 이에 대해 대금의 지급과 같은 사실상 취득에 따른 납세의무가 발생한다고 보아 명의신탁자가 납세의무자라고 보고 있다. 과세관청은 명의수탁자에게는 취득세를 돌려주고, 명의신탁자에게 과세해야한다. 그런데 부과제척기간이 경과하면 과세관청은 취득세를 과세할 수 없다. 과세관청이 사인간의 거래에서 명의신탁재산인지 여부를 확인해서 과세하라는 의미인데, 과세관청이 사인간의 관계에 개입하는 것에 한계가 있기 때문에 제도적으로 불완전한 과세체계가 된다.

10) 부동산 실권리자명의 등기에 관한 법률에 따른 "명의신탁약정"이란 부동산에 관한 "실권리자"가 타인과의 사이에서 대내적으로는 실권리자가 부동산에 관한 물권을 보유하거나 보유하기로 하고 그에 관한 등기는 그 타인의 명의로 하기로 하는 약정을 말한다. 다만, 채무의 변제를 담보하기 위하여 채권자가 부동산에 관한 물권을 이전(移轉)받거나 가등기하는 경우, 부동산의 위치와 면적을 특정하여 2인 이상이 구분소유하기로 하는 약정을 하고 그 구분소유자의 공유로 등기하는 경우, 「신탁법」 또는 「자본시장과 금융투자업에 관한 법률」에 따른 신탁재산인 사실을 등기한 경우는 제외한다.

계약명의신탁의 경우 매도인이 선의이냐 악의이냐에 따라 부동산의 소유자가 명의수탁자 혹은 매도인으로 달라지는 점은 있는데, 선의의 경우 명의신탁계약은 유효하므로 잔금이 지급되었다면 계약명의수탁자의 취득세 납세의무는 성립된다. 그런데 명의신탁자의 입장에서는 어느 경우에도 매도인이나 명의수탁자에게 소유권이전등기청구를 할 수 있는 지위를 갖지 못하기 때문에 명의신탁자가 부동산의 매수대금을 실질적으로 지급하였다고 하더라도 부동산을 사실상 취득하였다고 볼 수 없으므로 취득세 납세의무가 성립할 수 없다(대법원 2012두14804).

- **3자간 등기명의신탁 약정에 따라 명의수탁자 명의로 소유권이전등기를 마쳤다가 그 후 해당 부동산에 관하여 자신의 명의로 소유권이전등기를 마친 경우 취득세 납세의무**

  [다수의견] 구 지방세법 제105조(현행 §7) 제1항, 제2항, 제111조(현행 §10) 제7항, 구 지방세법 시행령 제73조(현행 §20 ①) 제1항, 제3항 본문 규정의 문언 내용과 아울러 구 지방세법 제105조 제2항에서 규정한 '사실상 취득'이란 일반적으로 등기와 같은 소유권 취득의 형식적 요건을 갖추지는 못하였으나 대금의 지급과 같은 소유권 취득의 실질적 요건을 갖춘 경우를 말하는 점 등을 종합하여 보면, 매수인이 부동산에 관한 매매계약을 체결하고 소유권이전등기에 앞서 매매대금을 모두 지급한 경우 사실상의 잔금지급일에 구 지방세법 제105조 제2항에서 규정한 '사실상 취득'에 따른 취득세 납세의무가 성립하고, 그 후 그 사실상의 취득자가 부동산에 관하여 매매를 원인으로 한 소유권이전등기를 마치더라도 이는 잔금지급일에 '사실상 취득'을 한 부동산에 관하여 소유권 취득의 형식적 요건을 추가로 갖춘 것에 불과하므로, 잔금지급일에 성립한 취득세 납세의무와 별도로 등기일에 제105조 제1항에서 규정한 '취득'을 원인으로 한 새로운 취득세 납세의무가 성립하는 것은 아님(대법원 2014두43110, 2018.3.22.).

- **3자간 등기명의신탁 이후 수탁자가 명의신탁자로부터 취득하는 경우 납세의무 있음**

  ㈜부○이 2003.11.6.자 매매계약에 따른 매매대금을 지급하고 3자간 등기명의신탁 약정에 따라 원고 명의로 소유권이전등기를 마쳤으므로, 이와 관련한 취득세 납세의무자는 명의신탁자인 ㈜부○임. 반면, 이 사건 취득세 납세의무의 과세대상인 원고의 취득행위는 2010.7.15.자 계약에 따른 것으로서, ㈜부○을 취득세 납세의무자로 본 위 2003.11.6.자 매매계약에 기초한 취득행위와 구별됨. 따라서 3자간 등기명의신탁에 수반하여 명의수탁자가 취득세를 납부하였다고 하더라도, 이를 별도의 절차를 통하여 환급받을 수 있는지는 별론으로 하고, 이 사건 토지를 별개의 원인에 기초하여 취득함으로써 성립하는 원고의 이 사건 취득세 납세의무에 영향을 미치지 않음(대법원 2013두3078, 2018.4.24.).

- **매매대금을 사실상 부담하였더라도 명의신탁자(계약명의신탁)는 납세의무 성립되지 않음**

계약명의신탁에 의하여 부동산의 등기를 매도인으로부터 명의수탁자 앞으로 이전한 경우 명의신탁자는 매매계약의 당사자가 아니고 명의수탁자와 체결한 명의신탁약정도 무효이어서 매도인이나 명의수탁자에게 소유권이전등기를 청구할 수 있는 지위를 갖지 못함. 따라서 명의신탁자가 매매대금을 부담하였더라도 그 부동산을 사실상 취득한 것으로 볼 수 없으므로, 명의신탁자에게는 취득세 납세의무가 성립하지 않음(대법원 2012두14804). 소외인들은 명의신탁약정에 해당하는 이 사건 업무약정에 따라 직접 계약당사자가 되어 자신들 명의로 이 사건 토지에 관한 매매계약을 체결하였음을 알 수 있고, 명의신탁자인 원고에게 계약에 따른 법률효과를 직접 귀속시킬 의도로 위 계약을 체결하였다는 등의 특별한 사정도 보이지 않으므로, 이 사건 명의신탁관계는 계약명의신탁에 해당함. 따라서 명의신탁자인 원고가 그 매매대금을 사실상 부담하였더라도 사실상 취득한 것으로 볼 수 없으므로, 취득세 납세의무가 성립하지 않음(대법원 2012두28414, 2017.7.11.).

☞ [계약명의신탁] 명의신탁자가 명의수탁자와 사이에 명의신탁약정을 맺고 명의수탁자가 매매계약의 당사자가 되어 매도인과 사이에 매매계약을 체결한 후 등기를 매도인으로부터 명의수탁자 앞으로 이전하는 형식의 계약

☞ [등기명의신탁] 명의수탁자가 부동산 취득의 원인계약에는 관여하지 않고, 등기명의만 이전받는 명의신탁의 한 유형으로 ① 신탁자로부터 직접 이전받은 경우(양자간의 명의신탁), ② 명의신탁자가 매도인으로부터 부동산을 매수하면서 자기 앞으로 등기를 마치지 않고, 바로 명의수탁자 앞으로 이전등기를 하는 경우(3자간의 명의신탁)가 있음.

☞ [대법원 2010다52799, 2010.10.28.] 3자간 등기명의신탁인지 계약명의신탁인지의 구별은 계약당사자가 누구인가를 확정하는 문제로 귀결되는데, 계약명의자가 명의수탁자로 되어 있더라도 계약당사자를 명의신탁자로 볼 수 있다면 이는 3자간 등기명의신탁임. 따라서 명의신탁자에게 계약에 따른 법률효과를 직접 귀속시킬 의도로 계약을 체결한 사정이 인정된다면 명의신탁자가 계약당사자라고 할 것이므로 이 경우의 명의신탁관계는 3자간 등기명의신탁으로 보아야 함.

◎ 선의의 경우 명의신탁계약은 유효하므로 잔금이 지급되었다면 계약명의수탁자의 취득세 납세의무는 성립되며, 전매는 10년의 부과제척기간이 적용됨

명의신탁자와 명의수탁자가 계약명의신탁약정을 맺고 명의수탁자가 당사자가 되어 명의신탁약정이 있다는 사실을 알지 못하는 소유자와 부동산에 관한 매매계약을 체결한 경우 그 계약은 일반적인 매매계약과 다를 바 없이 유효하므로, 그에 따라 매매대금을 모두 지급하면 소유권이전등기를 마치지 아니하였더라도 명의수탁자에게 취득세 납세의무가 성립하고, 이후 그 부동산을 제3자에게 전매하고서도 최초의 매도인이 제3자에게 직접 매도한 것처럼 소유권이전등기를 마친 경우에도 마찬가지임. 원고는 남△우와 이 사건 부동산의 매수자를 디◇하우징 등으로 변경하기로 합의하였고, 그에 따라 디◇하우징 등이 남△우로부터 직접 위

부동산을 매수하는 내용의 매매계약서가 작성되었으며, 실제로 소유권이전등기도 원고를 거치지 아니한 채 바로 디◇하우징 앞으로 마쳐진 점, 원고가 자신의 명의로 소유권이전등기를 마치지 아니한 것은 그에 따른 비용이나 조세부담 등을 회피하기 위한 것으로 보일 뿐이고, 원고는 위 부동산의 취득과 관련하여 조세의 부과징수를 곤란하게 하는 적극적인 부정행위를 하였다고 봄이 타당하므로, 원고의 위 부동산 취득에 관해서는 10년의 부과제척기간 적용 (대법원 2015두39026, 2017.9.12.)

◎ 피상속인의 2자간 명의신탁약정은 무효이고, 그에 터 잡은 명의신탁등기 역시 무효이므로 상속인들에게 취득세 납세의무는 성립되지 않음

다○○교회가 차○철에게 유치원건물에 관한 등기 명의를 신탁한 것인데, 이는 2자간 일반적인 명의신탁으로서 부동산실명법의 시행으로 말미암아 다○○교회와 차○철 사이에 성립한 명의신탁약정은 무효이고, 그 명의신탁약정에 터 잡아 유치원건물에 관하여 차○철 앞으로 마쳐진 소유권보존등기 역시 무효임. 따라서 원고를 비롯한 차○철의 상속인들이 차○철의 사망으로 이러한 명의신탁관계상의 수탁자 지위를 포괄승계하였다고 할지라도, 이는 단지 차○철이 다○○교회에 대하여 부담하는, 유치원건물에 관한 소유권보존등기의 말소등기의무를 승계한 것에 불과할 뿐 그 건물의 소유권을 승계취득한 것이 아님은 물론 건물에 관하여 상속등기를 마치지 않은 이상 유치원건물을 제3자에게 유효하게 처분할 수도 없어 구 지방세법 제7조 제1항에서 정한 부동산취득에 해당한다고 보기 어려움(대법원 2015두52296, 2017.12.13. 확정)

◎ 명의신탁된 토지에 대한 경제적 이익이 명의신탁자에게 귀속되더라도 명의신탁된 토지의 지목변경에 따른 취득세 납세의무자는 명의수탁자임

'부동산의 취득'이란 소유권 이전의 형식에 의한 부동산 취득의 모든 경우를 포함하는 것으로서 명의신탁이나 명의신탁해지로 인한 소유권이전등기를 마친 경우도 여기에 해당되므로, 토지에 대한 명의신탁약정이 체결된 경우에는 명의수탁자도 취득세의 납부의무를 부담한다 할 것임(대법원 2010두10549, 2010.9.9.). … 명의신탁약정에 의하여 수탁자에게 소유권이 이전된 토지의 경우에도 명의수탁자의 부동산 취득시와 마찬가지로 지방세법 제105조 제5항이 규정한 지목의 변경으로 인한 취득세의 납세의무는 명의수탁자에게 있다고 봄이 상당하고, 지목변경에 따른 실질적인 경제적 이익의 귀속주체가 명의신탁자라고 하더라도 달리 볼 수 없음(대법원 2013두26323, 2014.3.27.).

◎ 당초 매도인의 상속인들에게 진정명의회복을 원인으로 한 소유권이전등기절차를 이행하라는 판결을 받은 경우, 상속인의 취득세 납세의무 여부 및 해당 적용세율

쟁점 부동산의 소유권을 수탁자(C) 명의에서 매도인(A)의 상속자 명의로 이전한 것이 취득세 납세의무가 있는지를 살펴보면, 해당 법원판결에서 쟁점 부동산의 명의로 신탁한 것은 종중과 종중원의 관계로 볼 수 없어 부동산실명법에서 무효로 규정하고 있는 이른바 3자간 등기명의신탁에 해당한다고 보고 있는 점, 무효인 계약에 기한 소유권 이전등기의 원상회복을 위하여 매도인(A)의 상속자들에게 진정명의회복을 원인으로 한 소유권이전등기절차를 이행하도록 결정한 것이 확인되고 있는 점 등, 이는 무효인 명의신탁 약정에 따른 소유권에 대한 원상회복의 방법으로 소유권이전등기의 방식을 취한 것에 불과하므로, 취득에 해당하지 않는다고 할 것임(지방세운영과-2271, 2016.9.2.).

☞ 한편, 등록면허세의 경우 비록 무효인 명의신탁 약정에 터 잡은 물권변동의 외관을 제거하기 위한 것이라 하더라도, 소유권이전등기를 받은 경우에는 '상속 이외의 무상으로 인한 소유권 취득에 기한 부동산 등기'로 보아 1,000분의 15의 세율을 적용하는 것(서울고법 2013누4929, 2013.9.5.)이 타당

◎ **명의신탁자가 건물을 사실상 취득하였음을 이유로 취득세 등을 납부하였다고 하더라도, 명의수탁자가 스스로 취득세를 신고·납부한 것은 당연무효나 이중과세가 아님**

피고로서는 별도의 사실관계에 관한 조사 없이 이 사건 건물에 관하여 소유권보존등기를 마친 원고들이 명의수탁자에 불과하다는 사정을 알 수는 없었으므로, 설령 비과세 대상에 해당하더라도, 당연무효라 할 정도로 명백한 하자는 없는 점(대법원 98다6176, 1999.10.12. 등), 비록 이 사건 처분 후에 명의신탁자도 건물을 사실상 취득하였음을 이유로 취득세 등을 납부하였더라도, 원고들에 대한 이 사건 처분과 명의신탁자에 대한 부과처분은 납세의무의 성립요건과 납세의무자를 달리하는 것이고, 명의수탁자인 원고들에 대한 취득세 부과와 명의신탁자에 대한 취득세 부과를 이중과세로 보아 이를 배제하는 명시적 규정도 없는 이상, 이 사건 처분과 명의신탁자에 대한 취득세 등의 부과가 반드시 이중과세로 무효라 할 것도 아님(대법원 2013두1027, 2013.4.25.).

☞ 부동산실명법 제4조(명의신탁약정의 효력) ① 명의신탁약정은 무효로 한다.
② 명의신탁약정에 따른 등기로 이루어진 부동산에 관한 물권변동은 무효로 한다. 다만, 부동산에 관한 물권을 취득하기 위한 계약에서 명의수탁자가 어느 한쪽 당사자가 되고 상대방 당사자는 명의신탁약정이 있다는 사실을 알지 못한 경우에는 그러하지 아니하다.
③ 제1항 및 제2항의 무효는 제3자에게 대항하지 못한다.

4 주체구조부 취득자(제7조 ③)

건축물 중 조작(造作) 설비, 그 밖의 부대설비에 속하는 부분으로서 그 주체구조부(主體構造部)와 하나가 되어 건축물로서의 효용가치를 이루고 있는 것에 대하여는 주체구조부 취득자 외의 자가 가설(加設)한 경우에도 주체구조부의 취득자가 함께 취득한 것으로 본다.

건축물의 소유자가 아닌 제3자가 부대설비를 설치한 경우 건축물 소유자에게 납세의무가 있다. 한편 해당규정은 납세의무자에 관한 규정이기도 하지만 과세대상의 범위와 관련된 규정으로 이해할 수도 있다. 과세대상 건축물에 부대설비 또는 딸린 시설이 있는 경우 해당 건축물로 보아 과세대상에 포함할 수 있는지, 즉 해당 시설의 설치비용이 건축물의 과세표준에 포함될 수 있는지와 관련된다. 조작설비나 부대설비가 주체구조부와 하나가 되어 건축물로서의 효용가치를 이루고 있다면 이는 전체를 하나의 과세단위로 보고 조작설비나 부대설비에 소요된 비용은 과세표준에 포함된다.

부대설비 등을 주된 건축물과 일체를 이루는지 여부는 그 설치비용이 취득세 과세표준에 포함되는지와 직접적인 관련이 있다. 건축물을 신축하면서 그에 부합되거나 부수되는 시설물을 함께 설치하는 경우라면 그 설치비용 역시 해당 건축물에 대한 취득세의 과세표준이 되는 취득가격에 포함된다. 시설물의 물리적 구조, 용도와 기능면에서 볼 때 건축물 자체와 분리할 수 없을 정도로 부착·합체되어 일체로서 효용가치를 이루고 있고, 건축물과 독립하여서는 별개의 거래상 객체가 되거나 경제적 효용을 가질 수 없는 경우라면 이러한 시설물은 건축물에 부합되거나 부수되었다고 볼 수 있다(대법원 2003다14959, 2012두1600).

◎ 임차인 ○○(백화점업)이 설치한 시설물이 신축건물 주체구조부와 일체를 이루는 지 여부

백화점 영업을 목적으로 건축물에 설치한 시설물이라고 하더라도, 백화점 영업을 위하여 통상적으로 필요한 것으로서 향후 동일한 장소를 임차하여 영업할 수 있는 다른 백화점 업체 또한 철거 또는 변경하지 아니하고 그대로 활용하기에 충분하다고 판단될 때에만 '판매시설(백화점)'의 용도를 갖는 건축물의 주체구조부와 일체를 이루어 건축물 자체의 효용가치 증대에 기여하는 시설물에 해당할 수 있고, 그렇지 않다면 건축물 자체의 효용가치 증대에 기여하지 못하거나 오히려 추가 철거비용의 발생 등으로 인하여 효용가치를 감소시키는 시설물이라고 보아야 할 것임. 임차인인 ○○가 이 사건 공사에 의하여 설치한 시설물 중, 임대인인 원고의 소유에 귀속되지 않고 사실상 분리 반출 또한 불가능하지 않으며 그러한 시설물은 이 사건 부동산의 주체구조부와 일체를 이루어 건축물 자체의 효용가치 증대에 기여하는 물건이라고 할 수 없음(대법원 2020두36908, 2020.6.25.).

◎ 주체구조부의 취득자가 아닌 자가 사업 양수도로 주유기, 세차기를 취득한 경우 주체구조부의 취득자가 아닌 이상 취득세 납세의무가 없음

세차시설 등을 리스회사로부터 임차하여 주유시설 부지 내에 설치·사용하는 경우 리스회사가 아닌 주유시설 소유자에게 납세의무가 있는 점(지방세운영과-2040, 2015.7.8.) 주유기는 주유시설을 이루는 일부설비에 해당하고, 세차시설은 건축법상 위험물 저장시설 및 처리시설인 주유소에 포함되고, 주유기나 세차기를 임차하여 사용하는 경우라도 주체구조부 취득자에게 납세의무가 있는 점 … 해당 사업 양수자가 쟁점 설비를 취득하였더라도 주체구조부의 취득자가 아닌 이상 납세의무가 없음(지방세운영과-815, 2017.10.27.).

◎ **대금 미지급만으로 '취득불성립'이라 할 수 없으며, 건축물 부대설비는 주체구조부의 취득자가 취득한 것으로 봄**

지방세법 제6조 제1호는 '취득'에 대하여 '유상·무상의 모든 취득을 말한다'고 규정하고 있으므로, 대금을 지급하는 유상취득의 경우뿐만 아니라 대금을 지급하지 아니하는 무상취득의 경우에도 취득세를 부담하는 것이므로 설령 대금을 지급하지 아니하였다 하더라도 그 사정만으로 불법건축물을 취득하지 못하였다고 볼 수는 없음. 또한 임차인이 이를 증축하였다 하더라도, 법 제7조 ③은 '건축물 중 조작 설비, 그 밖의 부대설비에 속하는 부분으로서 그 주체구조부와 하나가 되어 건축물로서의 효용 가치를 이루고 있는 것에 대하여는 주체구조부 취득자 외의 자가 가설한 경우에도 주체구조부의 취득자가 함께 취득한 것으로 본다'고 규정하고 있음(대법원 2015두44899, 2015.10.15.).

◎ **수분양자가 발코니 공사비용을 지불하였더라도 그 비용은 주체구조부 취득자인 원시취득자의 취득가격에 포함되어야 함**

발코니확장공사는 원고의 이 사건 아파트 취득(신축)을 위한 것이 아니라 수분양자들이 원고와 무관하게 시공사와 이 사건 아파트의 수분양자들 사이의 계약에 따라 이루어졌으므로, 발코니확장비용은 원고의 아파트 취득가액에 포함되어서는 안 된다는 주장에 대해 … '건축물 중 조작 설비, 그 밖의 부대설비에 속하는 부분으로서 그 주체구조부와 하나가 되어 건축물의 효용가치를 이루고 있는 것에 대하여는 주체구조부 취득자 외의 자가 가설한 경우에도 주체구조부의 취득자가 함께 취득한 것으로 본다.'라고 규정하고 있으므로 사용승인일 이전에 원고가 그와 같은 상태의 아파트를 취득한 이상 그 비용은 취득가격에 포함되어야 함(대법원 2015두59877, 2016.3.24.).

5. 지목변경 취득세(제7조 ④, ⑭)

지방세법상 지목변경 간주취득세는 2가지 유형이 있다. 기존의 지목변경 취득세(제4항) 외에 관계법령(국토계획법, 산업입지법, 택지개발촉진법, 도시개발법 등)에 따라 대규모 택지를 조성한 후 조성사업의 시행자로부터 토지를 분양받은 자가 이미 대지로 지목이 변경되어 있는 상태에서 추가로 "토지에 정원 또는 부속시설물 등을 조성·설치하는 경우"에도 지목변경 간주취득세를 부과하는 경우이다(제14항). 여기서 관계법령에 따라 대규모 택지를 조성하는 과정에 토지를 조성한 사업시행자의 경우 토지공사 준공에 따른 제4항의 지목변경 취득세가 부과된다. 그리고 사업시행자로부터 토지를 분양받은 사업자에게는 "토지에 정원 또는 부속시설물 등을 조성・설치하는 경우" 제14항에 따른 지목변경 취득세 납세의무를 고려해야 한다.

1) 지목변경 취득세(제4항)

토지의 지목을 사실상 변경함으로써 그 가액이 증가한 경우에는 취득으로 본다. 지목이란 토지의 주된 용도에 따라 토지의 종류를 구분하여 지적공부에 등록한 것이므로, 지방세법에서 토지의 지목을 사실상 변경한다는 것은 토지의 주된 용도를 사실상 변경하는 것을 의미한다. 지목변경 취득세는 실무적으로 2가지 유형으로 구분해볼 수 있다. 지목변경이 건축행위와 병행하여 일어나는 경우와 독립적으로 지목변경 취득세 자체만 고려하는 경우가 있다.

건축행위와 병행하여 진행되는 경우로 예를 들어 소규모 건축과정으로 임야, 전 또는 잡종지에서 건축물을 신축하는 경우 준공시점에 동일한 납세자에게 지목변경 취득세도 동시에 발생하게 된다. 전답이나 임야에서 택지를 조성하게 되면 지목변경 취득세가 발생하고, 그 위에 건축물을 신축할 경우 원시취득에 대한 취득세가 발생한다. 지목변경 취득세는 세율이 2%이고, 건축물 원시취득 취득세는 2.8%로 상이하다. 그로 인해 공사비용으로 과세표준을 산정함에 있어 지목변경에 포함할지 건축물에 포함할지 쟁점이 있을 수 있다.

그리고 토지조성공사를 통해 독립적으로 지목변경 취득세 납세의무가 나타나기도 한다. 산업입지법, 택지개발촉진법, 도시개발법 등과 같이 대규모 개발지역에서 사업시행자가 개발사업의 시행으로 기존의 전・답, 임야, 잡종지 등에서 택지를 조성하여 공급하는 경우 조성공사의 준공으로 지목변경 취득세 납세의무가 발생한다. 개발지역에서 사업시행자가 개발사업의 시행으로 대규모 택지를 조성하여 공급하고, 토지를 분양받은 주택건설사업자가 공동주택을 신축하는 등 일련의 사업진행이 수반된다. 연속적으로 진행되기도 하고 시차를 두고 독립적으로 추진되기도 한다. 또는 사업구역내 어느 한 지역을 먼저 개발하여 건축물의 착공이 진행되기도 하는 등 다양한 사례가 나타난다. 그 과정에서 지목변경 시기가 언제인지, 그에 따른 과세표준은 어떻게 산정하는지 쟁점이 나타난다.

일반적으로 토지의 지목변경에 따른 취득은 토지의 지목이 사실상 변경된 날과 공부상 변경된 날 중 빠른 날을 취득일로 본다. 다만, 토지의 지목변경일 이전에 사용하는 부분에 대해서는 그 사실상의 사용일을 취득일로 본다. 여기서 '사실상의 지목변경'이란 토지의 형질이나 이용상황이 달라져 주된 용도가 변경되었음에도 지적공부상 등록변경이 이루어지지 않은 것을 의미한다. 그에 따라 사실상의 지목변경 시기는 토지의 지목을 변경하려는 자가 당초 의도한대로 토지의 형질이나 이용상태가 변경된 때를 말한다(지방세운영과-955, 2012.3.28.).

◎ **지목변경에 대한 취득의 시기는 지목이 사실상 변경된 날과 토지사용 승낙일 중 빠른 날임**

과세대상 토지가 당초 전 또는 임야에서 대지로 지목이 변경되어 가액이 증가되고 토지사용 승낙일 이후 건축물을 건축한 것을 전제로 하여, 지목변경에 대한 취득의 시기는 지목이 사실상 변경된 날과 토지사용 승낙일 중 빠른 날로, 납세의무자는 지목변경 당시의 토지 소유자인 택지개발사업 시행자로 각각 보는 것이 타당함(지방세운영과-2527, 2014.8.1.).

◎ **고급주택 준공당시 토지의 지목변경이 이루어진 것이 아니라 사실상 기존주택의 부속토지로 이용되고 있었으므로 지목변경 취득세의 부과제척기간은 이미 경과하였음**

처분청은 청구인이 2009.4.13. 이 건 주택을 신축한 후, 그 부속토지인 제1토지와 쟁점토지를 사실상 이 건 주택의 부속토지로 이용하고 있으므로 쟁점토지의 지목이 농지(전, 답)에서 대지로 변경되었다고 보아 지목변경에 따른 취득세를 부과하였지만, 제출된 항공사진 등에 의하면, 쟁점토지는 1999년경부터 사실상 기존주택의 부속토지로 이용되고 있는 사실이 나타나므로, 쟁점토지에 대한 지목변경에 따른 취득세는 부과제척기간이 경과하여 부과된 부적법 처분임(조심 2011지0857, 2012.6.15.).

◎ 공부상 지목이 답에서 대지로 변경되어 공시지가가 상승하였으나 취득 당시 이미 지목변경 이후의 공시가격보다 높은 가격으로 토지를 취득하여 재산가치의 증가가 없었다면 지목변경에 따른 취득세를 부과할 수 없음(대법원 2009두4838, 2009.5.28.).

◎ 지목변경이 있는지 여부는 토지의 형질변경 유무뿐만이 아니라 상하수도공사, 도시가스공사, 전기통신공사 유무 등 여러 사정을 종합하여 객관적으로 판단하여야 하므로, 대지에 대한 지목변경 시점은 토지 위에 주택을 완공하였을 때로 보아 취득세 납세의무 성립시기를 판단함(대법원 2005두12756, 2006.7.13.).

◎ 지목변경 간주취득으로 보기 위하여는 우선 그 토지의 주된 사용목적 또는 용도에 따라 구분되는 지목이 사실상 변경되었을 뿐만 아니라 그로 인하여 가액이 증가되어야 하므로, 이미 그 지목이 사실상 변경된 후에 토지를 취득한 것이라면 비록 취득 후 변경된 사실상의 지목에 맞게 공부상의 지목을 변경하였다고 할지라도 이로써 당해 토지소유자가 취득세 과세물건을 새로이 취득한 것으로 간주할 수 없음(대법원 97누15807, 1997.12.12.).

◎ **취득 이후에 공업용에서 상업용으로 용도가 변경되고, 지가도 상승하였다면 간주취득세 과세대상인 사실상 지목변경에 해당됨**

전 소유자의 형질변경으로 인하여 이미 사실상 지목변경이 이루어졌고 이후 지목변경을 위하여 자본적 지출을 한 적이 없으므로 토지를 취득하기 이전에 이미 사실상 지목변경이 이루어졌다고 주장하나, … 형질변경뿐만 아니라 토지나 건물의 용도가 변경된 경우도 지목변경

신청사유로 규정하고 있으므로 사실상 지목변경을 형질변경이나 이를 위한 자본적 지출을 한 경우로 한정할 것은 아니고, 원고가 토지 취득 당시 그 취득가액은 143만 원/㎡으로 그 무렵의 개별공시지가인 159만 원/㎡에 비해 낮았으므로 그 무렵 이미 사실상 지목변경이 이루어졌다고 보기도 어려움… 공업용 건물의 주차장으로 사용되다가 이 사건 건물의 신축으로 인하여 상업용 건물의 부지로 사용되게 되었으므로 위 건물의 사용승인일에 토지의 사실상 지목이 변경되었음(대법원 2016두45912, 2016.9.28.).

◎ "乙 명의로 소유권이전등기를 이행한다"는 조정이 확정되었으나 이전등기를 이행하지 아니한 상태에서 지목변경이 이루어진 경우 乙을 납세의무자로 볼 수 없음

토지의 지목변경에 따른 취득세 납세의무는 지목변경 시점의 토지소유자(=취득자)에게 있는 것임. … "甲명의 토지에 관하여 乙명의로 소유권이전등기를 이행한다"는 조정에 갈음하는 결정이 지목변경 시점 이전에 확정된 경우, 법원의 조정에 갈음하는 결정은 당사자간의 관광단지 조성사업에 관한 권리의무 이행사항을 확정한 것에 불과하므로 결정 자체만으로는 乙이 토지를 사실상 취득한 것으로 볼 수 없고, 이 사건 법원의 결정에 따른 권리의무가 이행되었을 때 사실상 취득하였다 할 것임(지방세운영과-2648, 2014.8.12.).

◎ 지목변경이 수반되는 건축공사의 경우 사용승인서가 교부된 때가 취득시기라는 사례

사실상 지목이 변경되었다 함은 토지의 지목을 변경하고자 하는 자가 그 사용하고자 하는 의도대로 지목을 변경하였음을 의미한다고 보는 것이 타당하므로, 건축공사가 수반되는 경우에는 당해 토지가 건축물의 부속토지로서의 기능에 공여될 수 있는 시점 즉 건축공사가 완료되어 사용승인서가 교부된 때 등을 지목변경으로 인한 취득시기로 보아야 할 것임(지방세심사 2006-76, 2006.2.27. 참조).

☞ 건축과정에서 지목변경의 다양한 유형이 있을 수 있으므로, 토지취득경위, 지목변경 공사진행, 토지 현황 등을 고려하여 판단할 필요

◎ 개발행위자가 취득한 임야에 주택단지를 조성하는 과정에서 건축주가 토지를 분양받고 주택을 신축한 경우 지목변경 취득시기와 납세의무자

질의와 같이 별도의 토지형질 변경허가를 받지 않은 주택단지 개발행위자가 정지작업을 마친 토지를 분양하고 이에 대한 수분양자들은 토지 분양 전에 이미 건축허가를 받은 건축주들로서 토지를 분양받은 후 신축을 완료하였다면 이는 건축공사가 수반되는 지목변경에 해당되는 것으로 보임. 따라서, 지목변경으로 인한 각 토지의 취득시기는 주택의 사용승인서 교부일과 그 사실상의 사용일 중 빠른 날이 되고 납세의무자는 지목변경 취득당시의 소유자가 된다고 판단됨(지방세운영과-2838, 2012.9.10.).

◎ 휴게소 내 기존 건물 철거 후 주차장으로 변경시 지목변경 취득세 과세 대상

공부상 지목변경 없이 노후된 휴게소를 철거하고 그 부지에 주차장을 조성한 것은 지목을

대지에서 주차장으로 사실상 변경한 것으로서 해당 공사에 소요된 비용이 법인장부로 확인될 경우 사실상 지목변경으로 인한 취득세 납세의무가 성립된다(지방세운영과-3172, 2011.7.5. 참조)고 판단됨(지방세운영과-3789, 2011.8.10.).

◎ **스키장이던 체육용지를 골프연습장으로 조성한 경우 지목변경 취득세 대상이 아님**

지목변경 취득세 납세의무 관련, 법인이 스키장으로 사용하던 체육용지의 일부를 골프연습장으로 조성한 경우, 본 스키장의 부대시설인 골프연습장은 지목이 체육용지에 해당되므로(국토해양부 지적기획과-1374, 2010.4.20.), 골프연습장을 조성하기 위하여 잔디의 파종 및 식재, 조경공사, 입목이식, 스프링쿨러 공사 등을 하고 그에 따른 공사비용을 투입하였다 하더라도 체육용지의 용도가 스키장에서 골프연습장으로 변경된 것일 뿐, 지목이 변경된 것이 아니므로(체육용지 → 체육용지) 지목변경에 따른 취득세 납세의무가 성립되지 않음(지방세운영과-1700, 2010.4.26.).

◎ **수탁된 토지위에 건물 신축시 지목변경 취득세의 납세자는 수탁자임**

위탁자가 부동산신탁계약에 따라 수탁자에게 토지의 소유권을 이전한 후 그 수탁된 토지 위에 건물을 신축하여 수탁된 토지의 지목이 변경된 경우에는 수탁자에게 지목변경에 따른 취득세를 부과해야 함(법제처 법령해석 08-0419, 2009.2.18.).

◎ **지목변경에 대한 취득세 납세의무는 수탁자에게 있음**

신탁재산에 속하게 되는 부동산 등의 취득에 대한 취득세의 납세의무자도 원칙적으로 수탁자인 점 등에 비추어 보면, 신탁법에 의한 신탁으로 수탁자에게 소유권이 이전된 토지에 있어 법 제105조 제5항이 규정한 지목의 변경으로 인한 취득세의 납세의무자는 수탁자로 봄이 타당하고, 위탁자가 그 토지의 지목을 사실상 변경하였다고 하여 달리 볼 것은 아님(대법원 2010두2395, 2012.6.14.).

◎ **부담금을 지급한 자가 따로 있더라도 원고의 지목변경 간주취득세 과표에 포함되어야 함**

지방세법에서 취득세의 과세표준으로 규정한 취득 당시의 가액에는 원칙적으로 부동산 등 과세대상 물건을 취득하기 위하여 발생한 비용 전체가 포함되어야 하고, 어떠한 비용이 과세표준이 되는 취득가액에 포함되는지 여부는, 비용의 부담주체 또는 해당 비용을 납부한 당사자가 누구인지에 따라 가릴 것이 아니라, 그 비용이 물건취득을 위하여 지급되었거나 물건을 취득하는 과정에서 필수적으로 지출되는 직·간접적 비용에 해당하는지 여부에 따라 가려야 할 것임 … 이 사건 부지를 이 사건 건축물 신축을 위한 대지로 조성하는 경우 대체산림자원조성비, 대체초지조성비, 농지보전부담금을 부담해야 하므로, 이는 지목변경비용 즉 간주취득비용에 포함되어야 하고, 실제 위 각 부담금을 납부한 자가 이 사건 조합이라 하더라도 지목변경 과정에서 의무적으로 부담해야 하는 간접비용에 해당하는 이상 그 비용은 취득가액에 포함되어야 함(대법원 2016두61907, 2018.3.29.).

2) 택지공사가 준공된 토지의 사실상 지목변경에 따른 취득(제7조 ⑭)

2015년 이전에는 대지 이외의 토지(전, 잡종지 등)에 예를 들어 공동주택 단지를 조성할 경우, 그 토지에 조경 및 도로포장 공사에 따라 토지의 실질적 가액이 상승한 것으로 보아 지목변경 간주 취득세를 과세하였다. 지목이 전이나 잡종지에서 대지로 변경되고 사실상 지목이 변경되기 때문에 지방세법 제7조 제4항에 따라 납세의무가 발생한다.

그런데 국토계획법, 산업입지법, 도시개발법 등으로 토지조성공사가 완료된 택지(대)를 제3자가 취득하여 주택건설사업계획승인을 받고 공동주택을 건설하거나 건축물을 건축하는 경우가 있는데, 이 때 당초 조성공사 시행자가 아니라 토지를 취득한 자가 그 토지상에 공동주택 단지를 조성하기 위해 조경 및 도로포장공사를 할 경우에는, 이미 택지조성사업으로 지목이 대지로 변경되어 있기 때문에 더 이상 제7조 제4항의 지목변경에 따른 간주취득세가 과세되지 않는다. 이는 지목변경을 수반하지 않는 정원조성공사와 도로포장공사비는 과표에 포함되지 않는다는 사례(대법원 2003두5433, 2004.11.12.)들을 반영한 해석이다. 하지만 당초의 토지조성자가 개략적인 토지조성만 하고 토지를 매매할 경우 이를 취득한 자가 나머지 토지와 관련된 공사를 추가함에도 해당 비용이 과세대상에서 제외하는 것은 불합리한 측면이 있었다.

이러한 불합리한 점을 보완하기 위해 관계법령에 따라 택지조성공사가 준공된 토지(택지)를 분양받아 "토지에 정원 또는 부속시설물 등을 조성·설치"하여 토지의 가치를 상승시켰다면 해당비용에 대해 지목변경 취득세를 부과할 수 있도록 제14항을 신설하였다(2016.1.1. 신설).

해당 규정의 의미를 보면, 토지취득자가 개인인 경우 지목변경 전후의 공시지가 차이를 적용하여 과세하기 때문에 이미 대지로 전환된 이상 "토지에 정원 또는 부속시설물 등을 조성·설치하는 경우"라 하더라도 과세실익이 없기 때문에 해당 규정은 주로 법인을 대상으로 한정된다 할 것이다. 그리고 "「국토의 계획 및 이용에 관한 법률」 등 관계 법령에 따른 택지공사가 준공된 토지"로 한정하고 있는데, 이에 해당하지 않는 사업장에서 "토지에 정원 또는 부속시설물 등을 조성·설치하는 경우"에는 적용되지 않는다고 할 수 있다.

3) 지목변경과 건축물 원시취득과의 관계

(1) 지목변경(제14항) 취득세와 건축물 원시취득과의 관계

위와 같이 해당 사업지구에서 토지를 취득한 자는 일반적으로 취득과 동시에 공동주택 등을 건축하게 되는데 건축공사와 병행하여 "토지에 정원 또는 부속시설물 등을 조성·설치"하게 된다면 해당 비용은 건축물의 원시취득과 관련한 과세표준에 포함할 수 있는지 쟁점이 될 수 있다.

제14항이 2020.1.1. 개정되면서 이를 명확히 하였다. ① "토지에 정원 또는 부속시설물 등을 조성·설치하는 경우에는 그 정원 또는 부속시설물 등은 토지에 포함되는 것으로서 토지의 지목을 사실상 변경하는 것으로 보아 토지의 소유자가 취득한 것으로 본다"고 규정하고 ② "다만, 건축물을 건축하면서 그 건축물에 부수되는 정원 또는 부속시설물 등을 조성·설치하는 경우에는 그 정원 또는 부속시설물 등은 건축물에 포함되는 것으로 보아 건축물을 취득하는 자가 취득한 것으로 본다"로 보완되었다. 그에 따라 제14항이 2가지 경우로 구분할 수 있는데 "토지에 정원 또는 부속시설물 등의 조성·설치" 행위가 건축공사에 수반되는 경우(②)에는 건축물 원시취득으로 과세하고, 건축공사가 수반되지 않는 경우에는 지목변경 취득세로 과세(①)하는 것으로 명확히 하였다. 아울러 정원 또는 부속시설물 등을 조성·설치하는 비용을 취득가액에 포함하도록 과표의 범위에 관한 규정도 명확히 하였다(2020.1.1. 영 제18조 ① 9호).

| 최근 개정법령 _ 2020.1.1. | 건축물 취득세 과세표준에 조경비용 포함(법 §7 ⑭)

건축물의 건축에 수반하여 정원 및 조형물을 설치하거나 도로 포장공사를 하는 경우 그 비용은 건축물의 건축비용에 포함하여 과세하고, 택지 조성 등 지목변경을 수반하는 경우로서 건축물의 부속토지로 사용되지 않는 토지에 설치되는 조경공사비 등은 지목변경 취득세에 포함하여 과세한다.

(2) 정원 또는 부속시설물 등을 조성·설치하는 비용과 건축물 원시취득 과표 관계

제14항이 적용되지 않는 경우로서 정원 또는 부속시설물 등을 조성·설치하는 비용과 건축물 원시취득 과표 관계를 보면 다음과 같다. 행안부 행정해석(지방세운영과-3161, 2018.12.28.)을 보면 건축물의 신축시 "토지에 정원 또는 부속시설물 등을 조성·설치하는 경우" 해당 비용을 건축물 원시취득의 범위(과세표준)에 포함할 수 있다고 보았다. 최근 공동주택을 건축하면서 지하에는 대규모 주차장이 들어서고 지상에는 조경을 설치하게 되는데 이러한 조경은 건축물의 가치를 향상시킬 뿐 아니라 아파트 전체와 유기적인 관계에 있는 점을 감안하면 건축물 원시취득 과표에 포함하여 과세(세율 2.8%)하는 것이 타당하다고 보았다. 이는 지목변경을 수반하지 않는 정원조성공사와 도로포장공사비는 과표에 포함되지 않는다는 기존의 사례(대법원 2003두5433, 2004.11.12.)와 부합하지 않는 해석이다. 그러나 아파트 건축과 관련하여 다양하게 발생하는 비용이 토지와 관련된 비용으로 한정한다고 볼 수도 없고, 취득과 관련한 간접비용이 시행령(2011년 이후 제18조 제1항)에 구체적으로 규정되는 등 변화를 고려할 때 합리적인 해석이라고 보인다. 아울러 정원 또는 부속시설물 등을 조성·설치하는 비용을 취득

가액에 포함하도록 과표의 범위에 관한 규정도 명확히 하였다(2020.1.1. 영 제18조 ① 9호).

(3) 지목변경 취득세와 건축물 원시취득 취득세와의 관계 종합

지목변경취득 및 이와 관련한 건축물의 원시취득에 대한 취득세를 다음과 같이 요약할 수 있다.

국토계획법 등 관계 법령에 따라 준공된 택지에서 "토지에 정원 또는 부속시설물 등을 조성·설치하는 경우"에는 제14항이 우선 적용된다. 즉 "토지에 정원 또는 부속시설물 등의 조성·설치" 행위가 건축공사에 수반되는 경우에는 건축물 원시취득으로 과세하고, 건축공사가 수반되지 않는 경우에는 지목변경 취득세로 과세한다.

국토계획법 등 관계 법령에 따라 준공된 택지에가 아닌 일반적인 사업장에서 "토지에 정원 또는 부속시설물 등의 조성·설치" 행위가 건축공사에 수반되는 경우 해당비용은 건축물 원시취득 과세표준에 반영하여 과세한다. 이는 행안부 행정해석(지방세운영과-3161, 2018.12.28.)뿐 아니라 지방세법 시행령 제18조 ① 9호에 직접적인 근거를 두고 있다. 그리고 건축공사와 수반되지 않으면서 "토지에 정원 또는 부속시설물 등의 조성·설치" 행위는 과세할 근거가 없다. 하지만 건축공사와 수반되지 않으면서 "토지에 정원 또는 부속시설물 등의 조성·설치" 행위가 실무적으로 흔치 않다고 생각된다.

한편 국토계획법 등 관계 법령에 따라 준공된 택지에가 아닌 일반적인 사업장에서 "토지에 정원 또는 부속시설물 등의 조성·설치" 행위가 건축공사에 수반되고 토지의 지목도 변경되는 경우가 있을 수 있다. 즉 전답이나 잡종지에서 토지조성공사를 하고 건축물을 신축하는 경우이다. 이 때에는 "토지에 정원 또는 부속시설물 등을 조성·설치하는 "비용은 건축물의 원시취득에 포함하고, 순수 지목변경과 관련된 비용을 제4항의 지목변경 취득세로 과세하여야할 것이다(부동산세제과-378, 2021.2.2.).

□ 국토계획법 등 관계 법령에 따라 준공된 택지에서 "토지에 정원 또는 부속시설물 등을 조성·설치하는 경우"

공사목적	건축이 수반되는 경우	건축이 수반되지 않는 경우(지목변경, §7 ⑭)
과세방법	건축물 취득에 포함하여 과세	토지 지목변경에 따른 간주취득으로 과세
납세의무자	건축물 소유자	토지 소유자
과세표준	건축비 + 조경공사비 등	토지 지목변경 공사비 + 조경공사비 등
세율	2.8%	2%
사례	건물 부속토지 內 도로포장	건물 부속토지 이외 부지 內 도로포장 등

□ 국토계획법 등 관계 법령에 따라 준공된 택지가 아닌 지역에서 "토지에 정원 등의 조성·설치와 지목변경을 병행하는 경우"

공사목적	토지에 정원 또는 부속시설물 등을 조성·설치하는 경우	지목변경(§7 ④)을 수반하는 경우
과세방법	건축물 취득에 포함하여 과세	토지 지목변경에 따른 간주취득으로 과세 (건축물 취득과 별개)
납세의무자	건축물 소유자	토지 소유자
과세표준	건축비 + 조경공사비 등	순수 지목변경 공사비용 (임야의 절토공사비용 등)
세율	2.8%	2%
사례	건물 부속토지 內 도로포장	임야에서 건축물 준공 (임야의 절토공사 등)

◎ 택지공사가 완료되어 있던 토지를 승계취득하여 신탁한 후 건축물을 준공하면서 그 부속토지로 사실상 지목을 변경한 경우 취득세 납세의무가 성립

제7조 제14항 규정은 택지(대) 위에 조경 및 도로 포장공사 등(이하 "쟁점비용"이라 함)을 하는 경우 토지의 실질적 가치가 상승함에도 형식상 지목변경을 수반하지 않아(대→대) 간주취득세를 과세하지 못하는 문제가 있어, 택지조성공사가 준공된 토지를 취득하여 건축물을 신축하는 경우에도 간주취득세를 과세할 수 있도록 과세 형평성 차원에서 개선한 것인 점, 사실상 지목변경에 소요된 비용이 있음에도 택지공사가 완료된 토지를 분양받은 자와 이를 승계취득한 자의 취득세 납세의무 여부를 달리 적용할 합리적 이유가 없어 보이는 점 등을 종합해 볼 때, 택지준공이 완료되었던 쟁점토지에 건축물을 신축하면서 발생한 쟁점비용에 대해서는 납세의무 성립(지방세운영과-830, 2018.4.10.)

6. 외국인 소유물건의 수입(제7조 ⑥, 영 제20조 ④)

외국인 소유의 취득세 과세대상 물건(차량, 기계장비, 항공기 및 선박만 해당한다)을 직접 사용하거나 국내의 대여시설 이용자에게 대여하기 위하여 임차하여 수입하는 경우에는 수입하는 자가 취득한 것으로 본다(제7조 ⑥).

"외국인 소유의 취득세 과세대상 물건을 직접 사용하거나 국내의 대여시설이용자에게 대여하기 위하여 임차하여 수입하는 경우에는 수입하는 자가 이를 취득한 것으로 본다"고 규정하고 있는데, 해당 규정에서 '직접사용'이라는 규정이 없었는데 2007년 이후 규정하게 되었는데 입법배경 및 개정 전후 사례들을 살펴보면 다음과 같다. 2006년까지 "외국인 소유

의 시설대여물건을 국내의 대여시설이용자에게 대여하기 위하여 수입하는 경우에는 수입하는 자가 이를 취득한 것으로 본다"고 규정하고 있었는데, 당시 국내의 대여시설이용자가 이를 "직접 사용"하기 위하여 외국인 소유의 시설대여물건을 수입하는 경우까지 이에 해당한다고 볼 수 있는지에 대해 쟁점이 있었다. 이에 대해 대법원은 국내의 대여시설이용자가 직접 사용하기 위하여 외국인 소유의 시설대여물건을 수입하는 경우까지 납세의무자로 볼 수 없다(2006두8860)고 판단하였다. 이후 대법원 판결을 고려하여 실질과세원칙 및 공평과세원칙에 부합되도록 개정하였는데, "직접 사용"하기 위해 수입하는 경우도 취득으로 보기 위한 취지로 현재와 같이 개정되었다.

한편 지방세법 개정 이후 대여시설 이용자에게 대여하기 위하여 임차하여 수입하는 경우와 관련하여 "운용리스"가 이에 포함하는지에 대하여 쟁점이 있었는데 조세심판원은 외국인 소유의 시설대여물건을 수입하는 경우 운용리스는 취득행위 자체가 없으므로 취득으로 볼 수 없다(조심 2008지0262, 2008.11.6.)고 보았다. 이는 2007년 법 개정은 사실상 취득행위가 있는 금융리스 수입이 과세대상에서 제외되는 것을 방지하기 위한 목적이고 운용리스를 과세하기 위한 취지는 아니라고 본 것이다.

◎ 대여시설이용자가 직접 사용하기 위해 리스항공기를 수입하는 것은 취득세 대상 아님

항공운송사업에 사용하기 위하여 소외 회사로부터 리스계약에 따라 항공기를 수입한 점, 소외 회사에게 임차료를 지급하고 항공기를 일정기간 사용한 후에 반환하기로 한 점 등에 비추어 볼 때, 항공기를 '취득'하였다고 단정하기 어렵고, 항공기를 수입한 것을 '외국인 소유의 시설대여물건을 국내의 대여시설이용자에게 대여하기 위하여 수입하는 경우'에 해당한다고 보기도 어려우므로(외국인 소유의 시설대여물건을 국내의 대여시설이용자에게 대여하기 위하여 수입하는 경우에는 수입하는 자가 이를 취득한 것으로 보는 지방세법의 규정취지가 시설대여물건의 소유자인 외국인에게 납세의무를 부과하기 어려운 점을 해소하고, 국내의 시설대여산업의 경쟁력을 제고하는 데에 있다고 하더라도 국내의 대여시설이용자가 이를 직접 사용하기 위하여 외국인 소유의 시설대여물건을 수입하는 경우까지 이에 해당한다고 볼 수는 없음) 항공기를 수입한 행위는 취득이라 볼 수 없음(대법원 2006두8860, 2006.7.28.).

◎ 외국인 소유 항공기를 운용리스로 수입하는 경우 취득세 과세대상이 아니라는 사례

외국인 소유의 시설대여물건을 직접 사용하기 위하여 임차하여 수입하는 경우에 수입하는 자가 이를 취득한 것으로 보도록 개정된 것은 사실상 취득행위가 있다고 볼 수 있는 금융리스 형태로 수입하는 경우에도 2006.7.28.의 대법원 판결에 따라 취득세 과세대상에서 제외되는 불합리한 점을 개선하고자 하는 것일 뿐, 전혀 취득행위가 이루어졌다고 볼 수 없는 운용

리스 형태로 수입하는 취득세 과세대상 물건까지 무조건 그 수입하는 자에게 취득세 납세의무를 부과하겠다는 취지로는 보여지지 아니하며, 이러한 규정을 운용리스의 경우까지 극단적으로 적용하는 경우 초단기간에 사용할 목적으로 외국의 항공기를 수입하는 경우에도 모두 취득세를 과세하여야 한다는 불합리한 점을 초래하게 되므로, 청구인의 경우 운용리스 형태로 수입한 이 사건 항공기와 관련하여 지방세법 제105조 제8항의 개정 전후를 불문하고 취득세 납세의무가 없다고 해석하는 것이 타당(조심 2008지0262, 2008.11.6.)

◎ **국내보세구역에서 직접 해외로 리스하는 경우 취득세 납세의무가 성립되지 않음**

해외로부터 크레인을 매입(A)하여 국내 보세구역에서 환적 후 최종 리스이용자가 소재하는 국외로 해당 리스자산을 운송하고 국내 중간 리스이용자로부터 매월 리스료를 수취하는 경우 … 제20조 제4항에서 보세구역을 경유하는 것이라 함은, 보세구역으로부터 반입하는 것으로 해석하여야 할 것으로, 기계장비를 보세구역으로부터 반입없이, 보세구역에서 환적하여 국외로 반송하고 국내에 등기·등록을 경료하지 않는 경우라면, 납세의무가 성립된다고 보기 어렵고, 해당 기계장비를 우리나라에 반입하거나 국내에 등록하는 경우에 비로소 납세의무가 성립되는 것으로 보아야 할 것임(지방세운영과-2288, 2016.9.2.).

7. 상속 취득에 따른 취득세(제7조 ⑦·⑬)

1996.1.1. 상속취득에 관한 규정이 신설되면서, 상속에 의한 취득세 신고납부기한을 상속개시일부터 30일 이내에서 6월 이내로 연장하고, 납세의무의 범위를 상속인 각자가 상속받는 분으로 하되, 상속인 상호간에 연대납세의무를 지도록 하였다.

상속은 상속개시일에 취득세 납세의무가 성립하는데 상속인간 협의분할에 의해 취득하기도 하고 법정지분대로 취득하기도 한다. 실무적으로 협의분할로 특정 상속인이 취득하는 경우가 많이 발생하는데 제7항에 따라 납세의무의 범위를 상속인 각자가 상속받는 분으로 본다는 것이 무슨 의미일까? 상속인이 신고기한까지 신고하지 않은 경우 과세관청은 제7항에 따라 상속인에게 법정지분에 따라 부과한다. 여기서 개별 상속인에게 법정지분에 대해 납세의무를 지우면서 연대납세의무를 지우고 있으므로 실질적으로는 지분의 의미가 축소된다고 할 수 있다. 만약 협의분할로 특정 상속인이 취득세를 신고하였는데 납부하지 않은 경우 당초 신고한 자에 한해 취득세를 부과할 것인지 그 나머지 상속인에게도 연대납세의무를 부여하여 징수할 수 있는지 쟁점이 있을 수 있다. 만약 당초 신고한 특정 상속인에게만 무납부에 따른 징수처분을 할 경우 향후 다른 상속인들에 대한 연대납세의무를 부여할 수 없는 문제가 발생할 수 있다. 따라서 당초 협의분할로 특정 상속인이 신고하여 납세의무가 확정되었다 하더라도 이를 납부하지 않았다면 과세관청이 제7항에 따른 상속인들을 납세의무자로 하여 다시 확정할 수 있다고 판단된다. 결국 제7항은 상속인이 납세의무를 이행하지 않았을 때 과세관청에서 납세의무를 부과할 수 있는 근거로서의 의미가 있다.

협의분할에 의해 취득으로 취득세를 신고납부한 후 당초의 협의분할 후 재협의가 있었다 하더라도 취득세를 다시 신고할 필요가 없다. 이는 상속개시일에 성립한 납세의무에 대해 종전의 협의분할에 따른 신고로 이미 취득세 신고의무는 확정되었기 때문이다. 그런데 이미 상속인의 상속분이 확정되어 등기등이 된 후, 다시 재분할한 결과 특정 상속인이 당초 상속분을 초과하여 취득하게 되는 경우 그 재분할에 의하여 상속분이 감소한 상속인으로부터 증여받아 취득한 것으로 본다. 다만 이 경우에도 상속개시일로부터 6개월 이내에 재분할에 의한 취득과 등기등을 모두 마친 경우에는 취득으로 보지 아니한다.

◎ **피상속인의 상속재산에 대해 상속인 간 협의가 이루어지지 않아 법정지분대로 취득세를 신고하고자 할 경우, 법정상속인 중 1인 이상이 상속재산 전체에 대해 신고 가능**

법정상속인 모두의 신고를 강제한다면 협의가 되지 않은 상속재산에 대해 법정지분으로 다시 협의를 요구하게 되어 법정상속등기 취지에 배치되는 점, 민법에서 공유물의 보존행위는 각자가 할 수 있다고 규정(제265조)하고 있는 점, 협의분할이 아닌 법정지분 등기시에는 상속인 전원의 동의가 어렵다는 점을 고려하여 상속인 중 1인이 나머지 상속인들의 상속등기까지 신청할 수 있는 점(등기선례 제5-276호, 1996.10.7.), 법정상속인 중 1인 이상이 상속재산 전체에 대해 취득세 신고 가능(지방세운영과-414, 2017.9.8.).

◎ **법정상속인 중 1인 이상이 상속 취득세를 신고납부하였다면, 이후 상속인의 변경이 있다 하더라도 등기를 이행하지 않은 상태에서 분할 또는 재분할은 취득세 납세의무 없음**

「민법」 제1015조에서 상속재산의 분할은 상속개시된 때에 소급하여 그 효력이 있다고 규정하고 있고, 「지방세법」 제7조 제7항에서 상속인의 납부의무에 관하여는 연대납세의무가 있다고 규정하고 있어, 법정상속인 중 1인 이상이 취득세를 신고납부하였던 경우라면 이후 상속인이 변경되더라도 취득세 신고납부의무를 이미 이행하였던 것으로 보아야 할 것인 점, 「지방세법」 제7조 제13항에서 상속재산에 대한 등기등이 된 후, 협의 재분할하여 특정 상속인이 당초 상속분을 초과하여 취득하게 되는 재산가액은 그 재분할에 의하여 상속분이 감소한 상속인으로부터 증여받아 취득한 것으로 보도록 규정하고 있어 등기가 이루어지지 아니한 경우라면 증여에 따른 취득세 납세의무가 발생하지 않는 점 … 등기등을 이행하지 아니한 상태에서 분할 또는 재분할 하는 경우라면 새로운 취득세 납세의무가 발생하지 않음(지방세운영과-278, 2017.8.30.).

◎ **상속재산 분할협의의 전부 또는 일부를 합의해제한 후 다시 새로운 분할협의를 할 수 있음,**

그러나 분할협의가 합의해제된 경우 제3자의 권리를 해하지 못함

상속재산 분할협의는 공동상속인들 사이에 이루어지는 일종의 계약으로서, 공동상속인들은 이미 이루어진 상속재산 분할협의의 전부 또는 일부를 전원의 합의에 의하여 해제한 다음 다시 새로운 분할협의를 할 수 있음. 그런데, 상속재산 분할협의가 합의해제되면 그 협의에 따른 이행으로 변동이 생겼던 물권은 당연히 그 분할협의가 없었던 원상태로 복귀하지만, 민법 제548조 제1항 단서의 규정상 이러한 합의해제를 가지고서는, 그 해제 전의 분할협의로부터 생긴 법률효과를 기초로 하여 새로운 이해관계를 가지게 되고 등기·인도 등으로 완전한 권리를 취득한 제3자의 권리를 해하지 못함(대법원 2002다73203, 2004.7.8.).

◎ 상속재산에 대하여 협의에 따른 등기 후 협의에 의한 재분할로 경정등기가 된 경우

전체 상속재산을 기준으로 할 경우 당초 상속분보다 감소하였음에도 하나의 상속물건을 기준을 지분이 증가한 것으로 보아 취득세를 과세한 처분의 적법여부 … 상속취득의 경우 상속인 각자의 상속물건 별로 납세의무자와 납세지 등을 결정하는 것이고, 상속재산을 재분할한 경우에도 각자의 상속물건 별로 당초 상속분을 초과하는지에 따라 증여에 의한 취득 여부를 가리는 것이므로 청구인들이 쟁점1부동산의 쟁점지분을 ○○○로부터 증여받아 취득한 것으로 보는 것이 타당함(조심 2016지0856, 2016.10.6.).

◎ 신탁법상 신탁등기 부동산의 위탁자가 사망하였을 때 상속인은 취득세 납세의무가 있음

상증세법(제9조 ①)상 피상속인이 신탁한 재산은 상속재산으로 보고, 위탁자의 사망시 신탁재산은 상속재산에 편입됨. 또한 신탁법(제23조)상 신탁재산은 수탁자의 상속재산에 속하지 아니하고, 수탁자의 이혼에 따른 재산분할의 대상이 되지 아니하며, 수탁자의 상속재산에는 편입되지 않아 상증세법과 조화를 꾀하고 있음. 아울러 지방세법 제9조 제3항에서 신탁으로 인한 신탁재산의 취득으로서 위탁자로부터 수탁자에게 신탁재산을 이전하는 경우 등에 대해 비과세 대상으로 규정하고 있는 바, 신탁재산인 상속재산을 상속인이 취득하는 경우에는 취득세 비과세가 아님. 지방세법 제7조 ⑦ 역시 상속으로 인하여 취득하는 경우에 상속인 각자가 상속받는 취득물건을 취득한 것으로 보고 있는 점을 고려할 필요가 있음(지방세운영과-290, 2015.1.28.).

◎ 명의신탁된 종중부동산의 명의수탁자가 사망하고, 사망이전부터 진행된 종중의 명의신탁해지 소송을 통해 승소하였다 하더라도 그 상속인이 취득세 납세의무자

종중이 종중원을 상대로 명의신탁해지를 원인으로 한 소유권이전등기 청구의 소를 제기하여 소송 진행 중 종중원의 사망으로 상속이 개시됨에 따라 「지방세법 시행령」 제20조 제1항(상속으로 인한 취득의 경우에는 상속개시일에 취득한 것으로 본다)에 의거 그 상속인은 '사실상 취득'한 것이 되어 취득세 납세의무자가 되는 것임. 상속인이 해당 부동산을 상속한 이후,

종중이 소송을 주계한 종중원의 상속인을 상대로 명의신탁해지를 원인으로 한 소유권이전등기를 이행하라는 법원의 결정이 확정되었다 하더라도, 적법한 절차에 의한 상속포기 등에 따라 해당 부동산을 상속하지 않았다고 볼 수 있는 특별한 사정이 없는 한 상속인에게 취득세 납세의무가 있는 것임(지방세운영과-243, 2014.12.10.).

◎ 상속이전 등기한 이후 상황변경은 취득세·등록세 환부대상 아니라고 한 사례

타인의 점유취득시효가 완성된 이후에 상속으로 취득하였다가 점유취득시효 판결에 의해 타인에게 소유권 이전된 경우로서 상속으로 인한 취득은 명백한 원인무효가 아닌 이상 유효한 취득이고, 취득시효에 기한 등기는 부동산등기부상 승계취득형식을 취하는 점, 판결에서 피고인이 원고에게 이전절차를 이행하도록 한 점 등을 고려할 때 취득세의 납세의무는 적법하게 상속개시일에 성립하였고, 등록세의 납세의무는 등기를 받은 때 이미 성립되었으므로 취득세와 등록세를 환부할 수 없음(세정-4411, 2007.10.26.).

◎ 망인의 재산을 취득하려는 의사가 없는 한정승인이라도 취득세 납세의무가 있음

'상속'은 취득세의 과세요건으로서 '취득'의 원인이 되고, 한편 '상속'에는 '한정승인'도 포함되는 이상, 상속재산에 대하여 한정승인을 한 자는 상속을 포기한 자와는 달리 그 부동산에 대한 등기 없이도 상속인의 사망일에 피상속인의 재산에 취득세 납세의무를 부담하게 됨(대법원 2005두9491 판결). 비록 원고에게 상속재산에 대한 한정승인 당시 망인의 재산을 취득하려는 의사가 없었고 단지 도의적으로 채권자들에게 망인의 채무를 책임지고 정리해 줄 의사만이 있었다고 하더라도, 앞서 본 법령에 따라 취득세 납세의무가 명백히 도출되는 이상, 이와 달리 볼 수 없음(대법원 2017두30740, 2017.4.13.).

◎ 차량 소유자 사망 후 상속인이 취득세를 신고하지 않아 부과고지하는 경우 납세지

「민법」 제998조에서 상속은 피상속인의 주소지에서 개시한다고 규정하고 있는 점, 상속개시 후 이전등록을 하지 않은 경우 등록원부상 차량등록지(피상속인의 사용본거지)에서 자동차세를 과세하는 점, 상속인 기준으로 과세할 경우 상속인이 변경될 때마다 과세권자가 달라질 수 있어 불필요한 세입경정 등으로 행정비용이 낭비되는 점 등을 종합적으로 감안할 때, 피상속인이 등록한 상속차량의 자동차관리법상 사용본거지로 판단(지방세운영과-1969, 2016.7.27.)

◎ 상속재산을 재분할한 결과 상속재산별로 지분의 증가와 감소가 동시에 발생한 경우

각 상속인의 상속분이 확정되어 등기된 후 그 상속재산에 대하여 재분할한 결과 특정 상속인이 당초 상속분을 초과하는 경우 이를 증여에 의한 취득으로 규정하고 있고, 청구인 등 상속인들이 이 건 부동산에 대한 상속등기를 이행한 후 상속인들 중 송○○ 지분을 청구인이 취득하게 된 것이므로 취득세 부과는 잘못이 없음(조심 2016지0850, 2016.9.7.).

상속 취득 세율 적용

◎ **매매계약 이후 이전등기 전에 매도자가 사망한 경우 상속인에게 2.8% 세율 부과**

망 정○돌은 2013.1.25. 김○에게 '이 사건 부동산을 21억 원에 매도하였으나, 소유권이전등기를 마쳐주지 못한 상태에서 2013.3.28. 사망, 원고(상속인)는 2013.4.2. 부동산등기법 제27조에 따라 망인으로부터 직접 김○에게 위 매매를 원인으로 이 사건 부동산에 관한 소유권이전등기를 마쳐주었음 … 종래와는 달리 부동산을 상속한 경우 통합 취득세의 과세대상이 되는 외에는 별도로 등록면허세의 과세대상이 될 여지가 없으므로, 상속에 따른 등기가 마쳐지지 않았다는 이유로 별도의 세목인 등록면허세에 관한 세율을 고려하거나 반영할 이유가 없음(대법원 2017두74672, 2018.4.26.).

◎ **상속 부동신의 취득세 등을 신고·납부 및 등기한 후, 상속인 간 유류분 반환 청구소송에서 법원의 조정조서를 받은 경우 증여가 아닌 상속으로 보아야 함**

지방세법상 판결문은 화해·포기·인낙 또는 자백간주에 의한 것은 제외한다고 규정하나, 이는 객관적 사실이 명확히 입증되는 것을 전제한 취득가격의 범위를 규성하기 위해 제외한 것이며, 다른 법문에까지 확장해석 하는 것은 무리가 있음. 민사조정법상 조정은 재판상의 화해와 동일한 효력이 있고, 민사소송법(제220조)상 화해, 청구의 포기·인낙을 변론조서·변론준비기일조서에 적은 때에는 확정판결과 동일한 효력을 가진다고 규정. 해당 규정의 입법취지를 보면 국세는 상속등기 후 재분할을 하는 경우 증여세를 과세하나, 취득세는 이에 대한 규정이 없어 개선하였는 바, 상증세법 제31조 제3항 등에서 규정하는 "상속회복청구의 소에 의하여 상속인 및 상속재산에 변동이 있는 경우" 법원의 확정 판결의 범위에 조정도 포함하는 것으로 운영하고 있음. 따라서 조정은 민사 관련법에 의거 확정판결의 효력이 있고, 동일한 규정이 있는 상증법에서 증여로 의제하지 않는 점 등을 고려할 때 유류분 반환청구소송에서 「민사소송법」 제220조에 따른 확정판결의 효력이 있는 법원의 조정조서를 받은 경우라면 증여가 아닌 상속으로 보아야 할 것임 (지방세운영과-364, 2015.2.1.).

◎ **상속인이 아닌 자가 특정유증으로 취득한 재산의 경우 신고납부기한(6월) 및 세율(0.8%)**

청구인의 쟁점부동산 취득은 포괄유증(상속)에 해당하므로 취득세의 신고납부기한은 30일이 아닌 6월을 적용하고, 등록세율은 무상취득으로 인한 세율(1,000분의 15)이 아닌 상속으로 인한 세율(1,000분의 8)을 적용하는 것이 타당함(조심 2011지0462, 2012.6.18.).

◎ **유류분 반환청구에 의한 취득의 경우 상속 취득으로 보아 해당 세율을 적용해야 함**

유류분 반환청구 관련, 법정상속인이 상속재산 중 일부를 유류분 반환청구에 의하여 취득하여 소유권이전등기를 하는 경우라면 "피상속인의 증여에 의하여 재산을 수증받은 자는 민법 제1115조의 규정에 의하여 증여받은 재산을 유류분 권리자에게 반환한 경우 반환한 재산가액은 당초부터 증여가 없었던 것으로 본다"(상속세 및 증여세법 운영예규 31-0-3 참조)라는 취지에 비추어 볼 때 그 취득원인이 상속개시로 인하여 발생한 유류분반환청구권의 행사로 인하여 취득한 경우에 해당된다 하겠으므로 상속으로 인한 취득으로 보아 지방세법 제131조 제1항 제1호의 등록세율을 적용하는 것이 타당함(세정-4135, 2007.10.9.).

◎ 상속세 납부를 위해 법정상속등기를 하고 이후 재협의로 다시 등기하여 지분이 변동한 경우

비록 그 목적이 원고들의 주장과 같이 상속세 납부를 위한 담보설정을 위한 것이었다고 하더라도, 그와 같은 합의에 기하여 각 부동산에 관하여 법정상속분에 따른 이전등기를 마쳤다면 이 사건 각 부동산을 법정상속분대로 '취득'한 것이고, 그 이후 관련 상속재산분할 사건에서 조정이 성립되어 상속분이 달라졌다면 당초 상속분보다 증가된 상속분에 대해서는 이를 '증여'받은 것으로 보는 것이 타당(대법원 2020두42767, 2020.10.15.)

◎ 상속 관련 사례

- 근저당권자가 임의경매 개시결정을 받아 상속인을 대위하여 상속인들 명의로 상속등기를 마친 경우에도 근저당권자가 아닌 상속인에게 상속에 따른 취득세 납세의무가 성립됨(대법원 2006두1982, 2007.5.10.).
- 상속 전 매매계약이 체결되어 매수인 앞으로 소유권이전등기가 경료될 예정이었다고 하더라도 상속에 따른 취득세 납세의무에는 영향이 없음(대법원 2012두4357, 2012.6.14).
- 합유재산의 소유자 중 1명이 사망하여 합유자들의 변경등기를 한 경우 나머지 합유자가 당해 재산을 취득한 것으로 볼 수 있음(광주지법 2003구합2144, 2003.11.20.).

8. 개발사업의 과세체계 비교

| 국토 공간 계획의 체계 및 해당법령 |

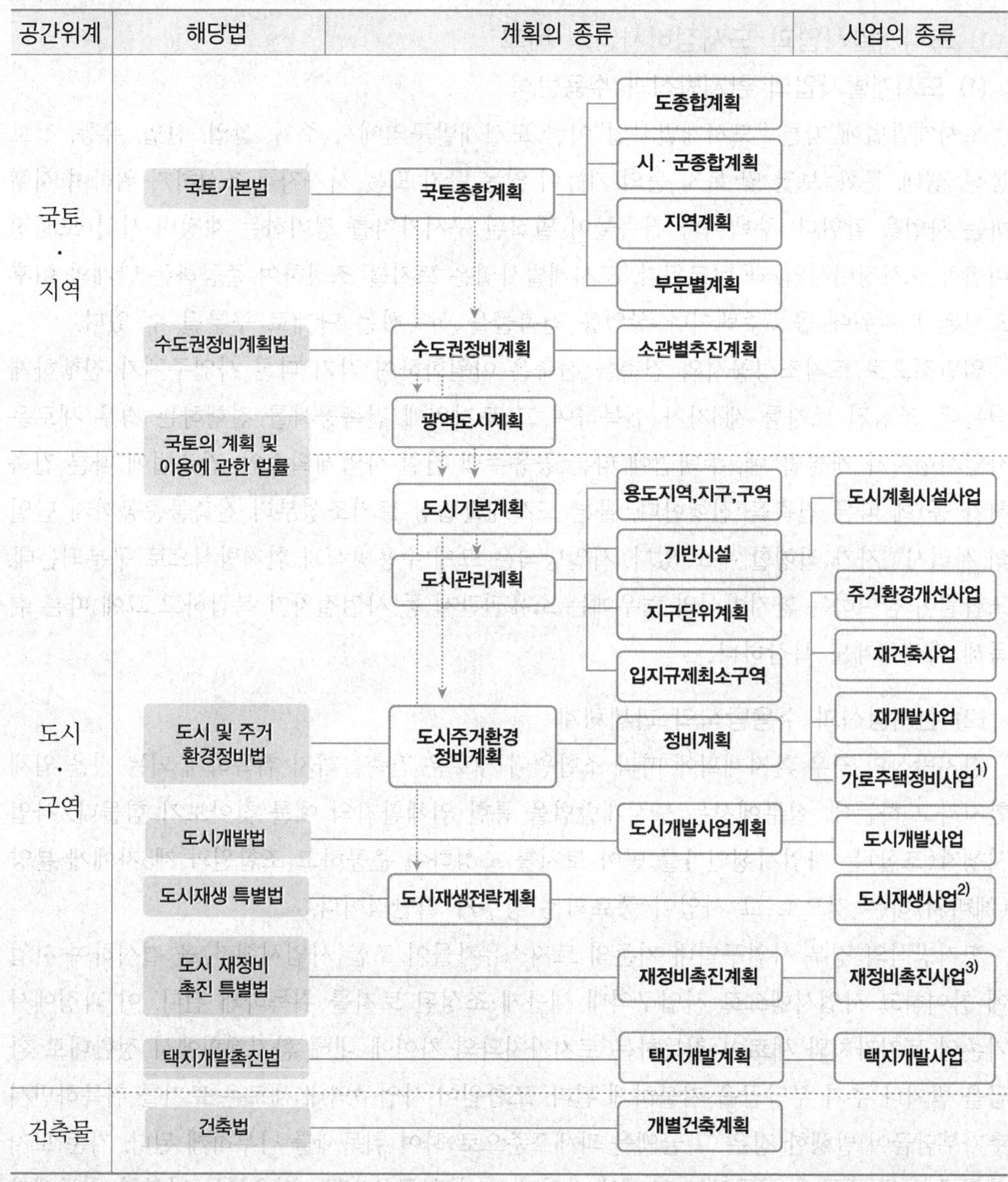

1) 가로주택정비사업 등 소규모 정비사업 활성화를 위해 「도시 및 주거환경정비법」에 있던 사항을 「빈집 및 소규모주택 정비에 관한 특례법」을 새로이 제정하여 이관(2018.2.9.)

2) 도시재생 활성화 지역에서 시행하는 정비사업, 재정비촉진사업, 도시개발사업, 산업단지 개발사업, 지자체가 지역발전을 위해 추진하는 일련의 사업 등을 말함.

3) 재정비 촉진지구에서 시행되는 도시정비사업, 가로주택정비사업 및 소규모 재건축사업, 도시개발사업, 시장정비사업, 도시·군 계획시설사업 등을 말함.

1) 도시개발사업과 도시정비사업의 비교

(1) 도시개발사업의 환지방식과 수용방식

도시개발법에 따른 "도시개발사업"이란 도시개발구역에서 주거, 상업, 산업, 유통, 정보통신, 생태, 문화, 보건 및 복지 등의 기능이 있는 단지 또는 시가지를 조성하기 위하여 시행하는 사업을 말한다. 주택이나 건축물이 밀집된 구시가지를 정비하는 재정비 사업(도시정비법상 도시정비사업)과 비교된다. 도시개발사업은 토지를 조성하여 준공하는 단계와 이후 조성된 토지위에 공동주택이나 상업용 건축물을 신축하는 단계로 구분될 수 있다.

일반적으로 토지조성공사와 건축물 신축은 이원화하여 각기 다른 사업주체가 진행하게 되는데, 조성된 토지를 제3자가 취득하여 그 토지위에 건축공사를 진행하는 경우 새로운 사업시행자가 개별법(예. 주택법에 따른 공동주택 건설 사업계획승인, 건축법에 따른 건축허가 등)에 따른 건축을 진행한다. 물론 도시개발법상 토지조성부터 건축물준공까지 단일의 사업시행자가 진행할 수도 있다. 사업방식은 크게 수용방식과 환지방식으로 구분되는데, 조합원이 참여하는 환지방식의 경우에는 소유권관계 등 사업절차가 복잡하고 그에 따른 취득세 과세체계도 복잡하다.

(2) 환지방식과 수용방식의 과세체계

환지방식의 경우 환지계획에 따라 조합원이 새로운 건축물까지 취득하게 되는 것을 입체환지라고 하는데, 실무에서는 도시개발법을 통한 입체환지의 예를 찾아보기 힘들다. 사업시행자(조합)는 사업시행인가를 받아 토지를 조성하여 준공하고 조합원과 제3자에게 분양(체비지)하는 것으로 그 사업이 종료되는 경우가 일반적이다.

환지방식의 경우 사업구역내 기존의 토지소유자들이 조합(사업시행자)을 결성하여 사업에 참여하고 사업시행으로 사업구역내 새롭게 조성된 토지를 취득하게 된다. 이 과정에서 기존의 토지가치와 새로이 취득하는 토지가치와의 차이에 대해 환지계획에서 정한대로 환급을 받거나 추가 부담금을 지불하게 된다. 조합원이 사업구역내 새로운 토지를 취득하면서 추가부담금이 발생한 경우 그 금액을 과세표준으로 하여 취득세를 납부하게 된다. 기존 토지가치에 비해 새롭게 취득하는 토지의 가치가 낮아 환급을 받는 경우에는 납부할 취득세가 없다. 사업시행자는 사업시행으로 체비지를 취득하게 되는데, 체비지는 향후 매각하여 토지조성공사에 소요된 비용을 충당하게 된다. 이 때 체비지 취득에 대해 취득세 납세의무가 발생하는데 지특법에 따라 일정요건의 감면이 적용된다(지특법 제74조 ①·③ 등 참고).

수용방식은 사업시행자가 사업구역내 모든 토지를 취득(유상 승계취득)하여 소유권을 확보한 다음 대지를 조성한다. 대지조성시 지목변경을 거치면 투입된 공사비를 과세표준으로 하여 지목변경 취득세가 과세된다. 그 이후에는 사업구역내 토지가 블록별로 구분되어 제3자에게 매각과정을 거친다. 수용방식은 조합원에 대한 취득여부를 고려할 필요가 없고 사업시행자를 중심으로 과세하기 때문에 과세체계가 간단한 편이다.

(3) 도시정비법상 재개발사업

도시정비법상 주택재개발사업과 도시환경정비사업이 2018년부터 "재개발사업"으로 명칭이 통합되었다. 주택이나 건축물이 밀집된 구시가지를 정비하는 재정비 사업이다. 재개발사업(특히 주택재개발사업)은 조합원이 참여하여 관리처분계획에 따라 신축 건축물을 취득하게 되는 입체환시방식이다. 도시개발법상 도시개발사업과 도시정비법상 재개발사업은 취득세 과세시 근거규정이 유사하다. 건축물의 원시취득 시기(지방령 제20조 ⑥), 사업시행자와 조합원에 대한 취득세 감면(지특법 제74조 ①)에서 함께 규정하고 있다(지특법 제74조 ①·③ 참고). 하지만 사업진행 과정에 따라 납세주체 및 과세대상이 상이하므로 각각에 대해 확인해봐야 한다.

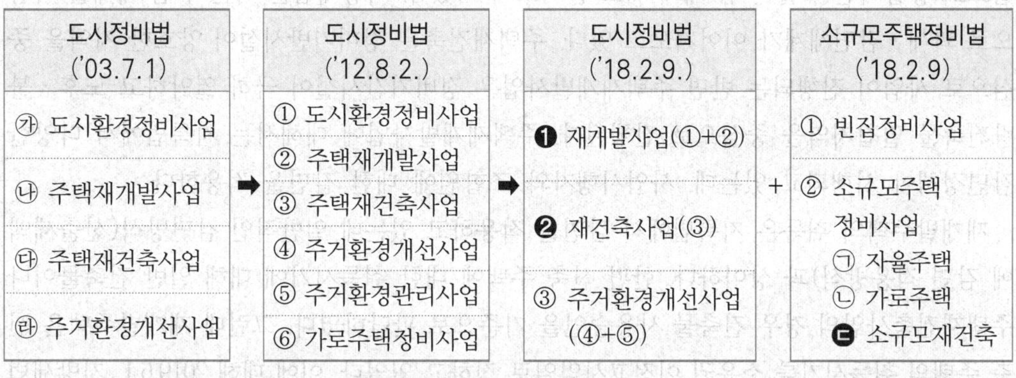

2) 주택조합과 주택재건축조합의 주택건축 사업

일정 지역에 거주하는 주민이 주택을 마련하기 위하여 설립한 조합을 지역주택조합이라고 하고, 같은 직장의 근로자가 주택을 마련하기 위해 만든 조합이 직장주택조합이다(주택법 제2조 11호). 주택조합은 도시정비법상 주택재건축조합과 달리 법인이 아니다. 도시정비법상 주택재건축정비사업조합은 도시정비법에 따라 설립되고, 정비기반시설이 양호한 지역을 대상으로 시행하는 정비사업으로 분류된다.

일반적인 사업진행 방식을 보면 주택법에 따른 주택조합 방식은 조합원이 조합에 금전을 신탁하면 조합은 그 돈으로 제3자로부터 사업구역내 부동산을 취득하여 사업을 추진한다. 도시정비법에 따른 주택재건축 방식은 조합원이 기존의 부동산을 소유한 상태에서 소유하던 토지(건축은 멸실)를 조합에 신탁하고 공사를 진행한다. 조합이 사업구역내 토지를 추가로 취득하는 경우도 있을 수 있는데 이는 주택조합 방식에서 금전신탁을 통해 제3자의 토지를 취득하는 것과 같은 성격으로 볼 수 있다.

이와같은 방식하에서 사업추진으로 건축물이 완공되면 그 건축물에 대한 원시취득은 취득 시점에 조합원과 조합(일반분양분)이 납세의무자가 된다. 부속토지의 경우 주택재건축 조합 방식은 당초 조합원이 신탁한 토지 중 신축 건축물의 부속토지로서 조합원에게 귀속되는 토지(일반 분양분 발생으로 당초 신탁한 전체 토지면적보다 적어짐)가 있고, 일반분양분 주택의 부속토지는 조합이 새롭게 취득한 것으로 본다. 사업추진과정에서 추가로 토지를 취득한 경우 위의 "주택조합 등의 일반분양분 토지 과세" 내용을 참고하기 바란다.

3) 주택재건축사업과 주택재개발사업의 비교

두 사업 모두 도시정비법에 따라 시행되는 사업이다. 주택재건축은 구 주택건설촉진법에 따라 추진되었고, 주택재개발은 도시재개발법으로 추진되던 사업이 도시 및 주거환경 정비법으로 통합되면서 같은 법 체계 내로 들어오게 되었다. 지방세법은 기존의 법 체계를 바탕으로 과세·감면체계가 이어져오고 있다. 주택재건축은 정비기반시설이 양호한 지역을 중심으로 사업이 진행되는 반면 주택재개발사업은 정비기간시설이 극히 열악하고 노후·불량건축물 밀집지역을 중심으로 진행된다. 주택재개발사업에 대해서는 지특법에서 다양한 감면정책이 시행되고 있는데, 사업시행자와 조합원에 대한 감면을 적용한다.

재개발주택의 취득은 지특법에서 감면을 적용하고 있는데 일반적인 감면방식(산출세액에 감면 적용방식)과 상이하다. 한편 신축 주택에 대한 취득시기에 대해 일반 건축물이나 주택재건축사업의 경우 건축물 사용승인을 기준으로 판단하였다. 그런데 재개발주택은 신축 주택의 취득시기를 소유권 이전고시익일로 정하고 있었다. 이에 대해 2019.6.1. 지방세법 시행령 개정으로 재개발주택의 취득시기도 일반건축물이나 재건축주택의 취득시기와 일치시켰다(그 밖에 재개발주택의 시행자 및 조합원에 대한 감면은 지특법 제74조 참고).

4) 도시환경정비사업과 주택재개발사업의 비교

도시환경정비사업은 도심의 상업지역에서 상업용 건축물 또는 복합건축물 등을 건설하는 사업이다. 그런데 2018.2.9. 도시정비법이 전면개정되면서 주택재개발사업과 도시환경정비사업이 재개발사업으로 통합되었다. 재개발사업이란 "정비기반시설이 열악하고 노후·불량건축물이 밀집한 지역에서 주거환경을 개선하거나 상업지역·공업지역 등에서 도시기능의 회복 및 상권활성화 등을 위하여 도시환경을 개선하기 위한 사업"(도시정비법 제2조 2호 나목)으로 정의하면서 단순히 두 사업의 개념을 합하여 규정하고 있다.

지방세 과세체계는 기존은 법을 바탕으로 이루어져 있는데, 특히 감면의 범위에 차이가 있다.

재개발사업의 시행자의 경우 관리처분에 따라 취득하는 주택은 감면 대상이므로, 상업용 건축물을 건축하는 도시환경정비사업이 주택재개발사업에 비해 감면범위가 좁다. 재개발사업 조합원의 경우 85제곱미터 이하 주택 취득에 대한 감면제도를 두고 있다. 그 외 취득세 과세표준과 조합원 및 승계조합원에 대한 과세체계는 도시환경정비사업과 주택재개발사업간에 큰 차이가 없다.

5) 도시개발사업 및 재개발사업 조합원의 과세체계와 감면

지특법상 「도시개발법」에 따른 도시개발사업과 「도시정비법」에 따른 재개발사업의 시행으로 해당 사업의 대상이 되는 부동산의 소유자(조합원)가 환지계획(도시개발법) 및 관리처분계획(도시정비법)에 따라 취득하는 토지 및 건축물에 대해서는 취득세를 면제한다. 다만 환지계획 등에 따른 취득부동산의 가액 합계액이 종전의 부동산 가액의 합계액을 초과하여 관계 법령에 따라 청산금을 부담하는 경우에는 그 청산금에 상당하는 부동산에 대해서는 과세한다고 규정하고 있다. 그런데 관리처분계획에 따라 조합원이 취득하는 부동산을 면제한다고 하면서 다시 청산금은 과세한다는 것이 과세체계상 어떤 의미인지(감면인지 또는 과세인지) 살펴볼 필요가 있다. 단순화 시켜 주택재개발사업을 중심으로 살펴본다.

조합원이 기존에 자신의 토지(3억원)를 내놓고 청산금 2억원을 추가 부담하여 새로운 아파트(조합원 분양가액 5억원)를 취득하는 경우를 가정한다. 법문상 조합원은 새로운 아파트를 취득한다는 전제하에 취득세를 면제하되 청산금이 있는 경우는 청산금에 해당하는 부분을 과세한다고 규정하고 있다. 그대로 적용하여 새로운 주택을 취득대상으로 본다면 조합원은 전체 과세대상 5억원에서 과세분인 청산금 2억원을 제외하면 3억원을 감면받았으므로 60% 감면율이 적용되었다고 볼 수 있다. 이와같이 취득대상을 새로 취득하는 아파트 전체(부속토지 포함)로 본다거나, 이를 토대로 조합원이 관리처분계획에 따라 취득하는 아파트 전체에 대해 취득세를 면제한다고 받아들인다면 아래와 같이 불합리한 면이 발생한다.

첫째, 추가분담금이 없는 조합원의 경우라면 전체가 면제되고 최소납부제 시행에 따라 오히려 15%를 과세받게 된다. 추가분담금이 조금(예를 들어 1원이라고 가정)이라도 있는 조합원은 추가분담금이 없는 조합원에 비해 15%에 이르는 세부담을 피해갈 수 있다. 과세대상과 감면체계의 왜곡에 따른 결과이다. 둘째, 조합원이 새로운 주택을 취득했다는 것은 그 상대방인 조합으로부터 유상승계 취득했다고 봐야하고, 이 경우 조합이 새로운 주택에 대해 원시취득 여부를 논해야하는 불합리한 상황이 초래한다. 셋째, 조합원은 당초 토지를 소유하고 있는 상태에서 그 지상에 건축물이 신축된 것이기 때문에 취득대상에 토지를 포함한 전체 부동산으로 보는 것은 타당하지 않다.

이와 같이 지특법에서 재개발주택의 취득에서 취득대상을 전체로 보는 것은 바람직하지 않다. 따라서 해당 규정은 일반적인 감면규정이라기 보다 재개발주택의 과세체계에 대한 특례 규정으로 이해하는 것이 합리적이라고 사료된다. 그에 따라 청산금에 대해 과세하는 것은 과세대상을 건축물의 원시취득으로 보고 그 과표를 청산금으로 보는 것이 타당하다. 이렇게 이해하는 것이 전용면적 85제곱미터 이하의 주택을 취득하는 조합원에 대해 감면을 적용하는 규정(지특법 제74조 ⑤ 3호)과도 조화를 이루게 된다.

그렇지 않고 새로운 주택(토지 포함)의 취득으로 볼 경우, 취득 원인이 승계취득인지 여부를 검토해야하고, 개별조합원별로 과세대상 건축물과 토지를 구분하여 구체적으로 한정하고 각각에 대해 세율적용을 검토해야하는 등 매우 복잡한 문제가 나타나게 된다. 아울러 같은 도시정비법에 따라 추진하는 주택재건축조합방식의 경우 조합원이 새로 취득하는 것은 토지가 아닌 신축된 건축물에 한정하고 있는 점도 고려할 필요가 있다.

6) 용도 폐지되는 정비기반시설의 이전[11]

도시개발사업, 도시정비법에 따른 정비사업 등의 시행으로 사업시행자가 사업구역 내에 새로 설치한 도로, 공원, 공공용지 등 신설 정비기반시설은 관리청인 지방자치단체에 귀속되고, 사업의 시행으로 용도폐지되는 기존 정비기반시설인 도로 등(용도폐지 정비기반시설)은 사업시행자에게 무상으로 양도하게 된다. 사업시행자에게 귀속되어 사업부지로 제공되는 토지이기 때문에 기부채납용 부동산(비과세)과는 다른 성격의 부동산이다. 이 경우 용도폐지 정비기반시설의 취득에 대한 취득원인은 유상이 아닌 무상으로 보고, 과세표준은 시가표준액으로 보는 것이 타당하다.

◎ 도시정비사업으로 용도 폐지되는 정비기반시설(도로)을 이전받는 것은 무상취득에 해당

새로 설치될 정비기반시설은 정비사업의 계획에 따라 설치되는 것이고 용도폐지 정비기반시설 또한 정비사업의 계획에 따라 사라지는 것으로 쌍방의 의사가 개입되기 어려움. … 도시정비법상 '무상 귀속, 무상 양도'는 그 문언상 '교환'과 차이가 있고, 법률 규정에 의한 물권변동임, 도시정비법상(제65조 ② 후단)에 의한 용도폐지 정비기반시설의 취득이 신설 정비기반

11) "11. 대규모 토지조성 사업에서의 단계별 취득세 과세(p.550)" 참고

시설의 귀속과 상환성 내지 대가성이 있어 유상취득의 실질을 갖는다고 보기도 어려움. … 용도폐지 정비기반시설을 사업시행자에게 무상 양도함으로써 사업시행자가 신설 정비기반 시설을 관리청에 무상 귀속시킴으로써 입게 될 재산상 손실을 합리적인 범위 안에서 보전해 주는 것을 목적으로 하는 시혜적 법률이며, 시혜적 법률에서 입법자는 광범위한 입법재량권을 행사할 수 있으므로 용도폐지 정비기반시설의 귀속과 사업시행자의 손실 사이에 대가관계가 인정된다고 보기는 어려움(대법원 2017두66824, 2019.4.3.).

◎ 도시정비사업으로 용도 폐지되는 정비기반시설을 이전받는 경우 과표는 시가표준액

지방세법 제10조 제5항은 국가 등으로부터의 취득, 판결문, 법인장부에 따라 취득가격이 증명되는 취득 등과 같이 그 취득가액이 명백하게 드러나는 경우에는 취득자의 신고에 관계없이 사실상의 취득가액에 의하여 과세표준을 정한다는 것을 규정한 것으로(대법원 87누953 등), 각 호에 해당하는 경우라고 하더라도 '사실상의 취득가격'을 확인할 수 없는 경우라면 적용할 수 없고, 제10조 제2항에 따라 신고가액 또는 시가표준액을 과세표준으로 적용하여야 함. 시행령 제18조 제1항에 의하면 사실상의 취득가격은 '해당 물건을 취득하기 위하여' 지급한 직접·간접비용의 합계액인데, 신설 및 용도폐지 정비기반시설의 소유권 이전은 교환계약에 따른 것이 아니라 법률의 규정에 따라 강제적으로 이루어진 것이어서, 용도폐지 정비기반시설을 취득하기 위하여 ○○구에 신설 정비기반시설을 귀속시켰다고는 볼 수 없으므로, 위 요건을 충족하지 못함(대법원 2017두66824, 2019.4.3.).

9. 주택재건축 및 주택재개발사업에 따른 취득세 과세체계

주택법상 주택조합(지역·직장 주택조합) 방식, 도시개발법상 도시개발사업, 도시정비법상 도시환경정비사업 및 주거환경개선사업 등 다양한 사업방식이 있는데, 대표적인 주택재건축 및 주택재개발사업에 따른 취득세 과세체계를 살펴본다. 건축물이 준공되면 원시취득에 대한 취득의 시기가 도래하므로 건축물 준공 전후를 기준으로 살펴본다.

1) 주택재건축사업의 준공 이전 단계

(1) 조합(사업시행자)에 대한 취득세

사업시행자인 조합이 사업시행을 위해 토지를 취득하게 되는데, 조합원으로부터 사업지구 내 토지를 신탁을 통해 이전받게 된다. 그런데, 지방세법 제7조 제8항 납세의무자 규정에서 주택재건축조합이 해당 조합원용으로 취득하는 조합주택용 부동산은 그 조합원이 취득한 것으로 본다고 규정하고 있어 조합이 조합원으로부터 취득하는 토지는 취득세를 과세하지 않고(영 제20조 ⑦), 다만 조합원에게 귀속되지 아니하는 부동산("비조합원용 부동산",

일반분양분)은 과세한다. 이 경우 취득의 시기는 준공 이후 이전고시 익일이 된다. 한편 사업지구 내 일부 토지에 대해 조합원 이외의 자로부터 조합이 직접 취득하는 경우도 있는데, 이 경우 조합이 직접 취득세 납세의무자가 된다.

(2) 승계조합원에 대한 취득세

사업구역 내 기존 조합원 소유 부동산을 취득하면 조합원의 지위를 승계하게 되고, 이 경우 토지 취득에 따른 취득세 납세의무가 발생한다. 만약 기존 조합원 소유 주택이 철거되지 않은 상태에서 취득하는 경우 "주택 유상거래 취득세율"(주택 취득 가액에 따라 1~3%)이 적용되고, 주택이 철거되어 토지 상태로 취득하는 경우 취득가액에 4% 세율이 적용된다.

주택 철거 이후 또는 착공 이후(관리처분계획인가로 인한 조합원 분양 이후) 단계에서 취득하는 경우 부동산 거래 실무에서는 기존 조합원과 토지에 대한 매매 거래를 하고 분양계약서(조합원분)를 넘겨받게 되는데, 이때 분양계약서상의 권리가액을 토지의 취득가액으로 본다. 예를 들어 조합원 분양계약서상 권리가액 2억원을 기존 토지에 대한 가액으로 보고, 여기에 4% 세율(토지 승계취득 세율)을 적용한다. 프리미엄을 지불하고 취득한 경우라면 이를 과세표준에 포함한다.

2) 주택재건축사업의 준공 이후 단계

(1) 조합(사업시행자)에 대한 취득세

재건축 아파트 준공으로 신축건물에 대한 취득세 납세의무가 발생하는데 가사용 승인(임시사용승인), 사실상 사용일 중 빠른 날이 취득의 시기이다. 조합이 신축아파트를 취득하게 되지만 조합이 조합원용으로 취득하는 것은 조합원이 취득하는 것으로 보아 조합원에게 납세의무가 발생하고, 일반분양분에 대해서만 조합의 납세의무가 발생한다. 따라서 신축건물에 대해 신축 아파트 공사비 전체를 기준으로 하여 일반분양분이 차지하는 비율을 취득가액으로 하고, 2.8%(원시취득 세율) 세율로 과세한다.

(2) 조합원에 대한 취득세

조합원(원조합원 및 승계조합원 모두포함)의 경우 아파트 준공으로 관리처분계획에 따라 소유하게 되는 주택에 대해 납세의무가 발생한다. 준공으로 조합이 신축아파트를 취득하게 되지만, 조합이 조합원용으로 취득하는 것은 조합원이 취득하는 것으로 보아 조합원에게 납세의무가 발생한다. 신축건물에 대한 취득세는 신축 아파트 공사비 전체를 기준으로 하여, 개별 조합원 소유 아파트(건축물) 면적이 전체 연면적에서 차지하는 비율에 해당하는 가액을 취득가액으로 2.8%(원시취득) 세율로 과세한다.

3) 주택재개발사업의 준공 이전 단계

(1) 조합(사업시행자)의 취득세

체비지 이외에 사업시행자가 부동산을 취득하는 경우가 있다. 조합원 이외의 제3자 소유 토지를 취득하거나 국가나 지자체로부터 사업구역 내 폐지되는 기반시설을 취득하는 경우를 예를 들 수 있다(건축물 준공 이후에도 취득할 수 있음). 이 경우 사업구역 내 재개발사업의 대지 조성을 위하여 취득하는 부동산에 대해서는 2020.1.8. 개정 법률에 따라 2022.12.31.까지 50% 감면한다(지특법 제74조 ⑤ 1호). 개정규정 시행전에 사업시행인가를 받은 경우에는 구법을 적용하여 75% 감면한다(부칙 제17조).

(2) 승계 조합원

토지를 취득함으로써 조합원 지위를 승계하게 되는데, 과세방식은 재건축과 동일하다. 한편 재개발 사업으로 취득하는 부동산(신축 아파트)의 최종 가액에서 조합원 승계(토지 취득) 당시의 취득가액은 차감된다. 승계조합원을 판단하는 기준은 사업시행인가 이후 (환지 이전에)부동산을 승계취득한 자를 의미하며, 해당 사업구역이 소득세법상 "지정지역"이 된 경우에는 재개발사업 정비구역 지정일 이후 취득한 경우를 의미한다(지특법 제74조 ① 2호).

4) 주택재개발사업의 준공 이후 단계[12)]

(1) 조합(사업시행자)의 취득세

관리처분계획에 따라 사업시행자(주택재개발조합)가 2022.12.31.까지 취득하는 주택(예. 일반분양용 주택, 임대주택)에 대해서는 취득세를 50% 감면한다(제74조 ⑤ 2호). 이 경우 사업시행자가 취득하는 주택의 과세대상을 주택의 건축물부분과 토지를 분리하여 과세할지, 통합하여 하나의 과세대상으로 볼지, 아울러 과세표준을 어떻게 산정할지 명확하지 않은 측면이 있다. 재개발주택의 건축물의 원시취득 시기를 준공일로 규정(2019.5.31. 지방령 제20조 ⑥)한 취지를 고려한다면 과세대상을 건축물과 토지로 이원화하여 과세하되 건축물부분은 공사비를 과표로, 부속토지는 재건축주택의 일반분양분 토지의 과세방식인 공시지가를 기준으로 과세하는 방안이 타당하다고 판단된다(지특법 제74조 관련내용 참조).

2020.1.1. 이전 재개발사업(주택)의 시행인가를 받은 경우에는 종전 규정에 따라 75% 감면한다(부칙 제17조).

---

12) 지특법 제74조의 재개발사업 등에 대한 감면은 감면대상 및 감면율이 사업별·대상자별 구분 없이 혼재되어 해석상 다툼도 발생하였다. 2020.1.15. 지특법 개정으로 감면체계가 정비되면서, 경과규정을 두고 있으므로 감면 여부에 대해서는 납세자별 세부적인 확인이 필요하다.

(2) 원조합원의 취득세

원조합원(정비구역지정 고시일 현재 부동산의 소유자)은 재개발사업의 시행으로 관리처분계획에 따라 취득하는 부동산에 대해서는 취득세를 면제한다. 다만, 청산금을 부담하는 경우에는 그 청산금을 과세표준으로 하여 취득세 과세한다(제74조 ①). 2019년까지 원조합원이 청산금을 부담하더라도 전용면적 85㎡ 이하의 주택에 대해 취득세 면제규정을 두고 있었다(제74조 ③ 4호). 이후 2020.1.15. 지특법 개정으로 60㎡이하 주택은 75% 감면, 60~85㎡ 이하 주택에 대해서는 50% 감면대상으로 조정되면서 1가구1주택에 한해 적용한다(제74조 ⑤ 3호). 이 때 1가구1주택은 기존 서민주택(법 제33조), 신혼부부 생애최초 주택(법 제36조 2호)의 1가구1주택 감면 요건과 유사하게 적용한다. 일시적 2주택자도 감면대상인데, 감면받은 후 취득일부터 3년 이내에 1가구1주택이 되지 아니한 경우에는 추징된다. 2020.1.1. 이전에 사업계획인가를 받은 사업장에 대해서는 구(舊)법에 따른 면제를 적용받는다(부칙 제17조).

(3) 승계조합원의 취득

관리처분계획에 따라 취득하는 부동산의 가액 합계액이 종전의 부동산 가액 합계액을 초과하는 경우에는 그 초과액에 상당하는 부동산에 대해서는 과세한다(지특법 제74조 ① 2호, ②). "초과액"은 관리처분계획에 따른 취득부동산의 과세표준(지방세법 제10조 제5항에 따른 사실상의 취득가격이 증명되는 경우에는 사실상의 취득가격)에서 환지 이전의 부동산의 과세표준(승계취득 당시 취득세 과세표준)을 뺀 금액으로 한다.

예를 들어 관리처분계획 인가 이후 단계(멸실 또는 건축중)에서 토지를 취득하여 승계조합원이 되는 경우 토지 취득가액 2억원을 과세표준으로 하여 4%의 세율로 취득세를 과세한다. 이후 건물이 준공되면, 종전의 부동산 가액 합계액을 초과하는 경우에는 그 초과액에 상당하는 부동산에 대해서만 과세한다. 즉, 전체 취득가액은 3억원이나 종전의 부동산 가액 2억원을 제외한 추가부담금 1억원에 대해 과세하게 된다. 취득의 원인은 신축에 따른 원시취득세율 2.8%로 과세한다. 원조합원과 달리 85㎡이하의 주택을 취득하더라도 면제대상이 아니다.

☞ 청산금에 대한 과세에 있어 "청산금"의 성격 등 "도시개발사업 및 재개발사업 조합원의 과세체계와 감면"을 참고하기 바람(지특법 제74조).

5) 재개발주택의 취득시기 개선

건축물을 신축하는 경우 취득시기는 일반적으로 준공시점이나, 도시개발법 및 도시정비법에 따라 건축한 주택의 경우 소유권 이전 고시 익일과 사실상 사용일 중 빠른 날로 간주(영 제20조 ⑥)하고 있었다. 같은 도시정비법에 따라 건축되는 재건축 주택의 경우도 일반

건축물의 신축과 같은 취득의 시기에 따라 과세하고 있다. 그에 따라 일반 건축물과 재개발 사업 등으로 인한 건축물 간의 취득세 과세 불형평이 나타나고, 이 시점에 부동산 거래가 이루어진 경우 주택유상거래 특례세율을 적용할 수 있는지 쟁점이 될 수 있다. 그리고 과세기준일 현재 주택이 신축되어 있다면 주택분 재산세가 과세되는데, 취득의 시기를 인식하지 않으면 외형상 주택으로 존재함에도 주택 신축(취득시기 도래)을 인정하지 않았으니 주택분 재산세를 과세할 수 없다는 주장이 제기될 수 있다.

이러한 문제점을 고려하여 2019.6.1.부터 주택재개발 조합의 주택신축에 따른 취득시기를 일반 건축물의 취득시기와 동일하게 적용하도록 개정하였다. 도시개발사업(도시개발법)으로 건축한 주택과 정비사업(도시정비법)으로 건축한 주택의 취득 시기를 '환지처분 공고일 또는 소유권 이전 고시일'에서 '준공검사 증명서 또는 준공인가증을 내주는 날 등'으로 변경하였다. 개정된 내용을 반영하여 각각의 단계마다 취득시기의 인식과 주택유상거래 세율 적용 등 과세체계를 다음과 같이 정리할 수 있다.

① 재개발 주택의 준공 이후 소유권 이전고시 이전단계에서 조합원이 사실상 사용하는 경우 : 종전에는 사실상 사용일을 재개발 신축주택 취득일로 보아 조합원에게 청산금 등(지특법 제74조 ① 1호 · 2호)을 과세표준으로 취득세를 과세하였는데, 준공일(또는 임시사용승인일)을 재개발 신축주택 취득일로 보아 과세하는 방식으로 개선되었다.

② 당초 조합원이 신축된 주택을 사실상 사용 후 매매(승계)하는 경우 : 매수인(승계조합원)에게 전체 주택(부속토지 포함)의 취득가액을 과표로 주택유상거래세율을 적용한다(변동사항 없음). ※ 당초 조합원의 취득세는 "①"번 사례와 같음.

③ 당초 조합원이 준공 이후 사실상 사용하지 않은 상태(미입주)에서 소유권 이전고시 전에 매매(승계)한 경우 : 당초 조합원(원소유자)과 매수자(승계조합원)를 비교하면 다음과 같다. 당초 조합원의 경우 사실상 사용일 또는 이전고시 이전단계이므로 종전에는 신축주택 취득에 대해 과세가 불가했는데, 개정 이후에는 준공일(임시사용승인일)을 신축주택 취득일로 보아 조합원에게 청산금을 과세표준으로 과세하게 되었다. 매수자(승계조합원)의 경우 종전에는 토지 취득이 조합원 지위승계의 전제조건이 되므로 토지 승계취득에 따른 취득세와 승계조합원이 입주하여 사실상 사용하게 되므로 신축주택에 대한 원시취득세를 모두 과세하였는데, 개정 이후에는 원조합원이 신축에 대한 취득시기가 도래하여 원시취득에 대한 취득세를 이미 납부한 상태이므로 승계취득 시점에는 과세대상이 주택(부속토지인 대지권 포함)으로 바뀌어 주택유상거래 취득세율(1~3%)을 적용하게 된다.

④ 이전고시일까지 조합원이 미입주 상태인 경우 : 종전에는 이전고시 익일을 재개발 신

축주택 취득일로 보아 조합원에게 청산금을 과표로 과세하였는데, 개정이후에는 준공일(임시사용승인일)을 재개발 신축주택 취득일로 보아 조합원에게 청산금을 과표로 취득세를 과세하게 되었다.

◎ **기존조합원으로부터 자금을 확보하지 않고 조합이 직접 자금을 조달하여 토지를 취득한 후, 조합원의 지위가 승계된 경우, 승계조합원은 해당 토지지분에 대한 납세의무 성립**

주택조합이 토지대금을 완납하였다면 이는 조합원이 취득한 것이고 추후 조합원의 지위를 승계받은 자는 당초 조합원으로부터 그 토지지분을 승계취득한 것으로 보아야 할 것인 점(행자부 세정-710, 2005), 사업부지에 대한 자금을 마련하기 위해 명의상 조합으로 대금을 차입하여 토지를 취득하였더라도 그 차입금에 대한 부담은 조합원에게 귀결되는 점, 조합원 지위승계를 일반 분양의 권리의무승계와 동일하게 볼 수 없는 점 …, 승계조합원은 사업토지에 대한 토지지분을 기존조합원으로부터 승계취득한 것이므로 해당 토지지분에 대한 취득세 납세의무(토지대금+프리미엄)가 있음(지방세운영과-816, 2017.10.27.).

◎ **이주자택지 공급대상자로 결성된 조합이 행정중심복합도시건설청으로부터 주택건설사업계획을 승인받아 공동주택을 건설하는 경우 주택조합으로 볼 수 없음**

국토교통부는 본 건 사실관계와 같이 이주자택지 공급대상자로 구성된 조합이 「주택법」 제32조에 따른 주택조합에 해당되는지의 여부에 대해 인가권자의 인가여부에 따라 판단해야 한다고 회신한 바 있음(주택정책과-1928, 2014.4.1.). 따라서 해당 조합이 「주택법」 제32조에 따라 인가권자의 인가를 받지 않은 경우라면 「지방세법」 제7조 제8항에 따른 주택조합으로 볼 수 없을 것임(지방세운영과-1424, 2014.4.24.).

10. 주택조합 등의 취득(제7조 ⑧)

「주택법」 제32조에 따른 주택조합(지역주택조합, 직장주택조합)과 「도시 및 주거환경정비법」에 따른 주택조합(주택재건축주조합) 등이 해당 조합원용으로 취득하는 조합주택용 부동산(공동주택과 부대시설 · 복리시설 및 그 부속토지를 말함)은 그 조합원이 취득한 것으로 본다. 다만, 조합원에게 귀속되지 아니하는 부동산 즉, 비조합원용 부동산은 제외한다(제7조 ⑧).

주택조합 등의 일반분양분 토지의 과세에 대해 중점적으로 살펴본다.

1) 과세 연혁

1997.8.30. 납세의무자 규정에서 "주택건설촉진법 제44조의 규정에 의한 주택조합이 당해 조합원용으로 취득하는 조합주택용 부동산(~)은 그 조합원이 취득한 것으로 본다"라

는 규정이 신설(제105조 ⑩, 현행 제7조 ⑩)되었다. 이와 동시에 신탁재산 비과세 규정에서 "다만 주택건설촉진법 제44조의 규정에 의한 주택조합과 조합원 간의 신탁재산 취득을 제외한다"라는 단서 규정도 신설(제110조 1호, 현행 제9조 ③)됨으로써 그 단서 규정에 해당하는 신탁재산 취득에 대하여는 위 제110조 제1호 본문의 적용이 배제되었다. 이는 주택조합에 대한 취득세의 과세에 있어 조합과 조합원에 대하여 이중과세가 되지 아니하도록 조합원에게만 과세하기 위한 취지에서 도입되었다. 그런데 이러한 규정 하에서 주택의 준공이후 일반분양용 주택의 경우 준공된 건축물에 대해서는 조합이 원시취득자로서의 납세의무자임이 명확한데, 그 부속토지(일반 분양용 토지)에 대해 조합의 납세의무가 있는지에 대한 쟁점이 있었다. 대법원은 다음과 같은 이유로 납세의무가 없다고 판단하였다.

구법 제110조 제1호는 본문에서 수탁자가 위탁자로부터 신탁재산을 신탁에 의하여 이전받는 경우의 취득 등으로서 신탁등기를 병행하는 경우에는 취득세를 부과하지 아니한다고 하면서, 그 단서에서 '주택조합 등과 조합원 간의 신탁재산 취득'에 대하여는 본문의 적용이 배제된다고 정하고 있다. 이 단서규정은 주택조합 등이 취득하는 조합원용 부동산은 비록 신탁의 방법에 의하여 이를 취득하더라도 구법 제105조 제10항에 따라 그 조합원이 취득한 것으로 간주되기 때문에 그에 대하여는 더 이상 구법 제110조 제1호 본문이 적용될 여지가 없다는 취지에 기한 것이다. 따라서 위 단서에서 말하는 '주택조합 등과 조합원 간의 신탁재산 취득'이란 주택조합 등과 조합원 간의 모든 신탁재산의 이전을 의미하는 것이 아니라, 구법 제105조 제10항에 의하여 조합원이 취득하는 것으로 간주되는 신탁재산의 이전, 즉 조합원용 부동산의 이전만을 의미하는 것으로 해석되어야 한다. 그로 인해 주택조합이 조합원 소유의 토지를 조합주택용 부동산으로 신탁에 의해 취득하면서 신탁등기를 병행하는 경우, 그 중 조합원용에 해당하는 부분은 제105조 제10항에 의해 그 조합원이 취득하는 것으로 간주되므로 주택조합에 대하여는 취득세를 부과할 수 없는 것이고, 조합원용이 아닌 부분은 제105조 제10항이 규정하는 경우가 아니므로 제110조 제1호의 단서에도 해당하지 않아 그 본문(신탁재산의 취득)이 적용되는 결과 이 또한 취득세 부과대상이 되지 아니한다(대법원 2006두9320, 2008.2.14.).

이에 대해 정부에서는 2008.12.31. 지방세법 개정으로 일반분양분 토지에 대한 취득세 과세가 가능하도록 입법보완하였다. 주택조합 등에 대한 납세의무자 규정(제105조 ⑩)에서 "다만, 조합원에게 귀속되지 아니하는 부동산("비조합원용 부동산"이라 한다)은 제외한다"는 규정을 신설하였다. 그리고 연계조항인 제110조 제1호의 비과세 조항의 단서규정에서도 주택조합등과 조합원 간의 부동산 취득뿐 아니라 "주택조합등의 비조합원용 부동산" 취득도 비과세 대상에서 제외하는 것으로 명확히 하였다. 아울러 시행령 개정을 통해 일반분양분 토지의 취득 시기도 새롭게 규정하였다. 주택법 제11조에 따른 주택조합(지역·직장주택조합)이 조합원으로부터 취득하는 토지 중 조합원에게 귀속되지 아니하는 토지를 취득하는 경우 사용검사를 받은 날에 취득한 것으로 보고, 도시정비법에 따른 재건축조합이 토지를 취득하는 경우에는 소유권이전 고시일의 익일에 취득한 것으로 본다(영 제20조 ⑦).

◎ 조합주택용으로 토지를 취득하면서 신탁등기를 경료하였는데 이후 위 신탁재산인 토지가 일반분양용 토지로 전환되었다고 할 것인 바, 이는 조합원들로부터 일반분양용 토지를 신탁취득한 것으로 봄이 상당하므로 구 지방세법(2007.12.31. 법률 제8835호로 개정되기 전의 것) 제110조 제1호 가목에 따라 취득세 과세대상이 아님(대법원 2009두14675, 2009.12.10.).

2) 조합이 제3자로부터 취득한 토지

(1) 제3자로부터 취득한 토지의 취득시기

'주택조합 등이 조합원으로부터 신탁받은 금전으로 매수하여 그 명의로 소유권이전등기를 마친 조합주택용 부동산'은 조합원용인지 또는 비조합원용인지를 가리지 아니하고 구법 제110조 제1호 본문이 적용되는 '신탁등기가 병행되는 신탁재산'에 해당하지 아니하여 그 취득에 대하여는 구법 제110조 제1호 단서의 규정과 관계없이 취득세가 부과되어 왔다(대법원 98두10950, 2000.5.30.).

그리고 개정 법(2008.12.31.) 제110조 제1호 단서가 그 본문 적용의 배제대상으로 '주택조합 등의 비조합원용 부동산 취득'을 추가한 것은 종전의 관련 법령상 취득세 부과대상이 아니었던 '주택조합 등이 조합원으로부터 조합주택용으로 신탁에 의하여 취득하면서 신탁등기를 병행한 부동산 중 비조합원용 부동산의 취득'에 대하여 그 본문의 적용을 배제함으로써 취득세 부과대상으로 삼기 위한 것이고, 개정 시행령 제73조 제5항(현행 영 제20조 ⑦)은 이 경우에 대해 납세의무의 성립시기를 정한 것이다.

따라서 '주택조합 등이 조합원으로부터 신탁받은 금전으로 매수하여 그 명의로 소유권이전등기를 마친 조합주택용 부동산 중 비조합원용 부동산의 취득'의 경우에는 개정 법 제110조 제1호 단서의 개정과 개정 시행령 제73조 제5항의 신설에도 불구하고 여전히 주택조합 등이 사실상의 잔금지급일 또는 등기일 등에 이를 취득한 것으로 보아 취득세를 부과하여야 한다. 개정 시행령 제73조 제5항에서 규정한 '주택법 제29조에 따른 사용검사를 받은 날 등'에 주택조합 등이 이를 취득한 것으로 보아 취득세를 부과할 것은 아니다.

(2) 제3자로부터 취득한 토지의 납세의무자 판단

최근 대법원 판례에 따르면 조합이 조합원으로부터 신탁받은 금전으로 매수하여 조합 명의로 소유권이전등기를 마친 토지 중 조합원 분양용 토지는 지방세법 제7조 제8항 본문에 따라 조합원이 취득한 것으로 간주되므로 조합원이 취득세의 납세의무자가 되고, 비조합원 분양용 토지는 지방세법 제7조 제8항 단서, 제1항, 제2항에 따라 조합이 납세의무자가 되며, 후자의 경우 그 납세의무의 성립시기는 지방세법 시행령 제20조 제2항, 제13항 등에 따라 사실상의 잔금지급일 또는 등기일 등이 된다(대법원 2017두73679, 2018.3.15.).

이 같이 납세의무자를 이원화하여 적용한다는 대법원 판례는 다음과 같이 쟁점이 있을 수 있다. 조합이 조합원으로부터 받은 금전으로 제3자의 토지를 취득한 것은 조합이 조합원으로부터 직접 취득세 과세대상 부동산을 취득한 것이 아니고 제3자로부터 조합이 주체가 되어 토지를 취득한 것이므로 독립적으로 납세의무가 성립된 것으로 볼 여지가 있다. 조합이 취득한 것은 어차피 조합원용 토지 아니면 비조합원(일반분양)용 토지가 될 것인데 조합의 구성원은 조합원인 점에서 굳이 조합과 조합원의 납세의무를 구분할 실익이 없다.[13] 조합원과 조합으로 각각 분리하게 되면 각각의 취득시기와 과세표준을 어떻게 정할 것인지도 복잡한 문제가 될 수 있다. 특히 다수의 토지를 취득의 시기를 달리하여 취득하는 경우에는 과세행정이 매우 혼란스럽고 납세자의 납세협력비용도 증가하는 문제가 있다.

이러한 과세체계상 문제점과 과세행정의 불합리한 점에 대해 해당 판례는 다음과 같이 주장하고 있다. 즉 조합이 조합원으로부터 신탁받은 금전으로 사업용 토지를 취득함에 있어 잔금지급일이나 등기일 당시에는 비조합원 분양용 토지 부분과 그 외의 부분을 구획할 수 없어 조합이 납세의무를 부담하는 취득세액을 특정할 수 없는 경우, 조합으로서는 사업시행계획이나 관리처분계획에 나타난 비조합원 분양용 토지의 비율 등에 근거하여 잠정적으로 취득세액을 산정하여 신고·납부하였다가 추후 이전고시에 따라 비조합원 분양용 토지의 비율이 확정되면 그에 따라 정확한 취득세액을 산정하여 당초 신고·납부한 세액과의 차액에 대하여 수정신고나 경정청구를 함으로써 정당한 세액으로 바로 잡을 수 있다고 보았다(대법원 2017두73679).

하지만 비조합원 분양용 토지의 비율 등에 근거하여 잠정적으로 취득세액을 산정한다는 것은 취득세 과세요건이 확정됨으로써 납세의무가 성립하는 취득세 과세체계와 불일치하게 된다. 앞의 제3자로부터 취득한 토지의 취득시기에서 살펴보았듯이 그동안 사실상의 잔금지급일 또는 등기일에 조합이 취득한 것으로 보아 과세해온 점을 고려할 필요가 있다. 아울러 위 판례는 지역주택조합에 대한 판례로서 도시정비법에 따른 주택 재건축사업에도 동일하게 적용할 수 있을지 의문이다. 주택재건축 사업에서 조합이 사업구역내 부지를 취

13) 조합원과 조합간의 갈등이 있는 경우라면 조합원과 조합의 각각에 대한 납세의무 부여는 실익이 있을 수 있다.

득하는 경우에도 일반분양분 토지의 비율 및 조합원용 토지의 비율을 어떻게 산정할지 어려움이 따를 수밖에 없다.

(3) 일반분양분 토지의 면적 계산

당초 일반분양분 토지의 과세문제는 주택재건축조합이 사업을 추진함에 있어, 조합원이 신탁한 토지가 사업시행으로 일부토지가 조합명의로 남아 일반수분양자에게 주택부속토지로 공급되어 조합에 대한 취득세 문제가 발생하였는데, 대법원 결정(과세 불가)를 거쳐 입법보완된 것이다. 현재는 주택재건축조합이 조합원으로부터 취득하는 토지와 제3자로부터 취득하는 토지, 뿐만 아니라 주택법상 조합이 제3자로부터 추가로 취득하는 경우에도 일반분양분 토지에 대한 과세문제가 발생한다. 주택법상 조합주택의 경우에는 조합원이 금전을 신탁하여 조합이 제3자로부터 취득한 토지에 대해 일반분양분이 있을 수 있고, 주택재건축조합방식의 경우 당초 조합원이 신탁한 토지뿐 아니라 제3자로부터 추가로 취득한 토지가 있는데 해당 토지에는 위치를 한정하기는 곤란하지만 조합이 납세의무자인 일반분양분 토지가 포함되어 있다고 봐야한다. 그런데 사업진행 과정에서 조합이 제3자로부터 취득한 토지에 대해 취득당시 이미 취득세를 납부했는데 일반분양분토지라는 이유로 조합의 납세의무가 다시 발생하는지 쟁점이 될 수 있다.

대법원은 "원고가 최초 제3자로부터 전체 사업부지를 취득할 때 이 사건 일반 분양용 토지에 대해서는 원고가 취득한 것으로 간주되므로 이 사건 일반 분양용 토지의 최초 취득자가 조합원임을 전제로 한 피고의 위 주장은 이유 없고, 원고가 최초 제3자로부터 이 사건 전체 사업부지를 취득할 때 이 사건 일반 분양용 토지를 포함하여 전체 사업부지에 대한 취득세 등을 납부하였으므로, 이 사건 일반 분양용 토지에 대해 다시 취득세 등을 부과한 이 사건 처분은 이중과세를 한 것으로서 위법하다"(대법원 2011두532, 2013.1.10.)고 판단하였다(지역주택조합에 대한 사건임).

그리고, 비조합원용 토지에 대한 과세규정(2008.12.31. 개정 법률)을 보완하기 이전 사례이긴 하지만, 대법원 2010두1804(2015.10.29.) 판결에서도 "조합원으로부터 신탁받은 토지와 제3자로부터 매입한 토지가 전체적으로 하나의 단일한 사업부지로 사용됨으로써 그 중 어느 것이 조합원에게 귀속되고 어느 것이 조합원 외의 자에게 귀속되는지의 실지귀속을 구분할 수 없다면, 특별한 사정이 없는 한 조합원에게 귀속되지 아니하는 비조합원용 토지 중 제3자로부터 매입한 토지가 차지하는 면적은 주택조합 등이 제3자로부터 매입한 토지의 면적으로 우선하여 산정하는 것이 타당"하다고 보았다(재건축주택조합에 대한 사건임).

이와같은 대법원의 판례를 적용하기에는 많은 쟁점을 내포하고 있다.

ⅰ) 먼저 일반분양분 토지에 대한 취득세 과표와 세율을 고려해볼 수 있는데, 일반분양분은 조합이 조합원으로부터 일반분양분을 대가없이 받아온 것으로 보아 무상세율을 적용하고, 과세표준은 시가표준액(토지)을 적용하는 것이 합리적이다. 반면 제3자로부터 취득하는 토지는 유상취득에 해당하고 취득가액을 과세표준으로 과세하게 된다. 그리고 제3자로부터 취득한 토지와 일반분양분 토지에 대한 취득의 시기는 달리 규정하고 있다. 이처럼 제3자로부터 취득한 토지와 일반분양분 토지는 과세체계를 달리하는 독립적인 과세대상으로 봐야한다. ⅱ) 만약 제3자로부터 취득한 토지를 우선 차감하게 되면 사업부지의 전체 토지구성비율이 일반분양분 토지면적이 제3자로부터 취득한 토지면적보다 적은 경우에는 과세대상이 발생하지 않게 된다. 심지어 주택법상 주택조합방식에서 조합원의 금전신탁으로 조합이 제3자로부터 사업부지 전체 면적을 취득하는 경우라면 일반분양분 토지의 과세문제가 발생하지 않게 된다. 이는 주택조합이 취득하는 "비조합원용 부동산"에 대해 과세대상으로 하고(법 제7조 ⑧), 취득의 시기를 규정(영 제20조 ⑦)하고 있는 현행 법령체계를 유명무실하게 만든다. ⅲ) 아울러 2008.12.31. 일반분양분 부동산(토지)의 취득세 과세를 명확히 한 입법취지등을 종합적으로 고려한다면 제3자로부터 취득한 토지를 우선 차감하는 것이 아니라, 해당토지를 포함하여 전체토지에서 일반분양분이 차지하는 비율을 과세대상으로 하는 것이 타당하다고 사료된다.[14]

◎ 조합원으로부터 신탁받은 토지와 제3자로부터 매입한 토지가 전체적으로 하나의 단일한 사업부지로 사용됨으로써 그 중 어느 것이 조합원에게 귀속되고 어느 것이 조합원 외의 자에게 귀속되는지의 실지귀속을 구분할 수 없다면, 특별한 사정이 없는 한 조합원에게 귀속되지 아니하는 비조합원용 토지 중 제3자로부터 매입한 토지가 차지하는 면적은 주택조합 등이 제3자로부터 매입한 토지의 면적으로 우선하여 산정하여야 할 것임(대법원 2010두1804, 2015.10.29.).

(4) 일반분양분 토지의 취득시기

주택조합이 주택건설사업을 하면서 조합원으로부터 취득하는 토지 중 조합원에게 귀속되지 아니하는 토지를 취득하는 경우에는 주택법상 사용검사를 받은 날에 그 토지를 취득한 것으로 본다. 그리고 도시정비법에 따른 재건축조합이 재건축사업을 하면서 조합원으로부터 취득하는 토지 중 조합원에게 귀속되지 아니하는 토지를 취득하는 경우에는 소유권이전 고시일의 다음 날에 그 토지를 취득한 것으로 본다.

14) 대법원 판례를 고려할 때 입법보완이 필요한 사안이다(私見).

| 최근 개정법령_2015.7.24. | 주택조합에 대한 취득시기(일반분양용 토지) 개선(영 제20조 ⑦)

"조합원에게 귀속되지 않은 토지"를 "조합원으로부터 취득하는 토지 중 조합원에게 귀속되지 아니하는 토지"로 개정하였다. 주택조합(지역·직장주택조합)이 조합원의 금전으로 사업부지(조합원용·비조합원용)를 확보(취득)하는 것은 일반적인 취득과 동일하므로 잔금지급일 등을 취득시기로 하는 것이 타당함에도(주택조합 등이 조합원으로부터 신탁받은 금전으로 매수한 토지 중 비조합원용의 취득시기는 사실상의 잔금지급일 또는 등기일 등임, 대법원 2011두532, 2013.1.10.) 종전 규정에 따르면 비조합원용의 취득시기를 공사완료일 후인 사용검사일로 규정하고 있어 혼란이 있었다. 따라서 주택조합이 금전으로 확보하는 사업부지는 조합원·비조합원 구분없이 토지에 대한 잔금지급일에 취득하는 것으로 보완하였다(종전 운영현황을 명확히 한 것임). 다만, 주택조합이 조합원에게서 이전받은 토지로서 사업시행 후 비조합원용이 되는 경우의 취득시기는 현행과 같이 사용검사일로 보게 된다.

◎ **조합원으로부터 신탁받은 토지 중 비조합원분은 이전고시 다음날을 취득일로 봄**

주택재건축조합이 2009.1.1. 이후 조합원으로부터 신탁받은 토지는 조합원용 부분과 비조합원용 부분을 구분하여 후자에 대해서는 취득세를 과세하게 되었음. 다만, 정비사업의 시행부지 중 비조합원용 부분 면적은 이전고시 이후 특정되므로, 이러한 사정을 반영하여 영 제20조 ⑦은 비조합원용 부동산의 취득시기를 이전고시 다음날로 정해 두었으므로, 결국 주택재건축조합은 조합원으로부터 신탁받은 토지 중 이전고시에 의하여 비조합원용 부분으로 정해진 면적에 대해서는 이전고시 다음날을 취득일로 하여 취득세 등을 납부하여야 함(대법원 2015두47065, 2015.9.3.).

11. 대규모 토지조성 사업에서의 단계별 취득세 과세

개발사업의 유형에 따라 다양한 취득세 과세문제가 나타난다. 산업입지법, 택지개발촉진법, 도시개발법 등에 따른 토지조성사업이 진행되는데 국가나 지자체, 공사, 지방공사가 사업시행자가 되는 경우에는 주로 수용방식으로 진행된다. 산업입지법, 택지개발촉진법의 경우 도시개발법에 따른 사업에 비해 대규모 사업이라 할 수 있다. 수용방식의 경우 사업시행자가 사업구역내 토지를 취득하기 때문에 취득세 문제가 나타난다. 실시계획승인 조건에 따라 토지를 취득하는 경우 기반시설을 설치하여 기부채납하도록 하는 조건이 수반되므로 취득세 비과세문제가 나타난다.

취득단계별 취득세 납세의무 및 취득의 시기, 과세표준 등 유형에 따른 취득세 적용을 보면 i) 먼저 사업시행 초기단계에서 사업시행자가 사업부지내 토지를 취득할 때 취득세가 과세된다. 이때 향후 기부채납될 토지가 포함되어 있으므로 비과세 여부를 판단하게 된다. ii) 토지조성공사를 거쳐 새로운 토지로 전환하는데 토지준공에 따른 지목변경 취득세가 과세된다. 그리고 iii) 준공시점 또는 그 이전에 사업구역내 폐지되는 기반시설은 사업시행자에게 무상 양여하게 되는데 이때에도 취득세 문제가 발생한다. 크게 3가지 유형으로 구분하여 구체적으로 살펴본다.

1) 사업구역 내 토지취득단계 및 기부채납비과세 토지면적 산정

예를 들어 산업입지법에 따라 산업단지를 조성하는 경우를 보자. 사업시행자는 산업단지 개발 실시계획의 승인에 따라 사업구역내 토지를 취득하게 된다. 수용방식으로 사업이 진행되어 사업시행자는 사업구역내 토지를 모두 취득해야 하는 경우를 가정할 수 있다. 실시계획승인시에 토지이용계획을 보면 사업구역내 토지는 주거용지, 산업용지, 공공용지 등 다양한 용도의 토지로 개발이 예정되고 토지별 위치와 용도가 지형도면에 나타난다.[15] 즉 향후 사업시행자가 과세관청에 기부채납하는 토지의 위치나 면적이 지형도면에 나타난다. 기부채납용지는 신설되는 정비기반시설이 된다. 사업시행자가 사업구역내 토지를 취득할 때 취득세를 부과하는데 기부채납용 토지에 대해서는 비과세를 적용해야 한다. 일반적인 기부채납비과세 토지는 사업시행자(토지취득자)와 과세관청의 사전 협약에 의해 나타나지만, 개발사업에서는 사업시행자가 신청한 사업계획에 대해 과세관청의 승인이 있으면 협약을 갈음할 수 있다. 즉 이러한 계획하에 토지를 취득하는 경우 일정면적에 해당하는 토지는 기부채납예정 토지로 보아 지방세법 제9조 제2항에 따른 비과세 대상이다.

사업구역내 토지 소유자가 다수이면 개별 토지소유자마다 매매계약을 체결하고 그때마다 취득세를 신고해야 하고, 이때 기부채납용 비과세 토지를 어떻게 산출하느냐의 문제가 따른다. 취득하는 토지가 향후 기부채납용 토지인지 여부를 지형도면을 겹쳐보거나, 토지이용계획에 따라 기존토지 중 어느 위치에 어느 정도의 면적이 신설되는 정비기반시설에 편입되는지 알수 있다. 물론 대규모 개발사업의 경우 토지 필지별 현황이 제대로 안나타나는 경우도 있을 수 있다. 이 경우 취득하는 토지마다 기부채납용인지 여부를 확인할 수 있기 때문에 비과세 대상(비율)을 안분할 수 있다. 사업구역내 전체 면적에서 향후 기부채납되는 신설정비기반시설 면적에 해당하는 비율을 비과세 비율로 볼 수 있다.

위의 사례는 산업입지법에 따라 산업단지를 조성하는 경우인데, 그 외에 택지개발촉진법에 따라 대규모 택지를 조성하는 경우 또는 이보다는 규모는 작지만 도시개발법에 따라 토지를 조성하는 경우도 있을 수 있다.

15) 산업입지법은 산업단지와 관련하여 지형도면을 작성하여 고시하도록 하면서도, 이를 산업단지지정권자가 산업단지 지정·고시를 하는 때가 아니라 그 후 사업시행자의 산업단지개발실시계획을 승인·고시하는 때에 하도록 규정하고 있다.

2) 지목면경 취득세 과세

토지의 지목변경 취득세 부과와 관련하여 취득의 시기는 토지의 지목이 사실상 변경된 날과 공부상 변경된 날 중 빠른 날을 취득일로 보고, 다만 지목변경일 이전에 사용하는 부분에 대해서는 사실상 사용일을 취득일로 본다(영 제20조 ⑩). 일반적으로 대지가 아닌 상태에서 건축물을 신축하는 경우 건축물 준공시기에 맞춰 토지의 지목변경 취득시기를 인식한다. 그런데 건축물 준공과 관련없는 대규모 개발사업 진행으로 토지를 조성하여 지목변경 취득세를 과세하는 경우에는 취득의 시기, 과세표준의 범위에 대한 쟁점이 있을 수 있다.

대규모 개발사업의 경우 택지개발촉진법, 산업입지법, 도시개발법 등에 따라 실시계획승인을 받고 토지조성사업을 실시하게 되고, 조성공사가 완료되면 준공절차를 거친다. 준공 이후에는 제3자가 시행자로부터 일정구역의 토지를 분양받아 건축물을 지을 수 있다. 제3자가 분양받은 토지에서 주택건설사업을 할 경우 주택법에 따른 주택건설사업계획승인을 받아야 하고, 일반 건축물을 착공하려는 경우는 건축허가를 받아 사업을 진행하게 된다. 토지조성사업의 시행자가 조성된 토지에서 직접 주택을 건설하거나 건축물을 건축하는 경우에도 주택건설사업계획승인 또는 건축허가 절차를 거쳐야 한다.

여기서 토지조성에 따른 사업시행자에게 부과하는 지목변경 취득세(법 제7조 ④)[16]에 대해 살펴보면 다음과 같다. 일반적으로 토지 조성공사의 준공은 지목변경 취득시기의 도래로 볼 수 있다. 그런데 넓은 사업구역의 특성상 장기간에 걸쳐 사업이 진행되고 그에 따라 부분적으로 토지의 준공이 이루어지는 경우가 있다. 이때 수분양자가 사업시행자로부터 토지를 취득하거나 토지사용승낙을 받아 건축을 착공하게 된다. 만약 사업구역내 특정구역에서 건축물을 착공하거나 건축물이 준공되는 경우가 있는데 전체 토지조성공사의 준공이 이루어지지 않았다고 하여 취득의 시기를 인식하지 않는 것은 문제가 된다. 만약 전체 사업부지에서 독립적으로 해당 구역이 구분되고 토지 사용현황을 고려할 때 부지 전체의 준공시점보다 앞서 조기에 해당 구역에 한해서라도 지목변경 취득을 인식하는 것이 타당하다. 만약 그렇지 않은 경우 납세의무성립시점에 대한 쟁점으로 제척기간, 가산세 문제가 발생하고, 사업시행자의 변경으로 사업부지에 대한 소유권 변경이 있는 경우 새로운 납세자는 문제제기를 할 수 있다.

그런데 특정구역에 대한 지목변경 시기를 너무 일찍 인식하게 되는 경우 나타날 수 있는 문제점도 고려하여야 한다, 대규모 토지조성공사 과정은 상하수도 공사, 도로, 공원 등 각종 기반시설 공사가 진행되는데, 기반시설공사비용이 상당한 부분을 차지하게 된다. 특정구역

16) 사업시행자로부터 분양받은 자에 대한 지목변경 취득세는 법 제7조 제14항과 관련된다.

에 대한 지목변경 시기를 먼저 인식했지만 기반시설 공사비용을 제대로 반영하지 않는 것도 문제가 될 수 있다. 극단적으로 사업구역내 모든 토지의 지목변경 시기를 조기에 인식하였는데, 기반시설 공사가 후반부에 몰려있는 경우 해당 비용은 과세표준에서 제대로 반영되지 않는 문제가 발생할 수 있기 때문이다.

따라서 지목변경 취득시기의 인식 문제는 해당구역에 한해 독립적으로 과세할 여건(건축물 공사 착공 또는 준공, 해당 토지에 대한 수분양자의 취득 경위·단계 등을 고려)이 되는지, 해당토지의 지목변경 공사비용뿐 아니라 사업전체에 소요되는 기반시설 공사비가 제대로 안분이 가능한 지 등 제반요소를 고려하여 과세해야할 것이다.

◎ 도시개발사업(토지조성) 시행중 토지지분을 개발사업 공동사업자로부터 양수하여 주택건설사업을 시행하는 경우 지목변경 간주취득세의 납세의무자

쟁점법인(도시개발사업 시행자이자 주택건설사업 시행자)과 쟁점법인 외 도시개발사업 공동시행자 간 토지지분 매매계약서에 토지조성공사 준공 시 확정측량에 따라 매매대금을 정산하기로 한 점 등을 고려할 때, 토지조성공사와 주택건축공사는 그 비용 등이 완전히 구분되는 별개의 사업이므로, 토지의 지목변경이 사실상 완료된 후 해당 토지에서 주택건축 공사가 진행되는 것으로 봄이 타당함(지방세운영과-2527, 2014.8.1.). 따라서, 쟁점 토지의 지목이 사실상 변경된 날은 조성공사가 사실상 완료되어 전·답이었던 토지가 주택건설사업에 공여될 수 있는 토지로 변경된 날이고, 지목변경 간주취득일은 지목이 사실상 변경된 날과 토지사용 승낙일인 토지지분 매매계약일 중 빠른 날이므로, 그 당시 토지 소유자인 도시개발사업 시행자가 취득세 납세의무자임(부동산세제과-561, 2020.3.12).

3) 용도폐지 정비기반시설의 취득

개발사업구역내 용도폐지정비기반시설은 사업시행자가 국가등으로부터 무상양여받아 취득하게 된다. 일부는 사업부지가 되어 새로운 용도의 토지(주거용지 등)가 되고 일부는 그대로 신설정비기반시설로 재편입되는 경우가 있다. 취득의 시기는 토지조성공사 준공과 동시에 이루어지기도 하고 그 전에 취득하기도 한다.

「지방세법」 제9조 제2항 제2호에 따르면 국가 등에 귀속 등의 반대급부로 국가 등이 소유하고 있는 부동산 및 사회기반시설을 무상으로 양여받거나 기부채납 대상물의 무상사용권을 제공받는 경우에는 취득세 비과세 대상이 아니라고 규정하고 있고, 지방세특례제한법 제73조의 2에서 이를 감면대상으로 규정하고 있다. 사업시행자가 취득하는 용도폐지기반시설의 취득이 비과세인지 감면대상인지 혹은 교환으로 인한 취득인지에 대하여 대법원은 다음과 같이 판단(대법원 2019두43900)하고 있다.

법문상 "반대급부"의 법률적 의미는 계약의 쌍방 당사자가 서로 대가적(對價的) 관계의 채무를 부담하는 쌍무계약에서 당사자 일방의 급부에 대한 상대방의 급부를 말하고, 「도시 및 주거환경 정비법」 등 관련 법령에 따라 신설되는 정비기반시설은 사업 계획에 따라 설치되는 것이고 용도폐지 되는 기존 정비기반시설 또한 사업 계획에 따라 없어지는 것으로 법률적 의미의 당사자 쌍방의 의사가 개입된 쌍무계약에 따른 "반대급부"로 교환된 것이 아니다. 그리고 정비사업 및 도시개발사업 등의 시행결과 용도폐지 되는 국가 등 소유의 정비기반시설을 사업시행자에게 무상으로 양여하도록 하는 것은 신설 정비기반시설의 소유권이 국가 등에 귀속되는 데에 대하여 사업시행자에게 그 대가를 보상하려는 목적으로 규정된 것이 아니다(헌재 2011헌바355, 2013.10.24.). 또한 용도폐지 정비기반시설과 신설 정비기반시설 사이의 대가관계가 인정되기도 어렵다. 따라서 사업시행자에게 무상양여되는 용도폐지 기존 정비기반시설은 비과세 또는 감면대상이 아닌 "무상의 승계취득"에 해당한다고 보았다. 실질적으로 해당 토지는 사업구역내 일반 사업부지로 전환되기 때문에 대법원의 결정과 같이 비과세나 감면으로 보기 어렵다할 것이다.

그런데 용도폐지되는 무상양여 토지가 일반 사업부지가 아닌 그대로 신설정비기반시설에 재편입된다면 이때에도 여전히 무상의 승계취득인지 지방세법 제9조 제2항의 비과세인지 아니면 지특법 제73조의 2에 따른 감면대상 토지인지 쟁점이 있다. 법문에서 "국가등에 귀속등의 반대급부로 국가등이 소유하고 있는 부동산 및 사회기반시설을 무상으로 양여받는 경우"로 규정하고 있어 재편입되는 토지의 경우 이에 해당한다고 판단된다. 비록 "반대급부"가 아니라고 본 대법원의 결정과는 부합하지 않지만, 해당토지는 국가등에 귀속되는 바로 그 토지이므로 해당규정을 적용할 수 있다고 판단된다. 그렇지 않다면 해당 규정의 취지를 찾기가 어렵다.[17]

종합하면 예를 들어 국가등으로부터 용도폐지 기반시설 면적 500㎡을 받아와서 이중 200㎡가 다시 신설정비기반시설에 포함되어 국가등으로 귀속되는 경우 200㎡은 지특법 제73조의 2에 따른 감면대상토지로 보고, 300㎡에 대해서는 판례와 같이 무상취득에 따른 과세대상으로 보게 된다. 한편 이 때 사업구역의 신설정비기반시설은 전체 1000㎡이라고 할 경우 용도폐지되는 기반시설의 재편입(감면)으로써 나머지 800㎡은 기부채납비과세 대상이 된다. 이는 사업초기단계에서 사업구역내 토지를 취득할 때 800㎡에 해당하는 면적(비율)만큼은 기부채납 비과세 토지가 된다(위 1)의 기부채납비과세 면적에 해당).

한편 토지조성사업이 아닌 도시정비법에 따른 정비사업에서도 용도폐지되는 정비기반시

17) 대법원 결정사례가 신설정비기반시설에 재편입된 토지에 대해서는 쟁점으로 다루지 않았다.

설을 취득하는 경우가 있을 수 있다. 기존의 조합원 소유토지로 사업을 진행하는 재건축·재개발 사업에서는 소유하고 있던 토지에서 그대로 국가등에 넘겨주게 되므로 토지조성사업에서의 과세방식과 차이가 있다. 예를들어 정비사업인 재건축사업에서 매도청구권의 행사로 조합이 청산대상조합원의 토지를 취득하는 경우에도 기부채납비율을 적용할 것인지 쟁점이 있을 수 있으나, 특정 사유에 의해 취득한 것으로 향후 조합에 대해 과세하는 일반분양용 토지면적에서 해당 토지를 미리 취득한 토지로 보아 차감하기 때문에 비과세나 감면 대상으로 볼 수 없다고 판단된다. 그리고 재개발사업의 경우 재개발조합이 관리처분계획서상 대지조성용으로 예정된 용도폐지되는 도로를 국가로부터 무상양여받아 준공일에 취득하는 경우 지특법상 취득세 감면대상인 대지조성용 토지에 해당하는 것으로 보고 있다(지방세특례제도과-1948, 2020.8.20.).

12. 연부취득(영 제20조 ⑤)

2016년부터 연부취득의 정의가 지방세법에 규정되었다. "연부(年賦)"란 매매계약서상 연부계약 형식을 갖추고 일시에 완납할 수 없는 대금을 2년 이상에 걸쳐 일정액씩 분할하여 지급하는 것을 말한다(법 제6조 20호). 연부취득에 있어 연부취득이 완료된 시점까지 발생한 건설자금 이자가 있다면 이는 취득세 과세표준에 포함하는 것이 타당하다(지방세운영과-2290, 2016.9.2.).

연부취득 중 경개계약이 이루어진 경우 연부취득이 매수자에게 승계되는 것이 아니므로, 경개계약 시점에서 매수자의 취득기간이 2년 미만인 경우 매수자는 연부취득에 해당하지 않는다(대법원 97누3170). 그리고 당초계약과 달리 잔금의 납부시기를 일부 변경하여 2년이 경과된 경우에도 연부취득에 해당하지 않는다(대법원 94다50212).

분법에 의하여 종전 등록세가 취득세로 통합되어, 종전 등록세 납세의무 성립시점이 현행 취득세 납세의무 성립시 발생되므로 분법 이후 연부금을 납부하여 새로운 취득세 납세의무가 성립된 경우에는 기존 등록세와 취득세가 통합된 현행 취득세율(4%)을 적용하여 부과하여야 한다. 아울러, 분법 전에 등록세 납세의무가 발생되지 않고 분법 이후 등기를 하는 경우에는 분법 이전 납부한 연부금에 대하여 기존 등록세(2%)를 납부하여야 한다(지방세운영과-559, 2011.2.8.).

※ 예시) 5억원의 토지를 총 5회에 걸쳐 연부금을 매년 납부하도록 계약되어 있고, 2011.1.1. 이전 3회 연부금을 납부하였으며, 2011.1.30. 4회차 연부금을 납부할 경우 적용세율 및 기존 3회까지 납부한 연부금 등록세 납부시점

구 분	연부금	2011.1.1. 이전	2011.1.1. 이후		
		취득세(종전)	취득세	등록면허세	등록세
1회	1억원	200만원	–	–	–
2회	1억원	200만원	–	–	–
3회	1억원	200만원	–	–	–
4회	1억원	–	400만원	–	–
5회(연부금 납부 후 등기예정)	1억원	–	400만원	–	600만원

◎ 원시취득 전에는 연부 계약을 체결한 경우라도 연부취득 납세의무가 없음

매립·간척 등으로 토지를 조성하는 경우 원시취득이 성립하기 전에는 그 대금 지급의 대상은 토지가 아닌 분양권에 해당하는데, 분양권은 취득세 과세대상에 해당하지 않는 점, 취득세는 거래 단계별 부과하는 유통세로서 시행자의 원시취득이 도래한 이후라야 수분양자의 승계취득이 성립할 수 있으므로, 원시취득이 있기 전에는 승계취득의 일종인 연부취득이 성립할 수 없는 점 등을 종합해 볼 때, 취득세 과세대상 목적물이 존재하지 않는 상태에서는, 분양대금을 2년 이상에 걸쳐 분할하여 지급하는 것으로 계약하였다 하더라도 연부취득에 해당하지 않는다고 할 것임(지방세운영과-1062, 2018.5.8.).

◎ 연부취득 중 마지막 연부금지급일 전, 계약을 해제한 경우 기 납부 취득세는 환급대상

연부취득 중인 과세물건을 마지막 연부금지급일 전에 계약을 해제한 때에는 이미 납부한 취득세는 환급하여야 하는 바(예규 7-5 제4호), 이 건의 경우에도 연부취득 중 마지막 잔금을 지급하기 전에 계약해지청구권에 의해 매매계약이 해지된 것으로 볼 수 있으므로 기 납부한 취득세는 환급하는 것이 타당(지방세운영과-2788, 2015.9.2.)

◎ 연부취득 완료 전 매수인을 공동명의로 변경하는 경우 기 납부 취득세 환급 불가

연부계약의 변경없이 매수인을 공동명의(甲+乙)로만 변경하게 되면, 매수인이 당초 연부계약을 해지하였다고 볼 수 없고, 제3자에게 당초 계약에 관한 권리의무를 일부승계한 것일 뿐이므로 다른 연부계약 조건에 변경이 없다면 '甲'이 납부한 취득세를 환부대상으로 볼 수 없으며, 연부계약이 변경된 이후 '甲'과 '乙'이 각각 지분율에 따라 취득세를 납부하는 것이 타당(부동산세제과-518, 2020.3.6.)

◎ 대물변제에 의한 취득이기보다는 공사비를 연부금으로 대체시키는 연부취득에 해당하므로 공사비 중간정산일이 취득의 시기

부지조성공사 계약과는 별개로 본 건 취득계약이 체결되는 점, 본 건 취득의 계약기간과 부지조성공사 기간이 중복되고 그 매매대금은 부지조성 공사비로 상계하는 점, 해당용지는 부

지조성공사 대상 토지의 일부로서 부지조성공사 완료시기와 본 건 취득의 취득시기가 동일한 점 등을 종합적으로 감안했을 때, 본 건 취득은 대물변제에 의한 취득이기보다는 공사비를 연부금으로 대체시키는 연부취득에 해당된다고 보는 것이 합리적일 것이며, 해당 용지를 사용한다는 사실만으로는 사용·수익·처분권의 총체로서의 소유권을 취득했다고 보기는 어려우므로 연부금 납부일 즉 공사비 중간정산일 등을 취득시기로 하는 것임(지방세운영과-3489, 2013.12.26.).

◎ **매매계약 체결 이전 본계약을 이행하기 위하여 계약금만 지급한 상태는 연부취득이 아님**

국유지 협의 매수하면서 2007.11.16. 매매대금의 10%(계약금) 및 변상금을 지급하고 추후 매수협의가 확정되어 2007.11.21. 대금지급기간을 2년 이상으로 하는 용지매매 본계약을 체결하는 경우, 용지매매계약 체결 이전에 본계약을 이행하기 위하여 계약금만 지급한 상태에서는 연부취득에 따른 취득세 납세의무가 성립되었다고 볼 수 없으므로, 본계약 체결일로부터 매회 연부금 지급 시마다 연부취득에 따른 취득세 납세의무가 성립하는 것임(지방세정팀-353, 2008.1.24.).

◎ **연부취득시 최종 잔금지급시까지 발생한 이자를 취득가격에 포함할 수 있음**

토지의 성질상 연부금에 상응하는 부분으로 분할하여 사용할 수는 없으며, 전체를 일괄적으로 사용하여야 하는 점(대법원 2003두3857), 연부취득 중 매수계약자가 사용권을 부여 받더라도 매도자를 재산세 납세의무자로 판단하는 점, 투입된 비용이 동일하나, 대금지급방법에 따라 취득가격이 달라진다면 과세불형평 및 변칙적 계약형태 발생을 초래할 수 있는 점 등을 종합해 볼 때, 연부취득에 있어 연부취득이 완료된 시점까지 발생한 건설자금 이자의 경우 과세표준에 포함(지방세운영과-2271, 2016.9.2.)

◎ **용선계약과 같이 선박을 임차하여 수입한 후 선박대금을 2년 이상 분할상환하는 경우 매회 용선료 지급 시마다 연부취득 납세의무가 있음**

국적취득조건부 나용선(BBCHP)은 용선계약의 형식을 취하고는 있으나 실질적으로는 선박의 매매로서 그 선박의 매매대금을 일정기간 동안 분할하여 지급하되 그 기간 동안 매수인이 선박을 사용할 수 있도록 하는 것이므로(대법원 2006두18270, 2009.1.30.), 본 용선계약과 같이 선박을 임차하여 수입한 후 선박대금을 2년 이상(12년) 분할상환하는 경우는 수입신고필증을 교부받았다 하더라도 지방세법상 연부취득에 해당되는 것이므로, 지방세법 제73조 제5항에 따라 매회 용선료를 지급할 때마다 연부취득에 따른 취득세 납세의무가 성립되는 것임(지방세운영과-1154, 2010.3.19.).

◎ **연부취득 중인 국적취득조건부 나용선 선박을 물적분할로 분할신설법인이 분할법인으로부터 승계받는 경우 당해 선박에 대한 취득세 신고납부 방법**

분할전 분할법인이 납부했던 연부 취득세는 분할신설법인이 포괄승계한 것으로 보아, 분할신설법인은 분할이후 납부한 연부금에 대해서만 취득세 납세의무가 성립하는 것으로 보는 것이 타당(분할 전 분할법인이 납부했던 연부취득세는 환급되지 아니함)(지방세운영과-378, 2016.2.12.)

☞ (유사사례) 연부취득 중에 법인분할 시 분할법인과 분할신설법인 간의 포괄승계를 인정하여, 분할일 이후의 연부취득분에 대해서 분할신설법인을 기준으로 과세(감면여부 포함) 요건 판단 (지방세운영과-478, 2017.4.27.)

◎ **국적취득조건부 나용선의 계약자는 외국에 설립된 명목회사에 불과하고 실질 당사자는 내국 해운회사라면 해당 선박에 대한 취득세 납세의무자는 내국 해운회사임**

외국의 금융기관들과 우리나라 금융기관들이 파나마에 설립한 외국법인(A)이 '94년부터 '99년까지 위 금융기관들로부터 차입한 금원으로 '이 사건 각 선박'을 매입, 그 무렵 ○○해운이 파나마 등에 설립한 ××인터내셔널 리미티드 등 외국법인(B)은 A로부터 이 사건 선박을 나용선하되 약정한 용선료를 완납하면 그 소유권을 취득하기로 하는 내용의 나용선계약(국적취득조건)을 체결하였고, ○○해운은 다시 B와 선박에 관한 정기용선계약을 체결한 다음 짧게는 '97년, 길게는 '07년까지 선박을 자신의 해운사업에 사용한 사실, B는 자본금이 1달러에 불과한 명목회사인 사실, ○○해운이 B에 용선료를 지급하면 그들이 이를 다시 A에 지급하였는데 그 업무 일체를 ○○해운이 관장한 사실 … B는 나용선계약의 명의상의 당사자일 뿐이고 ○○해운이 그 계약의 실질적 당사자이므로 취득세 납세의무자임(대법원 2008두10591, 2011.4.14.).

◎ **국적취득조건부 나용선[18](임대차)은 매회 용선료 지급시마다 연부취득에 해당**

국적취득조건부 나용선(BBCHP)은 용선계약의 형식을 취하고는 있으나 실질적으로는 선박의 매매로서 그 선박의 매매대금을 일정기간 동안 분할하여 지급하되 그 기간 동안 매수인이 선박을 사용할 수 있도록 하는 것이므로(대법원 2006두18270, 2009.1.30.), 본 용선계약과 같이 선박을 임차하여 수입한 후 선박대금을 2년 이상(12년) 분할상환하는 경우는 수입신고필증을 교부받았다 하더라도 지방세법상 연부취득에 해당되는 것이므로, 지방세법 제73조 제5항에 따라 매회 용선료를 지급할 때마다 연부취득에 따른 취득세 납세의무가 성립되는 것임(지방세운영과-1154, 2010.3.19.).

◎ **연부취득 관련 사례**

• 매수자가 금융회사(캐피탈사, 은행)로부터 매매대금을 분할상환을 조건으로 차입하여, 그

---

18) 나용선(裸傭船) : 선주(船主)가 선박이용자를 위해 선박을 제공하는 용선(傭船) 중 선박만을 대차하는 일. 보통의 용선은 선장, 선원 등의 필요한 인원, 선구, 기타의 박용품(舶用品)을 완비하여 항해에 지장이 없는 상태에서 선박을 제공하나, 나용선에서는 선원확보나 박용품을 모두 용선자가 준비하고 자기가 고용한 선장을 통해서 선박을 인수하여 운항을 관리한다. 따라서 나용선은 실질적으로 선박의 임대차가 되며 용선자와 선주 사이에 특별한 자본관계가 있을 때에 이루어진다.

차입금을 통해 자동차를 취득하는 것이 「할부거래에 관한 법률」상의 "간접할부계약"에 해당하는지 관련, 매도인과 신용제공자(캐피탈사) 사이에 계약이나 약정관계가 존재하지 않는다면 할부계약에 해당되지 않음(지방세운영과-2837, 2012.9.9.).

- 연부취득시 주택유상거래 유예기간 기산점 관련, 기존주택이 있는 상태에서 연부취득주택의 일시적 2주택 유예기간의 기산일이 되는 취득일은 연부대금완납일과 등기일 중 취득일로 보아 '일시적 2주택' 여부를 판단하여야 할 것임(지방세운영과-208, 2012.1.16.).
- 한국토지공사로부터 토지를 매매로 취득하면서 매매계약서 상에 대금지급 기간을 2년 미만에 걸쳐 일정액씩 분할하여 지급하기로 계약을 체결하고 매회 대금을 지급하다가 잔금지급 기한의 경과로 실제 대금지급기간이 2년 이상이 된 경우 매매계약서상 대금지급 기간을 2년 이상으로 변경하지 않았다면 연부취득에 해당된다고 볼 수 없으므로 매매대금에 대한 사실상 잔금지급일을 취득의 시기로 보아야 함(지방세운영과-2584, 2008.12.18.).
- 수분양자가 아파트를 분양취득하면서 당초 분양계약에 따라 계약금, 중도금을 납부하다가 아파트 준공 이후 당초 분양계약을 수정하여 기 납부한 대금은 계약금으로 대체하고 분양대금 지급기간을 2년 이상으로 하고 매회 대금을 분할하여 지급하는 경우라면 연부취득에 해당(지방세운영과-1709, 2009.4.29.)

13. 시설대여업자의 취득(제7조 ⑨)

「여신전문금융업법」에 따른 시설대여업자가 건설기계나 차량의 시설대여를 하는 경우로서 같은 법 제33조 제1항에 따라 대여시설이용자의 명의로 등록하는 경우라도 그 건설기계나 차량은 시설대여업자가 취득한 것으로 본다(법 제7조 ⑨).

☞ 제15조 ② 5호 참조

◎ 캐피탈 회사의 자동차 대여사업용 중고차량을 렌터카 회사로 이전하면서 이용자 리스 계약을 체결한 경우 렌터카 회사는 취득세 납세의무 성립

「여객자동차 운수사업법」 제34조 제1항에 따라 자동차 대여사업자의 사업용 자동차를 임차한 자는 다시 남에게 대여할 수 없는 점, 캐피탈 회사의 영업용 차량을 렌터카 회사가 인수하여 자동차대여사업에 사용하는 경우라면 차량에 대한 실질적 소유권이 이전된 것으로 보아야 할 것임. 따라서, 해당 차량을 인수한 렌터카 회사는 제7조 제1항에 따른 취득세 납세의무가 성립한 것이므로, 제12조 제1항 제2호 나목 2) 규정에 따른 세율을 적용하여 취득세를 신고납부하여야 할 것임(지방세운영과-829, 2018.4.10.).

◎ 대여시설이용자 명의로 등록한 경우 차량의 취득세 납세의무자

지방세법 시행령 제74조 제2항 규정의 취지는 「여신전문금융업법」에 의한 시설대여로서 시설대여자산을 시설이용자가 선정하여 직접 구입하고 이를 시설이용자 명의로 등록을 하는 금융리스의 경우라도 시설대여회사가 지방세법 제105조 제2항의 과세대상 물건을 사실상으로 취득한 것으로 보아 취득세 납세의무가 있음(대법원 92누16094, 1993.9.28. 및 96누17486, 1997.7.11. 참조)을 명확히 한 규정이라고 하겠으므로 「여신전문금융업법」에 의한 시설대여업자가 금융리스방식으로 차량 등을 시설대여하여 대여시설이용자 명의로 등록을 하더라도 당해 차량 등의 취득세 납세의무자는 시설대여업자가 되는 것임(지방세정팀-174, 2006.1.16.).

◎ **본인 의사와 관련 없이 이전된 차량을 수사과정에서 회수하는 경우 취득세 납세의무 없음**

형사소송판결문과 수사기관의 공문 등에 따르면, 추○○가 소유하던 차량은 피고인들의 사기에 의해 추○○의 의사와 관계없이 ○○렌트카(주)로 이전되었고 이에 대한 수사과정에서 ○○렌트카(주)가 자발적으로 추○○에게 매매서류를 교부함에 따라 추○○는 말소등록이 아닌 이전등록의 방법으로 해당 차량을 회수하였으므로 형식적인 취득이 성립되었다고 할 수는 있으나, 형사소송판결문 및 수사기관의 공문 등에서 추○○의 피해사실이 명백히 확인되는 점 및 실질과세의 원칙 등을 종합적으로 감안했을 때 취득세 납세의무를 부여하지 않는 것이 합리적일 것으로 판단됨(지방세운영과-3068, 2013.11.25.).

☞ [실질과세의 원칙] 과세요건 사실에 관하여 실질과 괴리되는 비합리적인 형식이나 외관을 취하고 있는 경우에는 그 형식이나 외관에도 불구하고 실질에 따라 과세함으로써 조세정의를 실현하고자 하는 데 주된 목적이 있다고 할 것인 바, 조세회피를 목적으로 비합리적이고 비정상적인 형식을 취하였음에도 외관이 그렇다는 이유만으로 납세의무를 면할 수 있고 그 반면 실질에 부합하는 정상적인 거래형식을 취하는 경우에는 납세의무를 부담할 수밖에 없다고 하는 것은 매우 부당하므로 그러한 불합리를 제거하는 수단이 되는 조세법의 기본원리인 것임(대법원 2008두8499, 2012.1.19.).

◎ **대여시설이용자가 리스차량을 운수업체에게 지입하는 경우 리스회사가 취득세납세의무자**

「여신전문금융업법」상 시설대여업자가 건설기계나 차량의 시설대여 등을 하는 경우에는 「건설기계관리법」 또는 「자동차관리법」에도 불구하고 대여시설이용자의 명의로 등록할 수 있는 것임. 관련규정들을 종합적으로 검토하여 볼 때, 「여신전문금융업법」에 따른 시설대여차량(리스차량)을 대여시설이용자(리스이용자)가 운수업체 등에게 지입(운수업체 명의로 등록)하는 경우의 시설대여차량에 대한 취득세 납세의무는 시설대여업자(리스회사)에게 있다고 판단됨(지방세운영과-1307, 2013.7.1.).

☞ [시설대여] 「여신전문금융업법」상, "시설대여"란 특정물건을 새로 취득하거나 대여 받아 거래상대방에게 일정기간 이상 사용하게 하고 그 기간 동안 일정한 대가를 정기적으로 나누어 지급받으며 그 기간이 끝난 후 그 물건의 처분에 관해서 당사자 간의 약정(約定)으로 정하는 방식의 금융을 말하는 것임.

14. 기계장비대여업체 또는 운수업체 명의의 등록(제7조 ⑩)

기계장비나 차량을 기계장비대여업체 또는 운수업체의 명의로 등록하는 경우(영업용으로 등록하는 경우로 한정)라도 해당 기계장비나 차량의 구매계약서, 세금계산서, 차주대장(車主臺帳) 등에 비추어 기계장비나 차량의 취득대금을 지급한 자가 따로 있음이 입증되는 경우 그 기계장비나 차량은 취득대금을 지급한 자가 취득한 것으로 본다(제7조 ⑩).

☞ 제15조 ② 6호 참조

| 최근 개정법령 _ 2015.7.24. | 지입차량에 대한 취득세·등록면허세 적용규정 명확화(법 제7조, 제15조, 제28조)

종전에는 실제 소유자가 그대로인 상태에서 운수업체만 변경할 경우 취득을 수반하지 않으므로 기타 등록면허세(건당 1만5천원)를 과세하였으나, 차량 등록원부에 소유권 이전등록이 수반되므로 등록면허세 법리상 이전등록에 대한 세율(2%)로 과세되어야 한다는 견해가 있었다. 그리고 현행 「지방세법」에서는 지입차량 취득에 대해 특례세율(2%)만을 규정하고 있어, 지입 상태에서 해당 차량의 소유권을 사실상 이전하는 경우에도 특례세율이 적용되는 등 관련규정의 미비로 적용상 쟁점이 있었다. 그에 따라 지입차량의 등록유형에 부합 되도록 취득·등록면허세 관련규정을 개정하게 되었다.

※ 기계장비도 함께 개정

15 특수관계인간 취득 및 부담부 증여(제7조 ⑪·⑫)

1) 특수관계인간 취득의 과세 개요

지방세법 제7조 제11항에서 "배우자 또는 직계존비속의 부동산등을 취득하는 경우에는 증여로 취득한 것으로 본다"고 규정하고 있다. 제7조는 납세의무자 규정인데, 제11항은 납세의무자에 관한 규정이라기 보다 특수관계인간에는 "증여"라고 의제하는 특별한 거래유형의 과세요건에 대해 규정하고 있다. 증여는 부동산 취득세 표준세율이 3.5%인 반면 유상거래는 4%이다. 그런데 주택유상거래는 1%~3%의 특례세율이 적용되어 증여보다 유상거래로 인정받는 것이 유리하다.[19] 특수관계인간에 주택거래시 세율적용의 차이를 악용하는 것을 방지하기 위해 증여 취득에 대해 특별한 요건을 두고 있다(2014.1.1. 시행).

「상속세 및 증여세법」 및 「소득세법」[20]에도 변칙적인 증여를 방지하고 증여세 과세를 강화하기 위한 장치를 두고 있다. 상증세법에서 배우자 또는 직계존비속에게 양도한 재산

---

19) 2021.8.12.부터 다주택자법인에 대한 주택유상거래 중과세율이 적용되기 때문에 취득자의 사정에 따라 유불리가 다를 수 있다.

20) 소득세법 제88조 제1항 : 부담부증여(負擔附贈與)(「상속세 및 증여세법」 제47조 제3항 본문에 해당하는 경우는 제외한다)에 있어서 증여자의 채무를 수증자(受贈者)가 인수하는 경우에는 증여가액 중 그 채무액에 상당하는 부분은 그 자산이 유상으로 사실상 이전되는 것으로 본다.

은 양도자가 그 재산을 양도한 때에 그 재산의 가액을 배우자등이 증여받은 것으로 추정하여 이를 배우자등의 증여재산가액으로 보는 규정이 있다(법 제44조 ①).

특수관계인간의 거래를 증여로 본다 하더라도 객관적으로 그 대가를 지급한 사실을 증명한 경우에는 유상취득으로 보아 취득세를 과세토록 하고 있다. 그 대상으로 ① 공매·경매취득, ② 파산선고로 인하여 처분되는 부동산 등 취득, ③ 교환취득, ④ 그 대가를 지급한 사실이 증명되는 경우 등을 열거하고 있다. 그런데 ④의 "그 대가를 지급한 사실을 증명한 경우"와 관련하여 이를 악용하여 대가를 지급할 능력이 없는 납세자임에도 유상거래로 신고하는 사례가 자주 발생하였다. 이에 대해 2016년부터는 법을 개정하여 대가를 지급한 사실 증명 이외에 대가지급을 위한 소득증명(자금출처)도 함께 제출하도록 보완하였다. 구체적인 적용과정을 보면 다음과 같다.

2) 특수관계인간 거래의 유상거래 판단

특수관계인(배우자 또는 직계존비속)으로부터 부동산 등을 취득하는 경우에는 증여 취득으로 간주하되 일정 요건에 해당하는 경우 유상거래로 본다. 즉, 먼저 ① 부동산 등을 취득하기 위한 계약(매매)이 이루어지고, ② 그에 대한 대가를 지급한 것이 입증되어야 하고, 마지막으로 ③ 지급할 능력이 있다는 사실을 확인할 수 있는 '소득'이 증명되어야 한다. 여기서 어떤 종류의 소득인지 구체적인 금액 범위가 명확하지는 않다. 행안부 적용 기준(지방세운영과-629, 2016.3.11.)을 보면 기간에 관계없이 취득대가를 지급할 수 있는 소득이 있는 경우라면 인정하고 있다. 납세자가 부동산 취득을 위한 재원마련 출처 등이 소득 이외에 다양할 수 있고, 납세자의 능력 및 직업 등에 따라 편차가 크므로 기간 및 소득크기를 특정하는 것은 한계가 있다. 해당 규정의 취지가 취득세 부담을 회피하기 위해 대가를 지급할 능력이 없는 납세자임에도 유상거래로 신고하는 사례를 방지하기 위한 것이므로, 국세청에서 발급하는 소득 관련 증명서, 근로소득 원천징수영수증 등으로 취득자의 소득이 객관적으로 증빙되면 어느 정도 넓게 인정하고 있다. 한편 직계존속으로부터 소득이 없는 전업주부가 남편 소득으로 취득하는 경우 남편의 소득을 전업주부의 소득으로 인정하고 있다(지방세운영과-2291, 2016.9.2.). 다만 부부간 매매거래(부담부 증여가 아닌)에서는 본인의 소득이 있어야 유상거래로 인정한다.

그리고 소득자의 소득 입증과 무관하게 소유재산을 처분 또는 담보한 금액으로 해당 부동산을 취득한 경우도 인정한다. 소유 부동산 등 재산 매각 관련 증빙서류로 부동산 매각대금과 취득대금이 일치할 필요는 없으며 매각대금으로 취득대금을 납부하였다는 사실이 직·간접적으로 확인되면 인정한다. 또한 상속세 또는 증여세 신고 관련 증빙서류로 상속 또는 증여받은 금전 등이 있었음이 상속세 또는 증여세 자료에 의하여 확인되면 인정한다 (2016년 행자부 적용요령).

3) 부담부 증여와 특수관계인간 부담부 증여

증여자의 채무를 인수하는 부담부(負擔附) 증여의 경우에는 그 채무액에 상당하는 부분은 부동산등을 유상으로 취득하는 것으로 본다(법 제7조 ⑫ 신설, 2014.1.1.). 부동산 거래의 형태가 증여이면서 계약의 내용에 증여자의 채무를 수증자가 그대로 인수하는 경우 그 거래가액의 범위에는 유상과 무상이 혼재되어 있다. 취득세는 유상 또는 무상의 거래 형태에 따라 세율적용을 달리한다. 부담부 증여의 경우 하나의 거래에 무상세율과 유상세율이 동시에 적용될 수 있다.

특수관계인간의 부담부 증여에서도 부담부분에 대해 유상세율을 적용할 수 있는가에 대해 쟁점이 있었다. 제11항에서 특수관계인 간의 거래에 대해 규정하고 있는데, 취득자의 대금 지급과 소득이 있다는 전제하에 유상세율을 적용하고 그렇지 않으면 무상거래로 간주한다. 제12항의 경우 일반적인 부담부증여에 대한 규정이다. 만약 특수관계인이 부담부증여를 통해 부동산을 취득할 경우 제11항과 제12항 중 어느 규정을 적용할 지에 대한 혼선이 있었다. 이에 대해 특수관계인간의 부담부 증여가 제12항의 일반규정에 대한 특례규정이라는 해석(법제처 16-0212, 2016.6.27.)이 있었고, 같은 취지로 입법적으로 명확히 보완하였다. (2018.1.1. 개정).

(1) 적용방법

부담부 증여에서 증여자의 채무가 그대로 수증자에게 인수되었다는 사실이 확인되면 해당 채무(부담부분)는 유상세율이 적용되고, 나머지는 무상세율(전체 부동산 가액 기준)이 적용된다.

유상거래의 경우 취득세 과표는 거래가액이 되지만, 대가를 지급하지 않는 무상거래는 시가표준액이 과표가 된다. 단순한 증여 취득의 경우 부동산의 시가표준액을 과표로 하지만 부담부 증여의 경우 유상세율 적용과표와 무상세율 적용과표를 분리해야하는 데 행안부 운영지침에 따르면 아래와 같이 적용한다.

예를 들어 시세가 10억원이고 시가표준액은 7억원, 전세보증금이 5억원인 주택을 부담부 증여로 취득하는 경우, 유상거래에 해당하는 채무(부담분)분 5억원에 대해 유상세율을 적용한다. 이 때 주택 유상거래의 경우 취득 가격대별로 세율이 1~3%로 차이가 나는데 적용기준은 채무부담분 5억원이 아닌 7억원을 기준으로 세율을 적용해야 한다. 나머지는 무상거래인데 무상거래는 거래가액이 없으므로 시가표준액이 우선 적용되어야 하므로 해당 부동산의 시가표준액 7억원에서 유상과표분(채무부담분) 5억원을 제외한 2억원이 적용된다(A). 만약 채무 부담액(8억원)이 시가표준액보다 큰 경우라면 채무부담액 자체를 유상거래 세율 과표로 하고(B), 시세 10억원과의 차액에 대해서는 따로 과세하지 않는다고 사료된다.

취득세 과표는 취득당시의 가액이고 이는 취득자가 신고한 가액이다. 신고 또는 신고가액의 표시가 없는 경우에는 시가표준액을 적용하는 것이 원칙이다. 여기서 10억원은 취득자가 취득세 납부를 위해 적극적인 의사표시를 바탕으로 신고한 가격이 아니라면 일반적인 과세원칙에 따라 적용하는 것이 타당하다고 사료된다. 한편 무상취득임에도 납세자가 취득세 납부를 위해 감정평가를 하고 적극적인 의사로 신고한 경우라면 그 신고한 가액이 취득세 과표가 된다(지방세운영과-2410, 2018.10.12. 참조).

(2) 부담부 증여시 취득세 과표

유형	시세	시가표준액	채무부담액	적용	
				유상세율분	무상세율분
A	10억	7억	5억	5억	2억
B	10억	7억	8억	8억	-

납세자가 취득세를 신고하면서 신고서상에 기재한 취득가액은 취득사실을 알 수 있는 계약서상에 금액으로 입증되어야 한다. 부담부 증여로 부동산을 취득하는 경우 당사자간의 계약서에는 취득가액이 없이 채무인수액이 표시되어 있는 것이 일반적일 것이다. 이 경우 취득자가 취득가액을 계약서와 별도로 취득세 신고서상에 임의로 기재하였다면 이를 취득가액에 참고할 수는 없을 것이다. 예를들어 전세보증금 등을 승계하는 부담부 증여시 부담부분의 원인이 된 계약서 등의 입증서류상 금액(5억원)이 있음에도 시가표준액(3억원)과 유사한 가액을 부담부증여 계약서상 취득가액(3억원)으로 임의로 기재한 경우에는, 전세계약서 등의 입증할 수 있는 서류에 의하여 확인되는 금액(5억원)을 「지방세법」상 취득 당시의 가액으로 적용하여야 한다(지방세운영과-731, 2018.4.3.).

16. 그 밖의 취득의 유형

1) 신탁재산의 지위승계와 납세의무(제7조 ⑭)

2015년 이전 규정에 따르면 「신탁법」 개정(2012.7.26.)으로 신탁을 종료하지 않고서도 위탁자의 지위이전이 가능했고(신탁법 제10조), 이로 인해 사실상의 소유권이 새로이 지위이전을 받은 위탁자로 변경되었음에도 취득세를 과세할 수 없는 문제점이 발생되었다. 이에 따라 2016년부터는 위탁자 지위이전의 경우에도 취득세를 과세토록 관련 규정을 신설하여 기존 과세실무와 동일하게 운영될 수 있도록 명확히 하였고, 다만, 위탁자 지위이전에도 불구하고 실질적인 소유권 변동이 없는 것으로 인정되는 경우에는 과세대상에서 제외(시행령 위임)하였다. 위탁자 지위이전에도 불구하고 소유권변동이 없는 사례에 대해서는 시행령에 신설하여(영 제11조의 2) 제1호에서 부동산 집합투자기구의 위탁자의 지위이전(기존 유권해석 반영), 제2호에서는 구체적인 사안에 따라 사실상 위탁자의 지위이전에도 불구하고 실질적인 소유권변경이 없는 경우에 대하여 과세를 배제할 수 있도록 포괄적 근거 규정을 마련하였다.

☞ 제9조 제3항 신탁재산 비과세 참조

| 최근 개정법령 _ 2016.1.1. | 신탁재산 지위승계 관련 취득세 납세의무 규정 명확화(법 제7조 ⑮).

〈2016년 시행 행자부 적용요령 〉 적용시기는 현행 과세실무를 명확히 한 것이므로 이 영 개정 전에 납세의무가 성립된 부분에 대하여도 적용함.

① 제1호와 관련하여, 투자신탁에 있어 위탁자인 집합투자업자를 변경하는 경우로서 집합투자기구의 집합투자업자(위탁자)의 경우 일반적인 위탁자와 달리 신탁재산의 취득과 처분이 제한되고, 신탁재산의 투자·운영 계획을 수립하여 수탁자에게 지시하는 권한만 가지고 있을 뿐 투자수익을 향유하지도 않기 때문에 집합투자업자의 변경이 있더라도 취득세 납세의무가 없는 것으로 판단함.

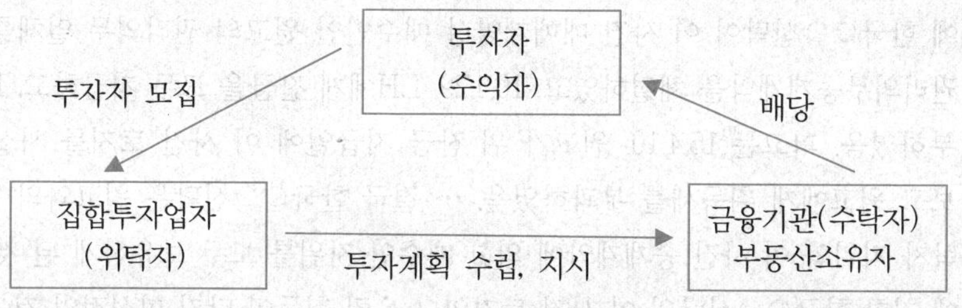

② 위탁자의 지위 이전을 받은 자가 수익자, 상속자 등에 해당하지 아니하여 해당 신탁재산에 대한 권리가 전혀 없는 경우 등 위탁자의 지위를 이전받은 자가 해당 신탁재산을 사실상 취득한 것으로 볼 수 없는 경우 개정안 제2호에 해당하는 것으로 보아 과세 제외

③ 「신탁법」 제78조 제1항에 따른 수익증권을 취득함으로써 투자자의 변경이 이루어지고 그 과정에서 해당 신탁부동산에 대한 매매대금의 지급이 있는 경우에는, 수익증권을 취득한 새로운 투자자가 해당 신탁부동산을 사실상 취득한 것으로 보아 취득세 부과함. 이 경우 매매대금이 신탁부동산에 대한 사실상의 매수대금에 해당하는지의 여부는 해당 토지의 시

장거래가격, 새로운 투자자가 지급한 금액과 토지가격 간의 상관관계 등을 종합적으로 고려하여 결정

◎ 매매대금을 실질적으로 부담했다는 사정만으로 사실상 취득자에 해당한다고 볼 수 없음

원고 대○는 이 사건 토지에 대해 2009.3.31. 소외공사와 매매계약을 체결하고, 같은 날 지분 50%를 원고 롯○에게 양도하는 내용의 지분 매매계약을 체결. …원고들은 2009.7.30. 소외 ○○신탁(소외 회사)과 사이에 토지신탁계약을 체결하고, 같은 날 소외회사가 이 사건 매매계약상 매수인의 지위를 그대로 승계하는 내용의 권리의무승계계약을 체결. 소외 회사는 2009.10.15. 이 사건 토지 잔금을 원고들로부터 받아 소외 공사에 납부하였음. 피고는 2014.6. 경 원고들이 이 사건 토지 매매대금을 지급한 것을 법인장부를 통해 파악하고 이 사건 토지를 사실상 취득하였다고 보아 2014.9.12. 취득세 과세 … 소외 회사가 매매계약의 양수인 지위를 승계한 상태에서 소외 회사 명의로 잔금을 납부하였으므로, 소외 회사가 이 사건 토지의 사실상 취득자라고 보아야 하고, 이 사건 신탁계약에서 신탁재산에 관한 비용을 원고들이 부담하기로 정하고 이와 같은 내부적 비용부담 약정에 따라 원고들이 실제 잔금과 취득세를 부담하였다 하더라도 달리 볼 것은 아님(대법원 2017두64897, 2018.2.28.).

◎ 매수인의 지위를 보유한 신탁회사가 취득세 납세의무자이므로 위탁자는 납세의무가 없음

㈜호○○빙이 LH로부터 이 사건 토지의 매매계약을 체결하였음. 원고는 09.10.28. ㈜호○○빙으로부터 이 사건 매매계약상 매수인 지위를 승계 받았고, 10.1.28. LH에게 중도금을 지급하였고, 한국○○신탁과 신탁계약을 체결하였음. 한편 한국○○신탁은 10.1.28. 원고 및 LH와 사이에 한국○○신탁이 이 사건 매매계약상 매수인인 원고의 권리의무 일체를 승계하는 내용의 권리의무승계계약을 체결하였고, 10.4.29. LH에게 잔금을 모두 지급하고, 10.5.2. 취득세를 납부하였음. 피고는 15.4.10. 원고가 위 잔금 지급일에 이 사건 토지를 사실상 취득한 것으로 보고 원고에게 취득세를 부과하였음. … 결국 한국○○신탁은 원고와의 신탁계약에 의한 수탁자 지위와 이 사건 승계계약에 의한 매수인 지위를 모두 보유하게 된 것인데, 이러한 지위에 기한 한국○○신탁의 이 사건 토지의 소유권 취득이 단지 형식적인 것에 불과하다거나 원고에 대한 등기를 생략한 중간생략등기에 해당한다고 할 수는 없고, 이는 이 사건 매매계약의 잔금을 원고가 한국○○신탁에 제공하였다고 하더라도 마찬가지임(대법원 2017두64798, 2018.3.15.).

2) 판결 등에 의한 취득

당사자간 소유권의 분쟁에 대해 법원의 판결에 따라 취득하는 경우가 있다. 법원의 판결의 경우 취득의 시기(확정판결일, 판결문상 잔금지급일 등 취득의 시기)와 취득의 원인(유상취득, 무상취득 등)을 무엇으로 볼 것인지 쟁점이 되는데 이는 개별 사안 별로 판결의

내용에 따라 적용되어야할 것이다.

한편 화해권고결정은 법원이 소송 중인 사건에 대해 직권으로 화해내용을 정하여 그대로 화해할 것을 권고하는 결정을 하는 것으로서, 이는 다툼이 있는 당사자간 양보에 의한 분쟁해결이라는 성격을 갖고 있고, 법원의 조정은 분쟁해결을 위하여 법원이 개입하여 당사자 쌍방의 합의를 이끌어냄으로써 화해시키는 것으로 「민사조정법」 제29조에서도 조정은 재판상의 화해와 동일한 효력이 있다고 규정하고 있다. 그러나 화해조서에 확정판결과 같은 효력이 부여되어 있다 할지라도 재판상 화해는 사적자치 범위 안의 사인의 행위가 근간이 되고 있다는 점에서 국가기관인 법원이 법률에 의거하여 실체적 진실을 찾아내는 판결과는 현저한 차이가 있고, 판결에서와 같은 정도의 사실의 정확한 인정과 법규의 적용을 기대하기 어렵다할 것이다(헌재 2002헌바71, 2003.4.24.). 무변론판결도 판결청구의 원인이 된 사실을 당사자가 명백히 다투지 아니하여 쟁송내용의 진부에 대한 판단 없이 법원이 결정내용을 확정하는 것이므로 결정내용 자체가 진정한 사실관계에 부합된다고 볼 수 없다.

◎ **소유권이전등기 후 법원의 화해결정으로 매매계약이 합의해제된 경우라도 이미 성립한 취득세 납세의무에는 영향을 미치지 아니함**

잔금을 지급하지 않은 상태에서 이 사건 부동산에 관한 소유권이전등기를 마쳤다가 매도인과 분쟁이 발생하여 법원의 화해권고 결정에 따라 매매계약 해제 … '부동산 취득'이란 부동산 취득자가 실질적으로 완전한 내용의 소유권을 취득하는지 여부와 관계없이 소유권 이전의 형식에 의한 부동산 취득의 모든 경우를 포함하는 것으로(대법원 2005두9491), 취득세는 부동산의 취득행위를 과세객체로 하여 부과하는 행위세이므로, 그에 대한 조세채권은 그 취득행위라는 과세요건사실이 존재함으로써 당연히 발생하고, 일단 적법하게 취득한 다음에는 그 후 합의에 의하여 계약을 해제하고 그 재산을 반환하는 경우에도 이미 성립한 조세채권의 행사에 영향을 줄 수 없음(대법원 95누7970), 따라서 소유권이전등기를 마침으로써 그 소유권을 취득한 이상 잔금 지급 여부와 관계없이 이미 취득세 납세의무는 성립한 것임(대법원 2012두27015, 2013.3.14.).

◎ **사해행위 취소판결 시 취득세 납세의무**

甲이 乙, 丙, 丁, 戊를 상대로 사해행위의 취소 및 소유권원상회복을 구하는 소송을 제기한 결과 법원에서 丁은 丙에게, 丙은 乙에게 소유권이전등기의 말소절차를 이행하라는 판결을 받은 경우 당초 부동산 매매계약이 원인무효가 된 것이 아니고 그 매매계약이 취소된 것이므로 매수자인 丙과 丁은 부동산 취득당시 계약상의 잔금지급일 또는 등기일에 취득세 납세의무가 적법하게 성립된 것이므로 환부대상 아님(지방세운영과-705, 2008.8.20.).

◎ 민사조정법상 조정(이전등기 말소절차 이행)을 받았더라도 취득세 환급은 불가

적법하게 취득한 다음 합의로 계약을 해제하고 그 재산을 반환하더라도 이미 성립한 조세채권 행사에 영향을 줄 수는 없고, 조정은 화해와 동일한 효력이 있어 국가기관인 법원이 법률에 의해 실체적 진실을 찾아내는 판결과는 현저한 차이가 있으므로 「민사조정법」에 따라 "매매계약 해제를 원인으로 한 소유권이전등기의 말소등기절차를 이행하라"는 조정을 받았다고 하더라도 취득세는 환급할 수 없음(지방세운영과-2812, 2012.9.7.).

◎ 화해권고결정과 무변론판결 등에 따른 취득시기 인정 여부

화해권고결정과 무변론판결의 결정내용 자체가 진정한 사실관계에 부합된다고 볼 수 없으며, 확정판결의 기판력도 해당 판결문의 주문에 포함된 것에 한해 인정되는 것이므로, 동일 사안(시효취득)에 대한 복수의 소유권이전등기 청구소송(원고만 동일)이 각각 변론판결, 화해권고결정, 무변론판결이 난 경우라 하더라도 변론판결의 취득시기를 화해권고결정과 무변론판결에 그대로 적용할 수는 없다고 판단됨(지방세운영과-359, 2012.2.5.).

3) 점유취득시효 완성

◎ 점유취득시효 완성자가 판결에 기하여 토지의 소유권이전등기를 한 경우 취득시기

부동산의 점유자가 취득시효완성을 원인으로 한 소유권이전등기에 관한 소송을 제기하여 확정판결을 받은 경우 부동산의 취득시기는 점유취득시효 완성일이 되는 것이므로 이로부터 5년이 경과된 이후에 부과된 취득세는 제척기간이 경과되어 부과된 것으로 부적법함(조심 2011지0339, 2012.6.29.).

◎ 점유취득시효 완성자가 판결에 기하여 토지의 소유권이전등기를 한 경우, 그 토지의 취득시기 ⇨ (1) 부동산의 점유자가 취득시효완성을 원인으로 한 소유권이전등기에 관한 소송을 제기하여 확정판결을 받은 경우 부동산의 취득시기는 점유취득시효 완성일이 되는 것임. (2) 점유취득시효 완성으로 부동산에 대한 소유권을 취득하였다 하더라도 법원의 확정판결일까지는 취득세를 신고납부하기는 어려우므로 신고납부기한 내 취득세를 신고납부할 수 없는 정당한 사유가 있는 것으로 보아 가산세를 면제하는 것이 타당함(조심 2011지0297, 2012.6.21.).

◎ 점유취득시효 완성자가 판결에 기하여 소유권이전등기를 한 경우 판결확정일이 취득시기

소유권에 다툼이 있어 법원에 소를 제기하여 승소판결로 취득하는 경우 법원의 판결은 소유권을 원시적으로 창설하는 것이 아니고 국가가 소유권의 취득사실을 확인하고 이를 확정해 준다는 의미가 있으므로 통상 법원 판결문상에 나타나는 명백한 취득시기를 인정하여야 할 것이나, 이 사건의 경우는 원고와 피고 간에 통정할 이유가 전혀 없는 무변론에 의한 형성판

결에 해당하므로 판결확정일을 법 제105조 ②의 사실상으로 취득한 때로 인정하는 것이 사실상의 취득원칙에 부합할 뿐만 아니라 법적 안정성 등 여러 가지 측면에서 타당함(조심 2010지0534호, 2012.3.10.).

☞ 「민법」 제187조에서는 상속, 공용징수, 판결, 경매 기타 법률의 규정에 의한 부동산에 관한 물권의 취득은 등기를 요하지 아니한다고 규정하고 있음.

4) 조직변경 등

◎ **지방공사를 상법상의 주식회사로 조직변경하는 경우, 부동산등 취득세 납세의무 없음**

지방공사는 주식회사의 성격을 지니고 있으므로 사실상 회사의 종류 변경이 없고(주식회사 → 주식회사), 의결권의 가치변동이 없어 조직변경시 지분양도분을 제외하고 주주의 변동이 수반되지 않으므로 조직변경 전후 양자간의 실질이 변경되었다고 보기 어려우므로, 지방공사를 주식회사로 조직을 변경하면서 지방공사 소유의 부동산을 조직변경후의 법인명의로 이전 등기하는 경우 취득세 과세대상이 아님(지방세운영과-1628, 2018.7.16.).

◎ **비영리법인의 조직 통·폐합 관련 법령개정으로 신설법인이 포괄승계받는 부동산 등은 실질적으로 소유권 이전이 아니어서 취득세 납세의무가 없음**

관계법령의 의제규정을 보면 폐지된 법인과 신설법인의 동일성이 인정되므로 이들 법인이 포괄승계받는 부동산에 대하여는 소유권의 새로운 변동이 있었다고 보기 어려우므로, 특별법에 설립근거를 두고 있는 비영리법인의 조직 통·폐합을 위한 법령개정으로 한국기술거래소 등 4개 기관을 폐지하고 이들 기관의 업무를 통합하여 수행할 목적으로 한국산업기술진흥원과 한국산업기술평가관리원이 신설함에 따라 신설법인이 포괄승계받는 부동산 등은 실질적으로 소유권이 이전되는 것이 아니어서 취득으로 볼 수 없고, 등록세는 부동산등기법 등 규정에 따라 등기명의인 표시변경등기가 이행되는 경우라면 변경등기에 따른 등록세율을 적용하여야 할 것임(지방세운영과-357, 2009.1.23.).

◎ **법인 대표자 개인명의에서 법인명의로 변경시 취득세 납세의무가 있음**

사단법인의 대표자 개인명의의 토지 및 건물을 사단법인 명의로 소유권이전등기를 이행하는 경우 단순한 등기명의인 표시변경등기가 이행되는 것이 아닌 실질적인 소유권변동이 이루어지는 것이므로 취득행위가 있는 것으로 보아 취득세 납세의무가 성립되는 것이고, 등록세의 경우에도 등기형식에 따라 과세되는 특성상 부동산 소유권등기 형식을 갖추고 있으므로 그 원인에 따른 등록세 세율을 적용(지방세운영과-214, 2008.7.11.)

◎ **협동조합기본법에 따라 유한회사에서 협동조합으로 조직변경 등기를 한 경우 유한회사가 소유하던 영업용 차량의 취득세 납세의무 성립 여부**

유한회사 또는 주식회사를 협동조합으로 조직변경한 경우에는 조직변경 전후의 양자간의 실질이 동일하다고 보기 어려우므로(의결권을 보면 유한회사·주식회사 1좌·1주 당 1표, 협동조합은 1인당 1표), 취득세 납세의무가 있음. 한편, 지방세법상 실질적 차량 소유자인 지입차주가 그대로인 상태에서 지입회사간 명의 변경이 있는 경우 1만5천원의 지입특례 세율을 적용하도록 규정하고 있음(지방세운영과-1847, 2016.7.14.).

5) 회원권 취득

◎ **골프회원권을 매매계약하고 잔금지급시는 명의개서 여부에 상관없이 취득세 과세대상**

골프회원권의 양수인이 양도인과 골프회원권에 대한 매매계약을 체결하고 매매대금을 완납하였다면 골프장의 회원명부에 골프회원권의 양도·양수로 인한 명의개서를 하지 않은 경우라도 그 골프회원권의 양수인은 골프회원권 취득에 따른 취득세의 납세의무자라고 할 것임(법제처 법령해석 09-0014, 2009.3.18.).

◎ **권리소각 목적으로 취득하는 회원권은 취득세 납세의무가 없음**

회원권 분양회사가 만기일 이전에 당초 분양한 회원권의 권리를 소각할 목적으로 회원권을 매입하는 경우라면 시설물을 일반이용자에 비하여 배타적으로 이용하기 위하여 취득한 것에 해당되지 아니하므로 법 제104조 제8호에 의한 취득으로 볼 수 없어 취득세 납세의무가 성립되지 않는 것임(도세과-656, 2008.4.28.).

제7조(납세의무자 등) 제5항 [과점주주]

법 제7조(납세의무자 등) ⑤ 법인의 주식 또는 지분을 취득함으로써 「지방세기본법」 제46조 제2호에 따른 과점주주(이하 "과점주주"라 한다)가 되었을 때에는 그 과점주주가 해당 법인의 부동산등(법인이 「신탁법」에 따라 신탁한 재산으로서 수탁자 명의로 등기·등록이 되어 있는 부동산등을 포함한다)을 취득(법인설립 시에 발행하는 주식 또는 지분을 취득함으로써 과점주주가 된 경우에는 취득으로 보지 아니한다)한 것으로 본다. 이 경우 과점주주의 연대납세의무에 관하여는 「지방세기본법」 제44조를 준용한다.

영 제11조(과점주주의 취득 등) ① 법인의 과점주주(「지방세기본법」 제46조 제2호에 따른 과점주주를 말한다. 이하 같다)가 아닌 주주 또는 유한책임사원이 다른 주주 또는 유한책임사원의 주식 또는 지분(이하 "주식등"이라 한다)을 취득하거나 증자 등으로 최초로 과점주주가 된 경우에는 최초로 과점주주가 된 날 현재 해당 과점주주가 소유하고 있는 법인의 주식등을 모두 취득한 것으로 보아 법 제7조 제5항에 따라 취득세를 부과한다. 〈개정 2010.12.30.〉

② 이미 과점주주가 된 주주 또는 유한책임사원이 해당 법인의 주식등을 취득하여 해당 법인의

주식등의 총액에 대한 과점주주가 가진 주식등의 비율(이하 이 조에서 "주식등의 비율"이라 한다)이 증가된 경우에는 그 증가분을 취득으로 보아 법 제7조 제5항에 따라 취득세를 부과한다. 다만, 증가된 후의 주식등의 비율이 해당 과점주주가 이전에 가지고 있던 주식등의 최고비율보다 증가되지 아니한 경우에는 취득세를 부과하지 아니한다. 〈개정 2015.12.31.〉

③ 과점주주였으나 주식등의 양도, 해당 법인의 증자 등으로 과점주주에 해당되지 아니하는 주주 또는 유한책임사원이 된 자가 해당 법인의 주식등을 취득하여 다시 과점주주가 된 경우에는 다시 과점주주가 된 당시의 주식등의 비율이 그 이전에 과점주주가 된 당시의 주식등의 비율보다 증가된 경우에만 그 증가분만을 취득으로 보아 제2항의 예에 따라 취득세를 부과한다.

④ 법 제7조 제5항에 따른 과점주주의 취득세 과세자료를 확인한 시장·군수·구청장은 그 과점주주에게 과세할 과세물건이 다른 특별자치시·특별자치도·시·군 또는 구(자치구를 말한다. 이하 "시·군·구"라 한다)에 있을 경우에는 지체 없이 그 과세물건을 관할하는 시장·군수·구청장에게 과점주주의 주식등의 비율, 과세물건, 가격명세 및 그 밖에 취득세 부과에 필요한 자료를 통보하여야 한다.

법인의 주식 또는 지분을 취득함으로써 「지방세기본법」 제46조 제2호에 따른 과점주주가 되었을 때에는 그 과점주주가 해당 법인의 부동산등을 취득한 것으로 본다(법 제7조 ⑤). 다만, 법인설립 시에 발행하는 주식 또는 지분을 취득함으로써 과점주주가 된 경우에는 취득으로 보지 않는다. 과점주주란 주주 또는 유한책임사원 1명과 그의 특수관계인 중 대통령령으로 정하는 자로서 그들의 소유주식의 합계 또는 출자액의 합계가 해당 법인의 발행주식 총수 또는 출자총액의 100분의 50을 초과하면서 그에 관한 권리를 실질적으로 행사하는 자들을 말한다.

과점주주에 대하여 납세의무를 부여하는 것은 과점주주는 해당 법인의 자산을 임의처분하거나 관리·운용할 수 있는 지위에 있어 실질상으로는 자기소유의 자산과 크게 다를 바 없고(대법원 92누11138, 1994.5.24.), 그 과점주주에게 담세력이 있다고 보는 것이 공평과세 및 실질과세원칙에 부합한다고 보기 때문이다(헌재 2005헌바45, 2006.6.29.). 그리고 비상장법인의 과점주주를 대상으로 하고 있는데, 이는 비공개법인의 주식이나 지분을 특정인이 독과점하는 것을 억제하고 다수인에게 기업참여를 유도하는 데 그 목적이 있다. 즉 비상장 법인의 경우 주식이 친인척 등 소수 특수관계에 있는 자들에게 소유되어 있고, 이들 과점주주가 실질적으로는 해당 법인의 재산을 직접 소유한 것과 다름없는 것이 되기 때문이다.

과점주주에 대한 취득세 납세의무 부여에 대해 이중과세에 해당하여 과점주주의 재산권을 침해한다고 주장할 수 있다. 그러나 과점주주에 대한 취득세 부과는 법인이 최초로 납부한 취득세와는 별개의 새로운 과세사실에 대한 취득세 부과이므로 이중과세에 해당한다고 보기 어렵다는 것이 헌법재판소의 일관된 판단이다(2006헌바107, 헌바377 등).

과점주주에 해당하는지의 여부는 과점주주 중 특정 주주 1인의 주식 또는 지분의 증가를 기준으로 판단하는 것이 아니라 일단의 과점주주 집단 전체가 소유한 총 주식 또는 지분비율의 증가를 기준으로 판단하게 되는데(대법원 2007두10297, 2007.8.23.), 이는 과점주주가 되었을 경우 과점주주 집단을 구성하는 친족과 특수관계인들은 실질적으로 당해 법인의 자산에 관하여 공유자 또는 공동사업자의 지위에서 관리 · 처분권을 행사할 수 있게 되므로 그 자산에 대한 권리의무도 과점주주 집단에게 실질적 · 경제적으로 공동으로 귀속된다고 보는 것이다(헌재 2008헌바139, 2009.12.29.).

"특수관계인"이란 본인과 친족관계, 경제적 연관관계, 그리고 경영지배관계에 있는 자를 말한다. 이 때 본인도 그 특수관계인의 특수관계인으로 보는데, 예를 들어 본인의 친족관계에 있는 자가 있는 경우, 그 친족관계에 있는 자 입장에서 보면 본인도 친족관계에 있는 특수관계인으로 본다. ⅰ) 친족관계란 6촌 이내의 혈족, 4촌 이내의 인척, 배우자(사실상의 혼인관계 포함), 친생자로서 다른 사람에게 친양자로 입양된 사람 및 그 배우자 · 직계비속 중 어느 하나에 해당하는 경우를 말한다(기본법 영 제2조 ①). ⅱ) 경제적 연관관계란 임원과 그 밖의 사용인, 본인의 금전이나 그 밖의 재산으로 생계를 유지하는 사람 그리고, 이들과 생계를 함께하는 친족 중 어느 하나의 관계에 해당하는 경우를 말한다(영 제2조 ②). ⅲ) 주주 · 출자자 등 대통령령으로 정하는 경영지배관계란 본인이 개인인 경우와 법인인 경우로 구분하여 각각의 구분에 따른 관계에 있는 경우를 말한다. 본인이 개인인 경우 본인이 직접 또는 그와 친족관계 또는 경제적 연관관계에 있는 자를 통하여 법인의 경영에 대하여 지배적인 영향력을 행사하고 있는 경우 그 법인을 말한다. 그리고 본인이 법인인 경우 (가목) "개인 또는 법인이 직접 또는 그와 친족관계 또는 경제적 연관관계에 있는 자를 통하여 '본인인 법인의 경영에 대하여 지배적인 영향력을 행사'하고 있는 경우 그 개인 또는 법인"을 말하고, 아울러 "본인이 직접 또는 그와 경제적 연관관계 또는 가목의 관계에 있는 자를 통하여 어느 법인의 경영에 대하여 지배적인 영향력을 행사하고 있는 경우 그 법인"을 말한다(영 제2조 ③).

취득세의 납세의무를 부담하는 과점주주는 형식적 요건(특수관계에 있는 자들의 소유주식의 합이 50%를 초과)을 갖추어야 할 뿐만 아니라 당해 과점주주가 법인의 운영을 실질적으로 지배할 수 있는 지위에 있음을 요한다. 이 때 법인의 운영을 실질적으로 지배할 수 있는 지위라 함은 실제 법인의 경영지배를 통하여 법인의 부동산 등의 재산을 사용 · 수익하거나 처분하는 등의 권한을 행사하였을 것을 요구하는 것은 아니고, 소유하고 있는 주식에 관하여 의결권행사 등을 통하여 주주권을 실질적으로 행사할 수 있는 지위에 있으면 족하다(대법원 2006두19501).

제2차납세의무는 납세의무 성립일을 기준으로 과점주주 성립 여부를 판단하지만, 간주 취득세의 경우에는 주주명부에 명의가 개서된 날을 기준으로 판단한다.

과점주주의 납세의무성립 당시 당해 법인의 취득시기가 도래되지 아니한 물건에 대하여는 과점주주에게 납세의무가 없으며, 연부취득 중인 물건에 대하여는 연부 취득시기가 도래된 부분에 한하여 납세의무가 있다(예규 지법 7-3). 반면 연부계약에 따른 최종 잔금이 지급되기 전 그 계약이 해제된 경우 해당 납세자가 처음부터 연부취득 중인 물건을 취득하지 않은 것으로 보아야 하므로 연부취득 중 성립했던 과점주주 간주취득세 역시 성립하지 않는 것으로 보아 기 신고납부한 과점주주 간주취득세는 경정청구에 따른 환급대상이다(지방세운영과-869, 2019.4.2.).

1. 과점주주 납세의무

지방세관계법상 과점주주 관련규정을 보면, '주주'나 '소유'의 개념에 대하여 구 지방세법이 별도의 정의 규정을 두고 있지 않은 이상 민사법과 동일하게 해석하는 것이 법적 안정성이나 조세법률주의가 요구하는 엄격해석의 원칙에 부합한다. 주식은 취득세의 과세대상물건이 아닐 뿐만 아니라, 지방세법 제22조 제2호는 출자자의 제2차 납세의무에 관하여 규정하면서 그 이하의 조항에서 말하는 과점주주의 개념을 일률적으로 정의하고 있다. 그에 따라 '주주'가 되는 시기나 주식의 '소유' 여부를 결정할 때도 취득세에서의 취득시기에 관한 규정이 그대로 적용된다고 보기는 어렵다. 따라서 '주주'나 '과점주주'가 되는 시기는 특별한 사정이 없는 한 사법상 주식 취득의 효력이 발생한 날을 의미한다.

과점주주의 납세의무성립 당시 당해 법인의 취득시기가 도래되지 아니한 물건에 대하여는 과점주주에게 납세의무가 없으며, 연부취득 중인 물건에 대하여는 연부 취득시기가 도래된 부분에 한하여 납세의무가 있다(지법 예규 7-3, 2호).

◎ **특정주주 1인이 아닌 과점주주 전체가 소유한 총주식의 비율 변동 여부로 판단**

간주취득세 납세의무를 부담하는 과점주주에 해당하는지의 여부는 과점주주 중 특정 주주 1인의 주식 또는 지분의 증가를 기준으로 판단하는 것이 아니라, 일단의 과점주주 전체가 소유한 총주식 또는 지분이 이전되거나 기존의 과점주주와 친족 기타 특수관계에 있으나 당해 법인의 주주가 아니었던 자가 기존의 과점주주로부터 그 주식 또는 지분의 일부를 이전받아 새로이 과점주주에 포함되었다고 하더라도 일단의 과점주주 전체가 소유한 총주식 또는 지분의 비율에 변동이 없는 한 간주취득세의 과세대상이 될 수 없음(대법원 2007두10297, 2007.8.23., 대법원 2002두1144, 2004.2.27. 등).

◎ 투자조합 과점주주 취득세 납세의무 관련

중소기업창업투자조합인 乙투자조합이 비상장법인인 丙법인의 설립 시에 71.43%를 출자하여 과점주주가 된 후 乙투자조합의 해산으로 그 조합원들이 합유로 소유하고 있던 조합의 주식을 분할하여 과점주주가 된 경우 지방세법 제110조 제4호에 의거 공유물의 분할에 해당되어 취득세가 비과세 대상이라 할 것이나, 甲과 특수관계에 있는 자들이 합유로 소유하고 있던 지분 외에 다른 조합원의 지분을 추가로 취득함으로써 최초로 과점주주가 되거나 지분이 증가한 경우에는 과점주주 취득세 납세의무가 있음(지방세운영과-1470, 2008.9.26.).

◎ 영농조합법인의 조합원이 출자지분을 취득(51%)하더라도 과점주주에 해당되지 아니함

농업·농촌기본법 제15조 제8항에서 영농조합법인에 관하여 이 법에서 규정한 사항 외에는 민법 중 조합에 관한 규정을 준용하고 있으며, 민법 제712조에서 조합채권자는 그 채권발생 당시에 조합원의 손실부담의 비율을 알지 못한 때에는 각 조합원에게 균분하여 그 권리를 행사할 수 있다고 규정하고 있으므로, 영농조합법인은 농업·농촌기본법 제15조에 의거 설립된 법인으로서 동 조합법인의 조합원은 동법 동조 제8항 및 민법 제712조의 규정에 의거, 무한책임사원으로 보아야 할 것이므로 동 조합법인의 조합원들이 출자지분을 취득하여 그 합계가 100분의 51 이상이 된다 하더라도 지방세법 제22조 제2호 규정의 과점주주에 해당되지 아니함(세정과-2951, 2004.9.8.).

◎ 영농조합법인 조합원의 출자액이 50%를 초과하면서, 조합의 소유관계(합유)가 무력화될 정도로 실질적 권리행사가 가능한 경우라면 간주취득세 납세의무가 있음

「농어업경영체 육성 및 지원에 관한 법률」의 개정(2015.1.6.)으로 영농조합법인의 조합원의 책임범위를 납입한 출자액을 한도로 하도록 관련 규정이 신설되었으므로, 이 법 개정이후 영농조합법인의 조합원은 무한책임사원에서 유한책임사원으로 전환된 것으로 보아야 할 것임. 따라서 영농조합법인의 조합원에 대한 간주취득세를 과세하기 위해서는 ① 농업인인 조합원과 그의 특수관계인의 출자총액이 50%를 초과하여야 하고, ② 그에 관한 권리를 실질적으로 행사할 수 있어야 하는데, 「민법」에 따라 조합의 재산은 합유물로서 조합원 전원의 동의가 없으면 합유물의 처분·변경 및 지분의 처분을 할 수 없음을 고려할 때, 요건 ①을 충족하면서 조합의 소유관계(합유)가 무력화될 정도로 실질적 권리행사가 가능한 경우(예: 과점주주의 출자총액이 100%인 경우 만장일치가 가능한 체계로 간주 등)라면 간주취득세 납세의무가 있다고 보아야 할 것임(지방세운영과-2581, 2018.10.31.).

◎ 주권을 발행하기 이전에 주식의 양도에 관한 계약에 체결된 경우에는 특별한 사정이 없는 한 그 약정일에 과점주주 간주취득세 납세의무가 성립(취득시기)함

상법 제335조 제3항의 주권발행 전에 한 주식의 양도는 회사성립 후 또는 신주의 납입기일

후 6월이 경과한 때에는 회사에 대하여 효력이 있는 것으로서, 이 경우 주식의 양도는 지명채권의 양도에 관한 일반원칙에 따라 당사자의 의사표시만으로 효력이 발생하고, 상법 제337조 제1항에 규정된 주주명부상의 명의개서는 주식의 양수인이 회사에 대한 관계에서 주주의 권리를 행사하기 위한 대항요건에 지나지 아니하므로, 주권발행 전 주식을 양수한 사람은 특별한 사정이 없는 한 양도인의 협력을 받을 필요 없이 단독으로 자신이 주식을 양수한 사실을 증명함으로써 회사에 대하여 그 명의개서를 청구할 수 있음. 따라서 주권발행 전 주식을 양수한 사람은 주주명부상의 명의개서가 없어도 주주권자임을 주장할 수 있음. … 주권발행 전에 이루어진 이 사건 주식의 양도는 당사자의 의사표시만으로 효력이 발생하는 것임(대법원 2011두24842, 2013.3.14.).

◎ 과점주주로서 법인의 취득세 과세대상 자산에 대해 간주취득세를 납부한 후 동 법인으로부터 사업양수도방식으로 자산을 취득한 경우 간주취득세 상당액 부분은 이중과세임

원고는 ○○회사의 총발행주식 중 56.79%를 취득함으로써 간주취득세(가산세 포함)를 부과고지하였고, 그 후 원고는 지분을 그대로 보유한 상태에서 ○○로부터 그 자산 전부를 영업양수도 방식으로 취득하고 취득세를 신고납부, 원고에 대한 간주취득세는 실제 ○○의 자산을 취득하지는 아니하였지만 임의처분하거나 관리운용할 수 있는 지위를 취득한 것으로 보고 그 자산 자체를 취득한 것으로 의제하여 취득세를 부과한 것이므로(대법원 92누11138), 이후 원고가 영업양수도 방식으로 ○○의 자산 전부를 실제 취득하고 취득세를 납부하였다면, 그 중 원고가 이미 납부한 간주취득세 상당액 부분은 동일한 물건의 취득에 대한 이중과세에 해당(대법원 2006다81257, 2009.4.23.)

◎ 회사 성립 후 신주 인수에 따른 과점주주 취득세 납세의무는 주금 납입기일 익일에 성립

회사 성립 후 발행하는 신주를 인수하는 것은 일반적인 기명주식을 거래 등으로 취득하는 경우와 달리 정관이나 이사회에 따라 납입기일과 인수방법 등이 결정되어 회사(법인)가 납입 또는 현물출자 여부를 충분히 알 수 있고, 舊「상법」에 따라 신주의 인수인은 납입 또는 현물출자를 한 다음날로부터 주주로서의 권리와 의무를 갖게 되는 바, 회사 성립 후 발행하는 신주를 인수함에 따라 발생되는 과점주주 취득세 납세의무는 주금 납입기일 익일에 성립한다고 보는 것이 타당됨(지방세운영과-3055, 2012.9.27.).

◎ 공직자윤리법에 따라 재산공개대상자의 주식을 수탁기관에 백지신탁함으로써 수탁기관이 과점주주가 되는 경우 간주취득세 납세의무 없음

공직자윤리법에 따라 재산공개대상자의 주식을 수탁받은 기관은 해당 주식을 특별한 사유가 없는 이상 60일 이내에 처분하여야 하는 점, 배당이익 등 주식 수탁에 따른 수익이 위탁자에게 귀속되는 점 등을 고려해 볼 때, 형식상 과점비율에 해당하는 주식을 수탁받았다고 하더

라도 해당 법인의 자산에 대한 관리·처분권을 실질적으로 행사할 수 있는 지위에 있다고 보기는 어렵다고 할 것이므로 납세의무가 성립되지 않음(지방세운영과-1661, 2016.6.27.).

◎ 기업회생절차에서 주식 추가 취득은 지배권이 실질적으로 증가하였다고 보기 어려움

주식의 취득 경위와 목적, 원고 등이 이 사건 협의회에 이 사건 주식의 처분권을 위임하고 경영권포기각서를 제출하여 이 사건 회사가 채권금융기관들의 공동관리하에 들어간 점 및 이 사건 회사의 워크아웃 절차 진행경과 등을 종합하여 보면, 이 사건 주식을 취득함으로써 그 주식 비율의 증가분만큼 이 사건 회사의 운영에 대한 지배권이 실질적으로 증가하였다고 보기는 어려움. 간주취득세 납세의무 제도의 의의와 취지 및 실질과세의 원칙에 비추어 보더라도, 지배권의 실질적 증가 여부는 해당 주식 취득 전후의 제반 사정을 전체적으로 고려하여 종합적으로 판단하는 것이 옳음(대법원 2018두44753, 2018.10.4.).

◎ 주주로서의 실질적인 권리를 행사하였는지 여부에 따라 과점주주 납세의무자를 판단한 사례

주식총수익교환 계약을 체결한 사례에서 과점주주 간주취득세 대상 주식 지분율을 산정할 때, 해당 주식의 의결권을 보유한 주주 명부상 주주(이하 'A'라 함) 또는 주식에 대한 손익 및 주식우선매수청구권을 보장받은 자(이하 'B'라 함) 중 누구에게 해당 주식을 귀속시켜야 하는지… 주식 명의자인 'A'가 「상법」상 절차에 따라 주주총회 등을 통해 주식에 대한 의결권을 실질적으로 행사하는 등 주주로서의 주된 권리를 행사하였다면, 해당 주식은 주식 명의자인 'A'에게 귀속되는 것으로 보아 과점주주 간주취득세에 대한 납세의무를 판단하는 것이 타당(부동산세제과-911, 2020.4.24.)

2. 과점주주 내부거래

과점주주를 구성하는 특수관계인 내부자 간의 주식을 거래한 경우 기존의 과점주주와 새로운 과점주주 간의 소유 총주식 비율에 변동이 없다면 간주취득세의 납세의무가 성립되지 않는다. 즉 과점주주 간주취득세를 과세하기 위해서는 먼저 특수관계에 있는지 여부를 따져보는 것이 중요하다.

제7조 제5항 본문에서 간주취득세 납세의무에 관하여 법인의 주식을 취득함으로써 과점주주가 된 때에는 그 과점주주는 당해 법인의 부동산 등을 취득한 것으로 본다고 규정하고 있다. 여기서 과점주주란 「지방세기본법」 제46조 제2호에 정한 바와 같이 주주 1인과 그와 대통령령이 정하는 친족 기타 특수관계에 있는 자들의 소유주식의 합계가 당해 법인의 발행주식총수의 100분의 50을 초과하는 자들을 말한다.

간주취득세 납세의무를 부담하는 과점주주에 해당하는지 여부는 과점주주 중 특정 주주 1인의 주식의 증가를 기준으로 판단하는 것이 아니라 과점주주 집단이 소유한 총주식 비율

의 증가를 기준으로 판단한다. 그리고 구 「지방세법」 제105조 제7항은 간주취득세 납세의무를 지는 과점주주에 대하여는 같은 법 제18조를 준용하여 연대납세의무를 부담하도록 규정하고 있는데, 그 취지는 과점주주 집단을 형성하는 친족 기타 특수관계에 있는 자들은 실질적으로 당해 법인의 자산에 관하여 공동사업자 또는 공유자의 지위에서 관리·처분권을 행사할 수 있게 되므로 그 자산에 대한 권리의무도 과점주주에게 실질적·경제적으로 공동으로 귀속된다는 점을 고려하여 그 담세력을 공동으로 파악하려는 데 있다(대법원 2006두19501). 따라서 종전부터 그 과점주주 집단이 소유한 것으로 보는 부동산 등과 관련하여서는 기존의 과점주주로부터 그 과점주주 집단의 새로운 구성원에게 주식이 이전되더라도 특별한 사정이 없는 한 간주취득세를 부과할 수 없다.

과점주주 집단 내부에서 주식이 이전되는 경우나 기존의 과점주주와 친족 기타 특수관계에 있으나 당해 법인의 주주가 아니었던 자가 기존의 과점주주로부터 그 주식의 일부 또는 전부를 이전받아 새로이 과점주주가 되는 경우(대법원 2002두1144, 2007두10297), 그리고 당해 법인의 주주가 아니었던 자가 기존의 과점주주와 친족 기타 특수관계를 형성하면서 기존의 과점주주로부터 그 주식의 일부 또는 전부를 이전받아 새로이 과점주주가 되는 경우에도 기존의 과점주주와 새로운 과점주주가 소유한 총주식의 비율에 변동이 없다면 간주취득세의 과세대상이 될 수 없다(대법원 2012두12495).

- **이혼에 따른 재산분할로 과점주주가 된 경우, 이혼 전 과점주주의 동일성을 유지한다면 취득세 납세의무는 없고, 다만 기존 과점비율을 초과하는 경우에는 납세의무 성립**

  이혼 전에 상대방이 대상법인의 과점주주가 되었다면 그 당시에는 상대방의 특수관계자(배우자)였던 본인도 과점주주로서 대상법인을 지배하고 있었다고 볼 수 있으며, 과점주주였던 자는 최대지분이 증가하지 않는 이상 취득세 납세의무가 없는 점(영 제11조 ②, ③), 부부가 혼인 중 공동으로 이룩한 재산이라는 점을 감안하여 취득하는 부동산등에 대해 舊취득세를 비과세하는 취지를 감안할 때, 과점주주가 되어 상대방이 간주취득하였던 부동산등에 대해서도 그 과점비율만큼은 비과세하여야 할 것인 점 등을 종합해 볼 때, 이혼 전 과점주주의 동일성을 유지한다면 취득세 납세의무는 없고, 다만 기존 과점비율을 초과하는 경우에는 납세의무가 성립한다고 할 것임(지방세운영과-320, 2018.2.9.).

- **주식 매수인이 매도인과는 특수관계가 없으나, 과점주주 집합군 중의 1인 이상과 특수관계가 있으면서 당초 지분을 초과하지 않는다면 간주취득세 납세의무 없음**

  해당법인의 주식이동 전 과점주주 중 1인인 乙(이하 "기존주주"라 함)을 기준으로 판단 시 甲 및 법인B와 특수관계가 성립되어 있는 경우라면, 비록 해당법인의 주주가 아니었던 법인B가 기존 특수관계에 있던 甲으로부터 그 주식을 이전받아 새로이 과점주주가 되더라도, 기존주주인 乙을 중심으로 한 특수관계인 지분의 합을 초과하지 않는다면 과점주주 간주 취득세 납세의무는 없음(지방세운영과-1745, 2015.6.11.).

◎ **법인이 주식 교환으로 기존 과점주주와 특수관계를 형성하면서 기존 주주의 주식을 이전 받아 새로운 과점주주가 되는 경우 주식비율 변동이 없다면 취득세 납세의무 없음**

종전부터 그 과점주주 집단이 소유한 것으로 보는 부동산 등과 관련하여서는 기존의 과점주주로부터 그 과점주주 집단의 새로운 구성원에게 주식이 이전되더라도 특별한 사정이 없는 한 간주취득세를 부과할 수 없음. … 과점주주 집단 내부에서 주식이 이전되는 경우나 기존의 과점주주와 친족 기타 특수관계에 있으나 당해 법인의 주주가 아니었던 자가 기존의 과점주주로부터 그 주식의 일부 또는 전부를 이전받아 새로이 과점주주가 되는 경우(대법원 2002두1144, 2004.2.27., 대법원 2007두10297, 2007.8.23. 등 참조)뿐만 아니라 당해 법인의 주주가 아니었던 자가 기존의 과점주주와 친족 기타 특수관계를 형성하면서 기존의 과점주주로부터 그 주식의 일부 또는 전부를 이전받아 새로이 과점주주가 되는 경우에도 기존의 과점주주와 새로운 과점주주가 소유한 총주식의 비율에 변동이 없다면 간주취득세 과세대상이 될 수 없음(대법원 2012두12495, 2013.7.25.).[21]

◎ **주식발행법인의 주주(대표이사)가 다른 임원의 주식을 취득한 경우 과점주주에 해당**

○○법인(이 사건 법인)은 2003.12.18. 설립, 발행주식 총수 20,000주 중 원고(대표이사) 37%, 이○○(이사) 20%, 최○○(고용된 세무사) 1% 지분 보유. 원고는 2015.12.10. 이○○(이사), 최○○(고용인)로부터 주식을 취득하여 이 사건 법인의 주식 58%를 보유하게 되었음. … 원고, 이○○, 최○○이 이 사건 법인과의 관계에서 이 사건 법인의 임원・사용인 또는 주주에 해당한다고 볼 수는 있으나, 이○○, 최○○이 원고 본인과의 관계에서 원고의 임원・사용인에 해당하거나, 원고의 주주・출자자에 해당한다고 볼 수는 없어 특수관계인 관계에 있다고 볼 수 없음. 따라서 사건 주식 양도로 원고의 지분이 37%에서 58%로 증가한 이상 이는 최초로 이 사건 법인의 과점주주가 되어 취득세 대상에 해당함(대법원 2020두31729, 2020.4.29.).

◎ **함께 근무하는 법인의 대표이사로부터 주식 취득하여 과점주주가 된 경우 내부거래가 아님**

청구인은 이 건 법인의 임원으로 근무하면서 이 건 법인의 대주주 및 대표이사로부터 쟁점주식을 취득한 것은 특수관계인(경제적 연관관계) 사이에 이루어진 거래이므로 납세의무가 없다고 주장하나, 종전 주주가 이 건 법인의 대주주 및 대표이사라 하더라도 고용계약, 급여의 지급 등 고용주로서의 모든 행위는 이 건 법인의 명의로 이루어졌으므로 청구인을 종전 주주의 사용인으로 볼 수 없고, 종전 주주가 이 건 법인의 과점주주였다 하더라도 종전 주주와

21) 조심세판원 결정(2010지0397, 2010.12.30.)과 상반된 결정임.

이 건 법인은 별개의 인격체이므로 이 건 법인이 행한 고용계약을 종전 주주의 행위로 의제할 수도 없음. 과세대상임(조심 2019지3846, 2020.5.25.).

3. 명의신탁 및 실질귀속과 과점주주

법인의 과점주주를 납세의무자로 하는 간주취득세에서 그 주주가 형식상 명의일뿐 실질귀속은 따로 있는 경우 과점주주 간주취득세 납세의무가 누구에게 있는지에 관한 다툼이 빈번하게 나타난다. 명의신탁은 지극히 사인간의 영역에 속하는 사항으로 과세관청이 사인간의 거래행위를 파악해서 과세하기에는 한계가 있다. 제3자 명의로 과점주주가 된 경우 취득세 납세의무가 발생하지만 당사자들이 신고하지 않으면 과세관청은 알 길이 없다. 명의신탁에 따른 실질주주가 일정기간이 지나 부과제척기간이 경과한다면 영원히 과세할 수 없게 된다. 또한 실질 명의자가 명의를 회복하는 경우 실질명의자 기준으로는 지분 변동이 없으므로 취득세를 과세할 수 없는 문제점도 발생한다. 이러한 명의신탁의 경우 세법 질서에 반할 수 있는 것이므로 바람직하지 않다. 그러나 법원은 실질적으로 명의자가 따로 있는 경우 실질 귀속자를 기준으로 납세의무를 판단하고 있는데 그 기준을 보면 다음과 같다.

주식이나 지분의 귀속 명의자는 이를 지배·관리할 능력이 없고 그 명의자에 대한 지배권 등을 통하여 실질적으로 이를 지배·관리하는 자가 따로 있으며, 그와 같은 명의와 실질의 괴리가 세법에서 정하고 있는 규정의 적용을 회피할 목적에서 비롯된 경우에는 당해 주식이나 지분은 실질적으로 이를 지배·관리하는 자에게 귀속된 것으로 보아 그를 납세의무자로 삼아야 한다. 그리고 그 경우에 해당하는지 여부는 주식이나 지분의 취득 경위와 목적, 취득자금의 출처, 그 관리와 처분과정, 귀속명의자의 능력과 그에 대한 지배관계 등 제반 사정을 종합적으로 고려하여 판단하여야 한다(대법원 2008두8499, 2012.1.19.). 여기서 과점주주가 법인의 운영을 실질적으로 지배할 수 있는 지위라 함은 실제 법인의 경영지배를 통하여 권한을 행사하였을 것을 요구하는 것은 아니고, 소유하고 있는 주식에 관하여 의결권 행사 등을 통하여 주주권을 실질적으로 행사할 수 있는 지위에 있으면 족하다고(대법원 2006두19501, 2008.10.23.) 보고 있다.

- 과점주주 간주취득세를 회피하기 위해 명의상의 자회사들을 설립하여 주식을 분산하여 취득한 경우에는 자회사들이 취득한 주식이 모회사에 실질적으로 귀속되는 것으로 보아 모회사를 납세의무자로 하여 간주취득세를 부과할 수 있음

  원고가 주식 등을 직접 취득하지 않고 자회사들 명의로 분산취득한 것은 과점주주로의 취득세 납세의무를 회피하기 위한 것으로 보기에 충분하며, 원고가 자회사들에 대한 완전한 지배

권을 통하여 주식 등을 실질적으로 지배관리하고 있으므로 원고가 그 실질적 귀속자로서 과점주주로서의 취득세 납세의무를 부담함(대법원 2008두8499, 2012.1.19.).

☞ 실질과세의 원칙 중 구 국세기본법 제14조 제1항이 규정하고 있는 실질귀속자 과세의 원칙은 소득이나 수익, 재산, 거래 등의 과세대상에 관하여 그 귀속 명의와 달리 실질적으로 귀속되는 자가 따로 있는 경우에는 형식이나 외관을 이유로 그 귀속 명의자를 납세의무자로 삼을 것이 아니라 실질적으로 귀속되는 자를 납세의무자로 삼겠다는 것임. 따라서 당해 주식이나 지분의 귀속 명의자는 이를 지배·관리할 능력이 없고 그 명의자에 대한 지배권 등을 통하여 실질적으로 이를 지배·관리하는 자가 따로 있으며, 그와 같은 명의와 실질의 괴리가 위 규정의 적용을 회피할 목적에서 비롯된 경우에는, 당해 주식이나 지분은 실질적으로 이를 지배·관리하는 자에게 귀속된 것으로 보아 그를 납세의무자로 삼아야 할 것임. 그리고 그 경우에 해당하는지 여부는 당해 주식이나 지분의 취득 경위와 목적, 취득자금의 출처, 그 관리와 처분과정, 귀속명의자의 능력과 그에 대한 지배관계 등 제반 사정을 종합적으로 고려하여 판단하여야 할 것임.

명의상 주주를 인정한 사례

명의상 주주를 인정하는 근거는 다음과 같다. 주식의 소유사실은 과세관청이 주주명부나 주식등변동상황명세서 또는 법인등기부등본 등 자료에 의하여 이를 입증하면 된다. 다만 주주명의를 도용당하였거나 실질소유주의 명의가 아닌 차명으로 등재되었다는 등의 사정이 있는 경우 이는 주주가 아님을 주장하는 그 명의자가 입증하여야 할 사안이다. 명의가 도용당하였다거나 차용되었다는 사실을 법원의 확정판결이나 이에 준하는 객관적 자료 등에 의해 입증되어야 하고 그렇지 않으면 주주명부나 주식등변동상황명세서 또는 법인등기부등의 자료로 확인되면 이를 기준으로 판단해야 한다는 주장이다.

◎ **압류에 대비하여 원고들 앞으로 명의신탁하였다는 사실을 인정하기에 부족**

증인 ○○○은 자신이 원고들에게 이 사건 각 주식에 대한 명의를 신탁해 놓았다는 취지로 증언하였으나, ① 원고들과 ○○○이 이 사건 각 주식에 대한 명의신탁 및 그 해지와 관련하여 약정서를 작성하였음을 인정할 증거가 없고, 이 사건 처분에 앞서 이 사건 각 주식이 명의신탁되었다는 사실을 뒷받침할 만한 객관적인 자료가 과세관청에 제출되지 아니한 점, ② 이 사건 법인의 대표이사로 등재되어 있었던 점 … 이 사건 법인의 경영에 관여하지 아니하여 주주권을 실질적으로 행사할 수 있는 지위에 있지 않았다고 할 수 없음(대법원 2015두49191, 2015.10.22.).

◎ **제3자가 주금을 납부한 것이 입증된다고 하더라도 명의상의 주주가 주주로서 활동을 한 사실이 확인된 경우에는 명의신탁되어 있는 주식으로 볼 수 없음**

이 사건 법인의 설립 당시 납입 주금 50,000,000원 전액을 원고가 납부한 사실 및 유상증자

당시 ○○○이 납입해야 하는 주금 65,000,000원을 원고가 ○○○에게 지급하여 ○○○로 하여금 이 사건 법인에 납입케 한 사실은 인정되나, 그러한 사실만으로 ○○○이 이 사건 법인의 주주가 아니라 단순한 명의대여인에 불과하다고 보기에는 부족함. 제3자가 주식을 이전받는 경우 간주취득세 과세대상에 해당함(부산고법 2012누1498, 2013.7.25. : 대법확정).

- **명의신탁 및 반환된 사실이 법원의 판결문 등 객관적으로 입증되지 않는다는 사례**

  ○○○ 및 ○○○의 주식등 변동상황 명세서에서 ○○○가 쟁점 ①·②주식을 각 취득하여 ○○○ 및 ○○○의 과점주주가 된 사실이 확인되는 점, 청구인들은 쟁점 ①·②주식이 당초 명의신탁된 주식임을 주장하며 증여세의 신고·납부서를 제출하였으나, 명의신탁약정서는 2017.3.16. 체결하면서 관련 증여세의 신고·납부는 2018.4.30.에 이루어졌고, 명의신탁계약서 및 해지증서가 공증되지도 않아 이를 신뢰하기는 어려운 점, 달리 쟁점주식이 명의신탁 및 반환된 사실이 법원의 판결문 등 객관적인 입증자료로 확인되지 않는 점 등에 비추어 처분청이 청구인들에게 이 건 취득세 등을 부과한 처분은 달리 잘못이 없음(조심 2019지2567, 2020.8.26.).

실질주주를 인정한 사례

- 과점주주는 해당 법인의 재산을 사실상 임의처분하거나 관리·운용할 수 있는 지위에 있게 되어 실질적으로 그 재산을 직접 소유하는 것과 다르지 않다고 보아 위와 같은 조항을 둔 것임. 그러나 이미 해당 법인이 취득세를 부담하였는데 그 과점주주에 대하여 다시 동일한 과세물건을 대상으로 간주취득세를 부과하는 것은 이중과세에 해당할 수 있기 때문에, 모든 과점주주에게 간주취득세를 부과해서는 안 되고 의결권 등을 통하여 주주권을 실질적으로 행사하여 법인의 운영을 사실상 지배할 수 있는 과점주주에게만 간주취득세를 부과하는 것으로 위 조항을 제한적으로 해석하여야 함. 따라서 주주명부에 과점주주에 해당하는 주식을 취득한 것으로 기재되었다고 하더라도 그 주식에 관한 권리를 실질적으로 행사하여 법인의 운영을 지배할 수 없었던 경우에는 간주취득세를 낼 의무를 지지 않음(대법원 2015두3591, 2019.3.28.).

- **시행사의 주주가 경영난으로 인해 시공사에게 회사지분을 이전하는 과정에서 발생한 일시적인 과점주주 지분 증가는 간주취득세 과세대상이 아니라는 사례**

  (사실관계) A회사는 아파트 건축 시행사이고, B회사는 시공사임. A회사는 원고 50%, 장○○ 30%, 황☆ 20% 지분 소유. A회사의 경영난으로 주주들은 부도를 막기 위해 B회사에게 경영권을 양도하기로 하였음. B회사는 우발채무 발생 등의 문제를 우려하여 원고 단독 명의로 양도해 줄 것을 요구하였고, A회사의 주주명부상 원고를 100% 주주로 등재한 다음 그로부터 6일이 지난 후 원고의 지분을 포함한 주식 전부를 B회사에 양도하였음 … (판단) 이

사건 주식을 원고 명의로 양수한 날부터 B회사에 양도하기까지의 기간 동안 원고가 B의 의사에 반하여 이 사건 주식의 주주권을 실제로 행사할 수 있는 지위에 있지 않았음. 이와 같이 원고 명의로 이 사건 주식을 양수한 경위와 목적, 이후 이 사건 주식 양도 경과 등을 종합하면, 간주취득세를 부담하는 과점주주가 되었다고 보기 어려움(대법원 2015두3591, 2019.3.28.).

◎ **주식을 제3자에게 명의신탁하였다가 신탁을 해지하고 신탁자 명의로 원상회복하는 과정에서 형식상 새로운 과점주주가 된 경우 간주취득 납세의무가 없다는 사례**

이 사건 주식은 ○○○이 ○○○에게 명의신탁 해두었다가, ○○○이 이 사건 회사에서 퇴사하면서 당시 이 사건 회사의 직원이었던 원고가 이 사건 주식을 ○○○로부터 명의신탁 받게 된 것으로, 이 사건 회사에 대하여 실질적으로 지배권을 행사하고 있던 ○○○에게 취득세 등을 부과하여야 하는 것임(대법원 2013두10380, 2013.9.12.).

◎ **명의신탁 해지로 이전받은 주식을 취득한 경우 간주 취득세 부과대상이 아니라는 사례**

주주명부상 주식의 소유명의를 차명하여 등재하였다가 실질주주 명의로 개서한 경우, 차명인은 명의상의 주주에 불과하므로 주식의 실질주주가 위 주식에 관한 주주명부상의 주주명의를 자기 명의로 개서하였더라도 이는 실질주주가 주주명부상의 명의를 회복한 것에 불과하여 지방세법상 취득세 부과대상인 주식을 취득한 경우에 해당하지 아니함(대법원 2009두7448, 2009두21369 등, 대법원 2015두39217, 2015.6.11.).

◎ **주식의 명의신탁이 이루어진 경우는 그 명의만으로 주주로 볼 수 없다는 사례**

원고는 주식회사 ○○건설이 발행한 이 사건 제1, 2주식을 취득할 정도의 자금이 없었고, 단지 숙부인 손○○이 사실상 1인 회사로 운영하던 주식회사 ○○건설에 대리로 입사하여 근무하면서 손○○의 부탁에 따라 이 사건 제1, 2주식의 명의를 신탁받았을 뿐이며, 이 사건 제1, 2주식에 관하여 그 권리를 행사할 지위에 있지도 않았다고 봄이 상당하므로, 취득세 등 부과처분은 위법(대법원 2014두5095, 2016.5.12.)

◎ **주식등변동상황명세서와는 다르게 "주식양도에 따른 매도인각서" 등에서 명의신탁하고 있는 것이 명백히 입증될 경우 추가 취득분에 대해서만 납세의무를 짐**

주식명의 신탁사실이 객관적으로 입증되어 제3자로부터 주식을 매수하기 이전에 이미 과점주주에 해당한 경우(명의신탁한 주식을 포함)라면 전체 지분이 아닌 제3자로부터 추가로 취득한 지분에 대해서만 간주취득세 납세의무가 성립된다고 할 것임. 다만, 제3자로부터 주식을 매수하기 이전에 명의신탁 관계에 있었는지에 관하여는 과세관청에서 주식 취득 경위와 목적, 명의신탁계약서의 신빙성, 주금납부금액의 출처, 명의 수탁자의 주금 납부 능력(재산상태 및 소득수준), 명의신탁 당시 취득세 회피 목적, 위탁자와 지배관계 등의 사실관계 판단사항(지방세운영과-1978, 2015.7.1.)

○ **설립 당시 실질적 지배자가 타인 명의로 명의신탁약정한 주식의 취득은 주주명부상 명의에도 불구하고 과점주주 비율증가에 따른 간주취득세 과세대상에 해당되지 않음**

소외 1은 이 사건 주식의 인수과정에서 명의를 대여해 준 자에 불과하고, 이 사건 주식에 관한 권리를 실질적으로 행사하는 지위에 있었던 것은 원고 1이라 할 것이므로, ○○건설 설립 당시인 2004.1.6. 과점주주이었던 원고들의 주식 소유 비율과 2007.3.30.경 원고들이 다시 ○○건설 주식을 취득하여 과점주주가 된 때의 주식 소유 비율은 모두 100%로 동일하여, 이는 구 지방세법 시행령 제78조 제3항에서 말하는 다시 과점주주가 된 당시의 주식의 비율이 그 이전에 과점주주가 된 당시의 주식의 비율보다 증가된 경우에 해당한다고 할 수 없음(대법원 2011두26046, 2016.3.10.).

○ **주식명의신탁 해지로 인하여 과점주주가 되는 경우는 과점주주 취득세 과세대상 아님**

주주명부상 명의자로 기재되어 있는 차명인은 명의상의 주주에 불과하고 실질주주가 주주명부상의 주주명의를 자기명의로 개서하는 것은 실질주주가 주주명부상 명의를 회복한 것에 불과(대법원 98두7619 등)(지방세운영과-2641, 2016.10.17.)

○ **주식 등의 실질 귀속자에게 과점주주 납세의무가 있다는 사례**

주식 등의 실질 귀속에 따른 과점주주 납세의무 관련, 주식 등의 취득 경위와 목적, 취득자금의 출처, 그 관리와 처분과정, 명의자의 능력과 그에 대한 지배관계 등을 종합적으로 분석한 결과 당해 주식이나 지분의 귀속 명의자는 이를 지배·관리할 능력이 없고 실질적으로 이를 지배·관리하는 자가 따로 있으며 이와 같은 명의와 실질의 괴리가 납세회피를 목적으로 비롯되었을 경우에는 그 실질 귀속자에게 「지방세법」 제7조 제5항에 따른 과점주주 취득세의 납세의무가 있다고 판단됨(지방세운영과-1220, 2012.4.20.).

4. 신탁재산과 과점주주(법 제7조 ⑤)

부동산을 소유한 법인(위탁자)이 신탁계약에 따라 해당 부동산을 신탁회사에 신탁한 상황에서 위탁법인의 과점주주 지분 변동(추가 취득)에 대해 간주취득세를 과세할 수 있는지에 대해 다툼이 있었다. 이에 대해 대법원은 신탁계약이나 신탁법에 의하여 수탁자가 위탁자에 대한 관계에서 신탁 부동산에 관한 권한을 행사할 때 일정한 의무를 부담하거나 제한을 받게 되더라도 그것만으로는 위탁자의 과점주주가 신탁 부동산을 사실상 임의처분하거나 관리·운용할 수 있는 지위에 있다고 보기도 어렵고, 그에 따라 그 법인(위탁자)의 과점주주에게 간주취득세를 부과할 수는 없다고 판단하였다(대법원 2014두36266, 대법원 2011두28714). 하지만 이는 조세회피 목적의 신탁행위를 조장할 가능성이 높아지는 우려가 있었고, 그에 따라 「신탁법」에 따른 신탁재산은 위탁자에게 귀속되는 것으로 보아 위탁법인의 과점주주에게 간주취득세를 부과할 수 있도록 보완하였다(2016.1.1.). 신탁은 관리, 담보, 처분, 토지, 분양관리 등 다양한 유형이 있는데, 신탁유형과 무관하게 위탁법인이 소유하고 있는 것으로 보아 간주취득세를 부과한다.

◎ 신탁법인이 토지를 신탁받아 신탁법인 명의로 건물을 신축한 경우 취득세 부과대상

신탁법인이 신탁받은 토지 위에 자신의 명의로 건축허가를 받아 위탁된 토지 위에 건축물을 신축하고 신탁법인 명의로 소유권보존등기를 하여 일부를 보유하고 있는 것은 비록 신탁법인과 위탁자간 신탁계약에 따른 것이라 하더라도, 구 「지방세법」 제110조 제1호 가목이 정한 위탁자로부터 수탁자에게 신탁재산을 이전하는 경우의 취득이라는 요건을 충족하지 못한 것으로서 취득세 부과대상에 해당(대법원 2001두2720, 2003.6.10.)

5. 중과세, 면제, 감면과 과점주주

◎ 법인이 부동산을 취득하면서 취득세 중과세 대상이라고 하여 과점주주까지 중과세 적용대상이 되는 것은 아님

취득세의 납세의무자를 규정하고 있는 구 지방세법 제105조 제6항은 법인의 주식을 주주로부터 취득함으로써 과점주주가 된 때에는 그 과점주주는 당해 법인의 부동산을 취득한 것으로 본다고 규정하고 있고, 법 제112조 제3항 후단은 과밀억제권역 안에서 본점 또는 주사무소의 사업용 부동산을 취득할 경우의 취득세율은 제1항의 세율의 100분의 500으로 한다고 규정하고 있는바, 위 규정들의 입법취지와 취득세의 본질에 비추어 볼 때 과점주주의 간주취득이 중과세 대상에 해당되는지 여부는 당해 과점주주를 기준으로 판단하여야 하지 법인을 기준으로 할 것은 아님(대법원 2000두3375, 2001.9.4.).

◎ 당해 법인이 부동산등을 취득하면서 취득세를 면제받았다고 하여 바로 과점주주로 된 자의 취득세 납세의무도 면제되는 것은 아님

법인의 주식 또는 지분을 주주 또는 사원으로부터 취득함으로써 제22조 제2호의 규정에 의한 과점주주가 된 때에는 그 과점주주는 당해 법인의 부동산·차량·건설·기계·입목·항공기·골프회원권 또는 콘도미니엄 회원권을 취득한 것으로 본다고 규정하면서, 같은 항 단서에서 이 법 및 기타 법령의 규정에 의하여 취득세가 비과세 또는 감면되는 부분에 대하여는 그러하지 아니하다고 규정하고 있는바, "취득세가 비과세 또는 감면되는 경우"라 함은 과점주주의 간주취득이 지방세법 또는 기타 법령의 규정에 의한 비과세 또는 감면 요건에 해당하는 경우라 할 것임(대법원 99두6897, 2001.1.30.).

◎ 종교단체가 법인의 과점주주가 되어 토지를 간주취득한 이후 그 토지상에 교회를 신축하게 되

는 경우, 종교단체의 간주취득세는 비과세 대상에 해당함

구 지방세법 제105조 제6항에서 법인의 주식을 취득함으로써 과점주주가 된 때에는 법인의 부동산, 차량 등을 취득한 것으로 본다고 규정하면서 과점주주에 대한 취득세 납세의무성립일 현재 이 법 및 기타 법령에 의하여 취득세가 비과세 · 감면되는 부분에 대하여는 그러하지 아니하다고 규정하고 있다. 단서 규정에 의하면 지방세법을 비롯한 법령에서 취득세의 비과세를 규정한 경우에 대하여는 법 제105조 제6항 본문 소정의 간주취득 규정이 적용되지 아니하는 것이고, 한편 법 제107조는 제사 · 종교 · 자선 · 학술 · 기예 기타 공익사업을 목적으로 하는 비영리사업자가 그 사업에 직접 사용하기 위한 부동산을 취득하는 경우 취득세를 부과하지 아니한다고 규정하고 있으므로, 간주취득이 법 제107조 제1호의 요건을 갖추었다면 그 부분에 대하여는 법 제105조 제6항 단서 규정에 의하여 취득세가 비과세됨(대법원 97누8281, 1998.3.13.).

☞ 2005.12.31. 지방세법 개정에서 취득세가 비과세 · 감면되는 부분에 대하여는 그러하지 아니한다는 단서조항이 삭제되었으므로 유사 사안에 대해서는 과세대상으로 이해하는 것이 타당하다.

6. 자기주식 취득, 현물출자, 감자, 증자 등과 과점주주 관계

1) 자기주식 취득과 과점주주

법인은 자신이 발행한 주식을 소각할 목적으로 취득하는 경우가 있는데 이러한 자기주식은 발행주식총수에서 제외된다. 예를들어 법인의 주주 A, B가 있는 상황에서, 법인이 자신이 발행한 주식을 소각할 목적으로 B소유주식을 취득하는 경우 전체 발행주식수가 감소되어 A의 지분율은 자기주식 취득 전후를 기준으로 증가하게 된다. 그런데 법인이 자기주식을 취득함으로써 주주가 과점주주가 되거나 과점주주 주식소유비율이 증가된 경우에는 그 주주는 주식을 취득한 행위가 있었다고 보기 어렵기 때문에 과점주주 취득세 납세의무가 성립하지 않는다(대법원 2010두8669). 한편 이후에 추가로 주식을 취득한 경우에 과점주주 간주취득세가 과세되는데 이때 어느 시점을 기준으로 늘어난 지분에 대해 과세하는지에 대하여 조세심판원 결정을 보면, 취득 후의 보유지분율을 계산함에 있어 총발행주식수와 보유주식수를 의결권이 제한된 자기주식을 제외하여 계산하였다면, 취득 전의 보유지분율도 자기주식을 제외하고 계산하는 것이 타당하다고 보았다(조심 2019지1694).

◎ 법인의 자기 주식 취득 등으로 과점주주의 주식취득과 관계 없는 증가분은 과세불가

'04.5.7. A는 최초로 해당법인의 과점주주(53.78%)가 되었고, 해당법인이 '12.11. 자기주식을 취득함에 따라 비율이 17.89%, '13.1. 법령개정(특수관계인 범위 확대)으로 B가 A의 특수관계인에 추가됨에 따라 13.62% 각각 증가되었으며, '17.3.31. B가 주식을 취득하여 비율

3.82% 증가 (결정) 처분청이 지분증가율을 35.33%로 하여 취득세를 과세한 것은 주식을 취득함이 없이 과점주주 주식소유비율이 증가하여 취득세 납세의무가 없는 부분에 대해서도 과세한 것으로서 부당함. 과점주주 주식소유비율이 3.82% 증가하여 이 부분에 대하여만 납세의무가 있다고 보는 것이 타당함(조심 2019지3513, 2020.10.20.).

◎ 법인이 자기주식을 취득함에 따라 그 주주의 지분율이 상승한 경우 과세대상 아님

해당법인(갑)은 2006.5.30. 당시 발행주식총수 460,000주, 주주 A 지분율 38.70%, 특수관계인 A', A''이 각각 5.65% 등 50%, 또 다른 주주 B 50.00% 소유, 갑은 2006.5.30. 이사회의 결의를 거쳐 주식을 소각할 목적으로 B가 소유한 갑의 주식 230,000주 취득 (결정) 지방세법상 '법인의 주식 또는 지분을 취득함으로써 과점주주가 된 때'에만 그 과점주주가 당해 법인의 재산을 취득한 것으로 보아 취득세의 납세의무를 부담하도록 하고 있고, 법인이 자기주식을 취득함으로써 주주가 과점주주가 되는 경우에는 주주가 주식을 취득하는 어떠한 행위가 있었다고 보기 어려운바, A 등은 '법인의 주식을 취득함으로써 과점주주가 된 때'에 해당하지 아니함(대법원 2010두8669, 2010.9.30.).

2) 현물출자와 과점주주

현물출자에 의한 신주인수로 과점주주가 된 자는 법인이 현물출자된 재산을 취득함과 동시에 그 재산에 대한 사실상 지배력을 취득하게 된다. 현물출자된 재산에 관한 한 경제적, 사실적으로 법인과 과점주주는 구분되지 않는데 법인설립시의 과점주주와 다르게 볼 아무런 필요성이나 합리성이 없다. 따라서 현물출자에 의한 신주인수로 과점주주가 된 자의 현물출자된 재산에 대한 관계에서는 과점주주 간주취득세가 적용되지 않는다(대법원 2012두331).

◎ 현물출자로 인해 '사실상 임의처분하거나 관리 · 운용할 수 있는 지위'에 변동이 없으므로 총주식보유비율 증가분에 관하여 간주취득세를 부과할 수 없음

① 과점주주가 되면 당해 법인의 재산을 '사실상 임의처분하거나 관리 · 운용할 수 있는 지위'에 서게 되어 실질적으로 그 재산을 직접 소유하는 것과 크게 다를 바 없으므로, 바로 이 점에서 담세력이 나타난다고 보고 취득세를 부과하는 점(대법원 92누11138), ② 주식 또는 지분을 취득하여 과점주주가 된 경우에는 '당해 법인의 자산을 임의처분하거나 관리 · 운용할 수 있는 지위'를 취득한 것으로 보고, 그 자산 자체를 취득한 것으로 의제하여 취득세를 부과하는 점(대법원 79누136), ③ 간주취득세는 이미 취득세를 납부한 법인 이외에 과점주주에게 추가로 취득세를 부과하는 것이므로, 해석을 통하여 간주취득세 대상을 제한하더라도 조세법률주의나 엄격해석 원칙에 반하지 아니하는 점 등을 고려할 때, 과점주주에 대한 간주취득세는 '사실상 임의처분하거나 관리 · 운용할 수 있는 지위'를 취득한 경우에 한하여 부과된다

고 보아야 함(대법원 2013두19523, 2013.12.26.).

3) 증자·감자와 과점주주

i) 유상증자란 회사의 자본금을 늘리는 것으로, 회사는 증자의 결과로 신주를 발행하여 주식수가 늘어나게 된다. 이 경우 기존주주 또는 주주 이외의 제3자가 일정한 대가를 지불하고 회사의 신주를 매입하므로 대개 발행주식총수, 자본금 및 자본총계가 증가하면서 회사의 실질자산이 증가한다. ii) 유상감자는 기업이 발행한 주식을 주주들로부터 유상으로 취득하여 소각하는 것을 말한다. 기업 자본금을 줄이는 감자를 할 때(사업 축소) 또는 회사를 합병할 때, 주주들에게 각자 보유한 주식 가격의 일부를 되돌려 주는 것이다. 주식을 소각하는 경우에는 현금이 유출되어 자본총계가 감소하게 되므로 실질적 감자라고 한다. iii) 무상증자는 자본거래의 결과로 발생한 자본잉여금이나 이익준비금과 같은 배당이 불가능한 이익잉여금을 자본전입하는 것을 말한다. 주식발행초과금이나 이익준비금을 자본전입하는 경우에는 주주들에게 주식을 발행교부하여야 하므로 자본금이 증가하게 된다. iv) 무상감자는 주주들에게 대가를 지급하지 아니하고 주당 액면금액을 감액시키거나 주식수를 일정비율로 감소시키는 것을 말한다.

과점주주에 대한 간주취득세 납세의무가 성립하려면 해당 법인의 주식을 취득하여 주식소유비율의 증가가 있어야 한다. 그런데 특정주주의 주식을 감자함에 따라 해당 주식의 취득없이 과점주주의 지분이 증가된 경우에는 과점주주에 따른 취득세 납세의무가 없다(지방세정팀-1059, 2006.3.17.). 타인의 감자에 따라 과점주주의 지분이 증가된 이후 증자로 인해 주식은 취득하였으나 지분비율의 증가가 없다면 취득세 납세의무가 없다(세정 13407-1080, 2000.9.8.). 그리고 과점주주가 아닌 주주가 주식 취득 없이 타인의 감자에 따라 지분율이 상승하여 과점주주가 되는 경우에도 취득세 납세의무가 없다(세정 13407-1080, 2000.9.8.).

◎ **주식 최초 승계취득과 유상증자에 따른 지분변동이 동일한 날에 이루어진 경우**

기존 주주로부터 주식을 취득(지분 100%)한 날과 같은 날 해당 기업이 유상증자를 실시함으로써 과점주주의 지분율이 감소(100%→95%)하였고, 이후 과점주주가 주식을 추가로 취득(+4.8%)하는 경우 … 주식 최초 승계취득과 유상증자에 따른 甲소유의 지분율 변동이 동일한 날에 이루어졌다 하더라도, 특정시점을 달리하여 순차적으로 이루어지고, 법인의 유상증자에 따른 甲소유 지분율 변동(지분율 95%)에 앞서 甲이 기존주주로부터 주식을 승계취득(100% 취득)하는 것이 별도로 이루어졌다면 甲이 소유한 주식 최고비율은 100%로 보는 것이 타당함(부동산세제과-152, 2020.1.20.).

◎ **주주 1인과 특수관계인의 지분이 100%인 경우 유상증자에 참가하여 새로 주식을 취득하였으**

나 과점주주 전체의 주식소유비율에는 변동이 없는 경우 과세대상 아님

원고 회사는 서○○가 그 발행주식 100% 전부를 실질적으로 소유하고 있는 회사이고, ○○건설(소외회사)도 서○○ 및 그의 특수관계인들이 발행주식 100% 전부를 소유하고 있는 회사이므로, 서○○의 특수관계인인 원고가 소외 회사가 실시한 유상증자에 참가하여 새로 주식을 인수하였다고 하더라도, 원고와 서○○ 등 특수관계인들은 원고가 주식을 인수한 때 최초로 소외 회사의 과점주주가 된 것이 아닐 뿐만 아니라 서○○를 비롯한 과점주주의 주식소유비율은 원고의 주식인수 전·후를 불문하고 여전히 100%로서 그 주식소유비율에도 아무런 변동이 없으므로, 간주취득세 부과는 위법(대법원 2002두1144, 2004.2.27.)

7. 법개정 전후 과점주주 취득세 납세의무와의 관계

출자자의 제2차 납세의무자에 해당되는 과점주주의 범위가 국세의 규정과 불일치하는 문제와 최근 외국법인들이 과점주주 비율을 악용하여 취득세를 회피하는 문제가 발생하였다. 그에 따라 2008.1.1. 과점주주를 법인의 발행주식총수 또는 출자총액의 100분의 51 이상인 자에서 100분의 50을 초과하는 자로 확대 조정하였다. 이 때 법개정에 대한 적용례와 관련하여 개정규정은 이 법 시행 후 최초로 납세의무가 성립하는 분부터 적용하고, 개정규정의 시행으로 인하여 과점주주가 아니었던 자가 과점주주가 된 경우에는 이 법 시행 후 최초로 법인의 주식 또는 지분을 취득하는 날에 해당 과점주주가 소유하고 있는 해당 법인의 주식 또는 지분을 모두 취득한 것으로 보아 과점주주 취득세를 적용한다(법률 제8835호, 2007.12.31. 부칙 제2조).

- 법개정으로 인해 과점주주가 된 경우 주식을 추가 취득하는 경우만 납세의무 있음

사실관계의 변화가 없었음에도 「지방세기본법」 등의 개정으로 2013.1.1.부터 과점주주가 되었던 점, 「지방세법」 제7조 제5항 및 같은 법 시행령 제11조 제2항에서는 주식 등을 취득함으로써 과점주주가 되면 취득세를 납부하되 이미 과점주주가 된 주주 등이 주식 등을 취득하여 그 비율이 증가된 경우에는 그 증가분에 대해서 취득세를 납부하도록 규정하고 있는 점 등과 조세법률주의의 원칙 등을 감안할 때, 주식 등의 추가 취득분에 대해서만 취득세를 납부하는 것이 타당할 것으로 판단됨(지방세운영과-1778, 2013.8.5.).

- 지방세법 개정(과점주주 요건 51% → 50% 이상) 이후 유상증자로 주식을 취득한 경우 지분율에는 변동이 없어도, 주식 전부에 대해 과점주주 취득세 납세의무 성립

부칙에서 지방세법 개정으로 과점주주가 아니었던 자가 과점주주가 된 경우에는 "이 법 시행 후 최초로 법인의 주식 또는 지분을 취득하는 날 해당 법인의 주식을 모두 취득한 것으로 보아 법 제105조 제6항을 적용한다"고 규정하고 있는 바, 2007.12.31. 이전에는 갑법인은 을

법인의 발행주식총수의 50.13%를 보유함으로써 과점주주가 아니었으나 을법인은 2008.4월 자기자본 확충 및 운영자금 조달을 위하여 유상증자를 실시하였고, 갑법인은 주식 ○○○주를 취득하였으나 주주균등 유상증자로 지분율에는 변동이 없다 하더라도, 유상증자라는 "주식의 취득 행위"로 주식을 새로이 취득하였으므로 유상증자 시점에 을법인 주식 전부에 대하여 과점주주 납세의무가 성립(지방세운영과-191, 2011.1.12.)

8. 과점주주의 지분증가 및 재차 과점주주가 된 경우

법인의 주식을 취득함으로써 과점주주가 되는 경우 그 과점주주가 해당 법인의 부동산등을 취득한 것으로 보아 간주취득세를 부과하되, 이미 과점주주가 된 주주의 주식비율이 증가시는 그 증가분에 대하여만 취득세 괴세하고, 디만, 주식비율이 증가된 날을 기준으로 5년 이내에 과점주주가 지닌 주식의 최고 비율이 증가되지 않은 경우에는 과세 제외하였다(2015년 이전). 그리고 주식양도로 과점주주가 아니었다가 다시 과점주주가 된 경우, 과점주주 당시 주식비율보다 증가된 경우에만 증가분을 과세하였다. 그런데 과점주주에서 일반주주로, 일반주주에서 다시 과점주주가 된 경우 기간(5년)에 관계없이 과거 최고 지분비율 초과분만 과세토록 개선(2010.1.1. 개정)하면서, 제11조 제2항 규정에 따른 과점주주의 주식 증가분에 대한 5년 기간제한 규정은 삭제하지 않아 해석상 혼란이 있었다. 이에 대해 2016년부터 과점주주 주식 증가분에 대한 5년 기간제한 규정을 삭제하여, 입법취지를 명확히 반영하고 해석상 다툼을 해소하였다.

| 최근 개정법령 _ 2016.1.1. | 과점주주 간주취득세 적용기준 명확화(영 제11조 제2항)

〈2016년 시행 행자부 적용요령〉 이 영 시행 후 납세의무가 성립되는 분부터 적용함. 그리고 과점주주 → 일반주주 → 과점주주가 되어 지방세법 시행령 제11조 제3항이 함께 적용되는 경우에는 이 시행령 개정 전에 납세의무가 성립된 부분에 대하여도 적용함(지방세법 시행령 제11조 제3항 개정취지 반영).

※ (적용사례) 주식비율이 80% → 40%(5년 경과) → 70%(5년 미경과) → 90%로 변경시
⇒ 10%(90 - 80)만 과세

◎ 주식을 전부 양도한 후에 다시 과점주주가 된 경우 제1항에 따른 취득세를 부과함

과점주주였으나 주식 또는 지분의 전부를 양도하여 주주 또는 유한책임사원에 해당하지 아니하게 되었던 자가 다시 해당 법인의 주식 또는 지분을 양수하여 과점주주가 된 경우에는 「지방세법 시행령」 제11조 제3항에 따라 다시 과점주주가 된 당시의 주식 등의 비율이 그 이전에 과점주주가 된 당시의 주식등의 비율보다 증가된 경우에만 그 증가분만을 취득으로 보아 같은 조 제2항의 예에 따라 취득세를 부과할 수는 없고, 같은 조 제1항에 따라 취득세를

부과하여야 함(법제처 16-0196, 2016.6.23.).

9. 회사정리절차와 과점주주

◎ 회사정리절차 개시 후 과점주주가 된 자는 취득세 납세의무자에 해당 안됨

회사정리법에 의한 정리절차개시결정이 있은 때에는 회사사업의 경영과 재산의 관리처분권은 관리인에 전속하고 관리인은 정리회사의 기관이거나 그 대표자는 아니지만 정리회사와 그 채권자 및 주주로 구성되는 이해관계인 단체의 관리자인 일종의 공적수탁자라는 입장에서 정리회사의 대표, 업무집행 및 재산관리 등의 권한행사를 혼자서 할 수 있게 되므로 정리절차개시 후 비로소 과점주주가 된 자는 과점주주로서의 주주권을 행사할 수 없게 되는 것이고, 따라서 정리회사의 운영을 실질적으로 지배할 수 있는 지위에 있지 아니하는 셈이 되어 그 재산을 취득한 것으로 의제하는 구 지방세법 제105조 제6항의 과점주주의 요건에 해당되지 아니함(대법원 92누11138, 1994.5.24.).

10. 과점주주 과세대상 부동산 등

◎ 과점주주가 성립당시 해당법인 소유의 부동산에 대해 원소유자가 소유권 이전 승소판결을 받았지만 이전 말소등기가 경료되지 아니하더라도 간주취득세 대상 아님

원고가 법인의 주식을 취득하여 과점주주가 된 당시 해당법인이 부동산을 소유하고 있었으나, 취득한 부동산이 합의해제를 통해 궁극적으로 원 소유자에게 되돌아간 경우… 합의해제는 민법에 규정된 법정해제에 있어서와 마찬가지로 매매계약이 처음부터 없었던 것과 동일한 법률효과의 발생을 목적으로 한 취지였다고 봄이 상당하므로 원고가 해당 법인의 발행주식을 모두 취득하여 과점주주가 된 당시 부동산의 소유권은 이미 원소유자에게 복귀되어 더 이상 해당법인 소유의 부동산에 해당하지 아니하게 되었으므로, 간주취득세의 과세요건을 충족하지 못하였음(대법원 2011두28714, 2015.1.15.).

☞ 원심은 원고가 과점주주가 된 날 현재까지 해당 법인의 부동산에 관하여 해제를 원인으로 한 말소등기가 경료되지 아니하였다는 이유로 간주취득세 부과가 적법하다고 판단했었음.

11. 과점주주 취득세의 과세표준

과점주주가 취득한 것으로 보는 해당 법인의 부동산등에 대한 과세표준은 그 부동산등의 총가액을 그 법인의 주식 또는 출자의 총수로 나눈 가액에 과점주주가 취득한 주식 또는 출자의 수를 곱한 금액으로 한다. 이 경우 과점주주는 조례로 정하는 바에 따라 과세표준 및 그 밖에 필요한 사항을 신고하여야 하되, 신고 또는 신고가액의 표시가 없거나 신고가액

이 과세표준보다 적을 때에는 지방자치단체의 장이 해당 법인의 결산서 및 그 밖의 장부 등에 따른 취득세 과세대상 자산총액을 기초로 전단의 계산방법으로 산출한 금액을 과세표준으로 한다(제10조 ④). 간주취득세 과세표준은 납세의무성립 당시 법인 장부가액을 기준으로 산정하므로, 이 당시 감가상각비가 반영되지 않았다고 하여 이를 추가 반영하여 가액을 산정하는 것은 아니다(대법원 2007두11399).

◎ **중고자동차의 경우 장부가액이 불합리한 경우가 아니라면 과세표준으로 보아야 함**

「지방세법 시행령」 제18조 제3항 제2호 단서규정은 실제 매매거래를 통해 중고차를 취득하면서 조세회피를 목적으로 시가표준액보다 낮은 허위 장부가액을 작성하여 취득세를 신고하는 것을 방지하기 위한 규정으로, 차량에 대한 직접적인 거래행위가 없는 과점주주 간주취득세까지 그 대상으로 보기 어려운 점, 과점주주 취득세 과세표준 산정시 중고차에 대해 장부가액을 인정하지 않을 경우, 신차 취득 후 기업회계기준을 준용하여 감가상각을 인식한 법인까지도 장부가액을 인정하지 않게 되는 문제가 발생하는 점 … 과점주주가 되어 대상법인의 중고자동차를 간주취득하는 경우 결산서 등 장부가액이 허위·누락 등으로 현저히 불합리한 경우가 아니면 그 가액이 과세표준이 됨(지방세운영과-994, 2017.11.16.).

◎ **지배회사가 100% 지분을 보유하고 있는 종속회사에 부동산을 현물출자하고 종속회사가 발행한 신주를 교부받은 경우 취득세 과세표준은 현물출자 받는 부동산의 시가표준액임**

100% 출자관계인 지배법인과 종속법인간의 현물출자로서, 「법인세법」 제52조 제1항에 따른 특수관계인 간의 부당행위계산에 해당되지 않는다 하더라도 현물출자시 관련법령에 따라 의무적으로 수반되는 자산의 가치평가결과 즉 감정평가액이 지배법인의 법인장부가격과 2배 정도 차이가 나는 점을 감안했을 때, 비록 일반기업회계기준에 따라 현물출자하는 지배법인의 법인장부가격을 취득가격으로 하여 법인장부에 기재하고 주식을 교부하였다 하더라도 그 가격이 실제의 취득가격에 부합된다고 보기는 어려우므로 「지방세법」 제10조 제2항 등에 따라 현물출자받는 부동산의 시가표준액을 취득세 과세표준으로 하는 것이 합리적일 것으로 판단됨(지방세운영과-3644, 2012.11.12.).

◎ **리스차량에 대한 금융리스채권 잔액을 리스차량 과세표준으로 적용함이 타당함**

여신금융업법에 따른 시설대여업자의 과점주주가 금융리스차량을 간주취득하는 경우, 간주취득 당시 시설대여업자의 재무제표에 계상된 해당 리스차량에 대한 금융리스채권 잔액을 「지방세법」 제10조 ④이 규정한 당해 법인의 결산서 기타 장부 등에 의한 취득세 과세대상 자산총액으로 보아 과세표준을 적용(지방세운영과-3005, 2015.9.22.)

12. 과점주주 취득세와 농특세

취득세에 10%의 농어촌특별세가 부과된다. 과점주주 간주취득세의 경우에도 농어촌특별세(취득세액의 10%)가 부과된다. 농어촌특별세법은 각종 비과세나 감면대상을 규정하고 있는데 과점주주 간주취득에 대해서는 직접적으로 규정하고 있지 않다. 한편 행정안전부에서는 과점주주가 되어 해당 법인의 자동차를 간주취득하는 경우에도 농어촌특별세가 비과세되는지 여부에 대해, 과점주주 간주취득의 경우에도 해당 자동차에 대한 과세표준과 세율을 적용하여 취득세를 부과하는 것이므로 자동차를 취득하는 경우와 같이 농어촌특별세를 비과세하는 것이 타당하다고 보았다(지방세운영과-2641, 2016.10.17.). 하지만 과점주주 간주취득세는 일반적인 자동차 취득세와 그 성격과 취지가 다른 점을 고려해야 할 것이다. 그리고 부동산과 자동차를 함께 소유한 법인의 과점주주의 경우 자동차 가액만 과세표준에서 공제하여 계산해야 하는 어려움이 발생한다.

제8조(납세지)

법 제8조(납세지) ① 취득세의 납세지는 다음 각 호에서 정하는 바에 따른다.

1. 부동산 : 부동산 소재지
2. 차량 : 「자동차관리법」에 따른 등록지. 다만, 등록지가 사용본거지와 다른 경우에는 사용본거지를 납세지로 하고, 철도차량의 경우에는 해당 철도차량의 청소, 유치(留置), 조성, 검사, 수선 등을 주로 수행하는 철도차량기지의 소재지를 납세지로 한다. 〈개정 2016.12.27.〉
3. 기계장비 : 「건설기계관리법」에 따른 등록지
4. 항공기 : 항공기의 정치장(定置場) 소재지
5. 선박 : 선적항 소재지. 다만, 「수상레저안전법」 제30조 제3항 각 호에 해당하는 동력수상레저기구의 경우에는 같은 조 제1항에 따른 등록지로 하고, 그 밖에 선적항이 없는 선박의 경우에는 정계장 소재지(정계장이 일정하지 아니한 경우에는 선박 소유자의 주소지)로 한다.
6. 입목 : 입목 소재지
7. 광업권 : 광구 소재지
8. 어업권 : 어장 소재지
9. 골프회원권, 승마회원권, 콘도미니엄 회원권, 종합체육시설 이용회원권 또는 요트회원권 : 골프장·승마장·콘도미니엄·종합체육시설 및 요트 보관소의 소재지

② 제1항에 따른 납세지가 분명하지 아니한 경우에는 해당 취득물건의 소재지를 그 납세지로 한다.

③ 같은 취득물건이 둘 이상의 지방자치단체에 걸쳐 있는 경우에는 대통령령으로 정하는 바에 따라 소재지별로 안분(按分)한다.

영 제12조(취득세 안분 기준) 법 제8조 제3항에 따라 같은 취득물건이 둘 이상의 시·군·구에 걸쳐 있는 경우 각 시·군·구에 납부할 취득세를 산출할 때 그 과세표준은 취득 당시의 가액을 취득물건의 소재지별 시가표준액 비율로 나누어 계산한다.

취득세의 납세지는 원칙적으로 과세물건 소재지가 된다. 납세지가 불분명한 경우에는 해당 물건의 소재지를 그 납세지로 한다. 하나의 과세물건이 둘 이상의 지방자치단체에 걸쳐 있는 경우에는 물건 시가표준액 비율로 소재지별로 안분한다.

| 최근 개정법령 _ 2017.1.1. | 철도차량 취득세 납세지 규정 신설(법 제8조 ① 제2호)

현행 지방세법상 철도차량('16년부터 취득세가 100% 면제에서 75% 감면으로 전환되어 관련 규정 필요, 지특법 제63조)에 대한 취득세 납세지 규정이 없는 상태이다. 따라서 차량, 항공기 등 유사 과세대상의 납세지를 고려하여 철도차량의 청소, 유치, 검사, 수선 등을 주로 수행하는 "철도차량기지"를 납세지로 명문화하였다.

| 이동성 있는 취득세 과세대상 납세지 현황 |

구 분	항공기	선박	차량	기계장비
취득세 납세지	정치장 소재지	선적항 소재지*	자동차관리법상 등록지(사용본거지)	건설기계관리법상 등록지
세부내용	항공기를 주로 놓아두는 장소	주소지 소재 수면 접한 곳	사용본거지는 차량을 주로 보관, 관리, 이용하는 곳	소유자 주소지 또는 건설기계 사용본거지

* 「수상레저안전법」 제30조 제3항 각 호에 해당하는 동력수상레저기구의 경우에는 같은 조 제1항에 따른 등록지

| 최근 개정법령 _ 2020.1.1. | 동력수상레저기구의 취득세 납세지 개선(법 §8)

현행 지방세법상 선박(수상레저기구 포함)의 취득세 납세지를 '선적항'으로 규정하고 있다. 그런데 선박법(§8)에서 선박은 '선적항' 관할 지방해양수산청장에게 등록하도록 규정하고 있는데, 수상레저안전법(§30)에서 동력수상레저기구*는 소유자의 '주소지' 관할 자치단체에 등록하는 것으로 규정하고 있다. 주소지에 등록하는 동력수상레저기구의 경우 등록신청 시 보관장소를 기재하고는 있으나, 변경등록(신고) 의무가 없어 유동적인 계류지를 취득세 납세지로 보기에는 부적합한 측면이 있었다. 그에 따라 동력수상레저기구 납세지를 '등록지'(주소지)로 하고, 그 밖에 선적항이 없는 선박의 경우에는 정계장 소재지(정계장이 일정하지 아니한 경우에는 선박 소유자의 주소지)로 명확히 하였다.

* 수상레저활동에 이용하거나, 하려는 것으로 수상오토바이, 모터보트(20톤미만), 고무보트(추진기관 30마력이상), 요트(20톤미만 세일링요트)

◎ 리스차량에 대한 과점주주 간주취득세 납세지도 차량등록지로 봄이 타당함

법 제8조에서 차량 취득에 따른 납세지에 대해 "「자동차관리법」에 따른 각 등록지(등록지가 사용본거지와 다른 경우 사용본거지)"로 규정하고 있음, 따라서 리스차량에 대한 과점주주

간주취득세 납세지도 동일하게 「자동차관리법」에 따른 등록지(등록지가 사용본거지와 다른 경우 사용본거지)로 보는 것이 타당(지방세운영과-3005, 2015.9.22.)

◎ 「자동차등록령」 제2조 제2호에 따르면 사용본거지란 자동차 소유자가 자동차를 주로 보관·관리·이용하는 곳을 말하고, 「자동차등록규칙」 제3조 제2항에 따르면 법인이 주사무소 소재지 외 다른 장소를 사용본거지로 인정받으려면 그 사유를 증명하는 서류를 등록관청에 제출하여야 하는 바, 그 증명서류로 제출한 "사업자등록증"상의 사업장이 실체(인적·물적설비)가 없을 경우 취득세 납세지가 될 수 있는지의 여부 ⇨ 「지방세법」 제8조 제1항 제2호에서는 차량의 취득세 납세지는 「자동차관리법」에 따른 등록지이며 다만, 등록지와 사용본거지가 다를 경우에는 사용본거지로 하도록 규정하고 있음. 따라서 "자동차등록에 관한 법령"에 따라 적법하게 사용본거지를 변경하고 자동차를 등록하였다면 그에 따라 신고 납부한 취득세 등도 적법한 것으로 판단됨(지방세운영과-2769, 2012.9.3.).

◎ 리스자동차 취득세 납세지 관련, 자동차등록원부에 기재된 사용본거지를 의미
자동차등록령 등 관련 규정에 따르면, 법인의 주사무소 소재지 외의 다른 장소를 '사용본거지'로 인정받으려는 자동차 소유자는 그 사유를 증명하는 서류를 등록관청에 제출하여야 한다고 규정하고 있음 … 법인이 자동차등록을 하면서 등록관청으로부터 주사무소 소재지 외의 다른 장소를 사용본거지로 인정받아 그 장소가 자동차등록원부에 사용본거지로 기재되었다면, 그 등록이 당연무효이거나 취소되었다는 등의 특별한 사정이 없는 한 취득세 납세지가 되는 이 사건 조항의 '사용본거지'는 법인의 주사무소 소재지가 아니라 '자동차등록원부에 기재된 사용본거지'를 의미(대법원 2018두32712, 2018.4.26.)

◎ 시설대여 중인 기중기의 취득세 납세지는 기중기 이용자의 주소지임
지방세법 시행령 제74조 제2항은 여신전문금융업법에 의한 시설대여업자가 차량, 기계장비 등을 시설대여하는 경우에는 그 등기 또는 등록명의에 불구하고 시설대여업자를 법 제105조 제1항의 규정에 의한 납세의무자로 본다고 규정하고 있으므로, 금융리스의 경우 리스이용자는 자기 계산과 위험부담아래 리스물건을 독립적으로 이용하고 있고 시설대여업자는 리스물건을 대여하는 형태이므로 귀 문과 같이 등기·등록 대상이 아닌 타워크레인의 취득세 납세지는 당해 리스물건을 주로 관리하는 시설이용자의 주소지로 보아야 함(세정-3461, 2006.8.3.).

◎ 여객자동차운수사업자의 차량(일반시외버스)의 취득세 납세지는 사용본거지가 됨
여객자동차운수사업자의 차량등록지와 사용본거지가 다를 경우 취득세 납세지 관련, 지방세법 제105조 제1항에서 취득세는 부동산·차량 등의 취득에 대하여 당해 취득물건 소재지의 도에서 그 취득자에게 부과하도록 규정하고 있고 동법 제120조 제1항 및 동법 시행령 제86조에서 취득세를 신고납부하고자 하는 자는 취득세 및 등록세 신고서에 취득물건·취득일자

및 용도 등을 기재하여 과세물건 소재지를 관할하는 시장 · 군수에게 신고하도록 규정하고 있으며, 차량의 과세물건 소재지는 자동차관리법상의 사용본거지를 말하는 것이라 하겠으므로 여객자동차운수사업자의 차량(일반시외버스)에 대한 취득세 납세지는 당해 차량의 사용본거지를 말하는 것이라고 하겠음(세정－607, 2006.2.9.).

◎ **선적항이 없는 선박의 납세지는 정계장 소재지 관할 시군구가 됨**

선박법에 의거 등기 · 등록을 하지 아니한 선박의 납세지 관련, 소형모타보트라 하더라도 취득가액이 50만원을 초과한다면 지방세법 제104조 제5호 및 제105조 제1항의 규정에 의거 취득세 과세대상에 해당되고, 동법 제105조 제2항의 규정에 의거 선박을 취득한 후 선박법에 의거 등기 · 등록을 하지 아니하였다 하더라도 취득세 납세의무가 있는 것이며, 동법 제105조 제1항의 규정에 의거 선박에 대한 취득세 납세지는 원칙적으로 선박 소재지의 도가 되는 것이므로 선적항이 있는 선박은 선적항 소재지 관할 시 · 군 · 구가 되는 것이고, 선적항이 없는 선박은 정계장 소재지 관할 시 · 군 · 구가 되는 것임(세정－4533, 2004.12.10.).

제9조(비과세) 제1항 [국가 등 비과세]

> **법** 제9조(비과세) ① 국가 또는 지방자치단체(다른 법률에서 국가 또는 지방자치단체로 의제되는 법인은 제외한다. 이하 같다), 지방자치단체조합, 외국정부 및 주한국제기구의 취득에 대해서는 취득세를 부과하지 아니한다. 다만, 대한민국 정부기관의 취득에 대하여 과세하는 외국정부의 취득에 대해서는 취득세를 부과한다. 〈개정 2014.1.1.〉 [제목개정 2014.1.1.]

국가, 지방자치단체, 지방자치단체조합 등의 취득에 대하여는 취득세를 비과세한다. 또한 외국정부나 주한국제기구의 취득에 대하여도 취득세를 비과세하지만, 우리나라 정부기관의 취득에 대하여 과세하는 나라가 있다면 당해나라의 취득에 대하여는 비과세대상에서 제외하도록 하고 있다.

◎ 공사는 「한국농어촌공사 및 농지관리기금법」에 따라 설립된 정부 출자법인으로서 국가(대한민국 정부기관)에 해당되지 아니하므로 농지관리기금을 재원으로 토지를 취득하여 농림축산식품부장관의 승인 하에 관리처분 될 수 있다고 하더라도 국가의 취득으로 볼 수는 없음(지방세운영과－41, 2014.1.6.).

◎ **주한○○대사관에 상호주의에 입각 등록세 · 인지세만 부과, 지방교육세는 과세하지 아니함**

지방세법 제106조 제1항의 규정 등에 의하여 외국정부에 대하여는 취득세 · 등록세 · 재산세・종합토지세・도시계획세・공동시설세・사업소세를 비과세하나, 대한민국정부기관의 재산에 대하여 부과하는 외국정부의 재산에 대하여는 비과세하지 아니하는 것이므로, 주한 ○○대사관이 직원주거용으로 부동산을 취득하는 경우 ○○이 주○○대한민국대사관의 직원 주택구입시 취득세, 계약세, 교역수속비를 면제해 주고 등기비와 인지대만 부과한 사실을 볼 때 우리의 경우도 지방세법상의 상호주의에 의거 등록세와 인지세만 부과함이 마땅하며, 등록세액을 과세표준으로 하여 부과되는 지방교육세에 관해서는 ○○의 경우 지방교육세 세목이 없고 외교관계에 관한 비엔나협약 제34조의 규정에서 외교관의 경우 부동산에 관하여 부과되는 등기세, 법원의 수수료, 담보세, 인지세만을 인정함을 볼 때 과세하지 않음이 타당함(구 지방세정팀-218, 2002.3.7.).

◎ **근로복지공단은 등록세의 면제자가 아닐 뿐만 아니라 압류는 재산의 취득으로 볼 수 없으므로 등록세 과세대상이 아니라고 한 사례**

산업재해보상보험법 제74조 제1항은 산재보험료 등을 체납한 자에 대하여는 국세체납처분의 예에 의하여 징수할 수 있으나, 이는 그 문언이나 법 규정의 형식상 체납처분절차에 따라 강제징수할 수 있는 자력집행권이 있다는 것을 규정한 것으로 보아야 할 것이며, 세무서장이 국세체납처분을 위한 압류등록 시 등록세를 면제한다는 국세징수법 제55조 제2항의 규정이 근로복지공단의 산재보험료 및 고용보험료체납처분을 위한 압류등록의 경우까지 볼 수는 없다 할 것이고 등록세면제자로 국가・지방자치단체・지방자치단체조합・외국정부 및 주한국제기구로 한정하여 규정하고 있고 근로복지공단은 국가사무를 위탁받아 수행한다 하더라도 등록세의 면제자로 규정되어 있지 아니할 뿐만 아니라 압류는 재산의 취득으로 볼 수 없으므로 등록세 과세대상이 될 수 없음(구 심사 2001-146, 2001.12.11.).

제9조(비과세) 제2항 [기부채납 비과세]

법 제9조(비과세) ② 국가, 지방자치단체 또는 지방자치단체조합(이하 이 항에서 "국가등"이라 한다)에 귀속 또는 기부채납(「사회기반시설에 대한 민간투자법」 제4조 제3호에 따른 방식으로 귀속되는 경우를 포함한다. 이하 이 항에서 "귀속등"이라 한다)을 조건으로 취득하는 부동산 및 「사회기반시설에 대한 민간투자법」 제2조 제1호 각 목에 해당하는 사회기반시설에 대해서는 취득세를 부과하지 아니한다. 다만, 다음 각 호의 어느 하나에 해당하는 경우 그 해당 부분에 대해서는 취득세를 부과한다. 〈개정 2010.12.27., 2015.7.24., 2015.12.29.〉 농비

1. 국가등에 귀속등의 조건을 이행하지 아니하고 타인에게 매각・증여하거나 귀속등을 이행하지 아니하는 것으로 조건이 변경된 경우

2. 국가등에 귀속등의 반대급부로 국가등이 소유하고 있는 부동산 및 사회기반시설을 무상으로 양여받거나 기부채납 대상물의 무상사용권을 제공받는 경우

국가, 지방자치단체 등에 귀속 또는 기부채납을 조건으로 취득하는 부동산 등에 대하여는 취득세를 부과하지 않는다. 이는 국가 등에 귀속을 조건으로 부동산을 취득하고 그에 관한 등기를 하는 것은 그 부동산을 국가 등에 귀속시키기 위한 잠정적이고 일시적인 조치에 불과하므로 국가 등이 직접 부동산을 취득하고 그에 관한 등기를 하는 경우와 동일하게 평가할 수 있다고 보아 그 경우 취득세를 비과세한다는 취지이다. 국가 등에 귀속을 조건으로 취득하는 부동산으로 취득세가 비과세되기 위해서는 부동산을 취득할 당시에 그 취득자가 당해 부동산을 국가 등에 귀속시키는 것으로 사실상 확정되어 있어야 한다(대법원 2010두6977, 2011.7.28.).

기부채납은 기부자가 그의 소유재산을 국가나 지방자치단체의 공유재산으로 증여하는 의사표시를 하고 국가나 지방자치단체는 이를 승낙하는 채납의 의사표시를 함으로써 성립하는 증여계약(대법원 2005두14998, 2006.1.26.)이다. 그에 따라 부동산을 국가에 공여함에 있어 인허가조건의 성취, 무상사용권 취득 또는 무상양여 등 다른 경제적 이익을 취득할 목적이 있었다고 하더라도 당해 부동산의 공여 자체가 기부채납의 형식으로 되어 있고, 국가도 이를 승낙하는 채납의 의사표시를 한 이상, 기부채납에 따른 취득세 비과세 대상에 해당된다(대법원 2005두14998, 2006.1.26.).

따라서 이러한 법리에 따라 사업시행인가(사업계획승인) 이후에 부동산을 취득하는 경우 비과세 대상으로 보는 것이 원칙이다. 부동산을 취득할 당시에 그 취득자가 당해 부동산을 국가 등에 귀속시키는 것이 사실상 확정되어 있어야 하는데 승인결정을 할 무렵에 비로소 기부채납에 대한 의사의 합치가 있었던 것으로 볼 수 있어 사업계획승인 이후에 취득한 부동산만 비과세 대상에 해당한다(대법원 2003다43346, 2005.5.12.). 예를들어 사업계획승인 이전단계로 볼 수 있는 국토이용계획변경결정이 있었다는 사정만으로 기부채납의 대상이 되는 공공시설용지의 위치나 면적이 특정되었다거나 또는 기부채납의 합의가 있었다고 인정하기도 어렵다. 또한 도시환경정비사업에 따른 예정지로 지정되었다고 하더라도 사업시행인가가 이루어지기 전에 취득한 경우에는 비과세 대상이 아니다(대법원 2010두6977, 2011.7.28.).

2015.7.24. 지방세법 개정으로 국가 등에 귀속 등 조건 취득 부동산 등에 대한 추징 규정을 신설하였다(법 제9조 ② 단서). 당초 국가등에 귀속등 조건 미이행시 비과세한 취득세를 추징할 수 없는 문제가 있었다. 행자부는 과세가 가능하다고 보았으나(지방세운영과-5340, 2009.12.17.),

조세심판원은 과세가 불가하다고 판단하였다(2010지0419, 2010.11.18.). 그에 따라 비과세 조건 미이행시 비과세한 취득세를 부과할 수 있도록 사후관리 규정 신설하게 되었다. 한편, 이 법 시행 전에 국가등에 귀속등을 조건으로 취득한 것으로서 이 법 시행 이후 매각·증여하거나 국가등에 귀속등을 이행하지 아니하는 것으로 조건이 변경되는 부동산 및 사회기반시설에 대해서도 적용토록 하였다(부칙 제3조).

2016.1.1. 지방세법을 개정하여 반대급부 조건으로 취득하는 기부채납 부동산에 대한 비과세 규정을 보완하였다(법 제9조 ②). 종전에는 국가, 지자체에 귀속 또는 기부채납을 조건으로 취득하는 부동산 및 사회기반시설에 대해 취득세를 비과세하면서, 반대급부를 조건으로 기부채납하는 경우에도 비과세를 적용하였는데 기부채납에 대한 비과세는 조건없이 무상으로 소유권을 국가 등에 이전하는 경우 세부담을 완화하여 주고자 하는 것이 근본취지이므로, 국가 소유재산과 교환, 장기무상사용권 제공 등 반대급부를 조건으로 기부채납하는 경우까지 비과세하는 것은 입법 취지에 부합하지 않는 측면이 있었다. 이에 따라 기부채납에 반대급부가 있는 경우에는 비과세 대상에서 제외하고, 다만, 정부에서 기부채납을 통한 민간투자를 장려하고 있으므로 「지방세특례제한법」에 감면규정을 신설하여 당분간(3년) 비과세를 유지하고, 감면 일몰기간 종료후에는 정기적인 감면심사를 통해 당시 경제상황에 맞게 감면범위와 기간 등을 결정하도록 하였다. 한편 개정법률 시행 전 취득분의 경우에는 이 법 시행 후 반대급부가 발생하였다 하더라도 종전 규정을 적용한다. 그리고 당분간(3년)은 「지방세특례제한법」을 통해 100% 감면을 유지하되 2018.12.31.까지 면제분에 대해서는 최저한세 적용을 배제한다.[22]

☞ 대규모 개발사업 과정의 기부채납비과세 관련 제7조 납세의무자편의 "대규모 토지조성 사업에서의 단계별 취득세 과세" 참고

1. 기부채납 비과세 인정 사례

◎ 기부채납 예정토지가 포함된 사업을 승계받은 매수자가 새로이 처분청과 별도 기부채납 약정을 체결하지 않고 매도자와 과세관청 간에 체결된 기부채납의 약정에 따라 기부채납을 한 경우라도 기부채납에 따른 취득세 비과세 대상에 해당함(대법원 2011두17363, 2011.11.10.).

◎ **음식점으로서 경제적 이익을 취득할 목적이 있었더라도 부동산이 귀속 또는 기부채납의 형식으로 국가 등이 이를 승낙하여 취득하는 경우 비과세 대상**

귀속 또는 기부채납에 '「사회기반시설에 대한 민간투자법」 제4조 제3호에 따른 방식으로 귀

22) 지특법상 일몰 연장 등 감면 비율 지속 확인 필요

속되는 경우를 포함한다.'고 함은 준공 후 바로 국가에 소유권이 귀속되는 형식의 추진방식 뿐만 아니라, 준공 후 일정기간 사업시행자에게 시설의 소유권이 인정되고, 기간 만료시 소유권이 국가 등에 귀속되는 형식인 제3호의 추진방식까지 포함한다는 의미의 사업시행 추진방식에 관한 내용이라고 할 것이므로, 같은 조 제3호의 방식으로 국가 등에 귀속되더라도 당해 부동산이 반드시 사회기반시설이어야 하는 것은 아니므로, 음식점이라 하더라도 부동산이면 족하고 국가 등에 공여함에 있어 경제적 이익을 취득할 목적이 있었다 하더라도 귀속 또는 기부채납의 형식으로 되어 있고, 국가 등이 이를 승낙하는 채납의 의사표시를 한 이후에 취득하는 경우에는 취득세 비과세 대상에 해당된다(대법원 2005두14998, 2006.1.26.)고 할 것임(지방세운영과－3254, 2011.7.8.).

☞ 비과세대상이 아니라는 사례(지방세운영과－2042, 2015.7.9.)와 비교

◎ 소유권이전등기 당시 사업계획승인이나 원고와 피고 사이의 기부채납약정이 존재하지 아니하였지만 기부채납을 조건으로 취득하는 부동산에 해당

① 기부채납을 조건으로 주택건설사업계획승인을 받은 ○○건설(주)의 사업주체로서의 지위를 그대로 이전받은 점, ② 피고가 00건설(주) 등과 체결한 기부채납 약정상 기부채납 대상 토지에 모두 포함되어 있는 점, ③ 토지를 취득할 때에는 비록 기부채납에 대한 최종 승인이 이루어지지는 아니하였으나 이미 기부채납 목적물이 이 사건 토지 등으로 특정된 상태에서 주택건설사업계획변경승인을 신청하는 등 피고와 사이에 구체적인 기부채납 협의가 진행 중이었고, 그 후 실제 피고로부터 변경승인을 받아 토지를 기부채납한 점을 종합하면, 기부채납 부동산에 해당(대법원 2011두17363, 2011.11.10.)

◎ 산업단지개발실시계획 승인·고시 이후 취득하는 부동산만이 취득세 비과세대상

산업단지개발계획에는 '공공시설물 및 토지 등의 무상귀속에 관한 계획'이 제외되어 있는 반면, 구 「산업입지법」 제17조 ① 및 영 제21조 ②에서 국토부장관이 국가산업단지개발실시계획을 승인하려면 시·도지사의 의견을 듣도록 규정하고 있고, 사업시행자가 국토부장관에게 승인을 받으려면 산업단지개발실시계획 승인신청서에 계획평면도 및 실시설계도서 등과 함께 '공공시설물 및 토지 등의 무상귀속과 대체에 관한 계획'도 첨부하여 제출하도록 규정하고 있으므로 그 승인하는 시점에 귀속이 구체적으로 확정되어진다고 할 것인 점 등을 고려할 때, 산업단지개발실시계획 승인·고시일 이후에 취득하는 부동산만이 취득세 비과세대상이 된다고 할 것임(지방세운영과－1152, 2012.4.16.).

◎ 기부채납에 대한 협의가 진행 중인 것으로 볼 수 있는 객관적인 사정이 있는 경우 주택건설사업계획승인 이전이라도 비과세에 해당

취득세 및 등록세 비과세 요건으로 규정한 '기부채납을 조건으로 취득하는 부동산'의 의미에

관하여, 사업자가 주택건설사업계획승인을 받고 그 승인조건에서 나타난 기부채납 등의 조건에 맞추어 취득한 토지가 이에 해당함은 당연하고, 나아가 주택건설사업계획승인 이전이라도 이미 기부채납의 대상이 되는 토지의 위치나 면적이 구체적으로 특정된 상태에서 행정관청과 사이에 기부채납에 대한 협의가 진행 중인 것으로 볼 수 있는 객관적인 사정이 있는 경우에는, 그 이후에 취득하여 국가 등에 기부채납한 토지도 '기부채납을 조건으로 취득한 토지'로서 비과세 대상에 해당한다(대법원 2003다43346, 2005.5.12., 대법원 2005두14998, 2006.1.26. 등).

◎ 주택건설사업계획의 승인과 기부채납

지방자치단체장이 주택건설사업계획에 대한 사업승인결정 이후에 취득(잔금지급일 또는 소유권이전등기일 중 빠른 날이며 연부취득인 경우에는 각각의 연부금 지급일)하는 토지의 경우 국가 또는 지방자치단체에 기부채납을 조건으로 취득하는 부동산으로써 비과세 대상에 해당(지방세운영과-5609, 2011.12.7.)

◎ 기부채납 조건으로 주택건설사업승인을 받았으므로 비과세 대상에 해당

처분청으로부터 「○○○단위계획구역」 내에 이 건 도로를 개설하여 처분청에 기부채납하는 조건으로 주택건설사업승인을 받았으며, 이를 이행하기 위하여 이 건 토지를 취득한 후 이 건 토지상에 이 건 도로를 개설하여 처분청에 기부채납한 사실 … 기부채납을 조건으로 취득하는 부동산에 해당됨(조심 2011지0937, 2012.6.11.).

◎ 기부채납 등을 조건으로 취득하여 취득세가 비과세된 부동산을 보유한 법인의 과점주주가 된 경우에도 기부채납 등을 조건으로 취득한 경우에 해당

과점주주로 된 자가 그 기부채납 등의 효력을 부인할 수 없고, 따라서 그 부동산을 여전히 최종적으로 국가 등에 귀속될 것인 점, 과점주주가 당해 법인으로부터 실제로 그 부동산을 취득하는 경우에는 종전 기부채납계약을 승계하거나 새로이 국가 등과 기부채납계약을 체결함으로써 지방세법 제106조 제2항의 적용을 받을 수 있는데, 간주취득에 있어서는 기부채납 등의 효과를 그대로 받음에도 취득세가 부과된다면 형평에 반할 뿐만 아니라 입법취지에도 부합하지 아니하는 점 등을 고려할 때, 그 과점주주가 기부채납 등의 효력을 부인할 수 없는 이상 그 간주취득 역시 기부채납 등을 조건으로 취득한 경우에 해당함(대법원 2009두20816, 2011.1.27.).

◎ 자치단체 귀속을 위한 상속등기시 취득세·등록면허세 비과세 가능

과거 도시계획시설사업(도로) 시행에 따라 토지 보상은 완료되었으나 자치단체로의 소유권 이전 등기가 누락된 채 소유자가 사망하거나, 토지 분할 등기가 누락된 경우 자치단체로의 토지 소유권 이전 이행을 전제로 한 상속등기, 보존등기 시 … 상속인들로부터 지방자치단체로 소유권을 귀속시키겠다는 협의서 등을 징구하여 상속등기 또는 소유권 보존등기를 진행

하는 경우, 이는 자치단체에 귀속시키기 위한 것으로 보아 취득세 · 등록면허세를 비과세하는 것이 타당(부동산세제과-153, 2020.1.20.)

2. 기부채납 비과세 대상이 아니라는 사례

◎ 국가가 아닌 공사와 교환을 원인으로 공사 앞으로 귀속된 경우 기부채납 비과세 적용 불가

원고들은 이 사건 안벽을 포함한 이 사건 매립지를 공유수면매립에 따라 원시취득하였다가 국가가 아닌 ○○항만공사에 교환을 원인으로 소유권을 이전한 것에 불과하므로, 이 사건 안벽을 포함한 이 사건 매립지를 "국가 · 지방자체단체 또는 지방자치단체조합에 귀속 또는 기부채납을 조건으로 취득하는 부동산"에 해당한다고 볼 수 없음(대법원 2014두4757, 2014.7.10.).

◎ 취득당시에 기부채납 조건을 약정하지 아니한 이상 비과세 대상에서 제외

구체적으로 공공시설용지로 편입될 토지에 관하여 기부채납을 하도록 승인조건을 부과한 때에 비로소 기부채납에 대한 의사의 합치가 있었던 것(대법원 2330다43346, 2005.5.12., 행심 2006-0418, 행심 2007-784 등 다수)으로 볼 수 있다고 할 것이므로, 도정법 제65조 제2항에서 무상귀속을 강제하고 있다고 할지라도 취득당시에 기부채납 조건을 약정하지 아니한 귀문 공원의 경우 기부채납을 조건으로 취득한 부동산으로 보기 어려움(지방세운영과-1015, 2010.3.12.).

◎ 한국토지주택공사에 기부채납을 한 경우는 기부채납 요건을 충족하지 못하였음

기부채납의 상대방인 국가 · 지방자치단체 또는 지방자치단체조합은 한정적 열거규정이므로 청구인은 이들 중 어느 하나에 해당하지 아니하는 한국토지주택공사에 기부채납을 한 이상, 취득세 비과세 대상에 해당하지 아니함(조심 2911지0167, 2011.10.13.).

◎ LH공사에 기부채납하는 재건축소형주택 부속토지는 비과세 대상 아님

주택공사가 국토부장관의 지정에 따라 원고들로부터 이 사건 주택을 인수하고 이 사건 부속토지를 기부채납 받은 것이 국가나 지방자치단체의 수탁기관으로서 그 위탁사무를 처리한 것이라 볼 수 없음. 공사의 주택 인수 등 업무가 공사의 고유사무가 아니라 국가 등의 수탁기관으로 그 위탁사무에 해당한다는 주장은 이유 없음(대법원 2013두8370, 2013.8.22.).

◎ 기부자가 주택건설사업계획승인 전에 부동산을 취득하였다면, 그 취득이 도로개설을 조건으로 하는 건축위원회의 심의 결과 이후에 취득한 것이라고 할지라도 이는 지방자치단체의 기부채납과 관련된 적법 · 유효한 의사표시가 있기 전, 즉 기부채납이 성립되기 전에 취득한 부동산이므로, '기부채납을 조건으로 취득하는 부동산'이 아님(지방세운영과-1976, 2009.5.15.).

◎ 자치단체 소유의 수익용부지를 취득하면서 매매대가로 자치단체에 건축물을 신축하여 이전하기로 한 경우 비과세 대상이 아님

「국유재산법」상 행정재산의 용도를 폐지하는 경우 그 용도에 사용될 대체시설을 제공한 자 등이 용도폐지된 재산을 양여받을 조건으로 그 대체시설을 기부하는 경우를 기부에 조건을 붙은 재산으로 보지 않는다고 규정하고 있는 바, 용도폐지된 행정재산이 아닌 일반재산을 양여하는 조건인 대물변제 계약만을 체결하고 토지매매대금의 변제를 위해 건물을 신축하여 이전하는 경우라면 국유재산법 상 기부채납 비과세 대상 아님(지방세운영과-2042, 2015.7.9.).
☞ 비과세 대상이라는 사례(지방세운영과-3254, 2011.7.8.)와 비교

◎ 교통영향평가를 근거로 기부채납을 조건으로 취득하는 부동산으로 볼 수 없음

구체적으로 공공시설용지로 편입될 토지에 관하여 기부채납을 하도록 승인조건을 부과한 때에 비로소 기부채납에 대한 의사의 합치가 있었던 것(대법원 2330다43346, 2005.5.12.)이라 할 것인 점, 교통영향평가는 당해 부동산을 도로로만 규정하고 있고 승인서에서도 이를 도로로 반영하여 시행하도록 조건을 부여하고 있을 뿐, 취득이전에 당해 도로를 기부채납 신청하는 등 기부채납에 대한 의사표시가 없었던 점, 국가 등이 이를 승인하면서도 교통영향평가서에서 정한 도로로 사용 이외 기부채납을 받기로 하는 의사표현이나 기부채납을 규정한 사실이 없었던 점, 부동산의 소유권 귀속문제에 대하여 확정적 내용을 기재한 것이라거나 적법·유효한 의사표시가 있었던 것이라고 할 수 없는 점 등을 고려할 때, 기부채납을 조건으로 취득하는 부동산으로 보기는 어려움(지방세운영과-2200, 2010.5.25.).

◎ 취득 이후 기부채납 승낙을 얻었으므로 기부채납의 요건을 충족하지 못하였음

쟁점토지를 취득할 당시에 국가에 기부채납의 대상이 되는 공공시설용지의 위치나 면적을 어느 정도 특정하여 국가에게 구체적으로 공공시설용지로 편입될 토지에 관하여 기부채납을 하도록 의사의 합치가 있은 이후에 취득하는 토지만이 기부채납을 조건으로 취득하는 부동산으로서 비과세 대상이라 할 것이므로 취득하기 전에 국가에 기부채납의 의사표시를 하여 국가로부터 승낙의 의사표시를 얻었어야 하나 청구법인은 쟁점토지 및 쟁점건축물 취득 이후에 국가로부터 기부채납의 승낙을 얻었으므로 이는 비과세 조건인 기부채납의 요건을 충족하지 못하였다 할 것임(조심 2011지0311, 2012.6.8.).

◎ LH의 용산미군기지 부지 취득은 기부채납 비과세 대상은 아니고, 감면대상임

국가는 미합중국과의 합의에 따라 평택에 기지를 건설하여 주한미군에 공여하고 당초 주한미군이 사용하던 용산기지를 반환받는 사업을 수행하여야 하는데, 용산기지 관련 특별법의 제정으로 소요재원의 마련이 어려워 원고로 하여금 이전사업 자금을 부담하여 평택기지를 건설하도록 하고 그 대신 용산기지 반환부지를 원고에게 양여하여 원고가 제3자에게 양도함으로써 평택기지 건설자금을 회수하도록 하는 계획을 수립 … 그에 따라 원고가 취득한 쟁점부동산(용산기지)은, 당초 비과세감면신청에 대해 과세관청이 비과세감면 대상이 아님을 통

지하였는데, 통지행위를 처분으로 보아 불복청구를 제기하였으나 각하대상으로 판단, 이후 경정청구에 따른 거부처분에 대해 실질과세원칙이 적용될 수 없어 국가에 대한 기부채납 비과세 부동산은 아님. 대신 LH의 감면대상(제3자에게 공급할 목적의 토지, 30%감면)에는 해당(대법원 2018두36455, 2018.6.15.).

◎ **택지지구 사업부지 내에서 취득하는 기존 건물이 기부채납 비과세 대상이 아니라는 사례**

지방세법 제9조 제2항 본문은 국가 등에 귀속 또는 기부채납을 조건으로 취득하는 '당해 부동산 자체'에 대한 취득세 비과세를 규정하고 있을 뿐인바, 이를 두고 귀속 또는 기부채납을 이행하기 위하여 또는 이를 목적으로 취득하는 다른 부동산에 대해서까지 취득세를 과세하지 않겠다는 의미로 해석할 수는 없음. 아울러 ① 지방세법상 토지와 건물은 별개의 취득세 과세대상에 해당할 뿐만 아니라, 사법상 별개의 물건이므로, 이 사건 건물을 국가에 귀속 또는 기부채납되는 해당 부지와 동일하게 취급할 수는 없는 점, ② 원고가 이 사건 건물을 취득한 것은 이를 국가에 귀속시키거나 기부채납을 하기 위해서가 아님, ③ 이 사건 건물은 처음부터 국가에 귀속되거나 기부채납하는 것이 아니라 철거될 것으로 예정되어 있었고, 그 후 실제로 철거가 이루어진 점, … 국가 등에 귀속 또는 기부채납을 조건으로 취득하는 당해 부동산에 해당하지 않음(대법원 2020두35295, 2020.6.11.).

☞ 지특법 제73조의 '국가에 기부채납을 조건으로 취득하는 부동산 중 기부채납의 반대급부로 국가 등이 소유하고 있는 부동산을 무상으로 양여받는 조건으로 취득하는 부동산'에도 해당하지 않음.

제9조(비과세) 제3항 [신탁재산]

> **법** 제9조(비과세) ③ 신탁(「신탁법」에 따른 신탁으로서 신탁등기가 병행되는 것만 해당한다)으로 인한 신탁재산의 취득으로서 다음 각 호의 어느 하나에 해당하는 경우에는 취득세를 부과하지 아니한다. 다만, 신탁재산의 취득 중 주택조합등과 조합원 간의 부동산 취득 및 주택조합등의 비조합원용 부동산 취득은 제외한다. 〈개정 2011.7.25.〉 농비
>
> 1. 위탁자로부터 수탁자에게 신탁재산을 이전하는 경우
> 2. 신탁의 종료로 인하여 수탁자로부터 위탁자에게 신탁재산을 이전하는 경우
> 3. 수탁자가 변경되어 신수탁자에게 신탁재산을 이전하는 경우

1. 신탁 개요

「신탁법」에 의한 신탁등기가 병행되는 것에 한정하여 비과세를 규정하고 있는데, 이는

실질적 소유권 취득이 아닌 명백하게 형식적인 취득의 경우에만 취득세를 비과세하겠다는 입법취지다(지방세운영과-3082, 2010.7.19.). 「지방세법」 제9조 제3항에서 규정한 비과세 대상인 신탁의 범위와 관련하여, 「신탁」이란 「신탁법」에 의하여 위탁자가 수탁자에 신탁등기를 하거나 신탁해지로 수탁자가 위탁자에게 이전되거나 수탁자가 변경되는 경우를 말한다. 따라서 명의신탁해지로 인한 취득 등은 「신탁법」에 의한 신탁이 아니므로 이에 해당되지 아니한다(예규 지법 9-3).

비과세 대상 신탁재산은 신탁시에 신탁등기가 병행된 신탁재산을 말하므로 처음에 금전을 신탁하였다가 나중에 그 돈으로 매수한 부동산은 비과세 대상으로서의 신탁재산에 해당되지 않는다(대법원 98두10950, 2000.5.30.). 예를들어 지역주택조합이 주택신축을 위해 조합원으로부터 금전을 신탁받아 제3자로부터 사업부지를 취득하는 경우 취득세가 비과세되지 않는다.

신탁법상의 신탁은 위탁자가 수탁자에게 특정의 재산권을 이전하거나 기타의 처분을 하여 수탁자로 하여금 신탁 목적을 위하여 그 재산권을 관리·처분하게 하는 것이므로(「신탁법」 제1조 제2항), 부동산의 신탁에 있어서 수탁자 앞으로 소유권이전등기를 마치게 되면 대내외적으로 소유권이 수탁자에게 완전히 이전되고, 위탁자와의 내부관계에 있어서 소유권이 위탁자에게 유보되어 있는 것은 아니다. 이와 같이 신탁의 효력으로서 신탁재산의 소유권이 수탁자에게 이전되는 결과 수탁자는 대내외적으로 신탁재산에 대한 관리권을 갖는 것이고, 다만, 수탁자는 신탁의 목적 범위 내에서 신탁계약에 정하여진 바에 따라 신탁재산을 관리하여야 하는 제한을 부담하게 된다(대법원 2000다70460, 2002.4.12. 등). 신탁재산의 이러한 법리가 취득세, 재산세 과세에 많은 변화를 가져왔다. 지방세법 개정으로 2014년부터 재산세 납세의무자는 위탁자에서 수탁자로 변경되었다. 제도변경뿐 아니라 관련 해석에서도 변화가 있었다. 지특법상 취득세 감면요건으로 취득후 일정기간 내 처분하면 추징이 된다. 그에 따라 신탁한 경우에도 추징이 된다는 쟁점이 있었다. 재산세 감면적용시에도 "직접사용"을 규정하고 있는데, 직접사용이란 소유자(취득자) 자신이 해당 사업에 사용하는 것이라야 하므로, 신탁을 하게 되면 추징사유가 되었다. 한편 2021년부터 신탁재산의 재산세 납세의무자 규정이 수탁자에서 다시 위탁자로 환원되었다.[23] 향후 관련 제도의 추가보완이나 해석의 변화를 지켜볼 필요가 있다.

- **체비지를 신탁하면서 신탁계약서 등을 첨부하여 체비지대장상의 명의를 변경하는 경우에 한정해 신탁등기를 병행하는 것으로 의제하여 취득세를 비과세**

도시개발사업의 시행자가 관리하는 체비지대장의 등재도 체비지에 관한 소유권 등 권리관계

23) 신탁재산의 재산세 납세의무자 개정취지는 재산세 납세의무자 규정을 참고하기 바란다.

를 알리는 공시방법에 해당하고, 체비지대장의 등재요건을 먼저 갖춘 체비지의 양수인은 다른 양수인에게 그 권리의 취득을 대항할 수 있는 점(대법원 93다57964, 1995.3.10.), 도시개발법 제42조에 의거 환지처분공고가 있으면 그 익일에 최종적으로 체비지를 점유하거나 체비지대장에 등재된 자가 그 소유권을 원시적으로 취득하는 점(대법원 2002두6361, 2003.11.28.)에 비추어 볼 때, 등기부등본이 존재하지 아니한 환지처분공고일 이전에 체비지대장의 역할은 등기부등본과 유사하다고 할 것인 바, 체비지를 신탁하면서 신탁계약서 등을 첨부하여 체비지대장상의 명의를 변경하는 경우에 한정해 신탁등기를 병행하는 것으로 의제하여 취득세를 비과세함이 타당(지방세운영과-3082, 2010.7.19.)

◎ 신탁법에 의한 신탁등기를 하지 아니한 경우에는 취득세 등의 비과세 적용 불가

청구인은 신탁해지로 인한 부동산 취득에 해당되므로 취득세 등의 비과세 대상에 해당된다고 주장하지만, 지방세법 제110조 제1호 및 제128조 제1호에서 신탁의 범위를 「신탁법」에 의한 신탁으로서 신탁등기가 병행되는 것에 한한다고 규정하고 있으므로, 청구인의 경우와 같이 신탁법에 의한 신탁등기를 하지 아니한 경우에 당해 규정을 적용하여 취득세 등의 비과세 대상으로 볼 수는 없음(조심 2008지0559, 2009.4.20.).

◎ 시행사가 취득한 모델하우스를 신탁자인 시공사로 명의 변경하는 경우 형식적인 소유권 취득이 아니므로 취득세 납세의무가 있음

대법원 판례에 의하면(대법원 88누919, 1988.4.25.) 취득이라 함은 부동산의 취득자가 실질적으로 완전한 내용의 소유권을 획득하였는가의 여부에는 관계없이 소유권 이전의 형식에 의한 부동산 취득의 모든 경우를 포함한다고 하고 있으므로, 시행사가 취득한 임시용건축물(모델하우스)을 신탁자인 시공사로 명의변경하는 경우라면 신탁법에 의한 신탁등기가 병행되지 않는 경우에는 형식적인 소유권의 취득에 대한 비과세에 해당되지 아니하며, 존속기간이 1년을 초과하는 임시용 건축물은 유・무상을 불문하고 그 승계취득 시점에서 취득세의 납세의무가 성립함(지방세운영과-366, 2008.7.24.).

◎ 집합투자기구의 위탁자인 집합투자업자를 변경하면서 투자신탁부동산에 대한 소유권의 이전등기 및 대금지급과 같은 사실상의 취득행위가 없다면 취득세 납세의무가 없음

대금의 지급과 같은 소유권 취득의 실질적 요건 또는 등기와 같은 소유권 이전의 형식도 갖추지 아니한 경우에는 취득세 납세의무가 성립되지 않는 점(대법원 2002두5115, 2003.10.23. 등), 「신탁법」상 그 소유권이 위탁자에게 유보되어 있지 않는 점, 「자본시장법」상 집합투자업자가 실질적인 소유권을 가지고 있다고 보기에 무리가 있는 점, 대법원의 간주취득세 관련 판례(대법원 2014두36266, 2014.9.4.)를 보면 위탁자의 재산으로 과세하는 것에 부정적이라는 점, 새로운 집합투자업자로의 지위를 승계하면서 부동산펀드의 재산인 신탁부동산을 사실상 취

득하지 않는 한 납세의무가 성립되지 않는 점(지방세운영과-2438, 2012.7.28.), 투자신탁부동산에 대한 대출은행을 변경한 경우를 과세대상으로 보기 어려운 점 등을 종합적으로 고려(지방세운영과-904, 2015.3.20.)

◎ 수탁자명의로 소유권보존등기를 한 경우 수탁자가 원시취득에 따른 납세의무자가 됨

신탁재산은 대내외적으로 소유권이 수탁자에게 완전히 귀속되고 위탁자와의 내부관계에 있어서도 그 소유권이 위탁자에게 유보되지 않는 것(대법원 2007다54276, 2008.3.13. 참조)이므로 위탁자가 토지를 신탁한 후 위탁자가 건축비를 전액 부담하여 해당 토지에 건물을 신축하고 수탁자 명의로 소유권보존등기를 하였다면 건물의 원시취득에 따른 취득세 납세의무자는 수탁자가 된다고 판단됨(지방세운영과-1794, 2012.6.11.).

2. 지목변경과 신탁

토지를 취득하여 소유하고 있는 상태에서 개발사업 등을 위해 신탁을 하고 지목변경공사를 진행하는 경우 지목변경 취득세에 대한 납세의무자는 수탁자로 판단하고 있다.

◎ 담보신탁으로 등기된 토지에 지목변경이 이루어진 경우 수탁자가 취득세 납세의무자

「신탁법」상 해당 토지의 관리 등의 사유로 수탁자가 지목변경을 통해 획득한 토지 가액의 증가라는 산물은 신탁재산에 속하는 점(제27조), 신탁재산의 소유권은 대내외적으로 수탁자에게 완전히 이전되었다고 볼 수 있는 점, 취득세 법리상 간주 취득세 납세의무는 사실상 지목변경 시점의 소유자인 수탁자에게 있다고 보는 것이 합리적인 점, 대법원 판례(대법원 2010두2395, 2012.6.14.)에서도 지목변경에 따른 취득세 납세의무를 수탁자가 부담하여야 한다고 판단한 점 등을 감안할 때, 사실상 지목변경이 완료된 시점에서 대내외적인 소유권을 가진 수탁자가 납세의무자(지방세운영과-1419, 2015.5.11.)

◎ 토지신탁 이후 지목변경에 따른 취득세 납세의무자는 수탁자임

청구법인이 이 건 토지를 취득한 이후 동 지상에 건축물이 준공됨에 따라 토지의 지목이 사실상 임야에서 대지로 변경되어 토지가액 증가로 지목변경에 따른 취득세 납세의무가 성립되었고, 「지방세법」에서 신탁으로 수탁자가 취득한 토지의 지목변경분에 대한 취득세를 비과세 대상으로 규정하고 있거나, 별도로 납세의무자를 달리 규정하고 있지 아니하므로 수탁받은 토지의 지목변경에 따른 취득세 납세의무는 토지소유자인 수탁자에게 있다 할 것임(조심 2010지0944, 2011.9.1.).

◎ 부동산 신탁계약에 의하여 신탁회사로 소유권을 이전한 후 해당 토지에 수탁자가 상가건축물을 신축한 경우 수탁자에게 지목변경에 따른 취득세 납세의무 있음

위탁자와 수탁자(신탁회사)가 부동산 신탁계약을 체결하고 토지소유권을 수탁자인 신탁회사로 이전한 후 수탁자가 상가를 건축함으로써 토지의 지목이 사실상 전·답에서 대지로 변경된 경우 신축건물 준공시점에 공부상 지목변경을 하지 않았다 하더라도 건축물의 준공에 따라 토지의 지목이 사실상으로 변경된 것이므로 지목변경에 따른 취득세 납세의무는 성립되는 것이고, 지목변경으로 인한 취득은 신탁등기가 병행되는 신탁재산의 취득이 아니므로 취득세는 비과세 대상에 해당되지 않아 수탁자에게 지목변경에 따른 취득세 납세의무가 있는 것임(지방세운영과-2124, 2008.11.11.).

3. 신탁수익권의 취득

신탁제도를 이용하여 취득세 부담을 낮추려는 시도들이 나타나고 있다. 예를들어 오피스텔이나 상가 분양사업자가 토지를 취득하지 않고, 매도자를 통해 바로 신탁을 하게 하고, 본인은 수익권을 취득하게 된다. 이 경우 수탁자가 사업 시행자가 되어 건축공사를 진행하고 준공 후 원시취득분에 대한 취득세만 부담하게 된다. 결국 정상적으로 토지를 취득하고 사업을 진행하는 방식에서 토지취득을 생략하므로 인해 취득세를 피해가게 된다. 취득세뿐 아니라 재산세·종합부동산세 세부담완화를 위해 신탁재산 제도를 악용하는 등 문제점이 제기되고 있다.

◎ 신탁수익권 매매계약을 통해 신탁수익권을 취득하였으므로 취득세 납세의무 없음

원고는 매도인들로 하여금 신탁회사와 관리형토지신탁계약을 체결하도록 하고, 그에 따른 신탁수익권을 취득하는 방식으로 이 사건 사업을 진행 … 매도인들 및 신탁회사 등과 각 신탁계약을 체결하였고, 같은 날 원고는 매도인들과 신탁수익권 매매계약을 체결하였으며, 같은 날 사업자금의 대주, ○○신탁 및 시공사 등과 이 사건 사업 및 대출약정을 체결하였고, 이후 대출받은 사업자금으로 매도인들에게 신탁수익권 양수대금을 지급 … 이 사건 신탁계약이 취득세 납세의무를 회피하기 위한 위법한 목적의 신탁 내지 가장의 법률행위에 해당하여 그 효력이 인정되지 않고 그 결과 원고가 매매계약에 따른 매수인으로서의 지위를 유지한 상태에서 잔금을 지급한 것이라는 등의 사정이 인정되지 않는 이상 토지를 취득한 것으로 볼 수는 없음(대법원 2018두62515, 2019.2.28.).

◎ 신탁재산에 대한 수익자로 지정받아 수익권증서를 양수받거나 위탁자로부터 수익권증서를 유상으로 매입하여 이를 양수한 것은 신탁부동산에서 발생되는 이익을 우선적으로 받을 수 있는 권리를 양수한 것일 뿐, 수익권증서에 표시된 신탁부동산 자체를 취득한 것으로 볼 수는 없음(조심 2012지0267, 2012.10.16.).

4. 주택조합의 신탁

☞ 주택조합의 신탁관련 법 제7조 제8항 관련 내용 참고

제9조(비과세) [④ 환매권 행사, ⑤ 임시용 건축물, ⑥ 개수, ⑦ 차량]

법 제9조(비과세) ④「징발재산정리에 관한 특별조치법」 또는 「국가보위에 관한 특별조치법 폐지법률」 부칙 제2항에 따른 동원대상지역 내의 토지의 수용・사용에 관한 환매권의 행사로 매수하는 부동산의 취득에 대하여는 취득세를 부과하지 아니한다. 농비

⑤ 임시흥행장, 공사현장사무소 등(제13조 제5항에 따른 과세대상은 제외한다) 임시건축물의 취득에 대하여는 취득세를 부과하지 아니한다. 다만, 존속기간이 1년을 초과하는 경우에는 취득세를 부과한다. 〈개정 2010.12.27.〉 농비

⑥「주택법」 제2조 제3호에 따른 공동주택의 개수(「건축법」 제2조 제1항 제9호에 따른 대수선은 제외한다)로 인한 취득 중 대통령령으로 정하는 가액 이하의 주택과 관련된 개수로 인한 취득에 대해서는 취득세를 부과하지 아니한다. 〈신설 2010.12.27., 2013.1.1., 2014.1.1.〉

⑦ 상속개시 이전에 천재지변・화재・교통사고・폐차・차령초과(車齡超過) 등으로 사용할 수 없는 대통령령으로 정하는 차량에 대해서는 상속에 따른 취득세를 부과하지 아니한다. 〈신설 2016.12.27.〉

영 제12조의 2(공동주택 개수에 대한 취득세의 면제 범위) 법 제9조 제6항에서 "대통령령으로 정하는 가액 이하의 주택"이란 개수로 인한 취득 당시 법 제4조에 따른 주택의 시가표준액이 9억원 이하인 주택을 말한다. 〈개정 2013.1.1.〉 [본조신설 2010.12.30.]

제12조의 3(취득세 비과세 대상 차량의 범위) ① 법 제9조 제7항에서 "대통령령으로 정하는 차량"이란 제121조 제2항 제4호・제5호 또는 제8호에 해당하는 자동차를 말한다.

② 법 제9조 제7항에 따라 비과세를 받으려는 자는 그 사유를 증명할 수 있는 서류를 갖추어 시장・군수・구청장에게 신청하여야 한다. 〈신설 2016.12.27.〉

규칙 제4조의 2(비과세 신청) 영 제12조의 3 제2항에 따른 비과세 신청은 별지 제1호의 2 서식의 자동차 상속 취득세 비과세 신청서에 따른다.

1. 환매권 행사(제9조 ④)

동원대상지역 내의 토지의 수용・사용에 관한 환매권의 행사로 매수하는 부동산에 대하여는 취득세가 비과세된다. 국가가 매수 또는 수용한 토지의 매수대금으로 지급한 증권의 상환이 종료되기 전 또는 그 상환이 종료된 날로부터 5년 이내에 당해 재산의 전부 또는 일부가 군사상 필요 없게 된 경우에는 환매권자(피징발자 또는 그 상속인)에게 우선 매수할 수 있도록 하고, 이 경우 그 부동산의 취득에 대하여는 취득세를 부과하지 아니한다.

◎ 환매권 행사기간이 경과된 후에 취득하는 경우 비과세가 배제

환매권자의 범위에 대하여 징발재산정리에 관한 특별조치법 제20조 제1항에 규정한 피징발자 또는 그 상속인이 포함되나, 환매권 행사기간이 경과된 후에 징발재산정리에 특별조치법 제20조의 2 제1항에 의거 국가가 매각한 부동산을 피징발자 또는 그 상속인이 취득할 경우에는 취득세・등록세가 비과세되지 아니함(도세과-231, 1993.3.30.).

◎ 징발재산의 환매권자가 매수된 토지의 환매등기시 등록세 과세표준은 국가 등과 체결한 매매계약서상의 사실상 취득가격(환매대금 총액)이 됨(도세과-3186, 1990.9.17.).

◎ 상속인이 수의계약에 의해 국가가 매수한 징발재산을 다시 매수하는 경우 "환매권의 행사"에 해당하지 않아 비과세 대상이 아님

구 징발재산정리에관한특별조치법 제20조의 2에서 피징발자 또는 그 상속인이 수의계약에 의하여 국가가 매수한 징발재산을 다시 매수할 수 있게 하도록 규정하고 있는 것은 같은 법 제20조에서 피징발자 등에게 환매권을 보장하고 있는 것과는 달리 환매기간이 경과한 징발재산에 대하여는 국가가 국유재산법의 규정에 불구하고 피징발자 등에게 수의계약으로 매각할 수 있다는 취지이지 피징발자 등에게 우선매수권(환매권)을 인정하는 취지는 아니므로, 피징발자 등의 지위는 환매권과는 권리발생의 근거, 권한행사의 주체, 매수대금의 결정기준 등에서 명백히 구별되는 것으로서 취득세・등록세의 비과세대상의 요건인 "환매권의 행사"에 해당되지 아니함(대법원 95다56408, 1996.9.6.).

2. 임시용 건축물(제9조 ⑤)

임시흥행장 등 존속기간이 1년 미만 임시건축물은 취득세 비과세 대상이다. 여기서 '존속기간 1년 초과'의 기산점은 건축법의 규정에 따라 시장・군수에게 신고한 가설건축물축조신고서상 존속기간의 시기(그 이전에 사실상 사용한 경우에는 그 사실상 사용일)가 되고, 신고가 없는 경우에는 사실상 사용일이 된다(예규 지법 9-1).

◎ 가설건축물 승계취득시 취득세 과세여부(존속기간 1년 초과 여부)는 소유자 변경 여부(인적기준)와 관계없이 그 가설건축물의 존치기간(물적기준)을 기준으로 판단

해당 가설건축물을 승계취득하여 철거없이 사용한 경우, 종전 건축주의 취득시(축조신고서상 존치기간의 시기(始期)와 사실상 사용일 중 빠른 날)부터 철거 등으로 사실상 사용이 불가능하게 되는 날까지의 기간이 1년을 초과하는 경우라면, 승계취득일을 취득일로 보아 취득세를 신고납부하여야 할 것임(지방세운영과-3159, 2018.12.15.).

◎ **가설건축물 축조신고서에 기재된 존치기간만을 기준으로 판단할 수 없음**

해당 가설건축물의 존치기간을 예상하여 그 축조신고서에 기재해 둔 존치기간이라고 해석하는 것은 허용될 수 없음. … 실제로 축조된 후 철거될 때까지의 사실상 존속기간이 1년을 초과하지 않는 임시건축물에 한하여 고려할 수 있는 특성임. 반면 건축법상 가설건축물 축조신고서에 기재된 존치기간은 해당 가설건축물을 축조하려는 자가 착공 전에 그 존치기간을 예상하여 기재해 둔 것에 불과하여 해당 가설건축물의 축조 후 철거시까지 사실상 존속기간과 다를 가능성이 얼마든지 있으므로, 위 가설건축물 축조신고서에 기재된 존치기간을 기준으로 해당 건축물이 위와 같은 특성을 갖는지 여부를 판단할 수는 없음(대법원 2016두34875, 2016.6.9.).

◎ **가설건축물 신고필증상 존치기간이 아닌 사실상 준공한 날을 기준으로 취득시기를 판단**

건축법 등 관계규정에 따라 가설건축물(견본주택) 축조신고를 하면서 그 존치기간을 2년(2008.9.~2010.9.)으로 정하여 신고한 후, 동 가설건축물 축조를 완료(2008.12.)한 시점에 당해 건축물을 사실상 사용하기 시작한 경우라면 건축허가를 받지 아니하고 건축하는 건축물로서 그 사실상 사용일을 존치기간(1년 초과 여부)의 기산일로 하여 취득세 과세대상 및 취득의 시기를 판단하는 것이 타당(지방세운영과-157, 2009.1.13.)

◎ 존속기간이 1년을 초과하는 가설건축물을 승계취득하는 경우, 「지방세법」 제107조의 규정에 따라 취득세 과세대상에 해당하므로 처분청이 쟁점 가설건축물을 취득한 청구인에게 취득세 등을 부과한 처분은 달리 잘못이 없는 것으로 판단됨(조심 2010지0796, 2011.7.19.).

3. 공동주택의 개수(제9조 ⑥)

2012년까지는 공동주택 개수에 따른 취득세 비과세 대상을 국민주택규모(연면적 85㎡ 이하)의 주택으로서 개수 당시 시가표준액이 9억원 이하의 공동주택으로 규정하고 있었으나, 가격 대비 면적이 넓은 지방의 경우 수도권 납세자에 비해 상대적으로 불이익을 받을 뿐만 아니라 통상적으로 주택의 가치는 면적보다는 가액으로 판단하는 것이 사회적 관행이라는 점을 감안하여, 개수에 따른 취득세 비과세 요건에서 면적부분(85㎡ 이하)은 삭제하고, 개수 당시 시가표준액이 9억원 이하이면 취득세를 비과세하도록 개정하였다(2013.1.1. 시행).

4. 상속취득 차량(화재 등) 비과세(제9조 ⑦)

2017.1.1. 지방세법 개정으로 소멸・멸실된 자동차를 상속으로 취득하는 경우 취득세 비과세로 전환하였다(법 제9조 ⑦ 신설, 영 제12조의 3). 종전에는 교통사고 등으로 자동차가 멸실되었음에도 상속개시 당시 차량등록이 남아 있으면 상속에 따른 취득세를 부과하고 있었

다. 차량은 이동성이 있기 때문에 피상속인 명의로 등록만 되어 있고 차량은 소유하지 않아 상속으로 인한 취득대상 없다고 주장할 수 있는데, 과세관청은 이러한 여지를 차단하기 위해 등록 여부를 기준으로 과세대상으로 본 것이다. 이는 실질과세 원칙에 부합하지 않는 측면이 있었다(자동차세의 경우 사실상 소멸·멸실된 차량에 대하여 비과세). 이에 대해 천재지변, 화재 등 일정요건에 한해서 입증 서류를 통해 비과세를 인정하게 되었다. 즉 상속개시 이전에 천재지변·화재·교통사고·폐차·차령초과 등으로 소멸·멸실 또는 파손되어 회수·사용할 수 없는 자동차에 대하여는 상속에 따른 취득세를 비과세토록 하였는데 시행령에서 소멸·멸실된 자동차세 비과세 차량 판단 기준을 준용하여 상속 취득세 비과세 대상차량의 범위를 신설하였다.

〈자동차세 비과세 대상(영 제121조 ② 4·5·8호)〉 천재지변·화재·교통사고 등으로 소멸·멸실 또는 파손된 자동차, 「자동차관리법」에 따른 자동차해체재활용업자에게 폐차증명되는 자동차, 「자동차등록령」에 따른 차령초과로 멸실된 자동차

제2절 과세표준과 세율

제10조(과세표준) 제1항~제4항 [일반]

법 제10조(과세표준) ① 취득세의 과세표준은 취득 당시의 가액으로 한다. 다만, 연부(年賦)로 취득하는 경우에는 연부금액(매회 사실상 지급되는 금액을 말하며, 취득금액에 포함되는 계약보증금을 포함한다. 이하 이 절에서 같다)으로 한다. 〈개정 2010.12.27.〉

② 제1항에 따른 취득 당시의 가액은 취득자가 신고한 가액으로 한다. 다만, 신고 또는 신고가액의 표시가 없거나 그 신고가액이 제4조에서 정하는 시가표준액보다 적을 때에는 그 시가표준액으로 한다.

③ 건축물을 건축(신축과 재축은 제외한다)하거나 개수한 경우와 대통령령으로 정하는 선박, 차량 및 기계장비의 종류를 변경하거나 토지의 지목을 사실상 변경한 경우에는 그로 인하여 증가한 가액을 각각 과세표준으로 한다. 이 경우 제2항의 신고 또는 신고가액의 표시가 없거나 신고가액이 대통령령으로 정하는 시가표준액보다 적을 때에는 그 시가표준액으로 한다.

④ 제7조 제5항 본문에 따라 과점주주가 취득한 것으로 보는 해당 법인의 부동산등에 대한 과세표준은 그 부동산등의 총가액을 그 법인의 주식 또는 출자의 총수로 나눈 가액에 과점주주가 취득한 주식 또는 출자의 수를 곱한 금액으로 한다. 이 경우 과점주주는 조례로 정하는 바에 따라 과세표준 및 그 밖에 필요한 사항을 신고하여야 하되, 신고 또는 신고가액의 표시가 없거나 신고가액이 과세표준보다 적을 때에는 지방자치단체의 장이 해당 법인의 결산서 및 그 밖의 장부 등에 따른 취득세 과세대상 자산총액을 기초로 전단의 계산방법으로 산출한 금액을 과세표준으로 한다.

⑤ 다음 각 호의 취득(증여·기부, 그 밖의 무상취득 및 「소득세법」 제101조 제1항 또는 「법인세법」 제52조 제1항에 따른 거래로 인한 취득은 제외한다)에 대하여는 제2항 단서 및 제3항 후단에도 불구하고 사실상의 취득가격 또는 연부금액을 과세표준으로 한다. 〈개정 2015.7.24.〉

1. 국가, 지방자치단체 또는 지방자치단체조합으로부터의 취득
2. 외국으로부터의 수입에 의한 취득

3. 판결문·법인장부 중 대통령령으로 정하는 것에 따라 취득가격이 증명되는 취득
4. 공매방법에 의한 취득
5. 「부동산 거래신고에 관한 법률」 제3조에 따른 신고서를 제출하여 같은 법 제6조에 따라 검증이 이루어진 취득

⑥ 법인이 아닌 자가 건축물을 건축하거나 대수선하여 취득하는 경우로서 취득가격 중 100분의 90을 넘는 가격이 법인장부에 따라 입증되는 경우에는 제2항 단서, 제3항 및 제5항에도 불구하고 대통령령으로 정하는 바에 따라 계산한 취득가격을 과세표준으로 한다.

⑦ 제5항 제5호에 따른 취득의 경우에는 그 사실상의 취득가격이 제103조의 59에 따라 세무서장이나 지방국세청장으로부터 통보받은 자료 또는 「부동산 거래신고 등에 관한 법률」 제6조에 따른 조사 결과에 따라 확인된 금액보다 적은 경우에는 제5항에도 불구하고 그 확인된 금액을 과세표준으로 한다.

⑧ 제1항부터 제7항까지의 규정에 따른 취득세의 과세표준이 되는 가액, 가격 또는 연부금액의 범위 및 그 적용과 취득시기에 관하여는 대통령령으로 정한다.

☞ 과세표준 및 취득시기 관련 뒤편에서 구체적으로 소개

영 제13조(취득 당시의 현황에 따른 부과)[24] 부동산, 차량, 기계장비 또는 항공기는 이 영에서 특별한 규정이 있는 경우를 제외하고는 해당 물건을 취득하였을 때의 사실상의 현황에 따라 부과한다. 다만, 취득하였을 때의 사실상 현황이 분명하지 아니한 경우에는 공부(公簿)상의 등재 현황에 따라 부과한다.

제14조(주택거래신고지역의 과세표준) 「주택법」 제80조의 2 제1항에 따라 주택거래신고지역에서 주택거래가액을 신고한 경우에는 그 신고가액을 법 제10조 제2항 본문에 따른 취득자가 신고한 가액으로 본다.

제15조(선박·차량 등의 종류 변경) 법 제10조 제3항 전단에 따른 선박·차량 및 기계장비의 종류 변경은 선박의 선질(船質)·용도·기관·정원 또는 최대적재량의 변경이나 차량 및 기계장비의 원동기·승차정원·최대적재량 또는 차체의 변경으로 한다.

제16조(증축 등의 과세표준) 법 제10조 제3항 후단에서 "대통령령으로 정하는 시가표준액"이란 다음 각 호의 구분에 따른 가액을 말한다.

1. 취득세 납세의무자나 그 취득물건에 관하여 그와 거래관계가 있었던 자가 관련 장부나 그 밖의 증명서류를 갖추고 있는 경우에는 이에 따라 계산한 가액
2. 제1호에 따른 관련 장부나 증명서류를 갖추고 있지 아니하거나 그 내용 중 취득경비 등의 금액이 해당 취득물건과 유사한 물건을 취득하는 경우에 일반적으로 드는 것으로 인정되는 자재비, 인건비, 그 밖에 취득에 필요한 경비 등을 기준으로 시장·군수·구청장이 산정한 가액보다 부족한 경우에는 시장·군수·구청장이 산정한 가액
3. 제1호 및 제2호에도 불구하고 토지의 지목변경의 경우에는 제17조에 따른 가액

제17조(토지의 지목변경에 대한 과세표준) 법 제10조 제3항 전단에 따른 과세표준 중 토지의 지목변경에 대한 과세표준은 토지의 지목이 사실상 변경된 때를 기준으로 제1호의 가액에서 제2호의 가액을 뺀 가액으로 한다. 다만, 제18조 제3항에 따른 판결문 또는 법인장부로 토지의 지목변경에 든 비용이 입증되는 경우에는 그 비용으로 한다.

1. 지목변경 이후의 토지에 대한 시가표준액(해당 토지에 대한 개별공시지가의 공시기준일이 지

목변경으로 인한 취득일 전인 경우에는 인근 유사토지의 가액을 기준으로 「부동산 가격공시에 관한 법률」에 따라 국토교통부장관이 제공한 토지가격비준표를 사용하여 시장·군수·구청장이 산정한 가액을 말한다)

2. 지목변경 전의 시가표준액(지목변경 공사착공일 현재 공시된 법 제4조 제1항에 따른 시가표준액을 말한다)

1. 시가표준액과 취득세 과세표준

취득세의 과세표준은 취득당시 취득자가 신고한 가액으로 한다. 다만, 신고를 하지 않거나 신고한 가액의 표시가 없거나 신고한 가액이 지방세법에서 정하고 있는 시가표준액에 미달할 경우에는 그 시가표준액을 과세표준으로 한다.

취득세를 신고하지 않았거나, 무상으로 취득하는 경우, 유상으로 취득하더라도 사실상 취득가액 적용대상이 아닌 영역에서는 시가표준액이 중요한 의미를 가진다. 시가표준액은 지방세법 제4조에 따른 가액을 의미하는데, 취득세 과세표준으로서 시가표준액을 적용하는 이유를 헌법재판소 결정을 중심으로 다음과 같이 이해할 수 있다(헌재 2017헌바474, 2020.8.28.).

취득세는 재산의 이전이라는 사실 자체를 포착하여 거기에 담세력을 인정하고 세금을 부과하는 유통세이자 취득행위를 과세객체로 하여 세금을 부과하는 행위세이다. 즉, 취득세는 취득자가 물건을 사용하거나 수익, 처분함으로써 얻을 수 있는 이익을 포착하여 부과하는 조세가 아니라 취득행위가 이루어진 경우 취득당시의 과세물건의 가치를 과세표준으로 하여 세금을 부과하는 조세이다. 따라서 그 과세표준은 취득을 위하여 실제로 지출한 금액이 아니라 취득재산의 객관적인 가치를 기준으로 설정되어야 한다.

취득자가 취득재산의 가치를 반영하는 실제 취득가액을 그대로 신고하는 때에는 그 신고가액을 객관적인 재산의 가치로 삼을 수 있으나, 만일 취득자가 허위로 낮은 가액을 신고하거나 객관적인 가치에 비하여 현저히 낮은 가액으로 재산을 취득하여 그대로 신고한 경우, 또는 교환, 상속, 증여 등과 같이 실제 취득가액이 나타나지 않는 취득의 경우에는 과세물건의 객관적인 재산가치를 파악하여야 한다. 그러나 그때 그때마다 객관적인 재산의 가치나 실제거래가격을 조사한다는 것은 조세행정상 심히 곤란할 뿐만 아니라 담당공무원의 능력이나 자세에 따라 납세의무자의 세부담이 달라지게 되며, 실제거래가격을 조작한 자들만 이득을 보게 될 여지도 있어 오히려 실질적으로는 조세부담의 공평을 해칠 수도 있다. 이에 따라 지방세법은 시가표준액제를 도입하여 일정한 요건 하에서 시가표준액을 과세표준으

24) 과세대상에 따라 세율 적용에 차이가 있으므로 지방세법 제11조 취득의 세율과 연계해서 이해할 것

로 보고 있다.

따라서 시가표준액이 재산의 객관적 가치, 즉 시가를 적절히 반영하는 한, 신고가액이 시가표준액에 미달하는 때에는 시가표준액을 과세표준으로 보도록 하는 것은 세법의 집행과정에 개재될 수 있는 부정을 배제하고 실질적인 조세부담의 공평과 조세정의를 실현하는 규정으로서, 조세평등주의나 실질적 조세법률주의에 위반되지 아니한다고 보고 있다.

| 참고 _ 취득세 과세표준 |

원 칙	• 취득자가 신고한 취득당시의 가액. 연부취득의 경우는 연부금액 • 신고를 하지 않거나 신고가액의 표시가 없는 경우 또는 그 신고가격이 시가표준액에 미달하는 경우에는 시가표준액

| 참고 _ 간주취득세 과세표준 |

• 건축물을 건축(신축 · 재축은 제외) 또는 개수 • 선박 · 차량 및 기계장비의 종류변경 • 토지의 지목의 사실상 변경	• 건축 · 개수 · 종류변경 · 지목변경으로 인하여 증가한 가액
• 과점주주	• 과세대상자산의 총가액 × 과점주주가 취득한 주식 · 출자의 수/그 법인의 주식 · 출자의 총수

2. 유상취득

무상취득이 아닌 경우 취득가액은 취득자를 기준으로 과세대상을 취득하기 위해 소요된 비용이라 할 수 있다. 비용은 유상취득에 대해 발생하는데 취득세에서는 유상의 승계취득과 유상의 원시취득의 경우가 있다. 사실상취득가액을 과세표준으로 정하고 있는 취득에 대하여 「지방세법 시행령」 제18조에서는 취득가격은 취득시기를 기준으로 그 이전에 해당 물건을 취득하기 위하여 거래 상대방 또는 제3자에게 지급하였거나 지급하여야 할 직접비용과 간접비용의 합계액으로 하도록 규정하고 있다.

취득세 과세표준은 과세대상 물건의 취득자가 그 취득을 위하여 객관적으로 자신의 부담으로 귀속되는 직접비용과 간접비용의 모든 소요의 금액이다(대법원 82누94). 즉 취득자 기준으로 과세표준을 적용하는 것이므로 납세자에 따라서는 동일한 과세대상임에도 더 많은 비용을 지출한 경우 그 소요된 비용이 취득가액이 된다. 그리고 취득가격에 포함되려면 과세대상 물건의 취득시기 이전에 거래 상대방 또는 제3자에게 지급원인이 발생 또는 확정된 것이어야 한다(대법원 93누17010). 즉 취득과 관련된 비용이라도 취득 이후에 발생한 비용 등은 과세표준의 범위에서 제외된다. 아울러 취득세 과세표준에 포함되는 직·간접비용은 과세대상 물건의 취득과 관련이 있는 지출이어야 하며, 과세대상 물건의 취득과 관련이 없는 비용은 취득세 과세표준에 포함되지 않는다(대법원 2009두12150). 즉 당해 물건 자체의 가격이라고 볼 수 없는 경우에는 취득가격에 포함되지 않는다.

3. 무상취득

가격은 거래과정에서 형성되기 때문에 대가 관계가 아닌 무상으로 이전하는 경우에는 가격이 있을 수 없고 따라서 이 경우 시가표준액이 과세표준이 된다. 일반적으로 무상취득의 경우 공무원의 안내에 따라 신고서를 작성하는 경우 신고서에 취득가액을 기재하지 않거나 공무원이 불러주는 시가표준액을 기재한다. 그런데 납세자가 시가표준액보다 높은 가액(예를 들어 시가)으로 신고한 경우 이를 정당한 과세표준으로 볼 수 있는지에 대해 쟁점이 있을 수 있다. 납세자가 사후에 과세표준을 착오로 잘못 신고했다는 이유로 시가표준액으로 경정청구를 요청하는 경우 수용해야 할 것이다. 한편 납세자 입장에서는 향후 양도소득세 부담을 줄일 목적으로 증여로 취득했음에도 시가표준액이 아닌 시세에 맞춰 신고한 경우가 있을 수 있다. 이를 과세표준으로 인정할 것인지에 대한 유권해석(행안부 지방세운영과-2410, 2018.10.12.)을 보면 무상의 취득이라도 제10조 제1항에서 납세자가 신고한 가액이 과세표준이라고 규정하고 있고, 신고당시 납세자의 적극적인 의사가 반영되었다면, 이러한 경우까지 사후에 과세표준의 정정 요청에 대해 수용하기 곤란하다는 취지로 이해할 수 있다.

무상취득의 경우 시가표준액을 과세표준으로 적용하는 것이 원칙이므로 거래의 내용이 무상취득인지 여부에 대한 판단이 중요하다. 법인의 합병이나 인적분할의 경우 무상취득으로 보고(물적 분할이나 현물출자는 유상으로 봄), 이혼(협의이혼 또는 재판상 이혼)에 따른 취득, 시효취득, 판결에 의한 취득(판결 내용상 무상취득인 경우) 등에 대하여 적용할 수 있을 것이다.

법 제10조 제5항의 사실상의 취득가격을 과세표준으로 하는 경우에 있어, 「소득세법」 제101조 제1항 또는 「법인세법」 제52조 제1항에 따른 거래(특수관계인간의 거래)로 인한 취득은 그 적용을 배제한다. 특수관계인간의 거래인 경우 법인장부상 나타나는 취득가격이 현저하게 낮은 경우 이를 부인하고, 시가표준액을 기준으로 과세하여야 한다.

◎ 무상취득 후 시가표준액보다 높은 감정평가액을 신고가액으로 취득세를 신고하는 경우

취득세는 납세의무자가 스스로 세액을 계산하여 신고하는 때에 그 세액이 확정되므로, 납세의무자가 적극적으로 감정평가를 통해 시가표준액보다 높은 가액을 취득당시의 가액으로 입

증하고 있고, 납세자가 이 감정평가액을 과세관청에 신고한 경우 그 신고한 가액은 취득세의 과세표준으로 확정될 것이므로, 납세의무자가 과세관청에 시가표준액보다 높은 감정평가액을 취득세 과세표준 신고서에 기재하여 취득신고를 한 경우 이를 취득세 과세표준으로 봄이 타당하다 할 것임(지방세운영과-2410, 2018.10.12.).

◎ **무상취득시 감정평가금액으로 취득 신고시 신고서 반려 여부**

취득세는 납세의무자의 신고에 의하여 과세표준과 세액이 확정되므로 신고행위 자체를 거부할 수 없으므로 취득가액을 감정평가액으로 신고하는 경우라도 신고서를 반려할 수 없음(신고납세절차의 편의를 위하여 원래 납세자가 작성하여야 할 취득세의 취득신고 및 납부세액계산서나 납부서에 조세공무원이 납세자의 동의를 전제로 세액 등을 대신 기재할 수 있도록 한 것에 불과함(대법원 98두16163)(지방세운영과-2641, 2016.10.17.).

◎ **부동산을 특수관계에 있는 자와의 거래로 인하여 조세의 부담을 부당하게 감소시킨 경우로 보아 법인장부상 나타나는 취득가액을 부인한 것은 잘못**

부동산의 거래가 특수관계자간의 거래에 해당한다 하더라도 청구법인이 이 건 부동산 감정평가법인이 평가한 가액과 동일한 금액으로 이를 취득한 이상 시가와 거래가액의 차액이 3억원 이상이거나 시가의 100분의 5에 상당하는 금액이상인 경우에도 해당한다고 보기 어려우므로, 이 건 부동산을 특수관계에 있는 자와의 거래로 인하여 조세의 부담을 부당하게 감소시킨 경우로 보아 법인장부상 취득가액을 부인하고 시가표준액을 과세표준으로 하여 취득세 등을 부과고지한 것은 잘못임(조심 2012지0162, 2012.7.5.).

◎ **현물출자로 취득한 토지의 감정평가액이 객관적이지 않아 시가표준액을 적용한 사례**

감정평가액을 법인장부에 등재하여 회계처리하였다거나 현물출자에 의한 취득이라 하더라도 인근 비교표준지를 선정하지 아니함으로써 인근 비교표준지의 개별공시지가와 현저하게 다른 가액으로 평가된 이상, 그 가액 자체가 실제 취득가액에 부합되는 사실상 취득가격이라든가 객관적 가치를 반영한 가액으로 볼 수는 없는 것이므로 이를 지적하여 시가표준액을 기준으로 취득세 등을 추징하는 것은 합리성이 충분히 인정됨(조심 2010지0785, 2012.7.20.).

◎ **무변론 판결상의 가액을 사실상의 취득가액으로 보아 취득세 과표로 사용할 수 없음**

이 사건 무변론 판결은 지방세법 시행령상 배제사유로 들고 있는 '의제자백에 의한 판결문'에 해당하여 근거가 될 수 없고, 대법원 판결은 ○○○가 한국토지공사에 합계 4.5억원의 매매대금을 지급한 내역에 관해서만 설시하고 있을 뿐 원고가 ○○○에게 이 사건 토지 지분의 취득 대가로 얼마를 지급하였는지에 관해서는 일체 기술하고 있지 않으며, 이체출금확인서상 토지 매매대금 중 16억원이 원고 명의 계좌에서 한국토지공사 계좌로 이체된 사실만 확인될 뿐, 위 자료가 이 사건 토지 지분 취득에 관하여 원고와 ○○○ 사이에 오간 금원의 내역을 기재한 법인장부로 보기는 어려우므로, '판결문 · 법인장부에 의해 취득가격이 입증되는 취득'에 해당하지 아니함(대법원 2014두41060, 2014.11.18.).

☞ 무변론판결이란 피고가 답변서 제출기간 이내에 답변서를 제출하지 아니하거나 답변서를 제출하였더라도 원고의 주장사실을 모두 자백하는 취지이고 따로 항변을 하지 아니한 때, 법원은 원고가 소장에서 주장한 사실을 피고가 자백한 것으로 보아 변론 없이 곧바로 선고 기일을 지정하여 판결을 선고하는 것을 말한다.

◎ **미등기전매에 대해 10년의 제척기간을 적용하고, 시가표준액을 과세표준으로 함이 타당**

미등기전매는 조세의 부과징수를 불능 또는 현저히 곤란하게 하는 위계 기타 부정한 적극적인 행위에 해당하게 하는 적극적인 소득의 은닉행위에 해당하므로 부과제척기간 10년을 적용하는 것이 타당함. 다만, 사실상의 취득가격 적용대상이 아니므로 시가표준액을 과세표준으로 하여 취득세 등을 경정하는 것이 타당(조심 2011지0781, 2012.6.27.)

◎ **청구인이 대표이사로 재직 중인 법인으로부터 취득한 이 건 부동산에 대하여 신고가액이 아닌 시가표준액을 과세표준으로 하여 취득세를 부과한 처분의 당부(적법)**

청구인은 청구인이 대표이사로 있는 법인으로부터 이 건 부동산을 취득한 사실이 확인되므로 법인장부상 확인되는 가액을 부인하고 시가표준액을 과세표준으로 하여 취득세를 부과한 것은 적법함(조심 2011지0911, 2012.6.29.).

2. 건축물 건축 관련 과세표준

건축물의 원시취득에 따른 과세표준은 개인과 법인으로 구분하여 적용한다. 법인의 원시취득은 제10조 제5항 제3호가 적용되어 시행령 제18조 제1항 및 제2항의 간접비용이 포함되는지 여부를 고려해야 한다. 개인이 건축주인 경우에는 일반적으로 시가표준액이 적용되지만 법 제6항에 따라 취득가격 중 100분의 90을 넘는 가격이 법인장부에 따라 입증되는 경우에는 일정 요건에 따라 계산한 취득가격을 과세표준으로 한다(제10조 제6항 참조).

1) 건축물에 부합되거나 부수되는 경우 과세표준

시설의 수선, 시설물의 설치나 수선을 '개수'로 규정하고 있는데 건축물의 신축 과정에 이러한 시설의 수선, 시설물의 설치나 수선은 건축물에 부합되거나 부수되는 것이므로 건축물 원시취득(신축, 증축)에 포함되기 때문에 개수 여부를 논할 실익은 없다.

쟁점은 지방세법상 개수에 해당하는 시설물 이외의 부대시설을 설치하는 경우 이를 과세표준에 포함하는지에 대한 문제이다. 이는 과세표준에 관한 문제라기보다 취득세 과세대상인 신축건축물의 범위를 어디까지 볼 것인지 즉 과세대상 물건의 범위를 어디까지 볼 것인지와 직결된다. 그런데 실무나 사례에서는 과세표준에 관한 문제로 인식하기도 한다.

◎ 건축주가 부담하는 자동 크린넷(쓰레기 자동 집하시설) 설치비용은 과세표준에 포함

해당 자동 크린넷 시설은 사용 · 관리 등이 건축물과 경제적 일체를 이루어 건축물의 효용가치를 높이는 시설로 신축과 관련성이 있다고 할 것인 점, … 해당 건축물을 신축하기 위해서는 자동크린넷 시설을 설치하여야 하는 점, 해당 자동 크린넷 시설은 토지경계 내에 쓰레기 투입구 및 소관로를 설치한 것이므로 인입배관에 해당하지 않는 점 등을 종합해 볼 때, 건축물 신축시 건축주가 부담하는 자동 크린넷 설치비용은 신축 건축물 취득세 과세표준에 포함하여야 할 것임(지방세운영과-321, 2018.2.9.).

◎ 전기차 충전기를 설치한 경우 해당 충전기 설치비용은 신축 건축물 과세표준에 포함

건축물을 신축하면서 그에 부합되거나 부수되는 시설물을 함께 설치하는 경우라면 그 설치비용 역시 당해 건축물에 대한 취득세의 과세표준이 되는 취득가격에 포함되므로(대법원 2012두1600) 해당 전기차 충전시설이 건축물을 신축하면서 건축물에 부착 또는 전기 배관 등 건축물과 유기적으로 연결되어 설치된 경우라면, 해당 건축물의 신축과 관련된 비용으로 보아 취득세 과세표준에 포함하는 것이 타당(지방세운영과-74, 2018.1.10.)

◎ 신축 건축물에 설치한 냉동 · 냉장 설비의 가액은 건축물 취득세 과세표준에 포함

건축물을 신축하면서 그에 부합되거나 부수되는 시설물을 함께 설치하는 경우라면 그 설치비용 역시 당해 건축물에 대한 취득세의 과세표준이 되는 취득가격에 포함되는 점(대법원 2012두1600), 해당 설비는 건물의 높이 및 폭에 맞추어 제작 · 설치된 것으로, 이를 건물에서 떼어낼 경우 그 가치가 확연히 감소하고 다른 장소에 설치하여 재사용하기 어려워 보이는 점(대법원 2016두35434), 건물의 냉방을 위한 시설과 별도로 설치되더라도, 건물내부의 배관을 통해 그 기능을 수행하는 시설물이라는 점에서 건물과 별개의 시설물로서 독립된 기능을 수행한다고 보기 어려운 점(조세심판원 2013지668) … 건축물에 부착 · 설치 된 냉동 · 냉장 설비의 가액은 과표에 포함(지방세운영과-482, 2017.4.27.)

◎ 봉안당 신축시 설치된 납골안치시설의 취득비용은 건물의 취득세 과세표준에 포함됨

당초부터 유골함을 안치하는 봉안당을 운영할 목적으로 이 사건 건물을 신축한 점, 납골시설은 이 사건 건물을 봉안당으로 사용하기 위하여 필수적으로 설치하여야 하는 시설로서 납골시설 없이는 건물을 봉안당으로 사용하는 것이 불가능한 점, 납골시설은 건물의 높이 및 폭에 맞추어 제작 · 설치된 것으로, 이를 건물에서 떼어낼 경우 그 가치가 확연히 감소하고 다른 장소에 설치하여 재사용하기 어려워 보일 뿐만 아니라, 건물의 용도 및 구조나 외관 등을 고려할 때 건물의 효용가치 또한 감소될 것으로 보이는 점, 납골시설 등 설치비용은 건물 자체 취득비용의 약 70%에 달하는 점 등을 종합하면, 이 사건 납골시설은 이 사건 건물에 부속되어 건물자체의 효용을 증가시키는데 필수적인 시설로서, 그 공사비를 과표에 포함시

킨 것은 적법(대법원 2016두35434, 2016.6.28.)

◎ 승강기 시설을 갖춘 건축물의 신축에 따른 시가표준액 산정시 승강기는 제외하여야 함

「지방세법 시행령」 제6조에 따른 시설물의 경우 제5조 시설과 달리 독립된 취득세 과세대상에 해당하지 않는 점, 문언적 의미상 개수란 기존 건축물에 특정시설물을 설치하거나 수선하여 그 효용가치를 높이는 것을 의미하는 점, 건축물을 신축할 때 설치하는 필수 부수시설은 당해 건축물과 일체가 되는 것으로 보아 건축물의 시가표준에 포함되는 점, 시가표준액조정기준에 따르면 승강기가 없는 5층 이상의 건축물의 경우 감산율이 적용되므로 승강기를 설치한 건축물은 시가표준액에 이미 승강기 가액이 반영되었다고 볼 수 있는 점 등을 감안할 때, 승강기의 시가표준액은 건축물에 이미 포함되어 있어 취득세 시가표준액 산정시 제외하여야 함(지방세운영과-1982, 2015.7.1.).

◎ 지하층(상가·관리사무소로 사용) 상부에 설치한 조경시설 설치비용은 취득가격에 포함

조경시설이 건축물과 일체를 이루면서 그 이용가치 등을 증진시킨다면 해당 공사비용은 건축물의 취득가격에 포함시켜야 할 것임(조심 2008지610, 2009.4.7.). 본 건 조경시설의 하단 부분(쟁점 건축물)이 상가로 사용되고 있어 일반 건축물과 달리 보기 어려운 점, 쟁점 건축물 이외의 부분은 석축 등으로 구성되어 서로 확연히 구분되고 있는 점, 「조경기준」 등에 의할 때 '옥상조경'으로 볼 수 있는 점 등을 감안했을 때, 본 건 조경시설은 토지보다는 건축물의 취득가격에 포함시켜야 함(지방세운영과-620, 2013.5.13.).

◎ 건축물 내부에 생산시설(클린룸)을 설치하였더라도 건축물과 고정·부착되어 건축물에 필수적으로 수반되는 설비에 해당한다면 취득세 과세표준에 포함

건축설비는 건축물과 일체를 이루면서 그 효용과 가치를 유지·증가시키므로 그 설치비용은 건축물의 취득가격에 포함시키는 것(지방세운영과-792, 2014.3.7.)이므로, 건축물 내부에 생산시설(클린룸)을 설치하였다고 하더라도, 건축설비 등 건축물과 고정·부착되어 건축물에 필수적으로 수반되는 설비에 해당한다면, 건축물 자체의 효용을 증가시키는 것으로 보아 취득세 과세표준에 포함하고, 건축물과는 관련 없는 생산설비와 연관된 부분이라면 과세표준에서 제외된다고 할 것임(지방세운영과-75, 2017.3.10.).

◎ 클린룸을 확장 또는 축소하기 위해 대수선을 하는 경우 취득세 과세대상에 해당

클린룸이란 일반적으로 생산과정에서 필수적으로 요구되는 항온·항습·청정상태의 유지와 관리 등을 위해 건축물 내부에 설치하는 것으로서 당해 건축물에 연결되거나 부착하는 방법으로 설치되어 건축물의 효용을 증대시키는 경우 등이라면 건축물의 범위에, 이와는 달리 설비자체가 건축물에서 분리·재설치 되는 등의 경우라면 기계장비 등의 일부로 보는 것이 합리적일 것임. 따라서, 클린룸이 건축물에 연결되거나 부착되어 있어 이를 확장하거나 축소

하기 위해 「건축법」 제2조 제1항 제9호에 따른 대수선을 수반하는 경우라면, 클린룸의 수리 여부와는 상관없이 「지방세법」 제6조 제6호에 따른 개수에 해당되므로 취득세 과세대상임(지방세운영과-3236, 2013.12.6.).

◎ **옥상 LED간판 및 잔넬 간판, 방송시스템 및 특수조명 공사비는 취득가액에 포함되지 않음**
간판은 쉽게 탈·부착이 가능하고 그 용도 또한 건물 소유자 또는 사용자를 광고하는 것일 뿐 건물의 객관적 가치 증가에 이바지한다고 보기 어려워 이 사건 건물에 부합 또는 부속되었다고 할 수 없고, 그 부착 당시 이 사건 건물의 소유자는 코○랩이었고 위 간판의 소유자는 원고이었으므로 그 소유자가 달라 위 간판을 이 사건 건물의 종물에 해당한다고 보기도 어려움(민법 제100조 제1항). 따라서 위 간판은 취득세 과세표준에 포함된다고 볼 수 없음. 원고가 구입한 방송시스템 및 특수조명은 빔프로젝터, 디지털카메라, 캠코더, 스피커, 특수조명 등 기본적으로 오디오 및 비디오 시설로서 별도의 동산이고, 그중 일부가 이 사건 건물에 부착되었으나 쉽게 이를 떼어낼 수 있으며, 그 자체로 이 사건 건물과 독립한 경제적 효용을 가지는 사실을 인정할 수 있음(대법원 2017두46257, 2017.8.18.).

◎ **방송회사에서 건축물을 신축하면서 설치한 방송조명시설, 미술장식품, 위성수신안테나의 설치비용은 취득가격에 포함됨**
미술장식품의 경우 천장과 벽면 등에 고정·부착되어 있더라도 이전 전시가 용이하고 독립적인 가치가 있어 별도의 거래대상이 될 수 있다면 건축물의 취득가격에 포함시키기는 어려울 것이나, 본 건 쟁점시설 중 와이어월 미술작품은 본 건 건축물 구조에 적합하게 설치되어 이전 전시가 사실상 불가능하고 설사 이전 전시되더라도 미술품으로서의 가치가 상당부분 감소될 것으로 예상되며, 벽면부착 미술작품의 경우에도 벽체 일체에 고정되어 있어 이전 전시가 용이하지 않을 것으로 보이는 바, 본 건 쟁점시설 중 미술작품들도 건축물과 일체를 이루면서 그 효용 및 가치를 증가시키는 것으로 보아 그 설치비용을 건축물의 취득가격에 포함시키는 것이 합리적일 것임(지방세운영과-772, 2014.3.7.).

2) 건축에 따른 과세표준 산정 관련 사례

◎ 건축물의 임시사용승인일 등 그 취득일까지 가설을 완료하지 못한 경우에는 그때까지의 기성고 비율에 따른 공사비 상당만을 취득세의 과세표준에 포함시킬 수 있을 뿐이고, 취득일 이전에 도급계약을 체결하였다거나 기성고를 초과하는 공사대금을 미리 지급하였다고 하더라도 그 기성고를 초과하는 공사대금은 이를 취득세의 과세표준에 포함시킬 수 없음(대법원 2013두7681, 2013.9.12.).

◎ **송전철탑 설치공사의 특성상 반드시 설치해야 하는 진입도로 공사비, 삭도장·헬기장 공사비, 훼손지복구비, 대체산림조성비 등은 송전철탑의 취득비용에 포함됨**

진입도로 공사비, 삭도장·헬기장 공사비, 훼손지복구비, 대체산림조성비 등은 이 사건 각 송전철탑 설치공사의 특성상 반드시 설치해야 하거나 그 지출이 필수적으로 요구되는 비용으로서, 당해 과세물건인 송전철탑을 취득하기 위하여 필요·불가결한 준비행위 또는 그 수반행위에 소요된 것이므로, 이 사건 각 송전철탑의 취득비용에 당연히 포함되는 것이고, 따라서 이와 다른 전제에서 진입도로 공사비 등이 송전철탑이라는 주체구조부와 일체가 되는 부분이 아니라서 취득가격에 포함되지 않는다는 취지의 원고 주장은 이유 없음(대법원 2009두5350, 2009.9.10).

◎ 안벽은 공유수면 매립지 일부로 과세대상 토지에 해당 ⇒ 관련 공사비를 과표에 포함

취득세 과세대상인 시설물의 범위를 별도로 규정한 취지는, 토지의 가액 증가나 토지의 조성 여부를 묻지 않고 그와 같은 시설물의 취득을 토지와 분리하여 과세대상으로 포착하려는 데 있을 뿐 지목 변경으로 토지의 가액이 증가하거나 공유수면의 매립 등으로 토지가 조성되는 경우에 토지의 구성 부분을 이루는 시설물을 토지의 일부로 보아 취득세를 과세하는 것까지 부정하려는 것은 아님(대법원 92누5270, 1992.11.10.). 이 사건 안벽은 전체 매립지의 일부로서 취득세의 과세대상에 해당한다고 봄이 타당하므로 안벽과 관련된 공사비와 그 부대비용을 취득세의 과세표준에 포함함(대법원 2014두4757, 2014.7.10.).

◎ 기타 취득과표에 포함되지 않는 사례

호안제방 및 연료하역부두의 부지가 준공과 동시에 그 소유권이 국가로 귀속되는 이상, 그 공사비 전체를 비과세 대상으로 보아야 하지 이를 총 공사비에 합한 후 면적비율로 안분하여 과표로 적용할 수 없음(대법원 2000두7018, 2002.5.17.).

바닥포장 등 공사 및 우물파기 공사는 건물의 신축에 필요·불가결한 준비행위로 이루어지는 공사라고 볼 수 없어 건축물의 취득가격에 포함할 수 없음(대법원 1998두6864, 1999.12.10.).

기존건축물의 증·개축을 함께 하였다 하더라도 개축과 관련이 없는 기존 건축물의 수리비를 증·개축부분의 종물이라 하여 과세대상으로 삼을 수는 없으므로(대법원 95누3626, 1995.9.29.), 개축과 관련 없는 화단 등 공사, 소방설비, 위생설비 등의 비용은 개축에 따른 취득가격에 포함할 수 없음(대법원 89누6853, 1990.6.22.).

건축물 외부에 독립적으로 설치한 조형물제작비(대법원 2000두6404, 2002.6.14.)는 건축물의 취득가격에 포함할 수 없음.

☞ 건축물 취득과표의 범위 관련 다양한 사례가 나타나고 최근 입법보완 사례(영 제18조 ①) 등을 고려할 때 기존 판례가 그대로 적용된다고 볼 수 없음.

◎ 공사원가명세서상에 경비로 인식한 가설재 감가상각비는 신축공사와 관련된 비용에 해당하므로 취득세 과세표준에 포함

공사원가명세서상 경비로 인식한 감가상각비는 특정공사와 관련된 공사직접원가에 해당하

여 신축공사와 관련성이 있는 점, 해당 신축공사를 위한 가설재 등의 장비를 조달하는 방법으로, 임차하여 사용하는 방법과 자산으로 취득하여 사용하는 방법이 있을 수 있는데, 임차 시 사용기간에 따라 발생하는 임차료는 취득가격에 포함하면서, 해당 장비를 취득한 후 일정 기간에 걸쳐 감가상각한 비용은 취득가격에서 제외할 이유가 없는 점 등을 감안할 때, 과세표준에 포함하여야 할 것임(지방세운영과-415, 2017.4.24.).

◎ 리모델링과 증축을 병행하면서 기존 건물의 일부가 감소된 경우 취득세 과세표준

대도시 내 법인이 사용하는 본점 등의 증축허가를 득한 후 리모델링과 증축을 병행하여 기존 건물의 일부가 감소된 경우에도 허가된 건물의 증축을 위해 거래상대방 또는 제3자에게 지급하였거나 지급하여야할 비용에 대해 취득세를 부과하여야 할 것임. 다만, 증축과 리모델링 공사에 구분없이 사용된 사실이 명백한 비용의 경우에는 그 비용을 당초의 리모델링 전의 면적과 증축된 면적의 합계면적에서 증축된 면적이 차지하는 비율로 안분하여 증축된 부분에 대한 취득비용을 산정할 수 있을 것이나, 중과세 대상이 되는 증축과 관련된 직·간접비용에 해당하는지 여부는 과세권자가 증축과 리모델링 공사에 소요된 비용에 대한 사실조사를 통해 판단할 사항임(지방세운영과-401, 2009.1.30.).

3) 건축물에 부착되는 붙박이 가구·가전제품 등(제8호)

공동주택 신축과 관련하여 각종 부대시설(시스템에어컨, 빌트인)이 건축물의 신축과 동시에 설치될 때 신축 과세표준에 포함되는지에 관한 쟁점이다.

각종 부대시설의 과세표준 포함여부에 대한 판단은 취득의 시기와 취득의 주체가 누구인지가 중요하다. 건설업자가 공동주택을 건축(원시취득)하고 수분양자가 이를 취득(승계취득)하는 과정에서 각종 부대시설이 설치되는데 수분양자가 직접 건설회사(또는 제3의회사)와 계약(옵션계약)을 맺고 설치하는 경우가 있을 수 있다. 만약 건축물 원시취득 시기 이후에 부대시설이 설치된다면 건설회사의 원시취득 과세표준에 표함되지 않는다. 대부분은 준공 이전에 부대시설이 설치되는데 이 경우에도 원시취득 과세표준에 포함되는지 여부와 관련하여, 대법원은 시스템에어컨은 건축물의 구조와 관련되기 때문에 포함되고, 빌트인은 제외된다고 보았다(대법원 2018두31535, 2018.4.26.). 이에 대해 2020년 지방세법 시행령이 개정되었는데, 붙박이 가구·가전제품 등 건축물에 부착되거나 일체를 이루면서 건축물의 효용을 유지 또는 증대시키기 위한 설비·시설 등의 설치비용이 과표에 포함되도록 하였다.

◎ 발코니 확장공사까지 완료된 상태의 아파트를 취득한 이상 확장비용은 과표에 포함

① 원고(재건축조합)의 이 사건 아파트 취득일 이전에 이 사건 부대시설비용 중 발코니 확장부분에 대한 지급원인이 발생 또는 확정되었으므로 발코니가 확장된 상태의 아파트를 취득

한 것인 점, ② 발코니 확장된 부분은 아파트의 거실, 침실, 창고 등의 일부분으로서 물리적 구조, 용도와 기능면에서 아파트와 분리할 수 없을 정도로 부착·합체되어 일체로서 효용가치를 이루고 있으므로 아파트에 부합되었거나 그에 부수하는 시설물에 해당하는 점, ③ 부대설비를 가설한 자와 주체구조부의 취득자가 상이한 경우 주체구조부의 취득자로 하여금 부대설비 관련 취득세까지 부담하도록 정한 근거규정 … 원고가 아닌 수분양자들이 시공사인 ○○건설과 발코니 확장공사 계약을 체결하고 그 비용을 지급하였다 하더라도, 발코니 확장비용은 아파트를 취득하기 위해 지출된 비용으로서 아파트 취득가격에 포함되어야 함(대법원 2018두31535, 2018.4.26.).

◎ **발코니 확장을 제외한 부대시설 비용은 신축아파트 취득세 과세표준에 제외됨**

이 사건 부대시설(발코니 확장을 제외한 기능성 오븐, 식기세척기, 공용욕실비데, 방범망, 인덕션렌지, 광파오븐)부분은 분양 당시부터 설치가 예정되어 있었다고 보기 어렵고, 수분양자들에게 그 설치여부 및 품목에 관한 선택권이 있었던 것으로 보이며, 이 사건 아파트에 부착되어 분리가 불가능하거나 곤란하다고 볼 사정도 드러나지 않으므로 이 사건 아파트와 하나가 되어 건축물로서의 효용가치를 이루고 있다고 보기 어려운 점 등을 종합하면, 이 사건 부대시설비용 중 발코니 확장을 제외한 나머지 부분은 이 사건 아파트에 대한 취득세 과세표준에 제외됨(대법원 2018두31535, 2018.4.26.).

☞ 붙박이 가구·가전제품 등 건축물에 부착되거나 일체를 이루면서 건축물의 효용을 유지 또는 증대시키기 위한 설비·시설 등의 설치비용이 과표에 포함되도록 입법 보완(2020.1.1. 영 제18조 ① 8호)

3. 지목변경

토지의 지목을 사실상 변경한 경우에는 그로 인하여 증가한 가액을 각각 과세표준으로 한다(법 제10조 ③). 토지의 지목변경에 대한 과세표준은 토지의 지목이 사실상 변경된 때를 기준으로 지목변경 이후의 토지에 대한 시가표준액에서 지목변경 전의 시가표준액을 뺀 가액으로 한다(영 제17조). 지목변경 전의 시가표준액이란 지목변경 공사착공일 현재 공시된 법 제4조 제1항에 따른 시가표준액을 말한다. 지목변경 후의 시가표준액은 공시지가가 없기 때문에 새로 산정해야 하는데, 인근 유사토지의 가액을 기준으로 「부동산 가격공시에 관한 법률」에 따라 국토교통부장관이 제공한 토지가격비준표를 사용하여 시장·군수·구청장이 산정한 가액을 말한다.

시행령에서 규정한 지목변경 취득세 과세표준 산정방법을 보면 건축과 수반되어 지목변경이 일어나는 경우를 전제로 한 것으로 보인다. 그러나 건축을 수반하지 않고 지목변경이 일어나는 경우도 있을 수 있다. 이 경우에는 토지조성공사 착공시점과 실제 사용가능한 시점을 기준으로 그 전후의 가격차이를 산정해야 할 것이다.

지목변경 취득의 주체가 법인인 경우에는 법인장부로 토지의 지목변경에 든 비용이 입증되는 경우에는 그 비용으로 한다. 즉 제10조 제5항 제3호의 사실상 취득가격을 과세표준으로 삼아야 하며 시행령제 제18조 제1항에 따른 직간접비용의 합으로 계산하여야 한다. 과세표준은 직간접비용과 관련이 있지만, 과세대상의 범위와도 관계된다. 다양한 공사비가 지목변경시 수반되는데 이러한 공사비를 모두 지목변경 과세표준에 포함해야 하는지, 아니면 건축물의 원시취득과 병행하여 지목변경이 이루어질 경우 원시취득 과세표준에 포함해야 할지 구분해야 한다.

소규모 지목변경은 주로 건축공사와 병행하여 시행되는 경우가 대부분이다. 이때 지목변경공사에 소요되는 비용은 지목변경 취득세 과세표준에, 그 이외에는 건축물 원시취득의 과세표준에 포함하여야 한다. 한편 대규모 택지를 조성하면서 상하수도 기반시설공사, 폐기물처리시설 공사 등을 하는 경우가 있는데 이러한 공사비는 지목변경 취득세 과세표준에 포함하여야 한다. 이때의 지목변경 취득은 사업의 성격상 토지조성 사업의 시행사에게 적용된다.

☞ 제7조 납세의무자편 지목변경 취득세 참고

◎ 취득당시 지목변경 후의 가액으로 취득세를 납부하였더라도 건물신축시 취득세 과세대상

원고는 쟁점 토지의 전소유자가 피고로부터 개발행위허가를 받고, 건축신고 및 착공신고까지 마치고, 토지에 기초공사까지 이루어진 상태에서 경매절차에서 토지를 매수하였는 바, 쟁점 토지의 소유권 취득 당시 지목변경 후의 공시지가 이상의 금액을 과세표준으로 하여 취득세를 납부하였으므로, 소유권 취득 전에 쟁점 토지의 지목이 사실상 변경되었다고 주장함. 그러나 이 사건과 같이 임야를 취득하여 토지 조성공사를 거쳐 건축공사를 진행하는 경우 토지 조성공사는 건축공사와 불가분의 관계에 있는 일련의 건축공사의 일부라고 볼 수 있으므로 그 토지는 모든 건축공사가 완료되어 완전히 건축물의 부속토지로서의 효용에 공여되는 시점에서 비로소 토지의 주된 용도가 변경되었다고 봄이 타당하므로 지목변경 취득세 과세대상(대법원 2018두38673, 2018.6.15.)

◎ 토지의 지목변경에 대한 과세표준 산정시 개발비용은 취득가격에 포함됨

영 제18조 ①은 취득가격을 직접비용과 간접비용의 합계액으로 규정하고, 영 제17조는 토지의 지목변경에 대한 과세표준은 지목변경 전후의 시가표준액의 차액으로 하되 판결문 또는 법인장부로 지목변경에 든 비용이 입증되는 경우에는 그 비용을 과세표준으로 하도록 하는 규정이며, 달리 토지의 지목변경에 대한 과세표준 산정시 취득가격에서 개발비용을 공제하

도록 하는 규정을 찾아볼 수 없음(대법원 2015두41890, 2015.8.19.).

◎ **지목변경에 따른 시가표준액 증가액을 부적법하게 산정하였다는 사례**

지방세법 시행령 제17조 제1호의 '인근 유사토지'는 당해 토지와 토지의 위치, 용도, 접근성이 유사한 토지를 말하는 것이지 당해 토지가 소재한 지역의 표준지를 말하는 것은 아닌 점 등에 비추어 처분청이 이 건 토지와 인접하지 아니할 뿐만 아니라 교통 환경 등이 상이한 표준지인 쟁점토지를 이 건 토지의 '인근 유사토지'로 보아 시가표준액을 산정한 것은 잘못이 있음(조심 2016지0599, 2016.10.19.).

◎ **개인토지에서의 건축을 법인에 도급하는 경우 지목변경 취득세과표는 법인장부상 가액**

개인이 당초 지목이 전(田)인 토지에 건축물을 신축하면서 관련 공사를 법인에게 도급하였고 해당 법인의 법인장부에 의해 취득가격이 전부 입증되는 경우라면, 건축물 신축과 지목변경에 대한 취득세 과세표준은 법인장부에 따른 사실상의 취득가격으로 하는 것이 타당함(지방세운영과-3254, 2014.10.1.).

4. 교환 취득

취득세의 과세표준이 되는 취득가액은 취득자가 당해 과세대상 물건을 취득하기 위하여 지급하였거나 지급하여야 할 일체의 비용이 되는 것이고, 교환 취득은 당초 자기 소유의 재산을 타인에게 인도하는 대신 타인 소유의 재산을 인수받아 취득하는 것이므로, 상호 교환에 의하여 새로 취득하는 물건의 과세표준은 취득자가 당초 소유하고 있던 재산의 가액과 새로이 취득하는 과세대상의 가액을 비교하여 높은 것을 과세표준으로 한다.

승계채무액이 있거나 보충금이 있는 경우 교환취득에 따른 과세표준은 이러한 사정을 모두 고려하여야 한다. 먼저 '자기물건의 평가액'은 납세자가 평가한 시세 등으로서 교환에 있어서는 물건 취득을 위한 일체의 비용에 해당되므로 취득가격에 포함하되, 탈루방지를 위해 시가표준액과 비교하여 높은 것으로 한다. 통상적으로 시세기준인 평가액이 시가표준액보다 높을 것으로 추정된다. '승계채무액'은 취득가격에서 차감하되 승계받는 채무액이 더 많다면 그 차액은 비용에 해당하므로 취득가격에 포함한다. 즉 교환물건에 대한 채권설정액 등으로서 교환은 유상취득이므로 반영할 필요가 없다는 견해가 있으나 보충금에 영향을 미치므로 반영하여야 한다. 그리고 '보충금'을 지급하는 경우에는 비용에 해당되므로 취득가격에 포함시키며, 지급받는 경우에는 비용이 절감되므로 취득가격에서 차감한다. 따라서, 취득세 과세표준은 취득가격(자기물건 평가액 등-순 승계채무액 + 보충금 지급액)과 취득물건의 시가표준액(평가액) 중 높은 것으로 하는 것이 합리적이다(지방세운영과-2590,

2013.10.11.).

교환대상 부동산은 가치가 동일하지 않다면 교환과정에서 보충금을 주고받아 가치를 일치시키는 거래를 할 것이다(등가교환). 우선 각각의 부동산에 대한 객관적인 평가를 먼저 하고 채무(예. 저당권)를 고려하여 순자산가액을 따져본다. 개인간의 교환거래라도 객관적인 평가액이 있다면 이를 고려하여 취득세 과세표준을 산정하여야 한다. 이후 순자산가액의 차이에 대해 한쪽 당사자는 상대방에게 보충금을 지급하거나 받을 수 있다.

[적용 사례(지방세운영과-2590, 2013.10.11.)]

갑이 A건물을 소유하고, 시가표준액 18, 평가액 20, 해당 건물에 채무액(예. 저당권)이 7인 경우가 있다. 평가액과 시가표준액 중 높은 가액을 갑이 소유한 A건물의 기준가액(20)이라 하고, 평가액(20)에서 채무액(7)을 뺀 13은 순 가액이 된다. 교환상대방인 을은 B토지를 소유하고, 시가표준액 16, 평가액이 15, 해당토지에 채무액이 10이 있는 경우인데, 기준가액은 16이고, 순 가액은 5(평가액 15 - 채무액 10)가 된다. 갑과 을이 등가로 교환거래를 하면서 순가액의 차이에 대한 8에 대하여 을이 갑에게 보충금을 지급하는 경우를 예로 취득세 과세표준을 산출한다고 하자.

| 교환물건 내역 |

소유자	물건	시가 표준액	평가액①	승계 채무액②	순가액 (①-②)	보충금 지급	과표적용
갑	A건물	18	20	7	13		16 〉 15(20+3-8)
을	B토지	16	15	10	5	8	21(16-3+8) 〉 20

갑은 을의 B토지를 취득하면서 을로부터 보충금 8을 받게 되는데 이는 취득가액에서 차감해야 한다(보충금을 받는 을의 경우에는 보충금을 과표에 포함해야 됨). 갑과 을이 교환거래를 하여 갑이 B토지를 취득하는 경우 과표는 갑이 소유한 부동산의 가액과 새로 취득하는 부동산의 가액 중 높은 가액이 된다. 갑이 소유한 부동산의 가액은 A건물의 기준가액(평가액과 시가표준액 중 큰 가액 20)에서 순채무액 3(10-7)을 더하고 보충금 8을 빼면 15(20+3-8)가 된다. 그리고 취득가액은 B토지의 시가표준액 16과 평가액 15 중 높은 가액인 16이 된다. 따라서 갑이 소유한 부동산 A의 가액 15와 취득부동산 B의 가액 16 중 높은 가액인 16이 과표가 된다.

을의 경우 마찬가지로 취득부동산 A에 대한 과표는 을이 소유한 부동산의 가액과 새로 취득하는 부동산의 가액 중 높은 가액이 과표가 된다. 을이 소유한 부동산의 가액은 B토지의 기준가액(평가액 15와 시가표준액 16 중 큰 가액이 16)에서 순채무액 3(7－10)을 차감하고 보충금 8을 더하면 21(16－3+8)이 된다. 을이 취득하는 A토지의 취득가액은 20(시가표준액 18과 평가액 20 중 높은 가액)이다. 따라서 을이 소유한 B부동산 가액 21과 A토지의 취득가액 20 중 높은 가액인 21이 을의 A건물 취득 과표가 된다.

객관적인 평가액이 달라 순자산가액이 다름에도 그대로 교환이 이루어질 수도 있을 수 있는데(비등가 교환) 적용방식은 위와 동일하다. 위의 설명사례는 일반적인 사례이고 실무에서는 다양한 교환사례가 있을 수 있다.

한편 법인의 경우 교환으로 취득하는 경우 취득가액이 법인장부 입증되는 것이 일반적이라 할 것이다. 예를 들어 교환대상 목적물에 대한 시가감정을 하여 그 감정가액의 차액에 대한 정산절차가 수반된다. 이렇게 목적물의 객관적인 금전가치를 표준으로 하는 가치적 교환을 한 경우 그러한 내용이 법인의 장부로 확인되면 사실상의 취득가격을 확인할 수 있다. 하지만 당사자 사이의 합의에 의하여 교환대상 목적물의 가액 차이만을 결정하여 그 차액을 지급하는 단순교환을 한 경우에는 사실상의 취득가격을 확인할 수 있는 경우로 볼 수 없다(대법원 89누3960, 2010두27592).

◎ **시가감정이 이루어지지 않은 교환거래를 사실상 취득가격이 입증되는 경우로 볼 수 없음**

판결문·법인장부 중 대통령령이 정하는 것에 의하여 입증되는 가격이라고 하더라도 그것이 당해 물건에 관한 '사실상의 취득가격'에 해당하지 아니하는 경우에는 이를 취득세의 과세표준으로 삼을 수 없음. … 원고와 ○○디자인이 당초 매매계약상 이 사건 대지지분의 매매대금에 해당하는 이 사건 쟁점금액을 기초로 정산금을 산정하였다고 하더라도, 원고와 ○○디자인이 이 사건 대지지분이나 이 사건 각 부동산에 대한 시가감정 등을 하지 아니한 채 이 사건 대지지분과 교환대상 목적물의 가액 차이를 반영하여 투입된 공사원가 및 추가 평수 정산금을 지급하는 정산절차만을 거친 이상, 이 사건 지분참여약정만으로는 그 사실상의 취득가격이 확인되지 아니한다고 할 것임(대법원 2013두11680, 2013.10.24.).

◎ **교환대상 부동산에 담보 설정된 채권액이 취득세 과세표준에 반영되는지 여부**

교환에 의하여 새로이 취득하는 재산에 대한 취득세 등의 과세표준은 당초 소유하고 있던 재산의 시가표준액과 신고가액 중 높은 것과 새로이 취득하는 재산의 시가표준액을 비교하여 높은 것을 적용하는 것이 타당하며(조심 2009지5, 2009.8.11. 참조), 매매와 같은 유상거래의 일종이므로 당사자일방의 재산에 담보가 설정되어 있다고 하여 그 채권액을 취득가액에서 차감할 수는 없으므로, 甲이 담보가 설정되어 있는 자기소유의 부동산을 乙의 부동산과 교환할 경우 甲은 자기소유 부동산의 시가표준액과 신고가액 중 높은 것과 乙소유 부동산의 시가표준액을 비교하여 높은 것을, 乙 또한 자기소유 부동산의 시가표준액과 신고가액 중 높은 것과 교환으로 취득하는 甲소유 부동산의 시가표준액을 비교하여 높은 것을 취득세 과세표준으로 하여야 함(지방세운영과-685, 2012.3.4.).

◎ 교환으로 인하여 새로이 취득하는 부동산의 시가표준액 판단

지방세법 제111조 제2항에서 취득당시의 가액은 취득자가 신고한 가액에 의하고 다만 신고 또는 신고가액의 표시가 없거나 그 신고가액이 시가표준액에 미달하는 때에는 그 시가표준액에 의한다고 규정하고 있음. 귀문과 같이 갑과 을이 교환으로 부동산을 취득하면서 교환계약에 따른 거래가액이 있는 경우에는 지방세법 제111조 제2항에 따라 취득자가 당초 소유하고 있던 물건의 가액에 보충금을 감안한 거래가액으로 신고한 금액과 교환으로 인하여 새로이 취득하는 부동산의 시가표준액 중 높은 가액을 취득세 등 과세표준액으로 적용하는 것이 타당함(지방세운영과-2225, 2010.5.27.).

◎ 교환차액을 무상증여한 경우 해당 차액을 간접비용으로 볼 수 없어 과세표준에 제외됨

원고는 ○○학원과 사이에, ○○학원 소유의 '이 사건 부동산'(감정평가액 57억)과 원고 소유의 '교환대상 부동산'(감정평가액 31억)을 교환하되, 감정평가액 차액 26억원을 ○○학원에 무상출연하는 계약을 체결, 이 사건 부동산에 대해 57억원을 과표로 취득세 신고(지특법 제50조 ①에 따라 면제), 이후 유예기간 내 양도함에 따라 면제된 취득세를 신고납부(57억원 과표)하고 취득가액이 30억원임을 전제로 경정청구함 … 감정평가차액 26억원 상당액은 원고가 ○○학원에 증여(교육부의 대학원 위치변경 계획인가 조건)한 것으로 이 사건 각 부동산을 취득하는 데 들었다고 할 수 없음. 취득가격에 포함되는 간접비용인 지방세법 시행령상 '취득대금 외에 당사자의 약정에 따른 취득자 조건 부담액'(제18조 ① 5호)'이나 이에 준하는 비용(제7호)'에 해당한다고 볼 수도 없음(대법원 2019두45074, 2019.11.28).

◎ 연접하지 않은 공유토지의 분할취득 시 공유물 분할이 아닌 교환취득이라는 사례

다수의 공유물을 분할하는 경우는 연접되어 있는 토지(적어도 위치 · 지가 등 제반조건에 차이가 없는 토지)이거나 집합건물 형태로 되어 있는 때를 한정하여 인정하여야 할 것이므로, 연접하지 않은 다수의 토지로서 공시지가 등 제반조건이 상이한 토지를 분할의 절차없이 각각 취득한 경우, 공유물의 분할이 아닌 교환에 해당되어 0.3%의 특례세율이 아닌 일반 유상거래 취득세율을 적용(부동산세제과-940, 2020.4.28.)

제10조(과세표준) 제5항~제7항 [사실상 취득가격]

법 제10조(과세표준) ⑤ 다음 각 호의 취득(증여·기부, 그 밖의 무상취득 및 「소득세법」 제101조 제1항 또는 「법인세법」 제52조 제1항에 따른 거래로 인한 취득은 제외한다)에 대하여는 제2항 단서 및 제3항 후단에도 불구하고 사실상의 취득가격 또는 연부금액을 과세표준으로 한다. 〈개정 2015.7.24.〉

1. 국가, 지방자치단체 또는 지방자치단체조합으로부터의 취득
2. 외국으로부터의 수입에 의한 취득
3. 판결문·법인장부 중 대통령령으로 정하는 것에 따라 취득가격이 증명되는 취득
4. 공매방법에 의한 취득
5. 「부동산 거래신고에 관한 법률」 제3조에 따른 신고서를 제출하여 같은 법 제6조에 따라 검증이 이루어진 취득

⑥ 법인이 아닌 자가 건축물을 건축하거나 대수선하여 취득하는 경우로서 취득가격 중 100분의 90을 넘는 가격이 법인장부에 따라 입증되는 경우에는 제2항 단서, 제3항 및 제5항에도 불구하고 대통령령으로 정하는 바에 따라 계산한 취득가격을 과세표준으로 한다.

⑦ 제5항 제5호에 따른 취득의 경우에는 그 사실상의 취득가격이 제103조의 59에 따라 세무서장이나 지방국세청장으로부터 통보받은 자료 또는 「부동산 거래신고 등에 관한 법률」 제6조에 따른 조사 결과에 따라 확인된 금액보다 적은 경우에는 제5항에도 불구하고 그 확인된 금액을 과세표준으로 한다.

⑧ 제1항부터 제7항까지의 규정에 따른 취득세의 과세표준이 되는 가액, 가격 또는 연부금액의 범위 및 그 적용과 취득시기에 관하여는 대통령령으로 정한다.

영 제18조(취득가격의 범위 등) ① 법 제10조 제5항 각 호에 따른 취득가격 또는 연부금액은 취득시기를 기준으로 그 이전에 해당 물건을 취득하기 위하여 거래 상대방 또는 제3자에게 지급하였거나 지급하여야 할 직접비용과 다음 각 호의 어느 하나에 해당하는 간접비용의 합계액으로 한다. 다만, 취득대금을 일시급 등으로 지급하여 일정액을 할인받은 경우에는 그 할인된 금액으로 한다.

1. 건설자금에 충당한 차입금의 이자 또는 이와 유사한 금융비용
2. 할부 또는 연부(年賦) 계약에 따른 이자 상당액 및 연체료. 다만, 법인이 아닌 자가 취득하는 경우는 취득가격 또는 연부금액에서 제외한다.
3. 「농지법」에 따른 농지보전부담금, 「문화예술진흥법」 제9조 제3항에 따른 미술작품의 설치 또는 문화예술진흥기금에 출연하는 금액, 「산지관리법」에 따른 대체산림자원조성비 등 관계 법령에 따라 의무적으로 부담하는 비용
4. 취득에 필요한 용역을 제공받은 대가로 지급하는 용역비·수수료
5. 취득대금 외에 당사자의 약정에 따른 취득자 조건 부담액과 채무인수액
6. 부동산을 취득하는 경우 「주택도시기금법」 제8조에 따라 매입한 국민주택채권을 해당 부동산의 취득 이전에 양도함으로써 발생하는 매각차손. 이 경우 행정안전부령으로 정하는 금융회사 등(이하 이 조에서 "금융회사등"이라 한다) 외의 자에게 양도한 경우에는 동일한 날에 금융회사등에 양도하였을 경우 발생하는 매각차손을 한도로 한다.
7. 「공인중개사법」에 따른 공인중개사에게 지급한 중개보수. 다만, 법인이 아닌 자가 취득하는 경

우는 취득가격 또는 연부금액에서 제외한다.
8. 붙박이 가구·가전제품 등 건축물에 부착되거나 일체를 이루면서 건축물의 효용을 유지 또는 증대시키기 위한 설비·시설 등의 설치비용
9. 정원 또는 부속시설물 등을 조성·설치하는 비용
10. 제1호부터 제9호까지의 비용에 준하는 비용

② 제1항에도 불구하고 다음 각 호의 어느 하나에 해당하는 비용은 취득가격에 포함하지 아니한다.
1. 취득하는 물건의 판매를 위한 광고선전비 등의 판매비용과 그와 관련한 부대비용
2. 「전기사업법」, 「도시가스사업법」, 「집단에너지사업법」, 그 밖의 법률에 따라 전기·가스·열 등을 이용하는 자가 분담하는 비용
3. 이주비, 지장물 보상금 등 취득물건과는 별개의 권리에 관한 보상 성격으로 지급되는 비용
4. 부가가치세
5. 제1호부터 제4호까지의 비용에 준하는 비용

③ 법 제10조 제5항 제3호에서 "대통령령으로 정하는 것"이란 다음 각 호에서 정하는 것을 말한다. 〈개정 2013.1.1., 2014.1.1., 2015.12.31.〉
1. 판결문 : 민사소송 및 행정소송에 의하여 확정된 판결문(화해·포기·인낙 또는 자백간주에 의한 것은 제외한다)
2. 법인장부 : 금융회사의 금융거래 내역 또는 「감정평가 및 감정평가사에 관한 법률」 제6조에 따른 감정평가서 등 객관적 증거서류에 의하여 법인이 작성한 원장·보조장·출납전표·결산서. 다만, 법인장부의 기재사항 중 중고자동차 또는 중고기계장비의 취득가액이 법 제4조 제2항에서 정하는 시가표준액보다 낮은 경우에는 그 취득 가액 부분(중고자동차 또는 중고기계장비가 천재지변, 화재, 교통사고 등으로 그 가액이 시가표준액보다 하락한 것으로 시장·군수·구청장이 인정한 경우는 제외한다)은 객관적 증거서류에 의하여 취득가액이 증명되는 법인장부에서 제외한다.

④ 부동산을 취득할 수 있는 권리를 타인으로부터 이전받은 자가 법 제10조 제5항 각 호의 어느 하나에 해당하는 방법으로 부동산을 취득하는 경우로서 해당 부동산 취득을 위하여 지출하였거나 지출할 금액의 합(이하 이 항에서 "실제 지출금액"이라 한다)이 분양·공급가격(분양자 또는 공급자와 최초로 분양계약 또는 공급계약을 체결한 자 간 약정한 분양가격 또는 공급가격을 말한다)보다 낮은 경우에는 부동산 취득자의 실제 지출금액을 기준으로 제1항 및 제2항에 따라 산정한 취득가액을 과세표준으로 한다. 다만, 「소득세법」 제101조 제1항 또는 「법인세법」 제52조 제1항에 따른 특수관계인과의 거래로 인한 취득인 경우에는 그러하지 아니하다.

⑤ 법 제10조 제6항에서 "대통령령으로 정하는 바에 따라 계산한 취득가격"이란 다음 각 호의 금액을 합한 금액을 말한다.
1. 제3항 제2호에 따른 법인장부로 증명된 금액
2. 제3항 제2호에 따른 법인장부로 증명되지 아니하는 금액 중 「소득세법」 제163조에 따른 계산서 또는 「부가가치세법」 제32조에 따른 세금계산서로 증명된 금액
3. 부동산을 취득하는 경우 「주택도시기금법」 제8조에 따라 매입한 국민주택채권을 해당 부동산의 취득 이전에 양도함으로써 발생하는 매각차손. 이 경우 금융회사등 외의 자에게 양도한 경우에는 동일한 날에 금융회사등에 양도하였을 경우 발생하는 매각차손을 한도로 한다.

제19조(부동산등의 일괄취득) ① 법 제7조 제1항에 따른 부동산등(이하 이 조에서 "부동산등"이라 한다)을 한꺼번에 취득하여 부동산등의 취득가격이 구분되지 아니하는 경우에는 한꺼번에 취득한 가격을 부동산등의 시가표준액 비율로 나눈 금액을 각각의 취득가격으로 한다.

② 제1항에도 불구하고 주택, 건축물과 그 부속토지를 한꺼번에 취득한 경우에는 다음 각 호의 계산식에 따라 주택 부분과 주택 외 부분의 취득가격을 구분하여 산정한다. 다만, 법 제10조 제5항 제1호부터 제4호까지에 따른 취득으로서 주택 부분과 주택 외 부분의 취득가격이 구분되는 경우에는 그 가격을 각각의 취득가격으로 한다. 〈신설 2015.12.31., 2016.12.27.〉

1. 주택 부분 :

$$\text{전체 취득가격} \times \frac{[\text{건축물 중 주택 부분의 시가표준액(법 제4조 제2항에 따른 시가표준액을 말한다. 이하 이 항에서 같다)}] + [\text{부속토지 중 주택 부분의 시가표준액(법 제4조 제1항에 따른 토지 시가표준액을 말한다. 이하 이 항에서 같다)}]}{\text{건축물과 부속토지 전체의 시가표준액}}$$

2. 주택 외 부분 :

$$\text{전체 취득가격} \times \frac{(\text{건축물 중 주택 외 부분의 시가표준액}) + (\text{부속토지 중 주택 외 부분의 시가표준액})}{\text{건축물과 부속토지 전체의 시가표준액}}$$

③ 제1항 및 제2항에도 불구하고 신축 또는 증축으로 주택과 주택 외의 건축물을 한꺼번에 취득한 경우에는 다음 각 호의 계산식에 따라 주택 부분과 주택 외 부분의 취득가격을 구분하여 산정한다.

1. 주택 부분 :

$$\text{전체 취득가격} \times \frac{\text{건축물 중 주택 부분의 연면적}}{\text{건축물 전체의 연면적}}$$

2. 주택 외 부분 :

$$\text{전체 취득가격} \times \frac{\text{건축물 중 주택 외 부분의 연면적}}{\text{건축물 전체의 연면적}}$$

④ 제1항의 경우에 시가표준액이 없는 과세물건이 포함되어 있으면 부동산등의 감정가액 등을 고려하여 시장·군수·구청장이 결정한 비율로 나눈 금액을 각각의 취득가격으로 한다. 〈개정 2015.12.31.〉

규칙 제4조의 3(금융회사 등) 영 제18조 제1항 제6호 후단에서 "행정안전부령으로 정하는 금융회사 등"이란 「자본시장과 금융투자업에 관한 법률」에 따른 투자매매업자 또는 투자중개업자 및 「은행법」에 따른 인가를 받아 설립된 은행을 말한다. [본조신설 2011.5.30.]

1. 취득세의 과세표준 체계와 사실상 취득가격(제10조 ⑤)의 의의

취득세의 과세표준과 관련하여 '취득세의 과세표준은 취득 당시의 가액으로 한다'고 규정하면서(제10조 ①) 여기서 '취득 당시의 가액은 취득자가 신고한 가액'에 의하되(제2항 본문), '다만 신고 또는 신고가액의 표시가 없거나 그 신고가액이 지방세법 소정의 시가표준액에 미달하는 때에는 그 시가표준액에 의한다'(제2항 단서)고 규정하고 있다. 그리고 지방세법 제10조 제5항은 제2항 단서의 특칙으로 1. 국가·지방자치단체 및 지방자치단체조합으로부터의 취득, 2. 외국으로부터의 수입에 의한 취득, 3. 판결문·법인장부 중 대통령령이 정하는 것에 의하여 취득가격이 입증되는 취득, 4. 공매방법에 의한 취득 및 5. 「부동산 거래신고 등에 관한 법률」 제3조에 다른 신고서를 제출하여 같은 법 제5조에 따라 검증이 이루어진 취득에 대하여는 위 신고 유무 및 신고가액에 관계없이 그 입증된 사실상의 취득가격에 따라 취득세를 부과하도록 규정하고 있다. 한편 제5호는 2006.1.1. 부동산거래신고에 관한 법률이 시행되면서 사실상의 취득가액의 범위에 들어오게 되었는데 앞의 4개의 유형과 다른 특성이 있다.

위와 같은 취득세의 과세표준 체계의 기본 취지는 "취득자가 취득가액으로 신고한 금액을 취득세의 원칙적인 과세표준으로 하고, 취득신고를 하지 아니한 경우 또는 취득신고를 한 경우라도 취득가액을 표시하지 않거나 신고가액이 시가표준액에 미달하는 경우에는 시가표준액을 취득세의 과세표준으로 하되, 다만 객관적 자료에 의하여 사실상의 취득가액이 인정될 수 있는 경우를 이 사건 법률조항에 특정하여 이러한 경우에는 당사자의 신고 유무 및 신고가액에 관계없이 사실상의 취득가격을 과세표준으로 하여 취득세를 과세하는 것으로 법정한 것이다(92헌바40 등). 이와 같이 제5항은 그 요건이 충족된 경우에만 납세의무자의 신고 유무 및 신고가액에 관계없이 입증된 사실상의 취득가격으로 과세표준을 정한다는 것이므로 위 조항에 열거된 사유는 사실상의 취득가격에 의할 수 있는 제한적, 한정적 요건에 해당하며, 그에 열거된 요건을 갖추지 못한 경우에는 사실상의 취득가격을 과세표준으로 삼을 수 없다(대법원 2005두11128).

그렇다면 유상거래이면서 사실상의 취득가격이 인정되지 않는 가격은 어떤 유형인가? 법 제10조 제5항에서 정한 각각의 요건에 해당하지 않는 경우로 예를 들어 법인이 취득한 경우 장부상 가격이 신빙성을 담보하지 못한 경우, 개인간의 거래에서 부동산거래신고에 관한 법률에 따라 검증된 가격이 아닌 경우이다. 그리고 「소득세법」 제101조 제1항(양도소득의 부당행위) 또는 「법인세법」 제52조 제1항(부당행위계산 부인)에 따른 거래로 인한 취득은 사실상의 취득가격의 적용대상이 아니다. 그 외에 취득세 과세표준을 준용하고 있는 등록면허세의 경우 취득을 수반하지 않는 경우 등에 대해서는 사실상 취득가격이 아닌 가격을 적용할 수 있다. 이와 같이 사실상 취득가격의 적용대상이 아닌 경우에는 제10조 제1항 및 제2항으로 돌아가 신고한 가격이나 신고한 가격이 시가표준액에 미달하면 시가표준액이 과세표준이 된다.

2. 법인과 개인의 취득에 따른 구분

1) 법인장부에 의해 취득가격이 입증되는 취득

사실상의 취득가격이 적용되는 5가지 유형중 3호의 "법인장부 중 대통령령이 정하는 것에 의하여 취득가격이 입증되는 취득"이 대표적인 유형이라 할 수 있다. 법인의 장부가액을 사실상의 취득가격으로 보고 이를 과세표준으로 한 취지는 객관화된 조직체로서 거래가액을 조작할 염려가 적은 법인의 장부가액은 특별히 취득가격을 조작하였다고 인정되지 않는 한 원칙적으로 실제의 취득가격에 부합하는 것으로 볼 수 있는 신빙성이 있음을 전제로 하는 것인 데, 법인의 장부가액이 사실상의 취득가격에 부합하는 것으로 볼 수 있다면 법인의 장부가액을 취득세의 과세표준인 사실상의 취득가격으로 보아야 한다(대법원 92누15895, 1993.4.27.). 그런데 법인의 장부가액이 사실상의 취득가격에 부합되는지 여부에 관계없이 무조건 법인의 장부가액을 취득세율 과세표준으로 삼을 수는 없다(대법원 2005두11128, 2006.7.6.). 예를 들어 대출을 용이하게 받기 위해 법인장부에 허위로 높게 기재한 가액을 정당한 과세표준으로 볼 수는 없을 것이다(대법원 2013두7322, 2013.8.23.). 현행 규정은 법인장부의 경우 금융회사의 금융거래 내역 또는 「부동산 가격공시에 관한 법률」에 따른 감정평가서 등 객관적 증거서류에 의하여 법인이 작성한 원장 · 보조장 · 출납전표 · 결산서 등의 경우에 한하여 인정하도록 함으로써 법인장부의 조작을 통한 탈루 등을 방지하고 있다.

법인이 취득하는 경우는 과세대상을 유상으로 취득하는 경우와 건축물을 원시취득하는 경우, 지목변경 취득의 경우, 개수에 의한 취득 등으로 구분될 수 있다. 이 때 취득세 과세표준은 취득의 시기를 기준으로 그 이전에 해당 물건을 취득하기 위하여 거래 상대방 또는 제3자에게 지급하였거나 지급하여야 할 직접비용과 지방세법 시행령 제18조 제1항과 제2항에 따른 간접비용의 합계로 한다. 한편 법인의 합병의 경우 무상으로 취득하는 것이므로 장부상 취득가액이 아닌 시가표준액이 과세표준이 된다.

◎ 법인장부가 아닌 납세자와 법인 간에 작성한 매매계약서상의 가액을 사실상의 취득가액으로 보아 취득세 과세표준으로 적용하여 과세처분을 할 수 없음

지방세법 제111조 제5항 각 호에 정하여진 취득의 경우에만 사실상의 취득가격에 의하여 취득세의 과세표준을 정할 수 있는데, 원고가 ○○건설 주식회사로부터 이 사건 토지와 건물을 매수한 뒤 취득세를 신고납부할 때 신고한 취득가액이 이 사건 토지와 건물의 시가표준액에 미달하지 아니함에도 불구하고 피고가 지방세법 제111조 제5항 각 호에 해당하지 아니하는 원고와 ○○건설 주식회사 사이의 이 사건 토지와 건물에 관한 매매계약서에 기재된 사실상의 취득가격을 과세표준으로 하여 한 처분은 위법(대법원 2002두1564, 2002.7.23.)

- 법인이 토지를 취득하는 과정에서 매매금액을 사후에 조정하기로 하였으나, 법인장부에는 조정금액을 배제한 금액만을 기재하여 취득신고를 한 경우, 원고가 주장하는 매수가격은 이 사건 토지에 관한 공시지가에 의한 시가표준액에 대비하여 약 22%에 불과한 현저히 낮은 가격인 점 등 … 사실상의 취득가격으로 볼 수 없어 신고가액보다 높은 시가표준액을 과표로 삼을 수 있음(대법원 2012두21079, 2013.1.24.)

- **"관련 장부나 그 밖의 증명서류"에 개인장부나 개인사업자 발급 영수증이 포함**

  「지방세법 시행령」 제16조 제1호의 "관련 장부나 그 밖의 증명서류"라고 함은, 취득에 소요된 원가, 공사비, 이자 등 관련 비용을 증명할 수 있는 증거물을 지칭하는 것이므로 개인장부나 개인사업자가 발급한 영수증이 관련 비용을 증명할 수 있다면 포함된다고 할 것임(지방세운영과-4359, 2011.9.15.).

2) 개인이 법인으로부터 취득하는 경우

법인장부로 취득가격이 입증되는 경우는 거래의 상대방이 법인이라는 것이다. 법인의 경우 취득과정에 소요된 비용이 장부에 기재되어 있기 때문에 확인이 가능하다. 그런데 법문에 따르면 취득자가 법인일 뿐 아니라 개인인 경우에도 그 상대방이 법인이면 사실상 취득가격을 적용하고 있다. 개인은 장부가 없고 상대방이 법인이라면 그 법인 장부를 통해 거래가격이 확인되므로 사실상 취득가격을 과세표준으로 한다는 점이다. 예를 들어 법인인 건설회사로부터 주택을 분양받거나 차량을 자동차 회사로부터 신규로 취득하는 경우 등 상대방 법인의 장부가격이 확인되므로 그 가격을 적용하는 경우가 있다. 그런데 상대방인 법인의 장부를 확인하여 개인의 사실상 취득가격이 맞는지 여부를 확인해야 하는데, 취득세 신고를 위해 상대방 법인의 장부를 받아 신고하는 것은 납세자에게 어려움이 있고 과세관청이 납세자도 아닌 상대방인 법인의 장부를 확인하는 것도 어려움이 따른다.[25)]

한편 제3호의 법인 취득이 나머지 사실상의 취득가격이 적용되는 4가지 유형과 중복으로 적용되는 경우가 있을 수 있다. 법인이 국가로부터 취득하거나 수입으로 취득하는 경우, 경

25) 실무적으로는 취득당시 상대방 법인의 장부를 제출받기보다 아파트 분양대금 입금내역서, 차량공급에 대한 세금계산서 등으로 확인하는데, 이는 법인의 장부와 동일하다는 전제하여 장부로 갈음한 것이라 할 것이다.

매로 취득하는 경우가 있을 수 있다. 그런데 5가지 열거규정이 사실상 취득가격을 기준으로 적용하므로 둘 중 높은 가격이 적용되는 것이 타당하다. 왜냐하면 제3호에 따른 가액은 부대비용도 포함되는데, 정상적으로 장부를 작성했다면 법인의 장부에 반영되어 있으므로 결과적으로 법인이 취득하는 경우(제3호 규정)에는 다른 규정에 우선하여 적용하게 된다.

3) 부동산거래신고에 관한 법률에 따른 검증이 이루어진 취득

(1) 취득세 과세표준과 검증시스템 관계

사실상의 취득가격이 적용되는 5가지 유형 중 제5호는 마지막으로 들어온 유형으로 차이가 있다. 위에서 제5호와 제3호의 법인이 취득하는 경우는 제3호가 사실상 우선 적용되므로 제5호의 경우 개인이 취득하는 경우에 한정되는 문제로 볼 수 있다. 2005.12.31. 지방세법이 개정되면서 제5호가 신설되었는데, 사실상의 취득가격을 과세표준으로 하는 경우의 하나로서 "공인중개사의 업무 및 부동산 거래신고에 관한 법률 제27조의 규정에 의한 신고서를 제출하여 동법 제28조의 규정에 의하여 검증이 이루어진 취득"을 규정(현행규정 : "「부동산 거래신고에 관한 법률」 제3조에 따른 신고서를 제출하여 같은 법 제6조에 따라 검증이 이루어진 취득")하고 있다. 그리고 구 부동산거래신고법 제27조 제1항 제1호는 매매계약을 체결한 당사자로 하여금 실제 거래가격 등을 시장 · 군수 또는 구청장에게 신고(부동산거래신고)하고, 국토교통부장관으로 하여금 부동산거래가격 검증체계를 구축 · 운영하도록 규정하고, 제2항에서 시장 · 군수 또는 구청장은 부동산거래신고를 받은 때에는 위 부동산거래가격 검증체계에 의하여 그 적정성을 검증하여야 한다고 규정하고 있다. 이에 따라 '토지와 주택'에 대하여 공시지가 · 공동주택가격을 기초로 하고 은행의 시세정보, 한국감정원의 조사가격 등을 참조로 하여 부동산거래관리시스템을 구축하여 운영하고 있고, 신고가격의 검증은 부동산거래신고를 받은 시장 · 군수 또는 구청장이 위 부동산거래시스템에 거래정보를 입력하면 자동으로 신고된 거래가격의 적정성 여부가 진단되며, 관련 정보는 국세청 및 시군구청 지방세과 등으로 통보되어 과세 및 세무조사 업무에 활용되고 있다.

이와 같이 제5호 조항은 부동산거래의 당사자가 구 부동산거래신고법 제27조에 의하여 실제 거래가격을 신고한 후 같은 법 제28조에 따른 검증 결과 그 신고가격이 적정하다고 판정받은 경우에는 그 신고된 거래가격이 사실상의 취득가격이라는 점에 대한 신빙성이 상당 정도 보장되어 있어 사실상의 취득가격으로 객관적으로 추정될 수 있다. 그러 점에서 제1호 내지 제4호 조항과 마찬가지로 사실상 취득가격을 과세표준으로 하는 범위에 포함되어 있다(2009헌바288 참고).

그러나 현재 부동산거래가격 검증은 주택(공동주택과 단독주택) 및 토지에 대하여만 실시되고 있을 뿐, 상가, 오피스텔 등 기타 건축물의 경우에는 기초 가격정보가 부족한 관계로 아직 부동산거래가격 검증체계가 구축되지 못하여 구 부동산거래신고법 제28조 제2항에 의한 거래가격의 검증은 이루어지지 않고 있다. 그리고 제10조 제5항에서 열거된 사유는 사실상의 취득가격에 의할 수 있는 제한적 · 한정적 요건에 해당하므로, 토지 또는 건축물의 매매당사자가 부동산거래신고법에 의한 부동산거래신고를 하였다고 하더라도 부동산거래가격 검증체계에 의하여 신고내용의 적정성에 대한 검증이 이루어지지 않은 경우는 제5호 조항의 요건에 해당하지 않는다고 보아야 한다. 그리고 국토부장관이 부동산거래가격 검증체계를 구축하지 아니함에 따라 부동산거래신고에 대한 적정성 검증이 이루어지지 아니한 경우에도 마찬가지이다(대법원 2010두29215). 따라서 신고내용의 적정성에 대한 검증이 이루어지지 않은 경우나 부동산거래가격 검증체계를 구축하지 아니함에 따라 부동산거래신고에 대한 적정성 검증이 이루어지지 아니한 비주거용 부동산 취득의 경우 제10조 제1항 및 제2항으로 돌아가 취득세 과세표준을 적용하여야 한다.

(2) 다운계약서를 허위 신고한 경우 사후 추징 여부

사실상 취득가격을 과세표준으로 하는 제5항 제5호와 관련하여 다운계약서로 취득세를 신고하였으나, 사후 세무서장이나 「부동산 거래신고 등에 관한 법률」에 따른 조사결과 새로운 가격이 확인된 경우 그 가격이 최종 검증된 가격으로 보아 이를 기준으로 과세표준의 차액에 대해 과소납부한 세금을 추징할 수 있는지 쟁점이 있었는데 이는 2020년을 전후로 달리 적용하여야 한다. 2019년까지 제10조 제5항 제5호에서 사실상 취득가격 적용대상으로 "「부동산 거래신고 등에 관한 법률」 제3조에 따른 신고서를 제출하여 같은 법 제5조에 따라 검증이 이루어진 취득"으로 규정하고 있기 때문에 납세자가 신고한 가액이 검증체계상 "적정신고"로 인정된 경우에는 지방세법 제10조 제5항 제5호의 「부동산 거래신고 등에 관한 법률」 제5조에 따라 검증이 이루어진 취득으로 볼 수 있어 사후 조사된 가격이 확인되더라도 추징할 수는 없다. 왜냐하면 취득세 규정은 부동산거래법 제6조(신고내용조사)가 아닌 제5조(검증체계상 검증)를 인용하고 있고, 그에 따른 검증체계를 통과한 것이므로, 제6조의 사실조사를 통해 확인된 가격을 검증체계상의 검증된 가격으로 볼 수는 없다. 한편 공시가격 이하로 신고한 경우 일반적으로 검증체계상 검증을 통과할 수 없는데(부적정) 이 경우 취득세는 지방세법 제10조 제5항 제5호를 적용할 수 없어 제2항의 시가표준액(공시가격)으로 과세한다. 대법원에서도 실제 거래가격은 행정청의 부동산거래가격 검증체계에 의한 적정성 검증과 무관하게 실지조사에 의해 밝혀낸 것에 불과하므로, 과세표준으로 삼을 수는 없다(대법원 2008두17783, 2011.6.10.)고 보았다.

그런데 2020.1.1. 지방세법 개정으로 세무서장으로부터 통보받은 자료 또는 부동산 거래신고에 관한 법률에 따른 조사 결과 확인되는 경우에 한해서는 추징이 가능하게 되었다.

☞ 아래 사례는 법개정 전의 사례임.

◎ 매매당사자가 부동산거래신고를 하였다고 하더라도 부동산거래가격 검증이 이루어지지 않은 경우 사실상 취득가격으로 보아 취득세 적용할 수 없음

국토해양부장관은 부동산거래신고법에 따라 토지와 주택에 대하여는 부동산거래관리시스템을 운영하면서도 상가·오피스텔 등 기타 건축물의 경우에는 기초 가격정보가 없어 아직 검증체계를 구축하지 못하였고, 이에 따라 피고는 원고의 신고가액에 대한 적정성을 검증하지 못한 채 신고필증을 교부한 사실, 원고는 2008.10.15. 피고에게 이 사건 각 상가의 시가표준액을 과세표준으로 하여 취득세 및 등록세 등을 신고·납부한 사실 등을 인정한 다음, 이 사건 신고가액이 부동산거래가격 검증체계에 의하여 그 적정성에 대한 검증을 받은 가격으로 볼 수 없고, 적정가격 검증체계가 없어 검증이 이루어지지 못한 경우라 하여 취득자 또는 등록자가 신고한 가액이 시가표준액에 미달함에도 그 신고가액을 과세표준으로 삼을 수는 없다는 등의 이유로 이 사건 각 상가의 시가표준액을 과세표준으로 한 이 사건 과세처분은 적법(대법원 2010두29215, 2011.7.14.)

◎ 검증절차와 무관하게 밝혀낸 실제 거래가격을 취득세 과세표준으로 할 수 없음

구「부동산거래신고법」상 검증이라 함은 부동산거래가격 검증체계에 의하여 일정한 기준에 따라 토지 또는 건축물의 매매당사자가 실제 거래가격으로 신고한 가액이 적정한지 여부만을 판정하는 절차일 뿐 그 신고가액이 실제 거래가격인지 여부를 확인하거나 신고가액과 다른 실제거래가격을 밝혀내는 절차는 아니라 할 것이므로 구「지방세법」 제111조 제5항 제5호는 매매당사자가 실제 거래가격으로 신고한 가액이 부동산거래가격 검증체계에 의하여 적정하다고 판정된 경우 특별한 사정이 없는 한 그 신고가액을 사실상의 취득가격으로 보아 이를 취득세의 과세표준으로 한다는 뜻으로 해석함이 상당하고, 검증절차와는 무관하게 실지조사 등을 통하여 신고가액과 다른 실제 거래가격을 밝혀냈다고 해서 취득세 과세표준으로 할 수 없음(대법원 2008두17783, 2011.6.10.).

◎「공인중개사의 업무 및 부동산 거래신고에 관한 법률」에 따라 당초 신고된 거래가격이 보류 판정된 경우, 추후 정밀조사 등을 통해 확인된 거래가액을 과세표준으로 볼 수 없음

「공인중개사의 업무 및 부동산 거래신고에 관한 법률」에 따른 거래가액 검증결과가 "보류"로 판정되었다면 그 적정성의 검증이 있었다고 볼 수 없으므로 신고된 가액과 시가표준액을 비교하여 과세표준을 산정하여야 하며, 추후 실제거래가격이 확인되었다 하더라도 취득세를 경정할 수 있는 것은 아니라고 할 것(대법원 2008두17783)임(지방세운영과-4032, 2011.8.26.).

(3) 2020.1.1.부터 검증을 거쳤더라도 사후 조사를 통해 확인된 가격으로 추징

지방세법 제10조 제5항에서 사실상 취득가액을 과세표준으로 하는 경우를 열거하고 있다. 그 중 제5호의 부동산 거래신고서 제출 및 검증(신고필증 발급)이 이루어진 취득의 경우 해당 신고가액을 '사실상의 취득가격'으로 보아 과세표준이 된다. 그런데 납세자가 취득세 신고납부 당시 '사실상의 취득가격'으로 인정된 과세표준이 지자체의 조사결과(부동산 거래신고에 관한 법에 따른 조사) 또는 국세청의 통보자료에 의해 취득세를 과소신고한 사실이 객관적으로 확인됨에도 그 차액에 대해 과세할 수 있는지에 대한 논란이 있었다. 대법원에서는 검증절차와 무관하게 밝혀낸 실제 거래가격을 취득세 과세표준으로 할 수 없다고 보았는데(대법원 2008두17783), 이는 납세자로 하여금 허위신고를 유인하고 과세 형평을 훼손하는 문제가 있다. 이에 대해 2020.1.1. 지방세법 개정으로 ① 제103조의 59에 따라 세무서장이나 지방국세청장으로부터 통보받은 자료 또는 ② 「부동산 거래신고 등에 관한 법률」 제6조에 따른 조사 결과에 따라 확인된 금액보다 적은 경우에는 제5항에도 불구하고 그 확인된 금액을 과세표준으로 한다.

따라서 취득세 신고당시 부동산거래신고법에 따라 신고를 하고 검증을 마친 경우라 하더라도 사후에 조사로 인해 진실된 가격이 확인된 경우에는 그 가격을 기준으로 과세할 수 있도록 하였다. 하지만 과세관청에서 직접 조사하여 찾아낸 진실된 가격에 대해서는 과세표준으로 삼을 수 있는지에 대해서는 회의적이다. 규정상 부동산 거래신고 등에 관한 법률에 따라 신고당시 검증된 가격이라면 과세표준으로 확정되었다고 볼 수 있고 사후에 진실된 가격이 확인된다 하더라도 추징할 근거가 없다. 왜냐하면 개정된 규정에 의하면 세무서·지방국세청장으로부터 통보받은 자료나 부동산 거래신고 등에 관한 법률에 따라 조사하여 확인된 가격에 한해 그 차액을 추징할 수 있도록 하였기 때문이다.

(4) 간접비용의 과세표준 포함 여부

지방세법 시행령 제18조 제1항의 취득가격의 범위를 적용함에 있어 기존에는 법 제10조 제5항의 제1호부터 제4호까지를 한정하고 있었는데 2016.4.26. 마이너스프리미엄에 대한 규정이 들어오면서 개인간 유상거래인 제5호를 포함한 제5항 전체를 규정하게 되었다. 이러한 규정에도 불구하고 제10조 제5항 제5호에 따라 검증된 가격에 해당하는 경우 지방세법 시행령 제18조 제1항의 간접비용을 적용할 수 있는지 모호하다. 검증된 가격 그 자체가 취득세 과세표준으로 인정되므로 간접비용은 추가로 고려할 필요가 없다는 주장이 있을 수 있다.

그런데 제18조 제1항 제7호에서 「공인중개사법」에 따른 공인중개사에게 지급한 중개보수를 간접비용에 포함하면서 다만, 법인이 아닌 자가 취득하는 경우는 취득가격에서 제외한다고 규정하고 있는 것으로 미루어 제5호의 경우에도 간접비용도 포함하는 것이 원칙이라고 할 수 있다. 그런데 여전히 개인간의 유상거래에서는 적용되는 예가 사실상 없는 것으로 보인다. 한편 제2호의 할부 또는 연부(年賦) 계약에 따른 이자 상당액 및 연체료를 간접비용에 포함하면서 다만, 법인이 아닌 자가 취득하는 경우는 취득가격 또는 연부금액에서 제외한다고 규정하고 있는데 이는 개인과 개인간의 거래라기보다 개인이 법인으로부터 취득하는 경우의 적용사례(예 : 개인이 법인으로부터 아파트를 분양받으면서 연체료가 발생한 경우)로 이해할 수 있다.

3. 사실상 취득가격의 범위(법 제10조 ⑤, 영 제18조)

사실상 취득가격의 범위에 대해서는 시행령 제18조 제1항 및 제2항에서 구체적으로 규정하고 있다. '취득가격'에는 과세대상 물건의 취득시기 이전에 지급원인이 발생 또는 확정된 것으로서 당해 물건 자체의 가격(직접비용)은 물론 그 밖에 실제로 당해 물건 자체의 가격으로 지급되었다고 볼 수 있거나(취득자금이자, 설계비 등) 그에 준하는 취득절차비용(소개수수료, 준공검사비용 등)도 간접비용으로서 이에 포함되고, 다만 그것이 과세대상 물건이 아닌 다른 물건이나 권리에 관하여 지급된 것이라면 이는 '취득가격'에 포함되지 아니한다(대법원 95누4155, 1996.1.26. 등). 시행령 제18조 제1항에서 취득가격은 취득시기를 기준으로 그 이전에 해당 물건을 취득하기 위하여 거래 상대방 또는 제3자에게 지급하였거나 지급하여야 할 직접비용과 간접비용의 합계액으로 한다(취득대금을 일시급 등으로 지급하여 일정액을 할인받은 경우에는 그 할인된 금액)고 규정하고 있다. 여기서 간접비용이란 건설자금에 충당한 차입금의 이자 등 해당 비용을 열거하고 있고 또한 물건의 판매를 위한 판매비용(광고선전비) 등 일정비용은 취득가격에 포함하지 않는다.

취득가격의 범위는 직접비용과 간접비용으로 구분할 수 있는데 비용 지급의 대상은 거래 상대방뿐 아니라 제3자가 될 수도 있다. 취득가격의 범위에 포함하는 간접비용을 열거하면서, 마지막에 위 비용에 준하는 비용을 규정하고 있다. 취득가격에서 제외되는 비용 또한 그 대상을 열거하고 있지만 마지막에 이에 준하는 비용을 규정하고 있다. 이와 같이 직접비용 또는 간접비용의 성격은 취득의 주체나 취득원인(유상거래, 원시취득, 지목변경)에 따라 다양할 수 있는데 지방세법령에서는 명확하게 구분하지 않고 있는데 관련 사례를 통해 정리할 필요가 있다.

| 취득가격의 범위(영 제18조 ①·②) |

취득가격의 범위에 포함	취득가격에서 제외
1. 건설자금 충당 차입금 이자, 이와 유사한 금융비용 2. 할부 또는 연부 계약에 따른 이자 상당액 및 연체료(법인이 아닌 자가 취득하는 경우 제외) 3. 농지보전부담금, 대체산림자원조성비 등 관계 법령에 따라 의무적으로 부담하는 비용 3. 농지보전부담금, 미술작품의 설치 또는 문화예술진흥기금에 출연하는 금액, 대체산림자원조성비 등 관계 법령에 따라 의무적으로 부담하는 비용 4. 취득에 필요한 용역 대가로 지급하는 용역비·수수료 5. 취득대금 외에 당사자의 약정에 따른 취득자 조건 부담액과 채무인수액 6. 「주택법」 제68조에 따라 매입한 국민주택채권을 취득 이전에 양도함으로써 발생하는 매각차손. 금융회사등 외의 자에게 양도한 경우에는 동일한 날에 금융회사등에 양도하였을 경우 발생하는 매각차손을 한도로 함 7. 공인중개사에게 지급한 중개보수(개인은 제외) 8. 가전제품 등 건축물에 부착되거나 일체를 이루면서 건축물의 효용을 유지 또는 증대시키기 위한 설비·시설 등의 설치비용 9. 정원 또는 부속시설물 등을 조성·설치하는 비용 10. 위 비용에 준하는 비용	1. 광고선전비 등의 판매비용과 부대비용 2. 「전기사업법」, 「도시가스사업법」, 「집단에너지사업법」, 그 밖의 법률에 따라 전기·가스·열 등을 이용하는 자가 분담하는 비용 3. 이주비, 지장물 보상금 등 취득물건과는 별개의 권리에 관한 보상성격으로 지급되는 비용 4. 부가가치세 5. 위 비용에 준하는 비용

◎ **(예규) 지법 10-1(과세표준)** 1. 임시사용승인을 받아 사용하는 신축건물에 대한 취득세 과세표준은 임시사용승인일을 기준으로 그 이전에 당해 건물취득을 위하여 지급하였거나 지급하여야 할 비용을 포함한다. 2. 신축건물의 과세표준에는 분양을 위한 선전광고비(신문, TV, 잡지 등 분양광고비)는 제외하고 건축물의 주체구조부와 일체가 된 것은 과세표준으로 포함한다. 3. 사실상 취득가격의 범위에는 지목변경에 수반되는 농지전용부담금, 대체농지조성비, 대체산림조림비는 과세표준에 포함되지만, 취득일 이후에 공사의 완료로 인하여 수익이 전제가 되는 「개발이익 환수에 관한 법률」에 의한 개발부담금은 제외된다. 4. 분양하는 건축물의 취득시기 이전에 당해 건축물과 빌트인(Built-in) 등을 선택품목으로 일체로 취득하는 경우 취득가액에 포함한다.

| 최근 개정법령 _ 2019.1.1. | 개인간 거래시 취득가격의 범위(직·간접 비용) 명확화(영 §18 ①)

개인간 거래시 공인중개사에게 지급하는 중개보수가 과표에 포함되는지 여부가 명확하지 않았는데, 개인이 부동산을 취득하는 경우 과세표준 산정시 중개보수를 취득가액(직·간접 비용)에서 제외토록 명확히 하였다.

| 최근 개정법령_2020.1.1. | 취득가격의 범위 명확화(영 §18 ①)

법령상 의무적으로 부담하는 비용은 취득가격의 범위에 포함하는데, 미술작품 설치 비용 또는 문화예술진흥기금 출연액을 추가하였다. 정원, 조경, 도로포장 등 공사비용에 대해 건축이 수반되는 경우에는 건축물(신축) 취득가격에 포함하고, 지목변경이 수반되는 경우에는 지목변경 비용에 포함토록 보완하였다. 그리고 건축물과 일체를 이루면서 건축물 효용을 유지·증가시키는 시설(시스템에어컨, 베란다 확장 등)을 설치하는 경우 취득가격에 포함하였다.

1) 이자비용 등

(1) 건설자금에 충당한 금액의 이자비용 개요

일반적으로 부동산 개발사업을 위해 토지를 취득하여 건축물을 신축하는 경우 건설자금 이자의 취득세 과세표준 산입문제가 발생한다. 이 때 토지취득과 신축에 따른 원시취득에 대해 각각 독립적으로 취득세 납세의무가 발생하고 세율적용도 달리하기 때문에 건설자금 이자가 어느 부분과 관련되는지 정확한 구분이 필요하다. 먼저 토지를 취득하기 위해 대출을 받고 이자가 발생하였다면 토지취득시기까지 발생한 이자비용이 토지 취득의 과세표준에 반영되어야하고, 토지취득 이후에 발생한 이자는 반영되지 않는다. 이후 건축물 신축과 관련하여 대출을 받고 이자가 발생되었다면 건축물 취득시 과세표준에 포함되어야한다.

사례를 중심으로 살펴보면 다음과 같다. 토지취득을 위한 은행 대출금을 토지취득에 사용하였고 이 대출금을 다시 건축공사대금으로 사용한 명백한 자료가 없을 경우에는 토지 취득일 이후에 발생한 이자는 건축물의 취득세 과세표준에 포함되지 않는다(지방세운영과-4925, 2011.10.20.). 같은 취지의 대법원 판례에서도 건축물을 취득하기 위한 일련의 절차로서 대출을 받아 토지를 취득하였다는 사정만으로 토지취득 이후에 발생한 차입금 이자를 건축물의 취득가격에 포함할 수 없다(대법원 2008두11112, 2008.9.25.)고 보았다. 이 경우 해당 이자는 토지취득에 대한 과세표준에 포함되지 않고, 건축물 원시취득에 대한 과세표준에도 포함되지 않는다.

건축물을 취득(원시취득)하기 위하여 발생한 건설자금 관련 이자만이 취득세 과세표준에 산입되는 것이고 취득기간 중 발생한 분양수입금으로 건설비용을 지급한 사실이 확인된다면 그 부분은 건설자금 관련 이자가 발생하지 않는다(조세심판원 2017지0078, 2017.9.20.).

그리고 연부취득시 각 연부금에 대한 차입금 이자와 관련한 판례(대법원 2019두52607, 2020.1.16.)에서 과세대상물건을 취득하기 위하여 당해 물건의 취득시기 이전에 그 지급원인이 발생 또는 확정된 것이라도 이를 당해 물건의 취득가격에 포함된다고 보아 취득세 과세표준으로 삼을 수 없는바(대법원 2010. 12. 23. 선고 2009두12150 판결 참조), 쟁점 사건의 비용은 그 지급원인이 2차 연부금 지급에 따른 2차 연부취득 이전에 발생한 것이기는 하지만 2차 연부금과 관련된 대출금 이자나 대출 관련 수수료가 아니어서 2차 연부취득을 위한 간접비용으로 볼 수 없고 또 그 지급원인이 1차 연부취득 이전에 발생한 것이 아니어서 1차 연부취득을 위한 간접비용으로 볼 수도 없는 점 등을 종합하면, 쟁점 비용은 해당 토지의 1차 연부취득 및 2차 연부취득에 대한 취득세의 과세표준인 취득가액에 포함되는 비용에 해당한다고 볼 수 없다고 보았다.

(2) 기업회계기준상 건설자금 이자

한국채택국제회계기준(K-IFRS)에서는 적격자산[26]의 취득, 건설 또는 생산과 직접 관련된 차입원가는 당해 자산 원가의 일부로 반드시 자본화하도록 하고 있다(K-IFRS 1023호 문단 8). 적격자산의 취득, 건설 또는 생산과 직접 관련된 차입원가란 당해 적격자산과 관련된 지출이 발생하지 아니하였다면 부담하지 않았을 차입원가를 말하며, 특정 적격자산을 획득하기 위한 목적으로 특정하여 자금을 차입하는 경우 당해 적격자산과 직접 관련된 차입원가는 쉽게 식별할 수 있으며, 이를 자본화하도록 하고 있다. 이외에도 일반적인 목적으로 자금을 차입하고 이를 적격자산의 취득을 위해 사용하는 경우에 한하여 당해 자산 관련 지출액에 자본화이자율을 적용하는 방식으로 자본화가능차입원가를 결정하여 자본화하도록 하고 있다(K-IFRS 1023호 문단 10, 14).

일반기업회계기준(비상장기업 적용)에서는 차입원가(이자)는 기간비용으로 처리함을 원칙으로 하되, 기업의 선택에 따라 위 한국채택국제회계기준과 마찬가지로 차입원가를 적격자산의 취득원가에 포함시킬 수 있도록 하고 있다(일반기준 18장 문단 18.4). 즉 자본화할 수 있는 차입원가는 적격자산을 취득할 목적으로 직접 차입한 자금(특정차입금)에 대한 차입원가와 일반적인 목적으로 차입한 자금 중 적격자산의 취득에 소요되었다고 볼 수 있는 자금(일반차입금)에 대한 차입원가이며, 일반차입금에 포함시켜야 할 차입금은 대상자산에 대한 지출이 없었다고 가정하는 경우 차입원가의 회피가능성, 당해 차입금의 용도와 사용제한, 자금의 조달 및 사용계획 그리고 현재의 자금상태 등을 종합적으로 판단하여 결정한다(일반기준 18장 문단 18.6 및 실18.14).

(3) 법인세법상 건설자금이자

법인세법에서는 건설자금이자를 특정차입금이자와 일반차입금이자로 구분하고 있다. 법

---

26) 적격자산 : 의도된 용도로 사용하거나 판매가능한 상태에 이르게 하는 데 상당한 기간을 필요로 하는 자산(K-IFRS 1023호 문단 8).

인세법은 그 명목 여하에 불구하고 사업용 고정자산의 매입·제작 또는 건설에 소요되는 차입금(고정자산의 건설 등에 소요된 지의 여부가 분명하지 아니한 차입금은 제외)을 '특정차입금'이라 하고, 이에 대한 지급이자 또는 이와 유사한 성질의 지출금(지급이자 등)은 손금에 산입하지 않고 해당 자산의 취득원가에 산입하도록 하고 있다(법인세법 제28조 ① 3호, 영 제52조 ①).

그리고 해당 사업연도 중 건설 등에 소요된 기간에 실제로 발생한 차입금으로 해당 사업연도에 상환하거나 상환하지 아니한 차입금 중 특정차입금을 제외한 금액을 일반차입금이라고 하는데, 이에 대해 일정한 한도내에서 자본화 여부를 선택할 수 있도록 하고 있다(법인세법 제28조 ②, 영 제52조 ⑦). 일반차입금이자의 경우 취득세 과세표준 포함여부에 대해 아래와 같은 쟁점이 있다.

(4) 기업회계기준 및 법인세법과 지방세법상 취득세 과세표준

법인세법이나 기업회계는 적정한 소득의 측정을 위해 수익비용대응원칙상 건설자금이자의 회계처리가 필요하지만, 지방세법상 취득세는 과세대상물건의 취득과정에서 적절한 담세력을 포착하고자 하는 것이므로[27] 그 입법취지에 큰 차이가 있다. 즉 구 지방세법이 건설자금이자를 취득세의 과세표준에 포함하도록 규정하는 것은 그것이 취득을 위하여 간접적으로 소요된 금액임을 근거로 한다(대법원 2009두17179 등). 한편 법인세법상 손금불산입 대상인 건설자금이자는 사업용 고정자산에 관한 것에 국한되나 지방세법상 취득세의 과세표준에 산입되는 건설자금이자는 이에 한정되지 않는다. 기업회계기준에서는 자본화대상이 되는 자산과 적용기간에 대해 별도의 제한을 두고 있다.

법인세법과 기업회계기준을 무시하고 지방세법상 건설자금에 충당한 이자 여부를 판단하기는 한계가 있다. 대법원(2013두5517)에서도 구 지방세법상 취득세의 과세표준에 산입되는 건설자금이자는 구 법인세법상 손금불산입 대상인 건설자금이자와 그 범위가 반드시 일치하는 것은 아니지만, 그 이자는 취득에 소요되는 비용으로서 해당 자산의 원가를 구성하는 자본적 지출이 된다는 점에서 양자가 서로 공통되므로 그 건설자금이자는 같은 방식으로 산정함이 타당하다고 보았다.

따라서 건설자금이자의 취득세 과세표준 포함여부에 대한 판단은 먼저 기업회계기준에 따른 회계처리와 법인세법상 세무조정 결과를 참고하여 자본화한 이자비용은 과세표준에 포함하여야 할 것이다. 이때 법인세법에 따라 자본화가 강제되는 특정차입금뿐 아니라 일반차입금을 선택적으로 자본화하였다면 이 또한 취득세 과세표준에 포함하여야 할 것이다.

27) 성용운, 김병일, 지방세법상 건설자금이자에 대한 연구, 세무와회계저널 제12권 제3호, 186면.

쟁점은 일반차입금이자의 과세표준 포함여부이다.

(5) 일반차입금이자의 과세표준 포함여부 판단

일반차입금 이자의 경우 지방세법상 과세실무에서 논란이 되고 있다. 기업에서 지급이자를 비용계정으로 회계처리를 하였을 뿐, 이를 자본화하여 부동산의 취득가격에 반영하지 않은 경우 과세표준 포함여부에 대한 기준을 어떻게 적용할 것인가 하는 점이다.

일반기업회계기준에 따르면 일반적인 목적으로 차입한 자금 중 적격자산의 취득에 소요되었다고 볼 수 있는 자금(일반차입금)에 대한 차입원가는 자본화할 수 있는 차입원가로 보고 있다. 이러한 일반차입금에 포함시켜야 할 차입금은 대상자산에 대한 지출이 없었다고 가정하는 경우 차입원가의 회피가능성, 당해 차입금의 용도와 사용제한, 자금의 조달 및 사용계획 그리고 현재의 자금상태 등을 종합적으로 판단하여 결정한다.

이와 관련하여 대법원은 다음과 같이 보았다(대법원 2014두46935, 2018.3.29.).

"구 지방세법이 건설자금에 충당한 차입금의 이자를 취득세의 과세표준에 포함하도록 규정하는 것은 그것이 취득을 위하여 간접적으로 소요된 금액임을 근거로 한다(대법원 2009두17179, 2010.4.29. 등). 그렇다면 어떠한 자산을 건설 등에 의하여 취득하는데에 사용할 목적으로 직접 차입한 자금의 경우 그 지급이자는 취득에 소요되는 비용으로서 취득세의 과세표준에 포함되지만, 그 밖의 목적으로 차입한 자금의 지급이자는 납세의무자가 자본화하여 취득가격에 적정하게 반영하는 등의 특별한 사정이 없는 한 그 차입한 자금이 과세물건의 취득을 위하여 간접적으로 소요되어 실질적으로 투자된 것으로 볼 수 있어야 취득세의 과세표준에 합산할 수 있다고 할 것이다. 또한 과세요건사실의 존재 및 과세표준에 대한 증명책임은 과세관청에게 있으므로, 그 밖의 목적으로 차입한 자금의 지급이자가 과세물건의 취득을 위하여 소요되었다는 점에 관하여도 원칙적으로 과세관청이 그 증명책임을 부담한다고 보아야 한다." 대법원 판결 2019두30294에서도 일반차입금이자의 경우 과세물건의 취득을 위해 소요되었다는 입증이 있어야 과세표준에 포함된다고 보았다.

실무에서는 일반차입금이자의 취득세 과세표준 산입과 관련한 다툼이 많이 나타난다. 대법원의 판단은 일반차입금이자에 대해 전적으로 취득세 과세표준에서 제외하라는 의미는 아니다. 과세관청의 입증이 부족하기 때문에 과세표준에 산입할 수 없다는 것이다. 그런데 기업회계기준에 따라 자본화하지 않고 이자비용으로 처리한 것에 대해 해당 차입금이 부동산 취득에 사용할 목적으로 직접 차입한 것이라거나 아니면 해당 부동산 취득을 위해 간접적으로 소요되어 실질적으로 투자되었다는 점을 입증하는 것은 과세관청으로서는 한계가 있을 수 밖에 없다.

이와같이 일반차입금에 대한 이자비용을 취득세 과세표준에 포함하는 것이 쉽지 않고, 이는 '기업의 회계처리방법의 차이에 상관없이 취득세의 과세표준에 포함하여야 한다'는 내용의 유권해석(지방세정팀-3608, 2007.9.5.)이나 그 이후의 행안부 운용요령[28]의 의미가 퇴색되었다고 볼 수 있다. 하지만 해당 이자비용이 정황상 토지나 건축물의 취득과 연계되었다고밖에 볼 수 없고, 정상적인 입증과정에서 납세자의 소명이 부족한 경우 등 사안에 따라 과세표준에 포함하는 방안을 고려할 수 있을 것이다.

◎ 일반차입금이자의 경우 과세물건의 취득을 위해 소요되었다는 입증이 있어야 과표에 포함

〈사례1〉 (사실관계) 원고는 이 사건 지급이자 ○○○원은 부동산을 매수한 2005.12.경부터 2010.5.경까지의 기간 동안 지급한 여러 차입금에 대한 것으로서, 이를 비용계정으로 회계처리하였음. 피고는 이 사건 지급이자에 대하여 이 사건 부동산의 취득에 직접 사용된 차입금(특정차입금)에 관한 것인지 여부를 밝히지 아니한 채, 원고로부터 확보한 회계장부 등을 기초로 이 사건 부동산의 매입금액에 연도별 가중평균차입이자율을 곱하는 방식으로 건설자금이자를 계산하여 취득가액에 포함시켰음 ⇒ (판단) 피고의 위 건설자금이자 계산방법은 특정차입금에 대한 것이라고 할 수 없고, 원고의 여러 차입금을 포괄하여 일반차입금으로 전제한 것이라고 볼 수밖에 없음(대법원 확정, 2019두30294, 2019.4.25.).

원고는 이 사건 지급이자를 비용계정으로 회계처리를 하였을 뿐 이를 자본화하여 이 사건 부동산의 취득가격에 반영한 바가 없고, 피고가 제출한 증거에 의하더라도 원고가 차입한 자금들이 이 사건 부동산의 취득에 사용할 목적으로 직접 차입한 것이라거나 이 사건 부동산의 취득을 위하여 간접적으로 소요되어 실질적으로 투자되었다는 점이 충분히 증명되었다고 보기도 어려움(대법원 파기환송, 2014두46935, 2018.3.29.).

◎ 기업회계기준의 취득원가와 지방세법상 취득원가와의 차이

일반기업회계기준에 따르면, 지연이자는 토지 또는 건물 등의 취득에 직접 관련된 원가에 해당하지 않으므로 자산의 취득원가에 포함하지 않고 발생 시점에 비용으로 인식함. 그러나, 지방세법 제10조 제5항 제3호에서 '판결문 · 법인장부 중 대통령령이 정하는 것에 따라 취득가격이 증명되는 취득'에 관하여 '사실상의 취득가격'을 과세표준으로 규정하고 있는 취지는 고도의 신빙성이 인정되는 취득가격산정에 관한 자료가 있는 경우에는 그에 따라 사실상의

---

28) 2010.1.1. 지방세법 분법 시행과 함께 시행령이 보완되면서 현재에 이르게 되었는데, 건설자금이자 관련규정을 포함하여 취득가격에 포함되는 간접비용과 제외되는 비용을 구체적으로 열거하였다. 당시 개정법령에 대한 행정자치부의 운영요령을 보면, 취득가격에 포함되는 건설자금이자 등은 과세물건을 취득하기 위하여 차입한 자금의 이자, 차입과 관련한 수수료 및 기타 유사한 금융비용은 포함되며, 건설자금이자는 기업회계기준에 따른 회계처리방법(자산계정, 비용계정)에 관계없이 취득자금에 충당한 이자는 포함한다고 설명하고 있다.

취득가격을 과세표준으로 삼고자하는 데에 있는 것이지 취득세의 과세표준에 포함되는 항목과 범위까지 지방세법령의 규정에 우선하여 법인장부 등에 기재된 바에 따른다는 의미로 볼 수는 없음. 따라서 취득세의 취득가격의 항목 및 범위가 기업회계기준상의 취득원가의 그것과 동일하다고 볼 수 없음(대법원 2014두41640, 2014.12.24.).

◎ 특정차입금이 실제로 건설자금에 사용되기 전에 발생한 이자라도 취득세 과표에 산입

취득세의 과세표준에 산입되는 건설자금이자는 법인세법상 손금불산입 대상인 건설자금이자와 마찬가지로 특정차입금의 차입일부터 해당 자산의 취득일 등까지 발생한 이자에서 특정차입금의 일시예금에서 생기는 수입이자를 차감하는 방법으로 산정하여야 하고, 설령 특정차입금을 실제로 사용하기 전에 미리 차입을 하였다고 하더라도 그에 관한 이자는 여전히 해당 자산의 취득에 소요된 비용에 해당하므로 취득세 과세표준에서 제외할 것은 아님(대법원 2009두17179, 2010.4.29., 2013두5517, 2013.9.12.).

◎ 건축물을 취득하기 위한 일련의 절차로서 대출을 받아 토지 취득하였다는 사정만으로 토지취득 이후에 발생한 차입금 이자를 건축물의 취득가격에 포함할 수 없음

사실상의 취득가격이라 함은 과세대상물건의 취득의 시기를 기준으로 그 이전에 당해 물건을 취득하기 위하여 거래상대방 또는 제3자에게 지급하였거나 지급하여야 할 직접·간접으로 소요된 일체의 비용임(대법원 2008두11112, 2008.9.25.).

◎ 토지 취득일 이후 발생이자는 건축물의 취득세 과세표준 포함되지 않음

토지취득을 위한 은행 대출금을 토지취득에 사용하였고 이 대출금을 다시 건축공사대금으로 사용한 명백한 자료가 없을 경우에는, 토지 취득일 이후에 발생한 이자는 건축물의 취득세 과세표준에 포함되지 않는다고 판단됨(지방세운영과-4925, 2011.10.20.).

◎ 부동산 취득 이후 발생할 이자비용을 선 지급한 경우 취득가격에서 제외

법인이 부동산의 취득자금을 금융기관으로부터 자금을 차입하여 충당한 경우 부동산의 취득시기를 기준으로 그 이전에 당해 물건을 취득하기 위하여 발생된 이자를 취득에 소요된 비용으로 보아야 할 것이므로, 취득 이후 발생되는 지급이자를 선급하여 지급한 것이라면 건설자금에 충당된 이자라고 볼 수 없어 취득가격에서 제외됨이 타당함(지방세운영과-1764, 2008.10.13.).

◎ 공사대금의 지급을 지체함으로써 발생한 지연이자는 취득가격에 포함됨

① '연체료'의 범위를 '할부 또는 연부 계약에 따른' 연체료에 한정하고자 하는 의미로 개정된 것이 아님 ② '건설자금에 충당한 차입금의 이자'를 간접비용으로 정하고 있음을 감안할 때 지연이자 역시 간접비용에 포함되는 것이 형평에 부합 ③ 양도자산의 취득원가에서 지연이자를 배제하고, 법인세법에서도 비용처리하고 있으나 취득세는 유통세의 일종으로 사실상

취득행위 자체를 과세대상을 하는 것으로 소득세나 법인세와 동일하게 해석할 수 없음 ④ 일반기업회계기준상 지연이자는 자산의 취득원가에 포함하지 않고 발생 시점에 비용으로 인식하지만, 취득세의 취득가격의 항목 및 범위가 기업회계기준의 취득원가의 그것과 동일하다고 볼 수 없음(대법원 2014두41640, 2014.12.24).

- 차입금이 부동산 취득을 위한 자금인지가 불분명한 경우에는 그 이자를 취득가격에 포함할 수 없으므로, 해당 차입금이 객관적으로 부동산 취득에 사용된 것으로 확인되는 시점 이후의 이자분에 한하여 취득가격에 포함할 수 있음(대법원 2011두754, 2011.4.14.).

2) 부담금 등(제3호)

「농지법」에 따른 농지보전부담금, 「문화예술진흥법」 제9조 제3항에 따른 미술작품의 설치 또는 문화예술진흥기금에 출연하는 금액, 「산지관리법」에 따른 대체산림자원조성비 등 관계 법령에 따라 의무적으로 부담하는 비용은 간접비용으로써 과세표준에 포함한다. 농지전용부담금, 대체농지조성비, 대체산림조림비는 지목변경과 관련하여 수반되는 비용으로 지목변경 취득 과세표준에 포함된다. 하지만 취득일 이후에 공사의 완료로 인하여 수익이 전제가 되는 「개발이익 환수에 관한 법률」에 의한 개발부담금은 과세표준에서 제외하고 있다(예규 지법 10-1).

지방세법 시행령 제18조 제1항 제3호는 예시규정으로 볼 수 있는데 관련법령에 따라 부담하는 비용을 어디까지 위 규정으로 보아 적용할 수 있는지 쟁점이 나타난다. 대부분 비용을 부담하는 경우는 관련법에 근거를 두고 있기 때문에 들어가는 제반비용은 포함한다고 볼 수 있다. 그런데 같은조 제2항 제2호에서 「전기사업법」, 「도시가스사업법」, 「집단에너지사업법」, 그 밖의 법률에 따라 전기·가스·열 등을 이용하는 자가 분담하는 비용은 제외하고 있다. 사례들을 통해 정리할 필요가 있다.

산업입지법, 택지개발촉진법, 도시개발법 등에 따라 토지조성사업이 시행되는 경우 상하수도부담금, 폐기물처리시설 부담금 등 각종 부담금이 사업시행자에게 부과된다. 그런데 토지조성공사가 완료되어 지목변경 취득세 부과시 해당비용이 과세표준에 포함되는지 관련 대법원은 해당 비용은 과세표준에서 제외되는 것이 아니라 건축물의 과세표준에 포함하는 것이 타당하다고 판단하였다(2019두36193). 대법원 판례에 따르면 각종 부담금을 토지조성사업 시행자에게 부과할 경우 토지준공시 지목변경 취득세에 과세할 수 없고, 건축주의 경우 부담금을 부담하지 않았으므로 원시취득 과표에도 넣을 수 없다는 주장이 있을 수 있다.

하지만 하수도원인자부담금은 관련규정에 따라 택지개발사업의 준공 전에 납부하여야 하는 비용이고, 폐기물처리시설부담금도 택지개발사업 착공 전에 제출한 납부계획서에 기초하여 납부금액과 기한을 준수하여 의무적으로 부담하여야 하는 비용이므로, 기반시설 설치 및 기반시설 부담금을 부담(납부)하지 않고서는 준공검사를 받을 수 없고 지목변경 신청도 할 수 없으며, 조성된 택지를 택지개발촉진법에 따라 공급할 수 없다(부산고등법원 2019누21818). 산업단지와 같은 대규모 토지를 조성하고 지상에 건축물을 신축하는 일련의 과정에서 발생한 비용인 바, 택지조성사업 시행자에게 부담시킨 것으로 이는 관련법령에 따라 대규모 토지조성사업이 전제되는 개발사업의 경우 토지조성자로 하여금 일괄 납부토록 하여 효율적으로 부담주체를 정한 것으로 보인다. 특히 취득가격의 범위는 취득세 납세의무자에게 취득의 시기를 기준으로 소요된 직 · 간접비용의 합계인 점 등을 종합적으로 고려할 때 부담의 주체가 건축물 소유자가 아닌 토지조성자라는 이유로 달리 볼 이유가 없다고 판단된다.

◎ 도시가스사용자가 시공자에게 지급한 인입배관 공사비 분담금은 취득가격에서 제외

인입배관 취득가격은 구 지방세법 시행령 제18조 ①에 따라 원고들이 인입배관을 취득하기 위하여 시공자에게 지급한 비용(객관적으로 보아 인입배관의 취득을 위하여 취득자인 원고들 자신의 부담으로 귀속되는 비용), 즉 도시가스공급규정에 의하여 원고들이 부담하는 인입배관 공사비의 50% 상당액이라고 할 것이고, 도시가스사용자가 시공자에게 지급한 인입배관 공사비 분담금은 원고들의 인입배관 취득가격에 포함된다고 할 수 없음(대법원 2015두39828, 2015.7.10.).

◎ 도시가스 이용자의 시설분담금은 도시가스 공급회사의 취득세 과세표준에서 제외됨

도시가스 공급회사가 공급관을 취득하면서 배관공사비, 측량비 등 제반 소요비용을 과세표준으로 하여 취득신고를 한 후 그 취득가액과 취득세를 합한 금액을 자산(공급설비)으로 계상하고 추후 이용자로부터 시설분담금을 납입받아 자산(공급설비)에서 차감처리하고 있다면, 도시가스 공급회사는 공급관 취득시 제반 소요비용에 대한 취득세를 이미 납부하였으므로 이용자로부터 납입받는 시설분담금은 도시가스 공급회사의 취득세 과세표준에 포함할 수 없을 것으로 판단됨(지방세운영과-2346, 2012.7.23.).

◎ 광역교통개선대책분담금 · 하수도원인자부담금 · 폐기물처리부담금이 건물 취득 과표에 포함

이 사건 도시개발사업은 광역교통개선대책수립이 필요한 사업에 해당하고, 도시개발사업의 일부인 이 사건 건축물 신축 과정에서 위 행정법규에 의하여 광역교통개선대책분담금이 발생하고, 필요불가결한 준비행위 또는 그 수반행위에 소요된 비용에 해당하므로 건축물 취득가액에 포함됨. 하수도법 등의 규정에 의하면 공공하수도 공사를 필요하게 하는 원인 제공자 등은 하수도원인자부담금을 납부하여야 하고, 폐기물시설촉진법 관련 규정에 따르면 공동주택단지나 택지를 개발하는 경우 폐기물처리부담금이 부과됨. 따라서 하수도원인자부담금 및

폐기물처리부담금은 이 사건 건축물 신축을 위한 과정에서 발생한 부담금으로, 이 사건 건축물을 취득하기 위한 수반행위에 소요된 필수적 간접비용에 해당함(대법원 2016두61907, 2018.3.29.).

◎ 상·하수도 시설 등 공공시설의 설치와 관련된 부담금은 지목변경과 무관한 비용

상수도원인자부담금, 하수도원인자부담금, 폐수처리시설부담금을 납부하기는 하였으나, 수도시설이나, 공공하수도시설, 폐기물처리시설 등의 설치에 필요한 비용이 토지의 지목변경 또는 토지 자체의 가치 증가와 관련이 있는 것으로 단정하기 어려움. … 농지보전부담금이나, 대체산림자원조성비는 농지, 산지를 주택용지 등으로 전용하는 경우에 부담하는 것으로서, 그 성격상 토지의 지목 변경과 직접적인 관련이 있는 부담금임에 반해 이 사건 부담금은 상·하수도 시설 등 사회기반시설의 설치비용으로서 성격이 전혀 다를 뿐 아니라 지목변경과도 직접적 관련이 없음. 또한 농지법과 산지관리법은 그 문언상으로도 '내야 한다', '미리 내야 한다'고 규정하여 반드시 부과하도록 규정하고 있음에 반해, 수도법과 하수도법은 비용 발생의 원인을 제공한 자에게 '부담시킬 수 있다'고 규정하여 의무적으로 부담하는 비용으로 볼 수 없음(대법원 2019두36193, 2019.6.13.).

☞ 토지 지상에 건축될 건축물의 취득가액에 포함되어야 할 것으로서, 지목변경과는 무관한 비용이고, 나아가 원고는 이 사건 부담금을 산업단지조성원가나 택지조성원가의 '기반시설 설치비' 항목으로 반영한 후에 이 사건 토지를 분양하였으므로, 향후 이 사건 토지를 분양받은 자들이 건축물을 신축하는 경우 부담하게 될 비용을 미리 부담한 것으로 볼 여지도 있음.

☞ 하수도원인자부담금 및 폐기물처리부담금은 도시개발사업으로 조성된 대지에 건축물을 신축하기 위한 수반행위에 소요된 필수적 간접비용임에 반해, 대체산림자원조성비, 농지보전부담금 등은 토지의 지목을 변경하기 위해 의무적으로 부담해야 하는 간접비용으로서, 명확히 구분되는 것으로 판시하였다(대법원 2017두35844, 2018.3.29. 등 참조).

◎ 재건축사업 과정의 교통시설 부담금·행정용역비·기존건물 철거비용은 물건 자체의 가격으로 지급되었다거나, 그에 준하는 취득절차 비용(간접비용)으로서 취득세 과표에 포함됨

교통시설 부담금은 건물을 취득하지 않을 경우에는 지출할 필요가 없는 비용으로 이 사건 건축물의 취득을 위해 의무적으로 부담하는 비용에 해당하고, 기술용역 위탁, 조합설립인가 대행, 조합총회, 관리처분계획 관련 업무대행 등 조합 사업추진에 관한 제반업무 관련 행정용역업무는 재건축사업에서 필수불가결하게 수반되는 부수업무로서 이에 소요되는 제반비용은, 직간접 비용으로서 취득세 과세표준에 포함된다고 봄이 상당. 기존 건물 철거비용은 신축공사의 특성상 지출이 필수적으로 요구되는 비용으로서, 당해 건축물을 취득하기 위하여 필요·불가결한 준비행위 또는 그 수반행위에 소요된 것으로, 위 건축물의 취득비용에 포함됨(대법원 2011두29472, 2012.1.16.).

◎ **건축물 신축시 의무적으로 부담하는 상수도원인자부담금은 취득세 과세표준에 포함됨**

건축물을 신축하면서 부담한 상수도원인자부담금은 수도공사를 하는 데에 비용 발생의 원인을 제공한 자(주택단지·산업시설 등 수돗물을 많이 쓰는 시설을 설치하여 수도시설의 신설이나 증설 등의 원인을 제공한 자를 포함한다) 또는 수도시설을 손괴하는 사업이나 행위를 한 자에게 부담하게 하는 비용(수도법 제71조)으로서, 건축물 신축행위를 위하여 필요불가결하게 발생되는 간접비용이므로 관계법령에 따라 의무적으로 부담하여야 하는 비용(시행령 제82조의 2 ① 3호)에 해당되어 취득세 등 과세표준에 포함하는 것이 타당(지방세운영과-2146, 2010.5.20.)

◎ **건설자금이자, 지중화비용, 도로확장비용, 하수도원인자부담금의 건축물 과표 포함 여부**

① 취득가격에서 분양수입금으로 충당한 것이 확인된 부분은 쟁점이자에서 제외하는 것이 타당하고, ② 지중화비용의 경우, 이 건 건축물의 분양을 극대화하기 위하여 그 외관을 정비하는 과정에 지출된 것으로 보이므로 건축물의 취득가격으로 볼 수 없으며, ③ 도로확장비용은 도시교통정비지역 촉진법에 따라 청구법인이 신축을 위하여 필수불가결한 준비행위에 소요된 비용에 해당하므로 취득가격에 포함되나, 해당 비용 중 청구법인이 환급받은 부분은 제외하는 것이 타당하고, ④ 하수처리원인자부담금은 「하수도법」 제61조에 따라 건축물 등의 신축행위를 위하여 필수불가결하게 발생되는 간접비용이므로 과표에 포함(조심 2015지0762, 2016.10.6.)

3) 학교용지 부담금

행안부에서는 학교용지부담금 등 취득 관련 부담금은 취득세 과세표준에 포함되며, 기부채납으로 부과를 면제받는다고 하더라도 취득세 과세표준에는 포함된다고 보았다(지방세운영과-3861, 2015.12.11.). 위 유권해석을 기점으로 지자체에서 본격적인 추징 문제가 발생하여 법원의 판단을 받게 되었다. 대법원도 유권해석과 같이 학교용지부담금이 아파트를 취득하기 위하여 관계 법령에 따라 의무적으로 부담하는 비용에 해당한다면 취득가격에 포함되는 간접비용에 해당한다고 보았다(대법원 2019두36353). 그런데 해석의 변경으로 보아 해석변경 이전에 납세의무가 성립된 경우 추징한 사건에 대해 비과세 관행이 성립되어 과세가 적법한지에 대한 쟁점이 있었다. 이에 대해 대법원은 해당 유권해석('15.12.11.) 이전의 학교용지분담금에 대한 과세처분에서 비과세관행이 성립되었다는 이유로 과표에서 제외하는 것이 타당하다(대법원 2019두36353)고 본 반면, 내부적인 운영기준을 마련하여 달리적용하고 있었던 서울시의 사례에서는 과세가 정당(대법원 2020두38836)하다고 판단하였다.

◎ **학교용지부담금이 아파트를 취득하기 위하여 관계 법령에 따라 의무적으로 부담하는 비용에 해당한다면 취득가격에 포함되는 간접비용에 해당**

원고가 5회('14.4.~'15.8.)에 걸쳐 납부한 학교용지부담금은 아파트를 취득('15.12.31. 아파트 신축)하기 이전에 그 지급원인이 발생하거나 확정된 것인 점, 설령 처분권자가 학교용지부담금을 부과·징수할 것인지 여부에 재량의 여지가 있다고 하더라도, 일단 아파트의 신축·분양과 관련하여 학교용지부담금이 부과된 이상, 학교용지부담금을 납부하지 않고서는 사용승인을 받지 못하는 등 아파트의 신축·분양사업을 시행할 수 없었을 것으로 보이는 점 등 학교용지부담금이 아파트의 취득시기 이전에 아파트를 취득하기 위하여 관계 법령에 따라 의무적으로 부담하는 비용에 해당한다면 취득가격에 포함되는 간접비용에 해당한다고 할 것임(대법원 2019두36353, 2019.6.13.).

☞ 도로법이 규정한 도로원인자부담금, 하수도법이 규정한 하천원인자부담금 등도 처분권자가 각 부담금을 부담시킬지 여부 자체에 관하여는 재량의 여지가 있는 것으로 규정되어 있으나, 일단 각 부담금이 부과되어 해당 물건을 취득하기 위해서는 그 부담금을 납부하여야만 하는 경우 이는 취득가격에 포함됨(대법원 2015두47386).

☞ 비과세 관행의 성립으로 학교용지부담금이 취득세 과표에 제외된다는 아래 사례 참조

◎ **대법원은 해당 유권해석('15.12.11.) 이전의 학교용지분담금에 대한 과세처분에서 비과세관행이 성립되었다는 이유로 과표에서 제외하는 것이 타당하다고 판단하였음**

2010.1.1. 관계법령에 따라 의무적으로 부담하는 간접비용을 과표에 포함하는 것으로 지방세법 시행령이 개정(제18조 ① 3호)되었음. 이는 과세권자의 자의적인 해석에 따라 취득과 관련 없는 비용까지 취득가액에 포함되어 과세되는 사례가 있어 판례·세정운영 사례 등을 종합하여 취득가격의 적용 범위를 명확히 하고자 하는 데 있을 뿐, 새롭게 취득세의 과세표준인 취득가격에 포함하고자 하는 데 있지 않음. 따라서 법령 개정 이유만으로 종전에 유지되던 비과세관행이 변경되거나 소멸되었다고 볼 수 없음. 그리고 시행령 개정 이후에도 학교용지부담금을 취득세 과세표준에 포함하여 과세하지 않았음. … '경기도 2015 법인 세무조사 업무 매뉴얼'과 서울시의 '학교용지부담금 등 취득세 누락세원 발굴계획'('16.3.경 작성)에도 그동안 '학교용지부담금은 건물 건축 또는 아파트 신축과 직접적인 관련이 없는 것으로 보아 과표에 포함하지 않는 것으로 운영하였던 점 … 피고뿐만 아니라 대부분의 과세관청 역시 위 지방세법 시행령 개정 이후에도 학교용지부담금을 과표에 포함하지 않는 관행을 유지하였던 것으로 보임(대법원 2019두35602, 2019.6.13.).

◎ **비과세 관행이 성립된 것으로 볼 수 없어 과표에 포함해야 함(서울시, 위 판례와 비교)**

지방세기본법 제20조 제3항에 따라 비과세관행이 성립·유지되고 있는지는 해당 지방세의 과세권자를 기준으로 판단해야 함. 이 사건 주상복합시설에 대한 취득세는 서울시가 과세권

을 가지고 있고, 서울시는 2010년부터 2015년까지 학교용지부담금을 취득세 과세표준에 포함시키기로 하였으므로, 설령 다른 지방자치단체의 경우 과세표준에 포함시키지 않는 비과세관행이 성립·유지되고 있었더라도 과세권자가 서울시인 피고의 경우를 이와 같이 볼 수는 없음. 또한 지방행정연수원 발간 2012년 및 2015년 지방세실무와 2012년 세무조사실무 교재들은 내부교육용교재에 불과하고 학교용지 확보 등에 관한 특례법이 2005.3.24. 개정되면서 '공동주택을 분양받는 자'에서 '공동주택을 분양하는 자'로 그 부담금 부과대상자가 변경되어 위 교재들의 기재 내용을 그대로 적용할 수 없음. 원고가 들고 있는 대법원 2019두35602 판결은 이 사건에 원용하기 적절치 않음(대법원 2020두38836, 2020.9.9.).

4) 기타 직·간접비용

취득세 과세표준인 과세대상물건의 취득가액에는 당해 물건 자체의 가격인 직접비용 및 당해 물건 자체의 가격으로 지급되었다고 볼 수 있는 간접비용이 포함되는데, 적극적으로 금원 등을 지출하는 방법뿐만 아니라 소극적으로 보유자산 등을 포기하는 방법을 통해 당해 물건을 취득하는 경우가 있을 수 있고, 이 경우 당해 물건을 취득하기 위해 포기한 자산 등의 경제적 가치를 취득가액으로 본다(대법원 2015두41616, 2015.8.27.).

취득가격에 포함하는 비용

◎ **과세대상 건축물에 대한 보상금이라면, 지장물 보상금 형태로 지급하더라도 취득세 과세**

취득자가 취득세 과세대상이 되는 건축물에 대한 대금을 치른 이상, 그 건축물에 대한 등기를 이행하지 아니하였다거나, 사용하지 아니하고 철거할 목적으로 지장물의 형태로 보상금을 지급하였더라도 기 성립한 납세의무에 미치는 영향은 없는 점, 이주비, 지장물 보상금 등 취득물건과는 별개의 권리에 관한 보상 성격으로 지급되는 비용은 취득가격에 포함하지 않는 것(영 제18조 ② 1호)이나, 이는 본 물건을 취득하면서 본 물건과 별개의 권리에 관하여 지급된 비용이 본 물건의 취득가격에 포함되지 않는다는 것으로, 건축물 자체의 취득세 납세의무 성립과는 무관한 점 등을 종합해 볼 때, 이전비가 아닌 건축물에 대한 취득대가를 지급한 것으로 보아 취득세 납세의무 있음(지방세운영과-416, 2017.4.24.).

☞ 같은 취지의 대법원 2020두39044 : 사업시행자인 원고가 위 건물의 소유자에게 건물의 취득대가로서 건물 가격 상당의 손실보상금을 지급함으로써 위 건물은 사업시행자인 원고에게 유상으로 사실상 이전되었다고 봄이 상당하고, 이 사건 건물이 철거될 운명에 있다고 하더라도 달리 볼 수 없음. 대법원 95누4155 판결은 협의취득에 따른 지장물보상금을 과세대상물건인 토지의 취득세 과세표준 포함 여부에 관한 사안으로, 원용하기에 적절하지 아니함.

◎ **보증수수료는 토지 취득을 위한 절차비용에 해당하고, 지급원인이 토지에 관한 취득시기 이전에 이미 발생 또는 확정되었으므로, 반환과 무관하게 토지 취득가격에 포함됨**

(사실관계) 토지 매매대금을 지급하기 위해 은행으로부터 800억원 대출(대출기간 3년), 대출관련 주택도시보증공사에 주택사업금융보증수수료로 24억원 지급, 대출금 중 564억원을 잔금을 지급하는 데 사용, 대출금 전액을 조기상환하여 보증수수료 중 11억원을 반환받았음. 과세관청은 보증수수료 등 합계 23억원을 취득가격에서 누락한 것으로 보고 추징. (판단) 보증수수료는 토지취득을 위한 절차비용에 해당하고, 보증수수료의 전액에 대한 지급원인이 토지 취득시기 이전에 이미 발생 또는 확정되었으므로, 취득가격에 포함됨. 보증수수료 전액을 지급하고 전체 대출기간에 대한 주택사업금융보증서를 발급받지 않았다면 대출을 통한 토지취득은 이루어질 수 없었고, 보증수수료는 대출약정을 체결하거나 대출금을 인출하기 위해 일시에 모두 지출된 비용으로, 대출기간에 따라 계속적으로 발생하는 이자(건설자금이자)와는 당초부터 그 발생원인이나 법률적 성격 등을 달리함(대법원 2019두62628, 2020.4.9.).

◎ 옥외 전광판은 취득세과세대상으로 보기 어렵고, 감정평가수수료는 취득가액에 포함됨

건물과는 별개의 시설인 이 건 전광판은 그 자체적으로 설치나 해체가 용이한 시설물로서 「지방세법」상 취득세 과세대상 시설물에 해당하지 아니할 뿐만 아니라, 건물과 일체를 이루어 그 효용을 증대시키는 시설물로 보기도 어려우므로 취득세 과세대상으로 보기는 어려움. 또한 감정평가수수료는 이 건 부동산을 취득하는 과정에서 지급된 절차적 비용으로서 부동산 취득관련 비용이므로 취득세 과표에 포함함(조심 2011지0758, 2012.6.13.).

취득가격에 포함하지 않는 비용

◎ 건축 신축에 따른 사업수지 자문료는 과표에 산입되나 분양 자문수수료 및 정산이 이루어지지 않은 외주비용은 산입되지 않음

① 신축에 따른 전반적인 경영진단과 사업수지 검토 및 각종 세무・회계 문제의 검토 등으로서 이 사건 건축물의 신축 및 그에 따른 사업성 판단을 위하여 필요불가결한 행위라고 볼 수 있음. ② 분양에 필요한 기초자료를 조사하고 적정한 분양조건 및 분양가격을 제시하여 분양을 원활하게 진행하기 위한 것으로서 건축물의 신축과는 관계가 없음. ③ 이 사건 건축물 신축공사 후 그 분양사업의 시행이익을 정산하여 그 중 20%를 ○○건설에 도급공사비 증액 방식으로 지급하기로 한 사실, 그러나 이 사건 처분 후인 2011.10.14.까지도 이익정산에 관한 다툼이 있어 공사비 증액이 실현되지 못한 사실,…계정별 원장(외주비 부분)의 시행이익은 추정치에 불과한 것임(대법원 2013두22178, 2014.2.13.).

◎ 시공사에게 이익분배금으로 지급한 용역비를 건축물의 취득비용으로 볼 수 없음

쟁점용역비는 공동주택인 이 건 건축물을 신축하는 과정에서 지급된 직접 비용이나 절차적 비용이 아닌 공동주택용 건축물을 신축하여 분양함으로써 생긴 이익금을 나누어 갖는 사후 이익분배금에 해당한다 할 것이므로 쟁점용역비를 이 건 건축물 신축(취득)을 위하여 지급

한 비용으로 보기는 어려움(조심 2011지0320, 2012.7.3.).

◎ 주택분양보증수수료는 취득세 과세표준에 포함할 수 없음

주택분양보증수수료는 건축물 자체의 가격은 물론 그 이외에 실제로 이 건 건축물 자체의 가격으로 지급되었다고 볼 수 있거나 그에 준하는 취득절차비용 등 간접비용에도 포함된다고 할 수 없으므로, 이를 건축물의 취득가격에 산입하여 취득세를 부과한 처분은 잘못임(조심 2012지0152, 2012.6.13.).

◎ 등기를 대행하여 발생하는 법무사 수수료는 취득세 과세표준에 포함하지 않음

등기는 통상 잔금을 치르고 난 후, 즉 취득시기 후에 이루어지므로 등기 관련 법무사 비용은 취득시기 이전(以前)에 발생한 비용에 해당하지 않는 점, 잔금 지급 전에 등기를 이행한다 하더라도 취득자의 등기를 대행하여 발생하는 법무사 수수료는 취득을 위해 발생하는 비용이 아니라, 등기 관련 비용에 해당하는 점 등을 종합해 볼 때, 등기를 대행하여 발생하는 법무사 수수료는 과세표준에 포함되지 않음(지방세운영과-23, 2018.1.3.).

◎ 분양에 관한 사무의 일환으로 지급한 대리사무보수, 신탁보수 및 컨설팅 용역비는 건축물의 취득가격에 포함시킬 수 없음

대리사무계약 및 신탁계약에 따른 대리사무보수와 신탁보수는 이 사건 토지 및 건축물을 신탁받아 보전·관리하고, 분양수입금 등 사업자금을 관리·집행하며, 분양현황을 관리하는 등의 업무에 대한 대가이므로, 건축물의 건축에 관한 비용이라기보다는 그 분양에 관한 비용이라고 봄이 상당하고, ② 이 사건 컨설팅계약에 의하여 ○○○이 도급받은 업무는 이 사건 건축물의 건축 자체에 관련된 용역이라기보다는 컨설팅 용역이라고 보아야 하므로, 건축물의 건축을 위한 직·간접비용 또는 그 취득을 위한 비용에 포함된다고 보기는 어려움(대법원 2009두22034, 2011.1.13.).

☞ 취득의 대상이 아닌 물건이나 권리에 관한 지출이어서 당해 물건 자체의 가격이라고 볼 수 없는 경우에는 과세대상물건을 취득하기 위하여 당해 물건의 취득시기 이전에 그 지급원인이 발생·확정된 것이라도 과세표준으로 할 수 없음.

◎ 대한주택보증에 지급하는 과태료(분양보증사고)는 취득가격에 포함되지 아니함

분양보증사고가 발생하자 대한주택보증(주)이 수분양자들의 분양대금을 시행사 대신 변제하고, 이에 대한 충당을 위해 시행사 명의로 보존등기된 미준공 건축물을 자기 명의로 이전등기하는 것이므로 대한주택보증이 해당 물건을 취득하기 위해 지급한 직·간접비용 즉 분양대금의 변제액(구상채권과 소송대지급금 등) 등은 취득가격에 포함된다고 판단되나, 시행사가 대한주택보증에 지급하는 과태료는 대한주택보증이 해당 물건을 취득하기 위하여 지급한 직·간접비용으로 보기에는 어려우므로 취득가격에 포함되지 않는다고 판단됨(지방세운

영과-684, 2012.3.4.).

◎ 골프장용 토지를 취득하면서 영업권의 대가가 특정되어 있지는 않지만 그 양수대가에 포함되어 있는 경우에는, 토지대금과 영업권 대금의 구별이 사실상 불가능한 이상 공시지가를 초과하는 나머지 부분을 영업권의 양수대가로 보아 취득가격에서 제외함(대법원 2008두22280, 2011.4.14.).

◎ 건물 명도과정에서 임차인들에게 임차권·영업권, 명도합의금 등에 대한 보상금 명목 등으로 지급된 것은 취득가격에 포함되지 않음(대법원 2010두689, 2010.4.15.).

◎ **신용·명성·거래선과 같은 영업상의 이점과 사업시행이 우선적인 지위 등의 일환으로 지급받은 사업권의 양수비는 별도의 권리에 해당하므로 토지과표에 포함할 수 없음**

취득의 대상이 아닌 물건이나 권리에 관한 것이어서 당해 물건의 가격에 해당한다고 볼 수 없다면, 당해 물건의 취득시기 이전에 그 지급원인이 발생 또는 확정된 것이라도 취득세의 과세표준으로 삼을 수 없음(대법원 2009두12150, 2010.12.23.). 원고가 ○○㈜와 ㈜○○건설로부터 양수한 각 사업권은 그들이 ○○구역 도시개발사업을 추진하면서 얻은 신용·명성·거래선과 같은 영업상의 이점과 사업시행 등에 있어서 가질 수 있는 우선적인 지위 등으로서 취득세의 과세대상인 토지와는 별도의 권리이므로, 그 각 사업권 양수비를 이 사건 토지의 취득가격에 산입하여서는 아니됨(대법원 2013두3641, 2013.6.27.).

※ 이 사건의 경우 사업권 양수비에 취득세 과세대상인 대출취급수수료 등이 일부 포함되어 있으나, 이를 구분하기 어려워 전체를 부과취소 하였는바, 처분청에서는 부과제척기간이 도과하였다 하더라도 소송에 따른 제척기간 특례를 적용하여 과세대상을 구분하여 1년 이내에 재차 부과할 수 있음에 유의할 필요가 있음.

◎ **신축·입주지연에 따라 수분양자에게 지급하는 지체보상금은 과표에 포함되지 않음**

지급 또는 지급하여야 할 간접비용이 취득세 과세표준에 포함되기 위해서는 취득 행위와 관련성이 있어야 하는 것으로, 입주지연 지체보상금은 입주예정 기일에 입주를 시키지 못한 분양회사가 수분양자에게 정신적·물질적 피해를 보상하기 위하여 지급하는 위로금(보상금) 성격으로 지급되는 비용이어서 건축물에 대한 비용으로 보기 어려우며, 신축과정이 아닌 시행자와 수분양자간 공급과정에 따른 비용으로써 판매과정상 비용과 유사한 것으로 보아야 할 것이므로 취득세 과세표준에 포함되지 않음(지방세운영과-1623, 2018.7.16.).

4. 과세표준의 사후 변경 여부

◎ **매매계약에서 정한 조건이 사후에 성취되더라도 기 성립한 조세채권에는 영향이 없음**

(사실관계) 아파트의 시세가 입주지정 만료일부터 약 2년이 지난 시점에 분양금보다 하락하

자, 원고들은 위 공급계약에 따라 잔금납부 유예분을 일정 범위 내에서 시세하락분과 상계처리하고, 원고들이 상계 처리한 금액에 상응하는 취득세환급을 구하는 경정청구 … (판단) 매매계약에서 정한 조건이 사후에 성취되어 대금감액이 이루어졌다 하더라도, 당초의 취득가액을 기준으로 한 적법한 취득행위가 존재하는 이상 위와 같은 사유는 특별한 사정이 없는 한 취득행위 당시의 과세표준을 기준으로 성립한 조세채권의 행사에 영향을 줄 수 없고, 지방세기본법상 통상의 경정청구나 후발적 경정청구도 할 수도 없음(대법원 2015두57345, 2018.9.13.).

◎ 「도시 및 주거환경정비법」에 따라 소유권을 이전고시한 후 관리처분계획이 변경되어 분담금을 일부 환급받은 경우 당초 신고·납부한 취득세는 환급받을 수 없음

「도정법」에 따라 소유권이 이전고시되었다면 「지방세법 시행령」 제20조 제6항 등에 의해 취득이 성립되는 것이고, 법인 취득에 있어서의 취득가격이란 취득시기를 기준으로 그 이전에 해당 물건을 취득하기 위하여 거래 상대방 또는 제3자에게 지급하였거나 지급하여야 할 일체의 직·간접비용을 말하는 것이므로 이전고시에 따라 취득세를 신고납부하고 보존등기한 후 관리처분계획이 변경되어 청산금을 일부 환급받았다 하더라도 당초 신고·납부한 취득세는 환급할 수 없음(지방세운영과-3487, 2013.12.26.).

◎ 주택재개발사업 조합원의 경우 소유권이전고시 시점까지 확정된 비례율로 산정된 최종 청산금이 수정신고나 경정청구의 과표가 됨

조합 및 시공사가 산정한 임의 비례율에 대해 조합원 본인이 승낙체결한 후 청산금을 지급하였으나, 향후 확정된 비례율을 기준으로 재산정하여 청산금의 환급 등이 이루어지는바, 일반적인 취득의 경우 취득가액은 납세자 본인이 지급한 가액에 의해 결정되는데 반해 청산금의 경우 재개발사업의 총수입과 총비용에 따라 소유권 이전 고시시점에 비로소 종속적으로 취득가액이 결정되는 것으로 볼 때, 입주일 현재 비례율을 적용한 청산금이 확정되었다고 보기 어려우므로 소유권이전고시시점까지 확정된 비례율로 산정된 최종 청산금으로 수정신고나 경정청구를 하여야 할 것임(지방세운영과-1979, 2015.7.1.).

◎ PF대출보증수수료를 과세표준에 포함하여 신고납부하였으나, 취득일 이후 수수료를 반환 받은 경우 이미 적법하게 성립한 취득세 과세표준에 미치는 영향이 없음

취득가격은 취득시기를 기준으로 판단하여야 하고, 취득일 이후 발생한 사유(지급 또는 반환)는 취득시점에 적법하게 성립되어 확정된 취득가격에는 영향이 없으므로, PF대출보증수수료 일부의 반환은 경정 및 환급의 대상이 아님(지방세운영과-1562, 2018.7.6.).

◎ 취득 이후 법인장부 가격의 착오가 확인되는 경우에는 해당 과표로 볼 수 없음

해당 과세물건 취득시기(잔금완납) 이전에 할인 받은 분양금액 등을 반영하지 않은 착오된 법인장부(납부증명서)로 취득신고 한 후 그 착오된 법인장부(납부증명서)를 정정한 경우라

면 그 정정된 법인장부가격(사실상의 취득가격)이 취득세 과세표준에 해당될 것으로 판단되며, 해당 과세물건 취득시기(잔금완납) 이후에 과세물건 취득과 관련 없이 법인장부(납부증명서)의 정정 신청사유가 발생된 경우라면 해당 아파트 분양 취득과 관련한 법인장부(납부증명서) 정정으로 볼 수 없어 해당 과세물건 취득세 과세표준으로 볼 수 없을 것(대법원 93누170101, 1993.12.14. 참조)으로 판단됨(지방세운영과-4579, 2010.9.29.)

☞ 법인의 경우 개인과는 달리 장부상 가액에 의하도록 규정한 것은 법인은 객관화된 조직체로 일반적으로 거래가액을 조작할 염려가 없어 그 장부상 가액의 신빙성이 인정된다는 이유에 있으므로 특별히 그 취득가액을 조작하였다고 인정되지 아니하는 한 그 장부상의 가액을 실제의 취득가액을 나타내는 것이라 할 것이다(조심 2009지191, 2010.1.14.).

5. 채권 매입비용

「주택도시기금법」 제8조에 따라 건축허가를 받거나 부동산등기를 하는 경우 제1종국민주택채권을 매입해야 한다. 법인사업자가 분양하는 주거전용면적 85㎡ 초과 분양가상한제 주택을 개인이 수분양할 때 2종국민주택채권을 매입해야 한다.

국민주택채권의 매입비용이 취득부동산의 과표에 포함되는지 여부가 사안에 따라 달리 적용된다.[29] 개인이 신축허가를 받아 직접시공을 하거나 개인건축업자를 통해 시공하는 경우에는 취득가격에서 제외하지만, 법인사업자가 시공하는 경우에는 취득가격에 포함한다. 법인이 건축주가 되어 신축하는 경우는 시공자가 개인이든 법인이든 무관하게 신축허가 관련 채권 매입비용은 신축과표에 포함된다. 취득가격의 범위는 취득시점까지 양도하지 않은 경우 채권매입비용 전액을 취득가격에 포함하고 양도하였다면 매각차손(매입금액-매각금액)만을 포함한다.

한편 부등산을 승계취득하여 부동산등기를 하는 경우 매입해야하는 국민주택채권의 경우 그 매각차손에 대해서는 법인이 취득하는 경우라 하더라도 과세표준에 산입하지 아니한다. 등기는 취득이후에 진행되는 것으로 취득 이후에 소요되는 비용으로 보기 때문이다.

6. 분양권 취득

2016.4.26. 지방세법 시행령 개정을 통해 마이너스 프리미엄을 취득과표에 반영하였다(영 제18조 ①·④·⑤). 종전에는 부동산을 취득할 권리를 이전받은 자가 부동산을 취득한 경우 실제 지출금액이 분양가격 또는 공급가격보다 높은 경우에는 실제 지출금액으로 과세하였다. 그리고 실제 지출금액이 분양가격 또는 공급가격보다 낮은 경우에는 분양가격 또는 공

29) 국민주택채권 매입비용 취득세 운영요령(지방세운영과-2656, 2011.6.9.) 참고

급가격을 기준으로 취득세를 과세하였으나 실질과세 원칙과 조세형평성 원칙에 반한다는 지적이 있어 보완하였다. 그에 따라 부동산을 취득할 수 있는 권리를 이전받은 자가 분양가격 또는 공급가격보다 낮은 가격으로 부동산을 취득하는 경우에도 부동산 취득자의 실제 지출금액을 기준으로 취득세 과세표준을 산정하도록 하였다.

시행령 개정 이전에 부동산을 취득할 수 있는 권리(분양권)를 (－)프리미엄으로 이전받아 부동산 취득하는 경우 (－)프리미엄 분양권을 이전받아 시행령 개정 이후 부동산 취득하는 경우에도 적용한다(지방세운영과－1074, 2016.4.26.). (－)프리미엄을 지불하고 분양권을 이전받은 납세자가 부동산 거래 신고부서에 제출한 부동산거래계약신고서등을 참고하면 (－)프리미엄 여부를 확인할 수 있다. 한편 특수관계인간의 분양권 거래에 있어서는 예외적인 규정을 두고 있다. 특수관계인간에는 조세부담을 줄이기 위해 실제 거래가액을 낮추는 부당행위 발생가능성이 높으므로 특수관계인간에 분양권을 시가보다 현저히 낮게* 거래한 경우에는, 시행령 개정규정의 적용을 배제한다. 이 경우 신고가액과 시가표준액 중 높은 가액을 과세표준으로 한다(현행 지방세법상 시가를 기준으로 과세할 수 없음). 특수관계인간 조세부담을 부당히 감소시키는 경우에는 사실상 취득가격으로 인정되지 않으므로 신고가액과 시가표준액 중 높은 것을 과표로 적용한다(지방세법 제10조 ⑤). 즉「소득세법」제101조 제1항 또는「법인세법」제2조 제12호에 따른 특수관계인과의 거래로 인한 취득인 경우인데 시가와 신고가액의 차액이 3억원 이상이거나, 시가의 5% 이상인 경우이다.

[특수관계인간 거래사례 적용 사례]

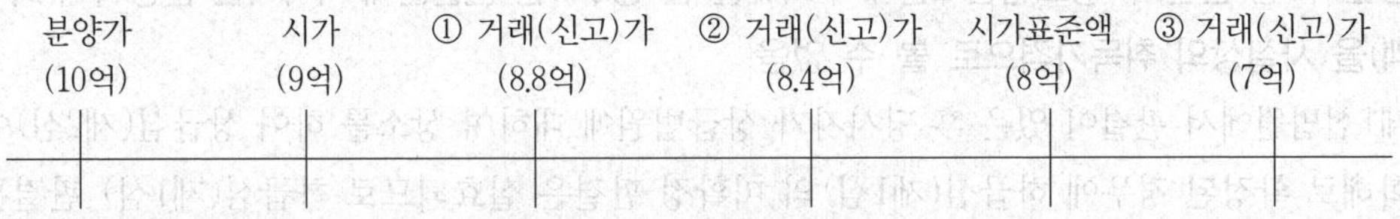

① 거래 : 8.8억 과표 적용 → 정상거래에 해당
② 거래 : 8.4억 과표 적용 → 신고가가 시가표준보다 높기 때문
③ 거래 : 8억 과표 적용 → 시가표준이 신고가보다 높기 때문

7. 판결 등에 따른 과세표준

사실상 취득가격이 입증되는 경우로 판결에 의한 취득이 있다. 취득과 관련하여 판결문상에서 취득가액이 확인되는 경우 그 가액을 사실상 취득가액으로 볼 수 있다는 점이다. 그런데 판결문 내용을 취득가액을 쟁점으로 다툰 판결일 수 있고, 그렇지 않는 상황에서 취득가액이 확인되는 경우가 있을 수도 있다. 따라서 판결문에 나타난 취득가액을 모두 인

정한다는 뜻이 아니라 최대한 취득가액과 재판의 결정내용이 직접적으로 연계되어 있고 객관적으로 실제적 가격으로 추론할 수 있는 가액을 의미한다. 한편, 판결의 범위를 어디까지 볼 것인지에 대해서는 쟁점이 있으니 아래 사례를 참고하기 바란다.

◎ **경매로 인한 취득가액 외에 판결문상 확인된 유치권 비용도 과세표준에 포함됨**

경매절차에서 감정가 12억원이던 주택을 2억원에 매수하였음. 해당주택에는 공사대금 변제를 위한 유치권이 설정되어 있음 … 이 사건 주택을 취득하려는 사람은 유치권을 소멸시켜야만 주택에 관한 완전한 소유권을 취득할 수 있고, 원고 역시 유치권의 존재를 잘 알면서 유치권 소멸에 필요한 비용을 부담하여 주택의 완전한 소유권을 취득하려는 의사를 가지고 감정가액의 약 17%에 불과한 금액으로 매수하였다고 할 것이므로, 유치권을 소멸시키기 위하여 필요한 비용은 '취득대금 외에 당사자의 약정에 따른 취득자 조건 부담액과 채무인수액에 준하는 비용'(영 제18조 ① 5호 · 7호)으로서 주택을 취득하기 위한 간접비용으로서 사실상의 취득가격에 해당함. 그리고 공사대금채권의 존재는 확정된 민사판결인 판결문에 의하여 인정되므로, 사실상의 취득가격(제10조 ⑤ 3호)을 과세표준으로 할 수 있음(대법원 2019두44385, 2019.8.30.).

◎ 확정 판결과 동일한 정도로 매매가액의 입증이 이루어진 상태에서 분쟁의 조속하고 원만한 해결을 위하여 강제조정 결정이 확정된 경우라면, 이를 민사소송에 의하여 확정된 판결문에 준하는 것으로 사실상의 취득가격이 입증된 경우로 볼 수 있음(대법원 2013두19431, 2013.12.26.).

◎ **법원의 1심 판결 후 항소심인 2심에서 화해를 한 경우 1심 판결문에 나타나는 분양가액(취득금액)을 사실상의 취득가격으로 볼 수 없음**

제1심법원에서 판결이 있은 후 당사자가 상급법원에 대하여 상소를 하여 상급심(제2심)에서 화해로 확정된 경우에 하급심(제1심)의 미확정 판결은 실효되므로 하급심(제1심) 판결문에 의하여 입증되는 취득가격을 적용할 수는 없다 하겠고, 상급심(제2심)에서 확정된 화해조서는 민사소송법에 따라 확정된 판결문이라 하더라도 지방세법 제111조 제5항 제3호에 따라 사실상의 취득가격으로 적용할 수 없음(지방세운영과-3169, 2009.8.5.).

◎ **부과처분에 따른 경정 · 결정 판결이 아니라면 판결문상에 사실상의 취득가격이 나타난다하더라도 특례제척기간(판결 결정일로부터 1년)을 적용하여 추징할 수 없음**

위 조항은 부과제척기간의 예외규정으로서 지방세법에 따른 위법 · 부당한 처분으로 불복청구를 하여 그 결정 또는 확정판결이 5년이 경과한 후에 있었다 하더라도 그 확정판결일로부터 1년 이내에는 이를 바로 잡아 다시 부과처분 할 수 있도록 마련된 것임. 당사자 간 손해배상청구 등에 대한 판결에서 사실상의 취득가격이 판결상에 나타난다 하더라도 그 판결은 지방세법에 의한 부과처분에 따라 불복청구를 하여 확정된 판결이 아니라면 지방세법 제30조의 4 ②의 판결이 확정된 날로부터 1년 이내에 경정 · 결정 등 필요한 처분을 할 수 있는 규정을 적용할 수는 없음(지방세운영과-3169, 2009.8.5.).

◎ 재판상 '화해'의 경우 취득가격은 객관적으로 입증되는 가격이 아니라고 한 사례

화해에 의한 취득의 취소여부 관련, 취득가격이 일반적으로 사실상 취득가격과 일치하도록 제도적으로 규정되어 있는 사항들을 규정한 것이고, 당해사건과 같은 재판상 화해의 경우는 소송당사자의 약속에 의한 분쟁해결을 법원이 받아들인 것이 불과하여 그 취득가격을 객관적으로 입증되는 가격이라 볼 수 없으므로, 이 사건 법률조항이 사실상의 취득가격을 과세표준으로 하는 사유 중 하나로 재판상 화해의 경우를 규정하고 있지 않다고 하더라도 이는 합리적인 이유가 있는 것으로 헌법상 평등권을 침해하지 아니함(헌법재판소 2002헌바71, 2003.4.24.).

☞ 화해조서에 확정판결과 같은 효력이 부여되어 있다 할지라도 재판상 화해는 사적자치 범위안의 사인의 행위가 근간이 되고 있다는 점에서 국가기관인 법원이 법률에 의거하여 실체적 진실을 찾아내는 판결과는 현저한 차이가 있고, 판결에서와 같은 정도의 사실의 정확한 인정과 법규의 적용을 바라기 힘들다 할 것임(헌법재판소 2002헌바71, 2003.4.24. 참조).

☞ 위 규정에서 민사소송 및 행정소송에 의하여 확정된 판결문이라 함은 제1심 법원이 선고한 판결에 대한 항소가 없어 확정된 판결문을 말하는 것으로, 이 중 화해에 의한 경우 그 조서는 확정판결과 같은 효력이 부여(민사소송법 제220조)되어 있지만 지방세법에서는 사실상의 취득가격을 인정하는 판결문의 범위에서 제외하고 있음. 화해조서를 확정판결문에서 제외하는 취지는 당사자가 권리관계의 주장을 서로 양보하여 분쟁을 종료시키기로 합의하고 법원이 받아들인 것에 불과하므로 이를 객관적 자료에 의하여 입증되는 경우라고 보기 어렵다고 보기 때문임(헌법재판소 2002헌바71, 2003.4.24.).

◎ 조정에 갈음하는 결정서상의 취득가액을 사실상 취득가액으로 인정할 수 있다는 사례

증거에 의하여 거의 확정 판결과 동일한 정도로 매매가액의 입증이 이루어진 상태에서 분쟁의 조속하고 원만한 해결을 위하여 강제조정 결정이 확정된 경우라면, 이를 '확정된 판결문'에 준하여 생각하더라도 탈법의 우려가 없는 점 등을 더하여 고려하여 보면, 이 사건 강제조정 결정은 민사소송에 의하여 확정된 판결문에 준하는 것으로서 위 조항 제3호의 '판결문 중 대통령령이 정하는 것'에 해당한다고 할 것임(대법원 2013두19431, 2013.12.26.).

☞ 이 사건 판례의 경우 심판(심사)결정(조심 2012지556, 2012.10.22., 지방세심사 2006-473, 2006.10.30. 등)과 다소 의견을 달리하고 있음에 유의할 필요가 있으며, 모든 조정조서를 사실상의 취득가격이 입증되는 판결로 보아야 한다는 취지의 판결은 아니라는 점에 유의할 필요가 있음.

8. 경매 취득

경매로 취득하는 경우에는 사실상 취득가액으로써 그 경매가액이 그대로 과세표준이 된다. 공매 및 경매에 의한 취득은 경락대금을 완납한 날이 취득시기이며, 그 취득시기를 기준으로 그 이전에 해당 물건을 취득하기 위하여 거래상대방 또는 제3자에게 지급하였거나 지급하여야 할 직접비용과 간접비용 일체가 취득세 과세표준이 되는 것이므로, 경매 등의 방법에 의한 취득의 경우 경락대금과 경락받기 위해 지출한 간접비용(소개수수료, 연체료 등)을 합친 금액이 취득세 과세표준이 되는 것이다. 또한, 경락대금이 일정금액을 초과할 경우 경매 신청자가 경매 낙찰자에게 지급하는 보전액은 원활한 경매진행을 위한 경매 신청자의 비용일 뿐이므로 법인장부상 경락 부동산의 취득가액에서 차감했더라도 경매 낙찰자의 취득가격과는 관련이 없다(지방세운영과-2590, 2011.6.3.).

◎ 경매로 취득하는 부동산의 과세표준 판단

일정금액을 초과하여 경락받은 경우 채권자(경매처분 신청자)로부터 초과액의 50%를 보전받기로 약정한 경우 사실상 취득가격은 경매처분 신청자가 경매 낙찰자에게 지급하는 보전액은 경매를 원활히 진행할 수 있도록 하기 위한 경매처분 신청자의 경매관련 비용일 뿐 경매 낙찰자의 취득가격과는 관계가 없으므로 당해 부동산의 사실상 취득가격은 경매에 의한 낙찰가격이라고 판단됨(지방세정팀-3804, 2006.8.18.).

9. 일괄 취득에 따른 과세표준 안분

종전 규정에 따르면 주택과 상가 등을 일괄 취득하면서 취득가격이 구분되지 않는 경우 시가표준액을 기준으로 안분하게 된다(영 제19조 ①). 그런데 구분기재한 신고가액이 시가표준액 이상이면 정당한 신고로 인정하였는데, 주택과 상가 등을 일괄 취득하는 경우 각각의 취득가액을 합리적으로 안분하여 신고하여야 함에도, 세율이 낮은 주택부분의 취득가격을 비정상적으로 높게 신고하여 조세를 회피하는 사례가 발생하였다. 이에 대해 주택과 상가 등을 일괄 취득하는 경우 구분 신고가액에 관계없이 건축물 시가표준액 비율로 안분하도록 명확히 하고, 다만, 신고가격의 신빙성이 보장되는 경우(국가, 지방자치단체, 판결문·법인장부 및 공매방법에 의한 취득 등)에는 신고한 가액대로 인정하도록 개정하였다.

1) 안분기준 개요

부동산을 한꺼번에 취득하여 취득가격이 구분되지 아니하는 경우에는 한꺼번에 취득한 가격을 부동산의 시가표준액 비율로 나눈 금액을 각각의 취득가격으로 한다(영 제19조 ①).

이는 과세표준 안분(또는 세액계산의 독립된 단위)이 필요한 물건에 대한 일반적인 원칙으로 볼 수 있다. 예를 들어 2건의 부동산을 한꺼번에 취득한 경우 그 중 한 건이 감면대상인 경우 각각 분리하여 세액계산을 할 필요가 있는데, 각각의 부동산의 시가표준액 비율로 안분한 가액을 기준으로 계산한 다음, 감면대상 부동산에 대해서는 감면세율을 적용한다. 또한 다수의 차량을 한꺼번에 취득하는 경우 그 중 납세자가 임의로 일부 차량이 취득세 면세점 이하의 가격으로 취득하였다고 주장하는 경우에는 시가표준액에 따라 합리적인 비율로 안분한 가격으로 과세한다. 그리고 부동산과 회원권 등 부동산 이외의 취득세 과세대상을 포함하여 한꺼번에 취득하는 경우도 있을 것이다. 아울러 한꺼번에 취득하는 경우 시가표준액이 없는 과세물건이 포함되어 있으면 토지와 건축물 등의 감정가액 등을 고려하여 시장·군수가 결정한 비율로 나눈 금액을 각각의 취득가격으로 한다(영 제19조 ①).

한편, 시가가 시가표준액보다 현저히 낮아 불합리한 경우에는 그 시가표준액은 효력을 인정할 수 없다 할 것인바(대법원 1994누1333, 1994.5.27.), 세법에 따른 안분기준을 기계적으로 적용함으로 인해 현저히 불합리한 결과를 초래하는 경우에는 합리적인 기준으로 가격을 산정하는 것이 제한적으로 인정되고 있다.

2) 주상복합 건축물의 안분

주상복합 건축물을 유상거래로 취득한 경우 주택은 건축물이나 토지와 세율이 다르기 때문에 각각의 과세표준을 구분하여 적용하여야 한다. 이와 관련하여 부동산을 일괄취득하는 경우 과세표준 안분기준을 조정하였다(2017.1.1. 개정). 그전에는 주택과 주택 외 부동산을 거래를 통해 일괄취득시 건축물 용도별로 시가표준액을 각각 산정하여 이를 기준으로 과세표준을 안분하도록 하였다. 이로 인해 부속토지 가액까지 건축물 시가표준액에 영향을 받게 되어 과세표준이 건축물 가격 위주로만 안분되는 문제가 있었다. 이에 대해 과세표준 안분시 건축물 시가표준액과 부속토지 가격을 포함한 전체가격 기준으로 안분하도록 개선하였다(영 제19조 ②). 다만 건축물을 신·증축으로 취득하는 경우에는 건축물의 연면적을 기준으로 과세표준(신증축 가액)을 안분토록 하였다(영 제19조 ③). 건축물 신증축의 경우 건축물 취득비용만 발생하며 토지가격은 영향을 주지 않기 때문이다.

[사례] 1억원으로 주상복합건축물을 취득한 경우 주택과 상가의 취득과표 산정

| 건물 · 토지의 시가표준액 및 안분비율 산정 |

구 분	1층 상가	2층 주택	계
건물 (안분비율)	1,100만 (35.5%)	2,000만 (64.5%)	3,100만 (100%)
토지	6,000만	3,000만	9,000만
계 (안분비율)	7,100만 (58.7%)	5,000만 (41.3%)	12,100만 (100%)

위의 산정비율로 상가와 주택의 취득가격을 안분하면 다음과 같다.

구 분	1층 상가	2층 주택
기 존 (건물 기준)	3,550만 = 1억 × 35.5%	6,450만 = 1억 × 64.5%
개 선 (건물 및 토지 기준)	5,870만 = 1억 × 58.7%	4,130만 = 1억 × 41.3%

| 최근 개정법령 _ 2019.1.1. | 일괄 취득시 취득가격 안분기준 명확화(영 §19 ① · ④)

부동산 이외에 취득세 과세대상 차량 등을 일괄 취득하는 경우에는 별도의 안분 기준을 규정하고 있지 않았는데, 차량(또는 선박 등)을 일괄 취득하는 경우에도 물건별 시가표준액을 기준으로 취득가격을 안분할 수 있도록 명확히 하였다. 예를 들어 차량을 공매로 일괄 취득하는 경우 전체 취득가격을 시가표준액 비율로 안분한 가액을 각 차량별 취득가액으로 적용토록 하였다. ※ 기존 유권해석('17.10.17., 지방세운영과-683)을 입법화한 것임.

◎ **토지 및 건축물을 일괄취득(매매대금 32억원)하여 건축물가액을 "0원"으로 한 경우, 32억원을 토지와 건축물의 시가표준액 비율로 나눈 금액이 각각의 취득가격임**

토지 및 건축물을 일괄 취득하면서 계약서상 토지가액과 건축물가액을 임의로 구분기재 하였더라도 매매계약서상의 일괄취득가액과 토지와 건축물의 시가표준액의 합과 비교하여 취득세 등의 과세표준을 산정하여야 하는 점(행자부 세정-2799, 2005.9.22.), 법인이 토지 및 건축물을 일괄 취득하면서 지급한 대가(32억원)는 그 시가표준액을 합한 15.6억원(건축물 0.6억 포함)보다 2배 이상 높은 가격에 거래되었던 점 등을 종합해 볼 때, 「지방세법 시행령」 제19조 제1항의 토지와 건축물 등의 취득가격을 한꺼번에 취득하여 취득가격이 구분되지 아니하는 경우로 보아, 토지와 건축물의 시가표준액 비율로 나눈 금액을 각각의 취득가격으로 판단하여야 할 것임(지방세운영과-685, 2017.10.17.).

◎ **신고가격이 시가표준액 보다 낮은 경우 취득세 안분기준 적용**(영 §19 ②)

과세대상 취득관련 신고가액이 각 구분기재 과세대상 물건 시가표준액의 합보다 낮은 경우

개선된 시가표준액 안분기준 적용여부 ⇒ 시가표준액보다 낮게 신고한 경우에도 안분기준 적용. 즉 신고가액이 시가표준액보다 낮을 때에는 그 시가표준액이 과세표준액이 되는 것은 과세표준액 관련 규정이고 주택과 주택외 부분을 일괄 취득했을 때에는 그 결정된 과세표준액을 안분기준에 따라 안분하는 것으로 비록 신고가액보다 낮아 시가표준액이 과세표준액이 되었다 하더라도 해당 규정의 안분기준을 적용배제하는 것은 아님. 토지+건물 시가표준액을 취득가액으로 보고 개정 안분기준 적용(지방세운영과-629, 2016.3.11.)

◎ **새로운 건물 및 생산시설을 설치하기 위해 기존 건물(지목은 공장용지, 잡종지 등)을 철거하고 부지 정지공사를 한 경우 해당비용이 취득세 과세표준에 포함 여부 및 안분방법**
부지 정지공사는 건축공사와 불가분의 관계에 있는 일련의 건축공사의 일부라고 볼 수 있으므로 신축건물의 과표에 포함(다만 지목변경이 함께 수반되는 경우 해당 공사의 발생원인 등 사실관계를 따져 지목변경 관련 비용은 지목변경 과세표준에, 이외의 비용은 신축 과표에 포함)하는 것이 타당. 한편, 건물 철거 후 해당토지에 취득세 과세대상 건축물과 비과세대상 생산시설이 함께 설치되는 경우, 기존건축물 철거비용, 부지 정지공사비 등 관련 비용(지목변경비용 제외)을 신축 건축물과 생산시설에 연면적 비율 또는 공사원가 비율 등으로 정하는 것이 합리적임(지방세운영과-1552, 2016.6.17.).

◎ 취득자가 1필지의 토지를 취득하면서 그 부분별 가치의 우열을 가리지 않고 토지 전체를 일괄하여 대금을 정하여 매수하였다면 이는 토지 전체를 단위면적당 균일한 가격으로 매수한 것으로 보아 면적비율에 따라 과표를 안분 산정하여야 함(대법원 2012두16404, 2014.9.26.).

11. 차량 취득 과세표준(중고자동차 법인장부 적용 요건 등)

2015년까지 개인간 중고자동차 거래시 취득신고가액이 시가표준액보다 낮을 때에는 시가표준액을 취득세 과세표준으로 적용하고, 법인과 거래시에는 시가표준액에도 불구하고 법인장부 가액을 과세표준으로 적용(영 제18조 ③ 2호)하였다. 이 경우 조세회피를 위해 시가표준액보다 낮은 허위 장부가액을 과세표준으로 신고하는 사례가 증가하는 문제점이 있었다. 이에 대해 중고 차량・기계장비의 취득가액을 시가표준액보다 낮은 법인장부가액으로 신고하는 경우 사실상의 취득가액의 적용을 배제하고 시가표준액을 과표로 적용하도록 하였다. 다만, 천재지변, 화재, 교통사고 등으로 그 가액이 현저히 하락한 것으로 시장・군수가 인정하는 경우에는 법인장부가액을 그대로 인정하도록 개정하였다(2016. 1.1. 시행).

천재지변, 화재, 교통사고 등으로 그 가액이 현저히 하락한 것으로 법인장부가액을 그대로 인정하는 경우는 다음과 같이 적용한다. 중고 자동차・기계장비가 천재지변, 화재, 교통사고 등으로 실제 그 가치가 시가표준액 이하로 하락한 경우만 법인장부가액 적용대상으로 인정한다. 따라서 중고 자동차·기계장비의 실제 가치가 하락한 것이 아니라 회계처리에 의한 감가상각으로 법인장부상의 가액이 낮아진 경우(예. 리스, 렌트 차량에 대한 감가상각으로 인해 법인 장부상의 가액이 시가표준액 이하로 낮아진 경우)는 적용대상이 아니다.

천재지변인 경우 피해사실 확인서(피해지역 읍·면·동 발급), 화재는 화재증명원, 교통사고(범퍼, 문짝, 휀다 단순교환 등 단순접촉 교통사고 차량은 제외한다)는 교통사고사실확인서 등 유형별 첨부서류로 입증한다. 유형별 첨부서류 외에 보험금 지급내역을 제출해야하며 보험금 지급액이 차량 시가표준액의 50%를 초과하는 경우로 제한한다(행안부 적용요령, 2016년). 한편 다양한 사례가 있을 수 있는데, 교통사고사실확인서가 없더라도 기타 증빙자료에 의해 입증가능한 경우 법인장부가액을 취득가격으로 인정한다는 취지의 해석도 시행하였다.

교통사고로 파손된 차량을 시가표준액보다 낮은 가액으로 취득한 경우 교통사고사실확인서가 없더라도 기타 증빙자료에 의해 입증가능한 경우 법인장부가액을 취득가격으로 인정

보험금 지급액이 차량 시가표준액의 50%를 초과하는 차량으로서, 천재지변인 경우 피해사실확인서를, 화재인 경우 화재증명원을, 교통사고인 경우 교통사고사실확인서를 제출받도록 하고, 기타 이에 준하는 사항인 경우에는 가격하락을 확인할 수 있는 객관적 증빙서류를 폭넓게 인정토록 「개정 지방세법 적용요령」(2016.1.5.)을 자치단체에 통보한 바 있으므로, 차량의 사고 등 대물손상으로 인한 보험금 지급액이 차량 시가표준액의 50%를 초과하는 경우, 전 소유자가 교통사고를 접수하지 아니하여 교통사고사실확인서 발급이 불가능한 경우라도 여타 증빙 자료에 의해 가격하락이 입증되는 경우라면 "기타 이에 준하는 사항"에 해당하는 것으로 볼 수 있음(지방세운영과-416, 2017.9.8.).

특별히 취득가격을 조작하였다고 인정되지 않는 한 법인의 장부가액을 취득세와 등록세의 과세표준인 사실상의 취득가격으로 보아야 함

사실상의 취득가격이 아니라 잘못 기재된 원고 법인장부상의 이 사건 차량의 취득가격은 과세표준으로 한 점에서, 적어도 차량의 경과연수별 잔존가치율에 의한 시가표준율 또는 취득당시의 중고시세를 과세표준으로 하지 않은 점에서 위법하다는 주장과 관련하여, (생략) ① 이 사건 차량 대부분이 전세버스인 점을 감안하면 원고 주장처럼 이 사건 차량 대부분이 내용연수가 4년 이상으로서 이를 감각상각이 반영되었다 하더라도 경험칙상 그 중고시세가 1대당 500만원에 불과하다고 보기 어려운 점, ② 원고 주장에 의하더라도 이 사건 차량 31대 중 12대는 내용연수가 4년 미만이라는 것인데 이를 감안하지 아니한 채 내용연수가 4년 이상인 차량을 포함하여 모든 차량의 취득가격을 일률적으로 500만원으로 신고하였다는 것은 경험칙상 납득하기 어려운 점, ③ 무엇보다 채무를 인수하였다는 원고 스스로의 주장에 의하더라도 그 채무인수금액은 취득가격에 포함되어야 할 것인 점 등을 고려하면, 원고가 당초에 신고한 이 사건 차량의 취득가격(138,392,650원)은 여러 모로 실제 취득가격으로 볼 수 없음(대법원 2012두6346, 2012.6.28.).

제10조(과세표준) 제8항 [취득시기]

법 제10조(과세표준) ⑧ 제1항부터 제7항까지의 규정에 따른 취득세의 과세표준이 되는 가액, 가격 또는 연부금액의 범위 및 그 적용과 취득시기에 관하여는 대통령령으로 정한다.

영 제20조(취득의 시기 등) ① 무상승계취득의 경우에는 그 계약일(상속 또는 유증으로 인한 취득의 경우에는 상속 또는 유증 개시일을 말한다)에 취득한 것으로 본다. 다만, 해당 취득물건을 등기·등록하지 아니하고 다음 각 호의 어느 하나에 해당하는 서류에 의하여 계약이 해제된 사실이 입증되는 경우에는 취득한 것으로 보지 아니한다. <개정 2014.8.12., 2015.7.24., 2015.12.31.>

1. 화해조서·인낙조서(해당 조서에서 취득일부터 60일 이내에 계약이 헤제된 사실이 입증되는 경우만 해당한다) 2. 공정증서(공증인이 인증한 사서증서를 포함하되, 취득일부터 60일 이내에 공증받은 것만 해당한다) 3. 행정안전부령으로 정하는 계약해제신고서(취득일부터 60일 이내에 제출된 것만 해당한다)

② 유상승계취득의 경우에는 다음 각 호에서 정하는 날에 취득한 것으로 본다. <개정 2014.8.12., 2015.12.31., 2016.12.27.>

1. 법 제10조 제5항 제1호부터 제4호까지의 규정 중 어느 하나에 해당하는 유상승계취득의 경우에는 그 사실상의 잔금지급일
2. 제1호에 해당하지 아니하는 유상승계취득의 경우에는 그 계약상의 잔금지급일(계약상 잔금지급일이 명시되지 아니한 경우에는 계약일부터 60일이 경과한 날을 말한다). 다만, 해당 취득물건을 등기·등록하지 아니하고 다음 각 목의 어느 하나에 해당하는 서류에 의하여 취득일부터 60일 이내에 계약이 해제된 사실이 입증되는 경우에는 취득한 것으로 보지 아니한다.
   가. 화해조서·인낙조서(해당 조서에서 취득일부터 60일 이내에 계약이 해제된 사실이 입증되는 경우만 해당한다)
   나. 공정증서(공증인이 인증한 사서증서를 포함하되, 취득일부터 60일 이내에 공증받은 것만 해당한다)
   다. 행정안전부령으로 정하는 계약해제신고서(취득일부터 60일 이내에 제출된 것만 해당한다)
   라. 부동산 거래신고 관련 법령에 따른 부동산거래계약 해제등 신고서(취득일부터 60일 이내에 등록관청에 제출한 경우만 해당한다)

③ 차량·기계장비·항공기 및 주문을 받아 건조하는 선박의 경우에는 그 제조·조립·건조 등이 완성되어 실수요자가 인도받는 날과 계약상의 잔금지급일 중 빠른 날을 최초의 승계취득일로 본다.
④ 수입에 따른 취득은 해당 물건을 우리나라에 반입하는 날(보세구역을 경유하는 것은 수입신고필증 교부일을 말한다)을 취득일로 본다. 다만, 차량·기계장비·항공기 및 선박의 실수요자가 따

로 있는 경우에는 실수요자가 인도받는 날과 계약상의 잔금지급일 중 빠른 날을 최초의 승계취득일로 보며, 취득자의 편의에 따라 수입물건을 우리나라에 반입하지 아니하거나 보세구역을 경유하지 아니하고 외국에서 직접 사용하는 경우에는 그 수입물건의 등기 또는 등록일을 취득일로 본다.

⑤ 연부로 취득하는 것(취득가액의 총액이 법 제17조의 적용을 받는 것은 제외한다)은 그 사실상의 연부금 지급일을 취득일로 본다.

⑥ 건축물을 건축 또는 개수하여 취득하는 경우에는 사용승인서(「도시개발법」 제51조 제1항에 따른 준공검사 증명서, 「도시 및 주거환경정비법 시행령」 제74조에 따른 준공인가증 및 그 밖에 건축 관계 법령에 따른 사용승인서에 준하는 서류를 포함한다. 이하 이 항에서 같다)를 내주는 날(사용승인서를 내주기 전에 임시사용승인을 받은 경우에는 그 임시사용승인일을 말하고, 사용승인서 또는 임시사용승인서를 받을 수 없는 건축물의 경우에는 사실상 사용이 가능한 날을 말한다)과 사실상의 사용일 중 빠른 날을 취득일로 본다.

⑦ 「주택법」 제11조에 따른 주택조합이 주택건설사업을 하면서 조합원으로부터 취득하는 토지 중 조합원에게 귀속되지 아니하는 토지를 취득하는 경우에는 「주택법」 제49조에 따른 사용검사를 받은 날에 그 토지를 취득한 것으로 보고, 「도시 및 주거환경정비법」 제35조 제3항에 따른 재건축조합이 재건축사업을 하거나 「빈집 및 소규모주택 정비에 관한 특례법」 제23조 제2항에 따른 소규모재건축조합이 소규모재건축사업을 하면서 조합원으로부터 취득하는 토지 중 조합원에게 귀속되지 아니하는 토지를 취득하는 경우에는 「도시 및 주거환경정비법」 제86조 제2항 또는 「빈집 및 소규모주택 정비에 관한 특례법」 제40조 제2항에 따른 소유권이전 고시일의 다음 날에 그 토지를 취득한 것으로 본다.

⑧ 관계 법령에 따라 매립·간척 등으로 토지를 원시취득하는 경우에는 공사준공인가일을 취득일로 본다. 다만, 공사준공인가일 전에 사용승낙·허가를 받거나 사실상 사용하는 경우에는 사용승낙일·허가일 또는 사실상 사용일 중 빠른 날을 취득일로 본다. 〈개정 2014.8.12.〉

⑨ 차량·기계장비 또는 선박의 종류변경에 따른 취득은 사실상 변경한 날과 공부상 변경한 날 중 빠른 날을 취득일로 본다.

⑩ 토지의 지목변경에 따른 취득은 토지의 지목이 사실상 변경된 날과 공부상 변경된 날 중 빠른 날을 취득일로 본다. 다만, 토지의 지목변경일 이전에 사용하는 부분에 대해서는 그 사실상의 사용일을 취득일로 본다.

⑫ 「민법」 제839조의 2 및 제843조에 따른 재산분할로 인한 취득의 경우에는 취득물건의 등기일 또는 등록일을 취득일로 본다. 〈신설 2015.7.24.〉

⑬ 제1항, 제2항 및 제5항에 따른 취득일 전에 등기 또는 등록을 한 경우에는 그 등기일 또는 등록일에 취득한 것으로 본다. 〈개정 2014.8.12., 2015.7.24.〉

취득시기는 지방세기본법 제34조의규정에 의한 납세의무 성립 여부를 판단하는 기준일이 된다. 납세의무는 세법이 정한 과세요건이 완성한 때 즉, 법령에 정한 바에 따라 과세표준을 계산하고 세율을 적용하여 과세할 수 있는 상태가 되었을 때 성립하게 된다. 일반적으로 과세가 가능하려면 먼저 ① 과세대상인 과세물건이 있어야 하고, 그 다음에 ② 과세물건이 귀속하는 자로 과세처분의 상대방이 될 납세의무자가 특정되어야 하고, 나아가 과세처분의 구체적인 내용을 이루는 ③ 과세표준과 ④ 세율이 특정되어야 그 부과할 세액이 확정된다. 취득세에서 이러한 과세요건이 완성한 때를 취득의 시기로 보고 있다.

☞ 취득의 시기는 과세대상(제6조), 납세의무자(제7조), 과세표준(제10조), 세율(제11조) 등 과세요건(특히 제7조 납세의무자 참고)과 연계하여 이해할 것.

| 참고 _ 취득 유형별 취득의 시기 |

□ 승계취득

구분	내용
(1) 원칙	① 무상승계취득 : 그 계약일(상속 · 유증의 경우는 상속 · 유증 개시일) ※ 다만, 등기 · 등록하지 아니하고 취득일부터 60일 이내에 계약이 해제되는 경우에는 취득한 것으로 보지 아니한다. ② 유상승계취득 ㉠ 사실상 취득가격을 적용하여야 하는 경우(부동산거래신고에 의해 검증이 이루어진 취득은 예외) : 그 사실상의 잔금지급일 ㉡ 그 외의 경우 : 그 계약상의 잔금지급일(계약상 잔금지급일이 명시되지 아니한 경우에는 계약일부터 60일이 경과한 날) ※ 다만, 등기 · 등록하지 아니하고 취득일부터 60일 이내에 계약이 해제되는 경우에는 취득한 것으로 보지 아니한다. ㉢ 연부로 취득하는 것(취득가액의 총액이 면세점을 초과하는 것) : 그 사실상의 연부금 지급일
(2) 예외	① 위 (1) 취득일 전에 등기 또는 등록을 한 경우 : 그 등기일 또는 등록일 ② 차량 · 기계장비 · 항공기 및 주문을 받아 건조하는 선박의 경우 : 그 제조 · 조립 · 건조 등이 완성되어 실수요자가 인도받는 날과 계약상의 잔금지급일 중 빠른 날을 최초의 승계취득일로 본다. ③ 수입에 따른 취득 : 해당 물건을 우리나라에 반입하는 날(보세구역을 경유하는 것은 수입신고필증 교부일) ※ 다만, 차량 · 기계장비 · 항공기 및 선박의 실수요자가 따로 있는 경우에는 실수요자가 인도받는 날과 계약상의 잔금지급일 중 빠른 날을 최초의 승계취득일로 보며, 취득자의 편의에 따라 수입물건을 우리나라에 반입하지 아니하거나 보세구역을 경유하지 아니하고 외국에서 직접 사용하는 경우에는 그 수입물건의 등기 또는 등록일을 취득일로 본다.

□ 원시취득

구분	내용
(1) 건축물	건축물을 건축하여 취득하는 경우 : 사용승인서를 내주는 날(사용승인서를 내주기 전에 임시사용승인을 받은 경우에는 그 임시사용승인일)과 사실상의 사용일 중 빠른 날 ※ 18년 이전까지 도시개발사업이나 정비사업(주택재개발사업 및 도시환경정비사업만 해당)으로 건축한 주택을 환지처분 또는 소유권 이전으로 취득하는 경우 환지처분 공고일의 다음 날 또는 소유권 이전 고시일의 다음 날과 사실상의 사용일 중 빠른 날을 취득의 시기로 보았으나, 유사 건축물의 원시취득과의 과세형평 실질과세의 원칙 등을 고려하여 일반 건축물의 신축과 동일하게 적용토록 개정(2019.6.1. 시행)

(2) 토지	관계 법령에 따라 매립·간척 등으로 토지를 원시취득하는 경우 : 공사준공인가일 ※ 공사준공인가일 전에 사용승낙이나 허가를 받은 경우 : 사용승낙일 또는 허가일

□ 간주취득 등

(1) 차량·기계장비 또는 선박의 종류변경에 따른 취득	사실상 변경한 날과 공부상 변경한 날 중 빠른 날
(2) 토지의 지목변경에 따른 취득	토지의 지목이 사실상 변경된 날과 공부상 변경된 날 중 빠른 날 ※ 토지의 지목변경일 이전에 사용하는 부분 : 그 사실상의 사용일

□ 주택조합 및 주택 재건축조합의 취득

1. 주택조합이 주택건설사업을 하면서 조합원에게 귀속되지 않은 토지를 취득하는 경우 : 사용검사를 받은 날
2. 주택재건축조합이 주택재건축사업을 하면서 조합원에게 귀속되지 않은 토지를 취득하는 경우 : 소유권이전 고시일의 다음 날

□ 유형별 취득의 시기(지방세법 예규 7-2)

1. 금융회사로부터 융자금을 받아 건축한 주택을 승계취득하는 경우에는 금융회사의 융자금이 건축주로부터 분양받은 자의 명의로 대환되는 때를 취득시기로 보며, 그 이전에 등기한 경우에는 이전등기일이 취득시기가 된다.
2. 차량·기계장비를 할부로 취득하는 경우는 할부금지급시기와 관계없이 실수요자가 인도받는 날과 등록일 중 빠른 날이 취득시기가 된다.
3. 현물출자를 통해 법인 설립을 하는 경우 재산의 취득시기는 법인설립 등기일이다.
4. 「지방세법 시행령」 제20조 제10항에서 지목이 사실상 변경이란 건축공사 등과 병행되는 경우로서 토지의 형질변경을 수반하는 경우에는 건축 등 그 원인되는 공사가 완료된 때를 취득의 시기로 본다.
5. 건축주가 임시사용승인일, 사실상 사용일, 사용승인서교부일 이전에 입주자로부터 잔금을 받은 경우에는 임시사용승인일, 사실상 사용일, 사용승인서교부일이 건축주의 원시취득일과 분양받은 자의 승계취득일이 된다.
6. 취득세 과세물건을 취득함에 있어 그 대금을 약속어음으로 받은 경우에는 대물변제일, 어음결제일과 소유권이전등기일 중 빠른 날이 취득시기가 된다.
7. 아파트·상가 등 구분등기대상 건축물을 원시취득함에 있어 1동의 건축물 중 그 일부에 대하여 임시사용승인을 받거나 사실상 사용하는 경우에는 그 임시사용승인을 받은 부분 또는 사실상 사용하는 부분과 그렇지 않은 부분을 구분하여 취득시기를 각각 판단한다.
8. 주택조합 등이 조합원으로부터 신탁받은 금전으로 매수하는 부동산에 대하여는 사실상의 잔금지급일 또는 등기일 중 빠른 날에 이를 취득한 것으로 본다.

1. 무상승계취득(제20조 ①)

무상승계취득의 경우에는 그 계약일에 취득한 것으로 본다. 그리고 상속 또는 유증으로 인한 취득의 경우에는 상속 또는 유증 개시일이 취득의 시기가 된다. 다만, 해당 취득물건을 등기·등록하지 아니한 상태에서 ① 화해조서·인낙조서(해당 조서에서 취득일부터 60일 이내에 계약이 해제된 사실이 입증되는 경우), ②. 공정증서(공증인이 인증한 사서증서를 포함, 취득일부터 60일 이내에 공증받은 것), ③ 행정안전부령으로 정하는 계약해제신고서(취득일부터 60일 이내에 제출된 것) 등에 의하여 계약이 해제된 경우에는 취득한 것으로 보지 아니한다. 이는 유상승계 취득의 경우에도 동일하게 적용된다.

| 최근 개정법령 _ 2014.8.12. | 취득 유형별 취득의 시기 보완(영 제20조)

계약해제 증명서류 중 공정증서, 부동산거래계약해제확인서 등은 60일 이내에 작성(인증)된 것만 인정하게 되었는데 실무에서 활용되고 있는 「부동산 거래신고에 관한 법률」에 따른 '부동산거래계약 해제 등 확인서' 등을 추가하였다.

☞ 유상취득에만 적용되는 것으로 보완되었음(2015.1.14. 개정).

| 최근 개정법령 _ 2015.7.24. | 무상승계취득에 대한 취득 미인정 서류 조정(영 제20조 ① 2호)

당초 무상취득에 있어서 취득하지 않은 것을 입증하는 서류로 「부동산 거래신고에 관한 법률」 제3조에 따른 거래계약 해제서류가 규정되어 있으나, 무상승계취득의 경우 「부동산 거래신고에 관한 법률」을 적용받지 않는다. 따라서 불필요한 일부규정을 삭제하였다.

| 최근 개정법령 _ 2016.1.1. | 취득세 계약해제 입증방식 개선(영 제20조 ① 3호·② 2호 다목)

종전 규정에 따르면 부동산 등 취득일로부터 60일 이내에 계약 해제된 사실이 화해·인낙조서, 공정증서 등의 서류에 의해 입증되는 경우, 취득으로 보지 않아 취득세 부과대상에서 제외하고 있다. 그런데, 실무에서 화해·인낙조서, 공정증서 등 시행령에서 명시하지 않은 서류에 대하여는 증명서류로 인정하지 않고 있어, 납세자들이 공정증서 등을 발급받기 위해 별도의 비용과 시간을 부담하고 있는 실정이다. 이에 대해 계약당사자가 작성한 계약해제신고서를 취득 후 60일 이내 일선 세무부서에 신고하는 경우에도 취득세가 제외될 수 있도록 절차를 개선하였다.

〈2016년 행자부 적용요령〉 적용대상은 등기가 이루어지지 않은 무상취득 및 개인간 유상거래에 한정됨(등기가 이루어진 경우 및 사실상의 취득가격이 인정되는 거래는 적용대상이 아님). 취득후 60일 이내에 과세관청에 제출한 경우로 한정되므로, 취득후 60일 이내에 계약해제신고서를 작성하였다고 하더라도 취득후 60일 이후에 과세관청에 제출하는 경우에는 불인정 ※ 공정증서의 경우에는 취득후 60일 이내에 작성된 것이 입증되면 취득후 60일 이후에 해당 공정증서를 제출한 경우에도 인정되나, 이번에 신설된 계약해제신고서의 경우에는 취득후 60일 이내에 과세관청에 제출하여야만 인정받을 수 있음.

| 최근 개정법령_2017.1.1. | 취득세 과세제외 대상 계약해지 입증서류 범위 명확화(영 제20조 ②)
취득물건을 등기・등록하지 않고 취득일부터 60일 이내에 계약이 해제된 사실이 입증되는 경우 취득세 과세대상에서 제외하였다. 그런데 취득후 60일 이후에 작성(인증)한 경우에도 입증서류로 인정될 수 있다는 의견(취득후 60일이 지난 후 인증된 사서증서도 입증서류에 포함, 대법원 2015두52012)이 있어 혼선이 있었다. 그에 따라 취득일부터 60일 이내에 공증받은 공정증서, 취득일 후 60일 이내에 등록관청에 거래계약 해제신고를 하고 확인을 받은 서류만 입증서류로 인정하도록 명확히 하였다. 그리고 공정증서의 범위에 공증인이 인증한 사서증서도 포함되는 것으로 명확히 하였다.

◎ 증여계약일로부터 60일이 지나서 공증인 인증을 받았다고 하더라도, 해제계약서가 60일내에 작성되었다면 당초 해제계약은 성립됨
공증인이 인증한 사서증서는 특별한 사정이 없는 한 시행령 규정 단서에서 정한 '화해조서・인낙조서・공정증서 등'에 포함(대법원 2008두17806). 이 사건 시행령 규정 단서의 문언과 그 개정 경위 및 공정증서 등의 범위에 관한 법리를 종합하여 보면, 무상승계취득의 경우에 그 취득일부터 60일 이내에 계약이 해제되고 그 사실이 화해조서・인낙조서・공정증서 및 공증인이 인증한 사서증서에 의하여 증명되는 때에는 시행령 단서에 해당하여 해당물건을 취득한 것으로 보지 아니한다고 해석함이 타당하며, 그 화해조서・인낙조서・공정증서의 작성 및 위 사서증서에 대한 공증인의 인증이 그 취득일부터 60일이 지난 후에 이루어졌다는 사유만으로 달리 볼 것은 아님(대법원 2015두52012, 2016.1.28.)
☞ 대법원 판례가 불합리하다고 판단되어 입법보완이 이루어졌음(상기의 최근 개정 법령 참조).

◎ 공증인이 인증한 사서증서는 특별한 사정이 없는 한 '화해조서, 인낙조서, 공정증서 등'에 포함되어 취득일로부터 30일 이내에 계약이 해제된 사실을 입증할 수 있는 서류에 해당함(대법원 2008두17806, 2008.12.24.).

◎ 공증인이 인증한 사서증서는 '화해조서, 인낙조서, 공정증서 등'에 포함됨
공증인이 사서증서를 인증한 경우에 공증인법에 규정된 절차를 제대로 거치지 않았다는 사실이 주장・입증되는 등의 특별한 사정이 없는 한, 공증인이 인증한 사서증서의 진정성립은 추정되는 것이므로(대법원 91다35816, 1992.7.28. 등 참조), 공증인이 인증한 사서증서는 특별한 사정이 없는 한 지방세법 시행령 제73조 제2항 단서에 정한 '화해조서, 인낙조서, 공정증서 등'에 포함되어 취득일로부터 30일 이내에 계약이 해제된 사실을 입증할 수 있는 서류에 해당한다고 보아야 함(대법원 2008두17806, 2008.12.24.).

◎ 증여계약을 체결하여 부동산을 실질적으로 취득하고 소유권이전등기를 마치지 아니한 상태

에서 증여계약을 해지(30일 이내에 화해조서 · 인낙조서 · 공정증서 등을 작성하지 아니함) 하였다고 하더라도 취득세 납세의무에 영향 없음(대법원 200두8949, 2008.7.24.).

◎ **상속인이 없어 특별연고자에게 상속재산의 분여가 확정된 경우 판결확정일이 취득일**

청구인이 특별연고자인지 여부, 분여할 것인지 여부, 분여금액 등은 전적으로 가정법원의 재량적인 판단에 맡겨져 있고, 특별연고자의 상속재산에 대한 권리는 가정법원의 심판에 의하여 비로소 형성되는 것이라고 할 수 있는 점, 판결에 의한 부동산에 관한 물권의 취득은 등기를 요하지 아니한다(민법 제187조)고 규정하고 있어, 형성판결은 판결확정일을 취득일로 볼 수 있는 점 등을 종합해 볼 때, 특별연고자가 상속재산의 분여로 부동산을 취득 시 판결확정일을 취득일로 보아야 할 것임(지방세운영과-641, 2017.5.26.).

◎ **비영리재단법인간의 합병시 정관상 잔여재산의 귀속권리자를 지정하지 아니하여 해산법인의 잔여재산처분 '허가'가 있어야만 부동산 이전이 가능한 경우의 취득시기**

민법 제80조 ②에서 정관으로 귀속권리자를 지정하지 아니하거나 이를 지정하는 방법을 정하지 아니한 때에는 이사 또는 청산인은 주무관청의 허가를 얻어 그 법인의 목적에 유사한 목적을 위하여 그 재산을 처분할 수 있다고 규정하고 있으며, …토지거래 허가구역 지정이 해제되는 등의 사유로 그 매매계약이 확정적으로 유효하게 되었을 때 비로소 취득세 신고 · 납부의무가 있는 점(대법원 2012두16695)을 고려할 때, 해산법인의 잔여재산의 처분은 주무관청의 허가가 있어야만 가능한 경우에는, 존속법인이 소멸법인의 부동산을 취득하는 시기는 합병기일이 되고, 다만, 민법상 허가를 받기 전까지 그 거래가 유동적 무효상태에 있는 경우라면 그 신고 · 납부기한은 잔여재산처분 허가가 있는 날로부터 60일 이내로 보는 것이 타당(지방세운영과-1553, 2016.6.17.)

☞ **(유사사례)** 사회복지법인 소유의 기본재산을 증여하는 때에는 복지부장관의 허가를 받는 것을 요건으로 하고 있어, 비록 증여계약을 체결하였다 하더라도 주무관청의 허가를 받지 아니한 경우에는 취득이 이루어진 것으로 볼 수 없음(세정-5198, 2007.12.4.).

◎ **증여계약으로 수증자가 부동산을 취득한 후 증여계약을 합의해제하고 부동산을 반환한 경우 이미 성립한 조세채권에 영향을 미치지 아니함**

부동산에 관한 증여계약이 성립하면 그 자체로 취득세의 과세대상이 되는 사실상의 취득행위가 존재하게 되어 그에 대한 조세채권이 당연히 성립하고, 증여계약으로 인하여 수증자가 일단 부동산을 적법하게 취득한 다음에는 그 후 합의에 의하여 계약을 해제하고 그 부동산을 반환하는 경우에도 이미 성립한 조세채권의 행사에 영향을 줄 수 없음(대법원 2013두2778, 2013.6.28.).

☞ 그런데 증여계약이 무효이거나 취소된 경우에는 처음부터 취득세의 과세대상이 되는 사실상의 취득행위가 있다고 할 수 없으나, 조세소송에서 과세처분의 위법 여부를 판단하는 기준시

기는 그 처분 당시라 할 것이어서 착오를 이유로 증여계약의 취소가 이루어졌다고 하더라도 그 착오의 내용이나 증여 의사표시를 취소하는 목적 등에 비추어 볼 때 사실상 과세처분이 이루어진 이후의 사정에 근거한 것으로서 그 실질에 있어서는 과세처분 후 증여계약을 합의해제하는 것에 불과한 경우에는 그 취소로 인한 취득세 과세처분의 효력에 대하여도 합의해제에 관한 위 법리가 그대로 적용됨.

◎ 증여계약을 체결하고 소유권이전등기를 하였다가 이를 말소하고 다시 증여계약을 체결하여 소유권이전등기를 한 경우 취득세 부과처분이 적법

취득세는 부동산의 취득자가 실질적으로 완전한 내용의 소유권을 취득하였는지 여부와 관계없이 소유권이전의 형식에 의한 부동산 취득의 모든 경우를 포함하는 것이므로 청구인들이 2회에 걸쳐 소유권이전등기를 경료한 이상 각각의 취득세 납세의무가 성립하였다 할 것임(조심 2012지0323, 2012.6.28.).

◎ 증여계약 해지 후 재계약 시 취득세 납세의무가 있음

"갑과 을"이 증여를 받아 부동산 소유권이전등기가 되었다가 당초의 부동산 증여계약을 합의해제하여 당해 소유권이전등기를 말소한 후 다시 "갑과 병"이 증여를 받아 부동산 소유권이전등기가 된 경우, "갑과 을"은 당초의 증여계약에 따른 취득세 납세의무가 있으며, 다시 체결한 증여계약에 따라 "갑과 병"에게도 각각 취득세 납세의무가 있는 것임(지방세정팀-1718, 2006.4.28.).

2. 유상 승계취득의 시기(제20조 ②)

사실상 취득가격을 적용하는 경우(제10조 제5항, 부동산거래신고에 의해 검증이 이루어진 취득은 예외)에는 그 사실상의 잔금지급일이 취득일이다. 사실상 잔금지급일이 아닌 개인간 거래 등에 대한 취득의 시기를 중심으로 살펴본다.

부동산거래신고에 의해 검증이 이루어진 취득(개인간 거래)인 경우에는 그 계약상 잔금지급일이 취득일이고, 계약상 잔금지급일이 명시되지 아니한 경우에는 계약일부터 60일이 경과한 날이 취득의 시기이다. 이 경우 등기·등록하지 아니한 상태에서 ① 화해조서·인낙조서, ② 공정증서, ③ 행정안전부령으로 정하는 계약해제신고서, ④ 부동산 거래신고 관련 법령에 따른 부동산거래계약 해제등 신고서(무상취득에서 적용대상이 아님) 등에 의하여 취득일부터 60일 이내에 계약이 해제되는 경우에는 취득으로 보지 아니한다.

시행령 제20조 제2항 제2호의 개인간의 유상승계취득의 경우에는 그 계약상의 잔금지급일을 취득의 시기로 본다는 규정은 지방세법 제7조 제2항에서 규정한 "사실상으로 취득한 때"가 불분명하거나 사실상의 취득이 계약상의 잔금지급일과 견련되었을 때 그 취득시기

에 대한 의제일 뿐이다. 현저하고 명백한 사실상의 취득시기를 배제하는 것은 아니다. 즉 현저하고 명백한 사실상의 취득시기가 판명되는 경우에는 원칙으로 돌아가 구 지방세법 제7조 제2항에 의하여 그 때를 취득시기로 보아야 하고, 시행령 제20조 제2항 제2호 본문의 규정은 적용되지 아니한다(대법원 93누23527, 2002두5115).

그리고 계약이 해제된 사실이 화해조서 등에 의하여 입증되는 경우 취득으로 보지 않는 규정을 둔 취지는 계약상 잔금지급일(계약상 잔금지급일이 명시되지 아니한 경우에는 계약일로부터 60일이 경과되는 날)에 실제로 잔금이 지급되지 않은 상태에서 계약이 해제되어 사실상 취득하였다고 보기 어려운 경우까지 계약상 잔금지급일에 취득한 것으로 보아 취득세가 과세되는 불합리한 점을 보완하기 위한 장치로 볼 수 있다(대법원 2005두4212, 2006.2.9.).

☞ **[영 제73조 ① 2호 단서 취지 및 적용 범위]** 계약상 잔금지급일(계약상 잔금지급일이 명시되지 아니한 경우에는 계약일로부터 30일이 경과되는 날)에 실제로 잔금이 지급되지 않은 상태에서 계약이 해제되어 사실상 취득하였다고 보기 어려운 경우까지 계약상 잔금지급일에 취득한 것으로 보아 취득세를 과세하게 되는 불합리한 점을 보완하기 위한 것인 점에 비추어, 같은 시행령 제73조 제1항 제1호에 의한 사실상의 잔금지급이 이루어지거나 같은 조 제3항에 의한 등기를 마침으로써 취득이 이루어진 경우에는 그 적용이 없음(대법원 2005두4212, 2006.2.9.).

한편, 이와 같은 열거된 사정이 아니면 계약이 취소되었다 하더라도 취득세 납세의무성립에는 영향이 없다. 그런데 지방세기본법 시행령 제30조 제2호에서 후발적 경정청구 사유로 "최초의 신고·결정 또는 경정을 할 때 과세표준 및 세액의 계산근거가 된 거래 또는 행위 등의 효력과 관계되는 계약이 해당 계약의 성립 후 발생한 부득이한 사유로 해제되거나 취소된 경우"를 열거하고 있는데 이를 근거로 취득 후 사후에 계약이 해제된 경우 취득세 납세의무가 성립되지 않는다는 주장이 제기될 수 있다. 그러나 지방세법에서 취득세 납세의무 성립 등 과세요건과 과세체계를 규정하고 있는바 이는 지방세기본법에 대한 특례로 우선 적용되는 것이 바람직하다고 사료된다.

◎ **조정에 갈음하는 결정(해제권 행사로 계약 해제)이 있더라도 취득세에는 영향이 없음**

조세채권은 그 취득행위라는 과세요건 사실이 존재함으로써 당연히 발생하고, 일단 적법하게 취득한 이상 그 이후에 매매계약이 합의해제되거나, 해제조건의 성취 또는 해제권의 행사 등에 의하여 소급적으로 실효되었다 하더라도, 이로써 이미 성립한 조세채권의 행사에 아무런 영향을 줄 수 없음(대법원 99두6651 등). 이러한 취득세의 성격과 본질 등에 비추어 보면, 매매계약에 따른 소유권이전등기를 마친 이후 계약이 잔금 지체로 인한 해제권 행사로 해제되었음을 전제로 한 조정에 갈음하는 결정이 확정되었다고 하더라도, 일단 적법한 취득행위가 존재하였던 이상 취득당시의 과세표준을 기준으로 성립한 조세채권의 행사에 아무런 영향을 줄 수 없음, 지방세기본법상 통상의 경정청구나 후발적 경정청구를 할 수도 없음(대법원 2018두38345, 2018.9.13.).

◎ 당초 취득이 무효가 되고 새로운 약정서에 따라 금액을 지급한 경우 새로운 취득이 됨

원고는 2005.10.13. 종중 태표자와 골프장 부지(임야)를 16억원에 취득, 취득세 신고납부 및 이전등기 완료, 이후 종중과 원고 사이에 토지매매계약의 무효 소송, 이후 원고는 소송으로 인한 분쟁을 종식시키기 위해 2015.12.9. 종중과 사이에 약정서(시가 80억원 및 종중대표자에 대한 심적물적 피해액 20억원 지급) 작성 … (판단) 이 사건 매매계약은 처분권한 없는 자에 의하여 적법한 처분결의 없이 처분이 이루어진 것으로 무효라고 할 것이고, 소유권이전등기가 원인 없는 무효의 등기가 분명한 이상 그것이 말소되지 않은 채 남아있다 하여 원고가 이 사건 각 토지를 취득한 것으로 보기는 어려움(대법원 64누84, 2000다22881). 이 사건 약정은 그 약정 시에 새로운 매매계약을 체결한 것으로 간주될 뿐인바, 원고는 이 사건 매매계약에 따른 소유권이전등기 시점이 아니라 이 사건 약정에 따른 대금을 지급한 2016.3.21.에야 비로소 토지를 취득한 것으로 보아야 함(대법원 2018두62836, 2019.2.18.).

◎ 선수대금을 완납하였더라도 본계약 체결 이후 사실상 잔금지급일이 취득의 시기

택지개발사업시행자인 자치단체의 장이 공급하는 토지를 선수금을 납부하는 조건으로 택지공급 선수협약을 체결하고 그 계약에 따라 선수대금을 완납하였다 하더라도 본 계약을 체결하기 이전에는 택지매매계약을 체결할 것을 예약한 것에 불과하므로, 취득의 시기는 본 계약을 체결하고 사실상으로 잔금을 지급한 날로 보아야 할 것임(지방세운영과-1076, 2009.3.12.).

◎ 대물반환예약에 있어서의 취득시기와 과세표준 판단

취득의 시기 관련, 대물변제는 본래의 채무에 갈음하여 다른 급부를 현실적으로 하는 때에 성립하는 요물계약으로서 다른 급부가 부동산의 소유권이전인 때에는 그 소유권이전등기를 완료하여야만 대물변제가 성립되어 기존채무가 소멸하는 것이므로 채권자로서는 그 소유권이전등기를 경료하기 이전에는 소유권취득의 실질적 요건을 갖추었다고 볼 수 없다고 할 것(대법원 98두17067, 1999.11.12.)이어서, 법원의 화해권고 결정(2008가단75765)에 따라 2002.8.28. 대물반환예약 완결을 원인으로 한 가등기의 본등기 절차를 이행하는 결정을 받은 경우에도 대물반환 예약이 완결된 시점에서는 소유권 취득의 실질적 요건을 갖추었다고 볼 수 없으므로 소유권이전등기일을 그 취득시기로 보아야 할 것이고, 지방세법 시행령 제82조의 2 제1항 제1호에서 화해에 의한 경우에는 사실상의 취득가격으로 입증되는 경우에서 제외하도록 하고 있으므로 취득자가 신고한 가액과 시가표준액 중 높은 가액을 적용하여야 할 것임(지방세운영과-197, 2009.1.15.).

◎ 차용금채무 변제 대신 매수인 지위를 부여받아 매매계약을 하였던 바, 매매계약서상 잔금지급일에 사실상 취득이 이루어짐

원고는 주식회사 ○○와 사이에 이 사건 매매계약을 체결함으로써 주식회사 ○○로부터 기존의 차용금채무를 변제받는 대신에 이 사건 각 건물 매수인의 지위를 부여받음과 동시에 기존의 차용금채무에 상당하는 매매계약상의 매매대금을 모두 주고받은 것으로 하기로 하였다고 봄이 타당하므로, 원고는 이 사건 매매계약상의 잔금지급기일에 이 사건 각 건물을 사실상 취득하였던 것으로 보아야 함(대법원 2015두51439, 2016.1.14.).

◎ 사실상 취득한 것으로 볼 수 없어 미등기 전매로 취득한 것으로 볼 수 없음

2009.8.31. 이 사건 부동산의 매매잔금을 법원에 공탁하였으나 매도인들이 당일 공탁금을 수령하지 않았고, 같은 날 이 사건 부동산에 대한 매수인의 지위가 청구인에서 ○○○ 로 변경되었으며, 매도인들은 2009.9.30. 매매잔금으로 공탁된 공탁금을 수령하게 되어 사실상 취득자는 ○○○ 로 변경되었다 할 것이므로, 사실상 이 사건 부동산을 취득한 것으로 보기 어렵다 할 것이고, 이 사건 부동산의 등기부등본에는 청구인이 소유한 사실이 나타나지 아니하므로 형식적인 취득 또한 성립하지 아니한다 할 것임. 따라서, 미등기 전매로 취득한 것으로 보아 취득세를 부과한 것은 잘못이 있음(조심 2011지0922, 2012.6.13.).

◎ 입주당시 분양가격을 취득세 과세표준으로 신고한 후, 2년 후에 분양 특약에 의해 유예(미지급) 잔금의 14%를 할인받은 경우라도 과세표준에서 할인받은 금액을 제외할 수 없음(지방세운영과-2445, 2016.9.22.).

◎ 취득시기 이전에 부담하여 취득세 과세표준에 포함되었던 기반시설부담금을 반환받은 경우 취득가격에 영향이 없음

취득세 납세의무가 적법하게 성립한 이상, 이후 합의해제 등의 사정에 의하여 계약이 소급적으로 실효되더라도 당초 납세의무에 영향을 줄 수 없으므로(대법원 2003두9008), 취득세 납세의무 성립 이후에 사후적으로 부담금을 반환받았다고 하여, 이미 적법하게 성립한 취득세에 영향을 줄 수 없다고 할 것인 점, 후발적 경정청구는 일반적 경정청구 기간(5년)에도 불구하고 해당 사유가 있는 날로부터 60일 이내에 경정청구를 할 수 있도록 권리구제의 기간을 연장하고자 하는 데 그 입법취지가 있을 뿐, 경정청구 사유자체가 개별세목에서 정하고 있는 과세요건의 성립여부를 판단하는 기준이 되는 것은 아니므로, 비록 부담금의 반환이 후발적 경정청구 대상이 될 수 있더라도 취득세 납세의무가 확정된 이후에 부담금의 반환이 당초 납세의무에 영향을 미치지 않는 경우에는 경정청구가 거부될 수 있다고 할 것인 점 등을 종합해 볼 때, 취득세 과세표준이 되는 취득가격은 취득시기를 기준으로 판단하여야 할 것으로, 취득시점에 적법하게 성립되어 확정된 취득가격에 포함된 부담금의 경우, 사후적으로 일

부 또는 전부를 반환받는다고 하더라도, 이미 성립된 취득가격에 미치는 영향은 없다고 할 것임(지방세운영과-2444, 2016.9.22.).

◎ **개인간 유상거래로써 매매계약서상 잔금지급일(3.15.)이 아닌 사실상 잔금지급일(3.23. 유상거래 감면 시행)을 취득의 시기로 보아 유상거래 감면 대상으로 본 사례**

개인 간의 유상승계취득의 경우 그 취득시기를 계약상의 잔금지급일에 취득한 것으로 본다는 규정은 법 제105조 ②에서 규정한 "사실상으로 취득한 때"가 불분명하거나 사실상의 취득이 계약상의 잔금지급일과 관련되었을 때 그 취득시기에 대한 의제일 뿐 현저하고 명백한 사실상의 취득시기를 배제하는 것은 아니므로, 비록 개인간의 유상거래이고 당초 처분청에 제출한 매매계약서상 잔금지급일이 2011.3.15.로 기재되어 있기는 하지만, 2011.3.23.에 사실상 잔금을 지급한 사실이 금융거래자료, 매도인이 작성한 잔금수령 등의 영수증 및 쟁점주택의 등기부등본에 의하여 각각 확인되고 있으므로 사실상 잔금을 지급한 2011.3.23.을 취득시기로 보는 것이 타당(조심 2012지112, 2012.3.30.)

◎ **매립면허 등을 받은 자로부터 매립지를 매수하여 취득하는 경우 취득시기**

매립면허 등을 받은 자로부터 매립지 등을 매수하여 이를 취득하는 경우는 토지의 유상승계취득에 해당하므로, 다른 특별한 사정이 없는 한, 구 지방세법 시행령 제73조 제3항에 의한 유상승계취득의 취득일(계약상의 잔금지급일 또는 사실상의 잔금지급일)에 매립지 등을 취득한다고 봄이 원칙이고, 다만, 그 유상승계취득의 취득일 이후에 매립면허 등을 받은 자의 원시취득의 취득일이 도래하는 경우에는 그 원시취득의 취득일을 매수인의 매립지 등 취득일로 보아야 할 것이다(대법원 98두11502, 1999.6.11.).

◎ 위치 및 경계가 특정된 토지를 일정한 금액을 매매대금으로 정하되 추후에 측량결과에 따라 면적의 증감이 있는 경우에는 대금을 정산하기로 한 경우에는 당초의 매매대금이 모두 지급된 때가 취득시기가 되고, 매매대금의 지급 후 면적증가가 밝혀져 청산금을 지급하였다 하여 청산금이 지급된 때를 취득시기로 볼 수 없음(대법원 97누7097, 1998.1.23.).

◎ 잔금으로 남겨둔 10,000,000원이 매매잔금의 성질보다는 청산금 지급절차의 이행을 담보하는 성질을 지닌 금원이라면 매매대금을 지급하고 체비지대장상 명의변경이 이루어진 때가 양도시기가 됨(대법원 95누6427, 1996.8.20.).

◎ **환지처분공고일 이전이라도 체비지의 잔금지급이나 체비지대장 등재 중 어느 하나의 요건을 갖추면 체비지에 대한 취득행위가 있었던 것으로 봄**

토지구획정리사업시행자로부터 체비지를 양수한 자는 토지의 인도 또는 체비지대장에의 등재 중 어느 하나의 요건을 갖추면 당해 토지에 관하여 물권 유사의 사용수익권을 취득하여 당해 체비지를 배타적으로 사용·수익할 수 있음은 물론이고 다시 이를 제3자에게 처분할 수도 있는 권능을 가지며, 그 후 환지처분공고가 있으면 그 익일에 최종적으로 체비지를 점유하거나 체비지대장에 등재된 자가 그 소유권을 원시적으로 취득하게 되므로(대법원 2002두6361, 2003.11.28. 등 참조), 환지처분 공고일 이전이라 하더라도 취득행위가 있었던 것으로 보는 것이 타당함(지방세운영과-3642, 2012.11.12.).

소액잔금과 취득시기

1) 사실상 취득여부 및 취득으로 볼 수 있는 잔금범위의 판단 기준

사실상의 잔금지급일이란 비록 잔금지급이 완결되지 않았다 하더라도 거의 대부분의 잔금이 지급되고 사회통념상 무시하여도 좋을 정도의 일부 잔금만이 미지급되어 거래관념상 잔금을 모두 지급한 경우와 마찬가지로 볼 수 있는 경우 등을 가리킨다. 이는 일반인의 관점에서 그 범위가 대강은 예측가능하다고 할 것이므로 과세관청의 자의적인 해석과 집행을 초래할 정도로 지나치게 추상적이고 불명확하다고 볼 수 없다(대법원 2007두4148, 2007.4.26.). 따라서 사실상 취득여부 및 취득으로 볼 수 있는 잔금범위 등에 대해서는 과세관청이 사안별로 당초 계약상 잔금지급일 경과여부, 계약상 잔금 중 미지급된 비율, 전매여부 및 대상자, 사실상 사용·수익·처분여부 등을 종합적으로 파악하여 판단하여야 한다(지방세운영과-5356, 2011.11.21.).

☞ 사실상의 취득이라 함은 일반적으로 등기와 같은 소유권 취득의 형식적 요건을 갖추지는 못하였으나 대금의 지급과 같은 소유권 취득의 실질적 요건을 갖춘 경우를 말하는데, 매매의 경우에 있어서는 사회통념상 대금의 거의 전부가 지급되었다고 볼 만한 정도의 대금지급이 이행되었음을 뜻한다고 보아야 하고, 이와 같이 대금의 거의 전부가 지급되었다고 볼 수 있는지 여부는 개별적·구체적 사안에 따라 미지급 잔금의 액수와 그것이 전체 대금에서 차지하는 비율, 미지급 잔금이 남게 된 경위 등 제반 사정을 종합적으로 고려하여 판단하여야 함(대법원 2008두8147, 2010.10.14.).

2) 사실상 취득으로 본 경우(소액잔금 불인정)

- 계약금과 중도금은 물론 대부분의 잔금까지 모두 납부하고 총 분양대금 중 0.42%에 불과한 나머지 잔금 2,234,085원만을 미납한 상태였다면, 아파트 건축물사용승인일에 사실상 취득하였다고 봄이 상당함(대법원 2007두4148, 2007.4.26.).
- 총 분양대금 3억94만원 중 잔금 2,105,580원만(0.68%)을 남겨두었고 등기부상 소유자로 등재하거나 배타적인 사용·수익·처분을 할 수 있는 상태라면, 사실상 취득이 이루어졌다고 보는 것이 타당함(서울고법 2005누20414, 2006.6.21. : 대법확정).
- 택지개발 사업지구 내 토지 면적과 금액이 확정된 상태에서 잔금기일을 넘겨 매수대금의 일부(101,227천원 중 1,691천원, 1.6%)만 남겨두고 토지매수권을 양도한 경우, 당초 매수자는

사실상 잔금의 대부분을 지급한 때 취득세 납세의무가 성립됨. 미미한 금액의 형식상의 지체를 이유로 계약해제를 주장하는 것이 신의칙상 허용되지 아니한다고 해석될 경우라면 거래관념상 잔금을 모두 납부한 경우와 같이 취급하여 소유권취득의 실질적 요건을 갖추었다고 할 것임(대법원 2006두15301, 2006.12.21).

3) 사실상 취득으로 보지 않은 경우(잔금 인정)

취득 예정일에 잔금을 지급하고 소유권을 취득하는 것이 일반적이지만 개인적인 사정에 따라 취득의 시기를 조정하는 납세자가 있을 수 있다. 또한 취득의 시기가 도래하면 재산세 납세의무자 변동이 발생하는데, 누가 소유하는지에 따라 세부담이 달라지는 경우(예를 들어 과세대상 vs. 비과세·감면, 종합합산 vs. 분리과세 등)라면 취득의 시기를 조정하고 싶어할 것이다. 그러나 사실상 취득했음에도 유명무실한 소액의 잔금을 둔 경우에는 이를 인정하지 아니하고 취득으로 보아 취득세 납세의무가 발생한다. 이 경우 소액잔금의 범위에 대해 명확하게 규정하지 않고 있다. 소액잔금을 규정한다는 것은 또 다른 기준이 되어 그 기준을 두고 논란이 발생할 수 있기 때문이다.

◎ 미지급 잔금의 액수와 그것이 전체 대금에서 차지하는 비율, 미지급 잔금이 남게 된 경위 등 고려시 해당 사안에 대해 사실상 취득이 성립 것으로 볼 수 없음

쟁점토지의 미지급 잔금 10억원이 전체 매매가액의 1%에 해당하더라도 그 금액의 크기가 사회통념이나 거래관행상 대금이 모두 지급된 것으로 볼 수 있을 정도로 적은 금액이라고 보기는 어려운 점, 처분청과 체결한 용지매매계약서에서 잔금을 10억원으로 명시(제1조)하고 있고, 이에 따라 계약서상 매매대금 납부 절차에 따른 잔금에 해당하는 금액이 남아 있게 되었고, 동 잔금을 완납하기 전에 계약을 해제할 수 있다고 규정(제10조)하고 있는데, 계약서상 잔금 10억원을 제외한 매매대금을 치른 후인 2016.11.29. 처분청에서는 "차후 변경계약 체결이 예상된다"고 회신하여 처분청 스스로도 10억원을 잔금으로 인정하고 있는 점 등을 고려할 때 취득으로 볼 수 없음(지방세운영과-992, 2017.11.16.).

◎ 매수대금 중 2%(8억원)만 남겨둔 경우 사회통념상 잔금을 모두 지급한 것이 아니므로 사실상 취득으로 볼 수 없음

○○토건이 이 사건 각 조합으로부터 이 사건 각 토지뿐만 아니라 그 지상에서 시행할 이 사건 사업에 대한 사업권까지 인수한 것이고, 원고도 이 사건 약정에 따라 ○○토건으로부터 위 각 토지와 함께 위 사업권까지 양수한 것으로 인정되는 사정 등에 비추어 원고의 위와 같은 금원 지급이 이 사건 사업에 대한 사업권 양수와 무관하게 오로지 이 사건 각 토지의 취득만을 목적으로 지급된 것이라고 단정하기 어렵고, 원고가 지급한 위 37,023,030,236원을

이 사건 각 토지의 취득대금으로만 볼 수 있다고 하더라도 위 금액과 현장인수대금 378억 원과의 차액에 해당하는 약 8억 원은 사회 통념상 위 378억 원이 모두 지급된 것으로 볼 수 있을 정도로 적은 금액이라고 할 수 없어, 원고가 이 사건 각 토지를 2006.12.28. 사실상 취득한 것으로 볼 수 없음(대법원 2013두18018, 2014.1.23.).

◎ 매매대금 1.8%만 남겨둔 경우 취득세를 과세할 수 없음

매매의 경우에 있어서는 사회통념상 대금의 거의 전부가 지급되었다고 볼 만한 정도의 대금지급이 이행되었음을 뜻한다고 보아야 하고, 이와 같이 대금의 거의 전부가 지급되었다고 볼 수 있는지 여부는 개별적 · 구체적 사안에 따라 미지급 잔금의 액수와 그것이 전체 대금에서 차지하는 비율, 미지급 잔금이 남게 된 경위 등 제반 사정을 종합적으로 고려하여 판단함. 중도금과 잔금을 선납할인 받는 과정에서 잔금의 일부(14백만원 : 전체 1.8%)만 남게 된 경우에는 대금지급의 이행으로 보아 취득세를 과세할 수 없음(대법원 2008두8147, 2010.10.14.).

3. 건축물의 건축(제20조 ⑥)

사용승인을 받지 않는 건축물(무허가 건축물 및 도크시설 · 저장조 등 일부 시설이 해당)을 건축 · 개수하는 경우에는 사실상 사용이 가능한 날을 취득시기로 본다. 사실상 사용 가능 여부는 각 건축물에 따라 개별적으로 판단하게 되는데, 예를 들어 수도와 전기가 연결되어 사용이 가능하나 장기간 사용개시를 안하는 경우는 출장확인일 등을 취득시기로 적용한다.

☞ 도시정비법에 따른 재개발주택의 취득시기가 개정되었는데 제7조 제8항(주택조합 등의 취득) 설명 참고

◎ "사용승인서 교부일"은 사용승인검사 합격 결정일로 보는 것이 타당

舊「주택법」 제22조 제1항부터 제3항까지에 따르면, 허가권자가 사용승인신청을 받은 경우에는 소정의 검사를 실시하여 검사에 합격된 건축물에 대해서는 사용승인서를 내주되, 사용승인을 받은 후가 아니면 건축물을 사용하거나 사용하게 할 수 없음. 따라서, 사용승인 후 건축주가 사용승인서를 교부받지 못했다고 하여 건축물을 사용할 수 없지는 않은 점, 채권자취소권의 피보전채권이 되는 취득세의 포함여부가 사용승인일로 결정되는 점(대법원 2009다53437, 2009.11.12. 참조), 사용승인서 교부는 단순한 통지행위인 점 등을 종합적으로 감안할 때, "사용승인서 교부일"은 사용승인검사 합격 결정일로 보는 것이 타당(지방세운영과-3055, 2012.9.27.)

◎ A공사가 자재 · 노임 등 건축사업비를 신축건물의 임대보증금으로 조달하더라도, B법인 명의로 건축허가와 임시사용승인을 득한 경우 B가 취득세 납세의무자임

A공사와 B법인은 사업협약의 당사자이며 B법인은 공사도급의 직접 당사자로서 시공사와 계약하였으며, A공사와 B법인은 건축사업비를 사업협약서에 의거 신축건물의 임대보증금으로 조달하였고 사업비 이외에 사업수행 대가 등 명목으로 일체의 금원을 A공사에게 청구하지 않기로 하였고, B법인이 신축 사업을 추진하는 과정에서 사업비를 초과하는 경우 초과부분에 대해 전적으로 책임을 부담하도록 협약하였고, … B법인이 건축주 변경신고를 통해 건축주로서 건축물을 신축 완공하고, 임시사용승인을 받은 경우에 해당하므로 B법인이 취득세 납세의무자임(지방세운영과-539, 2015.2.13.).

- **임시사용승인 후 건축주 변경시는 원시취득자와 승계취득자에 각각 취득세 납세의무 성립**

  공동건축주로 임시사용승인을 받아 취득세를 납부한 후 그 중 1인으로 건축주를 변경하여 사용승인을 받았을 경우, 임시사용승인을 받은 공동건축주에게는 원시취득에 따른 취득세 납세의무가, 사용승인을 받은 자에게는 승계취득에 따른 취득세 납세의무가 각각 성립된다고 판단됨(지방세운영과-3133, 2012.10.8.).

- **발전소 준공 전 일시적 시험 운전을 하는 경우 취득시기가 도래되지 않았음**

  시험운전을 하기 위한 경우라면 사용전 검사를 받기 전에라도 일시사용이 가능하도록 규정하고 있는 점에서 볼 때, 사용전 검사일 또는 임시사용 승인일 전에 안전성 등의 사전시험을 위해 일시 사용한 경우라면 취득시기가 도래되었다고 볼 수 없다고 할 것이나, 사용전 검사일 또는 임시사용 승인일 전에라도 일시적 시험운전이 아닌 전력 생산 등의 목적으로 사실상 사용하는 경우라면, 사실상 사용한 날을 취득일로 보아야 할 것이며, 사실상 사용 여부는 과세권자가 발전설비의 가동현황, 전력 생산의 추이 등의 사실관계를 면밀히 검토하여 판단하여야 할 사항임(지방세운영과-73, 2017.3.10.).

4. 차량 · 기계장비 또는 선박(제20조 ③)

차량 · 기계장비 · 항공기 및 주문을 받아 건조하는 선박의 경우에는 그 제조 · 조립 · 건조 등이 완성되어 실수요자가 인도받는 날과 계약상의 잔금지급일 중 빠른 날을 최초의 승계취득일로 본다. 예를 들어 차량 제조회사의 경우 실수요자가 아니기 때문에 취득세 납세의무가 없고 따라서 차량에 대해서는 원시취득이 있을 수 없다.

한편 차량 등의 수입과 관련하여 쟁점을 살펴보면 다음과 같다. 이는 지방세법 제7조 제6항의 외국인 소유물건의 임차하여 수입하는 경우와는 구분된다. 차량을 외국으로부터 들여오는 경우 수입에 의한 취득으로 보아 그 취득자가 납세의무자이다. 그런데 수입자와 취득자의 지위가 모호한 경우가 있는데, 예를 들어 실소유자가 수입대행업체를 통하여 외국으로부터 수입하여 취득하는 경우 납세의무자는 실소유자로 볼 수 있다. 그런데 실제 수입하는 회사가 단순히 중개역할에 그치지 않고 실소유자 역할에 해당할 정도의 역할을 한다면 형식상 중개업자이고 실소유자로 보아 취득세 납세의무자가 될 여지도 있다. 이 경우 중개상에게 취득세를 과세하고 최종 소유자는 중고차량을 취득한 결과가 된다.

과세표준과 관련하여, 외국으로부터의 수입에 의한 취득하는 경우(법 제10조 ⑤ 2호) 수입가액이 그대로 과세표준이 된다. 그런데 수입중개상을 거치면서 최종소비자가 수입중개상으로부터 취득하는 가격이 수입가격과 차이가 있을 수 있다. 최종소유자의 수입에 의한 취득으로 본다면 수입가격 자체가 취득가격(과세표준)이 될 것이다. 그런데 수입중개상이 수입가격보다 높거나 낮게 최종소비자에게 판매한 경우 이를 취득가격으로 볼 수 있는가 하는 점이다. 만약 최종소비자가 취득한 것이 수입중개상을 거쳐 취득한 것으로 보아 중고차량의 취득으로 보고, 이 경우 법인과의 거래도 시가표준액이 될 수 있으므로 시가표준액을 과세표준으로 과세할 수 있을 것이다.

수입중개상이 거래과정에서 어떤 역할을 하는지에 따라 과세표준이 달라질 수 있다. 수입중개상이 과세대상을 수입하여 자신이 사용하는 경우라면 납세의무자가 될 것이다. 실사용 후에 제3자에게 판매한다면 제3자는 중고자동차를 취득한 것이다. 자동차관리법상 신규로 등록했다 하더라도 중고자동차가 될 수 있다. 결국 납세의무자에 대한 판단과 과세표준을 적용하는 것은 각각의 취득세 납세의무 성립시점을 기준으로 사실관계를 충분히 확인한 후 판단하여야 할 것이다.

◎ 수입자가 판매용 선박을 실수요용으로 전환한 경우 우리나라에 반입된 날이 취득의 시기

수입자가 판매용으로 선박을 수입한 후 판매가 여의치 않자 직접 사용하기 위해 실수요용으로 전환하는 것은 수입자가 직접 실수요자가 되는 것으로서 관련법령에서 규정한 "실수요자가 따로 있는 경우"에 해당하지 않으므로 공부상 판매용 등으로 등재되지 않았다면 반입된 날을 취득의 시기로 보아야 함(지방세운영과-3561, 2011.7.26.).

◎ 제조회사로부터 신규차량을 구입하여 등록하지 아니하고 구조변경을 통해 실수요자에게 판매하는 경우, 해당 제작자는 취득세 납세의무가 없음

실수요자에게 공급하기 위하여 차량을 그 제조자 등으로부터 취득한 자는 특별한 사정이 없는 한 "실수요자"에 해당하지 않는다고 할 것(대법원 2004두6426, 2005.6.9.)이므로, 차량을 구조변경하여 판매하기 위해 제조자로부터 신규차량을 구입한 제작자를 실수요자로 보기는 어려운 점, 제작자가 실수요자의 사용목적에 부합하도록 구조변경을 하기 위해 제조사로부터 취득한 차량은 미완성 자동차로 볼 수 있는 점 등을 종합해 볼 때, 제조회사로부터 최초의 신규차량을 구입하여 등록을 하지 아니한 상태에서 구조변경을 통해 실수요자에게 판매하는 경우라면, 취득세 납세의무 없음(지방세운영과-680, 2018.3.28.).

◎ 기계장비를 판매목적으로 수입하였으나 자가사용(임차)하는 경우 인취한 날이 취득시기

취득세 과세대상 물건을 판매목적으로 수입한 경우에는 실수요자가 인도받는 날 또는 계약상의 잔금을 지급하는 날이 취득일이 된다 할 것이나, 판매목적으로 수입하였으나 사정변경으로 자가 사용하는 경우 이는 실수요자가 취득하는 것으로 보아야 할 것으로, 법인이 판매목적으로 기계장비를 수입하였다가 당해 법인 명의로 등록하고 제3자에게 임차하고 있는 경우라면 당해 법인이 기계장비의 실수요자가 된다 하겠고, 그 취득시기 또한 당해 법인이 기계장비를 우리나라에 인취한 날(보세구역을 경유하는 것은 수입신고필증 교부일)로 봄이 타당함(지방세정팀-614, 2007.3.14.).

◎ 수입 기계장비를 보세구역에서 제3국으로 수출할 경우 취득세 납세의무가 있음

기계장비를 세관 보세구역 내에 장치되었던 물품을 구입하여 보세구역을 통과하지 아니하고 컨테이너에 적재된 상태에서 제3국으로 수출한 물품으로서 통관수속 절차상 수입자와 수출자가 다르기 때문에 불가피하게 수입·수출신고필증을 작성한 경우라 하더라도 수입신고필증을 교부받은 날에 당해 기계장비를 취득한 것으로 보아 기계장비를 국내에 반입하지 아니하고 보세구역에서 제3국으로 수출하였다고 하더라도 이미 과세요건이 성립된 이상 취득세 납세의무가 있음(심사 2007-88, 2007.2.26.).

◎ 제조회사로부터 신규차량을 구입하여 등록하지 아니하고 구조변경을 통해 실수요자에게 판매하는 경우, 해당 제작자는 취득세 납세의무가 없음

실수요자에게 공급하기 위하여 차량을 그 제조자 등으로부터 취득한 자는 특별한 사정이 없는 한 "실수요자"에 해당하지 않는다고 할 것(대법원 2004두6426, 2005.6.9.)이므로, 차량을 구조변경하여 판매하기 위해 제조자로부터 신규차량을 구입한 제작자를 실수요자로 보기는 어려운 점, 제작자가 실수요자의 사용목적에 부합하도록 구조변경을 하기 위해 제조사로부터 취득한 차량은 미완성 자동차로 볼 수 있는 점 등을 종합해 볼 때, 제조회사로부터 최초의 신규차량을 구입하여 등록을 하지 아니한 상태에서 구조변경을 통해 실수요자에게 판매하는 경우라면, 취득세 납세의무 없음(지방세운영과-680, 2018.3.28.).

◎ 도매업자가 판매목적으로 제조업체로부터 최초로 차량을 취득한 경우 취득세 대상 아님

도매업을 주업으로 하는 법인이 해당 법인의 명의로 등기·등록을 이행하지 아니하고, 판매목적으로 차량 등을 제조업체로부터 최초로 취득한 경우라면, 실수요자에 해당하지 아니하여 취득세 납세의무가 없다고 할 것임.

◎ 본점에서 차량을 일괄 수입하여 지점으로 인도하는 경우 본점의 취득을 취득시기로 판단

"실수요자"란 자동차 판매회사에 대응하는 소비자 내지는 수요자를 말하는 것으로(대법원

2004두6426, 2005.6.9.), 甲법인의 본점에서 외국으로부터 차량을 일괄 수입하여 각 지점으로 인도하는 경우, 지점은 본점의 종적(從的) 영업소에 불과하고 독립적인 법인격(法人格)을 가지고 본점과 별개의 취득행위를 하는 것이 아니어서 「지방세법 시행령」 제73조 제9항에 따른 실수요자로 볼 수는 없는 것이므로 甲법인에서 수입차량을 우리나라에 인취하는 날(또는 보세구역을 경유하는 것은 수입신고필증 교부일)이 취득의 시기가 되는 것임(지방세운영과-3168, 2009.8.5.).

◎ **민자철도사업 일환으로 자치단체에 공급하기 위하여 제조사로부터 철도차량을 취득한 자는 '실수요자'인 최초의 승계취득자로 볼 수 없어 취득세 납세의무가 없음**

원고는 ○○○○ 시에 공급하기 위하여 제조자인 ○○○○ 으로부터 이 사건 전동차량을 취득하였을 뿐이므로, 구 지방세법 시행령 제73조 제7항에서 말하는 '실수요자'인 최초의 승계취득자에 해당한다고 볼 수 없음. 따라서 원고는 이 사건 전동차량의 취득과 관련하여 취득세 등의 납세의무가 있다고 할 수 없음(대법원 2011두22198, 2012.3.29.).

◎ **주한미군에 납품할 목적으로 제조사로부터 차량을 매입하는 경우 납품업자는 당해 차량의 실수요자가 아니므로 차량구입에 따른 취득세 납세의무는 없음**(구 지방세정팀-4364, 2007.10.23.).

◎ **판매 목적으로 차량을 취득한 것이 아닌 이상 그 취득 목적에 관계없이 '실수요자'에 해당**

지방세법 제105조 제2항 단서 및 같은 법 시행령 제73조 제6항, 제9항의 규정은 차량을 도로에서 운행할 용도가 아닌 다른 용도로 취득하는 모든 경우에 실수요자에 의한 취득이 아닌 것으로 보아 취득세의 과세객체에서 제외한다는 취지의 규정이 아니라, 자동차 제조회사가 차량을 제작하여 자동차 판매회사나 실수요자에게 판매하는 경우 또는 자동차 판매회사가 자동차 제조회사로부터 차량을 구입하거나 외국에서 차량을 수입하여 실수요자에게 판매하는 경우에 자동차 제조회사의 차량 제조에 따른 차량취득 또는 자동차 판매회사의 판매를 위하는 '실수요자'란 자동차 제조회사나 판매회사에 대응하는 소비자 내지는 수요자를 가리키는 것에 불과하여 판매 목적으로 차량을 취득한 것이 아닌 이상 그 취득 목적에 관계없이 '실수요자'에 해당함(대법원 2004두6426, 2005.6.9.).

◎ **대여시설이용자가 차량 등의 소유권을 종국적으로 취득한 것이 아니라면 대여시설이용자를 납세의무가 있는 '실수요자'에 해당한다고 볼 수 없음**

'여신전문금융업법에 의한 시설대여업자가 차량 등을 시설대여 하는 경우 그 등기 또는 등록 명의에 불구하고 시설대여 업자를 납세의무자로 본다.'고 규정하고 있으므로, 차량 등을 시설대여 하는 경우 특별한 사정이 없는 한 '실수요자'는 대여시설이용자가 아닌 시설대여 업자를 의미한다고 봄이 타당. 따라서 여신전문금융업법에 의한 시설대여업자로부터 차량 등을 시설대여 받은 대여시설이용자가 차량 등의 소유권을 종국적으로 취득한 것이 아니라면, 비록 시설대여를 받기 위한 목적으로 당해 차량 등을 제조자로부터 취득하여 시설대여 업자에게 판매한 바 있더라도, 그 대여시설이용자를 차량 등에 관하여 취득세 등의 납세의무가 있는 '실수요자'로 볼 수 없음(대법원 2012두5763, 2013.4.11.).

◎ 수입 기계장비를 보세구역에서 제3국으로 수출할 경우 취득세 납세의무가 있음

기계장비를 세관 보세구역 내에 장치되었던 물품을 구입하여 보세구역을 통과하지 아니하고 컨테이너에 적재된 상태에서 제3국으로 수출한 물품으로서 통관수속 절차상 수입자와 수출자가 다르기 때문에 불가피하게 수입·수출신고필증을 작성한 경우라 하더라도 수입신고필증을 교부받은 날에 당해 기계장비를 취득한 것으로 보아 기계장비를 국내에 반입하지 아니하고 보세구역에서 제3국으로 수출하였다고 하더라도 이미 과세요건이 성립된 이상 취득세 납세의무가 있음(심사 제2007-88호, 2007.2.26.). 여신전문금융업법에 의한 시설대여업자로부터 차량 등을 시설대여 받은 대여시설이용자가 차량 등의 소유권을 종국적으로 취득한 것이 아니라면, 비록 시설대여를 받기 위한 목적으로 당해 차량 등을 제조자로부터 취득하여 시설대여 업자에게 판매한 바 있더라도, 그 대여시설이용자를 차량 등에 관하여 취득세 등의 납세의무가 있는 '실수요자'로 볼 수 없음(대법원 2012두5763, 2013.4.11.).

◎ 차량 양수인이 이전등록하지 않아 법원 판결로 양도자가 이전등록을 신청할 경우

「자동차관리법」에 따라 법원의 판결 등으로 양도자가 양수자를 갈음하여 그 이전등록을 신청한다고 하더라도, 「지방세법」 제30조 제1항에 따라 차량을 등록하기 전까지 취득세 또는 등록면허세를 신고·납부하여야 함(부동산세제과-954, 2020.4.29.).

제11조(부동산 취득의 세율)

법 제11조(부동산 취득의 세율) ① 부동산에 대한 취득세는 제10조의 과세표준에 다음 각 호에 해당하는 표준세율을 적용하여 계산한 금액을 그 세액으로 한다. 〈개정 2010.12.27., 2013.12.26., 2015.7.24., 2016.12.27.〉

1. 상속으로 인한 취득
   가. 농지 : 1천분의 23　나. 농지 외의 것 : 1천분의 28
2. 제1호 외의 무상취득 : 1천분의 35. 다만, 대통령령으로 정하는 비영리사업자의 취득은 1천분의 28로 한다.
3. 원시취득 : 1천분의 28　4. 삭제 〈2014.1.1.〉
5. 공유물·합유물의 분할 또는 「부동산 실권리자명의 등기에 관한 법률」 제2조 제1호 나목에서

규정하고 있는 부동산의 공유권 해소를 위한 지분이전으로 인한 취득(등기부등본상 본인 지분을 초과하는 부분의 경우에는 제외한다) : 1천분의 23

6. 합유물 및 총유물의 분할로 인한 취득 : 1천분의 23
7. 그 밖의 원인으로 인한 취득

   가. 농지 : 1천분의 30 나. 농지 외의 것 : 1천분의 40

8. 제7호 나목에도 불구하고 유상거래를 원인으로 주택[「주택법」 제2조 제1호에 따른 주택으로서 「건축법」에 따른 건축물대장 · 사용승인서 · 임시사용승인서 또는 「부동산등기법」에 따른 등기부에 주택으로 기재{「건축법」(법률 제7696호로 개정되기 전의 것을 말한다)에 따라 건축허가 또는 건축신고 없이 건축이 가능하였던 주택(법률 제7696호 건축법 일부개정법률 부칙 제3조에 따라 건축허가를 받거나 건축신고가 있는 것으로 보는 경우를 포함한다)으로서 건축물대장에 기재되어 있지 아니한 주택의 경우에도 건축물대장에 주택으로 기재된 것으로 본다}된 주거용 건축물과 그 부속토지를 말한다. 이하 이 조에서 같다]을 취득하는 경우에는 다음 각 목의 구분에 따른 세율을 적용한다. 이 경우 지분으로 취득한 주택의 제10조에 따른 취득 당시의 가액(이하 이 항에서 "취득당시가액"이라 한다)은 다음 계산식에 따라 산출한 전체 주택의 취득당시가액으로 한다.

$$\text{전체 주택의 취득당시의 가액} = \text{취득 지분의 취득당시의 가액} \times \frac{\text{전체 주택의 시가표준액}}{\text{취득 지분의 시가표준액}}$$

   가. 취득당시가액이 6억원 이하인 주택 : 1천분의 10

   나. 취득당시가액이 6억원을 초과하고 9억원 이하인 주택 : 다음 계산식에 따라 산출한 세율. 이 경우 소수점이하 다섯째자리에서 반올림하여 소수점 넷째자리까지 계산한다.

$$\left(\text{해당 주택의 취득당시가액} \times \frac{2}{\text{3억원}} - 3\right) \times \frac{1}{100}$$

   다. 취득당시가액이 9억원을 초과하는 주택 : 1천분의 30

② 제1항 제1호 · 제2호 · 제7호 및 제8호의 부동산이 공유물일 때에는 그 취득지분의 가액을 과세표준으로 하여 각각의 세율을 적용한다. 〈개정 2010.12.27., 2013.12.26.〉

③ 제10조 제3항에 따라 건축(신축과 재축은 제외한다) 또는 개수로 인하여 건축물 면적이 증가할 때에는 그 증가된 부분에 대하여 원시취득으로 보아 제1항 제3호의 세율을 적용한다.

④ 주택을 신축 또는 증축한 이후 해당 주거용 건축물의 소유자(배우자 및 직계존비속을 포함한다)가 해당 주택의 부속토지를 취득하는 경우에는 제1항 제8호를 적용하지 아니한다.

영 제21조(농지의 범위) 법 제11조 제1항 제1호 각 목 및 같은 항 제7호 각 목에 따른 농지는 각각 다음 각 호의 토지로 한다. 〈개정 2010.12.30., 2013.1.1.〉

1. 취득 당시 공부상 지목이 논, 밭 또는 과수원인 토지로서 실제 농작물의 경작이나 다년생식물의 재배지로 이용되는 토지. 이 경우 농지 경영에 직접 필요한 농막(農幕) · 두엄간 · 양수장 · 못 · 늪 · 농도(農道) · 수로 등이 차지하는 토지 부분을 포함한다.
2. 취득 당시 공부상 지목이 논, 밭, 과수원 또는 목장용지인 토지로서 실제 축산용으로 사용되는 축사와 그 부대시설로 사용되는 토지, 초지 및 사료밭

제22조(비영리사업자의 범위) 법 제11조 제1항 제2호 단서에서 "대통령령으로 정하는 비영리사업자"란 각각 다음 각 호의 어느 하나에 해당하는 자를 말한다. 〈개정 2014.1.1.〉
1. 종교 및 제사를 목적으로 하는 단체
2. 「초·중등교육법」 및 「고등교육법」에 따른 학교, 「경제자유구역 및 제주국제자유도시의 외국교육기관 설립·운영에 관한 특별법」 또는 「기업도시개발 특별법」에 따른 외국교육기관을 경영하는 자 및 「평생교육법」에 따른 교육시설을 운영하는 평생교육단체
3. 「사회복지사업법」에 따라 설립된 사회복지법인
4. 「지방세특례제한법」 제22조 제1항에 따른 사회복지법인 등 5. 「정당법」에 따라 설립된 정당

1. 부동산 취득세율 개요

현행 취득세는 2010년 이전의 취득세와 등록세가 통합된 세목이다. 종전의 등록세 과세대상 중 부동산, 차량 등의 이전에 관한 등록세 등 그 성질이 취득세와 유사한 것은 취득세로 통합되었다. 법인의 설립등기, 권리의 설정등기 등에 관한 나머지 등록세는 면허세와 통합하여 등록면허세가 되었다. 따라서 현재의 취득세 세율은 종전에 등록세에 적용하던 세율을 그대로 합하여 납세자의 부담이 증가하지 않도록 조정한 것이다.

취득세와 등록세간 통합세율 설계방식을 보면 다음과 같다. 부동산 유상취득(매매)의 경우 농지에 대한 취득세 세율은 종전의 취득세(2%)+등록세(1%)의 방식으로 조정됨에 따라 통합 이후에는 3%의 세율로 변경되었다. 농지 이외에 유상취득하는 경우에는 종전 취득세 2%와 등록세 2%의 세율을 합하여 4%의 취득세 표준세율이 만들어졌다. 또한 농지 상속의 경우 취득세율은 종전의 취득세 2%와 등록세 0.3%를 통합하여 2.3%가 되고, 농지 이외의 부동산 상속은 종전의 취득세 2%와 등록세 0.8%를 합하여 2.8%가 되었다.

| 참고 _ 부동산 취득에 대한 취득세율 |

구 분			세 율
부동산 취 득	상속	농지	23/1,000(2.3%)
		농지 외	28/1,000(2.8%)
	상속 외의 무상취득		35/1,000(3.5%)
	원시취득		28/1,000(2.8%)
	공유물의 분할 등의 취득		23/1,000(2.3%)
	합유·총유물의 분할 취득		23/1,000(2.3%)
	그 밖의 원인으로 인한 취득	농지	30/1,000(3.0%)
		농지 외	40/1,000(4.0%)

구 분			세 율
	주택유상거래[30]	6억 이하	10/1,000(1.0%)
		6~9억	20/1,000(2.0%)
		9억 초과	30/1,000(3.0%)

취득의 유형을 어떻게 볼 것인지에 따라 세율 적용에 차이가 나타난다. 소송에 따른 취득의 경우 소송 내용에 대가지급이 있는지 여부가 애매하여 유상취득인지 무상취득인지 곤란한 경우(세율 차이 4% vs 3.5%), 상속으로 취득한 부동산이 적격의 상속인지 여부에 따라 상속취득인지 단순 무상취득인지 여부(3.5% vs 2.8%), 주택의 유상취득인지 여부(1~3% vs 4%), 농지의 취득인지 여부, 원시취득인지 승계취득인지 여부(2.8% vs 4% 등)에 따라 세율 적용을 달리하므로 실무에서는 쟁점으로 나타나고 있다.

- (예규) 지법 11-3(공유토지를 단독소유로 취득시 세율) 공유로 되어 있는 부동산을 분할등기하는 경우에는 「지방세법」 제11조 제1항 제5호의 규정에 의한 세율을 적용하고, 공유토지를 단독소유로 등기하는 경우 본인지분 초과분에 대하여는 「지방세법」 제11조 제1항 제7호의 세율을 적용한다.

- 공부와 현황이 다를 경우 현황부과

  관련 규정에 특별한 규정이 없거나, 취득당시 사실상 현황이 불분명한 경우를 제외하고는 현황에 의하여 취득세 부과대상 세율을 판단하여야 함. 즉, 토지대장상 답이고 현황이 명백히 잡종지로 사용되는 토지를 매수하는 경우 취득세 적용세율 : 취득세는 사실상 현황에 의하여 부과되므로 농지 외의 취득세 세율인 4% 적용대상(지방세운영과-559, 2011.2.8.)

- 취득세 과세시 재산세 과세대장상 현황으로 과세할 수 없음

  재산세는 납세의무 성립당시 현황에 의하여 과세대장이 확정되고, 그 대장에 의해 과세되므로 취득 당시의 현황을 재산세 과세대장상 현황으로 보아 취득세를 과세할 수는 없고, 취득 당시 사실상 현황에 의하여 취득세를 과세하여야 함. 즉 토지대장 및 재산세 과세대장상 답이고, 취득시 현황이 잡종지인 경우 '농지외'에 해당하는 4%를 적용(지방세운영과-1043, 2011.3.8.)

---

30) 2014.1.1.부터 주택유상거래에 대한 취득세율이 변경(지방세법 일부개정, 법률 제12175호, 2014.1.1.)되었다. 주택거래에 따른 취득세 부담 완화를 통해 주거안정 및 주택거래 정상화를 도모하기 위하여 유상거래를 원인으로 취득하는 주택의 취득세율을 1천분의 40에서 취득가액이 6억원 이하인 경우에는 1천분의 10으로, 6억원 초과 9억원 이하인 경우에는 1천분의 20으로, 9억원 초과인 경우에는 1천분의 30으로 변경하고, 2013.8.28.로 소급(부칙 제2조)하여 적용하도록 하였다.

◎ 토지수용위원회의 수용결정으로 부동산 수용시 취득은 승계취득에 해당됨

토지보상법에 따라 사업시행자가 토지수용위원회의 재결을 거쳐 수용으로 토지·건축물 을 취득하는 경우 원시취득이 아닌 승계취득세율 적용(지방세운영과-3119, 2015.10.5.)

◎ 「민법」 제245조(점유로 인한 부동산의 취득) 및 수용으로 인한 부동산 취득의 경우에는 유상승계취득의 세율을 적용

「민법」 제245조에 따른 점유취득시효로 인한 취득자는 유상승계취득에 있어서 잔금이 청산된 경우와 같이 등기명의인에 대하여 소유권이전등기청구권을 가지게 되는 등 그 자체로 취득세의 과세객체가 되는 사실상 취득행위가 존재한다고 보아야 하며(대법원 2003두13342, 2004.11.25.), 수용에 있어서도 사업시행자는 보상금을 지급하고 부동산소유자로부터 부동산을 취득하는 것이므로 사실상 취득행위가 존재한다고 보아야 할 것임. 따라서, 해당 취득들은 타인소유 목적물(부동산 등)의 존재를 전제로 사실상 취득행위가 있다고 보아야 하는 점, 실질과세의 원칙 등을 종합적으로 감안했을 때 승계취득에 대한 취득세율을 적용하는 것이 타당하다고 할 것임(지방세운영과-2427, 2013.9.29.).

◎ 사업시행자가 「토지보상법」 등에 따라 미등기 토지를 수용(이후 공탁)하면서 자기 명의로 소유권보존등기를 하였더라도 유상 승계취득에 따른 세율을 적용

본 건 토지의 경우 수용당시 미등기 상태이긴 하였으나, 지번분할 전까지의 토지대장에는 ○○○외 3명이 1917년부터 소유하는 것으로 등재되어 있었고, 2012년까지 토지현황을 종중임야로 하여 특정인에게 재산세가 과세되고 있었음. 따라서 실질과세의 원칙과 위와 같은 사실관계 등을 종합적으로 감안했을 때, ○○공사가 미등기 상태인 본 건 토지를 수용하면서 「부동산등기법」 제65조 제4호 등에 따라 자기 명의로 소유권보존등기를 하였다고 하더라도 실질적으로는 본 건 토지를 유상으로 승계취득한 것으로 보아 그에 따른 세율을 적용해야 함(지방세운영과-181, 2013.4.5.).

◎ 경락에 의한 부동산 취득은 원시취득이 아닌 승계취득에 해당하는 세율을 적용

경매의 효과가 해당 담보권과 그 후순위 권리를 소멸시키더라도 해당 담보권에 대항할 수 있는 전세권, 지상권, 유치권 등의 권리는 승계될 수 있는 것이어서, 경매로 인한 부동산의 취득이 '종전 권리의 제한 및 하자의 승계'를 제한 받는다고 보기는 어렵고, 수용재결(대법원 2016두34783)과 경매는 그 성격이 다르다고 할 것임. 등록세의 지방세 편입(1977년) 당시부터 현재까지 경매로 인한 취득은 예외없이 유상(승계)취득 세율이 적용되고 있음을 볼 때, 경락으로 인한 취득에 대해 승계취득 세율을 적용하는 것은 납세자와 과세관청 간에 신뢰관계가 형성되어 이미 법해석의 기준으로 확립된 것으로 보아야 할 것임. 대법원 역시 근저당 실행을 위한 임의경매에 있어서 경락인은 담보권의 내용을 실현하는 환가행위로 인하여 목적부

동산의 소유권을 승계취득하는 것(대법원 90누6101, 2000다34822 등)으로 판시하고 있음(지방세운영과-1556, 2018.7.5.).

☞ 경매를 원시취득으로 볼 경우 주택을 경매로 취득하는 경우에는 세부담이 오히려 늘어나게 된다. 주택의 유상거래 세율은 1%~3%인데 원시취득은 2.8%이므로 9억원 이하 주택의 경우 유상거래시 원시취득보다 낮은 세율이 적용되기 때문이다.

◎ **경매절차를 통해 토지 및 건물을 취득한 것은 '승계취득'(세율 4%)에 해당**

'경매'는 채무자 재산에 대한 환가절차를 국가가 대행해 주는 것일 뿐 본질적으로 매매의 일종에 해당하는 점(대법원 92다15574 등), 부동산 경매시 당해 부동산에 설정된 선순위 저당권 등에 대항할 수 있는 지상권이나 전세권 등은 매각으로 인해 소멸되지 않은 채 매수인에게 인수되며, 매수인은 유치권자에게 그 유치권의 피담보채권을 변제할 책임이 있는 등(민사집행법 제91조 ③~⑤, 제268조), 경매 이전에 설정되어 있는 당해 부동산에 대한 제한이 모두 소멸되는 것이 아니라 일부 승계될 수 있는 점, 지방세기본법 제20조 제3항은 '이 법 및 지방세관계법의 해석 또는 지방세 행정의 관행이 일반적으로 납세자에게 받아들여진 후에는 그 해석 또는 관행에 따른 행위나 계산은 정당한 것으로 보며, 새로운 해석 또는 관행에 따라 소급하여 과세되지 아니한다'고 규정하는바, 과거 조세실무상 경매로 인한 소유권취득은 승계취득으로 취급된 것으로 보이는 점 등을 종합하면, 경매절차를 통한 부동산취득은 '승계취득'이 타당(대법원 2018두67442).

◎ **시공사가 당초 수익자인 위탁자의 채무를 대신 변제하고 그 대가로 수익권을 승계받아 신탁재산을 본인명의로 취득하는 것은 유상승계취득에 해당**

「지방세법」 제11조 제1항 제4호에서 수탁자 명의의 신탁재산을 수익자에게 이전하는 경우 일반적인 유상승계취득과 달리 낮은 세율을 적용하도록 규정한 것은, 신탁은 혈연관계에 의한 상속취득과 같이 신탁설정자와 신탁인수자간의 특별한 신임관계에 기반하기 때문에 해당 유형들과의 형평성 등을 감안했기 때문이라고 볼 수 있으므로(지방세심사-96, 2004.4.26.), 시공사가 당초 수익자인 위탁자의 채무를 대신 변제하고 그 대가로 수익권을 승계받은 후 신탁재산을 본인명의로 취득하는 것은 신탁에 따른 특별한 신임관계에 기반하여 취득하는 것이라고 볼 수 없고, 일반적인 유상승계취득과 달리 취급할 이유도 없으므로 유상승계취득에 해당하는 세율을 적용함(지방세운영과-4722, 2011.10.20.).

▶ (부동산 교환 취득의 세율) 부동산을 상호교환하여 소유권이전등기를 하는 것은 유상승계취득에 해당하므로 「지방세법」 제11조 제1항 제7호의 세율을 적용(예규 지법 11-2)

2. 주택 유상거래(제11조 ① 8호)

2013.12.26. 지방세법 개정으로 주택유상거래에 대한 취득세율이 변경되었다. 주택거래에

따른 취득세 부담 완화를 통하여 주거안정 및 주택거래 정상화를 도모하기 위하여 유상거래를 원인으로 취득하는 주택에 대한 취득세율을 인하하였다. 그동안 지특법으로 감면으로 시행해오던 것을 지방세법상 세율체계로 들여오게 되었다. 취득세율을 표준세율이 1천분의 40인데, 취득가액이 6억원 이하인 경우에는 1천분의 10으로, 6억원 초과 9억원 이하인 경우에는 1천분의 20으로, 9억원 초과인 경우에는 1천분의 30으로 개정되었다(2014.1.1.). 그리고 다주택자 취득에 대해서는 기존 감면체계와 달리 차등을 두지 않았다.

| 주택 유상거래 취득세 적용세율 | (단위 : %)

구 분	6억원 이하		6~9억원		9억원 초과	
	85㎡미만	85㎡초과	85㎡미만	85㎡초과	85㎡미만	85㎡초과
계	1.1	1.3	2.2	2.4	3.3	3.5
취득세	1	1	2	2	3	3
지방교육세	0.1	0.1	0.2	0.2	0.3	0.3
농특세과세분	-	0.2	-	0.2	-	0.2
농특세감면분	-	-	-	-	-	-

※ 서민주택 및 농가주택은 농특세 비과세(농특세법 제4조 11호, 영 제4조 ④), 여기서 '서민주택'이란 주택법 제2조 제3호의 국민주택으로 주거전용면적이 85㎡ 이하인 주택(수도권을 제외한 도시지역이 아닌 읍·면 지역은 $100m^2$ 이하인 주택)을 말함.

2015.7.24.부터 주택유상거래에 대한 취득세율 적용 규정을 보완하였다(법 제11조 ① 개정). 주택유상거래시 6억원 이하, 6억원에서 9억원까지, 9억원 초과 등 가격에 따라 세율을 달리하고 있다. 그로 인해 일정 지분을 취득하는 경우 어느 가격대로 보아 어떤 세율을 적용할지 논란이 있었다. 이에 대해 전체주택의 취득가액을 기준으로 세율을 적용하도록 보완하였다. 이러한 지분 취득시 계산식을 규정한 입법 취지는, 주택의 총 취득가액은 6억원 또는 9억원을 초과함에도 2인 이상 지분으로 취득하거나, 시간적 차이를 두고 지분으로 취득하는 등의 지분쪼개기를 통해 낮은 세율을 적용받는 경우가 있어 이를 차단하기 위한 것이고, 또한 주택을 유상거래에 대해 과세하는 취득세 특성상 물건단위로 과세하는 것이 타당하기 때문인다.[31)]

그리고 "주택유상거래 취득세율"을 적용하는 해당 주택의 범위를 구체화하였다. 즉, 「건축법」 제38조에 따른 건축물대장에 주택으로 기재되어 있지 아니한 주택은 원칙적으로 주

31) 이후 해당 규정에 대한 헌법소원심판에서 주택 전체의 가액을 기준으로 정해지는 세율을 적용하도록 규정한 것은 입법취지에 부합하면서도 공평한 과세를 실현하기 위한 것으로 보았다(2017헌바151 등).

택유상거래 취득세율 적용대상 주택의 범위에서 제외하였고, 다만 종전 「건축법」에 따라 건축허가 또는 신고 없이 건축이 가능한 주택[예 : 이행강제금(1992.6.1. 시행 이전에는 해당 과태료) 부과 대상이 되지 아니하는 주택]은 기존과 같이 주택유상거래 세율을 적용토록 하였다. 「건축법」상 건축물대장에 기재의무가 없는 주택에 대하여는 운영지침(지방세운영과-812, 2015.3.11.)과 동일하게 적용하게 되는데, 「건축법」에 따라 허가를 받거나 신고를 하여야 함에도 이를 이행하지 아니하고 건축 또는 용도변경을 하여 주택으로 사용하는 건축물에 대하여는 주택유상거래 취득세율의 적용이 배제된다. 현황상 주택으로 사용하고 있더라도 공부상 주택이 아닌 무허가주택, 오피스텔, 기숙사, 고시원 등은 일반세율(4%)이 적용된다.

2016.1.1. 주택 건축 후 부속토지를 취득하는 경우 취득세율 적용방법을 개선하였다(법 제11조 ④). 종전 규정에 따르면 지상에 건축물이 없는 나대지 상태의 토지를 취득하는 경우 4%의 취득세율을 적용하나, 주거용 건축물이 있는 상태에서 그 부속토지를 취득하는 경우에는 주택취득으로 보아 1~3%의 세율을 적용하였다. 이에 따라 토지를 먼저 취득한 이후 그 지상에 주택을 신축하는 것이 일반적임에도 조세회피 목적으로 주택 신축 이후에 토지 소유권을 이전하는 사례가 자주 발생하였다. 이에 대해 주택을 신축한 이후 부속토지를 취득하는 경우, 해당 주택의 소유주가 부속토지를 취득하는 경우에는 주택유상거래 세율적용을 배제하여 나대지 상태의 토지 취득세율(4%)을 적용토록 하였고, 부속토지의 취득자가 건축주 이외 건축주의 배우자나 직계존비속에 해당하는 경우에도 주택유상거래 세율적용을 배제하였다.

2017.1.1. 주택유상거래 취득세율 적용 대상을 확대하였다(법 제11조 ① 8호). 기존에는 주택취득세율 적용 대상은 현재 건축물대장에 등재된 주택으로 한정하였다. 그로 인해 주택으로 사용승인을 받거나 등기부에 주택으로 기재된 경우라도 건축물대장이 없는 경우 주택취득세율을 적용받지 못하는 결과가 발생할 수 있었다. 그에 따라 주택취득세율 적용대상에 건축물대장 없이 등기부에 주택으로 기재된 주택, 사용승인(임시사용승인 포함)을 받은 주택 및 건축허가나 건축신고 없이 건축이 가능한 주택도 포함하도록 보완하였다. 그에 따라 ⅰ) 건축물대장이 없더라도 등기부에 주택으로 기재된 주택(예 : 건축주 파산으로 건축물대장에 등재할 수 없는 상황에서 채권자가 채권을 행사하기 위해 건축주를 대위하여 소유권보전 등기하는 경우), ⅱ) 사용승인(임시사용승인)을 받았음에도 대장등재가 늦어진 주택[재건축사업으로 공동주택 신축시 : 건축물 부분 先사용승인 → 주택 승계취득(잔금지급) → 토지지분이 확정되어 後건축물 대장등재], ⅲ) 건축허가나 건축신고 없이 건축된 주택은 주택 취득세율을 적용한다. 그리고 종전에는 기존 분양형 노인복지주택이 주택세율 적용대상에 명시되어 있지 않아 해석상 주택세율 적용대상인지 쟁점이 있었다(다만, 행자

부 유권해석으로 주택 유상거래 세율 적용대상으로 적용). 이를 분양형 노인복지주택에 대해 주택세율을 적용하도록 명확히 하였다.

2019.1.1.부터 가정어린이집 등에 주택유상거래 취득세율을 적용하게 되었다(제11조 ① 8호). 지역사회에 양질의 보육환경 제공 등 정부의 저출산 대책 지원을 위해 가정어린이집 등 관련 시설에 대한 취득세 부담을 완화하였다. 가정어린이집, 공동생활가정, 지역아동센터를 '주택유상거래 취득세 특례세율' 적용 대상으로 전환한 것이다. 노인복지주택(분양형)의 경우 「노인복지법」 개정(2015.7.29.)으로 현행 규정의 존치 실익이 없어 함께 정비하였는데, 분양형 노인복지주택은 여전히 주택유상거래 세율을 적용하고, 사업자의 임대형 노인복지시설은 준주택으로서 일반세율이 적용된다.

2020.1.1. 취득세율 체계를 다시 개선하였다(법 제11조 ① 8호 · ④). 종전 취득세율이 단순누진세율 체계로 인해 세율 변동구간인 6억원 또는 9억원 부근에서 세부담이 급증하여 거래가격을 조작하는 등 부작용이 발생하였다. 6억원 또는 9억원을 일부 초과하는 경우 낮은 세율을 적용받기 위해 해당 금액에 미달하도록 거래가격을 임의로 조정하는 사례가 나타났다. 이러한 문턱효과로 인한 부작용을 해소하기 위해 6억원 초과~9억원 이하 구간은 백만원 단위로 세율을 세분화(1~3%)하였다. 6억원 이하나 9억원 초과구간은 기존과 동일하다. 6억원에서 9억원까지의 경우 세율이 변화하게 되는데, 7.5억원은 현재와 같이 2%로 동일하고, 6억원 초과 7.5억원까지는 개정전에 비해 세부담이 낮아지고(2%→1.0001~1.9999%), 7.5억원 초과부터 9억원 미만까지는 세부담이 증가(2%→2.0001%~2.9999%)한다. (소수점 이하 다섯째자리에서 반올림하여 넷째자리까지 계산).

- 주택가격이 7억원인 경우 : (7억원 × 2 ÷ 3억원 － 3) × 100분의 1 ＝ 1.67%
- 주택가격이 7.5억원인 경우 : (7.5억원 × 2 ÷ 3억원 － 3) × 100분의 1 ＝ 2.0%
- 주택가격이 8억원인 경우 : (8억원 × 2 ÷ 3억원 － 3) × 100분의 1 ＝ 2.33%

$$\left(\text{해당 주택의 취득당시가액} \times \frac{2}{\text{3억원}} - 3\right) \times \frac{1}{100}$$

세법 개정에 따른 경과규정으로 7.5억원~9억원 구간 취득의 경우 2019.12.31.까지 계약한 경우로서 법 시행(2020.1.1.) 후 3개월(분양의 경우 3년) 내 취득완료 시 종전세율(2%)을 적용한다.

◎ 단독주택인 다가구주택 취득시 전체 취득가액을 기준으로 세율(1~3%)을 적용함

2015.5.경 김○○로부터 신축건물인 4층 단독주택을 1/2 지분씩 매수하고(14.5억원), 각 임대

사업자 등록을 마침. 이 사건 건물은 소유권보존등기 당시부터 단독주택으로 등기되었고, 건축물대장에도 단독주택(다가구주택)으로 등재되었으며, 임대사업자 등록 당시 단독주택인 다가구주택으로 표시하였음. … 이 사건 건물은 단독주택에 해당하는 다가구주택으로서 그 전체가 하나의 주택인 이상 전체 취득가액 기준으로 세율(3%)을 적용함(대법원 2017두36953, 2020.6.11.).

☞ 지특법에서 '공동주택'에 관하여 별도의 정의규정을 두고 있는 점 등을 종합하면, 이 사건 법률조항에 의하여 취득세가 면제되는 '공동주택'은 구 건축법 시행령 [별표 1] 아파트, 연립주택 및 다세대주택을 의미하는 것이고, 특별한 사정이 없는 한 다가구주택은 공동주택에 포함되지 아니하므로 임대주택 감면 대상에 해당하지 않음.

◎ 주택의 토지 부분 또는 건축물 부분만을 취득하는 경우라도 주택 유상거래 세율 적용

지분으로 취득한 경우 시가표준액 비율로 전체 주택의 취득 당시의 가액을 산정하여 해당 주택세율을 적용토록 규정하고 있으므로, 주택의 일부 지분만을 취득하더라도 해당 주택세율을 적용하는 것이며, 주택의 토지 부분 또는 건축물 부분만을 취득하더라도 주택세율 적용대상 지분의 범위에 포함된다고 할 것임(지방세운영과-1065, 2018.5.8.).

◎ 공유물 분할로 주택을 취득하는 경우 본인 지분 초과분은 주택 유상거래세율 적용

원래의 공유지분의 범위를 넘어서는 부분은 교환 또는 매매로 인한 취득에 해당한다고 판시(대법원 2016두32008)한 점에서 볼 때, 여기서의 「지방세법」 제11조 제1항 제7호는 유상에 해당하는 세율임을 의미한다고 보아야 할 것인 점, 「지방세법」 제11조 제1항 제8호의 규정은 같은 항 제7호의 규정 중 '주택의 유상거래'에 대해 저율의 취득세율을 적용토록 개정(2014)한 것인 점 … 공유물분할로 주택을 취득하는 경우 등기부등본상 본인 지분을 초과하는 부분에 대해 제11조 제1항 제8호의 세율 적용(지방세운영과-219, 2018.1.29.)

◎ 도시정비법에 의한 정비사업으로 재건축한 주택을 승계조합원이 준공일 이후 잔금을 지급하고 조합원지위를 승계한 경우 승계받은 재건축 주택은 '유상거래 감면'에 해당

재건축·재개발아파트 승계조합원은 당초조합원의 토지지분을 취득하여야만 조합원지위(입주할 수 있는 권리)를 승계받아 추후 입주할 수 있는 자격을 얻는 것이지만, 주택조합이 토지를 조합원으로부터 조합명의로 신탁등기를 한 후에 주택조합명의로 공동주택에 대하여 사용검사를 받은 경우에는 승계조합원은 토지지분이 아닌 주택 및 부속토지(대지권)를 취득한 것이라 할 것임. 따라서 승계조합원은 당초조합원에게 매매형태로 대금을 지급하고 주택조합용 공동주택을 취득한 것이기 때문에 유상거래에 따른 주택의 취득으로 보아 감면적용 대상(지방세운영과-2670, 2010.6.24.)

※ 2014년부터 주택유상거래 감면이 없어지는 대신 주택가격대별로 세율적용을 달리하고 있음, 해당 사례를 통해 조합주택의 준공후 조합원승계시 취득세 납세의무자 판단에 참고할 수 있음.

◎ 농어촌 민박 및 사실상 펜션으로 사용하는 경우 주택유상거래 세율 적용 기준

농어촌 민박사업은 농어촌 주민이 거주하고 있는 단독주택을 이용하여 사업을 영위하는 점, 농어촌정비법에 따른 민박사업자는 230㎡ 이하의 주택에 거주하면서 민박사업을 운영하여야 하는 요건을 충족해야 하는 점, 열악한 농어촌지역 주민의 소득증대를 위한 것인 점, 공중위생관리법에서 숙박업에서 제외하고 있는 점, 소득세법에서 연 2천만원 이하의 농어촌 민박사업은 비과세 소득에 포함하고 있는 점 등을 고려 … 따라서 취득 당시 농어촌정비법에서 정한 요건을 갖추어 농어촌 민박사업에 사용하는 경우 주택세율 적용(민박사업자가 거주하는 1개동에 限하며, 민박사업자가 거주하는 주택과 독립되어 상시 숙박용으로 제공되는 경우 제외). 다만, 농어촌 민박사업자 지정을 받지 아니하거나, 230㎡를 초과하여 운영하는 경우에는 제외(지방세운영과-995, 2016.4.19.).

◎ 타운하우스(집합건축물) 내 공용부분 및 도로의 주택세율 적용 여부 질의 회신

집합건물법에서 공용부분 및 대지권은 전유부분의 면적 비율에 따라 안분되며 전유부분과 분리하여 처분할 수 없는 점, 주택법상 30호수 이상의 주택건설사업을 시행하려는 자는 주택건설사업계획 승인을 받아야 하며, … 해당 단독주택들의 주택가격 산정시 공용부분과 단지 내 도로 등을 포함하여 산정하고 있는 점 등을 종합해 볼 때, 주택 유상거래 세율을 적용된다고 봄(지방세운영과-2459, 2016.9.22.).

◎ 공부상 일반음식점으로 등재되어 있으나 주택으로 사용하고 있는 경우 표준세율 적용

쟁점부동산을 주거용도로 사용한다 하더라도 「지방세법」상의 건축물은 「건축법」에 따른 건축물로 규정하고 있고, 같은 법에 주택과 근린생활시설을 구분하고 있는 점, 쟁점부동산의 일부를 주택으로 사용하더라도 이는 무단으로 용도를 변경한 것이라 불법적인 행위에 해당하는 점, 주택이 아닌 일반음식점으로 용도변경되어 등기부등본상 등재된 것에 대하여 주택세율을 적용함은 타당하지 아니한 점 등에 비추어 경정청구를 거부한 처분은 달리 잘못이 없음(조심 2015지0885, 2016.10.6.).

◎ 공동소유한 경우라도 하나의 주택인 이상 개별지분이 아닌 전체가액 기준으로 세율 적용

법률의 전체적인 문언, 연혁, 입법 취지 등을 종합하면, 여러 사람이 하나의 주택 중 각 일부 지분만을 취득한 경우에는, 그 취득지분의 가액이 아니라 하나의 주택 전체의 취득 당시의 가액을 기준으로 구 지방세법 제11조 제1항 제8호에 따라 취득세의 표준세율을 정한 후, 구 지방세법 제11조 제2항에 따라 각 취득지분의 가액을 과세표준으로 하여 위와 같이 산정한 표준세율을 적용하는 방식으로 취득세를 산정함이 타당(대법원 2016두40047, 2016.7.22.)

◎ 주택의 부속토지와 건축물의 매도자가 달라 각각 별도의 매매계약서를 작성하더라도, 같은 날 취득이 이루어져 전체 취득가격을 알 수 있다면, 전체가액을 기준으로 세율적용

주택을 지분으로 취득할 경우 지분 취득 계산식에 대한 규정은 입법취지가 지분쪼개기 등으로 낮은 세율을 적용받으려는 악용을 차단하기 위한 것으로, 주택의 토지부분과 건축물부분을 각각 별도의 계약을 하였으나 두 계약을 합산할 경우 사실상 1주택 전체를 취득한 것으로 볼 수 있는 경우에는 지분 취득에 해당하지 않는 것으로 보는 것으로 보아야 할 것임(지방세운영과-121, 2017.1.11.).

☞ 계산사례 : 9억 × 2%(○), 6억 × 2%(6×5/4=7.5) + 3억 × 3%(3×5/1=15)(×)

구분	토지	건물	합계
취득가액/시가표준액	6억/4억	3억/1억	9억/5억

◎ 미준공 건물(주택)을 경매로 취득한 경우 그 부속토지는 주택유상거래세율 대상 아님

매수인이 주택의 용도로 건축 중인 미완성 건축물 및 그 부속토지를 매수(경매)하고 소유권이전등기를 마쳤다고 하더라도 당시 그 건축물의 구조가 주거에 적합하지 않은 상태로 건축물대장에 주택으로 기재된 바 없고 실제 주거용으로 사용될 수 없는 경우에는 위와 같은 소유권이전등기를 마쳤다는 사정만으로 그 건축물의 부속토지에 관하여 이 사건 세율 규정에 따른 취득세율이 적용된다고 볼 수는 없음. 또한 위와 같이 매수인이 미완성 건축물을 취득한 이후 추가공사를 완료하고 사용승인을 받아 건축물대장에 등록하였다고 하더라도 이는 '건축물대장에 주택으로 기재된 건축물을 유상거래를 원인으로 취득'한 것이 아님. 즉 경매로 취득한 이 사건 토지분은 전체 매각대금 중 시가표준액 비율로 환산한 매각대금을 과세표준으로 4%의 취득세율을, 이 사건 미완성 건물은 2%의 등록면허세로 납부한 것은 정당함(대법원 2018두33845, 2018.7.11.).

2. 1세대 4주택자 4% 표준세율(2020.1.1.~2020.8.11.)

2020.1.1.부터 1세대 4주택자의 유상거래 취득세율 특례적용을 배제하고 표준세율을 적용하게 되었다(법 제11조 ④, 영 제22조의 2). 하지만 2020.8.12. 다주택자 중과제도가 시행되면서 동시에 폐지되었다. 2019.12.4. 전에 분양계약을 체결한 경우에는 1세대 4주택자 표준세율 적용대상에서 제외되고, 2020.8.12. 다주택자 중과제도 시행당시 2020.7.10. 이전에 계약(분양계약)이 체결된 경우에는 종전규정이 적용되기 때문에 취득의 시기가 도래하지 않은 일부 납세자에 대해서는 해당규정이 여전히 의미가 있다. 만약 2020.1.1.부터 2020.7.10. 사이에 분양계약을 체결하여 4주택자가 된 경우에는 4% 세율이 적용되기 때문에 사후관리할 필요가 있다.

세부적으로 보면 1세대가 4주택 이상의 주택을 취득하는 경우 1~3%의 주택 유상거래 특례세율 적용을 배제하고 표준세율 4%를 적용한다. 법률에는 경과조치가 없으나, 납세자

신뢰보호를 위해 시행령으로 경과조치를 규정하고 있다. 2020.1.1. 이후 납세의무가 성립하는 분부터 적용하며 다만, 기 계약 건에 대하여는 경과규정을 적용하는데, 1세대가 2019.12.31.까지 계약한 경우, 법 시행(2020.1.1.) 후 3개월(분양의 경우 3년) 내 취득완료 시 1세대 4주택 이상의 취득으로 보지 않는다(시행령 부칙). 세대별 주민등록표(외국인은 외국인등록표)를 기준으로 세대를 판단하되, 배우자와 미혼인 30세 미만 자녀는 분가하더라도 동일세대로 간주한다. 주택은 공부상 주택(주거용 오피스텔 등 제외)으로 하되, 지분으로 소유한 경우도 1주택으로 간주한다(단, 부부 공동명의는 1세대가 1주택을 소유한 것으로 본다).

적용 사례를 보면, 부부는 1세대로 인정하므로 공동명의로 주택을 보유하는 경우라도 2주택으로 보지 않고 1주택으로 산정한다. 다만, 부부 중 1인이 제3자와 공동명의로 다시 주택을 취득하거나 부모 등 제3자와 주소를 같이하면서, 주택을 취득하게 되는 경우에는 부부 중 1인이 공동명의로 소유하고 있는 주택도 주택수 산정에 포함한다. '1세대'를 기준으로 하므로, 법인이 4주택 이상을 취득하여도 4% 적용 대상에서 제외한다. 부부가 이혼한 경우라 하더라도 취득자를 기준으로 주택수를 산정해야 하므로, '미혼인 30세 미만 자녀'가 주택을 취득하는 경우에는 '미혼인 30세 미만 자녀'를 기준으로 부모의 주택수가 각각 산정에 포함된다.

부속토지는 주택이 존재하는 경우에만 주택으로 산정한다. 공부 및 현황이 모두 주택이어야 하므로 주거용 오피스텔은 주택수 산정에서 제외된다. 임대주택도 기존 보유하고 있는 주택수를 산정할 때 포함하므로, 임대사업자로 등록하여 주택을 3개 보유하고 있는데 추가로 취득하면 4주택자에 해당한다. 1세대 2주택을 보유한 자가 동시에 복수(2개)의 주택을 취득하는 경우, 납세자 선택에 따라 1개의 주택은 유상거래 취득세율(1~3%)을 적용하고, 나머지 1개의 주택은 4% 적용한다. 10개(호)로 구성된 다세대 주택을 취득하는 경우 납세자 선택에 따라 3개(호)까지는 유상거래 취득세율(1~3%)을 적용하고, 나머지 7개(호)는 4% 세율을 적용한다. 다가구주택은 1개 주택으로 산정한다.

◎ 같은 날 주택의 소유권 이전과 취득을 하는 경우 4주택 해당여부 판단기준 변경

종전에는 기존 주택이 타인에게로 공부상 소유권이 이전되어야 해당 주택을 처분한 것으로 보고 주택수 산정에서 제외(부동산세제과-516, 2020.3.6.) 하였는데, 이를 시행령 제20조에 따른 취득의 시기와 일치시켰음. 소유권 이전 시 거래 상대방이 기존 주택을 취득한 날(계약일 · 잔금지급일과 등기일 중 빠른 날)에 해당 주택을 처분한 것으로 보고 주택수 산정에서 제외함. 다만, 계약해제에 해당하는 경우에는 처분한 것으로 보지 않음. 그리고 주택을 상속하는

경우 상속 주택에 대한 소유권이 확정되기 전(미등기)에 상속지분만 소유한 경우, 공부상으로 소유권이 확정된 상속인의 주택수에 포함하되, 상속개시일로 소급하여 주택수를 산정함. 예를 들어 2주택자가 상속주택의 상속지분을 소유한 상태에서 1주택을 추가 취득하였는데, 추후 상속 협의 및 등기로 해당 상속주택을 취득하지 않음이 확정된 경우에는 종전 1주택 추가취득은 3주택 취득에 해당 (지방세운영과-1528, 2020.7.2.)

3. 무상취득(증여취득) 세율

취득세 과세대상이 부동산의 승계취득으로써 그 취득 유형이 유상취득이 아닌 무상취득에 대해서는 3.5% 세율이 적용된다. 취득세 세율은 주택과 주택이 아닌 부분과 구분하여 토지 · 건축물의 유상취득은 4% 세율이 적용되고, 주택을 유상거래로 취득하는 경우에는 1~3%의 세율이 적용된다. 다주택자 · 법인이 주택을 유상취득하는 경우에는 8%, 12% 세율이 적용된다. 무상취득은 주택 · 건축물 · 토지 모두 동일 세율이고, 취득자의 다주택 여부와도 무관하게 일률적으로 3.5% 세율이 적용된다. 다만, 조정대상지역 내에서 공시가격 3억 이상 주택을 무상취득하는 경우에는 12% 중과세율이 적용된다. 그리고 부담부 증여의 경우 부담분은 유상세율, 그 이외는 무상세율이 적용된다.

◎ 무권리자로부터 토지지분을 환원하는 경우 일반적인 무상취득(3.5%)에 해당됨

소유권이 시행사 →⋯→A→B→C로 이전되는 과정에서, C가 B로부터 주택을 경매취득하고 건물의 등기를 완료하였으나, 부속토지분에 대한 등기가 이루어지지 아니하여 C는 소송을 통하여 승소하였으나, 토지등기부등본의 비전산화 등의 사유로 등기의무자(B)가 아닌 시행사 명의의 토지를 C에게 이전해 주었음 ⋯ 따라서 당초 시행사로부터 C까지의 단계별 각 계약행위는 유효하다는 점, B가 C에게 이전해 주어야 할 토지를 등기 착오 등으로 시행사가 대신하여 C에게 이전해 준 이후, 이에 따라 시행사는 현재 무권리자인 B소유의 지분을 확보하기 위해 소유권이전등기를 이행하는 점 등을 고려해 볼 때, 이는 A와 B간의 당초 계약의 무효나 소급적 실효를 전제로 한 진정명의 회복 등기로 볼 수 없으므로 시행사가 B로부터 소유권이전등기를 받는 것은 일반적인 무상취득에 해당되어 3.5%의 취득세율을 적용 (지방세운영과-1415, 2015.5.11.)

◎ 사인증여는 상속 이외의 무상으로 인한 소유권의 취득에 해당됨

문언 내용과 관련 규정의 개정 연혁, 상속인 아닌 자가 사인증여로 인하여 부동산의 소유권을 취득하는 경우를 일반적인 증여로 인하여 부동산의 소유권을 취득하는 경우와 달리 취급할 합리적인 이유를 찾기 어려운 점 등을 종합하면, 상속인 아닌 자가 사인증여로 인하여

부동산의 소유권을 취득하는 것은 구 지방세법 제131조 제1항 제2호에서 규정한 '상속 이외의 무상으로 인한 소유권의 취득'에 해당하여 '부동산가액의 1,000분의 15'의 등록세율이 적용된다고 봄이 타당(대법원 2013두6138, 2013.10.11.)

◎ 법인이 피상속인으로부터 사인증여받는 경우는 상속 이외의 무상취득에 해당

지방세법상(제105조 ⑨) 상속(피상속인으로부터 상속인에게 한 유증 및 포괄유증과 신탁재산의 상속을 포함)으로 인하여 취득하는 경우에는 상속인 각자가 상속받는 과세물건을 취득한 것으로 보고 있으므로, 법문상 「피상속인으로부터 상속인에게 한 유증 및 포괄유증」에 대하여만 상속으로 보는 것이 타당하다고 판단되는바, 법인이 피상속인으로부터 부동산을 사인증여받는 경우에는 지방세법상 상속으로 볼 수 없으므로 무상취득에 해당하는 세율(1.5%)로 등록세를 납부하는 것이 타당함(세정-6041, 2006.12.6.).

◎ 부부가 합유(合有)로 재산을 소유하고 있던 중 남편이 사망하여 그 합유물을 부인 단독명의로 하는 경우는 무상취득세율을 적용함

합유자 사이에 특별한 약정 없이 합유자 중 일부가 사망하였을 경우에는 사망한 합유자의 소유권이 잔존 합유자에게 귀속되는 점, 피상속인의 배우자라고 하여 피상속인의 재산을 당연히 단독으로 상속받는 것은 아닌 점 등을 감안했을 때, 부부가 합유(合有)로 재산을 소유하고 있던 중 남편이 사망하여 부인 단독명의가 되는 경우에는 「지방세법」 제11조 제1항 제2호에 따른 무상취득세율을 적용함(지방세운영과-3488, 2013.12.26.).

◎ 진정한 등기명의를 회복하기 위한 것으로 그 대가를 지급하지 아니하고 소유권이전등기를 이행하는 것은 무상으로 인한 소유권등기에 해당함

법원의 진정명의회복을 등기원인으로 한 소유권이전등기 절차의 이행을 명하는 판결을 받아 소유권이전등기를 하는 경우 진정한 등기명의의 회복을 위한 소유권이전등기청구는 이미 자기 앞으로 소유권을 표상하는 등기가 되어 있었거나 법률에 의하여 소유권을 취득한 자가 진정한 등기명의를 회복하기 위한 것으로(대법원 99다37894, 2001.9.20.) 그 대가를 지급하지 아니하고 소유권이전등기를 이행하는 것이므로 무상으로 인한 소유권등기(대법원 등기예규 1182호, 2007.4.27. 참조)에 해당되어 취득·등록세 과세표준은 시가표준액이 되는 것이고, 등록세 세율은 지방세법 제131조 제1항 제2호의 세율을 적용하여야 할 것임(지방세운영과-553, 2008.8.8.).

◎ 무상취득 세율적용 사례(예규 지법 11-1)

• 명의신탁해지의 판결에 의하여 소유권을 이전한 경우 소유권 취득대가로 법원의 반대급부 지급명령을 받거나 사실상 반대급부를 지급한 사실이 입증되는 경우에는 유상취득 세율(4%)이 적용되며, 반대급부를 지급하지 않은 경우에는 무상 취득세율(3.5%)이 적용

• 법인의 흡수합병으로 인하여 피합병법인의 부동산을 합병법인의 명의로 소유권이전
• 민법상의 사단법인이 존립기간의 만료, 정관에 정한 해산사유의 발생, 설립허가의 취소(행정관청 등) 등의 사유로 인하여 동 법인을 해산하고 법인격이 다른 새로운 법인을 설립하여 해산법인소유의 부동산을 취득하는 경우

제12조(부동산 외 취득의 세율)

법 제12조(부동산 외 취득의 세율) ① 다음 각 호에 해당하는 부동산등에 대한 취득세는 제10조의 과세표준에 다음 각 호의 표준세율을 적용하여 계산한 금액을 그 세액으로 한다.

1. 선박
   가. 등기·등록 대상인 선박(나목에 따른 소형선박은 제외한다)
      1) 상속으로 인한 취득 : 1천분의 25
      2) 상속으로 인한 취득 외의 무상취득 : 1천분의 30
      3) 원시취득 : 1천분의 20.2
      4) 수입에 의한 취득 및 주문 건조에 의한 취득 : 1천분의 20.2
      5) 삭제 〈2014.1.1.〉[32)]
      6) 그 밖의 원인으로 인한 취득 : 1천분의 30
   나. 소형선박
      1) 「선박법」 제1조의 2 제2항에 따른 소형선박 : 1천분의 20.2
      2) 「수상레저안전법」 제30조에 따른 동력수상레저기구 : 1천분의 20.2
   다. 가목 및 나목 외의 선박 : 1천분의 20
2. 차량
   가. 대통령령으로 정하는 비영업용 승용자동차 : 1천분의 70. 다만, 대통령령으로 정하는 경자동차(이하 이 조에서 "경자동차"라 한다)의 경우에는 1천분의 40으로 한다.
   나. 「자동차관리법」에 따른 이륜자동차로서 대통령령으로 정하는 자동차 : 1천분의 20
   다. 가목 및 나목 외의 자동차
      1) 대통령령으로 정하는 비영업용 : 1천분의 50. 다만, 경자동차의 경우에는 1천분의 40으로 한다.
      2) 대통령령으로 정하는 영업용 : 1천분의 40
   라. 가목부터 다목까지의 자동차 외의 차량 : 1천분의 20
3. 기계장비 : 1천분의 30. 다만, 「건설기계관리법」에 따른 등록대상이 아닌 기계장비는 1천분의 20으로 한다.
4. 항공기
   가. 「항공안전법」 제7조 단서에 따른 항공기 : 1천분의 20
   나. 그 밖의 항공기 : 1천분의 20.2. 다만, 최대이륙중량이 5,700킬로그램 이상인 항공기는 1천

분의 20.1로 한다.

5. 입목 : 1천분의 20
6. 광업권 또는 어업권 : 1천분의 20
7. 골프회원권, 승마회원권, 콘도미니엄 회원권, 종합체육시설 이용회원권 또는 요트회원권[33] : 1천분의 20

② 제1항 제1호의 선박 및 같은 항 제3호의 기계장비가 공유물일 때에는 그 취득지분의 가액을 과세표준으로 하여 세율을 적용한다. 〈개정 2010.12.27.〉

영 제23조(비영업용 승용자동차 등의 범위) ① 법 제12조 제1항 제2호 가목에서 "대통령령으로 정하는 비영업용 승용자동차"란 개인 또는 법인이 「여객자동차 운수사업법」에 따라 면허를 받거나 등록을 하고 일반의 수요에 제공하는 것 외의 용도에 제공하는 「자동차관리법」 제3조 제1항 제1호에 따른 승용자동차를 말한다. 이 경우 「자동차관리법 시행령」 제7조 제1항 제11호 및 제12호에 따라 임시운행허가를 받은 승용자동차는 제외한다.

② 법 제12조 제1항 제2호 가목 단서에서 "대통령령으로 정하는 경자동차"란 「자동차관리법」 제3조에 따른 자동차의 종류 중 경형자동차를 말한다.

③ 법 제12조 제1항 제2호 나목에서 "대통령령으로 정하는 자동차"란 총 배기량 125시시 이하이거나 최고정격출력 12킬로와트 이하인 이륜자동차를 말한다.

④ 법 제12조 제1항 제2호 다목 1)에 따른 비영업용 자동차는 개인 또는 법인이 「여객자동차 운수사업법」 또는 「화물자동차 운수사업법」에 따라 면허를 받거나 등록을 하고 일반의 수요에 제공하는 것 외의 용도에 제공하는 「자동차관리법」 제2조 제1호에 따른 자동차로 한다. 이 경우 「자동차관리법 시행령」 제7조 제1항 제11호 및 제12호에 따라 임시운행허가를 받은 자동차는 제외한다.

⑤ 법 제12조 제1항 제2호 다목 2)에 따른 영업용 자동차는 개인 또는 법인이 「여객자동차 운수사업법」 또는 「화물자동차 운수사업법」에 따라 면허를 받거나 등록을 하고 일반의 수요에 제공하는 용도에 제공되는 「자동차관리법」 제2조 제1호에 따른 자동차로 한다.

---

32) 신탁재산을 수탁자로부터 수익자로 이전하는 것은 일반 유상취득과 차이가 없다는 것을 고려하여 해당 규정이 삭제되었으므로 일반 유상취득 세율이 적용된다(2014.1.1. 시행).

33) 요트회원권에 대한 취득세율은 골프회원권 등과 같은 2%로 과세하도록 규정하였다(2014.1.1. 시행).

| 참고 _ 부동산 외 취득에 대한 취득세율 |

<table>
<tr><th colspan="5">구 분</th><th>세 율</th></tr>
<tr><td rowspan="23">부동산 외 취득</td><td rowspan="8">선박</td><td rowspan="5">등기·등록 대상인 선박 (소형선박 제외)</td><td colspan="2">상속취득</td><td>25/1,000(2.5%)</td></tr>
<tr><td colspan="2">상속 외 무상취득</td><td>30/1,000(3.0%)</td></tr>
<tr><td colspan="2">원시취득</td><td>20.2/1,000(2.02%)</td></tr>
<tr><td colspan="2">수입·주문건조 취득</td><td>20.2/1,000(2.02%)</td></tr>
<tr><td colspan="2">그 밖의 원인에 의한 취득</td><td>30/1,000(3.0%)</td></tr>
<tr><td rowspan="2">소형선박</td><td colspan="2">선박법 제1조의 2 제2항의 소형선박</td><td>20.2/1,000(2.02%)</td></tr>
<tr><td colspan="2">동력수상레저기구</td><td>20.2/1,000(2.02%)</td></tr>
<tr><td colspan="3">그 밖의 선박</td><td>20/1,000(2.0%)</td></tr>
<tr><td rowspan="7">차량</td><td colspan="2" rowspan="2">비영업용 승용자동차</td><td></td><td>70/1,000(7.0%)</td></tr>
<tr><td>경형자동차</td><td>40/1,000(4.0%)</td></tr>
<tr><td rowspan="4">그 밖의 자동차</td><td rowspan="2">비영업용</td><td></td><td>50/1,000(5.0%)</td></tr>
<tr><td>경형자동차</td><td>40/1,000(4.0%)</td></tr>
<tr><td colspan="2">영업용</td><td>40/1,000(4.0%)</td></tr>
<tr><td colspan="2">125cc 이하 이륜자동차</td><td>20/1,000(2.0%)</td></tr>
<tr><td colspan="3">위 외의 자동차</td><td>20/1,000(2.0%)</td></tr>
<tr><td rowspan="2">기계장비</td><td colspan="3">등록대상인 기계장비</td><td>30/1,000(3.0%)</td></tr>
<tr><td colspan="3">등록대상이 아닌 기계장비</td><td>20/1,000(2.0%)</td></tr>
<tr><td rowspan="3">항공기</td><td colspan="3">항공법 제3조 단서에 따른 항공기</td><td>20/1,000(2.0%)</td></tr>
<tr><td colspan="3">그 밖의 항공기</td><td>20.2/1,000(2.02%)</td></tr>
<tr><td colspan="3">최대이륙 중량 5,700kg 이상</td><td>20.1/1,000(2.01%)</td></tr>
<tr><td colspan="4">입목</td><td>20/1,000(2.0%)</td></tr>
<tr><td colspan="4">광업권·어업권</td><td>20/1,000(2.0%)</td></tr>
<tr><td colspan="4">골프, 승마, 콘도미니엄 또는 종합체육시설이용권, 요트회원권</td><td>20/1,000(2.0%)</td></tr>
</table>

차량 취득세 세율체계

세목통합으로 기존의 등록세(2~5%)와 취득세(2%)가 합쳐져 새로운 차량 취득세 세율체계(2~7%)가 되었다. 차량에 대한 취득세 과세체계는 자동차관리법에 따른 자동차(4~7%) 및 125cc이하 이륜자동차(2%), 그리고 건설기계관리법상 건설기계 등 기계장비(3%)로 크게 구분된다. 자동차는 다시 비영업용과 영업용자동차로 나뉘고, 비영업용은 승용(7%)과 승용외(5%, 봉고 · 화물트럭 · 125cc 초과 이륜차)로 구분한다.

경자동차는 비영업용(승용 또는 승용외) 또는 영업용 불문하고 모두 4% 세율이 적용된다. 기계장비는 불도저, 굴삭기, 지게차, 콘크리트 믹서, 덤프트럭 등 건설기계관리법상 기계장비는 3%이다. 여기서 덤프트럭은 적재용량이 12t~20t인 경우 「자동차등록법」에 따라 등록시 자동차에 해당하고 20t 이상은 등록여부에 상관없이 기계장비에 해당한다.

자동차관리법 및 건설기계관리법상 등록대상이 아닌 자동차·기계장비는 2% 세율이 적용된다.

차 량		기계장비
자동차	이륜자동차	
非영업용: 승용(7%) 법 §12 ① 2 가 / 승용 外(5%) 법 §12 ① 2 다 1) 경차(4%) 영업용(4%) 법 §12 ① 2 다 2)	125cc 또는 출력 12Kw 이하(2%) 법 §12 ① 2 나 ※ 삼륜차 포함	「건설기계관리법」에서 규정한 건설기계 등 법 §12 ① 3 ※ 시행규칙 [별표] 1 (3%)
미등록(2%) 법 §12 ① 2 라 ※ R&D 차량, 운전교습용 차량 등(舊 취득세만 부과)		

차량 취득세율의 변천 경위를 보면 다음과 같다.

2014.8.12. 차량 취득세 적용세율을 명확히 하였다(영 제23조). 당시 조세심판원에서 등록대상이 아닌 승용자동차를 기타 자동차로 구분하여 2%의 취득세율을 적용하도록 결정[2013지597(2013.12.24.)]하였고, 「자동차관리법」 제5조에 따른 등록여부는 자동차 취득세율 적용에 영향을 주지 않는 것이므로 기존 운영사례[공장 구내 또는 운전면허학원에서만 운행하는 승용자동차는 비영업용 승용자동차에 대한 취득세율(7%) 적용, 지방세운영과-3867(2012.11.30.)]를 법령화하였다. 따라서 자동차등록원부상의 등록여부와 관련 없이 「자동차관리법」 제3조 등에 따른 차종 및 용도에 따라 취득세율을 적용하며, 영업용은 「여객자동차 운수사업법」 또는 「화물자동차 운수사업법」에 따라 면허 등을 받고 일반의 수요에 제공하는 것으로 한정하였다.

2017.1.1. 非등록대상 차량의 취득세 과세기준을 조정하였다(영 제23조 ⑤). 종전에는 「자동차관리법」에 따른 등록대상 차량 세율[(비영업용 승용차) 7%, (승용이외 자동차) 비영업용 5%, 영업용 4%]과 非등록대상 차량 세율(기타 2%)을 달리하여 규정하고 있으나, 시

행령에는 非등록대상 차량을 등록대상 차량 구분에 준하여 세율을 적용하도록 규정하고 있어, 시행령이 법과 상충되는 문제가 있었다. 그에 따라 법에서 세율을 구분하여 적용하고 있으므로 非등록대상 차량이 등록대상 차량과 같은 세율이 부과되지 않도록 시행령의 해당 규정을 삭제하였다.

2020.1.1. 이륜자동차에 대한 취득세율 체계를 명확히 하였다(법 제12조 ①). 125cc 이하의 이륜자동차는 2% 세율로 과세되는데, 비영업용 자동차(세율 5%) 및 영업용 자동차(세율 4%)의 범위에서 제외되도록 관련 규정을 명확히 하였다.

2020.1.1. 전기이륜차에 대한 취득세율 체계를 마련하였다(영 제7조 ①, 제23조 ④, 제42조의2 ①). 최고정격출력 기준으로 전기이륜차에 대한 취득세 등 세율체계를 신설하였다. 취득세 비과세 기준(배기량 50cc)에 상응하는 '최고정격출력 4KW'를 전기이륜차에 대한 비과세 기준으로 명확히 하였는데, 종전 운영기준과 동일한 방식으로 입법 조치한 것이다.

취득세 세율 체계			등록면허세 세율 체계		
이륜차 (현행)	전기이륜차 (신설)	세율	이륜차 (현행)	전기이륜차 (신설)	세율
50cc 미만	4KW 이하	비과세	125cc 이하	12KW 이하	비과세
125cc 이하	12KW 이하	2%	125cc 초과	12KW 초과	소유권 비영업용 3% 영업용 2% 저당권 0.2% 그 밖의 등록 15천원
125cc 초과	12KW 초과	4%(영업용)· 5%(비영업용)			

| 최근 개정법령 _ 2021.1.1. | R&D 차량 등 미등록대상 차량의 취득세율 명확화(법 §12)

연구·개발용 차량, 자율주행 연구·개발용 차량, 전기차 등 친환경·첨단미래형 자동차의 개발·보급용 차량 등(「자동차관리법」 제27조)은 「자동차관리법」에 따라 미등록대상 차량으로 규정하고 있는데 지방세법 규정상 세율체계가 명확하지 않았다. 2011년 이후, 舊 취득세(2%)와 舊 등록세(2~5%)가 통합됨에 따라 미등록대상 차량에 대한 구 등록세분 부과여부에 대한 혼선이 있어, 취득세율을 2%로 명확히 규정하였다.

◎ 공장구내나 운전면허학원 내에서만 사용하는 자동차는 비영업용 세율 적용대상

자동차등록원부에 등록하지 않고 공장 구내나 운전면허학원에서만 사용하는 자동차에 대해서는 「자동차관리법」 제5조 등에서 규정한 구분기준에 따라 「지방세법」 제12조 제1항 제2호 가목과 나목 1) 등의 비영업용 세율을 적용하여 취득세를 신고납부하여야 할 것임(지방세운영과-3867, 2012.11.30.).

☞ '자동차' 및 '영업용'의 개념 : 「지방세법」 제12조 제1항 제2호에서 규정한 자동차란 「자동차관리법」 제2조에 따른 자동차를 말하며, 영업용이란 「지방세법 시행령」 제122조 제1항에 따른 영업용을 말함(예규 지법 12-1).

◎ **개인이 건설기계대여업 · 사업장폐기물수집운반업을 영위하는 법인과 위수탁계약을 체결하고 기계장비를 법인으로 소유권을 이전하는 경우 취득세 납세의무 없음**

「건설기계관리법」에서는 차주가 대여업자로 기계장비의 소유권을 이전하지 아니한 채 대여업을 영위토록 하고 있으나, 「폐기물관리법」에서는 폐기물 수집 · 운반업의 경우 허가자인 대여업체 명의로 등록된 차량 · 기계장비에 한해 해당 사업을 영위 할 수 있도록 규정하고 있어, 차주가 폐기물 수집 · 운반업 허가를 얻은 대여업체로 기계장비를 지입하여 해당 사업을 영위하기 위해서는 소유권 변경이 필요하다고 할 것인데, 「폐기물 관리법」 등 관계법령에 따라 지입차주에서 기계장비 대여업체 명의로의 소유권 이전이 불가피한 경우라도 구매계약서, 세금계산서, 차주대장 등에 의하여 지입차주의 소유임이 명백히 입증되는 경우라면, 「지방세법」 제28조 제1항 제4호 다목에 따른 세율(등록면허세 1만원)을 적용하여야 할 것임(지방세운영과-643, 2017.5.26.).

◎ **운전면허시험장 내에서만 운행되는 기능시험용 미등록차량은 세율 1천분의 20을 적용**

제12조 제1항 가목에서 비영업용 승용자동차의 취득세율은 1천분의 70, 나목에서 그 밖의 자동차로서 비영업용은 1천분의 50, 영업용은 1천분의 40, 다목에서 가목 및 나목 외의 차량은 1천분의 20으로 규정하고 있는데, 해당 가목 및 나목은 「자동차관리법」에 따른 등록대상 차량의 세율(4% 이상)을 의미하고, 다목은 非등록대상 차량의 세율(기타 2%)을 의미하는 것(지방세정책과-65, 2017.1.5. 참조)임. 따라서 운전면허시험용으로 사용되는 차량이 자동차관리법에 따른 등록대상이 아닌 경우, 취득세율은 지방세법 제12조 제1항 다목에 따른 세율(1천분의 20)을 적용(지방세운영과-2697, 2018.11.8.)

◎ **총배기량 125씨씨 초과 2륜 자동차의 세율적용 기준**

지방세법 시행령 제99조의 3 제1항 후단에서 경자동차라 함은 자동관리법 제3조의 규정에 의한 자동차의 종류 중 경형자동차를 말한다고 규정하고 있으므로 총배기량 125씨씨 초과의 2륜 자동차는 경형자동차에 해당되지 않으므로 신규등록시 지방세법 제132조의 2 제2항 제1호 가목의 규정에 의한 자동차가액의 1,000분의 30의 등록세를 납부하여야 함(세정 13407-27, 1999.10.19.).

☞ 현재는 등록세가 취득세로 통합되었으므로 125씨씨 초과 이륜차는 구 취득세율 2%를 합한 5% 세율을 적용

제13조(과밀억제권역 안 취득 등 중과) 제1항 [본점 주사무소용 신·증축 및 공장의 신·증설]

> **법** 제13조(과밀억제권역 안 취득 등 중과) ① 「수도권정비계획법」 제6조에 따른 과밀억제권역에서 대통령령으로 정하는 본점이나 주사무소의 사업용으로 신축하거나 증축하는 건축물(「신탁법」에 따른 수탁자가 취득한 신탁재산 중 위탁자가 신탁기간 중 또는 신탁종료 후 위탁자의 본점이나 주사무소의 사업용으로 사용하기 위하여 신축하거나 증축하는 건축물을 포함한다)과 그 부속토지를 취득하는 경우와 같은 조에 따른 과밀억제권역(「산업집적활성화 및 공장설립에 관한 법률」을 적용받는 산업단지·유치지역 및 「국토의 계획 및 이용에 관한 법률」을 적용받는 공업지역은 제외한다)에서 공장을 신설하거나 증설하기 위하여 사업용 과세물건을 취득하는 경우의 취득세율은 제11조 및 제12조의 세율에 중과기준세율의 100분의 200을 합한 세율을 적용한다. 〈개정 2015.12.29.〉
>
> **영** 제25조(본점 또는 주사무소의 사업용 부동산) 법 제13조 제1항에서 "대통령령으로 정하는 본점이나 주사무소의 사업용 부동산"이란 법인의 본점 또는 주사무소의 사무소로 사용하는 부동산과 그 부대시설용 부동산(기숙사, 합숙소, 사택, 연수시설, 체육시설 등 복지후생시설과 예비군 병기고 및 탄약고는 제외한다)을 말한다.

1. 본점 사무소용 중과세 개요(제13조 ①)

대도시 내 취득세 중과세 입법취지는 대도시 내로 인구유입 및 산업집중을 규제함으로써 도시의 지나친 과밀화를 억제하고 지역균형발전을 도모하기 위한 것이다.

취득세 중과세를 크게 2가지로 구분하고 있는데, 취득세 세목 통합 이전의 취득세 중과세와 등록세 중과세의 전반적인 내용을 그대로 옮겨왔다. 제13조 제1항은 구 취득세로서 본점(주사무소)용 건축물의 신·증축에 대한 중과세를 규정하고 있다.

세율적용 방식을 보면 취득세와 등록세의 세목 통합 이전에는 취득세만 3배 중과세되던 것으로 법 제11조 및 제12조의 표준세율에 4%(종전 취득세율 1천분의 20의 2배)를 더하여 적용한다. 본점용 건축물을 신축한 경우 건축물 원시취득에 대한 표준세율이 2.8%이므로 여기에 4%를 더하여 6.8%의 세율이 적용된다.

신축 당시에는 중과대상이 아니었지만 이후 5년 이내에 본점 용도로 사용하게 되면 사유발생일로부터 60일 이내에 중과세로 산출한 세액을 기준으로 그 차액을 신고납부 하여야한다. 예를들어 중과세 요건 성립일을 기준으로 과거 5년 이내에 부속 토지를 유상으로 승계취득한 경우라면 토지분 취득세에 대해 그 차액(당초 신고한 표준세율 4% 이외에 중과세분 4% 추가)을 신고납부 하여야 한다.

| 최근 개정법령 _ 2017.1.1. | 대도시내 본점사업용 신탁재산 취득세 중과기준 보완(법 제13조 ①)

현행 규정상 법인이 대도시 내에서 건축물을 신·증축한 후 본점용으로 사용할 경우에는 취득세를 중과세(4% + 4% 추가)하도록 규정하고 있다. 그런데 법인이 토지를 신탁하고, 수탁자 명의로 건축물을 신·증축한 후에 본점용으로 사용하는 경우 중과세를 회피할 수 있는 문제소지가 있었다(예 : 신탁재산의 경우 수탁자를 기준으로 중과여부를 판단하고 있어 현행법상 중과세 대상이 아님, 대법 2001두2720). 그에 따라 신탁을 통해 대도시 내 건축물을 신·증축 한 후 본점 사업용으로 사용하더라도 취득세 중과세 대상임을 명확히 하였다.

| 최근 개정법령 _ 2020.1.1. | 신탁재산의 대도시내 취득세 중과 범위 합리화(법 §13 ①)

신·증축한 신탁재산을 위탁자의 본점용 등으로 사용하는 경우에 중과세하려는 취지로 지방세법이 개정되었다(2017.1.1.). 그런데 본점·주사무소용으로 사용되는 중과대상 신탁재산의 범위가 불명확하여 신·증축 이외의 기존 건물도 포함되는 것으로 잘못 해석될 우려(신·증축 외에 기존 건물을 신탁한 경우도 중과세 되는 것으로 오해 소지)가 있었다. 이에 대해 본점·주사무소용 신탁재산의 범위를 신축 또는 증축하는 부동산으로 명확히 한정하였다.

| 참고 _ 취득세 중과세율 개요 |

구 분	세 율
(①항) 과밀억제권역에서의 본점·주사무소용 부동산 취득 (건물을 신·증축하는 경우와 그 부속토지만 해당) 및 공장을 신·증설하기 위하여 사업용 과세물건의 취득	표준세율 + {중과기준세율(2%) × 2배} ※ 세목통합 전 취득세만 중과대상
(②항) 대도시(과밀억제권역에서 산업단지 제외)에서의 법인의 설립 등 및 법인 등의 대도시 전입에 따른 대도시 부동산 취득, 대도시(산업단지, 유치지역, 공업지역 제외) 공장 신·증설에 따른 부동산 취득	(표준세율 × 3배) - {중과기준세율(2%) × 2배} ※ 세목통합 전 등록세만 중과대상
(⑤항) 별장, 골프장, 고급주택, 고급오락장, 고급선박 등	표준세율 + {중과기준세율(2%) × 4배}
(⑥항) ①항과 ②항이 동시에 적용되는 과세물건	표준세율 × 3배
(⑦항) ②항과 ③항이 동시에 적용되는 과세물건	(표준세율 × 3배) + {중과기준세율(2%) × 2배}

| 참고 _ 본점·주사무소용 중과 등 개요(지방세법 제13조 ①) |

※ 세목통합 전에 취득세만 중과되던 항목이다.

대상지역	• 과밀억제권역 • 공장의 경우는 과밀억제권역 중 산업단지·유치지역·공업지역은 제외
중과대상	• 법인의 본점이나 주사무소의 사무용으로 사용하는 부동산과 그 부대시설용 부동산 - 건축물을 신·증축하는 경우와 그 부속토지만 해당됨.
	• 공장(도시형 공장 제외)의 신·증설을 위한 사업용 과세물건

중과대상	– 생산설비를 갖춘 건축물의 연면적(옥외에 기계장치 또는 저장시설이 있는 경우에는 그 시설물의 수평투영면적 포함) 500㎡ 이상인 것 – 해당 공장의 제조시설을 지원하기 위하여 공장경계 구역 안에 설치되는 부대시설의 연면적 포함. ↳ 식당, 휴게실 목욕실 등 후생복지시설과 대피소 무기고 등 제외
중과세율	• 표준세율 + {중과기준세율(2%) × 2배}

제13조 제1항의 중과대상 본점이라 함은 대표이사 등 임직원이 상주하면서 기획·재무·총무 등 법인의 전반적인 사업을 수행하고 있는 곳인 영리법인의 주된 사무소를 의미하며, 주된 사무소는 본점 등기가 아니라 법인의 중추적인 의사결정 등 주된 기능을 수행하는 장소를 의미한다(대법원 92누473, 1993.1.15.). 반면 본점의 사무소와 함께 설치되었더라도 본점에서 이루어지는 주요한 의사결정, 업무수행, 관리행위 등과 구분되는 단순하고 부수적인 행위나 사실적 행위 또는 대외적으로 제품 및 서비스를 제공하거나 영업활동 등이 이루어지는 장소는 본점의 '사무소'에 해당한다고 보기는 어려운바, 이에 해당하는지 여부는 해당 법인이 영위하는 사업의 종목이나 특성 등을 모두 고려하여 개별적·구체적으로 판단하여야 한다.

본점의 사업용 부동산을 본점의 사무소로 사용하는 부동산과 그 부대시설용 부동산(기숙사, 합숙소, 사택, 연수시설, 체육시설 등 복지후생시설과 향토예비군 병기고 및 탄약고는 제외한다)으로 한정하고 있으며, 백화점 등 유통업체의 매장이나 은행본점의 영업장 등과 같이 본점 또는 주사무소의 사무소에 영업장소가 함께 설치되는 경우에 그 영업장소 및 부대시설 부분은 취득세 중과세 대상에 해당하지 않는다(대법원 2000두222).

동일한 과밀억제권역 안의 기존 사업용 부동산에서 신·증축한 사업용 부동산으로 본점을 이전하는 경우 인력 총수 및 사용 면적이 축소되었다 하더라도 취득세 중과대상이고(대법원 2012두6551, 2012.7.12.), 본점 사무소용으로 사용하다가 멸실 후 다시 동일면적으로 건축하여 취득하였다고 하더라도 본점사무소 부분은 중과세 대상에 해당한다.

지방에 본점이 있는 상태에서 대도시내 건물을 신축하여 해당 건축물의 용도가 실질적인 본점 용도에 사용한다면 중과대상이 될 수 있다. 여기서 본점 용도는 본점 등기유무나 대표이사의 근무 여부와 무관하게 그 기능상 본점에 해당한다면 중과대상이라 할 수 있는데 본점의 사업용 부동산에 해당하는지의 여부는 사실상의 법인의 본점으로서 기능을 수행하는 장소로 사용되는지 여부를 기준으로 판단하여야 한다.

◎ 동일한 과밀억제권역 안의 기존 사업용 부동산에서 신·증축한 사업용 부동산으로 본점을 이

전하는 경우 인력 총수 및 사용면적이 축소되었다 하더라도 취득세 중과대상

개정(1998.12.31.) 전과 달리 과밀억제권역 안에서 본점 사업용 부동산을 취득하는 경우 중인구유입과 산업집중의 효과가 뚜렷한 신·증축에 의한 취득만을 그 적용대상으로 규정하고 그 입법취지에 어울리지 않는 그 밖의 승계취득 등은 미리 그 적용대상에서 배제하였으므로 조세법률주의의 원칙상 함부로 축소해석하여서는 아니되는 점, 과밀억제권역 안에서 신·증축한 사업용 부동산으로 본점을 이전하면 전체적으로 보아 인구유입이나 산업집중의 효과가 없다고 할 수 없는 점 등을 종합하면, 과밀억제권역 안에서 본점 사업용 건축물을 신·증축하여 취득하면서 동일한 과밀억제권역 안에 있던 기존의 본점에서 이전해 오는 경우라 하더라도 취득세 중과대상에 해당(대법원 2012두6551, 2012.7.12.)

◎ 중과대상 여부에 관한 본점 예시(예규 지법 13-2)

1. 중과대상에 해당하는 경우 : ① 도시형공장을 영위하는 공장의 구내에서 본점용사무실을 증축하는 경우 ② 본점의 사무소전용 주차타워를 신·증축하는 경우 ③ 임대한 토지에 공장을 신설하여 운영하다가 동 토지 내에 본점 사업용 건축물을 신·증축하는 경우 ④ 건축물을 신·증축한 후 5년 이내에 본점의 부서 중 일부 부서가 입주하여 사무를 처리하는 경우 ⑤ 대도시 내에 본점을 가지고 있던 법인이 대도시 내에 건축물을 신·증축하여 기존 본점을 이전하는 경우
2. 중과대상에 해당하지 않는 경우 : ① 병원의 병실을 증축 취득하는 경우 ② 운수업체가 자동차운수사업법에 의한 차고용 토지만을 취득하는 경우 ③ 임대업자가 임대하기 위하여 취득한 부동산과 당해 건축물을 임차하여 법인의 본점용으로 사용하는 경우 ④ 시장·백화점 등의 영업장의 경우

◎ 부문 전체를 통할하는 조직이 없는 경우 각 부문이 "본점"의 기능을 한다고 보는 사례

본점과 지점의 사전적(辭典的) 의미를 보면, 본점(本店, head office)은 "복수(複數)의 영업소를 가진 회사에서 전체 영업활동을 통괄하는 곳"을, 지점(支店, branch office)은 "본점의 지휘를 받으면서도 부분적으로는 독립된 기능을 가지는 영업소"를 뜻하는데, 이것이 본점과 지점에 관한 사회통념이라고 할 수 있다. 그리고, 하나의 법인이 "무역업과 건설업" 등 성격이 현저히 다른 둘 이상의 사업을 영위하면서 이를 "부문"으로 나누어 각각 독립된 별개의 인적·물적 설비를 갖추고 독립적으로 영업을 하고 있으면서 부문 전체를 통할하는 인적·물적 설비를 두지 않고 있는 경우에는 각 부문의 인적·물적 조직이 "본점"의 기능을 한다고 보는 것이 타당(감사원 2010-82, 2010.7.29.)

◎ 본점과 별도로 지점등기 및 사업자등록이 되어 있는 사무실은 본점사업용에서 제외

본점사업용 부동산인지 여부의 판단은 본점등기 여부를 기준으로 판단하는 것이 아니며 법

인의 본점으로서 기능을 수행하는 장소로 사용되는 부동산을 의미하는 것이므로 전사 조직의 임직원이 사용하는 부분은 본점사업용 부동산에 해당되며 지점등기 및 사업자등록이 별도로 되어 있는 건설영업조직 등이 사용하는 사무실 등은 사실상 지점용으로 사용되는 경우로서 본점사업용 부동산에 해당되지 아니함(대법원 93누17690, 1994.3.22.).

- 본점 또는 주사무소의 사업용 부동산은 법인이 고유업무 수행에 필요한 사무실 등으로 직접 사용하고 있으면 족하다 할 것이어서 법인등기부등본상 본점 또는 주사무소로 등재되어 있는 장소만을 의미한다고 한정하여 볼 수는 없는 것임(조심 2009지0764, 2010.10.15.).

2. 중과 대상이라는 사례

- **동일 대도시 내에 있는 본점의 일부를 신축건물로 이전한 경우도 취득세 중과대상**
  원고의 조직 중 일부인 패션사업본부를 이 사건 건물로 이전한 사실 등을 인정한 다음, 원고가 이 사건 건물에 패션사업본부를 이전하여 패션사업 부문의 중추적 기능을 수행하고 있는 점, 이 사건 건물에서 수행되는 패션사업본부의 업무는 ○○빌딩의 업무와 유기적으로 결합되어 이루어지고 있는 점 등을 종합하면, 본점의 사업용 부동산에 해당함. 과밀억제권역 안에서 본점용 건축물을 신축・증축하여 취득하는 경우에는 동일한 과밀억제권역 안에 있던 기존의 본점을 이전해 오는 것이라고 하더라도 취득세 중과세 대상에 해당한다고 봄이 타당(대법원 2012두6551, 2012.7.12., 대법원 2014두1116, 2014.5.29.)

- 은행의 IT본부(○○중앙회의 현행 IT본부의 직제 및 업무가 향후 ○○은행 IT본부로 이관을 전제, 이하 'IT본부'라 한다)가 상주하여 계열사 및 각 지역의 전산을 통합관리할 목적으로 ○○은행 통합IT센터를 신축할 예정인 경우, 동 통합IT센터 신축용으로 취득한 토지는 본점용에 해당된다고 한 사례(지방세운영과-1991, 2013.8.23.)

- **직원들의 업무교육과 법인의 목적사업 수행을 위해 다른 회사와 합동사무실로 사용하는 신축건물의 일부가 법인의 본점사업용 부동산에 해당한다는 사례**
  지상 1층은 청구인 소속직원 6명(부사장1, 과장1, 대리3, 일용1)이 본점의 업무를 수행하는 장소로 사용되고 있고, 지상 2층은 직원의 교육장 및 회의실로 사용하고 있으나 시행령 제84조의 2 ③에서 규정하는 본점 또는 주사무소의 사업용부동산의 범위에서 제외되는 연수시설이 아니므로 본점 사업용부동산에 해당되는 것이며, 지하 1층 및 지상 3층은 사업의 수행을 위하여 청구인의 직원뿐만 아니라 다른 회사의 직원들도 각각의 프로젝트를 위하여 일시적으로 사무실로 사용하고 있으나 합동사무실 또한 청구인의 목적사업 수행을 위한 장소로서 사용되고 있음이 분명한 이상 이 사건 부동산은 신축 후 5년 이내에 본점의 사업용부동산에 해당하므로, 중과세율 적용은 적법(조심 2005-0025, 2004.12.28.).

◎ **지방에 본점을 둔 회사가 신축한 과밀억제권역 내 건물이 중과대상에 해당한다는 사례**

원고의 사업에 관한 의사결정 등의 본점 업무는 주로 원고의 본점 사무소인 평택사옥에서 수행되었다고 볼 수 있음. 그러나 이 사건 건물에서 원고의 사내이사 이○한, 이○헌 및 이들을 보좌하는 조직인 기획조정실에 파견된 원고의 직원 3명이 수행하는 업무에는 원고의 경영점검 등 감사업무, 원고와 다른 계열사 사이의 업무조정, 원고의 신입사원 공채 및 교육 등의 업무가 포함되어 있고, 그러한 업무는 원고의 경영에 필수적이고 중요한 것으로서 본점 업무 중 일부에 해당한다고 보아야 함. 이 사건 건물에서 원○그룹 전체를 총괄하는 업무를 수행하고 있더라도 원고를 포함한 계열사와는 분리된 원○그룹이라는 법적 실체가 존재한다고 볼 수 없는 이상, 그 업무 중 적어도 원고에 경영에 관련된 사항의 범위 내에서는 원고의 본점 업무에 해당함(대법원 2018두32385, 2018.4.26.).

◎ 본점의 영업부 및 자금부의 일부 직원이 사용하는 부동산의 경우에도 본점용 부동산에 해당되어 중과세됨(도세 1342-695, 1993.8.13.).

3. 중과 대상이 아니라는 사례

◎ **토지를 신탁받은 수탁법인 명의로 건축물을 신축하여 보존등기를 완료한 후, 일부를 위탁자가 본점사업용으로 사용할 경우 이를 위탁자의 본점사업용 신축부동산으로 보기 곤란**

신탁재산은 그 소유권이 위탁자에게 유보되어 있는 것이 아닌 점(대법원 2007다54276, 2008.3.13.), 토지의 수탁자인 B법인이 신탁계약에 따라 그 토지 상에 건물을 신축한 다음 자신의 명의로 소유권보존등기를 하면서 신탁등기를 병행한 데 지나지 않는 경우 수탁자에게 취득세 납세의무가 있는 점(대법원 2001두2720, 2003.6.10.), 신탁법상의 신탁계약에 의하여 수탁자 명의로 신축한 건축물의 취득세 중과세대상 여부도 수탁자를 기준으로 판단하여야 하는 점(대법원 2001두4979, 2003.6.13.) 등을 고려할 때, 건축물분에 대해서는 취득세 중과세대상으로 보기는 곤란(지방세운영과-1076, 2013.6.17.).

☞ 신탁부동산을 위탁자가 본점용도로 사용하는 경우 중과대상으로 입법보완(2020.1.1.)

◎ **산업단지 내 공장의 본점사무실이라도 중과세대상이 아니라고 한 사례**

취득세 등 비과세·감면 규정과 중과세 규정이 충돌시 비과세·감면규정을 먼저 적용한 후 추징대상에 해당되면 그 때 비로소 중과세 규정을 적용하는 것인 바, 산업단지 등의 공장용 건축물의 범위에는 공장시설은 물론 그 공장시설의 관리·지원을 위하여 당해 공장부지안에 설치하는 사무실도 포함된다고 할 것이므로(지방세정담당관-2199, 2003.12.6. 참조) 비록, 산업단지 내의 공장인 경우 그 사무실이 본점사무실이라고 하여도 오로지 당해 공장을 영위하는데 필수적인 기능을 수행하는 경우라면, 위 규정 취득세 등 감면대상 산업단지 내 공장으로 볼 수 있는 부대시설에 해당되므로 취득세 중과세대상에 포함되지 아니한다고 할 것임(지방세운영과-2569, 2012.8.9.).

◎ **사업부문단위로 구분하여 사업자등록을 하고 예산 · 회계 · 인사 및 영업을 독립적으로 수행하는 사업부문 총괄 사업장은 본점사무소용 부동산에 해당되지 않는다는 사례**

이 건 ○○○ 사업부문의 경우 (주)○○○ 본점(대표이사)에서 사업부문을 총괄하는 인적물적시설을 설치하여 기획 · 개발 · 자금조달 · 결산 · 대외홍보 등 법인의 중추적인 의사결정과 각 사업부문의 신규 사업부지매입, 법인관련 각종 공시주관, 인사채용, 예산계획수립 및 예산배정 등 사업부문 전체를 총괄하는 본사 경영지원실의 지휘 · 통제를 받고 있고, 법인이 기업경영의 전문화 · 책임화 및 효율성을 제고하기 위하여 법인의 목적사업을 각 사업부문으로 구분하여 본점과 별도의 사업자 등록을 하고 예산 · 회계 · 인사 및 영업을 독립적으로 수행한다면 본점용 부동산으로 볼 수 없음(지방세운영과-4794, 2010.10.12.).

☞ 본점사업용 부동산인지 여부의 판단은 본점등기 여부를 기준으로 판단하는 것이 아니며 법인의 본점으로서 중추적인 의사결정 기능을 수행하는 장소로 사용되는 부동산을 의미한다 할 것임.

◎ **방송국의 방송프로그램 생산, 공급 관련 실무작업을 하기 위해 사용하는 공간 등은 중과대상**

방송프로그램의 제작을 위한 회의 및 촬영준비를 하거나, 촬영본 중 방송용 부분을 편집하고, CG 등의 효과를 삽입하는 등 개별적인 방송프로그램의 제작과 관련하여 기획, 구성, 편집 등 실무적인 업무를 수행하는 공간이고, … 원고의 중요한 사업활동인 방송프로그램의 제작과 관련하여 업무종사자들 사이에 방송프로그램의 구성과 편집 방향 등에 대한 지속적인 의견의 교환 및 의사결정이 필요한 업무이므로, 이를 사업수행에서의 중요한 의사결정 및 실행행위가 필요한 행위에 해당한다고 봄이 상당함(대법원 2020두41832, 2020.10.15.).

◎ 의류제조판매업과는 전혀 관계없는 창고로만 사용하였다면 물류창고는 본점사무소용 부대시설로 볼 수가 없는 것임(세정 13407-1418, 1996.12.10.).

◎ 본점사무실과 무관한 호텔객실용 부분을 증축하는 경우라면 취득세 중과세대상이 아님(세정 13407-1216, 1996.10.22.).

◎ 건물이 본점 또는 주사무소의 사업용 부동산이 아니라 공장의 일부에 포함되는 사무실에 해당되는 것이라면 중과세는 부당함(내심 제96-22호, 1996.1.30.).

◎ 영업장으로서 무인현금자동지급기 소재장소는 본점사업용 부동산에 해당되지 아니함(세정 13407-236, 1994.6.22.).

◎ 종합병원의 병동을 증축시 병동은 중과세대상이 아님(도세 22670-916, 1992.12.3.).

◎ 본점과 공장이 아닌 자동차운전학원 강사들의 휴게실용으로 사용하는 경우라면 중과세대상에서 제외되는 것임(세정 13407-328, 1997.4.21.).

◎ 골프연습장을 운영하는 법인의 골프연습시설(골프연습타석, 샤워장, 라커룸, 골프용품 판매장)용 부동산과 종업원의 복지후생시설인 구내식당, 기숙사용 부동산은 취득세 중과세대상에서 제외됨(세정 13407-58, 1997.1.21.).

◎ 본점의 종업원의 기숙사(합숙소)용 부동산은 본점사무소용 부동산으로 볼 수가 없음(세정 13407-1271, 1996.11.5.).

◎ 본점의 사업용 부동산이 아닌 파견 공무원들이 사용하는 장소와 화상회의실 등은 중과세 대상으로 보기 어려움(조심 2012지0134, 2012.6.8.).

◎ 기존 본점과 별도로 건물을 신축하여 교육원으로 사용하는 경우 중과 대상이 아님
해당 교육원은 협회(본점) 직원의 교육을 위해 설치 및 운영하는 것이 아니라, 회원사 등 불특정 다수인 대국민을 상대로 프로그램을 운영하고 있으며,… 본점 직원을 위한 부대시설용 부동산으로 보기도 어려운 점, … 교육원은 협회(본점)와 분리하여 독립적으로 운영된다고 볼 수 있는 점, 협회(본점)와는 독립적으로 해당 교육원의 예산·회계업무를 운영하고 있다고 볼 수 있는 점 등을 종합해 볼 때, 해당 교육원은 협회(본점)와는 독립된 지점으로서 본점 사업용 부동산에 해당하지 않음(지방세운영과-2439, 2016.9.22.).

◎ 화물집배송센타 내의 사무실이 본점의 일부기능을 수행하고 있다면, 취득세가 중과세 되고, 본점의 일부기능을 수행하지 아니하고, 단순히 화물집배송센타의 관리업무만을 수행한다면 본점의 일부로 볼 수 없어 취득세 중과대상 아님(세정 13407-1194, 2000.10.13.).

◎ 영화관업을 영위하는 법인이 영화관으로 사용하는 부분은 본점사무소용 부동산으로 되지 아니하여 중과세대상이 아니나, 영화관 관리사무실로 사용하는 부분은 본점 여부를 사실조사 후 판단함(세정 13407-712, 1997.7.15.).

◎ 본점용 부동산에는 본점용에 공여되는 창고는 이에 포함되나 보세장치장으로 별도의 사업자 등록을 한 경우라면 중과세대상에서 제외됨(세정 13407-160, 1994.6.9.).

◎ 본점용 창고는 중과세대상이나 판매장은 중과세대상이 아님(도세 13421-74216, 1993.8.24.).

제13조(과밀억제권역 안 취득 등 중과) 제2항 [舊 부동산등록세 중과]

법 제13조(과밀억제권역 안 취득 등 중과) ② 다음 각 호의 어느 하나에 해당하는 부동산(「신탁법」에 따른 수탁자가 취득한 신탁재산을 포함한다)을 취득하는 경우의 취득세는 제11조 제1항의 표준세율의 100분의 300에서 중과기준세율의 100분의 200을 뺀 세율(제11조 제1항 제8호에 해당하는 주택을 취득하는 경우에는 제13조의 2 제1항 제1호에 해당하는 세율)을 적용한다. 다만, 「수도권정비계획법」 제6조에 따른 과밀억제권역(「산업집적활성화 및 공장설립에 관한 법률」을 적용받는 산업단지는 제외한다. 이하 이 조 및 제28조에서 "대도시"라 한다)에 설치가 불가피하다고 인정되는 업종으로서 대통령령으로 정하는 업종(이하 이 조에서 "대도시 중과 제외 업종"이라 한다)에 직접 사용할 목적으로 부동산을 취득하거나, 법인이 사원에 대한 분양 또는 임대용으로 직접 사용할 목적으로 대통령령으로 정하는 주거용 부동산(이하 이 조에서 "사원주거용 목적 부동산"이라 한다)을 취득하는 경우의 취득세는 제11조에 따른 해당 세율을 적용한다.

1. 대도시에서 법인을 설립[대통령령으로 정하는 휴면(休眠)법인(이하 "휴면법인"이라 한다)을 인수하는 경우를 포함한다. 이하 이 호에서 같다]하거나 지점 또는 분사무소를 설치하는 경우 및 법인의 본점·주사무소·지점 또는 분사무소를 대도시 밖에서 대도시로 전입(「수도권정비계획법」 제2조에 따른 수도권의 경우에는 서울특별시 외의 지역에서 서울특별시로의 전입도 대도시로의 전입으로 본다. 이하 이 항 및 제28조 제2항에서 같다)함에 따라 대도시의 부동산을 취득(그 설립·설치·전입 이후의 부동산 취득을 포함한다)하는 경우
2. 대도시(「산업집적활성화 및 공장설립에 관한 법률」을 적용받는 유치지역 및 「국토의 계획 및 이용에 관한 법률」을 적용받는 공업지역은 제외한다)에서 공장을 신설하거나 증설함에 따라 부동산을 취득하는 경우

⑧ 제2항에 따른 중과세의 범위와 적용기준, 그 밖에 필요한 사항은 대통령령으로 정하고, 제1항과 제2항에 따른 공장의 범위와 적용기준은 행정안전부령으로 정한다.

영 제26조(대도시 법인 중과세의 예외) ① 법 제13조 제2항 각 호 외의 부분 단서에서 "대통령령으로 정하는 업종"이란 다음 각 호에 해당하는 업종을 말한다. 〈개정 2010.12.30., 2011.12.31., 2013.1.1.〉

1. 「사회기반시설에 대한 민간투자법」 제2조 제3호에 따른 사회기반시설사업(같은 조 제9호에 따른 부대사업을 포함한다) 2. 「한국은행법」 및 「한국수출입은행법」에 따른 은행업 3. 「해외건설촉진법」에 따라 신고된 해외건설업(해당 연도에 해외건설 실적이 있는 경우로서 해외건설에 직접 사용하는 사무실용 부동산만 해당한다) 및 「주택법」 제9조에 따라 국토교통부에 등록된 주택건설사업(주택건설용으로 취득한 후 3년 이내에 주택건설에 착공하는 부동산만 해당한다) 4. 「전기통신사업법」 제5조에 따른 전기통신사업 5. 「산업발전법」에 따라 산업통상자원부장관이 고시하는 첨단기술산업과 「산업집적활성화 및 공장설립에 관한 법률 시행령」 별표 1의 2 제2호 마목에 따른 첨단업종 6. 「유통산업발전법」에 따른 유통산업, 「농수산물유통 및 가격안정에 관한 법률」에 따른 농수산물도매시장·농수산물공판장·농수산물종합유통센터·유통자회사 및 「축산법」에 따른 가축시장 7. 「여객자동차 운수사업법」에 따른 여객자동차운송사업 및 「화물자동차 운수사업법」에 따른 화물자동차운송사업과 「물류시설의 개발 및 운영

에 관한 법률」 제2조 제3호에 따른 물류터미널사업 및 「물류정책기본법 시행령」 제3조 및 별표 1에 따른 창고업　8. 정부출자법인 또는 정부출연법인(국가나 지방자치단체가 납입자본금 또는 기본재산의 100분의 20 이상을 직접 출자 또는 출연한 법인만 해당한다)이 경영하는 사업　9. 「의료법」 제3조에 따른 의료업　10. 개인이 경영하던 제조업(「소득세법」 제19조 제1항 제3호에 따른 제조업을 말한다). 다만, 행정안전부령으로 정하는 바에 따라 법인으로 전환하는 기업만 해당하며, 법인전환에 따라 취득한 부동산의 가액(법 제4조에 따른 시가표준액을 말한다)이 법인 전환 전의 부동산가액을 초과하는 경우에 그 초과부분과 법인으로 전환한 날 이후에 취득한 부동산은 법 제13조 제2항 각 호 외의 부분 본문을 적용한다.　11. 「산업집적활성화 및 공장설립에 관한 법률 시행령」 별표 1의 2 제3호 가목에 따른 자원재활용업종　12. 「소프트웨어 진흥법」 제2조 제3호에 따른 소프트웨어사업 및 같은 법 제61조에 따라 설립된 소프트웨어공제조합이 소프트웨어산업을 위하여 수행하는 사업　13. 「공연법」에 따른 공연장 등 문화예술시설운영사업　14. 「방송법」 제2조 제2호·제5호·제8호·제11호 및 제13호에 따른 방송사업·중계유선방송사업·음악유선방송사업·전광판방송사업 및 전송망사업　15. 「과학관의 설립·운영 및 육성에 관한 법률」에 따른 과학관시설운영사업　16. 「산업집적활성화 및 공장설립에 관한 법률 시행령」 제28조에 따른 도시형공장을 경영하는 사업　17. 「벤처투자 촉진에 관한 법률」 제37조에 따라 등록한 중소기업창업투자회사가 중소기업창업 지원을 위하여 수행하는 사업. 다만, 법인설립 후 1개월 이내에 같은 법에 따라 등록하는 경우만 해당한다.　18. 「광산피해의 방지 및 복구에 관한 법률」 제31조에 따라 설립된 한국광해관리공단이 석탄산업합리화를 위하여 수행하는 사업　19. 「소비자기본법」 제33조에 따라 설립된 한국소비자원이 소비자보호를 위하여 수행하는 사업　20. 「건설산업기본법」 제54조에 따라 설립된 공제조합이 건설업을 위하여 수행하는 사업　21. 「엔지니어링산업 진흥법」 제34조에 따라 설립된 공제조합이 그 설립 목적을 위하여 수행하는 사업　22. 「주택법」 제76조에 따라 설립된 대한주택보증주식회사가 주택건설업을 위하여 수행하는 사업　23. 「여신전문금융업법」 제2조 제12호에 따른 할부금융업　24. 「통계법」 제22조에 따라 통계청장이 고시하는 한국표준산업분류에 따른 실내경기장·운동장 및 야구장 운영업　25. 「산업발전법」(법률 제9584호 산업발전법 전부개정법률로 개정되기 전의 것을 말한다) 제14조에 따라 등록된 기업구조조정전문회사가 그 설립 목적을 위하여 수행하는 사업. 다만, 법인 설립 후 1개월 이내에 같은 법에 따라 등록하는 경우만 해당한다.　26. 「지방세특례제한법」 제21조 제1항에 따른 청소년단체, 같은 법 제45조에 따른 학술단체·장학법인 및 같은 법 제52조에 따른 문화예술단체·체육단체가 그 설립 목적을 위하여 수행하는 사업　27. 「중소기업진흥에 관한 법률」 제69조에 따라 설립된 회사가 경영하는 사업　28. 「도시 및 주거환경정비법」 제35조 또는 「빈집 및 소규모주택 정비에 관한 특례법」 제23조에 따라 설립된 조합이 시행하는 「도시 및 주거환경정비법」 제2조 제2호의 정비사업 또는 「빈집 및 소규모주택 정비에 관한 특례법」 제2조 제1항 제3호의 소규모주택정비사업　29. 「방문판매 등에 관한 법률」 제35조에 따라 설립된 공제조합이 경영하는 보상금지급책임의 보험사업 등 같은 법 제34조 제1항 제3호에 따른 공제사업　30. 「한국주택금융공사법」에 따라 설립된 한국주택금융공사가 같은 법 제22조에 따라 경영하는 사업　31. 「임대주택법」 제6조에 따라 등록을 한 임대사업자가 경영하는 주택임대사업. 다만, 「주택법」 제80조의 2 제1항에 따른 주택거래신고지역에서 매입임대주택사업을 하기 위하여 취득하는 임대주택은 법 제13조 제

2항 각 호 외의 부분 본문을 적용한다. 32. 「전기공사공제조합법」에 따라 설립된 전기공사공제조합이 전기공사업을 위하여 수행하는 사업 33. 「소방산업의 진흥에 관한 법률」 제23조에 따른 소방산업공제조합이 소방산업을 위하여 수행하는 사업 34. 「중소기업 기술혁신 촉진법」 제15조 및 같은 법 시행령 제13조에 따라 기술혁신형 중소기업으로 선정된 기업이 경영하는 사업. 다만, 법인의 본점·주사무소·지점·분사무소를 대도시 밖에서 대도시로 전입하는 경우는 제외한다.

② 법 제13조 제2항 각 호 외의 부분 단서에서 "대통령령으로 정하는 주거용 부동산"이란 1구(1세대가 독립하여 구분 사용할 수 있도록 구획된 부분을 말한다. 이하 같다)의 건축물의 연면적(전용면적을 말한다)이 60제곱미터 이하인 공동주택 및 그 부속토지를 말한다.

③ 법 제13조 제3항 제1호 각 목 외의 부분 단서에서 "대통령령으로 정하는 업종"이란 제1항 제3호의 주택건설사업을 말하고, 법 제13조 제3항 제1호 각 목에도 불구하고 직접 사용하여야 하는 기한 또는 다른 업종이나 다른 용도에 사용·겸용이 금지되는 기간은 3년으로 한다.

④ 법 제13조 제4항에서 "대통령령으로 정하는 임대가 불가피하다고 인정되는 업종"이란 다음 각 호의 어느 하나에 해당하는 업종을 말한다.

1. 제1항 제4호의 전기통신사업(「전기통신사업법」에 따른 전기통신사업자가 같은 법 제41조에 따라 전기통신설비 또는 시설을 다른 전기통신사업자와 공동으로 사용하기 위하여 임대하는 경우로 한정한다)
2. 제1항 제6호의 유통산업, 농수산물도매시장·농수산물공판장·농수산물종합유통센터·유통자회사 및 가축시장(「유통산업발전법」 등 관계 법령에 따라 임대가 허용되는 매장 등의 전부 또는 일부를 임대하는 경우 임대하는 부분에 한정한다)

제27조(대도시 부동산 취득의 중과세 범위와 적용기준) ① 법 제13조 제2항 제1호에서 "대통령령으로 정하는 휴면(休眠)법인"이란 다음 각 호의 어느 하나에 해당하는 법인을 말한다. 〈개정 2013.6.28.〉

1. 「상법」에 따라 해산한 법인(이하 "해산법인"이라 한다) 2. 「상법」에 따라 해산한 것으로 보는 법인(이하 "해산간주법인"이라 한다) 3. 「부가가치세법 시행령」 제13조에 따라 폐업한 법인(이하 "폐업법인"이라 한다) 4. 법인 인수일 이전 1년 이내에 「상법」 제229조, 제285조, 제521조의 2 및 제611조에 따른 계속등기를 한 해산법인 또는 해산간주법인 5. 법인 인수일 이전 1년 이내에 다시 사업자등록을 한 폐업법인 6. 법인 인수일 이전 2년 이상 사업 실적이 없고, 인수일 전후 1년 이내에 인수법인 임원의 100분의 50 이상을 교체한 법인

② 법 제13조 제2항 제1호에 따른 휴면법인의 인수는 제1항 각 호의 어느 하나에 해당하는 법인에서 최초로 그 법인의 과점주주가 된 때 이루어진 것으로 본다.

③ 법 제13조 제2항 제1호에 따른 대도시에서의 법인 설립, 지점·분사무소 설치 및 법인의 본점·주사무소·지점·분사무소의 대도시 전입에 따른 부동산 취득은 해당 법인 또는 행정안전부령으로 정하는 사무소 또는 사업장(이하 이 조에서 "사무소등"이라 한다)이 그 설립·설치·전입 이전에 법인의 본점·주사무소·지점 또는 분사무소의 용도로 직접 사용하기 위한 부동산 취득(채권을 보전하거나 행사할 목적으로 하는 부동산 취득은 제외한다. 이하 이 조에서 같다)으로 하고, 같은 호에 따른 그 설립·설치·전입 이후의 부동산 취득은 법인 또는 사무소등이 설립·설치·전입 이후 5년 이내에 하는 업무용·비업무용 또는 사업용·비사업용의 모든 부동산 취득

으로 한다. 이 경우 부동산 취득에는 공장의 신설·증설, 공장의 승계취득, 해당 대도시에서의 공장 이전 및 공장의 업종변경에 따르는 부동산 취득을 포함한다.

④ 법 제13조 제2항 제1호를 적용할 때 분할등기일 현재 5년 이상 계속하여 사업을 한 대도시의 내국법인이 법인의 분할(「법인세법」 제46조 제2항 제1호 가목부터 다목까지의 요건을 갖춘 경우만 해당한다)로 법인을 설립하는 경우에는 중과세 대상으로 보지 아니한다. 〈개정 2013.1.1.〉

⑤ 법 제13조 제2항 제1호를 적용할 때 대도시에서 설립 후 5년이 경과한 법인(이하 이 항에서 "기존법인"이라 한다)이 다른 기존법인과 합병하는 경우에는 중과세 대상으로 보지 아니하며, 기존법인이 대도시에서 설립 후 5년이 경과되지 아니한 법인과 합병하여 기존법인 외의 법인이 합병 후 존속하는 법인이 되거나 새로운 법인을 신설하는 경우에는 합병 당시 기존법인에 대한 자산비율에 해당하는 부분을 중과세 대상으로 보지 아니한다. 이 경우 자산비율은 자산을 평가하는 때에는 평가액을 기준으로 계산한 비율로 하고, 자산을 평가하지 아니하는 때에는 합병 당시의 장부가액을 기준으로 계산한 비율로 한다.

⑥ 법 제13조 제2항을 적용할 때 「신탁법」에 따른 수탁자가 취득한 신탁재산의 경우 취득 목적, 법인 또는 사무소등의 설립·설치·전입 시기 등은 같은 법에 따른 위탁자를 기준으로 판단한다.

규칙 제5조(법인전환 기업) 영 제26조 제1항 제10호 단서에서 "행정안전부령으로 정하는 바에 따라 법인으로 전환하는 기업"이란 법 제13조 제2항 각 호 외의 부분 단서에 따른 대도시(이하 이 조에서 "대도시"라 한다)에서 「부가가치세법」 또는 「소득세법」에 따른 사업자등록을 하고 5년 이상 제조업을 경영한 개인기업이 그 대도시에서 법인으로 전환하는 경우의 해당 기업을 말한다.

제6조(사무소 등의 범위) 영 제27조 제3항 전단에서 "행정안전부령으로 정하는 사무소 또는 사업장"이란 「법인세법」 제111조·「부가가치세법」 제8조 또는 「소득세법」 제168조에 따른 등록대상 사업장(「법인세법」·「부가가치세법」 또는 「소득세법」에 따른 비과세 또는 과세면제 대상 사업장과 「부가가치세법 시행령」 제11조 제2항에 따라 등록된 사업자단위 과세 적용 사업장의 종된 사업장을 포함한다)으로서 인적 및 물적 설비를 갖추고 계속하여 사무 또는 사업이 행하여지는 장소를 말한다. 다만, 다음 각 호의 장소는 제외한다. 〈개정 2014.1.1.〉

1. 영업행위가 없는 단순한 제조·가공장소 2. 물품의 보관만을 하는 보관창고
3. 물품의 적재와 반출만을 하는 하치장

1. 대도시 법인 중과 개요(제13조 ②)

법 제13조 제2항 및 영 제27조 제3항에서는 대도시에서 법인을 설립하거나 지점 또는 분사무소를 설치하는 경우, 법인의 본점·주사무소·지점 또는 분사무소를 대도시로 전입함에 따라 대도시의 부동산을 취득(설립·설치·전입 이후의 부동산 취득 포함)하는 경우, 대도시(유치지역 및 공업지역 제외)에서 공장을 신·증설함에 따라 부동산을 취득하는 경우에 대한 취득세 중과를 규정하고 있다.

이는 대도시 내로의 인구유입에 따른 인구집중을 막기 위하여 대도시 내에서의 법인의 설립, 지점 또는 분사무소의 설치 및 대도시 내로의 법인의 본점, 주사무소, 지점 또는 분사

무소의 전입에 따른 부동산취득과 그 설립, 설치, 전입 이후의 부동산 취득에 대하여 취득세를 중과세하려는 것이다. 일반적으로 법인은 조직과 규모에서 강한 확장성을 가지고 활동의 영역과 효과가 넓고 다양하여 인구와 경제력의 집중효과가 자연인의 경우에 비하여 훨씬 강하게 나타나는 점을 고려하여 달리 취급하는 취지이다.

제13조 제2항은 대도시내 본 · 지점의 설립 또는 전입에 따라 부동산을 취득하는 경우 중과세대상으로 구 등록세를 중과세 내용을 옮겨온 것이다. 세목통합 이전에는 부동산을 취득한 후 등기하지 않으면 등록세를 고려할 필요가 없으므로 중과 여부를 논할 여지가 없었으나, 통합 이후에는 등기와 무관하게 취득세 납세의무 성립에 종속되어 중과세를 적용하게 되었다. 납세의무 성립 시기가 등기 기준이 아닌 취득시점을 기준으로 판단하게 되었다. 한편 대도시내 법인설립 등 법인 관련 중과세는 법인 등기 관련 구 등록세가 등록면허세로 세목이 변경되어 등록면허세에서 규정하고 있다.

세율적용 방식은, 취득세와 등록세의 세목을 통합하기 전에 등록세만 3배 중과세되던 것으로 법 제11조 및 제12조의 표준세율에 3배를 곱하여 4%(종전 취득세율 1천분의 20의 2배)를 차감하여 중과세율을 적용한다. 한편 주택유상거래에 대한 취득세율이 변경[34]됨에 따라 주택에 대한 중과세율도 조정되었는데(2014.1.1. 시행), 1%~3%에 4%를 합한 세율(주택 가격대별 5%~7%)을 적용한다.

제13조 제1항(구 취득세 중과)과의 차이를 보면 제13조 제2항은 산업단지를 제외한 대도시 지역을 대상으로, 제13조 제1항은 수도권 과밀억제권역을 대상으로 그 범위에 차이가 있다. 그리고 제13조 제1항은 신축 · 증축 등 원시취득행위가 수반되고, 그 용도가 본점이라는 특정한 부분이고, 제13조 제2항은 법인이 부동산을 취득하는 유상승계, 무상승계, 원시취득 여부를 가리지 않는다.

취득한 부동산이 취득한 날부터 5년 이내에 제13조 제2항에 따른 중과세 대상이 되는 경우에는 중과세율을 적용하여 그 차액분에 대한 취득세를 신고납부해야 한다(제16조 ④).

| 참고 _ 법인설립 등 중과 등 개요(지방세법 제13조 ②) |

※ 세목통합 전에 등록세만 중과되던 항목이다.

대상지역	• 대도시(= 과밀억제권역 - 산업단지) • 공장의 경우는 대도시 중 유치지역 · 공업지역은 제외
중과대상	• 법인설립 등에 따른 취득 : ① 법인 또는 사무소등*이 ② 그 설립(휴면법인** 인수 포함) · 설치 · 전입(수도권의 경우 서울특별시 외에서 서울특별시로 전입하는 경우도 대

34) 지방세법 제11조 참조

중과대상	도시 전입으로 봄) 이전(以前)에 ③ 법인의 본점 · 주사무소 · 지점(또는 분사무소) 용도로 직접사용하기 위하여 부동산을 취득하는 경우(채권보전 및 행사용은 제외) * 사무소등 : 법인세법, 부가가치세법, 소득세법에 따라 등록된 사업장(비과세, 과세면제, 종전사업장 포함)으로써 인적 · 물적 설비를 갖추고 계속 사무 · 사업이 이루어지는 장소 ** 휴면법인 : 해산법인, 해산간주법인, 폐업법인 등 • 설립 · 설치 · 전입 이후의 부동산 취득 : ① 법인 또는 사무소등이 ② 설립 · 설치 · 전입 이후(以後) 5년 이내에 ③ 업무용 · 비업무용 또는 사업용 · 비사업용의 ④ 모든 부동산 취득 • 공장의 신설 · 증설, 승계취득, 해당 대도시에서의 공장이전 및 공장의 업종변경에 따르는 부동산 취득
중과제외	• 사회기반시설사업 등 대도시 중과제외업종에 직접사용 목적으로 취득하는 부동산 • 법인이 사원에 대한 분양 또는 임대용으로 직접 사용할 목적으로 취득하는 60㎡ 이하인 공동주택 및 그 부속토지
중과세율	• (표준세율 × 3배) - {중과기준세율(2%) × 2배} - 주택취득의 경우 : 표준세율 + {중과기준세율(2%) × 2배}

2. 대도시 법인 중과세 유형

1) 법인 설립 등의 이전(以前)과 이후(以後) 구분

대도시에서의 법인 본점의 설립, 지점의 설치 전후로 5년 이내에 취득하는 부동산은 중과 대상인데, 크게 "설립 등 이전"과 "설립 등 이후"로 구분해볼 수 있다. "설립 등 이전(以前)"은 시행령 제27조 제3항의 전단으로 법인 또는 사무소 등이 그 설립 · 설치 · 전입 이전(以前)에 직접 사용하기 위한 취득의 경우이다. 법인 설립, 지점 · 분사무소 설치 및 법인의 본점 · 주사무소 · 지점 · 분사무소의 대도시 전입에 따른 부동산 취득은 중과세 대상인바, 해당 법인 또는 사무소등이 그 설립 · 설치 · 전입 이전(以前)에 법인의 본점 · 주사무소 · 지점 또는 분사무소의 용도로 "직접 사용하기 위한" 부동산 취득을 말한다. 즉 대도시내 부동산을 먼저 취득하고 그 취득일로부터 5년 이내에 본점 설립, 지점 설치, 본점 이전, 지점 설치, 지점 이전과 관련되어 있는 경우를 의미한다.

"설립 등 이후"는 시행령 제27조 제3항 후단으로 법인 또는 사무소 등의 설립 · 설치 · 전입 이후 5년 이내 부동산을 취득하는 경우이다. 법인 또는 사무소등이 설립 · 설치 · 전입 이후 5년 이내에 취득하는 업무용 · 비업무용 또는 사업용 · 비사업용의 "모든 부동산 취득"의 경우 중과세 대상이다. 즉 대도시내 본점 설립일부터 5년 이내의 부동산취득, 지점 설치일부터 5년 이내의 해당 지점용 부동산취득, 대도시내로 전입한 날부터 5년 이내의 부동산 취득을 의미한다.

2) 중과 유형의 세분화

시행령에서 중과대상인 "대도시에서의 법인 설립, 지점 설치 및 법인의 본점·지점의 대도시 전입에 따른 부동산 취득은 해당 법인 또는 사무소등이 그 설립·설치·전입 이전에 법인의 본점·지점의 용도로 직접 사용하기 위한 부동산 취득"으로 규정하고 있다. 여기서 "~에 따른 부동산 취득"으로 ① 법인의 본점 설립에 따른, ② 지점 설치에 따른, ③ 본·지점의 전입에 따른 유형의 부동산 취득으로 구분해볼 수 있다.

그 중 본·지점의 대도시 전입에 따른 부동산 취득의 경우(③) 그 용도에 사용하기 위해 그 전입 "이전"에 취득하는 것(대도시 이외에 이미 설립된 법인이 대도시내 부동산을 먼저 취득하고 전입하는 경우)을 생각할 수 있다. 예를 들어 대도시 이외에 있던 법인이 대도시내 부동산을 취득하고 취득후 5년 이내에 본점이 대도시로 전입한다면 해당부동산은 중과대상이 된다. 대도시 외 법인의 본점과 지점이 있는 상태에서 대도시 내 부동산을 취득하고 해당 부동산에 취득일로부터 5년 이내에 지점이 이전해 왔다면 지점 전입에 따른 중과대상이 된다.

대도시 이외에 본점이 소재하거나 대도시 내 5년이 경과한 법인이 대도시내 부동산을 취득하고, 해당 부동산에 취득일로부터 5년 이내에 지점을 설치한다면 지점 설치에 따른 중과대상 부동산이 된다(②).

한편 본점의 설립 이전에 부동산을 취득하는 경우에도 중과 대상이 될 수 있다고 규정한 것으로 보이는데(①), 법인의 설립 없이 그와 관련된 부동산을 취득할 수 있는지가 의문이다. 즉 설립도 안된 법인이 어떻게 취득의 주체가 될 수 있는가 하는 점이다. 이에 대해 대도시 내 전입을 법인의 설립으로 간주하므로 이러한 경우를 전제로 한다고 생각할 수 있다(사실상 ③과 같은 유형). 또한 실질과세 원칙을 고려하여 실질적인 본점임에도 설립 등기를 마치지 않은 경우를 생각할 수 있는데, 이 경우에도 중과대상 법인의 설립이 맞는지에 대한 법적 논란과 사실관계 확인에 대한 다툼이 따를 수 있다. 해당 규정은 대도시내 중과대상에 대해 다양한 사례를 염두에 두고 포괄적으로 규정하고 있다고 봐야할 것이다.

대도시 이외에 소재하고 있는 법인이나 지점이 대도시에 부동산을 먼저 취득하고 전입하는 경우라면 부동산 취득시에는 일반과세가 적용되다가 전입과 동시에 중과사유가 발생하므로 사유발생일로부터 60일 이내에 중과대상으로 그 차액을 신고하여야 한다.

3) 중과대상 부동산의 범위

본점 설립, 지점 설치 '이전'에 취득하는 부동산도 중과 대상인데 이 경우 모든 부동산이 중과 대상이 아니라 본점 및 지점의 용도로 직접사용하기 위해 취득한 부동산으로 한정된다. 구 지방세법 시행령 제102조 제2항(2009.5.14. 개정)을 개정하기 전까지는 설치 · 전입 이전에 취득하는 "일체의 부동산등기"를 그 대상으로 하였는데, 그 범위가 분명하지 않아 관련성을 광범위하게 해석하여 지점 등의 설립 · 설치 · 전입과 무관한 부동산등기에 대하여도 등록세를 중과세하는 등 혼선이 발생하였다. 그에 따라 2009.5.14. 위 조항을 개정하여 "법인의 본점 또는 지점의 용도로 직접 사용하기 위하여 취득하는 부동산등기"로 한정함으로써 중과요건을 명확히 규정하였다(지방세운영과-87, 2011.1.9.).

여기서 직접사용하는 부동산이란 본점사무소용에 직접 사용하는 부동산(예. 제13조 ①)의 범위보다는 다소 넓다고 볼 수 있는데, 법인이 인적 · 물적 설비를 갖추어 본점의 사업활동 장소로 사용하기 위하여 취득하는 부동산도 포함된다(대법원 2012두20984). 예를 들어 임대용 부동산과 같이 제3자가 사용하는 경우에는 직접사용 부동산으로 볼 수 없지만, 법인이 주체가 되어 해당 부동산을 영업목적으로 사용하는 경우에는 이에 해당한다고 볼 수 있다. 예를 들어 대도시 이외에 소재하는 법인이 호텔업을 영위하기 위해 호텔을 먼저 취득하고, 취득 후 5년 이내에 전입을 하는 경우 호텔업에 제공되는 해당 부동산은 직접사용 부동산으로서 중과세 대상이 된다.

◎ 본점전입에 따른 중과대상에 본점사무실 이외 본점의 사업활동을 하는 부동산도 해당

구 지방세법 시행령 제102조 제2항 전문에서 말하는 '법인이 본점의 용도로 직접 사용하기 위하여 취득하는 부동산'에는 법인이 본점의 사무실 용도로 직접 사용하기 위하여 취득하는 부동산뿐만 아니라 법인이 인적 · 물적 설비를 갖추어 본점의 사업활동 장소로 사용하기 위하여 취득하는 부동산도 포함된다고 해석함이 상당함. 원고의 본점은 이 사건 사업시설에서 노인복지시설사업을 영위한 것으로 보이므로, 이 사건 커뮤니티시설 및 요양시설 중 이 사건 사무실 부분을 제외한 나머지 부분의 경우에도 원고가 인적 · 물적 설비를 갖추어 본점의 사업인 노인복지시설사업에 사용하는 곳은 구 지방세법 제138조 ① 3호, 영 제102조 제2항 전문에 따른 등록세 중과대상(대법원 2012두20984, 2014.4.10.)

◎ 대도시 외 법인이 대도시 내(공업지역)의 부동산을 취득하여 본점 부동산과 공장건물을 신축한 후 5년 이내에 본점을 대도시 내로 이전한 경우, 등록세 중과세 대상을 판단함에 있어 대도시 내로의 법인의 본점 전입 이전(以前)에 본점 전입과 관련성이 없는 공장용으로 사용하는 부분은 중과대상이 아님(감심 2006-257, 2006.6.27.).

4) 사실상 본점·지점의 설립·설치 및 전입에 따른 부동산 취득 중과

본점[35]의 정의에 대해 지방세법상 별도의 정의 규정을 두고 있지 않다. 그래서 특별한 사정이 없는 한 회사를 규율하는 상법과 동일하게 해석하는 것이 법적 안정성이나 조세법률주의가 요구하는 엄격해석의 원칙에 부합한다(대법원 2007두11092 등). 상법상 회사의 본점이란 회사의 주된 영업소를 의미하므로, 복수의 영업소가 있는 경우 총괄적 지휘를 하는 영업소가 본점이며, 본점은 그 당연한 전제로 인적·물적 설비를 갖추고 계속하여 사무 또는 사업이 행하여지는 장소여야 한다(대법원 2015두55462, 2016.2.18.).

법인등기부 등 공부상(형식상) 본점 또는 지점이 실질적으로는 그렇지 않은 경우가 있을 수 있다. 지방세법상 중과대상의 판단은 공부상 본점을 따지는 것이 아니라 실질적인 기능 측면에서 본점인지 여부를 고려하고 있다. 지점의 경우 부가가치세법상 사업자등록 대상인지 여부 등 일정한 형식적 요건을 따지지만 실질적인 지점인지 여부를 고려해야 한다.

실질적으로 대도시내로 본점이나 지점이 전입하였는지와 관련해서도 다툼이 발생한다. 본점의 전입은 주된 영업소가 다른 장소로 이전하는 것을 의미하고, 상업등기는 선의의 제3자에게 대항할 수 없는 대항력이고(상법 제37조 ①), 본점이 이전한 경우 2주간 내에 그 등기를 하여야 한다(상법 제317조 ④, 제182조 ⑩). 이러한 점을 고려할 때, 본점의 전입은 등기에 앞서 이루어질 수 있기 때문에 본점의 이전등기는 본점 전입의 성립요건은 아니라 할 것이다(대법원 2015두55462, 2016.2.18.).

대도시 내에 본점을 설치하고 있던 법인이 당해 대도시 내에 있는 다른 부동산을 취득하여 형식적으로 지점설치등기를 하였으나 실제로는 종전의 본점을 폐쇄하고 위 지점설치등기를 한 새로 취득한 부동산소재지에 인적, 물적 설비를 이전하여 사실상 본점을 이전한 경우에 해당할 때에는 중과세 대상이 아니다(대법원 2005두2438, 2005.6.9.). 반면 대도시 내 설립된 지 5년이 경과하지 않은 법인이 대도시 내 부동산을 취득하기 이전에 형식상 본점 소재지를 대도시 외로 이전하였다고 하더라도 실질에 있어 이전한 사실이 없다면 당해 부동산 취득은 중과대상에 해당한다(서울고법 2003누20717, 2004.11.11.). 그리고 중과세 대상이 되는 대도시 내로의 법인의 본점 전입에 따른 부동산등기(취득)에는 본점의 전입등기는 이루어지지 아니하였지만 실질적으로 대도시 외에서 대도시 내로 본점을 전입한 법인이 그 전입과 관련하여 취득한 부동산등기도 포함된다(대법원 2006두2503, 2006.6.15.).

법인등기부등본, 사업자등록증 등 공부상의 기록뿐 아니라 해당 장소에서의 국세 및 지방세납부 내역, 건물 임차료·관리비 납부내역 등과 같이 실질적으로 본점 여부 및 전입

35) 주사무소, 분사무소는 민법상 법인의 설립관련 용어이고, 본점, 지점은 상법상 용어이다.

여부에 대한 조사에 따라 판단하여야 한다.

◎ **대도시 내에 있는 다른 부동산을 취득하여 형식적으로 지점설치등기를 하였으나 실제로는 본점을 폐쇄하고 인적, 물적 설비를 이전하여 사실상 본점을 이전한 경우 중과 제외**

원고 회사는 본점이전을 목적으로 토지를 취득하여 건물을 신축한 다음 실제로 종전의 본점에 있던 모든 인적·물적 설비를 이 사건 건물로 이전하고 종전의 본점건물을 임대하는 등 종전의 본점은 폐쇄한 점, 위와 같이 본점이 이전될 때까지 강남지점의 사업장소재지로 등록된 이 사건 건물에는 강남지점의 사업수행을 위한 아무런 인적·물적 설비가 갖추어져 있지 않았을 뿐만 아니라 그곳에서 부동산임대업 등 어떤 사업도 이루어지지 않은 점, 이 사건 건물의 관리용역을 수행하는 ○○○○○을 원고 회사의 강남지점으로 볼 수는 없는 점 등을 종합해보면, 2001.11.30. 본점을 이 사건 건물로 이전한 것으로 보아야 하고, 2001.9.18. 지점을 설치한 것으로는 볼 수 없음(대법원 2005두2438, 2005.6.9.).

◎ **사업비 지출이 서울소재 용역회사에서 이루어졌더라도 실질적으로 법인등기부상 본점 소재지(화성)에서 전반적인 본점업무를 수행하고 있다면 대도시 전입으로 볼 수 없음**

대도시 외의 사업장을 본점소재지로 한 법인등기부등본, 사업자등록증, 국세 및 지방세납부내역, 본점건물 임차료·관리비 납부내역, 건설협회 사업장 조사결과서 등과 같이 실질적으로 법인등기부상 본점 소재지(화성)에서 전반적인 본점업무를 수행하고 있었다면, 비록 업무용역계약에 따라 질의법인의 일부 업무를 수탁법인의 사업장(서울)에서 수행하였다고 하더라고 이를 대도시내 본점 전입으로 보아 중과세하기는 어렵다고 할 것임. 다만, 이와 달리 법인등기부상 본점(화성)은 허위사업장에 해당하고, 실질적으로 대도시내의 사업장에서 본점업무가 전반적으로 이루어진 것이 객관적으로 입증되는 경우라면 본점의 대도시로의 전입으로 보아 중과세 적용(지방세운영과-3155, 2015.10.7.)

◎ **실질적 본점업무가 전반적으로 이루어진 것이 객관적으로 입증되는 사업장이 본점**

대도시 외의 본점사무소에서 실질적으로 본점업무를 전반적으로 수행하면서 사업의 효율적인 진행을 위해 업무용역계약을 체결하고 일부 업무를 위탁함에 따라, 위탁받은 업무를 수탁자의 사업장에서 행하였다고 하여 이를 바로 위탁법인의 본점을 수탁자의 사업장 소재지로 전입한 것으로 보는 것은 곤란(대법원 2013두15620, 2014.2.13.)

◎ **기존 본점 이외에 별도의 사무실을 기준으로 실질적 본점 설립이나 본점의 전입에 따른 부동산 등기로 보아 중과한 것은 부당**

원고의 주주총회는 모두 용인본점에서 개최되었으며, 이사회는 대부분 용인본점에서 개최되었고 일부는 서울 르네상스 호텔에서 개최된 사실. 여기에 본점은 원칙적으로 두 곳에 동시에 존재할 수 없는 점, … 용인본점과 관련된 전화 및 인터넷사용료, 주유비 등의 비용지출규모가 대치동사무소 또는 방배동사무소의 설치 또는 폐지에 별다른 영향을 받지 않고 계속 일정하게 유지되었던 점 등을 더하여 보면, 위에서 인정한 사실만으로는 용인본점의 기능이 대치동사무소 또는 방배동사무소로 이전되어 대치동사무소 또는 방배동사무소가 원고의 영업에 관하여 총괄적 지휘를 한 주된 영업소가 되었다고 보기 어려움(대법원 2015두55462, 2016.2.18.).

◎ **경기소재에 본점등기를 하고 있으나, 서울 소재사무실에서 본점업무의 일부를 수행하고 있었던 경우 서울사무소를 실질적 본점으로 보아 등록세 중과를 배제할 수 없음**

원고가 07.4.30. 서울 ○○○구 ○○○동에 있는 부동산에 관하여 소유권이전등기('이 사건 등기'), 07.12.21. 안산시 ○○동에 있던 ○○사업장에서 이 사건 부동산 소재지로 본점을 이전하고 07.12.27. 그 본점이전등기까지 마침 … 이 사건 등기를 마치기 5년 전부터 서울 ○○○구 ○○○동 소재 서울사무소에서 원고의 업무가 일부 수행되었다고 하더라도 실질적 본점으로 볼 수 없고 위 ○○사업장이 원고의 실질적 본점에 해당하므로 중과대상인 대도시 내로의 법인의 본점 전입에 따른 부동산등기에 해당(대법원 2013두15620, 2014.2.13.)

◎ **대도시 외 법인(법인등기부등본상 본점소재지)이 대도시 내에 사실상 본점 전입 후 5년 이내에 부동산을 취득한 경우 중과세 대상**

대법원에서는 중과세 대상이 되는 대도시 내로의 법인의 본점 전입 이후의 부동산등기에 대해 본점의 전입등기는 이루어지지 않았지만 실질적으로 대도시 외에서 대도시 내로 본점을 전입한 법인이 그 이후에 취득한 부동산등기도 포함한다고 판시(대법원 2006두2503, 2011두1115)하고 있음. 따라서, 법인등기부등본상의 본점소재지를 대도시 외 지역으로 하여 법인을 설립한 이후 본점을 사실상 대도시 내 지역으로 전입하였다면, 사실상 본점 전입일부터 5년 이내에 대도시 내에서 취득하는 모든 업무용・비업무용 또는 사업용・비사업용 부동산은 취득세 중과대상이라 할 것임(지방세운영과-2409, 2018.10.12.).

5) 대도시 내에서의 본점 이전(전입)

대도시 이외에서 대도시내로 법인이 이전하는 경우 법인의 설립으로 보아 중과세를 적용한다. 그리고 동일 대도시내이지만 서울시로 이전하는 경우에도 법인의 설립으로 본다.

2017.1.1. 대도시내 전입 법인 취득세 중과기준을 보완하였다(법 제13조 ② 1호, 영 제27조 ③・제45조 ④). 당초 규정상 법인이 본점을 '대도시내로 전입'하면 취득세를 중과하도록 규정하고 있으나, 시행령에서는 수도권 지역은 예외적으로 '수도권 타 지역에서 서울시로 전입'하면 모두 중과하도록 규정하고 있어, 모법에 반할 소지가 있었다. 그에 따라 시행령 상의 중과대상 범위(수도권 지역 중과)를 법에 직접 명시하게 되었다. 당시 주사무소를 경기 성남에서 서울(강남)으로 이전 시 지방세법상 중과대상이 아니므로 등록면허세 중과세 대

상이 아니라는 하급심 결정(서울행법 2015구합75237, 서울고법 2016누37364)이 있었는데 최종적으로 대법원에서 중과가 타당하다고 보았다(대법원 2016두65602, 2018.11.29.). 대법원 결정 이전에 지방세법 개정으로 입법 보완하였다(2017.1.1.).

서울특별시 내 산업단지(구로구 및 금천구 소재한 서울디지털산업단지) 내에 본점을 두고 있다가 대도시로 본점을 이전한 경우에도 중과대상인 대도시 내 본점의 전입에 해당한다(서울행법 2010구합45941, 2011.4.27. : 대법확정). 예를 들어 구로구 내 산업단지에서 법인을 설립한지 5년이 경과하였더라도 서울시내 그 밖의 지역으로 이전한 경우, 법인 설립으로 보아 등록면허세(설립등기)를 중과세하고 해당 법인이 5년내 부동산을 취득하는 경우라면 부동산 취득에 대해 중과세가 적용된다.

◎ 수도권에서 설립되어 5년이 경과한 법인이 서울시로 전입한 후 5년 이내에 수도권의 부동산을 취득한 경우 취득세 중과세 대상에 해당하지 않음

서울시 이외의 대도시 지역에서 서울시로 이전하는 경우에는 대도시 내로의 전입으로 간주되는 바, 이는 대도시 중에서도 특히 서울시 내로의 인구집중이나 경제집중으로 인한 폐단을 방지하기 위한 조세정책적인 이유에서 특별히 중과하겠다는 취지(대법원 2001두10974)이므로, 서울시 외의 대도시내 부동산을 취득하는 경우 서울시 전입일 이후의 기간은 서울시 외의 대도시 전입 이후 기간에 포함되는 것으로 보아야 할 것임. 따라서 서울시 외의(대도시 내) 부동산 취득시 중과할 수 없음(지방세운영과-2422, 2018.10.12.).

☞ 수도권(대도시)에서 기존법인이 서울시로 전입한 경우 법인 설립으로 본다 하더라도 이는 서울시 내 부동산을 취득하는 경우에 한해 중과 적용

◎ 서울시 외 대도시 내에서 법인설립 후 5년이 경과한 법인이 서울시로 전입한 이후 5년 이내에 서울시 외 대도시 내에 소재한 부동산을 취득한 경우 대도시 내 본점 전입 이후 5년 이내 취득하는 부동산으로 보아 중과할 수 없음(대법원 2001두10974, 2003.8.19.).

3. 지점 중과세

1) 지점 중과세 개요

독립된 지점을 설치한 이후 5년 이내에 해당 지점용 부동산을 취득하는 경우에는 중과대상이고, 취득한 부동산에 향후 5년 이내에 지점을 설치하는 경우 중과대상이다. 이 때 그 지점에 소속된 관할 영업소용 부동산을 취득한 후 해당 영업소에 대하여 별도의 사업자등록이나 지점설치 등기를 하지 않은 경우(일시적인 사용 포함)라도 중과대상이다(대법원 2000두3528). 그리고 지점의 일부를 분리하여 독립된 지점을 설치한 이후 5년 이내에 해당

지점용 건축물을 신축한 후 지점으로 사용하는 경우에는 지점설치 이후의 부동산등기로 보아 중과대상에 해당함(대법원 98두1673).

취득한 부동산이 새로운 지점의 설치와 관련되어 있다면 중과대상이 되고, 본점(5년 경과 또는 지방소재)과 관련된 부동산이라면 중과대상에서 제외될 수 있기 때문에 어느 것이 본점이고 지점인지 구분할 필요가 있다.

취득세 중과세 대상인 '대도시에서 법인의 지점 또는 분사무소를 설치함에 따라 대도시의 부동산을 취득하는 경우'에 있어 '지점 또는 분사무소'는 '법인세법·부가가치세법 또는 소득세법에 따라 등록된 사업장으로서 인적 및 물적 설비를 갖추고 계속하여 사무 또는 사업이 행하여지는 장소'를 말한다. 2014년부터 등록된 사업장에서 '등록대상이 되는 사업장'으로 개정되었기 때문에 부가가치세법 등에 따른 사업자 등록을 하지 않더라도 등록대상이 되면 중과요건을 충족하게 된다.

'인적 설비'란 고용형식이 반드시 해당 법인에 직속하는 형태를 취하여야 하는 것은 아니지만 적어도 해당 법인의 지휘·감독 아래 인원이 상주하는 것을 뜻한다(대법원 2014두4023). 아울러 영업활동을 위한 의사결정 기능을 갖고, 예산·회계업무를 독립적으로 수행하면서 대외적인 거래업무가 행하여지는 본점 이외의 장소이다(대법원 99두3188). 본점 이외의 장소라 하더라도 경리, 인사, 연구, 연수, 재산관리업무 등 대외적인 거래와 직접적인 관련이 없는 내부적 업무만을 처리하고 있는 경우는 지점이 아닌 본점에 해당된다(예규 지법 13-5).

지점설치 이전에 부동산을 먼저 취득하였다 하더라도 이후 지점이 설치되었을 경우에 비로소 중과세요건이 충족되어 그때 중과세분에 대한 납세의무가 성립하지만(대법원 91누10619), 지점 설치 이후 5년 내 취득하는 부동산의 경우에는 그 취득시에 중과세 요건이 충족하게 되므로(대법원 95다56217) 적용시점에 유의하여야 한다.

2) 사업자등록 여부와 지점 중과

당초 부가가치세법상 사업자등록 여부를 중과대상 지점 또는 분사무소의 요건으로 규정하고 있었는데, 중과적용에서 제외되기 위해 사업자 등록을 하지 않는 부작용이 나타나게 되었다. 그에 따라 사실상 지점으로 이용하면서도 사업자등록을 하지 아니하여 중과세를 회피하는 사례를 차단하기 위한 취지에서 2014.1.1.부터는 사업자등록을 하지 않았다 하더라도 사업자 등록 대상이면 중과요건인 지점으로 볼 수 있도록 개정하였다. 한편 이러한 규정으로 인해 실질적으로 오랜기간(5년 이상) 사실상 지점으로 기능을 해왔지만 사업자등록을 하지 않은 법인이 부동산을 취득하는 경우 지점 설치에 따른 중과를 할 수 있는지 다툼이 될 수 있다.

개정 전까지 사업자등록 없이 사실상 지점으로 사용하던 법인이 부동산을 취득하는 경우 중과세를 적용할 경우 불합리하다는 지적도 있을 수 있다. 그러나 개정 규정의 취지가 개정 전까지 사업자등록 없이 사실상 지점으로 사용하던 법인에 대해 중과세 제외 혜택을 부여하기 위한 것이라 볼 수 없고, 해당 규정은 중과세 요건을 강화한 것에 불과하고, 해당규정 개정 이후 과세대상 물건을 취득하여 납세의무가 성립한 것이라면 소급과세에 해당하지 않는 점 등을 종합해 볼 때, 2014.1.1. 전부터 사업자 등록없이 지점의 실질적 요건을 유지해 왔다고 하더라도 개정 이후 5년 내 부동산을 취득한 이상 중과세 대상으로 보는 것이 타당하다(지방세운영과-993, 2017.11.16.). 즉 규칙 제6조 개정(2014.1.1.) 전 5년 이상 인적 및 물적 설비를 갖추었으나 사업자등록 없이 영업을 계속하였던 법인이 개정 이후 5년 내 부동산을 취득한 경우 중과 대상에 해당한다.

3) 본점이전과 지점설치와의 관계

대도시 내에서 본점이 있는 상태에서 지점을 설치하면서(지점 설치가 명확하지 않은 상황) 해당 지점으로 본점이 이전해온 경우 지점 설치에 따른 중과인지 단순히 본점 이전에 따른 등록면허세 대상인지 다툼이 될 수 있다. 만약 기존에 형식적인 본점만 있었다든지 지점설치에도 불구하고 기존의 본점에 여전히 인적 또는 물적 시설이 있다면 이는 본점 이전으로 볼 수 없고 지점 설치에 따른 중과대상으로 보는 것이 타당하다. 또한 법인 설립 후 5년이 경과된 법인이 임차하여 사용하던 본점을 타 지역으로 이전하고 그 자리에 지점을 설치한 후 동 임차건물을 취득하는 부동산은 취득세 중과대상에 해당한다(예규 지법 13-4).

◎ 사실상의 본점 이전이 아닌 지점 설치에 따른 중과 대상

대도시내에 본점을 설치하고 있던 법인이 당해 대도시내에 있는 다른 부동산을 취득하여 지점을 설치하였으나 사실상 본점을 이전한 경우에 해당할 때에는 등록세 중과요건을 결하게 되지만(대법원 89누7207), 사실상 본점을 이전한 경우에 해당한다고 하기 위하여는 새로 취득한 부동산에 한 지점 설치는 형식적인 것이고, 실제로는 종전의 본점을 폐쇄하고 새로 취득한 부동산 소재지에 본점의 인적·물적 설비를 철수하여 이전한 경우라야 할 것인데, 종전의 본점 소재지에 아무런 인적·물적 영업설비를 갖추고 있지 아니하다가 지점 설치를 한 이 사건 부동산에 비로소 인적·물적 영업설비를 갖추었다는 것이므로, 이는 사실상 본점을 이전한 경우에 해당한다고 할 수 없음 … 지점 설치에 따른 부동산등기로 보아 등록세 중과대상임(대법원 98두11786, 1999.5.14.).

◎ 기존에 운영하고 있던 호텔과 동종의 호텔용 부동산을 취득한 후 동 부동산 내 사업자 등록을 하였다고 하여 이를 사실상의 본점의 이전으로 볼 수 없고 새로운 지점의 설치로 보아

등록세가 중과되는 것이 타당함(대법원 98두8810, 1999.3.23.).

4) 사업의 포괄양수에 따른 중과

법인이 '자연인'으로부터 영업 일체를 양수하여 그 사업장 위에 지점을 설치한 후 종전과 동일한 사업을 영위하는 경우 그 지점과 관련한 부동산 취득은 취득세 중과대상에 해당한다(예규 지법 13-4). 한편 대법원 92누12742 판결은 다른 '법인'으로부터 영업양수를 하면서 당해 법인으로부터 그 영업용 부동산을 그대로 취득한 경우 중과대상이 아니라고 보고 있다.

◎ **개인사업자로부터 사업을 포괄양수하는 경우에는 중과대상**

(사실관계) '07.8. 이 사건 토지에서 '○○○자동차운전전문학원'이라는 상호로 운전학원을 운영하던 ○○○로부터 영업 일체를 양수하고, 같은 날 이 사건 토지에 지점 설치, 그 후 ○○○ 등으로부터 이 사건 토지를 취득하여 '07.9. 소유권이전등기 … 사업양수도계약에 따라 종전에 없던 새로운 사무실을 설치한 것이 아니라 종전부터 존재하고 있던 양도법인의 지점 사무실을 그 소속만을 양수법인의 지점으로 바꾸어 유지·존속시킨 것에 불과한 경우에는 중과대상이 아니나(대법원 92누12742, 1993.5.25.), 개인사업자로부터 사업을 포괄양수하는 경우에는 중과대상(대법원 2011두14777, 2013.7.12.)

◎ **영업양수인이 영업양도인이 설치한 지점 사무실을 양수받아 분사무소로 사용하는 경우 지점 설치 이후의 부동산등기로서 등록세 중과 대상인지 여부(중과대상 아님)**

갑 회사가 영업양수도계약에 따라 을 회사로부터 항업부문 영업 및 관련자산 일체를 양수하게 됨으로써 항업부문 영업을 위하여 설치된 지점이 사용하고 있던 부동산을 취득함과 동시에 지점 사무실을 분사무소 형태로 유지시킨 것이라면 종전에 없던 새로운 사무실을 설치한 것이 아니라 종전부터 존재하고 있던 지점 사무실을 소속만 갑 회사의 지점으로 바꾸어 유지·존속시킨 것에 불과하고, 이는 "대도시 내에서의 지점설치 이후의 부동산등기"로서 등록세 중과세 대상에 해당하지 아니함(대법원 92누12742, 1993.5.25.).

5) 중과대상 지점용 부동산이라는 사례

◎ **지점이 이미 설치되어 있었다고 하더라도 새로운 부동산으로 이전하여 업종을 새로이 시작한 것은 사실상 '해당 업종을 위한 지점을 새로이 설치한 것'에 해당**

만약 이와 같이 해석하지 아니한다면, 법인이 실질적으로는 새로이 임대업을 영위할 목적으로 부동산을 취득하면서 종래 그 대도시 내의 다른 곳에서 다른 종류의 사업을 행하여 오던 지점을 그 부동산으로 이전시켜 형식적으로만 '대도시 내 지점 이전'의 외양을 갖춘 경우, 언제나 해당 부동산등기 전부에 대하여 중과세율을 적용할 수 없게 되는 불합리·불공정한 결과가 발생함. 대도시내 부동산으로 설비를 이전함과 동시에 부동산 전부를 사용하여 임대업을 새로이 시작한 것은 임대업을 위한 지점을 새로이 설치한 것에 해당함(대법원 2008두17080, 2008.12.11.).

◎ 대도시 내에 지점 설치 후 5년 이내에 기존 건물을 취득하는 경우라면 업무용·비업무용 또는 사업용·비사업용의 모든 부동산이 취득세 중과세 대상에 해당

임대사업자가 임대하기 위하여 취득한 부동산은 중과세 대상에 해당되지 않는다는 지방세법 운영예규(지법 13-2)은 같은 법 제13조 제1항에 따른 본점이나 주사무소용 신·증축 사업용 부동산에 대한 것으로서, 대도시 내에 법인 설립 및 지점 설치 후 5년 이내에 기존 건물을 취득하는 경우의 취득세 중과세 해당 여부는 같은 법 제2항 및 그 시행령 제27조 제3항의 본문 후단에 따라 판단하여야 할 것이므로 대도시 내에 지점 설치 후 5년 이내에 기존 건물을 취득하는 경우라면 업무용·비업무용 또는 사업용·비사업용의 모든 부동산이 취득세 중과세 대상에 해당된다고 할 것이므로 당해 건물을 임대사업 목적용으로 취득하는 경우라도 달리 볼 것은 아님(지방세운영과-206, 2012.1.17.).

◎ 서울소재 법인이 대도시 내 모텔을 취득하여 사업자등록, 계산대 설치 및 숙박료 계산, 일용직을 고용하여 청소를 하는 등 그 운영을 직접 행한 경우 중과대상

여기에서 말하는 "인적 설비"란 당해 법인의 지휘·감독하에 인원이 상주하는 것을 뜻할 뿐이고 그 고용형식이 당해 법인에 직속하는 형태를 요구하는 것은 아니라고 해석함이 상당하므로(감심 2004-2, 2004.1.20.), 대도시 내에 설립(2002.2.8.)한 법인이 대도시 내의 모텔을 취득(2007.10.2.)한 후 사업자등록을 하고 계산대를 설치하여 숙박료를 계산하고 일용직을 고용하여 청소를 하는 등 그 운영을 직접 행한 경우라면, 지방세법 시행규칙 제55조의 2에 의한 "지점 등"에 해당되어 중과세 대상(지방세운영과-2299, 2009.11.26.).

☞ 법인이 아닌 개인사업자가 영업을 위하여 사용하고 있던 건물인데, 원고가 이를 승계취득하여 지점으로 사용하고 있으므로, 이 사건 부동산의 취득은 중과대상에 해당(대법원 92누12742 판결은 다른 법인으로부터 영업양수를 하면서 종전부터 존재하던 법인의 사무실을 그 소속만 원고의 지점으로 바꾼 사안에 관한 것으로서 사안을 달리함)(대법원 2016두33872, 2016.5.12.)

◎ 중과세율 적용대상은 사무실 용도로 직접 사용하는 부분뿐 아니라 전체(숙박업)가 해당

시행령 제27조 ③ 전단에서 말하는 '법인이 지점의 용도로 직접 사용하기 위하여 취득하는 부동산'에는 법인이 지점의 사무실 용도로 직접 사용하기 위하여 취득하는 부동산뿐만 아니라 법인이 인적·물적 설비를 갖추어 지점의 사업활동 장소로 사용하기 위하여 취득하는 부동산도 포함된다고 해석함이 타당(대법원 2012두20984). 원고가 이 사건 부동산에서 원고 명의로 사업자등록을 마치고 지점의 사업으로서 숙박업을 계속 영위하고 있는 사실 … 따라서 이 사건 부동산은 전체가 중과대상에 해당(대법원 2016두33872, 2016.5.12.)

◎ 개정 부가가치세법(2006.12.30.)에 의한 사업자단위 과세적용 사업장이 아닌 종된 사업장인

경우에도 등록세 중과세대상인 "지점"에 해당

사업자단위과세제도가 시행됨에 따라 부가가치세법에 의한 사업자단위과세 승인 시 사업자단위과세적용 사업장을 제외한 각 종된 사업장의 사업자등록은 사업자단위과세 적용일 전날 자동으로 직권 말소되고, 신고 된 각 종된 사업장은 일련번호를 부여받음 … 이 경우 사업자단위 과세적용 사업장이 아닌 종된 사업장인 경우에도 등록세 중과세대상인 "지점"에 해당된다고 봄이 타당함(지방세법령해석심의위원회 제2008-3호, 2008.3.24.).

◎ 부동산 임대업, 주유소·주차장업으로 5년 이상 지점 사업을 영위하던 법인이 관광호텔업 업종을 추가하고 호텔사업을 영위하는 경우 새로운 지점의 설치로 보아 중과대상

'08.12. 지점을 설치하였으나, 당시 임대업, 주유소·주차장업 영위, '14.5. 지점 소재지에 호텔 건축 허가 신청, '14.7. 지점에 존재한 기존 건축물을 철거하면서 주유소·주차장업 등의 업무를 호텔 신축관련 업무로 전환, '14.9.3. 비로소 지점 사업자등록에 새로이 '호텔관련업 등' 업종 추가 ⇒ 기존 지점의 사업 영역은 임대업에 불과하고, 해당 부동산 신축이 호텔관련업을 영위할 목적에서 비롯된 것이고, 기존 지점의 규모와 신축 이후의 규모를 비교할 때 인구유입 및 경제력 집중을 유발한다고 보아야 할 것이므로, 건축물을 신축하면서 사실상 새로운 지점을 설치한 것으로 봄(지방세운영과-25, 2017.7.28.).

6) 중과대상 지점용 부동산이 아니라는 사례

◎ 대도시 내 설치 후 5년이 경과한 지점을 동일성을 유지한 채 대도시 내로 이전시 여유공간이 발생하여 해당 공간을 임대사업에 사용할 경우, 중과세 대상에 해당하지 않음

임대부분에 관리인 등 인적설비를 갖추지 않는 이상 「지방세법 시행규칙」 제6조에 따른 중과대상 적용 사무소 등의 범위에 해당하지 않아 새로운 지점의 설치로 볼 수 없는 점, 해당지점은 대도시 내(중과지역) 설치한 지 5년이 경과한 지점에 해당하는 점 등을 종합해 볼 때, 해당 임대부분에 대한 관리 등 모든 업무를 중과지역 내 설치한 지 5년이 경과한 A지점에서 수행한다면 직접사용하지 아니하는 임대부분에 대해서는 중과세 대상에 해당하지 않음(지방세운영과-996, 2017.11.16.).

◎ 법인 또는 지점의 설립·설치·전입 이전에 직접 사용을 위한 사무실 및 부대시설 등이 아니라 임대 등을 목적으로 취득한 경우 등록세 중과과대상이 아님

법인 또는 지점 등이 그 설립·설치·전입 이전에 법인의 본점·주사무소·지점 또는 분사무소의 용도로 직접 사용하기 위하여 취득하는 부동산이란 당해 본점 또는 지점용 사무실 및 그 부대시설용 등을 의미하는 것으로, 직접 사용이 아닌 임대 등을 목적으로 취득한 부동산의 경우에는 등록세 중과대상에 해당하지 아니함(지방세운영과-87, 2011.1.9.).

◎ 법인이 취득 후 위탁한 대도시 내 골프장에 대한 지휘 · 감독권을 가지고 있지 아니한 경우에는 지점의 설치로 보아 취득세를 중과할 수 없음

취득세 중과세 대상인 '대도시에서 법인의 지점 또는 분사무소를 설치함에 따라 대도시의 부동산을 취득하는 경우'에 있어 지점 또는 분사무소는 '법인세법 · 부가가치세법 또는 소득세법에 따라 등록된 사업장으로서 인적 및 물적 설비를 갖추고 계속하여 사무 또는 사업이 행하여지는 장소'를 말하는데, 여기에서 '인적 설비'란 그 고용형식이 반드시 해당 법인에 직속하는 형태를 취하여야 하는 것은 아니지만 적어도 해당 법인의 지휘감독 아래 인원이 상주하는 것을 뜻함(대법원 2008두18496, 2011.6.10., 대법원 2014두4023, 2014.6.26.).

◎ 부동산임대업을 영위하는 대도시 내 신설법인이 지점과 관련없이 취득한 오피스텔은 지점등과 관련하여 5년 이내 취득한 부동산으로 보기 곤란하므로 중과세는 부적법함(대법원 2009두607, 2009.4.9.).

◎ 대도시 외 법인이 대도시 내에서 토지를 매입하여 상가 신축 및 분양 목적으로 사업자등록을 하였으나 모든 업무를 본점에서 수행하는 경우 중과대상이 아님(지방세운영과-2528, 2008.12.16.).

4. 채권보전용 부동산의 중과 제외(영 제27조 ③)

대도시 내 중과 제도에서 '채권을 보전하거나 행사할 목적으로 하는 부동산등기'에 대해서는 중과세하지 않는 예외규정을 두고 있다. 여기서 '채권을 보전하거나 행사할 목적으로 하는 부동산등기'라 함은 채권자가 그 채권의 담보를 취득하기 위하여 하는 등기, 그 채권을 변제받는 일환으로 하는 등기, 그 채권의 담보권을 실행하는 과정에서 하는 등기 등과 같이 채권자가 가지고 있는 해당 채권이 직접적으로 보전되거나 행사된 것으로 볼 수 있는 경우를 말한다. 그리고 이에 대한 판단 기준은 금전대여와 관련한 사항, 담보확보의 문제, 부동산 취득경위, 경매절차로 채권을 회수하지 아니하게 된 경위, 채무인수 경위, 부동산 매각노력 여부 등을 종합하여 판단하여야 한다(대법원 2010두412, 2010.4.15.).

| 채권보전용 부동산의 범위(예규 지법 13…27－1) |

채권자가 채권의 담보 · 변제 · 실행을 하기 위하여 채권보전용 부동산을 취득하는 경우는 다음과 같다.

1. 채권에 대한 양도담보로 제공받는 등 채권자가 그 채권의 담보를 위하여 취득하는 경우
2. 채권에 대한 대물변제로 취득하는 등 채권자가 그 변제를 받는 일환으로 취득하는 경우
3. 담보목적물의 부동산에 대한 경매절차에서 채권자가 직접 경락받는 등 채권자가 그 채

권의 담보권을 실행하는 과정에서 취득하는 경우
4. 제1호부터 제3호와 유사한 사유로 취득하는 경우
※ 채권보전용 부동산을 취득하여 소유권이전등기를 한 후 일시적으로 사용·수익하는 경우라도 채권 보전·행사용 부동산 소유권이전으로 보아 중과대상에서 제외한다.

◎ 채권보전용으로 부동산을 취득하여 5년 내에 지점을 설치·사용하는 경우 중과세 해당

"채권을 보전하거나 행사할 목적"의 부동산 취득이라 함은 불량채권 등의 회수를 위한 방편으로서 일시적으로 부동산을 취득하는 것(세정 13407-677, 2001.6.20.)으로 부동산을 취득한 후 당해 법인의 사업용이나 수익사업에 사용하는 경우에는 채권을 보전하기 위하여 일시적으로 취득한 부동산으로 볼 수 없으므로(심사결정 2006-310, 2006.7.31.) 채권보전용으로 취득한 경우라도 5년 내에 당해 부동산에 지점을 설치·사용하는 경우라면, 당해 부동산 취득은 지점의 설치에 따른 부동산 취득에 해당되어 취득한 부동산 중 지점설치와 직접 관련된 부분에 대하여는 취득세 중과세대상에 해당되는 것(지방세운영과-2009.4.30.)이라 할 것임(지방세운영과-3440, 2012.10.30.).

◎ 모회사의 채권을 인수한 후 이를 보전할 목적으로 부동산을 취득한 경우 채권보전용 부동산등기에 해당하므로 중과대상이 아님

매각에 상당한 시간이 소요될 수 있고 시설의 운영성과에 따라 매각가격이 달라질 수 있는 특성이 있고, 부동산을 취득하게 된 경위, 원고의 설립 당시 ○○그룹 및 ○○건설의 재무구조 및 자금상황이 좋지 않았던 점, ○○○와 원고가 이 사건 시설을 운영하면서 영업손실을 입은 점, ○○그룹 또는 ○○건설이 이 사건 부동산의 매각을 위하여 노력한 점 등에 비추어 보면, ○○그룹 또는 ○○건설이 원고를 설립하여 이 사건 부동산을 취득한 주된 목적은 이 사건 구상금채권 등을 회수하기 위한 것이고 레저사업을 영위하기 위한 것이 아님을 알 수 있음(대법원 2013두20202, 2014.1.16.).

◎ 부동산 취득등기 후 사업용·수익사업에 사용하는 경우 채권보전용 부동산으로 볼 수 없음

대도시 내에서 지점 등을 설치하기 이전에 취득하는 '일체의 부동산등기'에는 지점 등의 설치와 무관하게 취득한 부동산의 등기는 포함되지 않는 것으로 해석하여야 할 것(대법원 94누11804, 1995.4.28.)이고, 채권을 보전하거나 행사할 목적으로 하는 부동산등기라 함은 채권변제나 상계를 조건으로 부동산을 취득하거나 공사비대가로 부동산을 취득하는 것과 채권에 기하여 부동산을 경매하여 경락받는 것 등 불량채권 등의 회수를 위한 방편으로서 일시적으로 부동산을 취득·등기하는 것(세정 13407-677, 2001.6.20.)으로서 동 부동산을 취득등기한 후 당해 법인의 사업용이나 수익사업에 사용하는 경우에는 채권을 보전하기 위하여 일시적으로

취득한 부동산으로 볼 수 없음(행심 2006-310, 2006.7.31.).

◎ 건물의 전매차익으로 임대차보증금 등 채권의 회수불능에 따른 손해를 만회할 목적에서 비롯된 것이라면 '채권을 보전하거나 행사할 목적으로 하는 등기'에 해당하지 않음(대법원 2008두15091, 2011.4.28.).

5. 중과제외 업종(영 제26조 ①)

대도시 내 설립된 법인이라도 대도시에 설치가 불가피하다고 인정되는 업종에 대해서는 중과적용을 배제하고 표준세율을 적용한다. 대도시에서 설립된지 5년이 경과하지 않은 법인이 부동산을 취득하더라도 해당 부동산이 법령에서 정하는 중과제외 업종에 사용되는 경우 중과대상에서 제외된다. 이러한 "대도시 중과 제외 업종"은 시행령에서 28개 유형을 정하고 있다. 중과제외 업종에 사용여부를 판단해야하므로 취득 후 해당용도에 사용하는지 여부에 대한 추징요건을 두고 있다.

☞ 법 제13조 제3항·제4항과 연계하여 참조

◎ **오피스텔을 신축·매매 등으로 취득하여 임대사업을 영위하는 경우 중과 제외 업종 해당**

「민간임대주택에 관한 특별법」에서는 "민간임대주택"에 대해 임대 목적으로 제공하는 주택으로서 임대사업자가 제5조에 따라 등록한 주택을 말하는데, 그 주택의 범위에 오피스텔도 포함토록 규정하고 있는 점, 주택임대사업을 중과제외 업종으로 신설하게 된 취지는 임대주택 활성화를 통한 서민주거생활 안정을 도모하기 위한 것이므로, 오피스텔이라 하더라도 관계법령에 따라 주택임대사업에 사용된다면 그 취지에 부합한다고 보아야 하는 점 …「지방세법 시행령」 제26조 제1항 제31호에서 중과제외업종으로 규정한「민간임대주택에 관한 특별법」 제5조에 따라 등록을 한 임대사업자가 경영하는 주택임대사업에 오피스텔도 포함된다고 할 것임(지방세운영과-1064, 2018.5.8.).

◎ 대도시 내 설립된 지 5년이 경과하지 않은 법인이, 중과 제외업종용 지점설치를 위해 취득한 부동산이라도 1년 이내에 해당 업종에 직접 사용하지 아니한 경우에는 중과대상에 해당하나(대법원 2000두6749, 2002.7.9.), 지점설치 후 5년이 경과한 후 해당 지점용 부동산을 취득하는 경우에는 중과 제외됨(대법원 99두9827, 2001.5.29.).

◎ **취득세 대도시 중과 제외업종관련, 직접 사용하는 범위에 본점사무실도 포함됨**

"중과제외업종"에 직접 사용하는 부동산이라 함은 해당 "업종"에 직접 사용하는 부동산으로서 본점 사무실도 이에 포함된다고 할 것이나, 법인이 중과대상업종에 영위하는 사업이 있다면 본점 중 중과대상사업 부분에 대해서는 중과세를 적용하여야 할 것임(지방세운영과-3155, 2015.10.7.).

◎ 대도시 내 소재 법인의 주유소 운영업은 중과제외 업종에 해당

「유통산업발전법」 제2조의 "유통산업"이라 함은 농산물 · 임산물 · 축산물 · 수산물(가공 및 조리물을 포함) 및 공산품의 도매 · 소매 및 이를 영위하기 위한 보관 · 배송 · 포장과 이와 관련된 정보 · 용역의 제공 등을 목적으로 하는 산업을 말하는 것으로서 한국표준산업분류표(통계청 고시 제2007-53호(2007.12.28. 제9차))에 의한 "차량용 주유소 운영업"은 「유통산업발전법」에 의한 포괄적인 "유통산업"에 해당된다고 할 것(지식경제부-105호, 2009.2.3.)이므로 대도시 내 소재 법인이 주유소를 운영하는 경우라면 「유통산업발전법」상 유통산업에 해당되어 중과제외업종에 해당됨(지방세운영과-528, 2009.2.4.).

◎ 민간투자방식 이외 방법으로 설치한 영화상영관도 중과배제 대상 기반시설사업에 해당

등록세 중과 제외업종은 사회기반시설에 대한 민간투자법 제2조 제2호에 규정된 사회기반시설사업이면 충분하고, 같은 법이 정한 방식과 절차에 따라 시행된 사회기반시설사업에 국한되는 것으로 볼 수 없음. 원고가 대도시 내에서 지점을 설치한 후 5년 이내인 2008.1.10. 마친 이 사건 부동산등기는 영화상영관을 운영하는 사업에 관한 것으로서 그 사업이 사회기반시설에 대한 민간투자법이 정한 방식과 절차에 따라 시행되는지와 관계없이 등록세 중과 제외업종에 관한 부동산등기에 해당함(대법원 2013두19844, 2014.2.13.).

◎ 중과제외업종인 사회간접자본시설사업에는 사회간접자본시설인 가스공급시설의 신설 · 증설 또는 개량에 관한 사업뿐만 아니라 그 운영에 관한 사업도 포함된다고 보아야 할 것임(대법원 2005두166, 2005.12.8.).

◎ 영어조합법인이 조합원이 생산한 수산물을 소매하기 위해 취득한 부동산 중 매장 내 수산물의 조리 판매 및 접객을 목적으로 하는 일반음식점용 부동산은 중과배제 대상인 업종인 유통산업으로 볼 수 없음(대법원 2007두6175, 2007.6.14.).

◎ 기지국 설비(철탑, 전원설비, 칸막이 등)만을 임대, 관리하는 사업을 중과배제 대상 전기통신 사업(또는 임대사업)이라고 볼 수 없음(서울고법 2003누12822, 2004.6.25. : 대법확정).

◎ 대도시 내에서 법인이 도소매업 개설허가를 받은 자로부터 상가의 일부를 분양받아 은행의 지점을 설치한 경우 중과제외 업종으로 볼 수 없음(대법원 98두10462, 1999.11.26.).

6. 신탁부동산의 중과

대도시에서 법인설립 후 5년이 경과된 법인 또는 지방소재 법인이 대도시내 부동산을 취득하여 '지점을 설치'하는 경우 중과 대상이나 신탁을 통해 중과세를 회피하는 사례가 발생한다. 예를 들어 부동산을 취득하여 신탁(5년내)하는 경우 소유권이 신탁회사에 있어 해당

법인이 지점용으로 사용하더라도 중과대상에서 제외된다. 행정해석에서는 대도시 중과제도의 취지 등을 이유로 중과대상(지방세운영과-25, 2017.7.28.)으로 판단하였으나, 조세심판원은 신탁재산은 수탁자가 사실상의 소유자이므로 '수탁자'기준으로 중과 여부를 판단하므로 중과대상이 아니라고 결정(조심 2018지490, 2018.9.11.)하였다. 이에 대해 법인 설립·설치·전입 이후 취득하는 중과세 대상 부동산의 범위에 신탁재산을 포함하는 규정을 신설하였다(2020.1.1.).

| 최근 개정법령 _ 2020.1.1. | 신탁재산의 대도시내 취득세 중과 범위 합리화(법 §13 ②, 영 §27 ⑥)

본점·주사무소용이 아닌 부동산을 취득하여 신탁하는 경우는 중과세 적용대상에서 배제되는 조세 불형평이 발생하여, 중과대상에 신탁재산을 포함하였다. 「신탁법」에 따른 수탁자가 취득한 신탁재산의 경우 취득 목적, 법인 또는 사무소등의 설립·설치·전입 시기 등은 같은 법에 따른 위탁자를 기준으로 판단한다.

7. 법인 분할과 중과(영 제27조 ④)

대도시 내에서 설립한 지 5년이 경과된 법인의 분할로 인하여 설립된 법인이 부동산을 취득하는 경우 제13조 제2항에 따른 취득세(구 등록세)를 중과세하지 않는다. 분할로 인한 법인설립등기를 함으로써 대도시 내에서 새로이 법인이 설립되지만 사실상으로는 종전의 법인의 일부가 분할되어 계속 존속하는 것이므로 대도시의 인구집중 유발 등 과밀화 해소라는 대도시 중과제도의 취지와 무관하다고 보기 때문이다.

◎ 법인 분할과 무관하게 새로 신축·취득한 건물로 지점이전시 등록세 중과대상

대도시 외의 법인이 법인세법 시행령 제82조 제3항 제1호 내지 제3호의 요건을 갖춘 인적분할로 법인(분할신설법인)을 신설하면서 종전의 법인(분할법인)으로부터 승계받은 대도시 내의 지점을 그 분할기일에 신규로 사업자등록을 한 후, 그 분할등기일로부터 5년이 경과하기 전에 당해 분할과는 무관하게 새로이 신축하여 취득한 건축물로 동 지점을 이전하는 경우라면, 동 건축물에 대한 부동산 등기는 지방세법 제138조 제1항 제3호 후단 소정의 등록세 중과세 대상에 해당되는 것임(지방세운영과-2346, 2009.11.28.).

◎ 종전법인이 임차하여 사용하던 지점용 부동산을 분할신설법인이 취득하는 경우 중과제외

법인분할시 중과세 제외대상은 법인설립등기뿐만 아니라 분할신설법인이 설립 이후 새로이 취득하는 부동산등기까지 포함된다고 할 것(서울고법 2007누26645, 2008.5.16.)인 점 등을 고려할 때, 5년 이상된 A법인으로부터 분할신설된 B법인이 종전 A법인이 임차사용하던 C지점을 승계받아 새로이 지점사업자등록을 하고 그 분할일부터 5년 내에 임차사용하던 부동산을 취득하여 등기하는 경우 구 등록세는 중과세 제외대상(세정-216, 2007.2.14.)이라고 판단됨(지방세운영과-316, 2013.4.15.).

◎ **대도시 내 법인설립 후 5년 이내에 공유 부동산 분할에 따른 등기는 중과대상이 아님**

원고를 비롯한 위 토지의 공유자들이 법원의 화해권고결정에 따라 이를 분할하여 그 중 이 사건 토지를 원고의 단독소유로 하기로 하고 '이 사건 공유물 분할등기'를 마친 사실, 대도시 내의 공유 부동산의 분할은 대도시의 인구집중을 유발할 우려가 없고 이를 이 사건 법령에서 말하는 '취득'으로 해석하면 공유지분을 취득할 때 등록세가 중과되었음에도 공유물을 분할할 때 재차 등록세가 중과되어 입법 취지에 반하게 되는 점 등 … 등록세 중과 부분은 그 하자가 중대하고 명백하여 당연무효(대법원 2010두1981, 2012.3.29.)

☞ 법인분할에 따른 취득이 아닌 공유물 분할에 따른 등기에 대해 중과대상이 아니라는 사례임.

8. 법인 합병과 중과(영 제27조 ⑤)

시행령 제27조 제5항에 따라 대도시에서 설립 후 5년이 경과한 법인(기존법인)이 다른 기존법인과 합병하는 경우에는 중과세대상으로 보지 아니한다. 취득세 및 등록면허세 부담을 완화하여 기업구조조정을 촉진하려는 취지를 반영한 것이다.

◎ **기존법인간의 합병과정에서 피합병법인이 임차하여 사용하던 본점소재지에 존속법인의 지점을 설치한 다음 해당 지점용 부동산을 취득하는 경우 중과대상이 아님**

기존법인이 다른 기존법인과 합병하는 과정에서 피합병법인이 임차하여 사용하던 종전 본점 소재지에 존속법인의 지점을 설치한 다음 5년 이내에 임차한 해당 지점용 부동산을 취득하는 경우 그 부동산은 제27조 제5항이 적용된다고 봄이 타당(대법원 2011두12726, 2013.7.11. 참고)함(지방세운영과-36, 2015.1.6.).

◎ **종전회사를 흡수합병하면서 그 지점을 소속만 합병회사의 지점으로 바꾸어(1년 뒤 해당 지점용 부동산 취득등기) 유지·존속한 것은 대도시 내에서의 지점 설치에 해당함**

영업을 양수하는 법인이 영업양도인이 기존에 소유하던 부동산을 그대로 취득하는 경우 영업양도인이 자신 앞으로 부동산등기를 할 당시에 이미 등록세가 중과되었을 것이므로 영업양수에 따른 부동산등기는 중과대상이 아니라 할 것이나, 영업을 양수하는 법인이 영업양도인이 아닌 제3자로부터 양수하는 경우까지 중과대상에서 제외된다면 영업을 양수하는 법인이 실질적으로 사업장을 설치하고 부동산을 취득하면서도 일단 제3자로 하여금 부동산을 취득하게 하고 영업양도인으로 하여금 이를 임차하여 일시 영업하게 하다가 영업양수와 동시에 위 부동산을 취득하는 형식으로 위 중과규정을 잠탈할 수도 있으므로 중과규정이 적용되어야 함(대법원 99두9995, 2003두6566, 2008두969, 2008.3.27.).

◎ 신설법인이 대도시 내 등록세 중과대상에서 제외되는 주택건설용 토지를 취득한 이후, 기존법인과 합병되어 당해 토지를 주택건설 이외의 용도로 사용한 경우에는 중과대상에 해당함(대법원 2011두5940, 2013.12.26.).

◎ 기존법인이 다른 법인과 합병하는 과정에서 피합병법인의 종전 본점이나 지점 소재지에 존속법인의 지점을 설치한 다음 그때부터 5년 이내에 그 지점에 관계되는 부동산을 취득하여 등기하는 경우에도 합병에 따른 중과배제 규정이 적용되므로, 그 지점설치 때부터 5년 이내에 그 지점의 영업에 사용되던 부동산을 취득하는 경우 중과대상에 해당하지 않음(대법원 2011두12726, 2013.7.11.).

9. 중과대상 법인에 대한 실질과세(휴면법인 관련, 영 제27조 ①·②)

1) 개정 전 구법 당시의 중과세 판단

법인설립 후 5년이 경과된 휴면법인 인수 시 중과세대상이 되는지에 대하여 쟁점이 있었으며, 대법원은 다음과 같은 이유로 중과대상이 아니라고 판시하였다. 이를 계기로 일정 요건의 휴면법인이 부동산을 취득하는 경우 중과세 대상에 포함하는 방향으로 입법적으로 보완하였다. 구 법 당시 법인설립등기 후 5년이 지난 휴면법인의 취득부동산은 등록세 중과세 대상에서 제외되는 이유는 다음과 같다.

헌법은 조세법률주의를 채택하여 모든 국민은 법률이 정하는 바에 의하여 납세의 의무를 지고(헌법 제38조), 조세의 종목과 세율은 법률로 정한다(헌법 제59조)고 규정하고 있는 바, 이러한 조세법률주의 원칙은 과세요건 등은 국민의 대표기관인 국회가 제정한 법률로써 규정하여야 하고, 그 법률의 집행에 있어서도 이를 엄격하게 해석·적용하여야 하며, 비록 과세의 필요성이 있다 하여도 행정편의적인 확장해석이나 유추적용에 의해 이를 해결하는 것은 허용되지 않음을 의미한다(대법원 98두11731, 2000.3.16.). 또한, 납세의무자가 경제활동을 함에 있어서는 동일한 경제적 목적을 달성하기 위하여서도 여러 가지의 법률관계 중 하나를 선택할 수 있는 것이고, 과세관청으로서는 특별한 사정이 없는 한 당사자들이 선택한 법률관계를 존중하여야 할 것이되(대법원 2000두963, 2001.8.21.), 실질과세의 원칙에 의하여 당사자의 거래행위를 그 형식에도 불구하고 조세회피행위라고 하여 그 행위의 효력을 부인할 수 있으려면 조세법률주의 원칙상 법률에 개별적이고 구체적인 부인규정이 마련되어야 한다(대법원 98두14082, 1999.11.9.).

휴면법인을 제3자가 인수한 후 법인의 임원, 자본, 목적사업 등을 변경하였다 하여 그 휴면법인의 인수를 '법인의 설립'으로 보고 중과세 할 수 없다(대법원 2007두26629.). 대도시

내에서 법인설립 후 5년이 경과한 법인이 취득·등기하는 부동산은 등록세 중과세대상에서 제외됨에도, 법인설립 후 5년이 경과한 휴면법인의 법인 설립일을 실질적 취득일로 유권해석하여 5년 내 취득한 부동산에 해당된다는 이유로 등록세를 중과세하는 것은 조세법률주의에 위배된다(대법원 2008두2842, 2008두4534, 2008두8444, 2008두18069, 2009.4.23.).

- **설립등기를 마친 후 폐업을 하여 사업실적이 없는 법인의 주식 전부를 제3자가 매수한 다음 법인의 임원·자본·상호·목적사업을 변경한 경우 법인의 설립으로 볼 수 없음**

  대도시 내 등록세 등의 중과를 면할 목적으로 원고가 국내에 별도의 법인을 설립하는 대신 2001.4.26. 설립등기를 마친 후 폐업하여 사업실적이 없는 상태에 있던 ○○ 스토리 ㈜를 인수하면서 2006.5.9. 기존 주주의 주식 전부를 양수한 후 상호, 전체 임원 및 목적사업을 전부 변경하였다고 하더라도 이러한 경우 2006.5.9.을 기준으로 실질적으로 새로운 원고 법인이 설립된 것으로 볼 수 없음. 즉 위와 같은 행위가 법인의 설립에 해당함을 전제로 한 부과처분은 위법(대법원 2008두20369, 2009.5.28., 대법원 2008두8055, 2009.5.28.).

- 폐업상태인 법인의 실체가 전면적으로 변경된 경우에도 이 시점을 법인설립시점으로 보아 등록세를 중과세한 것은 조세법률주의에 위배됨(대법원 2008두14067, 2009.5.14.).

- **휴면법인 관련 대법원 확정판결에 따른 후속조치 통보**(지방세운영과-3380, 2009.8.20.)

  가. 대법원 판결(2008두8444 외 3건)과 유사하게 법인설립 및 부동산 취득 등기 등을 중과한 건 중 불복 진행 중인 사건 및 불복신청기간 내 사건 : 부과취소 및 환부

  나. 2006.5.23. 유권해석(지방세정-2081) 이전에 납세의무성립분에 대한 과세건 : 부과취소 및 환부

  ☞ 대도시 내에서 법인설립 후 5년이 경과한 법인이 취득·등기하는 부동산은 등록세 중과세대상에서 제외됨에도, 법인설립 후 5년이 경과한 휴면법인의 법인설립일을 실질적 취득일로 유권해석하여 5년 내 취득한 부동산에 해당되므로 등록세를 중과세하는 것은 조세법률주의에 위배됨(대법원 2008두2842, 2008두4534, 2008두8444, 2008두18069, 2009.4.23.).

2) 휴면법인 중과세 규정 개정

휴면법인을 인수한 후 법인의 임원, 자본, 목적사업 등을 변경한 경우 조세법률주의 원칙상 인수 시점을 법인의 설립으로 볼 수 없어 중과세를 회피하는 사례가 발생하였고, 이에 대해 일정 요건의 휴면법인을 인수하는 경우에는 법인의 설립으로 볼 수 있도록 지방세법이 개정되었다(2011.1.1.). 여기서 휴면법인으로 보는 경우란 상법에 따른 해산법인, 해산간주법인, 부가가치세법상 폐업법인, 법인 인수일 이전 1년 이내에 계속등기를 한 해산법인 또는 해산간주법인, 법인 인수일 이전 1년 이내에 다시 사업자등록을 한 폐업법인, 법인 인수일 이전 2년 이상 사업 실적이 없고, 인수일 전후 1년 이내에 인수법인 임원의 100분의

50 이상을 교체한 법인을 말한다. 이러한 휴면법인을 인수한다는 것은 과점주주가 되는 것을 전제하는데 실질적으로 법인을 지배할 수 있는 과점주주가 된 때 사실상 법인을 설립하였다고 보는 것이다.

◎ **휴면법인 등록세 중과규정 신설관련, 한정된 기간을 늘려 그 이후의 기간으로까지 중과세를 연장하는 내용으로 개정되었더라도 마땅히 보호되어야 신뢰가 침해된 것은 아님**

지방세법 부칙조항("이 법 시행 당시 종전의 규정에 따라 부과 또는 감면하였거나 부과 또는 감면하여야 할 지방세에 대하여는 종전의 규정에 따른다")을 근거로 하여 납세의무자의 기득권 내지 신뢰보호를 위하여 납세의무자에게 유리한 종전 규정을 적용할 경우가 있다고 하더라도, 납세의무가 성립하기 전의 원인행위시에 유효하였던 종전 규정에서 이미 장래의 한정된 기간 동안 그 원인행위에 기초한 과세요건의 충족이 있는 경우에도 특별히 비과세 내지 면제한다거나 과세를 유예한다는 내용을 명시적으로 규정하고 있지 않는 한 설사 납세의무자가 종전 규정에 의한 조세감면 등을 신뢰하였다 하더라도 이는 단순한 기대에 불과할 뿐 기득권으로서 마땅히 보호되어야 할 정도의 것으로 볼 수 없음(대법원 2012두12662, 2013.9.12.).

◎ 인수법인이 1인 대표이사로 운영되다가 인수일 전후 1년이내 기존 1인 대표이사 외에 대표이사 1인을 공동 대표이사로 추가할 경우, 임원의 100분의 50이상을 교체한 경우 … 법인 인수일 이전 2년 이상 사업 실적이 없고, 인수법인이 1인 대표이사(그외 임원 없음)로 운영되다가 인수일 전후 1년이내에 기존 1인 대표이사 외에 대표이사 1인을 공동 대표이사로 추가하였으며, 그 법인을 인수하여 해당 법인의 과점주주가 되는 경우라면, 중과세하는 것이 타당(지방세운영과-1192, 2016.5.16.)

◎ **폐업하였다가 다시 사업자등록 후 5년 이내 주주 변경시 중과대상 휴면법인 인수에 해당**

발행주식 일부의 소유자 명의가 강○○, 조○○, 차○○에서 김용재, 김우연, 김용진으로 변경된 것은, 명의신탁 되어 있던 주식 명의를 실소유자 명의로 회복한 것에 지나지 않으므로, '휴면법인의 인수'에 해당하지 아니한다는 주장에 대해… 원고 회사의 법인등기부등본에도 원고 회사의 설립 시부터 2차 사업자등록 직전인 2010.1.2.까지 강○○, 차○○이 이사, 조○○이 감사로 재직하였다고 등재되어 있는 사실이 인정되는 바, 특별한 사정이 없는 한 강○○, 조○○, 차○○은 원고 회사의 실제 주주였다고 볼 것이고, 위 3인이 차명주주에 불과하다는 점은 이를 주장하는 원고가 증명하여야 함(대법원 2015두54582, 2016.1.28.).

◎ 휴・폐업 사실이 없고 매출액이 소액인 법인으로서 인수 직전년도까지 수익・비용 등이 발생한 사실이 법인장부 등에 의해 증명되는 경우 '사업실적이 없는 법인'에 해당하지 않음(부동산세제과-1529, 2020.7.2.).

제13조(과밀억제권역 안 취득 등 중과) 제8항 [공장]

법 제13조(과밀억제권역 안 취득 등 중과)

⑧ 제2항에 따른 중과세의 범위와 적용기준, 그 밖에 필요한 사항은 대통령령으로 정하고, 제1항과 제2항에 따른 공장의 범위와 적용기준은 행정안전부령으로 정한다.

규칙 제7조(공장의 범위와 적용기준) ① 법 제13조 제8항에 따른 공장의 범위는 별표 2에 규정된 업종의 공장(「산업집적활성화 및 공장설립에 관한 법률」 제28조에 따른 도시형 공장은 제외한다)으로서 생산설비를 갖춘 건축물의 연면적(옥외에 기계장치 또는 저장시설이 있는 경우에는 그 시설의 수평투영면적을 포함한다)이 500제곱미터 이상인 것을 말한다. 이 경우 건축물의 연면적에는 해당 공장의 제조시설을 지원하기 위하여 공장 경계 구역 안에 설치되는 부대시설(식당, 휴게실, 목욕실, 세탁장, 의료실, 옥외 체육시설 및 기숙사 등 종업원의 후생복지증진에 제공되는 시설과 대피소, 무기고, 탄약고 및 교육시설은 제외한다)의 연면적을 포함한다. 〈개정 2011.5.30.〉

② 법 제13조 제8항에 따른 공장의 중과세 적용기준은 다음 각 호와 같다. 〈개정 2011.5.30.〉

1. 공장을 신설하거나 증설하는 경우 중과세할 과세물건은 다음 각 목의 어느 하나에 해당하는 것으로 한다.
   가. 「수도권정비계획법」 제6조 제1항 제1호에 따른 과밀억제권역(「산업집적활성화 및 공장설립에 관한 법률」의 적용을 받는 산업단지 및 유치지역과 「국토의 계획 및 이용에 관한 법률」의 적용을 받는 공업지역은 제외한다. 이하 이 항에서 "과밀억제권역"이라 한다)에서 공장을 신설하거나 증설하는 경우에는 신설하거나 증설하는 공장용 건축물과 그 부속토지
   나. 과밀억제권역에서 공장을 신설하거나 증설(건축물 연면적의 100분의 20 이상을 증설하거나 건축물 연면적 330제곱미터를 초과하여 증설하는 경우만 해당한다)한 날부터 5년 이내에 취득하는 공장용 차량 및 기계장비
2. 다음 각 목의 어느 하나에 해당하는 경우에는 제1호에도 불구하고 중과세 대상에서 제외한다.
   가. 기존 공장의 기계설비 및 동력장치를 포함한 모든 생산설비를 포괄적으로 승계취득하는 경우
   나. 해당 과밀억제권역에 있는 기존 공장을 폐쇄하고 해당 과밀억제권역의 다른 장소로 이전한 후 해당 사업을 계속 하는 경우. 다만, 타인 소유의 공장을 임차하여 경영하던 자가 그 공장을 신설한 날부터 2년 이내에 이전하는 경우 및 서울특별시 외의 지역에서 서울특별시로 이전하는 경우에는 그러하지 아니하다.
   다. 기존 공장(승계취득한 공장을 포함한다)의 업종을 변경하는 경우
   라. 기존 공장을 철거한 후 1년 이내에 같은 규모로 재축(건축공사에 착공한 경우를 포함한다)하는 경우
   마. 행정구역변경 등으로 새로 과밀억제권역으로 편입되는 지역은 편입되기 전에 「산업집적활성화 및 공장설립에 관한 법률」 제13조에 따른 공장설립 승인 또는 건축허가를 받은 경우
   바. 부동산을 취득한 날부터 5년 이상 경과한 후 공장을 신설하거나 증설하는 경우
   사. 차량 또는 기계장비를 노후 등의 사유로 대체취득하는 경우. 다만, 기존의 차량 또는 기계장비를 매각하거나 폐기처분하는 날을 기준으로 그 전후 30일 이내에 취득하는 경우만 해

당한다.

3. 제1호 및 제2호를 적용할 때 공장의 증설이란 다음 각 목의 어느 하나에 해당하는 경우를 말한다.
   가. 공장용으로 쓰는 건축물의 연면적 또는 그 공장의 부속토지 면적을 확장하는 경우
   나. 해당 과밀억제권역 안에서 공장을 이전하는 경우에는 종전의 규모를 초과하여 시설하는 경우
   다. 레미콘제조공장 등 차량 또는 기계장비 등을 주로 사용하는 특수업종은 기존 차량 및 기계장비의 100분의 20 이상을 증가하는 경우

③ 시장·군수·구청장은 공장의 신설 또는 증설에 따른 중과세 상황부를 갖추어 두어야 한다.

취득세 중과세율 규정을 보면 제13조 제1항(구 취득세 중과)의 경우 과밀억제권역에서 공장을 신설하거나 증설하기 위하여 사업용 과세물건을 취득하는 경우의 취득세율은 제11조(부동산 취득의 세율) 및 제12조(부동산 외의 취득의 세율)에 1천분의 20(중과기준세율)의 100분의 200을 합한 세율을 적용한다.

제13조 제2항(구 등록세 중과)에서 대도시에서 공장을 신설하거나 증설함에 따라 부동산을 취득하는 경우 취득세는 제11조 제1항의 표준세율의 100분의 300에서 중과기준세율의 100분의 200을 뺀 세율을 적용한다고 규정하고 있다. 제1항과 2항의 차이는 제1항은 "사업용 과세물건을 취득하는 경우"이고 제2항은 "부동산을 취득하는 경우"로 과세물건의 범위에 약간 차이가 있다. 즉, 제13조 제1항(구 취득세분)은 공장신증설에 따른 중과세 대상으로 부동산뿐 아니라 차량·기계장비 등을 포함하고 있다. 예를 들어 중과대상 공장으로써 부동산인 경우 제13조 제1항과 제2항이 모두 적용되는 것이고 차량·기계장비라면 제1항에만 해당된다.

| 참고 _ 공장의 중과세 적용기준 |

대상물건	• 신설하거나 증설하는 공장용 건축물과 그 부속토지 • 과밀억제권역에서 공장을 신·증설한 날부터 5년 이내에 취득하는 공장용 차량 및 기계장비(증설은 건축물 연면적의 20% 이상 또는 330㎡를 초과하여 각각 증설하는 경우만 해당)
중과제외	• 기존 공장의 기계설비 및 동력장치 등 모든 생산설비의 포괄적 승계 • 과밀억제권역에 있는 기존 공장을 폐쇄하고 해당 과밀억제권역의 다른 장소로 이전한 후 해당 사업을 계속하는 경우 – 다만, 임차 경영자가 공장 신설일 부터 2년 이내에 이전하는 경우 및 서울특별시 외의 지역에서 서울특별시로 이전하는 경우는 제외 • 기존 공장(승계취득한 공장 포함)의 업종을 변경하는 경우 • 기존 공장 철거 후 1년 이내에 같은 규모로 재축하는 경우 • 행정구역변경 등으로 새로 과밀억제권역으로 편입되는 지역은 편입되기 전에 공장설립

	승인 또는 건축허가를 받은 경우 • 부동산을 취득한 날부터 5년 이상 경과한 후 공장을 신·증설하는 경우 • 차량 또는 기계장비를 노후 등의 사유로 매각·폐기 전·후 30일 이내 대체취득하는 경우

[별표 2] 공장의 종류(지방세법 시행규칙 제7조 제1항 관련)

1. 식료품 제조업
2. 음료 제조업
3. 담배 제조업
4. 섬유제품 제조업
5. 의복, 의복액세서리 및 모피제품 제조업
6. 가죽, 가방 및 신발 제조업
7. 목재 및 나무제품 제조업
8. 펄프, 종이 및 종이제품 제조업
9. 인쇄 및 기록매체 복제업
10. 코크스, 연탄 및 석유정제품 제조업
11. 화학물질 및 화학제품 제조업
12. 의료용 물질 및 의약품 제조업
13. 고무제품 및 플라스틱제품 제조업
14. 비금속 광물제품 제조업
15. 1차 금속 제조업
16. 금속가공제품 제조업
17. 전자부품, 컴퓨터, 영상, 음향 및 통신장비 제조업
18. 의료, 정밀, 광학기기 및 시계 제조업
19. 전기장비 제조업
20. 기타 기계 및 장비 제조업
21. 자동차 및 트레일러 제조업
22. 기타 운송장비 제조업
23. 가구 제조업
24. 기타 제품 제조업
25. 전기, 가스, 증기 및 공기조절 공급업
26. 수도사업
27. 비금속광물 광업
28. 자동차 및 모터사이클 수리업
29. 다음 각 목의 어느 하나에 해당하는 것은 제1호부터 제28호까지의 공장의 종류에서 제외한다. 다만, 가목부터 마목까지 및 아목은 법 제13조 제1항 및 제2항과 이 규칙 제7조에 따라 취득세를 중과세할 경우에는 「국토의 계획 및 이용에 관한 법률」 등 관계 법령에 따라 공장의 설치가 금지 또는 제한되지 아니한 지역에 한정하여 공장의 종류에서 제외하고, 법 제111조, 영 제110조 및 이 규칙 제55조에 따라 재산세를 중과세하는 경우, 법 제146조·영 제138조 및 이 규칙 제75조에 따라 지역자원시설세를 중과세하는 경우 및 「지방세특례제한법」 제78조에 따라 취득세 등을 감면하는 경우에는 공장의 종류에서 제외하지 아니한다.
   가. 가스를 생산하여 도관에 의하여 공급하는 것을 목적으로 하는 가스업
   나. 음용수나 공업용수를 도관에 의하여 공급하는 것을 목적으로 하는 상수도업
   다. 차량 등의 정비 및 수리를 목적으로 하는 정비·수리업
   라. 연탄의 제조·공급을 목적으로 하는 연탄제조업
   마. 얼음제조업
   바. 인쇄업. 다만, 「신문 등의 진흥에 관한 법률」에 따라 등록된 신문 및 「뉴스통신진흥에 관한 법률」에 따라 등록된 뉴스통신사업에 한정한다.
   사. 도관에 의하여 증기 또는 온수로 난방열을 공급하는 지역난방사업
   아. 전기업(변전소 및 송·배전소를 포함한다)

|최근 개정법령_2015.7.24.| 공장의 종류 현행화 및 인용 규정 정비(규칙 제74조)

「통계청한국표준산업분류」는 최종 9차 개정을 하였으나 지방세법 시행규칙 [별표 2] '공장의 종류'에서 이를 반영하지 못하고 있었다. 즉, 지방세법상 '공장의 종류'는 6차 개정(1991.9.9. 통계청고시 제91-1호)에 의한 「한국표준산업분류」를 따르고 있음[예 : (6차) 18124 셔츠, 작업복 및 관련 기성복 제조업 → (7차) 18104 셔츠, 작업복 및 관련 의복 제조업 → (8차) 18142 근무복, 작업복 및 유사 의복 제조업 → (9차) 14192 근무복, 작업복 및 유사 의복 제조업]. 따라서 지방세법 시행규칙 [별표 2] '공장의 종류'를 개정된 「한국표준산업분류」에 맞게 정리 및 인용 규정을 정비하였음.

|최근 개정법령_2016.1.1.| 공장의 종류 범위 인용규정 정비(규칙 별표 2)

종전 규정에 따르면 지역자원시설세 중과대상 공장의 범위 판단 시 재산세 중과대상 공장의 판단기준을 따르고 있으나, 업종 범위에 관해서는 불명확하였다. 그에 따라 재산세 중과대상 공장의 범위와 지역자원시설세 중과대상 공장의 범위에 있어 업종을 일치되도록 명확히 하였다.

1. 취득세 중과세 대상 공장의 범위

1) 중과대상 공장의 업종

지방세법 제13조 제8항에서 취득세 중과세 대상 공장의 범위와 적용기준은 행정안전부령으로 정한다고 규정하고 동법 시행규칙 제7호에서 공장의 범위와 적용기준에 대해서 구체적으로 규정하고 있다. 공장의 범위는 시행규칙 별표 2에 규정된 업종의 공장으로 한정하고 있다(도시형 공장은 제외). 1. 식료품 제조업, 2. 음료 제조업, 3. 담배 제조업, 4. 섬유제품 제조업 (중략) 23. 가구 제조업, 24. 기타 제품 제조업, 25. 전기, 가스, 증기 및 공기조절 공급업, 26. 수도사업, 27. 비금속광물 광업, 28. 자동차 및 모터사이클 수리업으로 구분하고 있다. 그리고 마지막 29호에서는 가. 가스업, 나. 상수도업, 다. 차량정비수리업, 라. 연탄제조업, 마. 얼음제조업, 바. 인쇄업, 사. 지역난방사업, 아. 전기업을 규정하고 있다. 이 중 가스업·상수도업·차량수리업·연탄제조업·얼음제조업·전기업의 경우 취득세 중과대상 공장을 적용할 때는 공장으로 보아 중과세하는 것이 원칙이나, 관련법령에 따라 공장의 설치가 금지 또는 제한되지 아니한 지역에 신설하는 경우에는 공장의 종류에서 제외하여 중과세 대상으로 보지 않는다는 것이다.

2) 중과대상 공장의 단위

공장건축물의 연면적이 500제곱미터 이상이어야 한다(규칙 제7조 ①). 연면적이란 공장으로서의 생산설비를 갖춘 건축물의 연면적을 말하며 옥외에 기계장치 또는 저장시설이 있는 경우에는 그 시설물의 수평투영면적을 포함하고, 당해 공장의 제조시설을 지원하기 위하여 공장경계구역안에 설치되는 부대시설의 연면적을 포함한다. 그러나 부대시설 중 식당, 휴게실, 목욕실, 세탁장, 의료실, 옥외체육시설 및 기숙사 등 종업원의 후생복지증진에 제공되는 시설과 대피소, 무기고, 탄약고 및 교육시설은 제외한다. 한편 종업원의 후생복지시설 등을 연면적 계산에서 제외할뿐만 아니라 중과세 대상에서도 제외할 것인가, 아니면 연면적 계산에서만 제외하고 중과세대상에는 포함시킬 것인가가 불분명하지만, 후생복지시설은 중과세 제외대상으로 보는 것이 합리적이고 그런 측면에서 공장연면적 계산에서도 제외한 것으로 보는 것이 타당하다고 판단된다. 후생복리시설 및 대피소, 무기고, 탄약고 이외의 공장 부대시설로서 사무실, 창고 등은 중과세 대상이다.

연면적 500㎡를 판단하는 단위공장의 범위를 어디까지로 볼 것인지가 쟁점이 될 수 있다. 공장의 범위는 공장경계구역 안을 기준으로 판단하는 바, 이때의 1구의 범위는 당해 공장용 건축물과 경제적 일체를 이루고 있는 토지로서 사회통념상 동일한 생활공간으로 인정되는 대지를 뜻하므로 1필지임을 요하지 아니하고 수필지로 이루어진 경우 소유자가 동일할 필요는 없다(대법원 92누12667, 1993.5.25.). 공장의 구내라고 하면 담장 등의 방법으로 구획된 일정한 구역내라고 할 수 있으므로 공장의 구외에 설치한 창고나 사무실은 당해 공장과 다른 별개의 사업장으로 보아야 할 것이다. 따라서 공장의 구외에 설치한 창고 · 사무실 등은 공장이 아니므로 중과세할 수 없는 것이고, 본공장 구외 타지역에 설치한 제2의 공장은 본공장과는 별도로 그 중과세 여부를 결정하여야 한다.

3) 중과세 대상 공장의 신설 및 증설

공장의 신설이라 함은 나대지상에 새로이 공장용 건축물을 건축하거나 기존 건물에 공장설비를 설치하여 공장을 새로이 만드는 것을 말한다. 다만, 중과세가 되기 위해서는 규모기준에서 살펴본 바와 같이 생산설비를 갖춘 공장용 건축물의 연면적이 500제곱미터 이상이어야 한다. 공장의 증설이란 ⅰ) 공장용으로 쓰는 건축물의 연면적 또는 그 공장의 부속토지 면적을 확장하는 경우 ⅱ) 해당 과밀억제권역 안에서 공장을 이전하는 경우에는 종전의 규모를 초과하여 시설하는 경우 ⅲ) 레미콘 제조 공장 등 차량 또는 기계장비 등을 주로 사용하는 특수업종은 기존 차량 및 기계장비의 100분의 20 이상을 증가하는 경우를 말한다(규칙 제7조 ② 3호).

공장의 신설이나 증설에 해당되지 아니하는 경우로 아래의 경우를 한정하고 있다. ⅰ) 기존 공장의 기계설비 및 동력장치를 포함한 모든 생산설비를 포괄적으로 승계취득하는 경우(대법원 93누12282) 공장의 신설이나 증설에 해당되지 않는다. ⅱ) 해당 과밀억제권역에 있는 기존 공장을 폐쇄하고 해당 과밀억제권역의 다른 장소로 이전한 후 해당 사업을 계속하는 경우. 다만, 타인 소유의 공장을 임차하여 경영하던 자가 그 공장을 신설한 날부터 2년 이내에 이전하는 경우 및 서울특별시 외의 지역에서 서울특별시로 이전하는 경우에는 그러하지 아니하다. 여기서 '공장이전'은 자기소유 부동산에서 공장을 경영하던 자가 기존의 공장을 폐쇄하고 다른 곳에 위치한 부동산을 새로이 취득하여 그곳으로 공장을 이전하는 경우 또는 타인소유 부동산을 임차하여 공장을 경영하던 자가 그 공장시설일로부터 2년이 지나 기존의 공장을 폐쇄하고 그 시설을 새로이 취득한 부동산으로 이전하는 경우를 의미하므로 타인소유부동산을 임차하여 공장을 이전하는 경우 그 임차 부동산의 소유자에 대한 관계에서는 그와 같은 이전을 취득세 중과대상에서 제외되는 공장의 이전에 해당하는 것으로 볼 수는 없다(대법원 96누2880). iii) 기존 공장(승계취득 공장 포함)의 업종을 변경하는 경우인데, 공장의 업종변경은 공장을 운영하던 자가 영업의 종류를 변경하기 위하여 기존 공장 설비를 철거하고 새로운 생산설비를 설치하는 경우가 대부분이며, 업종에 따라서는 생산설비의 일부만을 대체하는 경우도 있으나 철거한 생산설비를 다른 장소로 이전하여 시설한 경우는 기존의 공장은 업종변경에 해당되나 이전 설치장소는 공장신설에 해당한다. iv) 기존 공장을 철거한 후 1년 이내에 같은 규모로 재축(건축공사에 착공한 경우 포함)하는 경우 v) 행정구역변경 등으로 새로 과밀억제권역으로 편입되는 지역은 편입되기 전에 「산업집적활성화 및 공장설립에 관한 법률」 제13조에 따른 공장설립 승인 또는 건축허가를 받은 경우 vi) 부동산을 취득한 날부터 5년 이상 경과한 후 공장을 신설하거나 증설하는 경우 vii) 차량 또는 기계장비를 노후 등의 사유로 대체취득하는 경우(다만, 기존의 차량 또는 기계장비를 매각하거나 폐기처분하는 날을 기준으로 그 전후 30일 이내에 취득하는 경우만 해당)에도 각각 공장의 신설이나 증설에 해당되지 않는다.

◎ 중과대상 여부에 관한 공장의 예시(예규 지법 13-3)

1. 중과대상에 해당하는 경우 : ① 기존 공장의 승계취득시 기계설비를 제외한 공장대지 및 건물과 동력장치만을 양수한 경우는 포괄승계취득으로 보지 아니한다. ② 동일 대도시권 내에서 기존 공장의 시설 일체를 매각하고 이전하는 경우 이전지에서는 공장의 신설로 본다.
2. 중과대상에 해당하지 않는 경우 : ① 기존 공장의 토지, 건축물, 생산설비를 포괄적으로 그대로 승계하거나 시설규모를 축소하여 승계취득하는 경우 ② 타인소유의 토지와 건축물에 설치된 공장을 그 토지와 건축물은 임대인으로부터, 그 기계장치는 소유자로부터 취득한 경우

4) 중과세 적용 세율

한편 같은 취득물건에 대하여 둘 이상의 세율이 해당되는 경우에는 그중 높은 세율을 적용한다고(제16조 ⑤) 규정하고 있다. 이 경우 중과대상 부동산의 경우 제13조 제1항(구 취득세분)과 제13조 제2항(구 등록세분)이 동시에 해당되는데 그 중 높은 세율로 하나의 세율만 적용하게 되면 세율 구조상 문제의 소지가 있다. 그래서 이를 보완하기 위해 제13조 제6항에서 제1항과 제2항이 동시에 적용되는 과세물건에 대한 취득세율은 제16조 제5항에도 불구하고 제11조 제1항에 따른 표준세율의 100분의 300으로 한다고 규정하고 있다. 예를 들어 신축한 공장용 건축물이 제13조 제1항과 제2항에 동시에 해당하는 경우 표준세율(원시취득의 표준세율 2.8%)의 3배인 8.4%가 된다. 또한 공장 신증설과 관련된 승계취득 토지가 중과세 대상이 된다면 표준세율(4%)의 3배인 12%의 세율이 적용된다.

제16조 제1항 제2호에서 토지나 건축물이 취득한 후 5년 이내에 제13조 제1항에 따른 공장의 신·증설용 부동산이 된 경우 취득세를 추징한다고 규정하고 있고, 같은 조 제4항에서는 취득한 부동산이 부동산을 취득한 날부터 5년 내에 제13조 제2항에 따른 과세대상이 되는 경우에는 취득세를 추징한다고 규정하고 있다. 이는 토지나 건축물이 취득한 후 5년 이내에 중과세 대상 공장 신·증설용 부동산이 된 경우 추징조항을 규정하고 있는 것인 바, 과거 취득세와 등록세의 각각의 추징규정을 그대로 옮겨 규정하고 있다.

공장 신설 또는 증설의 경우에 사업용 과세물건의 소유자와 공장을 신설하거나 증설한 자가 다를 때에는 그 사업용 과세물건의 소유자가 공장을 신설하거나 증설한 것으로 보아 같은 항의 세율을 적용한다. 다만, 취득일부터 공장 신설 또는 증설을 시작한 날까지의 기간이 5년이 지난 사업용 과세물건은 제외한다(제16조 ③).

2. 지방세관계법상 공장의 범위 비교

공장은 지방세법상 취득세, 재산세, 지역자원시설세, 지방세특례제한법상 감면 적용과 관련하여 각각 달리 규정하고 있는데, 구분해서 살펴볼 필요가 있다.

1) 재산세 중과세 관련 공장

(1) 과밀억제권역내 공장 신·증설에 대한 재산세 중과

과밀억제 권역에서 공장을 신설·증설할 경우 최초로 건축물분 재산세 납세의무가 성립된 날부터 5년간 재산세를 5배 중과세한다(법 제111조 ②, 규칙 제56조). 즉 건축물에 대한 재산세 세율이 0.25%이므로 1.25%의 세율로 재산세가 과세된다. 공장의 범위는 지방세법 시행규칙 제7조를 준용하고 있어 취득세 중과대상 공장과 동일하다. 즉 별표 2 공장을 말하며 면적기준(500㎡ 이상)을 충족해야 하며, 도시형공장을 제외한다.

(2) 도시지역의 주거지역내 공장에 대한 재산세 과세

도시지역[특별시・광역시(군지역 제외)・시(읍・면지역 제외)]에 소재하는 공장으로서 「국토의 계획 및 이용에 관한 법률」에 따라 지정된 주거지역에 소재하는 공장용 건축물의 경우 건축물분 재산세가 일반세율의 2배인 0.5%로 과세된다(법 제111조 ① 2호 나목, 영 제110조, 규칙 제55조). 별표 2 공장을 말하며 면적기준(500㎡ 이상)을 충족해야 한다. 이때 공장의 범위는 취득세 중과대상 공장과 동일하지만 도시형공장을 제외하지 않는 점에서 차이가 있다.

(3) 토지분 재산세 과세 관련 공장

토지분 재산세 부과시 공장용 건축물 부속토지에 대해 분리과세 또는 별도합산 대상 토지로 과세한다. 읍・면지역에 소재하거나, 공업지역, 산업단지에 소재하는 공장용 건축물 부속토지는 분리과세 대상이고(법 제106조, 영 제101조・제102조, 제103조 ②, 규칙 제52조), 이에 해당하지 않는 공장용 건축물 부속토지는 별도합산 대상 토지로 과세한다. 이 경우 "공장"의 범위는 영업을 목적으로 물품의 제조・가공・수선이나 인쇄 등의 목적에 사용할 수 있도록 생산설비를 갖춘 제조시설용 건축물, 그 제조시설을 지원하기 위하여 공장 경계구역 안에 설치되는 부대시설용 건축물 및 「산업집적활성화 및 공장설립에 관한 법률」 제33조에 따른 산업단지관리기본계획에 따라 공장경계구역 밖에 설치된 종업원의 주거용 건축물을 말한다. 즉 시행규칙 별표 2 공장과 차이가 있다.

2) 지역자원시설세 중과

재산세와 함께 과세되는 지역자원시설세(2010년 지방세 분법 이전에는 소방공동시설세였음) 과세에서 공장은 화재위험 건축물로 분류되어 중과세되는데, 일반세율의 2배로 중과세(영 제138조 ① 2호 사목)와 3배 중과세(영 제138조 ② 2호 마목)가 있는데 이 때 공장의 범위는 규칙 제75조 제4항에서 규칙 제55조의 공장용 건축물을 인용하고 있다. 즉 별표 2의 공장을 의미하고 500㎡ 이상인 것을 말한다. 한편 3배중과대상 공장은 그 자체로서 면적요건(1만㎡ 이상)을 취하고 있기 때문에 규칙 제55조의 면적요건(500㎡)을 따르지 않는다.

3) 취득세・재산세 감면 대상 공장

산업단지내 산업용 건축물 감면(지특법 제78조 ⑥, 동규칙 제6조) : 산업단지내 산업용건축물의 신・증축에 따른 취득세, 재산세를 감면하는데, 산업용 건축물의 범위에 공장을 포함하고, 여기서 공장의 범위는 "별표 2" 업종의 공장을 적용하고 생산설비를 갖춘 연면적 200

제곱미터 이상을 적용한다.

공장의 지방이전에 따른 감면(지특법 제80조, 규칙 제8조) : 대도시에서 공장시설을 갖추고 사업을 직접 하는 자가 그 공장을 폐쇄하고 대도시 외의 지역으로서 공장 설치가 금지되거나 제한되지 아니한 지역으로 이전한 후 해당 사업을 계속하기 위하여 취득하는 부동산에 대하여는 취득세를 면제하고, 재산세 납세의무가 최초로 성립하는 날부터 5년간 면제하고 그 다음 3년간 50%를 경감한다. 이 경우의 공장은 별표 2의 공장으로서 연면적 200제곱미터 이상인 경우를 의미한다.

4) 유형별 공장의 범위 비교(종합)

① **공장의 범위(업종구분) 차이** : 취득세 · 재산세 · 지역자원시설세 등 지방세 중과세 및 감면과 관련하여 적용되는 공장의 구분은 "별표 2"에 따른 업종의 공장으로 규정하고 있다. 업종 구분과 관련한 공장의 범위에 대한 판단에서 취득세 · 재산세의 중과세와 관련하여서는 "별표 2"에 해당하는 업종의 공장을 의미하지만 공장부속토지의 재산세 분리과세 적용과 관련해서는 "별표 2"를 적용하지 아니한다. 즉, 재산세에서는 "별표 2"의 업종으로 구분하는 것이 아니라 물품의 제조 · 가공 · 수선이나 인쇄 등의 목적에 사용할 수 있도록 생산설비를 갖춘 제조시설용 건축물을 의미한다. 이 때 "제조시설용 건축물"에 대한 해석과 관련하여 제조시설은 통계청장이 고시하는 "한국표준산업 분류"에 의한 제조업을 영위함에 필요한 제조시설로 해석하고 있다.

② **공장의 부대시설 범위 차이** : 중과세 대상 공장과 토지분 재산세 적용관련 공장의 범위와 관련하여 일부 부대시설의 경우 차이가 있다. 중과세 대상 공장 연면적(500제곱미터)의 범위에는 부대시설을 포함하되 식당, 휴게실, 목욕실, 세탁장, 의료실, 옥외체육시설 및 기숙사 등 종업원의 후생복지증진에 제공되는 시설과 대피소, 무기고, 탄약고 및 교육시설은 제외한다. 반면 토지분 재산세 분리과세 적용에 따른 공장의 범위에 관해서는 제조시설을 지원하기 위하여 공장 경계구역 안에 설치되는 사무실, 창고, 저장용 옥외구축물, 송유관, 폐기물처리시설, 시험연구시설, 종업원의 복지후생시설 등 부대시설용 건축물을 포함한다.

③ **면적기준** : 대도시내 공장의 신 · 증설에 따른 취득세 · 재산세 중과 및 도시지역의 주거지역내 재산세 중과 적용시 공장 연면적 500제곱미터 이상을 대상으로 하는 반면, 대도시내 공장의 지방이전 및 산업단지 입주 공장의 감면과 관련하여서는 200제곱미터를 기준으로 한다. 그리고 지역자원시설세 중과대상(화재위험건축물) 공장의 면적은 2배중과는 500제곱미터, 3배중과대상은 1.5만제곱미터 이상을 요건으로 한다.

④ **도시형공장 포함여부** : 대도시내 공장 신증설에 따른 취득세・재산세 중과 대상에서 도시형 공장을 제외한다. 그러나 같은 재산세 중과유형인 주거지역내 공장의 재산세와 관련하여서는 도시형 공장을 포함하고 있다. 그 밖에 토지분 재산세 분리과세, 대도시내 공장의 지방이전 감면 및 산업단지 입주 공장의 감면과 관련하여서는 도시형 공장을 포함하고 있다.

| 과세 대상별 공장의 범위 구분 |

구 분	법규정 내용	공장범위	
		규 정	내 용
과밀억제권역 공장 신・증설	법 제13조 ①・⑧ 취득세 중과 (舊 취득세・등록세)	규칙 제7조	별표 2 업종의 공장 • 도시형공장 제외 • 생산설비 갖춘 연면적 500㎡ 이상, 옥외 기계장치・저장시설 수평투영면적 포함 • 경계구역내 제조시설 지원위한 부대시설 포함 다만, 식당・휴게실・기숙사 등 복지시설, 대피소・무기고・교육시설 제외
과밀억제권역 공장 신・증설	법 제111조 ② 재산세 5년간 5배 중과(세율 1.25%)	규칙 제56조	상동 (규칙 제7조를 준용)
도시지역 공장용 건축물	법 제111조 ① 2호 나 재산세(세율 0.5%)	규칙 제55조 (영 제110조)	별표 2 업종의 공장 (규칙 제7조의 공장과 동일, 도시형공장 포함)
화재위험 건축물 공장	영 제138조 ① 2호 사, ② 2호 마 지역자원시설세 중과	규칙 제75조	별표 2 업종의 공장 (규칙 제55조의 공장과 동일, 도시형공장 포함) ※ 2배중과는 면적 500㎡, 3배중과는 1.5만㎡ 이상
분리과세 대상 공장 부속토지	법 제106조 영 제101조・제102조 재산세 분리과세	규칙 제52조 (영 제103조 ②)	모든 제조시설 공장의 부속토지 • 영업 목적 물품의 제조가공수선, 인쇄 등의 목적에 사용할 수 있도록 생산설비를 갖춘 제조시설용 건축물 • 구내 부대시설 후생복지시설 포함 사무실, 창고, 경비실, 수조, 저유조 등 식당, 휴게실, 기숙사 등 종업원 후생복지시설 • 공장경계구역 밖 종업원의 주거용 건축물

구 분	법규정 내용	공장범위	
		규 정	내 용
산업단지내 공장	지특법 제78조 사업시행자, 입주기업 취득세·재산세 감면	규칙 제6조	별표 2 업종의 공장 • 생산설비 갖춘 연면적 200㎡ 이상 • 옥외 기계장치·저장시설 포함 • 제조시설지원을 위한 경계구역내 후생복지시설등 각종 부대시설 포함
공장의 지방이전	지특법 제80조 취득세, 재산세 감면	규칙 제8조	상동

◎ **도시형업종 공장이라도 대도시 내 법인설립 후 5년 이내 등기시 취득세(구 등록세) 중과대상**

지방세법 제138조 제1항 제4호의 요건을 충족한 공장에 해당하지 아니하여 위 조항에서 중과세 할 수 없다 하더라도, 그 공장이 대도시에서의 법인 설립 후 5년 이내에 신설된 것이라면 지방세법 제138조 제1항 제3호에 따라 중과세할 수 있으므로, 도시형업종 공장이라 하더라도 대도시 내에서 법인설립 후 5년 이내의 등기에 대하여는 등록세 중과세에 해당됨(대법원 2008두6325, 2008.7.10.).

◎ **도시형업종 공장인 가발제조공장으로 사용할 목적으로 취득하였다고 보기 어려움**

1995년 근린생활시설인 이 사건 부동산을 취득한 후 대부분을 타에 임대하여 왔고, 사업자등록상으로도 부동산임대를 사업의 종류에 추가하였으며, 그 취득 당시 이미 ○○지역에서 가발제조공장을 설립하고 가동중이어서 가발제조공장을 설치하여야만 할 특별한 필요성이 보이지 않는 점, 1997.2.경부터 비로소 3층 일부와 5층을 사용하기 시작하였으나 그 용도가 사무실 및 직원용 사택이었고, 1998.말 내지 1999.초에야 미싱 2, 3대를 3층 일부에 갖다 놓고 수작업을 하게 하는 등 형식적으로 가발제조공정 중 일부를 하다가 제1심 재판이 진행중일 때에 비로소 지하에 본격적인 공장시설을 설치하였을 뿐 아니라 이 사건 부동산에 공장으로 용도변경신청을 한 바도 없는 점 등에 비추어, 도시형업종 공장인 가발제조공장으로 사용할 목적으로 취득하였다고 보기 어려움(대법원 2001두3280, 2002.9.27.).

◎ **대도시 내 법인이 공장의 생산설비를 포괄적으로 승계취득하면서 기존 공장을 그대로 인수하여 소속만 변경한 경우 새로운 지점 설치에 따른 중과대상으로 볼 수 없음**

법인이 영업행위가 없는 단순한 제조·가공 장소에 해당하는 공장으로 사용하기 위하여 부동산을 취득하는 경우에는 법인의 본점·주사무소·지점 또는 분사무소의 용도로 직접 사용할 목적에서 취득하는 것으로 볼 수 없으므로 지방세법 제13조 ② 제1호 전단 규정에 따른 취득세 중과대상에 해당할 여지가 없고, 제13조 ② 제2호에서 정한 취득세 중과대상에 해당하는지 여부만이 문제될 뿐이며, 이 경우 기존 공장의 기계설비 및 동력장치를 포함한 모든 생산설비를 포괄적으로 승계취득한 것인 때에는 시행규칙 제7조 ② 제2호 ㈎목에 따라 제13조 ② 제2호의 취득세 중과대상에서도 제외된다고 할 것임(대법원 2015두36669, 2015.10.29.).

제13조(과밀억제권역 안 취득 등 중과) 제3항~제4항 [舊 부동산등록세 중과의 겸용·사후관리 등]

법 제13조(과밀억제권역 안 취득 등 중과) ③ 제2항 각 호 외의 부분 단서에도 불구하고 다음 각 호의 어느 하나에 해당하는 경우 그 해당 부분에 대하여는 제2항 본문을 적용한다.

1. 제2항 각 호 외의 부분 단서에 따라 취득한 부동산이 다음 각 목의 어느 하나에 해당하는 경우. 다만, 대도시 중과 제외 업종 중 대통령령으로 정하는 업종에 대하여는 직접 사용하여야 하는 기한 또는 다른 업종이나 다른 용도에 사용·겸용이 금지되는 기간을 3년 이내의 범위에서 대통령령으로 달리 정할 수 있다.
   가. 정당한 사유 없이 부동산 취득일부터 1년이 경과할 때까지 대도시 중과 제외 업종에 직접 사용하지 아니하는 경우
   나. 정당한 사유 없이 부동산 취득일부터 1년이 경과할 때까지 사원주거용 목적 부동산으로 직접 사용하지 아니하는 경우
   다. 부동산 취득일부터 1년 이내에 다른 업종이나 다른 용도에 사용·겸용하는 경우
2. 제2항 각 호 외의 부분 단서에 따라 취득한 부동산이 다음 각 목의 어느 하나에 해당하는 경우
   가. 부동산 취득일부터 2년 이상 해당 업종 또는 용도에 직접 사용하지 아니하고 매각하는 경우
   나. 부동산 취득일부터 2년 이상 해당 업종 또는 용도에 직접 사용하지 아니하고 다른 업종이나 다른 용도에 사용·겸용하는 경우

④ 제3항을 적용할 때 대통령령으로 정하는 임대가 불가피하다고 인정되는 업종에 대하여는 직접 사용하는 것으로 본다. 〈신설 2010.12.27.〉

영 제26조(대도시 법인 중과세의 예외) ③ 법 제13조 제3항 제1호 각 목 외의 부분 단서에서 "대통령령으로 정하는 업종"이란 제1항 제3호의 주택건설사업을 말하고, 법 제13조 제3항 제1호 각 목에도 불구하고 직접 사용하여야 하는 기한 또는 다른 업종이나 다른 용도에 사용·겸용이 금지되는 기간은 3년으로 한다. 〈개정 2010.12.30.〉

④ 법 제13조 제4항에서 "대통령령으로 정하는 임대가 불가피하다고 인정되는 업종"이란 다음 각 호의 어느 하나에 해당하는 업종을 말한다. 〈신설 2010.12.30.〉

1. 제1항 제4호의 전기통신사업(「전기통신사업법」에 따른 전기통신사업자가 같은 법 제41조에 따라 전기통신설비 또는 시설을 다른 전기통신사업자와 공동으로 사용하기 위하여 임대하는 경우로 한정한다)
2. 제1항 제6호의 유통산업, 농수산물도매시장·농수산물공판장·농수산물종합유통센터·유통자회사 및 가축시장(「유통산업발전법」 등 관계 법령에 따라 임대가 허용되는 매장 등의 전부 또는 일부를 임대하는 경우 임대하는 부분에 한정한다)

정당한 사유 없이 부동산 취득일[36]부터 1년이 경과할 때까지 중과 제외 업종에 직접 사용하지 아니하는 경우 또는 취득일부터 1년 이내에 다른 업종이나 다른 용도에 사용·겸용하는 경우에는 추징한다. 다만 중과제외 업종 중 주택건설사업의 경우 직접 사용하여야 하는 기한 또는 다른 업종이나 다른 용도에 사용·겸용이 금지되는 기간은 3년이다.

중과제외 업종에 '직접사용'한다는 것은 취득자(소유자)가 해당 용도에 직접사용하는 것을 의미하기 때문에 임대하는 경우는 직접사용으로 볼 수 없다. 그런데 임대가 불가피하다고 인정되는 업종에 대해서는 예외(전기통신사업, 유통산업)를 두고 있다. 유통산업, 농수산물도매시장·농수산물공판장·농수산물종합유통센터·유통자회사 및 가축시장으로 「유통산업발전법」 등 관계 법령에 따라 임대가 허용되는 매장 등의 전부 또는 일부를 임대하는 경우 임대하는 부분에 한정하여 직접사용으로 간주한다.

◎ **임대매장이 유통산업발전법에 따른 대규모점포 해당 여부 또는 개설등록 여부와는 상관없이 중과 제외 업종에 직접 사용되는 것으로 보아 중과대상이 아니라는 사례**

(사실관계) '홈누리마트'라는 상호로 농수산물, 공산품 등의 도·소매업을 영위하면서, 일부 건물(쟁점)은 의류나 애견용품 등의 판매점, 미용원, 일반음식점 등의 용도로 임대 …유통산업발전법은 그 법에 따른 매장의 임대를 허용하거나 제한하는 규정을 두고 있지 않음. 그 밖에 위 시행령 조항의 '유통산업발전법에 따라 임대가 허용되는 매장'이 유통산업발전법에 따른 대규모점포 등만을 의미한다고 볼 근거는 없음. 중소유통기업이 영위하는 농산물·공산품 등의 도·소매업도 유통산업발전법이 진흥하려는 유통산업에 해당함. 대규모점포 개설자가 매장을 임대하는 경우만 중과세율 적용을 제외하면 입법취지에 어긋날 뿐만 아니라 조세형평에도 반함(대법원 2019두39918, 2019.9.10.).

◎ **대규모점포 운영 사업자가 취득한 부동산을 중과 제외하였으나, 2년 이내에 매각으로 추징하는 경우 임대한 매장도 중과세 적용 대상**

법인이 인적·물적 설비를 갖추어 본점의 사업활동 장소로 사용하기 위하여 취득하는 부동산이 '법인이 본점의 용도로 직접 사용하기 위하여 취득하는 부동산'에 포함되고, 대규모 점포를 개설할 때 임대매장도 사업장 개설등록에 포함하고 있으며, 대도시 설립 법인 등이 유통산업을 영위하면서 제3자에게 매장을 임대하더라도 직접 사용한 것으로 보고 중과세 적용을 배제하고 있는 점 등을 볼 때 지점의 용도로 직접 사용하는 부동산의 범위에는 유통산업에 사용되는 대규모점포 내 임대매장도 포함된다고 볼 수 있으므로 대규모점포를 운영하면서 제3자에게 임대한 매장도 중과세 적용 범위에 포함됨(부동산세제과-427, 2020.2.26.).

36) 구 등록세 중과 당시에는 취득일이 아닌 등기일을 기준으로 판단

◎ **주택건설사업자가 부동산 취득 후 3년 이내에 주택건설에 착공하지 아니하여 유예기간이 경과한 경우 "정당한 사유"에 해당되지 아니함**

소유권이전등기 절차이행 청구의 판결문상에 매도인이 중도금과 잔금의 수령을 거부하여 취득의 시기가 불분명한 경우 취득일은 확정 판결일이 아니라 소유권이전등기를 한 날로 봄이 타당하며(지방세운영과-2551, 2008.12.17.), 주택건설사업자가 취득 등기한 주택건설용 토지가 취득 전에 가처분 등기가 설정되어 가처분권자가 본안소송에서 확정판결을 받을 경우 소유권이전등기가 말소될 수 있다는 장애요인을 충분히 인지한 상태에서 부동산을 취득하였고, 도로부지, 학교부지 등의 건축제한과 관련된 장애사유로 인하여 유예기간 이내 목적사업에 직접 사용하지 못하였다는 외부적 요인은 토지 취득 전에도 법령상, 사실상의 장애사유를 알았거나 알 수 있었음에도, 주택건설 사업계획승인을 신청하고 처리기간 내에 접수취하한 후 제한 해소를 위한 별다른 조치가 없이 유예기간을 경과한 사실정황 등 … "정당한 사유"에 해당되지 아니함(지방세운영과-4135, 2010.9.7.).

☞ 정당한 사유 판단 기준 : "정당한 사유"란 행정관청의 금지, 제한 등 그 법인이 마음대로 할 수 없는 외부적인 사유로 인한 것이거나 또는 내부적으로 해당 용도에 사용하기 위한 정상적인 노력을 다하였음에도 불구하고 시간적인 여유가 없거나 기타 객관적인 사유로 인하여 부득이 해당 용도에 사용할 수 없는 경우를 말하는 것으로, 부동산의 취득자가 그 자체의 자금사정이나 수익상의 문제 등으로 인한 경우는 이에 포함되지 아니하며, 그 정당한 사유의 유무를 판단함에 있어서는 그 입법취지를 충분히 고려하면서 부동산의 취득 목적과 규모에 비추어 그 목적사업에 직접 사용하는데 걸리는 준비기간의 장단, 목적사업에 사용할 수 없는 법령상, 사실상의 장애사유 및 장애정도, 당해 법인이 부동산을 목적사업에 사용하기 위한 진지한 노력을 다 하였는지 여부 등을 아울러 참작하여 구체적인 사안에 따라 개별적으로 판단하여야 함(대법원 2002두11752, 2004.4.28.).

◎ **임대사업자가 지점설치 전 지점과 무관한 임대용으로 사용하기 위한 부동산은 중과제외**

법인의 지점 설치 이전에 지점설치와 관련성 없이 임대를 주기 위해 취득하는 부동산 등기는 중과대상으로 보지 않음으로(대법원 94누11804, 1995.4.28.) 법인 지점 또는 분사무소의 설치 이전 지점 또는 분사무소의 설치와 관련성 있는 당해 법인이 임대용 부동산 관리를 위해 직접 사용하기 위해 취득하는 부분은 중과대상에 해당될 것이나, 법인 지점 또는 분사무소의 설치 이전 지점 또는 분사무소의 설치와 관련성이 없이 임대를 주기 위해 취득하는 부분은 중과대상에 해당되지 않음(지방세운영과-3656, 2009.9.9.).

제13조(과밀억제권역 안 취득 등 중과) 제5항 제1호[별장]

법 제13조(과밀억제권역 안 취득 등 중과) ⑤ 다음 각 호의 어느 하나에 해당하는 부동산등을 취득하는 경우(별장 등을 구분하여 그 일부를 취득하는 경우를 포함한다)의 취득세는 제11조 및 제12조의 세율과 중과기준세율의 100분의 400을 합한 세율을 적용하여 계산한 금액을 그 세액으로 한다. 이 경우 골프장은 그 시설을 갖추어 「체육시설의 설치·이용에 관한 법률」에 따라 체육시설업의 등록(시설을 증설하여 변경등록하는 경우를 포함한다. 이하 이 항에서 같다)을 하는 경우뿐만 아니라 등록을 하지 아니하더라도 사실상 골프장으로 사용하는 경우에도 적용하며, 별장·고급주택·고급오락장에 부속된 토지의 경계가 명확하지 아니할 때에는 그 건축물 바닥면적의 10배에 해당하는 토지를 그 부속토지로 본다. 〈개정 2010.12.27., 2011.12.31.〉

1. 별장 : 주거용 건축물로서 늘 주거용으로 사용하지 아니하고 휴양·피서·놀이 등의 용도로 사용하는 건축물과 그 부속토지(「지방자치법」 제3조 제3항 및 제4항에 따른 읍 또는 면에 있는, 대통령령으로 정하는 범위와 기준에 해당하는 농어촌주택과 그 부속토지는 제외한다). 이 경우 별장의 범위와 적용기준은 대통령령으로 정한다.

영 제28조(별장 등의 범위와 적용기준) ① 법 제13조 제5항 각 호 외의 부분 전단에 따른 별장 등을 구분하여 그 일부를 취득하는 경우는 별장·골프장·고급주택·고급오락장 또는 고급선박을 2명 이상이 구분하여 취득하거나 1명 또는 여러 명이 시차를 두고 구분하여 취득하는 경우로 한다. 〈개정 2010.12.30.〉

② 법 제13조 제5항 제1호 전단에서 "대통령령으로 정하는 범위와 기준에 해당하는 농어촌주택과 그 부속토지"란 다음 각 호의 요건을 갖춘 농어촌주택과 그 부속토지를 말한다. 〈개정 2010.12.30.〉

1. 대지면적이 660제곱미터 이내이고 건축물의 연면적이 150제곱미터 이내일 것
2. 건축물의 가액(제4조 제1항 제1호의 2를 준용하여 산출한 가액을 말한다. 이하 이 조에서 같다)이 6천500만원 이내일 것
3. 다음 각 목의 어느 하나에 해당하는 지역에 있지 아니할 것
   가. 광역시에 소속된 군지역 또는 「수도권정비계획법」 제2조 제1호에 따른 수도권지역. 다만, 「접경지역지원법」 제2조 제1호에 따른 접경지역과 「수도권정비계획법」에 따른 자연보전권역 중 행정안전부령으로 정하는 지역[37]은 제외한다.
   나. 「국토의 계획 및 이용에 관한 법률」 제6조에 따른 도시지역 및 「부동산 거래신고 등에 관한 법률」 제10조에 따른 허가구역
   다. 「소득세법」 제104조의 2 제1항에 따라 기획재정부장관이 지정하는 지역
   라. 「조세특례제한법」 제99조의 4 제1항 제1호 가목 5)에 따라 정하는 지역

③ 법 제13조 제5항 제1호 후단에 따른 별장 중 개인이 소유하는 별장은 본인 또는 그 가족 등이 사용하는 것으로 하고, 법인 또는 단체가 소유하는 별장은 그 임직원 등이 사용하는 것으로 하며, 주거와 주거 외의 용도로 겸용할 수 있도록 건축된 오피스텔 또는 이와 유사한 건축물로서 사업장으로 사용하고 있음이 사업자등록증 등으로 확인되지 아니하는 것은 별장으로 본다. 〈개정 2010.12.30.〉

1. 중과대상 별장 개요

별장, 골프장, 고급주택, 고급오락장, 고급선박을 취득하는 경우에는 취득세가 중과된다. 세율은 표준세율 + {중과기준세율(2%) × 4배}가 되는데, 이는 취득세와 등록세 통합 전에 취득세에 대하여만 5배 중과하던 것이므로 이를 그대로 적용하도록 하였다.

중과대상 별장에 해당하는지 여부에 대한 판단 기준은 다음과 같다. 건축법령에서 별장은 건축물의 용도분류에서 별도의 대상으로 분류되어 있지 않다. 지방세법령에서도 이를 판단함에 있어 그 소재지역, 구조, 규모, 휴양시설의 구비 여부 등에 관한 아무런 기준을 정하지 않고 있다. 따라서 별장 여부를 판단함에 있어서는 위 중과세의 입법취지를 고려하여 그 취득목적이나 경위, 당해 건물이 휴양 등에 적합한 지역에 위치하는지의 여부, 주거지와의 거리, 당해 건물의 본래의 용도와 휴양 등을 위한 시설의 구비 여부, 건물의 규모, 가액, 사치성 및 관리형태, 취득 후 소유자와 이용자의 관계, 이용자의 범위와 이용목적과 형태, 상시 주거의 주택 소유 여부 등 구체적 사정을 종합적으로 고려하여 객관적이고 합리적으로 판단하여야 한다(대법원 2013두21465). 그리고 그 사용주체가 반드시 그 건축물의 소유자임을 요하는 것은 아니며 그 건축물의 임차인이라도 무방하다(대법원 97누4364).

| **참고 _ 별장의 판단** |

개념	• 주거용 건축물로서 늘 주거용으로 사용하지 아니하고 휴양 · 피서 · 놀이 등의 용도로 사용하는 건축물과 그 부속토지
제외대상	• 읍 · 면소재 농어촌 주택과 그 부속토지로 다음에 해당되는 것 - 대지면적이 660㎡ 이내이고 건축물 연면적이 150㎡ 이내일 것 - 건축물의 가액 6,500만원 이내일 것 〈제외지역〉 - 광역시에 소속된 군 지역 또는 수도권 지역(접경지역과 자연보전권역 중 행자부가 정하는 지역은 제외) - 「국토의 계획 및 이용에 관한 법률」에 따른 도시지역 및 허가구역 - 부동산 가격안정을 위한 「소득세법」 또는 「조세특례제한법」 지정지역

2. 중과대상 별장 사례

◎ **골프장 내 콘도미니엄이 취득목적, 적합한 지역, 주거지와 거리 및 소유 여부, 사용형태 등 사정을 종합적으로 고려할 때 중과대상 별장에 해당**

원고의 대표이사 ○○○는 취득일로부터 1년 6개월 가량 경과한 후에야 전입신고를 하였고,

37) 현재 행정안전부령으로 별도로 정하지 않고 있다.

주거용으로 사용할 수 있는 아파트를 보유하고 있었으므로 주거목적으로 취득할 이유가 없었고, 원고 회사의 입장에서도 사업장과 상당한 거리가 떨어져 있어 특별한 업무상의 필요가 있었다고 보기도 어렵고, 사업장과 거리는 45km로 상당한 거리가 있으므로 출・퇴근하였다고 보기 어렵고, 골프장 내에 위치하고 있어 휴양・피서・위락 등의 용도로 사용되기에 최적의 조건이라는 점을 감안할 때 상시 주거용으로 사용하였다고 볼 수 없으므로 원고의 취득세 부과처분은 타당(대법원 2014두13058, 2015.1.15.)

◎ 휴양콘도미니엄이라도 휴양・피서 등 별장으로 사용시는 지방세 중과 대상

숙박시설(휴양콘도미니엄)로 등재되어 있으나 그러한 공부상 용도에도 불구하고 식탁, 소파, 냉장고 등 가재도구가 비치되어 사실상 주거용으로 사용할 수 있는 건축물인 사실, 원고가 이 사건 부동산을 독점적・배타적으로 이용하면서 상시 주거용이 아닌 휴양・피서・오락 등의 용도로 주로 사용하고 있는 사실을 인정할 수 있고, 설령 원고가 직원들을 위한 복리후생시설로 간헐적으로 사용한 사실이 있다고 하더라도 원고의 임직원들이 이 사건 부동산을 '휴양・피서・놀이' 등의 용도로 주로 사용한 이상 이 사건 부동산은 구 지방세법 소정의 별장에 해당한다고 봄이 타당하다. 원고의 위 주장은 이유 없다(대법원 2016두38365, 2016.8.19.).

◎ 소매점으로 사용승인받아 건축물의 일부를 임대하고 있다고 주장하나 별장으로 판단

이 사건 건물은 자연경관이 수려한 지역에 위치하고 있어 휴양・피서 또는 위락 용도로 사용하기 적합한 점, 아파트에 주민등록을 두면서 서울을 생활의 근거지로 삼고 있었던 점, 이 사건 건물을 소매점으로 용도승인 받았음에도, 실제로 … 업무용 시설의 흔적은 전혀 보이지 않았던 점, 임대차계약의 진정성이 매우 의심되는 점, 이 사건 건물의 3층은 2층을 통해서만 출입할 수 있는 바, … 이 사건 건물의 3층이 어떻게 사용되고 있는지에 대하여는 구체적으로 밝히고 있지도 않은 점 등을 종합하면 '별장'에 해당(대법원 2014두42162, 2015.1.15.)

◎ 중과대상 별장의 판단은 제반 사정을 고려하여 판단

서울에서 약 60㎞ 정도 떨어진 북한강변에 위치해 있고, 외부와 명백하게 차단되어 있으며, 회양목, 잔디, 조형물 등이 식재되거나 설치되어 있고, 주민들은 "○○ 별장"으로 호칭하고 있고, 실제로 원고를 포함한 그 가족들이고, 주로 주말과 연휴 등에만 이 사건 건물을 사용하여 온 것으로 보이고, 원고가 이사로 등기되어 있는 ㈜○○와 ○○○테크는 대표이사 및 본점 소재지 내지 영업소가 모두 동일한 바, 원고와 ○○○ 테크는 특수한 관계에 있다고 보이고, ○○○ 테크가 건물을 업무용으로 사용하였음을 인정하기 곤란한 점, 원고가 실제 전기사용자인 것으로 보이는 점 등 별장에 해당(대법원 2012두11676, 2012.9.13.)

◎ 공유제 방식의 콘도를 특정인이 사용하고 있는 경우 실질에 있어 별장에 해당함

상시 주거용으로 사용하였다기보다는 휴양・피서・위락 등의 용도로 사용한 것으로 보이는

점, 이 사건 콘도미니엄에는 매점 등의 부대시설이 없었고, 휴양콘도미니엄에 일반적으로 비치되어 있는 객실예약접수대장, 숙박부, 요금표 등이 없었으며, 오히려 객실별로 우편함이 설치되어 있거나 객실 창문에 화분 등 개인적인 물품이 비치되어 있는 등 주거용 건축물에서 찾아볼 수 있는 물품이 비치되어 있었던 점, 법인의 경우 그 임·직원 등이 사용하는 것에 해당하는 것으로 보이는 점, 이 사건 콘도미니엄은 인근에 골프장이 위치해 있어 휴양·피서·위락 등의 용도로 사용하기에 적합한 점 등의 여러 사정을 종합하면, 별장에 해당함(대법원 2013두21465, 2014.2.14.).

◎ **임차인이 상시 거주용의 주택을 확보하고 있는 상태에서 해당 부동산을 사실상 별장으로 사용한 경우 별장에 해당함**

건물을 취득하여 소외 윤○선에게 임대하기 전까지는 이를 상시 주거용으로 사용하고 있었다고 볼 것이나, 그 후 원고가 이 사건 건물 이외에도 이 사건 건물에서 상당한 거리에 소재한 곳에 상시 거주용의 주택을 확보하고 있는 위 윤○선에게 이 사건 건물을 임대하여 주었고, 윤○선이 위와 같은 환경에 건축되어 있는 이 사건 건물을 일시 별장용으로만 사용하였다 할 것이고, 따라서 이 사건 건물은 적어도 위 윤○선이 이를 사용한 시점 이후부터는 별장임(대법원 97누10079, 1998.9.22.).

◎ **법인이 소유권을 단독으로 취득하여 독립·배타적으로 이용하면서 휴양·피서 등의 용도로 사용하는 경우 별장으로 볼 수 있다는 사례**

회원권자, 지분권자에게 허용된 연중 사용일수 이외에는 사용이 제한된 회원권 또는 지분권 형태의 콘도미니엄은 숙박시설로서 별장에 해당된다고 볼 수는 없다 할 것이지만, 특정 콘도미니엄에 대한 소유권을 전용으로 소유하고 있으면서 타인은 일체 사용할 수 없고, 소유권자만이 독자적·배타적으로 이용하면서 상시 주거용이 아닌 휴양·피서·위락용 등의 용도로만 사용되는 경우에는 숙박시설로는 볼 수 없다 할 것이므로 취득세가 중과세되는 별장으로 보아야 할 것임(조심 2011지0657, 2012.7.26.).

◎ **오피스텔이 강변에 위치하고, 주변에 수영장이 설치되어 있고, 내·외부시설이 휴양에 적합하고 그 개별실은 간헐적으로 사용되고 있다면 별장에 해당**

오피스텔이 업무시설이 아니고 별장에 해당한다는 입증책임은 물론 일반원칙에 따라 과세관청에 있으나, 그 오피스텔이 도심에서 떨어진 경관이 수려한 강변에 위치하고 그 주변지역은 녹지지역으로 수영장이 설치되어 있으며, 그 내·외부시설이 휴양에 적합하고 그 개별실은 상시 사용되지 아니하고 간헐적으로 사용되고 있다면, 일반적으로 오피스텔은 업무시설인 까닭에 그 효용성을 갖추기 위하여 통상은 교통이 편리하고 주변업무지원시설이 갖추어진 도심에 건립되는 점에 비추어 그 오피스텔은 위치나 주변환경, 시설 등이 업무용으로보다는 오히려 별장의 용도에 더 적합한 것으로 보여져 … 별장의 용도로 취득한 것으로 추정함이 경험칙에 부합됨(대법원 93누21224, 1995.4.28.).

3. 중과대상 별장이 아니라는 사례

◎ **종업원들의 본점 출장시 숙소로만 사용한다면 별장이 아님**

주거와 주거외의 용도로 겸용할 수 있도록 건축된 오피스텔 등으로 사업자등록증 등에 의하여 사업장으로 사용하고 있음이 확인되지 아니하는 것을 말한다고 규정하고 있으므로 법인 소유 오피스텔이 사업장으로는 사용하지 아니하고 종업원들의 본점 출장시 숙소로만 사용한다면 이는 별장의 전제조건인 휴양·피서·오락 등의 용도로 사용한다고 볼 수 없으므로 취득세 중과대상인 별장에 해당되지 아니함(세정-960, 2005.3.2.).

◎ 전통가옥의 보전을 목적으로 취득하여 문화 및 집회시설(전시장) 등으로 사용하고 있는 주택을 일시 친지들이 사용한 사실이 있다고 하여 별장으로 보아 중과세하는 것은 무리임(대법원 2006두4806, 2006.6.29.).

◎ 원고가 이 사건 부동산을 그 임직원 등이 휴양·피서·놀이 등의 용도로 사용하기 위한 별장으로 취득하였다고 추인하기는 부족하고, 달리 이를 인정할 증거가 없으며, 오히려 원고의 주장과 같이 당초 ×××가 매수한 가격과 비교하여 적정한 가격에 매각할 목적으로 원고가 이를 취득하게 된 것이라고 볼 여지가 상당하는 등, 이 사건 부동산이 구 지방세법 및 지방세법 시행령에서 정한 '별장'에 해당함을 전제로 한 이 사건 처분은 위법함(대법원 2018두64528, 2019.3.14.).

제13조(과밀억제권역 안 취득 등 중과) 제5항 제2호[골프장]

> **법** 제13조(과밀억제권역 안 취득 등 중과) ⑤ 다음 각 호의 어느 하나에 해당하는 부동산등을 취득하는 경우(별장 등을 구분하여 그 일부를 취득하는 경우를 포함한다)의 취득세는 제11조 및 제12조의 세율과 중과기준세율의 100분의 400을 합한 세율을 적용하여 계산한 금액을 그 세액으로 한다. 이 경우 골프장은 그 시설을 갖추어 「체육시설의 설치·이용에 관한 법률」에 따라 체육시설업의 등록(시설을 증설하여 변경등록하는 경우를 포함한다. 이하 이 항에서 같다)을 하는 경우뿐만 아니라 등록을 하지 아니하더라도 사실상 골프장으로 사용하는 경우에도 적용하며, 별장·고급주택·고급오락장에 부속된 토지의 경계가 명확하지 아니할 때에는 그 건축물 바닥면적의 10배에 해당하는 토지를 그 부속토지로 본다. 〈개정 2010.12.27., 2011.12.31.〉

> 2. 골프장 : 「체육시설의 설치 · 이용에 관한 법률」에 따른 회원제 골프장용 부동산 중 구분등록의 대상이 되는 토지와 건축물 및 그 토지 상(上)의 입목

「체육시설의 설치 · 이용에 관한 법률」에 따른 회원제 골프장용 부동산 중 구분등록의 대상이 되는 토지와 건축물 및 그 토지 상(上)의 입목을 취득한 경우에는 표준세율 + {중과기준세율(2%) × 4배}로 취득세가 중과된다.

☞ 재산세편의 회원제 골프장 사례와 연계하여 이해할 것

〈체육시설의 설치 · 이용에 관한 법률〉

제2조(정의) 이 법에서 사용하는 용어의 뜻은 다음과 같다.

4. "회원"이란 체육시설업의 시설을 일반이용자보다 우선적으로 이용하거나 유리한 조건으로 이용하기로 체육시설업자(제12조에 따른 사업계획 승인을 받은 자를 포함한다)와 약정한 자를 말한다.

제21조(체육시설의 이용 질서) 회원을 모집하는 골프장업자는 제14조에 따른 병설 대중골프장의 이용 방법과 이용료 등 그 운영에 관하여 회원을 모집하는 해당 골프장과 분리하여야 한다.

〈체육시설의 설치 · 이용에 관한 법률 시행령〉

제20조(등록 신청) ③ 제1항에 따라 체육시설업의 등록을 하려는 자 중 회원제 골프장업의 등록을 하려는 자는 해당 골프장의 토지 중 다음 각 호에 해당하는 토지 및 골프장 안의 건축물을 구분하여 등록을 신청하여야 한다.

1. 골프코스(티그라운드 · 페어웨이 · 러프 · 해저드 · 그린 등을 포함한다)
2. 주차장 및 도로
3. 조정지(골프코스와는 별도로 오수처리 등을 위하여 설치한 것은 제외한다)
4. 골프장의 운영 및 유지 · 관리에 활용되고 있는 조경지(골프장 조성을 위하여 산림훼손, 농지전용 등으로 토지의 형질을 변경한 후 경관을 조성한 지역을 말한다)
5. 관리시설(사무실 · 휴게시설 · 매점 · 창고와 그 밖에 골프장 안의 모든 건축물을 포함하되, 수영장 · 테니스장 · 골프연습장 · 연수시설 · 오수처리시설 및 태양열이용설비 등 골프장의 용도에 직접 사용되지 아니하는 건축물은 제외한다) 및 그 부속토지
6. 보수용 잔디 및 묘목 · 화훼 재배지 등 골프장의 유지 · 관리를 위한 용도로 사용되는 토지

1. 중과대상 회원제 골프장

◎ 회원제 골프장으로 등록하고 회원모집계획서가 제출 · 수리는 되었으나, 회원 없이 운영하고 있는 경우라도 회원제로 봄이 타당

쟁점법인은 리조트사업을 함께 운영하면서 골프빌리지를 분양받는 경우에 해당 상품에 따라

정회원과 지정회원에게 그린피 면제 또는 할인 등 골프장 이용혜택을 주고 있다는 사실을 비추어볼 때, 골프빌리지를 분양받은 사람이 쟁점법인의 골프장을 이용하는데 있어 전반적 이용조건은 일반이용자보다 유리한 조건으로 이용하고 있으므로 골프회원권의 회원혜택과 유사하다고 보는 것이 바람직하다 할 것이므로 회원제 골프장업으로 체육시설업 등록을 한 후 회원모집계획서를 제출하고, 인터넷을 통해 회원모집, 즉 회원권 분양 행위를 하는 등 회원제 운영을 위한 행위가 있었다는 점, 골프빌리지 분양자에게 골프회원권의 회원과 유사한 혜택을 주고 있다는 점을 종합적으로 고려해 볼 때 회원제골프장으로 보는 것이 타당함(지방세운영과-1227, 2014.4.9.).

◎ **회원제 골프장으로 구분등록되어 있어 언제든지 회원을 모집하여 운영할 수 있는 경우라면, 현황상 중과대상 골프장으로서 실체를 구비하고 있는 것임**

재산세는 현황에 따라 과세하는 것이 원칙이고, 중과대상 부동산에 해당하는지 여부를 판단하는 기준은 현황을 객관적으로 판단하여 중과시설로서 실체를 갖추고 있으면 충분하고(대법원 92누15154), 그 영업허가를 계속 유지하기 위하여 중과시설 및 허가요건 등을 계속 유지하여 왔다면 당해 부동산의 사실상 현황이 중과대상으로서 실체를 구비한 것으로 보는 것이 합리적이므로(대법원 89누3922) 중과대상 골프장의 요건으로 체육시설법상 회원제 골프장용 부동산 중 구분등록 대상이 되는 토지인바, 구분등록되어 있어 언제든지 회원을 모집하여 운영할 수 있는 경우라면, 현황상 중과대상 회원제 골프장으로서 실체를 구비하고 있는 것으로 봄이 타당(지방세운영과-625, 2011.6.10.)

◎ **회원제로 사업인가 후 변경인가를 받아 대중 골프장으로 등록한 경우 중과대상이 아님**

회원제 골프장으로 사업인가를 받았다고 하더라도 변경인가를 통하여 「체육시설의 설치·이용에 관한 법률」에 따라 대중 골프장으로 등록한 경우라면 대중 골프장이라고 할 것이므로 이는 회원제 골프장 등록으로 한정하고 있는 취득세 중과세대상 골프장에 해당되지 아니한다고 할 것(구 심사 2005-0098, 2005.1.11. 결정 참조)임(지방세운영과-2896, 2012.9.12.).

2. 골프장 취득의 시기와 납세의무

◎ **그린피를 받지 않았더라도 시범라운딩 시작부터 사실상 골프장으로 사용되었다는 사례**

증빙자료(카드매출자료, 출장복명서, 홍보자료)에 따르면, 본 건 골프장은 그린피 징수시까지 지속적으로 시범라운딩을 실시한 것으로 보는 것이 타당할 것임. 따라서, 그린피와 카트피를 받지 않았다고 하더라도 시범라운딩이 일시적이 아닌 반복적·지속적으로 이루어진 점, 그린피 징수 전에 정식 골프대회를 개최했던 점, 증빙자료에 따르면 그 이용자의 대부분은 비회원으로서 일반 다중에게 공여되어 홍보수단 등으로 활용된 것으로 보이는 점 등을 감안했을 때, 본 건 골프장은 시범라운딩을 시작한 때부터 사실상 골프장으로 사용되었다고 보는 것이 타당(지방세운영과-1351, 2013.7.2.)

☞ "골프장을 등록하지 않더라도 사실상 골프장으로 사용하는 경우의 의미
이용대상, 이용목적, 이용에 따른 대가의 징수여부 등 여러 제반사정에 비추어 볼 때 골프장으로 등록하기 전이라 하더라도 실질적인 사업운영의 목적으로 골프장을 사용하는 경우를 의미한다고 보아야 함(대법원 2008두7175, 2008.8.21.).

☞ 시범라운딩이라 함은 골프장을 개장하기에 앞서 코스 등을 점검하고 기타 미비점을 보완하기 위해 골프장을 개방하는 것으로서, 이와 같은 목적에 그치지 않고 다수의 일반인에게 개방하여 회원모집을 위한 홍보의 수단으로 활용하거나(대법원 2008두7175, 2008.8.21.) 그린피와 카트피, 캐디피 등을 유료로 받는 등 실질적인 이익을 취하는 경우(조심 2011지172, 2012.3.7.), 일시적이 아닌 반복적・지속적으로 이루어지는 경우(지방세운영과-2425, 2008.12.5.) 등에는 사실상 골프장으로 사용된다고 보는 것임.

◎ 골프장 코스점검을 위하여 이용요금 없이 실시한 시범라운딩은 취득시기로 볼 수 없음

신규로 골프장을 건설하는 경우 체육시설업의 등록을 하기 전이라도 사실상 골프장으로 사용하는 경우 사용일이 취득시기가 되는 것이나, 골프장 건설공정이 86%정도 진행된 상태에서 조성한 골프장의 코스점검 후 개장을 위하여 당해 골프장 회원만을 대상으로 이용요금(그린피, 카트피, 캐디피)없이 일정기간을 정하여 시범라운딩을 하는 경우라면 이를 골프장 취득시기로 볼 수 없다 할 것임(지방세정팀-4988, 2006.10.13.).

◎ 골프장을 사용하기 전 사용승인을 득한 클럽하우스의 경우 중과세율 적용시기

골프장 공사와 관련하여 체육시설업의 등록 또는 골프장을 사실상 사용하기 이전에 사용승인을 득한 클럽하우스의 취득의 시기는 사용승인서 교부일(사용승인서 교부일 이전에 사실상 사용하거나 임시사용승인을 받은 경우에는 그 사실상의 사용일 또는 임시사용승인일)이 취득일이 되는 것임. 다만, 중과세율의 적용시기는 지방세법 제112조 제2항 규정에 의거 체육시설의 설치・이용에 관한 법률의 규정에 의하여 체육시설업의 등록을 하는 날 또는 등록을 하기 전에 사실상 골프장으로 사용한 경우에는 사실상 골프장으로 사용하는 날이 되는 것임(지방세정팀-3869, 2005.11.18.).

☞ 골프장 홀별로 취득시기(시범라운딩)가 다른 경우 각각의 홀별로 취득시기를 달리하여 중과세를 할 수 있음(대법원 2008두7175, 2008.8.21).

◎ 골프장지목변경일과 사실상 사용일 판단 구분

체육시설업의 등록을 하기 전에 사실상 골프장으로 사용하는 날을 취득세 중과세율의 적용대상이 되는 골프장으로 보도록 규정한 이유가 그 날 회원제골프장으로서의 요건을 충족시킨 것으로 보려는 데에 그 취지가 있다 하겠으므로 등록 직전에 시설점검을 위하여 일시적(예 : 15일간)으로 일정기간 동안만 소수의 인원이 시설사용료(Green Fee)없이 사용하는 경우는

그 토지의 지목이 사실상 변경된 것으로 보는 것이 타당하지 아니하지만, 시범라운딩 기간을 연장하여 반복적으로 사용하거나, 시범라운딩 기간제한 없이 지속적으로 사용되는 경우에는 그 개시일을 그 토지의 지목이 사실상 변경된 날로 보아야 할 것임(세정-3874, 2004.11.3.).

◎ **임야 · 전 · 답이 이미 체육용지로 지목변경된 국유지를 취득한 경우라도 골프장 조성 후 등록한 때에 사실상 골프장으로 지목이 변경된 것으로 중과대상**

회원제 골프장을 조성하기 위하여 골프장으로 조성할 부지를 매입하면서 이미 지목이 체육용지로 변경된 국유지(임야 · 전 · 답)를 취득하여 골프장을 조성한 경우 회원골프장에 대한 중과세 시기는 골프장을 조성한 후 체육시설법에 의하여 등록된 때가 되는 것이므로 골프장을 건설하기 위하여 임야 · 전 · 답 등 이미 체육용지로 지목변경된 국유지를 취득한 경우라 하더라도 골프장 조성 후 등록한 때에 사실상 골프장으로 지목이 변경되었다 할 것이므로 이 시기에 취득세 중과세 대상이 됨(지방세정팀-4873, 2006.10.9.).

3. 골프장 내 시설 등의 중과

◎ **회원제와 대중제 골프장이 공동 이용하는 '조정지'의 경우 비록 대중제로 등록되어 있더라도 실제 회원제 골프장으로 이용되는 부분은 안분계산하여 중과세 적용**

회원제 골프장과 병설 운영되는 대중제 골프장 내의 '조정지'가 회원제 골프장 코스와의 사이에 위치한 경우 비록 대중제 골프장으로 등록되어 있다 하더라도 실제 현황이 회원제 골프장 코스의 일부로 사용되는 등 회원제 골프장과 대중제 골프장에 공동이용으로 인정할 만한 사정이 있다면 그 조정지 전체를 대중제 골프장으로 보아 일반세율만을 적용할 수는 없고, 실제 회원제 골프장으로 사용되는 부분을 안분계산하여 사실상 회원제 골프장으로 사용되는 부분은 중과세하여야 할 것임(지방세운영과-5411, 2009.12.22.).

◎ **저수순환장치가 급수시설이므로 취득세 과세대상에 해당**

골프장의 과세범위 관련, 대체농지조성비, 측량관리비, 벨트웨이 설치비 및 게이트볼장 · 축구장 · 테니스장 조성비가 골프장 조성에 들인 비용으로서 지목변경으로 인한 간주취득비용이고, 이 사건 폐수집수 정화탱크가 골프장 건물의 일부이며, 이 사건 저수순환장치가 급수시설이므로 모두 취득세 과세대상에 해당(대법원 98두6876, 2001.1.16.).

◎ **조정지로 구분등록이 되어 있는 경우라도 골프코스와는 관계없이 별도로 오수처리 등을 위하여 설치한 것이라면 취득세 중과세 대상이 아님**

골프장 내 분수시설은 골프장의 효용을 증진시키는 시설에 해당된다 하더라도 취득세 과세대상에서 제외되며, 지방세법상 등록을 하지 아니하더라도 사실상 골프장으로 사용하는 경우에도 적용하므로 체시법 시행령상(제20조 ④ 본문 · 제3호) 등록대상의 하나로 조정지를 규정하면서 골프코스와는 별도로 오수처리 등을 위하여 설치한 것을 제외하고 있음. 따라서 해당 유지가 조정지로 구분등록되어 활용되고 있다면 취득세 중과세대상이라 하겠고, 조정지로 구분등록이 되어 있는 경우라도 골프코스와는 관계없이 별도로 오수처리 등을 위하여 설치한 것이라면 중과세대상이 아님(지방세정팀-1790, 2007.5.16.).

◎ **구분등록은 하지 않았으나 사실상 회원제 골프장으로 사용되고 있다면 경비실, 진출입도로 및 기숙사가 취득세 중과세 대상에 해당한다고 한 사례**

「지방세법」 제112조 제2항에서 「체육시설의 설치 · 이용에 관한 법률」에 의한 구분등록의 대상으로서 구분등록을 하지 않았다 하더라도 사실상 골프장으로 사용하는 경우에도 골프장으로 보도록 규정하고 있어 구분등록대상이 되는 토지 및 건축물에 대해서는 실제 구분등록을 하였는지를 가리지 아니하고 중과세하여야 한다(감심 2008-257, 2008.10.1.)고 할 것이므로 해당 경비실, 진출입도로 및 기숙사 등이 당해 골프장의 효용증진을 위하여 필수 불가결한 도로나 건축물로서 사실상의 골프장에 해당되는지 등에 관한 사실조사를 통하여 과세권자가 중과세 여부를 결정할 사항임(지방세운영과-2249, 2009.6.5.).

◎ **골프장의 운영 및 유지 · 관리에 활용되고 있지 아니한 자연상태 임야는 중과대상 아님**

토목공사는 물론 잔디 파종 및 식재비용, 임목의 이식비용 등 골프장 조성에 들인 비용은 모두 토지의 지목변경으로 인한 가액증가에 소요된 비용으로서 지목변경에 의한 간주취득의 과세표준에 포함됨. 골프장 내에 위치한 자연상태의 조경지가 등록대상으로서 취득세 중과대상에 해당하기 위해서는 골프장의 운영 및 유지관리에 활용되고 있는 것이어야 하므로, 골프장의 운영 및 유지 · 관리에 활용되고 있지 아니한 자연상태 임야의 경우 중과대상 아님(대법원 99두9919, 2001.7.27.).

4. 취득세 과세표준

◎ **골프장 준공 이후에 투입된 개별입목비의 경우 지목변경 과표에 제외**

골프장조성을 위하여 임목을 식재하였다고 하더라도 원래 미등기의 수목 또는 임목은 토지의 구성부분이 되어 토지의 일부분이 됨에 그치므로, 비록 그 수목 또는 임목이 지방세법상 별도의 취득세 과세대상물건에 해당한다 하더라도, 그 구입 및 식재비용은 원칙적으로 토지의 지목변경으로 인한 가액증가에 소요된 비용으로서 지목변경에 의한 간주취득의 과세표준에 포함됨… 골프장 준공 이후에 투입된 개별입목비의 경우 지목변경에 따른 간주취득세 과표에 포함되지 아니함(대법원 1997누2245, 1999.9.3.).

◎ **골프장 조성비와 잔디파종 및 식재비용은 지목변경 취득세 중과세 과표에 포함**

골프장 조성비용 과표 산입 관련, 전 · 답 · 임야에 대한 산림훼손(임목의 벌채 등), 형질변경

(절토, 성토, 벽공사 등), 농지전용 등의 공사뿐만 아니라 잔디의 파종 및 식재, 임목의 이식, 조경작업 등과 같은 골프장으로서의 효용에 공하는 모든 공사를 완료하여 골프장조성공사가 준공된 때에 비로소 유원지로 지목변경이 된다고 볼 것이므로, 골프장조성비와 잔디파종 및 식재비용 등 골프장조성에 들인 비용은 지목변경을 위하여 소요된 비용으로서 모두 취득세 과세표준이 되고, 또한 이들 비용은 골프장용 토지의 취득을 위한 것이므로 이에 대하여는 중과세율이 적용(대법원 89누5638, 1990.7.13., 대법원 92누18818, 1993.6.8. 등 참조)되어야 마땅함(대법원 96누12634, 1998.6.26.).

◎ **골프연습장의 과세시기와 과세표준 판단**

지방세법 시행령 제75조의 2 제1호 및 같은법 시행령 부칙 제1조에서 골프연습장(골프연습장업으로 신고된 20타석 이상 골프연습장의 필수시설인 운동시설 및 안전시설과 철탑에 한함)은 2005.1.1.부터 취득세 및 재산세과세대상으로 규정하고 있으므로 2003년 10월 토지·건물 등을 일괄하여 취득하였다 하더라도 법인장부에 토지·건물·구축물 및 기계장치의 취득가액을 명백히 구분하여 기장하였다면 구축물과 기계장치의 취득가액을 제외한 토지·건물 및 동법 시행령 제75조의 2의 규정에 열거된 시설의 취득가액에 대하여만 취·등록세를 과세하여야 할 것임(세정-1806, 2004.7.1.).

◎ 골프장의 과세범위 관련, 개업비는 골프장 조성에 소요된 비용이라기보다는 회원권 판매 및 법인의 일상적인 경비로서 골프장을 취득하기 위하여 지급한 일체의 비용에 포함될 수 없는 성질의 것이므로 골프장의 취득가액에서 제외되어야 함(심사 2001-57, 2001.2.27. ; 같은 취지의 심사 2000-511, 2000.6.27.).

◎ **관리업무처리에 따른 임직원의 급여 모두가 골프장의 취득가액에 포함되지는 않음**

과세대상이 된 임직원들의 급여 등은 본사의 관리부서에 근무하는 임직원들의 급여 등으로서 전체 임직원들이 골프장 건설공사와 관련한 각종 인·허가 업무, 인근마을의 민원처리 등 각종 업무를 처리한 것이 아니고, 또한 골프장조성공사를 다른 법인에게 도급을 주어 시공한 점 등을 종합해 볼 때 일반 관리업무처리에 따른 임직원의 급여 모두가 골프장의 취득가액에 포함된다고는 볼 수 없음(심사 99-494, 1999.8.25.).

제13조(과밀억제권역 안 취득 등 중과) 제5항 제3호[고급주택]

법 제13조(과밀억제권역 안 취득 등 중과) ⑤ 다음 각 호의 어느 하나에 해당하는 부동산등을 취득하는 경우(별장 등을 구분하여 그 일부를 취득하는 경우를 포함한다)의 취득세는 제11조 및

제12조의 세율과 중과기준세율의 100분의 400을 합한 세율을 적용하여 계산한 금액을 그 세액으로 한다. 이 경우 골프장은 그 시설을 갖추어 「체육시설의 설치·이용에 관한 법률」에 따라 체육시설업의 등록(시설을 증설하여 변경등록하는 경우를 포함한다. 이하 이 항에서 같다)을 하는 경우뿐만 아니라 등록을 하지 아니하더라도 사실상 골프장으로 사용하는 경우에도 적용하며, 별장·고급주택·고급오락장에 부속된 토지의 경계가 명확하지 아니할 때에는 그 건축물 바닥면적의 10배에 해당하는 토지를 그 부속토지로 본다. 〈개정 2016.12.27.〉

3. 고급주택 : 주거용 건축물 또는 그 부속토지의 면적과 가액이 대통령령으로 정하는 기준을 초과하거나 해당 건축물에 67제곱미터 이상의 수영장 등 대통령령으로 정하는 부대시설을 설치한 주거용 건축물과 그 부속토지. 다만, 주거용 건축물을 취득한 날부터 60일[상속으로 인한 경우는 상속개시일이 속하는 달의 말일[38] 부터, 실종으로 인한 경우는 실종선고일이 속하는 달의 말일부터 각각 6개월(납세자가 외국에 주소를 둔 경우에는 각각 9개월)] 이내에 주거용이 아닌 용도로 사용하거나 고급주택이 아닌 용도로 사용하기 위하여 용도변경공사를 착공하는 경우는 제외한다.

영 제28조(별장 등의 범위와 적용기준) ④ 법 제13조 제5항 제3호에 따라 고급주택으로 보는 주거용 건축물과 그 부속토지는 다음 각 호의 어느 하나에 해당하는 것으로 한다. 다만, 제1호·제2호·제2호의 2 및 제4호에서 정하는 주거용 건축물과 그 부속토지 또는 공동주택과 그 부속토지는 법 제4조 제1항에 따른 취득 당시의 시가표준액이 9억원을 초과하는 경우만 해당한다.

1. 1구의 건축물의 연면적(주차장면적은 제외한다)이 331제곱미터를 초과하는 주거용 건축물과 그 부속토지
2. 1구의 건축물의 대지면적이 662제곱미터를 초과하는 주거용 건축물과 그 부속토지

2의 2. 1구의 건축물에 엘리베이터(적재하중 200킬로그램 이하의 소형엘리베이터는 제외한다)가 설치된 주거용 건축물과 그 부속토지(공동주택과 그 부속토지는 제외한다)

3. 1구의 건축물에 에스컬레이터 또는 67제곱미터 이상의 수영장 중 1개 이상의 시설이 설치된 주거용 건축물과 그 부속토지(공동주택과 그 부속토지는 제외한다)
4. 1구의 공동주택(여러 가구가 한 건축물에 거주할 수 있도록 건축된 다가구용 주택을 포함하되, 이 경우 한 가구가 독립하여 거주할 수 있도록 구획된 부분을 각각 1구의 건축물로 본다)의 건축물 연면적(공용면적은 제외한다)이 245제곱미터(복층형은 274제곱미터로 하되, 한 층의 면적이 245제곱미터를 초과하는 것은 제외한다)를 초과하는 공동주택과 그 부속토지

고급주택에 대하여 취득세를 중과하는 것은 사치성 주택의 신축이나 취득을 억제하고 건축물의 부속토지로 과다하게 토지를 공여하는 것을 억제하여 부족한 택지의 공급을 늘리며 나아가 건전한 주택문화를 정착시킴으로써 국민생활의 건전화를 기하고자 하는 입법취지가 반영되어 있다. 고급주택을 취득한 경우에는 표준세율 + {중과기준세율(2%) × 4배}로 취득세가 중과된다.

38) 상속(실종) 개시일 부터를 상속(실종) 개시일이 속하는 달의 말일로 개정하였다(2012.1.1. 시행).

| 참고 _ 고급주택의 판단 |

개념	• 주거용 건축물 또는 그 부속토지의 면적과 가액이 일정기준을 초과하거나 해당 건축물에 67제곱미터 이상의 수영장 등 부대시설을 설치한 주거용 건축물과 그 부속토지
고급주택 해당기준 (영 §28)	• 1호(단독) : 9억원 초과 + 건축물 연면적 331㎡(주차장면적 제외) 초과 • 2호(단독) : 9억원 초과 + 대지면적 662㎡ • 2의 2호(단독)[39] : 9억원 초과 + 엘리베이터(200㎏ 초과) • 3호(시설) : 에스컬레이터 또는 수영장(67㎡ 초과) 중 1개 이상 설치 • 4호(공동) : 9억원 초과 + 건축물 연면적 245㎡(복층 274㎡) 초과

1. 고급주택 판단

고급주택을 취득하는 경우는 기존의 고급주택을 취득(승계취득)하는 경우도 있지만, 주로 신축과정(공동주택보다는 단독주택)에서 고급주택에 대한 논란이 많이 발생한다. 승계취득하는 경우에도 취득당시 고급주택요건에 해당하지만, 취득일 이후 60일 이내에 용도변경공사 등 고급주택이 아닌 용도로 사용하기 위한 행위를 한 사실이 입증되면 고급주택에서 제외될 수 있다.

2020년 전후로 고급주택 요건이 변경되었다. 2020년 이전까지 단독주택이 고급주택 요건에 해당하기 위해서는 취득당시 시가표준액(개별주택가격)이 6억원을 초과하고, 주택의 건축물부분의 가액(건축물 시가표준액)은 9천만원을 초과하여야 한다. 2021년부터는 공시가격이 6억원에서 9억원으로 조정되었고, 건축물부분의 가액기준 9천만원은 삭제하였다.

취득당시의 시가표준액이 9억원을 초과하여야 한다는 것은 부동산공시법에 따른 주택공시가격을 의미한다. 그런데 신축에 따른 고급주택인 경우 신축주택의 취득시기(사용승인일 등)에는 부동산공시법에 따른 개별주택가격이 공시되지 않아 개별주택가격비준표에 따라 주택가격을 산정해야 한다. 이 때 가격산정의 기준이 되는 부속토지의 범위, 표준주택의 선정 등을 명확히 하여 산정해야 한다.

앞의 가격요건을 충족하면서 면적기준을 동시에 고려해야하는데, 건축물 연면적이 331㎡를 초과하거나 건축물 부속토지 면적이 661㎡를 초과하여야 한다. 건축물의 연면적은 주차장면적을 제외하고 331㎡를 초과해야 한다. 이 때 불법 증축 건물이 없는지 주택에 해당하는 면적이 제대로 산정되었는지 등을 검토하여야 한다. 토지면적의 경우 건축물 부속토지의 범위를 어디까지로 한정할 것인지가 쟁점이 될 수 있다. 부속토지의 범위에 따라 주택

39) 2011년까지는 주택가액과는 별개로 엘리베이터(200㎏ 이하 제외)가 설치되어 있으면 고급주택에 해당되는 것으로 규정하였으나, 사회적 약자의 권익보호를 위해서 200kg 초과 엘리베이터 설치하더라도 공시가액 6억원 이하 단독주택은 고급주택에서 제외하도록 하였다(시행령 제28조 제4항 개정, 2012.1.1 시행).

가격에 영향을 미쳐 고급주택에 포함될 수 있기 때문이다.

한편, 토지를 취득하고 지상에 건축한 주택이 고급주택 요건에 해당한다면 요건발생일로부터 소급하여 5년 이내에 취득한 토지분 취득세에 대하여도 중과세해야 하는데, 정당한 중과세액과 당초 신고한 세액과의 차액에 대해서는 60일 이내에 신고납부해야 한다. 또한 일반주택과 대지를 취득하고 취득세를 신고납부한 후 그 일반주택을 멸실하고 그 지상에 고급주택을 신축한 경우라면, 그 고급주택의 취득에 따른 중과세율의 적용은 신축하여 취득한 당해 고급주택과 그 부속토지에 한정되고, 그 고급주택 신축이전에 멸실된 일반주택까지를 포함하는 것은 아니다(지방세운영과-1954, 2008.10.24.).

| 최근 개정법령_2021.1.1.| 고급주택 중과세 요건 개선(영 §28 ④)

고급주택 중과기준은 '08년 주택공시가격에 따른 시가표준액 기준(6억원)이 도입되었음에도 건축물 가액(9천만원)이 중복 적용되어 왔다. 또한, 주택 일부를 전시장·박물관 등으로 불법 용도변경시, 건축물 가액 기준에 해당하지 않아 중과 대상에서 제외되는 사례가 발생했다. 이러한 문제점을 보완하기 위해 건축물 가액 기준을 폐지하여 공시가격 기준으로 일원화하고 공시가격은 6억원에서 9억원으로 상향하였다. 취득세율은 일반주택 3%에 8%p를 추가하면 11%가 된다.

◎ **오피스텔도 고급주택으로 볼 수 있고, 공동주택으로 보아 고급주택 면적기준을 적용**

고급주택에 대해 '주거용 건축물과 그 부속토지'로 규정하고 있으므로, 고급주택의 대상을 공부상 주택 또는 「주택법」상 주택 등으로 한정할 수 없음. 또한 취득세는 취득당시의 사실상 현황에 따라 부과하고(영 제13조), 고급주택 중과세 취지 등을 고려할 때, 주거용으로 사용되는 건축물로서 사치성·호화 주거목적으로 사용하는 오피스텔의 경우 고급주택으로 보는 것이 타당. 한편 주거용 오피스텔의 경우 하나의 건축물 안에서 각 세대가 독립된 주거생활을 영위할 수 있는 구조로 건축 될 뿐 아니라, 「집합건축물의 소유 및 관리에 관한 법률」에 따라 집합건축물 대장에 등재되고 각 호별로 독립되어 구분등기하고 있으므로, 공동주택의 규정을 적용하여 고급주택 여부 판단함(부동산세제과-56, 2019.7.30).

◎ **고급주택 여부는 취득시기를 중심으로 판단하여야 함**

이 사건 부칙조항이 현재까지 예외적으로 적용되는 경우라 하더라도, 이 사건 부칙조항은 납세의무자가 과세물건을 취득하는 때를 기준으로 종전 규정을 적용하여야 한다는 의미이며, 취득시기를 기준으로 고급주택인지 여부를 결정하여야 할 것인 바, 이 사건 주택은 주차장의 일부 증축으로 연면적이 323.922㎡로 되어 고급주택임을 전제로 하는 이 사건의 처분은 적법함(대법원 2015두45694, 2015.9.24.).

◎ 복층용 공동주택의 고급주택 범위 판단

지방세법 시행령 제84조의 3 제2항 제4호에서 1구의 공동주택의 연면적이 245제곱미터(복층형의 경우에는 274제곱미터)를 초과하는 공동주택과 그 부속토지는 고급주택에 해당한다고 규정하고 있으므로, 하층면적이 265.17제곱미터로서 고급주택 해당 면적인 245제곱미터를 초과하고 상층면적이 8.69제곱미터에 불과하다면 복층형 공동주택으로 볼 수 없어 고급주택에 해당함(세정 13407 - 664, 2002.7.19.).

◎ 고급주택을 상속으로 취득하는 경우는 1가구 1주택이라도 중과대상

지방세법 제110조 제3호 규정에 의하여 상속으로 인한 취득 중 1가구 1주택의 경우에는 취득세가 비과세되는 것이나, 당해 주택이 동시행령 제79조의 5 제1항의 규정에 의한 고급주택의 경우에는 비과세대상에서 제외되는 것이므로 고급주택을 상속으로 취득하는 경우에는 취득세과세대상이 될 뿐 아니라 동법 제112조 제2항 제3호 규정에 의거 취득세가 중과세됨(세정 13430 - 396, 2000.3.16.).

◎ 다가구주택을 복층형으로 개수한 경우 고급주택 해당 여부

고급주택에 대한 중과세 판단 관련, 고급주택은 사실현황에 따라 판단하는 것이므로 2001년에 신축한 다가구용주택을 그 취득일로부터 5년 이내에 1층에서 2층으로 올라가는 계단을 만들어 실질적으로 복층형으로 사용할 수 있도록 개수하여 1층과 2층의 연면적이 274제곱미터를 초과하는 경우라면 고급주택에 해당(세정 13407 - 284, 2002.3.23.)

☞ 다가구 주택이므로 중과세 대상 요건에 해당되지 않는다는 주장을 인정하지 않은 사례 : 2세대만 거주할 수 있고 한 울타리 내에 마당과 정원을 갖춘 일반적인 2층 단독주택의 경우까지 다가구주택으로 보기는 어렵다 할 것임(조심 2015지1938, 2016.10.26.).

◎ 지방세법 분법시에 반영되지 못한 종전 부칙규정[1994년 이전에 건축한 공동주택(공유포함 연면적 298㎡ 이하)은 분법시행(2011.1.1.) 이후에도 적용 가능

지방세 체계의 간소화 등을 통해 지방세에 대한 국민이해도 증진 등을 위한 지방세법 분법의 입법취지에 비추어 볼 때, 지방세법 분법시 종전 부칙규정을 의도적으로 삭제하려는 입법취지는 아니었다고 할 것인 바, 종전의 부칙규정은 분법에 따른 지방세법 전면개정시 누락되었다고 봄이 타당하므로 이는 종전 부칙규정의 효력이 상실되지 아니한 '특별한 사유'에 해당된다고 할 것인 점(대법원 2001두11168, 2002.7.26.) 등을 종합적으로 고려해 볼 때, 1994.12.31. 이전에 건축한 공동주택을 2011.1.1. 이후 승계취득하는 경우에도 종전 부칙규정을 적용하는 것이 합리적임(지방세운영과 - 109, 2013.4.1.).

☞ 지방세법 시행령 개정(대통령령 제14481호, 1994.12.31.)으로 고급주택의 기준이 1994.12.31. 이전까지는 「연면적(공용면적 포함) 298㎡ 초과」에서 1995.1.1.부터는 「연면적(공용면적 제외) 245㎡ 초과」로 변경되었으나, 동법 시행령 부칙 제3조에서 "이 영 시행당시 건축허가를 받아 건축

중이거나 사용검사를 받은 건축물로서 공용면적을 포함한 연면적이 298㎡ 이하인 주거용 공동주택에 부과하는 취득세에 대하여는 제84조의 3 제1항 제2호 라목의 개정규정에 불구하고 종전의 규정에 의한다"고 규정되어 있으므로 1995.1.1. 이전에 건축된 주택으로서 공용면적을 포함한 연면적이 298㎡ 이하인 주택을 2000. 6월에 취득하는 경우라면 공용면적을 제외한 연면적이 245㎡를 초과한다 하더라도 취득세 중과대상에 해당되지 아니함(세정 13407-958, 2000.7.31.).

- 일반주택과 대지를 취득하고 취득세를 신고납부한 후 그 일반주택을 멸실하고 그 지상에 고급주택을 신축한 경우라면, 그 고급주택의 취득에 따른 중과세율의 적용은 신축하여 취득한 당해 고급주택과 그 부속토지에 한정되는 것이고, 그 고급주택 신축이전에 멸실된 일반주택까지를 포함하는 것은 아님(지방세운영과-1954, 2008.10.24.).
- 풀장의 면적 산정 관련, 고급주택의 요건이 되는 「67㎡ 이상의 풀장」은 풀장안의 수영조 면적으로 산정함이 타당함(세정-2020, 2005.8.2.).
- 단독주택 단지 내의 주택 소유자들이 공동으로 사용하기 위해 설립한 커뮤니티센터를 단독주택의 연면적에 포함하여 고급주택 여부를 판단할 수 없음(서울고법 2012누40287, 2013.8.9.).

2. 고급주택 면적기준 판단

건축관계 법령에서 건축물의 연면적 산정에 관한 규정을 두었다고 하더라도 지방세법령에서 그 적용에 관한 명문을 두고 있지 아니하는 이상 지방세법령에 의하여 독자적인 기준에 따라 판단하는 것이 타당하다(대법원 94다28901, 1995.5.12.). 건축관계법령상 옥탑부분(대법원 2006두13565)이나 현관부분(대법원 2013두1216)이 연면적 산정에서 제외된다고 하더라도 지방세법령상 건물의 연면적에 포함시켜 고급주택 여부를 판단하여야 한다.

- 건축물관리대장상 고급주택에 해당하지 않더라도 사용승인 후 다락방에 돌음계단을 설치하고, PIT실 출입문 설치 등 연면적을 늘인 이상 고급주택에 해당(대법원 2012두2191, 2012.5.10.)
- **옥탑면적이 실제 주택과 일체를 이루어 주거용으로 쓰일 구조를 가지고 있다면 고급주택의 판단기준인 연면적에 산입하여 판단할 수 있음**

  이 사건 옥탑부분은 2층 주거공간에서 옥상으로 진입하는 단순한 통로 역할에 그치는 것이 아니라 이 사건 주택의 나머지 부분과 함께 일체를 이루어 경제적 용법에 따라 실제로 주거용으로 쓰일 수 있는 구조를 갖추었다고 봄이 상당하므로, 이 사건 옥탑부분이 지방세법상 고급주택의 판단기준인 연면적에 산입됨을 전제로 한 이 사건 처분은 적법함(대법원 2013두12126, 2013.9.26.).

◎ 벽체 면적은 취득세 중과세대상 고급주택 연면적에 포함되지 아니함

공동주택 벽체면적의 고급주택 연면적에 해당 여부 관련, 취득세 중과세대상 고급주택으로 보는 주거용건축물의 연면적을 공동주택의 경우 주거전용면적 245㎡ 초과로 규정하고 있고, 구 「주택법 시행규칙」 제2조 제2항 제2호에서 공동주택 주거전용면적은 외벽의 내부선을 기준으로 산정하도록 규정하면서 남은 면적은 공용면적에 가산하도록 규정하고 있으므로 당해 공동주택 주거전용면적 산정대상에서 제외되는 벽체 면적은 취득세 중과세대상 고급주택 연면적에 포함되지 아니한다고 할 것임(지방세운영과-1511, 2012.5.15.).

◎ 블록형 단독주택(타운하우스)의 주민공동이용시설은 각 세대별로 안분하여 단독주택 연면적에 합산하여 고급주택 여부를 판단하여야 함

단독주택 입주자들의 공동이용시설의 경우라도 같은 울타리 안에 설치되어 하나의 주거생활용으로 제공되는 경우로서 당해 공동이용시설이 주된 건축물인 단독주택의 주된 건축물을 이용 또는 관리하는 데에 필요한 부속건축물(부속동)로 등재되는 경우라면, 공동이용시설이라고 하더라도 당해 주된 단독주택의 용도와 달리 볼 것은 아니므로 전유부분뿐만 아니라 공용부분도 단독주택의 연면적에 포함된다고 할 것이고, 당해 주된 건축물인 단독주택의 연면적에 포함할 경우 각 세대별 면적비율로 안분함이 타당하다고 할 것임(지방세운영과-5607, 2011.12.7.).

◎ 주택의 1층과 2층 사이의 통로를 차단하였다고 하더라도 판넬을 철거하면 언제라도 통할 수 있는 구조(아들 가족이 2층에 전입한 사례)라면 독립된 가구로 보기 어려움(대법원 2005두10507, 2005.11.16.).

◎ 1구의 주거용 건물 중 주거용으로 쓰여지지 않고 있는 부분(주택의 창고와 지하실을 공장으로 개조사용)이 있는 경우에는 이를 제외한 주거용으로 쓰여지는 부분만을 기준으로 하여 고급주택 여부를 가려야 함(대법원 86누648, 1987.1.20.).

◎ 여러 개 층으로 건축되었으나 각 층별도 독립된 주거생활을 할 수 있는 요건을 갖추고 있는 경우에는 각 층별로 고급주택 여부를 판단하여야 하고, 일시 임대가 이루어지지 않아 방치되어 있다고 하더라도 마찬가지임(대법원 2009두9208, 2009.9.10.).

◎ 다가구용 주택을 구 지방세법 시행령 제84조의 3 제3항 제4호에 의한 공동주택의 규정을 적용하여야 하고, 각층 면적요건이 충족되지 아니하므로 고급주택으로 중과세함은 위법함(대법원 2009두9208, 2009.9.10.).

3. 발코니의 고급주택 포함 여부

◎ **아래층 주택의 지붕으로써 윗층주택(쟁점주택)의 발코니로부터 돌출되어 전망이나 휴식공간으로 활용하는 외부공간(쟁점 바닥면적)은 연면적 산정대상에 포함되지 아니함**

쟁점 바닥면적은 도시미관을 고려하여 공동주택인 쟁점주택 발코니 외부에 부가적으로 설치됨으로써 자연스럽게 돌출되어 형성된 건축물 외부공간으로 허가된 것인 점, 또한, 쟁점 바닥면적은 당해 건축물대장에 서비스면적 또는 공용면적 등 어디에도 포함(등재)되어 있지 아니한 점, 「건축법 시행령」 제2조 제14호에 따른 발코니의 경우 필요시 거실·침실·창고 등의 용도로 사용할 수 있어야 할 것이나, 쟁점 바닥면적의 상부는 위층과 공유하는 구조로 되어 있어 위층의 동의 없이는 쟁점주택이 쟁점 바닥면적을 독점적으로 확장·사용하는 것이 사실상 불가능한 점, 국토해양부도 쟁점 바닥을 「건축법 시행령」 제2조 제14호에 따른 발코니와는 다른 '돌출형 테라스'로 간주하고 있는 점(국토해양부 건축기획과-6496, 2012.10.4. 참조) 등을 고려(지방세운영과-4095, 2012.12.20.)

◎ **단독주택의 경우도 고급주택 연면적 계산시 확장된 발코니 면적을 제외하는 것이 타당**

취득세 중과대상인 단독주택과 공동주택을 구분하는 규정에는 연면적의 차이만 있을 뿐 발코니 포함 여부를 달리 정하고 있지 아니하며, 건축법령에서도 단독주택과 공동주택의 발코니를 달리 보지 않고 있으므로 중과세 여부의 판단에 있어서도 동일하게 적용하는 것이 합리적이라 판단됨. 위와 같은 사안들을 종합적으로 검토해보면 단독주택의 경우도 공동주택과 같이 건축물관리대장 등 공부상으로 건축물의 연면적에서 제외되는 면적에 해당되는 경우 주택 연면적 계산에서 제외하는 것이 타당하다고 판단됨. 다만 구체적인 사항은 과세관청에서 관련 사안에 대한 사실관계 등을 면밀히 파악하여 결정할 사안임(지방세운영과-383, 2014.12.24.).

◎ **준공 이전에 공동주택의 발코니를 주거용으로 확장하더라도 고급주택 연면적에 제외**

"발코니"란 건축물의 내부와 외부를 연결하는 완충공간으로서 전망이나 휴식 등의 목적으로 건축물 외벽에 접하여 부가적으로 설치되는 공간으로서 건물 외벽 밖으로 돌출된 외부 개방형 발코니뿐만 아니라, 건물 본체와 일체로 조적 벽체를 세우고 창호를 설치하는 등 본체와 유사하게 설치하여 건축물 내부면적이 증가하는 효과를 가져오는 내부형 발코니(커튼월)의 경우라도 건축물관리대장 등 공부상으로 건축물의 연면적에서 제외되는 서비스면적에 해당되는 경우 취득세 중과대상 고급주택 연면적 계산에서도 제외되므로(대법원 2009두23419, 2010.9.9.) 사용검사일 전에 주거용으로 확장되는 경우라도 발코니 면적이 공동주택 건축물의 연면적에서 제외되는 서비스면적이라면 고급주택 연면적 계산에서 제외(지방세운영과-4023, 2011.8.26.)

◎ (예규) 지법 13…28-1(전용면적에 포함되는 발코니 범위) 「건축법」상 발코니 및 노대가 접한 가장 긴 외벽으로부터 1.5미터를 초과하는 발코니 및 노대 부분은 주거전용 면적으로 산입하여 연면적을 판단하여야 한다.

4. 고급주택 부속토지(1구의 고급주택)

주택공시가격 9억원, 부속토지 면적 661제곱미터는 고급주택을 판단하는 과세요건이 된다. 이는 고급주택의 부속토지의 범위를 어디까지로 한정할 것인지의 문제와 직결된다. 법령에서는 1구를 기준으로 고급주택을 판단하고 있는데, 여기서 '1구의 건물의 대지면적' 판단 기준을 보면 다음과 같다. '1구의 건물의 대지'인지 여부를 판단함에 있어서는 당해 주택과 경제적 일체를 이루고 있는 토지로서 사회통념상 주거생활공간으로 인정되는지 여부로 가려야 하고(대법원 92누12667), 토지의 권리관계 · 소유형태 또는 필지수를 불문하고 적용된다(대법원 93누7013).

만약 개별주택가격을 산정 · 공시함에 있어 개발제한구역 내 불법 형질변경한 임야와 국유지의 경우 사실상 주택의 부속토지로 사용하고 있음에도 관련 규정에 따라 대지면적에서 제외할 수 있다. 즉 1구의 주택으로서 부속토지에 해당함에도 공시가격산정 기준에 따르면 산정 대상에서 제외되어 9억원 이하의 주택으로 잘못 판단하는 경우가 있을 수 있다. 이때에는 지방세법상 고급주택 판단기준인 '1구의 건물의 대지면적'의 일부를 누락한 개별주택가격의 경우 사실상 시가표준액이 없는 경우라 할 것이므로, 누락된 부속토지를 포함하여 재산정한 시가표준액으로 고급주택 해당 여부를 판단하여야 한다(지방세운영과-164, 2012.1.13.).

| 최근 개정법령 _ 2017.1.1. | 취득세 중과대상 고급주택 부속토지 범위 명확화(법 제13조 ⑤)

현행 규정상 별장 · 고급오락장의 경우 부속토지의 경계가 불분명(울타리, 대문 등이 설치되지 않아 해당 건축물의 경계를 알 수 없는 경우)하면 건축물 바닥면적의 10배에 해당하는 토지를 부속토지로 보도록 규정하고 있으나, 고급주택의 경우 해당 규정이 없는 상태이다. 그에 따라 고급주택도 부속토지 경계가 불분명한 경우에는 건축물 바닥면적의 10배를 부속토지로 보도록 명확히 하였다.

○ 주택의 담장 밖에 있는 주차장 및 전용진입로는 주택의 부속토지에 해당함

고급주택으로 보는 1구의 건물의 대지면적이라 함은 건물의 소유자가 건물 사용을 위하여 사실상 공여하는 부속토지의 면적을 뜻하고 이러한 1구의 주택에 부속된 토지인지 여부는 당해 토지의 취득 당시 현황과 이용실태에 의하여 결정되는 것(대법원 93누7013, 1994.2.8.)이

며, 대지면적 중 담장 밖 토지는 건축신고서상 주차장을 설치하는 것으로 되어 있고 주택에서 도로로 진출・입하는 다른 진입로가 없는 경우에는 주택의 담장 밖에 있는 주차장 및 전용진입로는 주택의 부속토지로 봄이 타당(감심-113, 2004.9.16.)

◎ 옹벽의 바닥면적을 포함하여 고급주택 부속토지의 면적을 산정함

고급주택 범위 관련, 주택보호를 위해 주택주변 경사지의 하단에서 상단까지 옹벽을 설치하였다면 옹벽의 바닥 면적은 당해 주택과 경제적 일체를 이루고 있고, 주택의 사용을 위하여 사실상 공여하고 있는 부속토지로 보아야 할 것이므로 옹벽의 바닥면적을 포함한 대지면적이 662제곱미터를 초과하는 이상 주택과 그 부속토지는 고급주택에 해당되는 것임(세정-2431, 2004.8.10.).

◎ 1구내에 위치한 토지 지목이 전, 과수원으로 되어 있더라도 사실상 주택의 텃밭으로 사용되고 있고, 본체와 별도 건축되어 있는 부속건물이 관리동 수준에 불과한 경우에는 1구내의 건물 및 그 부속토지로 보아 고급주택 여부를 판단할 수 있음(대법원 2014두37351, 2014.9.24.).

◎ 주된 목적이 농수로로 사용하기 위한 것인 이상 일부 구거가 경관에 기여하였다고 하여 주택(고급주택) 부속토지로서 지목변경된 것으로 보아 간주취득세를 부과할 수 없음

이 사건 제2토지는 심한 경사면의 토지로서 농수로 및 전봇대 등 공공시설이 존재하는 등 그 특성상 주택의 대지로 사용하기에는 적절하지 않은 것으로 보이는 점… 농수로를 이 사건 제2토지 밑으로 이전하면서 기존에 설치되어 있던 석축 및 수목 등을 보강하는 공사 등을 함께 시행하게 된 경위, 이 사건 제2토지에 배치한 조경석과 식재한 잔디, 수목 등이 이 사건 주택의 조경에 기여하게 된 것은 사실이나, 그렇다고 하여 ○○○이 소유자인 원고(한국농어촌공사)를 배제하고 이 사건 제2토지를 이 사건 주택의 주거생활공간으로 사용하였다고 보기는 어려운 점. … 등을 종합하면, 이 사건 제2토지가 이 사건 주택과 경제적 일체를 이루면서 사회통념상 주거생활공간으로 인정된다고 보기는 어려움(대법원 2014두40302, 2014.11.13.).

◎ 고급주택을 취득한 자가 종전에 그 건물 전체 부속토지의 일부를 취득하지 못한 경우에 있어서는 해당 토지가 독립된 경제적 용도에 사용할 수 없어서 당해 건물의 대지로만 사용될 것이라거나 또는 건물취득자가 그에 대한 사용권 등을 가지고 있어서 사실상 그 건물사용을 위한 부지로 공여하게 된다고 볼만한 특별한 사정이 없는 한 건물취득자가 실제 취득한 토지 면적만을 기준으로 고급주택 여부를 결정하여야 함(대법원 87누678, 1988.2.9.).

◎ 일단의 대지안의 주택을 1구의 고급주택으로 본 사례

종전 임차인인 ○○○이 거주했다는 지하층에는 간이식 전기렌지만 놓여 있을 뿐 주방에 개수대(상수도)도 없을 뿐더러 씽크대 안에는 고급 주류들이 대부분을 차지하고 있고, 식탁도 칵테일바 형식으로 똑같은 원목테이블과 대형 브라운관, 브라운색 쇼파와 호피무늬 쿠션 등

이 놓여 있으며, ○○○이 거주했다는 지하층 또한 살림하는 흔적이 없다는 점이 확인되고, 임차인들은 청구인과 임대기간 2년의 임대차계약을 체결하였음에도 이 건 주택 소재지로 전입신고를 한 이후 2개월 또는 6개월만에 종전 주민등록지로 주소를 변경한 것으로 보아 실제 여기에 거주할 목적으로 계약을 체결한 통상적인 임차인에 해당된다고 보기는 어려운 점 … 이 건 주택의 지하층 또한 청구인이 경제적 효용과 편익을 위하여 하나의 주거생활단위로 사용하고 있다고 봄이 타당함(조심 2012지0160, 2012.7.26.).

5. 용도변경에 따른 고급주택

고급주택을 취득한 후 60일 이내에 '고급주택이 아닌 용도로 사용하기 위한 용도변경공사에 착공하는 경우'에는 중과대상에서 제외되는데, 이 때 '고급주택이 아닌 용도로 사용하기 위하여 용도변경공사에 착공하는 경우'라고 함은 단순히 건축물의 용도변경신고를 하거나 사업계획승인신청을 한 것만으로는 부족하고 구체적으로 용도변경공사에 착공한 것으로 볼 수 있을만한 건축행위가 이루어진 시점을 의미한다(대법원 2004다58901, 2008두13958 등).

- 고급주택 용도변경을 위해 착공 후 내부시설을 철거하던 중에 그 계획을 변경하여 재축을 목적으로 대수선 공사를 중단하고 대수선 신고를 취하하였다고 하여 바로 중과세율을 적용할 수는 없음(대법원 2007두6496, 2007.4.27.).
- 고급주택을 취득 후 명도지연 등 불가피한 사유가 있어 용도변경공사 착공이 지연되었다고 하더라도 중과세를 배제할 수 없음(대법원 2006두1524, 2006.4.27.).
- 고급주택을 취득 후 건물의 일부를 창고로 용도변경하였다고 하더라도 언제든지 주거용으로 사용이 가능한 경우라면 중과세를 배제할 수 없음(대법원 2006두7386, 2006.7.28.).

제13조(과밀억제권역 안 취득 등 중과) 제5항 제4호[고급오락장]

법 제13조(과밀억제권역 안 취득 등 중과) ⑤ 다음 각 호의 어느 하나에 해당하는 부동산등을 취득하는 경우(별장 등을 구분하여 그 일부를 취득하는 경우를 포함한다)의 취득세는 제11조 및 제12조의 세율과 중과기준세율의 100분의 400을 합한 세율을 적용하여 계산한 금액을 그 세액으로 한다. 이 경우 골프장은 그 시설을 갖추어 「체육시설의 설치 · 이용에 관한 법률」에 따라 체육시설업의 등록(시설을 증설하여 변경등록하는 경우를 포함한다. 이하 이 항에서 같다)을 하는 경우뿐만 아니라 등록을 하지 아니하더라도 사실상 골프장으로 사용하는 경우에도 적용하며, 별장·고급주택·고급오락장에 부속된 토지의 경계가 명확하지 아니할 때에는 그 건축물 바닥면적의 10배에 해당하는 토지를 그 부속토지로 본다.

4. 고급오락장 : 도박장, 유흥주점영업장, 특수목욕장, 그 밖에 이와 유사한 용도에 사용되는 건축물 중 대통령령으로 정하는 건축물과 그 부속토지. 다만, 고급오락장용 건축물을 취득한 날부터 60일[상속으로 인한 경우는 상속개시일이 속하는 달의 말일부터, 실종으로 인한 경우는 실종선고일이 속하는 달의 말일부터 각각 6개월(납세자가 외국에 주소를 둔 경우에는 각각 9개월)] 이내에 고급오락장이 아닌 용도로 사용하거나 고급오락장이 아닌 용도로 사용하기 위하여 용도변경공사를 착공하는 경우는 제외한다.

영 제28조(별장 등의 범위와 적용기준) ⑤ 법 제13조 제5항 제4호 본문에서 "대통령령으로 정하는 건축물과 그 부속토지"란 다음 각 호의 어느 하나에 해당하는 용도에 사용되는 건축물과 그 부속토지를 말한다. 이 경우 고급오락장이 건축물의 일부에 시설되었을 때에는 해당 건축물에 부속된 토지 중 그 건축물의 연면적에 대한 고급오락장용 건축물의 연면적 비율에 해당하는 토지를 고급오락장의 부속토지로 본다. 〈개정 2010.12.30., 2013.1.1., 2014.12.30.〉

1. 당사자 상호간에 재물을 걸고 우연한 결과에 따라 재물의 득실을 결정하는 카지노장(「관광진흥법」에 따라 허가된 외국인전용 카지노장은 제외한다)
2. 사행행위 또는 도박행위에 제공될 수 있도록 자동도박기[파친코, 슬롯머신(slot machine), 아케이드 이퀴프먼트(arcade equipment) 등을 말한다]를 설치한 장소
3. 머리와 얼굴에 대한 미용시설 외에 욕실 등을 부설한 장소로서 그 설비를 이용하기 위하여 정해진 요금을 지급하도록 시설된 미용실
4. 「식품위생법」 제37조에 따른 허가 대상인 유흥주점영업으로서 다음 각 목의 어느 하나에 해당하는 영업장소(공용면적을 포함한 영업장의 면적이 100제곱미터를 초과하는 것만 해당한다)
   가. 손님이 춤을 출 수 있도록 객석과 구분된 무도장을 설치한 영업장소(카바레·나이트클럽·디스코클럽 등을 말한다)
   나. 유흥접객원(남녀를 불문하며, 임시로 고용된 사람을 포함한다)을 두는 경우로, 별도로 반영구적으로 구획된 객실의 면적이 영업장 전용면적의 100분의 50 이상이거나 객실 수가 5개 이상인 영업장소(룸살롱, 요정 등을 말한다)

1. 고급오락장 개요

고급오락장이나 고급주택에 대하여 취득세를 중과세하는 입법취지는 경제적 낭비의 방지, 사치풍조의 억제, 국민간의 위화감 방지 및 가용토지의 효율적 활용 등에 있다. 경제력과 생활수준, 과소비·사치풍조로 인한 소비행태, 빈부격차로 인한 사회적 위화감 등 우리나라의 현재 실정을 감안할 때 이러한 입법의 필요성과 정당성은 아직도 인정된다고 할 것이다(헌재 98헌가11, 1999.3.25.).

고급오락장을 취득한 경우에는 표준세율 + {중과기준세율(2%) × 4배}로 취득세율을 적용한다. 예를 들어 고급오락장을 5억원에 유상으로 승계취득한 경우 5억원에 12%[4%

+(2%×4)]를 곱한 세액으로 산출한다.

2015년부터 「관광진흥법」 제6조에 따라 지정된 관광유흥음식점 및 관광극장유흥업을 위하여 취득하는 건축물과 부속토지를 취득세 중과대상에서 제외하던 것을 중과대상에 포함하도록 하였다.

고급오락장에 대한 중과세는 해당장소에서 벌어지는 영업의 형태에 따라 중과여부를 판단한다. 임차인이 운영하는 영업장이 중과대상 유흥주점업에 해당한다면 해당부동산의 소유자에게 중과세로 부과된다. 또한 고급오락장용 건축물과 부속토지의 소유자가 달라도 중과세가 배제되지 않으므로 그 부속토지만 취득하는 경우에도 중과대상이다(대법원 2003두2847).

고급오락장에 대한 세부담이 크기 때문에, 납세자들은 세부담에서 벗어나기 위해 중과요건을 악용하는 사례가 많이 나타난다. 객실면적의 합이 영업장 전용면적의 50% 이상이거나 객실이 5개 이상이면 중과대상이므로 영업장 비율을 조정하거나 객실 수를 줄이는 사례 등 중과세 회피 사례들이 나타난다.

유흥주점업의 경우 영업허가 여부와 관계없이 현황을 객관적으로 판단하여 유흥주점으로서의 실체를 갖추고 있으면 중과대상으로 본다(대법원 92누15154, 1993.5.27.), 또한 일시적으로 휴업 중인 경우에도 중과세 대상에 해당된다(대법원 89누3922, 1990.1.25. 등). 유흥주점업에 대한 영업허가는 유지되고 있지만 유흥접객원이 없고 실제적인 영업현황도 특수조명과 같은 유흥시설을 갖추지 아니한 채 단란주점영업의 형태로 운영되고 있다면 중과대상 고급오락장으로 볼 수 없다(대법원 97누9154, 1997.9.26.). 유흥주점 허가를 받았으나 유흥종사자를 고용하지 않는 등 노래방과 비슷한 영업을 하고 있는 경우에도 중과대상 고급오락장에 해당하지 않는다고 판단한 사례들(대법원 2006두17048, 2006.12.21.)이 있다.

고급오락장용 건축물을 취득한 날부터 60일 이내에 고급오락장이 아닌 용도로 사용하거나 고급오락장이 아닌 용도로 사용하기 위하여 용도변경공사를 착공하는 경우는 중과대상에서 제외한다.

부동산을 취득하고 5년 이내에 고급오락장 용도로 변경하게 되면 변경시점을 기준으로 취득세는 중과세율을 적용하여 산출한 세액에서 기 납부한 취득세를 제외하고 그 차액을 60일 이내에 신고납부해야 한다. 만약 부동산을 취득한지 5년이 경과한 경우라면 부과제척기간이 경과하였기 때문에 중과세 대상인지를 논할 실익이 없다.

참고 _ 고급오락장의 판단

구분	내용
개념	• 도박장, 유흥주점영업장, 특수목욕장, 그 밖에 이와 유사한 용도에 사용되는 건축물 중 대통령령으로 정하는 건축물과 그 부속토지
과세대상	• 카지노장(외국인전용 카지노장 제외) • 자동도박기(파친코, 슬롯머신, 아케이드 이퀴프먼트 등)를 설치한 장소 • 미용시설 외에 욕실 등이 부설된 미용실 • 유흥주점영업(100㎡ 초과만 해당)으로서 다음 영업장소 - 손님이 춤을 출 수 있도록 객석과 구분된 무도장을 설치한 영업장소(카바레 · 나이트클럽 · 디스코클럽 등) - 유흥접객원(임시 고용 포함)을 두는 경우로, 별도로 반영구적으로 구획된 객실의 면적이 영업장 전용면적의 50% 이상이거나 객실 수가 5개 이상인 영업장소(룸살롱, 요정 등)

◎ **구분소유되지 않는 동일 건물 내에서 취득세 중과세 후 5년 이내에 다른 층으로 이전하더라도 면적의 증가가 없었다면 다시 취득세 중과세 대상으로 볼 수 없음**

취득세 중과세는 하나의 과세객체에 대한 취득세의 세율에 관한 사항으로 하나의 과세객체가 되는 취득행위는 그 부동산 전체에 대한 것이지 건물 내 위치별로 구분되는 것은 아니라고 할 것이므로 구분소유되지 않은 동일 건물 내의 일부가 유흥주점영업점(고급오락장)에 해당되어 취득세가 중과세되었다면, 그 부분에 대하여는 이미 사치성 재산의 취득 억제라는 취득세 중과세의 입법취지가 달성되었다고 할 것이므로 구분소유가 되지 않는 동일 건물 내에서 고급오락장으로 취득세를 중과세한 후 5년 이내에 위치를 다른 층으로 이전하는 경우라도 영업장 면적의 증가가 없었다면, 이를 다시 취득세 중과세 대상으로 보기는 어려움(감심 2000-7, 2000.1.11.)고 할 것임(지방세운영과-3324, 2011.7.13.).

◎ 중과세가 제외되는 관광음식점에 해당하기 위해서는 관광호텔 내의 부대시설로 등록된 것만으로는 부족하고, 일정한 시설을 갖추어 관광진흥법에 따라 관광유흥음식점 또는 관광극장유흥업으로 지정을 받아야 가능함(대법원 2001두10219, 2003.1.10.).

☞ 2015년부터 관광유흥음식점이 중과대상으로 전환되었음.

◎ **노래연습장 등이 유흥주점 요건을 갖추고 주류판매와 유흥접객영업을 고의적, 상시적으로 운영하다가 단속부서에 적발될 경우 중과대상으로 보기 어려움(사실판단사항)**

시행령(대통령령 21217호, 2008.12.31.)에서 고급오락장을 "식품위생법 제37조에 따라 허가 대상인 유흥주점"으로 규정하여, 무허가영업 등으로 식품위생법상 위반여부가 확인되지 않은 경우에도 중과세율을 확대하여 적용하는 사례를 방지하기 위한 입법취지에 비추어, 사회통념상 유흥주점 영업장이 룸살롱이나 요정영업장소와 유사한 실체를 갖추지 아니하고 노래연습장 업자의 준수사항을 위반한 일시적인 일탈행위에 대하여 유흥주점 형태의 영업장이라 보는 것은 취득세를 중과세하는 개정입법취지와 실질과세의 법리에 비추어 합리성이 없음. 다만, 노래연습장 등이 실체관계가 룸살롱 또는 요정영업소와 유사한 시설을 갖추고 향후 상시적으로 그와 같은 영업을 할 수 있는 상태로 볼 수 있는 경우에 한해 고급오락장에 해당된다 할 수 있음(지방세운영과-2431, 2010.6.11.).

2. 고급오락장으로서의 실체(휴업중인 고급오락장 등)

취득세 중과 대상의 판단은 부동산 취득 후 5년 이내에 유흥주점업으로서 유흥주점의 형태, 유흥접객원 고용 등 중과세 요건에 해당되었는지 여부로 판단한다. 그러므로 비록 취득 후 중과대상 요건을 갖춘 후에 장기간 유흥접객원을 고용하지 않았다고 하여 중과 대상이 아니라고 할 수 없다.

재산세 중과대상 유흥주점의 판단 기준을 참고할 수 있다. 휴업 중이라고 하여 유흥접객원이 없는 것으로 간주하여 중과대상이 아니라고 판단하는 것이 아니고, 유흥주점의 형태와 일정시설 등을 종합적으로 판단해야 한다. 과세기준일(6.1.) 현재 휴업 중인 경우라도 영업장의 시설, 영업행위의 성격, 영업이력 등 객관적 정황상 유흥접객원을 고용하는 영업장으로서의 실체가 유지되는 이상 중과대상 유흥주점으로 볼 수 있다. 다만, 장기간 휴업의 경우 그간의 내부 사유, 영업재개 의지, 영업장 현황 등 전반적인 사실관계를 고려하여 사실상 폐업에 준하는 상황이라면 중과대상으로 볼 수 없다(지방세운영과-3689, 2009.9.10. 참조).

- 과세기준일 현재 유흥주점업을 폐업하였다 하더라도 시설 일체를 철거하는 등 사실상 폐업하지 않은 상태에서, 과세기준일 이후 다시 허가를 득하여 영업을 재개하였다면 이는 일시적인 휴업으로 보아 고급오락장으로 볼 수 있겠으나, 사실관계 판단사항(지방세운영과-2287, 2009.6.9.).
- 유흥주점 폐업신고를 하였으나 실제 과세기준일 전후에 사실상 유흥주점으로서 외형을 갖추고 있었고 실제 영업을 하였던 사실이 일부 확인되는 경우에는 재산세 중과대상에 해당함(대법원 2012두17568, 2012.10.19.).
- 유흥주점영업이 휴업 중에 있었더라도 그 영업허가를 계속 유지하기 위하여 유흥주점 등 기본시설을 존치하여 둔 채 휴업신고를 계속하여 왔다면 그 건물의 사실상의 현황이 유흥주점영업의 장소로서 실체를 구비하고 있는 것으로서 재산세 중과대상 고급오락장에 해당함(대법원 89누3922, 1990.1.25.).
- 재산세 과세기준일 현재 고급오락장에 대한 영업허가는 취소되지 않았지만 무도시설이 철거

되는 등 고급오락장으로서의 실질적 요건을 갖추고 있지 아니한 경우에는 중과대상에 해당하지 않음(대법원 87누113, 1987.5.26.).

◎ 임차인의 고급오락장 사용에 따른 소유주에 대한 중과세 적용 사례

- 임차인이 부동산 소유주의 허락없이 고급오락장으로 개조하여 사용하더라도 그 영업의 형태나 시설 등이 고급오락장에 해당하는 경우에는 취득세 등이 중과세됨(지방세정팀-3279, 2005.10.18.).
- 건물 임차인이 취득자의 의사에 기하지 아니하고 고급오락장을 설치한 경우에는 취득자가 그 후 이를 추인하거나 그 시설을 그대로 유지하여 경제적 이익을 누리는 등으로 그 설치를 용인하였다고 볼 만한 특별한 사정이 없는 한 취득자에게 중과추징할 수 없음(대법원 92누13271, 1993.6.8.).
- 임대인의 동의없이 건물 지하실을 임차하여 임대인도 모르게 임차인이 유흥주점으로 용도변경하여 유흥주점으로 사용하는 경우 건물 소유자(임대인)에게 중과세율을 적용하여 재산세를 부과한 처분은 위법(대법원 2009두782, 2009.3.12.)

3. 고급오락장의 객실 면적 등

◎ 유흥주점영업장에서의 '객실'이라 함은 일단의 손님들이 그 밖의 손님과 격리된 장소에서 노래를 부르거나 춤을 추면서 유흥을 즐길 수 있도록 설치된 방실을 뜻한다 할 것이므로, 노래반주기, 유흥용 조명시설 등 유흥주점영업에 필요한 시설이 없는 유흥접객원 대기실은 객실에 포함되지 않음(대법원 2012두1181, 2012.4.26.).

◎ 재산세 중과대상 유흥주점 요건인 객실면적이 영업장 전용면적의 50% 이상인 경우를 판단함에 있어, 영업장 전용면적 및 객실 면적은 어느 것이나 실제 사용되고 있는 실내 공간의 면적을 의미하는 것(벽면까지 포함하지 않음)으로 봄이 타당함(대법원 2011두1962, 2011.5.13.).

◎ 벽을 자유롭게 변경할 수 없는 경우라면 홀이 아닌 객실로 봄이 상당함

취득세가 중과세되는 고급오락장으로서의 룸살롱 영업장소에 해당되는지 여부는 현황을 객관적으로 판단하여 고급오락장으로서의 실체를 갖추고 있었는지 여부에 달렸다고 할 것(대법원 2007두10303, 2008.2.15. 등)이고, 방실에 벽을 따라 큰 테이블이 놓여 있고 노래방 기기 등이 전면에 설치되어 있으며, 내부에서 출입문을 닫을 경우 다른 손님들이 외부에서 내부를 볼 수 없을 뿐만 아니라 화장실이 별도로 설치되어 있지 아니하며 반영구적으로 구획되어 벽을 자유롭게 변경할 수 없는 경우라면 홀이 아닌 객실로 봄이 상당함(대법원 2010두7345, 2010.8.26.).

◎ 유흥주점 건물에서 뒤편 제3자 소유의 대지로 전혀 통행이 불가능하도록 구획되어 있다면 유

흥주점 건물의 부속토지에 해당된다고 볼 수 없음

1구의 건물의 대지면적을 판단함에 있어 당해 건물과 경제적 일체를 이루고 있는 토지로서 사회통념상 당해 건물의 대지로 사용되는 토지를 말한다고 할 수 있으므로 건축물과 부속토지의 소유자가 다르다고 하여 상기 규정에 의한 취득세의 중과세가 되지 않는다고 볼 수는 없으나, 고급오락장(유흥주점)이 있는 건물 및 대지 소유주와 동 건물 뒤편에 소재하고 있는 대지 소유주가 각각 다르고, 유흥주점 건물에서 뒤편 제3자 소유의 대지로 전혀 통행이 불가능하도록 구획되어 있다면 유흥주점 건물의 부속토지에 해당된다고 볼 수 없음(세정-356, 2005.4.22.).

- 2개호의 건물에 각각의 유흥주점 허가를 받았으나, 경계벽을 없애고 반영구적인 객실 5개를 설치한 후 출입구를 하나로 내어 영업을 하고 있는 경우 사실상 1개의 사업장으로 보아 재산세를 중과세할 수 있음(부산고법 2013누1594, 2014.5.29.).

- 건물 내 부설주차장 면적 중 고급오락장에 해당하는 안분면적은 중과대상

  통상 건물 내 부설주차장은 특정 용도에 배타적으로 사용할 수 있도록 설계되지 아니한 이상 건물 이용객 전체의 편의제공을 위해 제공되는 시설인 점, 건물 내 유일한 주차장이고, 특정인만이 출입, 사용하기 위한 시설(장치)이 존재하지 아니하는 점, 주차장 바로 옆 출입구 계단을 이용하여 지하층 유흥주점과 2층 모텔로 이동하도록 개방되어 있고, … 건축물대장상 근린생활시설로 되어 있으나, 사실상의 현황에 의하여 재산세를 부과하여야 하는 점 등을 고려할 때, 1층 옥내주차장은 6. 1. 당시 유흥주점과 모텔의 주차장으로 사용되었다고 봄이 타당하므로, 안분하여 유흥주점 면적에 포함시켜야 함(대법원 2013두3474, 2013.5.23.).

- 유흥주점 출입구로 사용되는 계단실 면적은 중과기준 영업장 면적에 포함되지 않음

  계단실을 영업장에 포함하면 비율이 50% 넘게 되어 중과대상이 되는 바, 사치·향락성의 정도의 판별에는 영업장 전용구역 중 객실 부분과 객실 외의 부분을 비교하는 것에 의미가 있고, 사치·향락성 영업 행위와 더 밀접한 관계에 있는 것은 영업장소보다는 영업장 전용구역이므로 영업장 전용구역의 면적을 기준으로 함이 위 입법취지에 부합. … 유흥주점의 영업장 전용구역은 손님이 술을 마시면서 노래를 부르거나 춤을 추는 행위가 이루어지는 주된 공간과 이러한 행위가 이루어지는 데에 필수적인 시설로서 조리시설 등과 같이 주된 공간에 직접 접하여 서비스가 이루어지는 공간에 한정됨(대법원 2016두35977, 2016.6.23.).

4. 용도변경과 중과세

취득 당시의 현황이 고급오락장이었다고 하더라도 객관적 사정에 비추어 취득 후 곧바로 다른 용도로 사용할 것이 예정된 경우 중과대상에서 제외하는데, 사치·향락적 소비시설의

유통이 전제되지 아니하여 고급오락장으로서 취득세를 중과할 필요가 없다는 점을 반영하고 있다.

고급오락장 취득 전후의 객관적 사정에 비추어 취득자가 취득 후 바로 고급오락장이 아닌 다른 용도로 이용하고자 하였으나 책임질 수 없는 장애로 인하여 취득 후 30일 이내에 용도변경공사를 착공하지 못하는 경우가 있을 수 있다. 이 경우, 그러한 장애가 해소되는 즉시 용도변경공사를 착공하려는 의사가 명백한 경우라면, 취득세 중과세율을 적용할 수 없는 정당한 사유가 있다고 보아야 한다. 그렇지 않고 납세의무자인 취득자와 무관하거나 그에게 책임지울 수 없는 사유로 인하여 단서에서 정한 형식적 요건을 갖추지 못한 경우에까지 일률적으로 중과세율을 적용하는 것은 고급오락장을 중과하는 본래의 입법취지에 반할 뿐만 아니라 납세의무자의 예측가능성과 법적 안정성을 현저히 해칠 우려가 있다. 이러한 상황에 이른 경우에 대해 대법원은 중과세율을 적용할 수 없다고 판단하였다(대법원 2017두56681, 2017.11.29.).

- 취득 당시 현황이 고급오락장이더라도 그 취득 전후의 객관적 사정에 비추어 취득한 후 바로 고급오락장이 아닌 다른 용도로 이용하고자 함을 명확히 확인할 수 있을 뿐만 아니라, 나아가 취득자가 취득 후 짧은 기간 안에 실제 고급오락장이 아닌 용도로 사용하기 위해 그 현황을 변경시킨 경우까지 취득세를 중과세할 수는 없음(대법원 2009두23938, 2012.2.9.).
- 고급오락장 허가를 콜라텍이나 일반음식점으로 변경하였으나, 기존 고급오락장 영업을 계속한 경우에는 중과대상에 해당함(대법원 2008두7236, 2008.7.24.).

5. 기타 사례

- 보도방 도우미를 임시로 고용한 경우에도 유흥접객원으로 보아 중과세를 적용함(부산지법 2010구합1393, 2011.1.13. : 대법확정).
- '무도유흥주점 영업장소'라 함은 손님들이 춤을 출 수 있는 공간(무도장)이 설치된 모든 영업장소를 가리키는 것이 아니라 그 영업형태나 춤을 출 수 있는 공간의 규모 등을 고려하여 손님들이 춤을 출 수 있도록 하는 것을 주된 영업형태로 하고 또 그에 상응하는 규모로 객석과 구분된 무도장이 설치된 유흥주점의 영업장소만을 말하므로, 소규모 공간에 손님들이 노래를 부르거나 공연을 관람을 목적으로 설치한 장소를 무도장으로 보기 어려움(대법원 2005두197, 2006.3.10.).
- 게임영업허가를 받아 불법게임기를 설치·운영하는 경우 고급오락장으로 볼 수 없음
  자동도박기 설치장소와 고급오락장 중과세 관련, 음반·비디오물 및 게임물에 관한 법률의

규정에 의하여 게임영업허가를 받은 업소에서 불법게임기를 설치하여 운영하거나 문화관광부장관이 정하여 고시하는 종류 외의 상품권 등을 경품으로 제공하고 있다면 이는 음반・비디오물 및 게임물에 관한 법률 제32조 제2호 및 형법 제246조 내지 제247조 규정에 의거 지도・감독부서의 단속에 의한 행정처분의 대상은 되나 고급오락장에 대한 중과세 여부를 판단할 대상은 아님(세정-20, 2005.4.7.).

제13조(과밀억제권역 안 취득 등 중과) 제5항 제5호[고급선박]

법 제13조(과밀억제권역 안 취득 등 중과) ⑤ 다음 각 호의 어느 하나에 해당하는 부동산등을 취득하는 경우(별장 등을 구분하여 그 일부를 취득하는 경우를 포함한다)의 취득세는 제11조 및 제12조의 세율과 중과기준세율의 100분의 400을 합한 세율을 적용하여 계산한 금액을 그 세액으로 한다. 이 경우 골프장은 그 시설을 갖추어 「체육시설의 설치・이용에 관한 법률」에 따라 체육시설업의 등록(시설을 증설하여 변경등록하는 경우를 포함한다. 이하 이 항에서 같다)을 하는 경우뿐만 아니라 등록을 하지 아니하더라도 사실상 골프장으로 사용하는 경우에도 적용하며, 별장・고급주택・고급오락장에 부속된 토지의 경계가 명확하지 아니할 때에는 그 건축물 바닥면적의 10배에 해당하는 토지를 그 부속토지로 본다.

5. 고급선박 : 비업무용 자가용 선박으로서 대통령령으로 정하는 기준을 초과하는 선박

영 제28조(별장 등의 범위와 적용기준) ⑥ 법 제13조 제5항 제5호에서 "대통령령으로 정하는 기준을 초과하는 선박"이란 시가표준액이 3억원을 초과하는 선박을 말한다. 다만, 실험・실습 등의 용도에 사용할 목적으로 취득하는 것은 제외한다. 〈개정 2010.12.30., 2016.12.27.〉

시가표준액이 1억원을 초과하는 고급선박을 취득한 경우에는 표준세율 + {중과기준세율(2%) × 4배}로 취득세가 중과된다.

| 최근 개정법령 _ 2017.1.1. | 취득세 중과요건 고급선박 범위 조정(영 제28조 ⑥)

기존에는 시가표준액 1억원을 초과하는 비영업용 자가용 선박은 고급 선박으로 분류하여 취득세・재산세를 중과*하고 있다. 그런데 해양레저산업 활성화, 중과기준을 장기간 미조정(최근 2009년)한 사정 등을 고려하여 고급선박의 중과기준이 되는 시가표준액을 현실화할 필요에 따라 1억원 초과에서 3억원 초과 조정하였다.

* 취득세 : (일반선박) 3% → 11% (수상레저기구) 2.02% → 10.02%, 재산세 : 0.3% → 5%

◎ **소유하고 있던 선박을 타법인에게 임대하는 경우 중과대상인지 여부**

지방세법 제112조 제2항 제5호 규정에 의하여 비업무용 자가용선박으로서 시가표준액이 100만원을 초과하는 선박은 취득세가 중과세되는 것이므로 관광잠수정을 수주받아 건조하여 계약자의 계약 불이행으로 인하여 소유하고 있던 동 선박을 타법인에게 임대하여 관광사업 등 사업용으로 사용되는 경우라면 취득세가 중과세되는 고급선박으로 볼 수 없는 것이나, 동 선박이 관광사업 등 사업용에 사용되어지지 않고 있다면 취득세가 중과세됨(세정 13407-138, 2000.2.1.).

제13조(과밀억제권역 안 취득 등 중과) 제6항~제8항 [세율적용 및 중과대상 공장]

> **법** 제13조(과밀억제권역 안 취득 등 중과) ⑥ 제1항과 제2항이 동시에 적용되는 과세물건에 대한 취득세율은 제16조 제5항에도 불구하고 제11조 제1항에 따른 표준세율의 100분의 300으로 한다. 〈개정 2010.12.27.〉
>
> ⑦ 제2항과 제5항이 동시에 적용되는 과세물건에 대한 취득세율은 제16조 제5항에도 불구하고 제11조에 따른 표준세율의 100분의 300에 중과기준세율의 100분의 200을 합한 세율을 적용한다. 다만, 제11조 제1항 제8호에 따른 주택을 취득하는 경우에는 해당 세율에 중과기준세율의 100분의 600을 합한 세율을 적용한다. 〈신설 2010.12.27., 2015.12.29.〉
>
> ⑧ 제2항에 따른 중과세의 범위와 적용기준, 그 밖에 필요한 사항은 대통령령으로 정하고, 제1항과 제2항에 따른 공장의 범위와 적용기준은 행정안전부령으로 정한다. 〈개정 2010.12.27.〉

법 제13조 제1항(舊 취득세 중과)과 제2항(舊 등록세 중과)이 동시에 적용되는 과세물건에 대한 취득세는 [표준세율 + {중과기준세율(2%) × 4배}]의 세율이 적용된다.

제2항과 제5항(사치성 재산 취득세 중과)이 동시에 적용되는 과세물건에 대한 취득세는 [(표준세율 × 3배) + {중과기준세율(2%) × 2배}]의 세율이 적용된다. 이는 2011년 취득세와 등록세의 세목 통합 전에 취득세 5배 중과, 등록세 3배 중과되던 것으로 지방세 부담의 변동이 없도록 세율을 재설계한 것이다.

| 참고_ 취득세 중과세율 적용 |

구 분	세 율
(⑥항) ①항과 ②항이 동시에 적용되는 과세물건	표준세율 × 3배
(⑦항) ②항과 ③항이 동시에 적용되는 과세물건	(표준세율 × 3배) + {중과기준세율(2%) × 2배}

| 최근 개정법령 _ 2016.1.1. | 대도시 내 사치성재산(주택) 중과 취득세 개선(법 제13조 ①·⑦).

종전 규정에 따르면 주택취득세율 인하 이후 대도시 內 법인이 고급주택을 취득할 경우, 대도시 外 법인이 고급주택을 취득할 때보다도 낮은 세율을 적용(대도시 內 7%, 대도시 外 9%)받게 된다. 이는 2015.8월 주택취득세율 인하 이후 중과세율 규정을 정비하지 않아, 대도시 外보다 대도시 內에서 고급주택을 취득할 때 을 대도시낮은 세율을 적용받게 되어 중과취지에 맞지 않은 측면이 있었다. 이에 따라 법인이 고급주택 內에서 취득할 때 대도시 外 지역에서 취득할 때보다 높은 세율을 적용받도록 보완하였다.

| 세율인하 전후 세율비교 등 |

구 분	대도시 外 사치성재산(주택)		대도시 內 사치성재산(주택)		
	주택 세율 인하 전(A)	주택 세율 인하 후	주택 세율 인하 전(B)	주택 세율 인하 후	개선안 (4%↑)
6억이하	12% [4%+(2%×4배)]	9% [1%+(2%×4배)]	16% [(4%×3배)+(2%×2배)]	7% [(1%×3배)+(2%×2배)]	13%
9억이하		10% [2%+(2%×4배)]		10% [(2%×3배)+(2%×2배)]	14%
9억초과		11% [3%+(2%×4배)]		13% [(3%×3배)+(2%×2배)]	15%

| 중과대상별 세율 적용 |

구 분		세율예시	비 고
대도시 중과 (§13)	① (전단) 본점용 부동산 신·증축 위한 부동산 취득	• 건물신축 : 2.8%*+(2%×2배)=6.8% • 토지취득 : 4%*+(2%×2배)=8%	구취득세만 3배 중과
	① (후단) 공장 신·증설 위한 부동산 취득	• 공장신축 : 2.8%*+(2%×2배)=6.8% • 토지취득 : 4%*+(2%×2배)=8%	구취득세만 3배 중과
	② 제1호 법인설립, 지점설치, 전입 관련 부동산 취득	• 건물신축 : 2.8%×3배－(2%×2배)=4.4% • 토지취득 : 4%×3배－(2%×2배)=8%	구등록세만 3배 중과
	② 제2호 공장 신·증설하기 위한 부동산 취득	• 공장신축 : 2.8%×3배－(2%×2배)=4.4% • 토지취득 : 4%×3배－(2%×2배)=8%	구등록세만 3배 중과
	① 및 ② 동시 적용되는 경우 (예 : 법인설립후 5년내 본점 신축)	• 건물신축 : 2.8%*×3배=8.4% • 토지취득 : 4%*×3배=12%	구취·등록세 3배 중과
사치성 재산 (§13)	⑤ 제1호 별장, ⑤ 제2호 골프장, ⑤ 제3호 고급주택, ⑤ 제4호 고급오락장, ⑤ 제5호 고급선박	• 건물신축 : 2.8%+(2%×4배)=10.8% • 토지취득 : 4%+(2%×4배)=12% • 고급주택취득 : 2~3%+(2%×4배) =10~11%	구취득세만 5배 중과

구 분		세율예시	비 고
사치성 재산 (§13)	②과 ⑤이 동시에 적용되는 경우 (예 : 법인이 대도시내 고급주택 취득)	• 현 행 : (1%×3배)+(2%×2배)=7% • 개선안 : 1% + (2%×6배)=13%	구취(5배)·등록세(3배) 중과

*건물신축시 표준세율 : 2.8%[구취득세 2% + 구등록세 0.8%(소유권보존등기)]
*부속토지 취득시 표준세율 : 4%[구취득세 2% + 구등록세 2%(소유권이전등기)]

제13조의 2(법인의 주택 취득 등 중과)~제13조의 3(주택수의 판단 범위)

법 제13조의 2(법인의 주택 취득 등 중과) ① 주택(제11조 제1항 제8호에 따른 주택을 말한다. 이 경우 주택의 공유지분이나 부속토지만을 소유하거나 취득하는 경우에도 주택을 소유하거나 취득한 것으로 본다. 이하 이 조 및 제13조의 3에서 같다)을 유상거래를 원인으로 취득하는 경우로서 다음 각 호의 어느 하나에 해당하는 경우에는 제11조 제1항 제8호에도 불구하고 다음 각 호에 따른 세율을 적용한다.

1. 법인(「국세기본법」 제13조에 따른 법인으로 보는 단체, 「부동산등기법」 제49조 제1항 제3호에 따른 법인 아닌 사단·재단 등 개인이 아닌 자를 포함한다. 이하 이 조 및 제151조에서 같다)이 주택을 취득하는 경우 : 제11조 제1항 제7호 나목의 세율을 표준세율로 하여 해당 세율에 중과기준세율의 100분의 400을 합한 세율
2. 1세대 2주택(대통령령으로 정하는 일시적 2주택은 제외한다)에 해당하는 주택으로서 「주택법」 제63조의 2 제1항 제1호에 따른 조정대상지역(이하 이 장에서 "조정대상지역"이라 한다)에 있는 주택을 취득하는 경우 또는 1세대 3주택에 해당하는 주택으로서 조정대상지역 외의 지역에 있는 주택을 취득하는 경우 : 제11조 제1항 제7호 나목의 세율을 표준세율로 하여 해당 세율에 중과기준세율의 100분의 200을 합한 세율
3. 1세대 3주택 이상에 해당하는 주택으로서 조정대상지역에 있는 주택을 취득하는 경우 또는 1세대 4주택 이상에 해당하는 주택으로서 조정대상지역 외의 지역에 있는 주택을 취득하는 경우 : 제11조 제1항 제7호 나목의 세율을 표준세율로 하여 해당 세율에 중과기준세율의 100분의 400을 합한 세율

② 조정대상지역에 있는 주택으로서 대통령령으로 정하는 일정가액 이상의 주택을 제11조 제1항 제2호에 따른 무상취득(이하 이 조에서 "무상취득"이라 한다)을 원인으로 취득하는 경우에는 제11조 제1항 제2호에도 불구하고 같은 항 제7호 나목의 세율을 표준세율로 하여 해당 세율에 중과기준세율의 100분의 400을 합한 세율을 적용한다. 다만, 1세대 1주택자가 소유한 주택을 배우자 또는 직계존비속이 무상취득하는 등 대통령령으로 정하는 경우는 제외한다.

③ 제1항 또는 제2항과 제13조 제5항이 동시에 적용되는 과세물건에 대한 취득세율은 제16조 제5

항에도 불구하고 제1항 각 호의 세율 및 제2항의 세율에 중과기준세율의 100분의 400을 합한 세율을 적용한다.

④ 제1항부터 제3항까지를 적용할 때 조정대상지역 지정고시일 이전에 주택에 대한 매매계약(공동주택 분양계약을 포함한다)을 체결한 경우(다만, 계약금을 지급한 사실 등이 증빙서류에 의하여 확인되는 경우에 한정한다)에는 조정대상지역으로 지정되기 전에 주택을 취득한 것으로 본다.

⑤ 제1항부터 제4항까지 및 제13조의 3을 적용할 때 주택의 범위 포함 여부, 세대의 기준, 주택 수의 산정방법 등 필요한 세부 사항은 대통령령으로 정한다. [본조신설 2020.8.12.]

제13조의 3(주택 수의 판단 범위) 제13조의 2를 적용할 때 다음 각 호의 어느 하나에 해당하는 경우에는 다음 각 호에서 정하는 바에 따라 세대별 소유 주택 수에 가산한다.

1. 「신탁법」에 따라 신탁된 주택은 위탁자의 주택 수에 가산한다.
2. 「도시 및 주거환경정비법」 제74조에 따른 관리처분계획의 인가 및 「빈집 및 소규모주택 정비에 관한 특례법」 제29조에 따른 사업시행계획인가로 인하여 취득한 입주자로 선정된 지위[「도시 및 주거환경정비법」에 따른 재건축사업 또는 재개발사업, 「빈집 및 소규모주택 정비에 관한 특례법」에 따른 소규모재건축사업을 시행하는 정비사업조합의 조합원으로서 취득한 것(그 조합원으로부터 취득한 것을 포함한다)으로 한정하며, 이에 딸린 토지를 포함한다. 이하 이 조에서 "조합원입주권"이라 한다]는 해당 주거용 건축물이 멸실된 경우라도 해당 조합원입주권 소유자의 주택 수에 가산한다.
3. 「부동산 거래신고 등에 관한 법률」 제3조 제1항 제2호에 따른 "부동산에 대한 공급계약"을 통하여 주택을 공급받는 자로 선정된 지위(해당 지위를 매매 또는 증여 등의 방법으로 취득한 것을 포함한다. 이하 이 조에서 "주택분양권"이라 한다)는 해당 주택분양권을 소유한 자의 주택 수에 가산한다.
4. 제105조에 따라 주택으로 과세하는 오피스텔은 해당 오피스텔을 소유한 자의 주택 수에 가산한다. [본조신설 2020.8.12.]

영 제28조의 2(주택 유상거래 취득 중과세의 예외) 법 제13조의 2 제1항을 적용할 때 같은 항 각 호 외의 부분에 따른 주택(이하 이 조 및 제28조의 3부터 제28조의 6까지에서 "주택"이라 한다)으로서 다음 각 호의 어느 하나에 해당하는 주택은 중과세 대상으로 보지 않는다.

1. 법 제4조에 따른 시가표준액(지분이나 부속토지만을 취득한 경우에는 전체 주택의 시가표준액을 말한다)이 1억원 이하인 주택. 다만, 「도시 및 주거환경정비법」 제2조 제1호에 따른 정비구역(종전의 「주택건설촉진법」에 따라 설립인가를 받은 재건축조합의 사업부지를 포함한다)으로 지정·고시된 지역 또는 「빈집 및 소규모주택 정비에 관한 특례법」 제2조 제1항 제4호에 따른 사업시행구역에 소재하는 주택은 제외한다.
2. 「공공주택 특별법」 제4조 제1항에 따라 지정된 공공주택사업자가 같은 법 제43조 제1항에 따라 공공매입임대주택으로 공급(신축 또는 개축하여 공급하는 경우를 포함한다)하기 위하여 취득하는 주택. 다만, 정당한 사유 없이 그 취득일부터 2년이 경과할 때까지 공공매입임대주택으로 공급하지 않거나 공공매입임대주택으로 공급한 기간이 3년 미만인 상태에서 매각·증여하거나 다른 용도로 사용하는 경우는 제외한다.
3. 「노인복지법」 제32조 제1항 제3호에 따른 노인복지주택으로 운영하기 위하여 취득하는 주택. 다만, 정당한 사유 없이 그 취득일부터 1년이 경과할 때까지 해당 용도에 직접 사용하지 않거

나 해당 용도로 직접 사용한 기간이 3년 미만인 상태에서 매각·증여하거나 다른 용도로 사용하는 경우는 제외한다.

4. 「문화재보호법」 제53조 제1항에 따른 국가등록문화재에 해당하는 주택
5. 「민간임대주택에 관한 특별법」 제2조 제7호에 따른 임대사업자가 같은 조 제4호에 따른 공공지원민간임대주택으로 공급하기 위하여 취득하는 주택. 다만, 정당한 사유 없이 그 취득일부터 2년이 경과할 때까지 공공지원민간임대주택으로 공급하지 않거나 공공지원민간임대주택으로 공급한 기간이 3년 미만인 상태에서 매각·증여하거나 다른 용도로 사용하는 경우는 제외한다.
6. 「영유아보육법」 제10조 제5호에 따른 가정어린이집으로 운영하기 위하여 취득하는 주택. 다만, 정당한 사유 없이 그 취득일부터 1년이 경과할 때까지 해당 용도에 직접 사용하지 않거나 해당 용도로 직접 사용한 기간이 3년 미만인 상태에서 매각·증여하거나 다른 용도로 사용하는 경우는 제외한다.
7. 「주택도시기금법」 제3조에 따른 주택도시기금과 「한국토지주택공사법」에 따라 설립된 한국토지주택공사가 공동으로 출자하여 설립한 부동산투자회사 또는 「한국자산관리공사 설립 등에 관한 법률」에 따라 설립된 한국자산관리공사가 출자하여 설립한 부동산투자회사가 취득하는 주택으로서 취득 당시 다음 각 목의 요건을 모두 갖춘 주택
   가. 해당 주택의 매도자(이하 이 호에서 "매도자"라 한다)가 거주하고 있는 주택으로서 해당 주택 외에 매도자가 속한 세대가 보유하고 있는 주택이 없을 것
   나. 매도자로부터 취득한 주택을 5년 이상 매도자에게 임대하고 임대기간 종료 후에 그 주택을 재매입할 수 있는 권리를 매도자에게 부여할 것
   다. 법 제4조에 따른 시가표준액(지분이나 부속토지만을 취득한 경우에는 전체 주택의 시가표준액을 말한다)이 5억원 이하인 주택일 것
8. 다음 각나 목의 어느 하에 해당하는 주택으로서 멸실시킬 목적으로 취득하는 주택. 다만, 정당한 사유 없이 그 취득일부터 3년이 경과할 때까지 해당 주택을 멸실시키지 않은 경우는 제외한다.
   가. 「공공기관의 운영에 관한 법률」 제4조에 따른 공공기관 또는 「지방공기업법」 제3조에 따른 지방공기업이 「공익사업을 위한 토지 등의 취득 및 보상에 관한 법률」 제4조에 따른 공익사업을 위하여 취득하는 주택
   나. 「도시 및 주거환경정비법」 제2조 제8호에 따른 사업시행자, 「빈집 및 소규모주택 정비에 관한 특례법」 제2조 제1항 제5호에 따른 사업시행자, 「주택법」 제2조 제11호에 따른 주택조합(같은 법 제11조 제2항에 따른 "주택조합설립인가를 받으려는 자"를 포함한다) 또는 같은 법 제4조에 따라 등록한 주택건설사업자가 주택건설사업을 위하여 취득하는 주택. 다만, 해당 주택건설사업이 주택과 주택이 아닌 건축물을 한꺼번에 신축하는 사업인 경우에는 신축하는 주택의 건축면적 등을 고려하여 행정안전부령으로 정하는 바에 따라 산정한 부분으로 한정한다.
9. 주택의 시공자(「주택법」 제33조 제2항에 따른 시공자 및 「건축법」 제2조 제16호에 따른 공사시공자를 말한다)가 다음 각 목의 어느 하나에 해당하는 자로부터 해당 주택의 공사대금으로 취득한 미분양 주택(「주택법」 제54조에 따른 사업주체가 같은 조에 따라 공급하는 주택으로서 입주자모집공고에 따른 입주자의 계약일이 지난 주택단지에서 취득일 현재까지 분양계약이 체결되지 않아 선착순의 방법으로 공급하는 주택을 말한다. 이하 이 조 및 제28조의 6에서 같다).

다만, 가목의 자로부터 취득한 주택으로서 자기 또는 임대계약 등 권원을 불문하고 타인이 거주한 기간이 1년 이상인 경우는 제외한다.
가. 「건축법」 제11조에 따른 허가를 받은 자
나. 「주택법」 제15조에 따른 사업계획승인을 받은 자

10. 다음 각 목의 어느 하나에 해당하는 자가 저당권의 실행 또는 채권변제로 취득하는 주택. 다만, 취득일부터 3년이 경과할 때까지 해당 주택을 처분하지 않은 경우는 제외한다.
가. 「농업협동조합법」에 따라 설립된 조합
나. 「산림조합법」에 따라 설립된 산림조합 및 그 중앙회
다. 「상호저축은행법」에 따른 상호저축은행
라. 「새마을금고법」에 따라 설립된 새마을금고 및 그 중앙회
마. 「수산업협동조합법」에 따라 설립된 조합
바. 「신용협동조합법」에 따라 설립된 신용협동조합 및 그 중앙회
사. 「은행법」에 따른 은행

11. 제28조 제2항에 따른 농어촌주택

12. 사원에 대한 임대용으로 직접 사용할 목적으로 취득하는 주택으로서 1구의 건축물의 연면적(전용면적을 말한다)이 60제곱미터 이하인 공동주택. 다만, 다음 각 목의 어느 하나에 해당하는 주택은 제외한다.
가. 취득하는 자가 개인인 경우로서 「지방세기본법 시행령」 제2조 제1항 각 호의 어느 하나에 해당하는 관계인 사람에게 제공하는 주택
나. 취득하는 자가 법인인 경우로서 「지방세기본법」 제46조 제2호에 따른 과점주주에게 제공하는 주택
다. 정당한 사유 없이 그 취득일부터 1년이 경과할 때까지 해당 용도에 직접 사용하지 않거나 해당 용도로 직접 사용한 기간이 3년 미만인 상태에서 매각·증여하거나 다른 용도로 사용하는 주택

13. 물적분할[「법인세법」 제46조 제2항 각 호의 요건(같은 항 제2호의 경우 전액이 주식등이어야 한다)을 갖춘 경우로 한정한다]로 인하여 분할신설법인이 분할법인으로부터 취득하는 미분양 주택. 다만, 분할등기일부터 3년 이내에 「법인세법」 제47조 제3항 각 호의 어느 하나에 해당하는 사유가 발생한 경우(같은 항 각 호 외의 부분 단서에 해당하는 경우는 제외한다)는 제외한다.
[본조신설 2020.8.12.]

규칙 제7조의 2(주택 유상거래 취득 중과세의 예외) 영 제28조의 2 제8호 나목 본문에 따른 주택건설사업이 주택과 주택이 아닌 건축물을 한꺼번에 신축하는 사업인 경우 다음 각 호의 구분에 따라 산정한 부분에 대해서는 중과세 대상으로 보지 않는다.

1. 「도시 및 주거환경정비법」 제2조 제2호에 따른 정비사업 중 주거환경을 개선하기 위한 사업, 「주택법」 제2조 제11호 가목에 따른 지역주택조합 및 같은 호 나목에 따른 직장주택조합이 시행하는 사업 : 해당 주택건설사업을 위하여 취득하는 주택의 100분의 100에 해당하는 부분
2. 「도시 및 주거환경정비법」 제2조 제2호 나목에 따른 재개발사업 중 도시환경을 개선하기 위한 사업 : 해당 주택건설사업을 위하여 취득하는 주택 중 다음의 비율에 해당하는 부분

신축하는 주택의 연면적
신축하는 주택 및 주택이 아닌 건축물 전체의 연면적

3. 그 밖의 주택건설사업 : 다음 각 목의 구분에 따라 산정한 부분
   가. 신축하는 주택의 연면적이 신축하는 주택 및 주택이 아닌 건축물 전체 연면적의 100분의 50 이상인 경우 : 해당 주택건설사업을 위하여 취득하는 주택의 100분의 100에 해당하는 부분
   나. 신축하는 주택의 연면적이 신축하는 주택 및 주택이 아닌 건축물 전체 연면적의 100분의 50 미만인 경우 : 해당 주택건설사업을 위하여 취득하는 주택 중 제2호의 비율에 해당하는 부분

영 제28조의 3(세대의 기준) ① 법 제13조의 2 제1항부터 제4항까지의 규정을 적용할 때 1세대란 주택을 취득하는 사람과 「주민등록법」 제7조에 따른 세대별 주민등록표(이하 이 조에서 "세대별 주민등록표"라 한다) 또는 「출입국관리법」 제34조 제1항에 따른 등록외국인기록표 및 외국인등록표(이하 이 조에서 "등록외국인기록표등"이라 한다)에 함께 기재되어 있는 가족(동거인은 제외한다)으로 구성된 세대를 말하며 주택을 취득하는 사람의 배우자(사실혼은 제외하며, 법률상 이혼을 했으나 생계를 같이 하는 등 사실상 이혼한 것으로 보기 어려운 관계에 있는 사람을 포함한다. 이하 제28조의 6에서 같다), 취득일 현재 미혼인 30세 미만의 자녀 또는 부모(주택을 취득하는 사람이 미혼이고 30세 미만인 경우로 한정한다)는 주택을 취득하는 사람과 같은 세대별 주민등록표 또는 등록외국인기록표등에 기재되어 있지 않더라도 1세대에 속한 것으로 본다.

② 제1항에도 불구하고 다음 각 호의 어느 하나에 해당하는 경우에는 각각 별도의 세대로 본다.

1. 부모와 같은 세대별 주민등록표에 기재되어 있지 않은 30세 미만의 자녀로서 「소득세법」 제4조에 따른 소득이 「국민기초생활 보장법」 제2조 제11호에 따른 기준 중위소득의 100분의 40 이상이고, 소유하고 있는 주택을 관리·유지하면서 독립된 생계를 유지할 수 있는 경우. 다만, 미성년자인 경우는 제외한다.
2. 취득일 현재 65세 이상의 부모(부모 중 어느 한 사람이 65세 미만인 경우를 포함한다)를 동거봉양(同居奉養)하기 위하여 30세 이상의 자녀, 혼인한 자녀 또는 제1호에 따른 소득요건을 충족하는 성년인 자녀가 합가(合家)한 경우
3. 취학 또는 근무상의 형편 등으로 세대전원이 90일 이상 출국하는 경우로서 「주민등록법」 제10조의 3 제1항 본문에 따라 해당 세대가 출국 후에 속할 거주지를 다른 가족의 주소로 신고한 경우 [본조신설 2020.8.12.]

제28조의 4(주택 수의 산정방법) ① 법 제13조의 2 제1항 제2호 및 제3호를 적용할 때 세율 적용의 기준이 되는 1세대의 주택 수는 주택 취득일 현재 취득하는 주택을 포함하여 1세대가 국내에 소유하는 주택, 법 제13조의 3 제2호에 따른 조합원입주권(이하 "조합원입주권"이라 한다), 같은 조 제3호에 따른 주택분양권(이하 "주택분양권"이라 한다) 및 같은 조 제4호에 따른 오피스텔(이하 "오피스텔"이라 한다)의 수를 말한다. 이 경우 조합원입주권 또는 주택분양권에 의하여 취득하는 주택의 경우에는 조합원입주권 또는 주택분양권의 취득일(분양사업자로부터 주택분양권을 취득하는 경우에는 분양계약일)을 기준으로 해당 주택 취득 시의 세대별 주택 수를 산정한다.

② 제1항을 적용할 때 주택, 조합원입주권, 주택분양권 또는 오피스텔을 동시에 2개 이상 취득하

는 경우에는 납세의무자가 정하는 바에 따라 순차적으로 취득하는 것으로 본다.

③ 제1항을 적용할 때 1세대 내에서 1개의 주택, 조합원입주권, 주택분양권 또는 오피스텔을 세대원이 공동으로 소유하는 경우에는 1개의 주택, 조합원입주권, 주택분양권 또는 오피스텔을 소유한 것으로 본다.

④ 제1항을 적용할 때 상속으로 여러 사람이 공동으로 1개의 주택, 조합원입주권, 주택분양권 또는 오피스텔을 소유하는 경우 지분이 가장 큰 상속인을 그 주택, 조합원입주권, 주택분양권 또는 오피스텔의 소유자로 보고, 지분이 가장 큰 상속인이 두 명 이상인 경우에는 그 중 다음 각 호의 순서에 따라 그 주택, 조합원입주권, 주택분양권 또는 오피스텔의 소유자를 판정한다. 이 경우, 미등기 상속 주택 또는 오피스텔의 소유지분이 종전의 소유지분과 변경되어 등기되는 경우에는 등기상 소유지분을 상속개시일에 취득한 것으로 본다.

1. 그 주택 또는 오피스텔에 거주하는 사람
2. 나이가 가장 많은 사람

⑤ 제1항부터 제4항까지의 규정에 따라 1세대의 주택 수를 산정할 때 다음 각 호의 어느 하나에 해당하는 주택, 조합원입주권, 주택분양권 또는 오피스텔은 소유주택 수에서 제외한다.

1. 다음 각 목의 어느 하나에 해당하는 주택
   가. 제28조의 2 제1호에 해당하는 주택으로서 주택수 산정일 현재 같은 호에 따른 해당 주택의 시가표준액 기준을 충족하는 주택
   나. 제28조의 2 제3호 · 제5호 · 제6호 및 제12호에 해당하는 주택으로서 주택 수 산정일 현재 해당 용도에 직접 사용하고 있는 주택
   다. 제28조의 2 제4호에 해당하는 주택
   라. 제28조의 2 제8호 및 제9호에 해당하는 주택. 다만, 제28조의 2 제9호에 해당하는 주택의 경우에는 그 주택의 취득일부터 3년 이내의 기간으로 한정한다.
   마. 제28조의 2 제11호에 해당하는 주택으로서 주택 수 산정일 현재 제28조 제2항 제2호의 요건을 충족하는 주택
2. 「통계법」 제22조에 따라 통계청장이 고시하는 산업에 관한 표준분류에 따른 주거용 건물 건설업을 영위하는 자가 신축하여 보유하는 주택. 다만, 자기 또는 임대계약 등 권원을 불문하고 타인이 거주한 기간이 1년 이상인 주택은 제외한다.
3. 상속을 원인으로 취득한 주택, 조합원입주권, 주택분양권 또는 오피스텔로서 상속개시일부터 5년이 지나지 않은 주택, 조합원입주권, 주택분양권 또는 오피스텔
4. 주택 수 산정일 현재 법 제4조에 따른 시가표준액(지분이나 부속토지만을 취득한 경우에는 전체 건축물과 그 부속토지의 시가표준액을 말한다)이 1억원 이하인 오피스텔

[본조신설 2020.8.12.]

제28조의 5(일시적 2주택) ① 법 제13조의 2 제1항 제2호에 따른 "대통령령으로 정하는 일시적 2주택"이란 국내에 주택, 조합원입주권, 주택분양권 또는 오피스텔을 1개 소유한 1세대가 그 주택, 조합원입주권, 주택분양권 또는 오피스텔(이하 이 조 및 제36조의 3에서 "종전 주택등"이라 한다)을 소유한 상태에서 이사 · 학업 · 취업 · 직장이전 및 이와 유사한 사유로 다른 1주택(이하 이 조 및 제36조의 3에서 "신규 주택"이라 한다)을 추가로 취득한 후 3년(종전 주택등과 신규 주택이 모두 「주택법」 제63조의 2 제1항 제1호에 따른 조정대상지역에 있는 경우에는 1년으로 한다.

이하 이 조에서 "일시적 2주택 기간"이라 한다) 이내에 종전 주택등(신규 주택이 조합원입주권 또는 주택분양권에 의한 주택이거나 종전 주택등이 조합원입주권 또는 주택분양권인 경우에는 신규 주택을 포함한다)을 처분하는 경우 해당 신규 주택을 말한다.

② 제1항을 적용할 때 조합원입주권 또는 주택분양권을 1개 소유한 1세대가 그 조합원입주권 또는 주택분양권을 소유한 상태에서 신규 주택을 취득한 경우에는 해당 조합원입주권 또는 주택분양권에 의한 주택을 취득한 날부터 일시적 2주택 기간을 기산한다.

③ 제1항을 적용할 때 종전 주택등이 「도시 및 주거환경정비법」 제74조 제1항에 따른 관리처분계획의 인가 또는 「빈집 및 소규모주택 정비에 관한 특례법」 제29조 제1항에 따른 사업시행계획인가를 받은 주택인 경우로서 관리처분계획인가 또는 사업시행계획인가 당시 해당 사업구역에 거주하는 세대가 신규 주택을 취득하여 그 신규 주택으로 이주한 경우에는 그 이주한 날 종전 주택등을 처분한 것으로 본다. [본조신설 2020.8.12.]

제28조의 6(중과세 대상 무상취득 등) ① 법 제13조의 2 제2항에서 "대통령령으로 정하는 일정가액 이상의 주택"이란 취득 당시 법 제4조에 따른 시가표준액(지분이나 부속토지만을 취득한 경우에는 전체 주택의 시가표준액을 말한다)이 3억원 이상인 주택을 말한다.

② 법 제13조의 2 제2항 단서에서 "1세대 1주택자가 소유한 주택을 배우자 또는 직계존비속이 무상취득하는 등 대통령령으로 정하는 경우"란 다음 각 호의 어느 하나에 해당하는 경우를 말한다.

1. 1세대 1주택을 소유한 사람으로부터 해당 주택을 배우자 또는 직계존비속이 법 제11조 제1항 제2호에 따른 무상취득을 원인으로 취득하는 경우
2. 법 제15조 제1항 제3호 및 제6호에 따른 세율의 특례 적용대상에 해당하는 경우
3. 「법인세법」 제46조 제2항에 따른 적격분할로 인하여 분할신설법인이 분할법인으로부터 취득하는 미분양 주택. 다만, 분할등기일부터 3년 이내에 「법인세법」 제46조의 3 제3항 각 호의 어느 하나에 해당하는 사유가 발생하는 경우(같은 항 각 호 외의 부분 단서에 해당하는 경우는 제외한다)는 제외한다. [본조신설 2020.8.12.]

다주택자 · 법인 주택 유상거래 취득세 중과[40]

1. 개요

정부는 7.10. 부동산대책의 일환으로 다주택자에 대한 세금부담을 강화하였는데, 취득세율을 인상하고, 주택보유에 따른 종합부동산세를 인상하고, 양도시 양도소득세를 강화하는 종합적인 조치를 취하였다. 그에 따라 2020.8.12. 주택 실수요자를 보호하고 투기수요를 근절하기 위하여 법인이 주택을 취득하거나 1세대가 2주택 이상을 취득하는 경우 등은 주택 취득에 따른 취득세율을 상향하는 내용의 취득세 중과제도를 시행하였다. 다주택자와 법인이 주택을 취득하는 경우 기존의 주택유상거래 특례세율이 1~3%(4주택자는 4%)에서

40) 아래 내용은 2020.8.12. 시행한 취득세 중과세 제도에 대한 행안부 운영지침을 참고하였고, 일부는 저자의 의견을 기술하였으므로 독자들(특히 주택을 취득하고자 하는 사람)은 반드시 과세관청의 확인을 요한다.

8%, 12%로 인상하였다. 분양권, 입주권, 주거용오피스텔까지 주택수로 간주하여 다주택자에 대한 주택거래를 사실상 억제하는 제도를 도입했다고 볼 수 있다. 주택유상거래뿐 아니라 다주택자가 증여하는 경우 증여취득자에 대한 취득세율도 12%로 인상하는 등 전례없는 중과세율이 도입되었다. 중과제도 시행으로 과세체계가 매우 복잡해졌다. 특히 1세대를 기준으로 다주택자를 판단해야 하기 때문에 1세대의 요건이 도입되었고, 저가주택이나 농어촌주택 등 불가피하게 중과대상에서 제외하는 중과제외주택을 열거하고 있다. 일시적 2주택자에 대한 보호를 위해 세부적인 요건도 신설하였다.

1) 다주택자 · 법인의 주택 취득 중과세율(법 제13조의 2 ①)

주택 취득에 대한 중과제도는 다주택자, 법인, 증여취득에 대한 중과로 구분할 수 있다. 다주택자, 법인은 유상거래를 대상으로 하고 법인은 다주택 여부를 따지지 않는다.

1세대가 2주택 이상을 유상거래로 취득하는 경우 해당 주택에 대해 중과세를 적용하는데 세대별 소유주택수를 고려하고, 취득하는 주택의 소재지가 조정대상지역인지 여부에 따라 세율을 차등 적용하고 있다. 조정대상지역이란 「주택법」 제63조의 2 제1항 제1호에 따라 국토교통부장관이 공고하는 지역을 말한다.

1세대 2주택(일시적 2주택 제외)에 해당하는 주택으로서 조정대상지역에 있는 주택을 취득하는 경우 또는 1세대 3주택에 해당하는 주택으로서 非조정대상지역에 있는 주택을 취득하는 경우에는 8% 세율이 적용된다. 1세대 3주택 이상에 해당하는 주택으로서 조정대상지역에 있는 주택을 취득하는 경우 또는 1세대 4주택 이상에 해당하는 주택으로서 非조정대상지역에 있는 주택을 취득하는 경우에는 12% 세율이 적용된다.

2) 조정대상지역

조정대상지역 관련내용을 구체적으로 살펴보면 다음과 같다. 법인의 주택 취득은 다주택 소유 여부뿐 아니라 조정대상지역과 무관하게 12% 세율이 적용된다. 개인인 다주택자의 세율적용기준은 조정대상지역 여부에 따라 달라지는데 1주택을 소유한 상태에서 조정대상지역에 주택을 취득하면 8% 세율이 적용된다. 기존 소유주택이 조정대상지역에 소재하는지 여부와 무관하게 취득하는 주택을 기준으로 조정대상지역에 소재하는지 여부를 따지게 된다. 조정대상지역 지정고시일 이전에 주택에 대한 매매계약(공동주택 분양계약 포함)을 체결한 경우에는 조정대상지역으로 지정되기 전에 주택을 취득한 것으로 본다(제4항). 이 규정의 의미는 납세의무 성립시점을 매매계약 시점으로 앞당긴다는 의미라기보다 납세의무성립일 기준으로 조정대상지역 여부를 판단하는 것이 원칙이나 예외적으로 매매계약 시점을 기준으로 조정대상지역 여부를 판단하여 납세자에게 유리하게 적용한다는 의미이다.

예를 들어 1주택을 소유한 자가 2020.12.18. ○○시(2020.12.18. 지정)에 있는 주택에 대한 매매계약을 체결하고, 2020.12.30. 잔금을 지급하는 경우 "지정고시일 이전" 매매계약을 체결한 경우에 해당하므로 향후 취득시(잔금지급일) 1~3% 세율을 적용한다.

중과적용이 제외되는 일시적 2주택자의 경우 조정대상지역에서만 적용된다. 비조정지역의 경우 1세대 2주택까지 일반세율이 적용되기 때문이다. 그리고 일시적 2주택 적용시 종전주택의 처분기간과 관련하여 종전주택과 신규주택 모두 조정대상지역인 경우에 한해 1년의 기간이 주어지고, 그 이외에는 3년이 적용된다. 예를 들어 ○○시(2020.12.18. 지정)에 1주택을 소유한 자가 2020.12.17. 서울에 있는 주택에 대한 매매계약을 체결하고, 2020.12.18.이후 잔금을 지급하는 경우 일시적 2주택을 적용받기 위해서는 취득하는 서울소재 주택 계약당시 종전주택이 非조정지역이므로 종전주택을 "3년 이내"에 처분해야 한다.

주택의 무상취득에 대한 12% 중과가 적용되는 경우도 조정대상지역에 한해 적용된다. 비조정지역에서 무상으로 취득하는 경우라면 12% 중과와 무관하다.

3) 주택의 범위

중과대상 주택의 범위와 관련하여 제13조의 2 제1항에서 "주택(제11조 제1항 제8호에 따른 주택을 말한다. 이 경우 주택의 공유지분이나 부속토지만을 소유하거나 취득하는 경우에도 주택을 소유하거나 취득한 것으로 본다. 이하 이 조 및 제13조의 3에서 같다)"라고 규정하고 있다.

중과 적용 대상 주택의 범위는 제11조 제1항 제8호의 주택유상거래 특례세율 적용대상과 동일하다. 즉 주택유상거래 특례세율(1~3%)을 적용받지 않는 무허가주택(건축허가·신고 없이 건축이 가능한 주택 제외)은 중과 적용대상(8%·12%)이 아니다. 주택의 범위는 법인이 취득하는 경우에도 동일하게 적용한다. 그리고 조정지역 내 주택 무상취득 중과의 경우에도 제11조 제1항 제8호의 주택이 적용된다.

주택의 공유지분이나 부속토지만을 소유하거나 취득하는 경우에도 주택을 소유하거나 취득하는 것으로 본다. 주택을 취득하면서 지분취득이나 건물과 토지를 분리하여 취득하는 경우 중과대상에서 제외할 경우 취득시점을 조정하여 취득하는 부작용이 있을 수 있어 이를 억제하기 위한 장치로 볼 수 있다.

예를 들어 1세대가 기존에 지분 100%인 1주택(a주택)과 지분 1/2인 1주택(b주택, 서울소재)을 소유한 상태에서 b주택의 나머지 지분을 유상승계취득할 경우, 기존 1.5주택을 소유하고 있다가 0.5 지분을 추가 취득하여 온전한 2주택을 취득하는 것에 해당하여 1세대가 2주택에 해당하는 주택을 취득하는 것이므로 8%의 취득세율이 적용된다.

한편 주택을 신축 이후 해당 주거용 건축물의 소유자가 해당 주택의 부속토지를 취득하는 경우에는 주택 부속토지를 취득함에도 제11조 제1항 제8호(1~3% 세율)를 적용하지 않고 토지취득에 대한 4%의 세율을 적용하지만(제11조 ④), 중과세 적용에 있어서는 이를 고려하지 않는다. 즉 다주택을 소유한 상태라면 그 토지의 취득에 대해서는 중과세율이 적용된다.

4) 법인의 주택 유상취득 중과

법인이 유상거래로 주택을 취득하는 경우 12%의 세율을 적용한다. 법인이 소유한 주택 수 및 취득하는 주택이 조정대상지역에 소재하는지 여부와 관계없이 모두 12% 세율을 적용한다. 법인이란 국세기본법(제13조)에 따른 법인으로 보는 단체, 부동산등기법(제49조 ① 3호)에 따른 법인 아닌 사단·재단 등 개인이 아닌 자를 포함한다.

제13조 제2항의 대도시내 법인이 주택을 취득하는 경우 중과세 대상인데, 개정된 법인의 주택유상거래 중과제도와 비교하면 다음과 같다.

법인이 주택을 유상취득하는 경우 12%의 세율을 적용하는데, 동일한 물건에 2개의 세율이 동시에 적용되는 경우, 높은 세율을 적용(법 제16조 ⑤)한다는 점에 유의할 필요가 있다. 제13조 제2항에 따라 대도시 신설법인 등이 대도시 내에서 주택을 취득하는 경우 12% 중과를 적용한다. 법규정을 보면 당초 "세율(제11조 제1항 제8호에 해당하는 주택을 취득하는 경우에는 같은 조 제1항의 표준세율과 중과기준세율의 100분의 200을 합한 세율)을 적용한다"에서 "세율(제11조 제1항 제8호에 해당하는 주택을 취득하는 경우에는 제13조의 2 제1항 제1호에 해당하는 세율)을 적용한다."로 개정되었다. 즉 대도시내 법인인 주택을 유상거래로 취득하는 경우 제13조의 2 제1항 제1호에 해당하는 "세율"을 적용하게 된다. 여기서 세율은 12%이므로 제13조 제2항 자체에서 12%가 우선 적용된다. 만약 중과제외업종이라면 해당 규정(제13조 제2항)을 적용할 수 없고, 바로 제13조의 2 규정으로 넘어가 제1항 제1호가 적용되어 12%가 되며, 여기서 다시 중과제외주택에 해당한다면 1~3%의 세율이 적용된다. 결국 대도시내 신설 법인(중과제외 업종이 아닌 일반 법인)이 주택을 취득하면 제13조의 2에 따른 중과예외주택(1억원 이하 등)에 해당하더라도 제13조 제2항에 따라 12%가 적용된다. 중과제외업종이면서 제13조의 2에 따른 중과제외주택에 모두 해당하면 일반세율(1~3%)이 적용될 수 있다. 즉 중과 제외업종(영 제26조)과 법인중과 제외규정(영 제28조의 2)이 동시에 적용되는 경우에는 일반 취득세율이 적용된다. 대도시 내라도 5년이 경과한 경우이거나 지방소재 법인의 경우 직접 제13조의 2에 따라 중과적용 여부를 판단하면 된다.

이번 개정에서 제13조 제2항의 대도시 중과 예외규정인 사원에 대한 분양·임대용 주택의 중과 제외규정이 삭제되었다. 즉 대도시내 신설 법인이 사원임대용으로 주택을 유상거래로 취득하는 경우에는 12%가 적용된다. 제13조의 2에 따른 중과예외주택(1억원 이하 등)에 해당하더라도 제13조 제2항에 따라 12% 세율이 적용되기 때문이다.

2. 중과 제외 주택(영 제28조의 2)

공공성이 높은 주택, 저가(시가표준액 1억원 이하)주택 및 농어가주택 등 투기목적으로 보기 어려운 경우에는 중과대상에서 제외한다. 지방세법 시행령에서 중과대상에서 제외하는 주택을 유형별로 구분하고 있다.

1) 1억원 이하 주택(제1호)

시가표준액(지분이나 부속토지만을 취득한 경우에는 전체 주택의 시가표준액을 말함) 즉 주택공시 가격 1억원 이하인 주택은 제외된다. 취득당시 공시가격이므로 취득가격(거래가격)과는 무관하다. 1억원을 판단하는 기준은 개별 단위주택의 전체 가격을 의미한다. 지분이나 부속토지를 취득하는 경우라도 단위주택 가격이 1억원이 넘으면 중과대상이 될 수 있다. 다만, 도시정비법에 따른 정비구역으로 지정·고시된 지역에서 취득하는 경우에는 제외하므로 해당지역에서 취득하거나 보유한 주택은 1억원 이하라도 중과대상이 될 수 있다.

「빈집 및 소규모주택 정비에 관한 특례법」 제2조 제1항 제4호에 따른 사업시행구역에 소재하는 주택도 해당하는데, 해당구역은 지정·고시 절차가 없는데 사업시행구역은 조합설립인가 시점을 기준으로 적용한다.

공시가격 1억원 이하 주택을 소유하고 있는 경우 다른 주택을 취득할 때 주택수 산정에서도 제외한다. 예를 들어 주택취득일 현재 조정지역(도시정비법상 정비구역은 아님)에서 주택공시가격 8천만원인 다세대 주택 10호를 소유하고 있는 상태에서 조정지역에 10억원짜리 주택을 취득하는 경우, 다세대 주택 10호는 주택수 산정에서 제외되므로 일반세율(3%)이 적용된다.

한편 대도시내 신설법인(중과제외업종이 아닌 일반법인)이 1억원 이하 주택을 취득하는 경우에는 12% 세율이 적용된다(위 법인 취득 관련 설명 참조).

2) 임대주택(제2호, 제5호)

「공공주택 특별법」 제4조 제1항에 따라 지정된 공공주택사업자가 공공매입임대주택으로 공급(신축 또는 개축하여 공급하는 경우를 포함)하기 위하여 취득하는 주택은 중과대상에서 제외한다. 다만, 정당한 사유 없이 그 취득일부터 2년이 경과할 때까지 공공매입임대주택으로 공급하지 않거나 공공매입임대주택으로 공급한 기간이 3년 미만인 상태에서 매각·증여하거나 다른 용도로 사용하는 경우는 제외한다.

그리고 「민간임대주택에 관한 특별법」 제2조 제7호에 따른 임대사업자가 같은 조 제4호에 따른 공공지원민간임대주택으로 공급하기 위하여 취득하는 주택은 중과대상에서 제외한다(제5호). "공공지원민간임대주택"이란 임대사업자가 주택도시기금의 출자를 받아 건설·매입하는 민간임대주택, 공공지원민간임대주택 공급촉진지구에서 건설하는 민간임대주택, 국토교통부령으로 정하는 공공지원을 받아 건설·매입하는 민간임대주택 등에 해당하는 민간임대주택을 10년 이상 임대할 목적으로 취득하여 임대료 및 임차인의 자격 제한 등을 받아 임대하는 민간임대주택을 말한다.

3) 가정어린이집 취득(제6호)

「영유아보육법」 제10조 제5호에 따른 가정어린이집으로 운영하기 위하여 취득하는 주택은 중과대상에서 제외한다. 다만, 정당한 사유 없이 그 취득일부터 1년이 경과할 때까지 해당 용도에 직접 사용하지 않거나 해당 용도로 직접 사용한 기간이 3년 미만인 상태에서 매각·증여하거나 다른 용도로 사용하는 경우는 제외한다. 여기서 "직접사용"이라는 조건이 있다. 지특법상 직접사용은 소유자와 사용자가 일치하는 경우를 의미하는데 "직접사용" 개념을 그대로 적용하는 것이 타당하다. 만약 주택취득자와 가정어린이집의 운영자가 다른 경우에는 "직접사용"에 해당하지 않으므로 중과대상이 될 수 있다. 부부공동명의로 취득하는 경우라도 취득자와 운영자가 동일한 경우에 한해 중과대상에서 제외하고 한쪽 배우자 지분은 중과대상이 될 수 있다.

4) 주택건설을 위한 멸실목적의 주택(제8호)

주택건설을 위해 멸실목적으로 사업지구내 주택을 취득하는 경우 중과대상에서 제외한다. 다만, 정당한 사유 없이 그 취득일부터 3년이 경과할 때까지 해당 주택을 멸실시키지 않은 경우 추징대상이 되는 등 일정 요건을 충족해야 한다.

공공기관 또는 지방공기업이 「공익사업을 위한 토지 등의 취득 및 보상에 관한 법률」에 의한 공익사업을 위하여 취득하는 주택은 중과대상에서 제외한다. 취득주체가 공공기관 및 지방공기업으로 제한되어 있고, 대상사업으로 토지보상법에서는 토지등을 수용하거나 사용할 수 있는 다양한 사업을 포함하고 있다.

그리고 ⅰ) 도시정비법에 따른 사업시행자(소규모주택정비법상 사업시행자 포함), ⅱ) 주택법상 주택조합, ⅲ) 주택법에 따라 등록한 주택건설사업자가 주택건설사업을 위하여 취득하는 주택으로서 멸실이 전제되는 경우 중과대상에서 제외한다. 주택건설 사업을 위해 멸실목적으로 취득하는 이러한 주택은 정당한 사유 없이 그 취득일부터 3년이 경과할 때까지 해당 주택을 멸실시키지 않은 경우는 중과대상이 된다. 해당사업은 주택건설을 전제로 중과대상에서 제외하므로 향후 주택이 아닌 상업시설 등을 건축하는 경우라면 중과대상이 될 수 있다. 그런데 주택을 취득하여 멸실한 토지에 향후 들어서게 될 주택과 상업시설의 비중이 어느 정도인지 판단하기 어려울 수 있다. 이 경우 사업시행인가나 사업계획승인 또는 건축허가 등을 통해 예상할 수 있는데 사업의 유형에 따라 적용기준을 다음과 같이 구분하고 있다.

주택재개발조합, 주택재건축조합, 지역주택조합의 주택건설 사업의 경우 사업 목적 및 특성 등을 고려할 때, 해당 사업 전체를 "주택건설사업"으로 보아, 해당 사업시행자가 취득하는 멸실대상 주택은 그 전체에 대해 중과대상에서 제외한다. 그리고 재개발사업 중 주거환경 개선목적이 아닌 "상업지역·공업지역 등에서 도시기능의 회복 및 상권활성화 등을 위하여 도시환경을 개선하기 위한 사업(舊 도시환경정비사업)"의 경우 해당 사업에서 주택에 해당하는 비율에 대하여 중과대상에서 제외한다. 주택의 비율 등은 사업시행인가 등을 통해 확인하고, 추후 사후관리하며 주택의 비율이 달라지는 경우 및 정당한 사유 없이 그 취득일부터 3년이 경과할 때까지 해당 주택을 멸실시키지 않은 경우 등은 추징해야 할 것이다. 또한 위에 해당하지 않는 소규모 주택건설사업자가 취득하는 주택의 경우 해당 주택건설사업으로 주택에 해당하는 비율이 50% 이상인 경우 전체를 주택으로 보아 중과대상에서 제외하고, 50% 미만인 경우 주택에 해당하는 비율에 한하여 중과대상에서 제외한다.

한편 주택조합을 설립하기 전 "지역주택조합 설립추진위원회"가 주택건설사업을 위하여 취득하는 주택이 있을 수 있다. 2020년 1월 개정된 「주택법」 제11조는 주택조합을 설립하기 위해서는 "해당 주택건설대지의 15퍼센트 이상에 해당하는 토지의 소유권을 확보"하도록 규정하고 있다. 그리고 원활한 사업 추진을 위해 추진위원회명의로 상당한 토지를 확보한 이후에 조합을 설립하는 경우도 있을 수 있다. 이 경우 "추진위원회"가 취득하는 주택을 중과할 경우 주택조합 설립 자체를 불가능하게 하는 결과를 초래하므로 조합설립전 추진위원회가 멸실목적으로 취득하는 주택도 중과제외 대상으로 보고 있다.

5) 그 밖의 중과제외 주택

노인복지주택(제3호) : 사업상 노인복지주택으로 운영하기 위하여 취득하는 주택은 제외하는데, 2015.7.29. 노인복지법 개정이후 주택으로서의 노인복지주택은 사라지게 되었고 현재는 준주택으로 분류되었다. 그러나 법 개정 이전에는 노인복지주택이 건축법상 주택

(건축물 대장에 주택으로 기재)으로 등재되었는데, 이러한 주택을 노인복지사업으로 사용하기 위해 취득하는 경우라면 중과세 대상에서 제외된다. 반면 개인이 단순히 주거 용도로 이러한 주택을 취득하는 경우라면 중과요건에 따라 중과대상이 될 수 있다.

환매조건부 취득주택(제7호) : 주택도시기금, LH, 자산관리공사 등이 설립한 리츠가 환매조건부로 취득하는 주택 중 다음 요건을 충족하는 주택은 중과대상에서 제외한다. ① 매도자(그 세대)가 해당 주택만 소유하고, 매도자가 해당 주택에 거주하고, ② 5년 이상 매도자에게 임대 후에 그 주택을 재매입할 수 있는 권리가 부여되어 있고, ③ 주택가격이 5억원(지분・부속토지만 취득하는 경우에는 전체 주택가격을 기준으로 판단함) 이하인 주택일 것 등의 요건을 모두 갖추어야 한다.

공사대금으로 취득한 미분양주택(제9호) : 주택을 공급하기 위해 건축허가를 받은 자 또는 주택건설사업계획승인을 받은 자가 주택을 준공했으나 미분양이 발생한 경우 주택의 시공자는 공사대금을 미분양주택으로 대신 받을 수 있는데 이러한 미분양주택 취득에 대해서는 중과대상에서 제외한다. 이 때 미분양주택이란 「주택법」 제54조에 따른 사업주체가 같은 조에 따라 공급하는 주택으로서 입주자모집공고에 따른 입주자의 계약일이 지난 주택단지에서 취득일 현재까지 분양계약이 체결되지 않아 선착순의 방법으로 공급하는 주택을 말한다. 특히 사업계획승인이 아닌 건축허가를 받은 자의 미분양주택의 경우에는 해당 주택에 건축주가 거주했거나 타인이 거주한 기간이 1년 이상인 경우는 제외한다.

대물변제주택(제10호) : 저당권의 실행 또는 채권변제로 취득하는 주택은 중과대상에서 제외한다. 다만, 취득일부터 3년이 경과할 때까지 해당 주택을 처분하지 않은 경우는 제외한다. 농업협동조합, 산림조합 및 그 중앙회, 상호저축은행, 새마을금고 및 그 중앙회, 수산업협동조합, 신용협동조합 및 그 중앙회, 은행 등 특정법인(금융권)만 해당한다.

농어촌주택(제11호) : 지방세법 시행령 제28조 제2항에 따른 농어촌주택은 중과대상에서 제외된다. 농어촌주택은 ① 대지면적 660㎡, 건축물의 연면적 150㎡ 이내일 것, ② 건축물의 시가표준액이 6천500만원 이내일 것, ③ 특정지역(광역시 소속 군지역 또는 수도권지역, 국토계획법상 도시지역, 토지거래허가구역, 소득세법상 지정지역, 관광단지)에 소재하지 않는 주택 등 3가지 요건을 충족해야 한다.

사원에 대한 임대용 주택(제12호) : 사원에 대한 임대용으로 직접 사용할 목적으로 취득하는 주택으로서 1구의 건축물의 연면적(전용면적을 말한다)이 60제곱미터 이하인 공동주택은 중과대상에서 제외한다. 다만, 취득하는 자가 개인인 경우로서 특수관계인(지방세기본법 시행령 제2조 ① 각호)에게 제공하는 주택, 법인인 경우로서 과점주주(지방세기본법 제46조 2호)에게 제공하는 주택은 해당하지 않는다. 그리고 정당한 사유 없이 그 취득일부터 1년이 경과할 때까지 해당 용도에 직접 사용하지 않거나 해당 용도로 직접 사용한 기간이 3년 미만인 상태에서 매각·증여하거나 다른 용도로 사용하는 주택은 사후관리 대상이다.

적격분할(물적분할)에 따른 미분양 주택 취득(제13호) : 분할신설법인이 분할법인의 주택을 취득하는 경우 유상취득으로써 12% 중과대상이나, 건설법인이 미분양된 주택을 보유한 상태에서 적격분할로 인해 분할신설법인이 주택을 취득하는 경우 중과대상에서 제외한다.

3. 1세대의 기준(영 제28조의 3)

1) 개요

다주택자에 대한 중과세 적용시 다주택의 판단기준은 개인이 아닌 세대가 된다. 소득세법상 소득의 단위, 종합부동산세법상 종부세 과세단위는 개인이 된다. 다만, 종부세의 경우 1세대 1주택자에 대한 세부담을 완화하는 장치가 있는데 이 경우에는 세대기준이 적용된다. 세대가 생활이나 경제활동의 단위가 되는 점을 고려한 것으로 이해할 수 있다. 여기서 1세대의 적용과 관련하여 법 제13조의 2 제1항부터 제4항까지의 규정을 적용할 때 1세대란 주택을 취득하는 사람과 「주민등록법」상 세대별 주민등록표에 함께 기재되어 있는 가족(동거인은 제외)으로 구성된 세대를 말한다. 이때 가족은 배우자, 직계혈족 및 형제자매 그리고 생계를 같이하는 경우로서 직계혈족의 배우자, 배우자의 직계혈족 및 배우자의 형제자매를 말한다(민법 제779조). 주택을 취득하는 사람의 배우자, 취득일 현재 미혼인 30세 미만의 자녀 또는 부모(주택을 취득하는 사람이 미혼이고 30세 미만인 경우)는 주택을 취득하는 사람과 같은 세대별 주민등록표에 기재되어 있지 않더라도 1세대에 속한 것으로 본다.

2) 독립세대로 보는 예외

(1) 소득이 있는 30세 미만 자녀

부모와 같은 세대별 주민등록표에 기재되어 있지 않은 30세 미만의 자녀는 부모와 같은 세대로 보지만 예외가 적용된다. 「소득세법」 제4조에 따른 소득이 기준 중위소득의 100분의 40 이상이고, 소유하고 있는 주택을 관리·유지하면서 독립된 생계를 유지할 수 있는 경우에는 독립된 세대로 본다. 다만, 미성년자인 경우는 이러한 요건을 충족하더라도 제외한다.

소득요건 판단의 세부기준은 다음과 같다. 주택을 관리·유지하면서 독립된 생계를 유지할 수 있기 위하여는 소득의 계속성 여부, 생활의 독립성 등 다양한 사항을 종합적으로 고려하여 "사실상 독립된 세대"의 구성여부를 판단해야 한다.

① 소득의 종류는 「소득세법」 제4조에 따른 소득으로서 일시적·非경상적 소득 및 현금

유입을 동반하지 않는 소득을 제외한 계속적 · 반복적(경상적)인 소득을 말한다. 이러한 소득에 해당하지 않는 소득으로 일시적 · 非경상적인 소득이 있다. 즉 일반적인 이자소득이 아닌 정기예금 · 적금 해약으로 지급되는 이자, 저축성보험 차익 등은 이에 해당하지 않는다. 그리고 상금, 현상금, 보로금 등 이에 준하는 금품, 복권 당첨금 등 기타소득은 이에 해당하지 않는다. 또한 양도소득도 일시적인 소득으로 본다. 현금 유입이 없는 소득으로 배당소득 중 인정배당이나 의제배당, 임대소득 중 간주임대료 등은 제외된다. 소득확인방법으로는 전년도 소득이 있는 자는 소득금액증명원 등으로 확인하고 당해소득만 있는 자는 원천징수지급명세서, 사업자등록증, 재직증명서 등으로 확인하고, 과세관청이 사후 관리하게 된다.

② 주택취득 당시 취득자는 소득활동을 하고 있는 직장 및 사업소를 가지고 있어야 할 것이다. 양도소득, 이자소득, 배당소득 등은 그 자체만으로 소득요건을 구비했다고 보기 어려우나 주택 취득일 현재 근로소득이나 사업소득을 창출하고 있다면 이를 포함하여 소득요건 충족여부를 적용할 수 있을 것이다. 소득 산정 기간은 주택 취득일로부터 과거 1년 동안의 소득으로 판단한다. 다만, 취득일 현재 근로소득자(또는 사업소득자)가 1년내 소득이 기준금액에 미달하는 경우 2년 동안의 소득으로 판단한다. 즉 근로소득 및 사업소득자가 주택 취득일 현재 경상적인 소득이 있는 경우이므로, 중도에 퇴사(휴업)하였다가 최근에 재취업(개업)하여 1년 이내 소득으로 소득요건을 충족하지 않는다면, 과거 2년 이내 기간으로 확대하여 소득이 기준 금액 이상이라면 독립세대로 볼 수 있다는 것이다.

③ 소득 금액의 규모를 보면 "소득 산정 기간" 동안 월평균 소득이 "중위소득의 100분의 40" 이상이어야 하는데 여기서 2020년 1인가구 기준 중위소득(보건복지부 고시 2019-173호)은 월 1,757,194원이고, 여기에 40%는 702,878원이다. 예를 들어 2020년 현재 1인 세대의 경우 8,434,440원(702,870원 × 12개월) 이상, 근로소득자 등이 1년내 소득이 없어 2년 이내 소득으로 판단하는 경우라면 16,868,880원 이상이라야 별도세대로 볼 수 있다.

(2) 동거봉양 합가

취득일 현재 65세 이상의 부모(부모 중 어느 한 사람이 65세 미만인 경우 포함)를 동거봉양(同居奉養)하기 위하여 30세 이상의 자녀, 혼인한 자녀 또는 소득요건을 충족하는 성년인 자녀가 합가(合家)한 경우에는 각각을 별도세대로 본다. "부모"를 동거봉양하기 위하여 "자녀"가 합가한 경우이므로, 조부모는 포함하지 않는다. 동거봉양 합가를 적용할 때 65세 판단 기준일은 주택을 취득하는 날을 기준으로 판단한다.

예를 들어 1주택을 소유한 부모(64세)의 세대원인 자녀(30세 이상)가 분양권(8월 12일 이후 취득)에 의한 주택을 취득하는 날 부모가 66세가 되는 경우를 보면, 주택 취득일 현재를 기준으로 부모가 65세 이상에 해당하므로, 동거봉양 합가에 따른 별도세대로 본다. 따라서, 취득일 현재 자녀 세대의 소유 주택수가 무주택이면 1주택자 세율이 적용된다.

예를 들어 별도세대였던 A(기혼, 1주택을 배우자인 C와 공동소유)가 아버지 B(80세, 1주택 소유)를 봉양하기 위해 합가한 상태에서, C(A, B와 주소를 달리하여 거주 중)가 이사를 위해 주택을 취득하는 경우 적용 세율을 보면, A는 B와 별도의 세대로 보므로, C의 주택 취득이 일시적 2주택에 해당하는 경우(A, C 공동소유 주택을 일시적 2주택 기간내 처분하는 경우) 1~3%를 적용하고, 일시적 2주택에 해당하지 않는다면 8%를 적용한다.

별도세대였다가 합가한 경우로 한정하지 않고 취득일 전부터 계속해서 합가인 상태까지 포함하여 적용한다. 즉 부모와 분가하지 않고 계속해서 합가인 상태까지 포함하여 적용하는데, 태어나면서부터 부모와 주민등록이 분리되지 않는 경우로서 30세 이상의 자녀, 혼인한 자녀 또는 소득요건을 충족하는 성년이면 합가한 경우로 볼 수 있다. 또한, 부모가 자녀의 세대에 합가한 경우도 해당 규정을 적용한다.

(3) 해외체류신고

취학 또는 근무상의 형편 등으로 세대전원이 90일 이상 출국하는 경우로서 「주민등록법」 제10조의 3 제1항 본문에 따라 해당 세대가 출국 후에 속할 거주지를 다른 가족의 주소로 신고한 경우 별도세대로 본다. 예를 들어 3주택을 소유한 A가 2년간의 해외파견으로 주민등록법에 따른 해외체류신고를 하면서 형제관계인 B(1주택 소유)의 주소를 체류지로 신고한 상태에서, B가 주택 취득시 적용 세율을 보면, B는 A와 별도의 세대로 보므로, B의 주택 취득이 일시적 2주택에 해당하는 경우 1~3%를 적용하고, 일시적 2주택에 해당하지 않는 경우 8%를 적용한다.

4. 주택 수 산정 방법(법 제13조의 3, 영 제28조의 4)

1) 주택의 취득 및 소유에 대한 주택수 산정 개요

주택의 공유지분이나 부속토지만을 '소유'하거나 '취득'하는 경우에도 주택을 '소유'하거나 '취득'하는 것으로 본다. 따라서 취득하는 주택이 공유지분이거나 주택 부속토지를 취득하는 경우에도 주택의 취득으로 보아 세율을 적용하고, 다른 주택을 취득할 때 해당 세대가 보유하고 있는 공유지분이나 주택 부속토지도 주택수에 포함된다.

다주택자에 대한 중과세율 적용의 기준이 되는 1세대의 주택수는 주택 취득일 현재 취득하는 주택을 포함하여 1세대가 국내에 소유하는 주택, 조합원입주권, 주택분양권, 오피스텔의 수를 말한다.

「신탁법」에 따라 신탁된 주택은 위탁자의 주택수에 가산하고 대신 수탁자의 주택수 산정에는 제외한다.

주택, 조합원입주권, 주택분양권 또는 오피스텔을 동시에 2개 이상 취득하는 경우에는 납세의무자가 정하는 바에 따라 순차적으로 취득하는 것으로 본다.

1세대 내에서 1개의 주택, 조합원입주권, 주택분양권 또는 오피스텔을 세대원이 공동으로 소유하는 경우에는 1개의 주택, 조합원입주권, 주택분양권 또는 오피스텔을 소유한 것으로 본다(영 제28조의 4 ③). 즉 부부가 공동으로 소유하고 있는 주택은 부부세대 기준으로 2주택이 아닌 1주택으로 본다. 예를 들어 특정주택을 제3자와 공동소유하고 있던 상태에서 제3자의 지분을 취득하여 하나의 주택을 모두 소유하게 되는 경우 해당 지분의 취득은 1주택의 취득으로 본다. 또한 주택의 건축물만 소유하고 있는 상태에서 부속토지를 취득하는 경우 그 부속토지의 취득은 하나의 주택을 취득한 것으로 본다.[41]

상속으로 여러 사람이 공동으로 1개의 주택, 조합원입주권, 주택분양권 또는 오피스텔을 소유하는 경우 지분이 가장 큰 상속인, 거주하는 사람(주택・오피스텔 한정), 연장자 순으로 소유자를 판정한다. 분양권, 조합원입주권, 오피스텔을 상속받은 경우에도 주택과 마찬가지로 적용하는데, 주택이 아니므로 공시가격 1억원 또는 농어촌 주택 요건은 고려할 필요가 없고, 주된 상속자 판단에 있어 오피스텔은 주택과 동일하게 적용하지만, 입주권・분양권은 거주 요건을 고려할 필요가 없다. 한편 미등기 상속 주택 또는 오피스텔의 소유지분이 종전의 소유지분과 변경되어 등기되는 경우에는 등기상 소유지분을 상속개시일에 취득한 것으로 본다. 즉 소급하여 소유주택수를 다시 판단하게 되는데 이때는 제척기간 경과 여부를 따져봐야 할 것이다.

2) 분양권 등의 주택수 산정(법 제13조의 3)

조합원입주권, 주택분양권, 오피스텔은 취득세 과세대상은 아니지만, 이를 보유하고 있는 경우 세대별 소유 주택수에 가산한다. 2020.8.12. 이후 조합원입주권, 주택분양권 및 오피스텔을 취득하는 분부터 적용한다. 2020.8.12.부터 조합원입주권, 주택분양권 및 오피스텔은 주택수에 포함하는데 2020.8.12. 이후 취득하는 분부터 적용한다(법 부칙 제3조). 이 경우

41) 제11조 제4항의 주택을 신축 또는 증축한 이후 해당 주거용 건축물의 소유자(배우자 및 직계존비속을 포함한다)가 해당 주택의 부속토지를 취득하는 경우 4% 세율을 적용하는 것과는 구분해야 한다.

2020.8.12. 전에 매매계약(오피스텔 분양계약 포함)을 체결한 경우는 주택수에 포함하지 않는다(법 부칙 제7조).

(1) 조합원입주권

「도시 및 주거환경정비법」 제74조에 따른 관리처분계획의 인가 및 「빈집 및 소규모주택 정비에 관한 특례법」 제29조에 따른 사업시행계획인가로 인하여 취득한 입주자로 선정된 지위 즉 조합원입주권(재건축사업 또는 재개발사업, 소규모재건축사업의 조합원으로서 취득한 것)은 해당 주거용 건축물이 멸실된 경우라도 해당 조합원입주권 소유자의 주택수에 가산한다. 한편 주택법상 지역주택조합의 조합원 자격은 주택수에 포함되는 조합원입주권에 해당하지 않는다. 지역주택조합의 조합원자격을 얻을 때 토지에 대한 취득세가 과세되고, 신축시 건축물 취득에 대한 원시취득세율이 적용되는데 주택 재건축 조합원과 비슷한 지위이지만 법령에서 조합원입주권으로 규정하고 있지 않다. 그렇다고 주택분양권으로 볼 수도 없다.

조합원입주권은 지방세법상 주택은 아니지만 주택으로 간주하겠다는 취지이다. 도시정비법상 사업추진 절차에 따라 일반적으로 관리처분계획인가 이후 주택이 멸실되게 된다. 도시정비법에 따라 관리처분인가가 나면 조합원입주권으로 볼 여지가 있지만 주택이 멸실되지 않으면 지방세법상 주택으로 보아 취득세를 과세하기 때문에 입주권이 아닌 주택으로 봐야 한다. 관리처분계획 인가가 있는 경우라도 해당 주거용 건축물이 사실상(또는 공부상) 멸실되기 전까지는 주택으로, 멸실 이후에는 토지로 보아 취득세와 재산세를 과세(지방세운영과-1, 2018.1.2. 참조)하는 지방세 과세체계와 일관성 측면에서 볼 수 있다. 그리고 조합원입주권의 경우 "주거용 건축물이 멸실된 경우라도"라는 규정을 통해서도 주택이 멸실되고 없더라도 주택으로 간주하겠다는 중과제도의 취지가 반영된 것으로 이해할 수 있다.

따라서 조합원입주권의 취득시점은 비록 취득행위는 없지만 관리처분계획인가와 주택이 멸실된 경우의 두 조건을 충족하는 경우라 할 것이다. 승계조합원은 일반적으로 조합원 소유의 주택이나 토지를 취득하여 조합원의 지위를 승계하게 되는데, 지방세법상 취득의 시기를 기준으로 조합원입주권을 취득한 것으로 본다.

한편 도시정비법상 재건축·재개발 조합원입주권은 주택수에 포함하지만 주거환경개선사업지구의 조합원입주권은 이에 해당하지 아니하므로 입주권으로서의 주택수에는 포함되지 않는다.[42]

42) 1억원 이하 주택의 중과제외 규정에서는 주거환경개선사업지구(구역지정고시)를 제외하지 아니하므로 주택수에 포함된다. 즉 주거환경개선사업지구에서 주택을 취득하는 경우 공시가격 1억원 이하라도 중과세율이 적용될 수 있고, 주거환경개선사업지구에 공시가격 1억원 이하 주택이 있는 경우 다른 주택 취득시 주택수에도 포함된다.

(2) 주택분양권

「부동산 거래신고 등에 관한 법률」 제3조 제1항 제2호에 따른 "부동산에 대한 공급계약"을 통하여 주택을 공급받는 자로 선정된 지위를 주택분양권이라고 하며 해당 주택분양권을 소유한 세대의 주택수에 가산한다.

분양권의 취득일과 관련하여, 분양사업자로부터 주택분양권을 취득하는 경우에는 분양계약일이 된다. 그리고 분양권을 승계 취득한 경우에는 지방세법상 부동산 취득과 연계하여 살펴볼 수 있는데, 잔금지급일이 부동산의 취득일이고 잔금지급 전에 등기가 이루어지면 등기일을 취득일로 보듯이 분양권의 승계취득도 이와 같은 방식으로 보는 것이 타당하다. 즉 분양권에 대한 잔금지급일을 분양권의 취득시기로 보고 분양권의 승계에 대한 분양회사(또는 조합)의 확인이 먼저인 경우 그 날을 취득일로 볼 수 있을 것이다.

주택분양권에 의하여 취득하는 주택의 경우에는 분양권의 취득일을 기준으로 해당 주택 취득 시의 세대별 주택수를 산정한다(영 제28조의 4 ①). 예를 들어 2020.8.12. 이후에 취득한 분양권에 의한 주택을 취득하는 경우, 분양권 취득일을 기준으로 세대별 주택수를 산정하므로 분양권 취득당시 주택수에 따른 세율을 적용한다. 따라서 1세대 2주택인 상황에서 취득하는 분양권이 조정대상지역인 경우 분양권에 의한 주택 취득시 12%를 적용하며, 중간에 주택을 처분하더라도 해당 세율을 적용한다. 또 다른 예로 다주택자인 부모의 세대원인 자녀(무주택, 30세 이상)가 2020.8.12. 이후에 분양권을 취득하여 해당 분양권에 의한 주택을 취득할 때 적용세율을 보면, 1세대는 주택의 취득일(납세의무 성립일) 현재를 기준으로 판단하고, 주택수는 해당 세대의 분양권 취득 당시를 기준으로 판단해야 하므로 분양권에 따른 '주택 취득일 현재' 자녀가 독립된 세대를 구성하였다면, 그 자녀 세대가 해당 분양권 취득 당시 무주택 세대이므로, 1~3%를 적용한다.

(3) 오피스텔

오피스텔 자체는 주택이 아니므로 기존의 주택 보유여부 또는 다른 오피스텔의 보유여부와 무관하게 4%의 표준세율이 일률적으로 적용된다. 그런데 주택을 취득하는 경우 지방세법 제105조에 따라 주택분 재산세가 과세된 오피스텔은 해당 오피스텔을 소유한 자의 주택수에 가산한다. 오피스텔에 대한 주택분 재산세 부과방식을 보면, 주택 취득일 현재 오피스텔에 대해 일정절차(납세자 신고, 과세관청 확인 등)에 따라 주거용으로 보아 주택분 재산세가 과세되는데, 이렇게 주택분 재산세가 과세된 오피스텔은 주택수에 포함한다.

2020.8.12. 이후 신규로 취득하는 오피스텔부터 적용하고, 그 전에 매매 또는 분양계약을 체결한 경우에도 주택수에서 일괄 제외한다. 오피스텔 분양권의 경우 주택 분양권도 아니

고, 오피스텔 취득 후 실제 사용하기 전까지는 해당 오피스텔이 주거용인지 업무용인지 확정되지 않으므로 주택수에 포함되지 않는다.

한편 재산세는 매년 6월 1일을 기준으로 과세되는데 직전연도 전 소유자에게 주택분 재산세가 과세된 오피스텔을 승계취득하여 보유하고 있는 경우라면 해당 오피스텔 취득자에게 새롭게 주택분 재산세가 과세된 경우부터 주택수에 산정한다.

3) 주택수 산정 제외

중과제외주택 : 중과제외주택은 개인, 법인 모두에게 적용한다. 그런데 주택수 산정은 1세대를 기준으로 적용하기 때문에 개인에 대해서만 적용되고 법인에 대해서는 적용하지 않는다. 중과제외주택은 법 제13조의 2 제1항을 적용할 때에만 해당하므로 무상취득중과에는 적용하지 않는다.

중과제외주택은 해당주택의 취득시에 중과세에서 제외될뿐 아니라 다른 주택 취득시 보유 주택수에서도 제외된다. 중과세가 제외되는 주택 중 일부는 주택수 산정시에도 제외되는데 주택수는 개인에게만 적용되기 때문이다. 하지만 개인의 경우라도 중과제외주택과 주택수 산정에서 제외되는 주택과 반드시 일치하지는 않는다. 주택수 산정에서 제외되는 주택유형을 보면 다음과 같다.

① 주택수 산정일 현재 시가표준액이 1억원 이하인 주택(재개발 구역내 주택 등 제외)은 제외된다. ② 노인복지주택, 공공지원민간임대주택으로 공급하기 위해 취득하는 주택, 가정어린이집, 사원임대주택은 주택수 산정에서 제외한다. 이러한 주택들은 주택수 산정일 현재 해당 용도에 직접 사용하고 있어야 한다. ③ 국가등록문화재에 해당하는 주택이면 제외된다. ④ 그리고 주택건설사업자가 주택건설사업을 위해 멸실목적으로 취득하는 주택, 공사시공자가 대물변제로 취득하는 주택(취득일부터 3년 이내 한정), 제28조 제2항에 따른 농어촌주택(주택수 산정일 현재기준 가격요건 충족)은 주택수 산정에서 제외된다. 결국 중과제외주택 중 대부분은 주택수 산정에서 제외하고, 그 중 공공매입임대주택 등(제2호), 환매조건부 취득주택(제7호), 금융기관이 저당권 실행 등 채권변제로 취득하는 주택(제10호)에 대해서는 규정하지 않고 있다. 이는 다주택자 중과세 제도 취지에 맞지 않거나(제2호), 특정법인에만 해당하는 경우이므로 다주택자의 주택수 산정과는 무관하기 때문이다.

주택신축판매업자 : 주택 건설업자가 신축하여 보유하는 주택(재고자산)은 주택수 산정에서 제외한다. 즉 자신이 건축주가 되어 주택을 건축하였으나 아직 판매되지 않은 재고주택을 의미한다. 해당 주택에 자기 또는 타인이 거주한 기간이 1년 이상인 주택은 주택수 산정한다. 중과제외주택에서 규정하고 있는 것은 주택건설사업자가 주택을 건축하기 위해

기존 주택을 멸실 목적으로 취득하는 경우와 구별된다.

상속 주택 : 상속을 원인으로 취득한 주택, 조합원입주권, 주택분양권 또는 오피스텔은 상속 개시일부터 5년간 주택수에서 제외한다. 그리고 부칙 제3조에서 영 시행(2020.8.12.) 전에 취득한 상속 주택 등은 이 영 시행 이후 5년 동안 주택수 산정 시 소유주택수에서 제외한다. 따라서 상속주택의 주택수 산정을 위해서는 먼저 언제 취득했는지를 확인해야 하는데, 사실상 2020.8.12. 이전에 상속받은 경우라면 2025.8.12.까지는 주택수 산정시 고려할 필요가 없다. 한편 분양권이나 입주권을 상속받은 상태에서 5년이 경과하지 않은 상태에서 주택으로 전환된 경우에는 상속주택 5년 기준을 적용할 수 없을 것이다.

저가 오피스텔 : 오피스텔은 앞서 2020.8.12. 이후 취득분부터 적용하고, 주택분 재산세가 부과되는 경우에 주택수로 산정한다. 그런데 주택분 재산세가 부과되는 오피스텔이라도 시가표준액이 1억원 이하인 오피스텔은 주택수 산정에서 배제된다. 오피스텔의 시가표준액은 건축물분의 시가표준액과 부속토지(대지권)의 시가표준액(공시지가)의 합이 1억원이 넘는 경우를 말한다. 여기서 오피스텔의 지분이나 부속토지만 소유한 경우라도 전체 건축물과 그 부속토지의 시가표준액 합을 기준으로 1억원 여부를 따진다.

5. 일시적 2주택(영 제28조의 5)

1주택을 소유한 세대가 조정대상지역 내에 있는 주택을 취득하여 2주택이 되는 경우에는 8% 세율이 적용되지만 해당 주택이 이사 등의 사유로 취득한 주택으로써 일시적 2주택이 되는 경우에는 중과세율 적용을 배제한다. 법문에서는 일시적 2주택의 요건을 이사・학업・취업・직장이전 및 이와 유사한 사유로 취득하는 경우로 규정하고 있는데, 해당주택으로 실질적인 이주(전입) 여부를 조건으로 하지는 않는다. 신규주택 취득에 따른 납세의무 성립시점에 종전주택을 소유하고 있는지, 일시적 2주택 요건을 갖추기 위해 언제까지 종전주택을 처분해야 하는지에 대한 과세요건이 발생한다.

일시적 2주택이란 국내에 주택, 조합원입주권, 주택분양권 또는 오피스텔(이하 “종전주택 등”이라 함)을 1개 소유한 1세대가 그 종전 주택등을 소유한 상태에서, 이사 등의 사유로 다른 1주택(신규주택)을 추가로 취득한 후 일정기간(일시적 2주택 기간, 3년 또는 1년) 이내에 종전주택등을 처분하는 경우 해당 신규 주택을 말한다.

1) 종전주택과 신규주택

종전주택의 범위에는 주택뿐 아니라 주택수 산정시 주택으로 간주되는 입주권, 분양권, 오피스텔이 포함되는데 이를 “종전주택등”이라 한다. 종전주택등이 있는 상태에서 조정지역에 추가로 주택을 취득하는 경우 8%가 적용되지만 종전주택을 처분하면 일반세율이 적용된다. 신규주택이란 중과세율 적용 여부를 따지는 해당 주택이다. 그런데 일시적 2주택이 적용되는 해당 주택으로 주택뿐 아니라 분양권으로 취득하는 주택도 신규주택이 될 수 있다. 한편 조합원입주권은 향후 원시취득 세율이 적용되고, 오피스텔은 취득시 업무용으로 과세(4% 세율)되어 신규주택에는 해당되지 않는다.

2) 주택과 분양권의 일시적 2주택 관계

영 제28조의 5 제1항에서 "종전주택등(신규주택이 조합원입주권 또는 주택분양권에 의한 주택이거나 종전주택등이 조합원입주권 또는 주택분양권인 경우에는 신규주택을 포함한다)을 처분하는 경우 해당 신규주택을 말한다."고 규정하고 있다. 종전주택등의 처분을 전제로 신규주택에 대해 일시적 2주택(일반세율)을 적용함에 있어, 이 경우 신규주택으로 입주[43]하지 않고 종전주택(입주권분양권이 주택으로 전환되는 경우)으로 입주하는 경우가 있을 수 있는데, 이 때는 신규주택을 처분해야 한다. 즉 신규주택이 종전주택의 지위를 가지게 되므로 이런 의미에서 괄호 속에서 "신규주택을 포함한다"고 규정하고 있다.

괄호속의 의미를 두 가지로 구분해 볼 수 있다.

① "신규주택이 조합원입주권 또는 주택분양권에 의한 주택이거나"의 경우 예를 들어 주택이 있는 상태에서 입주권·분양권을 취득하고 그 입주권·분양권이 주택으로 전환되면서 신규주택이 되는데 종전주택을 처분하는 것이 아니라 그 신규주택을 처분하는 경우이다. 여기서 입주권은 원시취득이므로 신규취득은 분양권에 의한 주택을 취득하는 경우만 해당한다고 볼 수 있다. 처분기간은 준공이후 분양권에 대한 잔금을 지급하여 납세의무가 성립한 시점부터 1년 이내(둘 다 조정지역에 해당시)에 신규주택을 처분해야 한다.

② "종전주택등이 조합원입주권 또는 주택분양권인 경우"는 예를 들면 분양권이 있는 상태(주택으로 전환하기 전)에서 신규주택을 취득하는 경우이다. 신규주택을 취득하면 2주택이 되는데 일시적 2주택 요건을 위해 원칙적으로 종전주택등에 해당하는 입주권·분양권을 처분해야 한다. 그러나 입주권·분양권이 아닌 취득한 그 신규주택을 처분하는 경우로써 그 신규주택을 종전주택등으로 본다는 것이다.

3) 일시적 2주택 기간(법 제21조 ① 3호, 영 제36조의 3)

종전주택등을 소유한 1세대가 신규주택을 취득하는 경우 일시적 2주택이 되기 위해 3년

43) 실질적인 입주를 전제하지는 않는다.

이내에 종전주택등을 처분해야 한다. 신규주택과 종전주택이 모두 조정지역에 있는 경우 1년 이내에 처분해야 한다. 한편 조정대상지역 지정고시일 이전에 주택에 대한 매매계약(공동주택 분양계약 포함)을 체결한 경우(계약금을 지급한 사실 등이 증빙서류에 의하여 확인되는 경우 한정)에는 조정대상지역으로 지정되기 전에 주택을 취득한 것으로 본다. 즉 신규주택의 취득시점에 조정대상지역(종전주택도 조정대상지역)이더라도 해당 신규주택의 계약 시점에 조정대상지역이 아니면 3년의 기간이 적용된다(법 제13조의 2 ④).

주택과 입주권·분양권과의 관계에서 영 제28조의 5 제2항에서 일시적 2주택기간(처분기간)과 관련하여 입주권·분양권을 1개 소유한 1세대가 그 입주권·분양권을 소유한 상태에서 신규주택을 취득한 경우에는 해당 입주권·분양권에 의한 주택을 취득한 날부터 일시적 2주택 기간을 기산한다. 분양권과 주택과의 관계에서 상호 종전주택과 신규주택이 될 수 있는데, 모두 분양권이 주택으로 전환(주택취득)된 이후 일시적 2주택 기간 이내에 종전주택을 처분해야 한다.

4) 재개발·재건축 구역 멸실예정주택과 일시적 2주택 관계

재개발·재건축사업 등과 관련하여 주택을 취득하는 경우 일시적 2주택 적용요건을 유형별로 살펴보면 다음과 같다.

첫째, 종전주택(A)이 관리처분계획 인가 후 멸실 예정인 상태에서 신규주택(B)를 취득하는 경우 신규주택 취득 후 일시적 2주택 기간 내에 종전주택이 멸실되거나 매각 등 처분해야 한다. 그런데 사업구역내 종전주택이 낡아서 이주하기 위해 신규주택을 취득할 수 밖에 없는데, 종전주택이 멸실되기까지 일시적 2주택 기간이 너무 짧은 점(일시적 2주택 기간 내에 멸실되지 않는 경우)을 보완하기 위해 2021.1.1 개정되었다. 즉, 종전주택이 도시정비법상 관리처분계획의 인가를 받은 주택인 경우로서 관리처분계획인가 당시 해당 사업구역에 거주하는 세대가 신규주택을 취득하여 그 신규주택으로 이주한 경우에는 그 이주한 날에 종전주택등을 처분한 것으로 본다. 여기서 이주는 실질적인 이주(주민등록 전입)를 의미하고, 종전주택의 처분의무를 신규주택으로의 이주와 동시에 이행한 것으로 본다는 것이다. 그에 따라 관리처분계획인가 이전에 이미 사업구역에서 빠져나온 경우 또는 관리처분계획인가 당시 거주를 했지만 신규주택의 취득과 이주를 동시에 이행하지 않고 전세를 살면서 신규주택을 취득하여 이주한 경우라면 이에 해당하지 않는다 할 것이다. 한편 부칙(영 제3조)에 따라 2020.8.12. 전에 이주한 경우에는 적용대상이 아니며, 2020.8.12. 이후 2020.12.31. 사이에 신규주택을 취득하여 이주한 경우에도 해당 요건을 적용한다.

둘째, 재건축사업 등의 사업구역 내 관리처분계획 인가 및 주택 멸실상태(조합원입주권

A 보유)에서 신규주택(B)를 취득하는 경우 입주권(A)에 의해 취득하는 주택(A')의 취득일로부터 일시적 2주택 기간 내에 A' 또는 B주택을 처분해야 한다.

셋째, 종전주택(A)을 소유한 상태에서 관리처분계획 인가 후 멸실 예정인 주택(신규주택B)을 취득한 경우 B주택 취득 후 일시적 2주택 기간 내에 A주택을 처분해야 한다. 즉 종전주택을 보유한 상태에서 신규주택의 처분(멸실)은 일시적 2주택에 해당하지 않는다.

5) 추징(법 제21조 ① 3호, 영 제36조의 3)

취득일로부터 일시적 2주택 기간(3년, 신규주택 취득당시 종전주택등도 조정대상지역이면 1년) 내에 종전주택을 처분하지 못하여 1주택으로 되지 아니한 경우 부족세액을 추징하는데, 일시적 2주택 기간 이내에는 납세자가 언제든지 종전주택을 처분하여 중과세에서 제외되는 선택권이 부여되어 있기 때문에 중과세로 추징할 수 없다.

제13조의 2 제1항 제2호에 따라 일시적 2주택으로 신고하였으나 일시적 2주택 기간 내에 종전주택을 처분하지 못하여 1주택으로 되지 아니한 경우에는 8%의 산출세액에서 당초 신고한 세액을 차감하고 과소신고가산세 및 납부불성실가산세를 합하여 보통징수의 방법으로 징수한다. 일반적으로 취득후 사후에 중과세요건(대도시중과, 사치성재산 중과)이 충족된 경우에는 그때부터 별도의 신고의무를 부여하고 그 시점부터 가산세가 부과되지만 일시적 2주택 적용에 있어서는 일시적 2주택 기간 이내에 종전주택등을 처분하지 않아 중과요건이 해당되더라도 별도의 신고의무를 부여하지 않고, 과세관청이 보통징수의 방식으로 부과하는 것으로 규정하고 있다(제21조 ①).

한편 주택유상거래 중과세(무상취득 중과 포함)가 사치성재산이 된 경우에는 신고의무를 부여하고 있다. 같은 취득물건에 대하여 둘 이상의 세율이 해당되는 경우에는 그중 높은 세율을 적용하는데(제16조 ⑤), 제13조 제5항에 따른 사치성재산 중과세와 주택유상거래 중과세(무상취득 중과 포함)가 동시에 적용되는 경우에는 주택유상거래 중과세율(무상취득 중과 포함)에 8%(중과기준세율의 100분의 400)를 합한 세율을 적용한다(제16조 ⑤ · 제13조의 2 ③).

조정지역내 주택 무상취득 중과세

1. 무상취득 중과 개요(법 제13조의 2 ②)

다주택자 · 법인의 주택 유상취득중과와 무상취득중과는 과세요건에 차이가 있다. 중과대상주택은 유상취득중과와 동일하게 일정 지분이나 주택부속토지를 무상으로 취득하는 경우에도 적용한다. 입주권, 분양권, 오피스텔 등을 증여하는 세대의 주택수에 포함하는 것도 동일하다. 그런데 중과제외주택이나 주택수 산정방법의 경우 유상취득중과에서만 적용되고 무상취득에는 적용되지 않는다.

주택 무상취득 중과세에서는 조정대상지역에 있는 주택으로서 시가표준액 3억원 이상의 주택을 상속 외의 원인으로 무상취득하는 경우 3.5%가 아닌 12% 세율을 적용한다. 이때 시가표준액이란 주택공시가격을 말하며, 지분이나 부속토지만을 취득한 경우에는 전체 주택의 시가표준액이 3억원 이상인 주택을 말한다.

무상취득은 개인과 개인간의 무상취득뿐 아니라 개인이 법인으로부터 무상취득하거나 법인이 개인으로부터 무상으로 취득하는 경우에도 포함되고 법인과 법인간의 무상취득(합병취득 포함, 아래 예외 있음)도 적용된다. 주택유상거래의 경우 법인이 주택 취득시 조정대상지역과 무관하게 중과세를 적용하지만, 법인의 주택무상취득의 경우에는 조정대상지역에 한해 중과세를 적용한다. 한편 조정대상지역에서 무상으로 주택을 취득하더라도 1세대 1주택자로부터 증여로 취득하거나 법인의 합병 등을 원인으로 취득하는 경우에는 중과하지 않는다.

2. 1세대 1주택 중과 제외주택

조정대상지역에서 1세대 1주택을 소유한 사람으로부터 해당 주택을 배우자 또는 직계존비속이 무상취득을 원인으로 취득하는 경우에는 중과하지 않는다. 이 경우 수증자(취득자)의 주택 소유수와 관계 없이 증여자의 주택 소유수를 기준으로 판단한다. 여기서 1세대 1주택은 증여하는 세대를 기준으로 판단한다. 증여하는 세대가 오피스텔, 입주권, 분양권 등을 보유하고 있는 경우 주택수에 포함한다. 지방세법 시행령 제28조의 4에 관한 상속주택의 주택수 산정방식의 경우 주택유상거래에서만 적용되고 무상취득 중과세에는 적용되지 않는다. 즉 상속받은 주택이라도 5년 여부를 고려하지 않고, 상속받은 주택을 지분으로 보유하고 있는 경우에도 주택수에 포함된다.

다주택자인 세대가 그 중 하나의 주택을 특수관계인끼리 공유하고 있는 상태에서 지분을 이전하는 경우에도 중과세된다. 예를 들어 아버지가 2주택을 소유하고 있는데 하나의 주택은 아들과 공유한 상태에서 공유하고 있는 주택을 아들에게 증여하여 아들이 전체를 소유하는 경우, 아들이 2주택세대인 아버지로부터 증여받는 것이므로 중과세된다.

유상거래중과에서는 1주택과 또 다른 주택을 타인과 공유하고 있는 2주택 세대인 상태에서 공유하고 있는 지분을 마저 취득하는 경우 해당 지분의 취득은 2주택 취득세율이 적용된다. 1세대 내에서 1개의 주택, 조합원입주권, 주택분양권 또는 오피스텔을 세대원이 공동으로 소유하는 경우에는 1개의 주택 등을 소유한 것으로 보기 때문이다(제28조의 4 ③).

부담부증여와 중과세율 적용과의 관계를 보면 다음과 같다. 부부 · 직계존비속 등 특수관계인간 부담부증여시 부담부분은 유상, 나머지 지분은 무상(증여)으로 보아 세율을 적용한다. 그런데 경우에 따라서는 유상거래가 유리한 경우(1~3%), 불리한 경우(8 · 12%)가 존재한다. 증여취득세가 중과되는 소유자의 경우 1주택 자녀에게 증여하면서 부담부증여분의 지분이 커질수록 12% 증여취득세율은 줄어들고 1주택 유상거래세율(1~3%) 부분이 늘어난다. 그런데 증여취득자가 미성년자와 같이 부모와 동일세대로 보는 경우에는 다주택 세대에서 미성년자가 취득하게 되어 유상세율 12%가 적용될 수 있다.

증여는 증여시점(증여계약일)이 취득일이므로 경과조치를 적용하지 않아 법개정이후부터 바로 적용한다. 분양권을 증여한 경우에는 분양권 자체가 취득세 과세대상이 아니며, 분양권을 증여로 취득한 시점에 분양권을 취득한 것으로, 그 시점부터 다른 주택 취득시 해당 분양권은 주택수 산정에 포함된다.

3. 기타 무상취득 중과제외 주택

조정대상지역에서 법인의 합병으로 인한 주택 취득은 무상취득으로 보아 12% 세율을 적용하는데, 적격합병 요건을 충족하면서 주택을 취득하는 경우에는 일반세율을 적용한다. 지방세법 제15조의 특례세율이 적용되는 경우를 주택무상취득 중과세 예외대상에 준용한다. 다만, 법인의 합병으로 인하여 취득한 과세물건이 합병 후에 합병등기일부터 3년 이내에 「법인세법」 제44조의 3 제3항(적격합병에 해당하지 않는 경우)에 해당하는 사유가 발생하는 경우에는 중과세 대상이다. 예를 들어 조정대상지역에서 적격합병 요건을 충족한 법인합병으로 주택을 취득하는 경우 1.5% 세율이 적용된다. 그런데 적격합병 요건을 충족하지 못한 경우에는 특례세율 대상에도 해당하지 않고 "주택무상취득"중과에 해당하여 12% 세율이 적용된다. 참고로 적격합병 요건을 충족하면 지특법상 감면이 적용되고, 그렇지 않으면 감면도 적용되지 않는다.

「민법」 제834조, 제839조의 2 및 제840조에 따른 협의이혼 또는 재판상 이혼에 따라 재산분할로 인해 배우자의 주택을 취득하는 경우에는 특례세율(1.5%)을 적용한다. 즉 주택무상취득 중과에 있어 조정지역에서 주택을 무상으로 취득하는 경우에는 중과하지 않는다.

| 참고 _ 농어촌특별세 |

〈농어촌특별세법〉

제2조(정의) ① 이 법에서 "감면"이란 「조세특례제한법」·「관세법」·「지방세법」 또는 「지방세특례제한법」에 따라 소득세·법인세·관세·취득세 또는 등록에 대한 등록면허세가 부과되지 아니하거나 경감되는 경우로서 다음 각 호의 어느 하나에 해당하는 것을 말한다.

1. 비과세·세액면제·세액감면·세액공제 또는 소득공제
2. 「조세특례제한법」 제72조 제1항에 따른 조합법인 등에 대한 법인세 특례세율의 적용 또는 같은 법 제89조 제1항 및 제89조의 3에 따른 이자소득·배당소득에 대한 소득세 특례세율의 적용
3. 「지방세법」 제15조 제1항에 따른 취득세 특례세율의 적용

② 이 법에서 "본세"란 다음 각 호의 것을 말한다.

1. 제5조 제1항 제1호에 따른 농어촌특별세의 경우에는 감면을 받는 해당 소득세·법인세·관세·취득세 또는 등록에 대한 등록면허세
6. 제5조 제1항 제6호에 따른 농어촌특별세의 경우에는 취득세
7. 제5조 제1항 제7호에 따른 농어촌특별세의 경우에는 레저세
8. 제5조 제1항 제8호에 따른 농어촌특별세의 경우에는 종합부동산세

③ 제1항 및 제2항에 규정된 용어 외의 용어에 대한 정의는 본세에 관한 법률이 정하는 바에 따른다.

제3조(납세의무자) 다음 각 호의 어느 하나에 해당하는 자는 이 법에 따라 농어촌특별세를 납부할 의무를 진다.

1. 제2조 제1항 각 호 외의 부분에 규정된 법률에 따라 소득세·법인세·관세·취득세 또는 등록에 대한 등록면허세의 감면을 받는 자
5. 「지방세법」에 따른 취득세 또는 레저세의 납세의무자
6. 「종합부동산세법」에 따른 종합부동산세의 납세의무자

제4조(비과세) 다음 각 호의 어느 하나에 해당하는 경우에는 농어촌특별세를 부과하지 아니한다.

1. 국가(외국정부를 포함한다)·지방자치단체 또는 지방자치단체조합에 대한 감면
2. 농어업인(「농업·농촌 및 식품산업 기본법」 제3조 제2호의 농업인과 「수산업·어촌 발전 기본법」 제3조 제3호의 어업인을 말한다. 이하 같다) 또는 농어업인을 조합원으로 하는 단체(「농어업경영체 육성 및 지원에 관한 법률」에 따른 영농조합법인, 농업회사법인 및 영어조합법인를 포함한다)에 대한 감면으로서 대통령령으로 정하는 것
3. 「조세특례제한법」 제6조·제7조에 따른 중소기업에 대한 세액감면·특별세액감면 및 「지방세특례제한법」 제58조의 3 제1항·제3항에 따른 세액감면
8. 「지방세법」과 「지방세특례제한법」에 따른 형식적인 소유권의 취득, 단순한 표시변경 등기 또는 등록, 임시건축물의 취득, 천재지변 등으로 인한 대체취득 등에 대한 취득세 및 등록면허세의 감면으로서 대통령령으로 정하는 것
9. 대통령령으로 정하는 서민주택에 대한 취득세 또는 등록에 대한 등록면허세의 감면
10. 「지방세특례제한법」 제6조 제1항의 적용대상이 되는 농지 및 임야에 대한 취득세

10의 2. 「지방세법」 제124조에 따른 자동차에 대한 취득세

10의 3. 「지방세특례제한법」 제35조 제1항에 따른 등록면허세의 감면
10의 4. 「지방세법」 제15조 제1항 제1호부터 제3호까지의 규정에 따른 취득세
10의 5. 「지방세특례제한법」 제8조 제4항에 따른 취득세
11. 대통령령으로 정하는 서민주택 및 농가주택에 대한 취득세
12. 기술 및 인력개발, 저소득자의 재산형성, 공익사업 등 국가경쟁력의 확보 또는 국민경제의 효율적 운영을 위하여 농어촌특별세를 비과세할 필요가 있다고 인정되는 경우로서 대통령령으로 정하는 것

제5조(과세표준과 세율) ① 농어촌특별세는 다음 각 호의 과세표준에 대한 세율을 곱하여 계산한 금액을 그 세액으로 한다.

호별	과세표준	세율
1	「조세특례제한법」·「관세법」·「지방세법」 및 「지방특례제한법」에 따라 감면을 받는 소득세·법인세·관세·취득세 또는 등록에 대한 등록면허세의 감면세액(제2호의 경우는 제외한다)	100분의 20
2	「조세특례제한법」에 따라 감면받은 이자소득·배당소득에 대한 소득세의 감면세액	100분의 10
3	삭제 〈2010.12.30.〉	
4	「개별소비법」에 따라 납부하여야 할 개별소비세액 가. 「개별소비법」 제1조 제3항 제4호의 경우 나. 가목 외의 경우	 100분의 30 100분의 10
5	「자본시장과 금융투자업에 관한 법률」에 따른 증권시장으로서 대통령령으로 정하는 증권시장에서 거래된 증권의 양도가액	1만분의 15
6	「지방세법」 제11조 및 제12조의 표준세율을 100분의 2로 적용하여 「지방세법」, 「지방특례제한법」 및 「조세특례제한법」에 따라 산출한 취득세액	100분의 10
7	「지방세법」에 따라 납부하여야 할 레저세액	100분의 20
8	「종합부동산세법」에 따라 납부하여야 할 종합부동산세액	100분의 20

⑤ 제1항 제6호에도 불구하고 「지방세법」 제15조 제2항에 해당하는 경우에는 같은 항에 따라 계산한 취득세액을 제1항 제6호의 과세표준으로 본다.

〈농어촌특별세법 시행령〉

제4조(비과세) ① 법 제4조 제2호에서 "대통령령으로 정하는 것"이란 다음 각 호의 어느 하나에 해당하는 감면을 말한다.
3. 「지방세특례제한법」 제6조 제1항·제2항 및 제4항, 제7조부터 제9조까지, 제10조 제1항, 제11조, 제12조, 제14조 제1항부터 제3항까지 및 제14조의 2에 따른 감면
4. 「지방세특례제한법」 제4조의 조례에 따른 지방세 감면 중 제1호부터 제3호까지와 유사한 감면으로서 행정안전부장관이 기획재정부장관과 협의하여 고시하는 것

③ 법 제4조 제8호에서 "대통령령으로 정하는 것"이란 「지방세특례제한법」 제4조 제4항, 제57조의 2 제2항·제6항, 제66조 제1항·제2항, 제68조 제1항·제3항(「대외무역법」에 따른 무역을 하

는 자가 수출용으로 취득하는 중고자동차로 한정한다), 제73조 제3항, 제74조 제4항 · 제5항, 제92조, 「지방세법」 제9조 제3항부터 제5항까지, 제15조 제1항 제1호부터 제4호까지, 제7호 및 제26조 제2항 제1호 · 제2호에 따른 감면을 말한다.

④ 법 제4조 제9호 및 제11호에서 "대통령령으로 정하는 서민주택"이란 「주택법」 제2조 제6호에 따른 국민주택 규모(「건축법 시행령」 별표 1 제1호 다목에 따른 다가구주택의 경우에는 가구당 전용면적을 기준으로 한다) 이하의 주거용 건물과 이에 부수되는 토지(국가, 지방자치단체 또는 「한국토지주택공사법」에 따라 설립된 한국토지주택공사가 해당 주택을 건설하기 위하여 취득하거나 개발 · 공급하는 토지를 포함한다)로서 주택바닥면적(아파트 · 연립주택 등 공동주택의 경우에는 1세대가 독립하여 구분 · 사용할 수 있도록 구획된 부분의 바닥면적을 말한다)에 다음 표의 용도지역별 적용배율을 곱하여 산정한 면적 이내의 토지를 말한다.

⑤ 법 제4조 제11호에서 "대통령령으로 정하는 농가주택"이란 영농에 종사하는 자가 영농을 위하여 소유하는 주거용 건물과 이에 부수되는 토지로서 농지의 소재지와 동일한 시 · 군 · 구(자치구를 말한다. 이하 이 항에서 같다) 또는 그와 연접한 시 · 군 · 구의 지역에 소재하는 것을 말한다. 다만, 「소득세법 시행령」 제156조에 따른 고가주택을 제외한다.

⑥ 법 제4조 제12호에서 "대통령령으로 정하는 것"이란 다음 각 호의 어느 하나에 해당하는 감면을 말한다. 1의 2. 「한국철도공사법」에 의하여 설립되는 한국철도공사가 현물출자 받은 국유재산에 대한 취득세 또는 등록에 대한 등록면허세의 감면 1의 4. 「방송광고판매대행 등에 관한 법률」 제24조에 따라 설립되는 한국방송광고진흥공사에 대한 「지방세특례제한법」 제57조의 2 제3항 제1호에 따른 감면 1의 6. 「농업협동조합법」 제161조의 2 또는 제161조의 10에 따라 설립되는 농협경제지주회사 또는 농협금융지주회사에 대한 「지방세특례제한법」 제57조의 2 제5항 제3호에 따른 감면 1의 7. 법률 제10522호 농업협동조합법 일부개정법률 부칙 제6조에 따라 농협경제지주회사가 농업협동조합중앙회로부터 경제사업을 현물출자로 이관받은 경우에 대한 「지방세특례제한법」 제57조의 2 제3항 제3호에 따른 감면

2. 「금융회사부실자산 등의 효율적 처리 및 한국자산관리공사의 설립에 관한 법률」에 따른 한국자산관리공사와 「한국농어촌공사 및 농지관리기금법」에 따른 한국농어촌공사가 「혁신도시 조성 및 발전에 관한 특별법」 제43조에 따라 종전부동산을 매입한 경우에 대한 「지방세특례제한법」 제13조 제2항 제5호 및 제57조의 3 제2항에 따른 취득세의 면제

5. 「지방세법」 제9조 제2항, 「지방세특례제한법」 제13조 제2항 제1호의 2, 제15조 제2항, 제16조 제1항, 제17조, 제17조의 2, 제19조, 제20조, 제21조 제1항, 제22조 제1항 · 제5항 · 제6항, 제22조의 2 제1항 · 제2항, 제22조의 3, 제23조, 제28조 제1항, 제29조, 제30조 제3항, 제31조 제1항부터 제3항까지, 제31조의 4, 제33조 제1항 · 제2항, 제34조, 제36조, 제37조, 제38조 제1항, 제40조, 제40조의 3, 제41조 제1항 · 제5항 · 제7항, 제42조 제2항 · 제3항, 제43조 제1항, 제44조 제1항, 제44조의 2, 제45조 제1항, 같은 조 제2항 제1호, 제46조, 제50조 제1항, 제52조 제1항 · 제2항, 제53조, 제54조 제5항, 제57조의 2 제1항(「법인세법」 제44조 제2항 각 호의 요건을 충족하거나 같은 조 제3항에 해당하여 양도손익이 없는 것으로 한 합병의 경우로 한정한다), 제57조의 2 제3항 제2호, 같은 조 제9항, 제58조의 2, 제60조 제4항, 제63조, 제64조 제1항, 제66조 제3항 · 제4항, 제67조 제1항 · 제2항, 제72조 제1항, 제73조 제1항 · 제2항, 제73조의 2, 제74조 제1항 · 제3항, 제76조 제1항, 제79조, 제80조, 제81조 제1항 · 제2항, 제83조 제1항 · 제2항, 제85조 제1항, 제85조의 2, 제88조, 제89조 및 제90조 제1항에 따른 감면

6. 「지방세특례제한법」 제4조의 조례에 따른 지방세 감면 중 제1호부터 제5호까지와 유사한 감면으로서 행정안전부장관이 기획재정부장관과 협의하여 고시하는 것

농어촌특별세는 취득세 산출세액을 기준으로 과세되는 부가세형태의 세금이다. 즉 농특세의 과세표준은 취득세 산출세액 또는 감면세액이다. 지방교육세의 경우 취득가액이 과세표준이므로 취득세 과세표준과 동일하다는 점에서 차이가 있다. 취득세에 부가되는 농특세는 2가지 유형으로 감면세액의 20%분 농특세(농특세법 제5조 ① 1호)와 구취득세 10%해당분(법 제5조 ① 6호)의 농특세가 있다.

만약 취득세가 75% 감면대상인 부동산을 취득한 경우를 가정하자. 감면분 농특세의 경우 감면세액(과표×세율×75%)의 20%를 적용하여 농특세가 과세된다. 그리고 10% 과세분 농특세의 경우 취득세 부과세액(과표×세율×25%)의 10%에 대해 농특세가 과세된다.

1. 감면세액의 20%분 농특세(농특세법 제5조 ① 1호)

1) 과세체계

농특세법 제5조 제1항 제1호에서 "조특법, 지방세법 및 지방세특례제한법에 따라 감면을 받는 취득세 또는 등록면허세 감면세액을 과세표준으로 20%의 세율을 적용하여 농특세를 부과한다"고 규정하고 있다. 여기서 지특법이 아닌 지방세법에 따라 감면받은 취득세도 적용되는데, 농특세법의 제2조 정의규정에서 "감면"이란 지방세법상 비과세 및 제15조 제1항의 특례세율도 포함하는 것으로 규정하고 있기 때문이다. 특례세율의 경우 정당한 세액은 표준세율을 적용한 세액인데 중과기준세율(2%)를 제외한 나머지만 과세하는 특례이다.[44)]

그에 따라 지방세법상 취득세 비과세(제9조), 특례세율 적용대상(제15조 ①), 등록분 등록면허세 비과세(제26조)에 해당하면 기본적으로 비과세액의 20%에 대해 과세된다. 그런데 비과세 중 국가 등(제9조 ①), 신탁재산, 환매권 행사로 취득하는 부동산, 임시용건축물 등(제9조 ③~⑤), 등록면허세비과세 중 회사정리에 관하여 법원 촉탁으로 인한 등기, 행정구역의 변경 등의 등기(제26조 ② 1·2호)에 따른 감면(비과세)은 농특세가 비과세된다. 그리고 특례세율 대상 중 환매등기를 병행하는 부동산의 취득, 상속으로 인한 1세대 1주택자의 취득, 합병으로 인한 취득, 공유물 분할로 인한 취득 등(제15조 ① 1~4호, 7호)도 농특세가 비과세된다(농특세법 제4조 1호, 8호, 영 제4조 ③). 즉 지방세법상 취득세·등록면허세 비과세 또는 취득세 특례세율이 적용되는 경우의 대부분은 농특세법에서 농특세 비과세로 열거하고 있다.

그렇다면 농특세 비과세 대상으로 열거하지 않는 경우는 과세대상이라 할 수 있는데, 기부채납용 부동산의 경우 취득세가 비과세 대상이라 하더라도 비과세액의 20% 농특세는

---

44) 취득세 2%분을 비과세하고 구등록세만 과세하는 것이 제15조 제1항의 특례세율인데, 결과적으로 구취득세분의 20%를 농특세로 과세한다는 의미이다.

과세된다. 그리고 특례세율 적용대상 중 민법상 재산분할로 인한 취득(제15조 ① 6호), 건축물의 이전으로 인한 취득의 경우(제15조 ① 5호) 감면분 농특세가 적용된다. 이러한 경우에도 85㎡(비수도권 읍면지역은 100㎡) 이하의 주거용부동산을 취득하는 경우에는 농특세가 비과세된다(농특세법 제4조 9호).[45]

천재지변 등으로 사실상 멸실 차량에 대한 차량취득세 비과세(제9조 ⑦)의 경우 자동차 취득세에 대한 농특세 비과세 대상이다(농특세법 제4조 10의 2호). 한편 공동주택 개수로 인한 취득세 비과세(제9조 ⑥)의 경우 특례세율(제15조 ②) 대상으로 규정하고 있어 취득세 감면분 농특세를 과세할 여지가 없다고 판단된다.[46]

2) 감면대상과 중과대상이 혼재되어 있는 경우

먼저 취득세가 100% 면제대상(농특세 비과세 대상이 아님)이거나 일부 감면대상이면서 지방세법 제13조에 따른 중과대상인 경우가 있을 수 있다.[47] 여기서 취득세 또는 등록면허세 감면세액의 20%라고 할 때 "감면세액"의 의미를 유의할 필요가 있다. 감면세액은 산출세액에서 감면세액을 적용하는데, 이에 앞서 "산출세액"이 중과세 적용 후를 의미하는지 아니면 그 전단계를 의미하는지에 따라 달라질 수 있다. 만약 중과세 적용후의 세액이라면 감면세액이 훨씬 커지게 되고 해당 농특세액도 커지게 된다. 취득세 신고서를 보면 산출세액은 과세표준에 세율을 곱한 가액이고, 중과대상이면 중과세율을 적용하여 산출세액을 도출하게 된다. 그리고 그 이후 감면세액이 적용되기 때문에 감면세액은 중과세를 기준으로 도출된다는 의미가 된다.

2. 구취득세 10%해당분(법 제5조 ① 6호)의 농특세

1) 과세체계

"지방세법 제11조 및 제12조의 표준세율을 100분의 2로 적용하여 지방세법에 따라 산출한 취득세액의 100분의 10을 적용한다"고 규정하고 있다. 그리고 지방세법 제15조 제2항에 해당하는 경우 해당규정에 따라 계산한 취득세액을 기준으로 10%의 농특세가 과세된다(제5조 ⑤). 그런데 취득세 중과대상을 규정하고 있는 제13조와 관련하여서는 농특세에 대해서도 중과세를 적용하는지에 대해 명확하게 규정하고 있지는 않다. 지방세법 제13조는 제1항(구취득세 중과)과 제2항(구등록세 중과) 그리고 제5항(사치성 재산 중과)으로 구분되는데, 분법체계 이전부터 취득세 중과세액을 기준으로 과세되어 왔다. 분법 과정의 입법

---

45) 서민주택 취득시 구취득세 10%해당분(법 제5조 ① 6호)의 농특세도 비과세 대상이다(제4호 제11호).

46) 제15조의 특례세율은 제1항의 구등록세가 비과세 대상인 경우에 한해 구등록세를 비과세(감면)한 경우로 보아 비과세(감면)세액의 20%를 과세하는 경우인데, 제15조 제2항의 구등록세와 무관하게 취득세만 부과하는 경우에는 농특세 과세(농특세법 제5조 ① 1호의 감면분 농특세)여부를 논할 여지가 없다고 판단된다.

47) 지특법 제177조에서 감면을 적용할 때 사치성 재산에 해당하는 부동산등은 감면대상에서 제외하고 있으므로 대도시 내 법인의 중과세, 다주택자 · 법인의 주택유상거래 중과세에 한정된다.

미비로 보아 현재 실무적으로 구취득세 중과세분을 기준으로 10%에 해당하는 농특세를 과세하고 있다. 산출 방법을 보면 구취득세에 해당하는 중과세액을 먼저 산출해내야 한다. 예를 들어 제13조 제1항의 경우 100분의 2를 적용하여 산출한 세액을 3배(세율 6%)하여 중과세액을 산출하고 여기에 10%를 적용한다. 제13조 제2항은 구등록세 중과대상이고 취득세 중과는 아니기 때문에 100분의 2를 적용한 세액에 그대로 10%만 적용하면 된다. 제13조 제5항의 사치성 재산의 경우 100분의 2를 적용하여 산출한 세액을 5배(세율 10%)하여 중과세액을 산출하고 여기에 10%를 적용한다.

2) 주택유상거래와 농특세율

표준세율이 유상취득, 무상취득(상속), 무상취득(증여), 원시취득 등 취득원인에 따라 다르지만, 농특세를 적용할 때에는 모두 2%(구 취득세율)로 간주하고 여기에 10%를 적용한다. 분법 이전의 취득세율체계를 그대로 적용한다는 의미이다. 현행 표준세율이 구취득세와 구등록세를 합한 세율체계인데, 2%로 간주하는 것은 표준세율에서 구등록세분을 제외한 취득세분을 기준으로 과세한다는 의미로도 볼 수 있다. 한편 주택을 유상거래로 취득하는 경우는 이러한 원리가 적용되지 않는다. 주택을 유상거래로 취득하는 경우 표준세율은 1%~3%의 세율이 적용되는데, 2% 이하인 경우라도 즉 1%가 적용되는 경우에도 2%로 간주한 후 여기에 10%가 적용된다. 이는 주택유상거래의 경우 분법체계 이후에 시행된 특례세율 체계로써 농특세까지 특례세율체계를 인정하지 않겠다는 취지로 볼 수 있다. 물론 서민주택(수도권 85㎡ 이하, 비수도권 읍·면지역 100㎡ 이하)을 취득하는 경우에는 농특세가 비과세(제4조 ① 11호)된다.

3) 다주택자 법인 등 주택 중과세 적용관련 농특세

농특세법 제5조 제1항 제6호에서 "「지방세법」 제11조 및 제12조의 표준세율을 100분의 2로 적용하여 「지방세법」, 「지방세특례제한법」, 「조세특례제한법」에 따라 산출한 취득세액"을 과세표준으로 하여 10%의 세율을 적용한다고 규정하고 있다. 지방세법에 따라 산출한 취득세액을 과세표준으로 하므로 먼저 표준세율을 적용하고, 이후 중과세율을 적용하여 산출한 취득세액을 의미한다. 예를 들어 조정지역내 2주택자인 취득세율이 8%에 해당하는 경우 지방세법 제13조의 2 제1항 제2호에서 "제11조 제1항 제7호 나목의 세율을 표준세율로 하여 중과기준세율의 100분의 200을 합한 세율"로 규정하고 있으므로 농특세율은 먼저 0.2%에 4%의 10%인 0.4%를 합하면 0.6%가 된다. 그리고 취득세율이 12%에 해당하는 경우 "제11조 제1항 제7호 나목의 세율을 표준세율로 하여 중과기준세율의 100분의 400을 합한 세율"로 규정하고 있으므로 농특세율은 먼저 0.2%에 8%의 10%인 0.8%를 합하면 1%가 된다.

또한 다주택자·법인 중과대상이 별장, 고급주택 등 사치성재산에도 해당하는 경우 8% 적용대상은 16%로, 12% 적용대상은 20%에 해당하는데, 농특세는 각각 1.4%, 1.8%가

적용된다.

1~3% 세율이 적용되는 주택(예. 1주택자, 비조정지역은 2주택자까지 해당)의 지방교육세는 0.1~0.3%가 적용되고, 사치성 재산에 해당하더라도 0.1~0.3%가 적용된다. 그 외 다주택자 중과 및 사치성재산 중과에 해당하는 경우 모두 0.4%의 지방교육세가 적용된다.

| 일반 주택 세율 체계 |

구 분	1주택자	2주택자	3주택 이상 · 법인
취득세	1~3%	8%	12%
지방교육세(구 등록세의 20%)	0.1~0.3%	0.4%	0.4%
농특세(구 취득세의 10%)	0.2%	0.6%	1%
계	1.3~3.5%	9%	13.4%

| 사치성 재산인 주택(고급 주택 및 별장) 세율체계 |

구 분	1주택자	2주택자	3주택 이상 · 법인
취득세	9~11%	16%	20%
지방교육세(구 등록세의 20%)	0.1~0.3%	0.4%	0.4%
농특세(구 취득세의 10%)	1%	1.4%	1.8%
계	10.1~12.3%	17.8%	22.2%

제14조(조례에 따른 세율 조정)

법 제14조(조례에 따른 세율 조정) 지방자치단체의 장은 조례로 정하는 바에 따라 취득세의 세율을 제11조와 제12조에 따른 세율의 100분의 50의 범위에서 가감할 수 있다.

지방자치단체의 장은 조례로 법 제11조 및 제12조 표준세율의 50% 범위 내에서 가감하여 취득세의 세율을 정할 수 있다. 지방자치단체의 재정운영에 자율성을 부여하여 과세자주권을 확대하는 차원에서 도입되었으나 실제 활용하는 지방자치단체는 없다.[48)]

48) 제주특별자치도는 항공기, 선박, 골프장 등에 대해 탄력세율을 적용하고 있으며 「제주특별자치도 설치 및 국제자유도시 조성을 위한 특별법」에 근거를 두고 있다.

제15조(세율의 특례) [舊 등록세만 적용]

법 제15조(세율의 특례) ① 다음 각 호의 어느 하나에 해당하는 취득에 대한 취득세는 제11조 및 제12조에 따른 세율에서 중과기준세율을 뺀 세율로 산출한 금액을 그 세액으로 하되, 제11조 제1항 제8호에 따른 주택의 취득에 대한 취득세는 해당 세율에 100분의 50을 곱한 세율을 적용하여 산출한 금액을 그 세액으로 한다. 다만, 취득물건이 제13조 제2항에 해당하는 경우에는 이 항 각 호 외의 부분 본문의 계산방법으로 산출한 세율의 100분의 300을 적용한다. 〈개정 2010.12.27., 2015.7.24., 2015.12.29.〉

1. 환매등기를 병행하는 부동산의 매매로서 환매기간 내에 매도자가 환매한 경우의 그 매도자와 매수자의 취득 농비
2. 상속으로 인한 취득 중 다음 각 목의 어느 하나에 해당하는 취득 농비
   가. 대통령령으로 정하는 1가구 1주택의 취득
   나. 「지방세특례제한법」 제6조 제1항에 따라 취득세의 감면대상이 되는 농지의 취득
3. 「법인세법」 제44조 제2항 또는 제3항에 해당하는 법인의 합병으로 인한 취득. 다만, 법인의 합병으로 인하여 취득한 과세물건이 합병 후에 제16조에 따른 과세물건에 해당하게 되는 경우 또는 합병등기일부터 3년 이내에 「법인세법」 제44조의 3 제3항 각 호의 어느 하나에 해당하는 사유가 발생하는 경우(같은 항 각 호 외의 부분 단서에 해당하는 경우는 제외한다)에는 그러하지 아니하다. 농비
4. 공유물의 분할 또는 「부동산 실권리자명의 등기에 관한 법률」 제2조 제1호 나목에서 규정하고 있는 부동산의 공유권 해소를 위한 지분이전으로 인한 취득(등기부등본상 본인 지분을 초과하는 부분의 경우에는 제외한다) 농비
5. 건축물의 이전으로 인한 취득. 다만, 이전한 건축물의 가액이 종전 건축물의 가액을 초과하는 경우에 그 초과하는 가액에 대하여는 그러하지 아니하다.
6. 「민법」 제834조, 제839조의 2 및 제840조에 따른 재산분할로 인한 취득
7. 그 밖의 형식적인 취득 등 대통령령으로 정하는 취득 ➡ 다음 part에서 설명

영 제29조(1가구 1주택의 범위) ① 법 제15조 제1항 제2호 가목에서 "대통령령으로 정하는 1가구 1주택"이란 상속인(「주민등록법」 제6조 제1항 제3호에 따른 재외국민은 제외한다. 이하 이 조에서 같다)과 같은 법에 따른 세대별 주민등록표(이하 이 조에서 "세대별 주민등록표"라 한다)에 함께 기재되어 있는 가족(동거인은 제외한다)으로 구성된 1가구(상속인의 배우자, 상속인의 미혼인 30세 미만의 직계비속 또는 상속인이 미혼이고 30세 미만인 경우 그 부모는 각각 상속인과 같은 세대별 주민등록표에 기재되어 있지 아니하더라도 같은 가구에 속한 것으로 본다)가 국내에 1개의 주택[주택(법 제11조 제1항 제8호에 따른 주택을 말한다)으로 사용하는 건축물과 그 부속토지를 말하되, 제28조 제4항에 따른 고급주택은 제외한다)]을 소유하는 경우를 말한다. 〈개정 2015.7.24., 2015.12.31., 2016.12.27.〉

② 제1항을 적용할 때 1주택을 여러 사람이 공동으로 소유하는 경우에도 공동소유자 각각 1주택을 소유하는 것으로 보고, 주택의 부속토지만을 소유하는 경우에도 주택을 소유하는 것으로 본다.

〈신설 2015.7.24.〉

③ 제1항 및 제2항을 적용할 때 1주택을 여러 사람이 공동으로 상속받는 경우에는 지분이 가장 큰 상속인을 그 주택의 소유자로 본다. 이 경우 지분이 가장 큰 상속인이 두 명 이상일 때에는 지분이 가장 큰 상속인 중 다음 각 호의 순서에 따라 그 주택의 소유자를 판정한다. 〈개정 2015.7.24.〉

1. 그 주택에 거주하는 사람 2. 나이가 가장 많은 사람

영 제29조의 2(분할된 부동산에 대한 과세표준) 법 제15조 제1항 제4호를 적용할 때 공유물을 분할한 후 분할된 부동산에 대한 단독 소유권을 취득하는 경우의 과세표준은 단독 소유권을 취득한 그 분할된 부동산 전체의 시가표준액으로 한다.

법 제15조는 취득세율의 특례를 규정하고 있다.[49] 이 규정은 취득세와 등록세가 통합되기 전의 지방세법상 '취득세 과세, 등록세 비과세', '취득세 비과세, 등록세 과세'인 과세대상에 대하여는 통합 후에도 동일한 세부담을 유지할 수 있도록 하였다.

제1항의 경우 세목 통합 전에는 등록세만 과세되던 유형들이다. 표준세율에서 중과기준세율(2%)을 뺀 세율이 적용된다. 다만, 과세물건이 법 제13조 제2항의 중과대상에 해당하는 경우는 {표준세율 - 중과기준세율(2%)} × 3배의 계산방법으로 산출한다.

| 참고 _ 취득세율의 특례 규정 |

구분	내용	세율
법 제15조 ①	• 형식적인 취득으로 등기 또는 등록하는 경우 - 환매등기 - 상속(1가구 1주택 등, 자경농지) - 법인합병(중과대상 제외) - 공유물의 분할, 공유권해소를 위한 지분이전 - 건축물의 이전 - 협의이혼에 따른 재산분할	• 표준세율 - 중과기준세율(2%) ☞ 세목통합 전 등록세만 과세
	• 형식적인 취득으로 등기 또는 등록하는 경우가 법 제13조 ②(대도시 법인 설립 등)에 해당하는 경우	• {표준세율 - 중과기준세율(2%)} × 3배
	• 간주취득 등의 세율 특례 - 개수로 인한 취득(중과대상 제외) - 선박·차량과 기계장비 및 토지의 가액 증가 - 과점주주의 취득 - 외국인 소유의 차량, 기계장비, 항공기 및 선박을 임차하여 수입하는 경우(연부취득에 한함)	• 중과기준세율(2%) ☞ 세목통합 전 취득세만 과세

49) 표준세율이 아니기 때문에 이 책에서는 편의상 "특례세율"로 칭한다. 제11조 제1항 제8호의 주택유상거래 세율 또한 표준세율(4%)에 대한 특례세율로 칭하고자 한다.

	- 시설대여업자의 건설기계 또는 차량 취득 - 지입 기계장비 또는 차량 취득 - 그 밖에 레저시설의 취득 등	
	• 간주취득 등이 법 제13조 ①(과밀억제권역내 공장 신설, 별장 등)에 해당하는 경우	• 중과기준세율(2%) × 3배 또는 5배

1. 환매(제15조 ① 1호)

환매등기를 병행하는 취득의 경우 형식적인 취득으로 보아 세목통합 전 등록세만 과세하도록 하기 위하여 특례세율을 적용하고 있다. 이는 공익사업 추진 등으로 소유자의 의사와 상관없이 매수당한 부동산이 사업철회 등으로 소유권이 소유자에게 환원되는 경우 취득세(구 취득세)부담을 방지하기 위한 취지이다. '환매권'이란 환매요건이 구비된 때에 환매권자가 환매기간 내에 약정한 대금을 지급하고 일방적으로 매수(환매)의 의사표시를 함으로써 성립하는 것을 의미한다(대법원 86다324, 1987.4.14.).

|최근 개정법령_2015.7.24.| 환매등기 병행 주택 취득시 특례세율 개선(법 제15조 ①)

당초 유상거래로 주택을 취득하면서 환매등기를 병행하는 경우에 표준세율(통합 전 취득세율+등록세율)에서 중과기준세율(통합 전 취득세율 2%)을 뺀 세율을 적용하도록 규정하고 있어, 9억원 이하의 주택을 취득하면서 환매등기를 병행하는 경우에는 '0' 또는 '음의 세율이 발생하여 취득세를 미부과하는 사례가 발생하였다[예를 들면 6억원 이하 주택 취득시 표준세율(1%) - 중과기준세율(2%) = -1%]. 그에 따라 주택 외의 환매등기가 병행되는 부동산과의 과세형평성을 제고하고, 세율특례 제도의 입법 취지 및 세목통합의 취지 등을 고려하여 세목통합 전 등록세 비율대로 취득세율을 조정하였다.

◎ **환매기간 내 환매대금을 공탁 후 이를 원인으로 환매기간 이후 소유권이전등기가 이루어졌더라도 비과세 대상**

청구인의 경우 환매기간으로 약정한 계약일로부터 3년(1994.9.30.) 이내인 1994.9.16. 환매권행사를 통보하였고, ○○조합이 환매에 불응하자 1994.9.28. 환매대금을 공탁하였으며, 그 후 이를 원인으로 소유권이전등기가 이루어진 이상 비록 그 등기의 시기가 환매기간이 경과된 뒤라 하더라도 지방세법 소정의 요건을 일탈한 것으로 볼 수 없음에도 이 건 취득세 등을 부과고지한 처분청의 행위에는 환매권과 변제공탁의 법리를 오해한 잘못이 있음(심사 1998-548, 1998.1.1.).

◎ **환매등기를 병행하는 부동산의 매매로서 환매기간 내에 매도자가 환매한 경우의 그 매도자**

와 취득에 대하여는 지방세법 제110조 제1항 제7호의 규정에 의하여 취득세가 비과세 되는 것이나, 귀문의 경우와 같이 매매완료 후 환매권을 말소한 경우는 취득세 과세대상이 되는 것임(구 도세 22670-78, 1990.1.10.).

☞ 세율특례 미적용

◎ 지방세법 제110조 제2호 가목에서 환매등기를 병행하는 부동산의 매매로서 환매기간 내에 매도자가 환매한 경우의 그 매도자와 매수자의 취득에 대하여는 취득세 등을 비과세 하도록 규정하고 있는 바, 귀문의 경우와 같이 환매등기가 병행된 환매권행사로 연장된 환매기간 내에 취득이 이루어졌다면 상기 규정에 의한 비과세 대상이 된다 할 것임(구 지방세정팀-300, 2006.1.24.).

2. 상속 1가구 1주택(제15조 ① 2호)

상속으로 주택을 취득하여 1가구 1주택이 되는 경우 해당 주택에 대해 특례세율을 적용한다. 이는 주택 소유자의 사망으로 그 세대원이 이를 상속으로 취득하는 경우, 상속취득에 따른 특례세율을 적용함으로써 주거생활의 안정을 보장하려는 취지이다. 2010년 이전까지 취득세가 비과세되었는데 이후 세목통합으로 등록세부분이 취득세에 통합되면서 특례세율 체계로 도입되었다. 따라서 해당요건을 충족하는 주택의 경우 0.8%의 취득세율이 적용된다.

그리고 자경농민이 농지를 취득하는 경우에도 특례세율이 적용되는데, 농지의 취득세율 2.3%에서 2%를 빼면 0.3%의 세율이 적용된다. 그리고 지특법상 자경농민에 대한 감면요건으로 특례세율 적용요건을 그대로 준용하고 있어 해당 감면율(50%)이 동시에 적용되면 결국 0.15%의 세율이 적용된다.

한편 1가구 1주택 특례대상에 대한 과세요건에서 1주택, 1가구의 범위에 대해 많은 해석상 쟁점이 있었으며 이에 대해 수차례 입법보완을 거쳤다.

|최근 개정법령 _ 2015.7.24.| 1가구 1주택 상속 특례세율 적용대상 정비(영 제29조 ①)

당초 특례세율 적용대상 상속주택의 범위에 대한 규정이 없어 주거용 오피스텔 등을 상속받은 경우 특례세율 적용대상으로 볼 수 있고(조심 2010지824, 2011.6.28.), 주택의 부속토지만 상속받은 경우에도 상속 특례세율을 적용하나, 주택의 부속토지만 소유시 주택수 계산에서 제외된다는 사례(조심 2010지940, 2011.7.27. : 주택의 부속토지만 소유할 경우 주택을 소유하지 아니한 것으로 봄)에 따른 혼란이 있었다. 그에 따라 특례세율 적용대상 주택의 범위를 주택유상거래 취득세율 적용대상 주택과 동일하게 규정하였다.

[행자부 적용요령] 주택의 일부지분 또는 부속토지만 소유한 경우에도 주택수 계산에 포함되도록 보완. 「건축법」 제38조에 따른 건축물대장에 주택으로 기재되어 있지 아니한 주택은 원

칙적으로 특례대상 주택에서 제외. 다만, 종전 「건축법」에 따라 건축허가 또는 신고 없이 건축이 가능한 주택[예 : 이행강제금(1992.6.1. 시행 이전에는 해당 과태료) 부과 대상이 되지 아니하는 주택]은 특례세율 적용. 「건축법」에 따라 허가를 받거나 신고를 하여야 함에도 이를 이행하지 아니하고 건축 또는 용도변경을 하여 주택으로 사용하는 건축물에 대하여는 상속 특례세율 적용을 배제하였음.

| 최근 개정법령 _ 2016.1.1. | 상속주택 특례대상 1가구 1주택 개념 정의 개선(영 제29조 제1항)

종전 규정에 따르면 1가구 1주택 상속에 따른 취득세 세율특례 적용(특례세율 : 2.8% → 0.8% 적용)에 있어 "1가구"를 "세대별 주민등록표에 기재되어 있는 세대주와 그 가족"으로 하고, 다만, 세대주를 기준으로 배우자와 미혼인 30세 미만 직계비속은 같은 주민등록표에 없더라도 같은 가구로 판단하였다. 그런데 상속 주택에 대한 세율특례는 주택을 상속받아 1가구 1주택이 되는 경우에 한하여 혜택을 주고자 하는 취지임에도, 주택의 상속자가 아닌 주민등록표상 세대주를 기준으로 1가구 1주택 여부를 판단하고 있어 불합리한 사례가 있었다. 이에 대해 세대주가 아닌 실제 주택을 상속받는 자(취득자)를 기준으로 1가구 1주택 여부를 판단할 수 있도록 개정하였다.

| 〈2016년 행자부 적용요령〉 시행령 개정 전 · 후 비교사례 |

구 분	현 행	개 정
예시	▶상속주택 : 주택가격 5억원 1주택(피상속인 父 소유) ▶세대주 : 형(본인은 무주택이나, 세대를 달리하는 형수가 1주택 소유) ▶주택상속자 : 형과 주민등록을 함께하고 있는 동생(본인 및 처, 직계비속 모두 무주택)	
납세의무자	동생(주택을 상속받는 자)	
1가구 1주택 판단 기준	세대주	주택 상속자
1가구 1주택 해당 여부	해당되지 않음 (세대주의 배우자*가 이미 1주택을 소유하고 있기 때문)	해당함 (주택상속자의 가족 및 주민등록표에 기재된 자가 모두 무주택이기 때문)
세부담액	14백만원 (5억원×2.8%)	4백만원 [5억원×(2.8%－2%)]

* 세대주의 배우자의 경우 세대별 주민등록표에 기재되어 있지 않더라도 같은 가구로 판단하고 있음.

| 최근 개정법령 _ 2017.1.1. | 1가구1주택 상속 취득세 세율특례 대상 주택의 범위 정비(영 제29조 ①)

1가구 1주택을 상속받는 경우 취득세 세율특례(2.8% → 0.8%)를 적용하게 되는데, 특례대상 주택은 「주택법」 제2조 제1호에 따른 주택으로서 건축물대장에 주택으로 기재된 주택, 가정어린이집, 공동생활가정 등(영 §29)으로 규정하고 있는 바, 지방세법에서 주택의 범위가 개정됨에 따라 시행령도 이에 맞게 정비하였다.

| 최근 개정법령 _ 2019.1.1. | 상속특례세율 대상 1주택자에서 재외국민 제외(영 §29 ①)

종전에는 상속주택 취득 특례세율(0.8%) 적용 대상인 상속인의 범위에 재외국민이 포함되는지 여부가 불명확하였는데, 상속인에 대한 주거안정을 지원하기 위한 입법취지 등을 고려하여, 재외국민에 대해서는 특례세율 적용대상에서 제외토록 개정하였다.

◎ 세대별 주민등록표에 따라 형식적으로 '1가구 1주택'을 판단하더라도 타당

'1가구'는 동일 세대에서 생계를 같이하는 경우로 한정하여 축소 해석할 수는 없고, 법문언대로 '세대별 주민등록표에 기재되어 있는 세대주와 그 가족[50]'으로 엄격하게 해석하여 세대별 주민등록표의 기재에 따라 획일적으로 판단하여야 할 것이다. … 부동산을 상속받아 취득할 당시 다른 주택을 소유하고 있었던 동생이 세대주로 기재되어 있는 세대별 주민등록표에 세대원으로 기재되어 있었던 점, 3명의 자녀가 … 29세, 26세, 22세로 모두 성년인데다가 원고와 함께 살고 있었다고 볼 만한 자료가 없는 점, … 원고가 동생과 생계를 같이 하지 않았다는 사정만으로 이 사건 부동산의 취득이 '1가구 1주택'의 취득에 해당한다고 할 수는 없다(대법원 2014두42377, 2015.1.15.(심리불속행)).

◎ 택지개발지구 수용으로 철거 예정인 주택에 대하여 지장물 보상금을 수령하고 주거용 주택으로 사용 중 상속으로 별개의 1주택을 상속받아 취득하였다면 수용된 주택은 소유권이전등기 여부와 관계없이 상속인이 소유한 주택이라 할 수 없으므로 1가구 1주택 감면대상에 해당된다 할 것임(지방세운영과－1537, 2011.4.2.).

◎ 사실상 함께 거주하지만 세대별 주민등록표상 별도 세대를 구성한다면 비과세 대상

결혼한 아들(주택 1채 보유)과 어머니(무주택자)가 같은 주소지(아파트 같은 호수)에서 함께 실거주하고 있으나, 세대별주민등록표는 분리하여 별도로 세대를 구성하고 있는 상태에서 무주택자인 어머니가 그 주소지의 주택을 상속받은 경우 취득세 비과세 여부와 관련, 세대별 주민등록표상에 기재되어 있는 세대주와 그 가족으로 구성된 1가구가 국내에 1개의 주택을 소유할 것을 요건으로 하고 있어 형식상으로 세대별 주민등록표를 분리하여 별도로 세대를 구성하고 있다면, 사실상 함께 거주하고 있다고 하더라도 이를 세대별 주민등록표상에 기재된 1가구로 보기는 어렵다고 할 것인 바, 상속 주택 취득세 비과세 대상에 해당된다고 할 것임(지방세운영과－67, 2011.1.6.).

50) 나아가 소득세법 시행령 제154조 제6항은 '가족'이라 함은 거주자와 그 배우자의 직계존비속(그 배우자를 포함한다) 및 '형제자매'를 말하며, 취학 · 질병의 요양, 근무상 또는 사업상의 형편으로 본래의 주소 또는 거소를 일시퇴거한 자를 포함한다고 규정하고 있다.

◎ 상속취득의 "1가구 1주택" 취득세 비과세 요건은 등기일이 아닌 사망일 기준으로 적용

상속으로 인한 취득의 경우 상속개시일을 취득의 시기로 본다고 규정하고 있으며, 민법 제997조에서 상속은 사망으로 인하여서만 개시된다고 규정하고 있음. 따라서, 2002.12.12. 상속개시가 이루어져 협의분할에 의한 상속을 원인으로 2004.10.1. 상속등기가 이루어진 경우 취득시기는 2002.12.12.(상속개시일)이 되는 것이므로 상속등기일이 아닌 상속개시일(사망일)을 기준으로 취득세 비과세 요건이 되는 "1가구 1주택" 여부를 판단하는 것임(세정-3458, 2005.10.27.).

◎ 주택수는 생계를 같이 하는지와 관계없이 주민등록표상 동일 세대원 등재 여부로 판단

상속으로 인한 취득 중 취득세가 비과세되는 1가구 1주택에 관하여 규정하고 있는 「지방세법 시행령」 제79조의 5 제1항에서 세대별 주민등록표에 함께 등재되어 있는 세대주와 그 가족을 1가구로 규정하고 있으므로 상속개시일 현재 청구인의 부(父)가 청구인과 생계를 같이 하는지 여부와 관계없이 세대별 주민등록표상 동일 세대원으로 등재되어 있는 이상, 청구인의 부(父)가 주택을 보유한 상태에서 청구인이 이 건 부동산을 상속받은 것은 1가구 2주택에 해당된다 할 것임(조심 2010지112, 2010.11.18., 2012지0139, 2012.4.3.).

◎ 상속주택 취득당시 부동산매매업용 아파트의 공유지분(29분의 2)을 소유하고 있는 경우 상속주택 취득 당시 세대주와 그 가족이 단독, 공유 또는 지분 등 소유형태에 관계없이 이미 다른 주택을 소유하고 있다면 1가구 2주택에 해당한다고 볼 수 있다 하겠는 바, 청구인은 쟁점주택을 상속으로 취득할 당시 이미 쟁점아파트를 지분으로 소유하고 있었으므로, 쟁점아파트가 판매 목적의 사업용 주택에 해당되는지 여부에 관계없이 1가구 1주택에 해당되지 아니한다고 할 것임(조심 2012지0168, 2012.3.27.).

◎ 청구인과 동일한 가구원인 사위가 주택을 소유하고 있어 비과세 대상이 아님

청구인이 이 건 주택을 상속으로 취득할 당시 청구인과 청구인의 사위 ○○○ 은 주민등록법에 의한 동일한 세대별 주민등록표에 기재되어 있으므로 동일한 1가구에 속하는 것으로 보아야 하는 점, 청구인과 동일한 가구원인 ○○○ 이 ○○○ 를 소유하고 있는 상태에서 이 건 공동주택을 상속받아 취득하였음이 확인되는 점 등을 종합하여 볼 때 1가구 1주택이 되는 경우로 볼 수 없음(조심 2011지0814, 2012.2.20.).

◎ 자녀 교육을 위해 잠시 형식적으로만 상속인과 주소지를 같이한 경우라도 비과세 배제청구인의 자녀인 ○○○ 이 실제로 쟁점아파트에서 거주하지 아니한다 하더라도 실제 거주지와 주민등록상 거주지를 일치시키지 아니하여 그로 인한 조세감면 등을 불리하게 적용받게 되는 책임은 거주지를 일치시키지 아니한 사람에게 있음(대법원 2007두3299, 2007.4.26. 같은 뜻). 따라서, 쟁점아파트를 취득세 경감되는 1가구 1주택으로 보지 아니하고 경정청구를 거부한 처분은 달리 잘못이 없음(조심 2011지0821, 2011.12.27.).

○ **사실상 혼인관계에 있는 30세 미만 아들이 상속개시 당시 혼인신고가 되지 않았다는 이유로 청구인의 1가구 1주택 비과세 적용을 배제한 것은 잘못**

청구인의 아들은 본인 소유의 빌라에 거주하여 청구인과 별도의 세대를 구성하고 있었고, 청구인이 피상속인으로부터 이 건 주택을 취득하기 이전 아들은 사실상 결혼한 것이 청첩장 및 성혼선언문 사본 등을 통하여 입증되며, 가족관계의 등록 등에 관한 법률에 의하여 아들과 그의 배우자와의 혼인신고(상속일 이후)가 되었고, 시행령 제79조의 5 ①에 '미혼'의 범위에 '사실혼을 포함한다'라는 명문규정이 없는데도, 처분청이 청구인의 이 건 단독주택에 대한 상속개시일에 혼인신고가 되지 않았다는 이유로 청구인에게 취득세 등을 부과처분한 것은 수긍하기 어려움(조심 2011지0463, 2011.11.11.).

○ **국내 거소신고사실증명을 주민등록표로 보아 세율특례(1주택 상속)를 적용할 수 없음**

구 지방세법 제110조 제3호 (가)목, 구 지방세법 시행령 제79조의 5 제1항의 문언 내용과 국민의 주거생활안정을 도모하려는 입법 취지 등에 비추어 보면, 「재외동포의 출입국과 법적 지위에 관한 법률」에 따른 국내거소신고사실증명을 주민등록법에 따른 세대별 주민등록표로 보아 구 지방세법 제110조 제3호 (가)목, 구 지방세법 시행령 제79조의 5 ①을 적용할 수는 없어 취득세 비과세 대상으로 볼 수 없음(대법원 2013두27128, 2014.4.24.).

○ **상속 세율특례 적용대상 주택의 범위에 주택을 분양받을 수 있는 권리는 포함되지 않음**

① "주택을 취득할 수 있는 권리"가 포함된다고 해석하려면 별도의 "주택" 개념의 정의가 필요함 ② 과세실무상 철거되어 나대지 상태의 부동산에 대한 주택가격이 산정·공시될 수 없기 때문에 취득세 산정을 위한 과세표준액을 정할 수가 없음 ③ 지방세법 각 규정(재산세 과세대상 주택의 정의, 과세표준, 소규모 임대주택 감면, 주택거래에 대한 감면)의 주택의 개념도 "세대의 구성원이 장기간 독립된 주거생활을 할 수 있는 구조로 된 건축물"을 의미한다고 보아야 함 ④ 사망시점과 건물의 철거시기에 따라 취득세 부과 여부가 달라지더라도 부당하게 차별하는 결과에 이른다고 보기 어려운 점 등 '주택을 분양받을 수 있는 권리'는 "주택"에 포함되지 않음(대법원 2011두24453, 2011.11.15.).

○ **한정승인을 한 경우에도 취득세 납세의무가 있고, 상속인 명의로 대위등기를 마친 경우에도 마찬가지며, 해당 취득세가 매각대금에서 우선 징수되는 집행비용이 아님**

상속인이 한정승인을 한 경우에도 책임이 제한된 상태로 피상속인의 재산에 관한 권리·의무를 포괄적으로 승계하는 것이므로, 상속에 의하여 취득한 부동산이 취득세 비과세대상("1가구 1주택" 또는 "자경농지")에 해당하지 않는 한 상속인에게 그 부동산에 관한 취득세 납부의무가 있음(대법원 2005두9491, 2007.4.12.). 나아가 이러한 법리는 상속 부동산에 대한 근저당권자가 임의경매 개시결정을 받은 후 상속인을 대위하여 상속인들 명의로 상속등기를 마친 경우에도 마찬가지라고 할 것이며, 이와 같은 경우 취득세 납부의무가 상속채무에 속한다거나 상속인이 아닌 근저당권자에게 그 납부의무가 귀속된다고 할 수는 없고, 또 취득세가 경매절차에 필요한 집행비용으로서 부동산 매각대금에서 우선적으로 징수되어야 할 비용이라고 볼 수도 없음(대법원 2006두1982, 2007.5.10.).

◎ (지침) 상속주택 특례대상 직계존속 적용 범위(영 제29조 ①)

'상속인이 미혼이고 30세미만일 경우 그 직계존속은 상속인과 같은 세대별주민등록표에 기재되어 있지 않더라도 같은 가구에 속한 것으로 본다'라고 규정하고 있는 바, 직계존속의 범위를 조부모(祖父母)이상까지 볼지 여부 ⇒ 상속자가 미혼 30세 미만인 경우 그 직계존속은 부모에 한정. 즉…상속자가 미혼의 30세 미만인 경우 주민등록표상의 직계존속의 주택소유여부까지 보도록 한 것은 조세회피를 위하여 부모와 별도의 세대를 구성하고 세율특례를 받는 사례(주택이 있는 부모와 주민등록표상 세대를 분리하여 별도의 세대를 구성한 후 조부모의 주택을 상속 받아 취득세 세율특례 적용 받음)를 차단하기 위함으로 조부모가 주택을 소유하는 경우까지 제외하는 것은 곤란(지방세운영과-629, 2016.3.11.)

3. 농지 취득 관련 세율(제11조 ①, 제15조 ① 2호)

농지의 상속취득은 2.3% 세율이고, 유상거래로 인한 취득은 3%의 세율이 적용된다. 세목통합 전 취득세 2%와 농지에 대한 등록세 0.3%(상속), 1%(유상거래) 세율이던 것을 반영한 것이다. 그런데 상속으로 인한 농지가 지방세특례제한법 제6조 제1항에 따른 자경 농민의 농지취득에 대해서는 특례세율(2% 제외)이 적용되어 0.3% 세율이다. 이 경우 지특법에 따른 감면(50%)이 적용되기 때문에 0.15%의 세율이 적용된다.

'농지 취득세율'이 적용되는 농지는 취득 당시 공부상 지목이 농지(논·밭·과수원)인 토지로서 실제 농작물의 경작이나 다년생식물의 재배지로 이용되는 토지를 말한다. 또한 취득 당시 공부상 지목이 농지 또는 목장용지인 토지로서 실제 축산용으로 사용되는 축사와 그 부대시설로 사용되는 토지, 초지 및 사료밭을 의미한다.

◎ 감정평가서상 농지로 기재되어 있다고 하더라도 농지세율 적용 대상이 아님

취득세는 해당 물건을 취득하였을 때의 사실상의 현황에 따라 부과하는 세목이며, 취득세율 적용시 농지 판단 기준에 대해 취득 당시에 공부상 현황뿐 아니라 실제 이용현황이 농지인 경우로 한정하고 있는 점, 감정평가를 시행한 시점과 취득시점 간에는 차이가 있고, 감정평가서는 수용과정에서 보상가액의 산정 등을 목적으로 작성된 서류에 불과한 점 등을 종합해 볼 때, 감정평가서 등에 농지로 기재되어 있더라도 취득시점의 사실상 이용현황이 농지가

아니라면 농지세율 적용대상이 아님(지방세운영과-828, 2018.4.10.).

◎ **개발제한구역 내 화훼작물의 재배 및 판매 목적의 토지(답)는 농지로 보아 세율 적용**
농지법에서 농지인 "다년생식물 재배지"에는 조경 또는 관상용 수목과 그 묘목의 재배지 및 농축산물의 생산시설로서 다년생식물 재배지에 설치한 고정식온실・버섯재배사 및 비닐하우스와 그 부속시설의 토지를 포함하고 있고, 비닐하우스안에서 화훼작물을 일정기간 재배(화분)하여 별도의 판매시설을 갖추지 아니하고 판매하는 것은 농지이용행위로 인정(농수산식품부 농지과-4190, 2009.9.2.)하는 점을 고려할 때, 개발제한구역 내 농지(답)상에 화훼작물의 재배목적으로 비닐하우스를 설치하고 화훼작물을 화분에서 재배하면서 판매하는 경우라면 다년생 식물재배지로 이용되는 토지로 보아 농지(법 제131조 ① 3호 1목)에 따른 세율적용이 타당함(지방세운영과-904, 2010.3.4.).

◎ 소매업 또는 도소매업으로 사업자등록을 한 자가 다른 곳에서 매입한 농작물 또는 다년생식물을 판매하기 전에 일시적으로 화분 또는 가식(假植)상태로 심어두는 토지로 그 비닐하우스 내 일부를 이용하는 경우, 위 비닐하우스가 위치한 토지는 농지에 해당하지 않음(법제처 법령해석 10-0287, 2010.10.1.).

◎ 청구인들이 취득할 때까지 도로확포장공사에 사용되던 자재를 쌓아두던 장소로 사용되다가 농지로 원상복구되지 아니한 것으로 보이는 점 등에 비추어 쟁점토지는 농지에 해당하지 아니함(조심 2016지0375, 2016.10.19.).

◎ **법인이 농지 취득시 취득세율 적용기준**
일반법인이 농업경영 이외의 목적으로 사용하기 위해 농지전용허가된 농지 등을 취득하는 경우 농지세율 적용 여부 ⇒ 법인이 토지를 취득할 당시 해당 지목이 농지이고 실제 경작이나 다년생 식물의 재배지로 활용되고 있다면 농지세율 적용, 농지 요건을 공부+현황인 경우로만 규정하고 있으므로 향후 사용목적까지 고려할 수 없음(지방세운영과-2641, 2016.10.17.).

◎ **(예규) 지법 11…21-1(농지의 범위)** 「실제 농작물의 경작이나 다년생식물의 재배지로 이용되는 토지」란 농작물 등의 경작, 재배 즉 "땅을 갈아서 농사를 짓는 것"에 이용되는 토지를 말하는 것으로 일시적・잠정적으로 토지에 농작물 등을 심어 둔 경우에는 그러하지 아니함.

4. 법인 합병(제15조 ① 3호)

합병에 대한 취득세 관련 법률의 규정을 보면 다음과 같다. 상법(1962.1.20. 제정)에 회사의 합병에 대해 최초로 규정하였다. 이에 앞서 구(舊)지방세법(1954.4.14.)에 취득세 비과세 항목을 신설하여, 비과세 대상이었다. 법인의 합병으로 인한 취득의 경우 세목 통합 전에는 등록세만 과세되었으며, 2011년 세목 통합 이후 종전의 등록세율에 해당하는 세부담만 부과하도록 제15조 제1항의 특례세율체계로 조정되었다.

2011년 세목통합당시 지방세법 전부개정에 따라 조세특례제한법 제120조에 취득세 면제 규정이 신설되었다. 그리고 2014.12.31. 조세특례제한법에서 이관하여 지방세특례제한법 제57조의 2(기업합병·분할 등에 대한 감면)에 취득세 면제 규정을 신설하였다.

한편 분할에 관하여 관련 규정을 보면, IMF 당시 기업분할제도가 도입되면서 상법(1998.12.28.)에 회사의 분할에 대해 최초로 규정하였다. 동시에 조세특례제한법(1998.12.28.)에서 취득세 면제 규정을 신설하였다. 2014.12.31. 조특법에서 지방세특례제한법 개정(제57조의 2)으로 취득세 면제 규정으로 이관되었다.

2016.1.1. 비적격합병에 대한 세율특례 규정을 정비하였다(법 제15조 ① 3호). 종전에는 법인간 합병의 경우 형식적 취득으로 보아 구 취득세(2%)를 과세제외하고 특례세율(4% → 2%)로 과세하였다. 그런데, 법인의 합병에 따른 세율특례 적용과 관련된 특례요건이나 사후관리 규정을 두지 않아 사업이 폐지되거나 법인의 소유주체가 변경되는 경우에도 합병의 형식만 갖추면 특례가 적용되어, 조세회피를 목적으로 합병형식을 빌어 사업용 부동산을 취득하는 사례(흡수합병 형식을 빌어 소유권을 이전받은 후 피합병법인이 영위하던 사업을 모두 폐지하고 존속법인의 새로운 사업장으로 사용)가 자주 발생하였다. 이에 따라 법인합병에 따른 취득세 과세특례 요건(법인세법 제44조 ②·③의 적격합병 요건 규정을 차용) 및 사후관리 규정(법인세법 제44조의 3 ③의 사후관리 규정을 차용)을 신설하여, 적격합병 요건을 갖춘 경우에만 취득세 세율특례를 적용하고 사후관리 요건을 구비하지 못한 경우에는 추징할 수 있도록 하였다.

☞ 지특법 제57조의 1 ① 제1호와 연계하여 참고할 것

| 2016년 전후 분할·합병 취득세율 변경내용 |

구 분		2016년 이전	2016년 이후
합병	지방세법	• 조건없이 특례세율* 적용 *표준세율 - 2%(구취득세 비과세)	• 적격요건* 갖춘 경우만 특례세율 적용 * 합병사업 유지, 주식처분 제한 등
	지특법	• 적격요건 관계없이 감면적용 • 최저한세* 미적용 *100% 감면시 최소 15%는 과세	• 적격요건 갖춘 경우만 감면 적용 - 지특법 제57조의 2 제1항만 해당 • 최저한세 적용 - 지특법 제57조의 2 제2항은 제외 (합병 장려업종의 합병)
분할	지특법	• 최저한세 미적용	• 최저한세 적용

※ 다만, 중과세 대상(대도시 법인 취득, 사치성재산 등)은 특례적용 배제

– (쟁점) 합병·분할에 따른 취득을 유상과 무상 중 어느 것으로 보는지

구 분	유상취득으로 볼 경우	무상취득으로 볼 경우
과표적용	법인장부가액	시가표준액
세율적용	4%	3.5%

⇒ (적용기준) 합병 및 인적분할의 경우에는 무상, 물적분할은 유상취득으로 보아 합병·분할에 따른 과세표준 및 세율 적용

구 분		유·무상 판단	과 표	표준세율
합병	흡수	무상	시가표준액	3.5%
	신설	무상	시가표준액	3.5%
분할	인적분할	무상	시가표준액	3.5%
	물적분할	유상	법인장부가액	4.0%

현행 규정에 따르면 합병에 따른 취득은 무상취득으로 간주하므로 적격합병이면 무상취득세율 3.5%에서 2%를 제외한 1.5%의 세율이 적용되고, 비적격합병에 해당한다면 3.5% 세율이 적용된다. 그리고 지특법(제57조의 2 ①)에서 합병에 의한 취득에 대해 감면을 적용하고 있는데, 지방세법상 1.5% 특례세율에서 지특법에 따른 감면율을 적용하게 된다. 그에 따라 지방세법과 지특법에 따른 적격합병 요건을 갖춘 경우라면 0.75%*의 세율이 적용된다.

* 특례세율 1.5% × 50%

◎ 비적격 인적분할시 분할신설법인은 분할법인으로부터 부동산 등을 유상 취득한 것임

「법인세법」상 사업 목적의 분할, 지분의 연속성, 사업의 계속성 등의 요건을 충족하지 못하는 경우 분할신설법인등이 분할법인등으로부터 분할등기일 현재의 시가로 양도받은 것으로 규정(제46조 ①, 제46조의 2 ①)하고 있는 점, 본 건의 경우 비적격 분할로서 분할당시 소액주주에 대한 주식배정이 없었으며, 분할 전부터 투자자 유치계획에 따라 분할신설법인의 소유주체의 변동이 예정되어 있었던 점에서 볼 때, 회사 내부 조직변경을 통해 사업을 계속 진행하였다기보다는 투자자 모집을 통해 새로운 법인을 분할신설하여 사업을 진행한 것으로 현물출자와 같은 유상성격으로 볼 수 있는 점 등 … 유상승계로 취득한 것으로 보아 해당 과세표준 및 세율을 적용(지방세운영과-889, 2017.6.26.)

◎ 노동조합간 합병으로 합병신설법인이 이전 받은 부동산은 특례세율 적용대상

법인합병에 대한 舊취득세 비과세는 「지방세법」 제정(1961년) 당시부터 시행되었던 것으로, 2011년 개정 지방세법에서도 이를 반영하여 세율특례 대상으로 규정하였고, 2015년 적격합

병 요건이 추가되었는데, 이는 조세회피 수단으로 합병이 활용되는 사례를 방지하려는 것이었으며, 이에 따라 영리법인간 합병에 대하여는 저율의 세제혜택을 부여하고, 비영리법인(노동조합)은 고세율로 과세될 경우 불형평이 초래될 수 있다는 점 … 비영리사단법인인 노동조합이 적격합병 요건에 준하는 기준(주식 또는 출자액 대신 조합원수 적용 등)을 충족하는 경우 특례세율 적용 대상(지방세운영과-2754, 2018.11.15.)

◎ **합병 장려업종을 영위하는 부분에 대해 등록세가 면제되고, 농특세는 비과세**

지방세법상 행자부장관이 산자부장관과 협의하여 고시한 업종간 합병인 경우 법인등기와 합병으로 인하여 양수받은 재산에 관한 등기는 등록세를 면제함. 따라서 법인간 합병시 양 법인이 모두 협의하여 고시한 등록세 감면대상 법인의 합병장려업종에 해당되는 경우 표준산업분류상코드번호가 다른 업종간의 합병에 있어서도 합병법인이 피합병법인으로부터 양수한 재산에 대한 등기와 법인등기에 대하여 등록세가 면제되며, 이 경우 합병 장려업종을 영위하는 부분 만큼에 대한 등록세만 면제됨. 또한 농어촌특별세법 제4조 제8호 및 영 제4조 제3항에 의거 농특세 비과세(세정 13407-540, 1999.5.6.)

5. 공유물 분할(제15조 ① 4호)

공유물의 분할 등에 의한 취득의 경우 세목 통합 전에는 등록세만 과세되던 것으로 세목 통합 후인 현재에도 종전의 등록세에 해당하는 정도의 부담이 되도록 특례세율로 조정되었다. 공유물 분할에 따른 취득세 표준세율이 2.3%(법 제11조 ① 5호)이므로 특례세율은 2%를 뺀 0.3%가 된다. 등기부등본상 본인 지분을 초과하는 경우는 '공유물 분할에 따른 취득세 표준세율' 적용이 안되므로 일반적인 표준세율 4%가 적용된다. 공유물 분할에 따른 소유권의 이전에 대해 현행 규정에서 '취득세' 특례세율로 규정하고 있는데, 그렇다면 공유물 분할에 따른 표준세율 2.3%가 적용되는 것은 어떤 경우인지 사례를 찾기 어렵다. 즉 공유물 분할 취득관련 법 제11조 제1항 제5호(표준세율)와 제15조 제1항 제4호(특례세율)의 관계가 모호하다. 취득세 특례세율로 규정할 것이 아니라 과거 등록세로 규정하고 있었던 점까지 고려할 때 등록면허세에서 직접 규정해도 무방해 보인다.

한편 공유인 부동산등과 그 밖의 공유물을 일괄하여 분할하는 경우에는 분할 후 자산가액의 비율이 원래의 공유지분의 범위를 넘어서는 것인지 또는 원래의 공유지분의 비율과 분할 후 자산가액의 비율과의 차이에 따른 정산을 하였는지 여부 등은 취득세의 과세물건인 부동산등만을 기준으로 분할 후 자산가액의 비율과 원래의 공유지분의 비율을 비교하는 방식으로 판단하여야 한다.

| 공유 · 합유 · 총유의 구분 |

구 분	공유	합유	총유
소유 형태	수인이 동일물건의 소유권을 양적으로 공동 소유	공동사업 경영을 목적으로 재산을 공동 소유	법인 아닌 사단의 사원이 집합체로서 물건을 소유
인적 결합 형태	개인주의	조합체로서 구성원의 개별성 강조	집합체로서 사단의 단체주의
사례	수인이 공동 매입한 물건	수인의 동업자 재산	종중 · 동창회 · 정당 · 주택조합 · 입주자대표회의
지분 인정	○	○	×
등기부상 기재형태	공유자 각 명의등기, 지분의 표시 ○	합유자 각 명의등기, 지분의 표시 ×	사단 자체 명의 등기
지분 처분	○	전원동의시 ○	×
분할 청구	○	× (조합해산시 분할가능)	× (지분 불인정)
물건 처분	전원동의시 ○	전원동의시 ○	사원총회의 결의 ○

※ 민법 제262조 내지 제278조 참조

| 최근 개정법령 _ 2018.1.1. | 공유물 분할에 대한 과세표준 범위 명확화(영 제29조의 2 신설)

공유물 분할 후 단독으로 소유하게 되는 부동산의 과표적용시 전체가액을 기준으로 과세하는지(행안부 지방세운영과-4333, 2011.9.14.), 기존의 소유지분을 제외하고 산정하는지(조세심판원 결정, 조심2016지0364, 2016.6.24.) 혼선이 있었다. 그에 따라 공유물을 분할하여 특정 공유물 전체에 대한 단독소유권을 취득하는 경우의 과세표준은 그 특정 공유물 '전체'의 시가표준액으로 명확히 하였다.

- 공유물의 분할은 공유권 중 자기지분을 분리하는 것이므로 이때 자기지분을 초과하여 분할등기하는 경우 그 초과분에 대해서도 취득세납세의무가 있음(예규 지법 15-1)

  ☞ (2013년 개정) 공유물 분할시 당초 지분비율대로 분할하더라도 1천분의 3에 해당하는 세율을 적용하여 취득세를 납부하여야 함. 그런데, 당초 지분의 초과분에 대해서만 취득세가 납세의무가 있는 것으로 해석될 소지가 있어 이를 보완한 것임.

- 합병으로 인하여 존속하는 법인이 취득하는 소멸법인소유의 과세물건 중 고급오락장 등 합병 전부터 중과세대상에 해당하는 물건인 경우에는 「지방세법」 제15조 제1항 제3호 단서규정에 해당되지 아니함(예규 지법 15-1).

- (지침) 「공유토지분할에 관한 특례법」 시행에 따른 부과요령 보완

  「공유토지분할에 관한 특례법」(2012.2.22. 법률 제11363호로 개정된 것)에 의한 공유물 분할과 관련하여 분할시까지 최종 동의(합의)하지 않은 공유자가 당초 토지를 소유하게 되는 경우

에만 등록면허세(지방세법 제28조 ① 1호 마목)를 과세하기 바람(지방세운영과-3588, 2012.11.8.).

◎ (지침)「공유토지분할에 관한 특례법」 시행에 따른 부과요령

토지 소유권 행사 등의 불편을 해소하기 위해 현재의 점유상태를 기준으로 공유자 전원의 동의가 없어도 토지를 분할할 수 있도록 하는 「공유토지분할에 관한 특례법」(2012.2.22. 법률 제11363호로 개정된 것)이 2012.5.23.부터 3년간 한시적으로 시행되고 있는 바, 공유자 전원의 동의가 없어도 분할이 가능한 해당 법률의 시행취지 및 이로 인한 분할의 특성 등을 감안, 해당 법률에 따라 분할되는 토지 중 지번 변동 없는 당초 토지에 대해서는 등록면허세(기타 등기)를 과세하기 바람(지방세운영과-3413, 2012.10.26.).

◎ 공유에서 구분소유로 변경한 후 공유자별 지분을 각각 구분소유로 소유권보존등기를 경료하는 경우에는 공유물의 분할에 따른 취득세 납세의무가 성립되지 않음

「지방세법」 제11조 제1항 제5호에서 등기부등본상 지분을 기준으로 공유물분할에 따른 취득세 납세의무를 구분하고 있는 점, 부동산에 관하여 법률상 공유관계가 성립되기 위해서는 공유 등기가 선행되어야 하는 점, 건축물대장에 기재된 자가 소유권을 취득한다거나 취득세 납세의무자가 된다고 단정할 수도 없는 점 등을 고려해 볼 때 취득세 과세대상이 되는 "공유물의 분할"이라 함은 등기부상 공유로 등기되어 있는 공유물을 지분 비율대로 나누어 등기하는 것을 의미한다고 할 것이므로, 소유권 보존등기 전에 일반건축물대장에서 집합건축물대장으로 전환하면서 소유지분을 공유(위치 및 면적 불특정)에서 구분소유(층별 특정)로 변경한 후 공유자별 지분을 각각 구분소유로 소유권보존등기를 경료하는 경우에는 「지방세법」 제11조 제1항 제5호 "공유물의 분할"에 따른 취득세 납세의무가 성립되지 않는다고 할 것임(지방세운영과-3253, 2016.12.28.).

◎ 공유물 분할시 당초 지분권을 초과하는 부분은 공유물분할로 볼 수 없음

원고와 문○○은 이 사건 각 부동산을 포함한 병원 동업 관련 자산과 부채를 일괄하여 분할하였으나, 취득세의 과세와 관련하여서는 그 분할 대상 자산 중 취득세의 과세물건에 해당하는 이 사건 각 부동산만을 기준으로 공유물의 분할에 해당하는지를 판단하여야 함. 원고와 문○○은 이 사건 각 부동산에 관하여 1/2 지분씩을 보유하고 있다가 제1부동산을 문○○의 단독소유로, 제2 내지 4부동산을 원고의 단독소유로 분할하였음. 원고가 취득한 제2 내지 4부동산의 가액이 원고의 원래 공유지분의 범위인 이 사건 각 부동산의 가액 중 1/2에 해당하는 금액을 넘어서지 않는 한도 내에서는 지방세법 제11조 제1항 제5호의 공유물의 분할에 해당한다고 보아야 함(대법원 2016두32008, 2016.5.12.).

◎ 예규 지법 11-3(공유토지를 단독소유로 취득시 세율) 공유로 되어 있는 부동산을 분할등기하는 경우에 있어 자기 소유지분에 대하여는 「지방세법」 제11조 제1항 제5호의 규정에 의한

세율을 적용하고, 자기 소유지분 초과분에 대하여는 「지방세법」 제11조 제1항 제7호의 세율을 적용

- **예규 지법 11-4(합유자 소유권 이전시 세율)** 부동산 합유자 중 일부가 사망하여 잔존 합유재산의 변동이 있는 경우에는 「지방세법」 제11조 ① 2호의 무상취득세율을 적용 ◎ A와 B가 공유하던 甲토지를 甲토지(A, B 공유)와 乙토지(A 단독소유)로 분할한 경우, 甲토지의 경우 공유자 모두(A, B)를 납세의무자로 하여 甲토지 전체를 과표로 함
  구 지방세법(분법 전)에서 공유물의 분할은 취득의 실질을 중시하여 구 취득세는 비과세(제110조 4호), 등록세는 1천분의 3의 세율을 적용하였고, 지방세법 분법 이후에도 납세의무자가 종전과 같은 부담을 지도록 통합 취득세는 1천분의 3의 세율을 적용하도록 하고 있음. 또한, 개정(2017.12.29.)된 지방세법 시행령에서 공유물을 분할하여 특정 공유물 전체에 대한 단독소유권을 취득하는 경우의 과세표준은 그 특정 공유물 전체의 시가표준액으로 명확화하였음. 따라서 공유물 분할로 인해 분할된 과세대상에 대해 각각 독립적인 소유권을 확보한 이상, 각각의 과세대상에 대해 이를 다시 단독소유 및 공동소유로 나누어 볼 사안은 아님. 따라서 그 분할된 부동산 전체의 시가표준액을 과세표준으로 각각 취득세 납세의무가 있다고 할 것임(지방세운영과-2407, 2018.10.12.).

- **공유물 분할로 부동산을 취득하는 경우 등기일이 취득일임**
  공유물 분할은 당사자 사이의 협의에 따라 이루어지는 것이 원칙이며, 공유자 사이에 협의가 성립하지 아니한 때에 한해 공유자는 법원에 공유물의 분할을 청구(민법 제268조 ①)할 수 있는데, 협의에 따른 공유물분할의 경우에는 단독소유하기로 한 부분에 관하여 다른 공유자의 공유지분을 이전받아 등기를 마침으로써 비로소 그 부분에 대한 대세적 권리로서의 소유권을 취득하게 되는 점(대법원 2011두1917), 판결로 인한 공유물분할이라 하더라도 세율통합 전(~2010)에는 등기일에 납세의무를 부여한 것으로, 납세의무 성립 원인이 등기행위에 있다는 점 등을 종합해 볼 때, 협의 또는 판결에 따라 공유물 분할이 이루어지는 경우 취득시기는 등기일로 보아야 할 것임(지방세운영과-24, 2018.1.4.).

- **공유하고 있는 집합건물을 단독등기하는 경우 공유물분할에 따른 취득세율 적용**
  2명이 공동소유하고 있는 동일규모와 가액의 집합건물 2개동을 각 공유자 명의로 단독등기하는 것은, 여러 개의 공유물을 일괄 분할하면서 각 공유물의 지분과 가액을 함께 고려하여 특정 공유물 전체에 대해 단독소유권을 부여하는 것이므로 공유물의 지분비율에 따라 제한적으로 행사되던 권리를 분할을 통해 특정부분에만 집중·존속시키는 공유물 분할의 한 유형에 해당(대법원 95누5653, 1995.9.5. 참조)하므로 공유물 분할에 따른 취득세율을 적용해야 할 것임(지방세운영과-5660, 2011.12.12.).

◎ 공유자 중 1인이 당해 건축물의 취득세를 완납한 다음 각 공유자별 지분에 따라 장부에 대체정리를 한 경우라면 다른 공유자는 취득세 납세의무가 없음

지방세법 제18조 제1항에서 공유물에 관계되는 지방자치단체의 징수금은 그 공유자가 연대하여 납부 또는 납입할 의무가 있으며 "공유물"이라 함은 민법 제262조에 의하여 수인이 공동으로 소유하고 있는 형태의 물건을 말하는 것인 바, 쟁점 건축물이 위의 공유물에 해당하고 건축물의 공유자들이 수선공사에 따른 취득신고를 한 후 그 공유자 중 1인이 당해 건축물의 취득세를 완납한 다음 각 공유자별 지분에 따라 장부에 대체정리를 한 경우라면 다른 공유자는 취득세의 납세의무가 없음(세정-1170, 2003.9.18.).

◎ 공유지분을 정리하지 아니한 상태에서 일부 토지가 국가로 매수된 후 다시 공유지분을 정리하는 과정에서 개인이 취득한 지분에 대해서는 납세의무가 있음

당초 2필지의 토지 중 일부를 취득하고 공유지분등기를 하였다가 공유토지를 분할하기 위하여 2필지의 토지를 각각 3필지로 지번분할하였으나 공유지분을 정리하지 아니한 상태에서 일부 토지가 다시 국가로 매수됨에 따라 공유물 분할등기를 할 수 없는 상태로서, 지분을 정리하기 위하여는 교환이나 구분소유적 공유관계에 해당하므로 명의신탁 해지판결에 의하여 각각 공유지분을 정리할 수 있으나, 이 경우 지방자치단체가 아닌 민원인은 취득한 지분에 대하여 취득세와 등록세 등의 납세의무가 있는 것임(세정 13430-171, 2003.3.4.).

◎ 공유재산에 대한 취득세 세율특례 적용

1필지 안의 甲(35/100)과 乙(65/100)이 공동소유한 2동(면적비율 : A동 35, B동 65)의 주택에 대해 A동의 乙지분은 甲에게, B동의 甲지분은 乙에게 소유권을 이전하여, A동은 甲, B동은 乙의 단독 소유로 변경할 경우, 「지방세법」 제15조 제1항 제4호에 따른 세율의 특례 적용 대상(지방세운영과-569, 2016.3.3.)

◎ 변경등록 · 등기 없이 구분소유적 공유관계 설정에 따라 종전소유비율이 달라진 경우

쟁점 부동산의 각 소유자가 해당 부동산을 지분비율로만 공유하고 있는 형태에서 건물을 부분적 · 물리적으로 구획 · 구분하여 소유하는 형태(구분소유적 공유관계)로 전환하였는데, 공유관계의 구분의사가 내부 계약으로만 존재할 뿐, 객관적으로 외부에 표시된 행위가 없었다면, 각 구분에 대한 매매 또는 교환의 취득이 있다고 보기는 어려움. 따라서, A법인의 전체 건축물에 대한 지분비율 증가분을 B법인으로부터 유상취득한 것으로 보아 취득세를 과세해야함. 또한 기 보유지분에 대한 공유물 분할 취득세 납세의무 성립 여부를 보면, 쟁점 부동산 공유관계의 변경은 외부적으로는 당사자간 공유의 지분을 변경하는 것에 불과하고 공유관계가 유지되므로, 공유물 · 합유물의 분할 및 부동산의 공유권 해소를 위한 지분이전으로 인한 취득으로 볼 수 없음. 따라서, A, B법인의 기존 소유지분에 대해서는 공유물 분할에 따른

취득세 납세의무가 성립하지 않음(부동산세제과-214, 2020.1.30.).

☞ 구분소유적 공유관계는 어떤 토지에 관하여 그 위치와 면적을 특정하여 여러 사람이 구분소유하기로 하는 약정이 있어야만 적법하게 성립할 수 있고, 공유자들 사이에 그 공유물을 분할하기로 약정하고 그 때부터 각자의 소유로 분할된 부분을 특정하여 각자 점유・사용하여 온 경우에도 구분소유적 공유관계가 성립할 수 있지만, 공유자들 사이에서 특정 부분을 각각의 공유자들에게 배타적으로 귀속시키려는 의사의 합치가 이루어지지 아니한 경우에는 이러한 관계가 성립할 여지가 없음(대법원 2004다71409). 이때 각 공유지분등기는 각자 특정 부분에 관하여 상호 명의신탁하고 있는 것임(대법원 79다634).

제15조(세율의 특례) 제1항 제5・6・7호[건축물 이전, 재산분할, 형식적 취득]

법 제15조(세율의 특례) ① 다음 각 호의 어느 하나에 해당하는 취득에 대한 취득세는 제11조 및 제12조에 따른 세율에서 중과기준세율을 뺀 세율로 산출한 금액을 그 세액으로 하되, 제11조 제1항 제8호에 따른 주택의 취득에 대한 취득세는 해당 세율에 100분의 50을 곱한 세율을 적용하여 산출한 금액을 그 세액으로 한다. 다만, 취득물건이 제13조 제2항에 해당하는 경우에는 이 항 각 호 외의 부분 본문의 계산방법으로 산출한 세율의 100분의 300을 적용한다. 〈개정 2010.12.27., 2015.7.24., 2015.12.29.〉

5. 건축물의 이전으로 인한 취득. 다만, 이전한 건축물의 가액이 종전 건축물의 가액을 초과하는 경우에 그 초과하는 가액에 대하여는 그러하지 아니하다.
6. 「민법」 제834조, 제839조의 2 및 제840조에 따른 재산분할로 인한 취득
7. 그 밖의 형식적인 취득 등 대통령령으로 정하는 취득 농비

영 제30조(세율의 특례 대상) ① 법 제15조 제1항 제7호에서 "그 밖의 형식적인 취득 등 대통령령으로 정하는 취득"이란 벌채하여 원목을 생산하기 위한 입목의 취득을 말한다. 〈신설 2015.12.31.〉

1. 재산 분할(제15조 ① 6호, 영 제20조 ⑪)

2008.1.1.부터 부부 간의 재산분할로 취득하는 부동산에 대해 취득세(2%) 비과세 규정이 도입되었다. 부부가 혼인 중 소유하게 된 재산은 사실상 부부 공동의 노력에 의해 취득한 재산에 해당되므로 이를 분할하는 경우에 취득세를 부과하는 것은 적절하지 않다고 본 것이다. 실질적인 양성평등을 위하여 부부 간 재산분할청구권의 행사 또는 협의에 의한 분할로 취득한 부동산에 대해서는 취득세를 비과세하였고 등록세만 부과하였다. 이후 2011년부터 취득세 세율통합으로 표준세율에서 중과기준세율(2%)을 공제한 세율을 적용하게 되었다.

2015.7.24. 협의상 이혼뿐 아니라 재판상 이혼시 재산분할에 따른 세율특례를 추가하였다(법 제15조 ①). 이혼에 따른 재산분할은 부부가 혼인 중에 쌍방의 협력으로 이룩한 실질상의 공동재산을 청산·분배함과 동시에 이혼 후의 생활을 유지하는데 그 목적이 있기 때문에(대법원 2000다58804, 2001.5.8.) 재산분할로 인한 상대방 소유 재산의 취득시 특례세율을 적용하여 세부담을 완화하고 있다. 그런데 분법 이전에는 이혼에 따른 재산분할로 인한 취득에 대해서는 실질적인 취득이 수반되지 아니한 것으로 보아 세목통합 전 등록세율로 과세하였다. 그러다가 현행 「지방세법」에서는 「민법」 제834조에 따른 협의상 이혼시의 재산분할에 대해서만 세율특례 대상으로 규정하고 있는데 유권해석 등을 통해 「민법」 제840조에 따른 재판상 이혼시의 재산분할에 대해서도 세율특례를 적용하였다. 그에 따라 재산분할청구권의 취지와, 과세 형평성, 현행 운영사례 등을 감안하여 재판상 이혼시의 재산분할도 세율특례 대상으로 추가하게 되었다.

2015.7.24. 시행령에서 이혼에 따른 취득시기를 신설하였는데, 「민법」 제839조의 2 및 제843조에 따른 재산분할로 인한 취득의 경우에는 취득물건의 등기일 또는 등록일을 취득일로 본다(영 제20조 ⑫). 종전 규정에 따르면 이혼에 따른 재산분할은 「민법」 제839조의 2 및 제843조에 따른 재산분할청구권의 행사나 판결(재산분할 미협의시나 이혼소송시 병합)로 성립되는데, 이 중 재산분할청구권은 이혼일로부터 2년 이내에 행사해야 하나, 이에 대한 소유권이전등기의 기한 제한은 없다. 한편 「민법」 제839조의 2에서 "재산분할청구권은 이혼한 날로부터 2년을 경과한 때에는 소멸한다."라고 규정하고 있으나 이로 인한 소유권이전등기를 반드시 위 기간 내에 신청하도록 제한하는 것은 아니다. 협의이혼 당시 재산분할약정을 한 후 15년이 경과하더라도 소유권이전등기신청을 할 수 있다(등기선례 제200901-2호, 2009.1.9.). 따라서 이혼에 따른 재산분할의 취득시기를 협의일이나 판결일(등기일)[51]로 하는 것이 타당하다고 볼 수 있으나, 재산분할의 성격, 등기기한의 특례, 취득의 성격(형식적인 취득), 납세자 편의 등을 고려하여 취득물건의 등기·등록일로 하는 것이 합리적이라는 점을 반영하였다.

〈민법〉

제834조(협의상 이혼) 부부는 협의에 의하여 이혼할 수 있다.

제839조의 2(재산분할청구권) ① 협의상 이혼한 자의 일방은 다른 일방에 대하여 재산분할을 청구할 수 있다.

② 제1항의 재산분할에 관하여 협의가 되지 아니하거나 협의할 수 없는 때에는 가정법원은 당사

51) 형성판결에 해당될 경우 확정판결일, 이행판결에 해당될 경우 등기일

자의 청구에 의하여 당사자 쌍방의 협력으로 이룩한 재산의 액수 기타 사정을 참작하여 분할의 액수와 방법을 정한다.

③ 제1항의 재산분할청구권은 이혼한 날부터 2년을 경과한 때에는 소멸한다.

제840조(재판상 이혼원인) 부부의 일방은 다음 각 호의 사유가 있는 경우에는 가정법원에 이혼을 청구할 수 있다.

1. 배우자에 부정한 행위가 있었을 때 2. 배우자가 악의로 다른 일방을 유기한 때 3. 배우자 또는 그 직계존속으로부터 심히 부당한 대우를 받았을 때 4. 자기의 직계존속이 배우자로부터 심히 부당한 대우를 받았을 때 5. 배우자의 생사가 3년 이상 분명하지 아니한 때 6. 기타 혼인을 계속하기 어려운 중대한 사유가 있을 때

제843조(준용규정) 제806조, 제837조, 제837조의 2 및 제839조의 2의 규정은 재판상 이혼의 경우에 준용한다.

◎ 이혼에 따른 재산분할을 합의해제하고 소유권을 원상회복하는 경우 과세대상이 아님

합의해제가 계약의 소급적 소멸을 목적으로 했다면 그 합의해제로 인하여 매수인 앞으로 이전되었던 부동산의 소유권이 당연히 매도인에게 복귀되는 것이므로 매도인이 원상회복의 방법으로 소유권이전등기를 했다고 하더라도 부동산 취득에 해당하지 않는(대법원 85누1008, 1986.3.25.) 등의 판례를 감안할 때, 이혼에 따른 재산분할을 합의해제하고 분할한 재산의 소유권을 원상회복하는 것은, 취득세 과세대상 부동산을 취득한 것으로 볼 수 없음(지방세운영과-3120, 2015.10.5.).

☞ 소유권이전등기의 원인이었던 계약을 소급적으로 실효시키는 합의해제 약정에 기초하여 소유권이전등기를 말소하는 원상회복조치의 결과로 그 소유권을 취득한 것은 「지방세법」 제6조 제1호의 취득세 과세대상이 되는 부동산취득에 해당하지 아니함(대법원 93누11319, 1993.9.1. 등).

◎ 재산분할 판결 후 분할등기하지 않은 상태에서 재결합시 특례세율 적용 대상이 아님

이혼을 전제로 재산분할 판결을 받은 자가 분할등기를 하지 않은 상태에서 재결합한 후 당초의 재산분할 판결에 기초하여 분할등기를 신청한 경우 이혼으로 인한 공동재산의 청산·분배에 해당되지 않고 이혼 후의 생활유지를 위한 것으로도 볼 수 없어 세율특례 대상이 아님(지방세운영과-1083, 2012.4.9.).

◎ 합의이혼 2년 경과 후 재산분할로 취득한 경우도 비과세대상에 해당

처분청은 협의이혼에 의한 재산분할 청구권은 이혼한 날부터 2년을 경과한 때에는 소멸하는 것이므로(「민법」 제839조의 2 ③), 협의이혼일(2006.6.14.)부터 2년이 경과한 2010.5.7.에 한 재산분할은 취득세 비과세 요건에 부합하지 아니한다고 주장하지만, 「민법」 제839조의 2 제3항에 의한 2년이라는 기간은 협의이혼한 일방이 협의분할에 응하지 아니할 때 사법 판단의 보호를 받지 못하는 제척기간을 의미하는 것이지 소멸시효기간을 의미하는 것은 아니라 할

것이고(대법원 94다17536, 1994.9.9.), 재산분할은 사적자치의 원칙에 의하여 2년이 경과된 시점에서도 언제든지 가능하다 할 것인 바, 청구인이 이 건 아파트를 2년이 지난 후에 취득하였다고 하더라도 이 건 아파트가 협의이혼에 따른 재산분할로 취득한 사실이 확인되는 이상 취득세 비과세 대상에 해당한다 할 것임(조심 2010지0830, 2011.12.30.).

◎ 협의이혼에 따른 재산분할약정을 하면서 부부 사이의 유일한 재산인 부동산을 이전하되 금융기관에 대한 채무를 원고가 인수한 것은 민법 제839조의 2에 따른 재산분할로 인한 취득에 해당되어 비과세 대상이라 할 것임(서울지법 2010구합33993, 2011.4.8.).

◎ (예규) 협의이혼으로 2년경과 후 부동산 취득시 세율특례 적용

「지방세법」 제15조 ① 제6호에서 "「민법」 제834조 및 제839조의 2에 따른 재산분할로 인한 취득"의 경우 세율의 특례적용 대상이라 규정하고 있는 바, 협의이혼하여 2년 이내 재산분할 청구권 또는 법원의 판결을 통하여 취득한 부동산에 대하여는 2년이 경과한 후 재산분할로 취득신고하는 경우라도 세율특례 적용대상(지방세운영과-1043, 2011.3.8.)

※ 법원 판결에 의한 재산분할의 경우 판결채권의 채권시효는 확정일로부터 10년이므로, 10년 이내에 재산이 발견되면 그 재산에 대하여 언제든지 위자료채권을 집행할 수 있음.

2. 원목 생산을 위한 입목의 취득(제15조 ① 7호, 영 제30조 ①)

그 밖의 형식적인 취득 등 특례세율 적용대상을 대통령령에 위임하고 있는데 시행령에서 "벌채하여 원목을 생산하기 위한 입목의 취득"을 규정하고 있다. 이는 2016.1.1. 도입된 내용으로, 종전 규정에 따르면 일반적으로 지상의 임목을 취득하는 경우 취득가격의 2%에 해당하는 세율로 취득세를 과세(법 제6조 제11호, 제7조 제2항)하게 된다. 그런데 입목을 벌채하여 생산한 경우(원목)에 대해서도 과세대상인지 명확하지 않았다.

원목생산용 입목의 경우 취득 후 입목상태가 유지되지 않고 타 재화의 원재료가 된다. 입목의 벌채로 인해 6월 내 과세제외 대상인 원목으로 변경되는데, 입목 이외 他재화의 원재료가 되는 물건에 대하여 취득세를 과세하는 사례가 거의 없다. 이러한 점을 고려하여 벌채 후 원목생산을 목적으로 취득하는 입목의 경우에는 취득세 과세대상에서 제외하도록 개정하였다. 입목에 대한 표준세율이 2%이므로 여기에 중과기준세율을 빼면 사실상 과세대상에서 제외된다. 한편 산림에서 벌채를 위해서는 벌채 허가를 사전에 득해야 하므로 벌채허가를 득하지 않은 경우에는 세율특례를 적용하지 않는다(2016년 행자부 개정법령 적용요령).

◎ (지침) 건축물 원시취득의 취득 무관분 (등록면허세 부동산 소유권보존 세율 적용대상)

등록면허세 소유권보존 등기 세율적용 대상은 건축물 최초 납세의무 성립시점인 원시취득 전에 소유권보존등기 또는 소유권이전등기를 하는 경우 취득과 무관한 등기를 하는 경우로 등록면허세를 납부하고 등기를 하기 위한 것으로 건축물 준공전 타인에 의하여 대위등기하는 경우 등이 이에 해당되고, 건축물 준공 전 등록면허세를 납부하고, 취득시에 「지방세법」 제15조 세율의 특례를 적용하여 종전 취득세분만 납부함. 예를들어 채권자가 채권확보를 위하여 건축 중인 건축물을 대위등기하는 경우 등에 대한 적용세율은 ① 건축물 대위등기시 : 등록면허세 0.8% ⇒ ② 건축물 준공시 : 취득세 2% ⇒ ③ 건축물 소유권이전 : 취득세 4%(지방세운영과-559, 2011.2.8.)

제15조(세율의 특례) 제2항 [舊 취득세율(2%)만 적용]

법 제15조(세율의 특례) ② 다음 각 호의 어느 하나에 해당하는 취득에 대한 취득세는 중과기준세율을 적용하여 계산한 금액을 그 세액으로 한다. 다만, 취득물건이 제13조 제1항에 해당하는 경우에는 중과기준세율의 100분의 300을, 같은 조 제5항에 해당하는 경우에는 중과기준세율의 100분의 500을 각각 적용한다. 〈개정 2010.12.27., 2015.7.24., 2016.12.27.〉

1. 개수로 인한 취득(제11조 제3항에 해당하는 경우는 제외한다). 이 경우 과세표준은 제10조 제3항에 따른다.
2. 제7조 제4항에 따른 선박·차량과 기계장비 및 토지의 가액 증가. 이 경우 과세표준은 제10조 제3항에 따른다.
3. 제7조 제5항에 따른 과점주주의 취득. 이 경우 과세표준은 제10조 제4항에 따른다.
4. 제7조 제6항에 따라 외국인 소유의 취득세 과세대상 물건(차량, 기계장비, 항공기 및 선박만 해당한다)을 임차하여 수입하는 경우의 취득(연부로 취득하는 경우로 한정한다)
5. 제7조 제9항에 따른 시설대여업자의 건설기계 또는 차량 취득
6. 제7조 제10항에 따른 취득대금을 지급한 자의 기계장비 또는 차량 취득. 다만, 기계장비 또는 차량을 취득하면서 기계장비대여업체 또는 운수업체의 명의로 등록하는 경우로 한정한다.
7. 제7조 제14항 본문에 따른 토지의 소유자의 취득
8. 그 밖에 레저시설의 취득 등 대통령령으로 정하는 취득

영 제30조(세율의 특례 대상) ② 법 제15조 제2항 제8호에서 "레저시설의 취득 등 대통령령으로 정하는 취득"이란 다음 각 호의 어느 하나에 해당하는 취득을 말한다. 〈개정 2010.12.30., 2015.12.31.〉

1. 제5조에서 정하는 시설의 취득 2. 무덤과 이에 접속된 부속시설물의 부지로 사용되는 토지로서 지적공부상 지목이 묘지인 토지의 취득

> 3. 법 제9조 제5항 단서에 해당하는 임시건축물의 취득
> 4. 「여신전문금융업법」 제33조 제1항에 따라 건설기계나 차량을 등록한 대여시설이용자가 그 시설대여업자로부터 취득하는 건설기계 또는 차량의 취득
> 5. 건축물을 건축하여 취득하는 경우로서 그 건축물에 대하여 법 제28조 제1항 제1호 가목 또는 나목에 따른 소유권의 보존 등기 또는 소유권의 이전 등기에 대한 등록면허세 납세의무가 성립한 후 제20조에 따른 취득시기가 도래하는 건축물의 취득

건물의 개수로 인한 취득, 선박·차량·기계장비의 종류변경, 토지의 지목변경, 과점주주 취득 등에 대한 취득세율은 중과기준세율(2%)만 적용된다. 세목 통합 이전에 등록세는 해당사항이 없고 취득세만 2% 세율로 과세되던 것이 세목통합에 따라 새롭게 규정한 것이다.

이러한 취득유형의 과세물건이 법 제13조 제1항의 중과대상에 해당하는 경우는 {중과기준세율(2%)} × 3배 또는 5배}의 계산방법으로 산출하게 된다.

1. 개수로 인한 취득(제15조 ② 1호)

취득의 범위에 개수를 포함하고 있다(제6조 1호). 건축법상 대수선, 레저시설, 저장시설 등 '시설'을 수선하는 경우, 승강기 등 '시설물'을 설치하거나 수선하는 경우는 개수로 보아 취득세가 과세된다(제6조 6호). 이러한 유형의 개수는 중과기준세율 2%가 적용된다. 그런데 건축법상 개수라 하더라도 건축물의 면적이 증가하는 경우에는 2% 세율이 적용되지 않고, 원시취득에 따른 표준세율(2.8%)이 적용된다. 또한 건축물의 신축 과정에 부수적으로 수반되는 경우라면 원시취득(세율 2.8%)의 범위에 포함하여 과세된다(법 제15조 ② 7호, 영 제30조 ② 1호의 시설의 취득 참조).

2. 지목변경 등 간주취득에 따른 취득(제15조 ② 2호 및 7호)

일반적인 지목변경 취득세(제7조 ④)뿐 아니라, 2016.1.1.부터 시행한 국토계획법 등 관계 법령에 따른 택지공사가 준공된 토지(대지)에 정원 또는 부속시설물 등을 조성·설치하여 토지의 지목을 사실상 변경하는 것에 대해서도 지목변경 취득세가 과세된다(제7조 ⑭). 지목 변경 취득세에 대해서는 2% 세율로 과세된다.

☞ 법 제7조 제14항 참조

3. 과점주주의 취득(제15조 ② 3호)

과점주주의 주식 간주취득에 대한 세율은 2%가 적용된다. 세목통합 이전에 과점주주 간

주취득은 등록세 부과대상이 아니므로 고유의 취득세율인 2%가 적용되었다. 당시 세율을 세목통합이후 특례세율체계로 편입한 것이다. 법 제15조 제2항의 본문에서 특례세율 적용대상을 열거하면서 사치성 재산인 경우 5배의 세율을 적용한다고 규정하고 있는데, 사치성 재산을 소유하고 있는 법인의 과점주주가 된 경우에도 이러한 중과세율을 적용할 수 있는지 쟁점이 될 수 있지만 세목통합 취지와 과점주주 간주취득세의 특성을 고려할 때 해당 규정을 적용하지 않는 것이 타당하다.

4. 외국인 소유 차량 등의 연부취득(제15조 ② 4호)

외국인 소유의 차량, 기계장비, 항공기 및 선박을 취득하는 경우 일반적인 승계취득과 다르지 않으므로 표준세율(제12조 ①)이 적용된다. 그러나 이러한 과세대상을 연부로 취득하는 경우에는 중과기준세율 2%를 적용한다. 세목통합 이전에 연부취득의 경우 등록을 수반하지 않으므로 2%의 세율이 적용되었는데 세목통합 이후 연부취득도 등록여부와 무관하게 표준세율로 전환되었다.

세목통합 이후 부동산 등기 관련 구 등록세는 취득세로 통합되어 사실상 없어지고, 취득을 수반하지 않는 경우에 한해 등록면허세가 과세되는 것으로 변경되었다. 등록면허세 과세대상으로 '취득을 수반하지 않는 경우'로 한정하면서 이에 대한 예외를 다시 두고 있는데(법 제23조 1호), 그 중 하나가 바로 "외국인 소유 차량 등의 연부취득"이다. 즉 "제7조 제6항에 따라 외국인 소유의 취득세 과세대상 물건(차량 등)을 임차하여 수입하는 경우의 취득(연부취득)"에 대해서는 취득세와 등록면허세를 세목 통합 이전과 같이 취득세와 등록세를 각각 규정하고 있다고 볼 수 있다.

이렇게 외국으로부터의 연부취득에 한해 별도로 규정하는 것은 부동산과 다른 이동성 있는 과세대상물의 성격과 연부취득이라는 특이한 취득행위를 고려하여 세목통합 이후에도 별도의 세율체계를 구현하고 있다고 이해할 수 있다. 따라서 연부취득 시점에는 중과기준세율 2%만 적용하고 사후에 이를 등기·등록하는 경우에 등록면허세가 과세된다.

5. 시설대여업자의 건설기계 또는 차량 취득(제15조 ② 5호)

「여신전문금융업법」에 따른 시설대여업자가 건설기계나 차량의 시설대여를 하는 경우로서 같은 법 제33조 제1항에 따라 대여시설이용자의 명의로 등록하는 경우라도 그 건설기계나 차량은 시설대여업자가 취득한 것으로 본다(법 제7조 ⑨). 이 때 시설대여업자의 건설기계 또는 차량 취득에 대해 2% 중과기준세율이 적용된다. 만약 본인이 차량 등을 직접 취득했다면 표준세율의 취득세(비영업용 승용차의 경우 7%)가 적용되지만, 해당 규정에 따르면 시설대여업자에게 취득세 납세의무를 부여하면서 2%의 중과기준세율이, 등록명의자인 대여시설이용자에게는 등록면허세(비영업용 승용차의 경우 5%)가 각각 과세된다. 한편 기업회계에서는 운용리스와 금융리스를 구분하고 있지만, 지방세인 취득세와 자동차세는 이를 구분하지 않는다(영 제30조 ② 4호의 대여시설이용자가 시설대여업자로부터의 취득과 연계 검토).

6. 운수업체 명의의 취득(제15조 ② 6호)

기계장비나 차량을 기계장비대여업체 또는 운수업체의 명의로 등록하는 경우(영업용으로 등록하는 경우)라도 해당 기계장비나 차량의 구매계약서, 세금계산서, 차주대장(車主臺帳) 등에 비추어 기계장비나 차량의 취득대금을 지급한 자가 따로 있음이 입증되는 경우(지입차량의 취득) 그 기계장비나 차량은 취득대금을 지급한 자가 취득한 것으로 본다(제7조 ⑩). 이 때 취득대금을 지급한 자의 기계장비 또는 차량 취득에 대해서는 중과기준세율 2%를 적용한다.

지입차량의 취득형태를 보면, 개인과 운수업체가 지입계약을 맺고 개인이 실질적으로 차량취득 대금을 지급하고 명의는 운수업체 명의로 취득하는 경우이다. 지방세법 규정대로라면 취득세는 대금을 지급한 개인에게(중과기준세율 2%), 명의자인 운수업체는 등록면허세(영업용 2%)가 과세되어야 한다. 그런데 편의상 운수업체 명의로 표준세율의 취득세(영업용 4%)를 신고납부하는 경우가 있다. 이 경우 과세관청이 세무조사를 통해 개인에게 취득세를 다시 부과한다면 운수업체에게는 등록면허세를 과세하고 기존의 취득세 과세는 취소하고 환급해야 한다. 과세행정만 복잡해지기 때문에 과세관청은 별도의 조치를 취하지 않을 것이다. 한편 운수업체의 명의를 취득대금을 지급한 자의 명의로 변경하는 경우에는 1만5천원의 등록면허세가 관세된다. 그리고 운수업체의 명의를 다른 운수업체의 명의로 변경하는 경우에도 취득세가 과세되지 않고 1만5천원의 등록면허세가 과세된다(법 제28조 ① 3호 다목).

개인이 차량을 먼저 취득하고 운수업체와 지입계약을 맺는 경우도 있다. 이 때 개인은 표준세율의 차량취득세(영업용 4%, 비영업용 화물 5%)를 납부해야 한다. 한편 취득대금을 지급한 자의 명의를 운수업체의 명의로 변경하는 경우에는 운수업체에게 별도의 취득세가 과세되지 않고 1만5천원의 등록면허세만 과세된다(법 제28조 ① 3호 다목).

7. 그 밖에 특례세율(舊 취득세율) 대상 취득(제15조 ② 7호)

1) 시설의 취득(영 제30조 ② 1호)

레저시설, 급배수시설 등 시설(법 제5조)의 취득에 대해서는 중과기준세율 2%가 적용된다. 한편 엘리베이터 등 "시설물"의 설치 또는 수선은 개수로 보며, 개수에 대해서도 중과기준세율인 2%가 적용된다(제15조 ② 1호). 시설이나 시설물의 취득이 건축물의 신축 과정에 부수적으로 수반되는 경우라면 원시취득(세율 2.8%)의 범위에 포함하여 과세된다.

2) 묘지의 취득(영 제30조 ② 2호)

무덤과 이에 접속된 부속시설물의 부지로 사용되는 토지로서 지적공부상 지목이 묘지인 토지의 취득에 대해 중과기준세율 2%가 적용된다.

3) 임시건축물의 취득(영 제30조 ② 3호)

임시흥행장, 공사현장사무소 등 존속기간이 1년을 초과하는 임시건축물의 취득에 대하여는 중과기준세율 2%가 적용된다.

4) 대여시설이용자가 시설대여업자로부터의 취득(영 제30조 ② 4호)

대여시설이용자가 여신전문금융업법에 따라 차량을 이용하는 경우 당초 자신의 이름으로 등록하면서 등록면허세 5%를 납부하였고, 시설대여업자가 2%를 부담하였는데, 이후 대여시설이용자가 시설대여업자로부터 완전히 소유권을 이전해오는 경우 2%의 취득세율이 부과된다. 이 시점에서 일반적인 취득으로 전환되는데 당초 여신전문금융업법에 따라 차량을 이용하면서 등록면허세에 해당하는 세율을 납부하였기 때문에 그 차액만 납부하는 것으로 볼 수 있다. 시설대여업자가 취득하여 이용자에게 다시 이전해준 것으로 본다면 시설대여업자에게 완전한 취득세가 과세되어야 하고, 반면 이용자의 취득으로 본다면 시설대여업자의 취득은 완전한 취득이라 할 수 없는데, 여신전문금융업법에 따라 차량 취득에 대하여 정책적으로 특이한 과세체계를 구현하고 있다.

5) 건축중인 건축물의 취득 등(영 제30조 ② 5호)

건축물을 건축하던 중 건축주의 채무로 인해 채권자가 채권행사를 위해 해당 건축물에 대해 경매가 진행되고, 이를 통해 공사 진행 중인 건축물과 그 부속토지의 소유권이 제3자에게 귀속될 수 있다. 여기서 그치지 않고 제3자가 경매로 취득한 건축물을 추가 공사를 통해 완성하는 과정을 거치게 된다. 이와 같이 건축물이 완공되지 않은 상태에서 소유권 이전행위가 수반되는 경우 신축 건축물의 원시취득 판단, 등록면허세 세율 적용, 토지취득분에 대한 세율적용, 주택을 취득하는 경우 주택 유상거래 특례세율 적용 여부 등 세율 적용상 다양한 쟁점이 나타나고, 나아가 과세표준 적용문제까지 취득유형에 따라 살펴봐야한다(대법원 2018두67442 등 참고).

채권자가 건축주(채무자)를 상대로 채권행사를 위해서는 먼저 건축중인 건축물이지만 보존등기(대위등기)를 이행하여야 한다. 이 때 건축물이 준공되지 아니하였기 때문에 원시취득의 시기가 도래했다고 볼 수 없다. 해당 건축물에 대해서는 취득을 수반하지 않기 때문에 건축주를 납세의무자로 하여 소유권 보존 등기에 따른 등록면허세(0.8%)가 과세된다(제28조 ① 1호 가목). 과세표준은 납세자가 정당한 과표를 제출하지 않는다면 시가표준액이 적용되어야할 것이다.

이후 해당 건축물(토지제외)을 제3자가 낙찰받아 등기를 하게되면 유상 승계취득이지만 미완성 건축물이기 때문에 취득세가 과세되지 않는다. 취득을 수반하지 않는 건축물의 이전에 따른 등록면허세[제28조 ① 1호 나목 1)] 2%가 적용된다.

경매과정에서 건축중인 건축물뿐 아니라 부속토지까지 함께 낙찰되는 경우가 있을 수 있다. 부속토지는 지상건축물과 별개의 독립적인 과세대상물로 볼 수 있는데, 유상 승계취득으로 보아 4% 세율이 적용된다. 그런데 그 토지가 건축중인 주택의 부속토지라면 주택유상거래 특례세율이 적용될 수 있는가? 앞서 건축 중인 건축물의 경매취득에 따른 이전은 등록면허세(2%)만 과세된다고 하였다. 주택을 건축 중인 과정에서 경매가 진행된 경우 그 건축물은 취득세 과세대상이 될 수 없으므로, 경매에 따른 이전시 주택여부(주택 유상거래 특례세율)를 고려할 필요가 없다. 건축물 부분은 미완성이기 때문에 등록면허세(2%)만 과세되고, 부속토지는 주택이 미완성이기 때문에 주택부속토지가 될 수 없어 표준세율 4%가 적용된다.

경매 이후 낙찰자가 나머지 건축공사를 완료하면 건축물의 원시취득 시기가 도래하게 되는데, 이때 원시취득에 따른 표준세율(2.8%)이 적용되는 것이 아니라 2%가 적용된다(법 제15조 ① 7호, 영 제30조 ② 5호). 애초 건축중인 건축물에 대해 대위등기시 0.8% 등록면허세가 과세된 점을 반영한 것으로 이해할 수 있다. 해당 건축물의 준공과정에서 비록 0.8%(보존・대위 등기)와 2%로 분리되긴 했지만 결과적으로 원시취득에 대해서는 2.8%의 세율이 적용되었다고 볼 수 있다.

| 건축중인 건축물 경매취득 과정의 적용세율 |

구 분	건축물 보존등기	경매		공사완공 (원시취득)
		건축물	부속토지	
납세의무자	기존 건축주	낙찰자	낙찰자	낙찰자
세목 세율	등록면허세 0.8%	등록면허세 2%	취득세 4%	취득세 2%

| 최근 개정법령 _ 2017.1.1. | 택지 지목변경에 따른 취득세 특례적용 명확화(법 제15조 ② 2호)

택지에서 대지로 사실상 지목을 변경한 경우에는 세율특례가 적용되는지 구체적으로 규정되어 있지 않았다. 그에 따라 택지에서 대지로 변경되어 간주취득세가 부과되는 경우는 지목변경 취득세율 특례(2%세율 적용, 지목변경의 경우, 등기대상에 해당하지 않으므로 구 등록세분 과세제외) 대상임을 명확히 하였다.

제16조(세율 적용)

법 제16조(세율 적용) ① 토지나 건축물을 취득한 후 5년 이내에 해당 토지나 건축물이 다음 각 호의 어느 하나에 해당하게 된 경우에는 해당 각 호에서 인용한 조항에 규정된 세율을 적용하여 취득세를 추징한다. 〈개정 2010.12.27.〉

1. 제13조 제1항에 따른 본점이나 주사무소의 사업용 부동산(본점 또는 주사무소용 건축물을 신축하거나 증축하는 경우와 그 부속토지만 해당한다)
2. 제13조 제1항에 따른 공장의 신설용 또는 증설용 부동산
3. 제13조 제5항에 따른 별장, 골프장, 고급주택 또는 고급오락장

② 고급주택, 별장, 골프장 또는 고급오락장용 건축물을 증축·개축 또는 개수한 경우와 일반건축물을 증축·개축 또는 개수하여 고급주택 또는 고급오락장이 된 경우에 그 증가되는 건축물의 가액에 대하여 적용할 취득세의 세율은 제13조 제5항에 따른 세율로 한다. 〈개정 2010.12.27.〉

③ 제13조 제1항에 따른 공장 신설 또는 증설의 경우에 사업용 과세물건의 소유자와 공장을 신설하거나 증설한 자가 다를 때에는 그 사업용 과세물건의 소유자가 공장을 신설하거나 증설한 것으로 보아 같은 항의 세율을 적용한다. 다만, 취득일부터 공장 신설 또는 증설을 시작한 날까지의 기간이 5년이 지난 사업용 과세물건은 제외한다.

④ 취득한 부동산이 대통령령으로 정하는 기간에 제13조 제2항에 따른 과세대상이 되는 경우에는 같은 항의 세율을 적용하여 취득세를 추징한다.

⑤ 같은 취득물건에 대하여 둘 이상의 세율이 해당되는 경우에는 그중 높은 세율을 적용한다.

⑥ 취득한 부동산이 다음 각 호의 어느 하나에 해당하는 경우에는 제5항에도 불구하고 다음 각

호의 세율을 적용하여 취득세를 추징한다.
1. 제1항 제1호 또는 제2호와 제4항이 동시에 적용되는 경우 : 제13조 제6항의 세율
2. 제1항 제3호와 제13조의 2 제1항 또는 같은 조 제2항이 동시에 적용되는 경우 : 제13조의 2 제3항의 세율

영 제31조(대도시 부동산 취득의 중과세 추징기간) 법 제16조 제4항에서 "대통령령으로 정하는 기간"이란 부동산을 취득한 날부터 5년 이내를 말한다.

토지나 건축물을 취득한 후 5년 이내에 중과대상이 된 경우에는 중과세율을 적용하여 취득세를 추징한다.

| 참고_세율 적용 구분 |

• 토지나 건축물을 취득 후 5년 이내에 중과대상이 된 경우	• 중과세율 적용 추징
• 고급주택, 별장, 골프장 또는 고급오락장용 건축물의 증·개축, 개수 • 일반건축물의 증·개축, 개수로 고급주택 또는 고급오락장이 된 경우	• 증가되는 건축물의 가액에 대하여 중과세율 적용
• 사업용 과세물건 소유자와 공장 신·증설한 자가 다를 경우(취득일부터 5년 이내 공장 신·증설에 한함)	• 사업용 과세물건의 소유자가 공장을 신·증설한 것으로 보아 중과세율 적용
• 취득한 부동산이 5년 이내에 중과대상이 된 경우	• 중과세율 적용 추징
• 같은 취득물건에 둘 이상의 세율이 해당되는 경우	• 그 중 높은 세율 적용

제17조(면세점)

법 제17조(면세점) ① 취득가액이 50만원 이하일 때에는 취득세를 부과하지 아니한다.
② 토지나 건축물을 취득한 자가 그 취득한 날부터 1년 이내에 그에 인접한 토지나 건축물을 취득한 경우에는 각각 그 전후의 취득에 관한 토지나 건축물의 취득을 1건의 토지 취득 또는 1구의 건축물 취득으로 보아 제1항을 적용한다.

취득가액이 50만원 이하인 경우에는 취득세가 과세되지 않는다. 한편 취득을 수반하는 취득임에도 등록면허세는 과세된다(법 제23조 1호 라목).

◎ **상속인 각자가 상속받은 과세물건 지분의 취득가액이 50만원 이하시 부과대상 아님**

지방세법 제105조 제9항 규정에 의하여 상속으로 인하여 취득하는 경우에는 상속인 각자가 상속받는 과세물건(지분을 취득하는 경우에는 그 지분에 해당하는 과세물건을 말함)을 취득한 것으로 보는 것이므로 귀 문의 경우 상속인 각자가 상속받는 지분에 대하여 지방세법 제111조 제2항 규정에 의한 그 취득가액이 50만원 이하인 때에는 동법 제113조 제1항 규정에 의하여 취득세를 부과하지 아니함(세정 13407-954, 2000.7.31.).

◎ **과점주주의 간주취득에 있어 소재지별로 간주취득가액이 50만원 이하일 경우 면세대상**

지방세법 제113조 규정에 따라 취득가액이 50만원 이하인 때에는 취득세를 부과하지 아니하므로 과점주주의 간주취득에 있어 소재지별로 간주 취득가액이 50만원 이하일 경우에는 면세점에 해당되어 취득세를 부과하지 아니함(세정 13407-596, 1997.6.9.).

제3절 부과 · 징수

제18조(징수방법)~제19조(통보 등)

법 제18조(징수방법) 취득세의 징수는 신고납부의 방법으로 한다.

제19조(통보 등) 다음 각 호의 자는 취득세 과세물건을 매각(연부로 매각한 것을 포함한다)하면 매각일부터 30일 이내에 대통령령으로 정하는 바에 따라 그 물건 소재지를 관할하는 지방자치단체의 장에게 통보하거나 신고하여야 한다. 〈개정 2015.7.24.〉

1. 국가, 지방또는 지방자치단체조합
2. 국가 또는 지방자치단체의 투자기관(재투자기관을 포함한다)
3. 삭제 〈2015.7.24.〉
4. 그 밖에 제1호 및 제2호에 준하는 기관 및 단체로서 대통령령으로 정하는 자

영 제32조(매각 통보 등) ① 법 제19조에 따른 매각 통보 또는 신고는 행정안전부령으로 정하는 서식에 따라 물건의 소재지를 관할하는 시장 · 군수 · 구청장에게 통보하거나 신고하여야 한다.

② 시장 · 군수 · 구청장이 과점주주에 대한 취득세를 부과하기 위하여 관할 세무서장에게 「법인세법 시행령」 제161조 제6항에 따른 법인의 주식등변동상황명세서에 관한 자료의 열람을 요청하거나 구체적으로 그 대상을 밝혀 관련 자료를 요청하는 경우에는 관할 세무서장은 특별한 사유가 없으면 그 요청에 따라야 한다.

③ 시장 · 군수 · 구청장이 법 제13조 제2항에 따라 취득세를 중과하기 위하여 관할 세무서장에게 「부가가치세법 시행령」 제11조에 따른 법인의 지점 또는 분사무소의 사업자등록신청 관련 자료의 열람을 요청하거나 구체적으로 그 대상을 밝혀 관련 자료를 요청하는 경우에는 관할 세무서장은 특별한 사유가 없으면 그 요청에 따라야 한다. 〈개정 2013.6.28.〉

규칙 제8조(매각통보) 영 제32조 제1항에 따른 취득세 과세물건의 매각 통보 또는 신고는 별지 제2호 서식에 따른다.

취득세의 징수는 신고납부의 방법으로 한다. 또한 국가, 지방자치단체, 법인 등이 취득세 과세물건을 매각하면 매각일로부터 30일 이내에 그 물건소재지 지방자치단체에 매각내용을 통보하여야 한다.

제20조(신고 및 납부) 제1항~제3항

법 제20조(신고 및 납부) ① 취득세 과세물건을 취득한 자는 그 취득한 날(「국토의 계획 및 이용에 관한 법률」 제117조 제1항에 따른 토지거래계약에 관한 허가구역에 있는 토지를 취득하는 경우로서 같은 법 제118조에 따른 토지거래계약에 관한 허가를 받기 전에 거래대금을 완납한 경우에는 그 허가일이나 허가구역의 지정 해제일 또는 축소일을 말한다[52]))부터 60일[상속으로 인한 경우는 상속개시일이 속하는 달의 말일부터, 실종으로 인한 경우는 실종선고일이 속하는 달의 말일부터 각각 6개월(외국에 주소를 둔 상속인이 있는 경우에는 각각 9개월)] 이내에 그 과세표준에 제11조부터 제15조까지의 세율을 적용하여 산출한 세액을 대통령령으로 정하는 바에 따라 신고하고 납부하여야 한다. 〈개정 2011.12.31., 2014.1.1., 2016.12.27.〉

② 취득세 과세물건을 취득한 후에 그 과세물건이 제13조 제1항부터 제7항까지의 세율의 적용대상이 되었을 때에는 대통령령으로 정하는 날부터 60일 이내에 제13조 제1항부터 제7항까지의 세율(제16조 제6항 제2호에 해당하는 경우에는 제13조의 2 제3항의 세율)을 적용하여 산출한 세액에서 이미 납부한 세액(가산세는 제외한다)을 공제한 금액을 세액으로 하여 대통령령으로 정하는 바에 따라 신고하고 납부하여야 한다.

③ 이 법 또는 다른 법령에 따라 취득세를 비과세, 과세면제 또는 경감받은 후에 해당 과세물건이 취득세 부과대상 또는 추징 대상이 되었을 때에는 제1항에도 불구하고 그 사유 발생일부터 60일 이내에 해당 과세표준에 제11조부터 제15조까지의 세율을 적용하여 산출한 세액[경감받은 경우에는 이미 납부한 세액(가산세는 제외한다)을 공제한 세액을 말한다]을 대통령령으로 정하는 바에 따라 신고하고 납부하여야 한다.

영 제33조(신고 및 납부) ① 법 제20조 제1항부터 제3항까지의 규정에 따라 취득세를 신고하려는 자는 행정안전부령으로 정하는 신고서에 취득물건, 취득일 및 용도 등을 적어 납세지를 관할하는 시장 · 군수 · 구청장에게 신고하여야 한다.

② 삭제 〈2011.12.31.〉

③ 지방자치단체의 금고 또는 지방세수납대행기관(「지방회계법 시행령」 제49조 제1항 및 제2항에 따라 지방자치단체 금고업무의 일부를 대행하는 금융회사 등을 말한다. 이하 같다)은 취득세를 납부받으면 납세자 보관용 영수필 통지서, 취득세 영수필 통지서(등기 · 등록관서의 시 · 군 · 구 통보용) 및 취득세 영수필 확인서 각 1부를 납세자에게 내주고, 지체 없이 취득세 영수필 통지서(시 · 군 · 구 보관용) 1부를 해당 시 · 군 · 구의 세입징수관에게 송부하여야 한다. 다만, 「전자정부법」 제36조 제1항에 따라 행정기관 간에 취득세 납부사실을 전자적으로 확인할 수 있는 경우에는 납세자에게 납세자 보관용 영수필 통지서를 교부하는 것으로 갈음할 수 있다. 〈개정 2011.12.31.〉

규칙 제9조(신고 및 납부) ① 영 제33조 제1항에 따라 취득세를 신고하려는 자는 별지 제3호 서식의 취득세신고서(주택 취득을 원인으로 신고하려는 경우에는 부표를 포함한다)에 제1호의 서류 및 제2호부터 제5호까지의 서류 중 해당되는 서류를 첨부하여 납세지를 관할하는 시장 · 군수 · 구청장에게 신고해야 한다.

1. 매매계약서, 증여계약서, 부동산거래계약 신고필증 또는 법인 장부 등 취득가액 및 취득일 등을 증명할 수 있는 서류 사본 1부
2. 「지방세특례제한법 시행규칙」 별지 제1호 서식의 지방세 감면 신청서 1부
3. 별지 제4호 서식의 취득세 납부서 납세자 보관용 영수증 사본 1부
4. 별지 제8호 서식의 취득세 비과세 확인서 1부
5. 근로소득 원천징수영수증 또는 소득금액증명원 1부

② 법 제20조 제1항에 따른 취득세의 납부는 별지 제4호 서식에 따른다.

③ 「부동산등기법」 제28조에 따라 채권자대위권에 의한 등기신청을 하려는 채권자가 법 제20조 제5항 전단에 따라 납세의무자를 대위하여 부동산의 취득에 대한 취득세를 신고납부한 경우에는 「지방세징수법 시행규칙」 별지 제20호 서식의 취득세(등록면허세) 납부확인서를 발급받을 수 있다.

영 제34조(중과세 대상 재산의 신고 및 납부) 법 제20조 제2항에서 "대통령령으로 정하는 날"이란 다음 각 호의 구분에 따른 날을 말한다. 〈개정 2010.12.30.〉

1. 법 제13조 제1항에 따른 본점 또는 주사무소의 사업용 부동산을 취득한 경우 : 사무소로 최초로 사용한 날
2. 법 제13조 제1항에 따른 공장의 신설 또는 증설을 위하여 사업용 과세물건을 취득하거나 같은 조 제2항 제2호에 따른 공장의 신설 또는 증설에 따라 부동산을 취득한 경우 : 그 생산설비를 설치한 날. 다만, 그 이전에 영업허가 · 인가 등을 받은 경우에는 영업허가 · 인가 등을 받은 날로 한다.
3. 법 제13조 제2항 제1호에 따른 부동산 취득이 다음 각 목의 어느 하나에 해당하는 경우 : 해당 사무소 또는 사업장을 사실상 설치한 날
   가. 대도시에서 법인을 설립하는 경우
   나. 대도시에서 법인의 지점 또는 분사무소를 설치하는 경우
   다. 대도시 밖에서 법인의 본점 · 주사무소 · 지점 또는 분사무소를 대도시로 전입하는 경우
4. 법 제13조 제2항 각 호 외의 부분 단서에 따라 대도시 중과 제외 업종에 직접 사용할 목적으로 부동산을 취득하거나, 법인이 사원에 대한 분양 또는 임대용으로 직접 사용할 목적으로 사원 주거용 목적 부동산을 취득한 후 법 제13조 제3항 각 호의 어느 하나에 해당하는 사유가 발생하여 법 제13조 제2항 각 호 외의 부분 본문을 적용받게 되는 경우에는 그 사유가 발생한 날
5. 법 제13조 제5항에 따른 별장 · 골프장 · 고급주택 · 고급오락장 및 고급선박을 취득한 경우 : 다음 각 목의 구분에 따른 날
   가. 건축물을 증축하거나 개축하여 별장 또는 고급주택이 된 경우 : 그 증축 또는 개축의 사용승인서 발급일. 다만, 그 밖의 사유로 별장이나 고급주택이 된 경우에는 그 사유가 발생한 날로 한다.
   나. 골프장 : 「체육시설의 설치 · 이용에 관한 법률」에 따라 체육시설업으로 등록(변경등록을 포함한다)한 날. 다만, 등록을 하기 전에 사실상 골프장으로 사용하는 경우 그 부분에 대해

서는 사실상 사용한 날로 한다.

다. 건축물의 사용승인서 발급일 이후에 관계 법령에 따라 고급오락장이 된 경우 : 그 대상 업종의 영업허가 · 인가 등을 받은 날. 다만, 영업허가 · 인가 등을 받지 아니하고 고급오락장이 된 경우에는 고급오락장 영업을 사실상 시작한 날로 한다.

라. 선박의 종류를 변경하여 고급선박이 된 경우 : 사실상 선박의 종류를 변경한 날

취득세의 신고 · 납부 시기는 2011년 취득세와 등록세의 통합에 따라 짧은기간 한꺼번에 세금을 납부하게 되어 납세자의 부담이 증가하게 되었다. 이에 대해 신고납부기간을 취득 후 30일에서 60일로 연장하여 기간이익을 확대하였다. 취득세 과세물건을 취득한 후에 그 과세물건이 취득세 중과세 대상이 된 경우 또는 감면신청한 이후 감면요건이 소멸된 경우, 감면신청에 따른 유예기간이 경과된 그 시점부터 60일 이내(2019년부터 30일에서 60일로 연장)에 신고납부하여야 한다.

납세자가 취득과 동시에 감면신청을 하는 경우 취득세 신고서 외에 감면신청서를 추가로 작성하여 제출하여야 한다. 한편 신청인이 제출한 지방세감면신청서 및 관련된 구비서류만으로 취득세액 등을 확정할 수 있다면, 별도의 지방세신고서가 없다고 하더라도 취득세 자진신고를 한 것으로 볼 수 있다(법제처 08-0003, 2008.4.2.).

◎ 무상취득시 감정평가금액으로 취득 신고시 신고서 반려 여부

취득세는 납세의무자의 신고에 의하여 과세표준과 세액이 확정되므로 신고행위 자체를 거부할 수 없으므로 취득가액을 감정평가액으로 신고하는 경우라도 신고서를 반려할 수 없음(신고납세절차의 편의를 위하여 원래 납세자가 작성하여야 할 취득세의 취득신고 및 납부세액 계산서나 납부서에 조세공무원이 납세자의 동의를 전제로 세액 등을 대신 기재할 수 있도록 한 것에 불과함(대법원 98두16163)(지방세운영과-2641, 2016.10.17.).

| 최근 개정법령 _ 2017.1.1. | 외국거주 공동상속인 취득세 신고납부기한 특례 완화(법 제20조 ①)

상속인이 외국에 거주하는 경우 상속분할협의 등 일정을 감안하여 상속 취득세 신고납부기한 특례(일반상속 6개월 → 외국 거주 9개월)를 적용하고 있다. 그런데 상속인 전원이 외국에 거주하는 경우에만 적용되어 상속인 일부가 외국에 거주하는 경우에는 특례 취지에도 불구하고 제외되는 문제가 있었다. 그에 따라 공동상속인 일부가 외국에 거주하더라도 신고납부기한의 특례를 적용할 수 있도록 조건을 완화하였다.

---

52) 토지거래허가구역 내에서 토지거래계약에 관한 허가를 받기 전에 거래대금을 완납한 경우에는 그 허가일이나 허가구역의 지정 해제일 또는 축소일을 취득세 신고납부기산일로 명확히 하였다. (2014.1.1. 시행)

1. 신고 및 납부

◎ 법원의 이행판결에 따른 취득신고는 일반적인 경우와 달리 그 일부에 대해서도 신고가능

취득세는 신고납부 세목임에도 불구하고 그 신고는 원칙적으로 매매계약서 등에 따른 계약별로 하는 것이 타당하다고 판단됨. 다만, 대법원 등기선례 6-113(1999.3.9. 등기 3402-238 질의회답)에 따르면, 1필의 토지 전부에 대해 소유권이전등기 절차이행을 명하는 확정판결을 원인서면으로 첨부하여 그 토지의 1/3지분에 대한 이전등기를 경료 받는 것도 가능하므로 이행판결에 따른 취득신고는 일반적인 경우와 달리 그 일부에 대해서만 하는 것도 가능하다고 판단됨(지방세운영과-1344, 2013.7.2.).

◎ 실종선고에 따른 상속의 경우 취득세 신고납부기한은 실종선고일로부터 6개월 이내

실종선고를 받은 자는 생사가 불분명한 지 5년이 경과한 날 사망한 것으로 간주하며(민법 제28조), 상속으로 인한 취득의 취득시기는 상속개시일이라고 규정하고 있으므로 2005.9.28. 실종되고 2011.9.17. 실종선고가 되었다면, 2005.9.28.부터 5년이 경과한 날 사망한 것으로 간주되며, 상속인의 취득시기는 지방세법 시행령 제20조 제1항에 따라 2005.9.28.부터 5년이 경과한 날 즉, 사망 간주일이 되는 것임. 다만, 실종선고의 특수성 등을 감안하여 취득세 신고납부는 실종선고일로부터 6개월 이내에 하면 됨(지방세운영과-4926, 2011.10.20.).

◎ 골프장 입목의 취득시기를 토지의 지목변경에 따른 취득시기와 달리 볼 수는 없음

골프장용 토지(지목변경), 입목 등에 대하여 2010.12.31.을 취득시기로 취득세 과세표준을 신고하였으나 과세관청이 골프장을 사실상 사용되고 있다고 볼 수 없어 취득시기가 도래하지 않았다 하더라도 골프장의 입목은 2010.12.31. 식재가 모두 완료되어 취득시기가 도래하였으므로, 적어도 입목의 취득가액에 대해서는 표준세율이 적용되어야 한다고 주장하나, 입목의 취득가액도 토지의 지목변경으로 인한 가액증가에 소요된 비용으로서 지목변경에 의한 간주취득의 과세표준에 포함된다고 할 것이므로 그것만을 따로 떼어내 취득시기를 달리 취급할 것은 아님(대법원 2013두26996, 2014.4.10.).

☞ 골프장 조성에 따른 토지의 지목변경에 의한 간주취득의 시기는 전·답·임야에 대한 산림훼손(임목의 벌채 등), 형질변경(절토, 성토, 벽공사 등), 농지전용 등의 공사뿐만 아니라 잔디의 파종 및 식재, 수목의 이식, 조경작업 등과 같은 골프장으로서의 효용에 공하는 모든 공사를 완료하여 골프장 조성공사가 준공됨으로써 체육용지로 지목변경이 되는 때이므로, 토목공사는 물론 잔디 파종 및 식재비용, 임목의 이식비용 등 골프장 조성에 들인 비용은 모두 토지의 지목변경으로 인한 가액증가에 소요된 비용으로서 지목변경에 의한 간주취득의 과세표준에 포함되고, 또한 중과세율이 적용되어야 함(대법원 99두9919, 2001.7.27. 등 참조).

◎ 토지거래허가구역 내의 토지취득에 따른 취득세는 토지거래허가일을 기준으로 신고납부하여야 하므로 가산세를 부과할 수 없음

구 지방세법 시행령 제73조 제1항 각 호에서 취득시기로 정한 사실상 또는 계약상 잔금지급일이 도래하였다고 하더라도 그 매매계약이 확정적으로 유효하게 되었다고 할 수 없으므로 취득세 신고 · 납부의무가 있다고 할 수 없고, 그 후 토지거래허가를 받거나 토지거래허가구역 지정이 해제되는 등의 사유로 그 매매계약이 확정적으로 유효하게 되었을 때 비로소 취득세 신고 · 납부의무가 있다고 할 것(대법원 2012두16695, 2012.11.29. 참조)이므로, 구 지방세법 제120조 제1항에 따른 취득세 신고 · 납부는 그때부터 30일 이내에 하면 됨(대법원 2012두20984, 2014.4.10.).

☞ 이 후 관련내용이 세법에 반영되었음(법 제20조 ①, 2014.1.1. 개정).

2. 납세자의 신고를 거부한 경우

취득세는 납세의무자의 신고에 의하여 과세표준과 세액이 확정되므로 신고행위 자체를 거부할 수 없다. 그런데 납세자가 납세의무가 성립하지 않은 사안에 대해 신고를 한 경우 과세관청이 신고를 거부하였다면 그 거부행위에 대해 처분성이 없는 것일까? 법원은 아래와 같이 처분성을 인정하였다.

거부처분의 처분성을 인정하기 위한 전제요건이 되는 신청권의 존부는 구체적 사건에서 신청인이 누구인가를 고려하지 않고 관계 법규의 해석에 의하여 일반 국민에게 그러한 신청권을 인정하고 있는가를 살펴 추상적으로 결정되는 것이다. 신청인이 그 신청에 따른 단순한 응답을 받을 권리를 넘어서 신청의 인용이라는 만족적 결과를 얻을 권리를 의미하는 것은 아니라고 할 것이다. 따라서 국민이 어떤 신청을 한 경우에 그 신청의 근거가 된 조항의 해석상 행정발동에 대한 개인의 신청권을 인정하고 있다고 보이면 그 거부행위는 항고소송의 대상이 되는 처분으로 보아야 할 것이다. 구체적으로 그 신청이 인용될 수 있는가 하는 점은 본안에서 판단하여야 할 사항이다(대법원 95누12460, 2007두20638 등). 지방세법 제20조 등에서 원고에게 신청권을 인정하고 있는바, 이에 대한 거부처분은 처분성이 있다고 할 것이므로 거부처분은 항고소송의 대상이 되는 행정처분에 해당한다.

납세자가 취득세를 신고하였으나 취득시기 미도래를 이유로 처분청이 반려한 것은 행정처분에는 해당하지만, 본안에서 거부처분은 정당하다고 판단하였다(대법원 2013두26996, 2014.4.10.). 납세의무성립시기가 도래하지 않는 경우 과세관청은 신고를 거부할 수 있지만, 현실적으로 그렇지 않은 경우가 있을 수 있다. 취득의 시기가 도래하지 않더라도 등기등록을 하게 되면 취득의 시기가 도래하게 된다. 납세자가 등기를 위해 신고서를 제출하고 납부서를 요청하면 이를 회피할 수 없기 때문이다.

◎ 골프장용 토지(지목변경), 입목 등에 대하여 2010.12.31.을 취득시기로 취득세 과세표준을 신고하였으나 과세관청이 취득시기가 도래하지 않았다는 이유로 반려한 것은 적법함

① 2011.1.25. 당시, 잔디의 파종 여부는 제대로 확인할 수 없었고, 곳곳에 있는 웅덩이에는 모래가 담겨진 뭉치가 적재되어 있었으며, 클럽하우스, 직원숙소, 그늘막(2개소)은 공사 중이었으며, 주차장 시설은 없었음, 2011.5.4. 당시, 아직도 공사가 진행 중이었고, 잔디 생육상태가 좋지 않아 시범라운딩을 하지 않았던 점, 2011년 3월부터 캐디 교육을 실시하고, 직원모집을 안내한 사실 ⑥ 2011.6.10.부터 회원들을 상대로 그린피와 카트비용은 무료, 식사를 1회 제공하는 초청라운딩 기간을 거친 뒤 2011.6.24. 개장하고 운영을 시작함 ⑦ 2011.8.8.에 체육시설업으로 조건부 등록이 수리된 사실, … 지목이 사실상 변경되었다고 주장하는 2010.12.31. 당시 사실상 사용되고 있었다고 볼 수는 없으므로, 취득세 자진신고 반려처분은 적법함(대법원 2013두26996, 2014.4.10.).

3. 신고납부에 대한 당연무효의 판단

신고납세방식을 채택하고 있는 취득세에 있어서 과세관청이 납세의무자의 신고에 의하여 취득세의 납세의무가 확정된 것으로 보고 그 이행을 명하는 징수처분으로 나아간 경우, 납세의무자의 신고행위에 하자가 존재하더라도 그 하자가 당연무효 사유에 해당하지 않는 한 그 하자가 후행처분인 징수처분에 그대로 승계되지는 않는다.

2011년 이전까지는 취득세 신고행위 자체에 처분성을 인정하였다. 신고행위에 착오가 있는 경우에는 일정기간 이내에 불복청구를 제기해야 했다. 불복청구기간이 경과하면 납세자에게는 권리구제 수단이 없었다. 이 경우 납세자가 돈을 돌려받기 위한 수단으로 취득세 신고행위 자체가 무효임을 구하는 소송을 제기할 수밖에 없다.

이 때 납세의무자의 신고행위의 하자가 중대하고 명백하여 당연무효에 해당하는지 여부에 대해 법원은 신고행위의 근거가 되는 법규의 목적, 의미, 기능 및 하자 있는 신고행위에 대한 법적 구제수단 등을 목적론적으로 고찰함과 동시에 신고행위에 이르게 된 구체적 사정을 개별적으로 파악하여 합리적으로 판단하여야 한다(대법원 2005두14394, 2006다81257 등)고 보았다.

한편 현재는 경정청구제도가 도입되었기 때문에 신고에 대해 착오가 있는 경우 경정청구를 하고, 과세관청이 이를 거부하면 절차에 따라 불복청구 제도를 진행하면 된다. 따라서 신고행위 자체에 대해서 특별한 사정이 없다면 무효를 구하는 소송은 나타나지 않는 것이 일반적이다.

☞ 지방세기본법 제58조 관련 내용 참고

◎ 그 납부행위는 신고에 의하여 확정된 구체적 납세의무의 이행으로 하는 것이며 국가나 지방자치단체는 그와 같이 확정된 조세채권에 기하여 납부된 세액을 보유하는 것이므로, 납세의무자의 신고행위가 중대하고 명백한 하자로 인하여 당연무효로 되지 아니하는 한 그것이 바로 부당이득에 해당한다고 할 수 없고, 여기에서 신고행위의 하자가 중대하고 명백하여 당연무효에 해당하는지의 여부에 대하여는 신고행위의 근거가 되는 법규의 목적, 의미, 기능 및 하자 있는 신고행위에 대한 법적 구제수단 등을 목적론적으로 고찰함과 동시에 신고행위에 이르게 된 구체적 사정을 개별적으로 파악하여 합리적으로 판단하여야 할 것임(대법원 99다11618, 2001.4.27.).

☞ 현재와 같이 취득세 경정청구 제도(2011년 이후 시행)가 없어 납세자 구제수단이 충분하지 않았던 과거의 사례인 점을 고려할 필요

◎ **무상취득을 유상취득으로 세율을 적용하여 취득세를 신고한 행위의 당연무효**

납세의무자의 신고행위가 중대하고 명백한 하자로 인하여 당연무효가 되지 아니하는 한 그것이 바로 부당이득에 해당한다고 볼 수 없고, 여기에서 신고행위의 하자가 중대하고 명백하여 당연무효에 해당하는지의 여부에 대하여는 신고행위의 근거가 되는 법규의 목적, 의미, 기능 및 하자있는 신고행위에 대한 법적 구제수단 등을 목적론적으로 고찰함과 동시에 신고행위에 이르게 된 구체적 사정을 개별적으로 파악하여 합리적으로 판단하여야 함. 취득세와 등록세의 신고 · 납부에 있어서 "무상취득"에 의한 세액만을 신고 · 납부하면 되는데도 이를 초과하여 "유상취득"임을 전제로 하여 계산된 세액을 신고 · 납부한 경우 그 초과부분에 해당하는 신고 · 납부행위에는 조세채무의 확정력을 인정하기 어려운 중대하고 명백한 하자가 있어 당연무효(대법원 2004다64340, 2006.1.13.)

◎ **면제대상임에도 과세관청으로부터 면제대상이 아니라는 회신을 받게 되자, 부득이 자진신고한 후 행정소송을 거쳐 민사소송에 이른 상황에서, 그 신고행위는 당연무효임**

제2토지는 원고가 카본블랙 공장을 신축하기 위하여 최초로 취득하는 토지라 할 것이어서 법 제276조 제1항 제1호 (가)목의 취득세 면제대상에 해당. … 원고는 이 사건 토지에 관한 취득세가 면제대상이라고 생각하고, 자진신고납부에 앞서 과세관청에 취득세 면제신청을 하였다가 면제대상이 아니라는 회신을 받게 되자, 자진신고납부 해태에 따른 부가세의 부담 회피와 체납처분에 따른 문제점 등의 이유로 부득이 자진신고납부한 다음 바로 이의신청 및 심사청구와 행정소송을 거쳐 이 사건 민사소송에 이른 사실 …위 신고행위에 조세채무의 확정력을 인정할 여지가 없는 중대하고 명백한 하자가 있어 당연무효에 해당(대법원 99다11618, 2001.4.27.)

제20조(신고 및 납부) 제4항~제6항

법 제20조(신고 및 납부) ④ 제1항부터 제3항까지의 신고·납부기한 이내에 재산권과 그 밖의 권리의 취득·이전에 관한 사항을 공부(公簿)에 등기하거나 등록[등재(登載)를 포함한다. 이하 같다]하려는 경우에는 등기 또는 등록 신청서를 등기·등록관서에 접수하는 날까지 취득세를 신고·납부하여야 한다. 〈개정 2015.12.29.〉

⑤ 「부동산등기법」 제28조에 따라 채권자대위권에 의한 등기신청을 하려는 채권자(이하 이 조 및 제30조에서 "채권자대위자"라 한다)는 납세의무자를 대위하여 부동산의 취득에 대한 취득세를 신고납부할 수 있다. 이 경우 채권자대위자는 행정안전부령으로 정하는 바에 따라 납부확인서를 발급받을 수 있다.

⑥ 지방자치단체의 장은 제5항에 따른 채권자대위자의 신고납부가 있는 경우 납세의무자에게 그 사실을 즉시 통보하여야 한다.

제20조의 2 삭제 〈2015.7.24.〉

영 제36조(취득세 납부 확인 등) ① 납세자는 취득세 과세물건을 등기 또는 등록하려는 때에는 등기 또는 등록 신청서에 취득세 영수필 통지서(등기·등록관서의 시·군·구 통보용) 1부와 취득세 영수필 확인서 1부를 첨부하여야 한다. 다만, 「전자정부법」 제36조 제1항에 따라 행정기관 간에 취득세 납부사실을 전자적으로 확인할 수 있는 경우에는 그러하지 아니하다. 〈개정 2011.12.31.〉

② 제1항에도 불구하고 「부동산등기법」 제24조 제1항 제2호에 따라 전산정보처리조직을 이용하여 등기를 하려는 때에는 취득세 영수필 통지서(등기·등록관서의 시·군·구 통보용)와 취득세 영수필 확인서를 전자적 이미지 정보로 변환한 자료를 첨부하여야 한다. 다만, 「전자정부법」 제36조 제1항에 따라 행정기관 간에 취득세 납부사실을 전자적으로 확인할 수 있는 경우에는 그러하지 아니하다. 〈개정 2013.1.1.〉

③ 납세자는 선박의 취득에 따른 등기 또는 등록을 신청하려는 때에는 등기 또는 등록 신청서에 제1항에 따른 취득세 영수필 통지서(등기·등록관서의 시·군·구 통보용) 1부와 취득세 영수필 확인서 1부를 첨부하여야 한다. 이 경우 등기·등록관서는 「전자정부법」 제36조 제1항에 따른 행정정보의 공동이용을 통하여 선박국적증서를 확인하여야 하며, 신청인이 확인에 동의하지 아니하면 그 사본을 첨부하도록 하여야 한다.

④ 등기·등록관서는 등기·등록을 마친 때에는 제1항부터 제3항까지의 규정에 따른 취득세 영수필 확인서 금액란에 반드시 지움도장을 찍어야 하며, 첨부된 취득세 영수필 통지서(등기·등록관서의 시·군·구 통보용)를 등기 또는 등록에 관한 서류와 대조하여 기재내용을 확인하고 접수인을 날인하여 접수번호를 붙인 다음 납세지를 관할하는 시·군·구의 세입징수관에게 7일 이내에 송부해야 한다.

⑤ 등기·등록관서는 제4항에도 불구하고 취득세 영수필 통지서(등기·등록관서의 시·군·구 통보용)를 시·군·구의 세입징수관에게 송부하려는 경우 시·군·구의 세입징수관이 「전자정부법」 제36조 제1항에 따른 행정정보의 공동이용을 통하여 취득세 영수필 통지서(등기·등록관서의 시·군·구 통보용)에 해당하는 정보를 확인할 수 있는 때에는 전자적 방법으로 그 정보를

송부할 수 있다.

⑥ 시장 · 군수 · 구청장은 제4항 및 제5항에 따라 등기 · 등록관서로부터 취득세 영수필 통지서(등기 · 등록관서의 시 · 군 · 구 통보용) 또는 그에 해당하는 정보를 송부받은 때에는 취득세 신고 및 수납사항 처리부를 작성하고, 취득세의 과오납 및 누락 여부를 확인하여야 한다. [전문개정 2010.12.30.]

제36조의 2(촉탁등기에 따른 취득세 납부영수증서의 처리) ① 국가기관 또는 지방자치단체는 등기 · 가등기 또는 등록 · 가등록을 등기 · 등록관서에 촉탁하려는 경우에는 취득세를 납부하여야 할 납세자에게 제33조 제3항에 따른 취득세 영수필 통지서(등기 · 등록관서의 시 · 군 · 구 통보용) 1부와 취득세 영수필 확인서 1부를 제출하게 하고, 촉탁서에 이를 첨부하여 등기 · 등록관서에 송부하여야 한다. 다만, 「전자정부법」 제36조 제1항에 따라 행정기관 간에 취득세 납부사실을 전자적으로 확인할 수 있는 경우에는 그러하지 아니하다. 〈개정 2011.12.31.〉

② 제1항에도 불구하고 「부동산등기법」 제24조 제1항 제2호에 따른 전산정보처리조직을 이용하여 등기를 촉탁하려는 때에는 취득세를 납부하여야 할 납세자로부터 제출받은 취득세 영수필 통지서(등기 · 등록관서의 시 · 군 · 구 통보용)와 취득세 영수필 확인서를 전자적 이미지 정보로 변환한 자료를 첨부하여야 한다. 다만, 「전자정부법」 제36조 제1항에 따라 행정기관 간에 취득세 납부사실을 전자적으로 확인할 수 있는 경우에는 그러하지 아니하다. 〈개정 2014.1.1.〉

[본조신설 2010.12.30.]

재산권과 그 밖의 권리의 취득 · 이전에 관한 사항을 공부(公簿)에 등기하거나 등록[등재(登載) 포함]할 경우에는 등기 또는 등록을 하기 전까지 취득세를 신고 · 납부하도록 하여 취득세 납부이행 장치를 마련해 두고 있다.

구 지방세법 제150조의 2 제4항의 '등기 또는 등록을 하기 전까지'의 의미는 제1항과 마찬가지로 '등기 또는 등록의 신청서를 등기소 또는 등록관청에 접수하는 날까지'로 해석하는 것이 타당하다.

| 최근 개정법령 _ 2016.1.1. | 취득세 신고납부기한 명확화(제20조 ④)

같은 조 제1항과의 관계를 별도 규정하고 있지 않아, 등기 · 등록을 하는 경우에는 60일 내 신고 · 납부를 하지 않아도 되는 것으로 착오하는 사례가 있었고, 그에 따라 신고납부 시기를 명확히 하였다.

| 최근 개정법령 _ 2019.1.1. | 등기 · 등록 시 취득세 신고납부 기한 명확화(§20 ④)

취득세 신고납부 기한은 시행령에서 '등기 접수일까지'로 규정하고 있는데, 지방세법의 '등기 · 등록하기 전까지를 등기처리일로 볼 경우 이는 상위법의 기한보다 단축 규정한 것으로서 상위법에 위배된다는 지적 [대전고법(청주)2016누10672]이 있었고, 그에 따라 시행령 규정 사항을 법률로 상향 입법하여 "등기 · 등록관서 접수일까지"로 명확히 하였다.

☞ 하지만 대법원의 최종 결정에서는 상위법에 위배되지 않는다고 보았다. 즉 "구 지방세법 제20조

제4항이 '등기 또는 등록을 하기 전까지'의 의미에 관하여 대통령령 등 하위 법령에 위임하는 규정을 두지는 아니하였으나, 그 취지는 종전 등록세 관련 규정과 마찬가지로 재산권 등의 이전 등을 등기 또는 등록하려는 경우의 취득세 신고·납부기한을 '등기 또는 등록의 신청서를 등기·등록관서에 접수하는 날까지'로 정하려는 데에 있었던 것으로 보일 뿐"이라고 판단하였다(대법원 2017두47403, 2020.10.15.).

◎ 제출한 법인장부가격이 취득가격에 부합되지 않더라도 취득신고를 거부할 수는 없음

과세관청이 납부서를 교부하는 것은 단순한 사무행위에 불과하고 신고납부에 대한 책임은 근본적으로 납세의무자에게 있는 점을 감안하면 취득신고를 원칙적으로 거절할 수 없음. 다만, 법인장부로 취득가격이 증명되지 않을 경우 신고가액과 시가표준액 중 높은 것을 과세표준으로 하여야 하는 점, 실무에서 … 납세의무자가 신고한 가액과 시가표준액 중 높은 것을 과세표준으로 하여 납부서를 교부하는 점 등을 감안했을 때, 비록 취득세 납부서 교부가 납세편의를 위한 사무행위에 불과하더라도 세무공무원은 신고하는 때부터 법인장부가격이 사실상 취득가격에 부합되는지를 파악하여 적합한 납부서를 교부하는 것이 타당(지방세운영과-3235, 2013.12.6.)

◎ 등기신청일 다음날에 등록세를 신고납부한 것에 대한 가산세 부과처분은 타당

등록세의 신고·납부기한은 등기관이 등기를 완료하기 전까지가 아닌 등기신청시까지로 보는 것이 타당하고, 지방세법 제150조의 2 제4항[53]의 '등기 또는 등록을 하기 전까지'의 의미는 납부기한을 연장하는 취지로까지 확대해석하기는 어렵고, 제1항과 마찬가지로 '등록관청에 접수하는 날까지'로 해석하는 것이 타당함. 또한 등록세를 신고·납부한 때로부터 5년 가량의 기간이 경과한 때에야 비로소 이 사건 처분을 하였더라도 이는 등기신청일 다음날에 한 등록세 등의 신고·납부에 대하여는 신고 또는 납부불성실가산세를 면제하기로 하는 공적인 의사표시를 하였다고 볼 수 없고, 등록세 신고·납부의무를 위반한 기간이 1~3일에 불과하나 조세공평 등을 고려할 때 그러한 사정만으로 비례의 원칙에 어긋난다고 보기는 어려움(대법원 2014두40913, 2014.12.11., 부산고법 2014누10014, 2014.7.24.).

◎ 이용자리스 차량에 대한 취득세 신고납부기한 적용기준

(쟁점) 이용자 리스와 같이 차량은 시설대여업자가 취득하고, 대여시설 이용자명의로 등록하는 경우 시설대여업자의 취득세 신고납부기한은 해당 자동차 등록 전까지로 적용하여야 하는지 여부 ⇒ 취득세 과세물건을 취득한 자와 등기·등록 명의자가 다른 경우에는 취득자

53) ④ 제1항 내지 제3항의 규정에 의한 신고를 하지 아니한 경우에도 등록세 산출세액을 등기 또는 등록을 하기 전까지(제2항 또는 제3항의 경우에는 해당 항의 규정에 의한 신고기한까지) 납부한 때에는 제1항 내지 제3항의 규정에 의하여 신고를 하고 납부한 것으로 본다. 이 경우 제151조 제1호의 규정에 의한 신고불성실가산세를 징수하지 아니한다.

는 등록에도 불구하고 제20조 ①을 적용, 시설대여업자의 취득세 신고납부기한은 해당 차량 취득일(잔금지급 등)부터 60일 이내로 적용(지방세운영과-2641, 2016.10.17.)

제21조(부족세액의 추징 및 가산세)

법 제21조(부족세액의 추징 및 가산세) ① 다음 각 호의 어느 하나에 해당하는 경우에는 제10조부터 제15조까지의 규정에 따라 산출한 세액(이하 이 장에서 "산출세액"이라 한다) 또는 그 부족세액에 「지방세기본법」 제53조부터 제55조까지의 규정에 따라 산출한 가산세를 합한 금액을 세액으로 하여 보통징수의 방법으로 징수한다.

1. 취득세 납세의무자가 제20조에 따른 신고 또는 납부의무를 다하지 아니한 경우
2. 제10조 제5항부터 제7항까지의 규정에 따른 과세표준이 확인된 경우
3. 제13조의 2 제1항 제2호에 따라 일시적 2주택으로 신고하였으나 그 취득일로부터 대통령령으로 정하는 기간 내에 대통령령으로 정하는 종전 주택을 처분하지 못하여 1주택으로 되지 아니한 경우

② 납세의무자가 취득세 과세물건을 사실상 취득한 후 제20조에 따른 신고를 하지 아니하고 매각하는 경우에는 제1항 및 「지방세기본법」 제53조, 제55조에도 불구하고 산출세액에 100분의 80을 가산한 금액을 세액으로 하여 보통징수의 방법으로 징수한다. 다만, 등기·등록이 필요하지 아니한 과세물건 등 대통령령으로 정하는 과세물건에 대하여는 그러하지 아니하다. 〈개정 2013.1.1.〉

영 제36조의 2(촉탁등기에 따른 취득세 납부영수증서의 처리) ① 국가기관 또는 지방자치단체는 등기·가등기 또는 등록·가등록을 등기·등록관서에 촉탁하려는 경우에는 취득세를 납부하여야 할 납세자에게 제33조 제3항에 따른 취득세 영수필 통지서(등기·등록관서의 시·군·구 통보용) 1부와 취득세 영수필 확인서 1부를 제출하게 하고, 촉탁서에 이를 첨부하여 등기·등록관서에 송부하여야 한다. 다만, 「전자정부법」 제36조 제1항에 따라 행정기관 간에 취득세 납부사실을 전자적으로 확인할 수 있는 경우에는 그러하지 아니하다.

② 제1항에도 불구하고 「부동산등기법」 제24조 제1항 제2호에 따른 전산정보처리조직을 이용하여 등기를 촉탁하려는 때에는 취득세를 납부하여야 할 납세자로부터 제출받은 취득세 영수필 통지서(등기·등록관서의 시·군·구 통보용)와 취득세 영수필 확인서를 전자적 이미지 정보로 변환한 자료를 첨부하여야 한다. 다만, 「전자정부법」 제36조 제1항에 따라 행정기관 간에 취득세 납부사실을 전자적으로 확인할 수 있는 경우에는 그러하지 아니하다.

제36조의 3(일시적 2주택에 해당하는 기간 등) ① 법 제21조 제1항 제3호에 따른 "그 취득일로부터 대통령령으로 정하는 기간"이란 신규 주택(종전 주택등이 조합원입주권 또는 주택분양권인 경우에는 해당 입주권 또는 주택분양권에 의한 주택)을 취득한 날부터 3년(종전 주택등과 신규 주택이 모두 「주택법」 제63조의 2 제1항 제1호에 따른 조정대상지역에 있는 경우에는 1년)을 말한다.

② 법 제21조 제1항 제3호에 따른 "대통령령으로 정하는 종전 주택"이란 종전 주택등을 말한다. 이 경우 신규 주택이 조합원입주권 또는 주택분양권에 의한 주택이거나 종전 주택등이 조합원입주권 또는 주택분양권인 경우에는 신규 주택을 포함한다.

제37조(중가산세에서 제외되는 재산) 법 제21조 제2항 단서에서 "등기 · 등록이 필요하지 아니한 과세물건 등 대통령령으로 정하는 과세물건"이란 다음 각 호의 어느 하나에 해당하는 것을 말한다. 〈개정 2014.3.14.〉 1. 삭제 〈2013.1.1.〉
2. 취득세 과세물건 중 등기 또는 등록이 필요하지 아니하는 과세물건(골프회원권, 승마회원권, 콘도미니엄 회원권, 종합체육시설 이용회원권 및 요트회원권은 제외한다)
3. 지목변경, 차량 · 기계장비 또는 선박의 종류 변경, 주식등의 취득 등 취득으로 보는 과세물건

취득세 납세의무자가 취득세 신고납부 의무를 이행하지 아니한 경우에는 지방세기본법에 따라 가산세를 부담하여야 한다.

가산세의 경우 그동안은 지방세법에서 각 세목별로 가산세 규정을 두고 있었으나, 2013.1.1.부터는 지방세기본법에서 일괄 규정하고 지방세법에서는 기본법의 가산세규정을 인용하여 세목별로 가산세 과세의 근거를 두고 있다.

또한, 성실한 신고납부와 부동산등기절차 이행을 유도하고, 미등기전매행위로 인한 부동산의 투기적 거래와 조세포탈을 방지하려는 취지(헌재 2000헌바86, 2001.7.19.)로 납세의무자가 취득세 과세물건을 취득한 후 취득세를 신고 및 납부를 하지 아니하고 매각하는 경우 중가산세(산출세액에 100분의 80)를 과세하도록 하고 있다.

1. 가산세의 개념

- 세법상 가산세는 과세권의 행사 및 조세채권을 용이하게 하기 위하여 납세자가 정당한 이유없이 법에 규정된 신고 · 납세의무 등을 위반한 경우에 법이 정하는 바에 의하여 부과하는 행정상의 제재로서 납세자의 고의 · 과실은 고려되지 아니하고 법령의 무지 · 착오 등은 그 의무위반에 대한 정당한 사유에 해당하지 아니함(대법원 98두16705, 1999.9.17.).
- 「지방세법」상 가산세는 납세자에게 일정한 신고 · 납부 등의 의무를 부과하고 정당한 이유 없이 이를 위반하는 경우에 행정상의 제재를 가함으로써 과세권 행사의 적정과 조세채권 실현을 용이하게 하기 위한 것으로서(대법원 94누11019, 1995.6.16.), 취득세 중가산세는 납세의무자의 성실한 신고납부와 부동산등기절차 이행을 유도하여 미등기전매행위로 인한 투기적 거래와 조세포탈을 방지함으로써 건전한 부동산거래질서를 확립하고 국민경제 발전에 이바지하려는 데에 그 목적이 있다고 할 것임(헌재 2000헌바86, 2001.7.19. 참조).

2. 가산세 관련 일반 사례

◎ **취득세를 신고납부하였다고 하더라도 5년 내 중과대상인 경우 60일이 아닌 30일 이내 중과세율로 신고하지 아니한 경우 가산세 부과대상**

"취득한 후 그 과세물건이 중과세 대상이 되는 경우"에 해당되므로 신고납부기한은 중과세 대상이 되는 날부터 30일을 적용할 수밖에 없다고 할 것이므로 비록, 취득세 일반세율 신고납부기한 이내에 취득세를 신고납부하였다 하더라도 중과세율 신고납부기한이 경과하였다면 중과세분은 가산세 부과대상에 해당됨(지방세운영과-4111, 2011.9.1.).

◎ **취득세 경감대상이 아님에도 착오로 경감한 세액 고지서를 교부하였더라도 가산세 대상**

납세의무자가 대체취득에 따른 취득세 등을 신고할 당시 납세의무가 당연히 성립함에도 이를 납부하지 아니하고 지방세 비과세 신청서를 처분청에 제출하였고, 처분청 담당 공무원이 취득세 등의 경감대상이 아님에도 착오로 이를 경감한 세액이 기재된 고지서를 교부하였다 하더라도, 신고납부 방식의 조세는 납세의무자인 청구인의 책임하에 산출한 세액을 납부한 것으로 보아야 하기 때문에 납부세액이 없는 것으로 신고하였으므로 산출세액에 미달하는 그 세액에 대하여는 "신고불성실 가산세"와 납부한 세액이 없으므로 "납부불성실 가산세"를 각각 납부할 의무가 있음(지방세운영과-88, 2011.1.7.).

◎ **조세심판원 심판결정으로 납세의무자가 변경된 경우라 하더라도 납부불성실가산세 대상**

지방세법상 정당한 납세의무자가 과세대상 물건을 취득한 후 신고납부기한까지 납부하지 않은 경우라면, 비록 조세심판원 심판결정에 의하여 납세의무자가 변경된 경우라고 하더라도 정당한 납세의무자의 법령부지 또는 오인 등으로 인한 납부지연이므로 납부지연의 정당한 사유로 볼 수 없어 납부불성실가산세 대상 해당(지방세운영과-3027, 2010.7.14.).

◎ **지방세법 제276조(산업단지 감면)에 의해 취득세를 감면받은 후 조특법 제121조의 2(외국인투자감면)에 의한 감면으로 정정신고를 하는 경우 가산세 적용대상이 아님**

지방세법 제120조 제1항에서 취득세 과세물건을 취득한 자는 그 취득한 날부터 30일 이내에 취득세를 신고납부하도록 규정하고 있고, 동법 제121조 제1항에서 취득세 신고납세의무자가 제120조 규정에 의한 신고 또는 납부의무를 다하지 아니한 때에는 신고불성실가산세와 납부불성실 가산세를 징수한다고 규정하고 있으므로 산업단지 내에 공장건축물을 건축하여 취득한 후 신고기간 내에 지방세법 제276조 규정에 의하여 취득세와 등록세를 감면받은 후 조세특례제한법 제121조의 2의 규정에 의한 감면으로 정정신고를 하는 경우라면 상기 규정에 의한 가산세의 적용대상이 되지 않음(세정-57, 2007.1.5.).

◎ **(지침) 상속에 따른 취득세 적용세율 등**(지방세운영과-559, 2011.2.8.)

분법 이후 상속개시일부터 6개월 이내 상속협의가 되지 않은 상태에서 취득시 취득세 적용

세율관련, 분법에 의하여 기존 등록세가 취득세로 통합되고, 기존 등록세 납세의무 성립시점이 현행 취득세 납세의무성립시 발생되며, 상속협의가 6개월 이내 이루어지지 않는 경우에는 상속인들이 연대납세의무를 지어 취득세를 납부하도록 규정하고 있음. ⇒ 분법 이후 상속개시 되어 상속협의가 6개월 이내에 이루어지지 않은 경우라고 하더라도 기존 등록세와 취득세가 통합된 현행 취득세율(2.8%)을 적용하여 부과하여야 함.

◎ (지침) 취득세 납부 후 다른 상속인으로 등기를 하는 경우 가산세 부과대상이 아님

취득세 납부 후 다른 상속인으로 등기를 하는 경우라고 하더라도 「민법」 제1013조 제1항에서 공동상속인은 언제든지 그 협의에 의하여 상속재산을 분할할 수 있고, 「민법」 제1015조에서는 상속재산분할의 효과는 상속개시된 때에 소급하여 그 효력이 발생되며, 상속재산에 대하여 협의분할이 이루어지지 않은 상태에서 상속인 공동명의로 취득세를 납부한 후 공동상속인 상호간에 상속재산에 관하여 협의분할이 이루어짐으로써 공동상속인 중 1인이 당초 상속분을 초과하는 재산을 취득하게 되었다고 하여도 이는 다른 공동상속인으로부터 증여받은 것이 아닌 상속개시당시에 피상속인으로부터 승계받은 것으로 보아야 함. ⇒ 취득세 납부 후 다른 상속인으로 등기를 하는 경우라고 하더라도 가산세는 부과대상이 아님. 다만 등기한 경우에는 제외함(지방세운영과-559, 2011.2.8.).

☞ 이후 상속관련 취득세 규정이 보완되었으므로 법 제7조 제13항 참조

3. 미등기 전매에 따른 가산세

◎ 법인이 택지개발예정지구 내에서 농지취득자격이 없어 부득이 부동산을 취득 후 본인 명의로 소유권이전등기를 하지 못한 상태에서 이에 대한 취득신고를 하지 아니하고 매각한 경우라도 미등기 전매에 따른 80% 가산세 대상임(대법원 2004두6136, 2005.10.13.).

◎ 실질적으로는 2개 법인이 공동으로 매수를 하였음에도 형식상 매매계약을 1개 법인명의로 하고 사후에 실질에 맞추어 취득비율에 따라 소유권이전등기를 하였다고 하여 중가산세 대상 미등기 전매행위로 볼 수 없음(대법원 99두6750, 1999.9.7.).

◎ 부동산을 취득한 후 2년 내에 취득신고를 하지 않고 2년이 경과하여 해당 부동산을 매각한 경우라면 취득세 중가산세 과세대상에 해당(지방세운영과-1689, 2012.5.31.)

제22조(등기자료의 통보)~제22조의 2(장부 등의 작성과 보존)

법 제22조(등기자료의 통보) ① 등기 · 등록관서의 장은 취득세가 납부되지 아니하였거나 납부부족액을 발견하였을 때에는 대통령령으로 정하는 바에 따라 납세지를 관할하는 지방자치단체의 장에게 통보하여야 한다.

② 등기 · 등록관서의 장이 등기 · 등록을 마친 경우에는 취득세의 납세지를 관할하는 지방자치단체의 장에게 그 등기 · 등록의 신청서 부본(副本)에 접수연월일 및 접수번호를 기재하여 등기 · 등록일부터 7일 내에 통보하여야 한다. 다만, 등기 · 등록사업을 전산처리하는 경우에는 전산처리된 등기 · 등록자료를 행정안전부령으로 정하는 바에 따라 통보하여야 한다.

③ 「자동차관리법」 제5조에 따라 자동차의 사용본거지를 관할하지 아니하는 지방자치단체의 장이 자동차의 등록사무(신규등록, 변경등록 및 이전등록을 말한다)를 처리한 경우에는 자동차의 취득가격 등 행정안전부령으로 정하는 사항을 다음 달 10일까지 자동차의 사용본거지를 관할하는 지방자치단체의 장에게 통보하여야 한다.[54] 〈신설 2014.1.1.〉

제22조의 2(장부 등의 작성과 보존) ① 취득세 납세의무가 있는 법인은 취득 당시의 가액을 증명할 수 있는 장부와 관련 증거서류를 작성하여 갖춰 두어야 한다.

② 지방자치단체의 장은 취득세 납세의무가 있는 법인이 제1항에 따른 의무를 이행하지 아니하는 경우에는 산출된 세액 또는 부족세액의 100분의 10에 상당하는 금액을 징수하여야 할 세액에 가산한다. [본조신설 2013.1.1.]

제22조의 3(가족관계등록 전산정보 등의 공동이용) ① 행정안전부장관 또는 지방자치단체의 장은 주택소유관계 확인 및 취득세 납세의무자의 세대원 확인 등의 업무처리를 위하여 필요한 경우에는 전산매체를 이용하여 법원행정처장에게 「가족관계의 등록 등에 관한 법률」 제11조 제6항에 따른 가족관계 등록사항에 대한 등록전산정보자료의 제공을 요청할 수 있다. 이 경우 요청을 받은 법원행정처장은 특별한 사유가 없으면 이에 협조하여야 한다.

② 행정안전부장관 또는 지방자치단체의 장은 취득세 납세의무자의 주택 수 확인 등의 업무를 처리하기 위하여 대통령령으로 정하는 바에 따라 국가기관 또는 다른 지방자치단체에게 정보제공 등의 협조를 요청할 수 있다. 이 경우 요청을 받은 자는 정당한 사유가 없으면 협조하여야 한다.

③ 행정안전부장관은 제1항 및 제2항에 따라 제공받은 등록전산정보자료를 대통령령으로 정하는 바에 따라 지방자치단체의 장에게 제공할 수 있다.

영 제38조(취득세 미납부 및 납부부족액에 대한 통보) 등기 · 등록관서의 장은 등기 또는 등록 후에 취득세가 납부되지 아니하였거나 납부부족액을 발견하였을 때에는 다음 달 10일까지 납세지를 관할하는 시장 · 군수 · 구청장에게 통보하여야 한다.

제38조의 2(정보 제공 요청 등) ① 행정안전부장관 또는 지방자치단체의 장은 법 제22조의 3 제2항에 따라 세대별 보유하고 있는 주택, 조합원입주권, 주택분양권 또는 오피스텔 수의 확인 등을 위하여 필요한 경우에는 국토교통부장관에게 「민간임대주택에 관한 특별법」 제60조에 따른 임대주택정보체계에 포함된 자료, 「부동산 거래신고 등에 관한 법률」 제24조에 따른 정보 및 「주택법」 제88조에 따른 주택 관련 정보의 제공을 요청할 수 있다.

② 행정안전부장관은 법 제22조의 3 제3항에 따라 자료를 지방자치단체의 장에게 제공하는 경우에는 「지방세기본법」 제135조 제2항에 따른 지방세정보통신망을 통하여 제공해야 한다.

규칙 제11조(취득세 미납부 및 납부부족액에 대한 통보) 영 제38조에 따른 취득세 미납부 및 납부부족액에 대한 통보는 별지 제7호 서식에 따른다.

제11조의 2(차량 취득세 과세자료의 통보) ① 법 제22조 제3항에서 "행정안전부령으로 정하는 사항"이란 다음 각 호의 사항을 말한다.

1. 취득자의 인적사항 2. 차량번호 3. 취득일 및 취득가격 4. 그 밖에 차량 취득세 과세내역을 파악하는데 필요한 사항

② 법 제22조 제3항에 따른 차량 취득세 과세자료의 통보는 별지 제7호의 2 서식에 따른다. [본조신설 2014.1.1.]

제12조(취득세 비과세 등 확인) ① 법, 「지방세특례제한법」 또는 「조세특례제한법」에 따라 취득세의 비과세 또는 감면으로 법 제7조에 따른 부동산등을 취득하여 등기하거나 등록하려는 경우에는 그 부동산등의 납세지를 관할하는 시장·군수·구청장의 취득세 비과세 또는 감면 확인을 받아야 한다.

② 제1항에 따른 취득세 비과세 또는 감면에 대한 시장·군수·구청장의 확인은 별지 제8호 서식에 따른다.

등기·등록관서의 장은 등기·등록을 마친 경우에는 등기·등록의 신청서부본 통보 등 등기자료와 취득세 미납이나 부족납부 등을 납세지 관할 시장·군수에게 통보하여야 한다.

54) 자동차 취득과 관련하여 취득가액의 허위기재 등 취득세 탈루를 방지하기 위하여 차량 취득세 과세자료 통보 규정이 강화되었다(2014.1.1. 시행).

제 3 장

지방세법

등록면허세

[등록분 등록면허세]

1. **등록의 정의** : "등록"이란 재산권과 그 밖의 권리의 설정 · 변경 또는 소멸에 관한 사항을 공부에 등기하거나 등록하는 것을 말한다. 다만, 취득세 과세대상인 취득을 원인으로 이루어지는 등기 또는 등록은 제외한다.
2. **과세대상** : 재산권의 등기 또는 등록과 그 밖의 권리의 설정 · 변경 또는 소멸에 관한 사항을 공부에 등기하거나 등록하는 행위를 과세대상으로 한다.
3. **납세의무자** : 등기 · 등록을 하는 자
4. **납세지** : 부동산은 부동산 소재지, 차량 및 기계장비는 등록지, 항공기는 정치장(定置場) 소재지, 선박은 선적항 소재지, 법인등기는 등기에 관련되는 본점 등의 소재지, 상호등기는 영업장 소재지, 광구 · 어업권은 각각 광구 또는 어장 소재지, 상표등록은 주사무소 소재지 등이 된다.
5. **과세표준** : 등록당시의 가액. 다만, 신고가액이 없거나 시가표준액보다 적은 경우에는 시가표준액을 과세표준으로 한다. 채권금액으로 과세액을 정한 경우에 일정한 채권금액이 없을 때에는 채권의 목적이 된 것의 가액 또는 처분의 제한의 목적이 된 금액을 그 채권금액으로 본다.
6. **세율** : 표준세율과 중과세율로 구분되며, 자치단체 조례로 표준세율의 100분의 50 범위에서 가감할 수 있다.
7. **납부방법** : 재산권 등을 등록하기 전까지 납세지 관할 지방자치단체에 신고하고 납부하여야 한다. 여기서 '등록하기 전까지'라 함은 등기 또는 등록 신청서를 등기 · 등록관서에 접수하는 날까지를 말하며, 등기 · 등록할 때에는 등기 · 등록신청서에 영수증을 첨부하여야 한다.

※ (연혁) 2011.1.1. 법률 제10221호로 지방세법의 분법 및 세목 통 · 폐합
- 등록세 중 취득과 관련된 과세대상을 취득세로 통합
- 등록세 중 취득과 관련이 없는 부분은 면허세와 통합하여 등록면허세로 변경

[면허분 등록면허세]

1. **면허의 정의** : "면허"란 각종 법령에 규정된 면허 · 허가 · 인가 · 등록 · 지정 · 검사 · 검열 · 심사 등 특정한 영업설비 또는 행위에 대한 권리의 설정, 금지의 해제 또는 신고의 수리(受理) 등 행정청의 행위를 말한다. 면허의 종별은 사업의 종류 및 규모 등을 고려하여 제1종부터 제5종까지 구분한다.

2. 납세의무자 : 면허를 받은 자
3. 납세지 : 해당면허의 영업장 및 사무소가 있는 경우는 당해 영업장 또는 사무소 소재지, 해당면허에 대한 별도의 영업장 또는 사무소가 없는 경우는 면허를 받은 자의 주소지가 된다.
4. 세율

구 분	인구 50만 이상 시	그 밖의 시	군
제1종	67,500원	45,000원	27,000원
제2종	54,000원	34,500원	18,000원
제3종	40,500원	22,500원	12,000원
제4종	27,000원	15,000원	9,000원
제5종	18,000원	7,500원	4,500원

5. 납부방법
   가. (수시분) 새로 면허를 받거나 그 면허를 변경받는 경우 면허증서를 발급받거나 송달받기 전까지 납세지를 관할하는 지방자치단체의 장에게 '면허분 등록면허세'를 신고하고 납부하여야 한다.
   나. (정기분) 면허의 유효기간이 정하여져 있지 아니하거나 그 기간이 1년을 초과하는 면허에 대하여는 매년 1월 1일에 그 면허가 갱신된 것으로 보아 납세지를 관할하는 해당 지방자치단체의 조례로 정하는 납기(매년 1.16.~1.31.)에 보통징수의 방법으로 매년 '면허분 등록면허세'를 부과한다.

※ (연혁) 2011.1.1. 법률 제10221호로 지방세법의 분법 및 세목 통·폐합, 등록세 중 취득과 관련이 없는 부분은 면허세와 통합하여 등록면허세로 변경
2014.1.1. 법률 제12153호 「지방세법」 개정으로 면허에 대한 등록면허세의 세율은 종전의 3,000원부터 45,000원까지에서 4,500원부터 67,500원까지로 인상

제23조(정의)~제24조(납세의무자)

법 제23조(정의) 등록면허세에서 사용하는 용어의 뜻은 다음과 같다.

1. "등록"이란 재산권과 그 밖의 권리의 설정·변경 또는 소멸에 관한 사항을 공부에 등기하거나 등록하는 것을 말한다. 다만, 제2장에 따른 취득을 원인으로 이루어지는 등기 또는 등록은 제외하되, 다음 각 목의 어느 하나에 해당하는 등기나 등록은 포함한다.
   가. 광업권 및 어업권의 취득에 따른 등록
   나. 제15조 제2항 제4호에 따른 외국인 소유의 취득세 과세대상 물건(차량, 기계장비, 항공기 및 선박만 해당한다)의 연부 취득에 따른 등기 또는 등록
   다. 「지방세기본법」 제38조에 따른 취득세 부과제척기간이 경과한 물건의 등기 또는 등록
   라. 제17조에 해당하는 물건의 등기 또는 등록
2. "면허"란 각종 법령에 규정된 면허·허가·인가·등록·지정·검사·검열·심사 등 특정한 영업설비 또는 행위에 대한 권리의 설정, 금지의 해제 또는 신고의 수리(受理) 등 행정청의 행위(법률의 규정에 따라 의제되는 행위를 포함한다)를 말한다. 이 경우 면허의 종별은 사업의 종류 및 규모 등을 고려하여 제1종부터 제5종까지 구분하여 대통령령으로 정한다.

영 제39조(면허의 종류와 종별 구분) 법 제23조 제2호에 따른 면허의 종류와 종별 구분은 별표 1과 같다.

법 제24조(납세의무자) 다음 각 호의 어느 하나에 해당하는 자는 등록면허세를 납부할 의무를 진다.

1. 등록을 하는 자
2. 면허를 받는 자(변경면허를 받는 자를 포함한다). 이 경우 납세의무자는 그 면허의 종류마다 등록면허세를 납부하여야 한다.

2010년 세목통폐합 이전의 등록세 중 취득을 원인으로 등기 · 등록되는 과세대상은 취득세로 흡수되었다. 그리고 그 나머지 재산권과 그 밖의 권리의 설정 · 변경 또는 소멸에 관한 사항을 공부에 등기 · 등록하는 부분(등록분 등록면허세)과 종전의 면허세(면허분 등록면허세)를 통 · 폐합하여 등록면허세로 개편하였다.

1. 등록에 대한 등록면허세

등록면허세는 재산권 기타 권리의 취득, 이전, 변경 또는 소멸에 관한 사항을 공부에 등기 또는 등록하는 경우에 등록 또는 등록이라는 단순한 사실의 존재를 과세물건으로 하여 그 등기 또는 등록을 받는 자에게 부과하는 세금(대법원 85누858, 1986.2.25.)이다. 재산권 등 그 밖의 권리를 등기나 등록하는 때 납세의무가 성립하며, 등기나 등록을 하는 자가 납세의무자가 된다.

법 제23조 제1호에서 「재산권」이란 금전적 가치가 있는 물권 · 채권 · 무체재산권 등을 지칭하는 것이며, 「그 밖의 권리」라 함은 재산이외의 권리로서 「부동산등기법」 등 기타 관계법령의 규정에 의하여 등기 · 등록하는 것을 말한다(예규 지법 23-1).

1) 등록세 세목통합의 의의

등록세는 부동산 취득(소유권 이전등기 등)에 대한 등록세뿐 아니라 채권설정(근저당 등), 법인등기 등 다양하게 존재하고 있다. 그 중 부동산 취득과 관련한 등록세는 취득당시 납부해야 하는 취득세와 구분할 실익이 없다는 주장(이중과세로 오해하는 경우 발생)이 지속적으로 제기되어 왔다. 이러한 오해를 불식하기 위해 2011년 등록세와 취득세를 통합하였으며, 세목통합을 통해 지방세 세목체계 간소화에도 기여했다. 특히 통합으로 인해 체납문제 해소에 많은 기여를 하였다. 등록세는 체납이 없는 세목이었다. 등기 · 등록 행위에 대해 과세하는 세금이기 때문에 등록세를 납부하지 않으면 등기 · 등록 신청이 반려된다. 다만 등기 이후에 감면이나 중과세에 대한 사후 추징의 경우 등록세가 과세되고 이를 체납하는 경우가 있지만 매우 제한적이었다. 반면 취득세는 취득이후 30일 이내에 신고납부 의무가 있어 등기만 하고 취득세를 납부하지 않은 채 매도하는 사례가 나타나는 등 체납이 많았다. 세목통합 이후 등기등록을 위해서는 취득세 납부 영수증을 제출해야 하기 때문에 체납문제 해소라는 긍정적이 면이 나타났다.

2) 취득을 수반하지 않는 등기 · 등록

"등록"을 하려는 자는 등록면허세 납세의무가 있다(법 제24조). 여기서 "등록"이란 재산권과 그 밖의 권리의 설정 · 변경 또는 소멸에 관한 사항을 공부에 등기하거나 등록하는 것을 의미한다. 따라서 등기 · 등록을 하는 경우에는 등록면허세 납세의무가 있는데, 취득을 원인으로 이루어지는 등기 · 등록은 등록면허세를 과세하지 않는다. 이는 통합취득세가 등록세분까지 포함하여 과세를 하기 때문에 등록면허세는 과세할 필요가 없다는 취지이다. 이러한 원칙에도 불구하고 몇 가지의 경우에는 취득을 수반하지만 여전히 등록면허세가 과세된다는 규정을 두고 있다. 그 대상으로 세목통합 이후 당초에는 광업권 · 어업권 취득에 따른 등록과 외국인 소유 차량 등의 연부취득을 규정하고 있었는데, 2017년부터 부과제척기간이 경과한 물건의 등기등록, 소액부징수 대상 물건의 등기 · 등록을 추가하였다.

네 건의 경우 취득을 수반하여 취득세를 과세함에도 등기 · 등록하는 경우인데 왜 또다시 등록면허세를 과세하는지 그 취지를 다음과 같이 살펴볼 수 있다. 취득세와 등록세가 통합되면서 납세자 세부담에 변화가 없도록 단순히 세율을 합산하여 표준세율을 설계하였다(누진세율이 아니기 때문에 단순 합산하는 방식 활용). 또한 과세대상 성격상 등록세만 과세되거나 취득세만 과세되는 경우는 특례세율로 규정하였다(법 제15조 제1항은 舊 등록세만 과세되는 경우, 제2항은 舊 취득세만 과세되는 경우). 그런데 어업권 · 광업권의 경우 구 취득세는 2% 세율인데 구 등록세는 건당 ○○○원 형식의 정액세 형태로서 세율체계가 달라 합산세율을 구성하기가 어려웠다. 그에 따라 불가피하게 舊 취득세 세율을 표준세율로 하고, 취득을 수반함에도 등록세분에 해당하는 등록면허세를 과세하는 방식으로 설계하였다.[55]

부과제척기간 경과 및 면세점 이하 물건 등기시 등록면허세 과세하는 경우 또한 취득을 수반함에도 등록면허세 과세대상에 포함하였는데(2018.1.1.), 취득세에서 부과제척기간(5년)이 경과하거나, 면세점(50만원) 이하 물건을 취득하는 경우 취득세 과세가 불가하고, 등록면허세에 대해서는 별도의 과세근거가 명확하지 않았다. 그에 따라 취득세 과세물건을 취득하여 부과제척기간이 경과한 경우 및 면세점 이하라도 등기(등록)에 대한 등록면허세는 부과할 수 있도록 명확히 하였다.

이와 같이 네 건의 경우를 열거하고 있는데, 열거규정인지 예시규정인지 명확하지 않다. 취득을 수반하는지 여부가 불확실한 상황에서 취득세는 과세할 수 없는 상황이 명백하지만 등기 · 등록이 이루어진 이상 등록면허세만큼은 과세해야 하는 경우가 있을 수 있다. 예를 들어 어느 상속인이 상속으로 부동산을 취득한 상황에서 사해행위 취소로 인해 다른 상속인에게 다시 상속등기가 이루어진 경우 취득세는 과세할 수 없지만 '무상으로 인한 소유권

55) 외국인 소유 차량 등의 연부취득은 제15조 제2항 제4호 설명내용 참고

취득에 기한 부동산 등기'로 보아 등록면허세(1.5%)는 과세하는 것이 타당하다고 보았다(지방세운영과-2183, 2019.7.19.). 네 건은 예시규정으로 이해하는 것이 타당하고, 취득세 과세요건과 등록면허세간의 관계를 고려하여 등록면허세 과세여부를 판단해야할 것이다.

3) 취득세와 등록면허세 과세와의 관계

세목통합 이전 舊등록세 체계 당시 등록세는 그 등기 또는 등록의 유·무효나 실질적인 권리귀속 여부와는 관계 없이 등기가 이행되면 등록세 납세의무는 발생하는 것(대법원 2000두7896, 2002.6.28.)으로 보았다. 그런데 세목통합으로 등록세가 취득세로 통합된 이후에도 이러한 취지를 고려하여 등록세를 과세할 수 있는가 하는 점이다.

매매가 이루어진 이후 소송으로 인해 취득이 무효가 된 경우 취득세를 과세할 수 없는 상황에서, 등기가 경료되었다는 이유로 다시 등록면허세를 과세한 사례에서 대법원은 과세할 수 없다고 판단했다(대법원 2017두35684 2018.4.10.). 취득행위의 무효로 인해 취득세 취소가 정당하다고 판단한 상황에서 부과취소하는 것으로 끝나지 않고, 이를 다시 등기시점으로 돌아가 등록면허세를 과세한 것은 절차적으로도 모순된 면이 있다. 취득세를 취소한 경우에는 등록면허세를 부과한다라는 사후적 규정이 없다면 과세하는 것은 적법하지 않다. 납세의무가 성립되었다면 취득세인지 또는 등록면허세인지 그 요건에 맞는 세목으로 과세되어야 하는데, 취득세를 과세할 수 없는 경우 등록면허세로 과세할 수 있다는 선택권이 주어졌다고 볼 수는 없을 것이다.

해당 판례의 경우 만약 과세권자가 애초부터 취득이 수반되지 않는다고 판단하고 이전등기에 대한 등록면허세만 과세했다면 정상적인 과세가 될수도 있었을 것이다. 통합 이전의 판례에서는 등록세는 취득과 무관하게(취득은 무효라 하더라도) 등록세과세는 정당하다고 본 것이 일관된 판결이었다. 결과적으로 등록세가 취득세에 통합되어 취득세가 취소되므로 인해 등록면허세마저도 과세가 누락되는 문제점이 발생했다고 볼 수 있다. 거래 전체적으로 보면 등기가 이루어져있고, 취득을 수반하지 않는다면 등록면허세만은 과세되어야 하는데 이러한 과세절차상의 문제로 인해 등록면허세를 과세하지 못하게 한 점은 보완이 필요하다.

4) 舊 등록세 과세

2011.1.1. 등록세가 취득세에 통합되면서 경과조치가 시행되었다. 2010년 이전에 취득세 과세물건을 취득한 자로서 2011.1.1. 이후에 그 물건을 등기하거나 등록하는 자는 종전의 규정에 따른 등록세 납세의무를 진다고 규정하고 있다(법률 제10221호, 부칙 제6조). 또한 이 법 시행 당시 종전의 규정에 따라 부과 또는 감면하였거나 부과 또는 감면하여야 할 지방세

에 대하여는 종전의 규정에 따른다는 일반적 경과조치 규정을 두고 있다(부칙 제5조). 따라서 2010년 이전에 취득은 하였으나 사정에 따라 등기를 하지 않고 현시점에 등기하는 경우 여전히 등록세라는 세목으로 과세되고 있다. 구 등록세 과세를 위해서는 등기시점에 과세요건이나 감면요건을 따져봐야 한다. 세목통합 이전에는 취득세와 병행하여 등록세 면제경감 규정을 다양하게 두고 있었다. 그런데 통합이후에는 독립적인 등록분 등록면허세 과세대상이 없고 그에 따른 감면・면제 규정도 존치할 필요가 없어 지특법에는 등록면허세 규정이 없다.[56)]

등기・등록행위에 대해 과세하는 세금이므로 등기 시점의 과세요건(납세의무자, 적용세율, 과표 등)이나 감면요건(주체적 요건, 현황이나 용도에 맞는지, 사후관리 적용은 어떻게 되는지 등)을 판단해야 하는 경우가 종종 발생한다. 그런데 현행 지방세법상 구 등록세에 대한 규정이 없어 등기시점에 이러한 과세요건이나 감면요건을 판단할 수 있는 근거가 부족하다.

| 최근 개정법령_2018.1.1. | 부과제척기간 경과 및 면세점 이하 물건 등기시 등록면허세 과세(법 §23 1호 다・라목, 법 §28 1호 나목 (1))

취득세에서 부과제척기간(5년)이 경과하거나, 면세점(50만원) 이하 물건을 취득하는 경우 취득세 과세가 불가하고, 등록면허세에 대해서는 별도의 과세근거가 명확하지 않았다. 그에 따라 취득세 과세물건을 취득하여 부과제척기간이 경과한 경우 및 면세점 이하라도 등기(등록)에 대한 등록면허세는 부과할 수 있도록 명확히 하였다. 한편 개정안에 따라 부과제척기간이 경과한 '주택'을 이전 등기하는 경우 2% 세율이 적용되어 특례세율(1~3%)보다 높은 경우가 생길 수 있어 주택 취득세율에 50% 곱한 세율을 적용토록 보완하였다.

[적용사례]

○ (제척기간) '11년 토지(1억원)를 취득하고 취득세를 신고납부하지 않은 상태에서 '18년에 이전 등기하는 경우(제척기간 5년 경과) → 등록면허세(2%) 200만원 과세
  * 제척기간의 경우 '15년 이전까지 취득세 미신고시 5년을 적용하였고, '16년 이후 다양해졌음(「지방세기본법」 제38조 개정 내용 참고).

○ (면세점) 매수인이 임야 50㎡를 40만원에 취득한 경우 등록면허세(2%) 8,000원(지방교육세 1,600원 별도) 과세, 만약 공동명의로 취득하는 경우 전체 취득가액을 기준으로 면세점 여부를 적용하되, 등록면허세 한 건으로 부과함.

○ 제척기간 및 면세점 적용관련 산출세액이 부동산 6천원, 차량 15,000원 이하인 경우, 그 밖의 등기 또는 등록세율 6천원 또는 15,000원 적용(법 제28조 제1항 단서)

---

56) 유일하게 도서관의 등록에 대해 부동산 등록면허세 감면을 규정(지특법 제52조 ②)하고 있는데, 등록면허세 감면이 적용될 여지가 있는지 살펴볼 필요가 있다.

- 취득이 무효로 밝혀졌다고 하여 등록면허세의 과세대상이 된다고 보기는 어려움

  ① 원고는 '14.9. 사건 임야를 매수하여 '14.10. 소유권이전등기 마치고, 취득세 등 신고납부 ② 그런데 위임장을 위조하여 매도하였다'고 주장하면서 ○○○가 원고에게 소유권이전등기의 말소 소송 제기하여 '15.6. 승소판결 받음(확정) ③ 원고는 '15.7. 위 판결을 근거로 취득세 등을 환급 청구 ④ 이에 피고는 이 사건 소유권이전등기가 원인무효라 하더라도 등록면허세 납세의무는 성립되었다고 보아 2015.8. 원고에게 등록면허세 결정・고지 ⇒ 개정 지방세법 제23조, 제24조의 규정에 의하여 등록에 대한 등록면허세의 납세의무자에서 일단 제외되는 자를 같은 법 제28조의 세율에 관한 규정 및 이에 나타난 입법취지 등을 종합하여 다시 납세의무자에 포함되는 것으로 해석하는 것은 결과적으로 과세요건상의 흠결을 다른 종속적・부수적 근거를 들어 보충하는 것이 되고, 이것은 세법의 해석상 허용되지 않음(대법원 2017두35684 2018.4.10.).

- 취득가액이 취득세 면세점에 해당하고 면제(100% 감면) 대상인 경우 등록면허세 납세의무도 없음

  면세점 물건의 등기・등록에 대해 등록면허세를 과세토록 규정한 입법취지는 등록면허세는 공부에 등기 또는 등록하는 단순한 사실의 존재를 과세물건으로 하여 부과하는 세금인 점을 고려하여, 등기・등록 물건이 취득세 면세점에 해당하더라도 2011년 세목통합 전과 동일한 수준의 납세의무를 부담토록 개선한 것임. 세목통합 전에는 舊등록세에 대한 별도 감면 규정이 있어 면세점 물건을 취득하여 등기・등록을 하더라도 감면이 적용되었던 점, 100% 감면이 되는 물건을 취득하는 경우에 있어 취득가액이 면세점을 초과하는 경우에는 세부담이 없음에도, 면세점 이하인 경우에만 등록면허세를 과세할 경우 과세체계의 왜곡이 발생하게 되는 점 등 … 취득세가 비과세・감면 적용 대상이 되어 납부할 세액이 없는 경우에는 「지방세법」 제23조 제1호 라목의 등기 또는 등록에 해당하지 않는 것으로 보아 등록면허세 납세의무가 없음(지방세운영과-217, 2018.1.29.).

- 등록에 대한 등록면허세 납세의무자 「등록을 하는 자」(예규 지법 24-1)

  재산권 기타 권리의 설정・변경 또는 소멸에 관한 사항을 공부에 등기 또는 등록을 받는 등기・등록부상에 기재된 명의자(등기권리자)를 말함.

- 지방세 체납처분으로 그 소유권을 국가 또는 지방자치단체명의로 이전하는 경우에 이미 그 물건에 전세권, 가등기, 압류등기 등으로 되어 있는 것을 말소하는 대위적 등기와 성명의 복구나 소유권의 보존 등 일체의 채권자 대위적 등기에 대하여는 그 소유자가 등록면허세를 납부하여야 함(예규 지법 23-2).

2. 면허에 대한 등록면허세

○ 면허에 대한 등록면허세 납세의무(예규 지법 24-2)

- 당해연도 1월 1일이 지나 면허가 말소된 경우에도 당해연도의 등록면허세의 납세의무가 있으며, 당해연도 1월 1일이 지나 면허의 명의가 변경되는 경우에는 종전의 명의자는 정기분 등록면허세를, 새로운 명의자는 신규 등록면허세를 납부하여야 함.
- 등록면허세는 면허의 효력이 존속하는 한 일시적인 휴업 등의 사유가 있을지라도 등록면허세 납세의무를 지는 것이므로 휴업 중에도 매년 1월에 정기분을 납부하여야 함.
- 등록면허세 납세의무는 면허증서를 교부받거나 도달된 때에 납세의무가 발생하는 것이므로 면허증서를 교부받기 전에 면허가 취소된 경우에는 납세의무가 발생하지 아니함.

| 최근 개정법령 _ 2016.1.1. | 면허에 대한 등록면허세 과세대상에 인·허가 의제 포함(법 제23조)

종전 규정에 따르면 각종 면허(변경 면허 포함)를 받은 자는 그 면허의 종류마다 등록면허세를 과세하였다. 그리고 의제면허를 받는 경우에도 의제면허별로 각각 과세하게 되어 인·허가 의제는 행정청의 행위로 의제되므로 등록면허세 과세대상이나 법 규정이 불분명하여 납세자 혼란을 초래하였다. 이에 대해 등록면허세 과세대상 "면허"의 개념에 인·허가 의제를 명시하였다.

제25조(납세지)

법 제25조(납세지) ① 등기 또는 등록에 대한 등록면허세의 납세지는 다음 각 호에서 정하는 바에 따른다. 〈개정 2010.12.27., 2011.12.31., 2015.12.29.〉

1. 부동산 등기 : 부동산 소재지 2. 선박 등기 또는 등록 : 선적항 소재지
3. 자동차 등록 : 「자동차관리법」에 따른 등록지. 다만, 등록지가 사용본거지와 다른 경우에는 사용본거지를 납세지로 한다. 4. 건설기계 등록 : 「건설기계관리법」에 따른 등록지
5. 항공기 등록 : 정치장 소재지 6. 법인 등기 : 등기에 관련되는 본점·지점 또는 주사무소·분사무소 등의 소재지 7. 상호 등기 : 영업소 소재지 8. 광업권 및 조광권 등록 : 광구 소재지
9. 어업권 등록 : 어장 소재지 10. 저작권, 출판권, 저작인접권, 컴퓨터프로그램 저작권, 데이터베이스 제작자의 권리 등록 : 저작권자, 출판권자, 저작인접권자, 컴퓨터프로그램 저작권자, 데이터베이스 제작권자 주소지 11. 특허권, 실용신안권, 디자인권 등록 : 등록권자 주소지
12. 상표, 서비스표 등록 : 주사무소 소재지 13. 영업의 허가 등록 : 영업소 소재지
14. 지식재산권담보권 등록 : 지식재산권자 주소지 15. 그 밖의 등록 : 등록관청 소재지
16. 같은 등록에 관계되는 재산이 둘 이상의 지방자치단체에 걸쳐 있어 등록면허세를 지방자치단체별로 부과할 수 없을 때에는 등록관청 소재지를 납세지로 한다.

17. 같은 채권의 담보를 위하여 설정하는 둘 이상의 저당권을 등록하는 경우에는 이를 하나의 등록으로 보아 그 등록에 관계되는 재산을 처음 등록하는 등록관청 소재지를 납세지로 한다.
18. 제1호부터 제14호까지의 납세지가 분명하지 아니한 경우에는 등록관청 소재지를 납세지로 한다.

② 면허에 대한 등록면허세의 납세지는 다음 각 호에서 정하는 바에 따른다. 〈개정 2015.12.29.〉

1. 해당 면허에 대한 영업장 또는 사무소가 있는 면허 : 영업장 또는 사무소 소재지
2. 해당 면허에 대한 별도의 영업장 또는 사무소가 없는 면허 : 면허를 받은 자의 주소지
3. 제1호 및 제2호에 따른 납세지가 분명하지 아니하거나 납세지가 국내에 없는 경우에는 면허부여기관 소재지를 납세지로 한다.

법 제25조에서는 '등록에 대한 등록면허세' 및 '면허에 대한 등록면허세'의 과세대상 유형별 납세지를 규정하고 있다.

| 최근 개정법령 _ 2016.1.1. | 면허분 등록면허세 납세지 규정 보완(법 제25조 ② 3호)

종전 규정에 따르면 면허에 대한 등록면허세 납세지는 영업장(사무소)의 소재지, 영업장(사무소)이 없는 경우는 면허받은 자의 주소지로 규정하고 있다. 그에 따라 우리나라 행정기관의 면허를 받았으나 영업장·사무소 소재지와 면허받은 자 주소지가 모두 외국인 경우에는 과세를 할 수 없는 문제가 있었다. 이에 대해 납세지가 분명하지 아니하거나 국내에 없는 경우, 면허부여기관의 소재지를 면허에 대한 등록면허세의 납세지로 규정하였다.

〈2016년 행자부 적용요령〉 이 법 시행 이후 최초로 납세의무가 성립하는 분부터 적용하되 2016.1.1. 면허가 갱신되는 경우 정기분부터 부과한다.

◎ 동일 시·도 안에서 사용본거지를 관할하지 아니하는 등록관청에 자동차를 등록하는 경우 등록세 납세지는 사용본거지 관할 시·군·구라는 사례

지방세법 시행령 제90조 및 지방세법 시행규칙 제50조에서 등록세의 납세지를 관할하는 당해 시·군이 등록관청인 경우에는 별지 제49호 서식, 정액등록세를 납부하는 경우와 자동차등록령 제5조 단서의 규정에 의하여 동일 시·도 안에서 사용본거지를 관할하지 아니하는 등록관청에 자동차를 등록하고 그 등록세를 납부하는 경우에는 별지 제53호의 2 서식(사용본거지 관할 등록관서를 기재한 수기납부서)에 의하여 등록세를 납부하도록 규정하고 있으므로, 자동차등록령 제5조 단서규정에 따라 동일 시·도 안에서 사용본거지를 관할하지 아니하는 등록관청에 자동차를 등록하는 경우의 등록세 납세지(세입금 귀속지)는 자동차의 사용본거지 관할 시·군·구가 되는 것임(세정-2438, 2006.6.14.).

◎ 동일채권등기 담보물 추가시 징수방법(예규 지법 25-1)

• 동일한 채권담보를 위하여 "갑"지역에 있는 부동산과 "을"지역에 있는 부동산에 대하여

저당권을 설정하는 경우 먼저 설정한 지역에서 채권금액 전체에 대하여 과세하고 "을"지역에 있는 담보물을 나중에 등기할 때에는 "을"지역에서 등록면허세를 과세할 수 없음.
- 동일채권에 대한 담보물을 추가하는 경우에는 추가로 담보하는 매 담보물건별로 과세하여야 함.

○ **교통영향분석·개선대책수립대행자의 등록에 대한 면허분 등록면허세 납세지는 교통영향분석·개선대책 담당부서의 소재지임**

교통영향분석·개선대책수립대행자의 등록은 해당 업무 담당부서 설치가 필수요건이므로, 면허에 대한 영업장 또는 사무소가 있는 면허에 해당하며, 「지방세법」 제25조 제2항 제1호에 따라 그 납세지는 해당 면허에 대한 영업장 또는 사무소인 교통영향분석·개선대책 담당부서의 소재지임(지방세운영과-3549, 2015.11.10.).

제26조(비과세)

법 제26조(비과세) ① 국가, 지방자치단체, 지방자치단체조합, 외국정부 및 주한국제기구가 자기를 위하여 받는 등록 또는 면허에 대하여는 등록면허세를 부과하지 아니한다. 다만, 대한민국 정부기관의 등록 또는 면허에 대하여 과세하는 외국정부의 등록 또는 면허의 경우에는 등록면허세를 부과한다.

② 다음 각 호의 어느 하나에 해당하는 등기·등록 또는 면허에 대하여는 등록면허세를 부과하지 아니한다. 〈개정 2015.12.29.〉

1. 회사의 정리 또는 특별청산에 관하여 법원의 촉탁으로 인한 등기 또는 등록. 다만, 법인의 자본금 또는 출자금의 납입, 증자 및 출자전환에 따른 등기 또는 등록은 제외한다. 농비
2. 행정구역의 변경, 주민등록번호의 변경, 지적(地籍) 소관청의 지번 변경, 계량단위의 변경, 등기 또는 등록 담당 공무원의 착오 및 이와 유사한 사유로 인한 등기 또는 등록으로서 주소, 성명, 주민등록번호, 지번, 계량단위 등의 단순한 표시변경·회복 또는 경정 등기 또는 등록
3. 그 밖에 지목이 묘지인 토지 등 대통령령으로 정하는 등록 농비
4. 면허의 단순한 표시변경 등 등록면허세의 과세가 적합하지 아니한 것으로서 대통령령으로 정하는 면허

영 제40조(비과세) ① 법 제26조 제2항 제3호에서 "지목이 묘지인 토지 등 대통령령으로 정하는 등록"이란 무덤과 이에 접속된 부속시설물의 부지로 사용되는 토지로서 지적공부상 지목이 묘지인 토지에 관한 등기를 말한다.

② 법 제26조 제2항 제4호에서 "대통령령으로 정하는 면허"란 다음 각 호의 어느 하나에 해당하는 면허를 말한다. 〈개정 2010.12.30.〉

1. 변경하는 내용이 다음 각 목의 경우에 해당하지 아니하는 변경면허
   가. 면허를 받은 자가 변경되는 경우(사업주체의 변경 없이 단순히 대표자의 명의를 변경하는

경우는 제외한다)
나. 해당 면허에 대한 제39조에 따른 면허의 종별 구분이 상위의 종으로 변경되는 경우
다. 법 제35조 제2항에 따라 면허가 갱신되는 것으로 보는 경우
2. 「의료법」 및 「수의사법」에 따라 의료업 및 동물진료업을 개설한 자의 다음 각 목의 어느 하나에 해당하는 면허
가. 「농어촌 등 보건의료를 위한 특별조치법」에 따라 종사명령을 이행하기 위하여 휴업하는 기간 중의 해당 면허와 종사명령기간 중에 개설하는 병원·의원(조산원을 포함한다)의 면허
나. 「수의사법」에 따라 공수의로 위촉된 수의사의 동물진료업의 면허
3. 「총포·도검·화약류 등의 안전관리에 관한 법률」 제47조 제2항에 따라 총포 또는 총포의 부품이 보관된 경우 그 총포의 소지 면허. 다만, 같은 과세기간 중에 반환받은 기간이 있는 경우는 제외한다.
4. 매년 1월 1일 현재 「부가가치세법」에 따른 폐업신고를 하고 폐업 중인 해당 업종의 면허
5. 매년 1월 1일 현재 1년 이상 사실상 휴업 중인 사실이 증명되는 해당 업종의 면허
6. 마을주민의 복지증진 등을 도모하기 위하여 마을주민만으로 구성된 조직의 주민공동체 재산 운영을 위하여 필요한 면허

제53조(면허에 관한 통보) ① 삭제 〈2010.12.30.〉 ② 삭제 〈2010.12.30.〉
③ 시장·군수·구청장은 제40조 제2항 제5호에 해당하여 등록면허세를 비과세하는 경우에는 그 사실을 면허부여기관에 통보하여야 한다.

1. 등록에 대한 등록면허세 비과세

국가 등이 자기를 위하여 받는 등록(제26조 ①), 회사의 정리 또는 특별청산에 관하여 법원의 촉탁으로 인한 등록(② 1호), 행정구역의 변경, 주민등록번호의 변경 , 단순한 표시변경 등(② 2호), 지목이 묘지인 토지 등(② 3호)에 대하여는 동록에 대한 등록면허세를 과세하지 아니한다.

1) 국가등에 관한 비과세 사례

- 지방세의 체납으로 인하여 압류의 등기 또는 등록을 한 재산에 대하여 압류해제의 등기 또는 등록 등을 할 경우에는 「지방세법」 제26조에 의하여 등록면허세 비과세(예규 지법 26-1)
- 국가와 지방자치단체가 공익사업을 위한 토지등의 취득 및 보상에 관한 법률에 따라 공공사업(도로신설 및 도로확장 등)에 필요한 토지를 수용하여 공공용지에 편입하기 위해 행하는 분필등기, 공유물분할등기는 국가와 지방자치단체가 자기를 위하여 하는 등기에 해당하므로 등록면허세 비과세(예규 지법 26-1)
- 국세 체납처분의 예에 따라 징수하는 세외수입의 경우에도 압류 또는 압류해제에 따른 등록세가 면제됨(대법원 2003두3963, 2003.8.22.).

2) 회사의 정리 등 법원의 촉탁으로 인한 비과세

회사의 정리 등 법원의 촉탁으로 인해 등록을 하는 경우 등록에 대한 등록면허세를 비과세한다. 이는 정리회사가 법원으로부터 인가결정을 받은 정리계획안에 근거하여 정리절차를 수행하는 과정에서 등기할 사항이 생긴 경우 법원의 촉탁에 의해 등기를 하도록 함으로써 절차의 신속을 꾀하고, 이 경우 등록세를 부과하지 않음으로써 정리회사 및 정리담보권자와 정리채권자 등 이해관계인의 권익을 도모하기 위한 취지다.

한편, 행정안전부는 2004.12.2.자로 구 회사정리법에 의한 회사정리계획에 따라 정리회사의 차입금 출자전환에 따른 신주발행에 대하여 정리법원의 촉탁에 의하여 등기하는 경우에는 등록세 비과세 대상에 해당하나, 정리회사의 유상증자에 의한 자본증가 등기는 이에 해당하지 않는다는 취지의 유권해석을 하였고, 당시 대법원 등기예규에서도 정리법원이 촉탁하는 등기는 등록세 등을 면제하되, 정리계획의 수행에 따른 자본증가의 등기, 회사의 합병에 따른 설립등기 등은 면제 대상에서 제외하고 있었다. 그런데 행정안전부는 2009.8.3.자로 '유상증자에 의한 신주발행등기가 「채무자 회생 및 파산에 관한 법률」에서 정한 규정에 따라 법원의 촉탁으로 이루어지는 경우라면 등록세 비과세 대상'이라는 취지의 유권해석을 하고, 2009.9.8.자로 '구 회사정리법에서 정한 규정에 따라 제3자 배정 유상증자를 실시하여 법원의 촉탁으로 이루어지는 자본증가 등기 또한 등록세 비과세 대상'이라는 취지의 유권해석을 하여 당초의 유권해석을 변경하였다(아래 대법원 판례 및 유권해석 참조).

| 최근 개정법령_2016.1.1. | 법원촉탁으로 인한 등록면허세 비과세 대상 정비(법 제26조 ② 1호)

종전에는 회사의 정리 또는 특별청산에 관하여 법원의 촉탁으로 인한 등록인 경우에는 촉탁의 실질적 내용을 고려하지 않고 등록면허세를 일괄 비과세로 적용하였다. 이는 법원촉탁에 따른 비과세는 신속한 정리절차의 수행을 지원하기 위해 정리절차 관련 등록면허세를 비과세하고자 한 것임에도, 정리절차가 아닌 자본증자등기, 회사의 합병등기와 같은 실질적 재산권변동 등기까지 비과세하게 되어 당초 취지에 부합하지 않는 측면이 있었다(대법원 2012다23382, 2014.1.16.). 이에 따라 회사정리에 관한 법원촉탁에 따른 비과세 대상을 회사정리 절차에 관한 것으로만 한정토록 관련 규정을 개정하였다.

※ 채무자 회생 및 파산에 관한 법률(채무자회생법)과의 관계 : 「채무자회생법」 제25조 제4항에서 증자등기 등에 대하여 등록세를 비과세한다고 규정하고 있으나, 「지방세특례제한법」 제3조에서 지방세특례제한법, 지방세법, 조세특례제한법에 의하지 않고서는 지방세특례를 정할 수 없도록 규정하고 있으므로 채무자회생법상 등록세 면제에 관한 규정은 지방세특례제한법에 위배되는 규정이므로 적용 불필요 ⇒ 「채무자회생법」 제25조 제4항에도 불구하고 납입, 증자, 출자전환에 대하여는 등록면허세를 부과함.

◎ **회사정리에 따른 법원촉탁으로 유상증자 등록세를 비과세 대상임에도 자진신고납부한 것은 중대한 하자가 있으나, 하자가 명백하지 않아 당연무효는 아님**

유상증자 등기는 비과세 대상에 포함되지 아니한다고 해석하더라도 합리적 근거가 결여된 것으로 단정할 수는 없고, 신고납부 당시 행자부 유권해석과 등기예규는 정리법원의 촉탁등기에 관하여는 등록세 등을 면제하되, 정리계획의 수행에 따른 자본증가의 등기, 회사의 합병에 따른 설립등기 등은 면제 대상에서 제외되는 것으로 보고 있었고, 그에 따른 실무례도 별 이의 없이 받아들여지고 있었음. 원고도 이의신청 등의 불복절차를 밟지 않다가 3년 8개월이 지나 행안부가 유권해석을 변경하자 비로소 납부한 세액의 환급을 주장한 점 등을 종합하면, 법 해석에 합리적인 다툼의 여지가 있는 부분에 관하여 납세의무가 있는 것으로 오인하여 납부한 것에 불과하여 그 하자가 명백하였다고는 볼 수 없어 신고행위가 당연무효라고 할 수는 없음(대법원 2012다23382, 2014.1.16.).

☞ 신고납부방식의 조세채무와 관련된 과세요건이나 조세감면 등에 관한 법령의 규정이 특정 법률관계나 사실관계에 적용되는지 여부가 법리적으로 명확하게 밝혀져 있지 아니한 상태에서 과세관청이 그 중 어느 하나의 견해를 취하여 해석·운영하여 왔고 납세의무자가 그 해석에 좇아 과세표준과 세액을 신고·납부하였는데, 나중에 과세관청의 해석이 잘못된 것으로 밝혀졌더라도 그 해석에 상당한 합리적 근거가 있다고 인정되는 한 그에 따른 납세의무자의 신고·납부행위는 하자가 명백하다고 할 수 없어 이를 당연무효라고 할 것은 아님.

◎ **회사정리절차 진행 중인 법인이 법원의 허가를 받아 회생계획안에 의해 파산법에 따라 유상증자에 의한 신주를 발행하고 법원촉탁으로 증자등기가 이루어진 경우 비과세 대상**

법원의 촉탁으로 인한 등기·등록 중 비과세대상을 별도로 한정하지 아니한 점, 「파산법」 제23조 및 제25조에서 회생절차개시 등 국가기관으로서의 행위뿐만 아니라 회사정리절차개시 이후 법원의 촉탁에 의한 납입 등이 있는 신주발행(제266조), 사채발행(제268조) 등에 대해서도 등록세(등록면허세)를 부과하지 아니한다고 규정하고 있는 점 등을 고려할 때 유상증자에 의한 신주발행에 따른 등기가 「파산법」에서 정한 규정에 따라 법원의 촉탁으로 이루어지는 경우 등록세 비과세대상(지방세운영과-3093, 2009.8.3.).

◎ 정리계획의 수행이나 구 회사정리법의 규정에 의하여 정리절차종료 전에 등기 있는 권리의 득실이나 변경이 생긴 경우라 하더라도, '정리회사, 정리채권자, 정리담보권자, 주주와 신회사' 이외의 자를 권리자로 하는 등기는 법원이 직권으로 등기를 촉탁할 등기에 해당하지 아니하고, 이러한 등기는 비록 법원이 착오에 의하여 그 등기를 촉탁함으로써 경료되었다고 하더라도 등록세 비과세대상에 해당하지 않음(대법원 97구46636, 1998.5.6.).

◎ 정리계획의 수행이나 구 회사정리법의 규정에 의하여 정리절차종료 전에 등기 있는 권리의 득실이나 변경이 생긴 경우라 하더라도, '정리회사, 정리채권자, 정리담보권자, 주주와 신회

사' 이외의 자를 권리자로 하는 등기는 법원이 직권으로 등기를 촉탁할 등기에 해당하지 아니하고, 이러한 등기는 비록 법원이 착오에 의하여 그 등기를 촉탁함으로써 경료되었다고 하더라도 등록세 비과세대상에 해당하지 않음(대법원 97구46636, 1998.5.6.).

3) 행정구역의 변경, 단순 표시변경 등 비과세

재외국민 주민등록제 시행에 따라 재외국민이 차량등록원부상 종전 국내거소신고번호를 주민등록번호로 변경·등록하는 경우 등록면허세 과세대상이 아님

2015년 시행된 '재외국민 주민등록제도'는 재외국민에 대한 주민등록말소제도 및 국내거소신고제도를 폐지하고, 재외국민용 주민등록증 발급 제도임. 차량 등록의 경우 당초 국내거소신고번호에서 2016년부터는 주민등록번호로 변경하여야 함 … 개정 전에는 국내거소신고번호를 주민등록번호로 갈음하였던 점, 변경 사유가 국가적 차원에서 관계법령 개정 등의 외적 요인에 따라 발생한 점, '재외국민 주민등록제'는 재외국민의 국내생활 시 불편함을 개선하기 위해 시행된 점 등 감안, 「주민등록법」 및 「재외동포법」의 개정에 따라 주민등록번호로 변경·등록하는 경우 제2항 제2호의 등록면허세 비과세에 해당(지방세운영과-1248, 2015.4.27.)

차대번호를 착오 신청하여 이를 소유자가 경정등록하는 경우 등록면허세는 비과세

차대번호 경정등록은 자동차 제작증 정보 전송상 오류 또는 신규등록 착오신청 등 자동차 제작·판매자의 귀책으로부터 기인한 것으로 자동차 소유자 내부 사유에 의한 것이라 볼 수 없는 점, 자동차의 소유자와 차대번호가 일치하지 않을 경우 차량 도난으로 인해 대포차 문제를 가중시킬 수 있을 뿐 아니라 차량 결함에 따른 사고의 추적에 혼란을 초래하는 등의 문제가 발생할 수 있는 점 등을 감안시, 원시적인 착오나 누락으로 인해 자동차 등록원부상 잘못 등록된 차대번호를 경정등록할 수 있도록 유인할 필요가 있다고 할 것인 점 …「지방세법」 제26조 제2항 제2호에 따른 등록 담당 공무원의 착오 및 이와 유사한 사유로 인한 경정등록에 해당하므로 등록면허세를 비과세(지방세운영과-684, 2017.10.17.)

2. 면허에 대한 등록면허세 비과세

국가 등이 자기를 위하여 받는 면허(법 제26조 ①), 면허의 단순한 표시변경 등 등록면허세의 과세가 적합하지 아니한 경우(법 제26조, 영 제40조 ②)에는 면허에 대한 등록면허세를 과세하지 아니한다.

☞ 법 제35조 참조

제2절

등록에 대한 등록면허세

제27조(과세표준)

법 제27조(과세표준) ① 부동산, 선박, 항공기, 자동차 및 건설기계의 등록에 대한 등록면허세(이하 이 절에서 "등록면허세"라 한다)의 과세표준은 등록 당시의 가액으로 한다.

② 제1항에 따른 과세표준은 조례로 정하는 바에 따라 등록자의 신고에 따른다. 다만, 신고가 없거나 신고가액이 제4조에 따른 시가표준액보다 적은 경우에는 시가표준액을 과세표준으로 한다.

③ 제10조 제5항부터 제7항까지의 규정에 해당하는 경우에는 제2항에도 불구하고 제10조 제5항에 따른 사실상의 취득가격, 같은 조 제6항에 따라 계산한 취득가격 또는 같은 조 제7항에 따라 확인된 금액을 과세표준으로 한다. 다만, 등록 당시에 자산재평가 또는 감가상각 등의 사유로 그 가액이 달라진 경우에는 변경된 가액을 과세표준으로 한다. 〈개정 2010.12.27.〉

④ 채권금액으로 과세액을 정하는 경우에 일정한 채권금액이 없을 때에는 채권의 목적이 된 것의 가액 또는 처분의 제한의 목적이 된 금액을 그 채권금액으로 본다.

⑤ 제1항부터 제4항까지의 규정에 따른 과세표준이 되는 가액의 범위 및 그 적용에 필요한 사항은 대통령령으로 정한다.

영 제41조(정의) 이 절에서 사용하는 용어의 뜻은 다음과 같다.

1. "부동산"이란 법 제6조 제3호 및 제4호에 따른 토지와 건축물을 말한다.
2. "선박"이란 법 제6조 제10호에 따른 선박을 말한다.
3. "한 건"이란 등기 또는 등록대상 건수마다를 말한다. 「부동산등기법」 등 관계 법령에 따라 여러 개의 등기·등록대상을 한꺼번에 신청하여 등기·등록하는 경우에도 또한 같다.

제42조(과세표준의 적용) ① 법 제27조 제3항 단서에 따라 자산재평가 또는 감가상각 등의 사유로 변경된 가액을 과세표준으로 할 경우에는 등기일 또는 등록일 현재의 법인장부 또는 결산서 등으로 증명되는 가액을 과세표준으로 한다.

② 주택의 토지와 건축물을 한꺼번에 평가하여 토지나 건축물에 대한 과세표준이 구분되지 아니하는 경우에는 한꺼번에 평가한 개별주택가격을 토지나 건축물의 가액 비율로 나눈 금액을 각각 토지와 건축물의 과세표준으로 한다.

부동산 등 등록면허세의 과세표준은 등록 당시의 가액으로 하고 등록자의 신고에 따른다. 다만, 신고가 없거나 신고가액이 시가표준액보다 적은 경우에는 시가표준액이 과세표준이 된다. 그리고 사실상의 취득가격이 확인되는 경우(제10조 ⑤ 및 ⑥)는 확인되는 취득가격을 과세표준으로 한다. 이는 취득세 과표산정 체계와 사실상 동일하다고 할 수 있다. 그런데 등록면허세의 경우 취득과 무관한 등기등록에 대해 과세하는 세금인데, 취득세 과표를 그대로 가져온다는 것은 조화롭지 않은 측면이 있다.

한편 단서조항에서 "다만, 등록 당시에 자산재평가 또는 감가상각 등의 사유로 그 가액이 달라진 경우에는 변경된 가액을 과세표준으로 한다"고 규정하고 있는데, 기업회계는 주로 1년을 주기로 감가상각을 하고 새로운 장부가격이 나타난다. 취득시점과 등기시점간의 시차가 1년이상 나는 경우에 일괄적으로 감가상각된 장부가액을 적용할 수 있는지 의문이 든다. 해당 규정은 법인간의 거래인 경우가 그 대상으로 보이고, 이도 상대방법인의 장부가액이 아니라 취득하는 법인의 장부가액을 의미한다고 봐야할 것이다. 그렇다면 이러한 규정이 의미가 있으려면 우선 법인이 등기등록하는 등록면허세과세대상으로 하여 감가상각으로 인해 당초의 취득가격보다 낮아질 여지가 있는 경우로 한정해야 하는데 적용사례가 매우 제한적일 것이라고 사료된다.

1. 부동산 소유권 보존 · 이전 등기 과세표준

◎ **사해행위 취소 소송의 판결에 따라 단독상속인과 채무자 사이의 상속재산분할협의계약을 취소하고, 채무자로 소유권 이전절차를 이행하는 경우 등록면허세(1.5%) 과세**

법정상속인 중 1인 이상이 취득세를 신고납부한 이후 상속인이 변경되더라도 취득세 신고납부 의무를 이미 이행한 것으로 보아야 하고, 사해행위 취소의 효력은 채권자의 이익을 위해 채무자 소유에 속한 재산을 원상회복하는 것에 불과하며 이를 상속개시일로 소급하여 상속으로 인한 취득이 발생한 것으로 보기 어려움. 아울러 등록세(舊)는 등기 또는 등록의 유·무효나 실질적인 권리귀속 여부와는 관계가 없으므로, 비록 상속협의분할이 취소되어 해당 등기를 무효로 하고 소유권 변동의 외관을 제거하기 위하여 새로운 소유권이전등기를 이행하는 경우라도 등록면허세 납세의무는 발생하게 되므로, 사해행위취소 판결에 따라 소유권 원상회복을 위해 채무자로의 소유권이전등기를 이행하는 경우는 '무상으로 인한 소유권 취득에 기한 부동산 등기' 세율(1.5%)을 적용하는 것(서울고법 2013누4929)이 타당(행안부 지방세운영과-2183, 2019.7.19.).

◎ **가스충전소를 일괄로 취득하는 경우 등기 · 등록되지 않는 관련설비(저장탱크, 가스충전기, 발전시설 등)의 취득가액은 舊 등록세 과세표준에 포함되지 아니함**

토지나 건축물의 종물 등에 해당되지 아니하고 등기·등록대상도 아니라면 그 취득가액은 舊 등록세 과세표준에 포함할 수 없다고 할 것임. 또한, 토지에 정착하거나 지하 또는 다른 구조물에 설치하는 저장시설, 에너지 공급시설 등은 건축물로 별도 구분하고 있으므로 저장탱크 등이 토지의 부합물적 성격을 가지고 있다 하더라도 건축물로서의 과세대상 여부를 판단해야 할 것임. 따라서, 캐노피 및 가스충전기·발전기·저장탱크 등이 별도로 등기되지 않고 등기대상인 건축물에 연결되거나 부착되어 해당 건축물의 효용과 기능을 위해 필요불가결하지도 않다면, 그 취득가액은 과세표준에 포함할 수 없음(지방세운영과-363, 2012.2.6.).

☞ 현재는 구 등록세가 취득세로 통합되었으므로 취득세 세율이 그대로 적용됨.

◎ **증축과 대수선을 병행한 후 등기를 하는 경우 증축에 소요된 비용만 등록세 과표로 함**

증축 및 대수선 공사를 병행시 등록세 과세표준 관련, 건축물을 증축 및 대수선 공사를 병행한 후 그에 따른 등기를 하는 경우, 건축물의 면적증가가 없는 대수선에 따른 공사비에 대하여는 간주 취득세만 과세되고 소유권보존에 따른 등록세는 과세되지 않으므로, 증축 및 대수선에 따른 총공사비 중 증축에 소요된 비용에 대하여만 등록세 과세표준으로 하는 것이 타당하고, 증축과 대수선공사 비용의 구분이 불분명하다면 증축 또는 대수선가액(시가표준액) 비율로 안분한 가액으로 하여야 함(지방세운영과-1656, 2010.4.22.).

◎ **건축면적은 증가되고 연면적은 감소한 경우 건축면적 증가분은 소유권 보존 관련 세율이 적용되고, 과세표준은 증축에 소요된 비용으로서 법인장부에 의하여 입증되는 가격이 됨**

기존 건축물에 리모델링 공사를 하여 건축물의 건축면적은 증가되고 연면적은 감소되었다 하더라도 건축면적의 증가는 건축물의 증축에 해당되는 것이므로 당해 건축면적의 증가분에 대하여는 소유권보존등기에 따른 등록세 세율(지방세법 제131조 ① 4호)을 적용하여야 할 것으로 판단되며, 등록세 과세표준은 증축에 소요된 비용으로서 법인장부에 의하여 입증되는 가격이 되는 것임(지방세운영과-307, 2008.7.22.).

◎ **공유지분에 해당하는 필지를 단독소유로 등기하는 경우 분할된 각각의 지분을 과표로 함**

당초 1필지의 토지를 2인의 취득하여 공동으로 소유하고 있다가 이를 2필지로 공유물 분할등기하면서 2인 공유자가 각자 공유지분에 해당하는 필지의 토지를 단독소유로 등기하는 경우에는 등록세 과세표준은 분할된 각각의 지분을 과세표준으로 하여 과세하는 것이 타당함(세정-592, 2004.3.1.).

2. 법인 등기

법인의 설립, 자본금의 증자 등기는 출자금액으로 하고, 단순히 등록건수를 과세표준으로 하는 경우도 있는 등 등기의 대상 및 등기 유형에 따라 과세표준과 세율이 상이하게 적용된다.

◎ **비영리법인의 설립등기 당시 법인등기부상에 등재되는 출자총액 및 재산가액이 과표가 됨**

지방세법상 비영리법인의 설립 또는 합병으로 인한 존속법인의 설립과 불입에 대한 법인등기를 받을 때에는 불입한 출자총액 또는 재산가액의 1,000분의 2를 적용한다고 규정하고 있으므로, 민법 제32조에 의하여 설립된 법인 또는 특별법에 의하여 설립된 비영리법인의 설립등기 시 등록세 과세표준이 되는 불입한 출자총액 또는 재산가액을 적용함에 있어 법인장부상의 자산총액에서 부채총액을 차감한 순재산가액을 적용하는 것이 아니라 법인설립등기 당시 법인등기부상에 등재되는 출자총액 및 재산가액을 등록세 과세표준으로 하여야 할 것임(지방세운영과-398, 2008.6.16., 지방세운영과-1096, 2008.9.9.).

3. 부동산 경매신청, 가압류, 가처분, 가등기

◎ 부동산에 관한 처분금지가처분등기의 경우 일정한 채권금액이 없는 것으로 보아 채권금액이 아닌 당해 부동산 가액이 등록세 과표가 됨(대법원 2011두9683, 2013.2.28.).

◎ 경매신청시 청구금액에 채권원금 이외에 이자까지 기재하여 신청하였다면 원금뿐 아니라 그 이자 역시 과세표준에 포함됨(대법원 2003두12097, 2004.11.11.).

◎ **가압류신청서상의 청구금액보다 법원의 가압류결정으로 청구금액보다 적은 금액이 채권가액으로 등기된 경우 그 차액분에 대한 등록면허세는 환급하여야 한다고 한 사례**

등록면허세의 납세의무 성립 및 과세대상 해당 여부, 과세표준 등은 공부상의 등기 또는 등록사항을 기준으로 판단하는 것이 타당하다고 할 것이므로 가압류신청서상의 청구금액을 과세표준으로 하여 등록면허세를 신고납부 하였으나 법원의 가압류결정으로 가압류신청서상의 청구금액보다 적은 금액이 채권가액으로 등기되었다면 당초 신고납부한 금액과의 차액은 환급하여야 할 것임(지방세운영과-2811, 2012.9.6.).

◎ **근저당권 이전계약에 따라 피담보채권이 확정되기 전 계약 일부 양도를 원인으로 한 근저당권 이전등기 신청 시 납부할 등록면허세 과세표준은 채권최고액 전체**

근저당권설정 등기를 필한 후 근저당권의 피담보채권이 확정되지 아니한 상태에서 근저당권에 대해 일부이전 등기를 하는 경우라면 … 이전되는 지분이나 채권금액의 표시가 없다면 이전부분만의 채권금액을 달리 정할 수 없으므로, 「지방세법」 제27조 제4항에 따라 채권의 목적이 된 채권최고액 전체, 즉 기존 근저당권의 채권최고액 전액을 등록면허세 과세표준으로 하여야 할 것임(지방세운영과-2446, 2016.9.22.).

제28조(세율) 제1항 · 제6항 [등록에 대한 등록면허세 세율 일반]

법 제28조(세율) ① 등록면허세는 등록에 대하여 제27조의 과세표준에 다음 각 호에서 정하는 세율을 적용하여 계산한 금액을 그 세액으로 한다. 다만, 제1호부터 제5호까지 및 제5호의 2의 규정에 따라 산출한 세액이 해당 각 호의 그 밖의 등기 또는 등록 세율보다 적을 때에는 그 밖의 등기 또는 등록 세율을 적용한다. 〈개정 2010.12.27., 2011.3.29., 2011.12.31., 2013.1.1., 2014.1.1., 2015.7.24., 2015.12.29.〉

1. 부동산 등기
   가. 소유권의 보존 등기 : 부동산 가액의 1천분의 8
   나. 소유권의 이전 등기
      1) 유상으로 인한 소유권이전등기 : 부동산 가액의 1천분의 20. 다만, 제11조 제1항 제8호에 따른 세율을 적용받는 주택의 경우에는 해당 주택의 취득세율에 100분의 50을 곱한 세율을 적용하여 산출한 금액을 그 세액으로 한다.
      2) 무상으로 인한 소유권이전등기 : 부동산 가액의 1천분의 15. 다만, 상속으로 인한 소유권이전등기의 경우에는 부동산 가액의 1천분의 8로 한다.
   다. 소유권 외의 물권과 임차권의 설정 및 이전
      1) 지상권 : 부동산 가액의 1천분의 2. 다만, 구분지상권의 경우에는 해당 토지의 지하 또는 지상 공간의 사용에 따른 건축물의 이용저해율(利用沮害率), 지하 부분의 이용저해율 및 그 밖의 이용저해율 등을 고려하여 행정안전부장관이 정하는 기준에 따라 특별자치시장·특별자치도지사·시장·군수 또는 구청장이 산정한 해당 토지 가액의 1천분의 2로 한다.
      2) 저당권(지상권·전세권을 목적으로 등기하는 경우를 포함한다) : 채권금액의 1천분의 2
      3) 지역권 : 요역지(要役地) 가액의 1천분의 2　4) 전세권 : 전세금액의 1천분의 2
      5) 임차권 : 월 임대차금액의 1천분의 2.
   라. 경매신청·가압류·가처분 및 가등기
      1) 경매신청 : 채권금액의 1천분의 2
      2) 가압류(부동산에 관한 권리를 목적으로 등기하는 경우를 포함한다) : 채권금액의 1천분의 2
      3) 가처분(부동산에 관한 권리를 목적으로 등기하는 경우를 포함한다) : 채권금액의 1천분의 2
      4) 가등기(부동산에 관한 권리를 목적으로 등기하는 경우를 포함한다) : 부동산 가액 또는 채권금액의 1천분의 2　마. 그 밖의 등기 : 건당 6천원
2. 선박 등기 또는 등록(「선박법」 제1조의 2 제2항에 따른 소형선박을 포함한다)
   가. 소유권의 등기 또는 등록 : 선박 가액의 1천분의 0.2
   나. 저당권 설정 등기 또는 등록, 저당권 이전 등기 또는 등록 : 채권금액의 1천분의 2
   다. 그 밖의 등기 또는 등록 : 건당 1만5천원
3. 차량의 등록

가. 소유권의 등록
1) 비영업용 승용자동차 : 1천분의 50. 다만, 경자동차의 경우에는 1천분의 20으로 한다.
2) 그 밖의 차량
가) 비영업용 : 1천분의 30. 다만, 경자동차의 경우에는 1천분의 20으로 한다.
나) 영업용 : 1천분의 20
나. 저당권 설정 등록 또는 이전 등록 : 채권금액의 1천분의 2
다. 제7조 제10항에 따른 취득대금을 지급한 자 또는 운수업체의 등록
1) 운수업체의 명의를 다른 운수업체의 명의로 변경하는 경우 : 건당 1만5천원
2) 운수업체의 명의를 취득대금을 지급한 자의 명의로 변경하는 경우 : 건당 1만5천원
3) 취득대금을 지급한 자의 명의를 운수업체의 명의로 변경하는 경우 : 건당 1만5천원
라. 그 밖의 등록 : 건당 1만5천원
4. 기계장비 등록
가. 소유권의 등록 : 1천분의 10
나. 저당권 설정 등록 또는 이전 등록 : 채권금액의 1천분의 2
다. 제7조 제10항에 따른 취득대금을 지급한 자 또는 기계장비대여업체의 등록
1) 기계장비대여업체의 명의를 다른 기계장비대여업체의 명의로 변경하는 경우 : 건당 1만원
2) 기계장비대여업체의 명의를 취득대금을 지급한 자의 명의로 변경하는 경우 : 건당 1만원
3) 취득대금을 지급한 자의 명의를 기계장비대여업체의 명의로 변경하는 경우 : 건당 1만원
라. 그 밖의 등록 : 건당 1만원
5. 공장재단 및 광업재단 등기
가. 저당권 설정 등기 또는 이전 등기 : 채권금액의 1천분의 1
나. 그 밖의 등기 또는 등록 : 건당 9천원
5의 2. 동산담보권 및 채권담보권 등기 또는 지식재산권담보권 등록
가. 담보권 설정 등기 또는 등록, 담보권 이전 등기 또는 등록 : 채권금액의 1천분의 1
나. 그 밖의 등기 또는 등록 : 건당 9천원
6. 법인 등기
가. 상사회사, 그 밖의 영리법인의 설립 또는 합병으로 인한 존속법인
1) 설립과 납입 : 납입한 주식금액이나 출자금액 또는 현금 외의 출자가액의 1천분의 4(세액이 11만2천5백원 미만인 때에는 11만2천5백원으로 한다. 이하 이 목부터 다목까지에서 같다)
2) 자본증가 또는 출자증가 : 납입한 금액 또는 현금 외의 출자가액의 1천분의 4
나. 비영리법인의 설립 또는 합병으로 인한 존속법인
1) 설립과 납입 : 납입한 출자총액 또는 재산가액의 1천분의 2
2) 출자총액 또는 재산총액의 증가 : 납입한 출자 또는 재산가액의 1천분의 2
다. 자산재평가적립금에 의한 자본 또는 출자금액의 증가 및 출자총액 또는 자산총액의 증가(「자산재평가법」에 따른 자본전입의 경우는 제외한다) : 증가한 금액의 1천분의 1
라. 본점 또는 주사무소의 이전 : 건당 11만2천5백원
마. 지점 또는 분사무소의 설치 : 건당 4만2백원 바. 그 밖의 등기 : 건당 4만2백원

7. 상호 등 등기
   가. 상호의 설정 또는 취득 : 건당 7만8천7백원
   나. 지배인의 선임 또는 대리권의 소멸 : 건당 1만2천원
   다. 선박관리인의 선임 또는 대리권의 소멸 : 건당 1만2천원
8. 광업권 등록
   가. 광업권 설정(광업권의 존속기간 만료 전에 존속기간을 연장한 경우를 포함한다) : 건당 13만5천원
   나. 광업권의 변경
      1) 증구(增區) 또는 증감구(增減區) : 건당 6만6천5백원 2) 감구(減區) : 건당 1만5천원
   다. 광업권의 이전
      1) 상속 : 건당 2만6천2백원 2) 그 밖의 원인으로 인한 이전 : 건당 9만원
   라. 그 밖의 등록 : 건당 1만2천원
8의 2. 조광권 등록
   가. 조광권 설정(조광권의 존속기간 만료 전에 존속기간을 연장한 경우를 포함한다) : 건당 13만5천원
   나. 조광권의 이전
      1) 상속 : 건당 2만6천2백원 2) 그 밖의 원인으로 하는 이전 : 건당 9만원
   다. 그 밖의 등록 : 건당 1만2천원
9. 어업권 등록
   가. 어업권의 이전
      1) 상속 : 건당 6천원 2) 그 밖의 원인으로 인한 이전 : 건당 4만2백원
   나. 어업권 지분의 이전
      1) 상속 : 건당 3천원 2) 그 밖의 원인으로 인한 이전 : 건당 2만1천원
   다. 어업권 설정을 제외한 그 밖의 등록 : 건당 9천원
10. 저작권, 배타적발행권(「저작권법」 제88조 및 제96조에 따라 준용되는 경우를 포함한다), 출판권, 저작인접권, 컴퓨터프로그램 저작권 또는 데이터베이스 제작자의 권리(이하 이 호에서 "저작권등"이라 한다) 등록
   가. 저작권등의 상속 : 건당 6천원
   나. 「저작권법」 제54조(제90조 및 제98조에 따라 준용되는 경우를 포함한다)에 따른 등록 중 상속 외의 등록(프로그램, 배타적발행권, 출판권 등록은 제외한다) : 건당 4만2백원
   다. 「저작권법」 제54조(제90조 및 제98조에 따라 준용되는 경우를 포함한다)에 따른 프로그램, 배타적발행권, 출판권 등록 중 상속 외의 등록 : 건당 2만원
   라. 그 밖의 등록 : 건당 3천원
11. 특허권·실용신안권 또는 디자인권(이하 이 호에서 "특허권등"이라 한다) 등록
   가. 상속으로 인한 특허권등의 이전 : 건당 1만2천원
   나. 그 밖의 원인으로 인한 특허권등의 이전 : 건당 1만8천원
12. 상표 또는 서비스표 등록
   가. 「상표법」 제82조 및 제84조에 따른 상표 또는 서비스표의 설정 및 존속기간 갱신 : 건당

7천6백원

나. 상표 또는 서비스표의 이전(「상표법」 제196조 제2항에 따른 국제등록기초상표권의 이전은 제외한다)

1) 상속 : 건당 1만2천원　2) 그 밖의 원인으로 인한 이전 : 건당 1만8천원

13. 항공기의 등록

가. 최대이륙중량 5천700킬로그램 이상의 등록 : 그 가액의 1천분의 0.1

나. 가목 이외의 등록 : 그 가액의 1천분의 0.2

14. 제1호부터 제7호까지의 등기 외의 등기 : 건당 1만2천원

②~⑤ ☞ 대도시내 중과 관련 다음 장에서 설명

⑥ 지방자치단체의 장은 조례로 정하는 바에 따라 등록면허세의 세율을 제1항 제1호에 따른 표준세율의 100분의 50의 범위에서 가감할 수 있다. 〈개정 2010.12.27.〉

영 제42조의 2(비영업용 승용자동차 등) ① 법 제28조 제1항 제3호 각 목 외의 부분에서의 "차량"에는 총 배기량 125시시 이하이거나 최고정격출력 12킬로와트 이하인 이륜자동차는 포함하지 않는다.

② 법 제28조 제1항 제3호 가목 1)에 따른 비영업용 승용자동차는 제122조 제1항에 따른 비영업용으로서 제123조 제1호 및 제2호에 해당하는 승용자동차로 한다.

③ 법 제28조 제1항 제3호 가목 1) 단서 및 같은 목 2) 가) 단서에 따른 경자동차는 각각 「자동차관리법」 제3조에 따른 자동차의 종류 중 경형자동차로 한다.

④ 법 제28조 제1항 제3호 라목 및 제4호 라목에 따른 등록에는 「자동차등록령」 제22조 제4항 제4호에 따른 등록 및 「건설기계관리법 시행령」 제6조 제1항에 따른 등록은 포함하지 아니한다. 〈개정 2015.7.24.〉　[본조신설 2011.5.30.]

제43조(법인등기에 대한 세율) ① 법 제28조 제1항 제6호 나목 1)2)외의 부분에 따른 비영리법인은 다음 각 호의 어느 하나에 해당하는 법인으로 한다. 〈신설 2015.7.24.〉

1. 「민법」 제32조에 따라 설립된 법인　2. 「사립학교법」 제2조 제2호에 따른 학교법인

3. 그 밖의 특별법에 따라 설립된 법인으로서 「민법」 제32조에 규정된 목적과 유사한 목적을 가진 법인[주주(株主)·사원·조합원 또는 출자자(出資者)에게 이익을 배당할 수 있는 법인은 제외한다]

② 법인이 본점이나 주사무소를 이전하는 경우 구(舊) 소재지에는 법 제28조 제1항 제6호 바목에 따라, 신(新) 소재지에는 같은 호 라목에 따라 각각 법 제3장 제2절의 등록에 대한 등록면허세(이하 이 절에서 "등록면허세"라 한다)를 납부하여야 한다. 〈개정 2015.7.24.〉

③ 법인이 지점이나 분사무소를 설치하는 경우 본점 또는 주사무소 소재지에는 법 제28조 제1항 제6호 바목에 따라, 지점 또는 분사무소의 소재지에는 같은 호 마목에 따라 각각 등록면허세를 납부하여야 한다. 〈개정 2015.7.24.〉

④ 법 제28조 제1항 제6호 바목에 해당하는 등기로서 같은 사항을 본점과 지점 또는 주사무소와 분사무소에서 등기하여야 하는 경우에는 각각 한 건으로 본다. 〈개정 2015.7.24.〉

⑤ 「상법」 제606조에 따라 주식회사에서 유한회사로 조직변경의 등기를 하는 경우 또는 같은 법 제607조 제5항에 따라 유한회사에서 주식회사로 조직변경의 등기를 하는 경우에는 법 제28조 제1항 제6호 바목에 따른 등록면허세를 납부하여야 한다. 〈신설 2015.7.24.〉

등록면허세(舊 등록세)는 재산권 기타 권리의 취득·이전·변경 또는 소멸에 관한 사항을 공부에 등기 또는 등록하는 경우에 이를 담세력의 표현으로 보고 지방자치단체의 재정수입을 위하여 부과하는 조세이므로 일단 위와 같은 등기 또는 등록행위가 있으면 그 과세요건이 충족되는 것이며, 등기 또는 등록자체에 하자가 있어 법률상 등기 또는 등록된 효과를 인정할 수 없는 경우가 아닌 한 그 등기 또는 등록의 원인행위가 무효 또는 취소되었음을 이유로 그 등기 또는 등록의 말소를 명하는 판결이 선고되었다고 하더라도 납세의무가 소급하여 소멸되는 것이 아니다(대법원 82누509, 1983.2.22., 예규 지법 23-2).

2014년부터는 지난 1992년 이후 20여 년간 세율조정이 이루어지지 않았던 등록분 등록면허세 중 정액세율에 대한 조정이 있어 조금은 현실화되었다.

| 최근 개정법령 _ 2015.7.24. | 부동산 등기 중 저당권, 가등기 등의 과세대상 명확화(법 제28조 제1항)

종전에는 「지방세법」 제28조 제1항 제1호 다목 2)에서 저당권 설정등기에 따른 등록면허세는 채권금액의 1천분의 2에 해당하는 세율 적용토록 규정하였다. 이에 따라 전세권에 대한 저당권 설정시 전세금이나 채권금액을 과세표준으로 하여 과세하여야 하나, 「지방세법」 제28조 제1항 제1호 본문에서 "부동산 등기"라고 규정하고 있고, 각 목에서는 등기유형별로 세율을 열거하고 있어, 전세권이나 지상권에 저당권을 설정하는 경우 정율세율(0.2%)을 적용하여야 함에도, 명문 규정이 없어 적용상 혼란의 여지가 있었다. 따라서 「지방세법」 제28조 제1항 제1호 중 권리에 대한 등기가 가능한 경우 그 대상범위와 적용세율을 명확히 규정하였다.

| 최근 개정법령 _ 2015.7.24. | 선박의 저당권 설정에 대한 등록면허세 규정 신설(법 제28조 제1항)

종전에는 선박은 의제부동산(擬制不動産, 토지나 건물이 아니면서 등기·등록 등의 공시방법을 갖추어 부동산에 준하여 취급되는 동산 등으로서 항공기, 자동차, 건설기계 등을 말함)의 일종으로서 저당권 설정시 「선박등기법」 등 관련법령에 따라 선박등기부 등에 등기·등록하도록 되어 있었는데, 같은 의제동산인 차량, 기계장비의 저당권 설정에 대해서는 등록면허세가 과세되고, 선박에 대해서는 미과세되어 불형평 문제가 야기되었다. 이에 따라 과세물건간의 형평성 등을 위해 선박의 저당권 설정에 대한 세율을 신설하고, 아울러 20톤 미만 선박 등에 대해서는 "등기"가 아닌 "등록"이라는 용어를 사용하는 점을 고려하여 "등기"를 "등기 또는 등록"으로 변경하였다.

| 최근 개정법령 _ 2016.1.1. | 법원촉탁으로 차량 등 등록면허세 최저한 세율 개선(법 제28조 ① 단서신설)

종전규정에 따르면 정률로 과세되는 부동산·법인 등기의 등록면허세가 최저 정액세액에 미달하는 경우 최저 정액세액('최저한세')을 세율로 적용하게 된다. 예를 들어 부동산에 2백만원의 근저당권을 설정하는 경우 4,000원(2백만원×0.2%)으로 최저 정액세 6,000원에 미달하는 경우 최저 정액세 6,000원이 과세된다. 다만 차량, 기계장비, 선박 등의 등기에 대해서는 위와 같은 최저한세 규정을 두고 있지 아니하였는 바, 최저 정액세는 등록에 따른 행정비용을 충당하기 위한 최소한의 금액이므로, 정률로 산출한 세액이 최저 정액세에 미달하는 경우 최저 정액세를 부과하는 것이 형평에 부합한다. 그에 따라 선박, 차량, 기계장비, 공장재단 및 광업재단에 대한 등기·등록에 대하여도 최저한세가 적용될 수 있도록 개정되었는데, 산출된 정률세율이 각 과세대상의 최저 정액세율('그 밖의 등기·등록' 세액)보다 적을 때에는 최저 정액세율을 적용하도록 개정되었다.

| 세부담 적용사례 : 해당 재산에 5백만원의 저당권 설정시 |

구 분	차 량	기계장비	선 박
현 행*(A)	10,000원	10,000원	10,000원
개정후(B)	15,000원	10,000원	15,000원
추가 부담액(B-A)	5,000원	0원	5,000원

* 5,000,000원 × 0.2%(정률세율) = 10,000원

| 최근 개정법령 _ 2016.1.1. | 차량 등 저당·담보권 이전등기에 대한 세율체계 개선(법 제28조 제1항)
종전 규정에 따르면 부동산의 경우 저당권 이전에 대하여도 저당권 설정과 동일하게 정률세율(채권금액의 0.2%)로 등록면허세 과세하였다. 자동차, 기계장비 등의 경우에는 저당권 설정등기에 대하여 정률세율(채권금액의 0.1~0.2%)로 과세하고 있는 반면, 저당권 이전등기에 대하여는 정액세율(선박 15,000원, 기계장비 10,000원, 공장·광업재단 9,000원, 동산담보권 및 채권담보권 또는 지식담보권 9,000원)로 과세하였다. 그런데 저당권 이전등기의 경우 저당권 설정과 경제적 실질이 동일함에도 자동차, 기계장비 등은 서로 다른 세율이 적용되고 있어 불합리한 측면이 있었다. 이에 따라 차량·기계장비·공장(광업)재단의 저당권이전, 동산·채권담보권의 이전에 대한 정률세율을 신설하였다. ※ 저당권 이전시 채권액의 0.2%(공장재단은 0.1%)
〈2016년 행자부 적용요령〉 이 법이 개정되기 이전에 납세의무가 성립된 분에 대하여는 기존 행자부 유권해석에 따라 정액세로 과세함. 자동차와 건설기계에 이미 다른 법인 명의로 설정되어 있는 저당권을 양수받아 이전 등록하는 경우, 저당권 변경 등록면허세 세율은 자동차 1건당 15,000원, 건설기계는 10,000원을 적용(세정-187, 2005.1.16. 참조)

| 개선안에 따른 등록면허세 세율 |

구 분	부동산	차 량	기계장비	공장재단
저당권 설정	채권액의 0.2%	채권액의 0.2%	채권액의 0.2%	채권액의 0.1%
저당권 이전	채권액의 0.2%	15,000원 → 上同	10,000원→ 上同	9,000원→ 上同

| 참고_등록에 대한 등록면허세 세율 |

구 분			과세표준	세 율
1. 부동산등기	소유권의 보존등기		부동산가액	8/1,000(0.8%)
	소유권의 이전등기	유상으로 인한 이전등기	부동산가액	20/1,000(2.0%)
		무상으로 인한 이전등기	부동산가액	15/1,000(1.5%)
		상속으로 인한 이전등기	부동산가액	8/1,000(0.8%)
	소유권외 물권 및 임차권의 설정 및 이전	지상권	부동산가액	2/1,000(0.2%)
		저당권(지상권·전세권 목적등기 포함)	채권금액	2/1,000(0.2%)
		지역권	요역지가액	2/1,000(0.2%)
		전세권	전세금액	2/1,000(0.2%)
		임차권	임대차금액	2/1,000(0.2%)
	경매신청 등	경매신청·가압류·가처분(부동산에 관한 권리 목적등기 포함)	채권금액	2/1,000(0.2%)
		가등기	부동산가액	2/1,000(0.2%)
	그 밖의 등기*			건당 6,000원
2. 선박등기·등록(소형선박 포함)	소유권 보존		선박가액	0.2/1,000(0.02%)
	저당권 설정 등기·등록		채권가액	2/1,000(0.2%)
	그 밖의 등기*			건당 15,000원
3. 차량등록	소유권 등록	비영업용 승용자동차	자동차가액	50/1,000(5.0%)
		비영업용 승용자동차(경차)	자동차가액	20/1,000(2.0%)
		그 밖의 차량(비영업용)	자동차가액	30/1,000(3.0%)
		그 밖의 차량(비영업용, 경차)	자동차가액	20/1,000(2.0%)
		그 밖의 차량(영업용)	자동차가액	20/1,000(2.0%)
	저당권 설정등록·이전등록		채권금액	2/1,000(0.2%)
	그 밖의 등록*			건당 15,000원
4. 기계장비	소유권의 등록		기계장비가액	10/1,000(1.0%)
	저당권 설정 등록		채권금액	2/1,000(0.2%)
	그 밖의 등록*			건당 10,000원
5. 공장·광업재단	저당권 설정등기		채권금액	1/1,000(0.1%)
	그 밖의 등기·등록*			건당 9,000원

구 분			과세표준	세 율
5의 2. 동산 담보권 등	담보권 설정 · 이전		채권금액	1/1,000(0.1%)
	그 밖의 등기 · 등록*			건당 9,000원
6. 법인등기	상사회사 등	설립과 불입	주식금액 등	4/1,000(0.4%)
		자본증가 또는 출자등가	불입금액 등	4/1,000(0.4%)
	비영리법인 등	설립과 불입	출자총액 등	2/1,000(0.2%)
		출자총액 등의 증가	불입금액 등	2/1,000(0.2%)
	자산재평가적립금에 의한 자본증가 등		증가금액	1/1,000(0.1%)
	본점 또는 주사무소 이전			건당 112,500원
	지점 또는 분사무소의 설치			건당 40,200원
	그 밖의 등기*			건당 40,200원
7. 상호 등	상호의 설정 또는 취득			건당 78,700원
	지배인의 선임 또는 대리권의 소멸			건당 12,000원
	선박관리인의 선임 또는 대리권의 소멸			건당 12,000원
8. 광업권	광업권의 설정			건당 135,000원
	광업권의 변경	증구 또는 증감구		건당 66,500원
		감구		건당 15,000원
	광업권의 이전	상속		건당 26,200원
		그 밖의 원인		건당 90,000원
	그 밖의 등록			건당 12,000원
8의 2. 조광권	조광권의 설정			건당 135,000원
	조광권의 이전	상속		건당 26,200원
		그 밖의 원인		건당 90,000원
	그 밖의 등록			건당 12,000원
9. 어업권	어업권의 이전	상속		건당 6,000원
		그 밖의 원인		건당 40,200원
	어업권 지분이전	상속		건당 3,000원
		그 밖의 원인		건당 21,000원
	어업권 설정을 제외한 그 밖의 등록			건당 9,000원

구 분			과세표준	세 율
10. 저작권 등	저작권 등의 상속			건당 6,000원
	저작권법 제54조에 따른 등록 중 상속 외의 등록			건당 40,200원
	저작권법 제54조에 따른 프로그램 등록 등(상속 외의 등록)			건당 20,000원
	그 밖의 등록			건당 3,000원
11. 특허권 등	상속으로 인한 특허권 등의 이전			건당 12,000원
	그 밖의 원인으로 인한 특허권 등의 이전			건당 18,000원
12. 상표 등	상표 또는 서비스표의 설정 및 존속기간 갱신			건당 7,600원
	상표 또는 서비스표의 이전	상속		건당 12,000원
		그 밖의 원인		건당 18,000원
13. 항공기	최대이륙중량 5,700kg 이상의 등록		항공기가액	0.1/1,000(0.01%)
	그 밖의 등록		항공기가액	0.2/1,000(0.02%)
위에 열거되지 않은 기타 등기				건당 12,000원

* 최저한세액 적용(제1호~제6호) : 부동산등기, 선박등기·등록(소형선박 포함), 차량등록, 기계장비, 공장·광업재단, 동산담보권 등, 법인등기에 대한 등록면허세 세액이 최저한 세액(각각의 그 밖의 등기·등록에 관한 세액) 미만인 경우 최저한 세액으로 함. ※ 제1호의 경우 지방자치단체의 장은 조례로 정하는 바에 따라 그 세율을 표준세율의 50% 범위에서 가감할 수 있음.

1. 부동산등기의 세율

1) 소유권 이전, 보존, 기타 등기

◎ **진정명의회복을 위한 소송결과 당초의 소유권이전등기가 무효라고 판결되었더라도 해당 등기사항에 대한 등록세 납세의무는 적법하게 성립된 것이므로 환부대상이 아님**

진정명의회복 등록세 환부 관련, 등록세는 재산권 기타 권리의 취득·이전·변경 또는 소멸에 관한 사항을 공부에 등기 또는 등록하는 경우에 등기 또는 등록이란 단순한 사실의 존재를 과세물건으로 하여 그 등기 또는 등록을 받는 자에게 부과하는 세금으로서, 그 등기 또는 등록의 유·무효나 실질적인 권리귀속 여부와는 관계가 없는 것이므로 등기 또는 등록명의자와 실질적인 권리귀속 주체가 다르다거나 일단 공부에 등재되었던 등기 또는 등록이 뒤에 원인무효로 말소되었다 하더라도 위와 같은 사유는 그 등기 또는 등록에 따른 등록세 부과처분의 효력에 아무런 영향이 없다(대법원 2000두7896, 2002.6.28.)고 할 것임(지방세운영과-5218, 2011.11.9.).

◎ 공유물분할을 위한 경매 취득시 종전 자기소유 지분에 대한 소유권이전의 경우 등록세 부과대상 등기에 해당하지 아니하기 때문에 과세할 수 없음

등기 또는 등록 자체에 하자가 있어 법률상 등기 또는 등록된 효과를 인정할 수 없는 경우에는 등록세 과세요건이 되는 등기 또는 등록행위가 있는 것으로 보기는 어려움(대법원 82누509, 1983.2.22.). 종전 공유지분에 대한 이전등기의 경우 이와 같이 등기로서의 효과를 인정하기 어려운 등기로서 구 지방세법 제124조에서 말하는 '등기 또는 등록을 받는 자'에 대한 등기에 해당한다고 볼 수 없음(대법원 2004두6761, 2006.6.30.) … 종전 공유지분에 대한 이전등기에 관하여는 등록세 부과대상이 되는 등기에 해당하지 아니하여 등록세 등을 부과할 수 없으므로, 이 사건 처분 중 종전 공유지분을 과세대상으로 한 부분은 위법(대법원 2013두24693, 2014.3.13.).

◎ 부동산등기법 제55조 제2호의 "사건이 등기할 것이 아닌 때"에 해당하는 것으로서 부적법하여 말소되어야 할 등기의 경우 등기 또는 등록의 효과를 인정할 수 없어 등록세 부과대상에 해당하지 아니함(대법원 2004두6761, 2006.6.30.).

◎ 외형상 등기 또는 등록의 요건만 갖추면 과세객체가 충족되는 것이므로 어떤 사유에 의하여 그 등기 또는 등록이 무효 또는 취소가 되어 등기 또는 등록이 말소된다고 하더라도 이미 납부한 등록세는 환부되지 아니함(도세과-194, 2008.3.26.).

◎ 취득시효를 원인으로 소유권에 관한 등기를 하는 경우에는 제11조 ① 제2호의 세율(3.5 or 2.8%)을 적용하나, 자기소유 미등기 부동산에 대한 취득시효에 따른 소유권보존등기를 하는 경우에는 제28조 ① 제1호 가목의 세율(0.8%) 적용(예규 지법 28-12).

◎ 피합병법인 명의로 된 근저당권자를 합병법인 명의로 근저당권자 변경등기하는 경우는 제28조 ① 제1호 다목의 세율 적용(예규 지법 28-12)

◎ (지침) 신탁재산의 위탁자 지위 승계

- 위탁자가 변경된 이후 신탁재산이 귀속될 경우 등기권리자가 달라질 수 있는 바 위탁자 지위 승계로 인한 등기시 적용 세율 ⇒ 위탁자 지위 이전 시 실질적인 소유권의 변동을 수반하는 경우에는 취득세 과세대상으로 보아 취득원인에 따른 취득세율*을 적용하고, 등록면허세는 과세 제외(원칙적 적용)

  * 무상(농지 2.3%, 기타 2.8%)과 그 밖의 취득으로 구분(농지 3%, 기타 4%), 주택 유상거래인 경우 6억 이하 1%, 9억 이하 2%, 9억 초과 3% 적용

- 위탁자 지위의 이전에도 불구하고 신탁재산에 대한 실질적인 소유권 변동이 있다고 보기 어려운 경우*에는 취득세 과세대상에서 제외(시행령 반영 예정)하고 「지방세법」 제28조 제1항 제1호 마목의 그밖의 등기(건당 6천원) 세율 적용(예외적 적용)

* 1. 「자본시장과 금융투자업에 관한 법률」에 따른 부동산 집합투자기구의 집합투자업자(위탁자) 지위의 이전 2. 제1호에 준하는 것으로 위탁자 지위의 이전에도 불구하고 대금의 지급을 수반하지 않는 등 신탁재산에 대한 소유권의 변동이 없는 위탁자 지위의 이전(지방세운영과-1980, 2015.7.1.) ☞ 지방세법 시행령 개정(2016.1.1. 시행)

◎ (지침) 합유자 사망에 따른 잔존 합유자로의 소유권 이전

「민법」 제271조*에 따른 합유 부동산이 합유자 중 1인의 사망으로 잔존 합유자로 이전시 적용 세율 ⇒ 잔존 합유자가 취득한 것으로 보아 무상취득세율이 적용됨.

* (물건의 합유) ① 법률의 규정 또는 계약에 의하여 수인이 조합체로서 물건을 소유하는 때에는 합유로 함(지방세운영과-1980, 2015.7.1.).

◎ 등기・등록이 된 이후 법원의 판결 등에 의해 그 등기 또는 등록이 무효 또는 취소가 되어 등기・등록이 말소된다 하더라도 이미 납부한 등록면허세는 과오납으로 환급할 수 없음(예규 지법 23-2).

2) 지상권・저당권・지역권・전세권・임차권, 경매신청・가압류・가처분 및 가등기

◎ 신탁재산 소유권이전 가등기 등록면허세율은 0.2%, 신탁가등기 등록면허세율은 6천원

신탁재산의 소유권이전에 대한 가등기는 「지방세법」 제28조 제1항 제1호 라목 2)에 해당하는 가등기(1천분의 2)의 세율을 적용하고, 신탁가등기에 대하여는 「지방세법」 제28조 제1항 제1호 마목에 해당하는 그 밖의 등기(6천원)의 세율을 적용하여 각각 신고납부해야 할 것임(지방세운영과-3118, 2015.10.5.).

◎ B은행이 A은행을 흡수합병한 후 C은행이 B은행을 다시 흡수합병하면서, 부동산 근저당권 이전등기가 C은행으로 바로 이루어진다면 B의 등록면허세 납세의무는 없음

지방세법상 "등록"이란 재산권과 그 밖의 권리의 설정・변경 또는 소멸에 관한 사항을 공부에 등기하거나 등록하는 것으로서, 등록을 하는 자는 등록면허세를 납부할 의무가 있음. 지방세관계법에서 등록에 대한 등록면허세는 재산권 등 그 밖의 권리를 등기나 등록하는 때 납세의무가 성립하며, 등기나 등록을 하는 자가 납세의무자가 되는 점 등을 감안할 때, 근저당권 이전등기를 이행하지 아니한 B은행은 등록면허세 납세의무가 없다할 것임(지방세운영과-1981, 2015.7.1.).

◎ 저당권설정등기상 채무자변경은 단순한 표시변경등기로서 제28조 ① 제1호 마목(기타등기)의 세율 적용(예규 지법 28-2)

◎ 등기관서의 등기착오로 가등기가 말소되었더라도 가등기등록세는 환부대상이 아님

법원의 부동산 근저당설정청구권가등기 가처분결정에 의한 채권을 보전하기 위하여 A은행

이 B종합건설 소유 부동산에 대하여 소유권보존등기를 하고 이어서 A은행이 동 은행을 가등기권자로 하여 근저당설정청구권가등기를 완료하였으나, 그 후에 등기관서에서 등기착오 등의 사유로 소유권보존등기를 직권말소하고 이에 기하여 등기된 가등기도 함께 직권말소하였다 하더라도 당해 등기사항을 등기부에 등록함으로써 등록세 납세의무가 적법하게 성립된 것이므로 A은행이 기 납부한 가등기에 따른 등록세는 환부대상에 해당되지 아니함(지방세운영과-2312, 2009.6.10.).

◎ "요역지"란 지역권 설정시 편익을 받은 토지를 말하며, "승역지"는 편익을 제공하는 토지를 말함(예규 지법 28-1).

◎ 가등기 등록세율의 구분(예규 지법 28-3)

소유권이전 등의 청구권을 보존하기 위한 가등기에 해당하는 경우 제28조 ① 제1호 라목의 2)를 적용하고, 「가등기담보 등에 관한 법률」에 의한 담보가등기는 저당권등기의 일종으로서 제28조 ① 제1호 다목의 2) 세율을 적용

◎ (지침) 채권자 경개에 의한 신채무 담보

민법 제502조*에 따라 채권자경개에 의한 신채무담보를 원인으로 근저당권 변경 등기시 적용세율 ⇒ 「지방세법」 제28조 제1항 제1호 다목에서 소유권 외의 물권과 임차권의 설정뿐만 아니라 그 이전에 대하여도 동일한 세율을 적용하도록 규정하고 있으므로 「민법」 제502조에 따른 근저당권 변경등기의 경우 「지방세법」 제28조 제1항 제1호 다목 2) 규정에 의거 채권금액의 1천분의 2의 세율 적용(지방세운영과-1980, 2015.7.1.)

* (채권자변경으로 인한 경개) 채권자의 변경으로 인한 경개는 확정일자 있는 증서로 하지 아니하면 이로써 제삼자에게 대항하지 못한다.

◎ (지침) 저당권 설정 등에 대한 등록면허세 운영요령

「지방세법」 제28조 제1항 제1호 다목 및 라목에 따르면 저당권의 설정・이전 또는 가압류・가처분의 경우 채권금액의 1천분의 2의 세율을 적용하여 등록면허세를 과세하여야 함에도 일부 과세관청에서는 같은 호 마목에 따른 그 밖의 등기에 관한 세율(건당 3천원)을 적용하는 사례가 발생하고 있으므로 전세권 등 각종 권리에 대한 저당권 설정이나 가처분의 경우에는 채권금액의 1천분의 2에 해당하는 세율에 의해 등록면허세가 과세하기 바람(지방세운영과-889, 2012.3.22.).

◎ 저당권에 대한 가처분 등록에 대한 등록면허세는 1천분의 2에 해당하는 세율 적용

가처분이라 함은 금전채권 이외의 물건・권리를 대상으로 하는 청구권을 보전하거나 쟁의 있는 권리관계에 관하여 법률적・사실적 변경을 방지하기 위해 법원이 행하는 명령을 하는 것을 말하는 것으로서, 그 대상은 부동산 등 개별자산 자체가 아닌 소유권 등의 권리가 되는

것임. 따라서, 등록면허세는 등기 또는 등록이라는 단순한 사실의 존재를 과세물건으로 하는 점, 소유권에 기반한 처분금지가처분에 대해서는 1천분의 2에 해당하는 세율을 적용하는 점, 「지방세법」에서는 가처분의 대상에 따라 세율을 달리 규정하고 있지 않은 점 등을 감안했을 때 저당권에 대한 가처분의 경우에는 1천분의 2에 해당하는 세율을 적용하는 것이 타당(지방세운영과-1518, 2013.7.16.)

◎ 법원의 진정명의회복을 등기원인으로 한 소유권이전등기 절차의 이행을 명하는 판결을 받아 소유권이전등기를 하는 경우 시가표준액을 과표로 무상 소유권이전등기 세율 적용

진정한 등기명의의 회복을 위한 소유권이전등기청구는 이미 자기 앞으로 소유권을 표상하는 등기가 되어 있었거나 법률에 의하여 소유권을 취득한 자가 진정한 등기명의를 회복하기 위한 것으로(대법원 99다37894, 2001.9.20.) 그 대가를 지급하지 아니하고 소유권이전등기를 이행하는 것이므로 무상으로 인한 소유권 등기(대법원 등기예규 1182호, 2007.4.27. 참조)에 해당되어 취득·등록세 과세표준은 시가표준액이 되는 것이고, 등록세 세율은 지방세법 제131조 제1항 제2호의 세율을 적용하여야 함(지방세운영과-553, 2008.8.8.).

◎ (지침) 채권담보권 부기등기 등에 대한 등록면허세 운영기준(지방세운영과-610, 2013.5.13.)

- (적용대상) 저당권등기에 대한 채권담보권 부기등기. 즉, 저당권에 의해 담보되는 채권(저당권부 채권)을 목적으로 담보권설정등기(채권담보등기부에 기록)를 한 후 이를 근거로 개별 부동산등기부의 저당권에 채권담보권을 부기등기 하는 경우
- (적용세율) 채권담보권 부기등기와 설정등기를 구분하여 세율적용
  ① 채권담보권 부기등기(부동산등기부) : 매 건당 3,000원(제28조 ① 제1호 마목)
  ② 채권담보권 설정등기(채권담보등기부) : 채권금액의 1천분의 1(제28조 ① 제5호의 2 가목)
- (사유) 담보권 설정행위에 대하여 이중과세 초래 우려, 채권담보권의 부기등기는 해당 저당권부 채권에 담보권 설정등기가 되었음을 공시하는 등기에 불과하고, 담보권설정 부기등기에도 채권금액의 1천분의 1에 해당하는 등록면허세를 부과할 경우 하나의 담보설정행위에 대하여 이중으로 과세하는 불합리 초래 우려가 있음(대법원 법원행정처 유권해석도 같은 취지, 부동산등기과-580, 2013.3.13.). 다만, 담보권설정 부기등기시에는 반드시 설정등기가 선행되어야 하므로 이에 대한 등록면허세 적정 과세여부 확인

  ※ 「저당권부채권에 대한 채권담보권의 부기등기에 관한 업무처리지침」(등기예규 제1462호) 제4조 : 채권담보권의 부기등기를 신청하는 경우에는 규칙 제46조에서 정한 일반적인 첨부정보 외에 등기원인을 증명하는 정보로 채권담보권설정계약서와 「동산·채권 등의 담보에 관한 법률」에 따라 채권담보권등기가 되었음을 증명하는 등기사항증명서를 첨부정보로서 등기소에 제공하여야 한다.

3) 기타 등록면허세 세율

◎ **아파트 명칭을 변경하여 변경등기를 하는 경우 1개의 동(棟)을 기준으로 과세하여야 함**

「부동산등기법」 제15조 및 제40조에서 등기할 건물이 구분건물인 경우 1동(棟)의 건물에 속하는 전부에 대하여 1개의 등기기록을 사용하여야 하고, 등기관은 1동(棟) 건물의 표제부에 건물명칭 등을 기재하도록 규정하고 있고, 등기선례 제8-393호에서 집합건물의 표제부 중 1동(棟)의 건물의 표시란에 기재하는 사항(아파트명칭 등)에 대한 변경등기를 신청하는 경우에는 전유세대의 수만큼이 아닌 1건의 등기신청수수료를 납부하도록 정하고 있음. 따라서 아파트 명칭 변경등기 신청은 동(棟)별 1회(동(棟)별 표제부)로 족하고 이에 따른 등기사항의 변경은 동(棟)별로 이루어지는 것이므로, 등록분 등록면허세는 1개의 동(棟)을 기준으로 판단하는 것이 타당(지방세운영과-2582, 2018.10.31.)

◎ **보금자리주택으로 부기등기하는 경우도 등록면허세 납부대상에 해당됨**

「공공주택건설 등에 관한 특별법」 제50조의 4 및 「보금자리주택건설 등에 관한 특별법 시행령」 제35조의 5에 따라 부기등기를 하는 경우에는 「지방세법」 제28조 제1항 제1호 마목에 따른 등록면허세를 납부하여야 할 것임(지방세운영과-985, 2014.3.20.).

◎ **「도정법」에 따른 정비사업이 완료되어 종전 토지 등에 등기되어 있던 지상권, 전세권, 저당권 등을 새로 취득하는 토지 등에 등기하는 경우에도 등록면허세 납세의무가 있음**

정비사업의 대상이 되는 부동산 소유자가 그 사업으로 새로운 부동산을 취득하는 것에 대해서 「지방세특례제한법」은 취득세 납세의무가 있는 것으로 전제하는 점, 새로이 취득하는 토지 등에 대한 "담보권등에 관한 권리의 등기"는 법원의 이기가 아닌 신청에 의해 이루어지는 점, 등록면허세는 등기 또는 등록이란 단순한 사실의 존재를 과세물건으로 하는 점 등을 감안, 등록면허세 납세의무가 있다고 판단되며, 그 세율은 정비사업에 따른 지적공부 정리방식의 특수성 등을 고려하여 「지방세법」 제28조 제1항 제1호 마목(그 밖의 등기)을 적용하는 것이 타당함(지방세운영과-2591, 2013.10.11.).

◎ **토지개발사업의 시행으로 조성된 토지의 소유권보존등기는 기타등기 세율을 적용**

"소유권의 보존"이란 미등기 부동산에 대하여 최초로 등기를 하는 것을 말하는 것으로서, 이미 등기가 되어 있는 토지에 대하여 종전 등기부에 표시변경을 할 수 없어 불가피하게 종전 등기부를 말소하고 새로이 등기부를 개설하는 소유권보존등기는 그 형식만이 소유권보존등기일 뿐임. 사업 완료 후 토지등기부 정리를 위해 토지개발사업의 시행으로 조성된 토지에 대해 소유권보존등기라는 형식으로 등기를 하는 것은 본래 토지표시변경등기를 하여야 할 것을 지적공부 정리방식의 특수성으로 인하여 그 표시변경등기의 형식으로 할 수 없어 불가피하게 소유권보존등기라는 형식을 차용하여 등기를 하는 것이므로 기타 등기에 해당하는 세율을 적용함(세정-4601, 2007.11.6.).

◎ **전면 매수방식 등에 의하여 조성된 토지에 대한 등기부등본 정리 시 새로운 취득·등록세 납세의무가 성립한 것이 아닌 기타등기 세율 적용**(지방세정팀-4601, 2007.11.6.)

◎ **그 밖의 등기**(제28조 ① 제1호 마목 건당 6천원) **세율적용**(예규 지법 28-12)

- 주택건설사업자가 주택건설용 토지에 대한 소유권이전등기를 필한 후 이를 다시 주택건설사업자가 자기명의로 주택 동호별로 지분등기를 경료하는 경우
- 건축물의 개수로 인하여 건축물면적의 증가 없이 이미 등기된 주요 구조부사항의 표시를 위한 변경등기를 하는 경우
- 등기당시에 착오로 인하여 실제상의 건물 등 표시를 잘못 등기하였다가 다시 정정등기함이 판결에 의하여 명백하게 입증될 경우

◎ **(예규) 매 1건의 범위**(예규 지법 28-4)

- 저당권말소등기시 동일한 채권액에 대해 수개의 필지가 근저당 설정되어 있을 경우는 매 필지별로 과세
- 동일인이 소유한 토지 및 단독주택의 주소변경 등기시 토지등기부와 건물등기부가 분리되어 있는 경우는 그 밖의 등기 2건으로 과세
- 상호·목적·임원 등기 등 각종 변경등기신청을 하나의 등기부에 동시 신청하는 경우에도 변경사항 별로 각각의 등록면허세를 합산하여 납부한다. 다만, 동일한 변경사항 수개를 동일 등기부에 동시에 신청하는 경우에는 1건의 등록면허세만 납부
- 토지 1필지가 분할되어 2필지가 되는 경우와 2필지가 합병되어 1필지로 되는 경우 각각 2건의 기타 등기로 과세

2. 법인 등기

1) 법인 등기 일반

법인에 관한 어떠한 등기가 어느 세율에 해당하는지는 실질과세의 원칙에 의하여 그 명칭이나 형식과 관계없이 실질 내용에 따라 판단하여야 한다(대법원 98두6364, 1999.12.10.).

법인의 설립·자본증가 등에 따른 등록면허세 세율은 법인의 유형에 따라 차등 적용하고 있다. 상사회사·영리법인은 4/1,000, 비영리법인은 2/1,000(지방세법 제28조 ① 6호)를 적용한다. 「민법」 또는 특별법의 규정에 의하여 설립된 법인이 해산절차를 거치지 아니하고 법인격의 동질성을 유지하면서 수개의 법인이 1개의 법인으로 변경등기를 하거나, 단순 명칭 변경등기를 하는 경우에는 제28조 제1항 제6호 바목(기타 등기)의 세율을 적용한다. 법인이 다른 등기소의 관할구역 내로 본점 또는 사무소를 이전하는 경우 본점 또는 주사무소의

신소재지에서는 「지방세법」 제28조 제1항 제6호 라목의 세율을 적용하고, 구소재지에서는 같은 법 제28조 제1항 제6호 바목의 세율이 적용되며, 동일등기소의 관할구역 내에서 본점 또는 주사무소를 이전하는 경우에는 제28조 제1항 제6호 라목의 세율을 적용한다(법인등기의 세율, 예규 지법 28-7).

| 법인 등기 관련 규정의 의미(예규 28-6 · 8 · 10) |

제28조의 "법인"	민법상의 법인 · 상법상의 법인 · 기타 각 특별법상 법인 등 모든 법인을 말함
"상사회사 기타 영리법인"	상법의 규정에 의하여 설립된 법인과 기타 법인 중 주주 또는 사원에게 이익을 배분할 수 있도록 정관 등에 규정되어 있는 법인
"불입한 주식금액이나 출자금액 또는 현금 이외의 출자금액"	법인장부상의 금액으로 하지 아니하고 법인등기시의 법인등기부상 자본금란의 금액으로 함
"자본, 출자 및 자산의 총액증가"	발행주식의 총수, 그 종류와 각종 주식의 내용과 수, 자본 · 출자 및 재산의 총액 등이 변경된 경우 증가분을 말함

2) 법인의 조직변경

기존의 법인이 조직을 변경하여 새로운 법인이 되는 경우가 있다. 새로운 법인의 등록번호도 부여받게 되는데 이때 조직변경을 새로운 법인의 설립으로 보아 출자에 따른 등록면허세가 과세되고 부동산의 이전이 있었다면 취득세가 과세되는지 쟁점이 있다. 대법원 판결을 참조하면 주식회사의 조직변경에 따른 유한회사 설립등기는 법인설립등기 세율대상이 아니라고 보았는데, 상법상 주식회사의 유한회사에서의 조직변경은 주식회사가 법인격의 동일성을 유지하면서 조직을 변경하여 유한회사로 되는 것이고, 그럼에도 주식회사의 해산등기와 유한회사의 설립등기를 하는 것은 유한회사의 등기기록을 새로 개설하는 방편일 뿐이고, 주식회사가 해산하고 유한회사가 설립되기 때문이 아니다. 또한 이러한 조직변경이 있더라도 지방세법상 등록세의 과세표준으로 삼고 있는 신규출자가 이루어지지 아니하기 때문에 설립에 따른 등록면허세 적용대상이 아니다(대법원 2010두6731, 2012.2.9.). 이 부분은 2015.7.24. 시행령을 개정하여 「상법」에 따른 주식회사를 유한회사로 조직변경하는 등기와 유한회사를 주식회사로 변경하는 등기는 대법원 판례(2010두6731, 2012.2.9.) 등을 감안하여 그 형식(설립)에도 불구하고, 그 밖의 등기(건당 4만2백원)에 대한 세율이 적용되도록 보완하였다(영 제43조 ①).

◎ 한국산재의료원으로 조직변경을 하여 설립등기하는 경우 법인설립등기에 따른 세율 적용

산업재해보상보험법에 의하여 설립된 재단법인 산재의료관리원이 관계법령의 개정에 따라

특수법인인 한국산재의료원으로 조직변경을 하면서 조직변경 전의 법인은 해산등기를 하고 조직변경 후의 법인은 설립등기를 이행하는 경우 법인이 해산 절차를 거치지 아니하고 법인격의 동질성을 유지하면서 단순한 명칭변경등기를 하는 것이 아니라 조직변경을 하여 법률상 다른 종류의 법인으로 설립등기를 이행하는 것이므로 법인설립등기에 따른 등록세율을 적용하는 것임(도세과-697, 2008.4.30.).

◎ **특수법인인 한국에너지기술기획평가원이 조직변경을 하여 법률상 다른 인격의 법인으로 설립등기를 이행하는 것이므로 법인설립등기에 따른 등록세율 적용**

재단법인 한국에너지자원기술기획평가원이 관계법령의 개정에 따라 특수법인인 한국에너지기술기획평가원으로 조직변경을 하면서 조직변경 전의 법인은 해산등기를 하고 조직변경 후의 법인은 설립등기를 이행하는 경우 법인이 해산 절차를 거치지 아니하고 법인격의 동질성을 유지하면서 단순한 명칭변경등기를 하는 것이 아니라 조직변경을 하여 법률상 다른 인격의 법인으로 설립등기를 이행하는 것이므로 법인설립등기에 따른 등록세율(지방세법 제137조 ①)을 적용하는 것(도세과-169, 2008.4.30.)이 타당(지방세운영과-1884, 2008.10.21.)

3) 비영리법인의 세율

비영리법인의 '설립과 납입'이나 '출자총액 또는 재산총액의 증가'에 관한 등록면허세 세율을 영리법인과 달리 적용하고 있다. 2015.7.24. 등록면허세 과세대상 비영리법인의 정의를 신설(영 제43조 ①)하였다. 종전에는 영리 또는 비영리법인 등의 정의가 법령에 구체적으로 규정되어 있지 않았다. 그런데 영리법인과 비영리법인의 범위를 모두 규정하는 것은 사실상 어려우므로 비영리법인의 정의만 규정하게 되었다(「법인세법」 체계와 동일). 그 결과 비영리법인 이외의 법인은 자동적으로 영리법인의 범위에 속하게 된다. 국가·지자체가 전액출자한 법인(한국광물자원공사, LH공사 등)에 대한 비영리법인 해당 여부에 대한 논란도 해소되어 영리법인에 해당된다. (☞ 아래 사례는 세법개정 전의 사례이므로 참고 바람)

◎ **중소기업협동조합은 비영리법인에 해당하지 아니함**

중소기업협동조합은 중소기업자의 경제적인 기회 균등을 기하고 자주적인 경제 활동을 북돋우어 중소기업자의 경제적 지위의 향상을 목적으로 중소기업협동조합법에 의하여 설립된 법인으로서, 같은 법 제71의 규정에 의하여 회계연도의 잉여금을 조합원에게 배당할 수 있는 점, 같은 법 제7조에서 영리목적의 업무를 금하고 있다고는 하나 이는 동법이 정하는 범위를 벗어난 영리사업을 할 수 없다는 것일 뿐 영리사업 자체를 할 수 없다는 것을 의미하는 것은 아니라는 점 등에 비추어, 중소기업협동조합이 지방세법 제137조 제1항 제2호 규정의 비영리법인에 해당된다고 보기는 어려움(세정-3057, 2007.8.6.).

◎ 산림조합은 비영리법인에 해당하지 아니함

산림조합은 조합원이 필요로 하는 기술, 자금 및 정보를 원활히 제공하여 지속가능한 산림경영을 촉진하고 산림의 생산력을 증진함과 아울러 조합원이 생산한 임산물의 판로확대 및 유통의 원활화를 통하여 조합원의 경제적·사회적·문화적 지위향상을 도모하는 것을 목적으로 산림조합법에 의하여 설립된 법인으로서, 제56조의 3의 규정에 의하여 회계연도의 잉여금을 조합원에게 배당할 수 있는 점, 제5조 제3항에서 영리 또는 투기목적의 업무를 금하고 있다고는 하나 이는 일정 범위를 벗어난 영리사업을 할 수 없다는 것일 뿐 영리사업 자체를 할 수 없다는 것을 의미하는 것은 아닌 점 등에 비추어, 지방세법 제137조 제1항 제2호의 비영리법인에 해당된다고 보기는 어려움(세정-865, 2007.3.27.).

◎ 사내근로복지기금은 비영리법인에 해당

사내근로복지기금법에 의거 설립된 사내근로복지기금은 사내근로복지기금법 제5조 제1항에서 법인으로 한다라고 규정하고 있고, 동 법인은 같은법 제27조에서 민법 중 재단법인에 관한 규정을 준용하도록 규정하고 있으며, 또한 동 법인은 정관 제15조에서 운영상황, 결산서, 사업계획서를 관할지방노동관서의 장에게 보고하도록 되어 있고, 그 정관 제37조에서는 청산잔여재산은 근로자에게 미지급한 임금, 퇴직금, 기타 근로자에게 지급할 의무가 있는 금품을 지급하는데 우선적으로 사용하고, 그 잔여재산은 법령이 정하는 바에 따라 민법상의 청산에 관한 규정을 준용하도록 규정하고 있는 점 등을 종합해 보면, 비영리법인에 해당하는 것이라 할 것임(지방세심사 2001-238, 2001.4.30.).

◎ 한국광물자원공사는 비영리법인에 해당

한국광물자원공사는 특별법인 「한국광물자원공사법」에 의해 국가가 전액 출자하여 설립된 법인으로서 국내외 광물자원 개발과 관련산업의 효율적인 육성·지원을 통해 광물자원을 안정적으로 공급하여 국민경제 발전에 이바지하는 것을 주요 목적으로 하고 있으므로 공익적인 성격이 강하며, 이익이 발생되었을 경우 주주·사원 등에 대한 배당 없이 최종적으로 국가에 납입하고 있는 점 등으로 볼 때 수익사업을 일부 운영하더라도 비영리법인에 해당된다고 판단됨(지방세운영과-5882, 2011.12.29.).

3. 차량의 등록

◎ 동일 시·도 내로 건설기계의 주소지나 사용본거지 변경시 등록면허세 과세 제외

건설기계의 주소지 또는 사용본거지를 동일 시·도내에서 변경하는 것은 등록면허세 과세제외 대상으로 규정하고 있지는 않지만 시·도내의 주소지(사용본거지) 변경과 시·도간의 주소지(사용본거지) 변경은 유사한 성격을 가지고 있고 등록면허세 과세에 있어 달리 취급할

것은 아니므로 등록면허세를 과세하지 않음(지방세운영과-2459, 2013.10.1.).

◎ 자동차등록원부상 특기사항(예 : 지입차주)에 위수탁 설정 또는 해지 등재시 7500원 과세

지방세법 제124조에서 등록세는 재산권 기타 권리의 취득・이전・변경 또는 소멸에 관한 사항을 공부에 등기 또는 등록(등재를 포함한다)하는 경우에 그 등기 또는 등록을 받는 자에게 부과한다고 규정하고 있으므로, 자동차등록원부상에 위・수탁차량 설정 및 해제사항을 등재하는 행위를 하는 경우라면 지방세법 제131조 제1항 제3호 및 제2항 제3호에 따른 세율(7,500원)을 적용하여야 함(지방세운영과-2239, 2010.5.28.). ☞ 현재 15,000원

◎ (지침) 자동차 사용본거지 변경등록은 단순한 표시변경으로 보아 등록면허세 비과세 대상

자동차 사용본거지 변경등록이 개정된 「지방세법」에서 그 밖의 등록 관련 등록면허세 과세대상에 해당되는지 여부와 관련하여, 「지방세법」 제26조에서 주민등록번호의 변경, 지적소관청의 지번 변경 등의 사유로 인한 변경 등 단순한 표시변경・회복 또는 경정 등록에 대하여는 등록면허세를 비과세한다고 규정하고 있고, 자동차 사용본거지 변경등록은 납세자의 주소지나 주사무소 소재지가 단순히 변경된 것으로 볼 수 있으므로 납세자의 주소지 변경 및 사업장본거지 변경에 따른 등록변경은 단순한 표시변경으로 보아 비과세대상에 해당됨(지방세운영과-559, 2011.2.8.).

◎ 자동차등록원부에 소유권 이전관련 사항만 등록되었다 하더라도 소유권 이전과 등록번호 변경이 순차적으로 발생된 것이므로 등록번호 변경에 대한 등록면허세를 과세해야 함(지방세운영과-3528, 2011.7.26.).

◎ (지침) 125cc 이하 이륜자동차 변경등록시 등록면허세 과세 여부

배기량 125cc 이하인 소형이륜자동차는 분법 전부터 일반서민의 경제활동에 활용되는 점 등을 고려하여 등록세 과세대상에서 제외하였고, 「지방세법」 제24조에서 등록면허세 납세의무자를 등기・등록하는 자로 한정하고 있으며, 「자동차관리법」 제5조에서 이륜차는 자동차 등록대상에서 제외하고 있고, 「자동차관리법」 제48조 및 같은 법 시행규칙 제99조에서 신고에 따른 이륜차대장 기재대상이라고 규정하고 있으므로 125cc 이하 이륜자동차 변경등록(예 : 사용폐지, 재사용) 등은 등록대상에 해당되지 않아 등록면허세 과세대상이 아님(지방세운영과-559, 2011.2.8.).

◎ 기계장비 대여업체 변경 및 등록번호 변경시 등록면허세 적용

영업용 기계장비의 소속대여회사의 명의 변경등록과 사용본거지 변경 및 등록번호 변경이 병행되는 경우, 법 제28조 ① 제4호 라목에 따라 소속대여회사의 변경이 있는 경우 1건의 등록면허세가 과세되는 것이며, 사용본거지의 변경은 영 제42조의 2 ④에 따라 과세제외되는 것이며, 등록번호의 변경은 대여회사의 변경과 필연적 관계가 없으므로 별도의 1건으로

등록면허세 납세의무가 있다고 할 것임. 따라서, 소속대여회사의 변경에 대한 1건, 등록번호 변경에 대한 1건을 적용하여 「지방세법」 제28조 제1항 제4호 라목에 따른 세율 총 2건의 등록면허세가 과세됨(지방세운영과-1557, 2016.6.17.).

◎ **운송회사와 지입차주 계약을 한 후 수년 간 운행하였던 운송회사 명의의 차량을 현물출자 형식의 지입차량으로 변경할 경우 적용세율(1만5천원)**

사실상 지입차량에 해당하는 차량에 대해서 등록원부상 지입차량에 해당됨을 명시하는 등록(현물출자한 위수탁차량 부기등록)을 한 것은 지입차량을 사실상 취득 후 그 등록을 실질에 맞추는 것에 불과하므로 새로운 취득으로 볼 수 없다고 할 것(대법원 2010두28151, 2013.3.14. 참조)임. 따라서, 차량의 구매계약서 …등에 의하여 지방세법 제7조 제10항에 따라 차량의 대금을 지급한 것으로 입증되는 자가 이미 지입회사 명의로 등록되어 있던 영업용 차량을 현물출자에 따른 차량에 해당한다는 부기등록을 하는 것은 지방세법 제28조 제1항 제3호 라목에 의한 세율이 적용(지방세운영과-558, 2016.3.3.)

| 등록 유형별 등록면허세 부과 사례 |

사 례		차 량	기계장비	비 고
사용본거지 변경	시·도내 변경	부과제외	부과제외	지방세운영-559 (2011.2.7.)
	시·도간 변경			
번호변경		변경 등록면허세 1건	변경 등록면허세 1건	
사용본거지 변경에 따른 번호변경 (영업용)		변경 등록면허세 1건	변경 등록면허세 1건	지방세운영-3528 (2011.7.25.)
용도변경에 따른 번호변경 (영업용↔비영업용)		변경 등록면허세 1건	변경 등록면허세 1건	
소유권이전과 번호변경이 함께 이루어지는 경우 (※기존의 지역번호→전국번호로 변경포함)		취득세 1건 변경 등록면허세 1건	취득세 1건 변경 등록면허세 1건	지방세운영-3528 (2011.7.25.)
소유권이전과 용도변경에 따른 번호변경이 함께 이루어지는 경우		취득세 1건 변경 등록면허세 1건	취득세 1건 변경 등록면허세 1건	세정-5562 (2007.12.24.) 지방세운영-249 (2008.7.16.)

제28조(세율) 제2항~제5항 [등록면허세의 대도시내 중과]

법 제28조(세율) ② 다음 각 호의 어느 하나에 해당하는 등기를 할 때에는 그 세율을 제1항 제1호 및 제6호에 규정한 해당 세율(제1항 제1호 가목부터 라목까지의 세율을 적용하여 산정된 세액이 6천원 미만일 때에는 6천원을, 제1항 제6호 가목부터 다목까지의 세율을 적용하여 산정된 세액이 11만2천500원 미만일 때에는 11만2천500원으로 한다)의 100분의 300으로 한다. 다만, 대도시에 설치가 불가피하다고 인정되는 업종으로서 대통령령으로 정하는 업종(이하 이 조에서 "대도시 중과 제외 업종"이라 한다)에 대해서는 그러하지 아니하다. 〈개정 2010.12.27., 2015.7.24.〉

1. 대도시에서 법인을 설립(설립 후 또는 휴면법인을 인수한 후 5년 이내에 자본 또는 출자액을 증가하는 경우를 포함한다)하거나 지점이나 분사무소를 설치함에 따른 등기
2. 대도시 밖에 있는 법인의 본점이나 주사무소를 대도시로 전입(전입 후 5년 이내에 자본 또는 출자액이 증가하는 경우를 포함한다)함에 따른 등기. 이 경우 전입은 법인의 설립으로 보아 세율을 적용한다.

③ 제2항 각 호 외의 부분 단서에도 불구하고 대도시 중과 제외 업종으로 법인등기를 한 법인이 정당한 사유 없이 그 등기일부터 2년 이내에 대도시 중과 제외 업종 외의 업종으로 변경하거나 대도시 중과 제외 업종 외의 업종을 추가하는 경우 그 해당 부분에 대하여는 제2항 본문을 적용한다. 〈신설 2010.12.27.〉

④ 제2항은 제1항 제6호 바목의 경우에는 적용하지 아니한다. 〈개정 2010.12.27.〉

⑤ 제2항에 따른 등록면허세의 중과세 범위와 적용기준, 그 밖에 필요한 사항은 대통령령으로 정한다. 〈개정 2010.12.27.〉

영 제44조(대도시 법인 중과세의 예외) 법 제28조 제2항 각 호 외의 부분 단서에서 "대통령령으로 정하는 업종"이란 제26조 제1항 각 호의 어느 하나에 해당하는 업종을 말한다.

제45조(대도시 법인 중과세의 범위와 적용기준) ① 법 제28조 제2항 제1호에 따른 법인의 등기로서 관계 법령의 개정으로 인하여 면허나 등록의 최저기준을 충족시키기 위한 자본 또는 출자액을 증가하는 경우에는 그 최저기준을 충족시키기 위한 증가액은 중과세 대상으로 보지 아니한다.

② 법 제28조 제2항을 적용할 때 다음 각 호의 어느 하나에 해당하는 경우에는 중과세 대상으로 보지 않는다.

1. 분할등기일 현재 5년 이상 계속하여 사업을 경영한 대도시 내의 내국법인이 법인의 분할(「법인세법」 제46조 제2항 제1호 가목부터 다목까지의 요건을 모두 갖춘 경우로 한정한다)로 인하여 법인을 설립하는 경우
2. 「조세특례제한법」 제38조 제1항 각 호의 요건을 모두 갖추어 「상법」 제360조의 2에 따른 주식의 포괄적 교환 또는 같은 법 제360조의 15에 따른 주식의 포괄적 이전에 따라 「금융지주회사법」에 따른 금융지주회사를 설립하는 경우. 이 경우 「조세특례제한법」 제38조 제1항 제2호 및 제3호를 적용할 때 법령에 따라 불가피하게 주식을 처분하는 경우 등 같은 법 시행령 제35조의 2 제13항 각 호의 어느 하나에 해당하는 경우에는 주식을 보유하거나 사업을 계속하는 것으로 본다.

③ 법 제28조 제2항을 적용할 때 대도시에서 설립 후 5년이 경과한 법인(이하 이 항에서 "기존법인"이라 한다)이 다른 기존법인과 합병하는 경우에는 중과세 대상으로 보지 아니하며, 기존법인

이 대도시에서 설립 후 5년이 경과되지 아니한 법인과 합병하여 기존법인 외의 법인이 합병 후 존속하는 법인이 되거나 새로운 법인을 신설하는 경우에는 합병 당시 기존법인에 대한 자산비율에 해당하는 부분을 중과세 대상으로 보지 아니한다. 이 경우 자산비율은 자산을 평가하는 때에는 평가액을 기준으로 계산한 비율로 하고, 자산을 평가하지 아니하는 때에는 합병 당시의 장부가액을 기준으로 계산한 비율로 한다.

④ 삭제 〈2016.12.30.〉

⑤ 법 제28조 제2항을 적용할 때 법인이 다음 각 호의 어느 하나에 해당하는 경우로서 법 제28조 제2항 각 호의 등기에 대한 등록면허세의 과세표준이 구분되지 아니한 경우 해당 법인에 대한 등록면허세는 직전 사업연도(직전 사업연도의 매출액이 없는 경우에는 해당 사업연도, 해당 사업연도에도 매출액이 없는 경우에는 그 다음 사업연도)의 총 매출액에서 제26조 제1항 각 호에 따른 업종(이하 이 항에서 "대도시 중과 제외 업종"이라 한다)과 그 외의 업종(이하 이 항에서 "대도시 중과 대상 업종"이라 한다)의 매출액이 차지하는 비율을 다음 계산식에 따라 가목 및 나목과 같이 산출한 후 그에 따라 안분하여 과세한다. 다만, 그 다음 사업연도에도 매출액이 없는 경우에는 유형고정자산가액의 비율에 따른다. 〈개정 2010.12.30.〉

1. 대도시 중과 제외 업종과 대도시 중과 대상 업종을 겸업하는 경우
2. 대도시 중과 제외 업종을 대도시 중과 대상 업종으로 변경하는 경우
3. 대도시 중과 제외 업종에 대도시 중과 대상 업종을 추가하는 경우

〈대도시 중과 제외 업종과 대도시 중과 대상 업종의 매출액이 차지하는 비율의 계산식〉

가. 해당 법인 중과 대상 업종 매출비율(퍼센트)

$$\text{해당 법인 중과 대상 업종 매출비율(퍼센트)} = \frac{\text{해당 법인 중과 대상 업종 산정 매출액}^{*}}{(\text{해당 법인 중과 제외 업종 산정 매출액}^{**} + \text{해당 법인 중과 대상 업종 산정 매출액}^{*})} \times 100$$

* 해당 법인 중과 대상 업종 산정 매출액 = (해당 법인 중과 대상 업종 매출액 × 365일) / 해당 법인 중과 대상 업종 운영일수

** 해당 법인 중과 제외 업종 산정 매출액 = (해당 법인 중과 제외 업종 매출액 × 365일) / 해당 법인 중과 제외 업종 운영일수

나. 해당 법인 중과 제외 업종 매출비율(퍼센트)

$$\text{해당 법인 중과 제외 업종 매출비율(퍼센트)} = 100 - \text{해당 법인 중과 대상 업종 매출비율(퍼센트)}$$

舊 등록세로써 대도시내 법인의 설립등기에 따른 등록면허세 중과제도를 두고 있다. 대도시(과밀억제권역에서 산업단지 제외)에서의 법인의 설립 등에 따른 등기, 대도시 밖의 법인 등이 대도시로 전입함에 따른 등기의 경우 표준세율의 3배를 중과한다. 다만 대도시 중과제외업종은 예외를 두고 있다. 대도시지역 내 중과대상인 법인은 영리법인과 비영리법인을 모두 포함하며, 대도시 내 법인에 대한 중과세적용기간은 법인설립 또는 전입등기일로부터 5년을 말한다(예규 지법 28-11).

☞ 대도시내 법인의 부동산 취득에 따른 취득세 중과와 유사하게 적용되는 경우가 있으므로 관련내용(지방세법 제13조 ②)을 참고하기 바란다.

2015.7.24. 일정세액 미만의 등록면허세에 대한 대도시 중과세 규정을 정비하였다(법 제28조 ②). 대도시 등록면허세 중과세를 적용함에 있어 최저한세액에 미달한 경우 당시 규정이 미비하여 혼란이 있었다. 법인등기시 세액이 11만2천5백원 미만일 때에는 어떤금액을 기준으로 중과를 적용할지 쟁점이 있었는데 11만2천5백원에 3배를 적용하도록 운영현황(법제처 법령해석총괄과-1728, 2014.5.26.)에 맞게 보완하였다. 예를 들어 대도시내 법인자본금이 100만원인 경우 세액은 "1,000,000원 × 0.4% × 3배 = 12,000원"이 아니라 "112,500원 × 3배 = 337,500원"이 된다.

◎ **법인설립 당시 이미 납부한 등록면허세의 세액을 그 후 본점 대도시 이전에 관한 법인등기에 대하여 중과세율을 적용한 등록면허세의 세액에서 공제할 수는 없음**

제28조 제1항은 각 호에서 각 등록면허세의 과세대상인 각 등록에 대한 일반적인 세율을 정하고 있는데, 제6호 가목은 영리법인의 설립 및 자본증가 등에 관하여, 라목은 본점 등의 이전에 관하여 별도로 규정하고 있음. 제28조 제2항 제2호에서 '전입을 법인의 설립으로 보아 세율을 적용한다'는 의미는 등록면허세 중과세대상인 법인등기에 대하여 중과세제도의 취지에 부합하도록 그 세율의 적용에 관하여만 본점 등의 전입을 법인의 설립으로 보도록 하는 것임(대법원 2012두28940). 따라서 '본점 이전에 관한 법인등기'가 '법인설립에 관한 법인등기'로 간주되거나 위 각 법인등기에 관한 등록면허세 과세대상이 동일한 것으로 간주되는 것이 아님(대법원 2017두31538, 2019.1.10.).

◎ **대도시내 본점을 두고 있는 법인이 같은 지역 내에 지점을 설치하여 법인등기를 하는 경우 해당 등기는 지점의 설치에 해당하므로 중과세율을 적용하여야 함**

법인에 관한 어떠한 등기가 등록면허세 법인 등기 중 어느 세율에 해당하는지는 실질과세의 원칙에 의하여 그 명칭이나 형식과 관계없이 실질내용에 따라 판단하여야 할 것(대법원 98누6364.)이므로, 법인의 본점과 동일한 등기소의 관할 구역내에 지점을 설치하여 그 등기를 신청할 경우에 별도의 지점등기부가 작성되지 않고 본점등기부 지점란에만 등기사항을 기재한다 하더라도 제28조 제1항 제6호 마목에 따른 지점 또는 분사무소의 설치에 해당하며, 같은 조 제2항에 따라 중과세율을 적용(지방세운영과-1063, 2018.5.8.)

◎ **대도시 내에서 설립된 지 5년 이내의 법인이라고 하더라도 중과대상 업종과 중과제외 업종을 겸업하는 경우에는 중과대상 업종에 대하여만 중과세하고(대법원 2003두7293, 2004.9.24.), 대도시 내 설립 5년 이내 법인이 중과제외 업종을 영위하기 위하여 자본을 증가하여 중과제외 업종을**

양수한 경우 자본증자 등기는 중과에서 제외(행심 2007-307, 2004.10.27.)

◎ A법인(대도시 내 설립)이 B법인(대도시 외 소재)에 흡수합병된 후, A법인 소재지에 B의 지점(쟁점지점)을 설치, 이후 B의 분할로 신설된 C법인이 쟁점지점에 설립등기 ⇒ 중과

취득세 중과세 제외대상에 해당하는 분할법인의 경우 그 지역적 범위를 대도시 내 소재한 법인으로 한정하고 있는 점, 흡수합병은 합병회사의 하나가 존속하고 다른 회사는 소멸된다고 할 것이므로 분할로 신설된 C법인이 종전 대도시 내 A법인의 소재지에 설립되고 명칭도 동일하게 사용하더라도 당초 B법인에 흡수합병되어 소멸한 종전 A법인으로 볼 수는 없는 점 등을 고려해 볼 때, 대도시 외에 소재하는 B법인이 분할하여 대도시 내에 C법인을 설립하는 경우 위 규정 등록면허세 중과세 제외대상에 해당되지 아니한다고 판단됨(구 세정-2586, 2004.8.18. 참조)(지방세운영과-2718, 2013.10.25.).

◎ 법인등기부상 제조업이 함께 등재되었더라도 사업형태가 실질적인 판매행위(전자상거래업)를 주업으로 하는 경우 해당 용역에 직접 사용하는 부분은 유통산업용 부동산에 해당

취득건물의 사용용도가 판매 및 유통시설인 보관, 배송, 포장을 위한 장소에 해당되고, 회사의 사업형태가 실질적인 판매행위를 주업으로 하는 전자상거래업의 경우, 법인등기부등본 등에 제조업이 함께 등재되어 있다 하더라도 이 건 취득 건물 중 상품의 판매와 이를 지원하는 용역의 제공에 직접 사용되는 부분은 유통산업용 부동산에 해당된다 할 것임(지방세운영과-1985, 2011.4.29.).

◎ 제조업체가 제조한 제품을 전자상거래 방식으로 판매하는 경우 제조업으로 분류되는 반면, 주문생산한 제품을 인터넷쇼핑몰을 통해 판매하는 경우 도소매업(유통산업)에 해당

부가가치세법상 사업장을 설치하지 아니하고 타 제조업자에게 위탁가공 · 외주가공 하여 판매하는 사업은 판매업으로서 도매업 · 소매업에 해당되며(부가가치세법 예규 1-2-6), 한국표준산업분류표에서 전자상거래업 및 화장품 도 · 소매업은 유통산업으로 분류되나, 제조업체가 제조한 제품을 전자상거래 방식으로 판매하는 경우는 유통산업이 아닌 제조업으로 분류되고, 법인등기부상 화장품 제조업, 인터넷 판매업 및 도 · 소매업을 겸업하는 대도시 내 신설 법인이 제조설비를 갖추지 않고 타인에게 자신의 상호로 주문생산한 제품을 납품받아 인터넷쇼핑몰을 통해 판매하면서 대다수 인적 · 물적자원이 인터넷쇼핑몰 운영과 제품의 보관, 포장, 배송에 투입된다면 전자상거래업 또는 도 · 소매업을 주업으로 하는 법인이라 볼 수 있음(지방세운영과-1985, 2011.4.29.).

◎ 사립학교 법인이 대도시 내의 주사무소 전입에 따른 등기는 등록세 중과세 대상

구 지방세법 제127조 ① 3호가 사립학교법에 의한 학교법인 등의 '설립과 합병의 등기'에 대하여만 등록세 비과세의 혜택을 부여하도록 규정한 것은 다른 등기에 관하여는 그러한 혜택

을 부여할 필요가 없다는 정책적 판단을 반영한 것으로 보이는 점, 구 지방세법 제138조 ① 2호 후문은 등록세 중과세대상인 법인등기에 대하여 중과세제도의 취지에 부합하도록 그 세율의 적용에 관하여만 본점 또는 주사무소의 전입을 법인의 설립으로 보도록 하는 규정일 뿐 등록세 비과세대상을 정하는 규정이 아닌 점 등에 비추어 보면, 학교법인 등이 대도시 외에서 대도시 내로 주사무소를 전입함에 따른 등기는 구 지방세법 제138조 ① 2호의 등록세 중과세대상에 해당(대법원 2012두28940, 2013.5.9.)

◎ 사립학교법인(사회복지법인)의 주사무소가 대도시 외의 지역에서 대도시 내로 전입하는 경우 법인등기 등록세 비과세 대상이 아니며, 중과대상임

사립학교법인(사회복지법인)의 주사무소가 대도시 외의 지역에서 대도시 내로 전입하는 경우 법인등기 등록세 중과여부 관련하여 지방세법 제138조 제1항 제2호에서 대도시 외에서 대도시 내로의 법인 주사무소 전입에 따른 등기(전입 후 5년 이내에 출자액 증가 포함)에 대하여는 세율적용에 있어 전입을 법인의 설립으로 보아 법인설립 일반세율의 3배를 중과한다고 규정하고 있으나 등록세 비과세 규정에서는 법인이 대도시 외에서 대도시 내로 전입하는 경우 법인의 설립으로 보지 않고 있으므로 등록세 비과세 대상이 아닌 법인 설립 등기 3배 중과세 대상으로 판단됨(지방세운영과-1432, 2010.4.8.).

◎ 산업은행금융지주(주)는 정부가 직접 출자한 법인에 해당하여 중과세 배제

국가가 100% 지분을 보유하고 있는 한국산업은행이 2009.10.28. 인적분할방식으로 한국산업은행, 산업은행금융지주(주), 한국정책금융공사로 분할되었고, … 산업은행금융지주(주) 주식은 한국산업은행의 주주인 국가에 100% 귀속되어 산업은행금융지주(주)는 국가가 납입자본금의 100%를 직접 출자한 법인에 해당되며, 출자의 범위는 금전에 한정되지 않고 동산, 부동산, 주식, 채권 등도 포함하고 국가가 2009.11.24. 주식교환을 통해 기존에 보유하고 있던 산업은행 주식을 출자하여 산업은행금융지주(주)의 주식을 취득한 것으로 국가가 직접 출자한 경우에 해당됨(지방세운영과-5540, 2009.12.31.).

◎ 중과배제 업종을 영위하는 피합병법인에 대한 합병법인의 신주발행 증자등기시 당해 사업연도 총매출액에서 중과제외 업종 매출액이 차지하는 비율만큼 중과에서 제외함

해당 합병법인은 중과제외 업종인 소프트웨어사업을 겸업하기 위하여 신주발행 증자하여 피합병법인을 포괄적으로 흡수합병하는 경우라면 중과대상 업종과 중과제외 업종이 포함된 신주로 발행한 증자등기에 해당된다고 볼 수 있을 것이고, 증자 등기 대도시 내 등록세 중과제외 범위와 관련하여 합병법인이 중과제외 업종을 영위하기 위한 신주발행 증자를 하였더라도 합병 후 증자등기 당시 당해 법인이 중과업종과 중과제외 업종을 모두 영위하는 경우라면 증자등기 당시 당해 사업연도 중과업종 법인의 총매출액과 중과제외 업종 법인의 총매출액의 합에서 중과제외 업종 법인의 총매출액이 차지하는 비율만을 중과제외 대상으로 보는 것이 타당함(지방세운영과-1565, 2010.4.19.).

제29조(같은 채권의 두 종류 이상의 등록)

법 제29조(같은 채권의 두 종류 이상의 등록) 같은 채권을 위하여 종류를 달리하는 둘 이상의 저당권에 관한 등기 또는 등록을 받을 경우에 등록면허세의 부과방법은 대통령령으로 정한다.

영 제46조(같은 채권등기에 대한 목적물이 다를 때의 징수방법) ① 같은 채권을 위한 저당권의 목적물이 종류가 달라 둘 이상의 등기 또는 등록을 하게 되는 경우에 등기·등록관서가 이에 관한 등기 또는 등록 신청을 받았을 때에는 채권금액 전액에서 이미 납부한 등록면허세의 산출기준이 된 금액을 뺀 잔액을 그 채권금액으로 보고 등록면허세를 부과한다.

② 제1항의 경우에 그 등기 또는 등록 중 법 제28조 제1항 제5호에 해당하는 것과 그 밖의 것이 포함될 때에는 먼저 법 제28조 제1항 제5호에 해당하는 등기 또는 등록에 대하여 등록면허세를 부과한다.

제47조(같은 채권등기에 대한 담보물 추가 시의 징수방법) 같은 채권을 위하여 담보물을 추가하는 등기 또는 등록에 대해서는 법 제28조 제1항 제1호 마목·제2호 다목·제3호 라목·제5호 나목·제8호 라목·제9호 다목 및 제10호 라목에 따라 등록면허세를 각각 부과한다. 〈개정 2010.12.30., 2015.7.24.〉

같은 채권을 위한 저당권의 목적물이 종류가 달라 둘 이상의 등기 또는 등록을 하게 된 경우에는 채권금액 전액에서 이미 납부한 등록면허세의 산출기준이 된 금액을 뺀 잔액을 그 채권금액으로 보고 등록면허세를 부과한다. 담보물을 추가하는 등기의 경우에는 각각의 해당 세율구분에서 그 밖의 등기에 해당하는 세율을 적용한다.

제30조(신고 및 납부)

법 제30조(신고 및 납부) ① 등록을 하려는 자는 제27조에 따른 과세표준에 제28조에 따른 세율을 적용하여 산출한 세액을 대통령령으로 정하는 바에 따라 등록을 하기 전까지 납세지를 관할하는 지방자치단체의 장에게 신고하고 납부하여야 한다.

② 등록면허세 과세물건을 등록한 후에 해당 과세물건이 제28조 제2항에 따른 세율의 적용대상이 되었을 때에는 대통령령으로 정하는 날부터 60일 이내에 제28조 제2항에 따른 세율을 적용하여 산출한 세액에서 이미 납부한 세액(가산세는 제외한다)을 공제한 금액을 세액으로 하여 납세지

를 관할하는 지방자치단체의 장에게 대통령령으로 정하는 바에 따라 신고하고 납부하여야 한다.

③ 이 법 또는 다른 법령에 따라 등록면허세를 비과세, 과세면제 또는 경감받은 후에 해당 과세물건이 등록면허세 부과대상 또는 추징대상이 되었을 때에는 제1항에도 불구하고 그 사유 발생일부터 60일 이내에 해당 과세표준에 제28조에 따른 세율을 적용하여 산출한 세액[경감받은 경우에는 이미 납부한 세액(가산세는 제외한다)을 공제한 세액을 말한다]을 납세지를 관할하는 지방자치단체의 장에게 대통령령으로 정하는 바에 따라 신고하고 납부하여야 한다.

④ 제1항부터 제3항까지의 규정에 따른 신고의무를 다하지 아니한 경우에도 등록면허세 산출세액을 등록을 하기 전까지(제2항 또는 제3항의 경우에는 해당 항에 따른 신고기한까지) 납부하였을 때에는 제1항부터 제3항까지의 규정에 따라 신고를 하고 납부한 것으로 본다. 이 경우 제32조에도 불구하고 「지방세기본법」 제53조 및 제54조에 따른 가산세를 부과하지 아니한다.

⑤ 채권자대위자는 납세의무자를 대위하여 부동산의 등기에 대한 등록면허세를 신고납부할 수 있다. 이 경우 채권자대위자는 행정안전부령으로 정하는 바에 따라 납부확인서를 발급받을 수 있다.

⑥ 지방자치단체의 장은 제5항에 따른 채권자대위자의 신고납부가 있는 경우 납세의무자에게 그 사실을 즉시 통보하여야 한다.

영 제48조(신고 및 납부기한 등) ① 법 제30조 제1항에서 "등록을 하기 전까지"란 등기 또는 등록 신청서를 등기·등록관서에 접수하는 날까지를 말한다. 다만, 특허권·실용신안권·디자인권 및 상표권의 등록에 대한 등록면허세의 경우에는 「특허법」, 「실용신안법」, 「디자인보호법」 및 「상표법」에 따른 특허료·등록료 및 수수료의 납부기한까지를 말한다.

② 법 제30조 제2항에서 "대통령령으로 정하는 날"이란 다음 각 호의 구분에 따른 날을 말한다. 〈개정 2010.12.30.〉

1. 다음 각 목의 어느 하나에 해당하는 경우에는 해당 사무소나 사업장이 사실상 설치된 날
   가. 법 제28조 제2항 제1호에 따른 대도시에서 법인을 설립하는 경우
   나. 법 제28조 제2항 제1호에 따른 대도시에서 법인의 지점이나 분사무소를 설치하는 경우
   다. 법 제28조 제2항 제2호에 따른 대도시 밖에 있는 법인의 본점이나 주사무소를 대도시로 전입하는 경우
2. 법 제28조 제2항 각 호 외의 부분 단서에 따라 법인등기를 한 후 법 제28조 제3항에 따른 사유가 발생하여 법 제28조 제2항 각 호 외의 부분 본문을 적용받게 되는 경우에는 그 사유가 발생한 날

③ 법 제30조 제1항부터 제3항까지의 규정에 따라 등록면허세를 신고하려는 자는 행정안전부령으로 정하는 신고서로 납세지를 관할하는 시장·군수·구청장에게 신고하여야 한다.

④ 삭제 〈2011.12.31.〉

⑤ 지방자치단체의 금고 또는 지방세수납대행기관은 등록면허세를 납부받으면 납세자 보관용 영수증, 등록면허세 영수필 통지서(등기·등록관서의 시·군·구 통보용) 및 등록면허세 영수필 확인서 각 1부를 납세자에게 내주고, 지체 없이 등록면허세 영수필 통지서(시·군·구 보관용) 1부를 해당 시·군·구의 세입징수관에게 송부하여야 한다. 다만, 「전자정부법」 제36조 제1항에 따라 행정기관 간에 등록면허세 납부사실을 전자적으로 확인할 수 있는 경우에는 납세자에게 납세자 보관용 영수증을 교부하는 것으로 갈음할 수 있다. 〈개정 2011.12.31., 2014.8.12.〉

제49조(등록면허세 납부 확인 등) ① 납세자는 등기 또는 등록하려는 때에는 등기 또는 등록 신청서에 등록면허세 영수필 통지서(등기·등록관서의 시·군·구 통보용) 1부와 등록면허세 영수필

확인서 1부를 첨부하여야 한다. 다만, 「전자정부법」 제36조 제1항에 따라 행정기관 간에 등록면허세 납부사실을 전자적으로 확인할 수 있는 경우에는 그러하지 아니하다. 〈개정 2011.12.31., 2014.1.1.〉

② 제1항에도 불구하고 「부동산등기법」 제24조 제1항 제2호에 따른 전산정보처리조직을 이용하여 등기를 하려는 때에는 등록면허세 영수필 통지서(등기 · 등록관서의 시 · 군 · 구 통보용)와 등록면허세 영수필 확인서를 전자적 이미지 정보로 변환한 자료를 첨부하여야 한다. 다만, 「전자정부법」 제36조 제1항에 따라 행정기관 간에 등록면허세 납부사실을 전자적으로 확인할 수 있는 경우에는 그러하지 아니하다. 〈개정 2014.1.1.〉

③ 납세자는 선박의 등기 또는 등록을 신청하려는 때에는 등기 또는 등록 신청서에 제1항에 따른 등록면허세 영수필 통지서(등기 · 등록관서의 시 · 군 · 구 통보용) 1부와 등록면허세 영수필 확인서 1부를 첨부하여야 한다. 이 경우 등기 · 등록관서는 「전자정부법」 제36조 제1항에 따른 행정정보의 공동이용을 통하여 선박국적증서를 확인하여야 하며, 신청인이 확인에 동의하지 아니하면 그 사본을 첨부하도록 하여야 한다.

④ 등기 · 등록관서는 등기 · 등록을 마친 때에는 제1항부터 제3항까지의 규정에 따른 등록면허세 영수필 확인서 금액란에 반드시 지움도장을 찍어야 하며, 첨부된 등록면허세 영수필 통지서(등기 · 등록관서의 시 · 군 · 구 통보용)를 등기 또는 등록에 관한 서류와 대조하여 기재내용을 확인하고 접수인을 날인하여 접수번호를 붙인 다음 납세지를 관할하는 시 · 군 · 구의 세입징수관에게 7일 이내에 송부해야 한다. 다만, 광업권 · 조광권 등록의 경우에는 등록면허세 영수필 통지서(등기 · 등록관서의 시 · 군 · 구 통보용)의 송부를 생략하고, 광업권 · 조광권 등록현황을 분기별로 그 분기말의 다음 달 10일까지 관할 시장 · 군수 · 구청장에게 송부할 수 있다.

⑤ 등기 · 등록관서는 제4항 본문에도 불구하고 등록면허세 영수필 통지서(등기 · 등록관서의 시 · 군 · 구 통보용)를 시 · 군의 세입징수관에게 송부하려는 경우 시 · 군 · 구의 세입징수관이 「전자정부법」 제36조 제1항에 따른 행정정보의 공동이용을 통하여 등록면허세 영수필 통지서(등기 · 등록관서의 시 · 군 · 구 통보용)에 해당하는 정보를 확인할 수 있는 때에는 전자적 방법으로 그 정보를 송부할 수 있다.

⑥ 시장 · 군수 · 구청장은 제4항 본문 및 제5항에 따라 등기 · 등록관서로부터 등록면허세 영수필 통지서(등기 · 등록관서의 시 · 군 · 구 통보용) 또는 그에 해당하는 정보를 송부받은 때에는 등록면허세 신고 및 수납사항 처리부를 작성하고, 등록면허세의 과오납 및 누락 여부를 확인하여야 한다. [전문개정 2010.12.30.]

제49조의 2(촉탁등기에 따른 등록면허세 납부영수증서의 처리) ① 국가기관 또는 지방자치단체는 등기 · 가등기 또는 등록 · 가등록을 등기 · 등록관서에 촉탁하려는 경우에는 등록면허세를 납부하여야 할 납세자에게 제48조 제5항에 따른 등록면허세 영수필 통지서(등기 · 등록관서의 시 · 군 · 구 통보용) 1부와 등록면허세 영수필 확인서 1부를 제출하게 하고, 촉탁서에 이를 첨부하여 등기 · 등록관서에 송부하여야 한다. 다만, 「전자정부법」 제36조 제1항에 따라 행정기관 간에 등록면허세 납부사실을 전자적으로 확인할 수 있는 경우에는 그러하지 아니하다. 〈개정 2011.12.31., 2014.1.1.〉

② 제1항에도 불구하고 「부동산등기법」 제24조 제1항 제2호에 따른 전산정보처리조직을 이용하여 등기를 촉탁하려는 때에는 등록면허세를 납부하여야 할 납세자로부터 제출받은 등록면허세 영수필 통지서(등기 · 등록관서의 시 · 군 · 구 통보용)와 등록면허세 영수필 확인서를 전자적 이

미지 정보로 변환한 자료를 첨부하여야 한다. 다만, 「전자정부법」 제36조 제1항에 따라 행정기관 간에 등록면허세 납부사실을 전자적으로 확인할 수 있는 경우에는 그러하지 아니하다. 〈개정 2014.1.1.〉 [본조신설 2010.12.30.]

규칙 제13조(신고 및 납부) ① 영 제48조 제3항에 따라 등록에 대한 등록면허세(이하 이 절에서 "등록면허세"라 한다)를 신고하려는 자는 별지 제9호 서식의 등록에 대한 등록면허세 신고서에 다음 각 호의 서류를 첨부하여 납세지를 관할하는 시장·군수·구청장에게 신고해야 한다.

1. 전세계약서 등 등록가액 등을 증명할 수 있는 서류 사본 1부
2. 「지방세특례제한법 시행규칙」 별지 제1호 서식의 지방세 감면 신청서 1부
3. 별지 제8호 서식의 취득세 비과세 확인서 1부
4. 별지 제10호 서식의 등록면허세(등록) 납부서 납세자 보관용 영수증 사본 1부

② 법 제30조 제1항부터 제3항까지에 따른 등록면허세의 납부는 별지 제10호 서식에 따른다.

③ 법 제31조 제1항 또는 제2항에 따른 등록면허세 특별징수 내용의 통보는 각각 별지 제13호 서식에 따른다.

④ 법 제31조 제1항 또는 제2항에 따라 특별징수한 등록면허세의 납부는 각각 별지 제14호 서식에 따른다.

⑤ 영 제49조 제6항에 따른 등록면허세 신고 및 수납사항처리부의 작성에 관하여는 별지 제6호 서식을 준용한다. (2016. 12. 30. 개정)

⑥ 「부동산등기법」 제28조에 따라 채권자대위권에 의한 등기신청을 하려는 채권자가 법 제30조 제5항 전단에 따라 납세의무자를 대위하여 부동산의 등기에 대한 등록면허세를 신고납부한 경우에는 「지방세징수법 시행규칙」 별지 제20호 서식의 취득세(등록면허세) 납부확인서를 발급받을 수 있다.

등록을 하려는 자는 등록을 하기 전까지 등록면허세의 납세지를 관할하는 지방자치단체의 장에게 신고하고 납부하여야 한다.

등록면허세 과세물건을 등록한 후에 해당 과세물건이 제28조 제2항에 따른 중과대상이 되었을 때에는 중과대상이 된 날부터 60일 이내에 중과세율을 적용한 세액에서 이미 납부한 세액(가산세는 제외한다)을 공제한 금액을 세액으로 하여 납세지를 관할하는 지방자치단체의 장에게 신고하고 납부하여야 한다.

제31조(특별징수)

법 제31조(특별징수) ① 특허권, 실용신안권, 디자인권 및 상표권 등록(「표장의 국제등록에 관한 마드리드협정에 대한 의정서」에 따른 국제상표등록출원으로서 「상표법」 제197조에 따른 상표권 등록을 포함한다)의 경우에는 특허청장이 제28조 제1항 제11호 및 제12호에 따라 산출한 세액을

특별징수하여 그 등록일이 속하는 달의 다음 달 말일까지 행정안전부령으로 정하는 서식에 따라 해당 납세지를 관할하는 지방자치단체의 장에게 그 내용을 통보하고 해당 등록면허세를 납부하여야 한다.
② 「저작권법」에 따른 등록에 대하여는 해당 등록기관의 장이 제28조 제1항 제10호에 따라 산출한 세액을 특별징수하여 그 등록일이 속하는 달의 다음 달 말일까지 행정안전부령으로 정하는 서식에 따라 해당 납세지를 관할하는 지방자치단체의 장에게 그 내용을 통보하고 해당 등록면허세를 납부하여야 한다.
③ 특별징수의무자가 제1항과 제2항에 따라 특별징수한 등록면허세를 납부하기 전에 해당 권리가 등록되지 아니하였거나 잘못 징수하거나 더 많이 징수한 사실을 발견하였을 경우에는 특별징수한 등록면허세를 직접 환급할 수 있다. 이 경우 「지방세기본법」 제62조에 따른 지방세환급가산금을 적용하지 아니한다.
④ 특별징수의무자가 징수하였거나 징수할 세액을 제1항 또는 제2항에 따른 기한까지 납부하지 아니하거나 부족하게 납부하더라도 특별징수의무자에게 「지방세기본법」 제56조에 따른 가산세는 부과하지 아니한다. 〈신설 2013.1.1.〉

특허권, 실용신안권, 디자인권 및 상표권 등록 등의 경우에는 특허청장이 특별징수한다. 「저작권법」에 따른 등록에 대하여는 해당 등록기관의 장이 특별징수한다.

◎ 등록세 납세의무자가 조특법상 감면받고자 감면신청을 하는 경우 등록세 특별징수의무자인 특허청장은 당해 자치단체의 장의 의견을 받아 처리

지방세법 제125조 본문에서 등록세는 다음 각 호의 구분에 의하여 등기 또는 등록일 현재 등기 또는 등록할 재산의 소재지나 등기 또는 등록권자의 주소지 해당 사무소 또는 영업소 등의 소재지를 관할하는 도에서 부과한다고 규정하고 있으므로 등록세 특별징수의무자인 특허청장은 특별징수의무를 수행하는 한도 내에서 등록세 징수에 관한 사항을 해당 지방자치단체의 장으로부터 부여받았다고 보아야 하므로, 등록세 납세의무자가 조세특례제한법 시행령 제116조 제12항의 규정에 의하여 등록세를 감면받고자 감면신청을 하는 경우 등록세 특별징수의무자인 특허청장은 당해 자치단체의 장의 의견을 받아 처리하여야 하는 것임(세정-65, 2008.1.4.).

제32조(부족세액의 추징 및 가산세)

법 제32조(부족세액의 추징 및 가산세) 등록면허세 납세의무자가 제30조 제1항부터 제3항까지의 규정에 따른 신고 또는 납부의무를 다하지 아니하면 제27조 및 제28조에 따라 산출한 세액 또는 그 부족세액에 「지방세기본법」 제53조부터 제55조까지의 규정에 따라 산출한 가산세를 합한 금

액을 세액으로 하여 보통징수의 방법으로 징수한다. 〈개정 2013.1.1.〉
1. 삭제 〈2013.1.1.〉 2. 삭제 〈2013.1.1.〉

지방세 분법 이전에는 가산세의 부과에 대하여 각 세목별로 지방세법에서 개별규정하던 것을 지방세기본법에서 일괄적으로 규정하였고, 지방세법에서는 지방세기본법의 가산세규정을 인용하여 가산세 부과의 근거를 마련하였다. 등록면허세 납세의무자가 등록면허세의 신고 또는 납부의무를 다하지 아니한 때에는 「지방세기본법」 제53조부터 제55조까지의 규정에 따라 산출한 가산세를 징수한다.

◎ 법원 직권으로 소유권 보존등기시 등록세 미신고는 가산세 감면의 정당한 사유에 해당

등기 또는 등록의 신청서를 등기소 또는 등록관청에 접수하는 날까지 등록세를 납부하여야 할 것이나, 건축 중인 건물에 대하여 채권자가 채권확보를 위하여 법원에 가압류등 처분제한 등기 신청을 하고 해당 법원의 결정을 통하여 직권으로 소유권 보존등기가 이행된 경우 소유자가 보존등기 전에 등록세 신고납부를 이행하지 못한데 대한 가산세는 채권자의 대위보존등기로 인해 소유자의 의사와 관계없이 인지하지 못하는 사이에 행하여져 등록세를 납부하지 못한 정당한 사유가 있다고 보아야 할 것이므로, 이에 대하여 의무해태의 책임을 물어 가산세를 부과할 수 없음(심사결정 제2001-615, 2001.12.17., 지방세정팀-5329, 2007.12.12., 도세과-294, 2008.4.2.).

◎ 세무공무원의 지적이 없었다 하더라도 신고납부의무 미이행시 가산세 부과 대상

지방세법에 의한 가산세는 과세권의 행사 및 조세채권의 실현을 용이하게 하기 위하여 납세자가 정당한 이유없이 규정된 신고납부의무를 위반한 경우에 법이 정하는 바에 의하여 부과하는 행정상의 제재로써 납세자의 고의 또는 과실은 고려하지 아니하는 것이고, 비록 귀하의 경우와 같이 세무공무원의 정확한 지적이 없어서 그 신고납부의무를 이행하지 아니하였다고 하더라도 그것이 관계법령에 어긋나는 것임이 명백한 때에는 그러한 사유만으로는 정당한 사유가 있는 경우에 해당된다고 할 수 없다(같은 취지의 대법원 2000두5944, 2002.4.12.)고 할 것이므로 지방세법 제30조의 4 제1항에의 의한 부과제척 기간이 경과하지 않은 경우라면 과소 신고납부금액에 대한 가산세 등 부과처분은 적법하다고 판단됨(지방세운영과-335, 2009.1.23.).

◎ 등기신청서를 접수한 다음날 등록세를 납부한 경우 신고불성실가산세 부과대상

등록세의 신고납부 기한은 등기 또는 등록의 신청서를 접수하는 날까지이므로 등록세 고지서에 납부기한을 특정할 수는 없으며, 등기신청서를 접수한 다음날 등록세를 납부한 경우 신고납부 기한 안에 신고납부를 하지 않은 경우에 해당하여 지방세법 제151조 제1호에 따라

신고불성실가산세를 부과하게 되므로, 적법하게 부과납부된 가산세를 환급받을 수는 없음(세정-3265, 2004.10.1.).

◎ 위임관계에 있는 법무사가 등록세를 1일 지연납부한 경우 가산세 부과는 정당

소유권보존등기를 위임받은 법무사가 이 사건 공동주택에 대하여 2001.5.16. 등기접수를 하고, 등록세는 다음 날인 5.17.에 납부하였음이 확인되며, 등기를 법무사에게 위임하여 부동산등기를 하는 경우 그 등기의 효력은 위임인에게 귀속하게 되므로, 등기의 위임을 받은 법무사가 등록세를 지연 납부한 과실도 위임인인 청구인에게 그 책임이 귀속된다 할 것으로서, 청구인과 법무사간의 사적인 위임을 이유로 신고납부 해태의 책임을 면할 수는 없으며, 1일 지연납부한 사유로 등록세 가산세액이 1억원이 넘는다는 사유만으로 재량권의 한계를 일탈한 부당한 처분이라 볼 수 없음(심사 2002-105, 2002.3.25.).

제33조(등록자료의 통보)

법 제33조(등록자료의 통보) 등록면허세의 등록자료 통보에 관하여는 제22조를 준용한다.

영 제50조(등록면허세의 미납부 및 납부부족액에 대한 통보 등) ① 등기·등록관서의 장은 등기 또는 등록 후에 등록면허세가 납부되지 아니하였거나 납부부족액을 발견한 경우에는 다음 달 10일까지 납세지를 관할하는 시장·군수·구청장에게 통보하여야 한다.

② 시장·군수·구청장이 법 제28조 제2항에 따라 대도시 법인등기 등에 대한 등록면허세를 중과하기 위하여 관할 세무서장에게 「부가가치세법 시행령」 제11조에 따른 법인의 지점 또는 분사무소의 사업자등록신청 관련 자료의 열람을 요청하거나 구체적으로 그 대상을 밝혀 관련 자료를 요청하는 경우에는 관할 세무서장은 특별한 사유가 없으면 그 요청에 따라야 한다. 〈개정 2013.6.28.〉

규칙 제14조(등록면허세 미납부 및 납부부족액 통보) 영 제50조 제1항에 따른 등록면허세 미납부 및 납부부족액에 대한 통보는 별지 제7호 서식에 따른다.

제15조(등록면허세 비과세 등 확인) ① 법, 「지방세특례제한법」 또는 「조세특례제한법」에 따라 등록면허세의 비과세 또는 감면으로 등기 또는 등록하려는 경우에는 법 제25조 제1항에 따른 등록면허세의 납세지를 관할하는 시장·군수·구청장의 비과세 또는 감면 확인을 받아야 한다.

등기·등록관서의 장은 등기 또는 등록 후에 등록면허세의 미납 등이 발견한 경우에 시장·군수에게 통보하여야 한다. 그리고 시장·군수는 대도시 중과를 위한 법인의 지점 등에 관한 자료를 세무서장에게 요청할 수 있으며, 세무서장은 특별한 사유가 없으면 이에 응하도록 하고 있다.

제3절 면허에 대한 등록면허세

제34조(세율)

법 제34조(세율) ① 면허에 대한 등록면허세(이하 이 절에서 "등록면허세"라 한다)의 세율은 다음의 구분에 따른다. 〈개정 2014.1.1.〉

구 분	인구 50만 명 이상 시	그 밖의 시	군
제1종	67,500원	45,000원	27,000원
제2종	54,000원	34,000원	18,000원
제3종	40,500원	22,500원	12,000원
제4종	27,000원	15,000원	9,000원
제5종	18,000원	7,500원	4,500원

② 특별자치시 및 도농복합형태의 시에 제1항을 적용할 때 해당 시의 동(洞)지역(시에 적용되는 세율이 적합하지 아니하다고 조례로 정하는 동지역은 제외한다)은 시로 보고, 읍·면지역(시에 적용되는 세율이 적합하지 아니하다고 조례로 정하는 동지역을 포함한다)은 군으로 보며, "인구 50만 이상 시"란 동지역의 인구가 50만 이상인 경우를 말한다. 〈개정 2013.1.1.〉

③ 제1항을 적용할 때 특별시·광역시는 인구 50만 이상 시로 보되, 광역시의 군지역은 군으로 본다.

④ 제1항부터 제3항까지의 규정에서 "인구"란 매년 1월 1일 현재 「주민등록법」에 따라 등록된 주민의 수를 말하며, 이하 이 법에서 같다.

⑤ 제1항을 적용할 경우 「지방자치법」 제4조 제1항에 따라 둘 이상의 지방자치단체가 통합하여 인구 50만 이상 시에 해당하는 지방자치단체가 되는 경우 해당 지방자치단체의 조례로 정하는 바에 따라 통합 지방자치단체가 설치된 때부터 5년의 범위(기산일은 통합 지방자치단체가 설치된 날이 속하는 해의 다음 연도 1월 1일로 한다)에서 해당 통합 이전의 세율을 적용할 수 있다. 〈신설 2010.12.27.〉

면허에 대한 등록면허세의 경우 면허종별은 5종으로 구분하고, 3개 지역으로 구분하여 각각 차등세율을 적용한다. 2014년부터는 지난 1991년 이후 20여 년간 세율조정이 이루어지지 않았던 면허분 등록면허세율에 대한 조정이 있어 일부 현실화되었다.

제35조(신고납부 등)

법 제35조(신고납부 등) ① 새로 면허를 받거나 그 면허를 변경받는 자는 면허증서를 발급받거나 송달받기 전까지 제25조 제2항의 납세지를 관할하는 지방자치단체의 장에게 그 등록면허세를 신고하고 납부하여야 한다. 다만, 유효기간이 정하여져 있지 아니하거나 그 기간이 1년을 초과하는 면허를 새로 받거나 그 면허를 변경받은 자는 「지방세기본법」 제34조에도 불구하고 새로 면허를 받거나 면허를 변경받은 때에 해당 면허에 대한 그 다음 연도분의 등록면허세를 한꺼번에 납부할 수 있다.

② 면허의 유효기간이 정하여져 있지 아니하거나 그 기간이 1년을 초과하는 면허에 대하여는 매년 1월 1일에 그 면허가 갱신된 것으로 보아 제25조 제2항에 따른 납세지를 관할하는 해당 지방자치단체의 조례로 정하는 납기에 보통징수의 방법으로 매년 그 등록면허세를 부과하고, 면허의 유효기간이 1년 이하인 면허에 대하여는 면허를 할 때 한 번만 등록면허세를 부과한다.

③ 다음 각 호의 어느 하나에 해당하는 면허에 대하여는 제2항에도 불구하고 면허를 할 때 한 번만 등록면허세를 부과한다.

1. 제조·가공 또는 수입의 면허로서 각각 그 품목별로 받는 면허
2. 건축허가 및 그 밖에 이와 유사한 면허로서 대통령령으로 정하는 면허

④ 등록면허세 납세의무자가 제1항에 따른 신고 또는 납부의무를 다하지 아니한 경우에는 제34조 제1항에 따라 산출한 세액에 「지방세기본법」 제53조부터 제55조까지에 따라 산출한 가산세를 합한 금액을 세액으로 하여 보통징수의 방법으로 징수한다. 다만, 제1항에 따른 신고를 하지 아니한 경우에도 등록면허세를 납부기한까지 납부하였을 때에는 「지방세기본법」 제53조 또는 제54조에 따른 가산세를 부과하지 아니한다. 〈신설 2013.1.1.〉

영 제51조(건축허가와 유사한 면허의 범위) 법 제35조 제3항 제2호에서 "대통령령으로 정하는 면허"란 다음 각 호의 어느 하나에 해당하는 면허를 말한다. 〈개정 2011.12.31., 2014.1.1., 2014.12.30., 2015.12.31.〉

1. 매장문화재 발굴 / 2. 문화재의 국외 반출 / 3.「폐기물의 국가 간 이동 및 그 처리에 관한 법률」 제6조, 제10조 또는 제18조의 2에 따른 폐기물의 수출·수입 허가 또는 신고 /4. 「농지법」에 따른 농지전용 및 농지전용의 용도변경 / 5. 토지의 형질 변경 / 6. 「장사 등에 관한 법률」에 따른 사설묘지 설치 및 사설자연장지 조성(재단법인이 설치 또는 조성한 경우는 제외한다) / 7. 사설도로 개설 / 8. 계량기기의 형식승인 및 특정열사용기자재의 검사 / 9. 「산림자원의 조성 및 관리에 관한 법률」 제36조에 따른 입목벌채 / 10. 샘물 개발 허가 / 11. 건설기계의 형식승인 / 12. 보세구역 외 장치의 허가 / 13. 공유수면의 매립 / 14. 초지 조성 및 전용 / 15. 가축분뇨 배출시설의 설치

허가 또는 신고 / 16. (「전파법」 제58조의 2에 따른 방송통신기자재등의 적합성평가) / 17. 화약류 사용 / 18. 비산(飛散) 먼지 발생사업의 신고 / 19. 특정공사(「소음 · 진동관리법」 제22조에 따른 특정공사를 말한다)의 사전 신고 / 20. 소방용 기계 · 기구 등의 형식승인 / 21. 「종자산업법」 제38조 제1항에 따른 종자의 수입 판매신고. 다만, 같은 법 제15조에 따라 국가품종목록에 등재할 수 있는 작물의 종자에 대한 수입 판매신고로 한정한다. / 22. 선박 및 선박용 물건의 형식승인 및 검정 / 23. 「산지관리법」에 따른 산지전용 및 산지전용의 용도변경 / 24. 임산물의 굴취 · 채취 / 25. 「자동차관리법」 제30조에 따른 자동차의 자기인증을 위한 제작자등의 등록(자가사용 목적으로 자동차를 자기인증하기 위한 제작자등의 등록으로 한정한다) / 26. 사행기구의 제작 또는 수입품목별 검사 / 27. 유료도로의 신설 또는 개축 / 28. 지하수의 개발 · 이용 / 29. 골재 채취 / 30. 환경측정기기의 형식승인 / 31. 건축 및 대수선 / 32. 공작물의 설치 허가 또는 축조 신고 / 33. 총포 · 도검 · 화약류 · 분사기 · 전자충격기 또는 석궁의 수출 또는 수입 허가 / 34. 개발행위 허가 중 녹지지역 · 관리지역 또는 자연환경보전지역에 물건을 1개월 이상 쌓아 놓는 행위 허가 / 35. 가설건축물의 건축 또는 축조 / 36. 「농지법」 제36조에 따른 농지의 타용도 일시사용 / 37. 「산지관리법」 제15조의 2에 따른 산지일시사용 / 38. 「하수도법」 제34조에 따른 개인하수처리시설의 설치 / 39. 「지하수법」 제9조의 4에 따른 지하수에 영향을 미치는 굴착행위 / 40. 도검 · 화약류 · 분사기 · 전자충격기 또는 석궁의 소지허가 / 41. 「내수면어업법」 제19조 단서에 따른 유해어법의 사용허가 / 42. 「항공안전법」 제27조 제1항에 따른 기술표준품에 대한 형식승인 / 43. 「산업집적활성화 및 공장설립에 관한 법률」 제28조의 2 제2항에 따른 지식산업센터의 설립완료신고 / 44. 「화학물질관리법」 제18조에 따른 금지물질 취급 허가 및 같은 법 제19조에 따른 허가물질 제조 · 수입 · 사용 허가 45. 「마약류 관리에 관한 법률」 제18조 제2항 제1호에 따른 마약류 수출의 품목별 허가 및 같은 법 제51조 제1항에 따른 원료물질 수출입의 승인

규칙 제16조(신규 면허에 대한 등록면허세의 신고 및 납부) ① 법 제35조 제1항에 따른 면허에 대한 등록면허세(이하 이 절에서 "등록면허세"라 한다)의 신고는 별지 제15호 서식에 따른다.
② 법 제35조 제1항에 따라 등록면허세를 납부하려는 자는 별지 제14호 서식의 납부서를 이용하여 납부하여야 한다. 〈개정 2011.12.31.〉
③ 법 제35조 제2항에 따라 등록면허세를 보통징수하는 경우에는 별지 제17호 서식에 따른다.

새로 면허를 받거나 면허를 변경한 경우는 면허증서를 발급받기 전에 면허에 관한 등록면허세(이하 면허세)를 납부하여야 하며(수시부과), 면허 유효기간이 정하여져 있지 않거나 1년을 초과하는 경우는 매년 1월 1일에 매년 면허가 갱신되는 것으로 보아 면허세를 부과징수(정기부과)한다. 건축허가 등은 면허를 받을 때 1회만 면허세를 과세한다.

면허세는 면허증서를 발급받기 전에 면허세를 납부하여야 하는 점을 감안하여 무신고 가산세 및 과소신고가산세는 부과하지 않는다.

연도별 등록면허세 신규등록 및 개정 등 주요 개정내용을 보면 다음과 같다. 2016.1.1. 면허분 등록면허세 과세대상을 정비하였다(영 제51조, 별표). 면허세는 시행령에 열거된 면허에 대해서만 과세가 가능한데(열거주의), 근거법률의 제 · 개정이나 사회 · 경제적 변화에

따라 지속적으로 현행화할 필요가 있다(누락·신설 면허 법제화 및 관련법령 변경사항 반영 등). 그에 따라 기존 면허와의 형평성 유지, 관련법령의 개정·폐지 등을 반영하여 총 112건을 정비하였다(신설 33종, 개정 79건). (1회성 면허 정비 – 영 §51) 마약류 수출 품목허가 등 신설 면허에 대한 1회성 면허 지정 등 4건(신설 2, 변경 1, 삭제 1)

2017.1.1. 「수산종자산업육성법」에 따른 수산종자생산업의 허가(3종), 「수입식품안전관리특별법」에 따른 영업의 등록(3종), 「도시가스사업법」에 따른 천연가스수출입업의 등록(1종) 등 50종을 신설하였다. 그리고 "세무사의 등록"(사무소 설치 신고→ 등록), "보험중개사 등록" 하향조정(1종→ 4종), "주택임대사업자 등록"의 세분화(3종 → 1·2·3·4종) 등 13종을 변경(11)하거나 삭제(2)하였다.

2019.1.1. 등록면허세를 한 번만 부과하는 대상에 '사설자연장지 조성'을 추가하였다.

2020.1.1. 근거법령 개정 및 유사 면허와 형평성 제고에 따른 신규 발굴로 4개를 신설하였다. 전기신사업(전기자동차충전사업 및 소규모전력중개사업)의 등록, 행정사 합동사무소의 설치 등이 이에 해당한다. 그리고 면허 통폐합에 따른 과세대상 삭제 및 근거법령 개정에 따른 면허명·인용조문 수정 등으로 37개를 개정 또는 삭제하였다. 문화재매매업의 허가, 교통영향평가대행자의 등록에 대해서는 면허명칭을 변경하고, 도시가스충전사업, 고압가스제조업 등은 근거조문을 통일하였다. 통신판매업 과세제외 기준 등 불필요한 내용은 삭제하였다.

2021.1.1. 가상체험체육시설업의 신고, 첨단바이오의약품 제조업의 허가 등 신규대상을 추가하였다. 면허 통폐합에 따른 과세대상 삭제 및 근거법령 개정에 따른 면허명·인용조문 수정 등 24개를 개정하였다. 「의료법」 제33조에 따른 개설을 허가 대상에 추가(정신병원)하고, 면허의 명칭을 정비하였다(폐수처리업의 등록 → 폐수처리업의 허가).

1. 등록면허세 부과

관계법령 규정에 의하여 기존면허(면허·허가·등록 및 신고 등)를 변경하는 경우에는 그 변경이 ① 면허를 받은 자가 변경되는 경우(사업주체의 변경없이 단순히 대표자의 명의를 변경하는 경우는 제외), ② 해당 면허에 대한 면허의 종별 구분이 상위의 종으로 변경되는 경우, ③ 면허가 갱신되는 것으로 보는 경우의 어느 하나에 해당하는 경우만 등록면허세 과세대상이다. 면허를 승계받은 경우에도 해당 면허에 포함되는 의제면허도 승계된 것으로 보아 면허의 종별 구분에 따라 각각 등록면허세를 부과한다. 또한 1구의 토지 내에 각각 독립된 여러 동의 건축물을 신축하는 경우 건축허가를 1건으로 받았다 하더라도 각 동별로 건축허가를 받은 것으로 보아 각각 면허세를 부과한다(예규 지법 35-1).

◎ 여객자동차운수사업법 시행규칙 제3조 및 제57조에 의하여 주사무소 또는 수개 영업소의 차량 증차에 따른 변경등록이 주사무소를 관할하는 시·도에 일괄신청하여 수리되더라도 면허세는 변경이 이루어지는 주사무소와 각 영업소별로 면허세를 납부하여야 하는 것임(세정-1705, 2005.7.18.).

◎ 주사무소 및 각 영업소에 대한 차량증차로 인한 자동차대여사업의 변경등록시, 주사무소와 각 영업소별로 면허세를 납부하며, 이 경우 '면허의 종별구분'은 주사무소와 각 영업소별로 보유하는 차량대수에 의해 결정됨(세정 13430-260, 2002.3.14.).

◎ 증차 및 양도·양수시 면허세 과세대상 여부

전세버스의 양도·양수의 경우는 동법 시행령 제126조의 2 제1호 가목의 면허의 소유자가 변경되는 사유에 해당되므로 면허세를 납부해야 함. 단, 증차의 경우에는 그 증차되는 차량에 따라(당초차량대수 + 증차되는 차량대수) 면허종별 구분이 당초보다 상위종으로 변경되는 경우에만 면허세가 부과됨(지방세정팀-849, 2008.2.27.).

◎ 개별점포에 별도의 면허행위가 없는 경우는 면허세 부과대상 아님

면허의 효력이 보험업을 영위하는 주사무소(본점)에만 미치는 것인지, 개별점포(지점)에도 미치는 것인지를 불문하고 객관적으로 하나의 면허행위를 과세대상으로 하나의 면허세만이 부과되어야 하므로 보험업의 경우 그 본점에서 면허행위에 대한 면허를 부여받은 이후 개별점포(지점)에서 별도의 면허행위가 발생하지 않는 이상, 지방세법 시행령 별표(제1종 제131호)의 단서조항에 따라 정기분 면허세 부과대상에 해당되지 않는 것임(세정-818, 2008.2.26.).

◎ 은행법에 따른 은행업(제1종 제117호)과 「외국환거래법」에 따른 외국환업(제2종 제116호)의 면허분 등록면허세 납세의무가 본점에만 있음. 각 지점은 납세의무 없음

지방세법 제23조 제2호의 '의제면허'는 건축법 제11조 ⑤의 경우처럼 법률의 규정에 따라 의제되는 행위를 말하는 것이며, 은행업이나 외국환업의 지점 설치 등의 경우에는 은행법 등 관련법령에 명문 규정이 없어 의제면허에 해당하지 않는 점, 개정 은행법('98.1.13.)에서는 은행의 지점·대리점·기타 영업소 신설·이전 등에 대한 인가규정이 폐지된 점, 인가 후 추가로 지점 등을 설치할 경우에는 사후 신고의무도 없으며, 현행 은행법상 지점설치는 은행의 완전 자율사항인 점, '99.4.1. 이전 외국환관리법에 의하면 은행의 각 지점마다 외국환은행으로 취급되어 재정경제원장의 인가를 받도록 되어 있었으나. '99.4.1. 이후 외국환거래법 제정으로 "외국환은행" 제도가 "외국환업무 취급기관" 제도로 대체되면서 등록으로 변경되고, 외국환업무취급기관 등록증은 1장만 교부하는 점 … 은행업과 외국환업의 지점의 면허분 등록면허세 납세의무는 없음(지방세운영과-3214, 2016.12.26.).

2. 등록면허세 과세사례

◎ 법무법인의 변호사의 개업신고는 등록면허세(제4종) 부과대상에 해당됨

"변호사의 개업 신고"는 "법무법인의 설립"과는 별개의 과세대상이고, 「변호사법」 제7조(자격등록) 및 제15조(개업신고)에 의하면 변호사로서 개업을 하려면 대한변호사협회에 등록을 하여야 하고, 소속 지방변호사회와 대한변호사협회에 개업신고를 하도록 되어 있음. 또한, 「변호사등록규칙」 제18조(변호사개업신고)에 의하면 개업신고를 한 사실이 없거나 휴업 중이던 등록변호사가 법무법인·법무조합 등의 구성원이 된 때 또는 구성원 아닌 소속변호사가 된 때에는 변호사 개업신고를 하도록 되어 있어 제4종의 면허세 부과대상에 해당됨(지방세운영과-2923, 2015.9.15.).

◎ 건축법 제14조(소규모 건축 등 신고)에 따른 건축신고는 면허분 등록면허세의 과세대상

면허분 등록면허세의 과세대상이 되는 면허의 종류와 종별구분은 별표에서 정하도록 하면서, 별표 각 종별 제26호에서는 "건축법 제11조 ①에 따른 건축 및 대수선의 허가"를 과세대상으로 규정하고 있으며, 건축법 제14조 ①은 소규모 건축 등의 경우 신고를 하면 제11조에 따른 건축허가를 받은 것으로 의제하고 있음. 따라서, 건축법 제14조에 따른 건축신고는 같은 법 제11조에 따른 건축허가로 보아 「지방세법 시행령」 별표 각 종별 제26호에 의거, 면허분 등록면허세 과세대상에 해당(지방세운영과-251, 2014.12.10.)

◎ 한약업사가 의약품만을 판매하는 경우 약품판매업에 해당

한약업사가 의약품 판매시 면허 종류와 종별 구분 관련, 의약품 및 의약외품의 제조 또는 판매업을 하는 자가 식약청장의 허가 또는 신고를 받고 제조를 업으로 하거나 약사 또는 한약사가 약국을 개설하여 의약품을 판매하는 경우라면 그 종업원의 규모에 따라 지방세법 시행령 제124조 제1항 별표에서 규정한 1종 내지 3종의 적용대상에 해당되고 가목의 의약품 및 의약외품의 제조 또는 판매업의 요건은 갖추었지만 그 종업원의 규모가 30인 이하의 경우에는 4종(30호)의 면허종류 및 종별 적용대상에 해당된다 할 것이나, 약국개설 대상자가 아닌 약사법 제45조 규정에 의한 한약업사가 의약품만을 판매하는 경우에는 지방세법 시행령 제124조 제1항 별표 3종(101호)에서 규정한 의약품판매업에 해당된다고 하겠으나 의약품의 제조 또는 판매업의 요건 및 약국개설 대상여부 등 사실관계에 따라 해당 자치단체에서 면허세를 과세하게 됨(세정-1424, 2007.4.27.).

◎ 사격선수 개인이 총포소지허가(개인용)를 받는 경우 면허세 과세 대상

사격선수 개인이 총포소지허가(개인용)을 받는 경우는 지방세법 제163조 제1항의 공익사업을 목적으로 하는 비영리사업자가 그 사업에 직접 사용하기 위한 것으로 볼 수 없으므로 지방세법 시행령 제124조 제1항의 규정에 따라 권총을 제외한 총포소지허가에 대하여는 면허

세 과세대상임(구 세정 13407-535, 2000.4.20.).

◎ 사격경기 용도로 민유총포(공기총) 소지허가를 받은 경우 면허세 부과대상

지방세법 시행령(1985.8.26. 이전) 제79조에서 비영리사업자의 범위를 제사·종교·자선·학술·기예·의료 기타 공익을 목적으로 하는 자로서 민법 기타 특별법의 규정에 의하여 설립된 비영리법인과 이와 같은 사업을 비영리적으로 경영하는 개인으로 포괄규정하여 그 당시 대한사격연맹이 기예를 목적으로 하는 비영리사업자로 보아 등록된 사격선수에게 분양한 총기에 대하여 면허세를 비과세한바 있었으나, 현행 지방세법 시행령(2000.12.29. 시행) 제79조에서는 비영리사업자의 범위를 구체적으로 열거함에 따라 청구인의 경우 사격경기용의 용도로 민유총포(공기총)소지허가를 받은 경우가 비영리사업자로 규정되어 있지 않는 이상, 면허세 부과는 적법(행심 2001-541, 2001.10.29.)

◎ 총포, 도검, 화약류 등 단속법에 따라 보관된 총포를 일정기간 영치해제, 출고하여 소지한 경우, 매년 1월 1일에 그 총포를 소지하였는지 여부와 관계없이 지방세법 제163조 및 같은 법 시행령 제126조의 2에 따른 면허세 비과세 대상에 해당되지 아니함(법제처 법령해석 08-0326, 2008.11.4.).

◎ 의약품 제조품목의 명칭을 간단화하는 변경신고는 면허세 비과세규정에 해당하지 아니하여 처분청에서 의약품 제조품목변경신고(제5종 제22호)에 의한 면허세를 부과한 처분은 정당함(구 심사 2006-69, 2006.2.27.).

◎ 세무서에 폐업신고를 하였더라도 납세자가 면허기관에 폐업에 관한 신청을 하지 않은 경우 해당 면허에 대한 면허세 부과는 적법(대법원 2002두837, 2002.4.10.)

◎ 건축주 변경 신고에 대한 면허분 등록면허세 운영기준 변경

(종전) 1회성 면허에 대한 (수시분)면허세 과세 中 건축허가를 받은 자의 변경은 제4종에 해당하는 면허세를 부과하고 연면적의 증가가 없는 설계변경분 변경면허는 과세대상에서 제외(지방세정팀-1366, 2007.12.31.) ⇒ (변경) 건축주 변경 신고에 따라 새로 건축주가 된 자는 종전의 면허를 그대로 승계받는 것에 해당하므로, 해당 건축 규모에 따라 제1종부터 제4종까지의 세율을 적용함.

☞ (적용일) 변경된 기준은 2015.8.7. 이후 새로이 건축 허가 또는 신고한 후 건축주 변경을 신고하는 경우부터 적용(지방세운영과-2391, 2015.8.7.)

3. 등록면허세 비과세 사례

◎ 체외진단용 의료기기에 관한 면허증 재발급은 등록면허세 비과세대상에 해당됨

「의료기기법 시행규칙」 개정(2014.5.9.)에 따른 체외진단용 의료기기에 관한 면허증 재발급

은 「지방세법」 제26조 제2항 제4호 및 같은 법 시행령 제40조 제2항 제1호에 따라 면허에 대한 등록면허세 비과세 대상으로 판단됨(지방세운영과-3649, 2014.11.3.).

◎ **근거법령의 개폐 등으로 행정처분이 없는 경우 면허세 과세 여부**

구법령에 의하여 신고한 부가통신사업자가 전기통신사업법 시행령(대통령령 제20666호, 2008.2.29.) 개정 후, 시행령 제30조 제1항에서 정한 신고면제요건에 해당하게 되었다면, 그 시행일부터 면허세 과세대상에 해당하지 않음(지방세운영과-175, 2008.7.2.).

◎ **간이과세자가 통신판매업을 영위하는 경우에는 면허세 과세대상에서 제외**

통신판매업 면허세 부과대상 여부 관련, 전자상거래법의 관련규정에 따라 통신판매업(간이과세자)에 대한 신고의무가 없음에도 면허부여기관에서 신고를 수리한 경우에는 신고수리의 반려 등을 통한 행정처분을 할 필요가 없는 근거없는 행정처분 행위에 해당되고, 통신판매업(간이과세자) 신고대상 제외에 따른 수시분 면허세 과세대상의 당연 제외를 전제로 시행령이 개정된 입법취지 등을 종합하여 볼 때 면허세 과세면제 요건을 갖춘 부가가치세법 제25조 규정에 의한 간이과세자가 통신판매업을 영위하는 경우에는 수시분 및 정기분 모두 면허세 과세대상에서 제외됨(세정-4442, 2007.10.29.).

◎ **토지소유자와 건설기계장비(대여) 사업자간 주기장(차고지) 임대차 계약기간 만료에 따른 변경신고는 단순 표기사항 변경사유에 해당하여 비과세 대상임**

1) 건설기계관리법 제21조 및 동법 시행령 제13조에서 건설기계장비(대여)사업을 위해서는 건설기계장비의 소재지를 관할하는 시 · 도지사에게 신고하여야 하고 2) 당초 신고한 건설기계 장비의 주기장의 규모 또는 소재지가 변경될 경우에는 시 · 도지사에게 그 변경사항을 신고하도록 건설관리기본법 시행규칙 제66조 제2호 및 제3호에서 규정하고 있음. 건설기계관리법의 규정에 따라 건설기계사업의 신고 당시의 주기장의 면적 또는 소재지의 변동을 수반하지 않은 상태에서 토지소유자와 건설기계사업자간 임대차 계약기간 만료로 인한 주기장의 임대차 재계약후 시 · 도지사에게 주기장의 변경 신고를 한 경우에는 지방세법 시행령 제126조의 2 제1항에서 규정하는 사업주체의 주된 권리변동을 수반하지 않은 단순 표기사항의 변경사유에 해당되어 용도구분에 의한 면허세 비과세에 해당됨(지방세정팀-2113, 2007.6.11.).

◎ **건설기계소유자의 명의만 변경하는 경우 면허세 과세 대상이 아니라는 사례**

건설기계사업자(대표자)의 변경신고사항 중 상호, 대표자, 사무실의 변경 등은 면허세 과세대상이지만, 건설기계사업자(대표자)의 연명신고자(건설기계소유자)변경은 사업주체인 건설기계사업자의 사업형태의 변동없이 단순히 건설기계소유자의 명의만 변경하는 것에 해당하므로 면허세 비과세 대상임(구 세정-794, 2006.2.23.).

◎ 건설기계사업자의 면허와 사업형태의 변동없이 소유자의 명의만 변경하는 경우 비과세

건설기계사업자의 면허세 부과 관련, 건설기계사업자(대표자)의 변경신고 사항 중 상호·대표자·사무실의 변경 등은 면허세 과세대상이나 건설기계사업자(대표자)의 연명신고자(건설기계소유자) 변경은 사업주체인 건설기계사업자의 면허와 사업형태의 변동없이 단순히 건설기계 소유자의 명의만 변경하는 것에 해당하므로 용도구분에 의한 비과세 대상임(지방세정팀-3582, 2006.8.9.).

◎ 건설기계사업자의 연명신고자 변경신고의 면허세 비과세 사례

건설기계사업자(대표자)의 변경신고 사항 중 상호·대표자·사무실의 변경 등은 면허세의 과세대상이나 (※ 임차계약기간 만료로 인한 주기장 변경신고는 면허세 비과세 대상 : 세정13407-176, 2001.2.15. 참고) 귀 문과 같이 건설기계사업자(대표자)의 연명신고자(건설기계소유자) 변경은 사업주체인 건설기계사업자의 면허와 사업형태의 변동없이 단순히 건설기계 소유자의 명의만 변경하는 것에 해당하므로 지방세법 시행령 제126조의 2 제1호에서 규정한 용도구분에 의한 비과세 대상이라 할 것임(지방세정팀-794, 2006.2.23.).

◎ 면허를 발급받지 않고 주사무소의 직영 형식으로 운영하는 자동차대여사업자의 영업소는 면허세 과세대상에 해당하지 아니함

면허세의 과세단위는 행정청의 행정처분이나 행정행위를 그 대상으로 하는 것으로 그 면허의 효력이 미치는 범위에 따라 결정되는 것은 아니라고 할 것이므로, 지방세법령에 주사무소와 영업소별로 면허세를 과세한다는 명문의 규정이 없는 상태에서 면허를 발급받지 않고 주사무소의 직영 형식으로 운영하는 자동차대여사업자의 영업소는 면허세 과세대상에 해당하지 아니한다(법제처 법령지원팀-326호, 2005.10.18. 참조)고 할 것임(지방세정팀-389, 2006.2.1.).

◎ 면허의 종류와 종별 구분에 명시되지 않은 의료기기의 품목별 수입신고는 과세대상 아님

의료기기법 제14조 제2항에 의하면 "수입업 허가를 받은 자는 수입하고자 하는 의료기기에 대하여 품목별로 수입허가를 받거나 수입신고를 하여야 한다."라고 허가와 신고를 구분하고 있으며, 같은법 시행규칙 제18조에서는 수입품목 허가는 식품의약품 안전청장에게, 수입품목신고는 지방식품의약품 안전청장에게 제출하게 되어 있는 등 수입품목 허가와 신고에 대해 그 절차와 과정 등이 구분되어 있으므로, 지방세법 시행령 제124조 제1항에 의한 면허세를 부과할 면허의 종류와 종별 구분 [별표] 제1종 제104호에서 의료기기의 품목별 수입허가만을 과세대상으로 열거하고 있는 이상 의료기기 품목별 수입신고는 면허세 과세대상이 아님(세정-1271, 2005.6.21.).

◎ (예규 지법 26-2) 1월 1일 현재 「총포·도검·화약류 등 단속법」 제47조 제2항에 따라 총포 또는 총포의 부품이 보관된 경우 그 총포 등의 소지 면허에 대하여는 등록면허세를 부과하지

아니하되, 같은 과세기간 중 총포 등을 반환받은 기간이 있는 경우에는 최초로 반환받는 때에 해당연도의 등록면허세를 부과

- **근해어업 및 연안어업을 하려는 자가 어선마다 해수부장관 또는 시도지사의 허가를 받은 후 허가받은 어선을 다른 어선으로 변경하는 경우, 비과세 대상**

「수산업법」 제48조 제1항의 '변경허가'는 문언상으로 '허가'라는 용어를 포함하고 있으나, 기존 허가사항에 관한 행정관청의 특별한 심사 또는 의사결정이 필요하지 않는 통념적으로 사용하는 단순한 신고인 수리형태인 점, 허가증의 번호가 변경되지 않는 점, 면허의 실질이 변경되지 않는 점, 어선을 변경하는 변경허가는 「지방세법」 시행령 제40조 제2항 제1호 각목에서 규정한 면허를 받은 자가 변경되는 경우, 면허의 종별 구분이 상위의 종으로 변경되는 경우와 면허가 갱신되는 것으로 보는 경우에 해당하지 아니한 점 등을 종합해 볼 때, 근해어업 및 연안어업 허가를 받은 후 허가받은 어선을 다른 어선으로 대체하는 경우에는 비과세하는 것이 타당(지방세운영과-3007, 2016.11.30.)

제36조(납세의 효력)~제37조(이미 납부한 등록면허세에 대한 조치)

> **법** 제36조(납세의 효력) 피상속인이 납부한 등록면허세는 상속인이 납부한 것으로 보고, 합병으로 인하여 소멸한 법인이 납부한 등록면허세는 합병 후 존속하는 법인 또는 합병으로 인하여 설립된 법인이 납부한 것으로 본다.
>
> 제37조(이미 납부한 등록면허세에 대한 조치) ① 지방자치단체의 장은 제35조에 따라 면허증서를 발급받거나 송달받기 전에 등록면허세를 신고납부한 자가 면허신청을 철회하거나 그 밖의 사유로 해당 면허를 받지 못하게 된 경우에는 「지방세기본법」 제60조에 따른 지방세환급금의 처리절차에 따라 신고납부한 등록면허세를 환급하여야 한다. 이 경우 같은 법 제62조는 적용하지 아니한다.
> ② 면허를 받은 후에 면허유효기간의 종료, 면허의 취소, 그 밖에 이와 유사한 사유로 면허의 효력이 소멸한 경우에는 이미 납부한 등록면허세를 환급하지 아니한다.

피상속인 또는 합병으로 인하여 소멸한 법인이 납부한 등록면허세는 상속인 또는 합병 후 존속하는 법인 또는 합병으로 인하여 설립된 법인이 각각 납부한 것으로 본다.

등록면허세를 신고납부한 자가 면허신청을 철회하거나 그 밖의 사유로 해당 면허를 받지 못하게 되면 이미 신고납부한 등록면허세는 환급하여야 한다. 이 경우 지방세기본법 제77조에 따른 지방세환급가산금은 가산하지 아니한다.

- **합병으로 인해 합병법인이 피합병법인으로부터 승계받은 위험물 이동탱크 저장시설 면허는**

수시분 면허세 부과대상이 아님

지방세법 제166조의 규정에 의하면 합병으로 인하여 소멸하는 법인이 납부한 면허세는 합병 후 존속하는 법인이 납부한 것으로 간주하도록 규정되어 있음. 따라서 법인합병으로 인하여 합병법인이 피합병법인으로부터 승계받은 위험물 이동탱크 저장시설 면허에 대하여는 수시분 면허세가 부과되지 않는 것이 타당함. 다만, 합병 후 당해 저장시설의 차고지 변경시에는 그에 따른 수시분 면허세가 부과되는 것임(세정 13407－678, 1999.6.8.).

제38조(면허 시의 납세확인)

> **법** 제38조(면허 시의 납세확인) ① 면허의 부여기관이 면허를 부여하거나 변경하는 경우에는 제35조에 따른 등록면허세의 납부 여부를 확인한 후 그 면허증서를 발급하거나 송달하여야 한다.
> ② 제1항에 따른 등록면허세의 납부 여부를 확인하는 방법 등에 관한 사항은 대통령령으로 정한다.
>
> **영** 제52조(면허 시의 납세확인) ① 면허부여기관이 면허를 부여하거나 면허를 변경하는 경우에는 그 면허에 대한 등록면허세(이하 이 절에서 "등록면허세"라 한다)가 납부되었음을 확인하고 면허증서 발급대장의 비고란에 등록면허세의 납부처·납부금액·납부일 및 면허종별 등을 적은 후 면허증서를 발급하거나 송달하여야 한다. ② 삭제 〈2011.12.31.〉

면허의 부여기관은 면허증서를 발급하거나 송달하기 전에 등록면허세 납부 여부를 확인하여야 한다.

- 건설업등록증 또는 건설업등록수첩을 재교부하는 경우는 수시분 면허세 부과대상이며, 신규등록증 등 교부시와 같이 납세확인함(세정 13430－68, 1999.10.27.).
- 에너지관리공단이 관련법에 의거 시·도지사로부터 위탁받아 '특정열사용기자재의 검사' 및 검사증을 교부하는 경우는 '면허부여기관'이 됨(세정 13430－839, 1999.7.9.).

제38조의 2(면허에 관한 통보)~제38조의 3(면허 관계 서류의 열람)

> **법** 제38조의 2(면허에 관한 통보) ① 면허부여기관은 면허를 부여·변경·취소 또는 정지하였을 때에는 면허증서를 교부 또는 송달하기 전에 행정안전부령으로 정하는 바에 따라 그 사실을 관할 시장·군수에게 통보하여야 한다.
> ② 면허부여기관은 제1항에 따른 면허의 부여·변경·취소 또는 정지에 관한 사항을 전산처리하

는 경우에는 그 전산자료를 특별자치시장·특별자치도지사·시장·군수 또는 구청장에게 통보함으로써 제1항에 따른 통보를 갈음할 수 있다.
[본조신설 2010.12.27.]

영 제53조(면허에 관한 통보) ① 삭제 〈2010.12.30.〉 ② 삭제 〈2010.12.30.〉
③ 시장·군수는 제40조 제2항 제5호에 해당하여 등록면허세를 비과세하는 경우에는 그 사실을 면허부여기관에 통보하여야 한다.

제54조 삭제 〈2010.12.30.〉

영 제55조(과세대장의 비치) 시장·군수·구청장은 등록면허세의 과세대장을 갖추어 두고, 필요한 사항을 등재하여야 한다. 이 경우 해당 사항을 전산처리하는 경우에는 과세대장을 갖춘 것으로 본다.

규칙 제19조(과세대장의 비치) 생략

법 제38조의 3(면허 관계 서류의 열람) 세무공무원이 등록면허세의 부과·징수를 위하여 면허의 부여·변경·취소 또는 정지에 대한 관계 서류를 열람하거나 복사할 것을 청구하는 경우에는 관계 기관은 이에 따라야 한다. 〈개정 2013.1.1.〉 [본조신설 2010.12.27.]

면허 부여기관은 면허의 부여·변경·취소 등의 내용을 과세권자인 시장·군수에게 통보하여야 한다. 세무공무원은 등록면허세 부과징수와 관련하여 관계기관에게 면허의 부여·변경·취소 또는 정지에 대한 관계 서류 열람 등을 요구할 수 있고, 관계기관은 이에 따르도록 하고 있다.

제39조(면허의 취소 등)

법 제39조(면허의 취소 등) ① 지방자치단체의 장은 등록면허세를 납부하지 아니한 자에 대하여는 면허부여기관에 대하여 그 면허의 취소 또는 정지를 요구할 수 있다.
② 면허부여기관은 제1항에 따른 요구가 있을 때에는 즉시 취소 또는 정지하여야 한다.
③ 면허부여기관이 제2항 또는 그 밖의 사유로 면허를 취소 또는 정지하였을 때에는 즉시 관할 지방자치단체의 장에게 통보하여야 한다.

규칙 제17조(면허의 취소 또는 정지 요구) 생략

지방자치단체의 장은 등록면허세를 납부하지 아니한 경우 그 면허의 부여기관에 면허의 취소 등 제재를 요구할 수 있다.

◎ 차량에 대한 면허세를 체납하였다는 사실만으로 그 면허(차량등록)를 취소할 수 없음

지방세 체납 차량에 대한 등록취소 가능 여부 : 차량등록은 지방세법 제160조 규정의 면허에 해당함은 사실이나 그 외의 차량의 소유권에 관한 공증의 목적도 포함되어 있으므로 차량에 대한 면허세를 체납하였다는 사실만으로 그 면허(차량등록)를 취소할 수 없고 자동차등록령 제38조 및 지방세법 제28조의 규정에 의한 압류등록이나 체납처분을 하여야 함(세정 22670-11723, 1987.9.23.).

제 4 장

지방세법

레저세

■ 레저세 연혁

□ 일제시대 및 국세 시대

○ 1942.3.1. 조선총독부제령 제2호「조선마권세령」시행
- 승마투표권 발매액의 5% 과세

○ 1950.2.9. 법률 제92호로「마권세법」제정,「조선마권세령」폐지
- 경륜·경정을 과세대상에 포함

○ 1962.1.1. 법률 제780호「마권세법」폐지
- 국세 중 농지세, 유흥음식세, 자동차세, 광구세와 함께 마권세를 지방세로 이양

□ 지방세 시대

○ 1962.1.1. 법률 제827호로 마권세 도입 시행
- 승마투표권 발매액의 5% 과세, 1988년부터 10% 과세

○ 1994.1.1. 법률 제4611호 경주·마권세로 명칭 변경
- 경륜·경정을 과세대상에 포함

○ 2002.1.1. 법률 제6549호 레저세로 명칭 변경
- 승자투표권, 승마투표권 등을 팔고 투표적중자에게 환급금을 지급하는 행위를 과세대상으로 하도록 함. 시행령으로 소싸움을 과세대상에 포함

■ 레저세 개요

1. 과세대상 : 경륜 및 경정, 경마, 전통소싸움
2. 납세의무자 : 과세대상사업을 영위하는 자
3. 납세지 : 과세대상 사업장과 장외발매소가 있는 지방자치단체
4. 과세표준 및 세율 : 승자·승마투표권 등의 발매금 총액의 100분의 10
5. 납부방법 : 승자·승마투표권 등의 발매일이 속하는 달의 다음달 10일까지 경륜장 등의 소재지 및 장외발매소 소재지별로 안분하여 신고·납부

제40조(과세대상)

법 제40조(과세대상) 레저세의 과세대상은 다음 각 호와 같다.
1. 「경륜·경정법」에 따른 경륜 및 경정
2. 「한국마사회법」에 따른 경마
3. 그 밖의 법률에 따라 승자투표권, 승마투표권 등을 팔고 투표적중자에게 환급금 등을 지급하는 행위로서 대통령령으로 정하는 것

영 제56조(과세대상) 법 제40조 제3호에서 "대통령령으로 정하는 것"이란 「전통 소싸움경기에 관한 법률」에 따른 소싸움을 말한다.

레저세는 승자투표권이나 승마투표권 등의 판매금액을 과세표준으로 과세하는 세금으로 수익세적 성격을 가지고 있으며, 경마 등 사행행위에 대하여 과세하는 간접세로서 소비세로 분류된다. 레저세 과세대상으로는 지방세법에서 정한 경륜 및 경정, 경마와 지방세법 시행령에서 규정하고 있는 전통소싸움이 있다.

〈한국마사회법〉

제2조(정의) 이 법에서 사용하는 용어의 뜻은 다음과 같다.
1. "경마"란 기수가 기승(騎乘)한 말의 경주에 대하여 승마투표권(勝馬投票券)을 발매(發賣)하고, 승마투표 적중자에게 환급금을 지급하는 행위를 말한다.

〈경륜·경정법〉

제2조(정의) 이 법에서 사용하는 용어의 뜻은 다음과 같다.
1. "경륜"이란 자전거 경주에 대한 승자투표권(勝者投票券)을 발매하고 승자투표 적중자(勝者投票 的中者)에게 환급금을 내주는 행위를 말한다.
2. "경정"이란 모터보트 경주에 대한 승자투표권을 발매하고 승자투표 적중자에게 환급금을 내주는 행위를 말한다.
3. "승자투표권"이란 경륜 또는 경정에서 승자를 적중시켜 환급금을 교부받기를 원하는 자의 청구에 따라 경륜사업자 또는 경정사업자가 발매하는 승자투표 방법·선수번호 및 금액 등이 적혀 있는 표를 말한다.
4. "환급금"이란 경륜선수 또는 경정선수의 도착 순위가 확정되었을 때 경륜사업자나 경정사업자가 승자투표권 발매 금액 중에서 발매수득금(發賣收得金) 및 제세 등을 뺀 후 승자 적중자 또는 승자투표권을 구매한 자에게 내주는 금액을 말한다.
5. "단위투표금액"이란 승자투표권 발매의 기본단위로서 최저발매금액을 말한다.

〈전통 소싸움경기에 관한 법률〉
제2조(정의) 이 법에서 사용하는 용어의 정의는 다음과 같다.

1. "소싸움"이라 함은 소싸움경기장에서 싸움소간의 힘겨루기를 말한다.
2. "소싸움경기"라 함은 소싸움에 대하여 소싸움경기 투표권을 발매하고, 소싸움경기투표 적중자에게 환급금을 교부하는 행위를 말한다.
3. "싸움소"라 함은 소싸움경기에 출전하게 할 목적으로 소싸움경기시행자에게 등록된 소를 말한다.

제41조(납세의무자)~제42조(과세표준 및 세율)

법 제41조(납세의무자) 제40조에 따른 과세대상(이하 이 장에서 "경륜등"이라 한다)에 해당하는 사업을 하는 자는 해당 과세대상 사업장(이하 이 장에서 "경륜장등"이라 한다)과 장외발매소가 있는 지방자치단체에 각각 레저세를 납부할 의무가 있다.
제42조(과세표준 및 세율) ① 레저세의 과세표준은 승자투표권, 승마투표권 등의 발매금총액으로 한다.
② 레저세의 세율은 100분의 10으로 한다.

레저세 납세의무자는 과세대상사업을 영위하는 자이며, 납부는 과세대상사업장과 장외발매소가 소재한 도에 각각 납부하여야 한다. 레저세의 과세표준은 승자·승마투표권 발매금 총액이며, 세율은 10%이다.

제43조(신고 및 납부)

법 제43조(신고 및 납부) 납세의무자는 승자투표권, 승마투표권 등의 발매일이 속하는 달의 다음 달 10일까지 제42조 제1항에 따른 과세표준에 제42조 제2항에 따른 세율을 곱하여 산출한 세액(이하 이 장에서 "산출세액"이라 한다)을 대통령령으로 정하는 바에 따라 경륜장등의 소재지 및 장외발매소의 소재지별로 안분계산하여 해당 지방자치단체의 장에게 각각 신고하고 납부하여야 한다.

영 제57조(안분기준) 법 제43조에 따라 레저세를 신고납부하는 경우에는 다음 각 호의 구분에 따라 나누어 계산하여 납부하여야 한다.

1. 법 제40조에 따른 과세대상 사업장(이하 이 장에서 "경륜장등"이라 한다)에서 직접 발매한 승

자투표권·승마투표권 등에 대한 세액은 그 경륜장등 소재지를 관할하는 시장·군수·구청장에게 모두 신고납부한다.

2. 장외발매소에서 발매한 승자투표권·승마투표권 등에 대한 세액은 그 경륜장등 소재지와 그 장외발매소 소재지를 관할하는 시장·군수·구청장에게 각각 100분의 50을 신고납부한다. 다만, 경륜장등이 신설된 경우에는 신설 이후 행정안전부령으로 정하는 기간까지 경륜장등 소재지를 관할하는 시장·군수·구청장에게 100분의 80을 신고납부하고, 그 장외발매소 소재지를 관할하는 시장·군수·구청장에게 100분의 20을 신고납부한다.

제58조(신고 및 납부) ① 법 제43조에 따라 레저세를 신고하려는 자는 행정안전부령으로 정하는 신고서로 경륜장등 및 장외발매소 소재지를 관할하는 시장·군수·구청장에게 신고하여야 한다.
② 법 제43조에 따라 레저세를 납부하려는 자는 행정안전부령으로 정하는 납부서로 납부하여야 한다. 〈개정 2011.12.31.〉

규칙 제20조(안분기준을 달리하는 기간) 영 제57조 제2호 단서에서 "행정안전부령으로 정하는 기간"이란 5년을 말한다.

레저세는 신고·납부하는 조세이다. 레저세는 승자·승마·전통소싸움투표권 등의 발매일이 속하는 달의 다음달 10일까지 경륜장 등 및 장외발매소 소재지별[57])로 안분계산한 금액을 관할 시장·군수·구청장에게 각각 신고·납부하여야 한다.

◎ 인터넷 발매문은 인터넷 발매에 따른 특정 장외발매소 설치없이 주사무소가 소재한 본장에서 발매가 이루어지므로 본장으로 구분하여 납부하여야 함(세정-334, 2007.2.23.).

◎ 지방자치단체가 직접 경륜장을 신설하는 경우에만 지방세법 시행령 제105조의 3 제2호 단서의 안분비율이 적용된다고 볼 수는 없음(세정-2020, 2006.5.22.).

◎ 「경륜장의 신설」 등 판단기준

귀시에서는 사업자(서울올림픽기념국민체육진흥공단)를 기준으로 동일 사업자가 서울특별시 내의 경륜사업장을 폐쇄하고, 그 경륜사업장을 경기도 내로 옮긴 것은 「이전」이라는 의견이나, 지방세법의 레저세 관련규정은 물론 경륜·경정법에서도 경륜사업장의 이전에 관하여 규정하고 있지 아니하여 귀시의 의견인 「경륜사업장 이전」을 인정할 법적 근거가 없으며, 경륜·경정법 제5조 및 경륜경정법 시행령 제4조·제5조에서는 설치장소, 용지면적, 시설배치 등 물적 요건을 갖춘 경우에 경주장설치허가를 할 수 있도록 규정하고 있으므로, 「경륜장의 신설」 여부는 그 사업자가 아닌 물적 시설을 기준으로 판단하는 것이 합리적이며, 동일 사업자라도 다른 장소에 별도의 경주장 설치허가를 받아 경륜장을 개설하는 경우에는 이를

57) 사업장 분포 : 경마(과천, 부산경남, 제주, 장외 32개소), 경륜(서울, 부산, 창원, 광명, 장외 21개소), 경정(하남, 장외 16개소), 소싸움(청도)

「경륜장의 신설」로 보는 것이 타당함. 경륜장을 설치하는 경우 해당 지방자치단체에서 장래의 세수확보를 위하여 재정지원을 하는 것이 일반적이므로 지방세법 시행령 제105조의 3 제2호 단서의 입법취지는 지방자치단체의 재정지원을 보전하는 데 있으며, 지방자치단체의 재정지원은 경륜장 건설 사업비 출연 외에도 지방세감면, 기반시설투자 등 지방자치단체가 부담하는 재정적 조치 등을 포함하는 것으로 볼 수 있으므로, 지방자치단체가 직접 경륜장을 신설하는 경우에만 지방세법 시행령 제105조의 3 제2호 단서의 안분비율이 적용된다고 볼 수는 없다고 할 것임(세정-2018, 2006.5.18.).

◎ '경륜장 등' 신설 이후 5년간의 기산점과 기간구분 방법

지방세법 시행규칙 제56조의 2 제3항의 신설 이후 5년간의 기산점은 과세대상 사업장의 신설에 따른 발매개시일인 2002.6.18.이며, 장외발매소 매출액에 대한 기간구분은 2002.6.18.부터 2007.6.17.까지 5년간은 본장 소재지 시도에 80, 장외발매소 소재지 시도에 20의 비율로 납부하여야 하고, 그 이후는 본장 소재지 시도에 50, 장외발매소 소재지 시도에 50의 비율로 납부하여야 함(세정-334, 2007.2.23.).

◎ 기존 경륜장을 폐쇄하고 다른 시도에서 기존 운영인력으로 새로운 경륜사업을 하는 경우 "신설"에 해당됨

레저세 과세대상인 경륜사업을 영위하는 자가 기존의 경륜장 소재지와 다른 특별시・광역시 또는 도에 경륜장을 신축한 후 기존의 경륜장을 폐쇄하고 기존의 경륜장 운영인력으로 새로운 경륜장에서 경륜사업을 하는 경우, "경륜장등의 신설"에 해당함(법제처 법령해석 06-0180, 2006.7.28.).

제45조(부족세액의 추징 및 가산세)

> **법** 제45조(부족세액의 추징 및 가산세) ① 납세의무자가 제43조에 따른 신고 또는 납부의무를 다하지 아니하면 산출세액 또는 그 부족세액에 「지방세기본법」 제53조부터 제55조까지의 규정에 따라 산출한 가산세를 합한 금액을 세액으로 하여 보통징수의 방법으로 징수한다. 〈개정 2013.1.1.〉 1. 삭제 〈2013.1.1.〉 2. 삭제 〈2013.1.1.〉
>
> ② 납세의무자가 제44조에 따른 의무를 이행하지 아니한 경우에는 산출세액의 100분의 10에 해당하는 금액을 징수하여야 할 세액에 가산하여 보통징수의 방법으로 징수한다.

레저세 납세의무자가 레저세의 신고 또는 납부의무를 다하지 아니할 경우 「지방세기본법」의 규정에 따라 가산세를 징수한다.

◎ 경륜장 발매분과 장외발매분을 착오로 계산하여 신고납부한 경우 가산세 부과 불가

경륜장 발매분과 장외 발매분의 레저세를 신고납부하면서 착오로 경륜장 발매분을 과다 계산하고 장외 발매분을 과소계산하여 신고납부하였다 하더라도 동일한 지방자치단체에 동일한 세목의 세액을 신고납부기한 내에 신고납부한 것으로서 신고납부한 합계세액이 정상적으로 납부해야 할 산출세액을 초과한 경우에는 과소계산한 장외 발매분에 대해 지방세법 제155조 및 제157조 제1항의 규정에 의거 레저세 신고납부세액이 산출세액에 미달한다는 이유로 가산세를 부과할 수 없음(지방세정담당관-1991, 2003.11.24.).

◎ 신고·납부방식의 조세인 레저세의 납세의무자가 납부할 세액을 신고·납부하지 아니할 경우 신고불성실가산세 및 납부불성실가산세를 부과하는 것임(감심 2008-152, 2008.5.15.).

제46조(징수사무의 보조 등)

법 제46조(징수사무의 보조 등) ① 지방자치단체의 장은 대통령령으로 정하는 바에 따라 납세의무자에게 징수사무의 보조를 명할 수 있다.

② 제1항의 경우에 지방자치단체의 장은 납세의무자에게 대통령령으로 정하는 바에 따라 교부금을 교부할 수 있다.

영 제59조(징수에 필요한 사항의 명령 등) ① 시장·군수·구청장은 납세의무자에게 법 제46조에 따라 징수에 필요한 사항의 이행을 명령할 수 있다.

② 시장·군수·구청장은 납세의무자가 레저세를 납부하면 납세의무자에게 그 징수납부에 든 경비를 교부금으로 지급할 수 있다.

③ 납세의무자가 제1항에 따른 명령을 위반한 경우에는 교부금의 전부 또는 일부를 지급하지 아니할 수 있다.

지방자치단체의 장은 납세의무자에게 징수사무의 보조를 명할 수 있고, 납세의무자에게 징수납부에 든 경비보전을 위해 징수교부금을 교부할 수 있다.

◎ 레저제의 징수납부에 소요된 경비를 교부금으로 교부하는 것은 납세의무자에 대하여 별도의 납세시설을 설치하게 하거나 징수상 필요한 사항을 특정하여 명령한 경우에 징수납부에 소요된 경비를 보전해주어야 할 특별한 필요성이 있는 경우에 한하는 것임(세정-237, 2005.4.18.).

◎ 경주마권세 징수교부금의 지급은 시·도지사의 재량행위에 속하며 수익적 행정행위로서, 그

납세비용을 보전할 공익상 필요성 없어 지급하지 않은 것은 정당함(지방세심사 98-758, 1998.12.28.).

◎ 경주마권세 징수금 교부 여부는 시·도지사의 재량행위로서 특별히 그 징수비용을 보전할 필요성 없어 지급하지 않음은 정당하고, 조례에서 해당 규정을 삭제했더라도 법령에 위배된 것 아님(지방세심사 98-759, 1998.12.28.).

◎ 경주마권세 징수교부금 지급 여부는 시·도지사의 재량행위인 동시에 수익적 행정행위로서 지급하지 않은 것은 재량권의 한계 내이고 주민세 등 징수교부금과의 형평성 위배 아니며 관련 조례규정 삭제 여부와 관계없어 정당함(지방세심사 98-689, 1998.11.28.).

제 5 장

지방세법

담배소비세

담배소비세 연혁

□ 일제시대 등[58)]

○ 1909년 연초세 도입

○ 1921 전매제 실시로 연초세 폐지(전매익금은 정부재정에 투입)

□ 담배판매세 도입

○ 1985.1.1. 법률 제3757호「지방세법」개정으로 담배판매세 도입

- 시지역 2%, 군지역 22%

※ 농지세 기초공제액 인상으로 인한 지방세구 결손보전을 위하여 전매익금의 일부를 담배판매세로 전환

□ 담배소비세 도입

○ 1989.1.1. 법률 제4028호「지방세법」개정으로 담배소비세 도입

- 궐련 20개비당 360원, 200원 이하 담배는 40원

○ 1994.1.1. 대통령령 제14041호「지방세법 시행령」개정

- 궐련 20개비당 360원 → 460원, 200원 이하 담배는 40원

※ 대통령령으로 정할 수 있도록 위임된 담배소비세의 조정세율 규정에 따라 시행령에서 조정

○ 2001.1.1. 법률 제6312호「지방세법」개정

- 궐련 20개비당 460원 → 510원, 200원 이하 담배는 40원, 100원 이하 영세율

○ 2004.12.30. 대통령령 제18610호「지방세법 시행령」개정

- 궐련 20개비당 510원 → 641원, 200원 이하 담배는 40원, 100원 이하 영세율

○ 2014.7.21. 법률 제12602호「지방세법」개정

- 물담배 및 머금는 담배를 과세대상에 추가

○ 2015.1.1. 법률 제12855호「지방세법」개정

- 궐련 20개비당 641원 → 1,007원

58) 권강웅,「지방세강론」, (주)영화조세통람, 2009. p.350

담배소비세 개요

1. 담배의 정의 : 「담배사업법」 제2조에 따른 담배

   ※ 「담배사업법」 제2조에 의하면 '담배'란 연초의 잎을 원료의 전부 또는 일부로 하여 피우거나 빨거나 씹거나 또는 냄새 맡기에 적합한 상태로 제조한 것을 말한다.

2. 과세대상 : 담배
3. 납세의무자 : 담배 제조자 및 수입판매업자
4. 납세지 : 담배가 매도된 소매인의 영업장 소재지
5. 과세표준 : 담배의 개비 수(20개비), 중량 또는 니코틴용액의 용량
6. 세율 : 궐련 20개비당 1,007원 등
7. 납부방법 : 제조자 또는 수입업자는 매월 1일부터 말일까지 제조장 또는 보세구역에서 반출한 담배에 대하여 과세표준과 세율에 따라 세액을 계산하여 다음달 말일까지 각 시·군에 신고납부

   ※ 제조자 : 한국담배인삼공사, BAT Korea, Philip morris International 등

〈담배가격 구조〉 : 판매가격 4,500원 담배기준

구 분		2015년 이후
담배소비세	정액	1,007원 (22.4%)
지방교육세	담배소비세의 43.99%	443원 (9.8%)
국민건강증진기금	정액	841원 (18.7%)
폐기물부담금	정액	24원 (0.5%)
개별소비세	정액	594원 (13.2%)
부가가치세	판매가의 1/11	409원 (9.1%)
조세 및 부담금 계		3,318원 (73.7%)
원가 및 이윤 등		1,182원 (26.3%)
판매가		4,500원

제47조(정의)

법 제47조(정의) 담배소비세[59]에서 사용하는 용어의 뜻은 다음과 같다.

1. "담배"란 다음 각 목의 어느 하나에 해당하는 것을 말한다.
   가. 「담배사업법」 제2조에 따른 담배
   나. 가목과 유사한 것으로서 연초(煙草)의 잎이 아닌 다른 부분을 원료의 전부 또는 일부로 하여 피우거나, 빨거나, 증기로 흡입하거나, 씹거나, 냄새 맡기에 적합한 상태로 제조한 것
   다. 그 밖에 가목과 유사한 것으로서 대통령령으로 정하는 것
2. "수입" 또는 "수출"이란 「관세법」 제2조에 따른 수입 또는 수출을 말한다.
3. "보세구역"이란 「관세법」 제154조에 따른 보세구역을 말한다.
4. "제조자"란 다음 각 목의 어느 하나에 해당하는 자를 말한다.
   가. 「담배사업법」 제11조에 따른 담배제조업허가를 받아 제1호 가목에 따른 담배를 제조하는 자
   나. 제1호 나목 또는 다목에 따른 담배를 판매할 목적으로 제조하는 자
5. "제조장"이란 담배를 제조하는 제조자의 공장을 말한다.
6. "수입판매업자"란 다음 각 목의 어느 하나에 해당하는 자를 말한다.
   가. 「담배사업법」 제13조에 따라 담배수입판매업의 등록을 하고 제1호 가목에 따른 담배를 수입하여 판매하는 자
   나. 제1호 나목 또는 다목에 따른 담배를 수입하여 판매하는 자
7. "소매인"이란 다음 각 목의 어느 하나에 해당하는 자를 말한다
   가. 「담배사업법」 제16조에 따라 담배소매인의 지정을 받은 자
   나. 제1호 나목 또는 다목에 따른 담배를 소비자에게 판매하는 자

담배소비세 관련 용어의 정의에 관한 규정이다. 담배소비세는 전형적인 간접세인 소비세이다. 즉, 담배소비세의 납세의무자는 담배 제조자 또는 수입판매업자이나 경제적인 부담자는 담배를 구입하여 소비하는 소비자가 된다.

제48조(과세대상)

법 제48조(과세대상) ① 담배소비세의 과세대상은 담배로 한다.

② 제1항에 따른 담배는 다음과 같이 구분한다. 〈개정 2010.12.27., 2014.5.20.〉

1. 피우는 담배

59) 담배소비세는 제조한 담배 또는 수입한 담배를 과세대상으로 하여 제조자 또는 수입한 자에게 부과하는 세금이다. 1985년 지방세인 담배판매세로 신설, 1989년 방위세, 교육세, 담배판매세 등을 폐지하면서 담배소비세로 일원화되었다.

가. 제1종 궐련 나. 제2종 파이프담배 다. 제3종 엽궐련 라. 제4종 각련 마. 제5종 전자담배 바. 제6종 물담배

2. 씹는 담배 3. 냄새 맡는 담배 4. 머금는 담배

③ 제2항의 담배의 구분에 관하여는 담배의 성질과 모양, 제조과정 등을 기준으로 하여 대통령령으로 정한다.

영 제60조(담배의 구분) 법 제48조 제3항에 따른 담배의 구분은 다음 각 호와 같다.

1. 궐련 : 연초에 향료 등을 첨가하여 일정한 폭으로 썬 후 궐련제조기를 이용하여 궐련지로 말아서 피우기 쉽게 만들어진 담배 및 이와 유사한 형태의 담배
2. 파이프담배 : 고급 특수 연초를 중가향(重加香) 처리하고 압착·열처리 등 특수가공을 하여 각 폭을 비교적 넓게 썰어서 파이프를 이용하여 피울 수 있도록 만든 담배 및 이와 유사한 형태의 담배
3. 엽궐련 : 흡연 맛의 주체가 되는 전충엽을 체제와 형태를 잡아 주는 중권엽으로 싸고 겉모습을 아름답게 하기 위하여 외권엽으로 만 잎말음 담배 및 이와 유사한 형태의 담배
4. 각련 : 하급 연초를 경가향(輕加香)하거나 다소 고급인 연초를 가향하여 가늘게 썰어, 담뱃대를 이용하거나 흡연자가 직접 궐련지로 말아 피울 수 있도록 만든 담배 및 이와 유사한 형태의 담배
5. 전자담배 : 니코틴이 포함된 용액, 연초 또는 연초 고형물을 전자장치를 이용하여 호흡기를 통하여 체내에 흡입함으로써 흡연과 같은 효과를 낼 수 있도록 만든 담배 및 이와 유사한 형태의 담배

5의 2. 물담배 : 장치를 이용하여 담배연기를 물로 거른 후 흡입할 수 있도록 만든 담배 및 이와 유사한 형태의 담배

6. 씹는 담배 : 입에 넣고 씹음으로써 흡연과 같은 효과를 낼 수 있도록 가공처리된 담배 및 이와 유사한 형태의 담배
7. 냄새 맡는 담배 : 특수 가공된 담배 가루를 코 주위 등에 발라 냄새를 맡음으로써 흡연과 같은 효과를 낼 수 있도록 만든 가루 형태의 담배 및 이와 유사한 형태의 담배
8. 머금는 담배 : 입에 넣고 빨거나 머금으면서 흡연과 같은 효과를 낼 수 있도록 특수가공하여 포장된 담배가루, 니코틴이 포함된 사탕 및 이와 유사한 형태로 만든 담배

담배소비세 과세대상은 담배다. 담배소비세 과세대상은 열거주의를 택하고 있어 담배사업법상 담배에 해당한다 하더라도 지방세법에서 과세대상으로 열거하지 아니한 담배에 대하여는 담배소비세 과세가 곤란하다.

| 최근 개정법령 _ 2017.1.1. | 연초 고형물 전자담배 담배소비세 과세대상 추가(영 제60조, 제61조)

기존에는 니코틴 용액을 사용하는 전자담배에 대해서만 담배소비세 과세하였는데, 니코틴 용액이 아닌 연초 고형물을 사용하는 전자담배에 대해서도 담배소비세 과세대상 포함하고 세율을 설정하였으며, 입국자의 반입담배 관련 면세범위에 연고 고형물 전자담배의 면세한도 수량을 규정하였다.

| 최근 개정법령 _ 2021.1.1. | 담배소비세 과세대상 담배의 범위 확대(법 §47)

과세대상 담배의 범위에 종전에는 「담배사업법」상 담배(연초의 '잎'을 원료로 제조한 담배)를 과세대상으로 하였는데 연초의 '뿌리 · 줄기'를 원료로 제조한 담배를 추가하였다. 한편 담배분 개별소비세도 담배소비세와 동일하게 2021.1.1.부터 과세대상 확대 시행하게 되었다.

◎ 니코틴 농축액을 희석하여 니코틴 용액을 제조한 것은 새로운 담배제품 제조행위에 해당

① 이 사건 니코틴 용액은 연초의 잎 등에서 니코틴을 추출하여 빨기에 적합한 상태로 제조한 것으로서 담배사업법 제2조에서 정의하고 있는 '담배'에 해당하고, 지방세법 제48조 제2항은 이러한 전자담배를 담배소비세 과세대상으로 규정하고 있는 점, ② 전자담배의 경우 니코틴 용액을 기화시켜 체내에 흡입하기 위한 전자장치는 그 자체로는 독자적 효용이 없으므로 이 사건 니코틴 용액이 담배에 해당하는지 여부는 위와 같이 전자장치와 결합하여 흡입하는 경우를 상정하여 판단하여야 하는 점, ③ 니코틴 농축액에 글리세린, 식용 알코올, 증류수, 향료 등을 첨가하여 다양한 향미와 기능을 구비한 이 사건 니코틴 용액을 만들어 판매하였고, 이는 자신의 기술과 노하우를 적용하여 고부가가치의 새로운 전자담배 상품을 만들어 낸 것이어서 제조행위에 해당하는 점 … 지방세법상 담배인 니코틴 용액의 제조자로서 담배소비세 납부 의무가 있음(대법원 2016두50709, 2017.1.12.).

◎ 물담배와 머금는 담배의 구분

물담배는 2007년부터, 머금는 담배는 2013.5월부터 세부담 없이 국내 유통 중에 있는데 이러한 신종담배가 국내에 세부담없이 유통되고 있어, 다른 과세대상 담배와의 과세형평 문제가 대두되었고 이에 따라 2014.7.21.부터 이를 담배소비세 과세대상에 포함시켰다.

최초로 납세의무가 성립하는 담배를 제조장 또는 보세구역으로부터 반출하거나 국내로 반입하는 담배소비세 납세의무 성립때분부터 적용하게 되었다. 신종담배의 구분은 신종담배 제조국에서 현행 법령과 다르게 구분하고 있다 하더라도 지방세법 시행령 규정에서 신종담배의 형태 및 사용방법을 기준으로 구분하고 있으므로 이를 고려하여 판단한다(지방세운영과-2449, 2014.7.21.).

◎ 연초나 니코틴이 함유되지 않은 향신료의 경우 담배소비세 과세대상으로 볼 수 없음

「담배사업법」 제2조에 따른 담배에 해당하고, 「지방세법」 제48조에 열거된 담배의 경우 담배소비세 과세대상에 해당하는 바, 연초나 니코틴이 함유되지 않은 향신료의 경우는 담배에 해당하지 않아 과세대상으로 볼 수 없음. 다만, 납세의무 성립 당시 니코틴용액과 향신료가 혼합된 향신료는 담배소비세 과세대상임(지방세운영과-396, 2012.2.8.).

◎ 연초가 일부라도 함유되지 않은 채 녹차 잎으로 만든 궐련형 담배대용품은 지방세법 제224조 규정의 담배소비세 과세대상이 되는 "담배"에 해당되지 아니함(지방세정팀-3792, 2005.11.15.).

물담배와 머금는 담배

[물담배] 북아프리카, 지중해 · 중동 지역에서 주로 사용되다가 전 세계로 확산되었다. 장치를 이용하여 담배연기를 물로 거른 후 흡입할 수 있도록 만든 담배이며, 담배성분은 연초(약 22.5%), 당밀 · 향신료 · 보존제 등(약 77.5%)으로 이루어졌고, 연소공간, 몸통, 유리병, 흡입호스 등의 흡연기구를 사용

[머금는 담배] 스칸디나비아와 미국에서 전 세계로 확산되었으며, 몇몇 국가에서는 사용이 금지되어있다. 입에 넣고 빨거나 머금으면서 흡연과 같은 효과를 낼 수 있도록 특수 가공하여 포장된 담배가루, 니코틴이 포함된 사탕 및 이와 유사한 형태로 만든 담배이며, 담배성분은 연초(약 97%)와 물 · 소금 · 포장지 등(약 0.3%)으로 이루어졌음.

제49조(납세의무자)

법 제49조(납세의무자) ① 제조자는 제조장으로부터 반출(搬出)한 담배에 대하여 담배소비세를 납부할 의무가 있다.

② 수입판매업자는 보세구역으로부터 반출한 담배에 대하여 담배소비세를 납부할 의무가 있다.

③ 외국으로부터 입국(「남북교류협력에 관한 법률」 제2조 제1호에 따른 출입장소를 이용하여 북한으로부터 들어오는 경우를 포함한다. 이하 이 장에서 같다)하는 사람(이하 이 장에서 "입국자"라 한다)의 휴대품 · 탁송품(託送品) · 별송품(別送品)으로 반입하는 담배 또는 외국으로부터 탁송(託送)의 방법으로 국내로 반입하는 담배에 대해서는 그 반입한 사람이 담배소비세를 납부할 의무가 있다. 다만, 입국자 또는 수입판매업자가 아닌 사람이 외국으로부터 우편으로 반입하는 담배에 대해서는 그 수취인이 담배소비세를 납부할 의무가 있다. 〈개정 2015.7.24., 2015.12.29.〉

④ 제1항부터 제3항까지의 방법 외의 방법으로 담배를 제조하거나 국내로 반입하는 경우에는 그 제조자 또는 반입한 사람이 각각 담배소비세를 납부할 의무가 있다.

⑤ 제54조에 따른 면세담배를 반출한 후 제54조 제1항 각 호의 구분에 따른 해당 용도에 사용하지 아니하고 판매, 소비, 그 밖의 처분을 한 경우에는 제1항부터 제4항까지의 규정에도 불구하고 그 처분을 한 자가 담배소비세를 납부할 의무가 있다.

☞ [시행일 : 2016.6.30.] 제49조 제3항 단서

담배소비세 납세의무자는 담배를 제조하는 자(KT&G, 우리담배 등), 담배를 수입하여 판매하는 자(BAT, JTI, PM 등), 외국으로부터 담배를 반입하는 자(여행자 등)로 크게 나누어진다.

| 최근 개정법령_2015.7.24. | 탁송품·별송품에 대한 담배소비세 납세 규정 개선(법 제49조 ③)

종전에는 여행자가 휴대하여 반입하는 담배 이외에 국제우편 등의 방법으로 반입하는 담배의 경우 납세지를 세관소재지로 할 것인지 수령인 주소지로 할 것인지 불분명하였다. 그에 따라 "외국으로부터 탁송(託送)의 방법"(국제우편, 택배 등)으로 반입하는 담배에 대한 납세지를 세관소재지로 명확히 하였다.

| 최근 개정법령_2016.1.1. | 담배소비세 납세의무자 명확화(법 제49조 제3항)

북한으로부터 반입하는 담배에 대한 담배소비세 면제 규정 및 우편으로 반입하는 담배의 담배소비세 납부의무를 명확히 하였다.

〈2016년 행자부 적용요령〉 2016.1.1. 이후 북한지역으로부터 국내로 반입되는 담배에 대해 외국으로부터의 반입과 동일하게 면세규정을 적용하여 그 반입자에게 과세하고, 2016.6.30. 이후부터 우편으로 국내 반입되는 담배에 대하여는 수취인에게 과세함.

◎ 니코틴 원액에 전자담배 향신료를 혼합한 니코틴 용액을 판매한 경우 제조자로서 담배소비세 납세의무가 있음

소비자가 니코틴 원액과 향신료를 각각 구입한 후 특수용기를 이용하여 흡연할 수 있는 상태로 직접 혼합·희석하는 행위는 소비행위로 보아야 할 것이나, 수입판매업자가 수입한 니코틴 원액의 포장을 제거한 후 임의로 향신료를 혼합·희석하여 판매하는 행위는 담배사업법상 담배의 제조에 해당한다고 할 것(기재부 출자관리과-1086, 2013.11.22.)이므로 수입판매업자가 수입한 니코틴 원액과 향신료를 임의로 혼합하여 판매하는 경우에는 제조자로서 담배소비세 납세의무자에 해당한다고 할 것임(지방세운영과-85, 2014.1.9.).

◎ 면세담배 반출 후 해당 용도에 미사용시에도 담배소비세 과세대상에 해당됨

「지방세법」 제49조 제5항 및 제61조 제2항 제2호에 따라 면세담배를 반출한 후 해당 용도에 사용하지 아니하고 매도, 판매, 소비, 그 밖의 처분을 한 경우에 해당되어 담배소비세 과세대상이며, 이 경우 해당 용도에 사용하지 아니하고 그 밖의 처분을 함에 있어 그 책임이 있는 자가 납세의무자임을 회신함(지방세운영과-3329, 2013.12.12.).

◎ 수입판매업자가 보세구역에서 반출된 담배를 보세구역 내 면세점에 납품하여 판매용도에 제공하는 경우 담배소비세 면제사유에 해당된다고 할 것임(지방세운영과-895, 2008.9.1.).

◎ 국내에서 제조된 담배를 수출한 이후 품질 등에 문제가 발생하여 보세구역으로 반입 절차를 거쳐 제조자의 제조장으로 반입되는 경우 담배소비세 납세보전을 위한 담보확인서를 요구할 수 있음(세정-559, 2008.2.11.).

◎ 담배소비세 납세의무 성립시기

KT&G 제조창(대전광역시 대덕구 평촌동 100번지) 인근의 정비창 부지(대전광역시 대덕구

평촌동 203-1번지)에 설치할 통합창고는 제조창이 아닌 동대전지점의 하치장으로 신고·운영할 예정이고, KT&G 동대전지점은 제조창과 사업자등록번호가 다른 별도의 사업자에 해당하며, 부가가치세법 시행령 제4조 제1항에 의하면 제품의 포장만을 하는 하치장의 경우 제조장과 다른 별개의 사업장으로 보아야 하므로, KT&G 통합창고는 제조창의 부수시설이 아닌 별도의 시설로서 지방세법 제233조의 6 제1항 규정의 제조장에 해당되지 아니한다고 판단됩니다. 따라서 KT&G의 제조창에서 통합창고로 담배를 반출하는 경우, 제조창에서 담배를 반출할 때에 제조자의 담배소비세 납세의무가 성립함(지방세정팀-724, 2005.5.16.).

◎ 보세구역 외로 담배를 반출하여 담배소비세의 납세의무가 성립하는 경우에는 보세구역 내에서 매매 등에 의하여 담배의 소유가 변경되었다하더라도 담배소비세의 납세의무는 여전히 수입판매업자에게 있는 것임(세정-534, 2004.3.20.).

◎ (지침) 용도 외 사용된 면세담배 조치요령 안내(지방세운영과-2386, 2014.7.14.)

○ 그 간의 경과

• KT&G가 외항선원용으로 반출한 담배가 수출신고된 사실을 확인하고, 국세청에서 우리부에 담배소비세 과세여부 질의 → 지방세법 제49조 제5항에 따른 용도 외 처분한 경우로 보아 과세대상에 해당됨을 회신(2013.12.12.)(법제처 법령해석 결과 회신, 2013.12.9.).

• 대전시에서 용도 외 처분 담배에 대한 납세의무자 질의(2014.2.5.) → '용도 외 처분을 한 자'는 귀책사유가 큰 'KT&G'가 납세의무자가 되며, 납세지는 주사무소 소재지인 '대전광역시'가 됨을 통보(3.31.)

• 대전시에서 용도 외 처분 담배 납세의무자 및 납세지 법제처 질의(4.7.), 이후 대전시에서 KT&G에 380억원 과세처분(4.10.) 및 징수(4.30.) → 법제처에서 기과세 처분한 건은 해석대상이 아니라고 반려(6.19.)

○ 지자체 조치 요령

용도 외 처분 업체에 대한 구체적 사실관계 확인. 해당 지자체 업체별로 KT&G에서 공급받은 담배와 수출용으로 신고한 담배의 수량이 정확한지, 수량 차이 발생원인이 무엇인지 등 구체적인 사실관계 조사

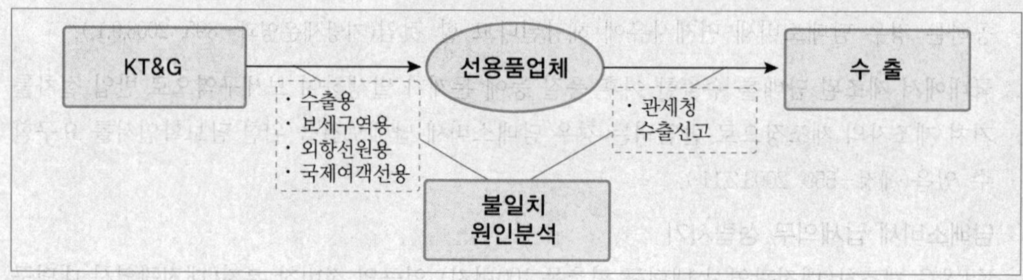

○ 용도 외 처분 담배에 대한 납세의무자 판단

지방세법 제49조 제5항 규정에서 법 제54조에 따른 면세담배를 반출한 후 해당 용도에 사용하지 아니하고, 매도, 판매, 소비, 그 밖의 처분을 한 경우에는 그 처분을 한 자가 담배소비세를 납부할 의무가 있다고 규정하고 있는 바, KT&G가 면세담배를 공급할 당시 해당 면세용으로 사용되지 않을 것임을 알고서도 면세담배를 공급했는지 확인 ⇒ 용도 외 처분에 대한 귀책사유를 검토하여 납세의무자 판단

제50조(납세지)

법 제50조(납세지) ① 제49조 제1항과 제2항의 경우 담배소비세의 납세지는 담배가 판매된 소매인의 영업장 소재지로 한다.

② 제49조 제3항의 경우 담배소비세의 납세지는 담배가 국내로 반입되는 세관 소재지로 한다. 〈개정 2015.12.29.〉

③ 제49조 제4항의 경우 납세지는 다음과 같다.

1. 담배를 제조한 경우 : 담배를 제조한 장소
2. 담배를 국내로 반입하는 경우 : 국내로 반입하는 장소

④ 제49조 제5항의 경우 담배소비세의 납세지는 같은 항에 따른 처분을 한 자의 영업장 소재지로 하되, 영업장 소재지가 분명하지 아니한 경우에는 그 처분을 한 장소로 한다.

담배소비세 납세지는 담배가 매도된 소매인의 영업장소 소재지이다. 다만, 외국으로부터 입국자의 휴대품인 경우의 납세지는 세관소재지가 된다.

| 참고 _ 담배소비세의 납세지 |

구 분	납세지
① 제조장으로부터 반출한 담배 ② 보세업자가 보세구역으로부터 반출한 담배	• 소매인 영업장 소재지
③ 외국으로부터 입국자의 휴대품 등 반입담배	• 세관 소재지
④ 위 ①~③ 외의 방법으로 제조하거나 국내로 반입한 담배	• 제조한 경우 : 제조지 • 반입한 경우 : 반입지
⑤ 반출한 담배를 해당 용도에 사용하지 않고 매도, 판매, 소비, 그 밖의 처분을 한 경우	• 그 처분을 한 장소

○ **수입판매업자로 등록되지 않은 자가 담배(니코틴 포함 전자담배용액)를 유사담배로 허위신고하고 통관·반출하여 유통시켰으나, 이후 허위신고 사실이 밝혀져 추징하는 경우 납세지**

해당 수입업자는 「담배사업법」 제13조에 따른 담배수입판매업의 등록을 하지 않아 「지방세법」 제49조 제2항의 '수입판매업자'에 해당하지 않으므로 문언상 제2항을 적용할 수는 없고, 그 외의 방법으로 국내로 반입한 경우로 해석하여 제4항을 적용하여야 함. 특히, 등록을 하지 않아 처벌 대상인 자에게 「지방세법」 제49조 제2항의 '수입판매업자' 지위를 인정하기는 곤란함. 따라서 납세지는 「지방세법」 제50조 제3항 제2호의 '국내로 반입하는 장소'가 되고, 해당 담배는 세관을 통해 국내로 반입되었으므로 수입업자의 납세지는 '세관 소재 자치단체'로 보아야 함(지방소득소비세제과-3083, 2020.9.2.).

제51조(과세표준)~제52조(세율)

법 제51조(과세표준) 담배소비세의 과세표준은 담배의 개비수, 중량 또는 니코틴 용액의 용량으로 한다. 〈개정 2010.12.27.〉

제52조(세율) ① 담배소비세의 세율은 다음 각 호와 같다. 〈개정 2010.12.27., 2014.1.1., 2014.5.20., 2014.12.23., 2016.12.27.〉

1. 피우는 담배
   가. 제1종 궐련 : 20개비당 1,007원　　나. 제2종 파이프담배 : 1그램당 36원
   다. 제3종 엽궐련 : 1그램당 103원　　라. 제4종 각련 : 1그램당 36원
   마. 제5종 전자담배
      1) 니코틴 용액을 사용하는 경우 : 니코틴 용액 1밀리리터당 628원
      2) 연초 및 연초고형물을 사용하는 경우
         가) 궐련형: 20개비당 897원　　나) 기타유형: 1그램당 88원
   바. 제6종 물담배 : 1그램당 715원
2. 씹거나 머금는 담배 : 1그램당 364원
3. 냄새 맡는 담배 : 1그램당 26원　　4. 삭제 〈2014.12.23.〉

② 제1항에 따른 세율은 그 세율의 100분의 30의 범위에서 대통령령으로 가감할 수 있다.

영 제61조(조정세율) 법 제52조 제2항에 따라 조정한 담배소비세의 세율은 다음 각 호와 같다. 〈개정 2010.12.30., 2014.1.1., 2014.7.18., 2014.12.30., 2016.12.30.〉

1. 피우는 담배
   가. 제1종 궐련 : 20개비당 1,007원　　나. 제2종 파이프담배 : 1그램당 36원
   다. 제3종 엽궐련 : 1그램당 103원　　라. 제4종 각련 : 1그램당 36원
   마. 제5종 전자담배
      1) 니코틴 용액을 사용하는 경우 : 니코틴 용액 1밀리리터당 628원

2) 연초 고형물을 사용하는 경우 : 연초 고형물 1그램당 88원
바. 제6종 물담배 : 1그램당 715원
2. 씹거나 머금는 담배 : 1그램당 364원
3. 냄새 맡는 담배 : 1그램당 26원　4. 삭제 〈2014.12.30.〉

담배소비세 세율은 시행령에서 법정세율의 30% 범위 내에서 가감조정할 수 있도록 하고 있으나, 현재는 법정세율을 시행령세율로 하고 있다.

2015년부터 담배소비세 세율이 조정되었다. 담배의 소비를 줄이고 금연을 유도함으로써 국민건강을 증진하기 위한 취지로 궐련에 대한 담배소비세를 20개비당 641원에서 1,007원으로 인상하는 등 담배소비세를 평균 57.1% 인상하였다. 한편, 담배소비세의 납세의무자가 담배소비세액을 과세표준으로 하여 납부하여야 하는 지방교육세의 세율을 100분의 50에서 1만분의 4,399로 인하하게 되었다.

담배소비세 세율 조정은 「범정부 금연 종합대책」에 따른 후속 조치로 진행되었으며, ① 담배에 개별소비세(궐련 20개비당 594원)를 부과하고, ② 국민건강증진부담금을 인상(궐련 20개비당 354원 → 841원)하며, ③ 담배소비세를 인상(궐련 20개비당 641원 → 1,007원)하게 되었다. 정부는 담배소비세 조정 이유를 다음과 같이 밝히고 있다. 중장기적으로 담배소비가 감소되어 의료비 지출을 줄이고 노동생산성 제고에 기여할 수 있고, 일반적으로 담배는 소비의 가격탄력성이 낮기 때문에 담배소비세를 인상하여 담배가격을 인상할 경우 담배소비세 수입이 증가하여 지방재정 확보에 도움이 된다. 아울러 국세인 부가가치세 징수액 역시 증가하여 국가재정에도 긍정적인 영향을 미칠 것으로 예상되고, 특히 담배소비세는 다른 지방세에 비하여 지역별로 세원이 고르게 분포하고 있고 조세행정이 용이하여 지방세로서 적합한 성질을 가지고 있음에도 장기간 세율이 고정됨에 따라 지방세 수입 중 담배소비세의 비중이 점차 감소되고 있다. 따라서 담배소비세를 인상할 경우 지방세로서의 담배소비세 역할을 강화시킬 수 있을 것으로 분석하고 있다. 담배소비세는 지난 2005년 인상한 후 변동이 없어 실질세율이 그동안 하락되어 왔으므로 경제성장률 · 물가상승률 등을 감안한 세율 인상을 통하여 담배에 대한 조세부담을 일정 부분 현실화한 취지가 있다.

| 최근 개정법령 _ 2017.1.1. | 연초 고형물 전자담배 담배소비세 과세대상 추가(법 제52조 ① 1호 마목 2)

기존에는 니코틴 용액을 사용하는 전자담배에 대해서만 담배소비세를 과세하였는데, 니코틴 용액이 아닌 연초 고형물을 사용하는 전자담배에 대해서도 담배소비세 과세대상에 포함하고 세율을 설정하였다.

◎ 담배소비세의 과세표준은 농축액의 용량이 아니라 희석된 니코틴액으로 과세

전자담배의 세율을 "니코틴 용액" 1밀리리터당 ○○○원으로 규정한 것은 전자담배를 과세대상으로 규정하면서 그 구체적인 세액을 결정하기 위한 것인 점 등에 비추어 니코틴 용액은 니코틴이 포함된 전자담배용 액상을 의미한다 할 것이므로 혼합형 액상 전체를 과세표준으로 하여 담배소비세를 부과(조심 2015지1121, 2016.9.27.)

제53조(미납세 반출)

법 제53조(미납세 반출) 다음 각 호의 어느 하나에 해당하는 담배에 대하여는 담배소비세를 징수하지 아니한다. 〈개정 2015.12.29.〉

1. 담배 공급의 편의를 위하여 제조장 또는 보세구역에서 반출하는 것으로서 다음 각 목의 어느 하나에 해당하는 것
   가. 제54조 제1항에 따른 과세면제 담배를 제조장에서 다른 제조장으로 반출하는 것
   나. 「관세법」 제2조 제4호에 따른 외국물품인 담배를 보세구역에서 다른 보세구역으로 반출하는 것
   다. 제조장 또는 보세구역에서 반출할 때 담배소비세 납세의무가 성립된 담배를 다른 제조장 또는 보세구역에서 반출하는 것
2. 담배를 다른 담배의 원료로 사용하기 위하여 반출하는 것
3. 그 밖에 제조장을 이전하기 위하여 담배를 반출하는 등 대통령령으로 정하는 바에 따라 반출하는 것

영 제62조(미납세 반출) 법 제53조 제3호에서 "제조장을 이전하기 위하여 담배를 반출하는 등 대통령령으로 정하는 바에 따라 반출하는 것"이란 다음 각 호의 어느 하나에 해당하는 것을 말한다. 〈개정 2015.12.31.〉

1. 제조장을 이전하기 위하여 담배를 반출하는 것
2. 수출할 담배를 제조장으로부터 다른 장소에 반출하는 것
3. 담배를 폐기하기 위하여 제조장 또는 수입판매업자의 담배보관장소로부터 폐기장소로 반출하는 것

제조장에서 제조장으로, 보세구역에서 보세구역으로 이동하기 위해 반출하는 경우 등에 대하여는 담배소비세를 징수하지 아니하고 반출할 수 있도록 규정하고 있다.

| 최근 개정법령 _ 2016.1.1. | 미납세 반출 범위 명확화(법 제53조)

종전 규정에 따르면 제조장 또는 보세구역에서 다른 제조장 또는 보세구역으로 반출되는 담배에 대하여 담배소비세를 징수하지 않았으나, ① 면세 담배를 제조장에서 다른 제조장으로 반

출하는 경우, ② 수입통관 처리가 되지 않은 담배를 보세구역에서 다른 보세구역으로 반출하는 경우, ③ 이미 납세의무가 성립된 담배를 다른 제조장 또는 보세구역에서 반출하는 경우에 한정하여 미납세 반출을 적용하도록 개정되었다. 그리고 시행령(영 제62조)에서 담배를 폐기하기 위하여 제조장 또는 담배보관장소에서 폐기장으로 반출하는 경우 미납세 반출 대상으로 규정하였다.
〈2016년 행자부 적용요령〉 2016.1.1. 이후 제조장 또는 보세구역으로부터 반출되는 담배에 적용. 상기 미납세 반출 대상 이외의 경우에는 최초의 제조장 또는 보세구역에서 반출될 때 과세함. 예) 과세대상 담배를 제조장에서 보세구역 내 창고로 반출하는 경우 제조장에서 반출될 때 납세의무 성립

◎ 담배공급의 편의를 위하여 제조장에서 보세구역으로 담배를 반출하는 경우에는 미납세반출에 해당되며, 제조자가 담배를 보세구역에서의 판매 용도에 제공하는 경우에는 담배소비세가 과세면제됨(세정-711, 2004.4.8.).

◎ 보세구역에서 보세구역으로 반출되는 경우는 미납세반출에 해당함
담배를 수입한 후 보세구역에서 보세구역으로 반출하는 경우에는 위 지방세법 제231조 제1호의 규정의 미납세반출에 해당되는 것으로 판단되나, 보세구역 외로 담배를 반출하여 담배소비세의 납세의무가 성립하는 경우에는 보세구역 내에서 매매 등에 의하여 담배의 소유가 변경되었다 하더라도 담배소비세의 납세의무는 지방세법 제225조 제2항의 규정에 의하여 여전히 수입판매업자에게 있는 것으로 판단됨(세정과-534, 2004.3.20.).

제54조(과세면제)

법 제54조(과세면제) ① 제조자 또는 수입판매업자가 담배를 다음 각 호의 어느 하나의 용도에 제공하는 경우에는 담배소비세를 면제한다. 〈개정 2015.7.24.〉
1. 수출(수출 상담을 위한 견본용 담배를 포함한다)
2. 주한외국군의 관할 구역에서 다음 각 목의 사람에 대한 판매
가. 주한외국군의 군인 나. 외국 국적을 가진 민간인으로서 주한외국군대에서 근무하는 사람
다. 가목 또는 나목에 해당하는 사람의 가족
3. 보세구역에서의 판매 4. 외항선 또는 원양어선의 선원에 대한 판매
5. 국제항로에 취항하는 항공기 또는 여객선의 승객에 대한 판매 6. 시험분석 또는 연구용
7. 「남북교류협력에 관한 법률」 제13조에 따라 반출승인을 받은 담배로서 북한지역에서 취업 중인 근로자 및 북한지역 관광객에게 판매하는 담배

8. 제1호부터 제7호까지의 담배용도와 유사한 것으로서 대통령령으로 정하는 용도

② 입국자가 반입하는 담배로서 대통령령으로 정하는 범위의 담배에 대해서는 담배소비세를 면제한다. 〈개정 2015.7.24.〉

③ 우리나라에서 수출된 담배가 포장 또는 품질의 불량, 판매부진, 그 밖의 부득이한 사유로 다시 수입되어 제조장 또는 수입판매업자의 담배보관장소로 반입할 목적으로 보세구역으로부터 반출된 경우에는 담배소비세를 면제한다. 〈신설 2015.7.24.〉

영 제63조(과세면제) 법 제54조 제1항 제8호에서 "대통령령으로 정하는 용도"란 다음 각 호의 어느 하나에 해당하는 용도를 말한다.

1. 해외 함상훈련에 참가하는 해군사관생도 및 승선장병에게 공급하는 용도
2. 외국에 주류(駐留)하는 장병에게 공급하는 용도 [전문개정 2015.7.24.]

제64조(입국자가 반입하는 담배에 대한 면세범위) ① 법 제54조 제2항에서 "입국자가 반입하는 담배"란 여행자의 휴대품·별송품·탁송품으로 반입되는 담배를 말한다. 〈개정 2015.7.24.〉

② 법 제54조 제2항에서 "대통령령으로 정하는 범위의 담배"란 다음과 같다. 〈개정 2010.12.30.〉

담배종류	수량
궐 련	200개비
엽궐련	50개비
전자담배	니코틴용액 20밀리리터 궐련형 200개비 기타유형 110그램
그 밖의 담배	250그램

제64조의 2(재수입 면세담배의 반입 확인)_법 제54조 제3항에 따라 담배소비세를 면제받은 자는 행정안전부령으로 정하는 확인서에 해당 담배가 제조장 또는 수입판매업자의 담배보관장소로 반입된 사실을 증명하는 서류를 첨부하여 반입된 날의 다음 날까지 제조장 또는 주사무소 소재지를 관할하는 특별시장·광역시장·특별자치시장·특별자치도지사·시장 및 군수(이하 이 장에서 "시장·군수"라 한다)에게 제출하여야 한다. [본조신설 2015.7.24.]

규칙 제22조의 2(과세면제의 표시) 제조자 또는 수입판매업자는 법 제54조 제1항 제2호부터 제8호까지 및 영 제63조의 규정에 따라 담배소비세가 면제되는 담배를 제조·판매할 경우에는 담뱃갑 포장지에 가로 1센티미터, 세로 3센티미터의 사각형 안에 "면세용, Duty Free"라고 표시하여야 한다.

제23조(재수입 면세담배의 반입 확인)_영 제64조의 2에서 "행정안전부령으로 정하는 확인서"는 별지 제22호의 2서식에 따른다. [전문개정 2015.7.24.]

수출하는 담배, 보세구역에서 판매하는 담배 등에 대해서는 담배소비세를 면제한다. 2015. 7.24. 지방세법령 개정으로 담배소비세 면세규정 정비하였다(법 제54조 ①, 영 제63조·제64조). 종전에는 면세규정이 법, 시행령, 시행규칙에 산재되어 있고, 사실상 미공급되는 면세담배가 존재하였다. 이에 대해 면세의 정책효과가 상실된 조문은 삭제하고, 계속해서 면세 적용이 필요한 경우는 관련 조문을 법으로 상향하는 등 면세 규정을 정비하였다.

즉 국군 · 전투경찰 · 경비교도 공급용 면세담배, 주한외국군의 내국인 종사자 공급용 면세담배 규정을 삭제하고, 북한지역에서 근무중인 근로자 및 관광객에게 공급되는 면세담배는 시행령에서 법으로, 시험흡연용 · 수출상담 견본용 면세담배의 경우 시행규칙에서 법으로 이관하였다.

행자부 적용요령에 따르면 주한외국군용 면세담배가 과다하게 공급된다고 의심되는 경우 면세담배 공급업체에 대한 세무조사 등을 통해 불법유통 여부를 확인하고, 반출 제조장 소재지의 지자체는 면세담배의 반출량을 모니터링한 후 과다공급이 의심되는 경우 주한외국군 면세담배 판매점 소재지 지자체에 통보하여야 한다.[60] 입국자의 경우 궐련 200개비(영 제64조)를 초과하는 담배에 대하여 담배소비세 등을 신고 · 납부하여야 한다. 즉 15갑(300개비)을 휴대하여 입국하는 경우 10갑(200개비)은 면세이고, 5갑(100개비)은 과세이며 입국자가 아닌 경우 모든 담배에 대하여 과세하게 된다. 15갑(300개비)을 우편 등으로 반입하는 경우 15갑(300개비)에 대해 과세하게 된다.

| 최근 개정법령 _ 2015.7.24. | 재수입 면세담배에 대한 사후 관리규정을 신설(법 제54조 ③, 영 제64조의 2)

수출된 담배가 제품하자 등의 이유로 국내로 재수입되는 경우, 이에 대한 규정미비로 적용상 혼란이 있었는데, 담배를 수출한 이후 포장불량 등 부득이한 사유로 판매가 불가능하여 국내 제조장 또는 담배보관장소로 재반입되는 경우 담배소비세를 면세하도록 개정하였다.

〈행자부 적용요령〉 제조사 등이 재수입 면세담배의 반입신고시 신고받은 지자체에서는 즉시 현장 확인 조치(면세담배의 처리계획서 징구)하고, 재수입 면세담배에 대한 처분(재포장 · 소각 등) 완료시까지 신고받은 지자체에서는 지속적인 추적 · 관리 조치

◎ 여행자가 아닌 자가 탁송물품 · 우편물품 등으로 반입하는 담배는 담배소비세 면제대상인 "외국으로부터 입국하는 사람 등이 반입하는 담배"로 볼 수 없음

지방세법 제54조 제2항에서 외국으로부터 입국하는 사람 등이 반입하는 담배로서 대통령령으로 정하는 범위의 담배에 대하여는 담배소비세를 면제한다고 규정하고 있고, 같은 법 시행령 제64조 제1항에서는 법 제54조 제2항에서 외국으로부터 입국하는 사람 등이 반입하는 담배란 "여행자"의 휴대품 · 별송품 · 탁송품으로 반입되는 담배를 말한다고 규정하고 있음. 따라서 귀 질의의 경우와 같이 여행자가 아닌 자가 탁송품 · 우편물품 등으로 반입하는 담배는 지방세법 제54조 제2항의 "외국으로부터 입국하는 사람 등이 반입하는 담배"에 해당되지 않아 담배소비세를 면제할 수 없음(지방세운영과-1353, 2013.7.2.).

60) 예 : 주한미군수(2014년) × 미국 성인남자 흡연율(2012년) × 일수 = 약 28,500명 × 15.9%(2012년) × 365일 = 1,653,997갑/연간

- 전자담배는 현행 지방세법 시행령 제176조에서 규정하고 있는 기타 담배에 해당되지 않으므로 면세대상에 포함되지 아니함(지방세운영과-3297, 2010.7.30.).
- 담배제조업자가 담배제조 기술의 연구, 국민건강 보호 목적 등의 사유로 시험분석 및 연구용으로 사용하게 하기 위해 전문연구단체 및 연구기관에 제공하는 경우에는 담배소비세의 면제가 타당함(지방세운영과-2131, 2010.5.19.).
- 담배도소매업자가 특수용 담배 용도에 사용하지 아니하고 매도・판매・소비 등 그 밖의 처분을 한 경우에는 그 처분을 한 자에게 납세의무가 있음(지방세운영과-1216, 2010.3.24.).
- **보세구역 내 면세점 납품시는 담배소비세 면제사유에 해당됨**
  수입판매업자가 보세구역에서 반출된 담배를 보세구역 내 면세점에 납품하여 판매용도에 제공하는 경우라면, 담배소비세 면제사유에 해당된다고 할 것으로, 보세구역에서 반출한 담배에 대한 담배소비세를 이미 신고・납부한 이후 보세구역에서의 판매용도에 제공한 담배에 대한 세액은 초과납부된 것으로 보아 당해 세액만큼 공제 및 환부해야 할 것으로 사료됨(지방세운영과-895, 2008.9.1.).
- 사내에서 특정사원들에 한해 일정 시험기간 중에만 시험흡연을 실시하는 등 '신제품 개발을 위한 시험흡연용'으로만 사용되는 경우에 한하여 과세면제의 대상이 될 수 있음(세정-4665, 2006.9.26.).
- 담배공급의 편의를 위하여 제조장에서 보세구역으로 담배를 반출하는 경우에는 미납세반출에 해당되며, 제조자가 담배를 보세구역에서의 판매 용도에 제공하는 경우에는 담배소비세가 과세면제됨(세정-711, 2004.4.8.).
- 담배소비세가 면세로 반출된 외항선 및 원양어선 선원용 담배가 면세용도 이외의 용도로 유출된 경우, 그 공급업체가 아니라 담배 제조자에게 납세의무가 있음(감심 2002-8, 2002.1.15.).
- 면세용으로 반출된 담배를 당해 용도 외로 처분한 경우 귀책사유 등의 고려 없이 무조건 제조자에게 담배소비세 및 가산세를 부과함은 자신의 통제권 내지 결정권이 미치지 않는데 대한 책임을 지게 하는 것이므로 헌법상 위헌임(헌재 2002헌가27, 2004.6.24.).

제55조(담배의 반출신고)

법 제55조(담배의 반출신고) 제조자 또는 수입판매업자는 담배를 제조장 또는 보세구역에서 반출(제53조에 따른 미납세 반출 및 제54조에 따른 과세면제를 위한 반출을 포함한다)하였을 때에는 대통령령으로 정하는 바에 따라 지방자치단체의 장에게 신고하여야 한다. 〈개정 2015.12.29.〉

영 제65조(담배의 반출신고) ① 법 제55조에 따른 반출신고는 반출한 날이 속하는 달의 다음 달 5일까지 행정안전부령으로 정하는 신고서에 지난 달 특별시·광역시·특별자치시·특별자치도·시 및 군(이하 이 장에서 "시·군"이라 한다)별 판매량을 적은 자료를 첨부하여 제조장 또는 주사무소 소재지를 관할하는 시장·군수에게 해야 한다. 다만, 제68조 제2항 각 호 외의 부분 단서에 따른 수입판매업자의 경우에는 지난 달 시·군별 판매량을 적은 자료를 첨부하지 않을 수 있다.
② 제1항에 따른 반출신고는 과세대상 담배와 미납세 반출대상 담배 및 면세대상 담배의 반출이 각각 구분될 수 있도록 하여야 한다.

규칙 제24조(반출신고) ① 영 제65조 제1항에 따른 담배의 반출신고는 별지 제23호 서식에 따른다.
② 제1항에 따라 담배의 반출신고를 받은 제조장 소재지를 관할하는 특별시장·광역시장·특별자치시장·특별자치도지사·시장 또는 군수(이하 이 장에서 "시장·군수"라 한다)는 매월 월말집계표를 다음 달 15일까지 제조자의 주사무소 소재지를 관할하는 시장·군수에게 통보하여야 한다.

제25조(반출사항의 일괄신고) ① 영 제65조 제3항에 따라 담배의 반출신고서를 한꺼번에 제출하는 기간은 다음 각 호의 구분에 따른다.
1. 매월 1일부터 10일까지의 신고서 : 그 달 15일까지 2. 매월 11일부터 20일까지의 신고서 : 그 달 25일까지 3. 매월 21일부터 말일까지의 신고서 : 다음 달 5일까지
② 제1항 각 호에 따른 담배의 반출신고서에는 반출사실을 증명하는 전표 또는 수입면장 사본을 첨부하여야 하며, 같은 항 제3호에 따라 신고서를 제출할 때에는 월말집계표를 함께 제출하여야 한다.

제조자 또는 수입판매업자는 담배를 제조장 또는 보세구역에서 반출하는 경우에 그 내용을 지방자치단체의 장에게 신고하여야 한다. 제조장 또는 보세구역 반출량을 제조장 또는 주사무소 소재지 지자체에 매월 3회 신고(법 제55조, 영 제65조)하여야 한다. 반출일이 1~10일은 15일까지, 11~20일은 25일까지, 21~31일은 익월 5일까지 각각 신고하여야 한다.

| 최근 개정법령 _ 2016.1.1. | 담배 반출신고 범위 명확화(법 제55조)
면세담배도 반출신고 대상임을 명확히 하였다.

◎ 담배제조허가를 받은 내국법인이 별도법인인 대리점에서 시·군별 판매량 안분을 잘못하여 일부 시·군에서 과소신고되고 다른 시·군에서는 과다신고된 경우 가산세 적용대상에서 제

외됨(세정-512, 2007.1.29.).

◎ (지침) 수입 담배의 반출신고제도 개선사항 알림(지방세운영과-1219, 2012.4.20.)

개정 「지방세법 시행령(대통령령 제23711호, 2012.4.10.)에 따라 수입판매업자의 담배 반출신고지가 아래와 같이 변경되었음을 알려드리니, 담배 수입판매업자에게 안내 등 수입 담배의 반출신고에 차질이 없도록 조치하여 주시기 바랍니다.

구 분	종 전	현 행	비 고
반출신고	세관 소재지를 관할하는 시장·군수	담배 수입판매업자의 주사무소 소재지를 관할하는 시장·군수	2012.4.10.부터 시행

제56조(제조장 또는 보세구역에서의 반출로 보는 경우)

법 제56조(제조장 또는 보세구역에서의 반출로 보는 경우) 다음 각 호의 어느 하나에 해당하는 경우에는 제조자 또는 수입판매업자가 담배를 제조장 또는 보세구역에서 반출한 것으로 본다.
1. 담배가 그 제조장 또는 보세구역에서 소비되는 경우
2. 제조장에 있는 담배가 공매, 경매 또는 파산절차 등에 따라 환가(換價)되는 경우

◎ 자율보세구역에 위탁보관 중인 담배를 도난당한 사실에 대하여 수입판매업자에게 관리감독 책임을 묻기 어려워 담배소비세 등 부과처분은 위법함(울산지법 2003구합1008, 2004.4.28.).

◎ **제조장 또는 보세구역에서 반출된 제조담배가 포장 또는 품질불량으로 재반입된 경우에만 담배소비세의 공장 및 환급대상으로 규정하고 "기타 소비되지 않고 재반입된 경우"에는 공제 및 환급하지 않음은 헌법에 불합치하나, 법 개정시까지는 적용**

지방세법 제233조의 9 제1항은 환급사유를 한정적으로 열거하는 규정형식을 취하고 있다는 점, 담배소비세는 보세구역 등에서 반출될 때 이미 그 납세의무가 성립되고 신고·납부에 의하여 확정되며 환급은 예외적인 일이라는 점, 그리고 조세법은 엄격하게 해석하는 것이 원칙이라는 점 등에 비추어 보면, 이 사건 법률조항은 보세구역 등에 재반입되어 환급의 대상이 되는 사유를 포장 또는 품질의 불량으로 한정하고 있음이 명백하므로, 과세요건명확주의에 어긋나지 아니함(헌재 2000헌바59, 2001.4.26.).

제57조(개업 · 폐업 등의 신고)~제58조(폐업시의 재고담배 사용계획서 제출)

법 제57조(개업 · 폐업 등 신고사항 통보) ① 기획재정부장관은 다음 각 호의 어느 하나에 해당하는 경우에는 그 사실을 제조장 소재지를 관할하는 지방자치단체의 장에게 통보하여야 한다.

1. 「담배사업법」 제11조에 따라 담배제조업의 허가 또는 변경허가를 한 경우
2. 「담배사업법」 제11조의 3에 따라 양도 · 양수 · 합병 또는 상속의 신고를 받은 경우
3. 「담배사업법」 제11조의 4에 따라 담배제조업의 허가취소를 한 경우

② 특별시장 · 광역시장 · 특별자치시장 · 도지사 또는 특별자치도지사는 다음 각 호의 어느 하나에 해당하는 경우 그 사실을 수입판매업자의 주사무소 소재지를 관할하는 지방자치단체의 장에게 통보하여야 한다.

1. 「담배사업법」 제13조에 따라 담배수입판매업의 등록 또는 변경등록을 한 경우 2. 「담배사업법」 제15조에 따라 담배수입판매업의 등록을 취소한 경우 3. 「담배사업법」 제22조의 2에 따른 휴업 또는 폐업 신고를 받은 경우 [전문개정 2016.12.27.]

제58조(폐업 시의 재고담배 사용계획서 제출) 제조자 또는 수입판매업자는 다음 각 호의 구분에 따라 정하여진 날부터 3일 이내에 그가 보유하고 있는 재고담배의 사용계획서를 제조장 소재지 또는 주사무소 소재지(수입판매업의 경우에 한정한다)를 관할하는 지방자치단체의 장에게 제출하여야 한다.

1. 제조자 : 사실상 휴업 또는 폐업한 날
2. 제47조 제6호 가목에 해당하는 수입판매업자 : 「담배사업법」 제22조의 2에 따라 휴업 또는 폐업신고를 한 날
3. 제47조 제6호 나목에 해당하는 수입판매업자 : 사실상 휴업 또는 폐업한 날

영 제66조(통보사항) ① 법 제57조 제1항에 따라 기획재정부장관은 제조장 소재지를 관할하는 지방자치단체의 장에게 다음 각 호의 구분에 따른 사항을 통보하여야 한다.

1. 법 제57조 제1항 제1호의 경우
   가. 명칭 또는 상호와 주소 나. 대표자와 관리자의 성명과 주소 다. 생산하는 담배의 품종 라. 연간 생산규모 마. 영업개시일 바. 담배 보관창고의 지번 및 소유권자와 사용권자 현황 사. 변경내용(변경허가인 경우만 해당한다) 아. 그 밖의 참고사항
2. 법 제57조 제1항 제2호의 경우
   가. 양도인 · 양수인의 명칭 또는 상호와 주소(양도 · 양수인 경우만 해당한다) 나. 양도인 · 양수인, 상속인 · 피상속인 또는 피합병인 · 합병 후 존속(설립)법인의 대표자와 관리자의 성명과 주소 다. 양도 · 양수일, 상속개시일 또는 합병일 라. 양도 · 양수 또는 합병 사유 마. 그 밖의 참고사항
3. 법 제57조 제1항 제3호의 경우
   가. 명칭 또는 상호와 주소 나. 대표자와 관리자의 성명과 주소 다. 허가취소일 라. 허가취소 사유 마. 그 밖의 참고사항

② 법 제57조 제2항에 따라 특별시장·광역시장·특별자치시장·도지사 또는 특별자치도지사는 수입판매업자의 주사무소 소재지를 관할하는 지방자치단체의 장에게 다음 각 호의 구분에 따른 사항을 통보하여야 한다.

1. 법 제57조 제2항 제1호의 경우
   가. 명칭 또는 상호와 주소　나. 대표자와 관리자의 성명과 주소　다. 수입하는 담배의 품종　라. 제조(공급)업체명　마. 변경내용(변경등록인 경우만 해당한다)　바. 그 밖의 참고사항
2. 법 제57조 제2항 제2호의 경우
   가. 명칭 또는 상호와 주소　나. 대표자와 관리자의 성명과 주소　다. 등록취소일　라. 등록취소 사유　마. 그 밖의 참고사항
3. 법 제57조 제2항 제3호의 경우
   가. 명칭 또는 상호와 주소　나. 대표자와 관리자의 성명과 주소　다. 휴업기간 또는 폐업일　라. 휴업 또는 폐업의 사유　마. 그 밖의 참고사항

[전문개정 2016.12.30.]

제조자 또는 수입판매업자가 제조장 또는 수입판매업을 개업하거나 휴업 또는 폐업하는 경우, 신고사항이 변경된 경우에는 주사무소 소재지를 관할하는 지방자치단체의 장에게 신고하여야 한다. 이 경우 폐업신고를 할 때에는 소유하고 있는 재고담배의 사용계획서를 제출하여야 한다.

| 최근 개정법령 _ 2016.1.1. | 담배사업 휴·폐업 신고대상 축소(영 제67조)

종전 규정에 따르면 납세담보의 제공 여부와 상관없이 휴·폐업시 그 사실을 신고하도록 하고 있는 바, 납세담보를 제공한 제조자 또는 수입판매업자는 휴·폐업신고를 면제하도록 하였다.

| 최근 개정법령 _ 2017.1.1. | 담배제조자 및 수입판매업자 개·폐업 등 신고의무 폐지(법 제57조, 제58조, 제61조)

기존에는 담배 제조 및 수입판매 개·폐업 등과 관련된 변경사항을 「담배사업법」에 따른 인허가 기관(제조자는 기획재정부장관, 수입판매업자는 특별·광역시장·특별자치시장·특별자치도지사·도지사)과 「지방세법」에 따른 과세기관(특별·광역시장·특별자치시장·특별자치도지사·시장·군수)에 각각 신고하도록 규정하고 있어 납세자는 중복신고해야 하는 불편이 있었다. 그에 따라 「지방세법」에 따른 과세기관에 대한 신고의무를 삭제하고, 인허가기관에서 신고 받은 자료를 담배소비세 과세기관으로 통보하도록 변경하였다.

〈2017년 행자부 적용요령〉 제조자의 경우 기획재정부 장관은 특별·광역시장·특별자치시장·특별자치도지사·시장·군수(세무부서)에게 지방세법 시행령 제66조 제1항에 관한 사항을 통보하여야 함. 수입판매업자의 경우 특별시장·광역시장·특별자치시장·특별자치도지사(인허가부서 → 세무부서), 도지사(인허가부서)는 시장 또는 군수(세무부서)에게 시행령

제66조 제2항에 관한 사항을 통보하여야 함. 그리고 '17.1.1. 이후 제조자가 사실상 휴업 또는 폐업(제조자의 경우에는 「담배사업법」에 휴업 또는 폐업신고에 관한 규정이 없음)하는 경우와 수입판매업자가 「담배사업법」상 휴업 또는 폐업신고를 하는 경우 해당하는 날부터 3일 이내 재고담배 사용계획서 제출하여야 함.

제59조(기장의무)

법 제59조(기장의무) 제조자 또는 수입판매업자는 담배의 제조·수입·판매 등에 관한 사항을 대통령령으로 정하는 바에 따라 장부에 기장하고 보존하여야 한다.

영 제68조(기장의무) ① 법 제59조에 따라 담배의 제조자가 장부에 적어야 할 사항은 다음 각 호와 같다.

1. 매입한 담배의 원재료의 종류와 종류별 수량 및 가액(그 원료가 담배인 경우에는 그 담배의 품종별 수량 및 가액을 말한다. 이하 이 조에서 같다), 매입연월일 및 판매자의 성명(법인의 경우에는 법인의 명칭과 대표자의 성명을 말한다)·주소
2. 담배의 제조를 위하여 사용한 원재료의 종류별 수량 및 가격, 사용연월일
3. 도매업자와 소매인에게 판매한 담배의 해당 시·군별, 품종별 수량
4. 제조한 담배의 품종별 수량 및 제조연월일 5. 보관되어 있는 담배의 품종별 수량
6. 반출하거나 반입(법 제63조 제1항 제2호에 따른 반입을 포함한다)한 담배(면세·미납세·과세로 구분한다)의 품종별 수량 및 가액, 반출 또는 반입연월일 및 반입자의 성명(법인의 경우에는 법인의 명칭과 대표자의 성명을 말한다)·주소

② 법 제59조에 따라 수입판매업자가 장부에 적어야 할 사항은 다음 각 호와 같다. 다만, 행정안전부령으로 정하는 수입판매업자의 경우에는 제2호의 사항을 적지 않을 수 있다.

1. 보세구역으로부터 반출되는 담배의 품종별 수량 2. 도매업자와 소매인에게 판매한 담배의 해당 시·군별, 품종별 수량 3. 보관되어 있는 담배의 보관 장소별, 품종별 수량
4. 훼손·멸실된 담배의 품종별 수량 5. 보세구역 내에서 소비된 담배의 품종별 수량
6. 그 밖에 담배의 수량 확인 등에 필요한 재고 및 사용수량 등

규칙 제28조(기장의무가 없는 수입판매업자) 영 제68조 제2항 각 호 외의 부분 단서에서 "행정안전부령으로 정하는 수입판매업자"란 다음 각 호의 어느 하나에 해당하는 자를 말한다.

1. 사업개시 후 1년이 경과되지 아니한 수입판매업자
2. 직전 연도의 월평균 담배소비세 납부액이 5억원 이하인 수입판매업자

제조자 또는 수입판매업자에 대하여 담배의 제조·수입·매도 등에 관한 사항을 장부에 기장하고 보존하도록 하는 의무를 부여하고 있다.

제60조(신고 및 납부 등)

법 제60조(신고 및 납부 등) ① 제조자는 매월 1일부터 말일까지 제조장에서 반출한 담배에 대한 제51조와 제52조에 따른 과세표준과 세율에 따라 산출한 세액(이하 이 장에서 "산출세액"이라 한다)을 대통령령으로 정하는 안분기준에 따라 다음 달 20일까지 각 지방자치단체의 장에게 신고납부하여야 한다. 〈개정 2010.12.27.〉

② 수입판매업자는 매월 1일부터 말일까지 보세구역에서 반출한 담배에 대한 산출세액을 다음 달 20일까지 대통령령으로 정하는 바에 따라 각 지방자치단체의 장에게 신고납부하여야 한다.

⑤ 제49조 제3항에 따른 납세의무자는 세관장에게 대통령령으로 정하는 바에 따라 담배소비세를 신고하고 납부하여야 한다. 〈개정 2015.12.29.〉

⑥ 세관장은 「관세법」 제39조에 따라 관세를 부과고지할 때에 담배소비세를 함께 부과고지할 수 있다. 〈신설 2015.12.29.〉

⑦ 제5항 및 제6항에 따라 담배소비세를 징수하는 세관장은 지방자치단체의 장의 위탁을 받아 담배소비세를 징수하는 것으로 보며, 세관장은 징수한 담배소비세를 다음 달 10일까지 세관 소재지를 관할하는 지방자치단체의 장에게 징수내역을 첨부하여 납입하여야 한다. 다만, 세관장은 「지방세기본법」 제2조 제28호에 따른 지방세정보통신망을 이용하여 같은 조 제30호에 따른 전자납부의 방법으로 징수할 수 있다.

⑧ 제5항 및 제6항에 따른 담배소비세의 징수에 관하여 이 법에 특별한 규정이 있는 경우를 제외하고는 「관세법」을 준용한다. 〈신설 2015.12.29.〉

☞ [시행일 : 2016.6.30.] 제60조 제5항, 제60조 제6항, 제60조 제7항, 제60조 제8항

영 제69조(신고 및 납부와 안분기준 등) ① 법 제60조 제1항에 따라 담배소비세를 신고하고 납부하려는 제조자는 다음 각 호의 사항을 명확히 하여 행정안전부령으로 정하는 신고서로 관할 시장·군수에게 신고하고, 행정안전부령으로 정하는 납부서로 시·군별 산출세액을 납부하여야 한다. 〈개정 2011.12.31.〉

1. 지난해 중 해당 시·군에서 팔린 담배의 품종별 과세표준과 세율에 따라 산출한 세액
2. 전월 중 제조장에서 반출된 담배의 품종별 과세표준과 세율에 따라 산출한 세액에서 법 제63조에 따라 공제하거나 환급한 세액을 빼고, 법 제61조에 따른 가산세를 합한 총세액
3. 지난해 중 전 시·군지역(시·군 지역을 말한다. 이하 같다)에서 실제 소매인에게 팔린 담배의 품종별 과세표준과 세율에 따라 산출한 총세액
4. 다음 계산방식에 따라 해당 시·군이 실제로 받을 세액

$$\text{해당 시·군이 실제로 받을 세액} = \text{제2호에 따른 총세액} \times \frac{\text{제1호에 따른 산출세액}}{\text{제3호에 따른 총세액}}$$

② 법 제60조 제2항에 따라 담배소비세를 신고하고 납부하려는 수입판매업자는 다음 각 호의 사항을 명확히 하여 행정안전부령으로 정하는 신고서로 관할 시장·군수에게 신고하고, 행정안전부령으로 정하는 납부서로 시·군별 산출세액을 납부해야 한다. 〈개정 2011.12.31.〉

1. 지난해 중 각 시·군에서 소매인에게 팔린 외국산담배의 품종별 과세표준과 세율에 따라 산출

한 세액

2. 전월 중 보세구역에서 반출(법 제53조 각 호에 따른 반출은 제외한다)된 외국산담배의 품종별 과세표준과 세율에 따라 산출한 세액에서 법 제63조에 따라 공제하거나 환급한 세액을 빼고, 법 제61조에 따른 가산세를 합한 총세액
3. 지난해 중 전 시·군지역별로 소매인에게 실제로 팔린 외국산담배의 품종별 과세표준과 세율에 따라 산출한 총세액
4. 다음 계산방식으로 각 시·군이 실제로 받을 세액

$$\text{각 시·군이 실제로 받을 세액} = \text{제2호에 따른 총세액} \times \frac{\text{제1호에 따른 산출세액}}{\text{제3호에 따른 총세액}}$$

③ 제1항 제1호 및 제3호 또는 제2항 제1호 및 제3호에 따른 세액이 없어 제조자 또는 수입판매업자가 판매한 담배에 대한 시·군별 담배소비세액을 산출할 수 없거나 제68조 제2항 각 호 외의 부분 단서에 따라 시·군별, 품종별 수량을 장부에 적지 아니한 수입판매업자의 경우에는 전전연도 1월부터 12월까지 각 시·군별로 징수된 담배소비세액(이하 제7항 및 제8항에서 "징수실적"이라 한다)의 비율에 따라 나눈다. 〈개정 2013.1.1.〉

④ 법 제60조 제5항에 따라 담배소비세를 신고하고 납부하려는 자는 「관세법」 제96조 제2항에 따라 기획재정부령으로 정하는 신고서 또는 같은 법 제241조 제2항에 따라 기획재정부령이나 관세청장이 정하는 신고서에 담배의 품종·수량 등을 적어 세관장에게 신고하고, 「관세법 시행령」 제287조에 따라 관세청장이 정하는 납부서로 납부하여야 한다. 〈개정 2015.12.31.〉

⑤ 법 제60조 제7항에 따라 세관장이 첨부하는 징수내역서에는 다음 각 호의 사항이 포함되어야 한다.

1. 납세의무자의 성명 2. 과세대상 담배의 품종·수량·세율·세액
3. 신고일 또는 부과일 및 납부일 4. 체납 여부

⑥ 제2항에 따라 수입판매업자가 신고 또는 납부하였거나 신고 또는 납부하여야 할 담배소비세에 대하여 착오 등이 있는지에 대한 조사는 주사무소 소재지를 관할하는 시·군의 세무공무원이 하고, 착오 등이 확인된 경우에는 해당 시장·군수에게 통보하여야 한다.

⑦ 시·군의 경계가 변경되거나 폐지·설치·분리·병합이 있는 경우에는 다음 각 호의 구분에 따라 징수실적을 보정한다.[61] 〈신설 2013.1.1.〉

1. 시·군의 경계가 변경되는 구역[종전의 시·군(폐지되는 시·군을 포함한다)의 구역에서 신설되는 시·군 또는 다른 시·군에 편입되는 구역을 말한다. 이하 "변경구역"이라 한다]이 종전에 속하였던 시·군의 징수실적은 해당 시·군의 징수실적에서 변경구역의 징수실적을 차감한다.
2. 변경구역이 편입되어 새로 설치되는 시·군의 징수실적은 편입되는 변경구역의 징수실적을 합산한다.
3. 변경구역이 편입되어 존속하는 시·군의 징수실적은 해당 시·군의 징수실적에 편입되는 변경구역의 징수실적을 가산한다.

⑧ 변경구역의 징수실적은 매년 1월 1일 현재 「주민등록법」에 따른 주민등록표에 따라 조사한 인구 통계를 기준으로 하여 다음의 계산식에 따라 산출한다. 〈신설 2013.1.1.〉

$$\text{변경 구역의 징수실적} = \text{변경구역이 종전에 속하였던 시·군의 징수실적} \times \frac{\text{변경구역의 인구}}{\text{변경구역이 종전에 속하였던 시·군의 전체 인구}}$$

☞ [시행일 : 2016.6.30.] 제69조

규칙 제29조(신고 및 납부) (생략)

제30조(사무처리비 등) ① 법 제60조 제3항 후단에 따른 사무처리비는 담배소비세의 징수 또는 납부와 관련하여 드는 비용 등을 고려하여 법 제60조 제2항 후단에 따른 특별징수의무자(이하 이 조에서 "특별징수의무자"라 한다)가 징수세액의 1만분의 1의 범위에서 관련 시장·군수와 협의하여 정한다.

② 특별징수의무자는 법 제60조 제3항에 따라 특별징수한 담배소비세액에서 사무처리비를 공제하고 해당 시장·군수에게 납부할 때에는 법 제60조 제3항 전단에 따른 특별시·광역시·특별자치시·특별자치도·시 또는 군(이하 이 장 및 제72조에서 "시·군"이라 한다)별 사무처리비 공제명세를 통보하여야 한다. 이 경우 시·군별 담배소비세 납부명세와 사무처리비 공제명세는 별지 제29호 서식에 따른다.

담배소비세는 제조자 또는 수입업자가 매월 1일부터 말일까지 제조장 또는 보세구역에서 반출한 담배에 대하여 과세표준과 세율에 따라 세액을 계산하여 다음 달 말일까지 각 시·군에 신고·납부하여야 한다.

| 최근 개정법령_2016.1.1. | 입국자 등의 반입담배 납세절차 개선(법 제50조, 제60조, 제152조)

외국으로부터 국내로 담배가 반입되는 경우 종전 규정에 따르면 세관 소재지 지자체의 장에게 신고·납부하였으나 담배가 반입되는 세관의 장에게 신고·납부하도록 개정되었다(관련시행령 동시 개정 영 제69조 ④·⑤).

〈적용요령〉 2016.6.30. 이후 국내로 반입되어 납세의무가 성립하는 담배부터 적용하고 지자체는 세관장이 징수한 담배소비세 및 지방교육세를 다음 달 10일까지 납입받고, 세관장이 제출한 징수내역서에 따른 부과·징수 내역 등을 확인함.

| 최근 개정법령_2020.1.1. | 담배소비세 신고·납부 절차 개선(법 제60조, 영 제69조)

반출일부터 지자체 납입까지의 기간이 길어 세입귀속이 지연되는 문제가 있었다. 예를들어 7.1. 보세구역 반출분의 신고·납부일은 8.31.이고 자치단체 납입일 9.10.인 경우 최대 71일이 소요된다. 따라서 신고·납부일을 익월 말일에서 익월 20일로 조정하였다.

제조자와 수입판매업자가 시·군별 월간 판매액에 따라 안분액을 매달 새로 산정해야 하는데, 잦은 안분기준 산정으로 인한 납세자의 납세협력 비용이 과다하게 발생하는 문제가

61) 행정구역 변경에 따른 담배소비세 안분기준을 신설하였다(2013.1.1. 시행).

있었다. 이에 대해 안분기준 재산정 시기를 월 단위에서 연 단위로 변경하였다(지방세법 시행령 제69조 개정).

위택스를 통한 전자신고 시 일괄 신고·납부가 가능하기 때문에 수입판매업자의 신고·납부 절차를 간소화하였다. 주사무소 지자체에 납부하던 것을 全 시·군에 납부하도록 개선하고, 그에 따른 지자체의 특별징수의무도 삭제하여 수입판매업자와 제조업자의 신고·납부 절차를 일치시켰다.

| 입국자의 담배소비세 납세절차 |

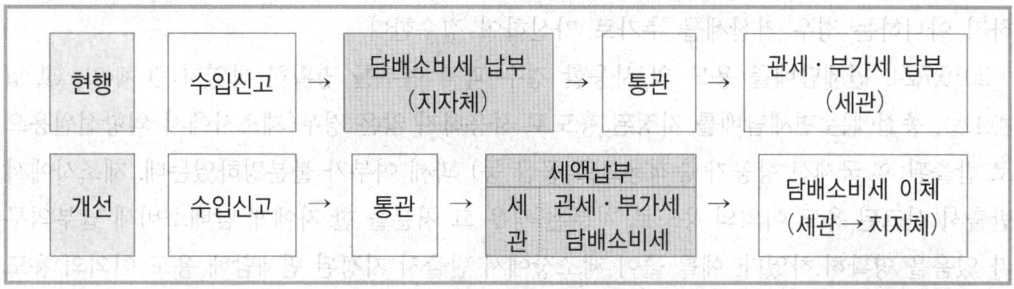

제61조(부족세액의 추징 및 가산세)

법 제61조(부족세액의 추징 및 가산세) ① 다음 각 호의 어느 하나에 해당하는 경우에는 그 산출세액 또는 부족세액의 100분의 10에 해당하는 가산세(제4호 또는 제5호의 경우에는 「지방세기본법」 제53조 또는 제54조에 따른 가산세를 말한다)를 징수하여야 할 세액에 가산하여 징수한다. 다만, 제4호 및 제5호의 경우로서 산출세액을 납부하지 아니하거나 산출세액보다 적게 납부하였을 때에는 「지방세기본법」 제55조에 따른 가산세를 추가로 가산하여 징수한다. 〈개정 2013.1.1.〉

1. 삭제 〈2016.12.27.〉
2. 58조에 따른 사용계획서를 제출하지 아니한 경우
3. 제59조에 따른 기장의무를 이행하지 아니하거나 거짓으로 기장한 경우
4. 제60조에 따라 신고하지 아니하였거나 신고한 세액이 산출세액보다 적은 경우
5. 제60조에 따른 지방자치단체별 담배에 대한 산출세액을 거짓으로 신고한 경우

② 다음 각 호의 어느 하나에 해당하는 경우에는 그 산출세액 또는 부족세액의 100분의 30에 해당하는 금액을 징수하여야 할 세액에 가산하여 징수한다. 〈개정 2015.7.24.〉

1. 제53조에 따라 반출된 담배를 해당 용도에 사용하지 아니하고 판매, 소비, 그 밖의 처분을 한 경우
2. 제54조 제1항에 따라 담배소비세가 면제되는 담배를 같은 항 각 호의 구분에 따른 해당 용도에

사용하지 아니하고 판매, 소비, 그 밖의 처분을 한 경우
3. 제조자 또는 수입판매업자가 제55조에 따른 신고를 하지 아니한 경우
4. 부정한 방법으로 제63조에 따른 세액의 공제 또는 환급을 받은 경우
5. 과세표준의 기초가 될 사실의 전부 또는 일부를 은폐하거나 위장한 경우
③ 제1항 및 제2항의 산출세액 및 부족세액은 해당 행위에 의한 담배수량에 대하여 과세표준과 세율을 적용하여 산출한다. [제목개정 2013.1.1.]

담배와 관련하여 제조자나 수입판매업자 등이 지방세법이 규정한 납세협력의무를 이행하지 아니하는 경우 가산세를 추가로 가산하여 징수한다.

2015.7.24. 면세담배를 용도 외 사용할 경우 과세 여부를 명확히 하였다(법 제49조 ⑤, 법 제61조). 종전에는 면세담배를 지정된 용도로 사용하지 않은 경우(제조사에서 외항선원용으로 반출된 후 국제선 항공기 승객용으로 공급 등) 과세 여부가 불분명하였는데, 제조사에서 반출시 신고된 용도 이외의 용도로 처분된 경우 그 처분을 한 자에게 담배소비세 납부의무가 있음을 명확히 하였다. 예를 들어 제조장에서 반출시 지정된 면세담배 용도 이외의 용도로 처분됨을 확인하는 즉시 그 처분을 한 자에게 산출세액에 가산금(산출세액의 30%에 해당하는 금액)을 합산하여 부과·고지하게 된다. 이 경우 납세지는 처분을 한 자의 영업장 소재지(법 제50조 ④)이고 영업장 소재지가 불분명한 경우 그 처분을 한 장소가 된다.

- 면세용으로 반출된 담배를 당해 용도 외로 처분한 경우 귀책사유 등의 고려없이 무조건 제조자에게 담배소비세 및 가산세를 부과함은 자신의 통제권 내지 결정권이 미치지 않는데 대한 책임을 지게 하는 것이므로 헌법상 위헌임(헌재 2002헌가27, 2004.6.24.).
- 담배소비세가 면세로 반출된 외항선 및 원양어선 선원용 담배가 면세용도 이외의 용도로 유출된 경우, 그 공급업체가 아니라 담배 제조자에게 납세의무가 있음(감심 2002-8, 2002.1.15.).
- 담배수입판매업자가 수입담배에 대해 보세구역에서 반출하고도 반출신고기한을 경과해 반출신고한 정당한 사유없어 관련 가산세 부과함은 정당함(대법원 98두1253, 2000.9.8.).
- 담배수입판매업자가 매월 21일부터 말일까지의 반출신고서를 다음 달 5일까지 일괄제출 못한 경우 30% 가산세 부과는 정당함(내심 96-399, 1996.9.24.).

제62조(수시부과)

법 제62조(수시부과) ① 지방자치단체의 장은 다음 각 호의 어느 하나에 해당하는 경우에는 제60조에도 불구하고 관계 증거자료에 따라 수시로 그 세액을 결정하여 부과·징수할 수 있다.
1. 제49조 제1항 및 제2항에 따른 납세의무자가 사업 부진이나 그 밖의 사유로 휴업 또는 폐업의 상태에 있는 경우
2. 제61조에 따라 담배소비세를 징수하는 경우

② 제49조 제4항 및 제5항의 경우에는 해당 사실이 발견되거나 확인되는 때에 그 세액을 결정하여 부과·징수한다.

담배소비세 납세의무자가 휴업 또는 폐업상태이거나, 부족세액의 추징 및 가산세를 징수하는 경우, 정당하지 않은 방법으로 담배를 제조하거나 국내로 반입하는 경우, 면세담배를 반출하여 해당 용도에 사용하지 아니하고 처분하는 경우 등은 담배소비세를 수시로 부과할 수 있다.

제63조(세액의 공제 및 환급)

법 제63조(세액의 공제 및 환급) ① 다음 각 호의 어느 하나에 해당하는 경우에는 세액을 공제하거나 환급한다.
1. 제조장 또는 보세구역에서 반출된 담배가 천재지변이나 그 밖의 부득이한 사유로 멸실되거나 훼손된 경우
2. 제조장 또는 보세구역에서 반출된 담배가 포장 또는 품질의 불량, 판매부진, 그 밖의 부득이한 사유로 제조장 또는 수입판매업자의 담배보관 장소로 반입된 경우
3. 이미 신고납부한 세액이 초과 납부된 경우
4. 제64조 제4항에 따라 보세구역으로부터 반출하기 전에 담배소비세를 미리 신고납부한 이후에 멸실, 훼손 또는 폐기 등의 사유로 담배를 보세구역으로부터 반출하지 못하게 된 경우

② 제1항에 따른 공제·환급의 대상 및 범위에 관하여는 대통령령으로 정한다.

영 제70조(세액의 공제·환급의 대상 및 범위) ① 법 제63조 제1항 각 호에 해당하는 사유로 세액의 공제 또는 환급을 받으려는 자는 행정안전부령으로 정하는 신청서에 해당 사유의 발생 사실을 증명하는 서류를 첨부하고 사유 발생지역을 관할하는 시장·군수에게 제출하여 공제 또는 환급증명을 발급받아야 한다.

② 제1항에 따른 공제 및 환급증명을 받은 제조자 및 수입판매업자는 다음 달 세액신고 시 납부하여야 할 세액에서 공제받도록 하되, 폐업이나 그 밖의 사유로 다음 달에 신고·납부할 세액이 없는 경우에는 행정안전부령으로 정하는 바에 따라 환급을 신청한다.

제70조의 2(세액의 공제 · 환급의 사후관리) ① 제조자 또는 수입판매업자가 법 제63조 제1항 제1호 또는 제2호의 사유로 반입된 담배를 폐기하는 경우에는 폐기하려는 날의 3일 전까지 행정안전부령으로 정하는 신고서에 다음 각 호의 사항을 기재하여 제조장 또는 수입판매업자의 담배보관장소(이 조에서 "보관장소"라 한다)와 폐기장소의 소재지를 관할하는 시장 · 군수에게 각각 제출하여야 한다.

1. 제조자 또는 수입판매업자의 명칭 또는 상호와 주소 2. 폐기대상 담배의 품종별 수량
3. 폐기장소 및 폐기예정일 4. 법 제63조 제1항 제1호 또는 제2호에 따른 반입일

② 제조자와 수입판매업자는 담배의 폐기를 종료한 날부터 7일 이내에 행정안전부령으로 정하는 확인서에 다음 각 호의 사항을 기재하여 보관장소를 관할하는 시장 · 군수와 세액의 공제 또는 환급을 받았거나 받을 시장 · 군수에게 각각 제출하여야 한다.

1. 제1항 제1호부터 제4호까지의 규정에 따른 사항 2. 폐기업체의 명칭 또는 상호와 주소

[본조신설 2015.12.31.]

규칙 제31조(세액의 공제 · 환급증명의 발급 신청) ① 영 제70조 제1항에 따른 담배소비세액의 공제 또는 환급증명의 발급 신청은 별지 제30호 서식에 따른다.

② 제조자 및 수입판매업자는 영 제70조 제2항에 따라 세액을 환급받으려면 별지 제31호 서식의 환급신청서를 주사무소 소재지를 관할하는 시장 · 군수에게 제출하여야 한다.

③ 제1항의 신청을 받은 시장 · 군수는 특별징수한 담배소비세에서 이를 환급한다.

제조장 또는 보세구역에서 반출된 담배가 천재지변 등으로 멸실 · 훼손된 경우나 품질의 불량 등으로 담배보관 장소로 반입된 경우, 세금을 초과 납부한 경우 등에 있어서는 다음 달 세액 신고시 세액을 공제하거나 폐업 등의 경우는 환급하도록 규정하고 있다.

2015.7.24. 품질불량 등으로 반입된 담배의 폐기절차를 신설하였다(영 제70조의 2). 그에 따라 폐기신고서 및 확인서를 해당 지자체에 각각 제출하여야 한다.

[폐기절차] 공제 또는 환급증명서 신청 · 발급 ⇒ 공제 또는 환급(폐기 이후에 공제 또는 환급하는 경우도 있을 수 있음) ⇒ 폐기신고서 제출(제조사등 → 반출지 · 폐기장 지자체) ⇒ 반출지 소재 지자체 공무원의 입회하에 반출 ⇒ 폐기장 소재지 지자체 공무원의 입회하에 폐기 ⇒ 폐기사실 및 폐기내역 통보(폐기장 지자체→관련 지자체) ⇒ 폐기확인서 제출(제조사등 → 반출지 · 공제환급 지자체) ⇒ 폐기 신고서 · 확인서, 공제 또는 환급증명서 등을 대조 · 확인(통보 및 제출받은 지자체)

2017.1.1. 수입판매업자의 담배소비세 신고납부 절차를 개선하였다(법 제63조 ①, 제64조 ④). 기존에는 담배 수입판매업자는 담배소비세 납세담보(보증보험 등)를 제공하고 수입 통관한 후에야 담배소비세 납부가 가능했다. 이로 인해 통관시간이 지연되고, 담보제공 이후 신고납부 등으로 납세자 불편이 발생하였다. 그에 따라 납세자 선택에 따라 수입 통관 전이라도 납세담보 제공 없이 바로 담배소비세를 납부할 수 있도록 개선하였다.

2017.1.1. 이후 보세구역에서 반출되는 담배부터 적용. 종전과 동일하게 납세담보를 제공할 경우 : 납세담보 발급신청(별지 제32호) → 납세담보 제공 → 납세담보 확인서 발급(별지 제33호) → 통관(납세자는 세관장에게 납세담보확인서 제출) → 반출신고(별지 제23호) → 신고납부

납세담보를 제공하지 않고 사전 신고납부할 경우 : 신고납부(별지 제28호) → 통관(납세자는 세관장에게 납부영수증 제출) → 반출신고(별지 제23호) → 통관불가(멸실, 훼손 또는 폐기 등의 사유로 담배를 반출하지 못하게 된 경우) → 공제・환급 신청

◎ **제조담배의 포장 또는 품질불량의 판단 및 처리**(예규 지법 63-1)

- 제조담배의 포장 또는 품질불량 여부를 확인할 때 궐련은 "갑" 단위로, 기타 담배는 "최소포장" 단위로 하여야 함.
- 제조담배가 물리적으로 손상된 경우에는 사유발생지역의 시장・군수의 확인을 받아야 하나, 화학적으로 변질되어 육안으로 식별이 불가능한 때에는 전문기관에 의뢰하여 검정을 받아 사유발생지역의 시장・군수에게 신고하여 손상물량을 확정받은 후 규칙 제31조의 규정에 의거 처리하여야 함.

◎ **담배를 수출하였으나 제품에 문제가 발생하여 국내 보세구역에 반입된 담배를 국내 판매용이 아닌 제조자의 제조장으로 반입할 경우에는 환급신청 불가함**

국내에서 제조된 담배를 수출한 이후 품질 등에 문제가 발생하여 보세구역으로 반입 절차를 거쳐 제조자의 제조장으로 반입되는 경우라 하더라도 일단, 국내 보세구역으로 담배가 반입된 이상 위 관련규정에 따라 반입자가 담배소비세를 납부할 의무가 있으므로 담배소비세 납세보전을 위해 담배제조자의 주사무소를 관할하는 시장・군수가 담보의 제공을 요구할 수 있으며, 보세구역에서 담배를 반출시에 납부한 담배소비세에 대하여는 동법 제233조의 9 제1항 제2호의 규정에 따라 품질의 불량 등 부득이한 사유로 제조장으로 반입되는 경우라면 기 납부한 담배소비세를 해당 시장・군수에게 환부신청할 수 있음(지방세정팀-559, 2008.2.11.).

◎ **폐업 또는 휴업이나 담배판매업 등록의 취소 등으로 인하여 다음 달에 신고납부할 세액이 없다는 것이 객관적으로 명백한 경우 담배소비세를 환부받을 수 있음**

담배사업법에 따라 수입담배 판매업과 국산담배 판매업을 허가받은 회사가 과거 담배소비세를 납부하였던 수입담배 중의 일부가 2006.10.10.자로 파손 및 품질불량 등의 이유로 소각을 완료하고 서울특별시로부터 2006.10.16. 영 제182조 ①에 따른 세액의 환부신청서를 발급받은 경우 기 납부한 담배소비세를 환부받을 수 있는지에 대하여, 담배소비세를 환부받을 수 있는 자라 함은 담배사업법 제22조의 2에 의한 폐업 또는 휴업이나 담배사업법 제15조의 규

정에 의한 담배판매업 등록의 취소 등으로 인하여 다음 달에 신고납부할 세액이 없다는 것이 객관적으로 명백한 경우를 말하므로 이에 해당하는 경우라면 기납부한 담배소비세를 환부받을 수 있음(지방세정팀-5363, 2006.10.31.).

◎ 제조장에서 반출된 담배를 다른 담배의 원료로 사용하는 경우 환부증명 발급 가능

판매부진의 경우 세액의 공제 또는 환부의 사유에 해당되며, 세액의 공제 또는 환부사유의 발생 지역을 관할하는 시장·군수가 발생 사실을 확인한 후 공제 또는 환부증명을 발급하도록 하고 있음. 종전의 경우 제조장에서 반출된 담배를 다시 제조장으로 반입하여 폐기하는 경우 관할관청의 지휘, 감독아래 소각 폐기 처리한 후 환부증명을 발급받고 있으나, 제조장에서 반출된 담배를 소각 폐기하지 아니하고 다른 담배의 원료로 사용하는 경우에도 관할관청의 지휘, 감독아래 원료의 분리작업을 진행한 후 환부증명을 발급받을 수 있음. 다만 반입담배의 물량, 기계장비의 처리가능 물량, 분리작업을 확인할 수 있는 인력과 시간 등 행정비용을 고려하여 판단(지방세정팀-941, 2005.5.30.)

◎ 영업정책의 필요에 따라 반출된 담배를 재반입할 경우 담배소비세의 공제·환부신청 가능

영업정책의 필요에 의하여 수입담배의 물량을 축소하고 반출된 담배를 재반입하여 공제·환부세액이 발생한 경우, 공제·환부세액을 공제하고, 다음 달에 신고납부할 담배소비세액을 초과하는 부분에 대하여는 지방세법 시행령 제182조의 규정에 따라 환부신청을 할 수 있는 것으로 판단됨(지방세정담당관-2034, 2003.11.25.).

◎ 단순 영업정책 변경의 경우는 세액의 공제 및 환급대상이 아님

담배소비세의 공제 및 환급은 지방세법 제233조의 9 규정에 의거 보세구역에서 반출된 제조담배가 천재지변 등 부득이한 사유로 멸실 또는 훼손되거나 포장 또는 품질의 불량으로 판매가 불가능한 경우에 한하도록 규정되어 있으므로 귀사와 같이 영업정책 변경 등으로 재수출하는 경우에는 담배소비세액의 공제 및 환급대상이 되지 않음. 담배소비세를 납부한 수입제조담배가 변질되어 폐기 또는 외국으로 반송하고자 할 경우에는 국가에서 인정하는 품질검사전문기관(담배인삼연초연구소 등)의 검사를 받은 후 사유발생지역 시장·군수로부터 세액의 공제 및 환급증명을 발급받아 주사무소 소재지 시장·군수에게 환급신청서를 제출하면 됨(시세 22670-549, 1990.2.23.).

◎ 환급시 부득이한 사유가 아닌 일상적 부주의로 인한 사유는 환급대상이 아님

유통과정에서 발생한 제품훼손의 경우 천재지변 기타 부득이한 사유로 멸실·훼손된 경우에는 환급이 가능하나 이때 「부득이한 사유」에 해당 여부는 과세권자가 사실조사 후 판단할 사항이며 통상적으로 차량전복, 화재 등 불가항력적인 외부요인에 의한 것을 의미한다 할 것이므로 판매업자의 일상적인 부주의로 인한 경우에는 이에 해당되지 않음(세정 13407-20, 1995.6.1.).

- 보세구역 반출 이전 이미 훼손된 판매불능 담배의 경우 공제·환급 가능

외국산 제조담배의 경우 납세의무 성립시기인 보세구역 반출 이전에 훼손된 상태로 반출되었다면 제품이 원칙적으로 판매가 불가능한 상태에서 납세의무가 성립되었으므로 기납부한 세액의 공제·환급이 타당(세정 13407-416, 1995.5.8.)

- 영업정책 변경 등으로 재수출하는 경우는 공제·환급 불가

외국산 제조담배에 대한 담배소비세의 공제·환급은 보세구역에서 반출된 제조담배가 천재지변 등 부득이한 사유로 멸실·훼손되거나 포장·품질불량으로 판매가 불가능한 경우에 한하므로 영업정책변경 등으로 재수출하는 경우에는 해당되지 않음. 운송도중 차량전복이나 사고 등 부득이한 사정으로 인해 제조담배가 훼손·멸실된 경우에는 사고발생지역을 관할하는 시장·군수에게 세액공제 및 환급증명을 발급받아 수입판매업자의 주사무소 소재지 시장·군수에게 환급신청서를 제출하여 환급 또는 세액공제를 받을 수 있음(세정 13407-20, 1995.1.6.).

- 제조담배 수출은 과세면제대상임

제조자 또는 수입판매업자가 제조담배를 수출하는 경우는 과세면제대상이므로 보세구역에서 반출하여 담배소비세 신고납부기간 이전에 수출면장을 받고 통관한 경우에는 과세면제된다고 보며, 담배소비세 신고납부기간 이전에 세관의 수출통관 확인을 받지 못하는 경우에는 과세대상임(시세 22670-3628, 1991.9.17.).

- 담배소비세 공제·환급 절차

제조담배의 포장 또는 품질 불량 등의 사유가 발생하였을 때에는 시행령 제182조 ①에 의거 사유발생지역 시장·군수가 확인하여야 함. 포장불량 또는 품질의 불량으로 위 1항의 확인에 의거 폐기·멸각 또는 소각 등의 입회확인은 사유발생지역의 시장(특별시장·광역시장 포함)·군수가 입회하여야 함. 운송도중 차량의 전복이나 기타 사고로 인한 제조담배의 훼손 또는 멸실된 경우에는 사고발생지역 시장·군수의 세액의 공제·환급증명을 발급받아 제조자 및 수입판매 수업자의 주사무소 소재지 시장·군수에게 세액신고시 제출하면 됨(시세 22670-2543, 1990.3.26.).

- 운송도중이나 보관 중 분실된 제조담배에 대하여는 지방세법 제233조의 9 제1항 제1호 규정의 적용대상이 아니므로 공제·환급대상이 아님(시세 22670-4974, 1989.6.1.).

제64조(납세담보)

법 제64조(납세담보) ① 제조자 또는 수입판매업자의 주사무소 소재지를 관할하는 지방자치단체의 장은 담배소비세의 납세보전을 위하여 대통령령으로 정하는 바에 따라 제조자 또는 수입판매업자에게 담보의 제공을 요구할 수 있다.

② 지방자치단체의 장은 제1항에 따라 담보제공을 요구받은 제조자 또는 수입판매업자가 담보를 제공하지 아니하거나 부족하게 제공한 경우 담배의 반출을 금지하거나 세관장에게 반출금지를 요구할 수 있다.

③ 제2항에 따라 담배의 반출금지 요구를 받은 세관장은 요구에 따라야 한다.

④ 제1항에 따라 담보제공을 요구받은 수입판매업자는 제60조 제2항에도 불구하고 보세구역으로부터 담배를 반출하기 전에 미리 담배소비세를 신고납부하여 담보를 제공하지 아니할 수 있다. 이 경우 「지방세기본법」 제34조 제1항 제4호에도 불구하고 담배소비세를 신고하는 때 납세의무가 성립한다.

영 제71조(납세담보) ① 법 제64조에 따라 제조자 또는 수입판매업자로부터 제공받을 수 있는 납세담보액은 다음 각 호에서 정하는 금액 이상으로 한다. 〈개정 2013.1.1.〉

1. 제조자 : 제조장에서 반출한 담배에 대한 산출세액과 제조장에서 반출하는 담배에 대한 산출세액의 합계액에서 이미 납부한 세액의 합계액을 뺀 세액에 해당하는 금액
2. 수입판매업자 : 수입신고를 받은 담배에 대한 산출세액과 수입신고를 받는 담배에 대한 산출세액의 합계액에서 이미 납부한 세액의 합계액을 뺀 세액에 해당하는 금액

② 수입판매업자가 수입한 담배를 통관할 때에는 행정안전부령으로 정하는 바에 따라 주사무소 소재지 관할 시장·군수가 발행한 납세담보확인서 또는 납부영수증을 통관지 세관장에게 제출하여야 하며, 세관장은 납세담보확인서에 적힌 담보물량 또는 납부영수증에 적힌 반출물량의 범위에서 통관을 허용하여야 한다. 다만, 「전자정부법」 제36조 제1항에 따른 행정정보의 공동이용을 통하여 제출서류에 대한 정보를 확인할 수 있는 경우에는 그 확인으로 서류제출을 갈음할 수 있다.

③ 제조자 또는 수입판매업자의 주사무소 소재지를 관할하는 지방자치단체의 장은 제1항에도 불구하고 담배를 제조장 또는 보세구역에서 반출한 날부터 3년간 담배소비세를 체납하거나 고의로 회피한 사실이 없는 제조자 또는 담배수입업자에 대하여 조례로 정하는 바에 따라 납세담보금액을 감면할 수 있다. 〈신설 2014.8.12.〉

제72조(담보에 의한 담배소비세 충당) 법 제64조 제1항에 따라 담보를 제공한 자가 기한 내에 담배소비세를 납부하지 아니하거나 부족하게 납부하였을 때에는 그 담보물을 체납처분비, 담배소비세액 및 가산금에 충당할 수 있다. 이 경우 부족액이 있으면 징수하며, 잔액이 있으면 환급한다.

규칙 제32조(납세담보확인서) 영 제71조 제2항 본문에 따른 담배소비세의 납세담보확인서의 발급신청은 별지 제32호 서식에 따르고, 담배소비세의 납세담보확인서는 별지 제33호 서식에 따른다.

제조자 또는 수입판매업자의 주사무소 소재지를 관할하는 지방자치단체의 장은 담배소비세의 납세보전을 위하여 제조자 또는 수입판매업자에게 담보의 제공을 요구할 수 있도록

하고 있다.

2014.8.12. 담배소비세의 납세담보제공관련 면제대상을 명확히 하였다(영 제71조 ③). 지방자치단체의 장은 담배소비세의 납세보전을 위하여 제조자 또는 수입판매업자에게 담보의 제공을 요구할 수 있으나, 현재 일정 조건(납세담보제공 면제 대상 : 담배제조업 또는 수입판매업을 3년 이상 계속해서 영위하고 최근 3년간 담배소비세를 체납하거나 고의로 회피한 사실이 없는 자)을 갖춘 제조자 등은 행정규칙(담배소비세 납세담보 업무처리요령, 지방세정팀-2138, 2006.5.26.)에 따라 담보제공을 요구하지 않을 수 있도록 운영 중에 있던 것을 시행령으로 상향하고, 납세담보금액을 조례로 감면할 수 있도록 개정하였다.

- 담배소비세의 납세담보 제공 요구는 제조자 또는 수입판매업자의 주사무소 소재지를 관할하는 시장·군수가 납세보전의 필요성을 판단하여 제조자 또는 수입판매업자에게 담보의 제공을 요구할 수 있음(세정-2817, 2005.9.23.).
- 담배소비세 납세담보는 납세보전의 목적을 위하여 합리적인 범위 안에서 기준금액 이상의 납세담보를 요구할 수 있도록 재량을 허용하는 것임(세정-940, 2005.5.30.).
- 담보를 제공받지 아니한 상태에서 담배소비세가 체납될 경우 징수대책이 별도로 마련되어 있지 않다면 담배제조자에게 담보의 제공을 요구하는 것이 합리적임(세정-1732, 2004.6.24.).

제 6 장

지방세법

지방소비세

■ 지방소비세 연혁

○ 2010.1.1. 법률 제9924호 「지방세법」 일부개정, 지방소비세 도입

- 국세인 부가가치세액(부가가치세 납부세액에서 감면세액 및 공제세액을 빼고 가산세를 더하여 계산한 세액)의 5%

○ 2014.1.1. 지방소비세율 인상(11%)

- 11% 중 6%에 해당하는 부분은 주택 유상거래 취득세율 인하에 따라 감소되는 취득세, 지방교육세, 지방교부세 및 지방교육재정교부금 보전 등에 충당

○ 2019.1.1. 지방소비세율 인상(11%→15%)

○ 2020.1.1. 지방소비세율 인상(15%→20%)

■ 지방소비세 개요

1. 과세대상 : 「부가가치세법」 제1조 준용

※ 부가가치세 과세대상 : 재화 또는 용역의 공급, 재화의 수입

2. 납세의무자 : 부가가치세를 납부할 의무가 있는 자
3. 납세지 : 「부가가치세법」 제4조에 따른 부가가치세의 신고·납세지
4. 과세표준 : 「부가가치세법」에 따른 부가가치세의 납부세액에서 「부가가치세법」 및 다른 세법에서 규정하고 있는 부가가치세의 감면세액 및 공제세액을 빼고 가산세를 더한 세액
5. 세율 : 과세표준의 100분의 21(부가가치세는 100분의 79)
6. 납부방법 : 특별징수의무자[1]가 징수된 지방소비세를 납입관리자[2]에게 송금하고, 납입관리자가 특별징수의무자로부터 납입된 지방소비세를 지역별 배분비율[3]로 각 시·도지사에게 안분·송금

1) 부가가치세를 징수하는 세무서장·세관장

2) 특별징수의무자로부터 납입된 지방소비세를 기준에 의거 각 시·도로 안분·납입하는 자

3) (5%분) 지역간 재정격차 해소를 위하여 각 시·도별 민간최종소비지출에 지역별 가중치(수도권 100, 비수도권 시 200, 기타 : 300)를 적용한 비율

(6%분) 2014.1.1.부터 취득세 세율 인하에 따른 세수보전대책으로 지방소비세 6%를 추가확대됨에 따라 주택 유상거래 취득세 감소분 전국 총액에서 도별 감소분 총액이 차지하는 비율로 함.

(10%분) 2020.1.1.부터 적용. ① 전환사업 보전 및 ② 기초·교육청 재원변동 보전분은 정액 보전, ③ 나머지는 지역별 소비지출에 가중치(1:2:3) 적용

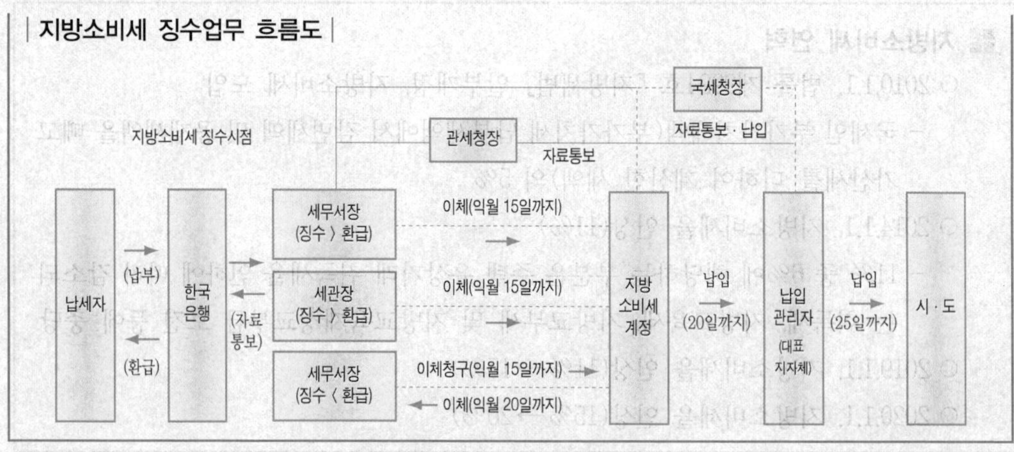

제65조(과세대상)~제70조(신고 및 납부 등)

법 제65조(과세대상) 지방소비세[62]의 과세대상은 「부가가치세법」 제4조를 준용한다. 〈개정 2013.6.7.〉

제66조(납세의무자) 지방소비세는 제65조에 따른 재화와 용역을 소비하는 자의 주소지 또는 소재지를 관할하는 특별시 · 광역시 · 특별자치시 · 도 또는 특별자치도에서 「부가가치세법」 제3조에 따라 부가가치세를 납부할 의무가 있는 자에게 부과한다. 〈개정 2013.6.7.〉

제67조(납세지) 지방소비세의 납세지는 「부가가치세법」 제6조에 따른 납세지로 한다. 〈개정 2013.6.7.〉

제68조(특별징수의무자) 제67조에 따른 납세지를 관할하는 세무서장 또는 「부가가치세법」 제58조 제2항에 따라 재화의 수입에 대한 부가가치세를 징수하는 세관장을 지방소비세의 특별징수의무자로 한다. 〈개정 2013.6.7.〉

제69조(과세표준 및 세액) ① 지방소비세의 과세표준은 「부가가치세법」에 따른 부가가치세의 납부세액에서 「부가가치세법」 및 다른 법률에 따라 부가가치세의 감면세액 및 공제세액을 빼고 가산세를 더하여 계산한 세액으로 한다.

② 지방소비세의 세액은 제1항의 과세표준에 100분의 21을 적용하여 계산한 금액으로 한다.

제70조(신고 및 납부 등) ① 지방소비세와 부가가치세를 신고 · 납부 · 경정 및 환급할 경우에는 제69조 제2항에도 불구하고 같은 항에 따른 지방소비세와 「부가가치세법」 제72조에 따른 부가가치세가 합쳐진 금액으로 신고 · 납부 · 경정 및 환급하여야 한다. 〈개정 2013.6.7.〉

② 「부가가치세법」 제48조부터 제50조까지, 제52조, 제66조 및 제67조에 따라 부가가치세를 신고 · 납부한 경우에는 지방소비세도 신고 · 납부한 것으로 본다. 〈개정 2013.6.7.〉

62) 2010.1.1. 지역경제 활성화 및 지방세수의 확충을 위하여 부가가치세의 일부를 지방소비세로 하여 신설되었다.

지방소비세를 지방교부세 형식이 아니라 지방세 세목의 하나로 도입한 것은 과세자주권 측면에서 큰 의의가 있다. 현행 지방교부세는 지방자치단체의 기준재정수입이 기준재정수요에 미달하는 재원을 국가에서 조정 지원해 주는 제도이므로, 지방교부세 증액만으로는 지방자치단체의 중앙의존도를 더욱 심화시켜 지방분권화의 추진에 역행하는 문제점이 있다. 이에 대해 국세인 부가가치세 중 일정비율을 지방세로 이양 받아 지방세목으로 신설하여 과세자주권을 확보한 것에 큰 의의가 있다. 아울러 납세자 측면에서 볼 때, 납세자가 부가가치세 중 일정비율을 지방세로 납부하게 되면, 납세자는 행정서비스를 제공받는 해당 지방자치단체의 행정비용에 소요되는 비용 중 일부를 부담한다는 주민자치의식을 함양하고, 각종 부가가치를 창출하면서 지역경제 활동에 참여하는 납세자와 지방자치단체는 상호 협조체제를 강화할 수 있는 등 지방세로서의 취지에 부합한다.

2014년 주택유상거래에 대한 취득세율 인하[63]로 인해 감소되는 지방세수 보전을 위하여 지방소비세의 세율을 기존 100분의 5에서 100분의 11로 인상하였다(2014.1.1. 시행). 추가로 늘어나는 100분의 6에 해당하는 지방소비세가 주택유상거래에 대한 취득세율 인하를 보전하는 재원인 점을 감안하여 세율 인하로 인해 감소되는 부분인 취득세, 지방교육세, 지방교부세 및 지방교육재정교부금 보전에 충당하도록 하고 있다.

2019.1.1. 「재정분권 추진방안」의 일환으로 지방소비세 규모를 현행 부가가치세액의 11%에서 4%를 인상하여 15%로 확대하였고, 2020.1.1. 다시 6%를 추가 인상하여 21%에 이르게 되었다. 인상된 10%에 대해 ① 전환사업 보전(지역상생발전기금을 통해 배분, 3년 정액 운영 후 일몰) 및 ② 기초·교육청 재원변동 보전분은 정액 보전,[64] ③ 나머지는 지역별 소비지출에 가중치(1:2:3)를 적용하는 등 배분 기준을 마련하였다.

〈부가가치세법〉

제72조(부가가치세의 세액 등에 관한 특례) ① 제37조 및 제63조에도 불구하고 납부세액에서 이 법 및 다른 법률에서 규정하고 있는 부가가치세의 감면세액 및 공제세액을 빼고 가산세를 더한 세액에 79퍼센트를 곱한 세액을 부가가치세로, 21퍼센트를 곱한 세액을 지방소비세로 한다.

② 부가가치세와 「지방세법」에 따른 지방소비세를 신고·납부·경정 및 환급할 경우에는 부가가치세와 지방소비세를 합한 금액을 신고·납부·경정 및 환급한다.

63) 지방세법 제11조 참조

64) 시·도 보전분 2.8조가 전액 전환사업 수행에 활용될 수 있도록 조정교부금·교육전출금 산정 모수에서 제외, 이에 따라 감소하는 부분을 기초지자체 및 교육청에 직접 보전, 3년 정액 운영 후 일몰

제71조(납입)

법 제71조(납입) ① 특별징수의무자는 징수한 지방소비세를 다음 달 20일까지 관할구역의 인구 또는 납입관리의 효율성과 전문성 등을 고려하여 대통령령으로 정하는 특별시장·광역시장·특별자치시장·도지사·특별자치도지사 또는 「지방세기본법」 제151조의 2에 따라 설립된 지방자치단체조합의 장 중에서 행정안전부장관이 지정하는 자(이하 "납입관리자"라 한다)에게 행정안전부령으로 정하는 징수명세서와 함께 납입하여야 한다.

② 제1항의 특별징수의무자가 징수하였거나 징수할 세액을 같은 항에 따른 기한까지 납입하지 아니하거나 부족하게 납입하더라도 특별징수의무자에게 「지방세기본법」 제56조에 따른 가산세는 부과하지 아니한다. 〈신설 2013.1.1.〉

③ 납입관리자는 제1항에 따라 납입된 지방소비세를 다음 각 호에 따라 대통령령으로 정하는 기간 이내에 납입하여야 한다.

1. 제69조 제2항에 따라 계산한 100분의 21 중 5에 해당하는 부분은 지역별 소비지출 등을 고려하여 대통령령으로 정하는 바에 따라 특별시장·광역시장·특별자치시장·도지사 및 특별자치도지사에게 안분하여 납입한다.
2. 제69조 제2항에 따라 계산한 100분의 21 중 6에 해당하는 부분은 법률 제12118호 지방세법 일부개정법률 제11조 제1항 제8호의 개정규정에 따라 감소되는 취득세, 지방교육세, 지방교부세, 지방교육재정교부금 등을 보전하기 위하여 대통령령으로 정하는 바에 따라 지방자치단체의 장과 특별시·광역시·특별자치시·도 및 특별자치도의 교육감에게 안분하여 납입한다.
3. 제69조 제2항에 따라 계산한 100분의 21 중 10에 해당하는 부분은 다음 각 목의 구분에 따라 납입한다.
   가. 납입관리자는 국가에서 지방으로 전환되는 국가균형발전특별회계 사업 등(이하 "전환사업"이라 한다)의 비용을 보전하기 위하여 대통령령으로 정하는 금액을 「지방자치단체 기금관리기본법」 제17조 제2항에 따라 설립된 조합의 장(이하 "조합의 장"이라 한다)에게 납입한다. 조합의 장은 납입 받은 세액을 같은 법 제18조 제5호에 따른 목적으로 운영하여 지방자치단체의 장에게 안분하여 배분한다.
   나. 가목에 따라 시·도 전환사업을 보전함으로써 감소하는 「지방재정법」 제29조에 따른 시·군 조정교부금, 같은 법 제29조의 2에 따른 자치구 조정교부금, 「지방교육재정교부금법」 제11조 제2항에 따른 시·도 교육비특별회계 전출금을 보전하기 위하여 대통령령으로 정하는 바에 따라 지방자치단체의 장과 특별시·광역시·특별자치시·도 및 특별자치도의 교육감에게 안분하여 납입한다.
   다. 가목 및 나목에 따라 납입한 부분을 제외한 세액은 지역별 소비지출 등을 고려하여 대통령령으로 정하는 바에 따라 특별시장·광역시장·특별자치시장·도지사 및 특별자치도지사에게 안분하여 납입한다.

④ 특별징수의무자는 제70조 제1항에 따라 지방소비세를 환급하는 경우에는 납입관리자에게 납입하여야 할 금액에서 환급금 중 지방소비세에 해당하는 금액(이하 이 항에서 "지방소비세환급금"이라 한다)을 공제한다. 다만, 지방소비세환급금이 납입하여야 할 금액을 초과하는 경우에는

초과된 지방소비세환급금은 그 다음 달로 이월한다. 〈개정 2013.1.1.〉

영 제73조(납입관리자) 법 제71조 제1항에서 "대통령령으로 정하는 특별시장·광역시장·특별자치시장·도지사 또는 특별자치도지사"란 인구대비 지방소비세 비율 등을 고려하여 행정안전부장관이 지정하는 특별시장·광역시장·특별자치시장·도지사 또는 특별자치도지사(이하 이 장에서 "납입관리자"라 한다)을 말한다. 〈개정 2014.3.14.〉

제74조(특별징수의무자의 납입) 법 제71조 제1항에 따라 특별징수의무자가 징수한 지방소비세를 납입하는 경우 납입업무의 효율적 처리를 위하여 국세청장을 통하여 납입관리자에게 일괄 납입할 수 있다.

제75조(지방소비세액의 안분기준 등) ① 법 제71조에 따라 납입된 지방소비세는 다음 각 호의 구분에 따라 안분한다. 다만, 제2호 가목에 따라 산출한 해당 특별시·광역시·특별자치시·도 또는 특별자치도[이하 이 조(제3항은 제외한다), 제76조 및 제77조에서 "시·도"라 한다]의 안분액 합계액의 100분의 2에 해당하는 금액은 사회복지수요 등을 고려하여 행정안전부령으로 정하는 바에 따라 그 안분액을 달리 산출할 수 있다. 〈개정 2014.3.14.〉

1. 법 제71조 제3항 제1호에 해당하는 안분액 : 다음의 계산식에 따라 산출한 금액

$$\text{해당 도의 안분액} = \text{지방소비세의 과세표준} \times 5\% \times \frac{\text{해당 시·도의 소비지수} \times \text{해당 시·도의 가중치}}{\text{각 시·도별 소비지수와 가중치를 곱한 값의 전국 합계액}}$$

2. 법 제71조 제3항 제2호에 해당하는 안분액 : 다음 각 목의 계산식에 따라 산출한 금액
   가. 취득세의 보전에 충당하는 안분액 계산식
      해당 시·도의 안분액 = {[A－(A×B)－(A×C)]－D} × E
      A : 지방소비세의 과세표준 × 6%
      B : 법 제71조 제3항 제2호에 따라 감소되는 지방교부세액의 비율(19.24%)
      C : 법 제71조 제3항 제2호에 따라 감소되는 지방교육재정교부금액의 비율(20.27%)
      D : 법 제71조 제3항 제2호에 따라 감소되는 지방교육세{[A－(A×B)－(A×C)] ÷ 11}
      E : 해당 시·도의 취득세 감소분의 보전비율
   나. 지방교육세의 보전에 충당하는 안분액 계산식
      해당 시·도의 안분액 = 가목에 따라 산출한 금액 × 10%
   다. 지방교부세의 보전에 충당하는 안분액 계산식
      해당 지방자치단체의 안분액 = (A×B) × C
      A : 지방소비세의 과세표준 × 6%
      B : 법 제71조 제3항 제2호에 따라 감소되는 지방교부세액의 비율(19.24%)
      C : 해당 지방자치단체의 해당 연도 보통교부세 배분비율
   라. 지방교육재정교부금의 보전에 충당하는 안분액 계산식
      해당 시·도 교육청의 안분액 = (A×B) × C － D
      A : 지방소비세의 과세표준 × 6%
      B : 법 제71조 제3항 제2호에 따라 감소되는 지방교육재정교부금액의 비율(20.27%)
      C : 교육부장관이 정하는 해당 시·도 교육청의 보통교부금 배분비율
      D : 지방교육재정교부금 보전에 충당되는 부분에서 공제되어 해당 도에 충당되는 안분액

마. 지방교육재정교부금 보전에 충당되는 부분에서 공제되어 해당 도에 충당되는 안분액 계산식

해당 시·도의 안분액 = (A+B) × C

A : 제75조 제1항 제2호 나목에 따른 시·도별 지방교육세 보전금액

B : 제75조 제1항 제2호 다목에 따른 시·도별 지방교육세 보전금액

C : 「지방교육재정교부금법」 제11조 제2항 제3호 및 「세종특별자치시 설치 등에 관한 특별법」 제14조 제5항에 따른 전입비율(3.6%~10%)

3. 법 제71조 제3항 제3호 가목에 해당하는 안분액 : 3조 5천680억 6천230만원

4. 법 제71조 제3항 제3호 나목에 해당하는 안분액 : 다음 각 목의 구분에 따른 금액

가. 각 시·군·구의 안분액 : 별표 2에 따른 금액

나. 각 시·도 교육청의 안분액 : 별표 3에 따른 금액

5. 법 제71조 제3항 제3호 다목에 해당하는 안분액 : 다음의 계산식에 따라 산출한 금액

해당 시·도의 안분액	=	[(지방소비세의 과세표준 × 10%) − (제1항 제3호의 금액 + 제1항 제4호 각 목의 금액의 합)]	×	해당 시·도의 소비지수 × 해당 시·도의 가중치 / 각 시·도별 소비지수와 가중치를 곱한 값의 전국 합계액

② 제1항 제1호에 따른 계산식과 같은 항 제5호에 따른 계산식에서 "소비지수"란 「통계법」 제17조에 따라 통계청에서 확정·발표하는 민간최종소비지출(매년 1월 1일 현재 발표된 것을 말하며, 이하 이 조에서 "민간최종소비지출"이라 한다)을 백분율로 환산한 각 시·도별 지수를 말한다. 〈개정 2014.3.14.〉

③ 제1항 제1호에 따른 계산식과 같은 항 제5호에 따른 계산식에서 "가중치"란 지역 간 재정격차를 해소하기 위하여 소비지수에 적용하는 지역별 가중치로서 「수도권정비계획법」 제2조 제1호에 따른 수도권은 100분의 100을, 수도권 외의 광역시는 100분의 200을, 특별자치시, 수도권 외의 도 및 특별자치도는 100분의 300을 말한다. 〈개정 2014.3.14.〉

④ 시·도의 경계변경이 있거나 시·도의 폐지·설치·분리·병합으로 새로 설치된 시·도가 있는 경우에는 변경구역(관할하는 시·도가 변경된 구역을 말한다. 이하 이 항에서 같다)이 종래 속하였던 시·도와 변경구역이 새로 편입하게 된 시·도의 지방소비세액은 변경구역이 반영된 민간최종소비지출이 확정·발표되는 해까지 제1항부터 제3항까지의 규정에 따라 산출한 해당 시·도의 지방소비세액에서 다음의 계산식에 따라 산출한 변경구역의 지방소비세액을 가감하여 보정한다. 이 경우 기준이 되는 인구는 매년 1월 1일을 기준으로 하여 「주민등록법」에 따른 주민등록표에 따라 조사한 인구통계에 의한다. 〈신설 2012.4.10.〉

$$\text{변경구역의 지방소비세액} = \text{변경구역이 종래 속하였던 시·도의 지방소비세액} \times \frac{\text{변경구역의 인구}}{\text{변경구역이 종래 속하였던 시·도의 전체 인구}}$$

⑤ 제1항 제2호 가목에 따른 계산식에서 "해당 시·도의 취득세 감소분의 보전비율"이란 해당 시·도의 주택 유상거래별 취득세 감소분의 총 합계액이 전국의 주택 유상거래별 취득세 감소분의 총 합계액에서 차지하는 비율을 말한다. 〈신설 2014.3.14.〉

⑥ 제5항에 따른 해당 시·도의 주택 유상거래별 취득세 감소분은 행정안전부령으로 정하는 기간 및 방법 등에 따라 산출한다. 〈신설 2014.3.14.〉

⑦ 행정안전부장관은 매년 제5항 및 제6항에 따른 주택 유상거래별 취득세 감소분의 보전비율을 산출하여 납입관리자에게 통보하여야 한다. 〈신설 2014.3.14.〉

⑧ 교육부장관은 매년 제1항 제2호 라목에 따른 시·도 교육청별 보통교부금 배분비율을 산출하여 납입관리자에게 통보하여야 한다. 〈신설 2014.3.14.〉

제76조(납입관리자의 납입 등) ① 법 제71조 제3항 각 호 외의 부분에서 "대통령령으로 정하는 기간 이내"란 납입관리자가 지방소비세를 납입받은 날부터 5일 이내를 말한다.

② 납입관리자는 법 제71조 제3항 각 호에 따라 지방소비세를 안분하여 납입하는 경우 같은 조 제1항에 따른 징수명세서 및 행정안전부령으로 정하는 안분명세서를 첨부해야 한다.

제77조(지방소비세환급금의 처리) ① 제74조에 따라 특별징수의무자가 징수한 지방소비세액을 국세청장을 통하여 일괄 납입하는 경우 특별징수의무자가 납입관리자에게 납입하여야 할 금액을 초과하여 지방소비세를 환급한 경우에는 국세청장은 초과한 환급금액에 해당하는 금액을 다른 특별징수의무자의 납입금에서 이체(移替)해 줄 수 있다. 이 경우 다른 특별징수의무자의 납입금으로 이체하고도 환급한 금액이 초과할 때에는 그 초과한 금액은 그 다음 달로 이월한다.

② 제1항 후단에도 불구하고 부가가치세 회계연도 마지막 월분에 대해서는 특별징수의무자 또는 국세청장은 납입관리자에게 지방소비세환급금의 부족액에 대한 이체를 신청하여야 한다.

③ 제2항에 따른 이체신청을 받은 납입관리자는 해당 금액을 제75조에 따라 시·도별로 나누어 각 시·도(납입관리자를 포함한다)로부터 환급받아 특별징수의무자가 지정하는 계좌로 이체하여야 한다.

규칙 제33조(특별징수의무자의 납입) 법 제71조 제1항에 따른 지방소비세의 징수명세서는 별지 제34호 서식에 따른다.

제33조의 2(취득세 감소분 산정기간 및 방법 등) ① 영 제75조 제1항 각 호 외의 부분 단서에 따른 사회복지수요 등을 고려하여 취득세의 보전에 충당하는 안분액은 다음 계산식에 따라 산출한다.

해당 특별시·광역시·특별자치시·도 또는 특별자치도(이하 "시·도"라 한다)의 안분액 : {[A×(1-B-C)]-D} × 2/100 × E

A : 지방소비세의 과세표준 × 6%

B : 법 제69조 제2항에 따라 감소되는 지방교부세액의 비율(19.24%)

C : 법 제69조 제2항에 따라 감소되는 지방교육재정교부금액의 비율(20.27%)

D : 법 제69조 제2항에 따라 감소되는 지방교육세{[A × (1-B-C)] ÷11}

E : 매년 1월 1일 현재 「주민등록법」에 따른 인구통계를 기준으로 해당 시·도의 5세 이하의 인구 및 65세 이상의 인구가 전국에서 차지하는 비율

② 영 제75조 제6항에 따른 주택 유상거래별 취득세 감소분을 산출하는 데 필요한 기간 및 방법 등은 별표 3과 같다. [본조신설 2014.3.14.]

제34조(안분기준 통보) ① 행정안전부장관은 영 제75조 제2항에 따른 시·도별 소비지수를 매년 1월 31일까지 별지 제35호 서식에 따라 각 시·도에 통보하여야 한다. 〈개정 2014.3.14.〉

② 행정안전부장관은 영 제75조 제7항에 따라 시·도별 취득세 감소분의 보전비율을 매년 1월 31일까지 별지 제35호의 2 서식에 따라 교육부장관, 각 시·도 및 각 시·도 교육청에 통보하여야

한다. 〈신설 2014.3.14.〉

③ 교육부장관은 영 제75조 제8항에 따라 시·도 교육청별 보통교부금 배분비율을 매년 1월 31일까지 별지 제35호의 3 서식에 따라 행정안전부장관, 각 시·도 및 각 시·도 교육청에 통보하여야 한다. 〈신설 2014.3.14.〉

제35조(납입 통보) 영 제76조 제2항에 따른 지방소비세의 납입 및 안분명세 통보는 별지 제36호 서식에 따른다.

지방소비세 납입절차 및 안분기준 등에 대하여 규정하고 있다. 특별징수의무자(세무서장 및 세관장)은 징수한 지방소비세를 다음 달 20일까지 납입관리자에게 납입하도록 하고 있다. 납입관리자는 납입받은 지방소비세를 납입받은 날로부터 5일 이내에 각 시·도지사에게 납입하여야 한다.

각 시·도별 안분기준을 보면 우선 지방소비세 100분의 11 중 기존의 100분의 5에 대하여는 각 시·도별 민간최종소비지출지수에 가중치를 곱하여 산출하도록 하고 주택유상거래에 대한 취득세율 인하로 인해 감소되는 지방세수 보전을 위한 100분의 6에 해당하는 부분은 별도의 안분기준에 따라 배분한다.

6%분의 안분기준은 다음과 같다. 지방소비세 배분대상 총액을 산출하면 부가가치세 납부세액의 6% 해당분(①)이 되고, 이는 국세청이 납입관리자에게 납입하게 된다. 그에 따라 지방교부세 감소분(②), 지방교육재정교부금 감소분(③), 취득세(지방교육세) 감소분(④), 허수증가분(⑤)으로 각각 구분하여 납입하게 된다. (① = ② + ③ + ④ + ⑤)

지방교부세 감소분은 지방소비세 확대에 따른 지방교부세 총액의 감소효과를 보전하기 위해 그 감소분을 지자체에 배분하게 되는데, ①의 19.24%배에 해당하는 세액을 납입관리자가 시도·시군에 보통교부세 배분비율대로 안분하게 된다.

지방교육재정교부금 감소분은 지방소비세 확대에 따른 지방교육재정교부금 총액의 감소효과를 보전하기 위해 그 감소분을 교육청에 배분하는 것으로 ①의 20.27%배에 해당하는 세액을 납입관리자가 시도의 교육재정교부금 비율로 안분하여 배분한다(이 때 교육부에서 매년 1.31.까지 납입관리자에게 시도별 배분비율을 먼저 통보하여야 한다).

그 다음 취득세(지방교육세 포함) 감소분은 ①에서 지방교부세 감소분과 지방교육재정교부금 감소분을 제외한 세액을 기준으로 시도별 취득세 보전비율에 따라 시도에 납입하게 된다.

마지막으로 "허수증가분"이 발생하는 데 이는 지방교부세·지방교육세 감소분이 지방소비세로 전입함에 따라 취득세율 변경 전에 비해 교육전출금 대상 보통세가 추가로 증가하게 되는데 이를 시도 교육청으로 가는 지방교육재정교부금에서 공제하고 대신 그만큼 시도에 보충하게 된다. 이는 교육청 전출금이 불필요하게 증가함에 따라 세수 중립을 위해 보완된 장치라고 볼 수 있다. 허수증가분은 구체적으로 두 가지 유형이 있다. 먼저 "지방교부세분 감소분"의 경우 해당 시도(시군구 제외)의 지방소비세로 납입되어 교육전출금 모수에 추가로 포함되었기 때문에 허수분을 제거할 필요가 있는데 이는 도별 지방교부세 감소분에 교육전출금 비율을 곱하여 산출한다. 그리고 "지방교육세 감소분"의 경우 제도변경(취득세 유상거래 세율 인하) 전 지방교육세분(취득세의 10%)은 교육전출금 대상 모수에 포함되지 않았으나, 지방소비세로 받아옴에 따라 포함되었기 때문에 허수분을 제거할 필요가 있으므로 도별 지방교육세분(취득세의 10%)에 교육전출금 비율을 곱하여 산출하게 된다.

결과적으로 기관별로 지방소비세 납입금액을 보면 시도의 경우 취득세(지방교육세 포함), 지방교부세(광역분), 허수증가분이 납입되고, 시군의 경우 해당 시군분 지방교부세가, 시도교육청은 교육재정교부금에 허수증가분을 공제한 금액이 납입된다.

2019.1.1. 「재정분권 추진방안」의 일환으로 지방소비세 규모를 현행 부가가치세액의 11%에서 4%를 인상하여 15%로 확대하였고, 2020.1.1. 다시 6%를 추가 인상하여 21%에 이르게 되었다. 인상된 10%에 대해 ① 전환사업 보전(지역상생발전기금을 통해 배분, 3년 정액 운영 후 일몰) 및 ② 기초・교육청 재원변동 보전분은 정액 보전, ③ 나머지는 지역별 소비지출에 가중치(1:2:3)를 적용하는 등 배분 기준을 마련하였다.

제 7 장

지방세법

주민세

제1절 통 칙

제74조(정의)

법 제74조(정의) 주민세에서 사용하는 용어의 뜻은 다음 각 호와 같다.

1. "개인분"이란 지방자치단체에 주소를 둔 개인에 대하여 부과하는 주민세를 말한다.
2. "사업소분"이란 지방자치단체에 소재한 사업소 및 그 연면적을 과세표준으로 하여 부과하는 주민세를 말한다.
3. "종업원분"이란 지방자치단체에 소재한 사업소 종업원의 급여총액을 과세표준으로 하여 부과하는 주민세를 말한다.
4. "사업소"란 인적 및 물적 설비를 갖추고 계속하여 사업 또는 사무가 이루어지는 장소를 말한다.
5. "사업주"란 지방자치단체에 사업소를 둔 자를 말한다.
6. "사업소 연면적"이란 대통령령으로 정하는 사업소용 건축물의 연면적을 말한다.
7. "종업원의 급여총액"이란 사업소의 종업원에게 지급하는 봉급, 임금, 상여금 및 이에 준하는 성질을 가지는 급여로서 대통령령으로 정하는 것을 말한다.
8. "종업원"이란 사업소에 근무하거나 사업소로부터 급여를 지급받는 임직원, 그 밖의 종사자로서 대통령령으로 정하는 사람을 말한다.

영 제78조(사업소용 건축물의 범위) ① 법 제74조 제6호에서 "대통령령으로 정하는 사업소용 건축물의 연면적"이란 다음 각 호의 어느 하나에 해당하는 사업소용 건축물 또는 시설물의 연면적을 말한다. 〈개정 2015.7.24.〉

1. 「건축법」 제2조 제1항 제2호에 따른 건축물(이와 유사한 형태의 건축물을 포함한다. 이하 이 조에서 같다)의 연면적. 다만, 종업원의 보건·후생·교양 등에 직접 사용하는 「영유아보육법」에 따른 직장어린이집, 기숙사, 사택, 구내식당, 의료실, 도서실, 박물관, 과학관, 미술관, 대피시설, 체육관, 도서관, 연수관, 오락실, 휴게실 또는 실제 가동하는 오물처리시설 및 공해방지시설용 건축물, 그 밖에 행정안전부령으로 정하는 건축물의 연면적은 제외한다.
2. 제1호에 따른 건축물 없이 기계장치 또는 저장시설(수조, 저유조, 저장창고 및 저장조 등을 말

한다)만 있는 경우에는 그 수평투영면적

② 제1항에 따른 건축물 또는 시설물을 둘 이상의 사업소가 공동으로 사용하는 경우에는 그 사용면적을 사업소용 건축물의 연면적으로 하되, 사용면적의 구분이 명백하지 아니할 경우에는 전용면적의 비율로 나눈 면적을 사업소용 건축물의 연면적으로 한다.

제78조의 2(종업원의 급여총액 범위) 법 제74조 제7호에서 "대통령령으로 정하는 것"이란 사업주가 그 종업원에게 지급하는 급여로서 「소득세법」 제20조 제1항에 따른 근로소득에 해당하는 급여의 총액을 말한다. 다만, 다음 각 호의 어느 하나에 해당하는 급여는 제외한다. [본조신설 2014.3.14.]

1. 「소득세법」 제12조 제3호에 따른 비과세 대상 급여

1의 2. 「근로기준법」 제74조 제1항에 따른 출산전후휴가를 사용한 종업원이 그 출산전후휴가 기간 동안 받는 급여

2. 「남녀고용평등과 일·가정 양립 지원에 관한 법률」 제19조에 따른 육아휴직(이하 이 조에서 "육아휴직"이라 한다)을 한 종업원이 그 육아휴직 기간 동안 받는 급여

3. 6개월 이상 계속하여 육아휴직을 한 종업원이 직무 복귀 후 1년 동안 받는 급여

제78조의 3(종업원의 범위) ① 법 제74조 제8호에서 "대통령령으로 정하는 사람"이란 제78조의 2에 따른 급여의 지급 여부와 상관없이 사업주 또는 그 위임을 받은 자와의 계약에 따라 해당 사업에 종사하는 사람을 말한다. 다만, 국외근무자는 제외한다.

② 제1항에 따른 계약은 그 명칭·형식 또는 내용과 상관없이 사업주 또는 그 위임을 받은 자와 한 모든 고용계약으로 하고, 현역 복무 등의 사유로 해당 사업소에 일정 기간 사실상 근무하지 아니하더라도 급여를 지급하는 경우에는 종업원으로 본다. [본조신설 2014.3.14.]

규칙 제36조(과세대상에서 제외되는 건축물) 영 제78조 제1항 제1호 단서에서 "행정안전부령으로 정하는 것"이란 다음 각 호의 어느 하나에 해당하는 것을 말한다.

1. 구내 목욕실 및 탈의실 2. 구내이발소 3. 탄약고

주민세는 조세를 통해 주민으로 하여금 지방행정에 대한 참여의식을 고취시키고, 지방재정수요에 부응하기 위해 1973년 보편성 있는 세목으로 신설되었다. 주민세는 그 지역사회의 공동경비를 균등하게 서로 부담하고 그것을 통하여 지방자치의 기반을 확보하고자 하는 성격의 조세이다. 이러한 의미에서 주민세는 주민의 지방자치 참여에 대한 회비적 성격을 가지고 있다고도 볼 수 있다.

주민세는 "균등분"과 "종업원분" 및 "재산분"으로 구분되어 과세되고 있다. 2014.1.1.부터 지방소득세가 국세인 법인세나 소득세의 부가세(Sur-tax)에서 독립세로 전화되면서 지방소득세 종업원분이 주민세의 세원으로 변경되었다.

2010년부터는 사업소세가 모두 주민세의 세원으로 편입되었고, 주민세의 용어 중 "사업소"와 관련한 용어는 지방소득세에서도 사용하고 있다.

2021년부터 주민세 균등분을 개인분으로, 재산분을 사업소분으로 변경하고, 사업소 등에 대하여 부과하던 종전의 균등분의 일부를 사업소분으로 이관하는 등 주민세 과세체계를 개

편하였다.

| 최근 개정법령_2021.1.1. | 납세자 중심의 주민세 과세체계 개편(법 §74~§76, §78~§84, §150~§152)

그동안 주민세는 사실상 5개 세세목의 복잡한 체계로 구성되어 있었다. 형식적으로는 균등분·재산분·종업원분의 3개 세세목이나, 이 중 균등분은 다시 개인, 개인사업자, 법인으로 나뉘어진다. 또한, 균등분과 재산분은 사업자(개인·법인)가 7~8월에 걸쳐 납부하는데 납세자 입장에서는 주민세를 반복적으로 납부한다는 인상을 갖게 하였다. 아울러 주민세 재산분은 사업자가 사업소의 연면적에 따라 납부(250원/㎡)하는데 재산의 소유자가 내는 세금이 아님에도 "재산"이란 명칭을 쓰고 있을 뿐 아니라, 재산세와 명칭이 유사하여 납세자의 혼란을 유발하고 있었다.

그에 따라 사실상 5개로 구성된 현행 세세목을 3개로 대폭 단순화하고, 개별 납세자가 납부해야 할 주민세의 종류를 간소화하였다. 균등분의 명칭을 "개인분"으로 변경하고, 개인사업자·법인분은 폐지하고 해당 세액은 사업소분에 통합하였다.

균등분 (8월)	개인	1만원
	개인사업자	5만원
	법인	5~50만원

⇒

개인분(8월)	개인	1만원
(사업소분에 통합)		

재산분의 명칭을 "사업소분"으로 변경하고, 균등분 축소와 연계하여 사업소분 세율체계를 조정하였다. 모든 사업자가 기본세액(5만원)을 납부하고, 일정 면적(330㎡) 초과의 경우 연면적에 따른 세율체계는 유지하였다(250원/㎡). 법인의 경우는 자본금 규모에 따라 5~20만원 차등(기존 법인균등분 차등세율 단순화)과세하고 일정 면적(330㎡) 초과의 경우 연면적에 따른 세율체계는 유지하였다(250원/㎡).

그리고 제한세율을 탄력세율로 전환하여 자치단체별 세율결정권을 확대하고, 사업소분 납기를 7월에서 8월로 조정하여 주민세 납기를 8월로 통일하였다. 종업원분 주민세는 종전과 동일하다.

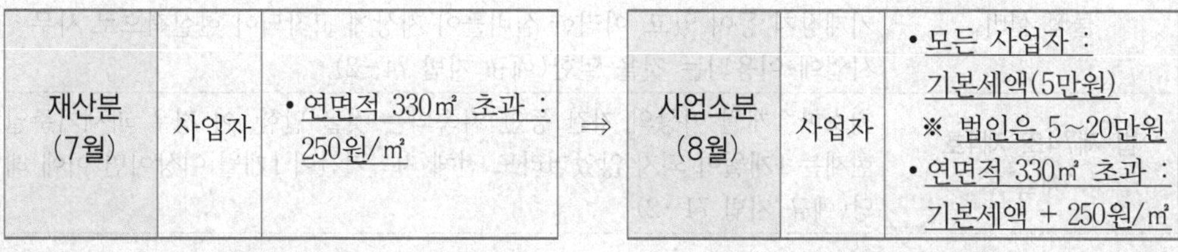

재산분 (7월)	사업자	• 연면적 330㎡ 초과 : 250원/㎡

⇒

사업소분 (8월)	사업자	• 모든 사업자 : 기본세액(5만원) ※ 법인은 5~20만원 • 연면적 330㎡ 초과 : 기본세액 + 250원/㎡

※ 탄력세율 적용(50% 범위)

부과고지 대상이던 기존 개인사업자 균등분·법인균등분이 사업소분으로 통합되며 신고납부로 전환된다. 기존에 사업장 면적이 330제곱미터 초과인 경우는 재산분 주민세를 신고납부 해왔기 때문에 큰 변화가 없을 수 있지만, 그 이하인 경우는 부과고지에서 신고납부전환에 따른 혼란이 있을 수 있다. 이에 대해 납부서 발송 근거 및 납부서상 세액 납부 시 신고 의제 규정을 신설하여 사실상 부과고지 성격을 유지하게 되었다. 또한, 사업소분 가산세 부과에 관한 특례 부칙 규정을 두어, 2022년까지 한시적으로 「지방세기본법」상 가산세를 면제한다.

| 세목 명칭의 변경 |

<table>
<tr><th colspan="2">2009 이전</th><th colspan="2">2010~2013</th><th colspan="2">2014 이후</th><th colspan="2">2021 이후</th></tr>
<tr><td rowspan="2">주민세</td><td>소득할</td><td>소득분</td><td rowspan="2">지방
소득세</td><td>소득분</td><td>지방소득세</td><td>소득분</td><td>지방소득세</td></tr>
<tr><td>균등할</td><td>종업원분</td><td>종업원분</td><td rowspan="3">주민세</td><td>종업원분</td><td rowspan="3">주민세</td></tr>
<tr><td rowspan="2">사업소세</td><td>종업원할</td><td>균등분</td><td rowspan="2">주민세</td><td>균등분</td><td>개인분</td></tr>
<tr><td>재산할</td><td>재산분</td><td>재산분</td><td>사업소분</td></tr>
</table>

◎ '계속해서 사업이나 사무가 이루어지는 장소'의 의미

여기에서 사업소나 사무소라 함은 "인적·물적 설비를 갖추고 계속해서 사업이나 사무가 이루어지는 장소"를 의미한다고 할 것이며 "계속"이라 함은 당해 사업소나 사무소에 근무하는 종업원 등의 소득세할 주민세 특별징수의무가 발생하게 되는 기간 즉 최소한 1개월 이상의 기간을 의미하는 것으로 보아야 함. 따라서 ○○○ 도 ○○ 시에 있는 현장사무소 법인균등할 주민세 납부대상임(세정 13407-543, 1994.8.18.).

| 주민세 관련 용어정의(법 제74조·영 제78조 예규) |

법 제74조 제4호 "인적설비"	「인적설비」란 그 계약형태나 형식에 불구하고 당해 장소에서 그 사업에 종사 또는 근로를 제공하는 자를 말함(예규 지법 74-2).
"물적 설비"	「물적설비」란 허가와 관계없이 현실적으로 사업이 이루어지고 있는 건축물 기계장치 등이 있고, 이러한 설비들이 지상에 고착되어 현실적으로 사무·사업에 이용되는 것을 말함(예규 지법 74-2).
법 제74조 제4호 "계속"	최소한 1개월 이상의 기간 동안 지속되는 것을 말함. 이 경우 과세기준일 현재는 1개월이 되지 않았더라도 전체 지속기간이 1개월 이상이면 이에 해당(예규 지법 74-2)

영 제78조 ① 1호 "연수관"	종업원의 자유의사에 따라 자신의 교양증진 등을 위해 항시 사용할 수 있도록 제공되고 있는 종업원후생복지시설로서의 건축물을 말함. 따라서 업무능력향상이나 업무연찬을 위한 종업원훈련시설인 연수원이나 교육원은 과세대상이 됨(예규 지법 74…78-1).
영 제78조 ① 2호 "기계장치"	동력장치를 부착, 작업하는 도구로써 특정장소에 고착된 것을 말함. 이 경우 그 기계의 작동에 필수적인 부대설비를 포함(예규 지법 74…78-2)
영 제78조 ① 2호 "수조 · 저유조 · 저장조"	밑면과 둘레, 벽면이 하나로 연결된 큰 통으로서 물이나 기름 기타 물체를 보관할 수 있는 설비를 말함(예규 지법 74…78-3).

제75조(납세의무자)

법 제75조(납세의무자) ① 개인분의 납세의무자는 과세기준일 현재 지방자치단체에 주소(외국인의 경우에는 「출입국관리법」에 따른 체류지를 말한다. 이하 이 장에서 같다)를 둔 개인으로 한다. 다만, 다음 각 호의 어느 하나에 해당하는 사람은 제외한다.

1. 「국민기초생활보장법」에 따른 수급자
2. 「민법」에 따른 미성년자(그 미성년자가 성년자와 「주민등록법」상 같은 세대를 구성하고 있는 경우는 제외한다)
3. 「주민등록법」에 따른 세대원 및 이에 준하는 개인으로서 대통령령으로 정하는 사람
4. 「출입국관리법」 제31조에 따른 외국인등록을 한 날부터 1년이 경과되지 아니한 외국인

② 사업소분의 납세의무자는 과세기준일 현재 다음 각 호의 어느 하나에 해당하는 사업주(과세기준일 현재 1년 이상 계속하여 휴업하고 있는 자는 제외한다)로 한다. 다만, 사업소용 건축물의 소유자와 사업주가 다른 경우에는 대통령령으로 정하는 바에 따라 건축물의 소유자에게 제2차 납세의무를 지울 수 있다.

1. 지방자치단체에 대통령령으로 정하는 규모 이상의 사업소를 둔 개인
2. 지방자치단체에 사업소를 둔 법인(법인세의 과세대상이 되는 법인격 없는 사단 · 재단 및 단체를 포함한다. 이하 이 장에서 같다)

③ 종업원분의 납세의무자는 종업원에게 급여를 지급하는 사업주로 한다. 〈신설 2014.1.1.〉

영 제79조(납세의무자 등) ① 법 제75조 제1항 제3호에서 "대통령령으로 정하는 사람"이란 다음 각 호의 어느 하나에 해당하는 사람을 말한다.

1. 납세의무자의 주소지(외국인의 경우에는 「출입국관리법」에 따른 체류지를 말한다)와 체류지가 동일한 외국인으로서 「가족관계의 등록 등에 관한 법률」 제9조에 따른 가족관계등록부 또는 「출입국관리법」 제34조 제1항에 따른 외국인등록표에 따라 가족관계를 확인할 수 있는 사람
2. 납세의무자의 직계비속으로서 「주민등록법」상 단독으로 세대를 구성하고 있는 미혼인 30세 미만의 사람

> ② 법 제75조 제2항 제1호에서 "대통령령으로 정하는 규모 이상의 사업소를 둔 개인"이란 사업소를 둔 개인 중 직전 연도의 「부가가치세법」에 따른 부가가치세 과세표준액(부가가치세 면세사업자의 경우에는 「소득세법」에 따른 총수입금액을 말한다)이 4천800만원 이상인 개인으로서 다음 각 호의 어느 하나에 해당하지 않는 사람을 말한다. 다만, 다음 각 호의 어느 하나에 해당하는 사람으로서 다른 업종의 영업을 겸업하는 사람은 제외한다.
>
> 1. 담배소매인 2. 삭제 〈2015.12.31.〉 3. 삭제 〈2015.12.31.〉 4. 연탄 · 양곡소매인
> 5. 노점상인 6. 「유아교육법」 제2조 제2호에 따른 유치원의 경영자
>
> ③ 세무서장은 제2항에 따라 직전 연도의 부가가치세 과세표준액(부가가치세 면세사업자의 경우에는 「소득세법」에 따른 총수입금액을 말한다)이 4천800만원 이상인 사업자로서 사업소를 둔 개인사업자의 자료를 해당 개인사업자의 사업소 소재지를 관할하는 시장 · 군수 · 구청장에게 통보하여야 한다.
>
> 제80조(건축물 소유자의 제2차 납세의무) ① 법 제75조 제2항 단서에 따라 건축물의 소유자에게 사업소분의 제2차 납세의무를 지울 수 있는 경우는 이미 부과된 재산분을 사업주의 재산으로 징수해도 부족액이 있는 경우로 한정한다.
>
> ② 사업소용 건축물의 소유자가 법 제77조에 따른 비과세대상자인 경우에도 제2차 납세의무를 지울 수 있다.
>
> ③ 제2차 납세의무자인 건축물의 소유자로부터 사업소분을 징수하는 데에 필요한 사항에 관하여는 「지방세징수법」 제15조 및 제32조 제2항 · 제3항을 준용한다.

2020년까지의 주민세 과세체계에 따르면 주민세는 균등분 주민세, 재산분 주민세, 종업원분 주민세로 구분된다. 재산분 주민세와 종업원분 주민세는 과거 재산할 사업소세와 종업원할 사업소세로 구분하여 사업소세라는 이름으로 과세되었던 세목이다. 그리고 균등분 주민세에서 개인사업자 균등분과 법인 균등분의 경우에도 사업소를 그 과세대상으로 하고 있다. 개인 균등분 주민세를 제외하고는 모두 "사업소"(인적 및 물적 설비를 갖추고 계속하여 사업 또는 사무가 이루어지는 장소)라는 과세 요건을 공유하고 있다.

2021년부터는 개인사업자 균등분과 법인균등분이 재산분과 주민세와 합쳐지면서 사업소분 주민세로 재편되었다. 하지만 과세요건(사업소의 개념, 세부담)은 기존의 속성을 유지하고 있다.

한편 법인지방소득세에서 복수의 지자체에 사업장이 있는 경우 사업소가 아닌 사업장에 대해서도 과세한다는 점에서 차이가 있다.

1. 균등분 주민세

지방자치단체에 주소(외국인의 경우에는 「출입국관리법」에 따른 체류지)를 둔 개인은 개인 균등분 주민세 납세의무자이다. 다만, 「주민등록법」에 따른 세대원 및 이에 준하는

개인, 「국민기초생활 보장법」에 따른 수급자, 외국인등록을 한 날부터 과세기준일 현재 1년이 경과되지 아니한 외국인, 「민법」에 따른 미성년자(그 미성년자가 미성년자가 아닌 자와 「주민등록법」상 같은 세대를 구성하고 있는 경우는 제외)는 과세대상에서 제외된다.

개인균등분 주민세 변천 과정을 보면 다음과 같다.

2019.1.1. 개인균등분 주민세 납세의무자를 명확히 하였다(법 제75조 ①, 영 제79조 ①). 개인균등분 과세제외 대상을 '생계를 같이하는 가족'이라는 불분명한 개념 대신, 「주민등록법」에 따른 세대원 및 이에 준하는 개인으로서 대통령령으로 정하는 개인으로 명확히 하고, 외국인(세대주)의 납세의무를 법률에 명시하여, 그동안 불분명한 과세근거를 보완하였다. 그에 따라 시행령에서 개인균등분 주민세 과세제외 대상인 세대원에 준하는 자의 범위로, 외국인의 배우자 및 자녀로서 체류지가 동일한 자, 납세의무자의 직계비속으로서 미혼인 30세 미만인 자를 열거하고 있다.

2020.1.1. 세대원에 준하는 자의 범위를 명확히 하였다(영 제79조). 기존 규정에 의하면 내국인(납세의무자) · 외국인(배우자) 간 국제결혼의 경우, 외국인인 배우자는 '세대원에 준하는 자'에 포함되지 않았다. 왜냐하면 '세대원에 준하는 자'이기 위해서는 납세의무자와 체류지가 동일해야 하나, 내국인인 납세의무자인 경우에는 체류지가 아닌 주소지만 지니고 있기 때문이다. 따라서 납세의무자와 주소지가 동일하고 가족관계등록부 상 가족인 경우에도 주민세 개인균등분 과세에서 제외하게 되었다.

| 최근 개정법령_2020.1.1. | 균등분 주민세 납세의무자 조항 정비(법 §75, §77)

주민세 중 개인균등분의 납세의무자는 지방자치단체에 주소를 둔 개인으로 규정하는 한편, 세대원 및 이에 준하는 자(외국인등록표 상 납세의무자 가족, 30세 미만인 미혼인 자)는 제외하고 있었다. 또한, 기초생활수급자 등 주민세 개인균등분 비과세 대상(기초생활수급자, 1년 미만 체류 외국인, 미성년자)을 별도로 규정하였다. 이로 인해 '납세의무자 제외'와 '비과세'는 모두 납세의무가 성립하지 않는다는 점에서 동일하나, 규정이 나뉘어 있어 납세의무 판단에 혼란이 초래 되었다. 아울러, 현행 비과세 조항은 '주민세 전체'에 대한 경우(국가 등)와 '개인균등분'에 대한 경우(기초생활수급자 등)가 혼재되어 논리적 일관성이 떨어졌다. 따라서 기초생활수급자, 1년 미만 체류 외국인, 미성년자는 비과세 대상에서 삭제하고, 납세의무자 조항에서 제외대상으로 규정하였다. 비과세 조항에서는 타세목과 유사하게 국가 · 지자체 등에 대하여 '주민세 전체'를 비과세한다는 내용만 규정하였다.

2021년부터는 사업자 균등분과 법인 균등분이 사업소분으로 재편되면서 균등분 주민세는 개인 균등분만을 대상으로 한정하게 되었다.

◎ 주민등록법상 신고하는 주소·세대주는 주민세 과세시 가장 객관적인 기준이라 할 것임

주민등록법 제23조 제1항에서는 다른 법률에 특별한 규정이 없으면 주민등록지를 공법 관계에서의 주소로 한다고 규정하고 있고, 주민등록상 주소 및 세대주는 국민생활의 공적(公的)·사적(私的) 사회생활에서 일반적으로 통용되어 사실관계로 객관화되어 있는 점을 고려할 때, 주민등록법에 따라 개인이 신고하는 주소 및 세대주는 과세권자가 주민세를 과세함에 있어 개인의 주소 및 세대주를 판단하는 가장 객관적인 근거로 추론할 수 있음. 따라서 기숙사를 주민등록상 주소지로 신고하고, 2~3년간 장기간 거주하고 있다면, 주민세 과세대상 주소로 보는 것이 타당(지방세운영과-3800, 2012.11.23.)

◎ 가족과 떨어져 일시적으로 취업 등을 위하여 기숙사 등에 거주하고 있다면 주민등록 등재여부에 불구하고 균등할 납세의무는 없음(세정 13407-839, 1995.8.30.).

◎ 별도 세대주가 있는 근로자가 직장생활에 의하여 근로기준법 제100조의 규정에 의한 사업장의 부속 기숙사에 일시적으로 입주하여 세대주와 의식주 등 일상생활을 같이하는 경우에는 과세대상이 아님(시세 22670-2033, 1989.6.12.).

◎ (지침) 외국인 등록을 하고, 국내 체류지를 둔 외국인 근로자나 산업연수생은 주민세 납세의무자. 다만, 기숙사를 국내 체류지로 외국인등록을 한 경우는 주소로 볼 수 없음

"납세의무를 지는 세대주와 생계를 같이하는 가족을 제외"한다라는 규정은 주민등록법상 주민등록표(住民登錄票)를 작성하는 단위인 세대원을 전제로 한 것으로서 개인단위로 외국인등록을 하는 외국인에게는 부가적인 규정으로 사료됨. 다만, 외국인등록을 한 외국인이 가족과 함께 생계를 같이한다면 그 가족은 과세대상에서 제외되어야 할 것임.

• 과세 요령

출입국관리법에 의하여 외국인등록을 하고 과세기준일 현재 생활의 근거가 되는 국내 체류지를 둔 외국인 근로자나 산업연수생은 시·군 내에 주소를 둔 개인(납세의무를 지는 세대주와 생계를 같이하는 가족을 제외한다)으로 간주하여 개인균등할 주민세 납세의무자에 포함. 다만, 직장관계로 회사 기숙사 등을 국내 체류지로 외국인등록을 한 경우에는 그 기숙사 등은 사실상의 개인의 생활 근거지인 주소로 볼 수 없기 때문에 납세의무자로 볼 수 없음(세정과-4829, 2004.12.31.).

2. 사업소분 주민세

1) 舊사업자·법인 균등분 주민세(2021년부터 사업소분으로 통합)

2020년까지 기존 과세체계에 따르면 지방자치단체에 사업소를 둔 개인이나 법인은 균등분 주민세 납세의무자이다. 사업소란 인적설비 및 물적설비를 구비하고 있어야 하는데, 둘

중 하나의 요건이라도 충족하지 않으면 과세대상이 아니다. 한편 법인지방소득세에서 복수의 지자체에 사업장이 있는 경우 해당 지자체별 종업원 수와 건축물 면적을 기준으로 안분하여 과세한다. 이때 인적설비가 없고 물적설비(건축물)가 있는 사업장의 경우 해당 지자체에 대해 법인지방소득세 납세의무가 발생하는 점에서 균등분 주민세와 구분할 필요가 있다. 2021년부터는 사업자균등분 및 법인균등분은 재산분과 합쳐져 사업소분 주민세로 재편되었는데 기존의 사업자균등분 및 법인균등분 주민세의 과세요건이 그대로 적용되어 그에 따라 산출한 세액과 기존의 재산분 주민세에서 산출한 세액이 합산되어 과세된다. 즉 330제곱미터 이하인 경우는 기존의 사업자균등분 및 법인균등분 주민세와 사실상 동일하게 과세된다.

|최근 개정법령_2016.1.1.| 주민세 개인사업자균등분 납세의무자 현실화(영 제79조)

종전 규정에 따르면 주민세 개인사업자균등분은 직전연도 부가가치세 과세표준액이 4천8백만원 이상인 개인에게만 부과하되, 담배소매인, 복권판매인 등 특정 사업자에 대해서는 타 업종을 겸업하는 경우 외에는 매출(소득)과 무관하게 일괄 면제하였다. 그런데 이는 소규모·영세상인 보호를 위해 신설(1984년)되었으나, 사회경제적 환경변화 및 관련기술 발전 등으로 현재의 영업실태가 과거와는 많이 달라졌다. 이에 따라 면제 유지가 필요한 일부 업종 외에는 면제대상에서 제외하였다. 즉 담배·연탄·양곡소매인, 노점상인, 유치원 경영자는 면제 대상으로 유지하고, 복권·우표·수입인지·수입증지·시내버스표 판매인은 면제대상에서 제외하였다. [매출액(소득액) 4천8백만원 미만인 경우는 여전히 면세 유지]

◎ 지입차주는 개인사업장할 주민세 납세의무가 없음

지입차주의 경우 지입회사의 사무실에 사업장등록을 하고 사업을 영위하고 있으나 동 사무실은 지입회사에 귀속된 사업장에 해당한다고 할 것이므로, 개인사업자인 지입차주는 물적설비를 갖추지 아니하고 사업을 영위하는 자에 해당하므로 개인사업장할 주민세에 대한 납세의무가 없음(지방세정팀-4831, 2006.10.4.).

◎ 단위과세사업자의 사업소별 부가가치세 과세표준 4,800만원 이상이면 사업소 단위 과세

균등분(개인사업자) 주민세의 납세의무자를 판단함에 있어 다수의 사업장을 사업자등록 기준에서 하나의 단위로 부가가치세 신고를 한다고 해서 사업장 전체의 부가가치세 과세표준합계가 4,800만원 이상을 의미하는 것이 아니라, 사업소별로 부가가치세 과세표준 합계를 판단하는 것이 바람직. 또한, 개인사업자 균등분 주민세의 납세지는 사업소 소재지가 되는 바, 만약 사업소가 다수의 지자체에 소재한 경우 개인사업자를 기준으로 하나의 납세의무만 성립하게 된다면 납세지를 정할 수 없는 문제가 발생할 수 있음을 감안, 각 사업소별로 개인사업자 균등분 주민세를 부과(지방세운영과-2984, 2013.11.19.)

◎ 아파트 관리사무소는 주민세 과세대상에 "사업소"에 해당됨

해당 사업장의 경우 해당 장소(아파트 관리사무소)에 파견된 직원이 귀사 소속의 직원이라면 귀 사의 "인적설비"에 해당한다고 볼 수 있고, 물적설비가 갖추어졌는지 여부는 해당 사무실 등의 용도, 사업과의 연관성 등을 종합적으로 고려하여 그 설비가 실질적으로 해당 사업에 직접 공여되고 있는지 여부로 판단하여야 할 것인 바, 사무실 · 집기 등 아파트 관리업무에 필요한 설비를 갖추고, 아파트 관리업무에 사용하고 있다면 "물적설비"를 갖추고 있다고 볼 수 있음. 따라서, 해당 사업장이 입주자대표회의로부터 업무지시를 받고, 관리사무에 필요한 제반비용 · 설비를 제공받고 있더라도, 주민세 과세대상 "사업소"로 보는 것이 타당 (지방세운영과-5810, 2011.12.1., 지방세운영과-3111, 2012.10.5.)

◎ 경비용역업체 파견직원이 근무하는 학교는 주민세 과세대상 사업장에 해당

당해 사업장(학교)의 경우 용역업체 직원이 학교에 파견되어, 당직실, 집기, 통신시설 등 경비에 필요한 시설을 학교로부터 제공받고 경비업무를 지속적으로 수행하고 있다면 인적설비 및 물적설비를 구비한 사업소로 볼 수 있으므로 별개의 사업소로 보아 균등분 주민세를 과세하는 것이 타당하다고 사료되며(감심 2005-123, 행심 2001-390 등), 다만, 위탁계약 · 근로계약 내용, 근무형태, 업무범위, 관리감독, 사업장 현황 등이 근무지(사업장)별로 매우 다양할 수 있으므로 과세권자가 개별적 · 구체적 확인 후 판단할 사안임(지방세운영과-5810, 2011.12.21.).

☞ (조심 2012지044, 2012.9.17.) 사례와 비교하여 이해할 것

◎ 경비업체로부터 인력이 파견되어 있는 학교 당직실은 경비업체의 사업소로 볼 수 없음

청구법인이 경비업무를 수행하는 당직실 및 당직실에 설치된 경비시설(CCTV 및 모니터, 책상, 전화 등)은 경비업무를 위탁한 각 학교가 소유하면서 청구법인에게 제공하고 있고 그에 대한 유지 및 관리 책임도 학교에 있다고 보이는 이상 비록 청구법인이 직원 1명 내지 3명을 각 학교에 파견하여 야간 및 휴일 경비업무를 수행하고 있다고 하더라도 각 학교의 당직실을 청구법인이 물적 설비를 갖추고 계속하여 사업을 영위하는 장소에 해당된다고 보기에는 사회통념상 무리가 있다고 할 것임(조심 2012지0444, 2012.9.17.).

◎ 본점을 서울에 두고 아파트공사장에서 도배공사를 수행한 경우 사업소로 보기 어려움

본점을 서울에 두고서 아파트 도배공사를 하도급받아 부산에 거주하는 일용인부를 고용하여 도배공사를 하였을 뿐 공사를 시공함에 있어서 별도의 사업장이나 사무소를 설치하였다거나 사업자등록을 한 사실이 없이 일정기간 동안 공사를 수행한 사실만으로 인적 · 물적설비를 갖추고 계속하여 사업 또는 사무가 이루어지는 사업소 또는 사무소를 설치하였다고 보기는 어려움(행심 2003-111, 2003.5.26.).

◎ 주무관청에 등록한 도서관은 법인균등분 주민세 과세대상

쟁점도서관들은 기증받은 교재를 비치하여 무료로 이를 열람하게 하고 있으며, 도서관별로 수 명의 자원봉사자들이 교대로 상주하여 도서관을 관리·운영하고 있는 것으로 나타남. 영리목적 유무와는 무관하고 쟁점도서관들은 각 소재지에 사업자등록을 하여 상시 인력 및 물적 설비를 갖추고 사무를 계속한 점, 쟁점도서관들은 「국세기본법」 제13조 제1항 제1호에 따라 주무관청에 등록한 단체로서 법인세 과세대상이 되는 '법인으로 보는 단체'에 해당하는 점 등에 비추어 청구인들에게 쟁점도서관들에 대한 법인균등분 주민세 등을 부과한 처분은 정당함(조심 2015지0994, 2015.10.21.).

◎ 쇼핑몰에서 임차한 점포를 제3자에게 전대하였고, 동 점포에서 제3자가 영업활동을 하고 있는 경우라면 전대한 점포는 제3자의 사업에 해당한다고 할 것이므로 법인균등할 주민세 납세의무가 없으며 당해 사업장은 법인세할 안분대상에 포함되지 않음(지방세정팀-307, 2005.4.20.).

◎ 우편취급소가 우표류 및 수입인지의 판매 외에 우체국보험 모집 및 수금 등을 겸업하는 경우에는 지방세법 제173조에 의하여 균등할 주민세 과세대상임(세정과-3201, 2004.9.24.).

◎ 공동사업자가 아닌 2개의 경륜·경정사업을 각각 등록한 별도의 사업자가 하나의 사업장소에서 당해 사업장의 직원 및 시설장비로 장외지점을 요일별로 달리 공동 활용시에 경륜·경정 각각의 사업장으로 판단하여 법인균등할 과세대상이 된다고 사료됨(지방세정담당관-946, 2003.8.26.).

◎ 백화점 내 임차형 매장이 아닌 입점형 매장형태로 직원을 파견하여 판촉활동을 한 것은 별도의 사업장을 개설한 것으로 볼 수 없어 법인균등할주민세의 부과대상 사업소로 볼 수 없음(세정과-1757, 2004.6.28.).

2) 재산분 주민세(2021년부터 사업소분으로 통합)

2020년까지 기존 과세체계에 따르면 매년 7월 1일 현재 지방자치단체에 사업소를 둔 사업주는 재산분 주민세 납세의무자이다. 과세기준일 현재 1년 이상 계속하여 휴업하고 있는 자는 제외된다. 그리고 사업소용 건축물의 소유자와 사업주가 다른 경우에는 건축물의 소유자에게 제2차 납세의무를 지울 수 있다. 이 때 국가나 지방자치단체가 그 소유주인 경우에도 지울 수 있으며 지방세징수법 절차에 따라 과세한다. 2021년부터는 사업소분 주민세로 재편되었다.

| 최근 개정법령_ 2019.1.1. | 재산분 주민세 납세의무자 명확화(법 §75 ②)

종전에는 매년 7월 1일 현재 과세대장에 등재된 사업주를 납세의무자로 규정하였는데, '과세

대장'은 행정기관 내부의 관리자료인데 납세의무자 입장에서는 등재여부가 불명확하므로, 납세의무자를 자치단체에 사업소를 둔 사업주로 명확히 하였다.

| 최근 개정법령_2019.1.1. | 사업소 정의 규정 보완(법 §74)

주민세 균등분재산분 · 종업원분에 적용되는 사업주 정의 규정에서 과세실무상 재산분에만 적용가능한 사업소 '기간요건'(7월 1일 재산분 납세의무 성립일 현재 1년 이상 휴업중인 사업소 제외)을 삭제하였다. 그리고 해당 내용은 재산분 주민세 납세의무 판단시에만 적용할 수 있도록 제75조 제2항으로 이관하였다.

| 최근 개정법령_2020.1.1. | 사업장 내 직장어린이집 주민세 재산분 과표 공제 신설(영 §78)

합숙소, 병기고 등 시대상황에 부합하지 않는 시설을 과세표준 산정 대상에서 삭제하였다. 기존에 '합숙소'로 보고 과표에서 제외했던 시설은 '기숙사'에 포함된다. 그리고 정부의 육아지원 및 출산율 제고 정책을 지원하기 위해 직장 내 어린이집 연면적을 재산분 주민세 과세표준에서 제외하였다.

◎ **양수발전소의 본관과 수로터널을 하나의 단위사업소로 보는 것이 타당**

특정 사업소를 독립된 사업소로 볼 수 있는지 여부는 단위 사업소의 장소적 인접성, 각 설비의 사용관계, 사업 상호간 관련성, 사업 수행방법, 사업조직의 횡적 · 종적 구조, 종업원에 대한 감독구조 등 실질내용에 따라 판단하는 것이 합리적인 바(대법원 2008두10188, 2008.10.9. 참조), △△양수발전소는 본관, 상부댐, 하부댐, 수로터널, 지하발전소, 주변변압기 등이 유기적으로 연결되어 있으므로, 수로터널 입구에서부터 수로터널 · 지하발전소 · 변압기 등이 있는 시설을 지상의 본관과 분리하여 별도의 사업소로 볼 것이 아니라 본관 및 수로터널을 하나의 단위사업소로 보는 것이 타당. 수로터널이 있는 부분을 별도의 사업장으로 볼 여지가 없음. 터널 입구의 경비원이 인적설비에 해당하는지 여부는 판단실익이 없다고 할 것임(지방세운영과-2708, 2012.8.27.).

◎ **수로터널은 재산분 주민세 과세대상(사업소용 건축물의 연면적)이 아님**

양수발전은 상부저수지의 물을 하부저수지로 이동시켜 높은 낙차를 이용하여 발전을 하는 방식으로 이때 물은 수로터널을 통해 이동하며, 수로터널은 수압터널 · 수압철관 · 흡출터널 · 방수터널 · 하부조합수조 · 방수구 등으로 구성되어 있으므로, 양수발전소의 수로터널은 급배수 시설로 보아(행심 2006-454호, 2006.10.30. 참조) 별도의 시설물로 볼 여지는 있으나, 재산분 주민세 과세대상으로서의 건축물에 딸린 시설로 보기는 어렵다고 할 것임. 아울러 재산분 주민세 과세대상인 별도의 시설물로 저장시설을 규정하고 있는 바, 수로터널은 저장시설에도 해당하지 않음. 따라서 수로터널은 재산분 주민세 대상이 아님(지방세운영과-2708, 2012.8.27.).

◎ 대피시설이 주민세 재산분 과세대상에 해당함

시행령 제78조 ① 단서는 사업소용 건축물 중 그 용도 측면에서 종업원의 자유의사에 따라 항시 사용할 수 있도록 제공되고 있어 사업장으로서의 기능이 없는 경우에 한하여 건축물의 해당 부분을 재산분 주민세 과세대상에서 제외하겠다는 것이므로 대피시설이라 하더라도 종업원의 보건·후생·교양 등의 용도가 아니라 일반인을 대상으로 하는 시설이면 과세대상이라고 할 것이고, 종업원을 위한 대피시설이라고 하더라도 그 용도에 전용되지 아니하고 평상시에는 사업장으로 이용되다가 재난 등 비상사태시 대피시설로 활용되는 경우라면 재산분 주민세 과세대상에 포함됨(지방세운영과-2317, 2012.7.20.).

◎ 지하철 역사는 재산분 주민세 과세대상. 다만 궤도 등 토목구조물의 일부는 제외

선로시설, 승강장, 대합실, 통로, 외부DECK, 출입구, 계단, 역무원 등 관리사무실, 차량기지 등 지원시설 및 매점 등 역사가 지붕과 벽 또는 기둥 등 건축물의 구조형태를 갖추었거나 그에 딸린 시설물이라면 재산분 주민세 과세대상이 되는 "건축물"에 해당된다고 판단됨. 다만, 선로시설 중 역사 외 철도차량을 운행하기 위한 궤도와 이를 받치는 노반이 단순히 통과하는 교량 및 터널이라면 이는 토목구조물의 일부에 해당하므로 재산분 주민세 과세대상이 되는 "건축물"로 볼 수 없다고 사료됨(지방세운영과-2306, 2012.7.19.).

◎ 실외 골프연습장 내 그물망으로 둘러싸인 철골조 면적은 재산분 주민세의 과세대상이 아님

건축법 제83조 … 대통령령으로 정하는 공작물을 축조하려는 자는 시장·군수에게 신고하도록 하면서 동시행령 제118조 ① 7호에서 높이 6미터를 넘는 골프연습장 등의 운동시설을 위한 철탑, 주거지역·상업지역에 설치하는 통신용 철탑, 그 밖에 이와 비슷한 것을 공작물로 규정하고 있음. 따라서, 건축법 시행령 제118조 ① 7호에 의거 건축물과 분리하여 골프연습장의 운동시설을 위한 철탑을 축조하였다면 실외골프연습장 내 그물망으로 둘러싸인 철골조 면적은 건축법상 공작물 중 지붕과 기둥 또는 벽이 있는 시설물에 해당하지 아니하므로 재산분 주민세 과세대상이 아님(지방세운영과-3050, 2010.7.15.).

◎ 태양광 발전소의 어레이는 재산할 사업소세 과세대상인 「기계장치」가 아님

"물적 설비"란 허가와 관계없이 현실적으로 사업이 이루어지고 있는 건축물, 기계장치 등이 있고 이러한 설비들이 지상에 고착되어 현실적으로 사무·사업에 이용되는 것을 말하며 또한 "기계장치"는 동력을 움직여서 일정한 일을 하게 만든 도구로서 일정한 장소에 고정된 것을 뜻한다(대법원 2000두1744, 2001.12.24.)고 규정하였고, 시행령 제202조 제2호에서는 건축물이 없이 기계장치 또는 저장시설(수조, 저유조, 사일로, 저장조를 말한다)만 있는 경우에는 그 시설물은 과세대상으로 규정하고 있어, 시설물 중 저장시설을 제외한 각종 구축물은 과세대상이 될 수 없다 할 것임. 따라서, 태양광발전소의 어레이가 동력장치 없이 단순 구축

물일 경우 과세대상이 될 수 없음(지방세분석과-829, 2009.3.4.).

◎ **변전소 옥외 기계장치의 수평투영면적 산정시 외곽선으로 둘러싸인 부분이 과세대상 면적**

변전소 옥외 기계장치는 변전소에서 생산한 전력을 송전선로를 통하여 수요자에게 보내는 과정에서 필요한 시설물로서 철구조물 및 선로로 구성되어 있었는 바, 철구조물은 안정적인 전력공급에 필요한 송전선로를 설치하기 위한 지지대로서 일정한 공간이 반드시 필요하고, 철구조물간의 공간은 고유목적 사업을 영위하기 위한 필수적인 부대설비 공간으로 타 용도로 사용할 수 없는 배타적·독점적 공간이며, 시설물의 유지보수를 위해 필요한 최소한의 공간인 점 등을 고려할 때, 변전소 옥외 기계장치에 대하여 수평투영면적 산정시 외곽선으로 둘러싸인 부분이 사업소세 과세면적이 됨(시군세과-763, 2008.5.13.).

◎ **아파트 경비업무에 사용하는 경비실을 용역회사의 사업소로 보아 균등분 주민세를 부과**

(사실관계) 청구법인(용역회사)과 아파트의 입주자대표회의가 경비용역계약을 체결하고 경비원을 파견, 청구법인은 입주자대표회의로부터 경비실 및 관련 집기 등을 무상으로 제공받아 아파트 경비 업무 수행, 청구법인은 아파트에 사업자등록을 한 사실은 없음.

(결정) '인적설비'는 그 계약형태나 형식에 불구하고 당해 장소에서 그 사업에 종사 또는 근로를 제공하는 자를 말하는 것이고, '물적설비'는 허가와 관계없이 현실적으로 사업이 이루어지고 있는 건축물 등을 말한다고 규정하고 있는 점, 아파트 경비에 필요한 경비실 등 물적설비는 그 사용자인 청구법인의 소유가 아니더라도 청구법인의 물적설비로 보는 것이 타당하다고 보이는 점, 아파트의 경비원은 청구법인의 인적설비이며, 경비실 등은 청구법인의 물적설비로서 전체적으로 사업소에 해당된다고 볼 수 있는 점 등에 비추어 처분청이 이 건 아파트를 청구법인의 사업소로 보아 청구법인에게 이 건 주민세 등을 부과한 처분은 달리 잘못이 없음(조심 2016지1039, 2016.11.18.).

☞ 종업원분 주민세 사례(조심 2016지0659, 2016.9.9.)와 연계하여 확인해 볼 것

3. 종업원분 주민세

종업원분 주민세는 지방자치단체의 환경개선 및 정비에 필요한 비용에 충당하기 위하여 시·군이 사업소를 경영하는 자에게 종업원의 급여총액을 기준으로 부과하는 보통세이다.[65] 종업원분 주민세는 매월 말일 현재의 사업소 소재지를 관할하는 시·군에서 사업소별로 각각 부과한다. 여기서 사업소라 함은 인적 및 물적 설비를 갖추고 계속하여 사업 또는 사무가 이루어지는 장소를 말한다.

종업원분 주민세는 일정 규모 이상의 사업소에 대해 과세하기 때문에 사업소의 단위를

65) 당초 사업소세는 목적세였으나 2011년 지방세 세목체계 개선으로 보통세로 구분되었다.

어디까지 볼 것인지가 중요한 쟁점이 된다. 동일 건물 내 또는 인접한 장소에 동일 사업주에 속하기는 하나 그 기능과 조직을 달리하는 2개 이상의 사업장이 있는 경우 그 각각의 사업장을 별개의 사업소로 볼 것인지의 여부는 그 각 사업장의 인적·물적 설비에 독립성이 인정되어 각기 별개의 사업소로 볼 수 있을 정도로 사업 또는 사무 부문이 독립되어 있는지 여부에 따라 판단하여야 한다(대법원 2008두10188, 2008.10.9.).

| 최근 개정법령_2020.1.1. | 육아휴직자 급여 등을 종업원분 주민세 과표에서 제외(영 §78의 2)

육아휴직자가 휴직기간 동안 받는 급여를 주민세 종업원분 과세표준에서 제외하고, 6개월 이상 육아휴직을 한 자에 대해서는 복직 후 1년 간 받는 급여도 과세표준에서 제외토록 하였다. 직장 내에 6개월 이상 장기간 육아휴직을 사용하는 분위기를 조성하고, 휴직 후 직장 복귀 활성화 등 경력단절 방지에 기여하기 위한 취지이다.

| 최근 개정법령_2021.1.1. | 종업원분 과세표준에서 출산휴가자 급여 제외(영 §78의 2)

종업원이 「근로기준법」 상 출산전후휴가 기간 동안 받는 급여를 "급여총액"의 개념에서 제외함으로써, 과세표준에서 공제토록 하였다. 한편 기타 배우자 출산휴가, 유산·사산휴가 등은 법정 휴가기간이 짧거나 정해져 있지 않은 점 등을 고려, 주민세 제도의 안정적 운영을 위해 공제대상에 해당하지 않는다.

◎ "종업원"에 해당하는 지 여부는 계약의 성격 및 내용, 실제 업무의 내용 및 업무수행과정에 있어서 사용자의 구체적이고 개별적인 지휘 및 감독을 받는지, 사용자에 의하여 근무시간 및 장소가 정해지는지 등 실질적인 사용·종속관계가 존재하는지 여부를 종합적으로 판단(대법원 2009누2475, 2010.6.25.)

◎ **아이돌봄 서비스제공기관과 활동계약을 한 아이돌보미가 "종업원"에 해당**

"아이돌보미"는 서비스제공기관과 아이돌봄서비스 기간 및 내용, 수당 등을 정한 활동계약서를 체결하고, 일정 시급기준에 따른 수당을 지급받으며, 서비스제공기관으로부터 근로시간·장소 등을 배정받고 배정받은 시간·장소 등에 대해 임의로 대체할 수 없고, 근무상황 보고 및 활동일지 제출 등 서비스제공기관의 지휘·감독을 받아야 하는 점, 근로기준법상의 근로자에 해당(고용노동부 근로개선정책과-3596, 2013.6.19.)하는 점 등을 고려할 때 법 제74조 제8호의 "종업원"에 해당(행자부 지방세운영과-1536, 2014.5.8.)

◎ **건설법인이 대단위 개발사업을 추진하면서 공사진행에 따라 블록별 현장사무소를 설치하고 회계처리는 본사에서 블록별로 처리하는 경우 개별 현장사무소를 하나의 사업소로 봄**

사업계획에 따라 순차적으로 블록단위별 현장사무소를 설치하고 운영하였으나, 이는 수년간에 걸쳐 시행되는 대단위 공사의 효율적인 업무관리를 위한 조직 세분화로 보여 지는 점,

블록단위별 현장사무소 회계처리는 본사에서 처리하는 점, 단순히 형식적으로 나타나는 사업장의 외관보다는 지방소득세의 목적, 장소적 인접성과 각 설비의 사용관계, 사업조직의 횡적·종적 구조와 종업원에 대한 감독 구조 등 실질 내용에 관한 제반 사정을 종합하여 살펴볼 때, 1구내에 각각 설치되어있는 현장사무소를 하나의 사업소로 봄이 타당함(지방세운영과-3178, 2013.12.3.).

◎ **동일법인의 2개 이상의 사업부가 같은 건물에 있는 경우 하나의 사업소로 본 사례**

각 부서가 각각 사업자등록을 달리하고, 수행업무, 회계, 채용, 인사 등을 독립적으로 수행하고 있다고는 하나, 당해 법인의 각 사업부는 법인소유의 건물에서 임차료 등 별도의 비용없이 영업하고 있으며, 동일한 설립목적을 실현하기 위해 상호 유기적인 관련성을 가지고 있다는 점, 각 사업부서 종업원도 법인과 고용계약을 체결하고 업무수행에 있어서도 조직이 기능별로 구분되어 있을 뿐 동일한 사업 목적을 수행하고 있는 점 등을 고려할 때, 하나의 사업소로 봄이 타당(지방세운영과-145, 2013.1.14.)

◎ **지역본부·지점·서비스센타가 동일 건물에 위치하고 있는 경우 하나의 사업소라는 사례**

지역본부, 직영지점(승용차, 법인택시, 상용차), 서비스센타 등이 동일 건물에 위치하고 있으며, 각 업무는 상호 독립된 별개의 업무로 보기보다는 승용차 판매를 위해 상호 유기적인 관련성을 가지고 있다 할 것임. 또한 각 지점별로 사업자등록을 한 다음 독립된 인사발령 및 별도의 회계처리를 수행하고 있다고 하나, 당해 종업원은 동일한 건물 내에서 근무를 하고 있고, 업무수행에 있어서도 조직이 기능별로 구분되어 있을 뿐 자동차 판매라는 동일한 사업 목적을 수행하고 있는 점으로 볼 때, 별도의 독립된 사업소라기보다는 효율적인 업무관리를 위해 동일건물에 있다 할 것이므로 하나의 사업소로 봄이 타당(지방세운영과-5305, 2010.11.9.)

◎ **지역본부, 지점, 서비스센타 등이 동일 건물에 위치하고 있으며, 자동차 판매라는 동일한 사업 목적을 수행하고 있어 하나의 사업소로 본 사례(종업원할 사업소세)**

지역본부, 지점, 서비스센타 등이 동일 건물에 위치하고 있으며, 동일건물에 위치하고 있는 지역본부, 직영지점(승용차, 법인택시, 상용차), 서비스센타의 각 업무는 상호 독립된 별개의 업무로 보기 보다는 승용차 판매를 위해 상호 유기적인 관련성을 가지고 있다고 보는 것이 타당. 각 지점별로 사업자등록을 한 다음 독립된 인사발령 및 별도의 회계처리를 수행하고 있다고 하나, 당해 종업원은 동일한 건물 내에서 근무를 하고 있고, 업무수행에 있어서도 조직이 기능별로 구분되어 있을 뿐 자동차 판매라는 동일한 사업 목적을 수행하고 있는 점으로 볼 때, 동일한 건물 내에 위치한 각각의 사업장은 별도의 독립된 사업소라기보다는 효율적인 업무관리를 위해 동일건물에 있다 할 것이므로 하나의 사업소로 봄이 타당(지방세운영과-

5305, 2010.11.9.)

☞ 동일 건물에 있는 각각의 사업장을 독립된 사업소로 볼 수 있는지 여부는 단위사업소의 장소적 인접성, 각 설비의 사용관계, 사업상호간 관련성, 사업수행방법, 사업조직의 횡적·종적 구조, 종업원에 대한 감독구조 등 실질내용에 따라 판단하는 것이 타당(대법원 2008두10188)

◎ 본점과 동일 건물 내에 있는 은행의 각 사업장들을 하나의 영업소로 볼 수 있다는 사례

이 사건 각 사업장 소속 종업원들은 동일 건물 내에 위치한 체력단련실, 식당 등을 건물 내 다른 종업원들과 공동으로 이용하고 있고 … 직속된 조직은 본사 그룹이 직접 그 통합관리를 담당하게 됨에 따라 원고의 일반적인 영업점에 비추어 그 독립성이 확연히 떨어지는 점 … 은행업 등과 같은 원고의 설립목적을 실현하기 위하여 상호 유기적인 협력관계에 있는 업무를 수행하는 것으로 볼 여지가 큼 … 이 사건 각 사업장 소속 종업원들은 본사 인력지원부에 의해 채용되어 해당 사업부문에 배치되고 있고 해당 사업부문에서 다른 사업부문으로 이동하는 것에 별다른 제약도 없어 보이는데, 이러한 이 사건 각 사업장 소속 종업원들이 원고의 다른 종업원들과 동일한 건물에서 함께 근무하고 있으므로, 사업장별 업무의 기능이 다소 상이하다는 점만을 내세워 기능별로 별개의 사업소가 있다고 단정할 수 없음(대법원 2016두53593, 2018.4.26.).

※ 보험회사 관련 유사사례 참고(대법원 2016두53562, 2018.4.26.)

※ 백화점, 아울렛, 마트 또는 시네마 등의 사업을 하면서 두 개 이상의 사업을 같은 건물 내의 서로 다른 층 혹은 다른 구역에 설치하여 운영하는 사례 참고(대법원 2016두58765, 2018.4.26.)

◎ 제1공장과 제2공장이 설비를 따로 사용하여 각기 다른 제품을 생산하고, 각기 다른 사업자등록번호를 사용하며, 독립된 회계처리 및 인사운영을 하는 등 인적·물적 설비에 완전한 독립성이 인정된다면 각기 별개의 사업소로 보아야 한다고 판단되나, 이에 해당하는지 여부는 과세권자가 최종 판단할 사항(지방세운영과-1700, 2012.6.1.)

◎ 태릉체력단련장의 주민세와 사업소세의 납세의무는 국가가 아닌 군인공제회에 있음

국가소유인 태릉체력단련장을 귀회(군인공제회)에서 국방부와 관리운영대행 약정을 체결하고 관리운영을 대행함에 있어, 사업에 관한 예산편성·집행 과정상 국가(국방부, 기획예산처, 국회)의 승인절차를 거치고 동 시설에서 발생한 수익금의 운영주체가 국가인 경우, 국방부와 태릉체력단련장 관리운영에 관한 약정을 체결하고 동 계약서 제4조(체력단련장, 골프연습장, 부속식당·티하우스 등)에서 정하고 있는 사업에 관하여 일체를 위탁받아 귀회의 책임하에 운영하고 있는 경우라면 계약서 제4조에서 규정하고 있는 사업과 관련된 사업소에 대한 주민세 및 사업소세 납세의무는 귀회에 있음(지방세정팀-40, 2005.12.13.).

◎ 갑종근로소득세 외에 종업원할 사업소세를 부과하더라도 이중과세로 볼 수 없음

갑종근로소득세는 근로자가 노무제공의 대가로 받는 소득금액을 기준으로 국가가 근로자에

게 부과하는 세금이고, 종업원할 사업소세는 산업의 발전과 사회의 다원화 등에 따른 필요에 부응하기 위한 환경개선과 정비에 필요한 비용에 충당하기 위하여 시·군이 사업소를 경영하는 자에게 종업원의 급여총액을 기준으로 부과하는 목적세로 그 부과주체와 대상이 다르므로, 이를 이중과세에 해당한다고 할 수는 없음(부산고법 2002누4945, 2003.3.28.).

◎ **원고소속 위탁원의 위탁경위, 위탁계약기간, 업무수행방법, 수수료 등의 지급체계 등을 고려할 때 위탁원이 원고의 종업원임을 전제로 종업원할 사업소세 부과는 위법**

금융기관이 없는 산간 및 도서오지지역에 대한 수금, 검침, 송달 등의 업무와 오지지역에 대한 장표운반 업무는 위탁원을 위촉하여 그로 하여금 수행하도록 함. 위탁원은 1차 및 2차 사업소장이 위촉하고 그 계약기간은 3년, 위탁원은 사업소별로 도서오지지역의 거주민 중에서 위촉되고, 그들에 대하여 사업소별로 인원관리상 필요한 범위 내의 교육 등 감독을 하고 있으나, 그 외의 근로제공시간이나 장소에 관하여 구체적인 지시감독을 하지 않고 있으며, 위탁원은 다른 직업을 영위하면서 위탁원 업무를 수행하여 그 실적에 따라 원고로부터 수수료 등을 지급받고 있는 사실, 원고는 위탁원에게 지급하는 수수료에 관하여 자유직업소득으로서 소득세를 원천징수하고 있는 사실 등 … 위탁원은 원고와 종속적 노동관계에 있는 종업원으로 보기 어려움(대법원 1998두4047, 1998.5.22.).

◎ **청구법인이 파견한 경비원이 경비업무를 수행하는 아파트를 사업소로 보아 종업원분 부과**

(사실관계) 82명으로 경비용역계약이 되어 있고, 청구법인이 매달 80여명에게 급여지급

(판단) 과세요건상 물적설비 제공 주체를 사업주로 한정하고 있지 아니한 점, 청구법인으로부터 파견된 경비원들이 독립된 장소인 이 건 아파트의 초소 등에서 계속하여 경비용역업무를 수행하였음이 급여대장 등에서 확인되는 점, 청구법인이 이 건 아파트의 경비초소가 물적설비를 갖춘 사업소에 해당하지 않는다는 신빙성 있는 자료 등을 제출하지 않고 있는 점 등에 비추어 처분청이 청구법인을 이 건 아파트 내에 사업소를 두어 종업원에게 급여를 지급하는 사업주에 해당하는 것으로 보아 청구법인에게 종업원분을 부과한 처분은 정당함(조심 2016지0659, 2016.9.9.).

◎ **아파트단지의 경우 용역업체(청소)의 주민세 종업원분 부과대상 사업소로 볼 수는 없음**

사업장(아파트)의 경우, 아파트단지는 청소인원의 근무현장에 해당할 뿐 달리 용역업체의 사업소로 볼 만한 근거가 없고, 용역업체에서 파견한 청소인원이 옷을 갈아입기 위해 사용하는 휴게실이나 청소도구 보관 장소 등도 아파트관리사무소가 소유하면서 그 유지·관리책임을 지고 있는 점 등을 고려할 때, 별도의 독립된 물적설비를 갖추고 계속하여 사업·사무를 하는 장소로 보기에는 무리가 있음(지방세운영과-3187, 2015.10.13.).

☞ 동 용역업체와 청소인원 간 체결된 근로계약서 등에 따르면 용역업체가 해당 인원에 대해 직접 근로계약을 체결하고 급여·4대보험 지급 및 소득세 원천징수 등 모든 회계업무를 주관하

고 있고, 출퇴근 관리 및 주기적 교육 실시 등 해당 인원에 대해 실질적인 근로감독관계에 있는 것으로 판단됨. 따라서, 해당 사업장(아파트)이 별도의 사업소 요건을 갖추지 못한 경우에 해당한다고 볼 때, 동 용역업체에 의해 채용된 청소인원은 용역업체와의 계약에 따라 해당 사업에 종사하는 사람으로서 급여를 지급받는 종업원에 해당하므로, 청소인원에 대한 근무지 귀속은 근로감독관계에 있는 장소인 용역업체로 보아 종업원분 주민세 과세 여부를 판단하여야 할 것임.

◎ 각 판매장에 파견된 판촉사원의 근무지 귀속은 본사로 보는 것이 타당

청구법인에 의해 채용된 판촉사원은 매장별로 1명(최대 2명)이 파견되어 단순 판촉활동을 하는 것으로 확인되며, 판촉서비스 계약서에 따르면 청구법인은 판촉사원에 관한 근로관계 일체의 책임을 지며, 판촉사원들의 업무상 지휘·명령 및 관리책임을 위해 청구법인 본사 직원을 그 관리책임자로 지정하고 있고, 판촉사원들의 급여와 보상 등에 관하여 청구법인의 고용정책에 따라 급여에 관한 신고 및 지급업무를 청구법인의 본사에서 총괄하여 수행하고 있음 … 청구법인의 판촉사원이 파견된 각 판매장은 사업이 수행되는 별도의 독립된 장소를 갖추지 못하였으므로 인적 및 물적설비가 구비된 '사업소'로 볼 수 없고, 청구법인에 의해 채용된 각 판촉장의 판촉사원은 청구법인과의 계약에 따라 해당 사업에 종사하는 사람으로서 청구법인으로부터 급여를 지급받는 '종업원'에 해당하여 해당 사업장에 근무하고 있는 종업원에 대한 근무지 귀속은 근로감독관계에 있는 장소인 본사로 보는 것이 타당(감심-450, 2015.9.15.)

◎ 주민세 종업원분 과세표준 관련

종업원이 「남녀고용평등과 일·가정 양립 지원에 관한 법률」 제19조에 따른 육아휴직기간이 종료된 후 직무 복귀를 하지 않고 자체 규정에 의한 휴직기간이 종료된 후에 복귀하였다면 그날이 직무 복귀일인 것으로 판단됨(지방세정책과-1764, 2020.4.23.).

4. 위탁에 따른 납세의무

◎ 위탁사업장 주민세(재산분) 납세의무자는 실질적 사업주에게 있음

"사업 또는 사무"란 해당 사업의 일체에 대하여 사업주의 책임 하에 운영하는 것을 말하는 것이며, 납세의무는 해당 사업소의 물적 설비에 대한 소유권을 가지고 있는지 여부와 관계없이 실제 사업소의 운영에 대하여 책임을 지고 있는 사업주에게 있음(지방세운영과-768, 2014.3.5.).

◎ 경기도 소유의 재산에서 장비를 의료법인에 위탁하여 경기도 노인전문 ○○병원을 운영하는 경우 재산분 주민세 비과세 대상에 해당되지 아니하고 의료재단이 납세의무자

병원운영에 따른 이익금은 병원의 운영 및 시설에 재투자하여야 하고, 입원 환자 중 의료급여환자 30% 이상을 의무적으로 입원시켜야 하며, 매년 사업계획서, 회계결산보고서를 제출

하고, 병원운영과 전반에 대한 감독 · 평가를 받고 있어 경기도의 통제하에 있더라도 …, 이익금을 병원에 재투자하는 등 회계처리의 주체는 의료재단이고, 의료급여환자 입원 등의 사항은 위수탁계약에 있어서 위탁자와 수탁자 간의 이행의무에 관한 사항일 뿐이며, 매년 사업계획서 등을 제출한다는 사실만으로 쟁점사업소 운영에 관한 주요의사결정권한이 경기도에 있다고 보기는 무리가 있으므로 위탁자인 경기도를 사업주로 보기 어려움(지방세운영과-2604, 2013.10.13.).

◎ **도립노인전문요양병원은 위탁자인 지자체의 사업소로 보아 비과세 대상이라는 사례**

경상북도와 도립안동노인전문요양병원의 위탁운영에 관한 계약을 체결하고서 병원을 수탁관리 · 운영을 하고 있으나, 병원의 운영으로 발생한 수익금은 병원운영비나 공공의료시설 설치에 재투자하고 있고, 국가 또는 지방자치단체가 직접 운영할 노인치매 · 중풍 등 요양환자에 대하여 사회적 공익 등을 목적으로 위탁운영하고 있으며, 병원 위탁운영에 관한 계약서에 의하면 병원운영 관련 관리감독 등 일체의 행위를 경상북도로부터 통제받고 있는 등 사업소 운영과 관련된 기본적 의사결정을 위탁자가 행사하는 등을 고려할 때 위 요양병원은 위탁자인 경상북도의 사업소임(지방세정팀-2244, 2006.6.5.).

※ 지자체와 위수탁계약에 따라 운영하는 사업장에 대해 위 유권해석과 달리 과세대상이라는 사례가 다수 있음을 유의

◎ **사업소를 실질적으로 지배하여 관리 · 운영하는 주체가 재산분주민세 납세의무자**

사업소는 사업 또는 사무를 수행하기 위하여 설치한 인적 및 물적 설비로서 계속하여 사업 또는 사무가 이루어지는 장소적 의미를 가지는 것이지 사업소 내의 물적 설비에 대한 소유권이 사업주에게 있는지 여부는 관계가 없다고 할 수 있는 점 등에 비추어 보면, 비록 그 소유권이 처분청에 있고, 운영 수익금의 일부가 위탁자인 처분청에 귀속되고 있다 하더라도 청구법인의 책임 아래 사업을 운영하고 있는 이상, 쟁점사업소를 실질적으로 지배하여 관리 · 운영하는 주체는 청구법인임(조심 2012지0551, 2012.12.20.).

◎ **지자체로부터 위탁받은 사업장을 운영하는 사업주에게 재산분 주민세 납세의무가 있음**

사업소세 납세의무자는 사업장에 대한 소유권을 가지고 있는지 여부와 관계없이 실제 당해 사업소를 운영하는 사업주에게 있다 할 것인 바, 구례군수와 체결한 이 사건 사업장 운영에 대한 위 · 수탁 계약서를 보면 청구인은 이 사건 사업장을 운영하면서 발생하는 각종 사고에 대한 민 · 형사상 책임을 질 뿐만 아니라 운영에 따른 관리운영비, 인건비 등의 일체의 비용을 부담하고 수탁재산 운영에 따른 수입금은 청구인에게 귀속되고, 매년 7~10명의 종업원을 고용하여, 매년 2억~4억 여원의 수련관이용료를 징수하는 등 수익사업을 운영한 사실 …, 이 사건 사업장을 운영하는 사업주에 해당되어 재산할 사업소세 납세의무가 있음(심사 2007-325, 2007.4.12.).

◎ 위탁계약에 의하여 수탁자가 사업장 운영을 행하고 있는 위탁사업장에 대한 재산할 및 종업원할 사업소세(현 주민세 재산분 및 지방소득세 종업원분) 납세의무자는 수탁자임(법제처 법령해석 06-0287, 2006.11.3.).

◎ 비록 쟁점 사업장의 소유권이 국방부에 있고, 그 수익금 또한 최종적으로 위탁자인 국방부에게 귀속되고 있다 하더라도, 해당 관리가 관리사무소 책임아래 사업을 운영하고 있는 이상, 사업소세 납세의무가 있음(행심 2006-1089, 2006.11.27.).

◎ **인적·물적설비를 갖추고 사업을 계속하고 있는 위탁사업장은 법인 균등할 주민세 대상**
해당 사업장에 파견된 아파트 관리업체 인력이 입주자 대표회장으로부터 업무에 필요한 사무공간 및 설비 등을 제공받아 사무를 수행하고 있다면, 해당 장소는 현실적으로 사업이 이루어지고 있는 물적설비라고 보아야 하며, 사업장의 자가소유 또는 임대 여부는 "물적설비" 판단에 있어 직접적인 판단 기준은 아니라 할 것임. 따라서 위탁사업장이라도 인적설비 및 물적설비를 갖추고 사업을 계속하고 있다면 해당 법인은 법인균등할 주민세 과세대상이라 할 것인 바, 이는 근로계약 내용, 근무형태, 업무범위, 관리감독, 사업장 현황 및 용도 등을 확인한 후 판단할 사안임(지방세운영과-4124, 2012.12.25.).

◎ 학교법인이 지자체와 위·수탁계약을 체결하여 사업소를 운영하는 경우 주민세 재산분 납세의무자에 해당(지방세운영과-1984, 2016.7.28.)

5. 사업소의 판단

균등분에 대한 납세의무자는 지방자치단체에 사업소를 둔 법인과 일정한 규모 이상의 사업소를 둔 개인이고, 재산분과 종업원분의 납세의무자는 사업주인데 여기서 사업주란 사업소를 둔 자를 의미한다. 즉 주민세의 세부 세목 모두(주소지 균등분 제외) '사업소'를 과세대상으로 하고 있으며, "사업소"란 인적 및 물적 설비를 갖추고 계속하여 사업 또는 사무가 이루어지는 장소로 정의하고 있다(법 제74조 4호).

주민세 중 균등분 주민세(개인사업장 및 법인)는 사업소를 과세대상으로 하고, 사업소는 과세단위가 된다. 과세단위는 누진세율이 적용되는 경우 세부담에 영향을 미치는 중요한 요인이 된다. 그런데 누진세율체계가 아닌 종업원분 주민세에 있어서도 전체 종업원의 급여총액 합계액이 135백만원(2019년까지) 여부에 따라 과세여부가 달라지기 때문에 과세단위는 중요한 요건이 된다.

균등분 주민세의 경우 동일 자치구 내에 독립된 사업소로 볼 수 있는 즉 복수의 과세단위가 있는 경우 각각에 대해 납세의무가 발생한다. 재산분 주민세의 경우 과세기준 면적(300

제곱미터)을 한정하고 있으므로 과세단위에 대한 판단이 필요하다. 그리고 종업원분 주민세의 경우 독립된 과세단위가 되는 사업소의 범위를 어떻게 보느냐에 따라 세부담에 큰 영향을 미칠 수 있다. 과세단위의 구분이 모호한 인접한 두 개의 사업소를 하나의 과세단위로 볼 경우 종업원분 주민세 과세대상이 될 수 있고, 균등분 주민세(사업장분)는 2건이 과세되어야 하고, 재산분 주민세는 전체면적을 합해서 과세여부(300제곱미터)를 판단하게 되어 상호 이해관계가 달라질 수 있다.

1) 사업소 판단 기준

동일 건물 내 또는 인접한 장소에 동일 사업주에 속하기는 하나 그 기능과 조직을 달리하는 2개 이상의 사업장이 있는 경우, 그 각각의 사업장을 별개의 사업소로 볼 것인지의 여부는 그 각 사업장의 인적·물적 설비에 독립성이 인정되어 각기 별개의 사업소로 볼 수 있을 정도로 사업 또는 사무 부문이 독립되어 있는지 여부에 의해 가려져야 한다. 건물의 간판이나 사무소의 표지 등과 같은 단순히 형식적으로 나타나는 사업장의 외관보다는 사업소세의 목적, 장소적 인접성과 각 설비의 사용관계, 사업 상호간의 관련성과 사업수행방법, 사업조직의 횡적·종적 구조와 종업원에 대한 감독 구조 등 실질 내용에 관한 제반 사정을 종합하여 판단하여야 한다(대법원 2008두10188, 2008.10.9.).

2) 법인균등분 주민세와 종업원분 주민세와의 관계

주민세와 사업소세는 입법취지나 과세요건이 상이하므로 각각의 세목별로 그 법적 기준에 따라 과세대상을 판단하는 것이 원칙이다. 그런데 당해 사업장에 대하여 각각의 사업소의 독립성을 인정하지 않고 하나의 사업소로 보아 종업원분 주민세를 과세하였다면 종업원분 주민세 과세대상 "사업소"는 법인균등분 주민세와 동일한 과세대상 사업소로 보는 것이 합리적이다(지방세운영과-5565, 2009.12.31.). 즉 인접한 2개의 사업소에 대해 2건의 균등분 주민세를 과세하였다면, 종업원분이나 재산분을 적용할때에도 각각의 사업장 단위별로 과세요건을 적용해야하고, 반면 종업원분이나 재산분 주민세 과세시 하나의 사업소로 보아 과세요건을 적용하였다면 균등분 주민세도 한 건으로 과세하는 것이 타당하다.

◎ 동일 건물 내 하나의 지점이 2 이상의 사업장으로 구분되어 운영되는 경우라도 TM지점을 하나의 사업소로 보아 법인균등분 주민세를 부과함이 타당함

쟁점 보험사의 경우 전화로 보험상품을 판매하는 TM(Tele-Marketing) 지점 내에 지역별 영업활동을 하는 여러 개의 실을 설치하여 운영하고 있으나, 각 실은 모두 동일 건물에 위치하고 있고, 지점장이 TM지점 전체의 인력·예산 등을 총괄·지휘감독하며, 인사담당자 및

준법관리자가 지점 전체의 인사 및 준법관리를 수행하는 점, 지점의 목표수립, 손익관리, 인력수급계획 및 직원교육, 회계 등 전반적인 업무관리가 TM지점 단위로 행하여지고 있는 점, 각 실은 단순히 지역별로 거래선을 분리하여 운영되는 점 등을 볼 때, 해당 TM지점 내의 각 실은 별도의 독립된 사업소라기보다는 효율적인 업무관리를 위해 영업대상별로 조직을 구분한 것에 불과하므로, TM지점을 하나의 사업소로 보아 법인균등분 주민세를 부과하는 것이 타당함(지방세운영과-3862, 2015.12.11.).

◎ **상호 유기적인 관련성을 가지고 있는 업무 등을 고려할 때 각각 별개의 영업소로 보기 곤란**
위 3조직의 직원들이 모두 종래의 ○○전화국 건물에서 함께 근무하고 있고, 위 건물 내의 식당, 체력단련실, 회의실 등도 ○○지사장의 총괄적인 관리 하에 모든 직원들이 별도의 비용부담 없이 공동으로 이용되고 있는 점, ○○지사, ○○영업국 ○○영업부, ○○망운용국 ○○팀의 각 업무는 상호 독립된 별개의 업무가 아니라, 정보통신사업, 정보통신공사업 및 전기공사업 등과 같은 원고의 설립목적을 실현하기 위해 상호 유기적인 관련성을 가지고 있는 업무 등을 고려할 때 각각 별개의 영업소로 보기 어려움(대법원 2008누82, 2008.10.9.).

◎ **조직을 기능별로 구분하고 각각 사업자등록을 하였더라도 하나의 사업장이라는 사례**
동일 구내 각각의 사업장을 독립된 사업소로 볼 수 있는지 여부는 업무의 연관성, 사무의 운영현황(운영의 독립성), 회계처리방식, 인사관리 형태 등을 종합적으로 고려하여 판단하여야 할 것으로, 조직개편을 통하여 종전의 전화국을 ○○지사, ○○망운용국, ○○영업국 등으로 조직을 분리하고 각각 사업자등록을 한 다음 독립된 인사발령 등 업무를 수행, … 당해 종업원은 동일한 건물 내에서 근무를 하고 있고, 업무수행에 있어서도 조직이 기능별로 구분되어 있을 뿐 종전과 동일한 사업을 수행하고 있는 점으로 볼 때, 독립된 사업소라기보다는 효율적인 업무관리를 위해 조직을 세분화한 것에 불과하므로, 사업장 전체를 하나의 사업소로 보는 것이 타당(행심 2006-393, 2006.8.28.)

◎ **법인균등할 주민세에서의 과세단위인 '사업소'와 사업소세에서의 과세단위인 '사업소'의 정의가 같다고 한 사례**
동일건물에서 업무수행을 하고 있더라도 지점과 영업소는 조직체계에서의 그 기능이나 역할, 업무성격, 회계의 독립 등에서 구분이 되어 각각의 사업소로 보아야 한다고 사료됨. 법인균등할 주민세에서의 과세단위인 "사업소"와 사업소세에서의 과세단위인 "사업소"의 정의는 같다고 사료됨(세정과-2327, 2004.8.3.).

◎ 본점 사업소와 쟁점사업소는 아케이드를 사이에 두고 서로 연접하여 소재하고 있고 사업자등록증상 업태가 동일한 점, 쟁점사업소의 경우 본점사업소를 통해서 인력충원 및 지방득세 신고납부 등을 하고 있는 점, 청구법인의 관점에서 본점사업소와 쟁점사업소는 유기적인 협

조체제를 가지고 청구법인의 사업을 영위하고 있는 것으로 보이는 점 등에 비추어 이를 하나의 사업소로 보아 청구법인에게 이 건 주민세를 부과한 처분은 잘못이 없다고 판단됨(조심 2016지0189, 2016.4.28.).

◎ **인접한 장소에서 기능을 달리하는 2개 이상의 사업장을 운영하는 경우**

사업장별 업무의 기능이 다소 상이할지라도 동일 건물 내 또는 인접한 장소에서 조합원 생산물의 판로확대 및 유통원활화를 도모하는 등의 설립 목적을 실현하기 위하여 상호 유기적인 협력관계에 있는 업무를 수행하고 있고, 물적설비를 사업장간 서로 배타적으로 사용·관리하고 있지 않은 경우라면 효율적인 업무 관리를 위하여 조직을 기능별로 구분한 것일 뿐, 각 사업장은 하나의 사업소를 이루고 있다고 봄(지방세정책과-4231, 2020.9.28.).

◎ **주된 사업소에서 주된 사업소 외의 장소에 근무하는 직원 급여를 총괄하여 지급하는 경우**

"주된 사업소 외의 장소"가 인적·물적 설비를 갖추는 등 「지방세법」 제74조 제4호에 따른 별개의 사업소에 해당한다면, 급여를 지급하는 사업주가 동일할지라도 각 사업소별 종업원의 급여총액을 과세표준으로 하여 사업소 소재지 관할 지방자치단체별로 신고·납부해야 함(지방세정책과-1325, 2020.3.24.).

제76조(납세지)

법 제76조(납세지) ① 개인분의 납세지는 과세기준일 현재 주소지로 한다.

② 사업소분의 납세지는 과세기준일 현재 각 사업소 소재지로 한다.

③ 종업원분의 납세지는 급여를 지급한 날(월 2회 이상 급여를 지급하는 경우에는 마지막으로 급여를 지급한 날을 말한다) 현재의 사업소 소재지(사업소를 폐업하는 경우에는 폐업하는 날 현재의 사업소 소재지를 말한다)로 한다.

영 제81조(납세지) ① 사업소용 건축물이 둘 이상의 시·군·구에 걸쳐 있는 경우 사업소분은 건축물의 연면적에 따라 나누어 해당 지방자치단체의 장에게 각각 납부하여야 한다.

② 종업원분의 납세구분이 곤란한 경우에는 종업원분의 총액을 제1항에 따라 산출한 주민세 사업소분의 비율에 따라 안분하여 해당 지방자치단체의 장에게 각각 납부하여야 한다.

제81조의 2(등록전산정보자료의 제공) 행정안전부장관은 법 제79조의 2 제2항에 따라 등록전산정보자료를 지방자치단체의 장에게 제공하는 경우에는 「지방세기본법」 제135조 제2항에 따른 지방세정보통신망을 통하여 제공해야 한다.

사업소용 건축물이 둘 이상 시·군에 걸쳐 있는 경우 재산분주민세는 건축물의 연면적에 따라 안분하여 과세한다. 이 경우 둘 이상의 지자체에 걸쳐있는 사업장을 하나의 과세단위

사업장으로 보아 과세여부를 판단해야 한다. 그리고 종업원분 주민세의 경우 종업원분의 총액을 재산분 주민세 비율에 따라 안분하는데, 결국 사업장 면적에 따라 안분하여 과세한다. 과세권자와 납세의무자가 일체가 되어 하나의 과세단위를 이루는 것이 원칙인데 지방세의 특성을 반영하여 특이한 입법형태를 취하고 있다.

| 최근 개정법령 _ 2019.1.1. | 종업원분 주민세 납세지 규정 명확화(법 §76 ③)

종업원분 주민세 납세지의 판단시점을 '급여를 지급한 날(월 2회 이상 급여를 지급하는 경우에는 마지막으로 급여를 지급한 날)로 명시'하여 급여를 지연하여 지급하는 경우 등으로 인해 발생할 수 있는 납세지 혼란 문제를 방지하였다.

제77조(비과세)

> **법** 제77조(비과세) ① 다음 각 호의 어느 하나에 해당하는 자에 대하여는 주민세를 부과하지 아니한다.
>
> 1. 국가, 지방자치단체 및 지방자치단체조합
> 2. 주한외국정부기관·주한국제기구·「외국 민간원조단체에 관한 법률」에 따른 외국 민간원조단체(이하 "주한외국원조단체"라 한다) 및 주한외국정부기관·주한국제기구에 근무하는 외국인. 다만, 대한민국의 정부기관·국제기구 또는 대한민국의 정부기관·국제기구에 근무하는 대한민국의 국민에게 주민세와 동일한 성격의 조세를 부과하는 국가와 그 국적을 가진 외국인 및 그 국가의 정부 또는 원조단체의 재산에 대하여는 주민세를 부과한다.

국가, 지방자치단체 등에 대하여는 주민세를 과세하지 않는다. 비과세 규정이 납세의무자 규정과 혼재되어 있으므로 연계해서 살펴보기 바란다.

| 최근 개정법령 _ 2017.1.1. | 주민세(개인균등분) 과세대상 외국인 범위 조정(법 제77조 ③)

주민세 균등분 과세기준일(8.1.) 현재 국내 거주 중인 외국인도 개인균등분 주민세 과세대상이다. 그런데 잦은 거주지 이동으로 인한 소재파악이나 세대원 관계 확인 등이 어려워 거주기간이 짧은 외국인에 대해서는 주민세 부과징수가 곤란한 측면이 있었다. 그에 따라 균등분주민세 제도 운영의 효율성을 도모하기 위해 외국인 등록일부터 1년이 경과하지 않은 외국인은 비과세로 전환하였다.

| 최근 개정법령 _ 2019.1.1. | 균등분 주민세 비과세 대상의 합리적 조정(법 §77 ②)

생계능력이 없는 미성년자가 부모의 사망, 학업 등의 사유로 세대주가 된 경우 등에 비과세를 적용하여 세부담을 완화토록 하였다. 다만, 미성년자가 미성년자가 아닌 자와 같은 세대를 구성하는 경우는 제외하여, 사실상 미성년자가 세대주가 아닌 경우에는 비과세를 배제하였다. 그리고 「국민기초생활보장법」에 따른 수급자의 비과세 범위는 개인균등분에 한정하여, 정상적인 사업 부분(부가가치세 과세표준액이 4천800만원 이상)에 대해서는 과세하도록 관련 규정을 명확히 하였다.

◎ 노동조합은 비과세 대상으로 열거하고 있지 아니함

법인균등할은 법인격 여부를 불문하고, 시·군내 사무소 또는 사업소를 둔 법인 또는 단체를 납세의무자로 지방세법 제173조에 규정하고 있으므로 귀 조합도 과세대상에 해당되며, 사업소세·면허세의 경우도 지방세법 시행령 제79조 규정에서는 제사·종교 등에 대한 비과세대상을 열거하고 있으나 조합은 이 비과세대상에 해당되지 않으므로 과세대상임(세정 22670-6789, 1988.6.25.).

◎ (지침) 비과세 대상 기초생활수급자 범위 확대(지방세운영과-1877, 2016.7.15.)

2015년 7월, 국민기초생활보장법개정(2015.7.1., 정부의 맞춤형 급여체계 개편을 위해 개정)으로 수급자 범위가 확대됨에 따라, 주민세 균등분 비과세 대상자 범위 자동 확대. 즉, '15년에는 의료급여 수급자까지 비과세가 확대되었으나 '16년부터는 생계, 주거, 교육급여 수급자까지 확대되었음. 비과세 해당 여부는 과세기준일(8.1.) 현재 수급자로 결정되었는지를 기준으로 판단, 다만, 과세기준일 이후에 수급자로 결정되었더라도, 과세기준일까지 수급자 신청을 하고 신청일로 소급하여 급여지급을 받는 경우 비과세 조치(기초생활보장제도 신청은 언제든지 가능하나, 신청한 달부터 급여 산정·지급)

제2절 개인분

제78조(세율)

> **법** 제78조(세율) 개인분의 세율은 1만원을 초과하지 아니하는 범위에서 지방자치단체의 장이 조례로 정한다.

균등분 주민세 3가지 유형(개인, 사업장, 법인)으로 구분하여 각각의 세율체계가 적용된다. 대부분의 지방세는 탄력세율을 적용하고 있다. 특히 균등분 주민세의 경우 지방자치단체가 1만원 이내의 범위내에서 세율을 정하도록 되어 있는데 현재 대부분의 지자체에서 탄력세율을 적용하고 있다.

법인균등분 주민세는 법인의 개별 독립된 사업소마다 납세의무가 발생하며, 종업원 수와 자본금을 기준으로 세액이 산정된다. 법인지방소득세에 비해 과세대상과 과세요건에 차이가 있다. 법인균등분 주민세는 인적시설 및 물적시설을 구비한 사업소를 대상으로 하고, 법인균등분은 인적시설이 없는 물적시설만 있는 경우(사업장)에도 과세대상이 된다. 그리고 법인지방소득세가 전체 지방소득세 총액에서 각 사업장에 대해 종업원 수와 사업장 면적 기준으로 안분과세하는 점에서 차이가 있다.

| 균등분 주민세 세율조정 연혁 |

구 분	조정내역
개인	• 1973.4.1.(신설) : 군 60원 ~ 인구 500만 이상 시 400원 • 1977.1.1. : 군 500원 ~ 인구 500만 이상 시 3,000원 • 1980.1.1. : 군 800원 ~ 인구 500만 이상 시 4,000원

구 분	조정내역
개인	• 1995.1.1. : 군 1,000원 ~ 인구 500만 이상 시 4,500원 • 1999.1.1. : 10,000원 내에서 조례로 정하는 세액(현행)
사업자	• 1996.1.1. : 최초 신설, 5만원(현행)
법인	• 1973.4.1.(신설) : 군 600원 ~ 인구 500만 이상 시 4,000원 • 1977.1.1. : 군 5,000원 ~ 인구 500만 이상 시 30,000원 • 1980.1.1. : 군 8,000원 ~ 인구 500만 이상 시 40,000원 • 1992.1.1. : 과표구간 신설 – 자본금과 종업원수에 따라 5만원 ~ 50만원(현행)

◎ **(예규) 지법 78-1(자본금액 또는 출자금액)** 「지방세법」 제78조 제1항 제2호 규정의 「자본금액 또는 출자금액」이라 함은 당해 법인의 법인등기부상의 납입자본금 또는 출자금을 적용한다. 다만, 자본금이나 출자금이 없는 법인은 기타 법인으로 분류된다.

◎ **사내근로복지기금에 대한 출연금은 법인균등할 세율을 적용할 수 없음**

사내근로복지기금에 대한 출연금이 출자금 또는 자본금에 포함된다는 「지방세법」상의 명확한 근거규정이 없으므로 출연금을 출자금 또는 자본금으로 간주하여 법인균등할의 세율을 적용할 수 없음(법제처 법령해석 06-0075, 2006.6.12.).

◎ **법인균등할주민세 과세기준이 되는 출자금액의 판단사례**

출자라 함은 자금이나 밑천을 내는 것으로, 특히 회사나 조합 등의 공동사업을 수행하기 위하여 그 주주나 구성원이 자본을 내는 것을 말함. 사내근로복지기금을 조성하기 위해 사업주가 이익의 일부, 유가증권, 현금 기타 재산을 출연하고 있다면 지방세법에서 규정하고 있는 출자금의 범위에 포함되므로, 법인등기부등본상 등기된 자산총액을 출자금액으로 적용하여 법인균등할주민세를 납부하여야 할 것임(세정과-957, 2005.3.2.).

◎ **기술신용보증기금의 등기부등본상 등기된 자산의 총액(정관의 기본재산)(금 21,768,073,646원)은 지방세법 제176조 제1항 제2호 규정의 자본금액에 해당**(지방세정담당관-945, 2003.8.26.)

◎ **정관과 등기부상 무자본이고 재무제표상 무자본이라면 기타법인에 해당**

지방세법 제176조 제1항 제2호의 "자본금액 또는 출자금액"이라 함은 법인의 설립근거법령이나 정관 또는 법인등기부상의 자본금에 관한 사항을 참고로 할 것이나 원칙적으로 매년 5월 1일 현재의 사실상 자본금액 또는 출자금액을 의미하는 바 관계법령 및 정관과 등기부상 무자본 법인이며 또한 사실적(재무제표상 "자본금" 혹은 "출자금" 계정)으로도 무자본이라면 지방세법 제176조 제1항 제2호 중 기타법인에 해당됨(시세 22670-212, 1992.8.26.).

◎ 한국마사회의 법인정관상의 자본금에 의하여 균등할주민세 부과고지는 적법

청구인은 한국마사회법에 의한 무자본 특수법인의 성격으로 띠고 있으며 법인등기부상에 자산은 있으나 자본금은 없으므로 기타법인으로 분류되어야 한다고 주장하나 법인의 자본금이란 주주 또는 출자자가 실제로 납입한 금액뿐만 아니라 사업수행결과 발생한 잉여금의 자본전입으로도 발생하고, 지방세법 운영세칙 176-1에서 법인등기부상의 자본금 또는 출자금을 적용토록 하였더라도 청구인의 경우는 한국마사회법에 의하여 설립된 법인으로서 한국마사회법 제42조에 따라 자본금을 적립하여야 하고 청구인의 정관 제29조에서 자본금을 7,000억원으로 정하고 있는 이상 처분청이 이를 근거로 이 사건 법인균등할 주민세 등을 부과한 처분은 잘못이 없음(행심 2006-242, 2006.6.27.).

◎ 재향군인회의 등기부등본상 등기된 자산의 총액(금삼억원)은 지방세법 제176조 제1항 제2호 규정의 자본금액에 해당됨(지방세정담당관-1146, 2003.9.16.).

◎ 비영리법인의 출연금을 기준으로 주민세 세율을 적용할 수 없음

법인의 자본금액 또는 출자금액 및 종업원 수에 따라 법인균등할 주민세 세율을 적용하도록 규정하고 있고, 비영리법인의 출연금은 영리활동과 무관하게 그 법인의 비영리 고유목적사업의 수행에 소요되는 재원을 확보하기 위한 원본으로서의 개념을 갖고 있어 이를 자본금이나 출자금과 동일시하기는 어렵다고 할 것이므로 출연금을 출자금 또는 자본금으로 간주하여 법인균등할 주민세 세율을 적용할 수 없음(법제처 법령해석지원팀-949, 2006.6.12.).

◎ (지침) 출연금을 기본재산으로 사업을 영위하는 비영리법인의 주민세 세율적용 기준

자본금 또는 출자금을 갖고 있지 아니하고 출연금을 기본재산으로 사업을 영위하는 비영리법인에 대하여는 기타법인에 해당하는 법인균등할 주민세 세율(50,000원)을 적용, 적용시기는 2006.6.12. 이후 부과되는 법인균등할 주민세부터 적용(지방세정팀-3484, 2006.8.4.)

제79조(징수방법 등)

법 제79조(징수방법 등) ① 개인분은 납세지를 관할하는 지방자치단체의 장이 보통징수의 방법으로 징수한다.

② 개인분의 과세기준일은 매년 7월 1일로 한다.

③ 개인분의 납기는 매년 8월 16일부터 8월 31일까지로 한다.

제79조의 2(주민세 과세자료의 제공) ① 행정안전부장관 또는 지방자치단체의 장은 개인분 납세의무자의 세대원 확인 등을 위하여 필요한 경우에는 법원행정처장에게 「가족관계의 등록 등에 관한

> 법률」 제11조 제6항에 따른 등록전산정보자료의 제공을 요청할 수 있다. 이 경우 요청을 받은 법원행정처장은 특별한 사유가 없으면 이에 협조하여야 한다.
>
> ② 행정안전부장관은 제1항에 따라 제공받은 등록전산정보자료를 대통령령으로 정하는 바에 따라 지방자치단체의 장에게 제공할 수 있다.
>
> 영 제81조의 2(등록전산정보자료의 제공) 행정안전부장관은 법 제79조의 2 제2항에 따라 등록전산정보자료를 지방자치단체의 장에게 제공하는 경우에는 「지방세기본법」 제135조 제2항에 따른 지방세정보통신망을 통하여 제공해야 한다.

균등분 주민세는 보통징수의 방법으로 징수하고 과세기준일은 매년 7월 1일이다.

2019년부터 균등분 주민세의 과세기준일을 변경하였다(법 제79조 ②). 과세의 정확성·신뢰성을 제고하고, 세목간 과세기준일을 통일하여 납세자의 혼란을 방지하기 위해 주민세 균등분의 과세기준일을 7월 1일로 변경하였다. 균등분 주민세 과세제외 대상인 '납세의무자의 직계비속으로서 미혼인 30세 미만의 사람'을 확인 시 가족관계등록 정보가 필요하여, 가족관계등록 정보 등 민감한 개인정보를 제공받기 위해 과세자료의 수집 목적, 제공 범위 등을 법률에 구체적으로 규정하고 있다.

제 3 절

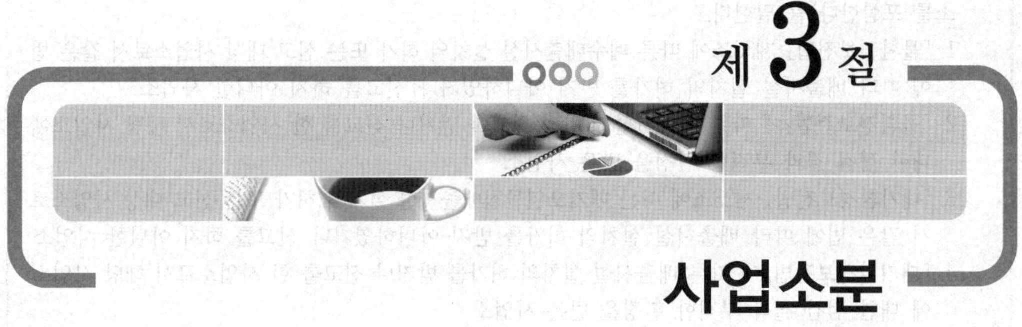

사업소분

제80조~제84조(과세표준 · 세율 · 세액계산 · 징수방법과 납기 · 신고의무)

법 제80조(과세표준) 사업소분의 과세표준은 과세기준일 현재의 사업소 및 그 연면적으로 한다.

영 제82조(과세표준의 계산방법) 법 제80조에 따른 사업소분의 과세표준을 계산할 때에는 사업소용 건축물의 연면적 중 1제곱미터 미만은 계산하지 아니한다.

법 제81조(세율) ① 사업소분의 세율은 다음 각 호의 구분에 따른다.

1. 기본세율
   가. 사업주가 개인인 사업소 : 5만원
   나. 사업주가 법인인 사업소
      1) 자본금액 또는 출자금액이 30억원 이하인 법인 : 5만원
      2) 자본금액 또는 출자금액이 30억원 초과 50억원 이하인 법인 : 10만원
      3) 자본금액 또는 출자금액이 50억원을 초과하는 법인 : 20만원
      4) 그 밖의 법인: 5만원
2. 연면적에 대한 세율 : 사업소 연면적 1제곱미터당 250원. 다만, 폐수 또는 「폐기물관리법」 제2조 제3호에 따른 사업장폐기물 등을 배출하는 사업소로서 대통령령으로 정하는 오염물질 배출 사업소에 대해서는 1제곱미터당 500원으로 한다.

② 지방자치단체의 장은 조례로 정하는 바에 따라 제1항 제1호와 제2호 본문의 세율을 각각 100분의 50 범위에서 가감할수 있다.

영 제83조(오염물질 배출 사업소) 법 제81조 제1항 제2호 단서에서 "대통령령으로 정하는 오염물질 배출 사업소"란 다음 각 호의 어느 하나에 해당하는 사업소로서 「지방세기본법」 제34조 제1항에 따른 납세의무 성립일 이전 최근 1년 내에 행정기관으로부터 「물환경보전법」 또는 「대기환경보전법」에 따른 개선명령 · 조업정지명령 · 사용중지명령 또는 폐쇄명령(이하 이 조에서 "개선명령등"이라 한다)을 받은 사업소(해당 법률에 따라 개선명령등을 갈음하여 과징금이 부과된 사업

소를 포함한다)를 말한다.

1. 「물환경보전법」 제33조에 따른 폐수배출시설 설치의 허가 또는 신고 대상 사업소로서 같은 법에 따라 배출시설 설치의 허가를 받지 아니하였거나 신고를 하지 아니한 사업소
2. 「물환경보전법」에 따른 배출시설 설치의 허가를 받거나 신고를 한 사업소로서 해당 사업소에 대한 점검 결과 부적합 판정을 받은 사업소
3. 「대기환경보전법」 제23조에 따른 대기오염물질배출시설 설치의 허가 또는 신고 대상 사업소로서 같은 법에 따라 배출시설 설치의 허가를 받지 아니하였거나 신고를 하지 아니한 사업소
4. 「대기환경보전법」에 따른 배출시설 설치의 허가를 받거나 신고를 한 사업소로서 해당 사업소에 대한 점검 결과 부적합 판정을 받은 사업소

법 제82조(세액계산) 사업소분의 세액은 제81조 제1항 제1호 및 제2호의 세율에 따라 각각 산출한 세액을 합산한 금액으로 한다. 다만, 사업소 연면적이 330제곱미터 이하인 경우에는 제81조 제1항 제2호에 따른 세액을 부과하지 아니한다.

제83조(징수방법과 납기 등) ① 사업소분의 징수는 신고납부의 방법으로 한다.

② 사업소분의 과세기준일은 7월 1일로 한다.

③ 사업소분의 납세의무자는 매년 납부할 세액을 8월 1일부터 8월 31일까지를 납기로 하여 납세지를 관할하는 지방자치단체의 장에게 대통령령으로 정하는 바에 따라 신고하고 납부하여야 한다.

④ 제1항 및 제3항에도 불구하고 납세지 관할 지방자치단체의 장은 사업소분의 납세의무자에게 행정안전부령으로 정하는 납부서(이하 이 조에서 "납부서"라 한다)를 발송할 수 있다.

⑤ 제4항에 따라 납부서를 받은 납세의무자가 납부서에 기재된 세액을 제3항에 따른 기한까지 납부한 경우에는 같은 항에 따라 신고를 하고 납부한 것으로 본다.

⑥ 사업소분의 납세의무자가 제3항에 따른 신고 또는 납부의무를 다하지 아니하면 제80조와 제81조에 따라 산출한 세액 또는 그 부족세액에 「지방세기본법」 제53조부터 제55조까지의 규정에 따라 산출한 가산세를 합한 금액을 세액으로 하여 보통징수의 방법으로 징수한다.

영 제84조(신고 및 납부) ① 법 제83조 제3항에 따라 사업소분을 신고하려는 자는 행정안전부령으로 정하는 신고서에 건축물의 연면적, 세액, 그 밖의 필요한 사항을 적은 명세서를 첨부하여 관할 시장·군수·구청장에게 신고해야 한다.

② 법 제83조 제3항에 따라 사업소분을 납부하려는 자는 행정안전부령으로 정하는 납부서로 납부해야 한다.

규칙 제37조(주민세 사업소분의 신고 및 납부) ① 영 제84조 제1항에 따른 사업소분의 신고는 별지 제37호 서식에 따른다.

② 법 제83조 제4항 및 영 제84조 제2항에서 "행정안전부령으로 정하는 납부서"란 각각 별지 제14호 서식의 납부서를 말한다.

법 제84조(신고의무) ① 사업소분의 납세의무자 또는 그 사업소용 건축물의 소유자는 조례로 정하는 바에 따라 필요한 사항을 신고하여야 한다.

② 납세의무자가 제1항에 따른 신고를 하지 아니할 경우에는 세무공무원은 직권으로 조사하여 과세대장에 등재할 수 있다.

영 제85조(과세대장 비치 등) 시장·군수·구청장은 개인분과 사업소분 과세대장을 갖추어 두고, 필

요한 사항을 등재해야 한다. 이 경우 해당 사항을 전산처리하는 경우에는 과세대장을 갖춘 것으로 본다.

규칙 제38조(과세대장 비치 등) ① 영 제85조에 따른 주민세 개인분 과세대장은 별지 제37호의 2 서식에 따른다.

② 영 제85조에 따른 주민세 사업소분 과세대장은 별지 제38호 서식에 따른다.

③ 영 제85조 제2항에 따른 주민세 재산분 과세대장에의 직권등재 사실의 통지는 별지 제39호 서식에 따른다.

사업자・법인 균등분이 재산분과 합쳐지면서 기존의 과세속성이 그대로 반영되어 각각 산출한 세액을 합산하게 된다. 먼저 기존의 사업자・법인 균등분에 해당하는 세율을 기본세율이라 하여 개인인 사업소와 법인인 사업소 각각에 대해 정액세율을 적용하여 세액을 산출하고, 연면적에 대한 세율(기존 재산분)을 적용하여 계산한 세액을 합산한다.

사업소의 연면적이 330제곱미터 이하인 경우에는 연면적에 대한 세율은 부과하지 아니하는데, 여기서 「사업소의 연면적이 330제곱미터 이하」라 함은 사업소 전체면적에서 시행령 제78조 제1항 제1호에 규정된 「과세대상에서 제외되는 건물」 면적을 차감한 면적이 330제곱미터 이하인 경우를 말한다(예규 지법 82-1).

매년 8월 신고납부의 방식으로 징수하며, 과세기준일은 매년 7월 1일이다. 다른 세목과 마찬가지로 가산세에 관한 규정은 지방세기본법에 따라 징수한다.

연면적에 대한 세율(재산분) 적용시 오염물질 배출 사업소에 대해서는 세율의 2배가 과세된다. 2017년 오염물질 배출 사업소에 대한 재산분의 과세체계를 개선하였다(영 제83조). 당시 과세기준일(7.1.) 현재, 오염물질 배출 위반 사업소 등에 대해 재산분 주민세 표준세율의 2배가 적용된다. 이 경우 단속 또는 행정조치 시점에 따라 중과여부가 달라질 여지가 있는 등 과세불형평 문제가 있고, 오염물질 배출업소에 대한 중과세 취지에도 부합하지 않는 면이 있었다. 그에 따라 오염물질 배출 사업소의 범위를 "과세기준일로부터 최근 1년 이내 위반업소로 확인된 경우(개선명령・사용중지명령 등)"로 구체화하였다. 예를들어 직전년도 7.2.부터 현년도 과세기준일(7.1.)까지 행정처분을 받은 경우 7월말까지 2배 세율로 납부하여야 한다.

2018년에는 대기오염 배출시설에 대한 중과를 도입하였다(법 제81조 ③, 영 제83조). 그동안 대기오염은 수질오염에 비해 확산력이 크고, 미세먼지 등 위해성이 심각함에도 중과대상이 아니었다. 지방세법 개정으로 "산업폐기물"을 "「폐기물관리법」 제2조 제3호에 따른 사업장폐기물"로 명확히 규정하여 대기오염시설 부적합 사업소도 중과대상에 추가하였다.

◎ **고시텔 중 공실과 이에 상응하는 지하 주차장을 사용하지 않더라도 과세대상 면적에 포함**

휴업이나 폐업 없이 이 사건 고시텔을 계속 운영하고 있는 점, 고시텔의 특성상 공실 여부는 수시로 변경이 가능하고 고시텔 중 일부 호실이 공실로 남아 있는 것은 원고의 주관적 사정에 불과한 점, 지하 주차장은 공동으로 사용할 수 있는 공용부분에 해당하는 점, 공실과 지하 주차장을 일시 사용하지 않더라도, 이를 완전히 폐쇄하는 등 물리적으로 사용이 현저히 곤란하거나 불가능하지 않은 이상, 언제든지 본래 용도로 다시 사용할 수 있는 점 … 과세표준에 포함한 것에 위법이 없음(대법원 2020두44626, 2020.10.29.).

◎ **비산먼지 발생 사업소가 개선명령 처분을 받았더라도 배출시설이 아니면 중과대상 아님**

"대기오염물질배출시설"이란 「대기환경보전법」 제2조 제11호 및 같은 법 시행규칙 제5조에서 대기오염물질을 대기에 배출하는 시설물, 기계, 기구, 그 밖의 물체로서 환경부령으로 정하는 시설로, 해당 배출시설을 설치하려는 자는 법 제23조 제1항에 따라 시·도지사의 허가를 받거나 신고해야 함. …「대기환경보전법」 제43조 제1항에 따른 비산배출되는 먼지를 발생시키는 사업소가 개선명령 처분을 받았더라도, 「대기환경보전법」에 따른 배출시설에 해당하지 않으면, 오염물질 배출 사업소로 보기 어려움(지방세정책과-614, 2020.2.10).

제 4 절 종업원분

제84조의 2(과세표준)~제84조의 3(세율)

> **법** 제84조의 2(과세표준) 종업원분의 과세표준은 종업원에게 지급한 그 달의 급여 총액으로 한다. [본조신설 2014.1.1.]
>
> 제84조의 3(세율) ① 종업원분의 표준세율은 종업원 급여총액의 1천분의 5로 한다.
>
> ② 지방자치단체의 장은 조례로 정하는 바에 따라 종업원분의 세율을 제1항에 따른 표준세율의 100분의 50의 범위에서 가감할 수 있다. [본조신설 2014.1.1.]

종업원분 주민세는 2009년 이전에는 사업소세(종업원할)이었으나, 2010년부터 2013년까지는 지방소득세 종업원분으로 분류되다가 2014년부터 주민세의 세원으로 재편되었다.

종업원분 주민세의 과세표준은 매달 종업원에게 지급한 급여총액으로 한다. 종업원분 지방소득세의 표준세율은 종업원 급여총액의 0.5%이다. 지방자치단체의 장은 조례로 표준세율 50% 범위[66] 내에서 가감 조정할 수 있다.

---

66) 2013년 이전까지는 표준세율 이하로 조례로 정하도록 하는 제한세율제도를 택하고 있었으나 2014년부터 50% 범위 내 가감 조정이 가능하도록 개정되었다.

제84조의 4(면세점)

법 제84조의 4(면세점) ① 「지방세기본법」 제34조에 따른 납세의무 성립일이 속하는 달부터 최근 1년간 해당 사업소 종업원 급여총액의 월평균금액이 대통령령으로 정하는 금액에 50을 곱한 금액 이하인 경우에는 종업원분을 부과하지 아니한다. 〈개정 2015.12.29.〉

② 제1항에 따른 종업원 급여총액의 월평균금액 산정방법 등 필요한 사항은 대통령령으로 정한다. 〈개정 2015.12.29.〉 [본조신설 2014.1.1.]

영 제85조의 2(종업원 급여총액의 월평균금액 산정기준 등) ① 법 제84조의 4 제1항에 따른 종업원 급여총액의 월평균금액은 「지방세기본법」 제34조에 따른 납세의무 성립일이 속하는 달을 포함하여 최근 12개월간(사업기간이 12개월 미만인 경우에는 납세의무 성립일이 속하는 달부터 개업일이 속하는 달까지의 기간을 말한다) 해당 사업소의 종업원에게 지급한 급여총액을 해당 개월 수로 나눈 금액을 기준으로 한다. 이 경우 개업 또는 휴ㆍ폐업 등으로 영업한 날이 15일 미만인 달의 급여총액과 그 개월 수는 종업원 급여총액의 월평균금액 산정에서 제외한다.

② 법 제84조의 4 제1항에서 "대통령령으로 정하는 금액"이란 300만원을 말한다.

[전문개정 2015.12.31.]

1) 면세점 개요

종업원분 주민세는 월 통상 종업원수가 50명 이하인 경우는 부과하지 않도록 하여 영세한 소기업에 대해서는 세제지원을 하고 있다.

2016.1.1.부터 주민세 종업원분 면세점 기준이 조정되었다(법 제84조의 4, 제84조의 5, 영 제85조의 2~제85조의 5). 종전의 종업원 수 면세기준은 노동집약적 산업에 과도한 세부담을 유발하고 고용증가의 장애요인으로 작용할 수 있었다. 즉, 사업소가 50명 이상 추가 고용을 꺼리는 현상이 발생하고, 업종별ㆍ기업규모별 구분 없이 면세기준을 일률적으로 적용함으로써 담세력이 충분한 사업소에 대해서도 과도하게 면세가 적용되는 측면이 있었다. 이에 대해 과세면제 기준을 과세표준(월 급여총액)으로 통일하였는데, '최근 1년간 해당 사업소 급여총액의 월 평균 값'이 '50(명) × 근로자 1인당 월평균 급여액' 이하인 경우는 면제대상으로 설정하였다. 고용형태별 근로실태조사 결과(2014년 기준, 고용노동통계)에 따르면 근로자 월평균 급여액이 "270만원"이므로 50명분에 해당하는 1억3천5백만원이 면세점 기준이 된다. 물가상승률 등을 고려할 때 면세점 기준이 고정되어 있다면 점진적으로 과세대상은 확대된다.

2020년부터 "270만원"에서 "300만원"으로 인상되었다. 그에 따라 50명분에 해당하는 1억5천만원이 면세점 기준이 된다.

| 최근 개정법령 _ 2020.1.1.| 종업원분 면세점 조정(영 §85의 2)

'18년 평균임금(302.8만원)을 고려하여 면세점을 현행화하였다. 지방세수를 과하게 감소시키지 않는 수준에서 신규고용에 따른 문턱효과를 완화할 수 있는 300만원으로 조정하였다.

2) 면세점 적용 방식

면세점 적용기준을 살펴보면 다음과 같다.[67] "종업원 급여총액의 월평균금액"이란 해당 월 포함 최근 12개월간 급여총액을 해당 월 수로 나누어 산정하고, 사업소 신설 이전 또는 영업일 15일 미만인 달은 평균금액 산정에서 제외한다. 예를들어 2016.1월 귀속분 면세기준 산정 시 ① 1년 이상 계속 영업한 경우 2015.2월~2016.1월 급여총액을 12월로 나눈 금액이, ② 2015.3월 신설하고 2015.6월~8월 휴업한 경우 2015.3월 이후 8개월분(휴업 3개월 제외) 평균금액을 적용하고, ③ 5개월간 휴업, 영업 재개 후 2016.1.10. 폐업한 경우라면 2015.2월 이후 6개월분(휴업 및 폐업월 제외) 평균금액을 적용한다.

"종업원 급여총액의 월평균금액" 산정 시 비과세대상 급여는 제외되고, 수개월분의 급여를 일시에 지급하는 경우에는 급여지급일에 납세의무가 성립되며, 면세여부는 해당 월을 포함하여 최근 12개월간의 급여평균으로 판단한다. 예를들어 영업은 하였으나 급여지급은 수개월 후부터 나누어 지급된 경우 아래와 같이 적용(면세)한다.

급여 지급월	2015년 2~7월	8~10월	11~12월	2016년 1월	2016년 1월분 월평균급여액
월별 급여총액	-	2억*	2억	4억	총급여액(14억) / 12개월 = 1억1,667만(면세)

* 각 월의 급여총액을 표기(8~10월 각 2억 지급, 3개월분 급여총액은 6억), 이하 동일

해당 월에 파업 등 내부사정으로 급여지급이 급감한 경우에도 급여를 소액이라도 지급하였고 해당 월 포함 최근 12개월간 급여평균이 면세점을 초과하는 경우에는 납세의무는 성립한다. 그리고 사업소가 이전하거나 합병 또는 승계하는 경우 사업소의 동일성이 유지되므로 면세기준 산정 시 기존 사업장의 급여 및 영업월 수를 포함하여 산정한다. 예를들어 甲법인이 신생 乙법인을 흡수합병하여 甲법인이 된 경우 각 월별 합계액의 평균으로 산정한다. 아래 사례에서 2016년 1월분은 면세이고, 2월분은 과세대상이 된다.

67) 주민세 종업원분 면세기준 변경 관련 업무요령(지방세운영과-4009, 2015.12.30.) 참고

구 분	월별 급여총액					월평균급여액 산정결과	
	2015년 2~6월	7월	8~12월	2016년 1월(합병)	2016년 2월	2016년 1월분	2016년 2월분
계	1억	1.5억	1.6억	1.5억	1.5억	총급여액 (16억) / 12개월 = 1억3,333만 (면세)	총급여액 (16.5억) / 12개월 = 1억3,750만 (과세)
甲법인	1억	1억	1.2억	1.5억	1.5억		
乙법인	-	0.5억	0.4억	-	-		

별도 사업소를 추가로 신설하거나 종업원을 다른 사업소로 나눈 경우 급여지급일 기준, 각 사업소별 급여총액의 월평균금액으로 면세점을 적용한다. 예를들어 A사업소(종업원 60명, 평균급여 2억)가 B사업소를 신설, A사업소의 종업원이 이동하는 경우 A사업소는 종전 급여액을 포함하여 최근 12개월간 평균을, B사업소는 신설 이후분의 평균을 적용한다.

해당월로부터 1년을 단위로 매월 계산을 새로 해야하므로 급여총액의 월평균금액이 매월 변동될 수 있다. 급여총액의 월평균금액이 변경되면 연쇄적으로 납세의무에 영향을 줄 수 있기 때문에 매월 신고당시 정확한 계산이 필요하다.

한편 중소기업의 경우 신설 당시 50명 이상이거나, 50명 미만의 중소기업이 50명을 초과하는 경우 등 일정요건의 고용창출에 기여하는 경우 50명에 해당하는 과표공제제도를 두고 있다. 면세점이 종업원 수에서 급여총액 기준으로 변경되었는데, 중소기업 세제지원의 경우에는 종업원 수 요건에 급여총액 요건이 동시에 충족되어야 한다.

3) 종업원의 범위 판단

◎ **(예규) 지법 74…78의 3-1(종업원의 범위)** 「지방세법 시행령」 제78조의 3 제1항에서 「해당 사업에 종사하는 자」라 함은 상근 종사자는 물론 무급접대부, 일용근로자, 법인의 비상근이사 등을 포함. 다만, 사업소에 근무하지 아니하고 사업주로부터 급여를 지급받지 아니하는 임원 등은 제외

◎ **시간제 근로자가 상시 고용 종업원에 해당하는 이상 1명으로 보아 월 통상인원 수 산정**
근로계약에 따라 3개월 이상 계속하여 동일 사업소에 고용되어 해당 사업에 종사하고 있고, 4대 보험을 적용 받고 있는 점, 원천징수이행상황신고서 상 간이세액 인원에 해당하는 점 등을 고려할 때, 상시 고용 종업원에 해당한다 할 것이며, 지방세법시행규칙 제38조의 2에서 '수시 고용' 인원에 대해서만 연인원으로 산정하고, 상시 고용 종업원에 대해서는 그러하지 아니함을 알 수 있는 바, 비록 해당 월의 일부만 근무하였다 하더라도 상시 고용 종업원에 해당하는 이상, 각각 1명으로 보아 월 통상인원 수를 산정함이 타당

※ 근로기준법 시행령(제7조의 2 ①)상 상시 사용하는 근로자 수를 연인원으로 산정토록 정하고 있으나 주민세 종업원분 면세점 판단을 위해 적용할 수는 없음(지방세운영과－1613, 2015.6.2.).

◎ 월 상시 고용하는 종업원과 수시 고용하는 종업원의 개념

월 상시 고용하는 종업원이라 함은 급료의 지급형태에 불구하고 월간 계속하여 노무를 제공하는 임직원은 물론 특정업무의 수요가 있을 경우에만 이를 수임 처리키로 하고 월간 또는 연간 일정액의 급료를 지급 받는 자를 포함한다 할 것이고, 수시 고용하는 종업원이라 함은 필요에 따라 불특정인이 수시로 고용되어 노무를 제공하고 급료를 지급 받는 자를 말한다고 할 것(심사 2002－0052, 2001.12.5.)

◎ 상시고용 종업원은 계속하여 고용되어 있는 근로자로서 고용관계의 지속성을 의미함

상시 고용 종업원 수는 해당 월의 기간 동안 상시종업원으로서 근무한 경우 근무일수에 관계없이 상시 고용 종업원 수로 계산하여야 하고, 해당 사업에 계속하여 고용되어 있는 근로자라는 의미는 어느 특정기간(특정월)을 지칭하여 월말까지 고용이 계속되어야 한다는 것보다는 종업원이 해당 기업에 입사부터 퇴직까지 고용관계가 지속되는 '종업원 고용관계의 지속성' 의미로 보아야 할 것임(지방세운영과－1690, 2012.5.31.).

◎ 공사 하도급 관계에 있는 시공참여자들은 "종업원"이라고 할 수는 없음

㉮ 청구인이 시공참여자들에게 지급한 금전을 "외주비"가 아닌 "인건비"로 계상하고 ㉯ 이 사건 근로자들의 소득세를 청구인이 원천징수·납부한 것은, 이 건 시공참여자들이 무등록 사업자인 관계로 청구인이 "외주비"로 처리할 수도 없고 시공참여자들이 소득세를 원천징수·납부할 수도 없었기 때문이지 실질내용이 "고용관계"이기 때문이었다고 보기는 어려움. 또한 ㉰ 근로자들의 안전보호구를 청구인이 직접 지급한 것은, 산업재해를 예방하기 위한 「산업안전보건법」에 따른 것이지 "고용관계"이기 때문이 아님. 따라서 이건 시공참여자들과 이 사건 근로자들을 청구인의 "종업원"이라고 할 수는 없음(감심 2010－15, 2010.3.18.).

◎ 한국농어촌공사 각 지부에서 시설물의 감시·관리업무를 하게 할 경우 계절직 관리원의 경우 지방소득세 종업원분 과세대상에 포함되지 아니함

계절직 관리원의 경우, 영농에 필요한 저수지, 용·배수로 등을 관리함에 있어 농업 등을 주업으로 종사하는 현지주민을 위촉한 점, 업무능력향상 및 안전관리를 위한 교육 등 감독을 하고 있으나 그 외의 근로 제공시간이나 장소에 관하여 구체적인 지시감독을 받지 않는 점, 계약조건과 업무에 지장이 없는 범위 내에서 위촉업무를 수행하고 한국농어촌공사에서 수리시설관리수수료 지급받고 있는 점 등과 계절직 관리원의 위촉경위, 업무수행방법, 수수료 지급체계 등을 비추어 볼 때 종속적 노동관계에 있는 종업원으로 보기 어렵다고(대법원 98두4047, 1998.5.22.) 보여짐(지방세운영과－2461, 2013.10.1.).

◎ 감정평가업체의 비상근인 이사, 감사 및 사원을 종업원 수에 포함

구성원 감정평가사의 급여는 정관 및 보수규정에 따라 주주총회의 의결을 거쳐 결정하며 보수한도를 각 의결하여 보수가 지급되었고, 소득세법 제20조 제1항의 규정에 의한 갑종근로소득으로 신고되었으며 원고는 그에 따른 소득세를 원천징수하여 납부하고 있음. 사업소세에서 과세요건이 되는 '종업원'은 근로기준법상의 근로자 개념보다는 그 외연이 넓어 사용종속적 관계에 놓이지 아니하는 자라고 하더라도 실질적으로 보아 고용계약관계를 유지하면서 사업소의 사무를 보고 그로부터 급여를 받는 한에서는 비록 그 신분이 임원 지위에서 법인의 중요정책 결정, 집행에 관여하고 있다고 하더라도 종업원에 해당된다고 보아야 함(서울행정법원 2006구합27427, 2006.11.15.).

◎ 통상적으로 근무를 한 것이 아닌 이사회 소집시만 이사회가 개최되는 장소에 참석한 것이므로 원고의 임원들은 사업소세의 과세기준이 되는 종업원이 아니라 인정되는 바, 종업원이라고 본 처분은 부당함(대법원 2005누6227, 2005.12.8.).

◎ 항운노조 조합원은 종업원에 해당하므로 종업원 수에 포함하여 계산하는 것이 타당

항업협회와 항운노조의 노임협약체결의 경위와 협약의 내용, 항운노조의 설립취지와 업무내용, 원고가 항운노조 조합원들에 대한 근로소득세를 원천징수하는 점, 항운노조 조합원들은 원고소속 감독관에 의해 근무시간, 근무장소, 작업내용을 지정받아 업무를 수행하고 있는 점 등을 종합하면, 항운노조 조합원들은 항운노조의 매개로 원고와의 사이에 간접적인 고용계약을 맺고 원고의 지시, 감독하에 원고로부터 부여받은 작업을 한 후 원고로부터 소정의 급여를 지급받고 있음이 명백한 만큼 실질에 있어서는 원고의 "종업원"에 해당된다고 봄이 상당하고, 항운노조 조합원들의 인건비가 항운노조를 통하여 해당 조합원에게 지급되는 것은 임금지급약정에 따른 것일 뿐, 그러한 인건비 지급체계 때문에 항운노조 조합원의 지위를 위와 달리 볼 수는 없음(부산고법 2002누4945, 2003.3.28.).

◎ 시간제 근로자가 상시종업원에 해당한다는 사례(월 통상인원 산정 방법)

본 사안의 시간제 고용 종업원의 경우, 근로계약에 따라 3개월 이상 계속하여 동일 사업소에 고용되어 해당 사업에 종사하고 있고, 관련 법에 따른 4대 보험을 적용 받고 있는 점, 「소득세법」에 따른 원천징수이행상황신고서 상 간이세액 인원에 해당하는 점 등을 고려할 때, 상시 고용 종업원에 해당한다 할 것이며, … 비록 해당 월의 일부만 근무하였더라도 상시 고용 종업원에 해당하는 이상, 해당 종업원을 각각 1명으로 보아 월 통상인원 수를 산정함이 타당하다고 판단됨. 한편, 근로기준법 시행령 제7조의 2 제1항에서 상시 사용하는 근로자 수를 연인원으로 산정토록 규정하고 있으나, 지방세법상 별도의 규정을 두지 않는 한, 주민세 적용될 수 없음(행자부 지방세운영과-1613, 2015.6.2.).

◎ 지급일 변경으로 급여를 지급하지 아니하였더라도, 영업을 15일 이상 지속한 달은 월평균금액 산정 시 해당 월의 급여총액과 그 개월 수를 제외할 수 없음(지방세정책과-1417, 2020.3.30.).

제84조의 5(중소기업 고용지원)

법 제84조의 5(중소기업 고용지원) ① 「중소기업기본법」 제2조에 따른 중소기업(이하 "중소기업"이라 한다)의 사업주가 종업원을 추가로 고용한 경우(해당 월의 종업원 수가 50명을 초과하는 경우만 해당한다)에는 다음의 계산식에 따라 산출한 금액을 종업원분의 과세표준에서 공제한다. 이 경우 직전연도의 월평균 종업원 수가 50명 이하인 경우에는 50명으로 간주하여 산출한다. 〈개정 2015.12.29.〉

공제액 = (신고한 달의 종업원 수 - 직전업연도의 월평균 종업원 수) × 월 적용급여액

② 다음 각 호의 어느 하나에 해당하는 중소기업에 대해서는 다음 각 호에서 정하는 달부터 1년간만 월평균 종업원 수 50명에 해당하는 월 적용급여액을 종업원분의 과세표준에서 공제한다. 〈개정 2015.12.29.〉

1. 사업소를 신설하면서 50명을 초과하여 종업원을 고용하는 경우 : 종업원분을 최초로 신고하여야 하는 달
2. 해당 월의 1년 전부터 계속하여 매월 종업원 수가 50명 이하인 사업소가 추가 고용으로 그 종업원 수가 50명을 초과하는 경우(해당 월부터 과거 5년 내에 종업원 수가 1회 이상 50명을 초과한 사실이 있는 사업소의 경우는 제외한다) : 해당 월의 종업원분을 신고하여야 하는 달

③ 제1항을 적용할 때 월 적용급여액은 신고한 달의 종업원 급여 총액을 신고한 달의 종업원 수로 나눈 금액으로 한다.

④ 제1항을 적용할 때 휴업 등의 사유로 직전연도의 월평균 종업원 수를 산정할 수 없는 경우에는 사업을 재개한 후 종업원분을 최초로 신고한 달의 종업원 수를 직전연도의 월평균 종업원 수로 본다.

⑤ 제1항부터 제4항까지의 규정에 따른 종업원 수의 산정기준 등은 대통령령으로 정한다. 〈신설 2015.12.29.〉 [본조신설 2014.1.1.]

영 제85조의 3(종업원 수 산정기준) 법 제84조의 5에 따른 종업원 수의 산정은 종업원의 월 통상인원을 기준으로 한다. 이 경우 월 통상인원의 산정 방법은 행정안전부령으로 정한다. [본조신설 2015.12.31.] [종전 제85조의 3은 제85조의 4로 이동 〈2015.12.31.〉]

규칙 제38조의 2(월 통상 인원의 산정방법) 영 제85조의 3 따른 월 통상인원은 다음 계산식에 따라 산정한다. 〈개정 2015.12.31.〉

$$\text{월 통상인원} = \frac{\text{해당 월의 상시 고용}}{\text{종업원 수}} \times \frac{\text{해당 월의 수시 고용 종업원의 연인원}}{\text{해당 월의 일수}}$$

1. 중소기업 고용지원 개요

종업원분 주민세는 제84조의 4에서 규정한 바와 같이 종업원수 50명에 해당하는 급여총액 1억3천5백만원(2020년부터 1억5천만원 이하)인 경우에는 면세점에 해당되어 종업원분을 부과하지 아니한다. 그로인해 50명 미만의 기업이 인력을 추가로 채용하여 50명을 초과할 경우에는 기존에 면세되던 50명 이하의 부분까지 한꺼번에 과세로 전환되어 기업의 부담으로 작용하는 등 정부의 고용창출 정책에 역행한다는 우려가 있었다.

법 제84조의 5의 고용지원 대상 중소기업 판단은 「중소기업기본법」 제2조에서 규정하는 바에 따른다. 중소기업의 신설이란 실질적인 창업뿐만 아니라 단순히 신규사업자 등록 및 법인설립등기 등 형식적인 신설도 포함한다. 법인간 합병으로 인한 종업원 수 증가는 중소기업 고용창출 지원이라는 개정취지를 고려할 때 공제대상으로 볼 수 없다.

1) 추가 고용분에 대한 공제

2013년 지방세법(2013.1.1. 시행) 개정시에 중소기업에 한해 직전사업연도 평균 고용인원보다 추가로 고용을 창출한 사업소에 대하여는 일정금액을 과세표준에서 공제해주는 제도를 신설하였다. 예를 들어 중소기업(면세점 1억5천만원 요건 충족)이 직전연도에 월평균 종업원 수가 55명(50명 미만인 경우 50명으로 간주)이었는데 신고하는 달의 종업원 수가 60명인 경우 신고한 달의 종업원 수(60명)에서 직전연도의 월평균 종업원 수(55명)를 빼면 5명분의 급여액(과세표준)을 공제한다(제84조의 5 ①).

또한 신설 사업소 및 면세대상이었던 사업소가 추가 고용으로 50명을 초과한 경우에는 1년간 면세점을 초과한 인원에 대하여만 과세(50명분은 공제)함으로써 기존에 면세점 이하이었던 부분은 1년간은 똑같이 면세를 받을 수 있도록 개선하였다(제84조의 5 ②).

종업원분 지방소득세는 사업소별로 과세되기 때문에 사업소의 종업원이 증가하여 과세대상이 된 경우만 해당된다. 예를 들어 A사업소(60명)에서 종업원 40명을 추가 고용하여 B사업소를 신설한 경우 종업원을 추가로 고용하였더라도 B사업소가 면세점에 해당하므로 공제되지 않는다. 사업소가 타 지자체로 이전하여 과세권이 달라지는 경우 신설 사업소로 보지않고 기존 사업장의 신고내역을 확인하여 추가고용 여부를 판단하여야 한다.[68]

여기서 월평균 종업원 수 산정기간인 '직전연도'는 직전연도(1~12월)이며, 면세점 기준에서 평균 급여총액 산정기간인 '최근 1년간'은 해당 급여지급월이 포함된 최근 12개월을 의미한다. 한편 당초에는 "직전사업연도"로 규정하고 있었는데 기업마다 개별 회계연도를

68) 이와 같이 종업원분 주민세 과세체계 특성상 추가 고용계획이 있는 사업체에서 다음해에 공제 혜택을 늘리기 위해 당해 연도 종업원 수를 의도적으로 줄일 소지도 발생할 수 있을 것이다.

인정하는 것은 바람직하지 않는 면이 있어 2017.1.1.부터 "직전연도"로 명확히 하였다.

2) 신설 사업소 등 50명분에 대한 공제

2015.7.24. 중소기업 고용지원을 더욱 확대하였다. 중소기업이 사업소를 신설하면서 50명을 초과하여 종업원을 고용하는 경우(② 1호) 50명에 해당하는 과세표준(급여액)을 신고하는 해당월부터 1년간 공제한다. 신설 사업소로서 1년간 공제 이후 직전연도 월평균 종업원수 산정은 직전연도에 실제 신고납부한 월(月)로 계산한다. 예를 들어 2013.5월~2014.4월까지 공제 후 2014.5월 신고납부시 직전연도 월평균 종업원수는 2013.5월~12월까지 신고납부한 월수(8개월)를 이용하여 산정한다.

1년 전부터 50명 이하를 계속 고용하고 있던 사업소가 추가고용으로 50명을 초과하는 경우(② 2호) 50명에 해당하는 과세표준(급여액)을 신고하는 해당월부터 1년간 공제한다.

| 최근 개정법령 _ 2020.1.1. | 종업원분 주민세 공제 적용기준 명확화(법 §84의 5)

종업원 50명 이하인 사업소가 추가고용하여 50명을 초과하는 경우, 최초로 초과한 해당 월부터 1년간 50명분의 급여를 과표에서 공제한다. 그런데 과거 5년동안 50명 초과고용 여부를 판단하는 기산점인 '신고하는 달'을 매월 신고하는 시점(D+1월)으로 해석하는 경우, 그 직전월(D월)에 이미 50명을 초과하였으므로 공제혜택을 받을 수 없다는 지적이 있었다. 이에 대해 과거 5년간 50명 초과 여부 판단 기산월을 '신고하는 달'에서 '해당 월'로 명확히 하였다.

2. 면세점과 중소기업 고용지원과의 관계 및 적용방식

중소기업의 경우 일정요건에 대해 과표 공제제도를 두고 있는데 이는 당초 종업원수 면제 요건이 종업원 수를 바탕으로 한데서 비롯되었다. 그런데 2016.1.1.부터 주민세 종업원분 면세기준이 조정되었다. 면세점이 종업원 수에서 급여총액 기준(2019년까지 1억3천5백만원)으로 변경되었는데, 중소기업의 경우 종업원 수 요건에 "종업원 급여총액의 월평균금액" 요건을 동시에 고려하여야 한다.

중소기업에 대한 과세표준 공제 및 면세점 적용기준을 살펴보면 다음과 같다.[69] 면세점 기준이 개정되면서 50인 이하인 경우라도 "종업원 급여총액의 월평균금액"이 1억3천5백만원 이상이면 과세대상인데, 중소기업의 경우 50명 초과 고용 시에만 공제요건이 적용된다.

사업소 신설 당시 50명을 초과 고용하였으나 1억3천5백만원을 미달한 상태에서 일정기간 경과 후 기준금액을 초과한 경우 공제적용기간은 어떻게 되는가? 종업원분을 최초로 신

69) 면세점 조정에 따른 중소기업 고용지원 관련 업무요령(지방세운영과-4009, 2015.12.30.) 및 종업원분 지방소득세 개편에 따른 적용요령(지방세운영과-4158, 2012.12.28.) 참조

고하여야 하는 달부터 1년간 공제되므로 면세기준 초과시점부터 1년간 공제되고 1년의 기간 중 50명 이하인 기간(해당 월)은 공제를 적용할 수 없다. 예를 들어 2016.1월 60명으로 신설하였는데 2016.5월부터 면세점을 초과하는 경우 2016.5월부터 2017.4월 귀속분까지 공제를 적용한다. 그리고 2016.5월부터 면세점 초과되었으나 2016.10월~11월은 50명 이하를 고용하였다면 2016.5월부터 2017.4월까지가 공제기간(1년)이나 2016.10월~11월은 종업원 수가 48명이기 때문에 공제가 적용되지 않는다.

급여지급월	2016년 1~4월	5~9월	10~11월	12월	2017년 1~4월	2017년 5월~
월별 종업원 수	60	55	48	51	60	60
월별 급여총액	1.3억	1.6억	1억	1억	1.5억	1.5억
공제 여부	면세	50인 공제	공제 없음[1)]	면세	50인 공제	5인 공제[2)]

1) 해당 월의 월평균급여액이 1.42억원으로 면세점 초과되나 종업원 수가 50인 이하이므로 공제적용 제외
2) 신고한 달 종업원 수(60명) - 직전연도(2016.1~12월) 월평균 종업원 수(55명) = 5

○ 개인사업자의 법인전환 및 사업의 승계·양도는 신규 고용창출없이 기존 종업원을 계속 고용하는 것으로, 사업자의 변경만 있을 뿐, 법 제84조의 5 제2항 제1호에 따른 "사업소 신설"로 보기 어렵다고 판단됨(지방세운영과-1537, 2014.5.8.).

제84조의 6(징수방법과 납기 등)~제84조의 7(신고의무)

법 제84조의 6(징수방법과 납기 등) ① 종업원분의 징수는 신고납부의 방법으로 한다.
② 종업원분의 납세의무자는 매월 납부할 세액을 다음 달 10일까지 납세지를 관할하는 지방자치단체의 장에게 대통령령으로 정하는 바에 따라 신고하고 납부하여야 한다.
③ 종업원분의 납세의무자가 제2항에 따른 신고 또는 납부의무를 다하지 아니하면 제84조의 2 및 제84조의 3조에 따라 산출한 세액 또는 그 부족세액에 「지방세기본법」 제53조부터 제55조까지의 규정에 따라 산출한 가산세를 합한 금액을 세액으로 하여 보통징수의 방법으로 징수한다. [본조신설 2014.1.1.]

영 제85조의 4(종업원분의 신고 및 납부 등) ① 법 제84조의 6 제2항에 따라 종업원분을 신고하려는 자는 행정안전부령으로 정하는 신고서에 종업원 수, 급여 총액, 세액, 그 밖에 필요한 사항을 적은 명세서를 첨부하여 지방자치단체의 장에게 제출하여야 한다.

② 법 제84조의 6 제2항에 따라 종업원분을 납부하려는 자는 행정안전부령으로 정하는 납부서로 납부하여야 한다. [본조신설 2014.3.14.]

[제85조의 3에서 이동, 종전 제85조의 4는 제85조의 5로 이동 <2015.12.31.>]

법 제84조의 7(신고의무) ① 종업원분의 납세의무자는 조례로 정하는 바에 따라 필요한 사항을 신고하여야 한다.

② 납세의무자가 제1항에 따른 신고를 하지 아니할 경우에는 세무공무원은 직권으로 조사하여 과세대장에 등재할 수 있다. [본조신설 2014.1.1.]

영 제85조의 5(과세대장의 비치 등) 지방자치단체의 장은 종업원분 과세대장을 갖추어 두고, 필요한 사항을 등재해야 한다. 이 경우 해당 사항을 전산처리하는 경우에는 과세대장을 갖춘 것으로 본다.

종업원분은 신고납부의 방법으로 납부하여야 하며, 매월 납부할 세액을 다음 달 10일까지 납세지를 관할 지방자치단체 장에게 신고하고 납부하여야 한다. 종업원분 주민세 납세의무자는 조례로 정하는 바에 따른 신고의 의무가 있으며, 시장 · 군수는 과세대장을 비치할 의무가 있다.

제 8 장

지방세법

지방소득세

제1절

통 칙

제85조(정의)

법 제85조(정의) ① 지방소득세에서 사용하는 용어의 뜻은 다음과 같다. 〈개정 2015.7.24.〉

1. "개인지방소득"이란 「소득세법」 제3조 및 제4조에 따른 거주자 또는 비거주자의 소득을 말한다.
2. "법인지방소득"이란 「법인세법」 제4조에 따른 내국법인 또는 외국법인의 소득을 말한다.
3. "거주자"란 「소득세법」 제1조의 2 제1항 제1호에 따른 거주자를 말한다.
4. "비거주자"란 거주자가 아닌 개인을 말한다.
5. "내국법인"이란 국내에 본점이나 주사무소 또는 사업의 실질적 관리장소를 둔 법인을 말한다.
6. "비영리내국법인"이란 내국법인 중 다음 각 목의 어느 하나에 해당하는 법인을 말한다.
   가. 「민법」 제32조에 따라 설립된 법인
   나. 「사립학교법」이나 그 밖의 특별법에 따라 설립된 법인으로서 「민법」 제32조에 규정된 목적과 유사한 목적을 가진 법인(대통령령으로 정하는 조합법인 등이 아닌 법인으로서 그 주주(株主)·사원 또는 출자자(出資者)에게 이익을 배당할 수 있는 법인은 제외한다)
   다. 「국세기본법」 제13조 제4항에 따른 법인으로 보는 단체(이하 "법인으로 보는 단체"라 한다)
7. "외국법인"이란 외국에 본점 또는 주사무소를 둔 단체(국내에 사업의 실질적 관리장소가 소재하지 아니하는 경우만 해당한다)로서 대통령령으로 정하는 기준에 해당하는 법인을 말한다.
8. "비영리외국법인"이란 외국법인 중 외국의 정부·지방자치단체 및 영리를 목적으로 하지 아니하는 법인(법인으로 보는 단체를 포함한다)을 말한다.
9. "사업자"란 사업소득이 있는 거주자를 말한다.
10. "사업장"이란 인적 설비 또는 물적 설비를 갖추고 사업 또는 사무가 이루어지는 장소를 말한다.
11. "사업연도"란 법인의 소득을 계산하는 1회계기간을 말한다.
12. "연결납세방식"이란 둘 이상의 내국법인을 하나의 과세표준과 세액을 계산하는 단위로 하여 제7절에 따라 법인지방소득세를 신고·납부하는 방식을 말한다.
13. "연결법인"이란 연결납세방식을 적용받는 내국법인을 말한다.

14. "연결집단"이란 연결법인 전체를 말한다.
15. "연결모법인"(連結母法人)이란 연결집단 중 다른 연결법인을 완전 지배하는 연결법인을 말하고, "연결자법인"(連結子法人)이란 연결모법인의 완전 지배를 받는 연결법인을 말한다.
16. "연결사업연도"란 연결집단의 소득을 계산하는 1회계기간을 말한다.

② 이 장에서 사용하는 용어의 뜻은 제1항에서 정하는 것을 제외하고 「소득세법」 및 「법인세법」에서 정하는 바에 따른다. [전문개정 2014.1.1.]

영 제86조(비영리내국법인 및 외국법인의 범위) ① 법 제85조 제1항 제6호 나목에서 "대통령령으로 정하는 조합법인 등"이란 「법인세법 시행령」 제1조 제1항 각 호에 따른 법인을 말한다.

② 법 제85조 제7호에서 "대통령령으로 정하는 기준에 해당하는 법인"이란 「법인세법 시행령」 제1조 제2항에 따른 단체를 말한다. [전문개정 2014.3.14.]

지방소득세는 2010년부터 시행된 세목통폐합에 따른 개편으로 기존 소득할 주민세와 종업원분 사업소세를 합하여 신설된 세목이다.

2014년부터는 국세인 법인세·소득세의 부가세(Sur-tax)형태에서 국세와 과세표준을 같이 사용하되 세율이나 공제·감면 등을 국세와는 독립적으로 운영하는 독립세 형태로 전환하였다. 그 과정에서 종업원분은 다시 주민세로 통폐합하고 소득분만 지방소득세로 규정하였다.

〈지방소득세의 법인세 전환의 의미 및 내용〉

○ 2010년부터 국세(소득세·법인세)의 부가세(Sur-tax) 형태로 운영하여온 지방소득세는 지방세원으로서 불안정한 측면과 지방의 조세정책 수단으로 활용이 어려운 점 등이 있어 지방재정의 안정적 수입원이 되도록 독립세로 전환한 것임.
- (지방자치단체 세입의 불안정) 국가정책 목적을 위한 소득·법인세 세율 조정, 공제·감면 등에 따라 지방소득세 세입이 변동
  ※ 2008년 소득·법인세 세율 인하 후 5년 간 지방소득세 감소액(2012 국회 예정처) : 총 6.09조원(소득세분 2.59조원, 법인세분 3.50조원)
- (지자체의 조세정책 수단으로 활용 불가) 부가세 구조에서는 법인세, 소득세와 함께 국가정책적 목적으로만 활용

○ 지방소득세의 독립세 전환
- 소득·법인세와 과세표준(소득 부분)은 공유하되, 세율, 세액공제·감면 등에 관한 사항은 '지방세 관계법'에서 별도 규정

〈지방소득세 과세구조〉

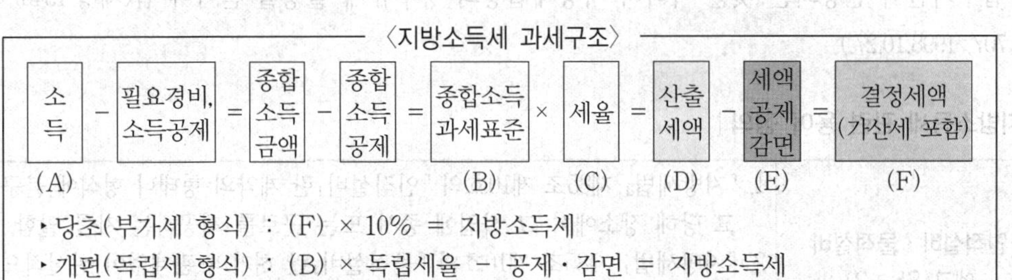

- 당초(부가세 형식) : (F) × 10% = 지방소득세
- 개편(독립세 형식) : (B) × 독립세율 - 공제·감면 = 지방소득세

• 세율은 현행과 같이 국세의 10% 수준으로 하고, 누진세율방식 적용

〈부가세 구조〉 〈독립세 전환〉

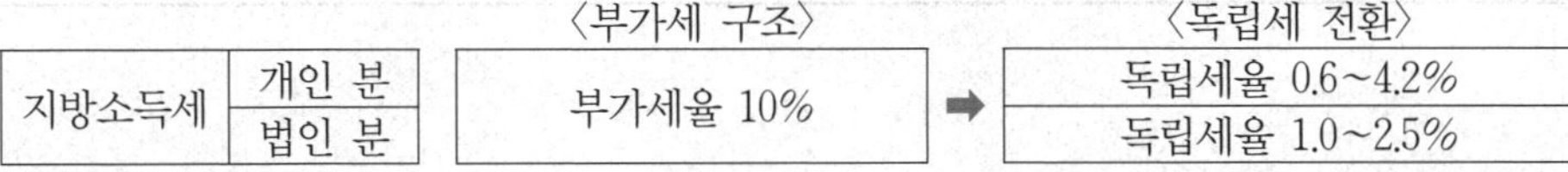

• 법인 소득분에 대한 세액공제·감면을 정비

※ 개인납세자는 세 부담 영향이 없도록 세액공제·감면 사항을 종전과 같이 유지

• 법인지방소득세 세율체계 조정

- (개념) 소득 수준이 높을수록 구간별 적용세율도 높아지는 체계
- (효과) 국민 소득재분배에 기여(국세와 동일한 세율체계)

◎ 지방소득세 부과처분의 기준이 되는 종합소득세가 권한 있는 기관에 의하여 취소 또는 경정되기 전까지는 지방소득세 부과처분은 적법

「지방세법」 제85조 제3호의 규정에 의한 소득세분 지방소득세는 소득세액을 과세표준으로 하는 것으로서 그 과세표준이 되는 소득세 부과처분이 권한 있는 기관에 의하여 취소 또는 경정·결정이 있기 전까지는 적법하게 부과된 것으로 보아야 하고, 그 이후에 권한 있는 기관에 의하여 소득세가 취소 또는 경정·결정된 경우에 그에 따라 소득세분 지방소득세 또한 취소 또는 감액되는 것이므로, 이 건 심판청구일 현재까지 ○○이 청구인에게 한 종합소득세 부과처분이 적법하게 유지되고 있는 이상, 이 건 지방소득세 부과처분이 위법하거나 부당하다고 볼 수는 없다고 판단된다. 다만, 「지방세법」 제94조 제2항의 규정에 의하면 「소득세법」과 「법인세법」에 따라 신고한 소득세와 법인세의 결정·경정 또는 「소득세법」 제85조의 2와 「법인세법」 제72조에 따른 환급으로 인하여 세액이 달라진 경우에는 그 결정·경정 또는 환급세액에 따라 소득분의 세액을 환급하거나 추징하도록 규정하고 있으므로 추후 이 건과 관련된 종합소득세가 권한 있는 기관에 의하여 취소 또는 경정·결정된 경우에는 이 건 심판청구에 대한 결정에도 불구하고 이 건 지방소득세도 취소 또는 감액되어야 할 것임(조심 2012지490, 2012.9.28.).

◎ 국세징수법 제15조 제1항의 규정에 의하여 징수유예 결정을 받았다고 하여 당연히 주민세의

납부기한이 연장되는 것은 아니며 지방세법상의 징수유예 결정을 받아야 함(세정 13407-아707, 1998.10.27.).

|**지방소득세 관련 용어 정의**|

인적설비 · 물적설비 예규(85-3)	1.「지방세법」 제85조 제10호의「인적설비」란 계약의 형태나 형식에 불구하고 당해 장소에서 그 사업에 종사 또는 근로를 제공하는 자를 말함. 2.「지방세법」 제85조 제10호의「물적설비」란 허가와 관계없이 현실적으로 사업이 이루어지고 있는 건축물 기계장치 등이 있고, 이러한 설비들이 지상에 고착되어 현실적으로 사무 · 사업에 이용되는 것을 말함.

제86조(납세의무자)

> **법** 제86조(납세의무자 등) ①「소득세법」에 따른 소득세 또는「법인세법」에 따른 법인세의 납세의무가 있는 자는 지방소득세를 납부할 의무가 있다.
> ② 제1항에 따른 지방소득세 납부의무의 범위는「소득세법」과「법인세법」에서 정하는 바에 따른다. [전문개정 2014.1.1.]

지방소득세의 납세의무자는「소득세법」및「법인세법」에 따른 소득세 · 법인세의 납세의무가 있는 자와 소득세 · 법인세를 원천징수하는 자이다.

1. 개인지방소득세 납세의무자

"개인지방소득"이란「소득세법」 제3조 및 제4조에 따른 거주자 또는 비거주자의 소득을 말한다(지법 §85 ① 1호).「소득세법」에 따른 소득세 납세의무가 있는 자는 지방소득세를 납부할 의무가 있으며, 지방소득세의 납부의무 범위는「소득세법」에 정하는 바에 따른다(지법 §86). 즉 소득세법상 납세의무자와 납세의무의 범위가 개인지방소득세 납세의무자이자 납세의무 범위가 된다.

소득세의 납세의무는 개인으로 소득세법상 거주자와 비거주자로 구분하며 그 과세소득의 범위와 과세방법 등에 차이를 두고 있다(소법 §2 ①). 거주자는 무제한 납세의무(거주지국 과세원칙)를, 비거주자는 국내원천소득에 한하여 제한적 납세의무(원천지국 과세원칙)를 부담하게 된다.

거주자, 비거주자 납세의무 범위는 아래와 같이 구분한다.

구 분	개 념	납세의무 범위
거주자	• 국내에 주소나 183일 이상 거소(居所)를 둔 개인	• 소득 전부 - 국내 · 국외 원천소득
	• 외국인 거주자로서 - 과세기간 종료일로부터 소급하여 10년 동안 국내 주소 등이 있었던 기간 합계가 5년 이하인 개인	• 국내 원천소득 • 국외 원천소득 중 국내에서 지급 또는 국내로 송금된 소득
비거주자	• 거주자가 아닌 개인	• 국내 원천소득

※ 거주자의 개념에서 '거소'란 주소지 외의 장소 중 상당기간에 걸쳐 거주하는 장소로서 주소와 같이 밀접한 일반적인 생활관계가 형성되지 아니한 장소를 의미한다(소령 §2 ② 참조).

거주자와 비거주자 판정기준은 아래와 같다(소령 §2 ③, ④, ⑤ 참조).

국내에 주소를 가진 것(거주자)으로 보는 경우	국내에 주소가 없는 것(비거주자)으로 보는 경우
① 계속하여 183일 이상 국내에 거주할 것을 통상 필요로 하는 직업을 가진 때	① 계속하여 1년 이상 국외에 거주할 것을 통상 필요로 하는 직업을 가진 때
② 국내에 생계를 같이하는 가족이 있고, 그 직업 및 자산상태에 비추어 보아 계속하여 1년 이상 국내에 거주할 것을 인정되는 때	② 외국 국적을 가졌거나 외국의 영주권을 얻는 자로서 국내에 생계를 같이하는 가족이 없고, 그 직업 및 자산상태에 비추어 다시 입국하여 주로 국내에 거주하리라고 인정되지 아니하는 때
③ 외국을 항행하는 선박 또는 항공기의 승무원의 경우 그 승무원과 생계를 같이하는 가족이 거주하는 장소 또는 그 승무원이 근무기간 외의 기간 중 통상 체재하는 장소가 국내에 있는 때에는 주소가 국내에 있는 것으로 보고, 그 장소가 국외에 있는 때에는 주소가 국외에 있는 것으로 봄	

그 외 소득세법 상 납세의무자로 원천징수의무자(소법 §2 ②), 법인으로 보는 단체 외의 단체 납세의무자(소법 §2 ③), 공동사업의 소득금액에 대한 납세의무(소법 §2의 2 ①), 상속으로 인한 납세의무의 승계(소법 §2의 2 ②), 양도소득세 부당행위계산부인의 경우 연대납세의무(소법 §2의 2 ④), 분리과세소득에 대한 납세의무(소법 §2의 2 ⑤), 신탁소득에 대한 납세의무(소법 §2의 2 ⑥)를 규정하고 있다.

2. 법인지방소득세 납세의무자

법인지방소득세의 납세의무자는 「법인세법」에 따른 법인세의 납세의무가 있는 자로서 아래와 같이 구분된다.

구 분	개 념	납세의무 범위
내국법인	국내에 본점이나 주사무소* 또는 사업의 실질적 관리장소**를 둔 법인	국내·국외 원천소득 [무제한 납세의무자]
외국법인	외국에 본점이나 주사무소를 둔 법인(국내에 사업의 실질적 관리장소가 없는 경우만 해당)	국내원천소득 [제한 납세의무자]
※ 내국법인 중 국가와 지방자치단체는 비과세		

* 본점(주사무소) : 영리법인(비영리법인)의 사업상의 본거지로 정관 또는 등기부에 기재

** 실질적 관리장소 : 법인의 업무수행에 필요한 중요한 관리와 상업적 결정이 실질적으로 이루어지는 장소

- 법인세 부과처분 불복과는 별개로 과세표준인 법인세액결정 위법이유로 그 취소를 구함과 동시에 별도로 그 위법을 이유로 주민세 부과처분 취소를 구할 수 있음(대법원 95누15445, 1996.9.24.).
- 법인세할 주민세의 납세의무 성립시기는 법인세의 납세의무 성립일인 사업연도 종료일이나 법인세를 미신고하거나 오류 등이 있어 세무서장이 경정결정하는 경우에는 경정결정처분한 때에 당해 주민세의 납세의무가 성립함(지방세심사 2004-364, 2004.11.30.).
- 납세고지서에 기재된 납부기한이 공휴일에 해당한다면 그 다음날이 납부기한으로서 효력을 가지므로 이 날로부터 1월 이내에 법인세할 주민세를 신고납부하였다면 정당함(지방세심사 2004-228, 2004.8.30.).

제87조(지방소득의 범위 및 구분 등)

법 제87조(지방소득의 범위 및 구분 등) ① 거주자의 개인지방소득은 다음 각 호와 같이 구분한다. 이 경우 각 호의 소득의 범위는 「소득세법」 제16조부터 제22조까지, 제94조 및 제95조에서 정하는 바에 따르고, 신탁의 이익의 구분에 대해서는 같은 법 제4조 제2항에 따른다.

1. 종합소득

   이 법에 따라 과세되는 개인지방소득에서 제2호 및 제3호에 따른 소득을 제외한 소득으로서 다음 각 목의 소득을 합산한 것

   가. 이자소득 나. 배당소득 다. 사업소득 라. 근로소득 마. 연금소득 바. 기타소득
2. 퇴직소득
3. 양도소득

② 비거주자의 개인지방소득은 「소득세법」 제119조에 따라 구분한다.

③ 내국법인 및 외국법인의 법인지방소득은 다음 각 호와 같이 구분하고, 법인의 종류에 따른 각

호의 소득의 범위는 「법인세법」 제4조에서 정하는 바에 따른다. 〈개정 2015.7.24.〉
1. 각 사업연도의 소득 2. 청산소득(清算所得) 3. 「법인세법」 제55조의 2 및 제95조의 2에 따른 토지등 양도소득
4. 「조세특례제한법」 제100조의 32에 따른 미환류소득 [전문개정 2014.1.1]

지방소득세는 과세대상이 되는 소득을 개인지방소득과 법인지방소득으로 구분하면서 개인지방소득은 「소득세법」에서 정하고 있는 종합소득, 퇴직소득, 양도소득으로 구분하고 법인지방소득은 각 사업연도의 소득, 청산소득(清算所得), 양도소득으로 구분하고 있다.

| 최근 개정법령_2015.7.24. | 기업소득 환류세제 도입(법 제87조 ③ 4호, 제103조의 21 ①, 제103조의 31 ⑤)

기업소득을 투자, 임금상승, 배당 등으로 환류하여 가계소득을 증대하기 위해 기업소득 환류세제를 도입하였다(법인세법 제56조). 기업소득 환류세제는 법인세법에 따라 자기자본 500억 초과 대기업에 대하여 투자, 임금상승, 배당액 등이 기준에 미치지 못하는 경우 그 부족분(≒사내유보금)에 10%를 과세하는 것이다. 기업소득 환류세제는 새로운 소득에 대해 법인세를 과세하는 것으로 국세와 과세표준을 공유하는 지방소득세도 이를 공유할 필요가 있었으며, 그에 따라 기업미환류소득에 대한 법인세를 납부시 그 납부하는 세액의 100분의 10을 법인지방소득세에 추가하여 납부하여야 한다.

| 최근 개정법령_2019.1.1. | 법인의 과세대상 소득 범위 보완(법 §87 ③)

법인의 과세대상 소득 범위 중 "양도소득"을 「법인세법」 제55조의 2 및 제95조의 2에 따른 "토지등 양도소득"으로 명확히 하였다. ※ '양도소득'은 토지, 건물, 부동산에 관한 권리, 주식 등의 양도로 발생하는 소득을 말하고, '토지등 양도소득'은 법인이 일정한 토지 등(주택・별장・비사업용 토지)을 양도함으로써 발생하는 소득(부동산 투기 방지 목적)을 의미한다.

| 최근 개정법령_2021.1.1. | 지방소득세 신탁세제 개선(법 §87 ①, §103의 58 등)

법인으로 의제된 신탁재산에 대하여 법인지방소득세가 부과될 수 있도록 사업연도 기간, 납세지, 법인지방소득세 신고・납부 절차 등 근거규정을 마련하였다. 그리고 법인과세 신탁재산으로부터의 신탁이익은 신탁소득의 발생 원천별로 구분하지 않도록 하였다.

| 법인세・법인지방소득세 |

유형	납세의무자	대상 신탁	과세방식	비고
수익자 과세	수익자	원칙(일반적인 경우)	소득원천별 과세	종전과 동일

유형	납세의무자	대상 신탁	과세방식	비고
위탁자 과세	위탁자	실질적 수익자가 위탁자인 경우	소득원천별 과세	종전과 동일
신탁재산(수탁자) 법인세 과세	1단계 : 신탁재산 2단계 : 수익자	수익증권발행신탁, 목적신탁, 유한책임 신탁 등 중 수탁자가 선택하는 경우(위탁자가 통제·지배하는 경우 제외)	2단계 과세 1) 신탁재산에 법인세 과세 2) 수익자에게 배분시 배당소득세 과세 * 旣납부 법인세 이중과세 조정	신설

※ 기존 수익자 과세 원칙은 유지하되, 신탁재산(수탁자) 법인세 과세 방식을 신설

1. 개인지방소득

1) 거주자의 개인지방소득의 구분(지법 §87 ①) 및 과세체계는 아래와 같다.

종합소득	• 이자소득 • 배당소득 • 사업소득 • 근로소득 • 연금소득 • 기타소득	• 종합과세 : 합산과세, 누진세율 • 분리과세 : 합산하지 않음. 원천징수세율
분류소득	• 퇴직소득 • 양도소득	• 분류과세 : 합산하지 않음, 별도세율

2) 비거주자의 개인지방소득 구분(지법 §87 ②)

비거주자의 국내원천소득은 소득종류별로 구분하여 열거하고 있고, 이러한 소득에 따라 세율이나 과세방법 등을 달리 취급하고 있다. 이자소득, 배당소득, 부동산소득, 선박·항공기 등의 임대소득, 사업소득, 인적용역소득, 근로소득, 퇴직소득, 토지·건물의 양도소득, 사용료소득, 유가증권양도소득, 기타소득으로 구분하고 있다. 비거주자의 국내원천소득을 소득종류별로 구분·열거하고 있는 이유는 세율이나 과세방법 등에서 취급을 달리하고 있기 때문이다.

국내원천 소득의 종류	이자 소득	배당 소득	부동산 소득	선박·항공기 등의 임대소득	사업 소득	인적용 역소득	근로 소득	퇴직 소득	토지·건물 의 양도소득	사용료 소득	유가증권 양도소득	기타 소득
소득세법 제119조	1호	2호	3호	4호	5호	6호	7호	8호	9호	10호	11호	12호

2. 법인지방소득

법인지방소득은 내국법인과 외국법인의 법인지방소득으로 구분하고, 소득의 범위는 「법인세법」을 준용한다.

| 법인유형별 과세소득의 범위(법법 §3) |

구 분		각 사업연도의 소득	토지등 양도소득	청산소득	미환류 소득
내국법인	영 리* 법 인	국내·국외 원천소득	과세○	과세○	과세○
	비영리** 법 인	국내·국외 원천소득 중 수익사업에서 발생한 소득	과세○	과세×	과세×
외국법인	영 리 법 인	국내 원천소득	과세○	과세×	과세×
	비영리 법 인	국내 원천소득 중 수익사업에서 발생한 소득	과세○	과세×	과세×

※ 내국법인 중 국가와 지방자치단체는 모든 소득에 대하여 비과세(법법 §2 ③), 외국의 정부와 지방자치단체는 비영리 외국법인(법법 §1(4))에 해당됨.

* 영리법인 : 영리(사업에서 발생한 이윤을 구성원에게 분배)를 목적으로 하는 법인
** 비영리법인 : 학술·종교·자선 기타 영리 아닌 사업을 목적으로 하는 법인

3. 개인지방소득(양도소득)

개인지방소득(양도소득)은 거주자와 비거주자의 개인지방소득(양도소득)으로 구분하고, 소득의 범위는 「소득세법」을 준용하고 있다(지법 §87).

| 양도소득의 범위(소법 §94) |

구 분	과세대상 자산
부동산 (소법 §94 ① 1호)	① 토지 ② 건물
부동산에 관한 권리 (소법 §94 ① 2호)	③ 부동산을 취득할 수 있는 권리1) (가목) ④ 지상권 (나목) ⑤ 전세권 (다목) ⑥ 등기된 부동산임차권 (다목)

구 분	과세대상 자산
기타자산 (소법 §94 ① 4호)	⑦ 사업용고정자산과 함께 양도하는 영업권 (가목) ⑧ 특정시설물이용권 (나목)[2] ⑨ 특정주식A (다목, 소령 §158 ① 1호)[3] ⑩ 특정주식B (다목, 소령 §158 ① 5호)[4]
주식 등 (소법 §94 ① 3호)	⑪ 상장법인의 대주주가 양도하는 주식등 (가목) ⑫ 증권시장 외에서 양도하는 상장법인 주식등 (가목) ⑬ 상장법인이 아닌 법인의 주식등 (나목)
※ 3호 및 4호에 모두 해당되는 경우에는 4호를 적용 (소법 §94 ②)	

1) 부동산을 취득할 수 있는 권리의 예시
   - 건물이 완성되는 때 그 건물과 이에 부수되는 토지를 취득할 수 있는 권리(아파트분양권 등)
   - 지방자치단체・한국토지주택공사가 발행하는 토지・주택상환채권
   - 부동산에 대한 매매계약이 체결된 이후에 잔금이 청산되지 아니한 상태(사회통념상 잔금의 대부분이 지급된 경우는 제외)에서 양도하는 권리
   - 이주자택지 분양권
2) 특정시설물을 배타적으로 이용하거나 일반이용자보다 유리한 조건으로 이용할 수 있도록 약정한 단체의 구성원이 된 자에게 부여되는 시설물이용권(예 : 골프회원권, 콘도미니엄이용권 등)
3) 당해 법인의 자산총액 대비 부동산 등의 자산가액이 50% 이상이고, 해당 주식의 50% 이상을 소유한 주주(특수관계인 포함)가 특수관계인 외에게 3년간 50% 이상을 양도하는 경우의 해당 주식
4) 당해 법인의 자산총액 대비 부동산 등의 자산가액이 80% 이상이고, 골프장, 스키장, 휴양콘도, 전문휴양시설을 건설 또는 취득하여 직접 경영하거나 분양(임대)하는 사업 영위하는 법인 주식

제88조(과세기간 및 사업연도)

> **법** 제88조(과세기간 및 사업연도) ① 개인지방소득에 대한 지방소득세(이하 "개인지방소득세"라 한다)의 과세기간은 「소득세법」 제5조에 따른 기간으로 한다.
> ② 법인지방소득에 대한 지방소득세(이하 "법인지방소득세"라 한다)의 각 사업연도는 「법인세법」 제6조부터 제8조까지에 따른 기간으로 한다. [전문개정 2014.1.1.]

개인지방소득세의 과세기간은 소득세와 같이 매년 1월 1일부터 12월 31일까지이고, 법인지방소득세의 과세기간은 각 법인의 사업연도를 기준으로 한다.

1. 개인지방소득세 과세기간

개인지방소득세의 과세기간은 「소득세법」 제5조에 따른 기간으로 한다. 소득세법 제5조

의 과세기간은 소득세의 과세기간은 1월 1일부터 12월 31일까지 1년으로 하고, 거주자가 사망한 경우의 과세기간은 1월 1일부터 사망한 날까지로 한다. 그리고 거주자가 주소 또는 거소를 국외로 이전(이하 "출국"이라 한다)하여 비거주자가 되는 경우의 과세기간은 1월 1일부터 출국한 날까지로 한다.

2. 법인지방소득세의 사업연도

법인의 소득을 계산하는 1회계기간으로 그 기간은 1년 초과가 불가하다.

구 분		사업연도
법령 · 정관 등에서 사업연도에 관한 규정이 있는 법인		• 법령 · 정관 등에서 규정한 사업연도
규정이 없는 법인	사업연도 신고 ○	• 신고한 사업연도
	사업연도 신고 ×	• 매년 1.1. ~ 12.31.

사업연도의 변경을 위해서는 직전 사업연도 종료일로부터 3월 이내에 납세지 관할 세무서장에게 신고하여야 하며, 종전의 사업연도 개시일부터 변경된 사업연도의 개시일 전일까지의 기간을 1사업연도로 한다(법법 §7). 법인에게 해산 · 합병 등 특정한 사유가 발생하는 경우 그 사유 발생일을 기준으로 사업연도를 구분하여 사업연도를 의제하고 있다(법법 §8).

※ 해산시, 잔여재산가액 확정시, 합병 · 분할에 의해 소멸시, 청산 중 사업계속시, 외국법인의 국내사업장 폐지시, 외국법인의 부동산 소득 미발생시, 설립무효 · 취소 판결시, 연결납세방식을 적용받는 경우 등에 대해서는 별도의 사업연도를 의제하고 있음(세부내용 관련규정 참조).

제89조(납세지 등)

법 제89조(납세지 등) ① 지방소득세의 납세지는 다음 각 호와 같다. 〈개정 2014.3.24., 2015.12.29.〉

1. 개인지방소득세 : 「지방세기본법」 제34조에 따른 납세의무 성립 당시의 「소득세법」 제6조 및 제7조에 따른 납세지
2. 법인지방소득세 : 사업연도 종료일 현재의 「법인세법」 제9조에 따른 납세지. 다만, 법인 또는 연결법인이 둘 이상의 지방자치단체에 사업장이 있는 경우에는 각각의 사업장 소재지를 납세지로 한다.

② 제1항 제2호 단서에 따라 둘 이상의 지방자치단체에 법인의 사업장이 있는 경우 또는 각 연결법인의 사업장이 있는 경우에는 대통령령으로 정하는 기준에 따라 법인지방소득세를 안분하여 그 소재지를 관할하는 지방자치단체의 장에게 각각 신고납부하여야한다. 〈개정 2015.12.29.〉

③ 제1항 및 제2항에도 불구하고 제103조의 13, 제103조의 29, 제103조의 52에 따라 특별징수하는 지방소득세 중 다음 각 호의 지방소득세는 해당 각 호에서 정하는 납세지를 관할하는 지방자치단체의 장이 부과한다. 〈개정 2014.3.24., 2015.7.24., 2016.12.27.〉

1. 근로소득 및 퇴직소득에 대한 지방소득세 : 납세의무자의 근무지. 다만, 퇴직 후 연금계좌(연금신탁·보험을 포함한다)에서 연금외수령의 방식으로 인출하는 퇴직소득의 경우에는 그 소득을 지급받는 사람의 주소지로 한다.
2. 이자소득·배당소득 등에 대한 소득세 및 법인세의 원천징수사무를 본점 또는 주사무소에서 일괄처리하는 경우 그 소득에 대한 지방소득세 : 그 소득의 지급지
3. 「복권 및 복권기금법」 제2조에 따른 복권의 당첨금 중 일정 등위별 당첨금 또는 「국민체육진흥법」 제2조에 따른 체육진흥투표권의 환급금 중 일정 등위별 환급금을 본점 또는 주사무소에서 한꺼번에 지급하는 경우의 당첨금 또는 환급금 소득에 대한 지방소득세 : 해당 복권 또는 체육진흥투표권의 판매지
4. 「소득세법」 제20조의 3 제1항 제1호 및 제2호에 따른 연금소득에 대한 지방소득세 : 그 소득을 지급받는 사람의 주소지
5. 「국민건강보험법」에 따른 국민건강보험공단이 지급하는 사업소득에 대한 지방소득세 : 그 소득을 지급받는 사람의 사업장 소재지 [전문개정 2014.1.1.]

영 제87조(납세지 등) ① 법인이 사업장을 이전한 경우 해당 법인지방소득세의 납세지는 해당 법인의 사업연도 종료일 현재 그 사업장 소재지로 한다.

② 근무지를 변경하거나 둘 이상의 사용자로부터 근로소득을 받는 근로자에 대한 개인지방소득세를 연말정산하여 개인지방소득세를 환급하거나 추징해야 하는 경우 개인지방소득세의 납세지는 다음 각 호의 구분에 따른다.

1. 근무지를 변경한 근로자 : 연말정산 대상 과세기간의 종료일 현재 근무지
2. 둘 이상의 사용자로부터 근로소득을 받는 근로자 : 연말정산 대상 과세기간의 종료일 현재 주된 근무지

③ 「소득세법 시행령」 제5조 제6항에 따른 사람의 개인지방소득세의 납세지는 「지방세기본법」 제34조에 따른 납세의무 성립 당시 소속기관의 소재지로 한다.

제88조(법인지방소득세의 안분방법) ① 법 제89조 제2항에서 "대통령령으로 정하는 기준"이란 다음의 계산식에 따라 산출한 비율(이하 이 장에서 "안분율"이라 한다)을 말한다.

$$\left[\left(\frac{\text{관할지방자치단체 안 종업원수}}{\text{법인의 총 종업원수}}+\frac{\text{관할지방자치단체 안 건축물연면적}}{\text{법인의 총 건축물연면적}}\right)\right]\div 2$$

② 제1항에 따른 종업원 수와 건축물 연면적의 계산은 각 사업연도 종료일 현재 다음 각 호에서 정하는 기준에 따른다. 이 경우 사업장으로 직접 사용하는 건축물이 둘 이상의 지방자치단체에 걸쳐있는 경우에는 해당 지방자치단체별 건축물 연면적 비율에 따라 종업원 수와 건축물의 연면적을 계산하며, 구체적 안분방법에 관한 사항은 행정안전부령으로 정한다. 〈개정 2016.12.30.〉

1. 종업원 수 : 법 제74조 제8호에 따른 종업원의 수
2. 건축물 연면적 : 사업장으로 직접 사용하는 「건축법」 제2조 제1항 제2호에 따른 건축물(이와 유사한 형태의 건축물을 포함한다)의 연면적. 다만, 구조적 특성상 연면적을 정하기 곤란한 기계장치 또는 시설물(수조·저유조·저장창고·저장조·송유관·송수관 및 송전철탑만 해당

한다)의 경우에는 그 수평투영면적을 연면적으로 한다.

③ 지방자치단체의 장이 법 제103조의 20 제2항에 따라 법인지방소득세의 세율을 표준세율에서 가감한 경우 납세의무자는 다음의 계산식에 따라 산출한 금액을 법인지방소득세에 가감하여 납부하여야 한다.

$$\text{법 제103조의 19에 따른 과세표준} \times \text{법 제103조 20 제1항의 세율} \times \text{안분율} \times \left(\frac{\text{해당 지방자치단체의 법인지방소득세 세율}}{\text{법인지방소득세 표준세율}} - 1 \right)$$

④ 같은 특별시·광역시 안의 둘 이상의 구에 사업장이 있는 법인은 해당 특별시·광역시에 납부할 법인지방소득세를 본점 또는 주사무소의 소재지(연결법인의 경우에는 모법인의 본점 또는 주사무소)를 관할하는 구청장에게 일괄하여 신고·납부하여야 한다. 다만, 특별시·광역시 안에 법인의 본점 또는 주사무소가 없는 경우에는 행정안전부령으로 정하는 주된 사업장의 소재지를 관할하는 구청장에게 신고·납부한다. [전문개정 2015.12.31.]

규칙 제38조의 5(법인지방소득세 안분 적용방법) 영 제88조 제2항에 따른 종업원 수와 건축물 연면적 기준은 별표 4의 법인지방소득세 안분계산 시 세부 적용기준을 적용하여 계산한다.

제39조(주된 사업장) 영 제88조 제4항 단서에서 "행정안전부령으로 정하는 주된 사업장"이란 해당 특별시 또는 광역시 안에 소재하는 사업장 중 영 제78조의 3에 따른 종업원의 수가 가장 많은 사업장을 말한다. 다만, 종업원 수가 가장 많은 사업장이 둘 이상인 경우에는 그 중 영 제88조 제1항에 따른 안분율이 가장 큰 사업장을 말한다. <개정 2014.8.8. 2015.12.31.>

1. 개인지방소득세 납세지

| 최근 개정법령_2020.1.1. | 개인지방소득세 납세지 개선(법 §89 ① 1)

2019년까지 개인지방소득세 납세지는 국세와 같이 소득세 신고당시의 주소지였다. 그런데 지방세의 납세지는 세입의 귀속지가 됨에도 과세기간 종료 후 주소를 이전하는 경우 소득발생지와 세입귀속지 간 불일치 문제가 발생하였다. 그리고 2020년부터 개인지방소득세에 대한 지자체 신고제도가 시행됨에 따라 납세지를 조기에 확정하여 사전 안내 등 납세편의를 제고할 필요가 있었다. 그에 따라 개인지방소득세 납세지를 납세의무 성립(12.31.) 당시 주소지 중심으로 개정하였다.

1) 납세지 개요

소득세나 법인세는 어디에 납부하든 국고라는 단일 금고로 귀속된다. 그에 따라 납세 편의 또는 과세관청의 세원관리 측면이 납세지 결정의 주요 기준이라 할 것이다. 그런데 지방소득세의 경우 해당 납세지별 지자체의 세입, 즉 과세권의 귀속으로 직결되기 때문에 납세지가 매우 중요하다. 주소지나 거소지, 본점 소재지 등의 장소를 연도 중에 이동하게 되는 경우 납세지 문제는 지자체간 과세권의 분쟁과 연계되어 많은 논란거리가 있어왔다. 지방소득세가 독립세로 전환된 이후에도 이러한 문제점은 계속되었다.

이러한 문제점을 보완하기 위해 2018.1.1.부터 납세지 규정이 개정되었다. 당시 법인지방소득세의 경우 "「법인세법」 제9조에 따른 납세지"로 규정하고 있었는데 어느 시점의 본점 소재지인지 불명확하여 "사업연도 종료일 현재의 「법인세법」 제9조에 따른 납세지"로 명확히 하였다. 당시 개인 지방소득세의 경우 "「소득세법」 제6조부터 제8조까지에 따른 납세지"로 규정하고 있었는데 "소득세 신고 당시의 「소득세법」 제6조부터 제8조까지에 따른 납세지"로 개정하였다.

그런데 법인지방소득세의 경우 법인세 납세의무성립일(과세기간 끝나는 때)과 일관성있게 보완했지만 개인지방소득세의 경우 "소득세 신고 당시"로 변경하므로 인해 또 다른 논란이 야기되었다. 지방세법 개정에 따라 지방소득세 납세지는 소득세 납세지를 따르도록 되어 있어, 소득세 신고당시 주소지가 지방소득세 납세지가 된다. 예를들어 개인 납세자가 주소를 과세기간 종료 이후 종합소득세 신고 사이에 주소지를 옮길 경우 지방소득세 납세지는 변경된 주소지 관할 지자체가 된다. 여전히 납세지 문제로 인한 혼란이 지속될 수 밖에 없었다. 특히 납세의무성립시기가 도래하였다는 것은 과세요건이 충족하여 과세권의 귀속도 확정되었다고 봐야하는데, 소득세 납세지를 따르다 보니 과세권이 납세자의 의사(주소이전)에 따라 달라지는 상황이 발생할 여지가 있었다.

한편 2019년말까지 개인지방소득세는 국세인 소득세와 함께 세무서(국세청)에서 동시신고를 받도록 되어 있어, 신고 뿐 아니라 부과고지까지 세무서에서 처리하여 독립된 납세지를 규정할 수 없는 한계가 있었다. 결국 2020년 개인지방소득세 독자신고 전환에 맞춰 개인지방소득세 납세지를 "「지방세기본법」 제34조에 따른 납세의무 성립 당시의 「소득세법」 제6조 및 제7조에 따른 납세지"로 보완하게 되었다. 앞으로는 소득세 신고와 관련없이 과세기간이 끝나는 날 현재 주소지가 납세지가 된다. 예를들어 2019.12.31.까지 주소지는 A시, 2020.5월 신고 당시 주소지는 B군인 경우 2019년 귀속 개인지방소득세 확정신고 납세지는 납세의무성립(과세기간 종료일) 당시 주소지인 A시가 납세지이다. 2019년까지는 국세와 지방세의 납세지가 동일하였으나, 2020년부터는 납세자의 주소 이전 여부 등에 따라 국세와 지방세의 납세지가 달라질 수 있다.

2) 환급지

2019년까지 지방세법상(§100의 34) 지방소득세의 지방세환급금은 해당 지방소득세가 과오납된 지방자치단체에서 환급하거나 충당하여야 한다. 다만, 납세의무자의 종합소득에 대한 과세표준 확정신고 이후에 발생하는 개인지방소득세 환급결정으로 인한 지방세환급금은 환급받을 자의 확정신고 당시(특별징수세액에 대한 결정 또는 경정의 경우에는 결정 또는 경정 당시)의 주소지를 관할하는 지방자치단체에서 환급하거나 충당하여야 한다. 그런데 2020년부터 개인지방소득세 납세지가 "소득세 신고 당시"에서 "납세의무 성립 당시" 주소지 등으로 개정(법 §89 ①)됨에 따라, "소득세 신고 당시 주소지"에서 환급토록 규정한 현행 환급지(영 §100의 34)에서 개정된 납세지에서 환급토록 동반 개정하였다.

따라서 납세의무 성립일 현재 주소지로 납세지가 고정되었기 때문에 2020.1.1. 이후에는 납세의무 성립 당시 주소지를 관할하는 자치단체에서 환급해야한다. 다만, 매월 특별징수한 후 근로소득세를 연말정산하는 경우에는 관련 규정(영 §87 ②)에 따라 과세기간 종료일 현재 근무지에서 환급한다.

확정신고 전 예정신고분에 대한 환급 발생시, 환급사유가 발생한 예정신고 납세지 관할 지자체에서 환급한다. 그리고 확정신고에 따른 환급 발생시, 과세기간 종료일(12.31.) 현재 주소지 등 확정신고 납세지 관할 지자체에서 환급한다. 개정규정의 적용시기는 납세지 개정 내용과 동일하다. 종합·퇴직·양도 확정신고의 경우 2020년 확정신고(2019년 귀속분)시 개정 납세지를 적용하고, 2018년 이전 귀속분에 대한 수정·기한 후 신고 등은 종전규정을 적용한다. 매매차익사업소득·양도소득 예정신고의 경우 2019.12월 소득분·양도분부터 개정 납세지 규정을 적용한다.[70)]

3) 양도소득분 개인지방소득세 납세지 및 환급지

2019년 이전까지 소득세법을 그대로 준용하고 있던 지방소득세의 경우 위에서 살펴본 종합소득세분의 납세지와 같이 혼선이 있었다. 그런데 지방소득세의 납세지가 과세연도 종료일 현재의 소득세 '납세의무 성립일'을 기준으로 보완되었는데 예정신고 제도가 있는 양도소득분 지방소득세의 납세의무 성립일을 적용할 경우 매우 복잡해진다.

2019.12.31. 개정규정에 따르면 「지방세기본법」 제34조에 따른 납세의무 성립 당시의 「소득세법」 제6조 및 제7조에 따른 납세지가 개인지방소득세 납세지이다. 지방소득세 납세의무성립시기는 과세표준이 되는 소득에 대하여 소득세·법인세의 납세의무가 성립하는 때(지기법 §34 ① 7)이다. 국세기본법상 예정신고납부하는 소득세는 과세표준이 되는 금액이 발생한 달의 말일에 납세의무가 성립한다(국기법 §21 ③ 2). 따라서 양도소득에 대한 개인지방소득세를 예정신고하는 경우 양도일이 속하는 달 말일 현재 주소지 관할 지자체가 납세지가 된다. 그런데 예정신고를 2회 이상하는 경우가 있고, 확정신고시 세액이 변동되어 추가

70) 이 법 공포 전 납세의무가 성립한 부분에 대해, 공포 후 기한후신고·수정신고·경정청구 등의 경우 종전 납세지 규정 적용

납부하거나 환급하는 경우도 있다. 그 사이 주소지가 변경되는 경우 납세지를 어디로 볼 것인지에 대해 행정해석에서는 다음과 같이 적용하고 있다.[71]

(1) 개정규정의 시행

'19.12.31.까지 주소지는 A시, '20.1월 신고 당시 주소지는 B군인 경우 '19년 11월 양도한 개인지방소득세 예정신고 납세지 ⇒ 개정법률 시행전에 이미 납세의무가 성립한 것으로 부칙 규정(공포한 날부터 시행하고 시행 이후 납세의무 성립분부터 적용)에 따라 종전 규정을 적용하여 소득세 신고 당시 주소지인 B군이 납세지가 된다.

'19.12.31.까지 주소지는 A시, '20.1.20. 신고 당시 주소지는 B군인 경우 '19년 3월 및 11월 양도한 재산에 대하여 개인지방소득세를 확정신고하는 경우 납세지 ⇒ 개정법률 시행 이후 확정신고에 대한 납세의무가 성립하였으므로 납세의무 성립('19.12.31.)당시의 주소지인 A시가 납세지가 된다.

(2) 예정신고와 확정신고

양도월이 상이한 둘 이상의 양도물건을 합하여 1건의 예정신고를 한 경우 납세지 구분은 ⇒ 1월(A시 거주)에 甲부동산을 양도하고 2월(B시 거주)에 乙부동산을 양도한 후에 3월에 이 두 건의 양도소득을 합하여 1건으로 예정신고하는 경우, 임시적으로 B시를 납세지로 하여 신고처리를 하고, 사후적으로 A시에 해당 세액을 세입이체 처리한다. 이때, 세액은 각 부동산별 양도차익을 기준으로 안분계산하며 다만 양도차손이 발생한 양도건이 포함된 경우는 이를 안분대상에서 제외한다.

납세자(주소지는 '19.4월까지 A시, '19.7월까지 B군, '19.12월까지 C구, '20.5월 현재 D시)가 '19.3월 甲물건을 양도하여 A시에 예정신고・납부하고, '19.5월 乙물건을 양도하여 B군에 예정신고・납부하고, '20.5월 확정신고를 하는 경우 납세지는 ⇒ 확정신고에 대한 납세의무 성립 당시의 주소지가 납세지(환급지)이므로, 과세기간 종료일('19.12.31.) 당시 주소지인 C구에 납부(환급)하여야 한다.

(3) 양도차손의 환급

납세자가 '19.3월 甲물건을 양도하여 A시에 납부하였으나, '19.5월 乙물건을 양도하면서 차손이 발생하여 B군에 예정신고하려는 경우 환급지는 ⇒ 乙물건 양도에 따른 예정신고 납세의무 성립 당시의 주소지(B군)가 환급지(납세지)가 된다.

납세자가 '19.3월 예정신고를 하지 않자 납세지(예정신고 납세지)인 A시에서 직권고지

71) 행안부 2020년 지방소득세 적용요령 참고

하고 체납 중에, '20.5월 확정신고('19.12.31. 현재 주소지 B군)하면서 일부 환급이 발생한 경우 처리 방법은 ⇒ 확정신고에 따른 환급이 발생한 경우로서 과세기간 종료일(12.31.) 현재 주소지인 B군에서 환급을 하여야 하나, 납세자는 해당 물건의 납세의무 이행을 하지 않은 것으로, 환급은 B군에서 하되 이 환급금은 A시에서 압류하여 A시의 체납에 충당한다.

(4) 납세의무 성립 전 예정신고

예정신고의 경우 과세표준이 되는 금액이 발생한 달의 말일에 납세의무가 성립하도록 규정하고 있어, 납세자가 양도한 달의 말일 전에 신고하는 경우 납세지가 확정되지 않은 상태에서 신고하게 된다. 납세의무 성립 전 신고하는 경우 신고 당시의 주소지 등을 납세지로 하고, 이후 납세의무 성립 시점 사이에 납세자의 주소지 등이 변경된 경우 지자체 간 세입이체 처리해야 한다. 이 경우 무관할신고 제도 시행('20.1.1.)으로 가산세는 발생하지 않는다.

2. 법인지방소득세 납세지

| 최근 개정법령 _ 2015.7.24. | 법인지방소득세 안분대상 및 안분기준 명확화(영 제88조 ③)

여러 자치단체에 소재하는 법인은 각 자치단체별로 사업장 면적과 종업원 수를 토대로 지방소득세를 안분 후 신고·납부(법 §103의 29)하였다. 그런데 안분기준인 종업원의 범위를 舊「지방세법」 및 「시행령」은 주민세 종업원 범위를 지방소득세에 적용(구법 제85조 참조)하도록 하였으나, 지방소득세 개편을 위한 법 개정 과정에서 누락되어 적용상 논란이 있었다. 그에 따라 종업원 개념 및 범위에 관한 사항은 「구 지방세법」에서와 같이 주민세 종업원분에서 규정하고 있는 내용을 그대로 적용하도록 하였다.

| 최근 개정법령 _ 2016.1.1. | 특·광역시 내 일괄신고제도 도입(영 제88조 ④)

종전 규정에 따르면 특·광역시 내 둘 이상의 자치구에 사업장이 있는 경우 본점 소재지 또는 주된 사무소 소재지 자치구에 일괄납부토록 하고 있으므로, 납부만 일괄납부하고 신고는 각 구청에 하도록 되어 있어 납세자가 체감하는 편의성은 크지 않았다. 그에 따라 특별시·광역시 내 일괄납부제도를 일괄신고·납부제도로 확대하였다.

| 최근 개정법령 _ 2016.1.1. | 안분세액 계산 방식의 명확화(영 제88조)

종전 규정에 따르면 법인지방소득세 안분계산 규정이 불명확하였는 바, 하나의 항(현행 제1항·제2항)에 안분기준, 탄력세율의 적용방식, 특·광역시 내 일괄납부 특례 조문이 혼재되어 있고, 안분율 적용 후 공제·감면, 가산세, 기납부세액을 적용하도록 하여 공제·감면, 가산세, 기납부세액이 안분대상인지 여부가 불명확하였다. 이에 대해 법인지방소득세 안분계산 규정을 명확히 하였는 바, 안분기준, 탄력세율의 적용방식, 특·광역시 내 일괄납부 특례를 각각 별도 항으로 분리하였다.

| 최근 개정법령_2017.1.1. | 특·광역시 법인지방소득세 관련 주된 사업장 기준 보완(규칙 제39조 단서)
종업원 수가 가장 많은 사업장이 둘 이상인 경우「지방세법 시행령」제88조 제1항에 따른 안분율이 가장 큰 사업장을 주된 사업장으로 하였다.

1) 납세지 개요

내국법인의 법인세 납세지는 신고당시 본점 소재지이고, 법인지방소득세는 사업연도종료일 현재 법인세법 제9조에 따른 납세지로 규정하고 있다. 그에 따라 일반적으로 법인세와 지방소득세 납세지는 동일하지만 사업연도 종료 이후 법인세 신고 사이의 기간에 본점을 옮기면 납세지는 달라질 수 있다. 법인세의 경우 신고시점의 사업장 소재지가 납세지이나, 법인지방소득세는 사업연도 종료일 현재 사업장 소재지가 되기 때문이다.

그리고 지점 등 법인의 사업장이 2개 이상 있는 경우, 법인세는 본점소재지 1곳이 납세지이나, 지방세는 사업장별로 각각 납세지가 된다. 지방세 납세지는 총 세액을 계산한 후 일정한 안분율(사업장별 면적, 종업원 수로 안분)에 따라 산정한 후 납부하여야 한다. 안분율이란 다음 계산식에 따라 산출한 비율을 말한다.

$$\left(\frac{\text{관할지방자치단체 안 종업원수}}{\text{법인의 총 종업원수}} + \frac{\text{관할지방자치단체 안 건축물연면적}}{\text{법인의 총 건축물연면적}} \right) \div 2$$

구 분	면적(㎡)	종업원	세액(백만원)
본점	300	75	100
지점	100	25	

⇨

국세	지방세
100	7.5*
–	2.5

* (산출근거) 10백만원 × 0.75(안분율) ※안분율 [{300 / (300+100)} + {75 / (75+25)}] / 2

'당해 시·군 내 건축물 연면적'과 '법인의 총건축물 연면적'은 동일한 기준에 의하여 산정되어야 한다. 그런데 어느 한쪽의 지자체에서 건축물 면적이나 종업원 산정이 잘못되어 추징이 발생하게 되면 관련된 지자체(사업장 소재지) 모두 세액의 경정이 수반된다. 사업장 소재지 시·군별로 신고납부하는 법인지방소득세 부과처분은 각각 별개의 처분이다. 그런데 어느 시·군의 법인지방소득세 부과처분이 불복기간의 경과 등으로 확정되어 더 이상 다툴 수 없는 문제가 발생할 수 있다. 하지만 법원에서는 다른 시·군에 납부하여야 할 법인지방소득세를 계산할 때에는 법인지방소득세 부과처분이 확정된 시·군에 소재하는 건축물의 연면적도 법령에서 정한 정당한 기준에 따라 산정하여야 한다고 보았으며, 부과제척기간 및 수정신고 기간이 지났다는 이유로 경정하지 않는 것은 잘못이라고 보았다(대법원 2013두26194, 2014.4.10.).

◎ **다른 시군에 소재하는 사업장 면적을 포함시키지 않고 안분계산하여 과세하는 것은 위법, 다른 시군의 사업장 면적에 대한 입증책임은 과세를 한 처분청에 있음**

이 사건 산식 중 '당해 시 · 군 내 건축물 연면적'과 '법인의 총건축물 연면적'은 동일한 기준에 의하여 산정되어야 함, 이때 사업장 소재지 시군별로 하는 법인세할 주민세 부과처분은 각각 별개의 처분이므로, 어느 시군의 부과처분이 불복기간의 경과 등으로 확정되어 더 이상 다툴 수 없다 하더라도, 다른 시군에 납부하여야 할 법인세할 주민세를 계산할 때에는 법인세할 주민세 부과처분이 확정된 시군에 소재하는 건축물의 연면적도 그 확정된 부과처분에서 적용한 기준이 아니라 법령에서 정한 정당한 기준에 따라 산정하여 '법인의 총건축물 연면적'을 계산하여야 함 … 다른 시 · 군의 관할구역 내에 있는 관로의 면적을 주장 · 증명할 책임이 있고, 그 면적의 산정이 불가능하지 아니함에도 이를 산출할 수 있는 자료를 제출하지 아니하여 정당한 법인세할 주민세를 계산할 수 없다는 이유는 타당하지 아니함(대법원 2013두26194, 2014.4.10.).

◎ **안분대상을 안분하지 않고 본점 소재지에 일괄 신고한 경우 '안분세액 오류'에 해당됨**

둘 이상의 지방자치단체에 사업장이 있는 내국법인이 법인지방소득세를 각 사업장의 소재지를 관할하는 지방자치단체의 장에게 각각 신고 · 납부하지 않고, 본점 또는 주사무소의 소재지를 관할하는 지방자치단체의 장에게 일괄 신고 · 납부한 경우는 "납세지 또는 지방자치단체별 안분세액에 오류가 있는 경우"에 해당한다고 할 것임(법제처 법령해석 14-0217, 2014.7.7.).

◎ **법인세분 지방소득세 안분은 실제 사용현황을 기준으로 안분**

여기에서 직접 사용이라 함은 현실적으로 당해 부동산의 사용용도가 당해 법인의 사업자체에 직접 사용되는 것을 의미(대법원 2001두878, 2002.10.11. 참조)하는 것이므로 지방소득세는 실제 사용현황을 기준으로 안분하여야 할 것임. 건설업 영위 법인의 준공 아파트 사용승인일(2011.11.30.) 이후 가설건축물(모델하우스 및 모델하우스 내 본점사무실, 분양사무실)의 2011년 법인세분 지방소득세 안분시 실제 사용현황을 기준으로 안분(지방세운영과-593, 2013.2.27.)

◎ **건축물(사업장)이 사실상 휴업상태에 있어 지방소득세 안분대상에서 제외됨**

쟁점 건축물은 2007년부터 사업을 하지 않고 있고, 「관광진흥법」상 "호텔업"의 주목적인 관광객의 숙박 등에 이용되고 있지 않다는 점, 이에 따른 매입 · 매출 등 거래사실도 없는 점, 종업원 2명만이 호텔 경비, 청소, 유지보수 등 건물 관리만을 하고 있다는 점, 해당 지자체에서도 해당 건축물이 계속하여 사업 또는 사무가 이루어지고 있지 않다고 판단하여 재산할 사업소세를 수년간 과세하고 있지 않다는 점 등을 고려할 때, 사업연도 종료일 현재 사업장으로 직접 사용하는 건축물로 보기 어려워 법인세분 지방소득세 안분 대상에서 제외되는 것이 타당함(지방세운영과-4081, 2012.12.18.).

- **철도공사가 철도시설의 유지보수 업무를 위탁받아 수행하는 경우 안분대상 사업장에 해당**

  국가소유의 철도시설(선로, 신호, 관제시설 등)의 유지보수는 국가(철도시설공단 포함)에서 수행하고, 철도운영은 철도공사에서 수행하고 있음. 그러나 철도시설의 유지보수·관리는 관련 법령 및 협약에 의해 철도공사가 위탁받아 수행하고 이에 대한 비용을 국가로부터 지급받으며, 한국철도공사가 국토부와 일반철도시설의 유지보수 시행업무에 대한 운영 대행 약정을 체결하고 이를 근거로 일체의 사업을 관리·운영하고 있는 경우라면 안분대상 사업장에 해당됨(지방세운영과-2934, 2009.7.23.).

- **철도공사가 운영하는 유도단의 훈련장 및 합숙소는 안분대상 사업장으로 볼 수 있음**

  축구단 합숙소가 다세대주택 내의 운동선수들의 순수한 주거전용 시설이라면 철도공사의 직접적인 사업 또는 사무가 이루어지는 장소로 볼 수 없어 법인세할 주민세 안분대상 사업장으로 볼 수 없다고 사료되며, 유도단의 경우 한국철도공사가 홍보업무의 일환으로 운영하고 있는 점, 유도단의 훈련장에서 운동선수들의 상시적인 훈련이 이루어지고 있는 점, 부대시설인 합숙소 또한 훈련장과 함께 동일 건물에 위치하여 각종 회의, 교육훈련, 지시 등이 이루어지는 점 등을 고려할 때 유도단의 훈련장 및 합숙소는 안분대상 사업장으로 볼 수 있음(지방세운영과-2934, 2009.7.23.).

  ※ 한국철도공사와 별도 법인인 노동조합이 별도 사무실을 운영하고 있는 경우라면 노동조합의 사무실은 한국철도공사 사업장에 해당하지 아니하므로 한국철도공사의 법인세할 안분시 제외됨.

- 법인의 본사가 서울시 서초구에 소재하고 법인의 사업장이 각 지방의 공사현장에 소재하는 경우 법인세할 주민세는 각 사업장 소재지를 관할하는 시군에 종업원 수와 건축물 연면적 등을 안분계산하여 신고납부하여야 할 것으로 사료되나, 구체적인 사실관계를 확인하여 결정할 사안임(시군세과-399, 2008.4.21.).

2) 안분대상 건축물

안분기준이 되는 "건축물 연면적"이란 사업장으로 직접 사용하는 「건축법」 제2조 제1항 제2호에 따른 건축물의 연면적을 의미한다. 다만, 구조적 특성상 연면적을 정하기 곤란한 기계장치 또는 시설물(수조·저유조·저장창고·저장조·송유관·송수관 및 송전철탑만 해당)의 경우에는 그 수평투영면적을 연면적으로 한다. 한편 동일한 지방세법에서 취득세 과세대상으로 규정하고 있는 시설 또는 시설물의 범위와 차이가 있다. "기계장치"의 경우 취득세 과세대상은 아니지만 법인지방소득세 안분대상 건축물의 범위에 포함된다.

자원회수시설은 사업장으로 직접 사용하는 건축물로 볼 수 없어 안분대상 사업장이 아님

○○시자원회수시설 위탁운영협약서에 의하면 ○○시 자원회수시설 관리운영 전반에 대한 책임과 시설의 재산관리를 위탁운영 범위로 하여 자원회수시설 운영계획 및 예산 등을 ○○시에 보고하여 승인을 득하여야 하고, 자원회수시설의 재산상의 권리와 관리 및 운영과 관련된 모든 수익금은 ○○시에 귀속되게 되어 있고, 자원회수시설 운영의 변경(인원변경 및 가동중단 등) 사항은 ○○시의 승인을 득하도록 체결되어 있는 점 등을 고려할 때, 종업원이 관리·운영하고 있는 자원회수시설(생활 쓰레기 소각처리시설)의 경우는 "사업장으로 직접 사용하는 건축물"로 볼 수 없어 안분대상 사업장이 아님(지방세운영과-50, 2007.11.8.).

미분양 건축물은 법인세할 주민세 안분대상이 아님

사업연도 종료일 현재 당해 법인이 사업장으로 직접 사용하지 아니하는 건축물은 법인세할 안분대상 건축물 연면적에 포함할 수 없음. 건설법인이 사업연도 종료일 현재 미분양 상태로 소유하고 있는 주택과 상가를 당해 법인의 사업장으로 직접 사용하고 있지 아니한 이상, 법인세할 안분대상 건축물 연면적에 산입하여 안분할 수 없음(지방세정팀-2114, 2006.5.25.).

건축물 연면적에 운동장관람석, 분수대, 파고라, 배수시설 등이 포함되는지 여부

운동장관람석·분수대·배수시설·폐수처리시설·지하저장시설(유조, 수조)·옥외변전·배전시설·복개시설·양어장의 경우 법인세할 주민세 안분대상이 되는 시설물 등에 포함된다고 할 것이나, 파고라·포장도로·담·문·옥외야적장은 안분대상에서 제외하는 것이 타당함(지방세정팀-1257, 2006.3.27.).

주민세 법인세할 계산시 기계장치인 풍력발전소의 연면적 산정은 구적도상 바닥면적을 수평투영면적으로 봄(세정-1291, 2005.3.23.).

사택, 연수원, 기숙사, 체육관, 사원임대아파트 등 업무에 직접 공하지 않는 건축물의 임대부분(타인사용)은 법인지방소득세 안분대상에 포함되지 않음

지방세법(영 제130조의 5)상 안분대상 사업장용 건축물이란 당해 법인의 사업연도 종료일 현재 당해 사업에 직접 사용하는 건축물을 말하는 것으로, 건축물 중 공장구 외의 사택이나 사원임대아파트는 주거전용시설로서 안분대상이 되지 않으나 공장구내 기숙사, 연수원, 체육관 등은 당해 법인의 업무수행을 위한 시설로서 안분대상임. 그러나 이같은 건축물이더라도 타인이 임대·사용하고 있는 부분은 제외(세정 13407-320, 1994.7.8.).

부지 내 공실로 운영되는 벽돌공장은 건축물 연면적에 해당되지 아님

○○SILO 부지 내 벽돌공장(978.6㎡)의 경우 당해 법인의 사업연도 종료일 현재 벽돌공장 내부가 공실로 관리되는 점 등에 비추어 당해 법인의 사업장으로 직접 사용하는 건축물 연면적에 산입하여 안분할 수 없다고 사료되나 이의 과세 여부는 과세권자가 사실관계를 구체적

으로 확인한 후 결정할 사안임(세정 13407-98, 2003.2.5.).

◎ **전국 167개 노선을 운행하는 버스운송사업체의 법인세할은 안분한 사업장별 납세지가 됨**

○○사가 대전을 기·종점으로 전국 167개 노선을 운행하는 버스운송사업체로서 주민세 법인세할 납세지는 지방세법 시행령 제130조의 2의 규정에 의하여 본점과 사업장별로 당해 사업연도분 부가가치세 매출액의 과세표준에 비례하여 사업장 소재지별로 안분하여 사업장을 관할하는 시·군에서 과세됨(시세 22670-1505, 1991.4.26.).

◎ **백화점 내 납품업체 운영매장과 파견직원은 납품업체의 지방소득세 안분계산 대상에 포함**

특정 매입거래계약에 따른 판매대금을 납품업체의 소득으로 인식한 사례(서울행법 2010구합16240)를 보더라도 백화점내 납품업체의 운영매장은 납품업체의 사업장에 해당됨을 알 수 있음. 또한 법인지방소득세 안분계산시 적용되는 건축물 연면적의 경우 사업장으로 직접 사용하는 건축물로 직접소유, 임차 여부 등과 관계없는 점, 종업원의 경우 파견직원(인적)과 백화점 내의 매장(물적)을 모두 갖추고 판매활동이 이루어지는 장소(사업소)에서 근무하고 있다는 점을 고려할, 백화점 내의 납품업체 운영매장과 파견직원은 납품업체의 법인지방소득세 안분계산 대상에 포함(지방세정책과-3379, 2016.9.20.)

3) 안분대상 종업원

안분율 산정의 기준이 되는 "종업원"이란 사업소에 근무하거나 사업소로부터 급여를 지급받는 임직원 등을 말하는데 종업원분 주민세의 종업원(법 §74 8호)과 같은 개념이다(영 §88 ② 1). 종업원분 주민세에서는 종업원에 해당하는지 여부는 과세표준(종업원 급여총액)이나 과세기준(50명에 해당하는 급여총액)을 정하는 기준이 된다. 종업원이란 급여의 지급 여부나 근무형태에 불구하고 고용계약에 의하여 당해 사업에 종사하는 자를 말한다.

[별표 4] 〈개정 2016.12.30.〉

법인지방소득세 안분계산 시 세부 적용기준(제38조의 5 관련)

1. 종업원 수

구 분	적용례
가. 「소득세법」 제12조 제3호에 따른 비과세 대상 급여만을 받는 사람	종업원 수에 포함
나. 대표자	종업원 수에 포함
다. 현역복무 등의 사유로 사실상 해당 사업소에 일정기간 근무하지 아니하는 사람	급여를 지급하는 경우 종업원 수에 포함
라. 국외파견자 또는 국외교육 중인 사람	종업원 수에 포함하지 않음
마. 국내교육 중인 사람	종업원 수에 포함

구 분	적용례
바. 고용관계가 아닌 계약에 따라 사업소득에 해당하는 성과금을 지급하는 방문판매원	종업원 수에 포함하지 않음
사. 특정업무의 수요가 있을 경우에만 이를 수임 처리하기로 하고 월간 또는 연간 일정액의 급여를 지급받는 자	종업원 수에 포함
아. 해당 사업장에 근무하지 아니하고 사업주로부터 급여를 지급받지 아니하는 비상근이사	종업원 수에 포함하지 않음
자. 소속회사 직원이 용역이나 도급계약 등에 의하여 1년이 초과하는 기간 동안 계약업체에 파견되어 일정한 장소에서 계속 근무하는 자	계약업체의 종업원 수에 포함
차. 물적설비 없이 인적설비만 있는 사업장의 종업원	본점 또는 주사업장의 종업원 수에 포함

2. 건축물 연면적 등

구 분	적용례
가. 사업연도 종료일 현재 미사용중인 공실의 연면적	사용을 개시하지 않은 경우는 건축물 연면적에 포함하지 않음
	사용하던 중 사업연도 종료일 현재 일시적 미사용 상태인 경우 건축물 연면적에 포함
나. 기숙사 등 직원 후생복지시설의 연면적	법인 목적사업 및 복리후생에 공여되는 시설 중 직원 후생복지시설은 건축물 연면적에 포함
다. 공동도급공사 수행을 위한 현장사무소의 연면적	각 참여업체가 공동으로 사용하고 있는 현장사무소의 경우로 실제 사용면적 산정이 불가능한 경우 도급공사 지분별로 안분
라. 건설법인의 사업연도 종료일 현재 미분양 상태로 소유하고 있는 주택과 상가의 연면적	법인의 사업장으로 직접 사용하고 있지 않은 것으로 보아 안분대상 건축물에 포함하지 않음
마. 별도의 사업장이 필요하지 않아 주소지 또는 거소지를 사업장소재지로 등록한 경우 주소지 또는 거소지의 연면적	주소지 또는 거소지를 사업장소재지로 하여 사업자등록을 하였더라도, 사실상 별도의 사업장이 없는 것으로 보아 해당 주소지 또는 거소지의 면적을 건축물 연면적에 포함하지 않음
바. 수평투영면적의 적용	지하에 설치된 시설물을 포함
	기계장치 또는 각 시설물의 수평투영면적은 사업연도 종료일 현재 고정된 상태에서의 바닥면적을 적용
	수평투영면적을 산정하기 곤란한 경우, 기계장치 또는 각 시설물의 설계 도면상 면적을 적용

구 분	적용례
사. 기계장치의 범위	기계장치란 동력을 이용한 작업도구 중 특정장소에 고정된 것을 말하며, 그 기계의 작동에 필수적인 부대설비를 포함하여 적용

| 최근 개정법령 _ 2017.1.1.| 법인지방소득세 세부 안분기준 신설(영 제88조 ②)

둘 이상 지방자치단체에 사업장이 있는 법인의 경우 법인지방소득세를 사업장별 건축물 연면적 및 종업원수를 기준으로 안분하여 신고하여야 하나, 사업장 여건별로 연면적 및 종업원수를 적용하는 구체적 방법(예. 파견직원 종업원수 포함 여부, 다수업체 공동사용 건축물의 연면적 산출 방식 등)이 명시되지 않아 세액을 정확히 안분하는데 어려움이 있었다. 이에 따라 사업장 유형에 따른 안분 방법을 규칙에서 구체적으로 정하도록 하였다.

◎ **생명보험회사의 보험모집인도 "종업원"에 포함됨**

지방세법 시행령 제130조의 5에서 규정하고 있는 종업원이란 급여의 지급 여부나 근무형태에 불구하고 고용계약에 의하여 당해 사업에 종사하는 자를 말하는 것으로 귀하가 문의하신 보험모집인 역시 업무의 실적에 따라 수당을 지급받는다 하더라도 이는 보험대리점과는 달리 귀 회사에 전속적인 근무관계가 형성되고 있으므로 안분계산시 종업원에 포함하여야 함(세정 13407-320, 1994.7.8.).

◎ **국외를 항해하는 외항선원은 법인세할(지방소득세) 안분대상 종업원에 해당하지 아니함**

국외를 항해하는 외항선박에 근무하는 선원은 사실상 근무지가 불분명하다 할 것이나 선박법 시행령 제2조에 의한 당해 선박의 선적항을 근무지(제주항)로 보는 것이 합리적이라 하겠고, 다만 소득세법 시행령 제16조 ① 1호에서 "국외 등에서 근로제공"이라 함은 국외 등을 항해하는 선박에서 근로를 제공하는 것을 포함한다고 규정하고 있는 점을 보면, 외항선원은 국외근무자에 해당한다 할 것이므로 법인세할 안분대상 종업원에 포함되지 아니하는 것으로 판단됨(지방세정팀-309, 2005.4.20.).

◎ **선원에 대한 사실상 관리가 이루어지는 곳이 선원의 근무지이고, 수탁받은 업체가 외국선원에 대한 선원관리를 전담하는 경우라면 그 외국선원은 수탁업체의 종업원에 해당**

법인세할 안분대상 인적설비의 사업장 귀속은 등록 여부와 관계없이 종업원이 실제 근무하거나 근로를 제공하는 곳 또는 업무상 지휘・감독이 이루어지는 장소를 기준으로 판단하여야 함 … 내항 선박의 경우 선박과 선원관리지가 불투명한 경우에는 선적항을 선원의 근무지로 보아하나 선적항에 선박등록을 하였을 뿐 사실상 다른 곳에서 선박 및 선원에 대한 관리가 이루어지고 있다면 당해 선박을 사실상 관리하는 곳(부산지사)을 선원의 근무지로 보아 법인세할을 안분하는 것이 타당(지방세정팀-309, 2005.4.20.).

- **수탁받은 업체가 외국선원에 대한 선원관리를 전담한다면 그 선원은 수탁업체의 종업원임**

  선박관리업무를 전문선박관리업체에 위탁하고서 수탁받은 전문선박 관련 업체에서 외국선원을 고용하고 급여를 지급하는 등 선원관리업무를 전담하여 수행하고 있는 경우라면, 당해 외국선원은 수탁업체의 종업원에 해당한다 할 것이므로, 위탁회사의 종업원으로 볼 수 없어 법인세할 안분대상에 포함되지 않음(지방세정팀-309, 2005.4.20.).

- **해당 법인과 위탁계약을 체결하고 전기의 검침, 송달, 단전업무 등을 수행하고 수수료를 지급받는 '위탁원'은 주민세 안분계산대상 '종업원'에 해당되지 아니함**

  청구인의 위탁원은 재경사업소 영업단과 지방사업소 운영부장의 추천에 의하여 관할 지사장이 위촉하되, 계약기간은 1년이 지난 5월말 또는 8월말까지로 하고, 위촉기간이 종료되면 재위촉할 수 있으며, 근무형태는 각 사업장별로 청구인의 취업규칙, 인사규정, 근로제공시간이나 장소 등에 관하여 구체적이고 직접적인 지휘감독은 받지 않으면서 계약조건과 업무에 지장이 없는 범위 내에서 위탁업무를 수행하고 그 실적에 따라 수수료를 지급받고, 청구인은 위탁원에게 지급하는 수수료에 대하여 자유직업소득으로 소득세를 원천징수하고 있는 점 등을 고려할 때, 위탁원은 노동관계에 있는 종업원으로 보기 어려움(대법원 98두4047, 1998.5.22.) 할 것임(심사 2001-293, 2001.5.28.).

3. 특별징수하는 지방소득세 납세지(법 §89 ③)

1) 근로소득 및 퇴직소득

특별징수하는 근로소득에 대한 지방소득세 납세지는 납세의무자의 근무지로 규정(§89 ③ 1호)하고 있다. 그에 따라 근로소득에 대한 원천징수의 경우 법인의 지점, 영업소 그 밖의 사업장이 독립체산제에 따라 독자적으로 회계사무를 처리하더라도 본점 일괄납부 신청 또는 사업자 단위로 등록한 경우에는 법인의 본점 소재지를 원천징수 세액의 납세지로 할 수 있다. 그러나 근로소득에 대한 지방소득세 특별징수는 국세 원천징수와 달리 본점 일괄납부, 사업자단위 과세제도가 적용되지 않으므로 납세의무자의 근무지가 납세지가 된다. 여기서 "근무지"라 함은 본래의 소속된 근무지를 말하나 파견근무의 경우에는 급여 등을 본래의 소속된 근무지에서 지급하더라도 그 파견지를 근무지로 본다(통칙 지법 89-1). 즉 근로소득에 특별징수분 개인지방소득세의 납세지는 근로소득자의 근무지를 관할하는 지자체이므로 출장소 직원은 출장소를 관할하는 지자체가 납세지가 된다.

근로소득은 과세기간 중(1.1.~12.31.) 매월 급여 지급시마다 근무지에서 원천징수 납부하고, 익년 2월 급여 지급시 1년치를 정산하여 징수·환급하는 연말정산 제도를 취하고 있다. 과세기간 급여에 대한 최종정산이 익년 2월 급여지급시점에 종료된다. 그런데 과세기간 종료일 以前에 근무지를 이전하는 경우, 납세지는 과세기간 종료일(12.31.) 현재 근무지로 규정하고 있으나, 과세기간 종료일 후 익년 연말정산 사이에 근무지를 이전한 경우에 대해서는 납세지 규정이 불명확하였다. 이에 대해 "과세기간이 끝나기 전"까지의 범위를 "연말정산 전"까지로 보완하여 납세지·환급지 기준을 명확히 하였다(영 §87 ②). 즉 과세기간 종료일 현재의 근무지가 납세지가 된다.

한편 과세기간이 끝나기 전에 근무지를 변경하거나 둘 이상의 사용자로부터 근로소득을 받는 근로자에 대한 개인지방소득세를 연말정산하여 개인지방소득세를 환급하거나 추징하여야 하는 경우 개인지방소득세의 납세지는 과세기간 종료일 현재 해당 근로자의 새로운 근무지 또는 주된 근무지가 납세지이다(영 §87 ②, 2020.1.1. 개정).

특별징수하는 퇴직소득에 대한 지방소득세 납세지도 납세의무자의 근무지이다. 다만, 퇴직 후 연금계좌(연금신탁·보험 포함)에서 연금외수령의 방식으로 인출하는 퇴직소득의 경우에는 그 소득을 지급받는 사람의 주소지이다.

| 최근 개정법령 _ 2017.1.1. | 연금외수령하는 퇴직소득에 대한 납세지 변경(법 제89조 ③ 1호)

기존에는 연금소득을 일시금 형태로 전환하여 수령(연금외 수령)하는 경우 퇴직소득 개인지방소득세 납세지 기준(퇴직소득은 소득자 근무지 소재 지자체, 연금소득은 소득자의 주소지 소재 지자체)인 소득자의 근무지 기준으로 적용하였다. 17년부터는 납세지를 연금소득과 동일하게 '소득자의 주소지'로 변경하였다.

| 최근 개정법령 _ 2017.1.1. | 퇴직소득 산출방식 개선(법 제92조 ⑤)

기존에는 퇴직소득에 대한 소득세와 지방소득세의 산출방식을 달리하였다. 소득세는 12연분연승법(지방세법 제91조 제2항에 따른 과세표준에 지방세법 제92조에 따른 세율을 적용하여 산출한 금액을 12로 나눈 후 근속연수를 곱하는 방법)을 적용하였고, 지방소득세는 12연분연승법(환산급여)을 적용하되, '12.12.31. 이전에 근무를 시작한 퇴직한 자의 경우 별도의 계산식을 적용하였다. 17년부터는 지방소득세 퇴직소득 산출방식을 12연분연승법만 적용토록 개정하였다.

- 납세의무자(대학교수)가 파견근무되어 본래의 소속된 근무지(대학)가 아닌 파견지(협력병원)에서만 근무하는 경우라면 사실상의 근무지인 파견지를 납세지로 보아 근로소득세할 주민세를 납부하는 것이 타당하다고 사료되나, 사실상의 근무지에 대한 판단은 처분청에서 파견근무명령, 근무일수 등을 종합적으로 고려하여 판단하여 할 사항임(지방세정팀-991, 2006.3.14.).

◎ 보험설계사 특별징수 주민세의 납세지

지방세법 제175조 제4항의 "소득의 지급지"라 함은 소득세의 원천징수 사무를 수행하는 소득을 지급하는 곳. 질의 2) 보험설계사에 대한 연말정산시 환급이 발생하는 경우에는 특별징수의무자가 납입해야 할 시·군에서 환급이 이루어져야 함. 질의 3) 연말정산 대상에서 제외되어 종합소득세 신고를 하는 보험설계사는 본점소재지 납입 특별징수분 사업소득(1종)만 종합소득세확정신고를 할 경우에는 특별징수의무자가 납입한 지방자치단체에서 환급이 이루어져야 함. 질의 4) 귀사에서 특별징수한 주민세를 보험설계사가 실지로 근무하고 있는 지점소재지 시·군청에서는 환급이자와 함께 환부를 받고 정당한 납세지에 다시 가산세와 함께 납부를 하여야 함(세정과-351, 2005.1.21.).

◎ 근무지가 유동적인 선박의 선원의 근무지

선박의 선적항을 근무지로 보아야 할 것인 바, 국적취득조건부 나용선의 경우에는 나용선계약의 종료에 의한 국적취득 전까지 국내에 선적항을 등록할 수 없는 것이므로 당해 외국국적 선박에 근무하는 내국적 선원의 관리 및 급여를 지급하는 사무소 소재지 관할 시군이 납세지가 되는 것임(세정 13407-775, 2002.8.17.).

◎ 근무지 개념이 적용되기 어려운 프로선수의 납세지는 소득의 지급지(구단 소재지)

프로운동선수의 계약은 개인이 독립된 자격으로 용역을 공급하고 그 대가를 받는 인적용역 성격의 계약이므로 근무지 개념이 적용된다고 하기 어렵고, 프로운동선수의 근무지가 설령 있다고 하더라도 동 근무지에는 홈경기장뿐 아니라 원정 경기, 경기출전에 대비한 연습장도 해당하는 것으로 봄이 타당함. 따라서 프로운동선수의 연봉 지급시(매월 분할 지급됨) 특별징수하게 되는 주민세의 납세지는 지방세법 제175조 제4항에 의거 그 소득의 지급지를 관할하는 시·군이 되므로 결국 구단 소재지가 주민세의 납세지가 되는 것이고, 본점의 소재지가 실제 등록지와 다른 경우는 실질과세의 원칙에 따라 본점이 소재하는 시·군이 납세지가 됨(세정 13407-626, 2001.6.5.).

◎ 근무지가 일정치 않은 축구선수들의 경우 직접적인 관리·감독이 이루어지는 곳이 근무지

철도공사의 본사가 있는 대전에서 운동선수들의 근로소득 원천징수가 이루어지고, 본사조직의 일부인 홍보실(서울 중구 소재)에서 스포츠단에 대한 운영 및 사무처리가 이루어짐. 유도선수의 경우 일정한 훈련장이 있고, 당해 장소에서 주로 근로가 제공되고 있는 것으로 보아, 당해 장소를 근무지로 볼 수 있겠으며, 근무지가 일정치 않은 축구선수들의 경우 선수들에 대한 직접적인 관리·감독이 이루어지는 곳을 근무지로 볼 수 있음(지방세운영과-2934, 2009.7.23.).

◎ 사업장이 두 시군에 걸쳐 있는 경우 특별징수분 지방소득세 납세지는 본점 관할 지자체

지방세법상(제87조 ①) 소득세분 지방소득세의 납세지는 소득세의 납세지이며, 동조 제3항에

서는 제1항에도 불구하고 특별징수하는 소득분 중 다음 각 호의 소득세분은 해당 각 호에서 정하는 납세지를 관할하는 지자체에서 부과하고, 소득세법 제7조에서는 원천징수하는 자가 법인인 경우의 납세지는 그 법인의 본점·주사무소의 소재지로 규정하고 있음. 따라서 하나의 사업장이 둘 이상의 자치단체에 걸쳐 있는 경우, 특별징수하는 근로소득 및 퇴직소득분 지방소득세 납세지는 원천징수의무자의 본점·주사무소 소재지 관할 자치단체라 할 것임(지방세운영과-2460, 2013.10.1.).

2) 이자·배당소득 등 특별징수

이자소득·배당소득 등에 대한 소득세 및 법인세의 원천징수사무를 본점 또는 주사무소에서 일괄처리하는 경우 그 소득에 대한 지방소득세 납세지는 그 소득의 "지급지"이다. 이는 원천징수사무의 일괄처리에도 불구하고 사실상의 소득의 지급지가 따로 있는 경우에는 그 사실상의 지급지를 납세지로 보겠다는 취지이다. 만약 그동안 각 사업장에서 이루어지던 원천세 신고·납부업무가 사업자단위과세제도 도입으로 기존과 달리 본사의 회계시스템에 따라 일괄로 원천징수한 이자소득세를 본사에서 신고·납부하고 있다면 "원천징수사무를 본점에서 일괄처리하는 경우"에 해당하므로 소득의 지급지를 관할하는 시군이 지방소득세(소득분)의 귀속지로 볼 수 있다.

여기서 "사실상의 소득의 지급지"에 대한 판단은 개인의 이자소득의 발생 및 지급과정 등 제반 업무를 고려하여, 예치대상자 선정, 예치한 금액의 관리, 이자소득 지급 대상자 선정, 이자소득 지급을 위한 전반적인 업무를 주도적으로 처리하는 곳을 사실상 소득의 지급지로 볼 수 있다(지방세운영과-614, 2010.2.9.).

| 최근 개정법령 _ 2015.7.24. | 내국법인의 특별징수 제도 시행에 따른 납세지 규정 보완(법 제89조 ③ 2호)

특별징수하는 개인지방소득세는 그 소득의 유형에 따라 납세지를 별도로 규정하여 특별징수의 편의 등을 도모하고 있다(예를들어 근로소득은 근무지, 이자·배당소득은 본점 처리시 소득 지급지 등). 특별징수하는 법인지방소득세도 납세지를 별도로 규정하도록 하고 있으나, 납세지에 대한 명확한 규정이 없던 것을 이자·배당소득에 대한 특별징수 시 납세지를 개인지방소득세와 동일하게 규정하였다.

| 최근 개정법령 _ 2017.1.1. | 연말정산 납세지 및 특별징수세액 환급 납세지 명확화(영 제87조 ①, 제100조의 34)

용어에 대한 해석상 쟁점이 있어 "연말정산일"은 "과세기간 종료일"로 하고, 납세편의를 위해 납세의무자 주소지에서 환급하는 결정·경정 범위를 명확히 하였다. (종전 운영사항을 명확화한 것임)

◎ **특별징수하는 이자 · 배당소득에 대한 법인지방소득세 납세지는 본점 소재지**

한국예탁결제원의 경우 ① 부사무소(대전 · 광주, 법인등기부상 지점)나 서울사무소(미등기)에서는 독립채산제에 의한 독자적 회계사무 처리를 하지 아니하는 점, ② 주사무소에서만 예탁된 채권의 원리금을 청구 및 수령한 후 예탁자에게 그 원리금을 지급하는 점 등을 종합적으로 고려하여 보면, 법인세법 영 제7조 ① 3호에 따른 본점 등에서 원천징수세액을 일괄계산하여 신고납부하는 경우에 해당되지 아니하므로 지방세법상(제89조 ③ 2호)에 주사무소에서 일괄처리하는 경우에 해당된다고 볼 수 없음. 한국예탁결제원이 특별징수하는 이자 · 배당소득에 대한 법인지방소득세 납세지는 법인의 본점 또는 주사무소 소재지로 보는 것이 타당함(지방세정책과-98, 2014.12.1.).

3) 기타 특별징수 납세지

「복권 및 복권기금법」 제2조에 따른 복권의 당첨금 중 일정 등위별 당첨금 또는 「국민체육진흥법」 제2조에 따른 체육진흥투표권의 환급금 중 일정 등위별 환급금을 본점 또는 주사무소에서 한꺼번에 지급하는 경우의 당첨금 또는 환급금 소득에 대한 지방소득세는 해당 복권 또는 체육진흥투표권의 판매지이다. 「소득세법」 제20조의 3 제1항 제1호 및 제2호에 따른 연금소득에 대한 지방소득세는 그 소득을 지급받는 사람의 주소지이고, 「국민건강보험법」에 따른 국민건강보험공단이 지급하는 사업소득에 대한 지방소득세는 그 소득을 지급받는 사람의 사업장 소재지가 납세지이다.

제90조(비과세)

> **법** 제90조(비과세) 「소득세법」, 「법인세법」 및 「조세특례제한법」에 따라 소득세 또는 법인세가 비과세되는 소득에 대하여는 지방소득세를 과세하지 아니한다. [전문개정 2014.1.1.]

국세인 소득세 또는 법인세가 비과세되는 소득에 대하여는 지방소득세도 비과세하도록 하여 국세와 지방세간의 과세형평성을 도모하고 있다.

제2절 거주자의 종합소득 · 퇴직소득에 대한 지방소득세

제91조(과세표준)

> **법** 제91조(과세표준) ① 거주자의 종합소득에 대한 개인지방소득세 과세표준은 「소득세법」 제14조 제2항부터 제5항까지에 따라 계산한 소득세의 과세표준(「조세특례제한법」 및 다른 법률에 따라 과세표준 산정과 관련된 조세감면 또는 중과세 등의 조세특례가 적용되는 경우에는 이에 따라 계산한 소득세의 과세표준)과 동일한 금액으로 한다.
> ② 거주자의 퇴직소득에 대한 개인지방소득세 과세표준은 「소득세법」 제14조 제6항에 따라 계산한 소득세의 과세표준(「조세특례제한법」 및 다른 법률에 따라 과세표준 산정과 관련된 조세감면 또는 중과세 등의 조세특례가 적용되는 경우에는 이에 따라 계산한 소득세의 과세표준)과 동일한 금액으로 한다.

거주자 종합소득 및 퇴직소득에 대한 과세표준은 「소득세법」에 따라 계산하되, 「조세특례제한법」 등에서 과세표준에 대하여 달리 정한 것이 있으면 이를 반영하도록 하고 있다.

거주자의 종합소득 과세표준

1. 거주자의 종합소득 과세표준 계산구조

2. 금융소득

금융소득이란 금융자산의 저축 또는 투자에 대한 대가를 말하며, 「소득세법」에서는 이자소득과 배당소득을 총칭하는 개념이다. 금융소득은 비과세금융소득, 분리과세금융소득, 종합과세금융소득으로 구분된다.

금융소득	이자소득 + 배당소득
비과세 금융소득	• 공익신탁의 이익 • 장기주택마련저축의 이자 · 배당(2012.12.31.까지 가입분) • 노인 · 장애인 등의 생계형저축의 이자 · 배당 • 농어가목돈마련저축의 이자 • 조합 등 예탁금(3천만원 이하)의 이자 및 출자금(1천만원 이하)에 대한 배당 • 1년 이상 보유 우리사주조합원이 받는 우리사주(1,800만원 이하) 배당 • 영농 · 영어조합법인으로부터 받는 배당(1,200만원 이하) • 녹색저축의 이자 · 배당 • 재형저축의 이자 · 배당
분리과세 금융소득	• 비실명금융소득(38%, 90%) • 분리과세 신청한 10년 이상 장기채권이자(30%) • 연간 합계액 기준금액 이하이면서 원천징수된 금융소득 • 세금우대종합저축 이자 · 배당(9%) • 7년 이상 사회기반시설채권이자(14%) • 영농 · 영어조합법인(1,200만원 초과분)으로부터 받는 배당(5%) • 선박투자회사의 배당(1억원 이하 5%, 1억원 초과 14%) • 해외자원개발투자회의 배당(액면가액 3억원 이하 5%, 3억원 초과 14%) • 미분양 투자신탁의 배당(투자금액 1억원 초과분)
종합과세 금융소득	• 금융소득 - 비과세금융소득 - 분리과세금융소득의 금액이 2천만원을 초과하는 경우 종합과세 • 2천만원 이하인 경우에는 원천징수로 분리과세, 원천징수 안된 소득에 대하여는 원천징수세율을 적용하여 과세

1) 이자소득의 범위

1. 국가나 지방자치단체가 발행한 채권 또는 증권의 이자와 할인액 2. 내국법인이 발행한 채권 또는 증권의 이자와 할인액 3. 국내에서 받는 예금(적금 · 부금 · 예탁금 및 우편대체를 포함한다. 이하 같다)의 이자 4. 「상호저축은행법」에 따른 신용계(信用契) 또는 신용부금으로 인한 이익 5. 외국법인의 국내지점 또는 국내영업소에서 발행한 채권 또는 증권의 이자와 할인액 6. 외국법인이 발행한 채권 또는 증권의 이자와 할인액 7. 국외에서 받는 예금의 이자 8. 채권 또는 증권의 환매조건부 매매차익 9. 저축성보험의 보험차익 10. 직장공제회 초과반환금 11. 비영업대금(非營業貸金)의 이익 12. 제1호부터 제11호까지의 소득과 유사한 소득으로서 금전 사용에 따른 대가로서의 성격이 있는 것 13. 제1호부터 제12호까지의 규정 중 어느 하나에 해당하는 소득을 발생시키는 거래 또는 행위와 「자본시장과 금융투자업에 관한 법률」 제5조에 따른 파생상품(이하 "파생상품"이라 한

다)이 대통령령으로 정하는 바에 따라 결합된 경우 해당 파생상품의 거래 또는 행위로부터의 이익

2) 배당소득의 범위(소법 §17 ①)

1. 내국법인으로부터 받는 이익이나 잉여금의 배당 또는 분배금 2. 법인으로 보는 단체로부터 받는 배당금 또는 분배금 3. 의제배당(擬制配當) 4. 「법인세법」에 따라 배당으로 처분된 금액 5. 국내 또는 국외에서 받는 대통령령으로 정하는 집합투자기구로부터의 이익 6. 외국법인으로부터 받는 이익이나 잉여금의 배당 또는 분배금 7. 「국제조세조정에 관한 법률」 제17조에 따라 배당받은 것으로 간주된 금액 8. 제43조에 따른 공동사업에서 발생한 소득금액 중 같은 조 제1항에 따른 출자공동사업자의 손익분배비율에 해당하는 금액 9. 제1호부터 제7호까지의 규정에 따른 소득과 유사한 소득으로서 수익분배의 성격이 있는 것 10. 제1호부터 제9호까지의 규정 중 어느 하나에 해당하는 소득을 발생시키는 거래 또는 행위와 파생상품이 대통령령으로 정하는 바에 따라 결합된 경우 해당 파생상품의 거래 또는 행위로부터의 이익

3) 의제배당(소법 §17 ②)

"의제배당"이란 실지배당과 같이 주주총회나 사원총회의 결의에 의하여 이익이나 잉여금을 배당하지 않았지만 실질적으로는 주주, 사원, 기타 출자자에게 배당을 한 것과 동일한 경제적 이익을 주는 경우 그 경제적 이익을 배당으로 간주하는 것을 말한다.

(1) 주식의 소각이나 자본감소의 경우(소법 §17 ② 1호)

의제배당 금액	=	주식소각 등으로 인해 주주 등이 받는 재산가액	–	주식 등의 취득가액

(2) 법인(법인으로 보는 단체 포함) 해산의 경우(소법 §17 ② 3호)

의제배당 금액	=	잔여재산의 분배액	–	주식 등의 취득가액

〈다만, 상법에 따라 조직변경하는 경우, 특별법에 따라 설립된 법인이 해당 법률의 개정 또는 폐지에 따라 상법상 회사로 조직변경하는 경우 등은 제외〉

(3) 법인 합병의 경우(소법 §17 ② 4호)

의제배당 금액	=	합병으로 취득한 주식 등의 가액	–	소멸법인의 주식 등의 취득가액

(4) 분할 및 분할합병의 경우(소법 §17 ② 6호)

의제배당 금액	=	분할·분할합병으로 취득한 주식 등의 가액	−	소멸법인의 주식 등의 취득가액

(5) 잉여금의 자본금 전입의 경우(무상주 배당)

가. 법인의 잉여금의 전부 또는 일부를 자본 또는 출자의 금액에 전입함으로써 취득하는 주식 또는 출자의 가액(소법 §17 ② 2호)

의제배당 금액	=	자본전입에 따라 교부받은 주식수	×	액면가액·출자금액

| 잉여금의 자본금 전입으로 인한 의제배당의 구체적인 범위 |

구 분		의제배당
자본잉여금의 자본금 전입	법인세가 과세되지 않은 잉여금의 자본금 전입	
	① 일반적인 경우	×
	② 자기주식소각이익의 자본금 전입*	○
	③ 자기주식 보유상태에서의 자본금 전입으로 인한 지분비율 증가분	○
	법인세가 과세된 잉여금의 자본금 전입	
	① 주식발행액면초과액 중 출자전환시 채무면제이익의 자본금 전입	○
	② 재평가적립금 중 토지 재평가차액 상당액의 자본금 전입	○
	③ 기타자본잉여금의 자본금 전입	○
이익잉여금의 자본금 전입		○

* 소각 당시 시가가 취득가액을 초과하거나 소각일로부터 2년 이내 자본금에 전입하는 경우

나. 법인이 자기주식 또는 자기출자지분을 보유한 상태에서 의제배당이 과세되지 아니하는 자본준비금과 재평가적립금을 자본전입 함에 따라 그 법인 외의 주주 등의 지분비율이 증가한 경우 증가한 지분비율에 상당하는 주식 등의 가액(소법 §17 ② 5호)

의제배당 금액	=	자본전입에 따라 교부받은 주식수	×	액면가액

(6) 자산의 포괄적 양도시 피인수법인의 주주에 대한 과세특례(조특법 §37)

내국법인(피인수법인)이 "과세특례요건"을 모두 갖추어 자사의 대부분을 다른 내국법인에 포괄적으로 양도하고 해산하는 경우에 피인수법인의 주주가 받는 의제배당은 「소득세법」 제17조 제2항 제3호에 따른 배당소득으로 과세한다.

4) 종합과세대상에서 제외되는 금융소득

비과세, 분리과세되는 금융소득은 소득의 크기에도 불구하고 종합과세대상 금융소득 계산시 제외한다. 비과세 금융소득은 아래와 같다.

• 공익신탁의 이익(소법 §12 ①) • 영농조합법인의 배당(조특법 §66) • 영어조합법인의 배당(조특법 §67) • 개인연금저축의 이자소득(조특법 §86 ②) • 장기주택마련저축의 이자 · 배당소득(조특법 §87) • 농어가목돈마련저축의 이자(조특법 §87의 2) • 선박투자회사의 배당(조특법 §87의 5, 2008.12.31. 이전 발생분) • 근로자우대저축의 이자 · 배당소득(조특법 §88, 2001.12.31. 이전 가입분) • 노인 · 장애인 등의 생계형저축의 이자 · 배당소득(조특법 §88의 2) • 우리사주조합원이 지급받는 배당, 농업협동조합근로자의 자사출자지분 배당(조특법 §88의 4) • 근로자주식저축의 이자 · 배당소득(조특법 §88의 6, 2001.12.31. 이전 가입분) • 조합 등 예탁금의 이자 및 출자금에 대한 배당(조특법 §88의 5 및 §89의 3) • 장기회사채형 저축에 대한 이자 · 배당소득(조특법 §91의 10) • 투자금액 1억원 이하인 미분양주택 투자신탁 등의 배당(조특법 §91의 11) • 녹색저축에 대한 이자(조특법 §91의 13) • 재형저축에 대한 이자(조특법 §91의 14)

분리과세되는 금융소득은 아래와 같다.

[소득세법] 10년 이상 장기채권을 3년 이상 계속 보유시 분리과세를 신청한 이자(30%), 금융기관을 통하지 않은 비실명금융자산의 이자 · 배당(38%), 직장공제회 초과반환금(기본세율), 수익을 구성원에게 배분하지 아니하는 개인으로 보는 법인격 없는 단체로서 단체명을 표기하여 금융거래를 하는 단체가 금융기관으로부터 받는 이자 · 배당소득(14%), 금융소득(비과세 및 분리과세분 제외)으로서 연간 소득의 합계액이 기준금액 이하이면서 원천징수된 소득(14% 또는 25%), 부동산 경매입찰을 위하여 법원에 납부한 보증금 및 경락대금에서 발생하는 이자(14%)
[조세특례제한법] 발행일로부터 최종 상환일까지의 기간이 7년 이상인 사회기반시설채권의 이자(14%), 영농조합법인의 배당(5%), 영어조합법인의 배당(5%), 세금우대종합저축의 이자 · 배당(9%), 선박투자회사의 배당(5% 또는 14%), 미분양주택 투자신탁 등의 배당(14%), 해외자원개발투자회사 등의 배당(14%), 고수익고위험투자신탁의 이자 · 배당, 부동산집합투자기구 등 집합투자증권의 배당
[금융실명거래법] 비실명금융자산으로서 금융기관을 통해 지급되는 이자 · 배당(90%), 금융실명법에 의하여 발행된 비실명채권에서 발생된 이자

5) 종합과세되는 금융소득

종합과세되는 금융소득은 무조건종합과세대상 금융소득과 조건부 종합과세대상 금융소득으로 구분된다. "무조건종합과세대상 금융소득"은 그 금액에 관계없이 무조건 종합소득에 합산하여 과세하는 다음의 금융소득을 말한다.

(1) 원천징수되지 않은 이자 · 배당소득
  ① 국내에서 지급되는 이자 · 배당소득 중 원천징수되지 않은 소득
  ② 원천징수대상이 아닌 국외에서 받은 이자 · 배당소득
(2) 출자공동가업자의 배당소득

조건부 종합과세대상 금융소득은 아래와 같이 구분된 소득을 말한다.

- 금융소득 합계액*이 2,000만원을 초과하는 경우에는 금융소득을 종합과세
  * 금융소득 중 비과세 및 분리과세 소득 제외, 배당가산(Gross-up)하지 않은 금액
- 2,000만원 초과하는 금융소득만 다른 종합소득과 합산하여 산출세액을 계산
  ⇨ 기준금액 이하의 금액은 원천징수세율(1.4%)을 적용하여 산출세액 계산
- 금융소득종합과세 시 최소한 원천징수세율(1.4%) 이상의 세부담이 되도록 하기 위해 종합소득 산출세액 적용 기본세율이 1.4% 미만일 경우 금융소득은 1.4% 적용함.
- 금융소득이 기준금액을 초과하는 경우 그 초과분에 포함된 배당소득에 대한 배당가산(Gross-up)한 금액은 배당소득에 더하여 종합과세되는 금융소득 금액 계산

금융소득 합계액	과세방법	세 율
2,000만원 초과	무조건 종합과세대상 : 종합과세 조건부 종합과세대상 : 종합과세	2,000만원 : 14% 2,000만원 초과분 : 기본세율
2,000만원 이하	무조건 종합과세대상 : 종합과세 조건부 종합과세대상 : 분리과세	무조건종합과세대상 : 14% -

※ 기준금액(2,000만원) 이하 금액은 형식적으로 종합과세되나 원천징수세율에 의해 산출세액을 계산하므로 실질적으로는 분리과세되는 것과 동일한 효과

6) 배당가산액(Gross-up)

"배당가산액"이란 법인의 소득금액에 대하여 법인단계에서 부담한 법인세의 일정부분을 주주단계의 배당소득에 대한 종합소득세에서 공제하기 위하여 배당액에 11%(2010년 이전 12%)를 가산(Gross-up)하는 금액을 말한다. 배당가산액은 배당소득금액에서 가산하였다가 산출세액에서 공제(배당세액공제)하게 된다. 배당가산 대상인 소득과 그렇지 아니한 소

득을 구분하여야 한다.

〈배당가산 대상 배당소득의 요건〉

① 내국법인으로부터 받은 배당소득일 것

⇨ 외국법인으로부터 받은 배당소득의 경우 우리나라 법인세가 과세되지 않음.

② 법인세가 과세된 소득에서 지급되는 배당소득일 것

⇨ 법인세 미과세된 소득은 이중과세 문제 발생하지 않음.

③ 배당소득이 종합과세되어 기본세율이 적용될 것

⇨ 법인세법 상 14%가 적용되는 배당소득에 대해서는 분리과세된 경우와 같이 이중과세조정 않음.

〈배당가산 대상이 아닌 배당소득〉

- 외국법인으로부터 받는 배당소득
- 잉여금의 자본전입으로 인한 의제배당
  ① 자기주식소각이익의 자본전입으로 인한 의제배당
  ⇨ 소각일로부터 2년 이내에 자기주식소각이익을 자본에 전입하거나 소각 당시의 시가가 취득가액을 초과하는 경우의 자기주식소각이익을 자본에 전입함으로써 무상으로 받은 주식의 가액을 말함.
  ② 토지의 재평가차액(재평가세율이 1%인 것을 말함)의 자본전입으로 인한 의제배당
  ⇨ 1%의 재평가세율이 적용되는 토지의 재평가차액은 익금이므로 그것을 재원으로 받는 무상주는 의제배당에 해당. 이때 해당 익금(재평가차액)은 압축기장충당금으로 토지 처분시까지 과세를 이연할 수 있으므로 이를 Gross－up 대상 배당소득에서 제외
  ③ 법인이 자기주식 또는 자기출자지분을 보유한 상태에서 의제배당을 구성하지 않는 자본잉여금을 자본전입을 함에 따라 그 법인 외의 주주 등의 지분비율이 증가한 경우 지분비율에 상당하는 주식 등의 가액
- 집합투자기구로부터의 이익
- 배당소득공제대상 법인으로부터의 배당
  ⇨ 법인세법상 배당소득공제를 적용받은 유동화전문회사, 투자회사, 투자목적회사, 투자유한회사 및 투자합자회사, 기업구조조정투자회사, 선박투자회사, 해외자원개발투자회사 등으로부터의 배당을 말함.
- 동업기업과세특례를 적용받는 법인으로부터의 배당
- 최저한세 배제대상인 다음의 감면을 받은 법인의 배당소득 중 감면비율에 상당하는 금액

① 법인의 공장 및 본사를 수도권 밖으로 이전하는 경우 법인세 등 감면
② 외국인투자에 대한 법인세 등의 감면
③ 제주첨단과학기술단지 입주기업에 대한 법인세 등의 감면
④ 제주투자진흥지구 또는 제주자유무역지역 입주기업에 대한 법인세 등의 감면
⇨ 최저한세가 배제되는 감면을 받으면 실제 법인세를 거의 부담하지 않을 수도 있다. 이에 따라 배당소득에 감면비율을 곱한 금액은 Gross-up 대상 배당소득에서 제외하며, 해당 감면비율은 다음에 따라 계산한다. 이때 감면을 적용받는 사업연도가 1개 사업연도인 경우에는 해당 사업연도의 소득금액을 기준으로 계산하면, 해당 비율이 100%를 초과하는 경우에는 100%로 한다.

$$감면비율 = \frac{직전\ 2개\ 사업연도의\ 감면대상\ 소득금액의\ 합계액\ 감면비율}{직전\ 2개\ 사업연도\ 총소득금액의\ 합계액}$$

• 출자공동사업자의 배당소득
• 분리과세되는 배당소득
• 종합과세되는 배당소득 중 14%의 세율이 적용되는 배당소득
• 유형별 포괄주의에 해당하는 배당소득

3. 사업소득

'사업소득'은 독립된 지위에서 영리를 목적으로 계속적으로 영위하는 사업에서 발생하는 소득을 말한다. 사업은 영리를 목적으로 자기의 계산과 책임 하에 계속적 · 반복적으로 행하는 사회적 활동을 말한다(사업소득의 특징 : ① 영리목적성, ② 독립성, ③ 계속 · 반복성). 사업의 범위는 소득세법에 특별한 규정이 있는 경우 외에는 통계법 제22조에 따라 통계청장이 고시하는 한국표준산업분류에 따르며(소법 §19 ③), 사업소득이 있는 거주자를 '사업자'라고 한다(소법 §1의 2 ① 5호).

1) 사업소득

사업소득의 범위는 아래와 같다(소법 §19 ①).

① 농업(작물재배업은 제외, 이하 같다) · 임업 및 어업에서 발생하는 소득, ② 광업에서 발생하는 소득, ③ 제조업에서 발생하는 소득, ④ 전기, 가스, 증기 및 수도사업에서 발생하는 소득, ⑤ 하수 · 폐기물처리, 원료재생 및 환경복원업에서 발생하는 소득, ⑥ 건설업에서 발생하는 소득, ⑦ 도매업 및 소매업에서 발생하는 소득, ⑧ 운수업 및 통신업에서 발생

하는 소득, ⑨ 숙박 및 음식점업에서 발생하는 소득, ⑩ 출판, 영상, 방송통신 및 정보서비스업에서 발생하는 소득, ⑪ 금융 및 보험업에서 발생하는 소득, ⑫ 부동산업 및 임대업에서 발생하는 소득. 다만, 지역권 · 지상권을 대여함으로써 발생하는 소득은 제외(기타소득에 해당), ⑬ 전문, 과학 및 기술서비스업(연구개발업 제외)에서 발생하는 소득, ⑭ 사업시설관리 및 사업지원서비스업에서 발생하는 소득, ⑮ 교육서비스업에서 발생하는 소득, ⑯ 보건업 및 사회복지서비스업에서 발생하는 소득, ⑰ 예술, 스포츠 및 여가 관련 서비스업에서 발생하는 소득, ⑱ 협회 및 단체, 수리 및 기타 개인서비스업에서 발생하는 소득, ⑲ 가구 내 고용활동에서 발생하는 소득, ⑳ 제1호부터 제19호까지의 규정에 따른 소득과 유사한 소득으로서 영리를 목적으로 자기의 계산과 책임 하에 계속적 · 반복적으로 행하는 활동을 통하여 얻는 소득

※ 과세소득의 규정방식 : 열거주의를 원칙으로 하고 소득유형별 포괄주의 도입

2) 비과세 사업소득

사업소득 중 다음의 소득은 소득세를 과세하지 않는다(소법 §12 2호).

(논 · 밭 임대소득) 논 · 밭을 작물 생산에 이용하게 함으로써 발생하는 소득

(주택임대소득) 1개의 주택(주택부수토지 포함)을 소유하는 자의 주택임대소득(기준시가가 9억원을 초과하는 주택 및 국외에 소재하는 주택의 임대소득은 주택수와 관계없이 과세)

⇨ 주택부수토지 범위 : Max(①, ②) ① 건물 연면적, ② 건물이 정착된 면적에 5배(도시지역 밖의 경우 10배)

⇨ 겸용주택의 경우

① 주택부분 면적 > 사업용 건물부분 면적 ⇒ 전부 주택

① 주택부분 면적 ≦ 사업용 건물부분 면적 ⇒ 주택부분만 주택(부수토지의 면적은 건물면적을 기준으로 안분계산)

(농가부업소득) 농 · 어민이 부업으로 경영하는 축산 · 고공품(藁工品)제조 · 민박 · 음식물판매 · 특산물제조 · 전통차제조 · 어로 · 양어 및 그 밖에 이와 유사한 활동에서 발생한 소득 중 다음의 소득

① 농가부업규모의 축산에서 발생하는 소득

② ① 이외 소득으로서 소득금액의 합계액이 연 2,000만원 이하인 소득

(전통주의 제조에서 발생하는 소득) 주세법에 따른 전통주 등을 수도권 밖의 읍 · 면지역에서 제조함으로써 발생하는 소득으로서 소득금액의 합계액이 연 1,200만원 이하인 것

(임업소득) 조림기간 5년 이상인 임지(林地)의 임목의 벌채 또는 양도로 발생하는 소득으로서 연 600만원 이하의 금액

3) 사업소득금액 계산

사업소득금액은 해당 과세기간의 총수입금액에서 이에 사용된 필요경비를 공제한 금액으로 한다. 한편, 소득세법에 따른 사업소득금액의 계산구조는 법인세법에 따른 각 사업연도의 소득금액 계산구조와 거의 같고, 총수입금액과 필요경비의 세부내용 또한 익금과 손금의 내용과 거의 같다.

사업소득금액의 계산 구조

결산서의 내용	세 무 조 정		소득세법의 내용
수 익	(+)총수입금액산입(소령 §51) (−)총수입금액불산입(소법 §26)	=	총수입금액
−			−
비 용	(+)필요경비산입(소령 §55 ①) (−)필요경비불산입(소법 §33)	=	필 요 경 비
=			=
결산서상 당기순이익	(+)총수입금액산입 · 필요경비불산입 (−)필요경비산입 · 총수입금액불산입	=	사업소득금액

(1) 총수입금액산입 · 불산입 항목

총수입금액산입(소령 §51)	총수입금액불산입(소법 §26)
① 사업수입금액 ② 거래상대방으로부터 받는 장려금 ③ 필요경비로 지출된 세액의 환입액 ④ 사업관련 자산수증이익 · 채무면제이익 ⑤ 확정급여형퇴직연금의 보험차익 등 ⑥ 사업과 관련된 보험차익 ⑦ 가사용으로 사용한 재고자산 ⑧ 선세금(先貰金) ⑨ 그 밖에 위와 유사한 수입금액	① 소득세 등의 환급액 ② 자산수증이익 · 채무면제이익 중 이월결손금의 보전에 충당된 금액 ③ 이월된 소득금액 ④ 다른 제품의 원재료 등으로 사용한 재고자산 ⑤ 개별소비세 및 주세 ⑥ 부가가치세의 매출세액 ⑦ 국세환급가산금 등 ⑧ 석유판매업자가 환급받은 부가가치세 등의 세액 ⑨ 사업용 고정자산의 처분이익

(2) 필요경비 산입 항목(소령 §55 ①)

필요경비에 산입할 금액은 해당 과세기간의 총수입금액에 대응하는 비용으로서 일반적으로 인용되는 통상적인 것의 합계액으로 한다.

① 매출원가 ② 판매한 상품 또는 제품의 보관료, 포장비, 운반비, 판매장려금 및 판매수당 등 판매와 관련한 부대비용(판매장려금 및 판매수당의 경우 사전약정 없이 지급하는 경우 포함) ③ 부동산의 양도 당시의 장부가액(건물건설업과 부동산 개발 및 공급업의 경우만 해당) ④ 임업 및 양잠업의 경비 ⑤ 가축 및 가금비 ⑥ 종업원의 급여 ⑦ 사업용 자산에 대한 비용 ⑧ 사업과 관련이 있는 제세공과금 ⑨ 근로자퇴직급여 보장법에 따라 사용자가 부담하는 부담금 ⑩ 국민건강보험법, 고용보험법 및 노인장기요양보험법에 의하여 사용자로서 부담하는 보험료 또는 부담금 ⑪ 국민건강보험법 · 노인장기요양보험법에 의한 직장가입자로서 부담하는 사용자 본인의 보험료 및 지역가입자로서 부담하는 보험료 ⑫ 단체순수보장성보험 및 단체환급부보장성 보험료 ⑬ 총수입금액을 얻기 위하여 직접 사용된 부채에 대한 지급이자 ⑭ 사업용 고정자산의 감가상각비 ⑮ 재고자산의 평가차손 ⑯ 대손금(부가가치세 매출세액의 미수금으로서 회수할 수 없는 것 중 대손세액공제를 받지 않는 것 포함) ⑰ 거래수량 또는 거래금액에 따라 상대편에게 지급하는 장려금 그 밖에 이와 유사한 성질의 금액 ⑱ 매입한 상품 · 제품 · 부동산 및 산림 중 재해로 인하여 멸실된 것의 원가를 그 재해가 발생한 과세기간의 소득금액을 계산할 때 필요경비에 산입한 경우의 그 원가

필요경비 불산입 항목은 아래와 같다(소법 §33).

① 소득세와 개인지방소득세 ② 벌금 · 과료 · 과태료 · 가산금 · 체납처분비 및 징수의무의 불이행으로 인하여 납부하였거나 납부할 세액(가산세액 포함) ③ 가사의 경비와 이에 관련되는 경비 ④ 감가상각비 한도초과액 ⑤ 재고자산을 제외한 자산의 평가손실 ⑥ 반출하였으나 판매하지 아니한 제품에 대한 개별소비세 또는 주세의 미납액 ⑦ 부가가치세의 매입세액 ⑧ 차입금 중 대통령령으로 정하는 건설자금에 충당한 금액의 이자 ⑨ 채권자가 불분명한 차입금의 이자 ⑩ 법령에 따라 의무적으로 납부하는 것이 아닌 공과금이나 법령에 따른 의무의 불이행 또는 금지 · 제한 등의 위반에 대한 제재로서 부과되는 공과금 ⑪ 업무와 관련 없는 경비 ⑫ 선급비용 ⑬ 업무와 관련하여 고의 또는 중대한 과실로 타인의 권리를 침해한 경우에 지급되는 손해배상금 ⑭ 접대비 한도초과액 ⑮ 기부금 한도초과액

4) 사업소득에 대한 과세방법

사업소득금액은 모두 종합소득과세표준에 합산하여 기본세율로 과세(종합과세)하고, 분리과세 예외가 없다. 다만, 원천징수 또는 납세조합징수의 대상 사업소득이 있다. 사업소득에 대한 원천징수 특례에 대해서는 원천징수 세율의 10% 세율로 지방소득세를 특별징수하여야 한다.

① 부가가치세가 면세되는 다음 용역의 공급에서 발생하는 소득에 대하여는 3%의 세율로 원천징수
  i) 의료보건 용역(수의사의 용역 포함)
  ii) 저술가 · 작곡가나 그 밖의 자가 직업상 제공하는 인적용역
② 간편장부대상자인 보험모집인 · 방문판매원의 사업소득에 대하여는 3%의 세율로 원천징수
③ 접대부 · 댄서 또는 이와 유사한 용역을 제공하는 자에게 지급하는 사업소득에 대하여는 5% 세율로 원천징수
④ 농 · 축 · 수산물 판매업자 또는 노점상인 등이 납세조합을 조직한 경우 그 납세조합은 해당 사업소득에 대한 소득세를 매월 징수하여야 함.

간편장부대상자인 보험모집인 또는 방문판매원에게 모집수당 또는 판매수당 등의 사업소득을 지급하는 원천징수의무자는 해당 사업소득에 대한 연말정산을 하여야 한다(소법 §144의 2 ①). 사업소득에 대하여는 확정신고를 하여야 하며, 연말정산대상 사업소득만 있는 자는 확정신고를 하지 않아도 된다.

구 분	과세방법
(1) 일반적인 사업소득	• 특별징수 안함, 확정신고
(2) 의료보건용역 등 부가가치세 면세대상 인적용역	• 0.3%의 세율로 특별징수, 확정신고
(3) 보험모집인 등 연말정산대상 사업소득	• 0.3%의 세율로 특별징수, 확정신고 안함
(4) 납세조합에 가입한 사업자	• 기본세율로 원천징수, 확정신고

4. 근로소득

1) 의의

근로소득이란 고용계약에 의하여 근로를 제공하고 그 대가로서 지급받는 봉급, 급료, 보수, 세비, 임금, 상여, 수당과 이와 유사한 성질의 급여를 말한다. 고용관계를 기초로 하여

지급되면 그 명칭이나 지급방법 여하에 불구하고 근로소득으로 본다.

근로소득이 근로의 제공이 자기의 계산에 기초를 두지 않고 비독립적인 반면, 사업소득은 자기의 계산에 기초를 두고 용역을 제공하고 받는 대가이다(비사업적, 일시적 · 우발적인 경우에는 기타소득). 또한 근로소득이 원칙적으로 근로제공의 법률관계(고용) 존속을 전제한 급여인 반면 퇴직소득은 고용관계의 종료, 즉 퇴직 시에 지급받는 급여이다.

2) 근로소득의 범위(소법 §20 ①)

① 부가가치세가 면세되는 다음 용역의 공급에서 발생하는 소득에 대하여는 3%의 세율로 원천징수
　ⅰ) 의료보건 용역(수의사의 용역 포함)
　ⅱ) 저술가 · 작곡가나 그 밖의 자가 직업상 제공하는 인적용역
② 간편장부대상자인 보험모집인 · 방문판매원의 사업소득에 대하여는 3%의 세율로 원천징수
③ 접대부 · 댄서 또는 이와 유사한 용역을 제공하는 자에게 지급하는 사업소득에 대하여는 5% 세율로 원천징수
④ 농 · 축 · 수산물 판매업자 또는 노점상인 등이 납세조합을 조직한 경우 그 납세조합은 해당 사업소득에 대한 소득세를 매월 징수하여야 함.

3) 근로소득에 포함되는 것(소령 §38 ①)

① 기밀비(판공비를 포함한다) · 교제비 기타 이와 유사한 명목으로 받는 것으로서 업무를 위하여 사용된 것이 분명하지 아니한 급여
② 종업원이 받는 공로금 · 위로금 · 개업축하금 · 학자금 · 장학금(종업원의 수학중인 자녀가 사용자로부터 받는 학자금 · 장학금을 포함한다) 기타 이와 유사한 성질의 급여
③ 근로수당 · 가족수당 · 전시수당 · 물가수당 · 출납수당 · 직무수당 기타 이와 유사한 성질의 급여
④ 보험회사, 「자본시장과 금융투자업에 관한 법률」에 따른 투자매매업자 또는 투자중개업자 등의 종업원이 받는 집금(集金)수당과 보험가입자의 모집, 증권매매의 권유 또는 저축을 권장하여 받는 대가, 그 밖에 이와 유사한 성질의 급여
⑤ 급식수당 · 주택수당 · 피복수당 기타 이와 유사한 성질의 급여
⑥ 주택을 제공받음으로써 얻는 이익. 다만, 주주 또는 출자자가 아닌 임원(주권상장법인의 주주 중 소액주주인 임원을 포함한다)과 임원이 아닌 종업원(비영리법인 또는 개인의 종업원을 포함한다) 및 국가 · 지방자치단체로부터 근로소득을 지급받는 사람이 기

획재정부령으로 정하는 사택을 제공받는 경우를 제외한다.
⑦ 종업원이 주택(주택에 부수된 토지를 포함한다)의 구입·임차에 소요되는 자금을 저리 또는 무상으로 대여 받음으로써 얻는 이익
⑧ 기술수당·보건수당 및 연구수당, 그 밖에 이와 유사한 성질의 급여
⑨ 시간외근무수당·통근수당·개근수당·특별공로금 기타 이와 유사한 성질의 급여
⑩ 여비의 명목으로 받는 연액 또는 월액의 급여
⑪ 벽지수당·해외근무수당 기타 이와 유사한 성질의 급여
⑫ 종업원이 계약자이거나 종업원 또는 그 배우자 기타의 가족을 수익자로 하는 보험·신탁 또는 공제와 관련하여 사용자가 부담하는 보험료·신탁부금 또는 공제부금. 다만, 아래의 보험료 등을 제외한다.
  i) 종업원의 사망·상해 또는 질병을 보험금의 지급사유로 하고 종업원을 피보험자와 수익자로 하는 보험으로서 만기에 납입보험료를 환급하지 아니하는 보험과 만기에 납입보험료를 초과하지 아니하는 범위 안에서 환급하는 보험의 보험료 중 연 70만원 이하의 금액
  ii) 임직원의 고의(중과실을 포함한다)외의 업무상 행위로 인한 손해의 배상청구를 보험금의 지급사유로 하고 임직원을 피보험자로 하는 보험의 보험료
⑬ 법인세법에 따른 임원퇴직금한도초과액
⑭ 휴가비 기타 이와 유사한 성질의 급여
⑮ 계약기간 만료전 또는 만기에 종업원에게 귀속되는 단체환급부보장성보험의 환급금
⑯ 법인의 임원 또는 종업원이 당해 법인 또는 당해 법인과 「법인세법 시행령」 제87조의 규정에 의한 특수관계에 있는 법인으로부터 부여받은 주식매수선택권을 당해 법인 등에서 근무하는 기간 중 행사함으로써 얻은 이익(주식매수선택권 행사 당시의 시가와 실제 매수가액과의 차액을 말하며, 주식에는 신주인수권을 포함한다)
⑰ 공무원에게 지급되는 직급보조비(2015.1.1. 이후 발생하는 소득분부터)

4) 비과세 근로소득(소법 §12 3호, 소령 §12)

① 복무 중인 병(兵)이 받는 급여
② 법률에 따라 동원된 사람이 그 동원 직장에서 받는 급여
③ 「산업재해보상보험법」에 따라 수급권자가 받는 요양·휴업·장해·간병·유족, 유족특별급여, 장해특별급여, 장의비 또는 근로의 제공으로 인한 부상·질병·사망과 관련하여 배상·보상 또는 慰藉) 성질이 있는 급여
④ 「근로기준법」 등에 따라 근로자·선원 및 그 유족이 받는 요양보상금, 휴업보상금, 상

병보상금, 일시보상금, 장해보상금, 유족보상금, 행방불명보상금, 소지품 유실보상금, 장의비 및 장제비

⑤ 「고용보험법」에 따라 받는 실업급여, 육아휴직 급여, 출산전후휴가 급여 등, 「제대군인 지원에 관한 법률」에 따라 받는 전직지원금, 「국가공무원법」 등에 따른 공무원 등의 육아휴직수당

⑥ 「국민연금법」에 따라 받는 반환일시금(사망으로 받는 것만 해당한다) 및 사망일시금

⑦ 「공무원연금법」 등에 따라 받는 요양비 · 요양일시금 · 장해보상금 · 사망조위금 · 사망보상금 · 유족보상금 · 유족 일시금 · 연금 · 재해보상금 등 또는 신체 · 정신상의 장해 · 질병으로 인한 휴직기간에 받는 급여

⑧ 학교와 직업능력개발훈련시설의 입학금 · 수업료 · 수강료, 그 밖의 공납금 중 일정 요건의 학자금

⑨ 실비변상적(實費辨償的) 성질의 급여(소령 §12 참조)

⑩ 외국정부 등의 기관에 근무하는 사람 중 대한민국 국민이 아닌 사람이 받는 급여. 다만, 상호주의 적용

⑪ 「국가유공자 등 예우 및 지원에 관한 법률」 등에 따라 받는 보훈급여금 · 학습보조비

⑫ 「전직대통령 예우에 관한 법률」에 따라 받는 연금

⑬ 작전임무를 수행하기 위하여 외국에 주둔 중인 군인 · 군무원이 받는 급여

⑭ 종군한 군인 · 군무원이 전사한 경우 그 전사한 날이 속하는 과세기간의 급여

⑮ 국외(북한지역 포함)에서 근로를 제공하고 받는 일정 요건의 급여

⑯ 「국민건강보험법」 등에 따라 국가, 지방자치단체 또는 사용자가 부담하는 보험료

⑰ 생산직 등 근로자가 대통령령으로 정하는 연장근로 · 야간근로 또는 휴일근로를 하여 받는 급여

⑱ 근로자가 사내급식 또는 이와 유사한 방법으로 제공받는 식사 기타 음식물, 월 10만원 이하의 식사대

⑲ 근로자 또는 그 배우자의 출산이나 6세 이하 자녀의 보육과 관련 급여로서 월 10만원 이내의 금액

⑳ 국군포로가 받는 보수 및 퇴직일시금

㉑ 대학생이 근로를 대가로 지급받는 장학금

5) 근로소득의 구분

근로소득은 "원천징수 대상 근로소득"과 "일반근로자와 일용근로자의 근로소득"으로 구분된다. 원천징수 대상 근로소득은 근로소득자가 거주자 또는 내국법인으로부터 지급받는 급여이다. 미국군, 외국법인의 국내지점 또는 국내영업소 등으로부터 지급받는 급여 포함

한다. 한편 원천징수 대상이 아닌 것은 외국기관 또는 우리나라에 주둔하는 국제연합군으로부터 받는 급여, 국외에 있는 비거주자 또는 외국법인으로부터 받는 급여이다. 다만, 비거주자나 외국법인으로부터 급여를 받는 경우에도 비거주자 또는 외국법인의 국내사업장의 국내원천소득금액을 계산함에 있어서 필요경비 또는 손금으로 계상되는 것은 원천징수의무 대상 근로소득이다.

한편, 일용근로자는 근로를 제공한 날 또는 시간에 따라 근로대가를 계산하거나 근로를 제공한 날 또는 시간의 근로성과에 따라 급여를 계산하여 받는 자를 말하며(소령 §20), 종합소득에 포함하지 않고 분리과세한다(완납적분리과세).

① 건설공사에 종사하는 자
  가. 동일한 고용주에게 계속하여 1년 이상 고용된 자 제외
  나. 작업준비를 하고 노무에 종사하는 자를 직접 지휘·감독하는 업무, 작업현장에서 필요한 기술적인 업무, 사무·타자·취사·경비 등의 업무, 건설기계의 운전 또는 정비업무에 종사하는 자 제외
② 하역작업에 종사하는 자(항만근로자를 포함한다)
  가. 통상 근로를 제공한 날에 근로대가를 받지 아니하고 정기적으로 근로대가를 받는 자 제외
  나. 작업준비를 하고 노무에 종사하는 자를 직접 지휘·감독하는 업무, 주된 기계의 운전 또는 정비업무에 종사하는 자 제외
③ 위의 건설공사, 하역작업 외의 업무에 종사하는 자로서 근로계약에 따라 동일한 고용주에게 3월 이상 계속하여 고용되어 있지 아니한 자

6) 근로소득금액의 계산

근로소득금액(소법 §20 ②)은 근로소득의 합계액에서 근로소득공제를 적용한 금액을 말한다.

근로소득금액 = 총급여액(근로소득−비과세소득) − 근로소득공제

일반근로자의 근로소득공제액은 다음의 금액(소법 §47 ①)

총급여액	공제액
500만원 이하	총급여액 × 70%
500만원 초과 1,500만원 이하	350만원 + (총급여액 − 500만원) × 40%

총급여액	공제액
1,500만원 초과 4,500만원 이하	750만원 + (총급여액 - 1,500만원) × 15%
4,500만원 초과 1억원 이하	1,200만원 + (총급여액 - 4,500만원) × 5%
1억원 초과	1,475만원 + (총급여액 - 1억원) × 2%

근로소득이 있는 거주자의 해당 과세기간의 총급여액이 근로소득공제액에 미달하는 경우에는 그 총급여액을 공제액으로 한다(소법 §47). 그리고, 일용근로자의 근로소득공제액은 1일 10만원으로 한다(소법 §47 ②).

7) 근로소득 과세표준 계산

일반급여자의 과세표준은 근로소득금액에서 종합소득공제액을 차감한다. 근로소득 이외의 종합소득이 있는 경우 종합소득과세표준에 합산하여 다음 연도 5월에 과세표준확정신고하여야 하고, 근로소득 이외의 종합소득이 없는 경우 연말정산 절차만 이행한다.

과세표준 = 근로소득금액 − 종합소득공제

일용근로자는 일용근로소득에서 10만원(일)을 차감한 가액이며, 종합소득에 합산하지 않고 원천징수로써 과세 종결된다.

원천징수세액 = (일급여액 − 근로소득공제) × 세율(6%) − 근로소득세액공제(산출세액의 55%)

5. 연금소득

연금소득이란 연금계약자 또는 연금수혜자 등이 사전에 불입한 금액 등을 토대로 하여 일정기간 또는 종신에 걸쳐서 매월 또는 매년도 등의 단위로 지급받는 연금수입을 말한다.

1) 연금소득의 과세체계

연금소득은 2002년부터 연금소득을 과세로 전환(연금납입액에 대하여 소득공제)하여 연금을 지급받을 때 과세하여 소득발생시기와 과세시기를 일치시켰다. 연금소득의 과세방식은 아래와 같이 구분된다.

| 연금소득의 과세방식 |

과세방식	연금납입액 소득세 과세	연금 수령시 소득세 과세
납입연도 방식	과세	비과세
수령연도 방식	비과세	과세

| 연금소득의 과세체계 |

구 분		납입연도의 소득공제	수령연도의 소득구분	
			연금수령시	연금외수령시
공적연금		납입액 전액을 연금보험료 공제	연금소득	퇴직소득
사적 연금*	이연퇴직소득**	-	연금소득	퇴직소득
	납입액 중 소득공제를 받은 금액	납입액을 연 400만원 한도에서 연금보험료 공제	연금소득	기타소득
	운용수익	-	연금소득	기타소득

* 연금계좌에서 수령하는 금액

** 이연퇴직소득 : 퇴직시 다음의 사유로 원천징수되지 아니한 퇴직소득

> ① 퇴직소득이 퇴직일 현재 연금계좌에 있거나 연금계좌로 지급되는 경우
> ② 퇴직소득을 지급받은 날부터 60일 이내에 연금계좌로 입금되는 경우

2) 연금소득의 범위(소법 §20의 3 ①)

공적연금관련법에 따라 받는 공적연금소득으로 국민연금법, 공무원연금법, 군인연금법, 사립학교교직원연금법, 별정우체국법 등에 따른 공적연금을 의미한다. 사적연금소득은 "① 이연퇴직소득 ② 납입시 연금보험료공제를 받은 금액 ③ 연금계좌의 운용실적에 따라 증가된 금액"으로 그 소득의 성격에도 불구하고 연금계좌에서 연금형태로 인출하는 경우 연금소득으로 과세한다.

3) 비과세 연금소득(소법 §12 4호)

① 공적연금관련법에 따라 받는 유족연금, 장애연금, 장해연금, 상이연금, 연계노령유족연금 ② 산업재해보상보험법에 따라 받는 각종 연금 ③ 국군포로의송환및대우등에관한법률에 따른 국군포로가 받는 연금이 해당된다.

4) 연금소득금액의 계산(소법 §20의 3 ③)

연금소득금액 = 총연금액* − 연금소득공제

* 비과세소득과 분리과세소득(사적연금소득의 합계액이 연1,200만원 이하인 경우 분리과세 선택 가능)을 제외

연금소득의 계산

[공적연금소득]

공적연금소득	=	과세기준금액	-	과세제외 기여금 등

• 과세기준금액(소령 §40 ①) : 과세기준일(2002.1.1.) 기준으로 지급자별로 계산한 금액

구 분	과세기준금액
국민연금과 연계한 노령연금	과세기간 연금수령액 × (2002.1.1 이후 납입기간의 환산소득누계액 / 총 납입기간의 환산소득누계액)
그 밖의 공적연금소득	과세기간 연금수령액 × (2002.1.1 이후 기여금 납입월수 / 총 기여금 납입월수)

• 과세제외 기여금 등(소령 §40 ②)
- 과세기준일 이후에 연금보험료공제를 받지 않고 납입한 기여금 또는 개인부담금을 말함.

[사적연금소득]

• 연금계좌에서 인출한 금액은 수령방법에 따라 연금수령*
⇨ 연금소득, 연금외수령 ⇨ 퇴직소득 or 기타소득으로 과세
*연금수령 : 연금계좌에서 소령 §40의 2 ③에 따라 연금으로 인출하는 것을 말함.

• 연금인출순서
과세제외금액* → 이연퇴직소득 → 그 밖에 연금계좌에 있는 금액
*연금보험공제를 받지 못한 금액

• 인출한 금액이 연금수령한도를 초과하는 경우 연금수령분이 먼저 인출되고 연금외수령분이 인출

총 연금액별 연금소득공제액은 다음과 같다.

총 연금액	공제액
350만원 이하	총연금액
350만원 초과 700만원 이하	350만원 + 350만원 초과액의 40%
700만원 초과 1,400만원 이하	490만원 + 700만원 초과액의 20%
1,400만원 초과	630만원 + 1,400만원 초과액의 10%(한도 : 900만원)

※ 총연금액이 4,100만원 이상인 경우 연금소득공제액은 한도액인 900만원

6. 기타소득

1) 기타소득 범위(소법 §21 ①)

기타소득은 이자소득·배당소득·사업소득·근로소득·연금소득·퇴직소득 및 양도소득 외의 소득으로서 다음에 열거하는 소득을 말한다. 즉, 기타소득의 종류로 열거되지 않은 소득에 대하여는 기타소득으로 과세할 수 없다(열거주의).

[상금 및 당첨금품 등]

① 상금, 현상금, 포상금, 보로금 또는 이에 준하는 금품

② 복권, 경품권, 그 밖의 추첨권에 당첨되어 받는 금품

③ 사행행위 등 규제 및 처벌특례법에서 규정하는 행위(적법 또는 불법 여부는 고려하지 않음)에 참가하여 얻은 재산상의 이익

④ 승마투표권, 승자투표권(경륜·경정), 소싸움경기투표권 및 체육진흥투표권의 구매자가 받는 환급금(적법 또는 불법 여부는 고려하지 않음)

⑤ 슬롯머신(비디오게임 포함) 및 투전기(投錢機), 그 밖에 이와 유사한 기구를 이용하는 행위에 참가하여 받는 당첨금품·배당금품 또는 이에 준하는 금품

[인적용역의 대가]

① 일시적 문예창작소득 : 문예·학술·미술·음악 또는 사진에 속하는 창작품(정기간행물에 게재하는 삽화 및 만화와 우리나라의 창작품 또는 고전을 외국어로 번역하거나 국역하는 것 포함)에 대한 원작자로서 받는 원고료, 저작권사용료인 인세, 미술·음악 또는 사진에 속하는 창작품에 대하여 받는 대가

② 일시적 인적용역의 대가 : 다음 중 어느 하나에 해당하는 인적용역(문예창작소득, 재산권에 대한 알선수수료 및 사례금 제외)을 일시적으로 제공하고 받는 대가

i) 고용관계 없이 다수인에게 강연을 하고 강연료 등 대가를 받는 용역

ii) 라디오·텔레비전방송 등을 통하여 해설·계몽 또는 연기의 심사 등을 하고 보수 또는 이와 유사한 성질의 대가를 받는 용역

iii) 변호사, 공인회계사, 세무사, 건축사, 측량사, 변리사, 그 밖에 전문적 지식 또는 특별한 기능을 가진 자가 그 지식 또는 기능을 활용하여 보수 또는 그 밖의 대가를 받고 제공하는 용역(대학이 자체 연구관리비 규정에 따라 대학에서 연구비를 관리하는 경우에 교수가 제공하는 연구용역 포함)

iv) 그 밖에 고용관계 없이 수당 또는 이와 유사한 성질의 대가를 받고 제공하는 용역

[피해보상금 등]

① 지역권 · 지상권(지하 또는 공중에 설정된 권리를 포함한다)을 설정하거나 대여하고 받는 금품

② 계약의 위약 또는 해약으로 인하여 받는 위약금과 배상금. 여기서 '위약금과 배상금'이란 재산권에 관한 계약의 위약 또는 해약으로 받는 손해배상(보험금을 지급할 사유가 발생하였음에도 불구하고 보험금 지급이 지체됨에 따라 받는 손해배상 포함)으로서 그 명목여하에 불구하고 본래의 계약의 내용이 되는 지급 자체에 대한 손해를 넘는 손해에 대하여 배상하는 금전 또는 그 밖의 물품의 가액을 말한다. 이 경우 계약의 위약 또는 해약으로 반환받은 금전 등의 가액이 계약에 따라 당초 지급한 총금액을 넘지 않는 경우에는 지급 자체에 대한 손해를 넘는 금전 등의 가액으로 보지 않는다.

[무형자산의 양도 및 대여로 받는 금품]

광업권 · 어업권 · 산업재산권 · 산업정보, 산업상 비밀, 상표권 · 영업권(점포임차권 포함), 토사석의 채취허가에 따른 권리, 지하수의 개발 · 이용권, 그 밖에 이와 유사한 자산이나 권리를 양도하거나 대여하고 그 대가로 받는 금품

[연금외수령소득 및 공제부금의 일시 해지금]

① 연금외수령소득 : 거주자가 연금계좌에 납입하는 금액으로서 연금보험료공제를 받은 금액과 연금계좌의 운영실적에 따라 증가된 금액을 연금외수령한 소득

② 소기업 · 소상공인 공제부금의 해지일시금 : 폐업 등의 사유가 발생하기 전에 소기업 · 소상공인 공제계약이 해지된 경우로서 다음의 계산식에 따라 계산한 금액을 말함(소령 §41 ⑪).

⇨ 기타소득 = 해지로 인하여 받은 환급금 − 실제 소득공제받은 금액을 초과하여 납입한 금액의 누계액

[그 밖의 일시적 소득]

① 저작자 또는 실연자 · 음반제작자 · 방송사업자 외의 자가 저작권 또는 저작인접권의 양도 또는 사용의 대가로 받는 금품

② 영화필름, 라디오 · 텔레비전방송용 테이프 또는 필름 및 그 밖에 이와 유사한 자산 또는 권리의 양도 · 대여 또는 사용의 대가로 받는 금품

③ 물품(유가증권 포함) 또는 장소를 일시적으로 대여하고 사용료로서 받는 금품

④ 유실물의 습득 또는 매장물의 발견으로 인하여 보상금을 받거나 새로 소유권을 취득하는 경우 그 보상금 또는 자산

⑤ 소유자가 없는 물건의 점유로 소유권을 취득하는 자산

⑥ 거주자·비거주자 또는 법인의 특수관계인이 그 특수관계로 인하여 그 거주자·비거주자 또는 법인으로부터 받는 경제적 이익으로서 급여·배당 또는 증여로 보지 않는 금품. 여기서 '경제적 이익'이란 다음의 이익을 말함(소령 §41 ⑨).

i) 법인세법에 따라 법인의 소득금액을 법인이 신고하거나 세무서장이 결정·경정할 때 처분되는 배당·상여 외에 법인의 자산 또는 개인의 사업용자산을 무상 또는 저가로 이용함으로 인하여 개인이 받는 이익으로서 그 자산의 이용으로 인하여 통상 지급하여야 할 사용료 또는 그 밖에 이용의 대가(통상 지급하여야 할 금액보다 저가로 그 대가를 지급한 금액이 있는 경우에는 이를 공제한 금액)

ii) 노동조합 및 노동관계 조정법을 위반하여 노조 전임자가 지급받는 급여

⑦ 재산권에 관한 알선 수수료

⑧ 사례금(종교 관련 종사자가 종교예식이나 종교의식을 집행하거나 관장하는 등 종교 관련 종사자로서의 활동과 관련하여 그가 소속된 종교단체 등으로부터 받는 금품 포함)

⑨ 법인세법에 따라 기타소득으로 처분된 소득

⑩ 퇴직 전에 부여받은 주식매수선택권을 퇴직 후에 행사하거나 고용관계 없이 주식매수선택권을 부여받아 이를 행사함으로써 얻는 이익

⑪ 뇌물

⑫ 알선수재 및 배임수재에 의하여 받는 금품

⑬ 다음의 서화(書畵)·골동품의 양도로 발생하는 소득으로서 개당·점당 또는 조당 양도가액이 6천만원 이상인 것. 다만, 양도일 현재 생존해 있는 국내 원작자의 작품은 제외한다.

i) 서화·골동품 중 다음의 어느 하나에 해당하는 것

㉠ 회화, 데생, 파스텔(손으로 그린 것에 한정하며, 도안과 장식한 가공품은 제외한다) 및 콜라주와 이와 유사한 장식판 ㉡ 오리지널 판화·인쇄화 및 석판화 ㉢ 골동품(제작 후 100년을 넘은 것에 한정한다)

ii) i)의 서화·골동품 외에 역사상·예술상 가치가 있는 일정한 서화·골동품

2) 비과세 기타소득(소법 §12 ⑤)

① 국가유공자 등 예우 및 지원에 관한 법률 또는 보훈보상대상자 지원에 관한 법률에 따라 받는 보훈급여금·학습보조비 및 북한이탈주민의 보호 및 정착지원에 관한 법률에

따라 받는 정착금 · 보로금과 그 밖의 금품
② 국가보안법에 따라 받는 상금과 보로금
③ 상훈법에 따른 훈장과 관련하여 받는 부상이나 그 밖의 일정한 상금과 부상
④ 발명진흥법에 따른 직무발명으로 받는 다음의 보상금
　i) 종업원이 발명진흥법에 따라 사용자로부터 받는 보상금
　ii) 대학의 교직원이 소속 대학에 설치된 산학협력단으로부터 받는 보상금
⑤ 국군포로가 받는 위로지원금과 그 밖의 금품
⑥ 국가지정문화재로 지정된 서화 · 골동품의 양도로 발생하는 소득
⑦ 서화 · 골동품을 박물관 또는 미술관에 양도함으로써 발생하는 소득

3) 기타소득금액 계산(소법 §21 ②)

기타소득금액	=	총수입금액*	−	필요경비**

* 총수입금액 = 기타소득 − 비과세소득 − 분리과세소득
** 필요경비(소법 §37)

- 기타소득 총수입금액에 대응하여 지출된 비용으로서 입증된 금액
- 일정금액을 필요경비로 공제하는 경우 Max[총수입금액×80%(90%), 실제 소요된 경비]

① 공익법인이 주무관청의 승인을 얻어 시상하는 상금 및 부상과 다수가 순위 경쟁하는 대회에서 입상자가 받는 상금 및 부상
② 지역권 · 지상권을 설정 또는 대여하고 받는 금품
③ 다음의 인적용역을 일시적으로 제공하고 지급받는 대가
　㉠ 고용관계 없이 다수인에게 강연을 하고 강연료 등의 대가를 받는 용역
　㉡ 라디오 · 텔레비전방송 등을 통하여 해설 · 계몽 또는 연기의 심사 등을 하고 보수 또는 이와 유사한 성질의 대가를 받는 용역
　㉢ 변호사 · 공인회계사 · 세무사 · 건축사 · 변리사, 그 밖에 전문적 지식 또는 특별한 기능을 가진 자가 그 지식 또는 기능을 활용하여 보수 또는 그 밖의 대가를 받고 제공하는 용역
　㉣ 위 외의 용역으로서 고용관계 없이 수당 또는 이와 유사한 성질의 대가를 받고 제공하는 용역
④ 계약의 위약 또는 해약으로 인하여 받는 위약금과 배상금 중 주택입주지체상금
⑤ 일시적인 문예창작소득

⑥ 광업권·어업권·산업재산권·산업정보·산업상비밀·상표권·영업권·점포임차권·토사석의 채취허가에 따른 권리·지하수의 개발이용권, 그 밖에 이와 유사한 자산이나 권리를 「양도하거나 대여」하고 그 대가로 받는 금품
⑦ 서화·골동품의 양도소득(보유기간이 10년 이상인 경우 90%)

- 기 타

① 승마투표권·승자투표권·소싸움경기투표권·체육진흥투표권의 구매자가 받는 환급금에 대해서 그 구매자가 구입한 적중된 투표권의 단위투표금액을 필요경비로 함.
② 슬롯머신 등의 당첨금품 등에 대해서는 그 당첨금품 등의 당첨직전에 슬롯머신 등에 투입한 금액을 필요경비로 함.

4) 기타소득의 과세최저한(소법 §84)

다음의 기타소득에 대하여는 소득세를 과세하지 아니한다.

① 승마투표권·승자투표권·소싸움경기투표권·체육진흥투표권의 구매자가 받는 환급금으로서 건별로 승마투표권 등의 권면에 표시된 금액의 합계액이 10만원 이하이고 단위투표금액당 환급금이 단위투표금액의 100배 이하인 경우
② 슬롯머신 등의 당첨금품 등이 건별로 500만원 미만인 경우
③ 위 외의 기타소득금액이 건별로 5만원 이하인 경우

5) 기타소득의 과세방법

[무조건분리과세] ① 연금외수령한 소득 중 사망 등 부득이한 사유로 받는 기타소득 ② 서화·골동품의 양도로 발생하는 소득 ③ 복권및복권기금법(제2조)에서 규정하는 복권의 당첨금 ④ 승마투표권·승자투표권·소싸움경기투표권·체육진흥투표권의 구매자가 받는 환급금
[무조건 종합과세] ① 뇌물, 알선수재 및 배임수재에 의하여 받는 금품 ② 계약의 위약·해약으로 인하여 받는 위약금·배상금 중 계약금이 위약금·배상금으로 대체되는 경우 그 금액(A)
[선택적 분리과세] 위 외의 기타소득(B)
[(A)+(B)] 금액이 300만원 초과 : 종합과세
[(A)+(B)] 금액이 300만원 이하 : 분리과세, 종합과세 중 선택

6) 기타소득에 대한 원천징수

기타소득을 지급하는 자는 그 소득을 지급할 때 소득세를 원천징수하여 그 징수일이 속하는 다음 달 10일까지 납부하여야 한다(소법 §127 ① 6호, §128). 한편 원천징수 제외 대상 기타소득으로는 ① 뇌물, 알선수재 및 배임수재에 의하여 받는 금품 ② 계약의 위약 · 해약으로 인하여 받는 위약금 · 배상금 중 계약금이 위약금 · 배상금으로 대체되는 경우 그 금액이 있다.

7. 종합소득공제

거주자의 종합소득에 대한 개인지방소득세 과세표준은 소득세법 제14조에 따라 계산한 종합소득과세표준을 말함(지법 §91).

종합소득과세표준 = 종합소득금액 − 소득세법상 종합소득공제 − 조특법상 소득공제

[소득세법상 종합소득공제]

(1) 인적공제

[기본공제] 다음 중 어느 하나에 해당하는 1명당 연 150만원을 종합소득금액에서 공제(소법 §50 ①)

구 분	대 상 자		요 건	
			나이요건	소득요건
(1) 본 인	해당 거주자		–	–
(2) 배우자	거주자의 배우자		–	100만원 이하
(3) 부양 가족	거주자(배우자 포함)와 생계를 같이 하는 다음의 부양가족	① 직계존속	60세 이상	100만원 이하
		② 직계비속과 동거입양자	20세 이하	100만원 이하
		③ 형제자매	20세 이하 또는 60세 이상	100만원 이하
		④ 국민기초생활보장법에 따른 수급자	–	100만원 이하
		⑤ 위탁아동	–	100만원 이하

[추가공제] 기본공제대상자가 다음 중 어느 하나에 해당하는 경우 다음의 금액을 종합소득금액에서 추가로 공제(소법 §51 ①)

구 분	요 건	추가공제액
(1) 경로우대자공제	기본공제대상자가 70세 이상인 경우	1명당 100만원
(2) 장애인공제	기본공제대상자가 장애인인 경우	1명당 200만원
(3) 부녀자공제	• 본인이 배우자가 없는 여성으로서 기본공제 대상자인 부양가족이 있는 세대주인 경우 • 본인이 배우자가 있는 여성인 경우	50만원
(4) 한부모공제	본인이 배우자가 없는 사람으로서 기본공제 대상자인 직계비속 또는 입양자가 있는 경우	100만원

(2) 연금보험료공제(소법 §51의 3 ①)

종합소득이 있는 거주자가 공적연금 관련법에 따른 기여금 또는 개인부담금을 납입한 경우에는 해당 과세기간의 종합소득금액에서 그 과세기간에 납입한 연금보험료를 공제한다.

(3) 주택담보노후연금 이자비용공제(소법 §51의 4 ①)

연금소득이 있는 거주자가 주택담보노후연금을 받은 경우에는 다음의 금액을 해당 과세기간 연금소득금액에서 공제한다.

⇨ 주택담보노후연금 이자비용공제액 = Min(①, ②, ③)

① 받은 연금에 대해서 해당 과세기간에 발생한 이자비용 상당액,

② 200만원, ③ 연금소득금액

(4) 특별소득공제(소법 §52)

[보험료소득공제] 근로소득이 있는 거주자(일용근로자 제외)가 해당 과세기간에 「국민건강보험법」, 「고용보험법」 또는 「노인장기요양보험법」에 따라 근로자가 부담하는 보험료를 지급한 경우 그 금액을 해당 과세기간의 근로소득금액에서 공제한다(소법 §52 ①).

[주택자금소득공제] 과세기간 종료일 현재 주택을 소유하지 않은 세대의 세대주로서 근로소득이 있는 거주자가 일정 규모 이하의 주택을 임차하기 위하여 금액을 지급하는 경우 그 지급금액의 일정비율에 해당하는 금액을 해당 과세기간의 근로소득금액에서 공제(소법 §52 ④, ⑤)

| 소득공제액 |

구 분	소득공제액	한도액		
청약저축 납입액*1	저축납입액 × 40%	연 300만원	추가공제 : Min(①, ②) ① 연 300만원 초과액 ② 월세액 × 60% (연 200만원 한도)	종합한도 : 연 500만원
주택임차차입금 원리금 상환액*2	원리금상환액 × 40%			
월세액*2	월세액 × 60%			
장기주택저당차입금 이자상환액*3	이자상환액 × 100%	(장기주택저당차입금의 이자를 고정금리 방식으로 지급하거나 원금 또는 원리금을 비거치식 분할상환 방식으로 지급하는 경우에는 1천500만원)		

*1 청약저축 납입액 : 조특법 §87 ②
*2 주택임차차입금원리금상환액 및 월세액 : 소득세법 §54 ④
*3 장기주택저당차입금 이자상환액 : 소득세법 §54 ⑤

[조세특례제한법상 소득공제]

고용유지 중소기업에 대한 소득공제(§30의 3 ①, ②), 고용유지 중소기업 근로자 소득공제(§30의 3 ③), 장기집합투자증권저축에 대한 소득공제(§91의 16) 등

※ 이하 거주자의 개인 종합소득에 대한 세액계산, 신고납부 등은 뒤편 참조

중소기업창업투자조합출자 등에 대한 소득공제(§16)

- 거주자가 2014.12.31.까지 법소정 조합 등에 출자 또는 투자를 하는 경우
- Min(①, ②)
  ① 출자금액 또는 투자금액 × 공제율, ② 한도 : 종합소득금액 × 40%

소기업 · 소상공인 공제부금에 대한 소득공제(§86의 3)

- 소기업 · 소상공인 공제에 가입하여 공제부금을 납부하는 경우
- Min(①, ②)
  ① 공제부금 납부액, ② 한도 : 연 300만원

청약저축 등 납입액(§87) ≪특별소득공제 주택자금소득공제 참고≫

우리사주조합출연금(§88의 4)

- 우리사주조합원이 우리사주를 취득하기 위하여 우리사주조합에 출자하는 경우
- Min(①, ②)
  ① 출자금액, ② 한도 : 연 400만원

신용카드 등 사용금액(§126의 2)

- 근로소득이 있는 거주자(일용근로자 제외)가 법인 또는 개인사업자로부터 2014.12.31.까지 재화나 용역을 제공받고 신용카드 등을 사용한 경우 일정금액을 과세연도의 근로

소득금액에서 공제

• 공제율

구 분	내 용	공제율
(1) 전통시장 사용분	전통시장과 전통시장 구역 안의 법인 또는 사업자(준대규모점포 제외)에 대한 사용액	40%
(2) 대중교통 이용분	대중교통수단에 대한 사용액	40%
(3) 도서·공연·박물관·미술관 사용분	총 급여액이 7천만원 이하인 자	30%
(4) 직불카드 등 사용분	현금영수증 및 직불카드 사용분(전통시장 사용분 및 대중교통 이용분 제외)	30%
(5) 신용카드 사용분	신용카드 등 사용금액의 합계액에서 전통시장 사용분, 대중교통이용분, 직불카드 등 사용분을 뺀 금액	15%

• 신용카드 등 소득공제액 = ① + ②

① 기본공제액 = Min(ⓐ, ⓑ)

ⓐ 공제대상금액 = $\frac{\text{신용카드 등 사용금액} - (\text{총급여액}\times 25\%)}{\text{최저사용금액}^{*1}}$ × 공제율

ⓑ 공제한도액(총급여 7천만원 이하) : Min(총급여액 × 20%, 300만원)

② 추가공제액 : Min(ⓐ, ⓑ)

ⓐ 한도초과액*2

ⓑ (전통시장 사용분 × 30%)*3 + (대중교통 이용분 × 30%)*3 + (도서·공연 등 사용분 × 30%)*3

*1 최저사용금액은 신용카드 등 사용액 합계액에서 전통시장 사용분 → 대중교통 이용분 → 도서·공연 등 사용분 → 직불카드 사용분의 순서대로 사용한 것으로 봄.

*2 ①의 ⓐ 공제대상금액에서 ⓑ 공제한도액을 차감한 금액

*3 각각 100만원을 한도로 한다.

거주자의 퇴직소득에 대한 개인지방소득세

1. 퇴직소득 개요

퇴직소득의 범위는 아래와 같다(소법 §22 ①, 소령 §42의 2 ②).

- 공적연금 관련법*에 따라 받는 일시금
- 사용자 부담금을 기초로 하여 현실적인 퇴직을 원인으로 지급받는 소득
- 일시금을 지급하는 자가 퇴직소득의 일부 또는 전부를 지연하여 지급하면서 지연지급에 대한 이자를 함께 지급하는 경우 해당 이자
- 과학기술인공제회법(§16의 6)에 따라 지급받는 과학기술발전장려금
- 건설근로자의 고용 개선 등에 관한 법률(§14)에 따라 지급받는 퇴직공제금

* 공적연금 관련법에 따라 받는 일시금(소법 §22 ②, 소령 §42의 2 ①)은 과세기준일(2002.1.1.) 이후에 납입된 연금기여금 및 사용자부담금(또는 과세기준일 이후 근로의 제공)을 기초로 하여 받는 일시금을 말한다. 과세대상 일시금은 Min(①, ②)의 금액이다. (① 과세기준일 이후 납입한 기여금 또는 개인부담금(사용자부담금 포함)의 누계액과 이에 대한 이자 및 가산이자 ② 실제 지급받은 일시금－과세기준일 이전에 납입한 기여금 또는 부담금)

이연퇴직소득에 대한 연금외수령 판정특례를 보면, 연금수령한 금액에서 과세제외금액을 뺀 금액이 분리과세연금소득(연 1,200만원 이내의 소득) 금액을 초과하는 경우 그 금액 중 이연퇴직소득에 해당하는 금액(그 금액을 초과하는 금액을 한도로 한다)은 연금수령한도 이내의 금액이더라도 연금외수령한 것으로 본다. 이 경우 연금외수령한 것으로 보는 이연퇴직소득에 대해서는 그 금액에 대한 퇴직소득에 대한 개인지방소득세에서 연금외수령으로 보기 전에 이미 특별징수된 세액을 뺀 금액을 퇴직소득에 대한 개인지방소득세 과세표준 확정신고 · 납부를 준용하여 신고 · 납부하여야 한다.

퇴직판정의 특례로써 퇴직소득은 근로관계가 종료됨으로써 퇴직하는 현실적인 퇴직을 원인으로 근로자가 지급받는 소득이나 퇴직판정의 특례가 있다.

현실적 퇴직으로 보지 않는 경우	현실적 퇴직으로 보는 경우
• 종업원이 임원이 된 경우 • 합병 · 분할 등 조직변경, 사업양도 또는 직접 · 간접으로 출자관계에 있는 법인으로의 전	•「근로자퇴직급여 보장법」에 따라 근로자가 주택구입 등 긴급한 자금이 필요한 사유로 퇴직금을 퇴직하기 전에 미리 중간정산하여 지급받는 경우

현실적 퇴직으로 보지 않는 경우	현실적 퇴직으로 보는 경우
출이 이루어진 경우 • 법인의 상근임원이 비상근임원이 된 경우	• 법인의 임원이 향후 퇴직급여를 지급받지 않는 조건으로 급여를 연봉제로 전환하는 경우 • 「근로자퇴직급여 보장법」 제38조에 따라 퇴직연금제도가 폐지되는 경우

아울러, 비과세 퇴직소득은 비과세 근로소득에 대한 규정을 준용한다(소법 §12).

2. 세액계산

| 퇴직소득 계산 구조 |

구분	내용
퇴직소득의 합계액	비과세 퇴직소득은 제외
= 퇴직소득금액	임원의 퇴직소득금액 중 근로소득으로 보는 금액은 제외
− 퇴직소득공제	소득비례공제 + 근속연수공제
= 퇴직소득과세표준	
× 세 율	1배수·5배수 연분연승법 적용
= 퇴직소득산출세액	
− 외국납부세액공제	
= 퇴직소득결정세액	특별징수 세액

1) 퇴직소득금액

임원의 퇴직소득금액(공적연금 관련법에 따라 받는 일시금은 제외하며, 2011.12.31.에 퇴직하였다고 가정할 때 지급받을 퇴직소득금액이 있는 경우에는 그 금액을 뺀 금액을 말한다)이 다음의 금액을 초과하는 경우 그 초과하는 금액은 근로소득으로 보는 임원퇴직소득 한도액을 설정하고 있다.

$$\text{임원퇴직소득 한도액} = \text{퇴직한 날부터 소급하여 3년 동안 지급받은 총급여 평균환산액} \times 10\% \times \frac{\text{2012.1.1. 이후의 근무시간}}{\text{12개월}} \times \text{3배}$$

퇴직소득이 있는 거주자에 대해서는 해당 과세기간의 퇴직소득금액에서 다음의 금액을 순서대로 공제한다. 다만, 해당 과세기간의 퇴직소득금액이 공제금액에 미달하는 경우에는 그 퇴직소득금액을 공제한다.

(1) 소득비례공제 = 퇴직소득금액 × 40%

(2) 근속연수공제

근속연수	공제액
5년 이하	30만원 × 근속연수
5년 초과 10년 이하	150만원 + 50만원 × 근속연수
10년 초과 20년 이하	400만원 + 80만원 × 근속연수
20년 초과	1,200만원 + 120만원 × 근속연수

※ 근속연수는 근로를 제공하기 시작한 날(또는 퇴직소득중간정간지급일)의 다음 날부터 퇴직한 날까지로 한다(다만, 퇴직급여를 산정할 때 근로기간으로 보지 않은 기간은 근속연수에서 제외) 이 경우 근속연수를 계산할 때 1년 미만의 기간이 있는 경우에는 이를 1년으로 본다(소법 §48 ①).

2) 퇴직소득산출세액

근속연수 동안 장기간에 걸쳐 발생한 소득이 퇴직하는 시점에 일시에 실현되는 퇴직소득 과세표준에 기본세율을 그대로 적용시 높은 누진세율이 적용되므로 이를 완화하기 위하여 연분연승법에 따라 퇴직소득산출세액을 계산한다(지법 §99 ④, ⑤).

(1) 2012.12.31. 이전에 근무를 시작하여 2013.1.1. 이후 퇴직한 경우

$$= 2012.12.31.\text{ 이전}\left[\left(\text{퇴직소득과세표준} \times \frac{1}{\text{근속연수}}\right) \times \text{기본세율} \times \text{근속연수}\right]$$

$$+\ 2013.1.1.\text{ 이후}\left[\left(\text{퇴직소득과세표준} \times \frac{5}{\text{근속연수}}\right) \times \text{기본세율} \times \frac{\text{근속연수}}{5}\right]$$

(2) 2012.12.31. 이후 근무를 시작하여 퇴직한 경우

$$= 2013.1.1.\text{ 이후}\left[\left(\text{퇴직소득과세표준} \times \frac{5}{\text{근속연수}}\right) \times \text{기본세율} \times \frac{\text{근속연수}}{5}\right]$$

(3) 2016.1.1. 이후 퇴직하는 경우

$$\text{산출세액} = \text{과세표준}\left[(\text{퇴직소득}-\text{근속공제}) \times \frac{12}{\text{근속연수}} - \text{차등공제}\right] \times \text{세율(누진)} \times \frac{\text{근속연수}}{12}$$

3) 퇴직소득세액공제(외국납부세액공제, 지특법 §97)

거주자의 퇴직소득금액에 국외원천소득이 합산되어 있는 경우에 그 원천소득에 대하여 외국에서 외국소득세액을 납부하였거나 납부할 것이 있는 때에는 다음의 금액을 한도로 외국소득세액을 해당 과세기간의 퇴직소득에 대한 개인지방소득산출세액에서 공제할 수 있다. 퇴직소득에 대한 개인지방소득 세액공제·감면은 외국납부세액공제가 유일하다.

$$\text{공제한도액} = \text{소득세법상 퇴직소득산출세액} \times \frac{\text{국외원천소득}}{\text{퇴직소득금액}} \times 10\%$$

3. 과세방법

1) 특별징수 및 정산

국내에서 거주자나 비거주자에게 퇴직소득을 지급하는 자는 그 거주자나 비거주자에 대한 지방소득세를 특별징수하여 그 징수일이 속하는 달의 다음 달 10일까지 납부하여야 한다. 또한 퇴직자가 퇴직소득을 지급받을 때 이미 지급받은 퇴직소득에 대한 원천징수영수증을 원천징수의무자에게 제출하는 경우 원천징수의무자는 퇴직자에게 이미 지급된 퇴직소득과 자기가 지급할 퇴직소득을 합계한 금액에 대하여 정산한 소득세를 원천징수하고 이에 대한 지방소득세를 특별징수하여야 한다.

2) 이연퇴직소득

거주자의 퇴직소득이 다음 중 어느 하나에 해당하는 경우 해당 퇴직소득에 대한 소득세 및 지방소득세를 연금외 수령하기 전까지는 원천징수 및 특별징수하지 않는다.
(※ 특별징수 '퇴직소득 과세이연에 따른 처리' 부분 참고)

3) 과세표준 및 세액의 확정신고와 납부(지법 §95)

거주자가 「소득세법」에 따라 퇴직소득에 대한 과세표준확정신고를 하는 경우에는 해당 신고기한까지 과세표준과 세액을 납세지 관할 지자체 장에게 확정신고·납부하여야 한다.

해당 기간 동안 퇴직소득에 대한 개인지방소득세 과세표준이 없거나 결손금액이 있는 경우에도 신고하여야 한다. 다만, 특별징수의무에 따른 퇴직소득에 대한 개인지방소득세를 납부한 자에 대해서는 그러하지 아니한다.(※ 단, 2016.12.31.까지는 종전과 같이 세무서장에게 신고(지법 부칙 §13 ①)하고, 관할 지방자치단체에 납부한다)

제92조(세율)

법 제92조(세율) ① 거주자의 종합소득에 대한 개인지방소득세의 표준세율은 다음 표와 같다.

과세표준	세 율
1천200만원 이하	과세표준의 1천분의 6
1천200만원 초과 4천600만원 이하	7만2천원+(1천200만원을 초과하는 금액의 1천분의 15)
4천600만원 초과 8천800만원 이하	58만2천원+(4천600만원을 초과하는 금액의 1천분의 24)
8천800만원 초과 1억5천만원 이하	159만원+(8천800만원을 초과하는 금액의 1천분의 35)
1억5천만원 초과 3억원 이하	376만원+(1억5천만원을 초과하는 금액의 1천분의 38)
3억원 초과 5억원 이하	946만원+(3억원을 초과하는 금액의 1천분의 40)
5억원 초과 10억원 이하	1천746만원 + (5억원을 초과하는 금액의 1천분의 42)
10억원 초과	3천846만원 + (10억원을 초과하는 금액의 1천분의 45)

② 지방자치단체의 장은 조례로 정하는 바에 따라 종합소득에 대한 개인지방소득세의 세율을 제1항에 따른 표준세율의 100분의 50의 범위에서 가감할 수 있다.

③ 거주자의 종합소득에 대한 개인지방소득세 산출세액은 해당 연도의 과세표준에 제1항 및 제2항의 세율을 적용하여 산출한 금액으로 한다.

④ 거주자의 퇴직소득에 대한 개인지방소득세 산출세액은 다음 각 호의 순서에 따라 계산한 금액으로 한다. 〈개정 2015.12.29.〉

1. 해당 과세기간의 제91조 제2항에 따른 과세표준에 제1항 및 제2항의 세율을 적용하여 계산한 금액
2. 제1호의 금액을 12로 나눈 금액에 근속연수를 곱한 금액　3. 삭제 〈2015.12.29.〉

⑤ 삭제 〈2016.12.27.〉

지방소득세는 독립세로 전환하기 전까지는 국세인 소득 · 법인세액의 10%로 과세되는 부가세(Sur-tax)이었으나, 2014.1.1.부터 이를 독립세로 전환하면서 별도의 세율체계를 갖추게 되었다. 국세인 소득 · 법인세와 과세표준(소득 부분)은 공유하되, 세부담 수준은 종전의 국세인 소득 · 법인세액의 10% 수준이 유지되도록 조정한 것이다.

지방소득세도 각 지방자치단체의 조례에 의하여 표준세율의 50% 범위 내에서 가감 조정

할 수 있도록 하고 있으나 2019.12.31.까지는 유보되어 있었고(부칙 제1조). 2020.1.1.부터 시행 가능하다(법률 제12153호 지방세법 부칙 §1 단서 참조).

2017.1.1. 소득세법상 세율이 인상되어 개인지방소득세에도 이를 반영하였다(법 제92조, 제93조, 제103조의 3, 제103조의 6). 소득세 최고세율이 38%에서 40%(5억원 초과분)로 인상됨에 따라, 개인지방소득세도 과세표준 5억원 초과분에 대해 세율을 3.8%에서 4.0%로 인상하였다. 2016년 소득세법 개정사항 중 지방세법 동반 개정이 필요한 금융소득에 대한 합산 및 부동산과다보유 법인 정의, 대주주 범위 재설정에 따른 인용조문의 변경사항 등을 반영하였다.

2021.1.1. 개인지방소득세의 과세표준 10억원 초과 구간을 신설하고 최고 세율은 현행 4.2%에서 4.5%로 다시 상향 조정되었다. 그리고 기존 규정 중 비사업용토지, 과점주주가 양도하는 주식 등의 최고세율 또한 5.2%(기본세율 4.2%+1%)에서 5.5%(기본세율 4.5%+1%)로 함께 상향 조정되었다.

| 최근 개정법령_2016.1.1. | 퇴직소득에 대한 개인지방소득세 세액계산 방식 변경(법 제92조)

소득세법 개정사항을 반영한 것으로 퇴직소득 정률공제(40%)를 차등공제(저소득자 우대)로 변경하고, 근속연수 반영방식을 변경하였다(연분연승법*의 계수를 5→12로 변경).

* (연분연승법) 근속연수가 길수록 누진세율이 높아지는 문제를 완화하기 위해 퇴직소득을 근속연수로 나눈 금액에 세율 적용한 후 근속연수를 다시 곱하여 세액산출

$$\text{산출세액} = \text{과세표준}\left[(\text{퇴직소득} - \text{근속공제}) \times \frac{12}{\text{근속연수}} - \text{차등공제}\right] \times \text{세율(누진)} \times \frac{\text{근속연수}}{12}$$

제93조(세액계산의 순서 및 특례)

법 제93조(세액계산의 순서 및 특례) ① 거주자의 종합소득 및 퇴직소득에 대한 개인지방소득세는 이 법에 특별한 규정이 있는 경우를 제외하고는 다음 각 호에 따라 계산한다.

1. 제92조 제3항 및 제4항에 따라 종합소득 및 퇴직소득에 대한 개인지방소득세 산출세액은 각각 구분하여 계산한다.
2. 제1호에 따라 계산한 산출세액에 제94조에 따른 세액공제 및 세액감면을 적용하여 종합소득 및 퇴직소득에 대한 개인지방소득세 결정세액을 각각 계산한다.
3. 제2호에 따라 계산한 결정세액에 제99조 및 「지방세기본법」 제53조부터 제55조까지에 따른 가산세를 더하여 종합소득 및 퇴직소득에 대한 개인지방소득세 총결정세액을 각각 계산한다.

② 거주자의 종합소득에 대한 개인지방소득세 과세표준에 포함된 이자소득과 배당소득(이하 이 조에서 "이자소득등"이라 한다)이 「소득세법」 제14조 제3항 제6호에 따른 이자소득등의 종합과

세기준금액(이하 이 조에서 "종합과세기준금액"이라 한다)을 초과하는 경우에는 그 거주자의 종합소득에 대한 개인지방소득세 산출세액은 다음 각 호의 금액 중 큰 금액으로 하고, 종합과세기준금액을 초과하지 않는 경우에는 제2호의 금액으로 한다. 이 경우 「소득세법」 제17조 제1항 제8호에 따른 배당소득이 있는 경우에는 그 배당소득금액은 이자소득등으로 보지 아니한다.

1. 다음 각 목의 세액을 더한 금액
   가. 이자소득등의 금액 중 종합과세기준금액을 초과하는 금액과 이자소득등을 제외한 다른 종합소득금액을 더한 금액에 대한 개인지방소득세 산출세액
   나. 종합과세기준금액에 「소득세법」 제129조 제1항 제1호 라목의 세율의 100분의 10을 적용하여 계산한 세액. 다만, 「조세특례제한법」 제104조의 27에 따른 배당소득이 있는 경우 그 배당소득에 대해서는 같은 조 제1항에 따른 세율의 100분의 10을 적용한다.
2. 다음 각 목의 세액을 더한 금액
   가. 이자소득등에 대하여 「소득세법」 제129조 제1항 제1호·제2호 및 「조세특례제한법」 제104조의 27 제1항의 세율의 100분의 10을 적용하여 계산한 세액. 다만, 「소득세법」 제127조에 따라 원천징수되지 아니하는 소득에 대해서는 「소득세법」 제129조 제1항 제1호 나목 또는 라목의 세율의 100분의 10을 적용한다.
   나. 이자소득등을 제외한 다른 종합소득금액에 대한 개인지방소득세 산출세액. 다만, 그 세액이 「소득세법」 제17조 제1항 제8호에 따른 배당소득에 대하여 「소득세법」 제129조 제1항 제1호 라목의 세율의 100분의 10을 적용하여 계산한 세액과 이자소득등 및 「소득세법」 제17조 제1항 제8호에 따른 배당소득을 제외한 다른 종합소득금액에 대한 개인지방소득세 산출세액을 합산한 금액(이하 이 목에서 "종합소득 비교세액"이라 한다)에 미달하는 경우 종합소득 비교세액으로 한다.

③ 「소득세법」 제16조 제1항 제10호에 따른 직장공제회 초과반환금(이하 이 조에서 "직장공제회 초과반환금"이라 한다)에 대해서는 그 금액에서 「소득세법」 제63조 제1항 각 호의 금액을 순서대로 공제한 금액을 납입연수(1년 미만인 경우에는 1년으로 한다. 이하 같다)로 나눈 금액에 제92조에 따른 세율을 적용하여 계산한 세액에 납입연수를 곱한 금액을 그 산출세액으로 한다. 다만, 직장공제회 초과반환금을 분할하여 지급받는 경우의 세액의 계산 방법 등은 대통령령으로 정한다.

④ 대통령령으로 정하는 부동산매매업(이하 "부동산매매업"이라 한다)을 경영하는 거주자(이하 "부동산매매업자"라 한다)로서 종합소득금액에 「소득세법」 제104조 제1항 제1호의 분양권·제8호·제10호 또는 같은 조 제7항 각 호의 어느 하나에 해당하는 자산의 매매차익(이하 이 조에서 "주택등매매차익"이라 한다)이 있는 자의 종합소득에 대한 개인지방소득세 산출세액은 다음 각 호의 세액 중 많은 것으로 한다. 이 경우 부동산매매업자에 대한 주택등매매차익의 계산과 그 밖에 종합소득에 대한 개인지방소득세 산출세액의 계산에 필요한 사항은 대통령령으로 정한다.

1. 종합소득에 대한 개인지방소득세 산출세액
2. 다음 각 목에 따른 세액의 합계액
   가. 주택등매매차익에 제103조의 3에 따른 세율을 적용하여 산출한 세액의 합계액
   나. 종합소득에 대한 개인지방소득세 과세표준에서 주택등매매차익의 해당 과세기간 합계액을 공제한 금액을 과세표준으로 하고 이에 제92조에 따른 세율을 적용하여 산출한 세액

⑤ 부동산매매업자가 「소득세법」 제69조 제1항에 따른 토지등 매매차익예정신고를 하는 경우에는 토지 또는 건물(이하 이 조에서 "토지등"이라 한다)의 매매차익과 그 세액을 매매일이 속하는 달의 말일부터 2개월이 되는 날까지 대통령령으로 정하는 바에 따라 납세지 관할 지방자치단체의 장에게 신고하여야 한다. 토지등의 매매차익이 없거나 매매차손이 발생하였을 때에도 또한 같다.
⑥ 제5항에 따른 부동산매매업자의 토지등의 매매차익에 대한 산출세액은 「소득세법」 제97조를 준용하여 계산한 필요경비를 공제한 금액에 제103조의 3에서 규정하는 세율을 곱하여 계산한 금액으로 한다. 다만, 토지등의 보유기간이 2년 미만인 경우에는 제103조의 3 제1항 제2호 및 제3호에도 불구하고 같은 항 제1호에 따른 세율을 곱하여 계산한 금액으로 한다. 〈개정 2014.3.24.〉
⑦ 부동산매매업자는 제6항에 따른 산출세액을 제5항에 따른 신고기한까지 대통령령으로 정하는 바에 따라 납세지 관할 지방자치단체에 납부하여야 한다.
⑧ 토지등의 매매차익에 대한 산출세액의 계산, 결정・경정 및 환산취득가액 적용에 따른 가산세에 관하여는 제103조의 6 제2항 및 제103조의 9를 준용한다.
⑨ 제5항부터 제8항까지의 토지등의 매매차익과 그 세액의 계산 등에 관하여 필요한 사항은 대통령령으로 정한다.
⑩ 「소득세법」 제14조 제3항 제7호의 분리과세 주택임대소득(이하 이 조에서 "분리과세 주택임대소득"이라 한다)이 있는 거주자의 종합소득에 대한 개인지방소득세 결정세액은 다음 각 호의 세액 중 하나를 선택하여 적용한다. 〈신설 2015.7.24.〉
1. 「소득세법」 제14조 제3항 제7호를 적용하기 전의 종합소득에 대한 개인지방소득세 결정세액
2. 다음 각 목의 세액을 더한 금액
   가. 분리과세 주택임대소득에 대한 사업소득금액에 1천분의 14를 곱하여 산출한 금액. 다만, 「조세특례제한법」 제96조 제1항에 해당하는 거주자가 같은 항에 따른 임대주택을 임대하는 경우에는 해당 임대사업에서 발생한 분리과세 주택임대소득에 대한 사업소득금액에 1천분의 14를 곱하여 산출한 금액에서 같은 항에 따라 감면받는 세액의 100분의 10을 차감한 금액으로 한다.
   나. 가목 외의 종합소득에 대한 개인지방소득세 결정세액
⑪ 제10항 제2호 가목에 따른 분리과세 주택임대소득에 대한 사업소득금액은 총수입금액에서 필요경비(총수입금액의 100분의 50으로 한다)를 차감한 금액으로 하되, 분리과세 주택임대소득을 제외한 해당 과세기간의 종합소득금액이 2천만원 이하인 경우에는 추가로 200만원을 차감한 금액으로 한다. 다만, 대통령령으로 정하는 임대주택을 임대하는 경우에는 해당 임대사업에서 발생한 사업소득금액은 총수입금액에서 필요경비(총수입금액의 100분의 60으로 한다)를 차감한 금액으로 하되, 분리과세 주택임대소득을 제외한 해당 과세기간의 종합소득금액이 2천만원 이하인 경우에는 추가로 400만원을 차감한 금액으로 한다. [전문개정 2014.1.1.]
⑫ 다음 각 호의 어느 하나에 해당하는 경우에는 그 사유가 발생한 날이 속하는 과세기간의 과세표준신고를 할 때 다음 각 호의 구분에 따른 금액을 개인지방소득세로 납부하여야 한다. <u>다만, 「민간임대주택에 관한 특별법」 제6조 제1항 제11호에 해당하여 등록이 말소되는 경우 등 대통령령으로 정하는 경우에는 그러하지 아니하다.</u>
1. 제10항 제2호 가목 단서에 따라 세액을 감면받은 사업자가 해당 임대주택을 4년(「민간임대주택에 관한 특별법」 제2조 제4호에 따른 공공지원민간임대주택 또는 같은 법 제2조 제5호에 따

른 장기일반민간임대주택의 경우에는 10년) 이상 임대하지 아니하는 경우 : 제10항 제2호 가목 단서에 따라 감면받은 세액

2. 제11항 단서를 적용하여 세액을 계산한 사업자가 해당 임대주택을 10년 이상 임대하지 아니하는 경우 : 제11항 단서를 적용하지 아니하고 계산한 세액과 당초 신고한 세액과의 차액

⑬ 제12항 각 호에 따라 개인지방소득세를 납부하는 경우에는 「소득세법」 제64조의 2 제4항 본문에 따라 계산한 이자 상당 가산액의 100분의 10을 추가하여 납부하여야 한다. 다만, 대통령령으로 정하는 부득이한 사유가 있는 경우에는 그러하지 아니하다.

⑭ 분리과세 주택임대소득에 대한 종합소득 결정세액의 계산 및 임대주택 유형에 따른 사업소득금액의 산출방법 등에 필요한 사항은 대통령령으로 정한다.

⑮ 제5항에 따라 부동산매매업자가 토지등의 매매차익(매매차익이 없는 경우와 매매차손을 포함한다)과 그 세액을 신고하는 경우에 납세지 관할 지방자치단체의 장 외의 지방자치단체의 장에게 신고한 경우에도 그 신고의 효력에는 영향이 없다.

⑯ 「소득세법」 제14조에 따라 거주자의 종합소득과세표준을 계산할 때 합산하지 아니하는 같은 법 제127조 제1항 제6호 나목의 소득에 대한 개인지방소득세 결정세액은 같은 법 제21조 제3항에 따라 계산한 해당 기타소득금액에 같은 법 제129조 제1항 제6호 라목에 따른 세율의 100분의 10을 적용하여 계산한 금액으로 한다.

⑰ 「소득세법」 제21조 제1항 제27호에 따른 가상자산소득에 대한 개인지방소득세 결정세액은 같은 조 제3항에 따라 계산한 해당 기타소득금액에서 250만원을 뺀 금액에 1천분의 20을 적용하여 계산한 금액으로 한다.

영 제88조의 2(직장공제회 초과반환금에 대한 세액계산의 특례) 법 제93조 제3항 단서에 따라 직장공제회 초과반환금을 분할하여 지급하는 경우 그 계산은 「소득세법 시행령」 제120조에 따른다. [본조신설 2014.8.12.]

제89조(부동산매매업자에 대한 세액계산의 특례) ① 법 제93조 제4항 각 호 외의 부분 전단에 따른 부동산매매업은 「소득세법 시행령」 제122조 제1항 · 제3항 및 제4항을 따른다.

② 법 제93조 제4항 각 호 외의 부분 후단에 따른 부동산매매업자에 대한 주택등매매차익의 계산은 「소득세법 시행령」 제122조 제2항을 따른다. [전문개정 2014.3.14.]

제90조(부동산매매업자의 토지등 매매차익예정신고와 납부) ① 법 제93조 제5항에 따라 토지등 매매차익예정신고를 하려는 자는 행정안전부령으로 정하는 토지등매매차익예정신고 및 납부계산서를 납세지 관할 지방자치단체의 장에게 제출해야 한다.

② 부동산매매업자는 법 제93조 제7항에 따라 토지등의 매매차익에 대한 산출세액을 납부할 때에는 행정안전부령으로 정하는 납부서로 납부하여야 한다. [전문개정 2014.3.14.]

제91조(토지등 매매차익) 법 제93조 제9항에 따른 토지등의 매매차익과 그 계산 등은 「소득세법 시행령」 제128조를 따른다. [전문개정 2014.3.14.]

제91조의 2(분리과세 주택임대소득에 대한 종합소득 결정세액 등 계산의 특례) ① 법 제93조 제11항 단서에서 "대통령령으로 정하는 임대주택"이란 다음 각 호의 요건을 모두 갖춘 임대주택(이하 이 조에서 "등록임대주택"이라 한다)을 말한다.

1. 다음 각 목의 어느 하나에 해당하는 주택일 것

가. 「민간임대주택에 관한 특별법」 제5조에 따른 임대사업자등록을 한 자가 임대 중인 같은

법 제2조 제4호에 따른 공공지원민간임대주택

나. 「민간임대주택에 관한 특별법」 제5조에 따른 임대사업자등록을 한 자가 임대 중인 같은 법 제2조 제5호에 따른 장기일반민간임대주택[아파트를 임대하는 민간매입임대주택의 경우에는 2020년 7월 10일 이전에 종전의 「민간임대주택에 관한 특별법」(법률 제17482호 민간임대주택에 관한 특별법 일부개정법률에 따라 개정되기 전의 것을 말한다. 이하 같다) 제5조에 따라 등록을 신청(임대할 주택을 추가하기 위해 등록사항의 변경 신고를 한 경우를 포함한다. 이하 이 항에서 같다)한 것에 한정한다]

다. 종전의 「민간임대주택에 관한 특별법」 제5조에 따른 임대사업자등록을 한 자가 임대 중인 같은 법 제2조 제6호에 따른 단기민간임대주택(2020년 7월 10일 이전에 등록을 신청한 것으로 한정한다)

2. 「소득세법」 제168조에 따른 사업자의 임대주택일 것

3. 임대보증금 또는 임대료(이하 이 호에서 "임대료등"이라 한다)의 증가율이 100분의 5를 초과하지 않을 것. 이 경우 임대료등의 증액 청구는 임대차계약의 체결 또는 약정한 임대료등의 증액이 있은 후 1년 이내에는 하지 못하고, 임대사업자가 임대료등의 증액을 청구하면서 임대보증금과 월임대료를 상호 간에 전환하는 경우에는 「민간임대주택에 관한 특별법」 제44조 제4항의 전환 규정을 준용한다.

② 제1항을 적용할 때 종전의 「민간임대주택에 관한 특별법」 제5조에 따라 등록한 같은 법 제2조 제6호에 따른 단기민간임대주택을 같은 법 제5조 제3항에 따라 2020년 7월 11일 이후 「민간임대주택에 관한 특별법」 제2조 제4호 또는 제5호에 따른 공공지원민간임대주택 또는 장기일반민간임대주택으로 변경 신고한 주택은 등록임대주택에서 제외한다.

③ 법 제93조 제13항 단서에서 "대통령령으로 정하는 부득이한 사유"란 다음 각 호의 어느 하나에 해당하는 경우를 말한다.

1. 파산 또는 강제집행에 따라 임대주택을 처분하거나 임대할 수 없는 경우
2. 법령상 의무를 이행하기 위해 임대주택을 처분하거나 임대할 수 없는 경우
3. 「채무자 회생 및 파산에 관한 법률」에 따른 회생절차에 따라 법원의 허가를 받아 임대주택을 처분한 경우

④ 법 제93조 제14항에 따른 주택임대소득의 계산은 다음 각 호에 따른다.

1. 제1항을 적용할 때 과세기간 중 일부 기간 동안 등록임대주택을 임대한 경우 등록임대주택의 임대사업에서 발생하는 수입금액은 월수로 계산한다. 이 경우 해당 임대기간의 개시일 또는 종료일이 속하는 달의 등록임대주택을 임대한 기간이 15일 이상인 경우에는 1개월로 본다.
2. 해당 과세기간 중에 임대주택을 등록한 경우 주택임대소득금액은 다음의 계산식에 따라 계산한다.

[등록한 기간 발생 수입금액 × (1－0.6)]+[미등록 기간 발생 수입금액×(1－0.5)]

3. 해당 과세기간 동안 등록임대주택과 등록임대주택이 아닌 주택에서 수입금액이 발생한 경우 법 제93조 제11항에 따라 해당 과세기간의 종합소득금액이 2천만원 이하인 경우에 추가로 차감하는 금액은 다음의 계산식에 따라 계산한다.

$$\left(\frac{\text{등록임대주택에서 발생한 수입금액}}{\text{총 주택임대수입금액}} \times 400\text{만원}\right) + \left(\frac{\text{등록임대주택이 아닌 주택에서 발생한 수입금액}}{\text{총 주택임대수입금액}} \times 200\text{만원}\right)$$

[전문개정 2019.5.31.]

지방소득세는 과세표준에 세율을 곱하여 산출세액을 산출한 후 세액공제나 세액감면을 공제하면 결정세액이 된다. 결정세액에 가산세를 더하면 납세자가 부담하여야 할 총 결정세액이 된다.

| 최근 개정법령 _ 2020.1.1. | 개인지방소득세 무관할 신고 접수제도 도입(법 §93 ⑮, 법 §95 ①, 법 §96, 법 §103의 5 ① 후단, 법 §103의 7 ① 후단, 법 §103의 12 ⑤)

당초 종전 규정에 따르면 납세지를 착오 신고하는 경우 관할 지자체에서 부과 전까지는 수정신고가 가능하고 이 경우 가산세를 감면토록 하였다. 그런데 2020년부터 개인지방소득세 지자체신고 전환과 연계하여 全 지방자치단체의 장에게 무관할 신고접수가 가능하도록 하였다. 개인지방소득세를 세입귀속지인 납세지 관할 지자체에 신고하도록 규정하고 있기 때문에 납세지와 신고 당시 거주지가 다를 경우 납세자의 신고소관청에 대한 접근성이 떨어지고 착오 신고에 따른 가산세 문제 등 납세자의 불편이 우려되었다. 그에 따라 납세지 관할 지자체에 관계없이 신고기한 내에 지자체에 접수된 신고서는 정상 신고로 처리될 수 있도록 하였다.

| 최근 개정법령 _ 2021.1.1. | 가상자산소득에 대한 과세(법 §93 ⑰)

개인(거주자)의 가상자산 거래소득에 대해 소득세 뿐만 아니라 개인지방소득세 또한 부과될 수 있도록 과세근거를 마련하였다. 지방소득세의 과세대상으로서 기타소득의 범위는 「소득세법」에서 가상자산 거래소득을 과세대상으로서 기타소득으로 규정함에 따라 자동 반영된다. 기타소득으로서 종합과세표준에 합산하지 않고 분리과세의 대상으로 별도의 세율(2%)이 적용된다. 2022.1.1. 이후 가상자산을 양도 · 대여하는 분부터 적용한다.

임대주택 관련 개인지방소득세

2015.7.24. 소규모 주택임대소득에 대한 분리과세 규정을 신설하였다(법 제93조 ⑩ · ⑪). 임대차시장의 안정을 위해 소규모 주택 임대소득(총수입 금액이 2천만원 이하인 자의 주택임대소득)에 대해 한시적 비과세 후, 2017년 소득분부터 분리과세를 적용하도록 소득세법이 개정되었고, 지방소득세도 소규모 주택임대소득에 대하여 분리과세를 선택적으로 적용할 수 있도록 하여 관련 특례 부분을 국세와 동일하게 개정하였다.

2019.1.1. 분리과세 주택임대소득에 대한 필요경비율 등을 조정하였다(법 제93조 ⑩). 2019.

1.1.부터 과세예정인 주택임대소득과 관련하여 분리과세 선택시 임대주택등록자와 미등록자 간 필요경비율 및 공제금액을 차등화하였다. 필요경비율을 60%에서 임대주택등록자 60%, 미등록자는 50%로, 공제금액은 400만원에서 임대주택등록자는 400만원 그대로 유지하고, 미등록자 200만원으로 각각 조정하였다.

| 최근 개정법령 _ 2021.1.1. | 주택임대소득에 대한 지방소득세의 혜택 기준 변경 등(법 §93 ⑫)
「민간임대주택법」 개정에 따른 등록임대주택 유형의 개편에 맞추어 세제혜택의 기준이 되는 임대의무기간이 연장되었다. 필요경비 우대의 경우 4년에서 10년으로, 소형주택 세액감면(장기일반・공공지원 민간임대)은 8년에서 10년으로 연장되었다. 그리고 기등록한 임대주택을 자진・자동 등록말소하는 경우에는 임대의무기간을 충족하지 못한 때에도 기존에 받은 세제혜택을 추징하지 않는다. 임대의무기간은 「민간임대주택법」 시행일(2020.8.18.) 이후 등록하는 분부터 적용하고, 추징예외 규정은 2020.8.18. 이후 자진・자동 등록말소되는 분부터 적용한다.

| 최근 개정법령 _ 2021.1.1. | 주택임대소득의 개인지방소득세 세액계산 우대 주택 축소(영 §91의 2)
2,000만원 이하 주택임대소득자의 개인지방소득세 세액 계산 시 우대 적용(필요경비 60% 등) 대상 민간임대주택의 범위 변경하였는데 「민간임대주택법」 개정으로 폐지되는 유형인 ① '단기민간'과 ② '장기일반 중 매입임대 아파트'는 우대 적용 대상에서 제외하였다. 적용시기는 부동산 대책 발표(2020.7.11.) 이후 민간임대주택법에 따라 폐지되는 유형의 임대주택을 등록신청하거나 단기를 장기로 변경신청하는 분부터 우대 대상에서 제외한다.

거주자의 종합소득 세액 계산

※ 거주자의 종합소득 과세표준은 제91조 제1항 참조

1. 세액 계산 순서

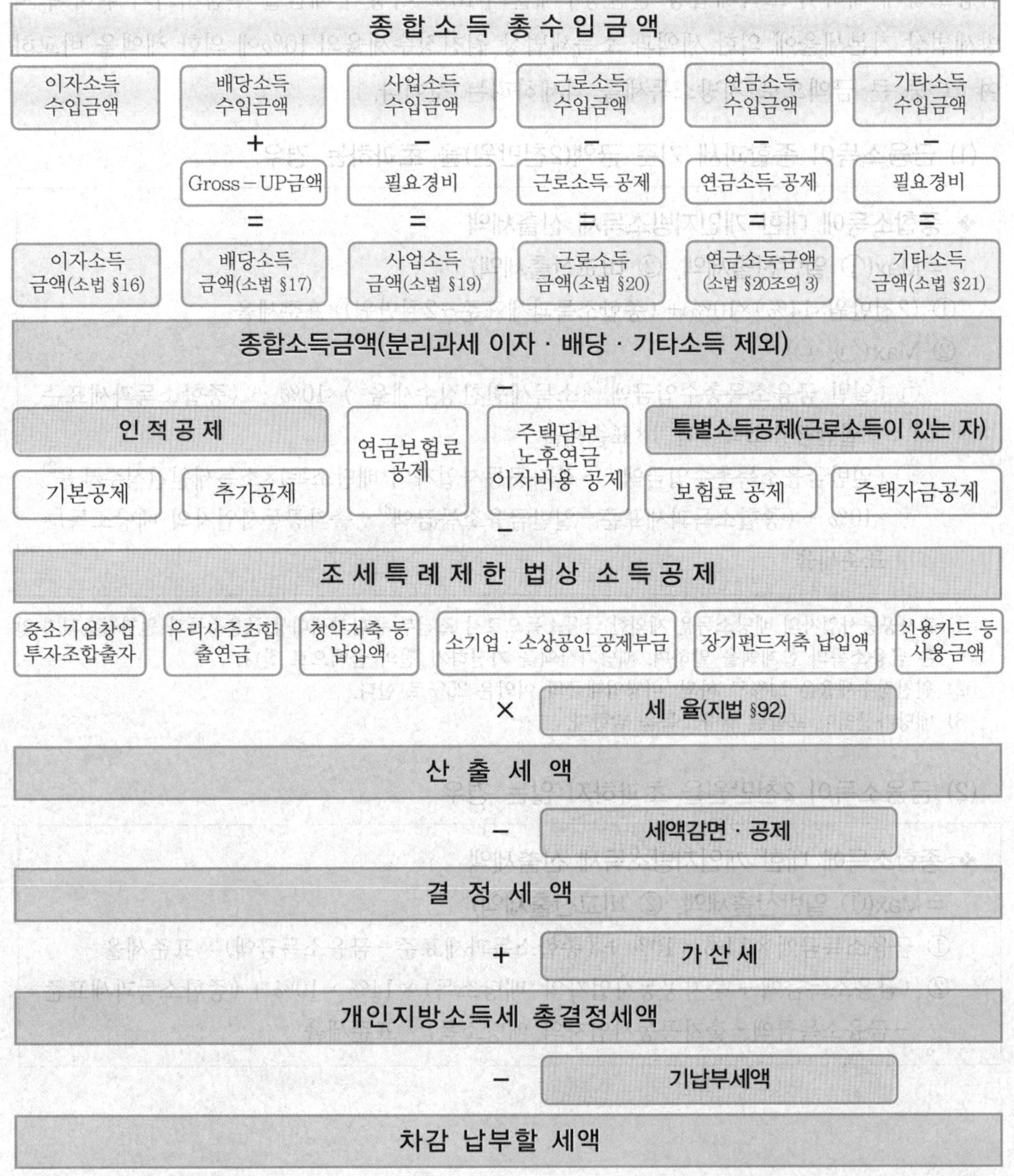

2. 세액계산 특례

1) 이자소득 등에 대한 종합과세시 세액계산 특례(법 §93 ②)

금융소득이 있는 거주자는 금융소득 2,000만원을 기준으로 지방소득세를 구분하여 과세한다. 즉, 금융소득 2,000만원까지는 소득세법상 원천징수세율(14%)의 10%로 과세하고 2,000만원 초과분을 지방세법상 표준세율로 과세한다. 이는 소득세 세액계산 특례와 같이 금융소득에 대하여 소득세법상 원천징수세율의 10% 이상의 세금을 부담시키기 위하여 지방세법상 기본세율에 의한 세액과 소득세법상 원천징수세율의 10%에 의한 세액을 비교하여 그 중 큰 금액으로 지방소득세를 과세하려는 것이다.

(1) 금융소득이 종합과세 기준 금액(2천만원)을 초과하는 경우

❖ 종합소득에 대한 개인지방소득세 산출세액
= Max(① 일반산출세액, ② 비교산출세액)
① (2천만원×14%)×10% + (종합소득과세표준 - 2천만원)×표준세율
② Max(㉠, ㉡)
㉠ (일반 금융소득총수입금액[1]×소득세원천징수세율[2])×10% + (종합소득과세표준 - 일반금융소득금액[3])×표준세율
㉡ (일반금융소득총수입금액[1] + 출자공동사업자의 배당소득)×소득세원천징수세율[2] ×10% + (종합소득과세표준 - 일반금융소득금액[3] - 출자공동사업자의 배당소득)× 표준세율

1) 출자공동사업자의 배당소득을 제외한 금융소득으로서 조건부 종합과세대상 금융소득과 원천징수되지 않은 금융소득의 합계액을 말하며, 배당가산액을 가산하기 전의 금액으로 한다.
2) 원천징수세율은 14%로 하되, 비영업대금의 이익은 25%로 한다.
3) 배당가산액이 포함된 금융소득을 말한다.

(2) 금융소득이 2천만원을 초과하지 않는 경우

❖ 종합소득에 대한 개인지방소득세 산출세액
= Max(① 일반산출세액, ② 비교산출세액)
① 금융소득금액 × 14% × 10% + (종합소득과세표준 - 금융소득금액) × 표준세율
② (금융소득금액 + 출자공동사업자의 배당소득) × 14% × 10% + (종합소득과세표준 - 금융소득금액 - 출자공동사업자의 배당소득) × 표준세율

2) 직장공제회 초과반환금 세액계산 특례(법 §93 ③)

직장공제회란 동일 직장이나 직종에 종사하는 근로자들의 생활안정, 복리증진, 상호 부조 등을 목적으로 구성된 단체를 말하며 초과반환금은 이자소득으로 과세한다.

직장공제회 초과반환금 = 퇴직 · 탈퇴로 인하여 직장공제회로부터 받는 반환금 – 납입공제료

직장공제회 초과반환금은 종합소득에 합산하지 않고 분리과세하며, 산출세액의 계산방법은 다음과 같다(연분연승법).

$$(\text{직장공제회 초과반환금} - \text{기본공제}^{*} - \text{납입연수공제}^{**}) \times \frac{1}{\text{납입연수}^{***}} \times \text{표준세율} \times \text{납입연수}$$

* 기본공제 : 직장공제회 초과반환금 × 40%
(1999.1.1.~2010.12.31.까지 가입하여 납입한 공제료에서 발생한 초과반환금에 대한 공제금액은 2010.12.31. 이전분은 50%를, 2011.1.1. 이후분은 40%를 적용)

** 납입연수공제(퇴직소득에 적용되는 근속연수공제액과 동일)

납입연수	공제액
5년 이하	30만원 × 납입연수
5년 초과 10년 이하	150만원 + 50만원 × (납입연수 - 5년)
10년 초과 20년 이하	400만원 + 80만원 × (납입연수 - 10년)
20년 초과	1천200만원 + 120만원 × (납입연수 - 20년)

*** 납입연수가 1년 미만인 때에는 1년으로 한다.

3) 부동산매매업자의 세액계산의 특례(법 §93 ④)

부동산매매업은 비주거용 건물 건설업(건물을 자영건설하여 판매하는 경우만 해당됨)과 부동산 개발 및 공급업을 말한다. 다만, 한국표준산업분류에 따른 주거용 건물 개발 및 공급업(구입한 주거용 건물을 재판매하는 경우는 제외)은 제외된다(소령 §122 ①, §150의 2 ③).

[국세운영예규] 부동산매매업 등의 업종 구분 〈64-122…1〉

① 국세기본법 시행령 제122조의 규정에 의한 부동산매매업의 범위는 다음과 같다.

1. 부동산의 매매(건물을 신축하여 판매하는 경우 포함) 또는 그 중개를 사업목적으로 나타내어 부동산(부동산을 취득할 수 있는 권리를 포함)을 매매하거나, 사업상의 목적으로 부가가치세법상 1과세기간 내에 1회 이상 부동산을 취득하고 2회 이상 판매하는 경우
2. 자기의 토지 위에 상가 등을 신축하여 판매할 목적으로 건축중인 「건축법」에 의한 건물과 토지를 제3자에게 양도한 경우
3. 토지를 개발하여 주택지 · 공업단지 · 상가 · 묘지 등으로 분할 판매하는 경우(공유수면매립법 제14조의 규정에 의하여 소유권을 취득한 자가 그 취득한 매립지를 분할하여 양도하는 경우 포함)

※ 주거용 건물 개발 및 공급업은 건설업에 포함

부동산매매업자로서 종합소득금액에 비사업용토지, 미등기양도자산에 해당하는 주택 또는 토지의 매매차익(주택 등 매매차익)이 있는 자의 종합소득분 개인지방소득세 산출세액은 다음과 같이 계산한다.

> 종합소득에 대한 개인지방소득세 산출세액 = Max(①, ②)
> ① 종합소득에 대한 개인지방소득세 산출세액
> ② (주택 등 매매차익* - 장기보유특별공제 - 양도소득기본공제) × 양도소득에 대한 개인지방소득세율 + (종합소득과세표준 - 주택 등 매매차익) × 기본세율
> * 주택 등 매매차익 = 주택 또는 토지의 매매가액 - 필요경비

※ 비사업용 토지 : 기본세율 + 1%(2014년은 기본세율), 미등기양도자산 : 7%

4) 주택임대소득에 대한 세액계산 특례(법 §93 ⑩ · ⑪)

2019년 귀속부터 주택임대소득 수입금액이 2천만원 이하인 경우 다른 종합과세대상 소득과 합산하여 신고하는 방법과 주택임대소득에 대해 14%의 세율을 적용하여 분리과세 신고하는 방법 중 선택하여 신고할 수 있다. 수입금액 2천만원 초과는 종합과세한다.

| 주택임대소득 종합과세와 분리과세 세액계산 비교 |

<table>
<tr><th rowspan="2">구 분</th><th rowspan="2">종합과세 선택</th><th colspan="2">분리과세 선택</th></tr>
<tr><th>종합과세대상 소득</th><th>분리과세 주택임대소득</th></tr>
<tr><td>주택임대 수입금액</td><td>월세 (+) 간주임대료</td><td rowspan="2">해당사항 없음</td><td>월세 (+) 간주임대료</td></tr>
<tr><td>주택임대 필요경비</td><td><table><tr><th>구 분</th><th>필요경비</th></tr><tr><td>장부신고</td><td>실제 지출한 경비</td></tr><tr><td>추계신고</td><td>기준·단순경비율에 의한 경비</td></tr></table></td><td><table><tr><th>구 분</th><th>필요경비율</th></tr><tr><td>임대주택 등록</td><td>수입금액의 60%</td></tr><tr><td>미등록</td><td>수입금액의 50%</td></tr></table></td></tr>
<tr><td>주택임대 소득금액</td><td>수입금액 (-) 필요경비</td><td></td><td>수입금액 (-) 필요경비</td></tr>
<tr><td>종합소득 금액</td><td>주택임대 소득금액 (+) 종합과세 대상 다른 소득금액</td><td>분리과세 주택임대소득 외의 종합과세 대상 소득금액</td><td>해당사항 없음</td></tr>
</table>

<table>
<tr><th rowspan="2">구 분</th><th rowspan="2">종합과세 선택</th><th colspan="2">분리과세 선택</th></tr>
<tr><th>종합과세대상 소득</th><th>분리과세 주택임대소득</th></tr>
<tr><td>소득공제</td><td>인적공제 등
각종 소득공제</td><td>인적공제 등
각종 소득공제</td><td>구 분 / 기본공제*
등록 / 4백만원
미등록 / 2백만원
* 분리과세 주택임대소득을 제외한 종합소득금액이 2천만원 이하인 경우 공제</td></tr>
<tr><td>과세표준</td><td>종합소득금액
(－) 소득공제</td><td>종합소득금액
(－) 소득공제</td><td>주택임대 소득금액
(－) 기본공제</td></tr>
<tr><td>세율</td><td>6~42%</td><td>6~42%</td><td>14%(단일세율)</td></tr>
<tr><td>산출세액</td><td>과세표준 (×) 세율</td><td>과세표준 (×) 세율</td><td>과세표준 (×) 세율</td></tr>
<tr><td>공제감면
세액</td><td>소득세법 · 조특법
공제 · 감면(소형주택
임대사업자 감면 포함)</td><td>소득세법 · 조특법상
공제 · 감면(소형주택 임대사업자 감면
제외)</td><td>소형주택 임대사업자 감면
구 분 / 감면율
단기임대 / 30%
장기임대 / 75%
* 국민주택규모 주택으로 「조특법」 제96조의 요건 충족</td></tr>
<tr><td rowspan="2">결정세액</td><td rowspan="2">산출세액
(－) 공제감면세액</td><td>산출세액 (－)
공제감면세액</td><td>산출세액 (－) 감면세액</td></tr>
<tr><td colspan="2">종합과세대상 결정세액과 분리과세대상 결정세액 합산하여 신고납부</td></tr>
</table>

| 최근 개정법령 _ 2020.1.1. | 분리과세 주택임대소득 세액계산 절차 보완(법 §93 ⑩, ⑫)

현행 규정에 따르면 분리과세 주택임대소득 지방소득세 계산 시 과다감면되거나, 과소납부할 우려가 있다. 분리과세 주택임대소득세액에서 감면세액을 공제해야 하는데 이때 소득세액을 공제하도록 되어 있어, 이를 소득세액에 10%를 곱한 가액을 적용토록 보완하였다. 추가납부세액 계산시에도 마찬가지로 보완되었다.

제94조(세액공제 및 세액감면)

법 제94조(세액공제 및 세액감면) 종합소득 또는 퇴직소득에 대한 개인지방소득세의 세액공제 및 세액감면에 관한 사항은 「지방세특례제한법」에서 정한다. 다만, 종합소득 또는 퇴직소득에 대한 개인지방소득세의 공제세액 또는 감면세액이 산출세액을 초과하는 경우에는 그 초과금액은 없는 것으로 한다. [전문개정 2014.1.1.]

거주자의 종합소득 및 퇴직소득에 대한 세액공제나 세액감면은 「지방세특례제한법」에서 정하도록 하고 있다.

제95조(과세표준 및 세액의 확정신고와 납부)

법 제95조(과세표준 및 세액의 확정신고와 납부) ① 거주자가 「소득세법」에 따라 종합소득 또는 퇴직소득에 대한 과세표준확정신고를 하는 경우에는 해당 신고기한까지 종합소득 또는 퇴직소득에 대한 개인지방소득세 과세표준과 세액을 대통령령으로 정하는 바에 따라 납세지 관할 지방자치단체의 장에게 확정신고·납부하여야 한다. 이 경우 거주자가 종합소득 또는 퇴직소득에 대한 개인지방소득세 과세표준과 세액을 납세지 관할 지방자치단체의 장 외의 지방자치단체의 장에게 신고한 경우에도 그 신고의 효력에는 영향이 없다.

② 제1항은 해당 과세기간 동안 종합소득 또는 퇴직소득에 대한 개인지방소득세 과세표준이 없거나 종합소득에 대한 결손금액이 있는 때에도 적용한다. 다만, 제103조의 13에 따라 퇴직소득에 대한 개인지방소득세를 납부한 자에 대하여는 그러하지 아니하다.

③ 제1항에 따른 확정신고·납부를 할 때에는 해당 과세기간의 종합소득 또는 퇴직소득에 대한 개인지방소득세 산출세액에서 해당 과세기간의 다음 각 호의 세액을 공제하고 납세지 관할 지방자치단체에 납부한다.

1. 제93조 제5항부터 제8항까지에 따른 토지등 매매차익예정신고 산출세액 또는 그 결정·경정한 세액 2. 제94조에 따른 공제·감면세액 3. 제98조에 따른 수시부과세액 4. 제103조의 13에 따른 특별징수세액 5. 제103조의 17에 따른 납세조합의 징수세액 [전문개정 2014.1.1.]

④ 제1항에도 불구하고 납세지 관할 지방자치단체의 장은 소규모사업자 등 대통령령으로 정하는 거주자에게 제1항에 따른 과세표준과 세액을 기재한 행정안전부령으로 정하는 납부서(이하 이 조에서 "납부서"라 한다)를 발송할 수 있다.

⑤ 제4항에 따라 납부서를 받은 자가 납부서에 기재된 세액을 신고기한까지 납부한 경우에는 제1항에 따라 확정신고를 하고 납부한 것으로 본다.

영 제92조(과세표준 및 세액의 확정신고와 납부) ① 법 제95조 제1항에 따라 확정신고·납부를 하려는 자는 행정안전부령으로 정하는 종합소득 또는 퇴직소득에 대한 개인지방소득세 과세표준 확정신고 및 납부계산서와 첨부서류를 납세지 관할 지방자치단체의 장에게 제출하여야 한다.
② 법 제95조 제3항에 따라 종합소득 또는 퇴직소득에 대한 개인지방소득세를 납부하려는 자는 행정안전부령으로 정하는 납부서로 납부하여야 한다. [전문개정 2014.3.14.]
③ 법 제95조 제4항에서 "소규모사업자 등 대통령령으로 정하는 거주자"란 「소득세법 시행령」 제143조 제4항에 따른 단순경비율 적용대상자로서 부동산임대업에서 발생한 사업소득 또는 부동산임대업 외의 업종에서 발생한 사업소득만 있는 사업자를 말한다.

거주자의 종합소득 및 퇴직소득에 대한 지방소득세는 「소득세법」에 의한 소득세의 신고기한 만료일 이내에 관할 지방자치단체의 장에게 신고 · 납부하여야 하며, 과세표준이 없거나 결손금액이 있는 때에도 신고를 하여야 한다.

| 최근 개정법령 _ 2020.1.1. | 소규모사업자(모두채움신고서 대상자) 신고간소화 제도 도입(법 §95 ④ · ⑤, 영 §92 ③)

2020년 개인지방소득세 지자체신고 전환과 연계하여 소규모사업자(직전년도 수입금액이 업종별로 2천4백만원~6천만원 미만 단순경비율 적용 대상자)에 대한 간편신고제도를 도입하였다. 각 지자체는 소규모사업자에게 개인지방소득세 신고를 안내(국세의 모두채움신고서 안내방식을 활용)하는 경우 납부할 세액까지 기재한 신고서와 납부서를 제작 · 발송할 수 있고, 이를 납세자가 세액의 수정 사항이 없어 동 신고납부서로 납부하는 경우, 종합소득에 대한 개인지방소득세를 신고한 것으로 간주한다.

종합소득 신고 · 납부

1. 부동산 매매업자의 토지 등 매매차익 예정신고와 납부(지법 §93 ⑤~⑧)

(예정신고와 납부) 부동산매매업자는 토지 등(토지 또는 건물)의 매매차익과 그 세액을 매매일이 속하는 달의 말일부터 2월이 되는 날까지 납세지 관할 지방자치단체의 장에게 신고하고 그 세액을 납부하여야 한다(매매차익이 없거나 매매차손이 발생한 경우도 동일). 다만, 2019.12.31.까지는 종전과 같이 세무서장에게 신고(지법 부칙 §13 ①)하고, 관할 지방자치단체에 납부하여야 한다.

토지 등 매매차익은 토지 등의 매매가액에서 필요경비와 장기보유특별공제를 차감한다(영 §91).

토지 등 매매차익 = 토지 등의 매매가액 − (필요경비 + 장기보유특별공제)

예정신고 산출세액은 양도소득에 대한 개인지방소득세 계산방식을 준용하여 다음과 같이 계산한다. 다만, 확정신고시에는 종합소득에 대한 개인지방소득세 계산방식을 적용하여 세액을 계산한다.

① 예정신고산출세액 = 토지 등 매매차익 × 양도소득에 대한 개인지방소득세 세율
- 매매차익 예정신고를 2회 이상 하는 경우
(이미 신고한 토지 등 매매차익 + 제2회 이후 신고한 토지 등 매매차익) × 양도소득에 대한 개인지방소득세율 − 이미 신고한 예정신고 산출세액

※ 양도소득에 대한 개인지방소득세율

구 분		세 율
토지 또는 건물(1세대 3주택 이상 및 비사업용 토지 등은 아래 내용에 따라 적용)		기본세율
1세대 3주택 (주택 부수토지 및 조합입주권 포함)	지정지역	기본세율 + 1% * 2014.12.31.까지 양도분은 기본세율
	지정지역 외	기본세율

구 분		세 율
비사업용 토지	지정지역	기본세율 + 1%
	지정지역 외	기본세율 + 1% * 2014.12.31.까지 양도분은 기본세율
미등기자산		7%

② 예정신고 납부세액 = 예정신고산출세액 - 감면세액 - 기납부세액

[국세예규] 토지 등 매매차익 예정신고시 양도소득기본공제의 적용가능 여부

부동산매매업을 영위하는 거주자가 소득세법 제69조에 따라 토지 등 매매차익예정신고를 하는 경우, 같은 법 제103조에 따른 양도소득기본공제는 토지 등 매매차익 계산시 이를 적용하지 아니하는 것임(소득세과-1178, 2009.7.29.).

2. 과세표준확정신고

거주자가 「소득세법」에 따라 종합소득에 대한 과세표준확정신고를 하는 경우에는 해당 신고기한까지 종합소득에 대한 개인지방소득세를 납세지 관할 지방자치단체의 장에게 확정신고 및 납부하여야 한다(지법 §95). 다만, 2019.12.31.까지는 종전과 같이 세무서장에게 신고(지법 부칙 §13 ①)하고, 관할 지방자치단체에 납부하여야 한다.

※ 납부할 세액 계산

과세표준 × 세율 − 세액공제 · 감면세액 − 토지 등 매매차익 예정신고 산출세액 또는 그 결정 · 경정한 세액 − 수시부과세액 − 특별징수세액 − 납세조합의 징수세액

소득세에서 과세표준이 없거나 결손금액이 있는 경우에도 신고하도록 규정하였으므로 지방소득세 또한 과세표준이 없거나 결손금액이 없는 경우에도 신고 대상이다.

※ 관련서식 : 지방세법 시행규칙 또는 소득세법 시행규칙상 지방소득세 신고서 및 첨부서류 확인

3. 과세표준확정신고의 예외

다음 중 어느 하나에 해당하는 거주자는 해당 소득에 대하여 과세표준확정신고를 하지 않아도 된다(소법 §73 ①).

과세표준확정신고 예외 대상자	비 고
① 근로소득만 있는 자	①·② 및 ③의 소득 중 두 가지 이상의 소득이 있는 자는 과세표준확정신고를 하여야 한다(누진과세 위함).
② 공적연금소득만 있는 자	
③ 연말정산되는 사업소득(보험모집인 및 방문판매업자의 사업소득을 말함)만 있는 자	
④ 퇴직소득만 있는 자	
⑤ 근로소득 및 퇴직소득만 있는 자	퇴직소득은 분류과세되므로 ①~③ 소득과 조합이 가능
⑥ 공적연금소득 및 퇴직소득만 있는 자	
⑦ 연말정산되는 사업소득 및 퇴직소득만 있는 자	
⑧ 분리과세이자소득·분리과세배당소득·분리과세연금소득 및 분리과세기타소득만 있는 자	
⑨ 위 ①~⑦에 해당하는 사람으로 위 ⑧ 소득이 있는 자	

다만, 위의 규정에도 불구하고 다음의 자는 확정신고를 하여야 한다.

대상자	내 용
① 2인 이상으로부터 근로소득을 지급받는 자	위의 표 비고 내용 참조 단, 연말정산에 의하여 소득세 납부함으로써 확정신고자진납부할 세액이 없는 자 제외(소법 §73 ②)
② 국외근로소득 등이 있는 자	국외 근로소득이 있는 자는 과세표준 확정신고를 하여야 함. 단, 납세조합에 가입하여 연말정산의 예에 의하여 소득세를 납부한 자와 원천징수에 따라 소득세를 납부한 자는 제외(소법 §73 ③)
③ 연말정산을 하지 아니한 자	근로소득(일용근로소득 제외)·연금소득·연말정산이 되는 사업소득이 있는 자에 대하여 원천징수의무자가 연말정산에 의하여 소득세를 납부하지 않은 경우 확정신고의무를 짐(소법 §73 ④).

수시부과 후 추가로 발생한 소득이 없을 경우에는 과세표준확정신고를 하지 않아도 된다(소법 §73 ⑤).

4. 과세표준확정신고의 특례

거주자가 사망한 경우나 출국한 경우 과세표준확정신고의 특례를 두고 있다.

거주자가 사망한 경우 그 상속인은 상속개시일이 속하는 달의 말일부터 6개월이 되는 날(이 기간 중 상속인이 주소 또는 거소의 국외이전을 위하여 출국을 하는 경우에는 출국일 전날)까지 사망일이 속하는 과세기간의 그 거주자의 과세표준을 신고하여야 하고, 1월 1일과 5월 31일 사이에 사망한 거주자가 사망일이 속하는 과세기간의 직전 과세기간에 대한 과세표준확정신고를 하지 않은 경우에도 이를 준용한다(소령 §74 ①, ②).

구 분	신고대상기간(과세기간)	종합소득세 확정신고기한
해당 과세기간 중 사망	• 2014.1.1.~ 사망일	사망한 달의 말일부터 6월
2015.1.1.~5.31. 기간 중 사망	• 2014.1.1.~2014.12.31. • 2015.1.1.~사망일	사망한 달의 말일부터 6월

과세표준확정신고를 하여야 할 자가 주소 또는 거소의 국외이전을 위하여 출국하는 경우에는 출국일이 속하는 과세기간의 과세표준을 출국일 전날까지 신고하여야 한다. 또한 거주자가 1월 1일과 5월 31일 사이에 주소 또는 거소의 국외이전을 위하여 출국하는 경우 출국일이 속하는 과세기간의 직전 과세기간에 대한 과세표준확정신고에 관하여도 이를 준용한다(소령 §74 ④, ⑤).

지방세법에는 과세표준확정신고에 관한 특례가 별도로 규정되어 있지 않으나, 거주자가 「소득세법」에 따라 종합소득에 대한 과세표준확정신고를 하는 경우에는 해당 신고기한까지 종합소득에 대한 개인지방소득세를 납세지 관할 지자체 장에게 확정 신고 · 납부하도록 되어 있으므로 과세표준확정신고에 관한 특례도 함께 적용되는 것임을 유의하여야 한다.

| 소득세 신고 · 납부 기한 및 제출서류 |

법정신고기한	근 거	첨부서류
• 일반 - 다음 연도 5.1~5.31	- 소법 §70(종합소득과세표준확정신고) - 소법 §71(퇴직소득과세표준확정신고)	1. 종합소득세 · 농어촌특별세 과세표준확정신고 및 자진납부계산서 (단일소득자용, 복수소득자용) 2. 소득금액계산명세서, 소득공제신고서, 주민등록등본 3. ① 복식부기 의무자* : 재무상태표 및 손익계산서와 그 부속서류, 합계잔액시산표 및 조정계산서와 그 부속서류 ② 간편장부 대상자 : 간편장부 소득금액계산서 ③ 기준 · 단순경비율에 의한 추계신고자 : 추계소득금액계산서 ④ 성실신고확인대상사업자 : 성실신고확인서 4. 공동사업자별 분배명세서(공동사업자) 5. 세액공제신청서, 성실신고확인비용 세액공제신청서 6. 세액감면신청서
• 성실신고확인 대상 사업자 - 다음 연도 5.1~6.30	- 소법 §70의 2(성실신고확인서 제출)	
• 거주자가 사망한 경우	- 소법 §74(과세표준확정신고의 특례)	

법정신고기한	근 거	첨부서류
- 상속개시일이 속하는 달의 말일부터 6개월이 되는 날까지		7. (일시퇴거자가 있는 경우) - 일시퇴거자 동거가족 상황표 - 퇴거전 주소지와 일시퇴거지의 주민등록등본 - 재학증명서 · 요양증명서 · 재직증명서 · 사업자등록증 사본 8. (장애인공제 대상인 경우) - 장애인등록증, 국가보훈처가 발행한 증명서 - 장애인수첩 사본 9. (위탁아동이 있는 경우) - 가정위탁보호확인서 10. (동거 입양자가 있는 경우) - 입양관계증명서, 입양증명서
• 국외 이전을 위해 출국하는 경우 - 출국일 전날까지	- 소법 §74(과세표준확정신고의 특례)	

* 이 경우 복식부기의무자가 재무상태표 · 손익계산서 · 합계잔액시산표 및 조정계산서를 제출하지 않은 경우에는 종합소득확정신고를 하지 않은 것으로 본다(소령 §70 ④ 후단).

5. 추가신고납부 : (소령 §134) 참조

제96조(수정신고 등)

법 제96조(수정신고 등) ① 제95조에 따른 개인지방소득세 확정신고를 한 거주자가 「국세기본법」 제45조 및 제45조의 2에 따라 「소득세법」에 따른 신고내용에 대하여 수정신고 또는 경정 등의 청구를 할 때에는 대통령령으로 정하는 바에 따라 납세지를 관할하는 지방자치단체의 장에게 「지방세기본법」 제49조 및 제50조에 따른 수정신고 또는 경정 등의 청구를 하여야 한다. 이 경우 거주자가 납세지를 관할하는 지방자치단체의 장 외의 지방자치단체의 장에게 「지방세기본법」 제49조 및 제50조에 따른 수정신고 또는 경정 등의 청구를 한 경우에도 그 신고 또는 청구의 효력에는 영향이 없다.

③ 제1항에 따른 수정신고를 통하여 추가납부세액이 발생하는 경우에는 이를 납부하여야 한다.

영 제93조(수정신고납부) ① 법 제96조 제1항에 따라 거주자가 수정신고를 할 때에는 수정신고와 함께 소득세의 수정신고 내용을 증명하는 서류를 납세지 관할 지방자치단체의 장에게 제출하여야 한다.

② 법 제96조 제3항에 따른 수정신고를 통하여 추가납부세액이 발생하는 경우에는 행정안전부령으로 정하는 납부서로 납부하여야 한다. [전문개정 2014.3.14.]

개인지방소득세 과세표준 확정신고를 한 거주자가 「소득세법」에 따른 신고내용을 수정신고하는 경우에는 수정신고를 하여야 한다. 소득세를 수정신고하지 아니하여 세무서로부터 소득세를 경정받은 경우에도 「지방세기본법」 제50조에 따라 지방자치단체의 장이 경정하기 전까지 납세자는 수정신고 가능하다. 신고납부한 개인지방소득세의 "납세지 오류"가 있는 경우 부과고지를 받기 전까지 수정신고 또는 경정 등의 청구가 가능하며, 그에 따른 가산세 및 환급가산금은 없다(지법 §96 ②, ③, ④).

구 지방세법(2014.1.1 법률 제12153호로 개정되기 전의 것)이 적용되는 경우, 국세기본법에 따른 소득세 추가납부세액을 수정신고하는 경우라면 그 수정신고에 대해 지방세법 제91조의 '신고납부'규정에 따라 신고 · 납부하여야 한다.

<table>
<tr><th>종전(부가세 방식)</th><th>현행(독립세 방식)</th></tr>
<tr><td>제91조(신고납부) ② 소득세분의 납세의무자는 산출세액(특별징수세액은 제외한다)을 다음 각 호에서 정하는 날까지 제93조 제1항에 따라 신고하고 납부하여야 한다.
1. 「국세기본법」에 따라 추가납부세액을 수정신고하는 경우 : 그 신고일</td><td rowspan="2">제96조(수정신고 등) ① 제95조에 따른 개인지방소득세 확정신고를 한 거주자가 「국세기본법」 제45조에 따라 「소득세법」에 따른 신고내용을 수정신고할 때에는 대통령령으로 정하는 바에 따라 납세지를 관할하는 지방자치단체의 장에게 「지방세기본법」 제50조에 따른 수정신고를 하여야 한다.</td></tr>
<tr><td>제92조(수정신고납부 등) ① 납세의무자는 제91조 및 제93조에 따라 신고납부한 법인세분 · 소득세분의 납세지 또는 법인세분의 지방자치단체별 안분세액에 오류가 있음을 발견하였을 때에는 제91조 제3항 및 제4항에 따라 지방자치단체의 장이 보통징수의 방법으로 부과고지를 하기 전까지 관할 지방자치단체의 장에게 「지방세기본법」 제49조 및 제50조에 따른 수정신고납부 또는 경정 등의 청구를 할 수 있다.</td></tr>
</table>

제97조(결정과 경정)

법 제97조(결정과 경정) ① 납세지 관할 지방자치단체의 장은 거주자가 제95조에 따른 신고를 하지 아니하거나 신고 내용에 오류 또는 누락이 있는 경우에는 해당 과세기간의 과세표준과 세액을 결정 또는 경정한다.

② 납세지 관할 지방자치단체의 장은 개인지방소득세의 과세표준과 세액을 결정 또는 경정한 후 그 결정 또는 경정에 오류나 누락이 있는 것을 발견한 경우에는 즉시 이를 다시 경정한다.

③ 납세지 관할 지방자치단체의 장은 제1항과 제2항에 따라 개인지방소득세의 과세표준과 세액

을 결정 또는 경정하는 경우에는 소득세법에 따라 납세지 관할 세무서장 또는 관할 지방국세청장이 결정 또는 경정한 자료, 장부나 그 밖의 증명서류를 근거로 하여야 한다. 다만, 대통령령으로 정하는 사유로 장부나 그 밖의 증명서류에 의하여 소득금액을 계산할 수 없는 경우에는 대통령령으로 정하는 바에 따라 추계(推計)할 수 있다.

④ 지방자치단체의 장이 개인지방소득세의 과세표준과 세액을 결정 또는 경정한 때에는 그 내용을 해당 거주자에게 대통령령으로 정하는 바에 따라 서면으로 통지하여야 한다.

[전문개정 2014.1.1.]

영 제94조(과세표준과 세액의 결정 및 경정) ① 법 제97조에 따른 과세표준과 세액의 결정 또는 경정은 「소득세법」에 따라 납세지 관할 세무서장 또는 관할 지방국세청장이 결정 또는 경정한 자료, 과세표준확정신고서 및 그 첨부서류에 의하거나 실지조사(實地調査)에 따름을 원칙으로 한다.

② 법 제97조 제3항 단서에서 "대통령령으로 정하는 사유"란 「소득세법 시행령」 제143조 제1항 각 호의 어느 하나에 해당하는 경우를 말한다.

③ 법 제97조 제3항 단서에 따른 소득금액을 추계하여 결정하거나 경정하는 경우는 「소득세법 시행령」 제143조 제2항 · 제3항 · 제9항, 제144조 및 제145조 제2항에서 정한 방법에 따른다.

[전문개정 2014.3.14.]

제95조(과세표준과 세액의 통지) ① 납세지 관할 지방자치단체의 장은 법 제97조 제4항에 따라 과세표준과 세액을 통지할 때에는 과세표준과 세율 · 세액, 그 밖에 필요한 사항을 서면으로 통지하여야 한다. 이 경우 납부할 세액이 없을 때에도 또한 같다.

② 납세지 관할 지방자치단체의 장은 피상속인의 소득금액에 대한 개인지방소득세를 2명 이상의 상속인에게 과세하는 경우에는 과세표준과 세액을 그 지분에 따라 배분하여 상속인별로 통지하여야 한다. [전문개정 2014.3.14.]

납세지 관할 지방자치단체의 장은 과세표준과 세액을 결정 또는 경정할 수 있으며, 장부나 그 밖의 서류로 소득금액을 계산할 수 없는 경우에는 추계할 수 있고 과세표준과 세액을 결정 또는 경정을 한 때에는 그 결정 또는 경정된 과세표준과 세액을 해당 거주자에게 통보하여야 한다. 다만, 2019.12.31.까지는 세무서장이 국세와 동시에 하도록 하고 있다(부칙 §13).

※ 수시부과결정은 지법 §103의 9 참조

제98조(수시부과결정)

법 제98조(수시부과결정) ① 납세지 관할 지방자치단체의 장은 거주자가 과세기간 중에 다음 각 호의 어느 하나에 해당하면 수시로 그 거주자에 대한 개인지방소득세를 부과(이하 이 조에서 "수시부과"라 한다)할 수 있다.

1. 사업부진이나 그 밖의 사유로 장기간 휴업 또는 폐업 상태에 있는 때로서 개인지방소득세를 포탈(逋脫)할 우려가 있다고 인정되는 경우
2. 그 밖에 조세를 포탈할 우려가 있다고 인정되는 상당한 이유가 있는 경우

② 제1항은 해당 과세기간 개시일부터 수시부과사유가 발생한 날까지를 수시부과기간으로 하여 적용한다. 이 경우 수시부과사유가 제95조에 따른 신고기한 이전에 발생한 경우로서 거주자가 직전 과세기간에 대하여 과세표준확정신고를 하지 아니한 경우에는 직전 과세기간을 수시부과기간에 포함한다.

③ 제1항에 따라 개인지방소득세를 수시부과하는 경우 해당 세액에 대하여는 「지방세기본법」 제53조 및 제54조를 적용하지 아니한다.

④ 제1항 및 제2항에 따른 수시부과에 필요한 사항은 대통령령으로 정한다. [전문개정 2014.1.1.]

영 제96조(수시부과) ① 법 제98조에 따른 과세표준 및 세액의 결정은 제94조 제1항을 준용하여 납세지 관할 지방자치단체의 장이 한다. 〈개정 2015.7.24.〉

② 지방자치단체의 장은 사업자가 주한국제연합군 또는 외국기관으로부터 수입금액을 외국환은행을 통하여 외환증서 또는 원화로 영수할 때에는 법 제98조에 따라 그 영수할 금액에 대한 과세표준 및 세액을 결정할 수 있다.

③ 법 제98조에 따른 수시부과의 경우에 그 세액계산에 필요한 사항은 행정안전부령으로 정한다. [전문개정 2014.3.14.]

제97조 삭제 〈2015.7.24.〉

정상적인 자진신고납부 및 정부의 경정결정 절차로는 조세채권을 확보하기 어렵다고 인정되는 경우 과세기간 진행 중에 미리 개인지방소득세를 징수할 수 있도록 한 제도이다. 수시부과세액에 대해서는 아직 과세기간이 종료되기 전이므로 무신고 및 과소신고 가산세를 적용하지 아니한다(지법 §98 ③ 참조).

※ 2019.12.31.까지는 종전과 같이 세무서장이 수시부과한다(지법 부칙 §13 ②).

조세포탈의 우려가 있는 경우의 수시부과의 경우 사업장 관할 지방자치단체의 장(사업자 이외의 자는 납세지 관할 지방자치단체의 장)은 과세기간 중 거주자에게 수시부과 사유가 있는 경우 해당 과세기간 개시일부터 수시부과사유가 발생한 날까지를 수시부과기간으로 하여 개인지방소득세 부과가 가능하다(지법 §98 ① 참조). 수시부과사유는 장기간 휴업(폐업)상태에 있는 때로서 개인지방소득세를 포탈할 우려가 있는 경우, 그 밖에 조세를 포탈할 우려가 있다고 인정되는 상당한 이유가 있는 경우를 의미한다. 다만, 수시부과사유가 과세표준 등의 신고기한 이전에 발생한 경우(직전 과세기간에 대한 과세표준 신고를 한 경우는 제외)에는 직전 과세기간을 수시부과기간에 포함한다(지법 §98 ② 참조).

※ 수시부과세액 = (종합소득금액 - 거주자 본인에 대한 기본공제) × 기본세율

제99조(가산세)

> **법** 제99조(가산세) 「소득세법」 제81조, 제81조의 2부터 제81조의 13까지의 규정에 따라 소득세 결정세액에 가산세를 더하는 경우에는 그 더하는 금액의 100분의 10에 해당하는 금액을 개인지방소득세 결정세액에 더한다. 다만, 「소득세법」 제81조의 5에 따라 더해지는 가산세의 100분의 10에 해당하는 개인지방소득세 가산세와 「지방세기본법」 제53조 또는 제54조에 따른 가산세가 동시에 적용되는 경우에는 그 중 큰 가산세액만 적용하고, 가산세액이 같은 경우에는 「지방세기본법」 제53조 또는 제54조에 따른 가산세만 적용한다. [전문개정 2015.7.24.]

| 최근 개정법령 _ 2015.7.24. | 가산세 규정 정비[법 제99조, 제103조의 8(기장 불성실가산세), 제103조의 30(가산세)]

당초 「소득세법」(제81조) 및 「법인세법」(제76조)에서는 납세자의 정확한 과세신고를 위해 불성실 자료 제출 등(지급명세서 미제출, 허위 복식부기, 사실과 다른 증명서류 제출 등 소득세 관련 13종, 법인세 관련 10종)에 관한 가산세를 별도로 규정하고 있는 바, 지방소득세도 국세와 과세표준을 공유하고 있어 이러한 가산세 사항이 적용되도록 동일한 사항에 관해 규정하되, 입법 방식을 국세와 같이 각각의 사안에 대해 개별 조항으로 규정하고 있었다(제99조, 제103조의 30). 그런데 가산세 적용 시 납세의무자나 과세관청 모두 이를 일일이 확인 후 적용하기 불편할 뿐만 아니라, 국세법령 개정시마다 이를 지방세법령에 반영해야 하는 번거로움도 발생하는 등 현행 입법방식으로는 유지할 실익이 크지 않았다. 그에 따라 과세의 편리성 등을 감안하여 가산세 사항은 각각의 조항에서 별도로 규정하지 않고 1개의 조항으로 통합하되, 그 수준은 현행과 같이 국세 가산세의 10% 수준이 적용되도록 하였다.

| 최근 개정법령 _ 2020.1.1. | 성실신고확인서 미제출 가산세 등 규정 보완(법 §99)

성실신고확인서를 제출하지 않고 개인지방소득세 미신고 시, 성실신고 미제출가산세 및 무신고가산세 중 큰 가산세만을 적용하던 것을 모두 적용하도록 개정하였다. 「소득세법」상 가산세 규정 세분화에 따른 준용 규정을 보완한 것이다.

〈사례〉 소득세에서 무신고 가산세가 30만원이고, 성실신고확인서 미제출가산세가 40만원인 경우 가산세는 70만원(30만원+40만원)이다. 개인지방소득세는 무신고 가산세가 3만원이고 성실신고확인서 미제출가산세가 4만원으로 산출될 때 기존에는 4만원[Max(3만원, 4만원)]이었지만, 개정 이후에는 7만원(3만원+4만원)이 된다. 개정규정은 2020.1.1. 이후 확정신고하는 분부터 적용한다(부칙 제8조).

지방세기본법상 가산세 무신고가산세와 납부불성실 가산세로 구분한다. 무신고가산세는 납세의무자가 법정신고기한까지 과세표준 신고를 하지 아니한 경우 그 납부하여야할 세액의 20%(사기나 기타 부정한 행위 40%)를 가산세로 부과한다.

법정신고기한까지 과세표준신고를 한 경우로서 신고하여야 할 납부세액보다 적게 신고하거나 환급받을 세액을 신고하여야 할 금액보다 많이 신고한 경우에는 과소신고한 납부세액과 초과신고한 환급세액을 합한 금액의 10%를 가산세로 부과한다(지방세기본법 제53조, 제54조 참조).

납부불성실 · 환급불성실가산세는 납부기한까지 지방세를 납부하지 아니하거나 환급받아야 할 세액보다 많이 환급(초과환급)받은 경우 일당 0.25%의 가산세를 부과한다(한도 75%).

지방세법상 개인지방소득세 가산세로 증빙불비가산세*와 기장불성실 가산세가 있다. 증빙불비가산세는 소득세법 제81조에 따라 소득세 결정세액에 가산세를 더하는 경우, 더하는 금액의 10%를 개인지방소득세 가산세로 부과한다(지법 제99조).

* (가산세) 무기장, 지급명세서제출불성실, 계산서불성실, 적격증명서류불성실, 영수증수취명세서미제출, 사업장현황신고불성실, 기부금영수증불성실, 유보소득계산명세서미제출, 공동사업자등록불성실, 사업용계좌불성실, 신용카드불성실, 현금영수증 불성실, 성실신고확인서미제출 가산세 등 기장불성실 가산세는 법인의 대주주가 양도하는 주식 등에 대하여 거래명세를 기장하지 아니하거나 누락하여 소득세 산출세액에 가산세를 더하는 경우, 그 더하는 금액의 10%를 개인지방소득세 가산세를 부과한다.

그런데 무신고 또는 과소신고, 기장불성실가산세가 동시에 적용되는 때에는 각각 그 중 큰 금액에 해당하는 가산세만 적용하고, 가산세액이 같은 경우에는 신고 또는 무신고 가산세만 적용한다. 한편 복식부기의무자 무신고가산세의 경우 종합소득 과세표준 확정신고시 복식부기의무자가 재무제표를 제출하지 않은 경우 신고를 하지 아니한 것으로 보나(소득세법 제70조 제4항) 개인지방소득세는 가산세 적용 및 준용 규정이 없으므로 가산세 적용이 불가하다.

☞ 지방소득세 가산세 적용의 특례 참고(지방세법 제103조의 61 제3항)

제100조(징수와 환급)

법 제100조(징수와 환급) ① 납세지를 관할하는 지방자치단체의 장은 거주자가 제95조에 따라 해당 과세기간의 개인지방소득세로 납부하여야 할 세액의 전부 또는 일부를 납부하지 아니한 경우에는 그 미납된 부분의 개인지방소득세 세액을 「지방세기본법」 및 「지방세징수법」에 따라 징수한다.

② 납세지를 관할하는 지방자치단체의 장은 제98조에 따라 수시부과하거나 제103조의 13에 따른 특별징수한 세액이 개인지방소득세 총결정세액을 초과하는 경우에는 「지방세기본법」 제60조에 따라 이를 환급하거나 지방세에 충당하는 등의 조치를 취하여야 한다. [전문개정 2014.1.1.]

☞ 지방세법 제89조 납세지(환급지) 설명내용 참조

제101조(결손금소급공제에 따른 환급)

법 제101조(결손금소급공제에 따른 환급) ① 거주자가 「소득세법」 제85조의 2에 따라 결손금소급공제에 의한 환급을 신청하는 경우 해당 이월결손금에 대하여 직전 과세기간 사업소득에 부과된 개인지방소득세액을 한도로 대통령령으로 정하는 바에 따라 계산한 금액(이하 "결손금 소급공제세액"이라 한다)을 환급신청할 수 있다.

② 결손금 소급공제세액을 환급받으려는 자는 제95조에 따른 과세표준확정신고기한까지 대통령령으로 정하는 바에 따라 납세지 관할 지방자치단체의 장에게 환급을 신청하여야 한다. 다만, 거주자가 납세지 관할 세무서장 또는 지방국세청장에게 「소득세법」 제85조의 2에 따른 결손금소급공제 환급을 신청한 경우에는 제1항에 따른 환급을 신청한 것으로 보며, 이 경우 환급가산금의 기산일은 「지방세기본법」 제62조 제1항 제5호 단서에 따른다. 〈개정 2015.12.29.〉

③ 납세지 관할 지방자치단체의 장이 제2항에 따라 개인지방소득세의 환급신청을 받은 경우에는 지체 없이 환급세액을 결정하여 「지방세기본법」 제60조 및 제62조에 따라 환급하거나 충당하여야 한다.

④ 제1항부터 제3항까지는 해당 거주자가 결손금이 발생한 과세기간에 대한 과세표준 및 세액을 신고한 경우로서 그 직전 과세기간의 소득에 대한 개인지방소득세의 과세표준 및 세액을 각각 신고하였거나 지방자치단체의 장이 부과한 경우에만 적용한다. 〈개정 2016.12.27.〉

⑤ 납세지 관할 지방자치단체의 장은 제3항에 따라 개인지방소득세를 환급받은 자가 다음 각 호의 어느 하나에 해당하는 경우에는 그 환급세액(제1호 및 제2호의 경우에는 과다하게 환급된 세액 상당액을 말한다)을 대통령령으로 정하는 바에 따라 그 이월결손금이 발생한 과세기간의 개인지방소득세로서 징수한다.

1. 결손금이 발생한 과세기간에 대한 개인지방소득세의 과세표준과 세액을 경정함으로써 이월결손금이 감소된 경우
2. 결손금이 발생한 과세기간의 직전 과세기간의 종합소득에 대한 개인지방소득세 과세표준과 세액을 경정함으로써 환급세액이 감소된 경우
3. 「소득세법」 제85조의 2에 따른 중소기업 요건을 갖추지 아니하고 환급을 받은 경우

⑥ 결손금의 소급공제에 의한 환급세액의 계산 및 신청 절차와 그 밖에 필요한 사항은 대통령령으로 정한다. [전문개정 2014.1.1.]

제101조의 2 삭제 〈2014.1.1.〉

영 제98조(결손금소급공제에 의한 환급) ① 법 제101조 제1항에서 "대통령령으로 정하는 바에 따라 계산한 금액"이란 제1호의 금액에서 제2호의 금액을 뺀 것(이하 "결손금소급공제세액"이라 한다)을 말한다.

1. 직전 과세기간의 해당 중소기업의 종합소득에 대한 개인지방소득세 산출세액
2. 직전 과세기간의 종합소득에 대한 개인지방소득세 과세표준에서 「소득세법」 제45조 제3항의 이월결손금으로서 소급공제를 받으려는 금액(직전 과세기간의 종합소득에 대한 개인지방소득세 과세표준을 한도로 한다)을 뺀 금액에 직전 과세기간의 세율을 적용하여 계산한 해당 중소기업에 대한 종합소득에 대한 개인지방소득세 산출세액

② 법 제101조 제2항에 따라 결손금소급공제세액을 환급받으려는 자는 행정안전부령으로 정하는 결손금소급공제세액환급신청서를 납세지 관할 지방자치단체의 장에게 제출하여야 한다.

③ 결손금소급공제에 의한 환급세액의 계산과 그 밖에 필요한 사항은 행정안전부령으로 정한다.

[전문개정 2014.3.14.]

중소기업(조특령 §2)이 소득세의 결손금 소급공제에 따른 환급을 신청하는 경우 개인지방소득세도 환급신청할 수 있다(지법 §101 참조).

결손금 소급공제 환급 요건(소법 §85의 2)은 다음과 같다. ① 적용대상자는 중소기업(조특령 §2)의 사업소득에서 발생한 결손금에 한하며, 신청을 요건으로 한다. 기한 내 직전연도와 해당연도의 종합소득분 개인지방소득세 확정신고를 한 경우로 과세표준확정신고기한 내 환급신청이 있어야 한다. ② 소급공제기간은 직전과세기간이며, ③ 소급가능한 결손금은 사업소득에서 발생한 이월결손금이며 부동산임대업에서 발생한 이월결손금은 제외된다. ④ 소급공제단위는 해당 사업장별 사업소득금액에서 공제한다.

결손금 소급공제환급세액의 계산

- 결손금 소급공제환급세액(사업장별로 계산함) : Min(①, ②)

① 직전과세기간의 사업장별 산출세액[1] – 소급공제 후 사업장별 산출세액[2]

② 직전과세기간의 해당 사업장별 종합소득분 개인지방소득결정세액[3]

1) 사업장별 산출세액 = 종합소득분 개인지방소득산출세액 × $\frac{\text{사업자별 소득금액}}{\text{종합소득금액}}$

2) 소급공제 후 사업장별 산출세액 =

(과세표준 – 소급공제결손금) × 직전연도 세율 × $\frac{\text{소급공제 후 사업장별 소득금액}}{\text{소급공제 후 종합소득금액}}$

3) 사업장별 종합소득분 개인지방소득결정세액 =

종합소득분 개인지방소득결정세액 × $\frac{\text{사업장별 소득금액}}{\text{종합소득금액}}$

환급 이후 소급공제대상인 결손금이 감소된 경우 환급세액을 추징하고(이자상당액 가산), 증가된 경우에는 경정청구가 가능하다(당초 환급신청을 한 경우). 그리고 직전 과세기간 종합소득분 개인지방소득세 과세표준과 세액이 감소한 경우 환급세액을 재결정(징수, 이자상당액 가산)하고, 증가한 경우에도 환급세액을 재결정하여 추가 환급이 가능하다.

| 최근 개정법령 _ 2016.1.1. | 결손금 소급공제 환급 개선(법 제101조 ②, 제103조의 28 ②)

소득세법 또는 법인세법에 따라 결손금 소급공제에 따른 환급신청을 한 납세의무자는 지방소득세에 대한 결손금 소급공제도 신청을 할 수 있는데, 국세와 지방세의 결손금 소급공제를 각각 신청하도록 되어 있어 착오로 국세에 대한 신청만을 하여 지방소득세 환급이 어려운 경우가 있을 수 있다. 그에 따라 국세의 결손금 소급공제 신청 시 지방소득세의 경우에도 이를 신청한 것으로 간주하여 법인세와 동일하게 환급할 수 있도록 개정하였다.

| 최근 개정법령 _ 2020.1.1. | 개인지방소득세 결손금 소급공제 환급 신청 개선(법 §101 ④)

기존에는 과세표준 확정신고기한까지 개인지방소득세를 신고한 경우에만 결손금 소급공제에 따른 환급이 가능했다. 그런데 2020년 개인지방소득세 지자체신고 시행에 따라 소득세(국세)만 기한내 신고하고 개인지방소득세는 신고하지 않은 경우 개인지방소득세는 환급이 불가한 경우가 발생할 수 있는데, 지자체 신고제도 전환으로 인한 납세자가 불편이나 불이익을 최소화할 필요가 있었다. 그에 따라 신고기한 내 개인지방소득세 확정신고를 하지 아니한 경우에도 결손금 소급공제 환급 신청이 가능하도록 개선하였다(2017.12.27. 법인지방소득세는 법정 신고 기한 이후에 신고한 경우에도 결손금 소급공제에 대한 환급 신청이 가능토록 이미 보완하였음).

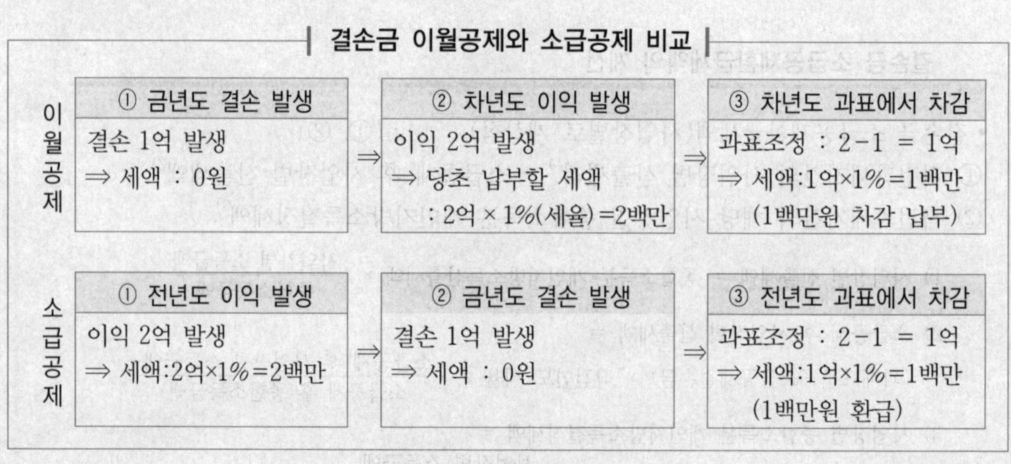

| 결손금 이월공제와 소급공제 비교 |

구분					
이월공제	① 금년도 결손 발생 결손 1억 발생 ⇒ 세액 : 0원	⇒	② 차년도 이익 발생 이익 2억 발생 ⇒ 당초 납부할 세액 : 2억 × 1%(세율) =2백만	⇒	③ 차년도 과표에서 차감 과표조정 : 2-1 = 1억 ⇒ 세액:1억×1%=1백만 (1백만원 차감 납부)
소급공제	① 전년도 이익 발생 이익 2억 발생 ⇒ 세액:2억×1%=2백만	⇒	② 금년도 결손 발생 결손 1억 발생 ⇒ 세액 : 0원	⇒	③ 전년도 과표에서 차감 과표조정 : 2-1 = 1억 ⇒ 세액:1억×1%=1백만 (1백만원 환급)

| 최근 개정법령_ 2017.1.1. | 법인지방소득세 결손금 공제 보완(법 제101조, 제103조의 28)

법인지방소득세는 직전년도 또는 당해년도분 중 하나 이상을 기한내 신고하지 않은 경우, 국세가 소급공제 환급대상이더라도「지방세법」제103조의 28 제4항 규정에 따라 소급공제가 거부되었다. 이로 인해 지방세에서 소급공제 거부당한 만큼의 해당 결손금을 다음년도 법인세 과세표준 계산에 반영하게 됨에 따라, 지방세에 적용해야 할 과세표준과 차이가 발생하는 등 문제점이 있었다. 그에 따라 직전년도 및 당해년도 지방소득세를 '기한내' 신고하지 않았더라도, '전년도 부과세액이 있고', '현년도 신고한 경우'에는 소급공제를 적용하는 것으로 요건을 완화하였다.

제102조(공동사업장에 대한 과세특례)

법 제102조(공동사업장에 대한 과세특례) ①「소득세법」제43조에 따른 공동사업장에서 발생한 소득금액에 대하여 특별징수된 세액과 제99조 및「지방세기본법」제56조에 따른 가산세로서 공동사업장에 관련되는 세액은 각 공동사업자의 손익분배비율에 따라 배분한다.
② 공동사업장에 대한 소득금액의 신고, 결정, 경정 또는 조사 등 공동사업장에 대한 과세에 필요한 사항은「소득세법」제87조에서 정하는 바에 따른다. [전문개정 2014.1.1.]

영 제99조(공동사업자별 분배명세서의 제출) 공동사업자가 과세표준확정신고를 하는 경우 대표공동사업자는 과세표준확정신고와 함께 해당 공동사업장에서 발생한 소득금액과 가산세액 및 특별징수된 세액을 적은 행정안전부령으로 정하는 공동사업자별 분배명세서를 납세지 관할 지방자치단체의 장에게 제출하여야 한다. 다만, 공동사업자가「소득세법 시행령」제150조 제6항에 따라 납세지 관할 세무서장에게 공동사업자별 분배명세서를 제출한 경우에는 납세지 관할 지방자치단체의 장에게 제출하지 않을 수 있다.

공동사업장의 소득금액에 대한 특별징수는 각 공동사업자의 손익분배비율에 따라 배분하도록 하였다. 공동사업장에 대한 소득금액신고 등은 개정규정에도 불구하고 2019.12.31.까지는 현재와 같이 납세지 관할 세무서장 등에게 신고하도록 하고 있다(부칙 §13).

공동사업자가 과세표준확정신고를 하는 경우 대표공동사업자*는 과세표준확정신고와 함께 해당 공동사업장에서 발생한 소득금액과 가산세액 및 특별징수세액을 적은 공동사업자별 분배명세서를 납세지 관할 지방자치단체의 장에게 제출해야 한다. 다만, 공동사업자가 세무서장에게 제출한 경우에는 납세지 관할 지방자치단체의 장에게 제출하지 않을 수 있다(지법령 §89).

* 대표공동사업자(소령 §150 ①) : ① 공동사업자들 중에서 선임된 자 ② 선임되어 있지 않은 경

우에는 손익분배비율이 가장 큰 자. 다만, 그 손익분배비율이 같은 경우에는 사업장 소재지 관할 세무서장이 결정하는 자

| 최근 개정법령 _ 2020.1.1. | 공동사업자 분배명세서 제출 간소화(영 §99)

2020년 개인지방소득세 지자체신고 시행에 따라 공동사업자별 분배명세서에 대해 국세, 지방세 각각 제출받을 경우, 납세자는 동일한 내용을 2번 작성 · 제출하여야 하는 불편이 발생하게 되었다. 그에 따라 납세자가 소득세(국세) 신고시 공동사업자별 분배명세서를 작성 · 제출한 경우, 개인지방소득세(지방세) 신고시에는 제출을 생략할 수 있도록 하였다.

제 3 절

거주자의 양도소득에 대한 지방소득세

제103조(과세표준)~제103조의 2(세액계산의 순서)

법 제103조(과세표준) ① 거주자의 양도소득에 대한 개인지방소득세 과세표준은 종합소득 및 퇴직소득에 대한 개인지방소득세 과세표준과 구분하여 계산한다.

② 양도소득에 대한 개인지방소득세 과세표준은 「소득세법」 제92조에 따라 계산한 소득세의 과세표준(「조세특례제한법」 및 다른 법률에 따라 과세표준 산정과 관련된 조세감면 또는 중과세 등의 조세특례가 적용되는 경우에는 이에 따라 계산한 소득세의 과세표준)과 동일한 금액으로 한다.

③ 제2항에도 불구하고 거주자의 국외자산 양도소득에 대한 개인지방소득세 과세표준은 「소득세법」 제118조의 3, 제118조의 4 및 제118조의 6부터 제118조의 8까지의 규정에 따라 계산한 소득세의 과세표준(「조세특례제한법」 및 다른 법률에 따라 과세표준 산정과 관련된 조세감면 또는 중과세 등의 조세특례가 적용되는 경우에는 이에 따라 계산한 소득세의 과세표준)과 동일한 금액으로 한다.

④ 「소득세법」 제126조의 3에 따른 국외전출자의 양도소득에 대한 개인지방소득세 과세표준은 같은 법 제126조의 4에 따라 계산한 소득세의 과세표준(「조세특례제한법」 및 다른 법률에 따라 과세표준 산정과 관련된 조세감면 또는 중과세 등의 조세특례가 적용되는 경우에는 이에 따라 계산한 소득세의 과세표준)과 동일한 금액으로 한다.

법 제103조의 2(세액계산의 순서) 양도소득에 대한 개인지방소득세는 이 법에 특별한 규정이 있는 경우를 제외하고는 다음 각 호에 따라 계산한다.

1. 제103조에 따른 과세표준에 제103조의 3에 따른 세율을 적용하여 양도소득에 대한 개인지방소득세 산출세액을 계산한다.
2. 제1호에 따라 계산한 산출세액에서 제103조의 4에 따라 감면되는 세액이 있을 때에는 이를 공제하여 양도소득에 대한 개인지방소득세 결정세액을 계산한다.

3. 제2호에 따라 계산한 결정세액에 제103조의 8, 제103조의 9 제2항 및 「지방세기본법」 제53조부터 제55조까지에 따른 가산세를 더하여 양도소득에 대한 개인지방소득세 총결정세액을 계산한다.
[본조신설 2014.1.1.]

거주자의 양도소득은 종합소득이나 퇴직소득과는 구분하여 별도로 계산한다.

거주자의 지방양도소득에 대한 지방소득세 과세표준은 「소득세법」 제92조에 따라 산출된 양도소득의 과세표준을 적용하도록 하고 있다.

| 양도소득에 대한 개인지방소득세 세액 계산 순서 |

세액계산	양도가액
- (취득가액 + 필요경비)	= 양도차익
- 장기보유특별공제 ※ 일반부동산 10~30%, 1세대 1주택 24~80%	= 양도소득금액
- 양도소득 기본공제 ※ 부동산 + 부동산에 관한 권리 + 기타자산 : 연간 250만원 주식 등 : 연간 250만원	= 과세표준
× 세율 ※ 지법 §103의 3	= 산출세액
- (세액공제+ 감면세액)	= 결정세액
+ 가산세	= 총 결정세액
- 기 납부세액	= 납부할 세액

※ 양도소득의 범위는 제87조 참조

과세표준

종합소득 및 퇴직소득에 대한 개인지방소득세 과세표준과 구분하여 계산(분류과세)하며, 「소득세법」에 따른 과세표준과 동일하다(지법 §103 참조).

구 분	과세표준
국내자산	양도차익 - 장기보유특별공제 - 양도소득기본공제
국외자산*	양도차익 - 양도소득기본공제

* 국외자산(소법 §118의 2)이란 해당 자산의 양도일까지 5년 이상 국내에 주소 또는 거소를 둔 거주자가 양도하는 국외 소재 자산을 말한다.

| 과세대상 자산 비교 (국내 vs 국외) |

구 분	국내자산(소법 §94 ①)	국외자산(소법 §118의 2)
부동산 (§94 ① 1호)	① 토지* ② 건물	좌동 *지적공부에의 등록 여부와 무관하게 국외의 모든 토지
부동산에 관한 권리 (§94 ① 2호)	③ 부동산을 취득할 수 있는 권리 (가목) ④ 지상권 (나목) ⑤ 전세권 (다목) ⑥ 등기된 부동산임차권 (다목)*	좌동 *부동산임차권은 등기 여부와 무관하게 과세
기타자산 (§94 ① 4호)	⑦ 사업용고정자산과 함께 양도하는 영업권 (가목) ⑧ 특정시설물 이용권 (나목) ⑨ 특정주식A (다목, 소령 §158 ① 1호) ⑩ 특정주식B (다목, 소령 §158 ① 5호)	좌동
주식 등 (§94 ① 3호)	⑪ 상장법인의 대주주가 양도하는 주식등 (가목) ⑫ 증권시장 외에서 양도하는 상장법인 주식등 (가목) ⑬ 상장법인이 아닌 법인의 주식등 (나목)	외국법인이 발행한 주식 *상장주식[1], 기타자산 주식 제외 내국법인이 발행한 주식 *외국시장에 상장된 주식만 해당

1) 국내유가증권시장・코스닥시장에 상장 등록된 주식 등 : 외국법인이 발행한 주식이라도 국내 증권시장에서 거래되는 것은 국내 주식으로 과세

제103조의 3(세율)

법 제103조의 3(세율) ① 거주자의 양도소득에 대한 개인지방소득세는 해당 과세기간의 양도소득과세표준에 다음 각 호의 표준세율을 적용하여 계산한 금액을 그 세액으로 한다. 이 경우 하나의 자산이 다음 각 호에 따른 세율 중 둘 이상에 해당할 때에는 해당 세율을 적용하여 계산한 양도소득에 대한 개인지방소득세 산출세액 중 큰 것을 그 세액으로 한다. <개정 2014.3.24., 2015.7.24., 2015.12.29., 2016.12.27.>

1. 「소득세법」 제94조 제1항 제1호・제2호 및 제4호에 해당하는 자산 : 제92조 제1항에 따른 세율(분양권의 경우에는 양도소득에 대한 개인지방소득세 과세표준의 1천분의 60)
2. 「소득세법」 제94조 제1항 제1호 및 제2호에서 규정하는 자산으로서 그 보유기간이 1년 이상 2년 미만인 것 : 양도소득에 대한 개인지방소득세 과세표준의 1천분의 40(주택, 조합원입주권 및 분양권의 경우에는 1천분의 60)
3. 「소득세법」 제94조 제1항 제1호 및 제2호에서 규정하는 자산으로서 그 보유기간이 1년 미만인 것 : 양도소득에 대한 개인지방소득세 과세표준의 1천분의 50(주택, 조합원입주권 및 분양권의 경우에는 1천분의 70)

4. 삭제 〈2020.8.12.〉 5. 삭제 〈2014.3.24.〉 6. 삭제 〈2014.3.24.〉 7. 삭제 〈2014.3.24.〉
8. 「소득세법」 제104조의 3에 따른 비사업용 토지(제5항 제3호 단서에 해당하는 경우를 포함한다)

과세표준	세율
1천200만원 이하	과세표준의 1천분의 16
1천200만원 초과 4천600만원 이하	19만2천원+(1천200만원을 초과하는 금액의 1천분의 25)
4천600만원 초과 8천800만원 이하	104만2천원+(4천600만원을 초과하는 금액의 1천분의 34)
8천800만원 초과 1억5천만원 이하	247만원+(8천800만원을 초과하는 금액의 1천분의 45)
1억5천만원 초과 3억원 이하	526만원+(1억5천만원을 초과하는 금액의 1천분의 48)
3억원 초과 5억원 이하	1천246만원+(3억원을 초과하는 금액의 1천분의 50)
5억원 초과 10억원 이하	2천246만원 + (5억원을 초과하는 금액의 1천분의 52)
10억원 초과	4천846만원 + (10억원을 초과하는 금액의 1천분의 55)

9. 「소득세법」 제94조 제1항 제4호 다목 및 라목에 따른 자산 중 대통령령으로 정하는 자산

과세표준	세율
1천200만원 이하	과세표준의 1천분의 16
1천200만원 초과 4천600만원 이하	19만2천원+(1천200만원을 초과하는 금액의 1천분의 25)
4천600만원 초과 8천800만원 이하	104만2천원+(4천600만원을 초과하는 금액의 1천분의 34)
8천800만원 초과 1억5천만원 이하	247만원+(8천800만원을 초과하는 금액의 1천분의 45)
1억5천만원 초과 3억원 이하	526만원+(1억5천만원을 초과하는 금액의 1천분의 48)
3억원 초과 5억원 이하	1천246만원+(3억원을 초과하는 금액의 1천분의 50)
5억원 초과 10억원 이하	2천246만원 + (5억원을 초과하는 금액의 1천분의 52)
10억원 초과	4천846만원 + (10억원을 초과하는 금액의 1천분의 55)

10. 「소득세법」 제104조 제3항에 따른 미등기양도자산 : 양도소득에 대한 개인지방소득세 과세표준의 1천분의 70

11. 「소득세법」 제94조 제1항 제3호 가목 및 나목에 따른 자산
  가. 「소득세법」 제104조 제1항 제11호 가목에 따른 대주주(이하 이 절에서 "대주주"라 한다)가 양도하는 「소득세법」 제88조 제2호에 따른 주식등(이하 "주식등"이라 한다)
    (1) 1년 미만 보유한 주식등으로서 대통령령으로 정하는 중소기업(이하 이 절에서 "중소기업"이라 한다) 외의 법인의 주식등 : 양도소득에 대한 개인지방소득세 과세표준의 1천분의 30
    (2) 1)에 해당하지 아니하는 주식등

과세표준	세율
3억원 이하	1천분의 20
3억원 초과	600만원 + (3억원 초과액 × 1천분의 25)

  나. 대주주가 아닌 자가 양도하는 주식등
    (1) 중소기업의 주식등 : 양도소득에 대한 개인지방소득세 과세표준의 1천분의 10
    (2) 1)에 해당하지 아니하는 주식등 : 양도소득에 대한 개인지방소득세 과세표준의 1천분의 20
  다. 가목 및 나목 외의 주식 등 : 양도소득에 대한 개인지방소득세 과세표준의 1천분의 20
12. 「소득세법」 제94조 제1항 제3호 다목에 따른 자산
  가. 중소기업의 주식등 : 양도소득에 대한 개인지방소득세 과세표준의 1천분의 10
  나. 가목에 해당하지 아니하는 주식등 : 양도소득에 대한 개인지방소득세 과세표준의 1천분의 20
13. 「소득세법」 제94조 제1항 제5호에 따른 파생상품 등 : 양도소득에 대한 개인지방소득세 과세표준의 1천분의 20
14. 「소득세법」 제94조 제1항 제6호에 따른 신탁 수익권

과세표준	세율
3억원 이하	1천분의 20
3억원 초과	600만원 + (3억원을 초과하는 금액의 1천분의 25)

② 제1항 제2호 · 제3호 및 제11호 가목의 보유기간의 산정은 「소득세법」 제104조 제2항에서 정하는 바에 따른다.

③ 거주자의 「소득세법」 제118조의 2 제1호 · 제2호 및 제5호에 따른 자산의 양도소득에 대한 개인지방소득세의 표준세율은 제92조 제1항에 따른 세율과 같다.

④ 지방자치단체의 장은 조례로 정하는 바에 따라 양도소득에 대한 개인지방소득세의 세율을 제1항에 따른 표준세율의 100분의 50의 범위에서 가감할 수 있다.

⑤ 다음 각 호의 어느 하나에 해당하는 부동산을 양도하는 경우 제92조 제1항에 따른 세율(제3호의 경우에는 제1항 제8호에 따른 세율)에 1천분의 10을 더한 세율을 적용한다. 이 경우 해당 부동산 보유기간이 2년 미만인 경우에는 전단에 따른 세율을 적용하여 계산한 양도소득에 대한 개인지방소득세 산출세액과 제1항 제2호 또는 제3호의 세율을 적용하여 계산한 양도소득에 대한 개인지방소득세 산출세액 중 큰 세액을 양도소득에 대한 개인지방소득세 산출세액으로 한다. 〈신설

2014.3.24., 2015.7.24.>

3. 「소득세법」 제104조의 2 제2항에 따른 지정지역에 있는 부동산으로서 같은 법 제104조의 3에 따른 비사업용 토지. 다만, 지정지역의 공고가 있은 날 이전에 토지를 양도하기 위하여 매매계약을 체결하고 계약금을 지급받은 사실이 증명서류에 의하여 확인되는 경우는 제외한다.
4. 그 밖에 부동산 가격이 급등하였거나 급등할 우려가 있어 부동산 가격의 안정을 위하여 필요한 경우에 대통령령으로 정하는 부동산

⑥ 해당 과세기간에 「소득세법」 제94조 제1항 제1호 · 제2호 및 제4호에서 규정한 자산을 둘 이상 양도하는 경우 양도소득에 대한 개인지방소득세 산출세액은 다음 각 호의 금액 중 큰 것(제103조의 4에 따른 양도소득에 대한 개인지방소득세의 감면세액이 있는 경우에는 해당 감면세액을 차감한 세액이 더 큰 경우의 산출세액을 말한다)으로 한다. 이 경우 제2호의 금액을 계산할 때 제1항 제8호 및 제9호의 자산은 동일한 자산으로 보고, 한 필지의 토지가 「소득세법」 제104조의 3에 따른 비사업용 토지와 그 외의 토지로 구분되는 경우에는 각각을 별개의 자산으로 보아 양도소득에 대한 개인지방소득세 산출세액을 계산한다.

1. 해당 과세기간의 양도소득과세표준 합계액에 대하여 제92조 제1항에 따른 세율을 적용하여 계산한 양도소득에 대한 개인지방소득세 산출세액
2. 제1항부터 제5항까지 및 제10항의 규정에 따라 계산한 자산별 양도소득에 대한 개인지방소득세 산출세액 합계액. 다만, 둘 이상의 자산에 대하여 제1항 각 호, 제5항 각 호 및 제10항 각 호에 따른 세율 중 동일한 호의 세율이 적용되고, 그 적용세율이 둘 이상인 경우 해당 자산에 대해서는 각 자산의 양도소득과세표준을 합산한 것에 대하여 제1항 · 제5항 또는 제10항의 각 해당 호별 세율을 적용하여 산출한 세액 중에서 큰 산출세액의 합계액으로 한다.

⑦ 제1항 제13호에 따른 세율은 자본시장 육성 등을 위하여 필요한 경우 그 세율의 100분의 75의 범위에서 대통령령으로 정하는 바에 따라 인하할 수 있다.

⑧ 「소득세법」 제126조의 3에 따라 양도소득으로 보는 국내주식 등의 평가이익에 대한 세율은 다음 표와 같다.

과세표준	세율
3억원 이하	1천분의 20
3억원 초과	600만원 + (3억원 초과액 × 1천분의 25)

⑨ 제3항에 따른 세율에 대해서는 제5항을 준용하여 가중할 수 있다.

⑩ 다음 각 호의 어느 하나에 해당하는 주택(이에 딸린 토지를 포함한다. 이하 이 항에서 같다)을 양도하는 경우 제92조 제1항에 따른 세율에 1천분의 20(제3호 또는 제4호에 해당하는 주택은 1천분의 30)을 더한 세율을 적용한다. 이 경우 해당 주택 보유기간이 2년 미만인 경우에는 제92조 제1항에 따른 세율에 1천분의 20(제3호 또는 제4호에 해당하는 주택은 1천분의 30)을 더한 세율을 적용하여 계산한 양도소득에 대한 개인지방소득세 산출세액과 제1항 제2호 또는 제3호의 세율을 적용하여 계산한 양도소득에 대한 개인지방소득세 산출세액 중 큰 세액을 양도소득에 대한 개인지방소득세 산출세액으로 한다.

1. 조정대상지역에 있는 주택으로서 대통령령으로 정하는 1세대 2주택에 해당하는 주택
2. 조정대상지역에 있는 주택으로서 1세대가 주택과 조합원입주권 또는 분양권을 1개 보유한 경

우의 해당 주택. 다만, 대통령령으로 정하는 장기임대주택 등은 제외한다.

3. 조정대상지역에 있는 주택으로서 대통령령으로 정하는 1세대 3주택 이상에 해당하는 주택
4. 조정대상지역에 있는 주택으로서 1세대가 주택과 조합원입주권 또는 분양권을 보유한 경우로서 그 수의 합이 3 이상인 경우 해당 주택. 다만, 대통령령으로 정하는 장기임대주택 등은 제외한다.

[본조신설 2014.1.1] [시행일 : 2020.1.1] 제103조의 3 제1항 제11호 가목 2) (단, 제103조의 3 제1항 제11호 가목 1)에서 정하는 중소기업의 주식등에 한정한다.) [시행일 : 2020.1.1] 제103조의 3 제8항(제103조의 3 제1항 제11호 가목 1)에서 정하는 중소기업의 주식등에 한정한다)

[시행일 : 2018.1.1.] 제103조의 3 제8항 [시행일 : 2020.1.1.] 제103조의 3 제4항

영 제100조(세율) ① 삭제 〈2016.12.30.〉

② 법 제103조의 3 제1항 제2호에서 "대통령령으로 정하는 토지"란 「소득세법」 제89조 제1항 제3호에 따른 주택부수토지를 말한다. 〈개정 2014.8.12., 2015.12.31.〉

③ 삭제 〈2014.8.12.〉 ④ 삭제 〈2014.8.12.〉 ⑤ 삭제 〈2014.8.12.〉 ⑥ 삭제 〈2020.12.31.〉

⑦ 법 제103조의 3 제1항 제9호에서 "대통령령으로 정하는 자산"이란 「소득세법 시행령」 제167조의 7에 따른 자산을 말한다.

⑧ 법 제103조의 3 제1항 제11호 가목 1)에서 "대통령령으로 정하는 중소기업"이란 주식등의 양도일 현재 「중소기업기본법」 제2조에 따른 중소기업을 말한다.

⑨~⑪ 삭제 〈2018.3.27.〉

⑫ 법 제103조의 3 제7항에 따라 같은 조 제1항 제13호에 따른 파생상품 등의 양도소득에 대한 개인지방소득세의 세율은 1천분의 10으로 한다.

⑬ 법 제103조의 3 제10항 제1호에서 "대통령령으로 정하는 1세대 2주택에 해당하는 주택"이란 「소득세법 시행령」 제167조의 10에 따른 주택을 말한다.

⑭ 법 제103조의 3 제10항 제2호 단서에서 "대통령령으로 정하는 장기임대주택 등"이란 「소득세법 시행령」 제167조의 11에 따른 주택을 말한다.

⑮ 법 제103조의 3 제10항 제3호에서 "대통령령으로 정하는 1세대 3주택 이상에 해당하는 주택"이란 「소득세법 시행령」 제167조의 3에 따른 주택을 말한다.

⑯법 제103조의 3 제10항 제4호 단서에서 "대통령령으로 정하는 장기임대주택 등"이란 「소득세법 시행령」 제167조의 4에 따른 주택을 말한다.

| 최근 개정법령 _ 2015.7.24. | 파생상품 양도소득 과세 도입(법 제103조의 3)

파생상품 거래로 발생하는 소득을 과세대상에 추가하고, 세율을 20%로 하고 자본시장 육성 등을 위하여 필요하다고 인정되는 경우 그 세율의 50% 범위에서 대통령령으로 인하할 수 있도록 하는 소득세법이 개정됨에 따라 지방소득세도 파생상품 관련 사항을 국세와 동일하게 개정하였다(2016.1.1. 이후 최초로 거래 또는 행위가 발생하는 분부터 적용하게 됨).

| 최근 개정법령 _ 2015.7.24. | 양도소득세 세액계산 방식 변경(법 제103조의 3)

① 동일 양도 자산에 둘 이상의 세율이 동시 적용되는 경우 : 이러한 경우 높은 세율이 적용되

도록 규정하고 있는데, 이 경우 세율이 높더라도 적용 방식에 따라 세액은 더 낮아 규정 취지에 어긋나는 문제가 있었다. 이러한 문제점을 해소하기 위해 양도소득세 세율 적용 방식을 변경함에 따라 지방소득세도 세액계산 방식을 변경할 필요가 있었다. 따라서 국세와 같이 이 경우도 높은 세액이 적용되도록 개정하였다.

② 세율이 다른 둘 이상의 자산을 양도하는 경우 : 당초 동일세율의 자산별로 합산하도록 규정하고 있으나, 소득세법에서 모든 자산 합계 후 기본세율을 적용하는 방식을 추가하도록 개정(제104조 제5항 제2호)됨에 따라 지방소득세도 동일한 방식으로 세액을 계산할 수 있도록 개정하였다. [모든 자산의 양도소득금액 합계액] × 기본세율(0.6%~3.8%)

※ 기존 방식과 신규 방식 중 높은 세액 방식 적용

| 최근 개정법령 _ 2016.1.1. | 대주주의 주식 양도소득에 대한 세율 단일화(법 제103조의 3)

소득세법 개정 사항을 반영한 것으로, 종전 규정에 따르면 대주주가 주식을 양도시 보유 주식의 성격에 따라 세율을 차등하여 부과하였으나(중소기업 주식 1%, 중소기업 외 법인 주식 2%), 대주주의 주식 양도시 세율을 2%로 단일화하여 과세형평성을 제고하였다. ※ 대주주 외 주주가 중소기업 주식 양도시에는 기존과 동일하게 1% 세율로 과세

| 대주주의 주식 양도소득에 대한 세율 체계 |

구 분	현 행	개 정	비 고
중소기업 주식	1%	2%	일원화
일반기업 주식	2%	2%	
일반기업 주식(1년 미만 보유)	3%	3%	

| 최근 개정법령 _ 2017.1.1. | 파생상품 양도에 따른 지방소득세 탄력세율 확대(법 제103조의 3 ⑦, 영 제100조)

파생상품 양도에 대한 소득세(국세) 세율이 '16년부터 10%에서 5%로 인하(탄력세율 인하)됨에 따라, 지방소득세 세율도 1%에서 0.5%로 인하되었다.

〈2017년 행자부 적용요령〉 이 법 시행 이후 납세의무가 성립하는 분부터 적용하되, 2016년 1월 1일부터 이 법 시행 전까지 양도한 분에 대해서도 적용

| 최근 개정법령 _ 2017.1.1. | 국외전출 시 양도주식에 대한 지방소득세 과세특례 도입(법 제103조의 3 ⑧, 제103조의 7)

조세회피 방지와 소득세와의 과세 통일성을 위해 국외전출시 소득세가 과세되는 경우에는 지방소득세도 과세할 필요에 따라, 조세회피 방지를 위해 국외전출시 지방소득세를 과세할 수 있도록 특례를 신설하였다.

〈2017년 행자부 적용요령〉 2018년 1월 1일 이후 전출하는 분부터 적용(소득세 동일)

| 대주주의 개념과 요건 |

대주주란 일정 지분율 또는 시가 총액 이상의 주식 보유한 주주(특수관계인이 보유한 주식을 포함)를 의미하며 아래의 요건에 따라 구분한다.

구 분	유가증권	코스닥시장	코스닥, 벤처기업 주식 등
지분율 기준	1% 이상	2% 이상	4% 이상
시가총액 기준	25억원 이상	20억원 이상	10억원 이상

| 최근 개정법령_2016.1.1. | 파생금융상품 지방소득세 탄력세율 적용(영 제100조 제1항)

2016.1.1.부터 파생금융상품 양도소득에 대하여 과세가 시행되는데, 파생금융상품의 양도소득에 대한 소득세의 표준세율은 20%이나, 소득세법 시행령 §167의 9에 따라 세율의 50%를 인하(세율 10%)하도록 되어 있다. 그런데 지방소득세의 표준세율은 2%이며 세율 인하 규정은 없으므로, 파생금융상품 양도소득에 대한 개인지방소득세의 세율을 소득세의 10% 수준인 1%로 인하하였다.

| 최근 개정법령_2019.1.1. | 대주주 주식양도시 개인지방소득세 세율 조정(법 §103의 3 ⑧)

중소기업의 대주주가 주식 등을 양도하는 경우 지방소득세율 적용의 차등화 시기를 유예하였는데 '20.1.1. 이후 주식등을 양도하는 경우부터 적용한다(법률 제15335호 지방세법 일부개정법률 부칙 제1조 제2호).

※ 중소기업외 법인 대주주의 주식등에 대하여는 '18.1.1.부터 이미 차등세율(2%/2.5%)을 적용 중에 있다. 그리고 대주주인 거주자가 이민 등을 국외로 전출하는 경우 보유하고 있는 국내 주식의 평가이익에 대한 양도소득에 대해 과세표준 구간별 세율 적용을 차등화하였다. '19.1.1. 이후 거주가가 출국하는 경우부터 적용하되(부칙 제6조) 제103조의 3 제1항 제11호 가목 1)에서 정하는 "중소기업의 주식등"에 대해서는 '20.1.1.부터 적용(부칙 제1조)토록 하였다.

| 최근 개정법령_2020.1.1. | 해외주식 양도소득의 세율 조정(법 §103의 3 ①)

양도소득세는 양도대상 자산 범주(토지·건물·부동산에 관한 권리·기타자산 / 주식 등 / 파생상품)에 따라 각각 양도소득을 구분하여 계산하는데, 일부 양도자산에서 양도차손이 발생할 경우, 같은 범주의 다른 자산에서 발생한 양도차익에서 공제가 가능하다. 기존에는 국외자산(해외주식)과 국내자산(국내주식)을 구분하여 별도의 세율을 적용하는데, 국내주식과 해외주식에서 발생한 손실에 대해 양도손익 통산이 허용되지 않아 실제 소득에 비해 큰 세부담이 발생하였다. 그에 따라 국내·해외주식 중 손실이 발생한 경우 순소득에 대한 과세가 이루어지도록 손익통산이 허용되었다. 지방소득세도 국세와 동일하게 과세체계를 정비하였다.

| 최근 개정법령 _ 2020.1.1. | 비사업용 토지 양도 시 중과 배제 규정 보완(법 §103의 3 ⑤)

비사업용토지를 양도하는 경우 개인지방소득세의 표준세율(0.6%~4.2%)에 1%p(지정지역 내 2%p) 중과세하고 있는데, 비사업용토지를 지정지역(투기지역) 공고 전에 토지를 양도하기 위해 매매계약을 체결하고 계약금을 지급한 경우에는 지정지역 외 중과세율(1%p)을 적용(2%p 중과 배제)하는 것으로 보완하였다.

| 최근 개정법령 _ 2020.1.1. | 감면세액이 있는 경우 비교과세 합리화(법 §103의 3 ⑥)

양도소득세 계산시 동일한 과세기간 중 2건 이상의 자산을 양도하는 경우, 합산하여 산출한 세액과 각각 산출하여 합한 세액을 비교하여 큰 금액을 적용한다. 그런데 세액감면을 고려할 경우 실제부담세액(=산출세액-감면세액)이 더 작게 되어 입법 취지에 반하는 사례가 발생할 수 있다. 그에 따라 세액감면을 차감한 실제 납부세액을 기준으로 비교과세 적용하도록 보완하였다.

| 비교과세 사례 |

구 분	A물건('18.1.양도)	B물건('18.5.양도)	합산(기본세율)
과세표준	50,000천원	60,000천원	110,000천원
산출세액	6,000천원	14,000천원	22,000천원
감면세액	6,000천원	-	10,000천원
납부세액	-	14,000천원	12,000천원

(현행) 산출세액 비교, 세액 12,000천원 납부 ⇒ (개정) 납부세액 비교, 세액 14,000천원 납부

| 양도자산별 세율구분(지법 §103의 3) |

<table>
<tr><th colspan="2">구 분</th><th>과세대상 자산</th><th>국내자산
(지법 §103의 3 ①, ⑤)</th><th>국외자산
(지법 §103의 3 ③)</th></tr>
<tr><td rowspan="3">일
반
지
역</td><td>부동산
(소법 §94 ① 1)</td><td>① 토지
② 건물</td><td rowspan="2">0.6% ~ 4.2% 누진세율
• 단기보유 : 누진~5%<table><tr><th>구분</th><th>1년 미만</th><th>2년 미만</th></tr><tr><td>주택</td><td>4%</td><td>누진</td></tr><tr><td>일반</td><td>5%</td><td>4%</td></tr></table>• 미등기자산 : 7%
• 비사업용토지 : 누진+1%p
(2014년은 누진)</td><td rowspan="3">0.6% ~ 3.8%
누진세율
(보유기간 무관)</td></tr>
<tr><td>부동산에 관한
권리
(소법 §94 ① 2)</td><td>③ 부동산을 취득할 수 있는 권리 (가목)
④ 지상권 (나목)
⑤ 전세권 (다목)
⑥ 등기된 부동산임차권 (다목)</td></tr>
<tr><td>기타자산
(소법 §94 ① 4)</td><td>⑦ 사업용고정자산과 함께 양도하는 영업권 (가목)
⑧ 특정시설물 이용권 (나목)</td><td>0.6% ~ 3.8% 누진세율
• 특정주식A, B 중
비사업용토지 과다</td></tr>
</table>

구 분	과세대상 자산	국내자산 (지법 §103의 3 ①, ⑤)	국외자산 (지법 §103의 3 ③)
	⑨ 특정주식A (다목, 소령 §158 ① 1호) ⑩ 특정주식B (다목, 소령 §158 ① 5호)	소유법인 주식 : 누진+1%p (2014년은 누진)	
주식 등 (소법 §94 ① 3)	⑪ 상장법인의 대주주가 양도하는 주식등 (가목) ⑫ 증권시장 외에서 양도하는 상장법인 주식등 (가목) ⑬ 상장법인이 아닌 법인의 주식등 (나목)	2% 단일세율 • 중소기업 주식 : 1% • 중소기업외주식&대주주 양도 : 3%	2% 단일세율 • 중소기업 주식 : 1%
지정지역 / 지정지역 부동산 (소법 §104 ④ 1~3)	- 1세대 3주택 - 1세대 3주택(조합원입주권 포함) - 비사업용토지	Max [누진+1%p, 단기보유] ※ 2014년 현재 지정지역 및가격급등부동산 현재 없음.	
가격급등 부동산 (소법 §104 ④ 4)	가격이 급등할 우려가 있어 가격안정을 위하여 대통령령으로 정하는 부동산		

세율 적용시 보유기간의 계산(지법 §103의 3 ②, 소법 §104 ②)

부동산, 부동산에 관한 권리, 주식 또는 출자지분에 대해 양도소득분 개인지방소득세율을 적용하는 경우 보유기간의 계산은 당해 자산의 취득일부터 양도일까지로 한다. 다만, 다음 각 호의 1에 해당하는 경우에는 각각 그 정한 날을 당해 자산의 취득일로 본다.

① 상속받은 자산 : 피상속인이 당해 자산을 취득한 날(법정상속인이 유증받은 경우 포함)
②「소득세법」제97조의 2 제1항의 규정에 의한 증여자 취득가액 이월과세대상 자산 : 증여자가 당해 자산을 취득한 날
③ 법인의 합병・분할(물적분할 제외)로 인하여 합병법인・분할신설법인 또는 분할합병의 상대방법인으로부터 새로이 주식 등을 취득한 경우 : 피합병법인・분할법인 또는 소멸한 분할합병의 상대방법인의 주식 등을 취득한 날

제103조의 4(세액공제 및 세액감면)

> **법** 제103조의 4(세액공제 및 세액감면) 양도소득에 대한 개인지방소득세의 세액공제 및 세액감면에 관한 사항은 「지방세특례제한법」에서 정한다. 다만, 양도소득에 대한 개인지방소득세의 공제세액 또는 감면세액이 산출세액을 초과하는 경우에는 그 초과금액은 없는 것으로 한다.
> [본조신설 2014.1.1.]

양도소득에 대한 개인지방소득세의 세액공제 · 감면은 「지방세특례제한법」에서 정하도록 하고 있다.

세액공제 및 감면

양도소득에 대한 개인지방소득세의 세액공제 및 감면사항은 「지방세특례제한법」에서 정하고 있다(지법 §103의 4). 한편 「지방세특례제한법」 제3장 지방소득세특례의 개정규정에 대한 지방자치단체 조례는 2020.1.1부터 효력을 가진다(지특법 부칙 §5). 아울러 법인지방소득세(조합법인 제외)의 감면은 지특법 제4조에 따라 조례로 정할 수 있다.

| 「지방세특례제한법」상 개인지방소득세(양도소득) 과세특례 분류 |

구 분	개 념
세액공제 · 감면	일정요건을 만족하는 경우 조세정책상 세액의 일부를 경감
이월과세 (移越課稅) 지특법 §119, 지특법 §120, 지특법 §126, 지특법 §128	개인이 사업용 고정자산을 현물출자 등을 통하여 법인에게 양도하는 경우 양도당시에는 과세하지 않고, 양수한 법인이 그 자산을 양도하는 때에 법인지방소득세로 납부(지특법 §2 ① 14) 〈사례〉 [개인 1억원에 취득] —현물출자 2억원→ [법인] —양도 4억원→ [제3자] (1) 법인에게 양도시 : 개인지방소득세(양도소득)을 과세하지 아니하지 아니하고, 법인에서는 고정자산가액을 시가로 평가한 가액(2억)을 취득가액으로 기장 (2) 법인이 해당자산을 제3자에게 양도시 : 개인이 법인에게 양도한 양도차익 1억(2억−1억)에 대한 개인지방소득세 산출세액 상당액을 법인지방소득세 추가납부세액으로 납부 * 법인의 취득가액(2억)과 양도가액(4억)의 차액은 법인지방소득세로 납부

제103조의 5~제103조의 9(과세표준 신고 등)

법 제103조의 5(과세표준 예정신고와 납부) ① 거주자가 「소득세법」 제105조에 따라 양도소득과세표준 예정신고를 하는 경우에는 해당 신고기한에 2개월을 더한 날(이하 이 조에서 "예정신고기한"이라 한다)까지 양도소득에 대한 개인지방소득세 과세표준과 세액을 대통령령으로 정하는 바에 따라 납세지 관할 지방자치단체의 장에게 신고(이하 이 절에서 "예정신고"라 한다)하여야 한다. 이 경우 거주자가 양도소득에 대한 개인지방소득세 과세표준과 세액을 납세지 관할 지방자치단체의 장 외의 지방자치단체의 장에게 신고한 경우에도 그 신고의 효력에는 영향이 없다.

② 제1항은 양도차익이 없거나 양도차손이 발생한 경우에도 적용한다.

③ 거주자가 예정신고를 할 때에는 제103조의 6에 따른 양도소득에 대한 개인지방소득세 예정신고 산출세액에서 「지방세특례제한법」이나 조례에 따른 감면세액과 제98조 및 제103조의 9에 따른 수시부과세액을 공제한 세액을 대통령령으로 정하는 바에 따라 납세지 관할 지방자치단체의 장에게 납부(이하 이 절에서 "예정신고납부"라 한다)하여야 한다.

④ 제1항에도 불구하고 납세지 관할 지방자치단체의 장은 거주자에게 제1항에 따른 과세표준과 세액을 기재한 행정안전부령으로 정하는 납부서(이하 이 조에서 "납부서"라 한다)를 발송할 수 있다.

⑤ 제4항에 따라 납부서를 받은 자가 납부서에 기재된 세액을 예정신고기한까지 납부한 경우에는 제1항에 따라 예정신고를 하고 납부한 것으로 본다.

제103조의 6(예정신고 산출세액의 계산) ① 예정신고납부를 할 때 납부할 세액은 양도소득에 대한 개인지방소득세 과세표준에 제103조의 3의 세율을 적용하여 계산한 금액으로 한다.

② 해당 과세기간에 누진세율 적용대상 자산에 대한 예정신고를 2회 이상 하는 경우로서 거주자가 이미 신고한 양도소득금액과 합산하여 신고하려는 경우에는 「소득세법」 제107조 제2항의 산출세액 계산방법을 준용하여 계산한다. 이 경우 세율은 다음 각 호의 구분에 따른 세율로 한다. 〈개정 2015.12.29., 2016.12.27.〉 [본조신설 2014.1.1.]

1. 「소득세법」 제107조 제2항 제1호에 따라 계산하는 경우 : 제103조의 3 제1항 제1호에 따른 세율
2. 「소득세법」 제107조 제2항 제2호에 따라 계산하는 경우 : 제103조의 3 제1항 제8호 또는 제9호에 따른 세율
3. 「소득세법」 제107조 제2항 제3호에 따라 계산하는 경우 : 제103조의 3 제1항 제11호 가목 2)에 따른 세율
4. 「소득세법」 제107조 제2항 제4호에 따라 계산하는 경우 : 제103조의 3 제1항 제14호에 따른 세율

제103조의 7(과세표준 확정신고와 납부) ① 거주자가 「소득세법」 제110조에 따라 양도소득과세표준 확정신고를 하는 경우에는 해당 신고기한에 2개월을 더한 날(이하 이 조에서 "확정신고기한"이라 한다)까지 양도소득에 대한 개인지방소득세 과세표준과 세액을 대통령령으로 정하는 바에 따라 납세지 관할 지방자치단체의 장에게 확정신고·납부하여야 한다. 이 경우 거주자가 양도소득에 대한 개인지방소득세 과세표준과 세액을 납세지 관할 지방자치단체의 장 외의 지방자치단체의 장에게 신고한 경우에도 그 신고의 효력에는 영향이 없다.

② 제1항은 해당 과세기간의 과세표준이 없거나 결손금액이 있는 경우에도 적용한다.

③ 예정신고를 한 자는 제1항에도 불구하고 해당소득에 대한 확정신고를 하지 아니할 수 있다. 다만, 해당 과세기간에 누진세율 적용대상 자산에 대한 예정신고를 2회 이상 하는 경우 등으로서 대통령령으로 정하는 경우에는 그러하지 아니하다.

④ 거주자는 해당 과세기간의 양도소득에 대한 개인지방소득세 산출세액에서 제103조의 4에 따라 감면되는 세액을 공제한 금액을 확정신고기한까지 대통령령으로 정하는 바에 따라 납세지 관할 지방자치단체에 납부하여야 한다.

⑤ 제1항에 따른 확정신고·납부를 하는 경우 제103조의 6에 따른 예정신고 산출세액, 제103조의 9에 따라 결정·경정한 세액 또는 제98조·제103조의 9에 따른 수시부과세액이 있을 때에는 이를 공제하여 납부한다. [본조신설 2014.1.1.]

⑥ 「소득세법」 제118조의 9에 따른 국외전출자(이하 이 조에서 "국외전출자"라 한다)는 같은 법 제118조의 15 제2항에 따라 양도소득 과세표준을 신고하는 경우에는 해당 신고기한까지 양도소득에 대한 개인지방소득세과세표준과 세액을 대통령령으로 정하는 바에 따라 납세지 관할 지방자치단체의 장에게 신고납부하여야 한다. 〈신설 2016.12.27.〉

⑦ 국외전출자는 「소득세법」 제118조의 16에 따라 소득세 납부를 유예받은 경우로서 납세지를 관할하는 지방자치단체의 장에게 「지방세기본법」 제65조에 따른 납세담보를 제공하는 경우에는 이 법에 따른 개인지방소득세의 납부를 유예받을 수 있다. 이 경우 개인지방소득세의 납부를 유예받은 경우에는 대통령령으로 정하는 바에 따라 납부유예기간에 대한 이자상당액을 가산하여 개인지방소득세를 납부하여야 한다.

⑧ 납세지 관할 지방자치단체의 장은 「소득세법」 제118조의 17에 따라 국외전출자가 납부한 세액이 환급되거나 납부유예 중인 세액이 취소된 경우 국외전출자가 납부한 개인지방소득세를 환급하거나 납부유예 중인 세액을 취소하여야 한다. 이 경우 「지방세기본법」 제77조에 따른 지방세환급가산금을 지방세환급금에 가산하지 아니한다. 〈신설 2016.12.27.〉

⑨ 제1항에도 불구하고 납세지 관할 지방자치단체의 장은 거주자에게 제1항에 따른 과세표준과 세액을 기재한 행정안전부령으로 정하는 납부서(이하 이 조에서 "납부서"라 한다)를 발송할 수 있다.

⑩ 제9항에 따라 납부서를 받은 자가 납부서에 기재된 세액을 확정신고기한까지 납부한 경우에는 제1항에 따라 확정신고를 하고 납부한 것으로 본다.

제103조의 8(기장 불성실가산세) 「소득세법」 제115조에 따라 소득세 산출세액에 가산세를 더하는 경우에는 그 더하는 금액의 100분의 10에 해당하는 금액을 양도소득에 대한 개인지방소득세 산출세액에 더한다. 다만, 「소득세법」 제115조에 따라 더해지는 가산세의 100분의 10에 해당하는 양도소득에 대한 개인지방소득세 가산세와 「지방세기본법」 제53조 또는 제54조에 따른 가산세가 동시에 적용되는 경우에는 그 중 큰 가산세액만 적용하고, 가산세액이 같은 경우에는 「지방세기본법」 제53조 또는 제54조에 따른 가산세만 적용한다.
[전문개정 2015.7.24.]

제103조의 9(수정신고·결정·경정·수시부과·징수·환급·환산취득가액 등) ① 양도소득에 대한 개인지방소득세의 수정신고·결정·경정·수시부과·징수 및 환급에 관하여는 제96조부터 제98조까지 및 제100조의 규정을 준용한다.

② 거주자가 건물을 신축 또는 증축(증축한 부분의 바닥면적의 합계가 85제곱미터를 초과하는

경우로 한정한다)하고 그 건물의 취득일(증축의 경우에는 증축한 부분의 취득일을 말한다)부터 5년 이내에 양도하는 경우로서 「소득세법」 제97조 제1항 제1호 나목에 따른 감정가액 또는 환산취득가액을 그 취득가액으로 하는 경우에는 해당 건물분(증축의 경우에는 증축한 부분으로 한정한다) 감정가액 또는 환산취득가액의 1천분의 5에 해당하는 금액을 제103조의 2 제2호에 따른 양도소득에 대한 개인지방소득세 결정세액에 더한다.

③ 제2항은 양도소득에 대한 개인지방소득세 산출세액이 없는 경우에도 적용한다. [본조신설 2014.1.1]

영 제100조의 2(예정신고납부) ① 법 제103조의 5 제1항에 따라 예정신고를 하려는 자는 행정안전부령으로 정하는 양도소득에 대한 개인지방소득세 과세표준예정신고 및 납부계산서를 납세지 관할 지방자치단체의 장에게 제출하여야 한다.

② 법 제103조의 5 제3항에 따라 양도소득에 대한 개인지방소득세를 납부하려는 자는 행정안전부령으로 정하는 납부서로 납부하여야 한다. 〈개정 2014.8.12.〉 [본조신설 2014.3.14.]

제100조의 3(양도소득에 대한 개인지방소득세 과세표준 확정신고) ① 법 제103조의 7 제1항 및 제6항에 따라 확정신고·납부를 하려는 자는 행정안전부령으로 정하는 양도소득에 대한 개인지방소득세 과세표준확정신고 및 납부계산서를 납세지 관할 지방자치단체의 장에게 제출하여야 한다.

② 법 제103조의 7 제3항 단서에서 "대통령령으로 정하는 경우"란 다음 각 호의 어느 하나에 해당하는 경우를 말한다.

1. 해당 연도에 누진세율의 적용대상 자산에 대한 예정신고를 2회 이상 한 자가 법 제103조의 6 제6항에 따라 이미 신고한 양도소득금액과 합산하여 신고하지 아니한 경우
2. 「소득세법」 제94조 제1항 제1호·제2호 및 제4호에 따른 토지, 건물, 부동산에 관한 권리 및 기타자산을 2회 이상 양도한 경우로서 같은 법 제103조 제2항을 적용할 경우 당초 신고한 양도소득에 대한 개인지방소득세 산출세액이 달라지는 경우
3. 「소득세법」 제94조 제1항 제1호·제2호 및 제4호에 따른 토지, 건물, 부동산에 관한 권리 및 기타자산을 둘 이상 양도한 경우로서 같은 법 제103조의 3 제6항을 적용할 경우 당초 신고한 양도소득에 대한 개인지방소득세 산출세액이 달라지는 경우
4. 「소득세법」 제94조 제1항 제3호 가목 및 나목에 해당하는 주식등을 2회 이상 양도한 경우로서 같은 법 제103조 제2항을 적용할 경우 당초 신고한 양도소득에 대한 개인지방소득세 산출세액이 달라지는 경우

③ 법 제103조의 7 제4항부터 제6항까지에 따라 양도소득에 대한 개인지방소득세를 납부하려는 자는 행정안전부령으로 정하는 납부서로 납부하여야 한다.

④ 법 제103조의 7 제7항 후단에 따른 이자상당액은 다음의 계산식에 따라 산출된 금액으로 한다.

이자상당액 = 법 제103조의 7 제7항에 따라 납부유예 받은 금액 × 신고기한의 다음 날부터 납부일까지의 일수 × 납부유예 신청일 현재 「지방세기본법 시행령」 제43조에 따른 이자율

공제세액의 계산은 국외자산의 양도시에 한하여 「소득세법」상 외국납부세액공제 금액의 10%를 공제한다(지특법 §97 ③). 양도소득에 대한 개인지방소득세의 세액공제는 외국납부세

액공제가 유일하다. 소득세의 경우 외국납부세액을 필요경비 산입에 대한 규정이 있으나 과표 이전단계이므로(이미 개인지방소득세 과세표준에 포함) 지방소득세는 별도 규정이 불필요하다.

• 개인지방소득세 산출세액 − 양도소득세 공제세액* × 10%

* 공제세액(국세) = Min(국외자산의 양도소득세액, 산출세액 × $\frac{\text{국외자산양도소득금액}}{\text{양도소득금액}}$)

감면세액의 계산은 「소득세법」에 따른 세액감면방식(소법 §90 ②)을 준용하여 「지방세특례제한법」에 따른 감면세액을 산출한다(지특법 §163).

• 개인지방소득세 산출세액 − 개인지방소득세 감면세액*

$$* \text{감면세액} = \text{개인지방소득세 산출세액} \times \frac{\text{감면자산의 소득금액} - \text{과세자산(비감면자산)의 소득금액에서 미공제된 양도소득 기본공제액}}{\text{양도소득 과세표준}} \times \text{감면율}$$

※ 양도소득에 대한 개인지방소득세 산출세액이 양도소득세 산출세액의 10%인 경우 위와 같이 계산하면 지방소득세 감면액은 양도소득세 감면액의 10%와 일치함.

| 감면세액 계산방법 |

구 분	내 용
소득세법 (§90)	• 양도소득세의 감면방식은 '세액감면방식(①)'과 '소득공제방식(②)'으로 이원화 ① 세액감면방식 적용방법 : 과세표준 × 세율 − 감면세액* $* \text{감면세액} = \text{산출세액} \times \frac{\text{감면자산의 소득금액} - \text{과세자산(비감면자산)의 소득금액에서 미공제된 양도소득 기본공제액}}{\text{양도소득 과세표준}} \times \text{감면율}$ ② 소득공제방식 적용방법 : 양도소득금액 − 감면대상 양도소득금액 = 과세표준
지특법 (§163)	• 소득세법 제90조 제2항에 따른 소득공제방식으로 양도소득세를 감면하는 경우 이미 양도소득에 대한 개인지방소득세의 과세표준에 반영(지방소득세 과세표준 = 양도소득세 과세표준)되어 있으므로 지특법에서는 ① 세액감면방식만을 규정

| 「지방세특례제한법」상 개인지방소득세(양도소득) 공제 · 감면 및 특례제한 규정 |

구 분		관련조문
공제	종합소득 외국납부세액공제 등	§97 ③
감면	국제 금융거래에 따른 이자소득 등에 대한 개인지방소득세 면제	§108 ②
	중소기업 간의 통합에 대한 양도소득분 개인지방소득세의 이월과세 등	§119
	법인전환에 대한 양도소득분 개인지방소득세의 이월과세	§120
	사업전환 무역조정지원기업에 대한 세액감면	§121
	주주등의 자산양도에 관한 개인지방소득세 과세특례	§123
	영농조합법인의 조합원에 대한 개인지방소득세의 면제	§126
	영어조합법인의 조합원에 대한 개인지방소득세의 면제	§127
	농업인 등에 대한 양도소득분 개인지방소득세의 면제 등	§128
	자농지에 대한 양도소득분 개인지방소득세의 감면	§129
	축사용지에 대한 양도소득분 개인지방소득세의 감면	§130
	농지대토에 대한 양도소득분 개인지방소득세 감면	§131
	경영회생 지원을 위한 농지 매매 등에 대한 양도소득분 개인지방소득세 과세특례	§131의 2
	공익사업용 토지 등에 대한 양도소득분 개인지방소득세의 감면	§132
	개발제한구역 지정에 따른 매수대상 토지등에 대한 양도소득분 개인지방소득세의 감면	§133
	국가에 양도하는 산지에 대한 양도소득분 개인지방소득세의 감면	§136
	장기임대주택에 대한 양도소득분 개인지방소득세의 감면	§139
	신축임대주택에 대한 양도소득분 개인지방소득세의 면제	§140
	미분양주택에 대한 과세특례	§141
	지방 미분양주택 취득에 대한 양도소득분 개인지방소득세 등 과세특례	§142
	미분양주택의 취득자에 대한 양도소득분 개인지방소득세의 과세특례	§143
	비거주자의 주택취득에 대한 양도소득분 지방소득세의 과세특례	§144
	수도권 밖의 지역에 있는 미분양주택의 취득자에 대한 양도소득분 개인지방소득세의 과세특례	§145
	준공후 미분양주택 취득자에 대한 양도소득분 개인지방소득세의 과세특례	§146
	미분양주택의 취득자에 대한 양도소득분 개인지방소득세의 과세특례	§147
	신축주택 등 취득자에 대한 양도소득분 개인지방소득세의 과세특례	§148
특례제한	중복지원의 배제	§168
	양도소득분 개인지방소득세의 감면 배제 등	§170
	양도소득분 개인지방소득세 감면의 종합한도	§173

| 최근 개정법령 _ 2020.1.1. | 양도소득에 대한 개인지방소득세 신고기한 연장 및 신고간소화제도 도입(법 §103의 5 ①·④·⑤, 법 §103의 7 ①·④·⑨·⑩)

2020년부터 소득세는 세무서에 개인지방소득세는 지자체에 각각 신고하여야 한다. 그런데 양도소득은 부동산 등 양도시에만 발생하는 1회성 세금으로 전자신고율이 낮고 방문(우편)을 통한 서면 신고자가 다수이다. 납세자들이 세무서와 지자체를 모두 방문하거나 신고서를 각각 작성해야하는 불편이 우려되었다. 그에 따라 지자체에서 세액까지 기재한 납부서를 발송할 수 있도록 하여 납세자는 세액만 납부하면 신고로 간주할 수 있도록 납세편의제도를 마련하였다. 지자체는 국세청으로부터 방문(우편) 신고자료(서면자료)를 넘겨받아 지자체에서 개별납세자에게 납부서를 발송하고, 납세자는 그 납부서상 세액을 납부만 하면 신고로 인정한다. 신고안내 및 신고 간주제도의 도입으로 인해 양도소득분 개인지방소득세 신고기한을 국세보다 2개월 연장하였다.

| 최근 개정법령 _ 2020.1.1. | 증축의 취득원가를 환산취득가액으로 신고 시 가산세 부과(법 §103의 9)

신축 및 증축 건물의 양도차익 계산 시 건축주가 취득에 실제 소요한 금액을 취득가액으로 적용하는 것이 원칙이다. 그런데 직접 지출한 비용에 대한 소명이 어려운 경우, 매매사례가액, 감정가액, 환산취득가액을 취득가액으로 적용한다. 이 때 취득원가를 '환산취득가액'으로 적용하여 신고하는 경우 신축 건물에 대해 가산세(건물을 신축하여 취득 후 5년 이내 양도하는 경우 환산가액×0.5%)를 부과한다. 그런데 증축 건물에 대해서는 가산세 규정이 없어 증축에 대해서는 가산세를 부과할 수 있도록 개선하였다.

| 최근 개정법령 _ 2021.1.1. | 신탁 수익권 양도에 대한 지방소득세 과세(법 §103의 3, §103의 6)

신탁 수익권의 양도소득에 대해 소득세 뿐만 아니라 개인지방소득세 또한 부과될 수 있도록 과세근거를 마련하였다. 세율은 과세표준 3억원 이하는 2%, 3억원 초과는 2.5%로 하였다. 그리고 양도소득에 대해 2회 이상 예정신고하는 경우 산출세액 계산 시 「소득세법」 준용대상에 신탁수익권을 추가하였다.

| 최근 개정법령 _ 2021.1.1. | 국외전출자의 납부유예 신청시 납세담보 규정 신설(법 §103의 7)

납세담보를 지방자치단체의 장에게도 제공하는 규정을 신설하여 국외전출자에 대한 지방소득세 조세채권을 확보토록 하였다. 2021.1.1. 이후 거주자가 출국하는 경우부터 적용한다.

| 최근 개정법령 _ 2021.1.1. | 감정가액을 취득가액으로 적용 시 가산세 부과(법 §103의 9)

환산취득가액뿐만 아니라 감정가액을 취득가액으로 사용하여 양도소득분 개인지방소득세를 산정하는 경우에는 가산세를 부과할 수 있는 법적 근거를 마련하고, 감정가액 또는 환산취득가액을 취득가액으로 사용함으로써 개인지방소득세가 가산되는 대상을 증축의 경우 85㎡를 초과하는 경우로 한정하였다. 2021.1.1. 이후 납세의무가 성립하는 분부터 적용한다. 단, 그 전에 매매계약을 체결하고 계약금을 지급받은 사실이 증명서류에 의해 확인되는 경우에는 종전 규정을 적용한다.

신고 · 납부

「소득세법」에 따라 양도소득 과세표준 예정신고를 하는 경우 해당 신고기한까지 납세지 관할 지방자치단체에 신고 및 납부하여야 한다(지법 §103의 5 ①).

|「소득세법」상 예정신고 · 납부 기한(소법 §105 및 §118의 8)|

구 분	신고납부기한	비 고
토지 또는 건물, 부동산에 관한 권리, 기타자산	양도일이 속하는 달의 말일부터 2월 부담부증여의 채무액에 해당하는 부분으로서 양도로 보는 경우에는 그 양도일이 속하는 달의 말일부터 3개월	
토지거래허가구역 안의 토지	토지거래허가일이 속하는 달의 말일부터 2월	
주식(특정주식A, B) 제외	양도한 날이 속하는 반기의 말일부터 2월	국외자산 중 주식 등에 대해 예정신고·납부 규정 폐지(2012.1.1. 양도분부터)

납부할 세액은 아래와 같고, 기납부세액은 기신고세액, 결정 · 경정된 세액, 수시부과세액을 의미한다. 2020.1.1.부터 지방자치단체에 신고하고 납부해야 한다.

$$\text{납부할 세액} = \underbrace{\text{과세표준} \times \text{세율}}_{\text{산출세액}} - \text{세액공제} \cdot \text{감면} + \text{가산세} - \text{기납부세액}$$

동일 과세기간에 누진세율 적용대상 자산을 2회 이상 양도한 경우에는 다음 계산식에 따라 계산한다(지법 §103의 6 ②).

산출세액 =
〔(이미 신고한 과세표준 + 2회 이후 신고하는 과세표준) × 세율〕 − 이미 신고한 예정신고 산출세액

| 최근 개정법령 _ 2016.1.1. | 비사업용 토지 양도소득세에 대한 중과세 방식 명확화(법 제103조의 6)
소득세법 개정사항을 반영한 것으로 중과세율 적용 시 세율을 명확히 하였다.

| 비사업용 토지 등 양도에 대한 중과세율 적용체계 |

과세표준	현 행		개 정	비 고
	표준세율 + 중과세율			
~1,200만원	0.6%	+1%	1.6%	비사업용 토지 등 양도 시 적용되는 중과세율 명확화
1,200~4,600만원	1.5%		2.5%	
4,600~8,800만원	2.4%		3.4%	
8,800~15,000만원	3.5%		4.5%	
15,000만원~	3.8%		4.8%	

확정신고 및 납부

「소득세법」에 따라 양도소득 과세표준 확정신고를 하는 경우 해당 신고기한까지 납세지 관할 지방자치단체에 신고 및 납부하여야 한다(지법 §103의 7 ① 참조).

| 「소득세법」상 확정신고 · 납부 기한(소법 §110) |

구 분	신고납부기한
일반적인 경우	양도일이 속하는 연도의 다음연도의 5.1~5.31.
토지거래허가구역 안의 토지 양도	토지거래허가일이 속하는 연도의 다음연도의 5.1~5.31.
법인의 부당행위 계산 부인에 따라 소득처분으로 소득금액변동통지를 받은 경우	소득금액변동통지서를 받은 날이 속하는 달의 다음다음 달 말일까지 추가신고 납부

납부할세액 = 산출세액(과세표준 × 세율) − 세액공제 · 감면 + 가산세 − 기납부세액*

* 기납부세액 = 기신고세액, 결정 · 경정된 세액, 수시부과세액

예정신고를 한 자는 확정신고 의무가 없으나, 동일 과세기간에 2회 이상 양도한 경우로서 세부담이 달라지는 경우에는 예정신고를 하였더라도 확정신고를 하여야 한다(지법 §103의 7 ③).

| 확정신고를 반드시 하여야 하는 경우(지령 §100의 3 ② 참조) |

구 분	내 용
예정신고 합산의무자 (지령 §100의 3 ② 1호)	당해연도에 누진세율의 적용대상 자산에 대한 예정신고를 2회 이상 한 자가 지방세법 제103조의 6 제2항에 따라 합산하여 신고하지 아니한 경우

구 분	내 용
양도소득 기본공제 순서가 변동되는 자 (지령 §100의 3 ② 2, 3호)	당해연도에 2회 이상 양도한 경우로서 소득세법 제103조 제2항에 따른 기본공제*순서**가 변동되어 당초 신고한 산출세액이 달라지는 경우 * 부동산, 부동산에 관한 권리, 기타자산 / 주식등 각각 연250만원 ** i) 감면외 소득금액 → ii) 감면외 소득금액 중 먼저 양도한 소득금액

양도소득세분 개인지방소득세 가산세 적용

양도소득세는 예정신고 제도를 두고 있으며, 신고납부 방식이 종합소득세와 상이하므로 가산세 적용방식에도 차이가 있다. 예정 무신소 가산세는 양도 건별로 각각 가산세 부과하고, 확정 무신고가산세는 소득금액 합산으로 산출세액이 증가되는 경우에 부과한다. 확정 무신고가산세는 “소득금액합산분납부세액”에서 “예정무신고분납부세액합계”을 뺀 가액에서 20%를 곱하여 산출한다.

다음과 같이 예정신고 및 확정신고 모두 무신고한 경우를 예로 들어본다.

① 자산 1건을 양도한 경우에는 예정 무신고 가산세만 부과한다. 예정 신고를 한 자는 원칙적으로 확정신고 의무가 부여되지 않으므로 과세물건이 1건인 경우 예정무신고 가산세만 부과된다.

② 확정신고 여부에 따라 납부불성실가산세 차이가 발생한다. 누진세율 적용 대상자산 2건 이상 양도한 경우에는 반드시 확정신고를 해야 하는데, 이 경우 예정 무신고 건별로 각각 예정무신고가산세를 부과한 후 소득금액 합산으로 산출세액이 증가되는 경우 증가된 산출세액에 대해 확정무신고가산세를 부과한다.

③ 예정신고를 하였으나 확정(소득금액 합산)신고를 이행하지 않은 경우로 무신고한 경우에는 누진세율 적용 대상자산의 소득금액 합산으로 납부세액이 증가되는 경우 증가된 납부세액에 확정 무신고가산세를 부과한다.

④ 예정신고는 무신고하였으나 확정신고를 한 경우 예정 무신고 건별로 각각 예정무신고가산세를 부과한다(확정신고시 예정무신고가산세 신고 여부를 반드시 확인할 필요).

⑤ 단일세율 적용대상 자산의 양도후 예정신고를 무신고한 경우 확정신고 여부와 관계없이 예정무신고가산세만 부과한다. 단일세율 적용대상 자산은 위의 자산 1건을 양도한 경우와 동일한 취지이다.

| 가산세 계산 사례 |

(단위 : 천원)

구 분	예정신고 무신고		확정신고 무신고
	아파트(5월양도)	단독주택(9월양도)	
① 양도소득금액	80,000	62,000	142,000
② 기본공제	2,500	–	2,500
③ 과세표준	77,500	62,000	139,500
④ 세율	2.4%	2.4%	3.5%
⑤ 산출세액(납부세액)	1,338	966	3,392
⑥ 신고불성실가산세	267[1)]	193[2)]	678[3)]
⑦ 기신고·결정세액	–	–	2,764
⑧ 납부할 세액	1,605	1,159	1,306

1) 267 = 산출세액(1,338) × 20%　　2) 193 = 산출세액 × 20%
3) 678 = 예정신고 무신고가산세(267+193) + 확정신고 무신고가산세(217*)
*217 = (3,392 – 1,338 – 966) × 20%

수정신고(지법 §103의 9)

개인지방소득세 과세표준 신고를 한 거주자가 「소득세법」에 따른 신고내용을 수정신고하는 경우에는 수정신고를 하여야 한다(지법 §96 ①). 2019.12.31.까지 종전과 같이 세무서장에게 신고(지법 부칙 §13 ①)하고, 관할 지방자치단체에 납부한다. 신고납부한 개인지방소득세의 납세지 오류가 있는 경우 부과고지를 받기 전까지 「지방세기본법」에 따른 수정신고 또는 경정등의 청구가 가능하다(지법 §96 ②). 납세지 오류에 따른 추가납부세액 또는 환급세액의 경우 가산세 및 환급가산금을 지급하지 않는다(지법 §96 ③, ④).

결정과 경정(지법 §103의 9)

납세지 관할 지방자치단체의 장은 거주자가 과세표준 신고를 하지 아니하거나 신고 내용에 오류 또는 누락이 있는 경우 해당 과세기간의 과세표준과 세액을 결정 또는 경정한다(지법 §97 참조). 2019.12.31.까지는 종전과 같이 세무서장이 결정·경정한다(지법 부칙 §13 ② 참조).

세무서장이 거주자가 당초 지방소득세로 신고한 과세표준과 세액을 경정하여 고지하는 경우 당초 신고된 과세표준 및 세액은 제외하고 추가되는 과세표준 및 세액에 한하여 경정한다. 한편, 당초 신고한 세액을 납부만 하지 않은 경우에 대하여는 지방세법 '징수' 규정(지법 §100)에 따라 징수한다.

수시부과결정(지법 §103의 9)

납세지 관할 지방자치단체의 장은 과세기간 중 거주자에게 수시부과 사유가 있는 경우 개인지방소득세 부과가 가능하다(지법 §98 ① 참조). 수시부과사유로는 장기간 휴업(폐업)상태에 있는 때로서 개인지방소득세를 포탈할 우려가 있는 경우 및 그 밖에 조세를 포탈할 우려가 있다고 인정되는 상당한 이유가 있는 경우를 의미한다. 그리고, 수시부과세액에 대해서는 아직 과세기간이 종료되기 전이므로 무신고 및 과소신고 가산세를 적용하지 아니한다(지법 §98 ③ 참조). 다만, 2019.12.31.까지는 종전과 같이 세무서장이 수시부과한다(지법 부칙 §13 ②).

징수와 환급(지법 §103의 9)

납세지 관할 지방자치단체의 장은 거주자가 신고한 세액의 전부 또는 일부를 납부하지 아니한 경우 개인지방소득세를 징수한다(지법 §100 ①). 납세지 관할 지방자치단체의 장은 수시부과한 세액이 향후 개인지방소득세 총결정세액을 초과하는 경우 환급 또는 충당(지법 §100 ②)한다.

제4절 비거주자의 소득에 대한 지방소득세

제103조의 10~제103조의 12(비거주자에 대한 과세방법 등)

법 제103조의 10(비거주자에 대한 과세방법) ① 비거주자에 대하여 과세하는 개인지방소득세는 해당 국내원천소득을 종합하여 과세하는 경우와 분류하여 과세하는 경우 및 그 국내원천소득을 분리하여 과세하는 경우로 구분하여 계산한다.

② 비거주자의 국내사업장 및 국내원천소득의 종류에 따른 구체적인 과세방법은 「소득세법」 제120조, 제121조 제2항부터 제6항까지의 규정에서 정하는 바에 따른다.

[본조신설 2014.1.1.]

제103조의 11(비거주자에 대한 종합과세) ① 「소득세법」 제121조 제2항 또는 제5항에서 규정하는 비거주자의 국내원천소득에 대한 개인지방소득세의 과세표준과 세액의 계산에 관하여는 이 법 중 거주자에 대한 개인지방소득세의 과세표준과 세액의 계산에 관한 규정을 준용한다. 다만, 과세표준을 계산할 때 「소득세법」 제51조 제3항에 따른 인적공제 중 비거주자 본인 외의 자에 대한 공제와 같은 법 제52조에 따른 특별소득공제, 「지방세특례제한법」 제97조의 2에 따른 자녀세액공제 및 같은 법 제97조의 4에 따른 특별세액공제는 하지 아니한다. 〈개정 2016.12.27.〉

② 제1항에 따라 개인지방소득세의 과세표준과 세액을 계산하는 비거주자의 신고와 납부에 관하여는 이 법 중 거주자의 신고와 납부에 관한 규정을 준용한다. 다만, 제1항에 따른 과세표준에 제103조의 18에 따라 특별징수된 소득의 금액이 포함되어 있는 경우에는 그 특별징수세액은 제95조 제3항 제4호에 따라 공제되는 세액으로 본다.

③ 비거주자의 국내원천소득을 종합하여 과세하는 경우에 이에 관한 결정 및 경정과 징수 및 환급에 관하여는 이 법 중 거주자에 대한 개인지방소득세의 결정 및 경정과 징수 및 환급에 관한 규정을 준용한다. 다만, 제1항에 따른 과세표준에 제103조의 18에 따라 특별징수된 소득의 금액이 포함되어 있는 경우에는 그 특별징수세액은 제95조 제3항 제4호에 따라 공제되는 세액으로 본다.

④ 비거주자에 대한 종합과세와 관련하여 이 법에서 특별한 규정이 있는 경우를 제외하고는 「소득세법」에 따른 비거주자에 대한 종합과세에 관한 규정을 준용한다.

[본조신설 2014.1.1.]

제103조의 12(비거주자에 대한 분리과세) ① 「소득세법」 제121조 제3항 및 제4항에서 규정하는 비거주자의 국내원천소득(「소득세법」 제119조 제7호 및 제8호의 2는 제외한다)에 대한 개인지방소득세의 과세표준은 「소득세법」 제126조 제1항에서 정하는 바에 따른다.
② 제1항에 따른 국내원천소득에 대한 세액은 제103조의 18에 따라 계산한 금액으로 한다.
③ 「소득세법」 제121조 제3항 및 제4항에서 규정하는 비거주자의 국내원천소득 중 「소득세법」 제119조 제7호 및 제8호의 2에 따른 국내원천소득의 과세표준과 세액의 계산, 신고와 납부, 결정·경정 및 징수와 환급에 대해서는 이 법 중 거주자에 대한 개인지방소득세의 과세표준과 세액의 계산 등에 관한 규정을 준용한다. 다만, 「소득세법」 제51조 제3항에 따른 인적공제 중 비거주자 본인 외의 자에 대한 공제와 같은 법 제52조에 따른 특별소득공제, 「지방세특례제한법」 제97조의 2에 따른 자녀세액공제 및 같은 법 제97조의 4에 따른 특별세액공제는 하지 아니한다. 〈개정 2016.12.27.〉
④ 비거주자가 「소득세법」 제126조의 2에 따라 유가증권 양도소득에 대한 소득세를 신고·납부하는 경우에는 그 납부하는 소득세의 10분의 1에 해당하는 금액을 같은 조에서 규정하는 신고·납부기한까지 납세지 관할 지방자치단체에 지방소득세로 신고·납부하여야 한다. 이 경우 지방소득세의 신고·납부 등에 관하여 필요한 사항은 대통령령으로 정한다.
⑤ 제4항에 따라 비거주자가 유가증권 양도소득에 대한 개인지방소득세의 세액을 신고하는 경우에 납세지 관할 지방자치단체의 장 외의 지방자치단체의 장에게 신고한 경우에도 그 신고의 효력에는 영향이 없다.
⑥ 비거주자에 대한 분리과세와 관련하여 이 법에서 특별한 규정이 있는 경우를 제외하고는 「소득세법」에 따른 비거주자에 대한 분리과세에 관한 규정을 준용한다. [본조신설 2014.1.1.]

영 제100조의 4(비거주자의 유가증권양도소득에 대한 개인지방소득세 신고·납부의 특례) ① 법 제103조의 12 제4항에 따라 지방소득세를 신고·납부하려는 비거주자가 「소득세법」 제126조의 2 제1항 또는 제2항에 해당되는 때에는 해당 유가증권을 발행한 내국법인의 소재지 관할 지방자치단체의 장에게 행정안전부령으로 정하는 비거주자유가증권양도소득정산신고서를 제출하여야 한다. 〈개정 2015.7.24.〉
② 법 제103조의 12 제4항에 따라 지방소득세를 신고·납부하려는 비거주자가 「소득세법」 제126조의 2 제3항 본문에 해당되는 때에는 해당 유가증권을 발행한 내국법인의 소재지 관할 지방자치단체의 장에게 행정안전부령으로 정하는 비거주자유가증권양도소득신고서를 제출하여야 한다. 〈개정 2015.7.24.〉 [본조신설 2014.3.14.]

비거주자에 대한 개인지방소득세 과세방법을 국내원천소득에 대하여 종합과세, 분류과세, 분리과세의 방법으로 구분하여 계산한다.

| 최근 개정법령 _ 2015.7.24. | 비거주자 유가증권양도소득신고서 제출 구분 명확화(영 제100조의 4)

당초 비거주자의 유가증권양도소득에 대한 개인지방소득세는 신고·납부하는 소득세액의 10%를 신고·납부하도록 규정하고 있으며(법 제103조의 12 제4항), 소득세와 동일하게 일반적인 신고·납부와 정산 신고납부하는 경우에 따라 각각 구분하여 신고서를 제출토록 하고 있으나 각각의 신고서를 작성하는 사유를 명확히 규정하고 있지 않아, 납세의무자가 신고서 작성시 혼란을 일으킬 우려가 있었다. 그에 따라 지방소득세 신고·납부 별 제출 대상 신고서를 소득세 신고서 제출에 따라 제출하도록 구분하여 명시하였다.

| 비거주자 유가증권 양도소득에 관한 특례 |

구 분	유가증권 양도소득 정산신고	유가증권 양도소득 신고
요건	국내사업장이 없는 비거주자가 과세기간에 2회 이상 양도하여 조세조약상 과세기준 충족	국내사업장이 없는 비거주자가 국내사업장이 없는 비거주자 또는 외국법인에 양도
신고납부기한	양도일이 속하는 사업연도의 종료일부터 3개월 이내	소득을 지급받은 날이 속하는 달의 다음다음달 10일까지

| 최근 개정법령 _ 2017.1.1. | 비거주자에 대한 종합소득 과세특례 보완(법 제103조의 11, 제103조의 12)
비거주자의 국내원천소득에 대한 과세표준과 소득세 계산이 개인지방소득세 과세표준과 세액계산시 과세특례(공제) 적용 범위 상이한 바, 국세와 동일한 과세체계가 되도록 개정하였다.

비거주자의 개인지방소득세 개요

1. 비거주자 판정

국내에 주소를 두거나 183일 이상의 거소를 둔 개인은 거주자라 하고, 거주자가 아닌 개인을 비거주자라 한다. 주소는 국내에서 생계를 같이 하는 가족 및 국내에 소재하는 자산의 유무 등 생활관계의 객관적 사실에 따라 판정하고, 거소는 주소지 외의 장소 중 상당기간에 걸쳐 거주하는 장소로서 주소와 같이 밀접한 일반적 생활관계가 형성되지 아니하는 장소를 말한다.

| 거주자와 비거주자 과세소득의 범위 비교 |

구 분	과세소득
거주자	• 소득세법에서 규정하는 모든 소득 ⇨ 해당 과세기간 종료일 10년 전부터 국내에 주소나 거소를 둔 기간의 합계가 5년 이하인 외국인 거주자에게는 과세대상 소득 중 국외에서 발생한 소득의 경우 국내에서 지급되거나, 국내로 송금된 소득에 대해서만 과세
비거주자	• 소득세법 제119조에 따른 국내원천소득

국내에 거주하는 개인이 국내에 주소를 가진 것으로 보는 경우로, 계속하여 183일 이상 국내에 거주할 것을 통상 필요로 하는 직업을 가진 때, 국내에 생계를 같이하는 가족이 있고, 그 직업 및 자산상태에 비추어 계속하여 183일 이상 국내에 거주할 것으로 인정되는 때를 한정하고 있다. 한편 국외에 거주 또는 근무하는 자가 국내에 주소가 없는 것으로 보는 경우로, 계속하여 183일 이상 국외에 거주할 것을 통상 필요로 하는 직업을 가진 때, 외국국적을 가졌거나 외국법령에 의하여 그 외국의 영주권을 얻은 자로서 국내에 생계를 같이하는 가족이 없고 그 직업 및 자산상태에 비추어 다시 입국하여 주로 국내에 거주하리라고 인정되지 아니하는 때를 들 수 있다.

외국을 항행하는 선박 또는 항공기의 승무원의 경우 그 승무원과 생계를 같이하는 가족이 거주하는 장소 또는 그 승무원이 근무기간 외의 기간 중 통상 체재하는 장소가 국내에 있는 때에는 당해 승무원의 주소는 국내에 있는 것으로 보고, 그 장소가 국외에 있는 때에는 당해 승무원의 주소가 국외에 있는 것으로 본다.

거주기간의 계산과 관련하여, 국내에 거소를 둔 기간은 입국하는 날의 다음 날부터 출국하는 날까지로 한다. 국내에 거소를 두고 있던 개인이 출국 후 다시 입국한 경우에 생계를 같이하는 가족의 거주지나 자산소재지 등에 비추어 그 출국목적이 명백하게 일시적인 것으로 인정되는 때에는 그 출국한 기간도 국내에 거소를 둔 기간으로 보고, 국내에 거소를 둔 기간이 2과세기간에 걸쳐 183일 이상인 경우에는 국내에 183일 이상 거소를 둔 것으로 본다.

그 밖에 거주자 판정의 특례로써, 국외에서 근무하는 공무원, 거주자나 내국법인의 국외 사업장 또는 해외현지법인(내국법인이 발행주식총수 또는 출자지분의 100분의 100을 출자한 경우에 한정) 등에 파견된 임원 또는 직원은 거주자로 본다.

2. 과세대상 소득 및 과세방법

국내세법은 비거주자 등의 과세대상소득인 국내원천소득에 대하여 소득의 종류를 열거하고 있다. 열거하지 아니한 소득은 국내에서 발생하더라도 우리나라에서 과세되지 아니한다(조세조약상 국내원천소득으로 규정되어 있더라도 당해 소득에 대해 과세 불가능). 다만, 소득세법 제119조 제5호 및 법인세법 제93조 제5호에서 규정하는 사업소득의 범위에 조세조약에 따라 국내원천사업소득으로 과세할 수 있는 소득을 포함하고 있다. 국내세법이 비거주자의 국내원천소득을 소득종류별로 구분・열거하는 이유는 세율이나 과세방법 등에서 그 취급을 달리하기 때문이다.

| 비거주자 과세체계 |

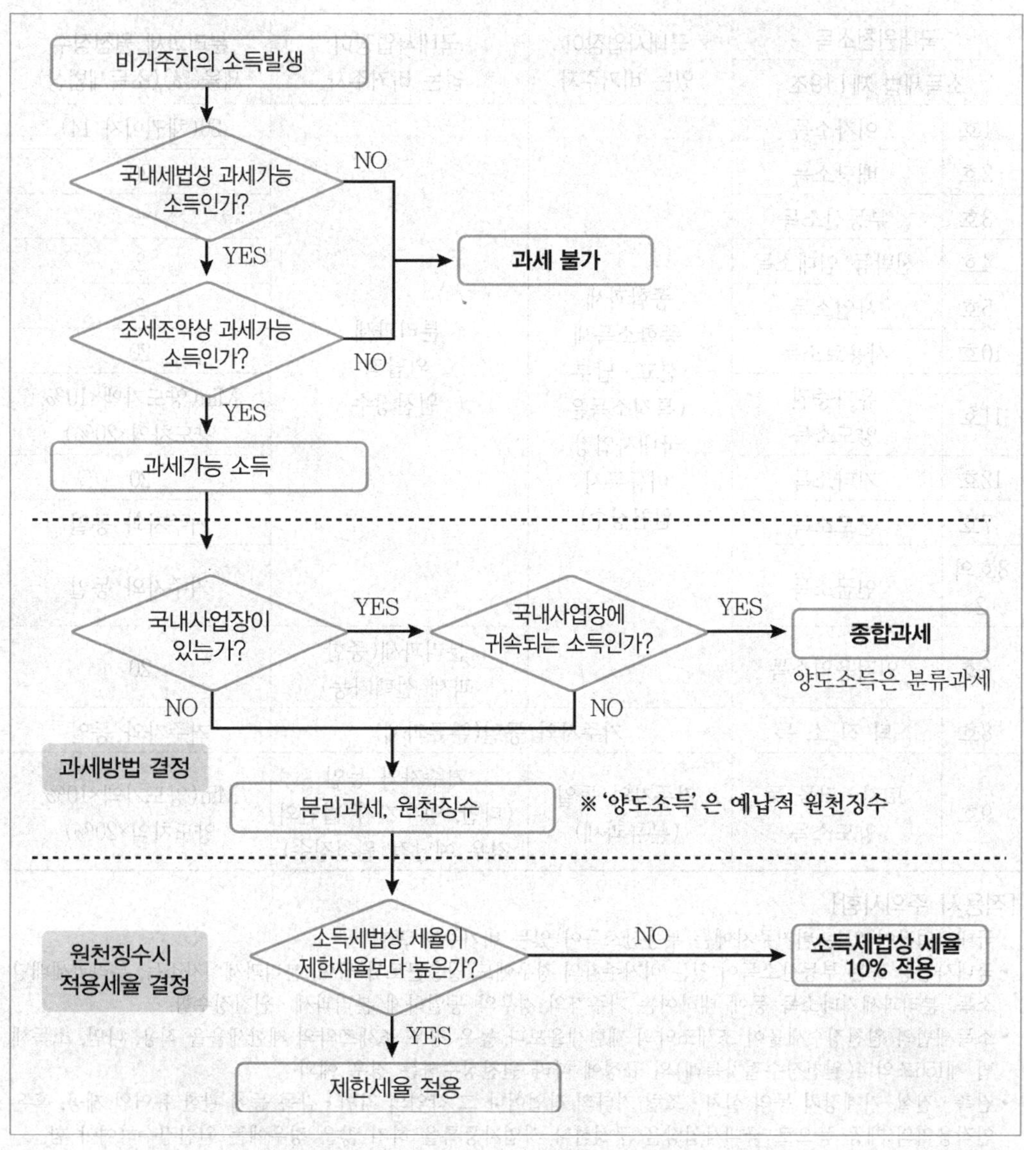
비거주자의 소득발생
국내세법상 과세가능 소득인가?
NO
YES
과세 불가
조세조약상 과세가능 소득인가?
NO
YES
과세가능 소득
국내사업장이 있는가?
YES
국내사업장에 귀속되는 소득인가?
YES
종합과세
양도소득은 분류과세
NO
NO
과세방법 결정
분리과세, 원천징수
※ '양도소득'은 예납적 원천징수
원천징수시 적용세율 결정
소득세법상 세율이 제한세율보다 높은가?
NO
소득세법상 세율 10% 적용
YES
제한세율 적용

외국법인의 국내원천소득 과세방법

국내원천소득 소득세법 제119조		국내사업장이 있는 비거주자	국내사업장이 없는 비거주자	분리과세 원천징수 세율(%)(소득세법상)
1호	이자소득	종합과세, 종합소득세 신고·납부 (특정소득은 국내사업장 미등록시 원천징수)	분리과세, 완납적 원천징수	20(채권이자:14)
2호	배당소득			20
3호	부동산소득			–
4호	선박등 임대소득			2
5호	사업소득			2
10호	사용료소득			20
11호	유가증권 양도소득			Min(양도가액×10%, 양도차익×20%)
12호	기타소득			20
7호	근로소득			거주자와 동일
8호의 2	연금소득			거주자와 동일
6호	인적용역소득		분리과세(종합 과세 선택가능)	20
8호	퇴 직 소 득	거주자와 동일(분류과세)		거주자와 동일
9호	토지·건물 등 양도소득	거주자와 동일 (분류과세)	거주자와 동일 (다만, 양수자가 법인의 경우 예납적 원천징수)	Min(양도가액×10%, 양도차익×20%)

[적용시 주의사항]

- 국내사업장이 있는 비거주자에는 부동산소득이 있는 비거주자 포함
- 국내사업장 또는 부동산소득이 있는 비거주자의 경우에도 일용근로자 급여, 분리과세이자소득, 분리과세배당소득, 분리과세기타소득 등에 대하여는 거주자의 경우와 동일하게 분리과세·원천징수함.
- 소득세법의 원천징수세율이 조세조약의 제한세율보다 높은 경우 조세조약의 제한세율을 적용. 다만, 소득세법 제156조의 4(원천징수절차특례)의 규정에 따라 원천징수하는 경우 예외
- 건축·건설, 기계장치 등의 설치·조립 기타의 작업이나 그 작업의 지휘·감독 등에 관한 용역의 제공, 혹은 인적용역의 제공 등으로 국내사업장을 구성하나 사업자등록을 하지 않은 경우에는 원천징수하여야 함.
- 유가증권 양도소득은 그 지급액의 100분의 10. 다만, 양도한 자산의 취득가액 및 양도비용이 확인되는 경우에는 그 지급액의 100분의 10에 상당하는 금액과 그 자산의 양도차익의 100분의 20에 상당하는 금액 중 적은 금액으로 함.
- 양도소득은 양수자가 양도가액의 10% 또는 양도차익의 20% 중 적은 금액을 예납적으로 원천징수·납부한 후에, 양도자는 별도의 절차에 의하여 양도소득을 신고납부하는 것임. 다만, 개인 양수자의 경우 원천징수의무 면제(2007.1.1. 이후 최초 양도분부터)
- 인적용역소득이 있는 비거주자는 본인이 선택하는 때에는 종합소득으로 신고가능(소법 §121 ⑤)

|「지방세법」 상 비거주자에 대한 과세방법 |

과세구분	분류과세	과세대상	과세방법
종합소득	종합 과세	비거주자에게 국내사업장이 있거나 부동산소득이 있는 경우	① 과세표준과 세액계산은 거주자의 개인지방소득세 과세방법 준용 ② 종합소득공제와 관련 비거주자 본인 외의 자에 대한 공제와 특별공제를 부적용
	분리 과세	비거주자에게 국내사업장이 없고 부동산소득도 없는 경우	비거주자에게 소득을 지급하는 자가 원천징수로 납세의무 종결됨.
퇴직소득	비거주자의 퇴직소득		거주자와 동일한 방법 과세
양도소득	비거주자의 양도소득		① 거주자와 동일한 방법 과세 ② 1세대 1주택 비과세와 1세대 1주택에 대한 장기보유특별공제 적용배제

3. 원천(특별)징수의무자

원천징수의무자는 비거주자 등에게 원천징수대상 국내원천소득을 지급하는 자 또는 세법에서 원천징수의무자로 지정된 자이다. 이 경우 원천징수의무자가 국내에 주소, 거소, 본점, 주사무소, 사업의 실질적 관리장소 또는 국내사업장이 없는 경우에는 「국세기본법」 제82조의 규정에 의한 납세관리인을 정하여 관할 세무서장에게 신고하여야 한다.

비거주자 · 외국법인의 부동산 등의 양도소득에 대한 원천징수의무자는 비거주자(외국법인)가 국내 부동산 등을 양도하는 경우 양수자가 양도소득세 원천징수하여 납부한다. 비거주자(양도자)는 거주자와 동일하게 양도소득세 예정(확정)[법인세]신고하고 원천징수된 세액은 기납부세액으로 공제한다. (※ 부동산 양도소득에 대한 원천징수의무는 2004.1.1. 이후 양도 분부터 적용)

2007.1.1. 이후 양도소득금액을 지급하는 자가 개인(거주자 및 비거주자)인 경우 원천징수의무가 폐지되었다. 법인(내국법인 및 외국법인)이 비거주자 또는 외국법인으로부터 국내 부동산 등을 양수하고 그 대가를 지급하는 경우에는 원천징수하여야 하며, 국내 부동산 등을 양도하는 비거주자 또는 외국법인은 양도소득세(법인세)를 신고하여야 한다.

| 유가증권 양도소득에 대한 원천징수의무자 |

구 분	원천징수의무자
자본시장과 금융투자업에 관한 법률에 따른 투자매매업자 또는 투자중개업자를 통하지 아니하고 양수자에게 직접 양도하는 경우	주식양도소득금액을 지급하는 자. 즉 주식을 양수한 거주자, 비거주자, 내국법인 또는 외국법인
자본시장과 금융투자업에 관한 법률에 따른 투자매매업자 또는 투자중개업자를 통하여 양도하는 경우	해당 투자매매업자 또는 투자중개업자. 다만, 자본시장과 금융투자업에 관한 법률에 따라 주식을 상장하는 경우로서 이미 발행된 주식을 양도하는 경우에는 그 주식을 발행한 법인

비거주자의 양도소득에 대한 개인지방소득세

1. 비거주자 양도소득에 대한 개인지방소득 구분

비거주자의 개인지방소득 구분은 「소득세법」을 준용한다(지법 §87 ②).

| 과세대상 자산 비교(거주자 vs 비거주자) |

<table>
<tr><th>구 분</th><th>거주자
(소법 §94 ①)</th><th>비거주자
(소법 §119 9호・11호)</th><th>구 분</th></tr>
<tr><td>부동산
(소법 §94 ①</td><td>① 토지
② 건물</td><td>① 좌동
② 좌동</td><td rowspan="5">양도소득
(소법 §119 9호)</td></tr>
<tr><td>부동산에 관한 권리
(소법 §94 ①</td><td>③ 부동산을 취득할 수 있는 권리 (가목)
④ 지상권 (나목)
⑤ 전세권 (다목)
⑥ 등기된 부동산임차권 (다목)</td><td>③ 좌동
④ 좌동
⑤ 좌동
⑥ 좌동</td></tr>
<tr><td rowspan="2">기타자산
(소법 §94 ①</td><td>⑦ 사업용고정자산과 함께 양도하는 영업권 (가목)
⑧ 특정시설물 이용권 (나목)</td><td>⑦ 좌동
⑧ 좌동</td></tr>
<tr><td>⑨ 특정주식A (다목, 소령 §158 ① 1호)
⑩ 특정주식B (다목, 소령 §158 ① 5호)</td><td>⑨ 부동산주식등</td></tr>
<tr><td>주식 등
(소법 §94 ①</td><td>⑪ 상장법인의 대주주가 양도하는 주식등(가목)
⑫ 증권시장 외에서 양도하는 상장법인 주식등(가목)
⑬ 상장법인이 아닌 법인의 주식등 (나목)</td><td rowspan="2">⑩ 주식등
- 내국법인이 발행한 주식등
- 외국법인이 발행한 주식등 (증권시장에 상장된 것만 해당)
⑪ 기타 유가증권
- 국내사업장이 있는 비거주자가 양도
- 국내사업장이 없는 비거주자가 내국법인, 거주자 또는 비거주자・외국법인의 국내사업장에 양도</td></tr>
<tr><td colspan="2">※거주자의 기타 유가증권(채권등) 양도소득은 비과세</td><td>유가증권 양도소득
(소법 §119 11호)</td></tr>
</table>

2. 비거주자의 양도소득에 대한 과세방법

비거주자에 대하여 과세하는 개인지방소득세는 국내원천소득을 종합・분류・분리하여 과세하는 경우로 구분하여 계산한다(지법 §103의 10 참조). 그리고, 국내사업장 존재 및 귀속(관련) 여부에 따라 원천징수 여부가 달라지며, 원천징수하는 경우 그 세액의 10%를 특별징수하여야 한다.

원천징수하는 '유가증권 양도소득(소법 §119 9호)'은 원천징수로 납세절차가 종결된다(완납적 원천징수). 그 밖에 '양도소득(소법 §119 11호)'은 원천징수 여부와 상관없이 신고납부하여야 한다(예납적 원천징수).

| 비거주자의 개인지방소득세(양도소득) 과세 흐름 |

구분(순서)	내 용
① 과세대상 결정	국내원천소득이면서 조세조약상 과세가능한 경우 과세가능
② 과세방법 결정(※)	국내사업장이 없거나 국내사업장이 있더라도 관련없는 경우 분리과세 * 단, 양도소득(소법 §119 9호)의 경우에는 양수자가 법인인 경우에만 원천징수
③ 원천징수세율 결정	• 국내세법상의 세율(소법 §156) > 제한세율 : 제한세율 적용 • 국내세법상의 세율(소법 §156) < 제한세율 : 국내세법 세율 적용
④ 원천징수	원천징수세율(③)을 적용하여 소득세를 원천징수
⑤ 특별징수	원천징수하는 소득세(④)의 10%를 특별징수
⑥ 신고납부	• 양도소득(소법 §119 9호) : 신고납부(특별징수세액은 기납부세액으로 차감) • 유가증권 양도소득(소법 §119 11호) : 특별징수(⑤)로 과세종결

국내사업장이 있고 양도소득이 국내사업장과 관련이 있는 경우 원천징수하지 않고, 거주자와 같은 방식으로 종합과세(유가증권 양도소득을 타소득과 합산) 또는 분류과세(양도소득)한다. 한편, '양도소득(소법 §119 9호)'과 '유가증권양도소득(소법 §119 11호)'이 발생하는 비거주자의 경우 국내사업장이 없거나 국내사업장이 있더라도 이를 사업목적으로 하지 아니하므로 실질적으로는 소득발생시 거의 대부분의 경우에 원천징수된다.

| 비거주자의 소득에 대한 과세방법(지법 §103의 10~12) |

국내원천소득 (소법 §119)		국내사업장이 있는 비거주자	국내사업장이 없는 비거주자	원천징수세율(%) (소법 §156)
1호	이자소득	종합과세 종합소득세 신고・납부	분리과세 완납적 원천징수	20(채권이자 : 14%)
2호	배당소득			20
3호	부동산소득			-
4호	선박등 임대소득			2
5호	사업소득			2

국내원천소득 (소법 §119)		국내사업장이 있는 비거주자	국내사업장이 없는 비거주자	원천징수세율(%) (소법 §156)
10호	사용료소득			20
11호	유가증권 양도소득			Min(양도가액×10%, 양도차익×20%)
12호	기타소득			20
7호	근로소득			거주자와 동일
8호의 2	연금소득			거주자와 동일
6호	인적용역소득		분리과세 (확정신고 가능)	20
8호	퇴직소득	거주자와 동일(분류과세)		거주자와 동일
9호	양도소득	거주자와 동일 (분류과세)	거주자와 동일(분류과세) (다만, 양수자가 법인인 경우 예납적 원천징수)	Min(양도가액×10%, 양도차익×20%)

3. 비거주자의 유가증권 양도소득에 대한 신고 · 납부 등의 특례

국내사업장이 없는 비거주자가 「소득세법」에 따른 유가증권 양도소득 특례를 적용받는 경우 관할 지방자치단체에도 신고 · 납부하여야 한다(지법 §103의 12 ④). 다만, 2016.12.31.까지는 종전과 같이 세무서장에게 신고(지법 부칙 §13 ①)하고, 관할 지방자치단체에 납부하여야 한다.

| 유가증권 양도소득에 관한 특례 |

구 분	조세조약상 과세기준 충족 (지령 §100의 4 ①)	비거주자 · 외국법인에 양도 (지령 §100의 4 ②)
대상자산	내국법인 주식 또는 출자지분	외국유가증권시장에 상장된 내국법인 주식 또는 출자지분, 외화증권 등 그 밖의 유가증권
요건	국내사업장이 없는 비거주자가 해당 법인의 과세기간에 2회 이상 양도하여 조세조약상 과세기준 충족	국내사업장이 없는 비거주자가 국내사업장이 없는 비거주자 또는 외국법인에 양도
납세지	당해 유가증권을 발행한 내국법인의 소재지를 관할하는 지방자치단체의 장	
신고납부기한	양도일이 속하는 사업연도의 종료일부터 3개월 이내	소득을 지급받은 날이 속하는 달의 다음 다음달 10일까지
신고서식	유가증권양도소득정산신고서	유가증권양도소득신고서

제5절 개인지방소득에 대한 특별징수

제103조의 13(특별징수의무자)

법 제103조의 13(특별징수의무) ① 「소득세법」 또는 「조세특례제한법」에 따른 원천징수의무자가 거주자로부터 소득세를 원천징수하는 경우에는 대통령령으로 정하는 바에 따라 원천징수하는 소득세(「조세특례제한법」 및 다른 법률에 따라 조세감면 또는 중과세 등의 조세특례가 적용되는 경우에는 이를 적용한 소득세)의 100분의 10에 해당하는 금액을 소득세 원천징수와 동시에 개인지방소득세로 특별징수하여야 한다. 이 경우 같은 법에 따른 원천징수의무자는 개인지방소득세의 특별징수의무자(이하 이 절에서 "특별징수의무자"라 한다)로 한다.

② 특별징수의무자가 제1항에 따라 개인지방소득세를 특별징수하였을 경우에는 그 징수일이 속하는 달의 다음 달 10일까지 납세지를 관할하는 지방자치단체에 납부하여야 한다. 다만, 「소득세법」 제128조 제2항에 따라 원천징수한 소득세를 반기(半期)별로 납부하는 경우에는 반기의 마지막 달의 다음 달 10일까지 반기의 마지막 달 말일 현재의 납세지 관할 지방자치단체에 납부할 수 있다.

③ 제1항에 따른 개인지방소득세의 특별징수의무자가 제89조 제3항 제3호부터 제5호까지의 규정에 따라 납부한 지방자치단체별 특별징수세액에 오류가 있음을 발견하였을 때에는 그 과부족분을 대통령령으로 정하는 바에 따라 해당 지방자치단체에 납부하여야 할 특별징수세액에서 가감하여야 한다. 이 경우 가감으로 인하여 추가로 납부하는 특별징수세액에 대하여는 「지방세기본법」 제56조에 따른 가산세를 부과하지 아니하며, 환급하는 세액에 대하여는 지방세환급가산금을 지급하지 아니한다.

④ 개인지방소득세의 특별징수에 관하여 이 법에 특별한 규정이 있는 경우를 제외하고는 「소득세법」에 따른 원천징수에 관한 규정을 준용한다. [본조신설 2014.1.1.]

영 제100조의 5(특별징수의무) ① 법 제103조의 13 제1항 후단에 따른 특별징수의무자(이하 이 절에서 "특별징수의무자"라 한다)는 법 제103조의 13 제2항에 따라 징수한 특별징수세액을 납부하는 경우에는 납부서에 계산서와 명세서를 첨부하여야 한다.

② 제1항에도 불구하고 개인지방소득세의 특별징수의무자가 징수한 특별징수세액을 납부할 때에는 근로소득, 이자소득, 「소득세법」 제20조의 3 제1항 제1호 및 제2호에 따른 연금소득과 「국민건강보험법」에 따른 국민건강보험공단이 지급하는 사업소득에 대해서는 그 명세서를 첨부하지 아니할 수 있다. 다만, 과세권자가 납세증명 발급 등 민원처리를 위하여 개인별 납세실적 파악이 필요하여 명세서 제출을 요구하는 경우에는 첨부하여야 한다.

③ 개인지방소득세의 특별징수의무자가 법 제103조의 13 제3항 전단에 따라 해당 지방자치단체별 특별징수세액에서 오류를 발견하였을 때에는 그 과부족분(過不足分)을 오류를 발견한 날의 다음 달 10일까지 관할 지방자치단체에 납부하여야 할 특별징수세액에서 가감하여야 한다. 이 경우 그 남는 부분이 관할 지방자치단체에 납부하여야 할 다음 달의 특별징수세액을 초과하는 경우에는 그 다음 달의 특별징수세액에서 조정할 수 있다. [본조신설 2014.3.14.]

규칙 제48조(특별징수세액의 납부 등) ① 영 제100조의 5 제1항에 따른 특별징수세액의 납부서는 별지 제42호 서식에 따르고, 같은 항에 따른 계산서와 명세서는 별지 제42호의 2 서식에 따른다.

② 법 제103조의 13 제1항 후단에 따른 특별징수의무자(이하 이 조 및 제48조의 2에서 "특별징수의무자"라 한다)는 같은 항에 따라 특별징수하여 납부한 지방소득세액 중 과오납된 세액이 있는 경우에는 그 특별징수의무자가 특별징수하여 납부할 지방소득세에서 조정하여 환급한다.

③ 제2항에 따라 조정·환급할 지방소득세가 그 달에 특별징수하여 납부할 지방소득세를 초과하는 경우에는 다음 달 이후에 특별징수하여 납부할 지방소득세에서 조정하여 환급한다. 다만, 다음 각 호의 어느 하나에 해당하는 경우에는 조정·환급하지 아니하고 해당 지방소득세가 과오납된 지방자치단체에서 환급한다.

1. 다음 달 이후에도 특별징수하여 납부할 지방소득세가 없는 경우
2. 납세자가 조정·환급을 원하지 아니하여 납세자가 특별징수의무자를 경유하여 지방자치단체의 장에게 환급을 신청하거나 해당 특별징수의무자가 지방자치단체의 장에게 환급을 신청하는 경우

[본조신설 2014.8.8.]

개인지방소득세의 특별징수의무자는 「소득세법」에 의한 원천징수의무자로서 원천징수할 소득세의 100분의 10에 상당하는 금액을 그 징수일이 속하는 다음 달 10일까지 관할 지방자치단체에 납부하도록 하고, 「소득세법」에 따라 반기별로 납부하는 경우에는 반기의 마지막 달의 다음 달 10일까지 납부할 수 있다.

개인소득에 대한 특별징수

1. 원천징수 개요

원천징수제도는 납세의무자가 자신의 세금을 직접 납부하지 않고 원천징수 대상 소득을 지급하는 자(원천징수의무자)가 이를 지급하는 때에 법에서 정한 세율에 따라 미리 징수하여 납부하는 제도이다.

1) 원천징수 대상 소득의 종류

귀속자		대상소득
개인	거주자	① 이자소득 ② 배당소득 ③ 사업소득(의료보건용역, 저술가·작곡가 등의 인적용역수입금액, 봉사료 수입금액) ④ 근로소득 ⑤ 연금소득 ⑥ 기타소득 ⑦ 퇴직소득
	비거주자	○ 국내원천소득 중 다음의 소득 ① 이자·배당·기타·사용료소득 ② 사업소득, 선박·항공기 등의 임대소득 ③ 인적용역소득, 근로소득, 퇴직소득, 연금소득 ④ 양도소득(예납), 유가증권양도소득
법인	내국법인	① 이자소득 ② 배당소득 중 투자신탁의 이익
	외국법인	○ 국내원천소득 중 다음의 소득 • 국내사업장에 귀속되는 경우(「법인세법」 §73) ① 이자소득 ② 투자신탁의 이익 ③ 인적용역소득 • 국내사업장에 귀속되지 않는 경우(「법인세법」 §98 ①, ⑧) ① 이자·배당·기타·사용료소득 ② 사업소득, 선박·항공기 등의 임대소득 ③ 인적용역소득 ④ 양도소득(예납), 유가증권양도소득

2) 원천징수 과세체계

원천징수의무자가 소정의 세율로 계산한 세액을 원천징수납부함으로써 당해 소득에 대한 납세의무가 종결되는 경우를 완납적 원천징수라 한다. 당연 분리과세되는 이자·배당·기타 소득, 일용근로자근로소득 및 연 1,200만원 이하의 사적연금 소득금액 등이 있다.

원천징수에 의하여 납세의무가 종결되지 않고, 각 소득 등의 과세방법에 따라 산출세액을 다시 계산한 후 원천징수한 세액을 공제하는 예납적 원천징수가 있다.

㉠ 소득세법에 의한 종합과세대상 이자소득·배당소득(종합과세기준금액 2천만원 초과

시) ㉡ 인적용역 소득 등 일정한 사업소득 ㉢ 다른 소득이 있는 경우의 근로소득 ㉣ 일정한 기타소득이 있다.

종합적 원천징수는 원천징수 대상 소득 지급시 먼저 예납적 원천징수 방법으로 원천징수하고, 다시 연간소득에 대하여 과세방법에 따라 세액을 계산한 후 그동안 원천징수 세액과 과부족을 연말정산하는 방법이다(근로소득, 연말정산하는 사업·공적연금소득).

| 원천징수 세율 |

소득자 구분	원천징수 대상 소득	원천징수 세율	참고 (특별징수)
거주자	이자소득		지법 §103의 13
	• 분리과세를 신청한 장기채권의 이자소득	30%	
	• 비영업대금의 이익	25%	
	• 직장공제회 초과반환금	기본세율	
	• 일반	14%	
	• 비실명 이자소득	38%(또는 90%)	
	• 조세특례제한법에 따른 분리과세 이자소득	5%·9%(또는 14%)	
	배당소득		
	• 출자공동사업자의 배당소득	25%	
	• 일반	14%	
	• 비실명 배당소득	38%(또는 90%)	
	• 조세특례제한법에 따른 분리과세 배당소득	5%·9%(또는 14%)	
	일정한 사업소득		
	• 의료보건용역, 저술가·작곡가 등의 인적용역의 수입금액	3%	
	• 봉사료 수입금액	5%	
	근로소득		
	• 일용근로자의 근로소득	6%	
	• 일반급여	기본세율(간이세액표 적용후 연말정산)	
	연금소득		
	• 국민연금, 공무원·사립학교 교직원 연금 (공적연금)	기본세율(간이세액표 적용후 연말정산)	
	• 연금형태로 지급받는 퇴직보험 보험금, 연금저축소득 (사적연금)	3~5%	

소득자 구분	원천징수 대상 소득	원천징수 세율	참고 (특별징수)
거주자	**기타소득**		
	• 복권당첨소득 등이 3억원을 초과하는 경우 그 초과분	30%	
	• 일반	20%	
	퇴직소득	기본세율	
내국 법인	이자소득, 배당소득 중 투자신탁의 이익 (채권 등 이자소득, 투자신탁의 이익)	14% (비영업대금의 이익 25%)	§103의 29 (2015년 시행)

2. 특별징수의무자와 납세지

"특별징수의무자"는 「소득세법」 또는 「법인세법」에 따른 원천징수의무자를 말한다(지법 §103의 13, §103의 17, §103의 18, §103의 29, §103의 52, §103의 56 참조).

※ 원천징수의무자 : 국내에서 거주자·비거주자·내국법인에게 「소득세법」 또는 「법인세법」에서 정한 원천징수 대상 소득금액을 지급하는 거주자·비거주자·내국법인·외국법인의 국내지점

| **납세지(지법 §89 참조)** |

특별징수의무자		납세지
개인	거주자	○ 주된 사업장 소재지
	비거주자	○ 주된 국내사업장 소재지
법인		○ 법인의 본점 또는 주사무소의 소재지 – 다만, 그 법인의 지점 등에서 독립채산제에 의하여 독자적으로 회계사무를 처리하는 경우 : 그 사업장 소재지 (그 사업장 소재지가 국외에 있는 경우 제외)

❖ **위의 납세지에도 불구하고 아래의 경우는 각 호에서 정하는 납세지**

1. 근로소득 및 퇴직소득에 대한 납세지 : 납세의무자의 근무지 다만, 퇴직 후 연금계좌(연금신탁·보험을 포함한다)에서 연금외수령의 방식으로 인출하는 퇴직소득의 경우에는 그 소득을 지급받는 사람의 주소지
2. 이자소득·배당소득 등에 대한 소득세의 원천징수사무를 본점 또는 주사무소에서 일괄처리하는 경우 : 그 소득의 지급지
3. 「복권 및 복권기금법」 제2조에 따른 복권의 당첨금 중 일정 등위별 당첨금 또는 「국민체육진흥법」 제2조에 따른 체육진흥투표권의 환급금 중 일정 등위별 환급금을 본점 또는 주사무소에서 한꺼번에 지급하는 경우의 당첨금 또는 환급금 소득에 대한 지방소득세 : 해당 복권 또는 체육진흥투표권의 판매지
4. 「소득세법」 제20조의 3 제1항 제1호 및 제2호에 따른 연금소득에 대한 지방소득세 : 그 소득을 지급받는 사람의 주소지

5. 「국민건강보험법」에 따른 국민건강보험공단이 지급하는 사업소득에 대한 지방소득세 : 그 소득을 지급받는 사람의 사업장 소재지
6. 과세기간이 끝나기 전에 근무지를 변경하거나 둘 이상의 사용자로부터 근로소득을 받는 근로자에 대한 개인지방소득세를 연말정산하여 개인지방소득세를 환급하거나 추징하여야 하는 경우 개인지방소득세의 납세지는 과세기간 종료일 현재 해당 근로자의 새로운 근무지 또는 주된 근무지로 한다.

3. 납부

과세표준은 「소득세법」 또는 「법인세법」에 따라 원천징수하는 세액이다. 원천징수하는 세액이 「조세특례제한법」 및 다른 법률에 따라 조세감면 또는 중과세 등의 조세특례가 적용되는 경우에는 이를 적용한 소득세액 또는 법인세액이 된다(지법 §103의 13, §103의 17, §103의 18, §103의 29, §103의 52, §103의 56 참조). 다만, 원천징수할 세액이 1,000원 미만인 경우에는 「소득세법」 제86조 또는 「법인세법」 제75조에 따른 소액부징수가 적용되어 이를 징수하지 아니하므로, 징수하는 세액이 없는 것으로 보아 지방소득세도 특별징수하지 않는다.

| 예 _ 일용근로자가 12만원의 일당을 지급받았을 경우 특별징수액 계산 |

일 당	−	근로소득 공제	=	과세 표준	×	원천징수 세율	=	산출 세액	−	근로소득 세액공제	=	원천징수 세액
120,000원	−	100,000원	=	20,000원	×	6%	=	1,200원	−	660원 (산출세액 ×55%)	=	540원

세율은 과세표준(원천징수 세액) × 10%를 적용한다(지법 §103의 13, §103의 17, §103의 18, §103의 29, §103의 52, §103의 56 참조).

특별징수세액의 납부는 특별징수의무자가 징수일이 속하는 달의 다음달 10일까지 납세지 관할 지방자치단체에 납부한다. 다만, 「소득세법」에 따라 원천징수한 소득세를 반기(半期)별로 납부하는 경우에는 특별징수분 지방소득세 또한 반기의 마지막 달의 다음 달 10일까지 납부 가능하다(법 §103의 13 ② 참조). (※ 법인 특별징수분 지방소득세는 반기납부 규정 없음)

| 최근 개정법령_2021.1.1.| 지방소득세 반기 특별징수의무자 납세지 규정 개정(법 §103의 13)

반기납부 사업장의 경우 특별징수한 개인지방소득세를 반기 종료일(6.30. 및 12.30) 기준 사업장 소재지 지자체에 납부하도록 개정하였다. 특별징수의무자의 납세 편의를 증대하고 과세행정의 효율을 제고하기 위한 취지이다. 2021.1.1. 이후 납부하는 경우부터 적용한다.

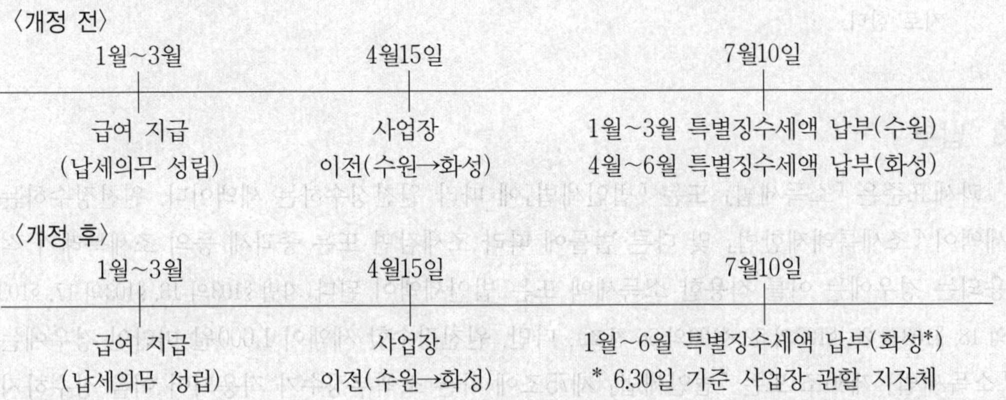

동업기업의 특별징수세액 납부는 과세연도 종료일이 속하는 달의 말일부터 3개월이 되는 날이 속하는 달의 15일(신고하지 아니한 금액을 분배하는 경우에는 해당 분배일이 속하는 달의 다음 달 10일과 신고기한 중 빠른 날)까지 납세지 관할 지방자치단체에 납부한다(지법 §103의 56, 조특법 §100의 23, §100의 24 참조).

4. 정산 및 환급

1) 납세지 착오에 따른 과오납 처리(지법 §103의 13 ③ 참조)

「지방세법」 제89조 제2항 제3호(복권당첨금 지급), 제4호(연금소득), 제5호(국민건강보험공단이 지급하는 사업소득)에 대한 특별징수납부 후, 납부한 지방자치단체별 특별징수 세액에 오류가 있을 경우에는 특별징수의무자가 그 지방자치단체별 과부족분을 해당 지방자치단체에 납부할 특별징수 세액에서 가감 후 납부한다. 이 때 납부세액을 가감하는 과정에서 추가납부하는 세액에 대하여는 「지방세기본법」 제56조(특별징수납부 등 불성실)에 따른 가산세를 부과하지 아니하며, 환급하는 세액에 대하여는 환급가산금을 지급하지 아니한다.

2) 퇴직소득 과세이연에 따른 처리(지법 §103의 15) 및 근로소득에 대한 연말정산(지법 §103의 15) 각각 참조

5. 사례

- 특별징수하는 주민세는 그 과세표준이 되는 소득세를 원천징수하여야 할 때, 즉 원천징수의무자가 소득금액 또는 수입금액을 지급하는 때에 그 납세의무가 성립함(대법원 2003두8814, 2004.12.10.).
- 특별징수의무자의 특별징수금 수납의 의미

  원천징수하여야 할 법인세할 주민세의 특별징수제도에 있어서 조세법률관계는 원칙적으로 특별징수의무자와 과징권자인 세무관서와의 사이에만 존재하게 되고, 납세의무자와 세무관서와의 사이에는 특별징수된 주민세를 특별징수의무자가 세무관서에 납부한 때에 납부가 있는 것으로 되는 외에는 원칙적으로 양자간에 조세법률관계가 존재하지 않는다. 원천징수의무자가 징수금을 납부하여야 할 의무는 세법상 특별징수의무자의 과세관서에 대한 납부의무에 근거하여 성립하므로 과세관서가 특별징수금을 수납하는 행위는 단순한 사무적 행위에 지나지 아니하므로 그 수납행위는 공권력 행사로서의 행정처분이 아니다(대법원 82누174, 1983.12.13.).

제103조의 14(특별징수 의무불이행 가산세)

법 제103조의 14(특별징수 의무불이행 가산세) 특별징수의무자가 특별징수하였거나 특별징수하여야 할 세액을 제103조의 13 제2항에 따른 기한까지 납부하지 아니하거나 부족하게 납부한 경우에는 그 납부하지 아니한 세액 또는 부족한 세액에 「지방세기본법」 제56조에 따라 산출한 금액을 가산세로 부과하며, 특별징수의무자가 특별징수를 하지 아니한 경우로서 다음 각 호의 어느 하나에 해당하는 경우에는 특별징수의무자에게 그 가산세액만을 부과한다. 다만, 국가 또는 지방자치단체와 그 밖에 대통령령으로 정하는 자가 특별징수의무자인 경우에는 의무불이행을 이유로 하는 가산세는 부과하지 아니한다.

1. 납세의무자가 신고납부한 과세표준금액에 특별징수하지 아니한 특별징수대상 개인지방소득금액이 이미 산입된 경우
2. 특별징수하지 아니한 특별징수대상 개인지방소득금액에 대하여 납세의무자의 관할 지방자치단체의 장이 제97조에 따라 그 납세의무자에게 직접 개인지방소득세를 부과·징수하는 경우

[본조신설 2018.12.31.]

영 제100조의 6(의무불이행 가산세의 예외) 법 제103조의 14 단서에서 "대통령령으로 정하는 자"란 주한 미국군을 말한다. [본조신설 2014.3.14.]

"특별징수납부 불성실가산세"로 특별징수의무자가 납부기한까지 특별징수세액을 납부하지 아니하였거나 부족하게 납부한 경우에는 납부하지 아니한 세액 또는 부족한 세액에 「지방세기본법」 제56조에 따라 산출한 금액을 가산세로 부과한다(지법 §103의 14, §103의 17,

§103의 29 참조). 즉, 「지방세기본법」 제56조에 따른 가산세액으로 "미납 또는 과소납부한 세액의 100분의 5"과 "미납 또는 과소납부한 세액 × 납부기한의 다음 날부터 자진납부일 또는 납세고지일까지의 기간 × 대통령령으로 정하는 이자율(1일 1만분의 3)"의 합계액이 된다. (※ 미납 또는 과소신고 금액의 100분의 10 한도) 한편, 국가 또는 지방자치단체, 주한미국군이 특별징수의무자인 경우에는 의무불이행을 이유로 하는 가산세는 부과하지 아니하고(지법 §103의 14 단서 참조), 법인 지방소득세도 국가 또는 지방자치단체, 주한미국군이 특별징수의무자인 경우 의무불이행을 이유로 하는 가산세는 부과하지 아니한다(지법 §103의 29 ⑤ 및 법법 §71 ③ 참조).

동업기업 특별징수납부 불성실가산세를 별도로 규정하고 있는데, 「조세특례제한법」 제100조의 25에 따라 가산세를 징수하는 경우 징수하는 금액의 100분의 10을 가산세로 징수한다(지법 §103의 57 참조).

특별징수분에 대하여는 소액징수면제를 적용하지 아니하는 것이 특징이다(지법 §103의 60).

| 최근 개정법령_2019.1.1. | 특별징수 미이행 시 납세의무자가 그 세액을 납부했더라도 특별징수의무자에게 가산세를 부과하여 제도이행을 강화하였다.

제103조의 15(특별징수 연말정산 환급)~제103조의 16(퇴직소득 특별징수 환급)

법 제103조의 15(특별징수에 대한 연말정산 환급 등) ① 특별징수의무자가 「소득세법」에 따라 연말정산을 하는 경우에는 그 결정세액의 100분의 10을 개인지방소득세로 하여 해당 과세기간에 이미 특별징수하여 납부한 지방소득세를 차감하고 그 차액을 특별징수하거나 대통령령으로 정하는 바에 따라 그 소득자에게 환급하여야 한다. 〈개정 2015.7.24.〉

1. 삭제 〈2015.7.24.〉 2. 삭제 〈2015.7.24.〉 ② 삭제 〈2015.7.24.〉 [본조신설 2014.1.1.]

제103조의 16(퇴직소득에 대한 지방소득세 특별징수의 환급 등) ① 거주자의 퇴직소득이 「소득세법」 제146조 제2항 각 호의 어느 하나에 해당하는 경우에는 제103조의 13 제1항에도 불구하고 해당 퇴직소득에 대한 개인지방소득세를 연금외수령하기 전까지 특별징수하지 아니한다. 이 경우 같은 조항에 따라 개인지방소득세가 이미 특별징수된 경우 해당 거주자는 특별징수세액에 대한 환급을 신청할 수 있다.

② 제1항에 따른 퇴직소득의 특별징수와 환급절차 등에 관하여 필요한 사항은 대통령령으로 정한다.

영 제100조의 7(개인지방소득세 연말정산 시의 환급) ① 법 제103조의 15 제1항에 따라 소득자에게 환급하는 경우에는 특별징수의무자가 특별징수하여 납부할 지방소득세에서 그 차액을 조정하여 환급한다. 다만, 특별징수의무자가 특별징수하여 납부할 지방소득세가 없을 때에는 행정안전부령으로 정하는 바에 따라 환급한다.

② 법 제103조의 13에 따라 특별징수의무자가 이미 특별징수하여 납부한 지방소득세에 과오납이 있어 환급하는 경우에도 제1항을 준용한다. [본조신설 2014.3.14.]

③ 법 제103조의 16 제1항에 따른 환급신청을 받은 특별징수의무자는 「소득세법 시행령」 제202조의 2 제1항의 계산식에 따라 계산한 세액의 10분의 1을 환급할 세액으로 하되, 환급할 개인지방소득세가 환급하는 달에 특별징수하여 납부할 개인지방소득세를 초과하는 경우에는 다음 달 이후에 특별징수하여 납부할 개인지방소득세에서 조정하여 환급한다. 다만, 해당 특별징수의무자의 환급신청이 있는 경우에는 특별징수 관할 지방자치단체의 장이 그 초과액을 환급한다.

규칙 제48조의 2(개인지방소득세 연말정산 시의 환급) ① 영 제100조의 7 제1항 단서를 적용할 때 특별징수의무자가 환급할 개인지방소득세가 연말정산하는 달에 특별징수하여 납부할 개인지방소득세를 초과하는 경우에는 다음 달 이후에 특별징수하여 납부할 개인지방소득세에서 조정하여 환급한다. 다만, 해당 특별징수의무자의 환급신청이 있는 경우에는 특별징수 관할 지방자치단체의 장이 그 초과액을 환급한다. 〈개정 2015.12.31.〉

② 특별징수의무자가 특별징수하여 납부한 개인지방소득세액 중 잘못 특별징수한 세액이 있는 경우 제1항을 준용한다. [본조신설 2014.8.8.]

| 최근 개정법령 _ 2015.7.24. | 연말정산에 따른 징수 · 환급 조항 정비(법 제103조의 15 ①)

당초 「지방세법」 제103조의 15은 특별징수한 세액을 연말정산을 통해 차액을 징수하거나 환급하기 위한 특별징수를 규정하되, 그 연말정산을 위한 세액산출 방식은 소득세와 같은 독립세 과세방식으로 규정하고 있다. 그런데 특별징수는 독립세 전환 과정에서 세율의 복잡성, 징수편의 등을 고려하여 종전과 같이 부가세 방식을 유지 중이나, 연말정산 부분만 독립세 과세체계로 정산 후 징수함에 따라 납세의무자와 특별징수의무자의 세액계산 및 징수 부담이 대폭 증가하고 있는 실정이다. 즉 각 납세의무자별로 독립세 방식(과세표준×세율－공제 · 감면)에 따른 세액을 별도 산출해야 하며, 특별징수의무자도 이를 재확인 후 관할 지자체에 신고 · 납부하는 등 납세 절차가 복잡해지고 징수비용도 증가(※ 국세는 이러한 연말정산 과정을 간편화하기 위해 연말정산 시스템을 구축 운영 중)한다. 이에 따라 연말정산 대상 소득을 부가세 방식으로 과세 처리하도록 개선하였다.

| 특별징수 과세체계 현황 |

구 분	매월징수	연말정산
세액산출	소득세액의 10%를 특별징수	정산(소득세 과세표준×지방소득세 세율－세액공제 · 감면) 후 특별징수
비고	부가세 방식	독립세 방식

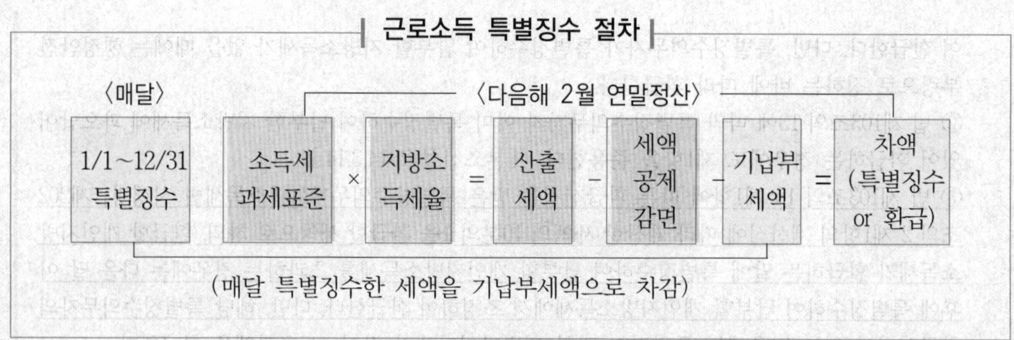

◎ 연말정산자의 근무지 변경의 경우 지방자치단체에 환부 신청한 금액이 납입한 금액보다 많다 하더라도 근로자의 새로운 근무지를 관할하는 시·군에서 환부함(지방세운영과-1914, 2010.5.7.).

◎ 1개 귀속연도에 과오납된 자치단체가 2곳 이상인 경우
지방세법 제130조의 14 규정에 의하여 환급지를 판단하기 어렵다고 할 것이므로 지방세법 제177조의 4 제4항 규정에 따라 세무서장이 종합소득세를 경정·결정하는 당시의 납세의무자의 주소지를 관할하는 시군에서 환급하는 것이 타당함(지방세정팀-4554, 2006.9.20.).

◎ 과세기간 중 사무실이 이전한 경우 : 사무실 이전시 특별징수하는 소득세할 주민세는 소득세를 원천징수하는 시점을 기준일로 하여 납세의무자의 근무지 관할 시·군이 납세지가 되며 사업소세 종업원할은 매월 말일 현재의 사업소 소재지 관할 시·군이 납세지가 됨(세정13407-201, 1995.3.23.).

◎ (지침) 2014년 귀속소득분 지방소득세 연말정산 운영지침
〈연말정산 세액 산정 관련〉
- (배경) 연말정산 세액산출방식 변경 : (현행)독립세 → (개정안)부가세
근로소득자 등의 연말정산시 지방소득세 세액은 국세와 별도로 지방세관계법에 따라 산출(독립세)하도록 규정 중…세율과 공제감면 사항(지특법 §167의 2)이 소득세의 10%로 동일하고, 기납부세액인 특별징수세액이 소득세의 10%(지방세법 §103의 13)이므로 환급·추가납부할 세액 또한 결과적으로 소득세의 10%가 됨. 따라서 종전과 같이 특별징수 의무자가 소득세 연말정산액의 10%를 환급하거나 추가납부하도록 하면 됨.

〈분납 관련 사항〉
- (현황) 연말정산시 추가납부할 세액이 10만원 이상인 경우 3개월에 걸쳐 분납할 수 있도록 소득세법 개정(2015.3.3.)
- (쟁점) 소득세 추가납부세액을 분납할 경우 지방소득세의 처리 방식

- (검토) 지방소득세 연말정산 조항(지방세법 제103조의 15)은 환급 절차만을 규정하고 추가 납부액의 징수시기를 규정하지 않고 있음. 단, 연말정산 세액도 특별징수 규정에 의해 지방소득세를 납부하므로 원천징수하는 소득세의 10%를 특별징수(지방세법 제103조의 13)처리 ☞ 별도의 법 개정 없이도, 소득세 분납으로 원천징수하는 소득세액이 변경될 경우 지방소득세 또한 동일한 분납 효과 발생(지방세운영과-775, 2015.3.4.)

「지방세법」 제103조의 28에 의한 결손금 소급공제에 따른 환급 신청 방법

2014년 사업장 소재지에 법인지방소득세 결손금 소급공제를 신청하면 지방자치단체간 과세자료 연계를 통해 2013년 사업장 소재지에서 환급업무를 처리하게 됨. 또한, 환급신청시에는 지방세법 별지 제43호의 9 서식 작성 방법에 의해 2014.1.1. 이후 최초로 과세기간이 시작되어 종료되는 1사업연도 환급세액은 법인세 신고시 작성한 금액(결손사업연도~과세표준까지는 「법인세법 시행규칙」 별지 제68호 서식의 금액과 동일한 금액, 세율~환급신청세액란은 「법인세법 시행규칙」 별지 제68호 서식의 금액의 10% 금액)을 기준으로 작성하여 환급 신청하시면 됨. 이 경우 안분을 적용한 사업장이라 하더라도, 사업장별 안분은 적용하지 않아도 각 지자체가 보유한 2013년 안분율을 기준으로 환급세액은 산정되나 2013년 안분신고에 누락이나 오류가 있다면 사업장별 안분 명세를 별도로 제출하셔야 지자체별 과오납 세액이 계산됨(www.wetax.go.kr).

퇴직소득 과세이연에 따른 처리

거주자의 퇴직소득이 이연퇴직소득(퇴직일 현재 연금계좌에 있거나 연금계좌로 지급되는 경우 또는 퇴직하여 지급받는 날부터 60일 이내에 연금계좌에 입금되는 경우)이 되는 경우 연금형태로 인출시에는 연금소득으로, 연금외형태로 인출시에는 퇴직소득(퇴직금) 또는 기타소득(운용수익, 자가불입금)으로 과세된다. 따라서, 연금외수령 이전까지는 퇴직소득을 원천징수하지 아니하므로(소법 §146 ②), 특별징수도 하지 않는다(지법 §103의 16).

퇴직소득을 특별징수하지 않는 경우	과세방법
「소득세법」 제146조 ② 각 호 1. 퇴직일 현재 연금계좌에 있거나 연금계좌로 지급되는 경우 2. 퇴직하여 지급받는 날부터 60일 이내에 연금계좌에 입금되는 경우	• 연금 형태로 인출시 ⇒ 연금소득으로 과세 *연금형태로 인출 「소득세법 시행령」 제40조의 2 ③에 따른 인출 ⓐ 가입자가 55세 이후 연금수령개시를 신청한 후 인출 ⓑ 연금계좌 가입일부터 5년이 경과된 후 인출 ⓒ 연금수령한도 내에서 인출
	• 연금수령 외의 인출 (연금외수령)시 ⇒ 퇴직소득 또는 기타소득으로 과세

이연퇴직소득 환급과 관련하여, 이연퇴직소득에 대해 이미 소득세를 원천징수함으로 인해 개인지방소득세도 특별징수도 된 경우에는, 해당 거주자는 「소득세법 시행령」 제202조의 2 제1항에 따라 계산한 세액의 1/10을 환급할 세액으로 하여 특별징수의무자에 환급 신청이 가능하다(지령 §100의 8).

※ 국세 환급은 2013년 2월부터 「소득세법 시행령」 제202조의 3에 따라 원천징수의무자 또는 세무서장이 과세이연계좌(연금계좌)로 환급하나 지방세의 경우 과세이연계좌가 없으므로 특별징수의무자가 거주자에 환급한다.

거주자의 퇴직소득이 「소득세법」 제146조 제2항 각 호에 따라 연금계좌에 있거나 연금계좌에 입금되는 경우 개인지방소득세를 연금외수령 전까지 개인지방소득세를 특별징수하지 아니한다.

제103조의 17(납세조합의 특별징수)

법 제103조의 17(납세조합의 특별징수) ① 「소득세법」 제149조에 따른 납세조합이 같은 법 제150조 및 제151조에 따라 소득세를 징수·납부하는 경우에는 징수·납부하는 소득세의 100분의 10에 해당하는 금액을 그 조합원으로부터 개인지방소득세로 특별징수하여 그 징수일이 속하는 달의 다음 달 10일까지 납세지를 관할하는 지방자치단체에 납부하여야 한다.
② 납세지 관할 지방자치단체의 장은 해당 납세조합이 징수하였거나 징수하여야 할 세액을 납부기한까지 납부하지 아니하거나 과소납부한 경우에는 「지방세기본법」 제56조에 따라 산출한 금액을 가산세로 부과한다.
③ 납세지 관할 지방자치단체의 장은 제1항에 따라 개인지방소득세를 특별징수하여 납부한 납세조합에 대하여 대통령령으로 정하는 바에 따라 교부금을 교부할 수 있다. [본조신설 2014.1.1.]

영 제100조의 8(징수교부금) ① 법 제103조의 17 제3항에 따라 납세조합에 교부하는 징수교부금은 그 납세조합이 납입한 세액의 100분의 2로 한다.
② 제1항에 따른 징수교부금을 받으려는 납세조합은 매월 청구서를 그 다음 달 20일까지 납세지 관할 지방자치단체의 장에게 제출하여야 한다. 다만, 해당 과세기간 동안 발생한 징수교부금을 청구하려는 경우 한꺼번에 다음 연도 2월 말일까지 제출할 수 있다.
③ 제1항에 따라 납세조합에 징수교부금을 교부한 후 그 납세조합이 납부한 세액 중에서 환급금이 발생한 경우에는 환급금을 제외하고 계산된 징수교부금과의 차액을 그 환급금이 발생한 날 이후에 청구하는 징수교부금에서 조정하여 교부한다

납세조합이 소득세를 징수 납부하는 경우 그 소득세의 100분의 10에 해당하는 금액을 특별징수하여 그 징수일이 속하는 다음 달 10일까지 관할 지방자치단체에 납부하고, 지방자치단체의 장은 납세조합에 대해서 교부금을 교부할 수 있도록 하고 있다.

| 최근 개정법령 _ 2019.1.1. | 납세조합에 대한 징수교부금 지급률 등 조정(영 §100의 9 ①, ②)

소득세 원천징수시 지방소득세도 함께 특별징수 하는 점을 고려하여, 개인지방소득세 징수교부금 지급율을 인하(5%→2%)하였다(국세의 경우 '17.12.18. 인하). 그리고 월 단위 또는 연간 단위로 납세조합이 징수교부금 청구시기를 선택할 수 있도록 개선하였다.

제103조의 18(비거주자의 국내원천소득에 대한 특별징수의 특례)

법 제103조의 18(비거주자의 국내원천소득에 대한 특별징수의 특례) ①「소득세법」에 따른 원천징수의무자가 비거주자의 국내원천소득에 대하여 소득세를 원천징수하는 경우에는 원천징수할 소득세의 100분의 10을 적용하여 산정한 금액을 개인지방소득세로 특별징수하여야 한다.

② 제1항에 따른 비거주자의 국내원천소득에 대한 개인지방소득세 특별징수에 관한 사항은 거주자의 개인지방소득에 대한 특별징수에 관한 사항을 준용한다. [본조신설 2014.1.1.]

영 제100조의 9(비거주자에 대한 특별징수세액의 납부) 특별징수의무자가 국내에 주소·거소·본점·주사무소 또는 국내사업장(외국법인의 국내사업장을 포함한다)이 없는 경우에는「지방세기본법」제139조에 따른 납세관리인을 정하여 관할 지방자치단체의 장에게 신고하여야 한다. 다만,「소득세법 시행령」제207조 제1항 단서에 따라 관할 세무서장에게 신고한 경우에는 이를 관할 지방자치단체의 장에게 신고한 것으로 본다.

비거주자의 국내원천소득에 대한 소득세를 원천징수하는 경우 특별징수의무자는 원천징수하는 소득세의 100분의 10을 적용하여 산정한 금액을 그 징수일이 속하는 다음 달 10일까지 납부하도록 하고 있다.

제6절

내국법인의 각 사업연도의 소득에 대한 지방소득세

제103조의 19(과세표준)

법 제103조의 19(과세표준) ①내국법인의 각 사업연도의 소득에 대한 법인지방소득세의 과세표준은 「법인세법」 제13조에 따라 계산한 법인세의 과세표준(「조세특례제한법」 및 다른 법률에 따라 과세표준 산정과 관련된 조세감면 또는 중과세 등의 조세특례가 적용되는 경우에는 이에 따라 계산한 법인세의 과세표준)과 동일한 금액으로 한다.

② 제1항에도 불구하고 내국법인의 각 사업연도의 소득에 대한 법인세 과세표준에 국외원천소득이 포함되어 있는 경우로서 「법인세법」 제57조에 따라 외국 납부 세액공제를 하는 경우에는 같은 조 제1항에 따른 외국법인세액(이하 "외국법인세액"이라 한다)을 이 조 제1항에 따른 금액에서 차감한 금액을 법인지방소득세 과세표준으로 한다. 이 경우 해당 사업연도의 과세표준에 「법인세법」 제57조 제2항 단서에 따라 손금에 산입한 외국법인세액이 있는 경우에는 그 금액을 이 조 제1항에 따른 금액에 가산한 이후에 전단의 규정을 적용한다.

③ 제2항 전단에 따라 차감하는 외국법인세액이 해당 사업연도의 제1항에 따른 금액을 초과하는 경우에 그 초과하는 금액은 해당 사업연도의 다음 사업연도 개시일부터 15년 이내에 끝나는 각 사업연도로 이월하여 그 이월된 사업연도의 법인지방소득세 과세표준을 계산할 때 차감할 수 있다.

④ 제2항 및 제3항을 적용할 때 차감액의 계산 방법, 이월 방법 및 그 밖에 필요한 사항은 대통령령으로 정한다.

영 제100조의 10(외국법인세액의 과세표준 차감) ① 법 제103조의 19 제2항에 따라 「법인세법」 제57조 제1항에 따른 외국법인세액(이하 "외국법인세액"이라 한다)을 차감한 금액을 법인지방소득세 과세표준으로 하려는 내국법인은 법 제103조의 23에 따라 법인지방소득세의 과세표준과 세액을 납세지 관할 지방자치단체의 장에게 신고할 때 행정안전부령으로 정하는 바에 따라 외국법인세액 과세표준 차감 명세서를 함께 제출해야 한다.

② 내국법인은 외국정부의 국외원천소득에 대한 법인세의 결정·통지의 지연, 과세기간의 상이 등의 사유로 법 제103조의 23에 따라 법인지방소득세의 과세표준과 세액을 신고할 때 제1항에

따른 외국법인세액 과세표준 차감 명세서를 제출할 수 없는 경우에는 외국정부의 국외원천소득에 대한 법인세결정통지를 받은 날부터 3개월 이내에 제1항에 따른 외국법인세액 과세표준 차감 명세서에 지연 사유에 대한 증명서류를 첨부하여 제출할 수 있다.
③ 제2항의 규정은 외국정부가 국외원천소득에 대하여 결정한 법인세액을 경정함으로써 외국법인세액에 변동이 생긴 경우에 준용한다.
④ 제3항에 따른 외국법인세액의 변동으로 환급세액이 발생하면 「지방세기본법」 제60조에 따라 충당하거나 환급할 수 있다.
⑤ 법 제103조의 19 제3항에 따라 외국법인세액을 이월하여 그 이월된 사업연도의 법인지방소득세 과세표준을 계산할 때 차감하는 경우 먼저 발생한 이월금액부터 차감한다.
⑥ 내국법인의 본점 또는 주사무소의 소재지를 관할하는 지방자치단체의 장은 법 제103조의 19 제2항에 따라 차감하는 외국법인세액을 확인하기 위하여 필요한 경우 해당 내국법인, 납세지 관할 세무서장 또는 관할 지방국세청장에게 외국법인세액 신고명세, 영수증, 경정내용 및 그 밖에 필요한 자료의 제출을 요구할 수 있다.

2013년 이전 지방소득세는 법인세액 또는 소득세액을 과세표준으로 삼아 그에 10%의 세율을 부과하는 부가세 체계를 취해왔으나, 2014년 이후는 법인세 또는 소득세와 과세표준만 공유하고 세율 등은 지방세 관계법에서 규정하는 독립세 체계로 전환하였다. 지방소득세를 독립세로 전환함으로써 지방자치단체의 과세자주권을 강화하고, 동시에 별도의 과세표준을 설정하지 아니하고 국세와 과세표준을 공유함으로써 납세자 불편 및 행정 비용을 최소화하였다. 이에 따라 현행 법인 및 개인지방소득세의 과세표준은 "「법인세법」 또는 「소득세법」에 따라 계산한 금액"이라고 규정함으로써 과세표준을 국세와 공유할 수 있도록 하였다(2019년 이전).

그런데 최근 법원은 지방소득세 외국납부세액 공제와 관련하여 "「법인세법」에 따라 계산한 금액"의 의미가 지방소득세의 과세표준을 법인세법과 동일하게 사용하는 것이 아니라 계산방식만을 법인세법을 따르라는 의미로서 지방소득세만의 별도의 과세표준 계산이 필요하다는 결정을 하였으며,72) 이로 인해 세법 적용상 혼선이 초래되었다.

이에 대해 별도의 과세표준을 운영하기에 지방자치단체의 행정력이 많이 소모된다는 점을 고려하고, 지방소득세가 국세와 과세표준을 공유한다는 점을 명확히 하여 해석상의 논란을 없애기 위해 「법인세법」에 따라 "계산한 법인세의 과세표준과 동일한 금액"으로 지방소득세 과세표준 규정을 보완하였다(2020.1.1. 지방세법 개정, 법 §91, 법 §103 ②·③·④, 법 §103

72) 2018누33038. 「법인세법」상 법인세의 과세표준에 외국납부세액을 포함한 것은 세액공제를 전제로 한 것이므로 세액공제가 없는 지방소득세의 과세표준은 「법인세법」의 계산방식만을 따라야 하며 「법인세법」과는 다르게 외국납부세액을 포함하지 않는 과세표준을 사용해야 한다고 판결

의 19, 법 §103의 21 ②, 법 §103의 34, 법 §103의 41, 법 §103의 47 ①·②·③).

하지만 법원의 결정 전후로 외국납부세액을 과세표준에서 제외해야 한다는 쟁송(경정청구)이 지속적으로 발생하였는데, 결국 2021년 지방세법을 개정(법 §103의 19 ②·③·④, §103의 34 ② 신설)하여 외국에서 납부한 세액을 법인지방소득세 과세표준에서 차감하여 과세하도록 하였다. 한편 법원의 결정을 존중하여 2015년에서 2018년도 귀속분에 대해 행안부와 지자체가 관련 지침을 시행하여 환급을 추진하였다. 그런데 2014년 귀속분은 제척기간이 경과하여 환급이 불가하였고, 2019년 귀속분은 2020년 과세표준 산정방식에 대한 법률 개정으로 환급이 곤란한 상황이었는데, 결국 2014년부터 2019년 귀속분에 대해서는 개정법률의 부칙을 통해 환급이 가능토록 조치하였다.

외국 지점	
소득	100
세율	25%
세액	25

법인세(국내 본점)	
당기순이익	75
손금불산입	25
과세표준	100
법인세율	20%
산출세액	20
세액공제	−20
납부세액	0

법인지방소득세	
법인세과세표준	100
외국납부세액 차감	25
법인지방소득세 과세표준	75
법인지방소득세율	2%
산출세액	1.5

아울러 법인세법 개정(2021.1.1. 시행)으로 이월결손금의 공제기간이 10년에서 15년으로 연장되었는데 지방소득세에서 이를 반영하였다. 즉 당해연도에 모두 차감하지 못한 외국납부세액은 향후 15년 간 법인지방소득세 과세표준에서 추가로 차감할 수 있도록 이월 규정을 마련하였다. 2021.1.1. 이후 법인지방소득세 과세표준을 신고(수정신고는 제외)하는 경우부터 적용하고, 과년도(2019.12.31. 이전 개시한 사업연도)의 경우 외국납부세액 이월기간을 15년이 아닌 10년이 적용된다.

외국납부세액의 과세표준 이월 방법, 제출서류 등 절차를 시행령에 두었다(영 제100조의 10). 외국납부세액을 법인지방소득세에서 차감하려는 자는 외국법인세액 과세표준 차감명세서를 제출하도록 하고, 과세표준 신고와 함께 제출할 수 없는 경우(외국정부의 법인세 결정·통지 지연, 과세기간 상이 등)에는 외국정부의 국외원천소득에 대한 법인세 결정 통지를 받은 날부터 3개월 이내 추가 제출 가능하도록 하였다. 그리고 이월된 외국법인세액이 있는 경우 먼저 발생한 외국법인세액부터 차감하도록 차감 순서를 규정하였다.

외국납부 법인세액의 이중과세 조정 방법

외국납부세액공제는 내국법인이 국외소득에 대해 해당 국가에서 법인세를 납부한 경우 이중과세 방지를 위해 이를 국내 법인세액에서 공제하는 제도이다.

외국납부세액의 유형은 직접납부, 간주납부, 간접납부의 유형이 있는데, 직접납부는 해당 내국법인 자신이 외국정부(지자체 포함)에 납부한 법인세액을 말한다. 간주납부세액은 내국법인이 외국정부로부터 감면받은 법인세액이다. 간접납부세액은 외국자회사가 외국정부(지자체 포함)에 납부한 법인세액에 내국법인에 대한 배당률을 적용한 금액이다.

$$\text{외국자회사법인세액} \times \frac{\text{수입배당금액}}{\text{외국자회사소득금액} - \text{외국자회사법인세액}}$$

법인세 과세표준에는 국외원천소득이 포함되어 있는데, 여기에 직접납부세액은 손금불산입, 간접납부세액은 익금산입의 방식으로 추가된다. 그리고 세율적용 후 산출세액에서 외국납부법인세액은 공제(한도 있음)하는 방식이 원칙이다(법인세법 §57 ① 1). 예외적으로 과세표준에 제외(직접납부는 손금산입, 간접납부는 익금불산입)하고 세액도 공제하지 않는 방식이 있다(법인세법 §57 ① 2).

구 분	과세표준 (국외원천소득)	외국납부세액		세액공제
		직접납부	간접납부	
원칙(법인세법 §57 ① 1)	포함	손금불산입	익금산입(의제익금)	공제
예외(법인세법 §57 ① 2)	제외	손금산입	익금불산입	미공제

외국납부세액 공제와 지방소득세와의 관계

2014년부터 지방소득세가 독립세로 전환되었다. 그 이전까지 지방소득세를 소득·법인세의 부가세(sur-tax)로 운영할 때는 국세·지방세 모두에서 외국납부세액이 공제되었으나, 2014년 지방소득세 독립세 전환에 따른 공제·감면 제도가 폐지(미도입)되면서 법인세에서만 외국납부세액공제제도가 적용되었다. 법인지방소득세 과세표준은 부가세 방식('13.12.31. 이전)에서는 「법인세법」에 따라 납부하여야 하는 법인세액이었다. 독립세 방식('14.1.1. 이후)에서는 「법인세법」 제13조(과세표준 규정)에 따라 계산한 금액으로, 세율은 과세표준 구간별 1%~2.5%로 전환되었고, 세액공제·감면은 규정하지 않으면서 지방소득세에서 외국납부세액 공제가 반영되지 않기 때문에 납세자 부담은 커지게 된다. 법인의 지방소득세에서 2014년부터 공제감면은 적용하지 않게 되었는데, 외국납부세액 공제도 적용하지 않아야 한다는 과세관청의 주장과 공제방식의 특성상 외국납부세액공제는 지방소득세에서 반영해야 한다는 주장이 충돌하게 되었다.

과세관청은 지방소득세 과세표준이 법인지방소득세와 동일하게 적용하고 세액공제는 적용할 수 없다는 주장인 반면, 납세자는 외국납부세액을 과세표준에 산입한 것은 타당하지 않다고 주장하였는데, 납세자의 주장을 수용하기 위해서는 법인세와 법인지방소득세의 과세표준이 달라지게 된다.

하지만 법원은 아래와 같이 납세자의 주장을 인정하게 되었다. 「법인세법」상 법인세의 과세표준에 외국납부세액을 포함한 것은 세액공제를 전제로 한 것이므로 세액공제가 없는 지방소득세의 과세표준은 「법인세법」의 계산방식만을 따라야 하며 「법인세법」과는 다르게 외국납부세액을 포함하지 않는 과세표준을 사용해야 한다고 판결하였다(서울고법 2018누33038).

이후 대법원의 확정판결에서도 이같은 취지는 유지되었다. 원천지국의 법인세율이 우리나라의 법인세율보다 높은 경우 법인지방소득세에 있어서 이중과세의 문제가 존재하게 된다. 직접외국납부세액을 손금에 불산입하거나 간접외국납부세액을 익금에 산입하여 과세표준을 산정하는 것 자체로 이중과세가 조정되는 것이 아니고, 그 이후 세액공제를 통하여 이중과세가 조정되는 것이다. 따라서 세액공제규정이 없는 법인지방소득세에 있어서는 법인세 과세표준을 그대로 사용하기 어렵다. 법인지방소득세의 과세표준을 계산함에 있어 세액공제 규정이 없는 경우에도 외국납부세액을 손금에 불산입하거나 익금에 산입하는 것은 외국납부세액에 대한 공제를 허용하는 법인세법 제57조의 취지에 반한다(대법원 2019두58698).

대법원 판결에 따르면 외국납부세액이 있는 경우 지방소득세 과세표준은 법인세법과 달리 적용해야 하는 것이다. 법인지방소득세 과세표준 규정의 개정 당시 입법자가 외국납부세액의 공제를 택한 내국법인에 대하여 세액공제 등을 전혀 고려하지 않고 법인지방소득세의 과세표준을 언제나 법인세 과세표준과 동일하게 하려 한 것이라고 보기는 어렵다고 보았다.

- **법인지방소득세 과표는 법인세 과표와 동일한 것이 아니라 과표 계산을 법인세법에 따르라는 의미이고, 간접외국납부세액을 의제익금하는 것은 세액공제가 전제된 것임**

  외국납부세액의 세액공제를 허용하지 않는 법인지방소득세의 경우, 이를 손금에 산입하지 않는 경우 법인세법 제57조 제1항의 규정 취지에 반하여 내국법인의 조세부담을 가중시킴, 외국납부세액은 법인의 순자산을 증가시키는 거래로 인하여 발생하는 수익의 금액이라고 볼 수 없어 이에 대한 과세는 응능부담의 원칙에 반함, 납세자는 법인지방소득세의 과세표준을 신고할 때에는 법인세와 같은 선택 권한이 없었음, 따라서 외납세액은 지방소득세 과세표준에 제외됨이 타당 … 지방세법 제103조의 19는 '법인세법 제13조에 따라 신고하거나 결정·경정된 과세표준'이라고 규정하지 않고 '법인세법 제13조에 따라 계산한 금액'이라고 규정(독립세 전환시 국회 전문위원 검토보고서도 "지방소득세에 대한 독자적인 과세표준"이라고 기재)하고 있는 점, 법인지방소득세 과세표준 규정 개정 당시 입법자가 외국납부세액의 공제를 택한 내국법인에 대하여 세액공제 등을 전혀 고려하지 않고 법인지방소득세의 과세표준을 언제나 법인세 과세표준과 동일하게 하려 한 것이라고 보기는 어려움, 따라서 지방소득세 과세표준은 법인세와 상이하고 계산방식을 준용하는 것임(서울고법 2018누33038).

법인지방소득세 과세체계

1. 법인지방소득세 과세 개요

| 법인지방소득세 세액 계산 순서 |

세액 계산		결산서상 당기순이익
+ (익금산입, 손금불산입)	☜ 세무조정	
- (손금산입, 익금불산입)		= 각 사업연도 소득금액
- (이월결손금+비과세소득+소득공제)		= 과세표준
× 세율 ※ 지법 §103의 20		= 산출세액
- (세액공제+감면세액)		
+ 가산세		
+ 감면분 추가납부세액		= 총부담세액
- 기 납부세액		= 납부할 세액

[관련규정]
- 결정과 경정(지법 §103의 25), 수시부과결정(지법 §103의 26), 징수와 환급(지법 §103의 27)
- 특별징수의무(지법 §103의 29) ← 2015.1.1.부터 적용
- 비영리내국법인에 대한 과세특례(지법 §103의 32)
- 연결법인(지법 제8장 제7절), 청산소득(제8절), 외국법인(제9절), 동업기업(제10절)

1) 각 사업연도의 소득

법인의 각 사업연도의 소득이란 법인이 일정기간(사업연도) 동안에 경제활동을 통하여 얻은 소득을 말하는 것으로, 각 사업연도에 속하는 '익금(益金)의 총액'에서 '손금(損金)의 총액'을 공제하여 계산한다(법법 §8).

익금은 자본 또는 출자의 납입 및 법인세법에서 규정한 것을 제외하고 그 법인의 순자산을 증가시키는 거래로 인하여 발생하는 수익의 금액을 의미하고(법법 §15 ①), 손금은 자본 또는 출자의 환급, 잉여금의 처분 및 법인세법에서 규정하는 것을 제외하고 그 법인의 순자산을 감소시키는 거래로 인하여 발생하는 손비의 금액을 말한다(법법 §19 ①).

산정방법은 기업회계상 당기순손익의 계산구조와 유사하므로 익금총액에서 손금총액을 공제하여 계산하지 않고, 결산서상 당기순손익을 바탕으로 장부상의 내용과 법인세법 사이의 차이만을 조정하여 계산한다.

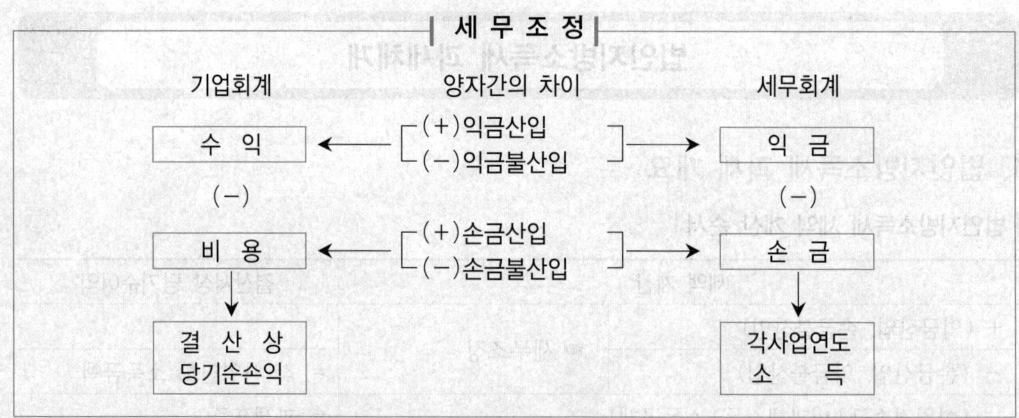

※ 기업회계는 주주·채권자 등 이해관계자가 합리적 의사결정을 할 수 있도록 기업에 관한 정보를 제공하는데 목적이 있으나, 세무회계는 공평한 조세부담과 납세자간 소득계산의 통일을 추구하므로 양자간 차이가 발생하게 된다. 예를 들어 접대비 지출시 기업회계상은 비용으로 처리되나, 법인세법에서는 일정한도까지만 비용으로 인정되고 한도를 초과하는 금액은 과세된다.

2) 세무조정

세무조정은 기업이 기업회계기준에 의하여 작성한 재무제표상의 당기순이익을 기초로 하여 세법이 규정에 따라 익금과 손금을 조정함으로써 정확한 과세소득을 계산하기 위한 일련의 절차이다. 협의의 세무조정은 당기순손익부터 각 사업연도의 소득금액을 산정하는 절차이며, 광의의 세무조정은 각 사업연도의 소득금액과 과세표준 산정은 물론, 납부할 세액의 계산까지를 포함하는 절차를 말한다.

세무조정의 유형으로 과세소득의 증가 또는 감소를 기준으로 가산하는 세무조정과 차감하는 세무조정으로, 세무조정의 방법에 따라 결산조정과 신고조정으로 구분된다.

| 세무조정의 유형 |

구 분	유 형	내 용
과세소득의 증가·감소	가산조정	• 익금산입 결산서에 수익으로 계상되어 있지 않지만 법인세법에 따른 익금에 해당하는 금액은 소득금액에 가산 예) 자기주식처분이익, 간주임대료 등
		• 손금불산입 결산서에 비용으로 계상되어 있으나 법인세법에 따른 손금으로 인정되지 않는 금액은 소득금액에 가산 예) 접대비·기부금 한도초과, 법인세비용 등

구 분	유 형	내 용
과세소득의 증가 · 감소	차감조정	• 손금산입 결산서에 비용으로 계상되어 있지 않지만 법인세법에 따른 손금에 해당하는 금액은 소득금액에서 차감 예) 신고조정으로 손금산입하는 퇴직보험료, 준비금 등
		• 익금불산입 결산서에 수익으로 계상되어 있으나 법인세법에 따른 익금에 해당하지 않는 금액은 소득금액에서 차감 예) 지주회사 등 수입배당금, 국세환급금이자 등
세무조정의 방법	결산조정	• 사업연도말의 결산을 통하여 장부에 계상하는 방법 결산조정항목은 장부에 비용으로 계상하지 않거나, 과소 계상한 경우 신고조정에 의해 손금산입 불가 예) 감가상각비, 대손충당금, 자산평가손실 등
	신고조정	• 장부에 계상하지 않고, 법인세 신고시 법인세 세무조정계산서에 반영하는 방법 신고조정항목은 장부에 비용으로 계상하지 않아도 강제 혹은 임의로 손금산입 가능 예) 소멸시효 완성채권, 일시상각충당금 등

2. 과세표준의 계산

1) 과세표준계산의 구조

지방소득세 과세표준은 「법인세법」에 따른 과세표준과 동일하다(지법 §103의 19).

각 사업연도 소득금액 −	① 이월결손금 ② 비과세소득 ③ 소득공제액	= 과세표준
* 반드시 ①, ②, ③의 순서로 공제, ①은 10년간 이월공제		

이월결손금 중 각 사업연도의 소득금액을 초과하는 금액은 공제기한이 남아 있는 한 차기로 이월하여 공제되며, 비과세소득과 소득공제액의 합계액이 각 사업연도 소득금액에서 이월결손금을 공제한 잔액을 초과하는 경우 이월공제가 허용되지 않는다.

| 비과세와 소득공제 |

구 분	개 념	종 류
비과세 소득	정책적인 목적 등을 위해 국가가 과세권을 포기한 소득	− 공익신탁의 신탁재산(법법 §51) − 중소기업창업투자회사 주식양도 차익, 배당소득(조특법 §13)

구 분	개 념	종 류
소득 공제	과세소득의 일부를 공제하여 세부담을 경감	- 유동화전문회사(법법 §51의 2) - 고용유지기업(조특법 §30의 3) - 부동산투자회사(조특법 §55의 2)

2) 이월결손금

결손금은 각 사업연도에 속하는 손금의 총액이 그 사업연도에 속하는 익금의 총액을 초과하는 경우에 그 초과하는 금액을 말하며(법법 §14 ②), 결손금이 차기로 이월된 경우 이를 '이월결손금'이라고 한다. "각 사업연도 결손금 = 손금의 총액 - 익금의 총액"

이월결손금 공제방법은 이월공제와 소급공제로 구분되는데, 이월공제는 결손금이 발생한 사업연도의 다음 사업연도 이후의 소득에서 공제하여 납부할 세액을 줄여주는 방법이다. 소급공제는 결손금이 발생한 직전 사업연도의 소득에서 공제하여 기 납부한 세금을 환급해주는 방법으로 중소기업에 한하여 적용된다.

공제대상 이월결손금은 각 사업연도 개시일 전 10년 이내 개시 사업연도에서 발생한 세무계산상 결손금으로서 그 후 사업연도의 과세표준계산에 있어서 공제되지 아니한 금액을 말한다(법법 §13). 법인세법 제60조에 따라 신고하거나, 제66조에 따라 결정·경정, 수정신고한 과세표준에 포함된 결손금만 해당된다.

이월결손금 공제순서를 보면, 이월결손금이 여러 사업연도에서 발생한 경우에는 먼저 발생한 사업연도의 결손금부터 순차로 공제한다(법령 §10 ①). 임의로 특정 사업연도에서 발생한 것을 선택하여 공제받을 수 없다.

3) 결손금 소급공제에 따른 환급(지법 §103의 28)

중소기업은 결손금을 차후 연도로 이월하여 공제하는 이월공제 방법 외에도 직전 사업연도의 소득에 대하여 과세된 법인지방소득세액을 한도로 결손금 소급공제에 의한 법인지방소득세 환급신청이 가능하다.

- 환급신청세액 = Min(①, ②)

① 결손금 소급공제세액

직전사업연도 법인 지방소득세 산출세액 − (직전사업연도 법인 지방소득세 과세표준 − 소급공제 결손금액) × 직전사업연도 법인 지방소득세 세율

② 직전 사업연도의 법인지방소득세액

직전사업연도 법인지방소득세 산출세액 − 직전사업연도 법인지방소득세 감면세액

법인지방소득세를 환급받은 법인에 추징사유가 발생한 경우 지방자치단체의 장은 해당 결손금이 발생한 법인지방소득세로 징수한다.

※ 추징사유 : 결손금이 발생한 사업연도의 결손금 감소, 직전사업연도에 대한 환급세액 감소, 중소기업에 해당되지 않는 법인의 신청에 따른 환급(지법 §103의 28 ⑤ 각 호)

한편, 2014.1.1. 이후 최초로 과세기간(사업연도)이 시작되어 종료되는 1사업연도에 대한 결손금 소급공제 환급 신청시 "결손금 소급공제세액" 및 "직전 사업연도의 법인지방소득세액"은 아래의 방식으로 계산한다.

"결손금 소급공제 세액" 및 "직전사업연도의 법인지방소득세액"은 「법인세법 시행규칙」 별지 제68호 서식 금액을 기준으로 작성
- 결손사업연도~과세표준란 : 「법인세법 시행규칙」 별지 제68호 서식의 금액 기재
- 세율~환급신청세액란 : 「법인세법 시행규칙」 별지 제68호 서식의 10% 금액 기재

3. 납부세액의 계산

1) 산출세액의 계산

법인지방소득세 산출세액이란 법인지방소득세 과세표준금액에 세율을 적용하여 계산한 금액을 말한다(지법 §103의 21). 토지등 양도소득에 대한 법인지방소득세 세액이 있으면 이를 합한 금액이다.

법인지방소득세 산출세액	=	과세표준	×	세 율

법인지방소득세 표준세율은 아래와 같다(지법 §103의 20 ①). 또한 조례로 정하는 바에 따라 표준세율의 100분의 50 범위에서 가감이 가능하며(지법 §103의 20 ②), 2017.1.1. 이후부터 적용된다(법률 제12153호 지방세법 부칙 §1 단서).

과세표준	세 율 (지법 §103의 20 ①)	간편식	
		세율	누진공제
2억원 이하	과세표준의 1%	1%	-
2억원 초과 ~200억원 이하	2백만원+(2억원을 초과하는 금액의 2%)	2%	200만원
200억원 초과	3억9천8백만원+(200억원을 초과하는 금액의 2.2%)	2.2%	4,200만원

사업연도가 1년 미만인 경우 산출세액 계산은 아래와 같다(지법 §103의 21 ②). 월수는 역에 따라 계산하되 1월 미만의 일수는 1월로 한다.

$$\text{산출세액} = (\text{과세표준} \times \frac{12}{\text{사업연도월수}}) \times \text{세율} \times \frac{\text{사업연도월수}}{12}$$

2) 토지 등 양도소득에 대한 과세특례

법인이 주택(부수토지 포함) 또는 비사업용토지를 양도한 때에는 양도소득에 1%(미등기의 경우 4%)를 곱하여 산출한 세액을 각 사업연도의 소득에 대한 법인지방소득세에 추가하여 납부한다(지법 §103의 31 참조).

4. 세액공제 및 감면

각 사업연도의 소득에 대한 법인지방소득세의 세액공제 및 감면사항은 「지방세특례제한법」에서 정하게 된다(지법 §103의 22).

※ 2014.5월말 기준 지특법상 법인지방소득세 과세특례는 "조합법인 등"에 한해서만 규정한 바 있다.

[유의사항] 개인지방소득세의 감면은 2019.12.31.까지 조례로 정한다 하더라도 효력이 없으나, 법인지방소득세의 감면은 효력 발생한다.* (법률 제12175호 지특법 §4 및 지특법 부칙 §5)

* 단, 조합법인(지특법 §167)에 대해서는 지특법에서 정하고 있으므로 제외

| 「지방세특례제한법」상 법인지방소득세 과세특례(2014.5월말 기준) |

구 분		내 용
조합법인 등 법인지방소득세 과세특례 (지특법 §167)	과세표준	• 법인세 등 차감전 당기순이익에 접대비, 기부금 등 수익사업 관련 손금불산입액을 더하여 계산
	세 율	• 「조세특례제한법」 §72 ① 세율(100분의 9, 20억 이상은 100분의 12, (2016년 12월 31일 이전에 조합법인간 합병하는 경우로서 합병에 따라 설립되거나 합병 후 존속하는 조합법인의 합병등기일이 속하는 사업연도와 그 다음 사업연도에 대하여는 40억원을 말한다))의 100분의 10

※ 조합법인 등(조특법 §72 ① 각 호) : 농협, 수협, 신협, 새마을금고 등

5. 신고 · 납부

1) 확정신고 및 납부

「법인세법」에 따른 각 사업연도의 법인세 과세표준 신고의무가 있는 법인은 각 사업연도의 종료일이 속하는 달의 말일부터 4개월 이내에 납세지 관할 지방자치단체에 신고하여야 한다(지법 §103의 23 참조).

※ 법인세 과세표준 확정신고기한(법법 §60)은 각 사업연도의 종료일이 속하는 달의 말일부터 3개월이며, 신고기한 1개월 연장 가능

납부할 세액* = 과세표준 × 세율 − 세액공제 · 감면 + 가산세 + 추가납부세액 − 기납부세액
*토지등 양도소득에 대한 법인지방소득세가 있는 경우 납부할 세액에 가산

[유의사항] 「법인세법」에 따른 신고의무가 있는 법인은 법인지방소득세의 신고의무가 있으므로 각 사업연도의 소득금액이 없거나 결손금이 있는 법인의 경우에도 법인세와 마찬가지로 법인지방소득세를 신고하여야 한다. 법인세는 외부감사대상 법인의 결산이 확정되지 아니하였을 경우 1개월의 범위 내에서 신고기한의 연장이 가능하지만(법법 §60 ⑦), 법인지방소득세는 신고기한 연장이 인정되지 아니한다.

※ 예를들어 12월말 결산법인의 2014년도 귀속 법인세 신고시 신고기한이 1개월 연장된 경우 2015.4.30.까지 법인세 및 법인지방소득세 신고 납부해야 한다. 한편 구 지방세법(법률 제12153호로 개정되기 전의 것)의 경우 신고기한이 연장된 경우 연장된 신고기간의 만료일로부터 1개월 내 신고 납부한다(§91 ①).

☞ 연결법인은 '내국법인의 각 연결사업연도의 소득에 대한 지방소득세' 참조

신고서류는 법인지방소득세 과세표준 및 세액신고서, 세액조정계산서 및 그 부속서류와 재무상태표 등을 첨부하여 납세지 관할 자치단체에 신고하여야 한다.

[유의사항] 신고기한까지 신고서를 제출하지 아니하고 납부를 하였을 경우에도 신고불성실가산세는 부과한다. 이는 구 지방세법(법률 제12153호로 개정되기 전의 것)의 경우 신고기한 내 납부한 경우 신고를 한 것으로 간주(§91 ⑤)하였으나, 해당 조항은 삭제되었음을 유의할 필요가 있다.

| 각 사업연도 소득에 대한 법인지방소득세 관련 제출 서류 |

구 분	관련조문	서식번호
법인지방소득세 과세표준 및 세액신고서	지칙 §48의 4 ①	43호
법인지방소득세 과세표준 및 세액조정계산서	지칙 §48의 4 ②	43호의 2
공제감면세액 및 추가납부세액 합계표	지칙 §48의 4 ③	43호의 3
법인지방소득세 가산세액계산서	지칙 §48의 4 ③	43호의 4
법인지방소득세 특별징수세액명세서(갑)(을)	지칙 §48의 4 ③	43호의 5
이자소득만 있는 비영리법인의 법인지방소득세 과세표준(조정계산) 및 세액신고서	지칙 §48의 4 ③	43호의 6
법인지방소득세 안분신고서(갑)	지칙 §48의 5 ①	43호의 7
소급공제 법인지방소득세액환급신청서	지칙 §48의 8	43호의 9
재무상태표, 포괄손익계산서 및 이익잉여금처분계산서	지법 §103의 23 ② 1	
현금흐름표(외부감사 대상이 되는 법인만 해당)	지령 §100의 12 ④	
표시통화재무제표 · 원화재무제표(기업회계기준에 따라 원화 외의 통화를 기능통화로 채택한 경우만 해당)	지령 §100의 12 ④	
피합병법인등의 재무상태표 · 승계한 자산 및 부채명세서 · 소재지 등 필요한 사항이 기재된 서류(합병법인만 해당)	지령 §100의 12 ④	

2) 수정신고

법인지방소득세 과세표준신고를 한 법인이 「법인세법」에 따른 신고내용을 수정신고하는 경우에는 수정신고를 하여야 한다(지법 §103의 24 ① 참조). 이는 법인세를 수정신고하지 아니하여 세무서로부터 법인세를 경정 받은 경우에도 「지방세기본법」 제50조에 따라 지방자치단체의 장이 경정하기 전까지 납세자는 수정신고가 가능함에 유의하여야 한다. 아울러 舊 지방세법의 '10% 미달시 가감신고 제도'가 있었으나 폐지되었으며, 수정신고로 인하여 추가납부되는 세액의 多少에 상관없이 그 세액을 납부하여야 한다.

※ 2013.12.31. 이전에 개시하는 사업연도에 관한 수정신고를 하는 경우 수정신고 시기와 상관없이 구 지방세법(법률 제12153호로 개정되기 전의 것)을 적용하여 "수정신고로 인한 추가납부세액이 당초 세액의 10%에 미달하는 경우" 수정신고일이 속하는 사업연도분에 가감하여 신고납부 가능(舊 지법 §91 ① 단서)

| 2014년 전후 사업연도 귀속에 따른 수정신고 방법 |

〈사례 1〉 2013.12.31. 이전에 개시하는 사업연도 귀속분 → 舊 지방세법

① 2013.1.1.~2013.12.31. 사업연도에 관하여 2014.7.1. 법인세 1,710만원(가산세 210만원 포함)을 납세자가 수정신고한 경우

▸지방소득세는 2014.8.1까지 171만원(1,710만원 × 10%)을 안분신고 납부

② 2013.1.1.~2013.12.31. 사업연도에 관하여 2014.7.1. 법인세 1,710만원(가산세 210만원 포함)을 2014.7.31.을 납부기한으로 하여 경정 고지받은 경우

▸지방소득세는 2014.8.31.까지 171만원(1,710만원 × 10%)을 안분신고 납부

※ ①과 ②의 경우 모두 171만원이 2013년 귀속 당초 세액의 10%에 미달하는 경우 2014년 귀속분에 대한 법인지방소득세 신고시 가산하여 신고납부 가능

▸2015.4.30.까지 **'2014년 귀속분 안분세액'** + '171만원 × 2013년 안분율' 신고 납부

〈사례 2〉 2014.1.1. 이후에 개시하는 사업연도 귀속분 → 新 지방세법

• 2014.1.1.~2014.12.31. 사업연도에 관하여 2015.10.17. 법인세 1,710만원(가산세 210만원 포함)을 납세자가 수정신고 하거나 경정고지 받은 경우

▸지방소득세는 수정된 또는 경정된 법인세의 과세표준에 지방세관계법상 세율, 공제·감면, 가산세 등을 적용(독립세 방식)하여 과세관청이 경정고지 하기 전까지 안분신고 납부

[계산사례 예시]

- 2015.10.17. 수정신고 또는 경정된 법인세에 대한 법인지방소득세를 2015.10.27. 수정신고 또는 2015.12.6. 경정할 경우 법인지방소득세 계산

※ 단, 가산세 감면은 적용하지 아니한다.

구 분	법인세		지방소득세		지방소득세	
	당초	수정/경정	당초	수정 (10.27.)	당초	경정 (11.6.)
과세표준	1.5억	2.5억	1.5억	2.5억	1.5억	2.5억
산출세액	1,500만	3,000만	150만	300만	150만	300만
가산세(신고)		120만[1)]		15만[3)]		15만[3)]
가산세(납부)		90만[2)]		8.1만[4)]		9.9만[5)]
기납부세액		1,500만		150만		150만
납부할 세액	1,500만	1,710만	150만	173.1만	150만	174.9만

1) 3,000만 × 1억 / 2.5억 × 10% × 50% = 60만(6개월 이내 수정신고시 과소신고가산세 50% 감면)
2) 1,500만 × 200일 (2015.4.1.~2015.10.17.) × 3/10,000 = 90만
3) (300만 - 150만) × 10% × 50% = 7.5만(6개월 이내 수정신고시 과소신고가산세 50% 감면)
4) 150만 × 180일 (2015.5.1.~2015.10.27.) × 3/10,000 = 8.1만
5) 150만 × 220일 (2015.5.1.~2015.12.6.) × 3/10,000 = 9.9만

3) 납세지 또는 안분세액의 오류

신고납부한 법인지방소득세의 "납세지 또는 안분세액의 오류"가 있는 경우 부과고지를 받기 전까지 수정신고 또는 경정등의 청구가 가능하며, 그에 따른 가산세 및 환급가산금은 없다(지법 §103의 24 ②, ③). 아울러 "납세지 또는 안분세액의 오류"에 따른 경정등의 청구로 인한 환급세액은 다음 연도 법인지방소득세에서 공제가 가능하다(지법 §103의 24 ④).

"납세지 또는 안분세액의 오류"는 법인지방소득세 전체 신고·납부세액은 맞으나 납세지 또는 안분착오로 자치단체별 납부세액에 차이가 발생하는 경우만을 의미한다(당초 신고·납부 세액 합계 = 수정신고·경정청구 세액 합계). 그리고 그 수정신고·경정청구는 부과고지를 받기 전까지만 유효하며, 관할 지자체가 고지할 경우 가산세·환급가산금이 적용된다.

☞ 특별시·광역시 내 자치구를 달리하여 2개 이상 사업소가 있는 경우 본점 또는 주사무소(본점 또는 주사무소가 없을 경우 종업원 수가 가장 많은 사업소) 소재지 자치구에 일괄신고·납부하도록 개선(안분내역서 시행규칙 서식 제정)

6. 결정과 경정

납세지 관할 지방자치단체의 장은 내국법인이 과세표준 신고를 하지 아니하거나 신고 내용에 오류 또는 누락이 있는 경우 해당 과세기간의 과세표준과 세액을 결정 또는 경정한다(지법 §103의 25).

7. 수시부과결정

납세지 관할 지방자치단체의 장은 사업연도 중 내국법인에게 수시부과사유가 있는 경우 법인지방소득세를 부과할 수 있다(지법 §103의 26 ①). 수시부과사유(지령 §100의 17 ① 및 법령 §108 ①)로는 신고를 하지 아니하고 본점등을 이전한 경우, 사업부진 기타의 사유로 인하여 휴업 또는 폐업상태에 있는 경우, 기타 조세를 포탈할 우려가 있다고 인정되는 상당한 이유가 있는 경우 등이 있다. 수시부과는 사업연도와 상관없이 수시부과기간에 대하여 부과하며, 수시부과기간이 1년이 아닌 경우에는 과세표준을 환산하여 세액을 계산한다(지법 §103의 26 ② 및 지령 §100의 17 ②). 수시부과기간은 일반적인 경우 해당 사업연도 개시일부터 수시부과사유가 발생한 날까지이며, 직전 사업연도에 대한 신고기한 이전에 수시부과 사유가 발생한 경우(신고를 한 경우는 제외)에는 직전 사업연도 개시일부터 수시부과사유가 발생한 날까지로 한다.

※ 수시부과기간이 1년이 아닌 경우 각 사업연도의 소득에 대한 법인지방소득세 세액 계산 :

$$\left(\text{과세표준} \times \frac{12}{\text{수시부과기간 월수}}\right) \times \text{세율} \times \frac{\text{수시부과기간 월수}}{12}$$

8. 징수와 환급

납세지 관할 지방자치단체의 장은 내국법인이 신고한 세액의 전부 또는 일부를 납부하지 아니한 경우 법인지방소득세를 징수할 수 있다(지법 §103의 27 ①). 납세지 관할 지방자치단체의 장은 수시부과하거나 특별징수한 세액이 향후 법인지방소득세 총결정 세액을 초과하는 경우 과오납된 지방자치단체에서 환급 또는 충당한다(지법 §103의 27 ② 및 지령 §100의 34).

◎ 법인세할 주민세 과세표준에는 국세청에서 환급 또는 추징에 의하여 최종 결정된 세액(환급가산금은 포함되지 않음)만 해당됨(지방세운영과-511, 2009.2.4.).

◎ 해운기업의 법인세할 주민세의 과세표준이 되는 법인세 총부담세액에는 불공제된 이자소득에 대한 법인세 원천징수분이 포함됨(시군세-666, 2008.5.6.).

◎ **지급조서 미제출 가산세의 법인세할 납세의무 여부**

지급조서 미제출 가산세를 법인세로 고지 받으셨다면 가산세는 지방세법 제172조의 제4호에 규정하고 있는 납부하여야 하는 법인세액에 포함되어 법인세할 주민세의 납세의무가 성립하는 것임(세정과-459, 2005.1.27.).

◎ **법인세의 가산세도 주민세 과세표준에 포함되는지 여부**

교육세 등은 해당 세법의 규정에 의하여 납부해야 할 당해 세액을 과세표준으로 하고 있으나, 주민세 법인세할 과세표준은 지방세법 제176조의 규정에 따라 "법인세법의 규정에 의하여 부과된 법인세의 총액"으로 산출함. 따라서 가산세는 국세기본법 제47조 제2항에 의거 당해 세법에서 규정하는 국세의 세목에 해당하므로 가산세도 법인세할 주민세의 과세표준에 포함됨(시세 22670-95, 1992.6.27.).

◎ 외국의 권한있는 당국과의 상호합의절차개시에 따라 법인세가 징수유예된 경우, 그 '법인세 이자상당액'은 '가산금' 성격으로 주민세 과세대상 아님(세정 13407-155, 2003.2.28.).

◎ 과세의 합리성과 조세협약을 고려하여 정부간 상호합의가 진행 중인 것은 법인세할 주민세도 국세에 준하여 처리토록 운영하고 있음(세정 13407-682, 1995.7.15.).

◎ 외국의 권한있는 당국과의 상호합의절차개시에 따라 법인세가 징수유예된 경우, 그 '법인세 이자상당액'은 '가산금' 성격으로 주민세 과세대상 아님(세정 13407-155, 2003.2.28.).

◎ 과세의 합리성과 조세협약을 고려하여 정부간 상호합의가 진행 중인 것은 법인세할 주민세도 국세에 준하여 처리토록 운영하고 있음(세정 13407-682, 1995.7.15.).

제103조의 20(세율)

법 제103조의 20(세율) ① 내국법인의 각 사업연도의 소득에 대한 법인지방소득세의 표준세율은 다음 표와 같다.

과세표준	세 율
2억원 이하	과세표준의 1000분의 10
2억원 초과 200억원 이하	2백만원 + (2억원을 초과하는 금액의 1000분의 20)
200억원 초과 3천억원 이하	3억9천8백만원 + (200억원을 초과하는 금액의 1000분의 22)
3천억원 초과	65억5천800만원 + (3천억원을 초과하는 금액의 1천분의 25)

② 지방자치단체의 장은 조례로 정하는 바에 따라 각 사업연도의 소득에 대한 법인지방소득세의 세율을 제1항에 따른 표준세율의 100분의 50의 범위에서 가감할 수 있다. [시행일 : 2017.1.1.]

내국법인에 대한 지방소득세의 표준세율을 규정하면서 지방자치단체의 조례로 표준세율은 50% 범위 내에서 가감 조정할 수 있도록 하고 있다. 다만, 조례에 의한 세율조정은 2017.1.1.부터 적용할 수 있도록 하였다(부칙 제1조).

제103조의 21(세액계산)

법 제103조의 21(세액계산) ① 내국법인의 각 사업연도의 소득에 대한 법인지방소득세는 제103조의 19에 따라 계산한 과세표준에 제103조의 20에 따른 세율을 적용하여 계산한 금액(제103조의 31에 따른 토지등 양도소득에 대한 법인지방소득세 세액, 「조세특례제한법」 제100조의 32에 따른 투자·상생협력 촉진을 위한 과세특례를 적용하여 계산 법인지방소득세 세액이 있으면 이를 합한 금액으로 한다. 이하 "법인지방소득세 산출세액"이라 한다)을 그 세액으로 한다. 〈개정 2015.7.24.〉

② 제1항에도 불구하고, 사업연도가 1년 미만인 내국법인의 각 사업연도의 소득에 대한 법인지방소득세는 그 사업연도의 「법인세법」 제13조에 따라 계산한 법인세의 과세표준(「조세특례제한법」 및 다른 법률에 따라 과세표준 산정과 관련된 조세감면 또는 중과세 등의 조세특례가 적용되는 경우에는 이에 따라 계산한 법인세의 과세표준)과 동일한 금액을 그 사업연도의 월수로 나눈 금액에 12를 곱하여 산출한 금액을 과세표준으로 하여 제103조의 20 제1항 및 제2항에 따라 계산한 세액에 그 사업연도의 월수를 12로 나눈 수를 곱하여 산출한 세액을 그 세액으로 한다. 이 경우 월수의 계산은 대통령령으로 정하는 방법으로 한다. [본조신설 2014.1.1.]

영 제100조의 11(월수의 계산) 법 제103조의 21 제2항에 따른 월수는 역(曆)에 따라 계산하되, 1월 미만의 일수는 1월로 한다. [본조신설 2014.3.14.]

내국법인의 각 사업연도의 소득에 대한 법인지방소득세는 과세표준에 세율을 적용하여 계산한 금액을 산출세액으로 하고 있으며, 사업연도가 1년 미만인 내국법인의 세액계산 방법을 규정하고 있다.

제103조의 22(세액공제 및 세액감면)

법 제103조의 22(세액공제 및 세액감면) ① 내국법인의 각 사업연도의 소득에 대한 법인지방소득세의 세액공제 및 세액감면에 관한 사항은 「지방세특례제한법」에서 정한다. 이 경우 공제 및 감면되는 세액은 법인지방소득세 산출세액(제103조의 31에 따른 토지등 양도소득, 「조세특례제한법」 제100조의 32 제2항에 따른 미환류소득에 대한 법인지방소득세 세액을 제외한 법인지방소득세 산출세액을 말한다. 이하 이 조에서 같다)에서 공제한다.

② 제1항에 따른 각 사업연도의 소득에 대한 법인지방소득세의 공제세액 또는 감면세액이 법인지방소득세 산출세액을 초과하는 경우에는 그 초과금액은 없는 것으로 한다. [본조신설 2014.1.1.]

내국법인의 각 사업연도의 소득에 대한 법인지방소득세는 「지방세특례제한법」에 따른 세액공제·감면을 법인지방소득세 산출세액에서 공제하고, 공제·감면세액이 산출세액을 초과하는 경우에는 그 초과금액은 없는 것으로 하도록 하고 있다.

| 최근 개정법령_2017.1.1. | 미환류소득의 법인지방소득세 세액공제 대상 제외(법 제103조의 22)

법인세는 '15년부터 미환류소득(사내유보금)에 대한 과세 강화를 위해 세액공제 대상에서 제외하고 있으므로, 법인지방소득세도 동일하게 적용도록 보완하였다.

제103조의 23(과세표준 및 세액의 확정신고와 납부)

법 제103조의 23(과세표준 및 세액의 확정신고와 납부) ① 「법인세법」 제60조에 따른 신고의무가 있는 내국법인은 각 사업연도의 종료일이 속하는 달의 말일부터 4개월 이내에 대통령령으로 정하는 바에 따라 그 사업연도의 소득에 대한 법인지방소득세의 과세표준과 세액을 납세지 관할 지방자치단체의 장에게 신고하여야 한다.

② 제1항에 따른 신고를 할 때에는 그 신고서에 다음 각 호의 서류를 첨부하여야 한다. <개정 2015.12.29., 2016.12.27.>

1. 기업회계기준을 준용하여 작성한 개별 내국법인의 재무상태표·포괄손익계산서 및 이익잉여금

처분계산서(또는 결손금처리계산서) 2. 대통령령으로 정하는 바에 따라 작성한 세무조정계산서 3. 대통령령으로 정하는 법인지방소득세 안분명세서. 다만, 하나의 특별자치시·특별자치도·시·군 또는 자치구에만 사업장이 있는 법인의 경우는 제외한다. 4. 그 밖에 대통령령으로 정하는 서류

③ 내국법인은 각 사업연도의 소득에 대한 법인지방소득세 산출세액에서 다음 각 호의 법인지방소득세 세액(가산세는 제외한다)을 공제한 금액을 각 사업연도에 대한 법인지방소득세로서 제1항에 따른 신고기한까지 납세지 관할 지방자치단체에 납부하여야 한다. 다만, 「조세특례제한법」 제104조의 10 제1항 제1호에 따라 과세표준 계산의 특례를 적용받은 경우에는 제3호에 해당하는 세액을 공제하지 아니한다.

1. 제103조의 22에 따른 해당 사업연도의 공제·감면 세액 2. 제103조의 26에 따른 해당 사업연도의 수시부과세액 3. 제103조의 29에 따른 해당 사업연도의 특별징수세액

4. 제103조의 32 제5항에 따른 해당 사업연도의 예정신고납부세액

④ 제1항은 내국법인으로서 각 사업연도의 소득금액이 없거나 결손금이 있는 법인의 경우에도 적용한다. 〈신설 2015.7.24.〉

⑤ 둘 이상의 지방자치단체에 법인의 사업장이 있는 경우에는 본점 소재지를 관할하는 지방자치단체의 장에게 제2항 각 호의 첨부서류를 제출하면 법인의 각 사업장 소재지 관할 지방자치단체의 장에게도 이를 제출한 것으로 본다. 〈신설 2015.12.29.〉

⑥ 제1항에 따른 신고를 할 때 그 신고서에 제2항 제1호부터 제3호까지의 서류를 첨부하지 아니하면 이 법에 따른 신고로 보지 아니한다. 다만, 「법인세법」 제4조 제3항 제1호 및 제7호에 따른 수익사업을 하지 아니하는 비영리내국법인은 그러하지 아니하다. 〈신설 2015.12.29.〉

⑦ 납세지 관할 지방자치단체장은 제1항 및 제2항에 따라 제출된 신고서 또는 그 밖의 서류에 미비한 점이 있거나 오류가 있는 경우에는 보정을 요구할 수 있다. 〈신설 2015.12.29.〉

[본조신설 2014.1.1.]

영 제100조의 12(과세표준의 신고) ① 법 제103조의 23 제1항 및 제2항에 따른 신고를 할 때에 그 신고서에는 「법인세법」 제112조에 따른 기장(記帳)에 따라 같은 법 제2장 제1절(제13조는 제외한다)에 따라 계산한 각 사업연도의 소득에 대한 법인지방소득세의 과세표준과 세액(법 제103조의 31에 따른 토지등 양도소득 및 기업의 미환류소득에 대한 법인지방소득세를 포함한다)과 그 밖에 필요한 사항을 적어야 한다. 〈개정 2015.12.31.〉

② 제1항에 따른 신고서는 행정안전부령으로 정하는 법인지방소득세 과세표준 및 세액신고서로 한다. 〈개정 2015.12.31., 2016.12.27.〉

③ 법 제103조의 23 제2항 제2호에 따른 세무조정계산서는 행정안전부령으로 정하는 법인지방소득세 과세표준 및 세액조정계산서로 한다.

④ 법 제103조의 23 제2항 제3호에서 "대통령령으로 정하는 법인지방소득세 안분명세서"란 지방자치단체별 안분내역 등이 포함된 행정안전부령으로 정하는 안분명세서를 말한다. 〈개정 2015.12.31.〉

⑤ 법 제103조의 23 제2항 제4호에서 "대통령령으로 정하는 서류"란 「법인세법 시행령」 제97조 제5항 각 호에 따른 서류를 말한다. 이 경우 "기획재정부령"은 "행정안전부령"으로 본다. 〈신설 2015.12.31.〉

⑥ 법인은 「지방세기본법」 제2조 제1항 제29호에 따른 전자신고를 통하여 법인지방소득세 과세표준 및 세액을 신고할 수 있다. 이 경우 재무제표의 제출은 표준재무상태표, 표준손익계산서, 표준손익계산부속명세서를 제출하는 것으로 갈음할 수 있다.

제100조의 13(법인지방소득세의 안분 신고 및 납부) ① 법 제103조의 23 제1항에 따라 법인지방소득세를 신고하려는 내국법인은 제100조의 12 제2항에 따른 법인지방소득세 과세표준 및 세액신고서에 법인지방소득세의 총액과 제88조에 따른 본점 또는 주사무소와 사업장별 법인지방소득세의 안분계산내역 등을 적은 제100조의 12 제4항에 따른 법인지방소득세 안분명세서를 첨부하여 해당 지방자치단체의 장에게 서면으로 제출하여야 한다. 다만, 「지방세기본법」 제135조에 따른 지방세정보통신망에 전자신고를 한 경우에는 이를 제출한 것으로 본다. (2017. 3. 27. 개정 ; 지방세기본법 시행령 부칙)

② 내국법인은 법 제103조의 23 제3항에 따라 법인지방소득세를 납부할 때에는 행정안전부령으로 정하는 서식에 따라 해당 지방자치단체에 납부하여야 한다.

내국법인은 각 사업연도의 종료일이 속하는 달의 말일부터 4개월 이내에 법인지방소득세 과세표준 및 세액을 지방자치단체의 장에게 신고하고, 산출세액에서 기납부세액을 공제한 세액을 납부한다.

| 최근 개정법령 _ 2015.7.24. | 내국법인의 소득에 대한 신고납부 범위 명확화(법 제103조의 23 ④, 제103조의 37 ①)

개인지방소득세는 과세표준이 없거나 결손금액이 있는 때에도 신고의무를 부과하도록 명확히 규정(제95조 등)하고 있으나, 법인지방소득세는 법인세 신고의무(법인세법 제60조 ③)에 따라 지방소득세를 신고하도록 규정하고 있다. 그에 따라 내국법인의 각 사업연도(연결법인 소득 포함) 소득의 과세표준이 없거나 결손금액이 있는 때에도 신고하도록 명확히 하였다.

| 최근 개정법령 _ 2016.1.1. | 법인지방소득세 신고절차 개선(법 제103조의 23 ②·⑤·⑥·⑦, 제103조의 37)

현행법에는 여러 지방자치단체에 사업장이 있는 법인이 법인지방소득세의 확정신고를 하는 경우 동일한 제출서류를 각 지방자치단체에 제출해야 하는 불편이 있다. 그에 따라 납세의무자로 하여금 본점 소재지에만 첨부서류를 제출하도록 하고, 본점 소재지 관할 지방자치단체가 다른 지방자치단체와 제출서류를 공유할 수 있도록 개정하였다.

| 최근 개정법령 _ 2016.1.1. | 첨부서류 제출 납세협력의무 확보수단 신설(법 제103조의 23)

종전 규정에 따르면 법인지방소득세 확정신고 시 재무제표 등을 첨부해야 하나 미제출 시 가산세 부과 규정은 없었다. 그에 따라 가산세 부과 등 협력의무를 유인하는 강제규정이 없어 납세자가 서류를 미제출하는 사례가 발생하였다(법인세의 경우 첨부서류 미제출 시 무신고로 보아 가산세 부과). 이에 대해 지방소득세 과세관리를 위한 첨부서류를 미제출하는 경우 법인세와 같이 무신고로 보아 가산세(세액의 20%) 부과하여 과세자료 관리를 강화할 수 있도록 개정하였다. 다만, 단순 누락의 경우 과세관청의 보정요구 등 시정기회가 부여된다.

| 최근 개정법령 _ 2016.1.1. | 법인지방소득세 안분명세서 신설(영 제100조의 12 ②·④)
안분명세서 제출 및 서식에 대한 규정이 미비하여 이를 보완하였다.

| 최근 개정법령 _ 2016.1.1. | 미환류소득과세를 신고서식에 반영(영 제100조의 12 ①)
법인의 미환류소득에 대한 과세가 2015년부터 시행됨에 따라 법인지방소득세 신고서식에 해당 내용을 반영할 필요가 있어 법인지방소득세 세액신고서 서식에 '미환류소득에 대한 법인지방소득세'란(欄)을 추가하였다.

| 최근 개정법령 _ 2016.1.1. | 재무제표의 전산제출 특례(영 제100조의 12 ⑥)
법인세를 전자신고할 때 재무제표를 표준재무제표 제출로 갈음할 수 있도록 하여 표준재무제표 제출 시 원 재무제표 사본 등을 제출할 필요 없어 간편한 방식이다. 지방소득세도 표준재무제표 방식으로 제출할 수 있도록 보완하였다.

| 최근 개정법령 _ 2017.1.1. | 지방소득세 안분신고 서류 간소화(법 제103조의 23 ②, 영 제100조의 12·13·25)
기존에는 법인지방소득세 안분 신고가 불필요한 법인도 세액 신고서 제출시 안분신고서와 안분명세서를 함께 제출토록 되어 있어 납세자의 불편이 있었다. 이에 따라 '안분신고서'는 '과세표준 및 세액계산 신고서'와 통합하고, 안분 신고 대상 법인만 '안분명세서'를 제출하도록 변경하였다.

| 최근 개정법령 _ 2017.1.1. | 해운기업의 법인지방소득세 특별징수세액 공제 제외(법 제103조의 23 ③)
법인지방소득세는 법인세의 과세표준 특례 사항까지 포함하여 법인세 과세표준을 따르도록 하고 있으므로, 기납부세액 공제도 같은 특례를 두어 해운기업에 대한 과세형평성을 제고할 필요가 있었다. 이에 따라 법인세와 동일하게 특별징수세액을 법인지방소득세 산출세액에서 기납부세액으로 공제하지 않는 것으로 개선하였다.
〈2017년 행자부 적용요령〉 2018년 1월 1일부터 적용

제103조의 24(수정신고 등)

> **법** 제103조의 24(수정신고 등) ① 제103조의 23에 따라 신고를 한 내국법인이 「국세기본법」에 따라 「법인세법」에 따른 신고내용을 수정신고할 때에는 대통령령으로 정하는 바에 따라 납세지를 관할하는 지방자치단체의 장에게도 해당 내용을 신고하여야 한다.
> ② 제103조의 23에 따라 신고를 한 내국법인이 신고납부한 법인지방소득세의 납세지 또는 지방자치단체별 안분세액에 오류가 있음을 발견하였을 때에는 제103조의 25에 따라 지방자치단체의 장이 보통징수의 방법으로 부과고지를 하기 전까지 관할 지방자치단체의 장에게 「지방세기본법」

제49조부터 제51조까지에 따른 수정신고, 경정 등의 청구 또는 기한 후 신고를 할 수 있다.
③ 제1항 또는 제2항에 따른 수정신고 또는 기한 후 신고를 통하여 추가납부세액이 발생하는 경우에는 이를 납부하여야 한다. 이 경우 제2항에 따라 발생하는 추가납부세액에 대해서는 「지방세기본법」 제53조부터 제55조까지에 따른 가산세를 부과하지 아니한다.
④ 제2항에 따른 경정 등의 청구를 통하여 환급세액이 발생하는 경우에는 「지방세기본법」 제62조에 따른 지방세환급가산금을 지급하지 아니한다. 〈개정 2016.12.27.〉
⑤ 둘 이상의 지방자치단체에 사업장이 있는 법인은 제103조의 23에 따라 신고한 과세표준에 대하여 해당 사업연도의 종료일 현재 본점 또는 주사무소의 소재지를 관할하는 지방자치단체의 장에게 일괄하여 「지방세기본법」 제51조에 따른 경정 등의 청구를 할 수 있다. 이 경우 본점 또는 주사무소의 소재지를 관할하는 지방자치단체의 장은 해당 법인이 청구한 내용을 다른 사업장의 소재지를 관할하는 지방자치단체의 장에게 통보하여야 한다. 〈신설 2016.12.27.〉
⑥ 둘 이상의 지방자치단체에 사업장이 있는 법인이 제89조 제2항에 따라 사업장 소재지를 관할하는 지방자치단체의 장에게 각각 신고납부하지 아니하고 하나의 지방자치단체의 장에게 일괄하여 과세표준 및 세액을 확정신고(수정신고를 포함한다)한 경우에는 그 법인에 대해서는 제3항 후단을 적용하지 아니하되, 제4항을 적용한다. 〈신설 2016.12.27.〉
⑦ 그 밖에 법인지방소득세의 수정신고·납부 및 경정 등의 청구에 관하여 필요한 사항은 대통령령으로 정한다.
[본조신설 2014.1.1.]

영 제100조의 14(법인지방소득세의 수정신고 등) ① 법 제103조의 24 제1항에 따라 수정신고를 하려는 내국법인은 수정신고와 함께 법인세의 수정신고 내용을 증명하는 서류를 관할 지방자치단체의 장에게 제출하여야 한다. 〈개정 2014.8.12.〉
② 법 제103조의 24 제3항에 따라 수정신고를 통하여 발생한 추가납부세액을 납부하려는 자는 행정안전부령으로 정하는 납부서로 납부하여야 한다. 〈신설 2014.8.12.〉 [본조신설 2014.3.14.]
③ 법 제103조의 24 제5항에 따라 「지방세기본법」 제50조에 따른 경정 등의 청구를 하려는 법인은 같은 법 시행령 제31조에 따른 결정 또는 경정 청구서를 납세지별로 각각 작성하여 해당 사업연도의 종료일 현재 본점 또는 주사무소의 소재지를 관할하는 지방자치단체의 장에게 일괄하여 제출해야 한다.

납세의무자가 법인세를 수정신고할 때에는 그 법인지방소득세도 신고납부하도록 하고, 납세지 선택에 오류가 있거나 자치단체별 안분세액에 오류가 있음을 발견한 때에는 관할 지방자치단체의 장이 보통징수하기 전까지는 수정신고납부 및 경정청구를 할 수 있다.

| 최근 개정법령 _ 2017.1.1. | 법인지방소득세 안분신고 의무이행 확보수단 마련(법 제103조의 24 ④·⑥)

법인지방소득세 안분신고를 잘못하더라도 과세관청이 부과고지 전까지만 수정신고를 하면 가산세가 면제되는데, 일부 법인의 경우 제도를 악용하여 안분신고를 해태하는 사례(한 곳의 지자체에 일괄신고한 후, 신고한 내용이 잘못된 것으로 발각되면 다시 수정신고) 있었다. 이에 따라 안분신고 의무를 해태하는 경우에는 가산세 면제대상에서 제외하도록 보완하였다.

| 최근 개정법령_2017.1.1. | 여러 지자체 사업장 보유 법인의 경정청구 절차 개선(법 제103조의 24 ⑤)
법인지방소득세 경정청구시, 여러 지자체에 사업장을 보유한 법인은 각 사업장 소재지 지자체마다 경정청구해야 하는 불편이 있었는데, 법인 본점 또는 주사무소의 지자체에 일괄 신청하면 해당 지자체에서 일괄 처리한 후 납세자와 관련 지자체에 통보하도록 개선하였다.

| 최근 개정법령_2020.1.1. | 법인지방소득세 일괄경정청구 절차 명확화(법 §103의 24 ⑦)
법인지방소득세는 사업연도 종료 4개월 내 사업장 소재 지자체에 신고하되 둘 이상 지자체에 사업장이 있는 경우 안분하여 신고·납부해야 한다. 경정청구의 경우 신고한 과세표준 및 세액이 정당한 과세표준 및 세액을 초과할 경우 신고기한 경과 후 5년 이내 경정청구가 가능하다. 이 때 둘 이상의 사업장이 있는 법인의 경우 본점 소재지 지자체 장에게 일괄 청구가 가능하다. 그런데 일괄 경정청구 시 제출 서류 및 제출방법, 처리절차 등을 구체적으로 정하고 있지 않아 납세자나 과세관청의 불편이 초래되었다. 이에 따라 일괄 경정청구의 절차 등에 관한 사항을 대통령령에서 규정하도록 위임 근거를 마련하고 시행령에서 구체화하였다.

○ **(지침) 법인세분 지방소득세 가감신고 제도 적용요령**(지방세정책과-5000, 2016.12.29.)

〈가감신고제도 개요〉

- (근거) 舊 지방세법 제91조(신고납부) ※ '13년 이전 귀속 사업연도분에 한함
- (요건) 국세청 경정 또는 수정신고에 따라 사업연도별로 추가납부 또는 환급되는 총세액이 당초에 결정 또는 신고한 세액의 100분의 10에 미달할 때
- (방법) 당초 신고납부기한(법인세액이 결정·경정되는 경우 고지서 납부기한부터 1개월 내, 수정신고를 하는 경우에는 그 신고일부터 1개월 내)에도 불구하고 경정고지일 또는 수정신고일이 속하는 사업연도분 법인세분에 가감하여 신고납부 가능

〈쟁점별 검토결과〉

① 추가납부세액이 10%미만임에도, 확정신고시 가산하여 신고납부하지 않은 경우, 무신고로 보아야 하는지, 과소신고로 보아야 하는지 여부? ⇒ 과소신고가산세(10%)를 적용

- (이유) 확정신고시 법인세분 신고서에 가감신고액을 누락하였다고 하여, 과세표준 신고자체가 없었다고 보기 어려움. 추가납부세액이 10% 초과한 경우에는 가감신고 적용대상이 아니므로 당초 신고기한 내 신고하지 않았다면 무신고가산세 부과

※ 무신고가산세는 법정신고기한까지 산출세액을 신고하지 않았을 경우 적용되는 것 임(舊 「지방세기본법」 제53조의 2).

② 확정신고시 가산하여 납부하지 않아, 납부불성실가산세를 부과할 경우 기산일을 '당초 신고납부기한 다음날'로 보아야 하는지, 가산하는 사업연도분의 '확정신고납부기한 다음날'로 보아야 하는지 여부? ⇒ 가산하는 사업연도분의 확정신고납부기한 다음날부터 자진납

부일(납세고지일)까지 납부불성실가산세를 부과

• (이유) 추가납부세액이 10% 미만인 경우, 그 귀속연도에 관계없이 경정고지 · 수정신고일이 속하는 사업연도의 종료일부터 4개월까지 그 사업연도의 산출세액과 함께 신고 · 납부토록 하였으므로, 가감신고분에 대한 신고납부기한을 확정신고납부기한과 동일하게 보아야 할 것이며, 납부불성실가산세 계산시 기산일도 확정신고납부기한 다음날부터 적용되어야 할 것임.

③ 당초 신고한 세액의 10% 미만 환급세액을 확정신고시 차감하여 신고납부하지 않은 경우, 환급가산금 지급여부 및 기산일은? ⇒ 환급가산금은 지급하며, 확정신고기한일의 다음날부터 기산

• (이유) 가감신고시 「지방세기본법」 제77조를 적용하지 않는다는 것은 확정신고시 가감조정할 경우만 환급가산금을 지급하지 않음을 의미. 따라서, 가감조정을 누락하여 그 이후에 환급할 경우는 확정신고기한일의 다음날부터 환급가산금을 지급. 다만, 결손으로 인해 가감조정할 세액없이 환급세액만 발생할 경우 환급가산금은 확정신고일로부터 30일이 지난 때부터 기산하여 지급(「지방세기본법」 제77조 제1항 제5호). 또한, 가감신고 전에 국세 통보자료를 통해 직권 환급하는 경우 환급가산금은 납부일의 다음날부터 기산하여 지급(「지방세기본법」 제77조 제1항 제1호)

④ 동일 사업연도분이 여러 차례 경정된 경우 100분의 10 미달여부를 어느 시점의 세액을 기준으로 판단하여 적용하는지? ⇒ 최초 결정 또는 신고세액을 기준으로 사업연도별 경정으로 인한 추가납부세액의 합을 비교(10% 미만 여부)

• (이유) 수개연도분의 법인세가 경정될 경우, 각 사업연도별 당초 결정 또는 신고세액과 경정에 따른 추가납부액을 비교하여 적용함으로, 동일 사업연도분에 대해서도 판단시점별 직전 최종 법인의 세액으로 판단하는 것이 아니라, 해당 사업연도의 최초 결정 또는 신고세액을 기준으로 가감신고 적용대상을 판단해야 함.

※ 수개연도분이 경정될 경우 신고납부방법(내무부 세정 13407-603, 1995.7.3.)

❖ 5개연도 법인세가 경정되었을 경우 각 사업연도별 당초 결정 또는 신고세액과 경정으로 인한 추가납부세액을 비교하여 연도별로 적용하여야 함.

⑤ 가감신고시 사업장별 안분율 적용하는 사업연도는? ⇒ 당초 귀속 사업연도 안분율 적용

• (이유) 납세의무가 성립된 소득에 대하여는 그 성립 후의 새로운 법에 따라 소급하여 과세하지 아니하며, 법령 해석, 지방세 행정 관행이 일반적으로 납세자에게 받아들여진 후에는 새로운 해석, 관행에 따라 소급하여 과세되지 아니함.

⑥ 단일 과세건에 대해 일부는 1개월 내 신고납부, 일부는 확정신고분에 가감하여 신고납부한 경우에 당초 신고납부 기한을 적용하는지, 확정 신고납부기한을 적용하는지? ⇒ 확정

신고 납부기한 적용으로 가산세 미적용

- (이유) 가감신고제도는 법 조문상 임의규정이며, 납세자의 번거로움을 덜어주기 위한 제도라는 측면을 고려할 때, 일부만 1개월 내 신고납부를 하였다고 하더라도 가감신고를 하지 않겠다는 의사표시는 아니며, 일부 납부 성격으로 보아야 할 것임. 따라서, 과소신고 등 가산세 적용은 불가할 것으로 판단됨.

제103조의 25(결정과 경정)

법 제103조의 25(결정과 경정) ① 납세지 관할 지방자치단체의 장은 다음 각 호의 어느 하나에 해당하는 경우에는 해당 사업연도의 과세표준과 세액을 결정 또는 경정한다. 〈개정 2016.12.27.〉

1. 내국법인이 제103조의 23에 따른 신고를 하지 아니한 경우
2. 제103조의 23에 따른 신고를 한 내국법인의 신고 내용에 오류 또는 누락이 있는 경우
   가. 신고 내용에 오류 또는 누락이 있는 경우
   나. 「자본시장과 금융투자업에 관한 법률」 제159조에 따른 사업보고서 및 「주식회사의 외부감사에 관한 법률」 제8조에 따른 감사보고서를 제출할 때 수익 또는 자산을 과다 계상하거나 손비(損費) 또는 부채를 과소 계상하는 등 사실과 다른 회계처리를 함으로 인하여 그 내국법인, 그 감사인 또는 그에 소속된 공인회계사가 대통령령으로 정하는 경고·주의 등의 조치를 받은 경우로서 과세표준 및 세액을 과다하게 계상하여 「지방세기본법」 제51조에 따라 경정을 청구한 경우

② 납세지 관할 지방자치단체의 장은 법인지방소득세의 과세표준과 세액을 결정 또는 경정한 후 그 결정 또는 경정에 오류나 누락이 있는 것을 발견한 경우에는 즉시 이를 다시 경정한다.

③ 납세지 관할 지방자치단체의 장은 제1항과 제2항에 따라 법인지방소득세의 과세표준과 세액을 결정 또는 경정하는 경우에는 「법인세법」에 따라 납세지 관할 세무서장 또는 관할 지방국세청장이 결정 또는 경정한 자료, 장부나 그 밖의 증명서류를 근거로 하여야 한다. 다만, 대통령령으로 정하는 사유로 장부나 그 밖의 증명서류에 의하여 소득금액을 계산할 수 없는 경우에는 대통령령으로 정하는 바에 따라 추계(推計)할 수 있다.

④ 지방자치단체의 장이 법인지방소득세의 과세표준과 세액을 결정 또는 경정한 때에는 그 내용을 해당 내국법인에게 대통령령으로 정하는 바에 따라 서면으로 통지하여야 한다.

[본조신설 2014.1.1.]

영 제100조의 15(결정과 경정) ① 납세지 관할 지방자치단체의 장은 법 제103조의 25에 따라 법인지방소득세의 과세표준과 세액을 결정 또는 경정하는 경우에는 「법인세법」에 따라 납세지 관할 세무서장 또는 관할 지방국세청장이 결정 또는 경정한 자료, 과세표준확정신고서 및 그 첨부서류에 의하거나 장부나 그 밖에 증명서류에 의한 실지조사에 따름을 원칙으로 한다.

③ 법 제103조의 25 제3항 단서에서 "대통령령으로 정하는 사유"란 「법인세법 시행령」 제104조 제1항 각 호의 어느 하나에 해당하는 경우를 말한다.

④ 법 제103조의 25 제3항 단서에 따라 소득금액을 추계하여 결정 또는 경정하는 경우는 「법인세법 시행령」 제104조 제2항·제3항 및 제105조에서 정한 방법에 따른다. [본조신설 2014.3.14.]

제100조의 16(통지) 지방자치단체의 장은 법 제103조의 25 제4항에 따라 과세표준과 세액을 통지하는 경우에는 납세고지서에 그 과세표준과 세액의 계산명세를 첨부하여 통지하여야 하고, 각 사업연도의 과세표준이 되는 금액이 없거나 납부할 세액이 없는 경우에는 그 결정된 내용을 통지하여야 한다. [본조신설 2014.3.14.]

내국법인이 법인지방소득세 과세표준 등을 신고하지 않거나, 신고내용에 오류가 있는 경우 지방자치단체의 장이 과세표준과 세액을 결정 또는 경정하도록 하고, 장부나 그 밖의 증빙에 의하여 소득금액을 계산할 수 없는 경우에는 추계할 수 있으며 결정·경정 내용은 내국법인에게 통지하도록 하고 있다.

| 최근 개정법령_2017.1.1. | 분식회계 한 법인에 대한 환급 특례 도입(법 제103조의 25 ①, 제103조의 64, 제103조의 65)

법인세는 사실과 다른 회계처리로 인한 경정청구 시 그 환급금을 5년간 납부할 세액에서 공제한 후 잔액을 환급하고 있는 바, 지방소득세도 사실과 다른 회계처리로 인한 경정청구 시 그 환급금을 5년간 납부할 세액에서 공제한 후 잔액을 환급하도록 변경하였다.

제103조의 26(수시부과결정)

법 제103조의 26(수시부과결정) ① 납세지 관할 지방자치단체의 장은 내국법인이 그 사업연도 중에 대통령령으로 정하는 사유(이하 이 조에서 "수시부과사유"라 한다)로 법인지방소득세를 포탈(逋脫)할 우려가 있다고 인정되는 경우에는 수시로 그 법인에 대한 법인지방소득세를 부과할 수 있다. 이 경우에도 각 사업연도의 소득에 대하여 제103조의 23에 따른 신고를 하여야 한다.

② 제1항은 그 사업연도 개시일부터 수시부과사유가 발생한 날까지를 수시부과기간으로 하여 적용한다. 다만, 직전 사업연도에 대한 제103조의 23에 따른 신고기한 이전에 수시부과사유가 발생한 경우(직전 사업연도에 대한 과세표준신고를 한 경우는 제외한다)에는 직전 사업연도 개시일부터 수시부과사유가 발생한 날까지를 수시부과기간으로 한다.

③ 제1항 및 제2항에 따른 수시부과에 필요한 사항은 대통령령으로 정한다.

[본조신설 2014.1.1.]

영 제100조의 17(수시부과결정) ① 법 제103조의 26 제1항 전단에서 "대통령령으로 정하는 사유"란 「법인세법 시행령」 제108조 제1항 각 호의 어느 하나에 해당하는 경우를 말한다.

② 납세지 관할 지방자치단체의 장은 제1항에 따른 사유가 발생한 법인에 대하여 법 제103조의

26 제1항에 따라 수시부과를 하는 경우에는 제100조의 15 제1항·제4항 및 법 제103조의 21 제2항을 준용하여 그 과세표준 및 세액을 결정한다.

③ 납세지 관할 지방자치단체의 장은 법인이 주한 국제연합군 또는 외국기관으로부터 사업수입금액을 외국환은행을 통하여 외환증서 또는 원화로 영수할 때에는 법 제103조의 26에 따라 그 영수할 금액에 대한 과세표준을 결정할 수 있다.

④ 제3항에 따라 수시부과를 하는 경우에는 제100조의 15 제4항에 따라 계산한 금액에 법 제103조의 20에 따른 세율을 곱하여 산출한 금액을 그 세액으로 한다. [본조신설 2014.3.14.]

지방자치단체장은 내국법인이 법인지방소득세를 포탈(逋脫)할 우려가 있다고 인정되는 경우에는 법인지방소득세를 수시 부과할 수 있다.

제103조의 27(징수와 환급)

법 제103조의 27(징수와 환급) ① 납세지를 관할하는 지방자치단체의 장은 내국법인이 제103조의 23에 따라 각 사업연도의 법인지방소득세로 납부하여야 할 세액의 전부 또는 일부를 납부하지 아니한 경우에는 그 미납된 부분의 법인지방소득세 세액을 「지방세기본법」 및 「지방세징수법」에 따라 징수한다.

② 납세지를 관할하는 지방자치단체의 장은 제103조의 26에 따라 수시부과하거나 제103조의 29에 따른 특별징수한 세액이 제1호부터 제5호까지의 금액을 합한 금액(이하 "법인지방소득세 총부담세액"이라 한다)을 초과하는 경우에는 「지방세기본법」 제60조에 따라 이를 환급하거나 지방세에 충당하는 등의 조치를 취하여야 한다. 〈개정 2016.12.27.〉

[본조신설 2014.1.1.]

1. 법인지방소득세 산출세액에서 제103조의 22에 따른 세액공제 및 세액감면을 적용한 금액 2. 이 법 및 「지방세기본법」에 따른 가산세 3. 이 법 및 「지방세특례제한법」에 따른 추가납부세액 4. 「지방세특례제한법」 제2조 제14호에 따른 이월과세액(그 이자 상당액을 포함한다) 5. 제103조의 51에 따른 외국법인의 신고기한 연장에 따른 이자상당 가산액

내국법인이 법인지방소득세를 납부하지 아니한 때에는 지방자치단체장은 미납 또는 과소납부된 법인지방소득세액을 징수하며, 초과징수한 경우 다른 자치단체 징수금에 충당 또는 환급한다.

| 최근 개정법령 _ 2017.1.1. | 지방소득세 총 결정세액 용어정의 명확화(법 제103조의 27 ②, 제103조의 62)

특별징수한 세액을 환급하거나 충당하기 위해 확정되어야 할 법인지방소득세 세액은 현행 규정에 명시된 세액공제·감면, 가산세 적용 이외에 추가납부세액(감면분추가 납부세액 : 「지방세법」 제103조의 63에 따라 과세표준 산정시 조세특례가 적용되어 법인세를 추가납부하는 경우 그 추가납부세액의 10%를 추가 납부) 적용 등도 있으나 이러한 내용은 명시되어 있지 않다. 따라서 특별징수한 세액을 환급하거나 충당하기 위해 확정되어야 할 법인지방소득세 세액의 정의를 '총결정세액에서 총부담세액'으로 변경(개인지방소득세의 총결정세액과 용어 혼란을 방지)하고, 추가납부세액 등 세액 산정 과정에서 적용할 대상을 나열하여 명시하였다.

제103조의 28(결손금 소급공제에 따른 환급)

법 제103조의 28(결손금 소급공제에 따른 환급) ① 내국법인이 「법인세법」 제72조에 따라 결손금 소급 공제에 따른 환급을 신청하는 경우 해당 결손금에 대하여 직전 사업연도의 소득에 대하여 과세된 법인지방소득세액(대통령령으로 정하는 법인지방소득세액을 말한다)을 한도로 대통령령으로 정하는 바에 따라 계산한 금액(이하 "결손금 소급공제세액"이라 한다)을 환급신청할 수 있다.

② 결손금 소급공제세액을 환급받으려는 내국법인은 제103조의 23에 따른 신고기한까지 대통령령으로 정하는 바에 따라 납세지 관할 지방자치단체의 장에게 환급을 신청하여야 한다. 다만, 내국법인이 납세지 관할 세무서장 또는 지방국세청장에게 「법인세법」 제72조에 따른 결손금 소급공제 환급을 신청한 경우에는 제1항에 따른 환급을 신청한 것으로 보며, 이 경우 환급가산금의 기산일은 「지방세기본법」 제62조 제1항 제5호 단서에 따른다. 〈개정 2015.12.29.〉

③ 납세지 관할 지방자치단체의 장이 제2항에 따라 법인지방소득세의 환급신청을 받은 경우에는 지체 없이 환급세액을 결정하여 「지방세기본법」 제60조 및 제62조에 따라 환급하거나 충당하여야 한다. 다만, 제89조 제2항에 따라 법인지방소득세를 둘 이상의 지방자치단체에서 부과한 경우에는 대통령령으로 정하는 바에 따라 각각의 납세지 관할 지방자치단체에서 환급하거나 충당하여야 한다.

④ 제1항부터 제3항까지는 해당 내국법인이 결손금이 발생한 사업연도에 대한 과세표준 및 세액을 신고한 경우로서와 그 직전 사업연도의 소득에 대한 법인지방소득세의 과세표준 및 세액을 각각 신고하였거나 지방자치단체의 장이 부과한 경우에만 적용한다. 〈개정 2016.12.27.〉

⑤ 납세지 관할 지방자치단체의 장은 제3항에 따라 법인지방소득세를 환급받은 내국법인이 다음 각 호의 어느 하나에 해당하는 경우에는 그 환급세액(제1호 및 제2호의 경우에는 과다하게 환급된 세액 상당액을 말한다)을 대통령령으로 정하는 바에 따라 그 이월결손금이 발생한 사업연도의 법인지방소득세로서 징수한다.

1. 결손금이 발생한 사업연도에 대한 법인지방소득세의 과세표준과 세액을 경정함으로써 결손금이 감소된 경우
2. 결손금이 발생한 사업연도의 직전 사업연도의 법인지방소득세 과세표준과 세액을 경정함으로

써 환급세액이 감소된 경우

3. 제1항에 따른 내국법인이 중소기업에 해당하지 않는 경우로서 법인지방소득세를 환급 받은 경우

⑥ 결손금 소급 공제에 따른 환급세액의 계산과 그 밖에 필요한 사항은 대통령령으로 정한다. [본조신설 2014.1.1.] [제목개정 2015.12.29.]

영 제100조의 18(결손금 소급 공제에 따른 환급세액의 계산) ① 법 제103조의 28 제1항에서 "대통령령으로 정하는 법인지방소득세액"이란 직전 사업연도의 법인지방소득세 산출세액(법 제103조의 31에 따른 토지등 양도소득에 대한 법인지방소득세는 제외한다. 이하 이 조에서 같다)에서 직전 사업연도의 소득에 대한 법인지방소득세로서 공제 또는 감면된 법인지방소득세액(이하 "감면세액"이라 한다)을 뺀 금액(이하 이 조에서 "직전 사업연도의 법인지방소득세액"이라 한다)을 말한다.

② 법 제103조의 28 제1항에서 "대통령령으로 정하는 바에 따라 계산한 금액"이란 제1호의 금액에서 제2호의 금액을 뺀 금액을 말한다.

1. 직전 사업연도의 법인지방소득세 산출세액
2. 직전 사업연도의 과세표준에서 「법인세법」 제14조 제2항에 따른 해당 사업연도의 결손금으로서 「법인세법」 제72조에 따라 소급공제를 받은 금액(직전 사업연도의 과세표준을 한도로 하고, 이하 이 조에서 "소급공제 결손금액"이라 한다)을 뺀 금액에 직전 사업연도의 세율을 적용하여 계산한 금액

③ 법 제103조의 28 제2항에 따라 환급을 받으려는 법인은 법 제103조의 23 제1항에 따른 신고기한까지 행정안전부령으로 정하는 소급공제법인지방소득세액환급신청서를 납세지 관할 지방자치단체의 장에게 제출하여야 한다.

④ 법 제103조의 28에 따라 결손금이 감소됨에 따라 징수하는 법인지방소득세액의 계산은 다음 계산식에 따른다. 다만, 「법인세법」 제14조 제2항의 결손금 중 그 일부 금액만을 소급 공제받은 경우에는 소급 공제받지 아니한 결손금이 먼저 감소된 것으로 본다.

$$\text{법 제103조의 28 제2항에 따른 환급세액 (이하 이 조에서 "당초환급세액"이라 한다)} \times \frac{\text{감소된 결손금액으로서 소급 공제받지 아니한 결손금을 초과하는 금액}}{\text{소급공제 결손금액}}$$

⑤ 법 제103조의 28 제5항에 따라 환급세액을 징수하는 경우에는 제1호의 금액에 제2호의 율을 곱하여 계산한 금액을 환급세액에 가산하여 징수한다.

1. 법 제103조의 28 제5항에 따른 환급세액
2. 당초환급세액의 통지일의 다음 날부터 법 제103조의 28 제5항에 따라 징수하는 법인지방소득세액의 고지일까지의 기간에 대하여 「지방세기본법 시행령」 제34조에 따른 이자율. 다만, 납세자가 법인지방소득세액을 과다하게 환급받은 데 정당한 사유가 있는 경우에는 「지방세기본법 시행령」 제43조에 따른 이자율을 적용한다.

⑥ 납세지 관할 지방자치단체의 장은 당초환급세액을 결정한 후 해당 환급세액의 계산의 기초가 된 직전 사업연도의 법인지방소득세액 또는 과세표준금액이 달라진 경우에는 즉시 당초환급세액을 재결정하여 추가로 환급하거나 과다하게 환급한 세액 상당액을 징수하여야 한다.

⑦ 제6항에 따라 당초환급세액을 재결정할 때에 소급공제 결손금액이 과세표준금액을 초과하는 경우에는 그 초과 결손금액은 소급공제 결손금액으로 보지 아니한다. [본조신설 2014.3.14.]

중소기업은 결손금이 발생한 경우 결손금소급공제를 신청하여 직전사업연도의 소득에 대한 법인지방소득세액을 환급받을 수 있다.

| 최근 개정법령 _ 2016.1.1. | 결손금 소급공제 환급 개선(제101조 ②, 제103조의 28 ②)

소득세법 또는 법인세법에 따라 결손금 소급공제에 따른 환급신청을 한 납세의무자는 지방소득세에 대한 결손금 소급공제도 신청을 할 수 있는데, 국세와 지방세의 결손금 소급공제를 각각 신청하도록 되어 있어 착오로 국세에 대한 신청만을 하여 지방소득세 환급이 어려운 사례가 발생하였다. 그에 따라 국세의 결손금 소급공제 신청 시 지방소득세의 경우에도 이를 신청한 것으로 볼 수 있도록 개정하였다.

□ 사례1) 산출세액 〉 특별징수 세액

특별징수 세액의 납세지에 관계없이 납세자 기납부세액 차감
특별징수 세액이 사업장 소재지에 안분 납부한 것으로 작성

(단위 : 천원)

구 분		사업장		특별징수지	
		서울시(70%)	수원시(30%)	부산	울산
산출세액		10,000		1,000	2,000
		7,000	3,000		
기납부세액	합계	3,000			
	안분	2,100	900		
차감납부세액		4,900	2,100		

※ 처리절차 : ① 2016.3월 이후 특별징수지 확인 → ② 본점 송금 → ③ 사업장소재지 송금

☐ 사례2) 산출세액 〈 특별징수 세액

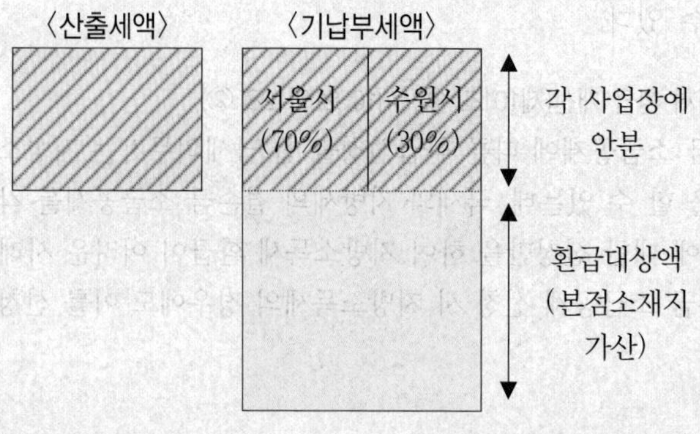

특별징수 세액의 납세지에 관계없이 납세자 기납부세액 차감
산출세액 상당액 사업장 소재지(본점소재지 포함) 안분납부한 것으로 작성
환급대상액(산출세액 - 특별징수 세액) 계산하여 본점 소재지 기납부세액에 가산

(단위 : 천원)

구 분		사업장		특별징수지	
		서울시(70%)	수원시(30%)	부산	울산
산출세액		10,000		10,000	21,000
		7,000	3,000		
기납부 세액	총 합계	31,000			
	안분대상액	10,000(산출세액)			
	안분	7,000	3,000		
	본점가산	21,000 (31,000 - 10,000)			
	소계	28,000	3,000		
차감납부세액		21,000	0		

※ 처리절차 : ① 2016.3월 이후 특별징수지 확인 → ② 본점 송금 → ③ 본점일괄 과오납 처리

제103조의 29(특별징수의무)

법 제103조의 29(특별징수의무) ①「법인세법」 제73조 및 제73조의 2에 따른 원천징수의무자가 내국법인으로부터 법인세를 원천징수하는 경우에는 원천징수하는 법인세(「조세특례제한법」 및 다른 법률에 따라 조세감면 또는 중과세 등의 조세특례가 적용되는 경우에는 이를 적용한 법인세)의 100분의 10에 해당하는 금액을 법인지방소득세로 특별징수하여야 한다.
② 제1항에 따라 특별징수를 하여야 하는 자를 "특별징수의무자"라 한다.
③ 특별징수의무자는 특별징수한 지방소득세를 그 징수일이 속하는 달의 다음 달 10일까지 대통

령령으로 정하는 바에 따라 관할 지방자치단체에 납부하여야 한다.

④ 특별징수의무자가 징수하였거나 징수하여야 할 세액을 제3항에 따른 납부기한까지 납부하지 아니하거나 과소납부한 경우에는 「지방세기본법」 제56조에 따라 산출한 금액을 가산세로 부과한다.

⑤ 법인지방소득세의 특별징수에 관하여 이 법에 특별한 규정이 있는 경우를 제외하고는 「법인세법」에 따른 원천징수에 관한 규정을 준용한다. [본조신설 2014.1.1.]

영 제100조의 19(특별징수의무) ① 법 제103조의 29 제2항에 따른 특별징수의무자(이하 이 조에서 "특별징수의무자"라 한다)는 같은 조 제3항에 따라 징수한 특별징수세액을 행정안전부령으로 정하는 납부서로 납부하여야 한다. 〈개정 2015.6.1.〉

② 특별징수의무자는 납세의무자별로 행정안전부령으로 정하는 법인지방소득세 특별징수명세서를 특별징수일이 속하는 해의 다음 해 2월 말일(특별징수의무자가 휴업, 폐업 및 해산한 경우에는 휴업, 폐업 및 해산일이 속하는 달 말일의 다음 날부터 2개월이 되는 날)까지 특별징수의무자 소재지 관할 지방자치단체의 장에게 제출하여야 한다. 이 경우 특별징수의무자 소재지 관할 지방자치단체의 장은 특별징수의무자의 소재지와 납세의무자의 사업장 소재지가 다른 경우 납세의무자의 사업장 소재지 관할 지방자치단체의 장에게 해당 지방법인소득세 특별징수명세서를 통보하여야 한다. 〈신설 2015.6.1.〉

③ 특별징수의무자는 제2항 전단에 따른 법인지방소득세 특별징수명세서를 다음 각 호의 어느 하나에 해당하는 방법으로 제출하여야 한다. 〈신설 2015.6.1.〉

1. 출력하거나 디스켓 등 전자적 정보저장매체에 저장하여 인편 또는 우편으로 제출
2. 「지방세기본법」 제2조 제1항 제28호에 따른 지방세정보통신망으로 제출

④ 특별징수의무자는 납세의무자로부터 법인지방소득세를 특별징수한 경우에는 그 납세의무자에게 행정안전부령으로 정하는 법인지방소득세 특별징수영수증을 발급하여야 한다. 다만, 「법인세법」 제73조에 따른 원천징수의무자가 같은 법 제74조에 따른 원천징수영수증을 발급할 때 법인지방소득세 특별징수액과 그 납세지 정보를 포함하여 발급하는 경우에는 해당 법인지방소득세 특별징수영수증을 발급한 것으로 본다. 〈신설 2015.6.1.〉

⑤ 제4항 본문에도 불구하고 「법인세법」 제73조에 따른 이자소득금액 또는 배당소득금액이 계좌별로 1년간 1백만원 이하로 발생한 경우에는 법인지방소득세 특별징수영수증을 발급하지 아니할 수 있다. 다만, 납세의무자가 법인지방소득세 특별징수영수증의 발급을 요구하는 경우에는 이를 발급하여야 한다.

⑥ 법 제103조의 29 제4항 단서에서 "대통령령으로 정하는 자"란 주한 미국군을 말한다. [본조신설 2014.3.14]

제100조의 20 삭제 〈2015.7.24.〉

특별징수의무자는 이자・배당소득 발생시점과 관계없이 지급기준으로 2015.1.1. 이후 징수하는 법인세액부터 그 10%를 법인지방소득세로 특별징수하여야 한다(지방세법 법률 제12153호 부칙 제1조).

* 법인지방소득세 납세의무 성립 시기 : 소득금액 또는 수입금액을 지급하는 때

예시) 2014.10.1.~12.31. 발생된 이자소득 10,000원을 2015.1.15. 지급할 경우

① 2014.10.1.~2014.12.31.	② 2015.1.15.	③ 2015.2.10.
이자소득 발생(10,000원)	1,400원 법인세 원천징수 140원 지방소득세 특별징수 8,460원 소득자에 지급	원천징수세액 1,400원 세무서 납부 특별징수세액 140원 지자체 납부

| 최근 개정법령 _ 2019.1.1. | 법인지방소득세 특별징수명세서 제출시기 변경 등(영 §100의 19 ②, ⑥)
법인세와 동일하게 특별징수명세서 제출시기를 특별징수일이 속하는 해의 다음해 2월말로 일원화하였다. 그리고 주한 미국군이 특별징수의무자인 경우 특별징수 불성실 가산세를 면제하여 조세행정의 통일성 제고하였다.

◎ 국내 고정사업장이 없는 외국법인에 대한 환급

지방세법 제96조 제1항에서 법인세 원천징수의무자가 법인세를 원천징수하는 경우에는 법인세분 지방소득세도 동시에 원천징수하도록 규정하고, 이 경우 "원천징수의무자"를 "특별징수의무자"로 보도록 규정하면서, 동법 시행규칙 제42조 제2항에서 특별징수의무자가 특별징수하여 납부한 지방소득세 중 과오납된 세액이 있는 경우에는 그 특별징수의무자가 특별징수하여 납부할 지방소득세에서 조정하여 환급하도록 규정하고 있고, 동법 시행령 제42조 제3항 제2호에서 납세자가 조정·환급을 원하지 아니하여 납세자가 특별징수의무자를 경유하여 시·군에 환급을 신청하거나 해당 특별징수의무자가 시·군에 환급을 신청하는 경우는 조정·환급하지 아니하고 해당 지방소득세가 과오납된 시·군에서 환급하도록 규정하고 있음. 따라서 당해 법인이 주식을 양도하여 양수인이 국외소재 양도법인의 법인세분 지방소득세를 원천징수하여 해당 자치단체에 납부한 후 외국법인이 직접 법인세를 경정청구함에 따른 환급세액이 발생하여 부가세인 법인세분 지방소득세 환급액이 발생한 경우 해당 지방소득세가 과오납된 시·군에서 특별징수의무자가 시군에 환급신청하는 경우에는 특별징수의무자에게 환급함을 원칙으로 하여야 하고, 예외적으로 납세자가 조정·환급을 원하지 아니하여 특별징수의무자를 경유하여 시·군에 환급신청하는 경우에는 법인세 납세자에게 직접 환급할 수 있음(지방세운영과-1540, 2011.4.1.).

제103조의 30(가산세)

법 제103조의 30(가산세) ① 납세지 관할 지방자치단체의 장은 납세지 관할 세무서장이 「법인세법」 제75조, 제75조의 2부터 제75조의 9까지의 규정에 따라 법인세 가산세를 징수하는 경우에는 그 징수하는 금액의 100분의 10에 해당하는 금액을 법인지방소득세 가산세로 징수한다. 다만, 「법인세법」 제75조의 3에 따라 징수하는 가산세의 100분의 10에 해당하는 법인지방소득세 가산세와 「지방세기본법」 제53조 또는 제54조에 따른 가산세가 동시에 적용되는 경우에는 그 중 큰 가산세액만 적용하고, 가산세액이 같은 경우에는 「지방세기본법」 제53조 또는 제54조에 따른 가산세만 적용한다.

② 법인의 사업장 소재지가 둘 이상의 지방자치단체에 있어 각 사업장 소재지 관할 지방자치단체의 장이 제89조 제2항에 따라 안분하여 부과·징수하는 경우에는 제1항에 따라 징수하려는 법인지방소득세 가산세도 안분하여 징수한다. [전문개정 2015.7.24.]

지방세기본법상 가산세와 지방세법상 가산세로 구분된다. 지방세법상 법인지방소득세 가산세로 증빙불비가산세가 있다. 증빙불비가산세*는 법인세법 제75조, 제75조의 2부터 제75조의 9까지의 규정에 따라 법인세 가산세를 징수할 경우, 징수금액의 10%를 법인지방소득세의 가산세로 부과한다.

* (증빙불비 가산세) 성실신고확인서미제출, 주주등의 명세서 제출 불성실, 무기장, 기부금영수증 불성실, 지출증명서류 미수취·허위수취, 신용카드거래 거부, 현금영수증 미가맹 및 발급거부, 지급명세서 제출불성실, 계산서 및 (세금)계산서 불성실, 전자계산서 발급명세서 미 전송 또는 지연전송, 유보소득계산명세서 제출 불성실 등

지방세법상 가산세와 지방세기본법상 가산세(무신고, 과소신고)가 중복시 큰 가산세액을 적용하고, 같은 경우에는 지방세기본법상 가산세를 적용한다.

조세특례제한법 제90조의 2 세금우대자료 미제출가산세 및 국세기본법 제49조 가산세 한도[73] 규정은 법인지방소득세에서는 적용하지 않는다.[74]

◎ 지방세법 제103조의 30에 따른 협력의무 불이행 가산세(지급명세서 미제출 등)를 미납 또는 지연 납부하는 경우, 납부불성실가산세를 징수할 수 없음

지급명세서 제출의무는 「법인세법」 제120조, 제120조의 2에 따라 지급명세서를 해당 과세기간의 다음연도 2월말까지 관할 세무서장에게 제출하는 것으로 규정되어 있으나, 지급명세서 제출기한 또는 법인세 확정신고기한 이후 지급명세서제출 불성실 가산세를 스스로 계산하

73) 단순 협력의무 위반에 대한 가산세는 5천만원(중소기업 외는 1억원) 한도 내에서 가산세를 적용

74) 행안부, 2019년 지방소득세 실무해설집 참고

여, 과세관청에서 결정고지하기 전까지 납부해야할 의무는 「법인세법」 또는 지방세관계법에 규정되어 있지 않음. 또한 지방세기본법 제53조의 4에서 "납부기한까지 지방세를 납부하지 않은 경우"라 함은, 지방세법에서 정한 납부하여야 할 자진신고세액을 납부하지 않거나, 미달하게 납부한 경우가 해당되므로, 지방세법 제103조의 30에 따른 지급명세서제출불성실가산세를 징수함에 있어 동 가산세의 미납부를 이유로 납부불성실 가산세를 추가로 징수할 수 없음(지방세정책과-3555, 2016.9.29.).

제103조의 31(토지등 양도소득에 대한 과세특례 및 기업의 미환류소득에 대한 법인지방소득세)

법 제103조의 31(토지등 양도소득에 대한 과세특례 및 기업의 미환류소득에 대한 법인지방소득세)

① 내국법인이 「법인세법」 제55조의 2에 따른 토지 및 건물(건물에 부속된 시설물과 구축물을 포함한다), 주택을 취득하기 위한 권리로서 「소득세법」 제88조 제9호의 조합원입주권 및 같은 조 제10호의 분양권(이하 이 조 및 제103조의 49에서 "토지등"이라 한다)을 양도한 때에는 해당 각 호에 따라 계산한 세액을 토지등 양도소득에 대한 법인지방소득세로 하여 각 사업연도의 소득에 대한 법인지방소득세에 추가하여 납부하여야 한다. 이 경우 하나의 자산이 다음 각 호의 규정 중 둘 이상에 해당할 때에는 그 중 가장 높은 세액을 적용한다.

1. 대통령령으로 정하는 주택(이에 부수되는 토지를 포함한다) 및 주거용 건축물로서 상시 주거용으로 사용하지 아니하고 휴양·피서·위락 등의 용도로 사용하는 건축물을 양도한 경우에는 토지등의 양도소득에 1천분의 20(미등기 토지등의 양도소득에 대하여는 1천분의 40)을 곱하여 산출한 세액. 다만, 「지방자치법」 제3조 제3항 및 제4항에 따른 읍 또는 면에 있으면서 대통령령으로 정하는 범위 및 기준에 해당하는 농어촌주택(그 부속토지를 포함한다)은 제외한다.
2. 비사업용 토지(「법인세법」 제55조의 2 제2항 및 제3항에서 정하는 비사업용토지를 말한다)를 양도한 경우에는 토지등의 양도소득에 1천분의 10(미등기 토지등의 양도소득에 대하여는 1천분의 40)을 곱하여 산출한 세액
3. 주택을 취득하기 위한 권리로서 「소득세법」 제88조 제9호의 조합원입주권 및 같은 조 제10호의 분양권을 양도한 경우에는 토지등의 양도소득에 1천분의 20을 곱하여 산출한 세액

② 「법인세법」 제55조의 2 제4항 각 호의 어느 하나에 해당하는 토지등 양도소득에 대하여는 제1항을 적용하지 아니한다. 다만, 미등기 토지등(「법인세법」 제55조의 2 제5항에서 정하는 미등기 토지등을 말한다)에 대한 토지등 양도소득에 대하여는 그러하지 아니하다.

③ 토지등 양도소득은 토지등의 양도금액에서 양도 당시의 장부가액을 뺀 금액으로 한다.

④ 제1항부터 제3항까지의 규정을 적용할 때 농지·임야·목장용지의 범위, 주된 사업의 판정기준, 해당 사업연도의 토지등의 양도에 따른 손실이 있는 경우 등의 양도소득 계산방법, 토지등의

양도에 따른 손익의 귀속사업연도 등에 관하여 필요한 사항은 대통령령으로 정한다.

⑤「조세특례제한법」 제100조의 32 제2항에 따라 내국법인(연결법인을 포함한다)이 미환류소득에 대한 법인세를 납부하는 경우에는 그 납부하는 세액의 100분의 10에 해당하는 금액을 제103조의 19에 따른 과세표준에 제103조의 20에 따른 세율을 적용하여 계산한 법인지방소득세액에 추가하여 납부하여야 한다.

영 제100조의 21(토지등 양도소득에 대한 과세특례) ① 법 제103조의 31 제1항 제1호에서 "대통령령으로 정하는 주택"이란「법인세법 시행령」 제92조의 2 제2항에 따른 주택을 말한다.

② 법 제103조의 31 제1항 제1호 단서에서 "대통령령으로 정하는 범위 및 기준에 해당하는 농어촌주택(그 부속토지를 포함한다)"이란「법인세법 시행령」 제92조의 10에 따른 주택 및 그 부속토지를 말한다.

③ 법 제103조의 31에 따른 토지등 양도소득의 귀속연도, 양도시기 및 취득시기는「법인세법 시행령」 제92조의 2 제6항을 따른다.

④ 법인이 각 사업연도에 법 제103조의 31을 적용받는 둘 이상의 토지등을 양도하는 경우 토지등 양도소득은「법인세법 시행령」 제92조의 2 제9항에 따라 산출한 금액으로 한다.

[본조신설 2014.3.14.]

내국법인이 토지 및 건물을 양도한 경우에는 그 양도소득금액을 과세표준으로 하여 유형별 세율을 적용한 세액을 각 사업연도의 소득에 대한 법인지방소득세에 추가하여 납부하도록 규정하고 있다.

비사업용토지 및 주택을 양도한 때, 유형별 세율을 적용한 세액을 각 사업연도의 소득에 대한 법인지방소득세에 추가하여 납부하여야 한다. 이는 부동산 양도차익에 대한 개인지방소득세와 과세상 형평을 위한 취지이다. 납세의무자는 내국법인, 외국법인, 영리법인, 비영리법인이며, 주택(10년 이상인 사택, 3년 내 저당권 실행취득주택, 임대주택 등 제외), 비사업용 토지, 부동산가격급등 지정지역 부동산을 과세대상으로 하고 있다.

"토지등 양도소득에 대한 법인지방소득세"는 (양도가액 - 양도당시의 세무상 장부가액)에 세율을 곱하여 산출한다. 다만, 국내사업장이 없거나 부동산소득이 없는 외국법인은 장부가액이 아닌 취득가액과 양도비용을 차감한다.

한편, 2009.3.16. ~ 2012.12.31.까지의 기간 중에 주택(부수토지 포함) 또는 비사업용 토지를 양도하는 경우에는 법인세를 추가 과세하지 아니한다(법률 제9673호 법인세법 부칙 §4 및 법률 제10423호 법인세법 §55의 2 ⑧).

| 주택의 범위(지법 §103의 31 ① 1호) |

구 분		내 용
개념	국내에 소재하는 주택으로서 법인세법 시행령 제92조의 2 제2항 각 호의 '과세제외 주택'에 해당하지 아니하는 주택	
과세제외 주택	임대주택	• 매입(건설)임대주택으로서 일정요건*을 충족한 주택 * 5년 이상 임대, 기준시가 6억원 이하 등
	사택, 무상제공 주택	• 임원 및 사용인에게 제공하는 주택(10년 이상 제공)
	부득이하게 보유하는 주택	• 저당권 실행 또는 채권변제로 취득한 주택 (취득일부터 3년 미경과)
	기타 부득이하게 보유하는 주택	• 기획재정부령에서 부득이한 사유로 보유하고 있는 것으로 정하는 주택(대한주택보증주식회사가 매입한 주택)

| 비사업용 토지의 범위(지법 §103의 31 ① 2호, 법법 §55의 2 ②, ③) |

구 분		내 용
개념	토지를 보유하는 기간 중 (1) 보유기간 기준과 (2) 대상토지 기준을 모두 충족하는 토지 (법법 §55의 2 ②, ③)	
보유기간 기준	• 보유기간 중 비사업용으로 사용된 기간을 고려하여 판단	
	3년 미만 보유	① 보유기간에서 2년을 차감한 기간을 초과하는 기간 ② 보유기간의 20%에 상당하는 기간을 초과하는 기간 ∴ 2년 이상 or 80% 이상을 직접 사업에 사용시 사업용
	3~5년 미만 보유	① 보유기간에서 3년을 차감한 기간을 초과하는 기간 ② 양도일 직전 3년 중 1년을 초과하는 기간 ③ 보유기간의 20%에 상당하는 기간을 초과하는 기간 ∴ 3년 이상 or 양도일 직전 3년 중 2년 이상 or 80% 이상을 직접 사업에 사용시 사업용
	5년 이상 보유	① 양도일 직전 5년 중 2년을 초과하는 기간 ② 양도일 직전 3년 중 1년을 초과하는 기간 ③ 보유기간의 20%에 상당하는 기간을 초과하는 기간 ∴ 양도일 직전 5년 중 3년 이상 or 양도일 직전 3년 중 2년 이상 or 80% 이상을 직접 사업에 사용시 사업용
대상토지 기준	• 토지의 사용 목적을 고려하여 판단	
	농지, 임야, 목장	- 농·임·축산업을 주된 사업으로 하지 않는 법인 소유 토지 - 도시지역 소재·사업관련성 없는 토지 등
	주택 부수토지	- 주택정착면적에 지역별 배율을 곱한 면적 초과 토지
	기타	- 재산세 비과세·분리과세·별도합산 대상이 아닌 토지 - 별장과 그 부속토지, 기타 업무무관 토지

제103조의 32(비영리내국법인에 대한 과세특례)

법 제103조의 32(비영리내국법인에 대한 과세특례) ① 비영리내국법인은 「법인세법」 제4조 제3항 제2호에 따른 이자·할인액 및 이익(「소득세법」 제16조 제1항 제11호의 비영업대금의 이익은 제외하고, 투자신탁의 이익을 포함하며, 이하 이 조에서 "이자소득"이라 한다)으로서 제103조의 29에 따라 특별징수된 이자소득에 대하여는 제103조의 23에도 불구하고 과세표준 신고를 하지 아니할 수 있다. 이 경우 과세표준 신고를 하지 아니한 이자소득은 제103조의 19에 따라 각 사업연도의 소득금액을 계산할 때 포함하지 아니한다.

② 제1항에 따른 비영리내국법인의 이자소득에 대한 법인지방소득세의 과세표준 신고와 징수에 필요한 사항은 대통령령으로 정한다.

③ 「법인세법」 제62조의 2 제2항에 따라 비영리내국법인이 자산양도소득에 대하여 법인세를 납부하는 경우에는 제103조에 따라 계산한 과세표준에 제103조의 3에 따른 세율을 적용하여 산출한 금액을 법인지방소득세로 납부하여야 한다. 〈개정 2015.7.24.〉

④ 제3항에 따른 법인지방소득세의 과세표준에 대한 신고·납부·결정·경정 및 징수에 관하여는 자산 양도일이 속하는 각 사업연도의 소득에 대한 법인지방소득세의 과세표준의 신고·납부·결정·경정 및 징수에 과한 규정을 준용하되, 그 밖의 법인지방소득세액에 합산하여 신고·납부·결정·경정 및 징수한다. (후단삭제) 〈개정 2015.7.24.〉

⑤ 제3항에 따라 계산한 법인지방소득세는 제103조의 5 및 제103조의 6을 준용하여 양도소득과세표준 예정신고 및 자진납부를 하여야 한다. 〈신설 2015.7.24.〉

⑥ 비영리내국법인이 제5항에 따른 양도소득과세표준 예정신고를 한 경우에는 제4항에 따른 과세표준에 대한 신고를 한 것으로 본다. 다만, 제103조의 7 제3항 단서에 해당하는 경우에는 제4항에 따른 과세표준 신고를 하여야 한다. 〈신설 2015.7.24.〉

⑦ 제3항부터 제6항까지 규정한 사항 외에 비영리내국법인의 자산양도소득에 대한 과세특례에 관하여는 「법인세법」 제62조의 2를 준용한다. 〈개정 2015.7.24.〉 [본조신설 2014.1.1.]

영 제100조의 22(비영리내국법인의 과세표준 신고의 특례) ① 법 제103조의 32 제1항을 적용할 때에 비영리내국법인은 특별징수된 이자소득 중 일부에 대해서도 과세표준 신고를 하지 아니할 수 있다.

② 법 제103조의 32 제1항에 따라 과세표준 신고를 하지 아니한 이자소득에 대해서는 수정신고, 기한 후 신고 또는 경정 등을 통하여 이를 과세표준에 포함시킬 수 없다.

③ 법 제103조의 32 제5항에 따라 양도소득과세표준 예정신고를 하려는 경우에는 행정안전부령으로 정하는 법인지방소득에 대한 양도소득과세표준 예정신고서를 제출하여야 한다. 〈개정 2015.7.24.〉

④ 비영리내국법인이 법 제103조의 32 제5항에 따라 양도소득과세표준 예정신고 및 자진납부를 한 경우에도 법 제103조의 23 제1항에 따라 과세표준의 신고를 할 수 있다. 이 경우 예정신고 납부세액은 법 제103조의 23 제3항에 따른 납부할 세액에서 공제한다. 〈개정 2015.7.24.〉

[본조신설 2014.3.14]

| 최근 개정법령_2015.7.24. | 비영리내국법인 과세특례 규정 명확화(법 제103조의 32 ③)

비영리내국법인의 자산양도소득에 대한 법인지방소득세 예정신고의무는 관련 「법인세법」 규정(「법인세법」 제62조의 2(비영리내국법인의 자산양도소득에 대한 과세특례)에서 법인세 자산양도소득 예정신고의무 부과)을 준용하여 부과토록 하였으나, 예정신고는 확정신고와 함께 납세의무자에게 중요한 신고의무를 부과하는 사항임에도, 자체규정 없이 타법을 준용하고 있어 적용상 오해의 여지가 있었다. 그에 따라 비영리내국법인 양도소득과세표준 예정신고 관련 사항을 법에 명확히 규정하였다(신설).

비영리내국법인에 대한 과세특례

1. 비영리법인 개요

비영리법인이란 학술·종교·자선 등 주로 공익상의 목적인 영리 아닌 사업을 목적으로 설립된 법인으로 수익사업에서 생긴 이익을 구성원에게 배당하지 않거나 분배하지 않는 법인을 말한다. 해산시 잔여재산은 정관에 정한 자에게 귀속하고, 정관에 미규정시 총회의 결의 또는 주무관청의 승인을 얻어 유사한 설립목적을 가진 비영리법인에게 기부하거나 국가에 귀속한다.

과세소득의 범위와 관련하여, '법인세법에서 열거한 수익사업에서 생기는 소득' 및 '토지 등 양도소득'에 대하여만 납세의무를 부담한다(법법 §3 ①, ②).

| 수익사업에서 생기는 소득(법법 §3 ③) |

구 분	내 용
사업소득	• 한국표준산업분류에 따른 각 사업 중 수익이 발생하는 사업 * 단, 축산업, 연구개발업, 교육서비스업 등 일정한 사업 제외
이자소득	
배당소득	
주식등 처분수입	• 주식·신주인수권 또는 출자지분의 양도로 인한 수입
고정자산 처분수입	• 고유목적사업에 직접 사용하는 고정자산의 처분수입은 제외
양도소득세 과세대상 자산 양도 수입	• 부동산에 관한 권리(소법 §94 ① 2) 및 기타자산(소법 §94 ① 4)
채권 매매익	• 이자소득이 발생하는 채권 등을 매도함에 따른 이익 * 단, 부실채권 인수 등 사업에 귀속되는 채권 매매익은 제외

비영리법인이 수익사업을 영위하는 경우에는 자산·부채 및 손익을 당해 수익사업에 속하는 것과 기타의 사업에 속하는 것을 각각 별개의 회계로 구분하여 경리한다(법법 §113 ①).

2. 비영리 내국법인에 대한 과세특례

비영리법인의 경우에는 과세표준과 세액의 계산·신고·납부·결정 등 영리법인의 경우와 같으나, 납부편의 및 세무조정 등 납세절차의 부담 완화를 위하여 비영리내국법인 과세특례를 규정하고 있다(지법 §103의 32). 한편, 법인세의 '고유목적사업준비금의 손금산입(법법 §29)' 특례의 경우 과세표준 이전 단계이므로 지방세법에 규정하지 않고 있다.

구 분	대상소득	과세특례
이자소득 선택적 분리과세 (§103의 32 ①)	특별징수된 이자소득 (비영업대금 이익 제외)	'① 과세표준 신고' 또는 '② 과세표준 신고×' 선택 가능
		① 신고○ : 특별징수액을 기납부세액으로 간주 ② 신고× : 과세종결
양도소득 과세특례 (§103의 32 ③, ④)	양도소득세 과세대상 자산의 양도소득 (사업소득 있는 법인 제외)	'① 과세표준 신고' 또는 '② 양도소득을 준용하여 신고' 선택 가능
		① 과표신고 : 내국법인의 법인지방소득세 준용하여 법인지방소득세로 납부 ② 양도준용 : 양도소득에 대한 개인지방소득세 준용하여 법인지방소득세로 납부(별지 제43호의 10 서식) ⇒ ② 신고납부 이후 ① 신고납부도 가능

내국법인의 각 연결사업연도의 소득에 대한 지방소득세

제103조의 33~제103조의 40

법 제103조의 33(연결납세방식의 적용 등) ①「법인세법」제76조의 8에 따라 연결납세방식을 적용받는 내국법인은 법인지방소득세에 관하여 연결납세방식을 적용할 수 있다.

② 연결납세방식의 적용, 연결납세방식의 취소와 포기, 연결자법인의 추가와 배제 등에 관하여는「법인세법」제76조의 8부터 제76조의 12까지의 규정을 준용한다. [본조신설 2014.1.1.]

제103조의 34(과세표준) ① 각 연결사업연도의 소득에 대한 법인지방소득세 과세표준은「법인세법」제76조의 13에 따라 계산한 법인세의 과세표준(「조세특례제한법」및 다른 법률에 따라 과세표준 산정과 관련된 조세감면 또는 중과세 등의 조세특례가 적용되는 경우에는 이에 따라 계산한 법인세의 과세표준)과 동일한 금액으로 한다.

② 제1항에도 불구하고 각 연결사업연도의 소득에 대한 법인세 과세표준에 국외원천소득이 포함되어 있는 경우로서「법인세법」제57조에 따라 외국 납부 세액공제를 하는 경우 해당 연결사업연도의 법인지방소득세 과세표준의 계산에 관하여는 제103조의 19제2항부터 제4항까지의 규정을 준용한다.

제103조의 35(연결산출세액) ① 각 연결사업연도의 소득에 대한 법인지방소득세 연결산출세액은 제103조의 34에 따른 과세표준에 제103조의 20에 따른 세율을 적용하여 계산한 금액으로 한다.

② 연결법인이 제103조의 31 제1항에 따른 토지등을 양도한 경우(해당 토지등을 다른 연결법인이 양수하여「법인세법」제76조의 14 제1항 제3호가 적용되는 경우를 포함한다) 또는 같은 조 제5항에 따른 미환류소득이 있는 경우에는 해당 토지등의 양도소득 또는 해당 미환류소득에 대한 법인지방소득세를 합산한 금액을 연결산출세액으로 한다.

③ 각 연결사업연도의 소득에 대한 법인지방소득세를 계산하는 경우에는 제103조의 21 제2항을 준용한다.

④ 연결산출세액 중 각 연결법인에 귀속되는 금액(이하 이 장에서 "연결법인별 법인지방소득세 산출세액"이라 한다)의 계산방법은 대통령령으로 정한다. [본조신설 2014.1.1.]

제103조의 36(세액공제 및 세액감면) ① 연결법인의 연결사업연도의 소득에 대한 법인지방소득세

의 세액공제 및 세액감면에 관한 사항은 「지방세특례제한법」에서 정한다. 이 경우 공제 및 감면되는 세액은 법인지방소득세 연결산출세액에서 공제한다.

② 제1항을 적용할 때 각 연결법인의 공제 및 감면 세액은 연결법인별 법인지방소득세 산출세액을 제103조의 21의 법인지방소득세 산출세액으로 보아 「지방세특례제한법」에 따른 세액공제와 세액감면을 적용하여 계산한 금액으로 한다.

③ 각 연결법인의 공제 및 감면 세액을 계산할 때 세액의 계산 등에 필요한 사항은 대통령령으로 정한다. [본조신설 2014.1.1.]

제103조의 37(연결과세표준 및 연결법인지방소득세액의 신고 및 납부) ① 연결모법인은 각 연결사업연도의 종료일이 속하는 달의 말일부터 5개월 이내에 제103조의 34에 따른 각 연결사업연도의 소득에 대한 법인지방소득세 과세표준과 제103조의 35 제4항에 따른 각 연결사업연도의 소득에 대한 연결법인별 법인지방소득세 산출세액을 대통령령으로 정하는 신고서에 따라 연결법인별 납세지 관할 지방자치단체의 장에게 다음 각 호의 서류를 첨부하여 신고하여야 한다. 이 경우 제103조의 23 제4항을 준용한다. <개정 2015.7.24., 2015.12.29.>

1. 각 연결법인의 제103조의 23 제2항 제1호부터 제3호까지의 서류
2. 대통령령으로 정하는 세액조정계산서 첨부서류

② 각 지방자치단체의 연결법인별 법인지방소득세 산출세액은 제89조 제2항에서 정하는 바에 따른다.

③ 연결법인의 사업장이 둘 이상의 지방자치단체에 있는 경우에는 제89조 제1항에 따른 납세지 관할 지방자치단체의 장에게 각각 신고하여야 한다.

④ 연결모법인은 연결법인별 법인지방소득세 산출세액에서 제103조의 36에 따라 공제 및 감면되는 세액 및 제103조의 29에 따라 특별징수한 세액을 공제한 금액을 제1항에 따른 신고기한까지 제89조 제1항에 따른 납세지 관할 지방자치단체에 납부하여야 한다.

⑤ 제1항에 따라 연결모법인이 지방소득세를 신고납부하는 경우에는 각 연결자법인은 제89조 제2항에 따라 연결법인별로 계산된 지방소득세 상당액을 연결모법인에게 지급하여야 한다.

⑥ 제1항에 따른 첨부서류를 연결모법인 본점 소재지를 관할하는 지방자치단체의 장에게 제출한 경우에는 연결법인별 납세지 관할 지방자치단체의 장에게도 이를 제출한 것으로 본다. <신설 2015.12.29.>

⑦ 제1항에 따른 신고를 할 때 그 신고서에 제1항 제1호의 서류를 첨부하지 아니하면 이 법에 따른 신고로 보지 아니한다. <신설 2015.12.29.>

⑧ 납세지 관할 지방자치단체장은 제1항 및 제3항에 따라 제출된 신고서 또는 그 밖의 서류에 미비한 점이 있거나 오류가 있을 때에는 보정할 것을 요구할 수 있다. <신설 2015.12.29.>

[본조신설 2014.1.1.]

제103조의 38(수정신고 · 결정 · 경정 및 징수 등) 각 연결사업연도의 소득에 대한 법인지방소득세의 수정신고 · 결정 · 경정 · 징수 및 환급에 관하여는 제103조의 24, 제103조의 25 및 제103조의 27을 준용한다. <개정 2015.7.24.> [본조신설 2014.1.1.] [제목개정 2015.7.24.]

제103조의 39(가산세) 연결법인은 제103조의 30을 준용하여 계산한 금액을 각 연결사업연도의 소득에 대한 법인지방소득세 세액에 더하여 납부하여야 한다. [본조신설 2014.1.1.]

제103조의 40(중소기업 관련 규정의 적용) 각 연결사업연도의 소득에 대한 법인지방소득세 세액을

계산할 때 중소기업 관련 규정의 적용에 관하여는 「법인세법」 제76조의 22를 준용한다. [본조신설 2014.1.1.]

영 제100조의 23(연결법인별 법인지방소득세 산출세액의 계산) ① 법 제103조의 35 제4항에 따른 연결법인별 법인지방소득세 산출세액은 제1호의 금액에 제2호의 비율을 곱하여 계산한 금액으로 한다. 이 경우 연결법인에 법 제103조의 31에 따른 토지등 양도소득에 대한 법인지방소득세가 있는 경우에는 이를 가산한다. 〈개정 2015.7.24.〉

1. 「법인세법 시행령」 제120조의 22 제2항 제1호에 따른 과세표준 개별귀속액(이하 이 장에서 "과세표준 개별귀속액"이라 한다)
2. 법 제103조의 34에 따른 연결사업연도의 소득에 대한 과세표준에 대한 법 제103조의 35 제1항의 연결산출세액(법 제103조의 31에 따른 토지등 양도소득에 대한 법인지방소득세는 제외한다)의 비율(이하 이 장에서 "연결세율"이라 한다)

② 삭제 〈2015.7.24.〉 [본조신설 2014.3.14.]

제100조의 24(연결법인의 감면세액) 법 제103조의 36 제1항 및 제2항을 적용할 때 각 연결법인의 감면 또는 면제되는 세액은 감면 또는 면제되는 소득에 연결세율을 곱한 금액(감면의 경우에는 그 금액에 해당 감면율을 곱하여 산출한 금액)으로 한다. 이 경우 감면 또는 면제되는 소득은 과세표준 개별귀속액을 한도로 한다. [본조신설 2014.3.14.]

제100조의 25(연결세액의 신고 및 납부) ① 법 제103조의 37 제1항에 따른 신고는 행정안전부령으로 정하는 각 연결사업연도의 소득에 대한 법인지방소득세 과세표준 및 세액신고서로 한다. 〈개정 2015.12.31.〉

② 법 제103조의 37 제1항 제2호에서 "대통령령으로 정하는 세액조정계산서 첨부서류"란 행정안전부령으로 정하는 연결집단 법인지방소득세 과세표준 및 세액조정계산서와 부속서류를 말한다. 〈개정 2015.12.31.〉

③ 법 제103조의 37 제3항 및 제4항에 따른 법인지방소득세의 안분 신고 및 납부에 관하여는 제100조의 13을 준용한다. [본조신설 2014.3.14.]

| 최근 개정법령 _ 2015.7.24. | 연결법인 소득에 대한 수정신고 특별조항 반영(법 제103조의 38)

당초 내국법인의 각 사업연도 소득에 대해서는 국세 수정신고에 따른 지방소득세 수정신고 의무부과 등을 규정(제103조의 24 : 국세 수정신고 등에 따른 지방소득세 수정신고 의무 부과, 납세자의 지방소득세 납세지 등 오류 관련 관할 지자체장 부과징수 전 수정신고 기회 부여 등)하였으나, 연결법인(母법인이 子법인 100% 소유)의 경우 같은 소득에 대해 납세방식만 달리하여 신고납부하는 과세임에도 불구하고, 수정에 있어 일반 내국법인과의 형평 문제가 발생하였다. 그에 따라 연결법인 신고소득 대해서도 신고사항에 대한 제103조의 24에 따른 수정신고 등 내용도 적용되도록 관련 규정에 명시하였다(※ 기존에도 운영지침을 통해 내국법인 수정신고 내용을 준용하여 운영하고 있었으므로 실질적인 변동사항은 없음).

| 최근 개정법령 _ 2015.7.24. | 연결법인별 법인지방소득세 산출세액 계산 방법 명확화(영 제100조의 23 ①)

연결납세방식을 적용받는 연결법인은 과세표준의 개별귀속액에 연결세율을 곱하여 세액 산정(법인세, 법인지방소득세 동일), 각 연결법인의 과세표준액인 과세표준의 개별귀속액은 과세표준을 법인세와 공유하는 과세체계로 인해 법인세와 동일함에도 개별귀속액 계산에 관한 사항을 지방세법 시행령에 별도로 규정하여 혼란이 있었다. 그에 따라 지방소득세가 국세와 과세표준을 공유하는 체계임을 감안, 과세표준 개별귀속액을 「법인세법 시행령」에서 정하는 바에 따르도록 규정하였다. 개별귀속액 계산에 필요한 이월결손금 공제방법 등에 관한 내용은 별도 규정이 불필요하여 삭제하였다.

1. 연결납세방식 개요

연결납세방식은 법률적으로는 독립된 실체이지만, 경제적으로 한 묶음인 기업집단에 대해서 기업집단을 하나의 과세단위로 하여 법인세를 신고·납부할 수 있는 방식이다. 다른 내국법인을 완전지배(주식 100% 소유)하는 내국법인(완전모법인)과 그 다른 내국법인(완전자법인)이 완전모법인의 관할 지방국세청장 승인을 받아 적용하게 된다(법법 §76의 8 ①). 연결납세방식은 연결법인간 결손금 통산을 통하여 세제상 불이익을 방지하고 기업과세제도의 선진화를 도모하기 위한 취지로 도입되었다.

| 용어의 정의(지법 §85 ①) |

구 분	내 용
연결납세방식	둘 이상의 내국법인을 하나의 과세표준과 세액을 계산하는 단위로 하여 제7절에 따라 법인지방소득세를 신고·납부하는 방식
연결법인	연결납세방식을 적용받는 각 내국법인(모법인, 자법인A, 자법인B)
연결집단	연결법인 전체(모법인 + 자법인A + 자법인B)
연결모법인	연결집단 중 다른 연결법인을 완전 지배하는 연결법인(모법인)
연결자법인	연결모법인의 완전 지배를 받는 연결법인(자법인A, 자법인B)
연결사업연도	연결집단의 소득을 계산하는 1회계기간

2. 세액계산

법인지방소득세 연결산출세액은 각 연결사업연도의 소득에 대한 법인지방소득세 과세표준에 세율을 적용하여 계산하고, 토지등 양도소득에 대한 법인지방소득세를 합산한다(지법 §103의 35).

3. 신고 및 납부

연결모법인은 각 연결사업연도의 종료일이 속하는 달의 말일부터 5개월 이내에 납세지 관할 지방자치단체에 신고하여야 한다(지법 §103의 37 참조). 연결과세표준 등 신고기한(법법 §76의 17)은 각 사업연도의 종료일이 속하는 달의 말일부터 4개월이고, 신고기한은 1개월 연장이 가능하다.

신고서류는 법인지방소득세 과세표준 및 세액신고서, 세액조정계산서 및 그 부속서류와 재무상태표 등을 첨부하여 납세지 관할 자치단체에 신고하여야 한다.

| 각 연결사업연도 소득에 대한 법인지방소득세 관련 제출 서류 |

구 분	관련조문	서식번호
각 연결사업연도의 소득에 대한 법인지방소득세 과세표준 및 세액 신고서	지칙 §48의 11 ①	44호
연결집단 법인지방소득세 과세표준 및 세액조정계산서	지칙 §48의 11 ②	44호의 2
연결법인 법인지방소득세 가산세액 계산서(갑)(을)	지칙 §48의 11 ③	44호의 3
연결(모,자)법인별 기본사항 및 법인지방소득세 신고서	지칙 §48의 11 ③	44호의 4
연결법인별 법인지방소득세 과세표준 및 세액조정계산서	지칙 §48의 11 ③	44호의 5
법인지방소득세 안분신고서(을)	지령 §100의 25 ③	43호의 7
각 연결법인의 지방세법 제103조의 23 제2항 서류 - 조정계산서, 조정계산서 부속서류, 재무상태표 등	지칙 §48의 11 ③	

각 연결사업연도 소득에 대한 법인지방소득세를 신고하는 경우 연결모법인은 연결법인 지방소득세 신고서류와 함께 각 연결법인의 「지방세법」 제103조의 23 제3항 제1호부터 제3호까지의 서류도 제출하여야 한다. 신고기한까지 신고서를 제출하지 아니하고 납부를 하였을 경우에도 신고불성실가산세는 부과된다(일반법인과 동일).

> 제1호 : 재무상태표, 포괄손익계산서 및 이익잉여금처분계산서
> 제2호 : 세무조정계산서
> 제3호 : 세무조정계산서 부속서류 및 현금흐름표(외부감사 대상 법인), 표시통화재무제표 · 원화재무제표, 합병 또는 분할 관련 서류

안분방법은 "① 표준산출세액 계산 → ② 사업연도 종료일 현재 종업원수 및 면적 사업장 면적 안분 → ③ 관할 지자체의 탄력세율 반영 → ④ 사업장별 공제 · 감면, 가산세, 기납부세액 반영" 순서로 계산한다(지령 §88).

□ 연결사업연도 법인지방소득세 세액 산출 방법

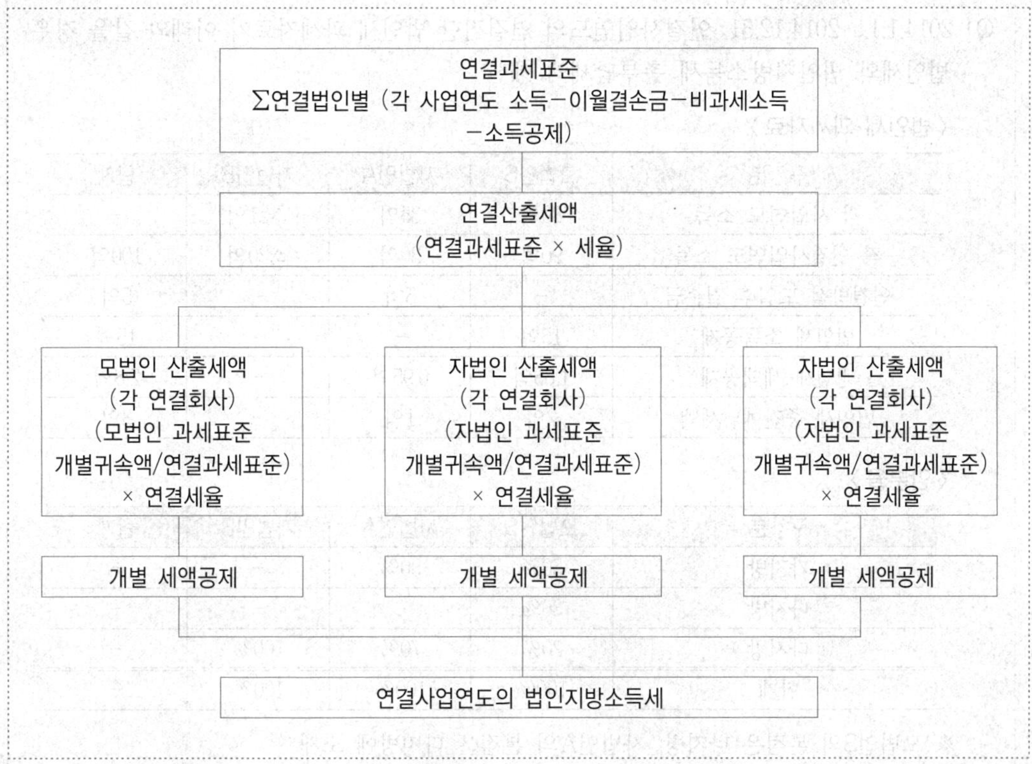

계산 사례 (연결법인 법인지방소득세 안분)

Q) 2014.1.1.~2014.12.31. 연결사업연도의 연결집단 법인세 과세자료가 아래와 같을 경우 법인세와 법인지방소득세 총부담세액 계산

〈 법인세 과세자료 〉

구 분	모법인S	자법인A	자법인B	합계
각 사업연도 소득	80억	35억	△21억	-
각 연결사업연도 소득	90억	30억	△20억	100억
연결방식 도입후 결손금	-	5억	-	5억
법인세 소득공제	15억	-	-	15억
법인세 세액공제	1.85억	0.95억	-	2.8억
법인세 중간예납세액	2억	1억	-	3억

〈 안분율 〉

구 분	모법인S	자법인A	자법인B	합계
가지방	50%	30%	-	-
나지방	30%	-	-	-
다지방	20%	70%	100%	-
합계	100%	100%	100%	-

※ 모법인S의 본점은 나지방, 자법인A의 본점은 다지방에 소재

A) 법인세는 13억원(중간예납 3억원 포함)*, 법인지방소득세는 1억5,800만원

* 법인세 세액공제 2.8억원이 차감된 금액임.

▶ 산출세액 계산

구 분	모법인S	자법인A	자법인B	합계
연결사업연도 소득	90억	30억	△20억	100억
연결소득 개별귀속액	75억	25억	-	100억
결손금 공제(자사)	-	5억	-	-
소득공제	15억	-	-	-
연결사업연도 과세표준	60억	20억	-	80억
연결산출세액	연결과세표준 × 2% - 200만원			1.58억
연결세율	연결산출세액/연결과세표준			1.975%
연결법인별 산출세액	11,850만[1)]	3,950만[2)]	-	1.58억

1) 60억×1.975% = 11,850만

2) 20억×1.975% = 3,950만

제8절

내국법인의 청산소득에 대한 지방소득세

제103조의 41~제103조의 46

법 제103조의 41(과세표준) 내국법인의 청산소득에 대한 법인지방소득세의 과세표준은 「법인세법」 제79조에 따른 해산에 의한 청산소득의 금액(「조세특례제한법」 및 다른 법률에 따라 청산소득 금액 산정과 관련된 과세특례가 적용되는 경우에는 이에 따라 산출한 해산에 의한 청산소득의 금액)과 동일한 금액으로 한다.

제103조의 42(세율) 내국법인의 청산소득에 대한 법인지방소득세는 제103조의 41에 따른 과세표준에 제103조의 20에 따른 세율을 적용하여 계산한 금액을 그 세액으로 한다. [본조신설 2014.1.1.]

제103조의 43(과세표준 및 세액의 신고와 납부) ① 「법인세법」 제84조 및 제85조에 따른 확정신고의무 및 중간신고의무가 있는 내국법인은 해당 신고기한까지 대통령령으로 정하는 바에 따라 청산소득에 대한 법인지방소득세의 과세표준과 세액을 납세지 관할 지방자치단체의 장에게 신고하여야 한다. 〈개정 2015.7.24.〉

② 제1항에 따른 신고를 한 내국법인은 해당 신고기한까지 청산소득에 대한 법인지방소득세를 납세지 관할 지방자치단체에 납부하여야 한다. [본조신설 2014.1.1.] [제목개정 2015.7.24.]

제103조의 44(결정과 경정) ① 납세지 관할 지방자치단체의 장은 내국법인이 제103조의 43에 따른 신고를 하지 아니하거나 신고 내용에 오류 또는 누락이 있는 경우에는 해당 청산소득에 대한 과세표준과 세액을 결정 또는 경정한다.

② 납세지 관할 지방자치단체의 장은 청산소득에 대한 법인지방소득세의 과세표준과 세액을 결정 또는 경정한 후 그 결정 또는 경정에 오류나 누락이 있는 것을 발견한 경우에는 즉시 이를 다시 경정한다.

③ 납세지 관할 지방자치단체의 장이 청산소득에 대한 법인지방소득세의 과세표준과 세액을 결정 또는 경정한 때에는 그 내용을 해당 내국법인이나 청산인에게 알려야 한다. 다만, 그 법인이나 청산인에게 알릴 수 없는 경우에는 공시(公示)로써 이를 갈음할 수 있다.

[본조신설 2014.1.1.]

제103조의 45(징수) ① 납세지 관할 지방자치단체의 장은 내국법인이 제103조의 43에 따라 납부하여야 할 청산소득에 대한 법인지방소득세의 전부 또는 일부를 납부하지 아니하면 「지방세기본법」 및 「지방세징수법」에 따라 징수한다.

② 납세지 관할 지방자치단체의 장은 제103조의 43에 따라 납부하였거나 제1항에 따라 징수한 법인지방소득세액이 제103조의 44에 따라 납세지 관할 지방자치단체의 장이 결정하거나 경정한 법인지방소득세보다 적으면 그 부족한 금액에 상당하는 법인지방소득세를 징수하여야 한다.

[본조신설 2014.1.1.]

제103조의 46(청산소득에 대한 과세특례) ① 청산소득에 대한 법인지방소득세를 징수할 때에는 「지방세기본법」 제55조 제1항 제3호 및 제4호에 따른 납부지연가산세를 징수하지 아니한다.

② 내국법인이 「법인세법」 제78조 각 호에 따른 조직변경이 있는 경우에는 청산소득에 대한 법인지방소득세를 과세하지 아니한다. [본조신설 2014.1.1.]

영 제100조의 26(신고) 내국법인은 법 제103조의 43에 따라 신고하는 경우에는 법 제103조의 41에 따라 계산한 청산소득의 금액을 적은 행정안전부령으로 정하는 청산소득에 대한 법인지방소득세과세표준, 세액신고서 및 「법인세법」 제84조 제2항 제1호에 따른 재무상태표(중간신고의 경우 같은 법 제85조 제2항에 따른 재무상태표를 말한다)를 납세지 관할 지방자치단체의 장에게 제출하여야 한다. 〈개정 2015.7.24.〉 [본조신설 2014.3.14.] [제목개정 2015.7.24.]

| 최근 개정법령 _ 2015.7.24. | 청산소득에 대한 신고체계 정비(법 제103조의 43 ①)

당초 「법인세법」 상 청산소득에 대한 법인세의 조기 징수를 위해 확정신고 이외에 중간신고의무(잔여재산 확정 전 주주에게 분배한 경우, 해산등기일로부터 1년이 지난 경우)를 규정하고 있으나, 「지방세법」은 청산소득에 대한 지방소득세의 확정신고만 규정함에 따라 법인의 청산완료 후 소득에 대해 과세하더라도 확정신고시에는 실제 징수할 금액이 없는 등 징수의 불안정 문제가 있었다. 그에 따라 법인세 중간신고의무가 발생할 경우, 지방소득세 중간신고의무도 발생하도록 이를 규정하였다.

| 최근 개정법령 _ 2015.7.24. | 청산소득 중가산금 징수배제 누락사항 반영(법 제103조의 46 ①)

청산소득에 대한 법인세 징수시 납부기한을 도과하더라도 청산법인이 그에 대한 가산금을 납부할 여력이 없으므로, 그에 대한 가산금 및 중가산금을 배제하도록 명시(「법인세법」 제90조)하고 있는 바, 지방소득세는 독립세 전환 입법 과정에서 가산금 징수 배제 사항만 법에 명시하고, 중과산금 배제 사항을 누락하였다. 이에 대해 청산소득에 대한 법인지방소득세 중가산금 배제를 명시하였다. (※ 기존에도 운영지침을 통해 청산소득에 대한 중가산금을 배제하여 운영하고 있었으므로 변동사항 없음)

| 최근 개정법령 _ 2015.7.24. | 청산소득에 대한 법인지방소득세 중간신고 의무 명확화(영 제100조의 26)

「지방세법」에서 청산소득에 대한 지방소득세 조기 징수를 위해 확정신고 이외에 중간신고의무를 신설함에 따라 시행령에 신고 절차 등을 보완하였다.

1. 청산소득 개요

청산소득은 법인이 해산(합병이나 분할에 의한 해산은 제외)한 경우 해산에 따른 잔여재산가액이 자기자본총액을 초과하는 경우의 금액으로써, 각 사업연도소득으로 과세되지 아니한 소득을 최종적으로 정산하게 된다. 청산소득에 대한 지방소득세는 영리내국법인에 한정하여 납세의무를 부담하게 된다(지법 §87 ③ 및 법법 §3 ①).

2. 과세표준 및 세율

과세표준은 「법인세법」상 청산소득금액과 동일하다(지법 §103의 41). 즉, 잔여재산의 가액에서 해산등기일 현재의 자기자본총액을 차가한 가액이 해산에 의한 청산소득금액이 된다. 한편 잔여재산의 일부를 배분한 후 사업을 계속하는 경우는 해산등기일부터 사업계속등기일까지 사이의 잔여재산 분배액의 총합계액이 잔여재산가액이 된다.

세율은 「지방세법」상 법인지방소득세의 세율과 동일하다(지법 §103의 42).

3. 신고 · 납부

「법인세법」 제84조에 따른 확정신고의무가 있는 내국법인은 해당 신고기한까지 납세지 관할 지방자치단체에 신고하여야 한다(지법 §103의 43 ①). 청산소득에 대한 법인세 과세표준 확정신고기한(법법 §84 ①)은, 해산한 경우는 잔여재산가액확정일이 속하는 달의 말일부터 3개월 이내이고, 청산 중 잔여재산의 일부를 분배한 후 사업을 계속하는 경우는 계속등기일이 속하는 달의 말일부터 3개월 이내이다.

「법인세법」 제84조에 따른 확정신고의무가 있는 내국법인은 해당 신고기한까지 납세지 관할 지방자치단체에 납부하여야 한다(지법 §103의 43 ②). 잔여재산가액확정일 또는 계속등기일에 사업연도가 종료되므로 사업연도 종료일 현재 종업원수 및 건축물 연면적에 따라 안분하여 납부한다.

| 청산소득에 대한 법인지방소득세 |

구 분	내 용
신고 · 납부기한	잔여재산가액확정일 또는 계속등기일이 속하는 달의 말일부터 3개월* 이내 *법인세법상 신고기한과 동일
안분 여부	사업연도의 종료일(잔여재산가액확정일 또는 사업계속등기일) 현재 종업원수 및 건축물 연면적
신고서식	청산소득에 대한 법인지방소득세 과세표준 및 세액신고서(별지 제45호 서식)

청산소득에 대한 법인지방소득세 확정신고 · 납부기한 및 동업기업전환법인의 청산소득에 대한 법인지방소득세 신고 · 납부기한은 법인세와 동일하다. 이는 안분대상 사업장이 없거나 소수이며, 청산소득의 특성상 지방세의 조기징수가 필요하므로 법인세의 신고기한과 동일하게 규정하였다고 보인다. 아울러 「법인세법」에 따른 확정신고의무가 있는 법인은 법인지방소득세의 신고의무가 있으므로 청산소득금액이 없는 경우에도 법인세와 마찬가지로 법인지방소득세를 신고하여야 한다.

4. 청산소득에 대한 과세특례

청산소득에 대한 법인지방소득세를 징수하는 경우에는 가산금을 징수하지 아니한다(지법 §103의 46 ①). 법인세의 경우 국세징수법 제21조(가산금 및 중가산금 포함)를 적용하지 아니하는 것으로 규정하고 있고, 지방소득세의 경우 가산금(지기법 §59)에 대해서 규정되어 있으나, 취지상 중가산금(지기법 §60) 역시 징수하지 아니하는 것으로 이해된다. 아울러 내국법인이 상법 등의 규정에 따라 조직변경하는 경우 청산소득에 대한 법인지방소득세를 비과세한다(지법 §103의 46 ②).

제 9 절 외국법인의 각 사업연도의 소득에 대한 지방소득세

제103조의 47~제103조의 52

법 제103조의 47(과세표준) 생략
제103조의 48(세율) 생략
제103조의 49(외국법인의 토지등 양도소득에 대한 과세특례) 생략
제103조의 50(외국법인의 국내사업장에 대한 과세특례) 생략
제103조의 51(신고 · 납부 · 결정 · 경정 · 징수 및 특례) 생략
제103조의 52(외국법인에 대한 특별징수 또는 징수의 특례) 생략
영 제100조의 27(외국법인의 신고) 생략
제100조의 28(외국법인의 유가증권 양도소득 등에 대한 신고 · 납부의 특례) 생략
제100조의 29(외국법인의 인적용역소득에 대한 신고 · 납부 특례) 생략

1. 외국법인 개요

외국법인은 국외에 본점이나 주사무소를 둔 법인으로 국내사업장 관련 · 귀속 여부 및 부동산소득 존재 여부에 따라 과세방법이 달라지게 된다. 외국법인은 '법인세법에서 열거한 국내 원천 소득' 및 '토지등 양도소득' 에 대하여만 납세의무를 부담하게 된다(지법 §87 ③ 및 법법 §3). 한편 조세조약은 조약이 체결된 국가의 거주자(법인 포함)에 국한하여 적용되며, 특정소득에 대한 과세문제를 특별히 규정하고 있으므로 국내세법에 대하여 특별법의 위치에 있어 국내세법보다 우선 적용하게 된다.

| 조세조약에 의한 과세권의 제한 사례 |

구 분	내 용
국내원천소득 범위 상이	• 조세조약에서 국내세법상 국내원천소득 범위와 다르게 규정하는 경우 예) 국내에서 자산등 사용 또는 대가 지급시 국내원천소득이나, 조세조약은 사용료를 국내거주자가 지급하는 경우에만 국내원천소득으로 인정
국내원천소득에 대한 과세권 미부여	• 국내세법상 국내원천소득의 과세권을 원천지국에 미부여하는 경우 예) 유가증권 양도소득에 대하여 거주지국에만 과세권을 부여하거나, 사업소득 등에 대하여 일정한 요건 충족시에만 원천지국에 과세권 부여
국내원천소득에 대한 세율 제한	• 조세조약에서 원천지국의 세율을 일정한도로 제한하는 경우 예) 대부분의 조세조약에서 이자·배당·사용료소득에 대하여 원천지국에서 일정세율 (통상 5%~15%)을 초과하여 과세하지 못하도록 규정

2. 외국법인의 국내원천소득에 대한 과세방법

국내사업장 등이 있는 경우로써, 국내사업장을 가지고 있거나 부동산소득(제3호)이 있는 외국법인은 모든 소득을 합산하여 신고·납부하되, 국내사업장에 귀속되지 아니하는 소득으로서 원천징수된 소득에 대하여는 합산하지 않는다(지법 §103의 47 ① 및 법법 §91 ① 참조). 한편 외국법인의 국내사업장에 귀속되는 국내원천소득 중 이자소득, 투자신탁의 이익은 내국법인과 같이 예납적 원천징수대상이 된다.

국내사업장이 없는 경우 등으로써, 국내사업장이 없는 외국법인에게 국내원천소득(제3호 제외)을 지급하거나 국내사업장이 있는 외국법인에게 국내사업장과 관련되지 않는 소득을 지급하는 자는 그 소득에 대하여 원천징수 및 특별징수하여 납부하여야 한다(지법 §103의 52 및 법법 §98). 이 경우 원천(특별)징수 당한 외국법인은 납세의무가 종결되나, 양도소득(제7호)의 경우에는 예납적 원천(특별)징수 후 법인지방소득세를 신고납부하여야 한다.

| 외국법인의 국내원천소득 및 과세방법 |

국내원천소득 (법법 §93)		국내사업장에 귀속되는 소득[1]	국내사업장에 귀속되지 않는 소득	원천징수세율[3] (법법 §98)
1호	이자소득	법인지방소득세 신고·납부 (특정소득은 예납적 원천징수)[1]	분리과세 완납적 원천징수	20%(채권 : 14%)
2호	배당소득			20%
4호	선박등 임대소득			2%
5호	사업소득			2%
8호	사용료소득			20%

국내원천소득 (법법 §93)		국내사업장에 귀속되는 소득[1]	국내사업장에 귀속되지 않는 소득	원천징수세율[3] (법법 §98)
9호	유가증권 양도소득			Min(양도가액×10%, 양도차익×20%)
10호	기타소득			20%
6호	인적용역소득		분리과세 (신고·납부 가능)	20%
7호	양도소득		예납적 원천징수 후[2] 법인지방소득세 신고·납부	Min(양도가액×10%, 양도차익×20%)
3호	부동산소득		법인지방소득세 신고·납부	-

1) 국내사업장에 귀속되는 소득이라도 이자소득·투자신탁의 이익(법법 §97 ① 및 법법 §73) 및 특정인적용역소득(법법 §98 ⑧)은 예납적 원천징수하여야 함.
2) 양수자가 법인인 경우에만 원천징수(법법 §98 ①) 및 특별징수(지법 §103의 52)하고, 양도자는 별도의 절차에 의하여 법인지방소득세를 신고납부(기납부세액으로 공제)
3) 법인세법상 원천징수세율이 조세조약상의 제한세율보다 높은 경우 조세조약상의 제한세율을 적용(예외 : 법법 §98의 5 원천징수절차 특례 규정에 따라 원천징수하는 경우)

3. 외국법인의 신고기한 연장

외국법인이 본점등의 결산이 확정되지 아니한 사유 등으로 신고서를 제출할 수 없는 경우 사업연도의 종료일부터 60일 이내에 관할 지자체장에게 신고기한 연장승인 신청이 가능하다(지법 §103의 51 ②). 한편 세무서장에게 법인세 신고기한 연장승인을 신청한 경우에는 법인지방소득세에 대한 신고기한 연장승인도 신청한 것으로 본다(지령 §100의 27 ①). 이러한 신고기한 연장승인을 받은 외국법인이 신고세액을 납부하는 경우 신고세액에 기한연장일수 1일당 1만분의 3을 적용한 금액을 가산하여 납부하여야 한다(지법 §103의 51 ③).

법인지방소득세의 신고기한 연장은 외국법인에만 적용되며, 각 사업연도의 종료일로부터 4개월(제6절 준용)에 신고기한 연장일수를 더한 기간까지 신고납부하여야 함을 유의하여야 한다.

4. 외국법인에 대한 과세특례

1) 외국법인의 국내사업장(지점)에 대한 과세특례로써, 외국법인(비영리외국법인은 제외)의 지점에 대하여 법인세를 추가 납부하는 경우 그 금액의 10%를 법인지방소득세로 추가 납부하여야 한다(지법 §103의 50).

| 지점세 개요(법법 §96) |

국내에 자회사형태로 진출	국내에 사업장(지점)형태로 진출
- 외국법인의 자회사는 독립된 법인 ① 자회사의 소득에 대하여 법인세 과세 ② 그 소득을 모회사에 배당하는 경우 배당금에 대해서 다시 과세	- 외국법인의 지점은 독립된 법인이 아님. ① 지점의 소득에 대하여 법인세 과세 ② 그 소득을 본점에 송금하는 경우 과세 제외
⇒ 외국법인의 국내사업장에 대하여 법인세를 추가 부과 : 과세대상 소득 × 20% ※ 단, 조세조약에서 지점세를 과세할 수 있도록 규정되어 있는 경우에 한함. (예 : 프랑스, 호주, 캐나다 등)	

2) 외국법인의 유가증권양도소득 등에 대한 과세특례로써 국내사업장이 없는 외국법인이 유가증권을 양도(제9호)하거나 국내소재 자산을 증여(제10호)받는 경우 법인지방소득세를 신고·납부하여야 한다(지법 §103의 51 ⑤).

| 유가증권 양도소득 등에 대한 신고·납부 등의 특례(법법 §98의 2, 지령 §100의 28) |

구 분	조세조약상 유가증권 과세기준 충족 (지령 §100의 28 1호)	비거주자·외국법인에 유가증권 양도 (지령 §100의 28 2호)	비거주자·외국법인으로부터 자산 증여 (지령 §100의 28 3호)
대상 자산	내국법인 주식 또는 출자지분	외국유가증권시장에 상장된 내국법인 주식 또는 출자지분 등	국내에 있는 자산
요건	국내사업장이 없는 외국법인 주식발행법인의 동일 사업연도에 2회 이상 양도하여 조세조약상 과세기준 충족	국내사업장이 없는 외국법인 유가증권 ⇓ 양도 국내사업장이 없는 비거주자 또는 외국법인	국내사업장이 없는 외국법인 국내자산 ⇑ 증여 국내사업장이 없는 비거주자 또는 외국법인
신고 세액	양도당시 원천징수되지 아니한 소득에 대한 원천징수세액 ×10%	양도소득×Min(①, ②)×10% ① 양도가액의 10% ② 양도차익의 20%	증여소득×20%×10%
납세지	유가증권을 발행한 내국법인의 소재지	유가증권을 발행한 내국법인의 소재지	해당자산의 소재지 (유가증권의 경우 발행한 내국법인의 소재지)
신고 납부 기한	양도일이 속하는 내국법인 사업연도 종료일부터 4개월※ 이내	소득을 지급받은 날이 속하는 달의 다음다음다음달 10일※ 까지	증여받는 날이 속하는 달의 말일부터 4개월※ 이내
	※ 법인세법상 신고기한 + 1개월		

구 분	조세조약상 유가증권 과세기준 충족 (지령 §100의 28 1호)	비거주자 · 외국법인에 유가증권 양도 (지령 §100의 28 2호)	비거주자 · 외국법인으로부터 자산 증여 (지령 §100의 28 3호)
신고 서식	외국법인 유가증권양도소득 정산신고서 (별지 제45호의 2 서식)	외국법인 유가증권양도소득 신고서 (별지 제45호의 3 서식)	외국법인 증여소득 신고서 (별지 제45호의 4 서식)

3) 외국법인의 인적용역소득에 대한 과세특례로써, 인적용역소득(제6호)이 특별징수된 외국법인은 "소득 – 관련비용"을 과세표준으로 하여 법인지방소득세 세율을 적용한 세액을 용역제공기간 종료일부터 4개월* 이내에 특별징수의무자의 납세지 관할 지방자치단체에 신고 · 납부할 수 있으며, 기특별징수된 세액은 기납부세액으로 공제한다 (지법 §103의 51 ⑥).

* 법인세법상 인적용역소득에 대한 특례의 신고 · 납부기한은 3개월(법법 §99)

제10절 동업기업에 대한 과세특례

제103조의 53~제103조의 57

법 제103조의 53(동업기업 및 동업자의 납세의무) ① 「조세특례제한법」 제100조의 15 제1항에 따라 동업기업과세특례를 적용받는 동업기업(이하 "동업기업"이라 한다)과 동업자(이하 "동업자"라 한다) 중 동업자는 같은 법 제100조의 18에 따라 배분받은 동업기업의 소득에 대하여 개인지방소득세 또는 법인지방소득세를 납부할 의무를 지며, 같은 법 제100조의 16 제3항에 따른 동업기업 전환법인은 같은 조항에 따라 계산한 과세표준에 지방세법 제103조의 20 제1항에 따른 세율을 적용하여 계산한 금액을 법인지방소득세(이하 "준청산소득에 대한 법인지방소득세"라 한다)로 납부할 의무가 있다.

② 준청산소득에 대한 법인지방소득세의 신고 납부절차 및 기타 필요한 사항은 대통령령으로 정한다.

③ 동업기업과세특례에 관하여 이 법에서 정하지 아니한 사항은 「조세특례제한법」 제100조의 14부터 제100조의 26까지의 규정을 준용한다.

제103조의 54(동업기업의 배분 등) ① 동업기업과 관련된 다음 각 호의 금액은 각 과세연도의 종료일에 동업자 간의 손익배분비율에 따라 동업자에게 배분한다. 다만, 제4호의 금액은 내국법인 및 외국법인인 동업자에게만 배분한다.

1. 「지방세특례제한법」에 따른 세액공제 및 세액감면금액
2. 동업기업에서 발생한 소득에 대하여 제103조의 29에 따라 특별징수된 세액
3. 제103조의 30에 따른 가산세 및 제103조의 57에 따른 가산세
4. 제103조의 31에 따른 토지 등 양도소득에 대한 법인지방소득세

② 동업자는 동업기업의 과세연도의 종료일이 속하는 과세연도의 지방소득세를 신고·납부할 때 제2항에 따라 배분받은 금액 중 같은 항 제1호 및 제2호의 금액은 해당 동업자의 지방소득세에서 공제하고, 같은 항 제3호 및 제4호의 금액은 해당 동업자의 지방소득세에 가산한다.

[본조신설 2014.1.1.]

제103조의 55(동업기업 지분의 양도) 「조세특례제한법」 제100조의 21 제1항에 따라 양도소득세 또는 법인세를 과세하는 경우 이 법에 따른 양도소득에 대한 개인지방소득세 또는 법인지방소득세를 과세한다. [본조신설 2014.1.1.]

제103조의 56(비거주자 또는 외국법인인 동업자에 대한 특별징수) 「조세특례제한법」 제100조의 24 제1항에 따라 동업기업이 비거주자 또는 외국법인인 동업자에게 배분된 소득에 대하여 소득세 또는 법인세를 원천징수하는 경우에는 원천징수하는 소득세 또는 법인세의 100분의 10에 해당하는 금액을 지방소득세로 특별징수하여 같은 법 제100조의 23 제1항에 따른 신고기한까지 납세지 관할 지방자치단체의 장에게 납부하여야 한다. 〈개정 2015.7.24.〉 [본조신설 2014.1.1.]

제103조의 57(동업기업에 대한 가산세) 「조세특례제한법」 제100조의 25에 따라 동업기업으로부터 가산세를 징수하는 경우에는 그 징수하여야 할 금액의 100분의 10에 해당하는 금액을 지방소득세의 가산세로 징수하여야 한다. [본조신설 2014.1.1.]

영 제100조의 30(준청산소득에 대한 법인지방소득세 신고) 생략

제100조의 31(손익배분비율) 생략

제100조의 32(동업기업 세액의 계산 및 배분) 생략

| 최근 개정법령_2015.7.24. | 동업기업 특별징수 관련 정비(법 제103조의 56)

동업기업 특별징수 관련 비거주자 또는 외국법인 소득에 대한 특별징수 시 그 납부기한을 명시하지 않아 이를 정비하였다. 특별징수 납부기한을 관련 조세특례제한법의 납부기한과 동일하게 적용되도록 해당 규정에 명시하였다.

1. 동업기업 과세특례 개요

동업기업 과세특례는 동업기업에서 발생한 소득에 대해 소득세법 및 법인세법 규정에 불구하고 동업기업 단계에서는 과세하지 않고, 이를 구성원인 동업자에게 귀속시켜 동업자별로 과세하는 제도이다. 이는 동업기업과 동업자의 이중과세문제를 해결하고, 기업과세 선진화 및 조합·인적회사 설립을 통한 공동사업(컨소시엄) 활성화를 지원하기 위한 취지로 이해된다. 적용 범위는 동업기업으로서 동업기업과세특례 적용 신청을 한 경우 해당 동업기업 및 그 동업자에 한하여 적용되며(조특법 §100의 15), 적용대상 동업기업으로 조합, 합명회사, 합자회사, 인적용역을 제공하는 단체(법무법인, 법무조합, 특허법인, 회계법인, 세무법인, 관세법인 등) 및 특정 외국단체가 있다.

| 일반법인 과세 vs. 동업기업 과세특례 비교 |

일반법인 과세		동업기업 과세특례		
일반법인	⇒ 배당 → 주주 / 주주	동업기업	⇒ 소득배분 → 동업자 / 동업자	+ 다른 소득 / + 다른 소득
⬆	⬆	⬆	⬆	⬆
과세(법인세)	과세(소득세·법인세) *이중과세 부분조정	과세하지 않음	과세(소득세·법인세) *이중과세 완전조정	결손발생시 다른 소득 공제

| 용어의 정의(조특법 §100의 14) |

구 분	내 용
동업기업	2명 이상이 금전이나 그 밖의 재산 또는 노무 등을 출자하여 공동사업을 경영하면서 발생한 이익 또는 손실을 배분받기 위하여 설립한 단체
동업자	동업기업의 출자자인 거주자, 비거주자, 내국법인 및 외국법인
배분	동업기업의 소득금액 또는 결손금 등을 각 과세연도의 종료일에 자산의 실제 분배 여부에 관계없이 동업자의 소득금액 또는 결손금 등으로 귀속시키는 것
동업자군(群)별 동업기업 소득금액 또는 결손금	동업자를 거주자, 비거주자, 내국법인 및 외국법인의 네 개의 군(동업자군)으로 구분하여 각 군별로 동업기업을 각각 하나의 거주자, 비거주자, 내국법인 또는 외국법인으로 보아 「소득세법」 또는 「법인세법」에 따라 계산한 해당 과세연도의 소득금액 또는 결손금
동업자군별 손익배분비율	동업자군별로 해당 군에 속하는 동업자들의 손익배분비율을 합한 비율
동업자군별 배분대상 소득금액 또는 결손금	동업자군별 동업기업 소득금액 또는 결손금에 동업자군별 손익배분비율을 곱하여 계산한 금액
지분가액	동업자가 보유하는 동업기업 지분의 세무상 장부가액으로서 동업기업 지분의 양도 또는 동업기업 자산의 분배시 과세소득의 계산 등의 기초가 되는 가액
분배	동업기업의 자산이 동업자에게 실제로 이전되는 것

2. 동업기업 및 동업자의 납세의무

동업기업은 납세의무는 없으나 동업기업의 과세연도 종료일이 속하는 달의 말일부터 3개월이 되는 날이 속하는 달의 15일까지 '소득의 계산 및 배분명세'를 세무서에 신고하고, 각 동업자에게 통지하여야 한다(조특법 §100의 23). 지방소득세에 관한 협력의무는 없으나, 동업기업에 대한 법인세 가산세 부과시 그 10%의 가산세를 법인지방소득세 가산세로 부과한다.

동업자는 배분받은 소득에 대하여 개인지방소득세 또는 법인지방소득세를 납부해야 한다(지법 §103의 5 ①).

동업기업 전환법인(내국법인이 동업기업과세특례를 적용받는 경우 해당 내국법인)은 "해산에 의한 청산소득"의 금액에 준한 과세표준에 법인지방소득세 세율을 적용하여 준청산소득에 대한 법인지방소득세를 납부하여야 한다(지법 §103의 53 ①, ②). 준청산소득에 대한 법인세는 3년간 균분한 금액 이상을 납부(조특법 §100의 16 ⑤)하여야 하지만, 준청산소득에 대한 법인지방소득세는 신고기한 내 전액 납부하여야 한다.

| 준청산소득에 대한 법인지방소득세 |

구 분	내 용
신고 · 납부기한	동업기업과세특례를 적용받는 최초 사업연도의 직전 사업연도 종료일 (=준청산일) 이후 3개월*이 되는 날까지 *법인세법상 신고납부기한과 동일
안분 여부	준청산일 현재 종업원수 및 건축물 연면적
신고서식	준청산소득에 대한 법인지방소득세 과세표준 및 세액신고서(별지 제45호의 6 서식)

3. 동업기업의 배분

1) 소득금액 배분

동업자군별 배분대상 소득금액 또는 결손금은 각 과세연도의 종료일에 해당 동업자군에 속하는 동업자들에게 동업자 간의 손익배분비율에 따라 배분한다(지법 §103의 54 ① 및 조특법 §100의 18 ①). 그리고 동업자는 동업기업의 과세연도의 종료일이 속하는 과세연도의 소득세 또는 법인세 과세표준 계산시 소득에 포함한다.

2) 세액공제 등

동업기업과 관련된 세액공제 등은 동업자간의 손익배분비율에 따라 배분하되, 토지등 양도소득에 대한 법인지방소득세는 내국법인 및 외국법인인 동업자에게만 배분한다(지법 §103의 54). 이 경우 동업자는 동업기업의 과세연도의 종료일이 속하는 과세연도의 지방소득세를 신고 · 납부시 해당 동업자의 지방소득세에서 공제 또는 가산한다.

| 동업기업 세액의 계산 및 배분(지령 §100의 32) |

구 분	내 용	
세액공제 등의 계산	세액공제・감면, 특별징수세액, 가산세, 토지 등 양도소득에 대한 법인지방소득세는 동업기업을 하나의 내국법인으로 보아 계산	
배분받은 세액공제 등의 처리	세액공제・감면	산출세액에서 공제
	특별징수세액	기납부세액으로 공제
	가산세	산출세액에 합산
	토지등 양도소득 법인지방소득세	법인지방소득세 산출세액에 합산 (동업자가 내국법인 및 외국법인인 경우)

3) 동업기업 지분의 양도

동업자가 동업기업의 지분을 양도(양도소득 = 양도가액 - 양도일 현재의 해당 지분의 지분가액)하는 경우 소득세법에 따른 일반주식 또는 특정주식(비거주자 또는 외국법인은 국내원천소득 중 양도소득 또는 유가증권양도소득)을 양도한 것으로 보아 양도소득세 또는 법인세가 과세되며, 이 경우 지방소득세도 과세한다(지법 §103의 55 및 조특법 §100의 21).

※ 동업기업의 지분가액 = 동업기업의 출자총액 × 동업자의 출자비율 ± 지분가액 증감

4) 비거주자 또는 외국법인인 동업자에 대한 특별징수

동업기업은 비거주자 또는 외국법인인 동업자에 배분되는 소득에 대하여 소득세 또는 법인세를 원천징수하여 소득의 계산 및 배분명세 신고기한까지 납부하여야 하고, 이 경우 소득세 또는 법인세의 10% 금액을 특별징수하여 납부하여야 한다(지법 §103의 56 및 조특법 §100의 24). 한편, 동업자인 비거주자 또는 외국법인이 국내사업장이 있고, 동업자에게 배분된 소득이 그 국내사업장에 귀속되는 소득인 경우에는 원천징수하지 않는다(조특법 §100의 24 ⑧).

비거주자 또는 외국법인인 동업자에 대한 특별징수세액의 납부기한은 '동업기업의 각 과세연도의 종료일이 속하는 달의 말일부터 3개월이 되는 날이 속하는 달의 15일까지(신고하지 아니한 금액을 분배하는 경우에는 분배일이 속하는 달의 다음 달 10일 중 빠른 날)'이다(지법 §103의 56 및 §103의 58). 즉, 법인세 원천징수세액의 납부기한과 동일하다.

5) 동업기업에 대한 가산세

「조세특례제한법」 규정에 따라 동업기업으로부터 가산세를 징수하는 경우 그 금액의 10%에 해당하는 금액을 지방소득세의 가산세로 징수한다(지법 §103의 57). 한편, 동업기업에 대한 원천징수 불이행 가산세가 징수되어 그 징수하는 금액의 10%가 법인지방소득세 가산세로 징수되는 경우 「지방세기본법」상 '특별징수납부등 불성실가산세'는 적용되지 아니한

다. 즉, 지방세법상 가산세 규정이 지방세기본법상 가산세 규정보다 우선 적용된다.

| 동업기업에 대한 가산세(지법 §103의 57 및 조특법 §100의 25) |

구 분	법인세 가산세액(Ⓐ)	지방소득세 가산세액(Ⓑ)
동업기업 배분명세 신고불이행	▸무신고 : 신고하여야 할 소득금액 4% ▸과소신고 : 과소신고 소득금액 2%	▸Ⓐ × 10% ▸Ⓐ × 10%
동업기업 특별징수불이행	▸Max(①, ②) ① 무(과소)납부한 세액의 5% ② 무(과소)납부한 세액×일수×3/10,000	▸Ⓐ × 10%

제11절 법인과세 신탁재산의 각 사업연도의 소득에 대한 지방소득세

제103조의 58

법 제103조의 58(법인과세 신탁재산에 대한 법인지방소득세) ① 「법인세법」 제5조 제2항에 따라 내국법인으로 보는 신탁재산(이하 "법인과세 신탁재산"이라 한다) 및 법인세를 납부하는 신탁의 수탁자(이하 "법인과세 수탁자"라 한다)에 대해서는 이 절의 규정을 제1절 및 제6절에 우선하여 적용한다.
② 법인과세 신탁재산에 대한 법인지방소득세의 사업연도는 법인과세 수탁자가 「법인세법」 제75조의 12 제3항에 따라 신고하는 기간으로 한다.
③ 법인과세 신탁재산의 법인지방소득세 납세지는 그 법인과세 수탁자의 납세지로 한다.
④ 제1항부터 제3항까지에서 규정한 사항 외에 법인과세 신탁재산에 대한 법인지방소득세 과세방식의 적용 및 제2차 납세의무 등에 관하여는 「법인세법」 제75조의 11부터 제75조의 18까지의 규정을 준용한다.

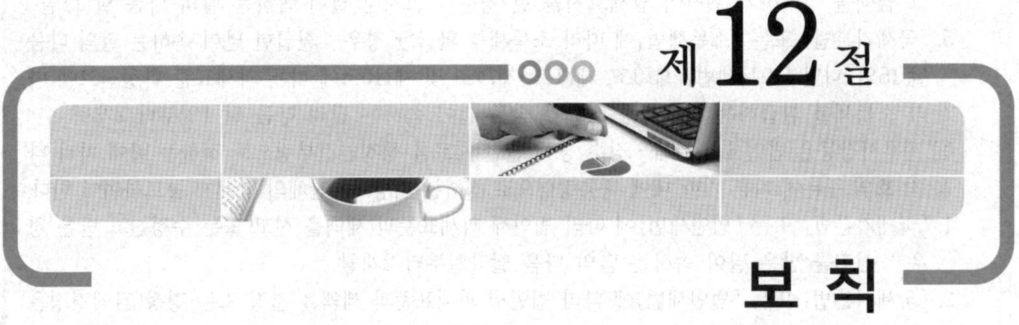

제103조의 59~제103조의 63

법 제103조의 59(지방소득세 관련 세액 등의 통보) ① 세무서장 또는 지방국세청장(이하 이 조에서 "세무서장등"이라 한다)은 소득세의 부과·징수 등에 관한 자료를 행정안전부령으로 정하는 바에 따라 다음 각 호의 구분에 따른 기한 내에 대통령령으로 정하는 지방자치단체의 장에게 통보하여야 한다. 〈개정 2015.12.29.〉

1. 「국세기본법」 또는 「소득세법」에 따라 소득세 과세표준과 세액을 신고(기한후신고는 제외한다) 받은 경우 : 신고를 받은 날이 속하는 달의 다음 달 15일. 다만, 다음 각 목의 어느 하나에 해당하는 경우에는 해당 목에서 정하는 기한 내로 한다.
   가. 「소득세법」 제14조 제2항에 따른 종합소득과세표준, 같은 조 제6항에 따른 퇴직소득과세표준, 같은 법 제69조에 따른 토지등의 매매차익 또는 같은 법 제92조에 따른 양도소득과세표준을 「국세기본법」 제2조 제19호에 따른 전자신고 방식으로 신고 받은 경우 : 신고를 받은 즉시
   나. 「소득세법」 제70조, 제71조, 제74조 및 제110조에 따른 과세표준 확정신고와 같은 법 제69조에 따른 토지등 매매차익예정신고 및 같은 법 제105조에 따른 양도소득과세표준 예정신고의 경우 : 신고를 받은 날이 속하는 달의 다음 달 1일부터 2개월이 되는 날
   다. 「국세기본법」 제45조에 따른 수정신고를 받은 경우 : 신고를 받은 날이 속하는 달의 다음 달 1일부터 3개월이 되는 날
2. 「국세기본법」 또는 「소득세법」에 따라 소득세 과세표준과 세액을 결정 또는 경정(감액경정은 제외한다)한 경우 : 결정 또는 경정한 날이 속하는 달의 다음 달 15일
3. 「소득세법」에 따라 원천징수한 소득세를 납부받은 경우 : 납부한 날이 속하는 달의 다음 달 15일. 다만, 제4호에 따른 납세고지에 따라 납부받은 원천징수세액에 관하여는 그 통보를 생략할 수 있다.
4. 「소득세법」에 따른 원천징수의무자가 원천징수하였거나 원천징수하여야 할 소득세를 그 기한까지 납부하지 아니하였거나 미달하여 납부한 경우로서 세무서장등이 원천징수의무자로부터

그 금액을 징수하기 위하여 납세고지를 한 경우 : 고지한 날이 속하는 달의 다음 달 15일

5. 「국세기본법」 또는 「소득세법」에 따라 소득세를 환급한 경우 : 환급한 날이 속하는 달의 다음 달 15일. 다만 「소득세법」 제70조, 제71조, 제74조 및 제110조에 따른 과세표준 확정신고에 따라 소득세를 환급하는 경우에는 신고를 받은 날이 속하는 달의 다음 달 1일부터 2개월

② 세무서장등은 법인세의 부과·징수 등에 관한 자료를 행정안전부령으로 정하는 바에 따라 다음 각 호의 구분에 따른 기한 내에 대통령령으로 정하는 지방자치단체의 장에게 통보하여야 한다.

1. 「국세기본법」 또는 「법인세법」에 따라 법인세 과세표준과 세액을 신고 또는 수정신고 받은 경우 : 신고를 받은 날이 속하는 달의 다음 달 1일부터 2개월
2. 「국세기본법」 또는 「법인세법」에 따라 법인세 과세표준과 세액을 결정 또는 경정(감액경정은 제외한다)한 경우 : 결정 또는 경정한 날이 속하는 달의 다음 달 15일
3. 「법인세법」에 따라 원천징수한 법인세를 납부받은 경우 : 납부한 날이 속하는 달의 다음 달 15일. 다만, 제4호에 따른 납세고지에 따라 납부받은 원천징수세액에 관하여는 그 통보를 생략할 수 있다.
4. 「법인세법」에 따른 원천징수의무자가 원천징수하였거나 원천징수하여야 할 법인세를 그 기한까지 납부하지 아니하였거나 미달하여 납부한 경우로서 세무서장등이 원천징수의무자로부터 그 금액을 징수하기 위하여 납세고지를 한 경우 : 고지한 날이 속하는 달의 다음 달 15일
5. 「국세기본법」 또는 「법인세법」에 따라 법인세를 환급한 경우 : 환급한 날이 속하는 달의 다음 달 15일
6. 「조세특례제한법」 제100조의 23에 따라 동업기업 소득의 계산 및 배분명세 신고를 받은 경우 : 신고를 받은 날이 속하는 달의 다음 달 15일 〈신설 2016.12.27.〉

③ 지방자치단체의 장은 제1항 제5호에 따른 통지를 받은 경우 해당 소득세와 동일한 과세표준에 근거하여 산출한 지방소득세를 다시 계산하여 환급세액이 발생하는 경우 이를 환급하여야 한다.
[본조신설 2014.1.1.]

제103조의 60(소액징수면제) 지방소득세로 징수할 세액이 고지서 1장당 2천원 미만인 경우에는 그 지방소득세를 징수하지 아니한다.

제103조의 61(가산세 적용의 특례) ① 「국제조세조정에 관한 법률」 제17조 제1항에 따라 「국세기본법」 제47조의 3에 따른 과소신고가산세를 부과하지 아니할 때에는 「지방세기본법」 제53조의 3에 따른 과소신고가산세를 부과하지 아니한다.

② 2019년 과세기간 및 2020년 과세기간에 발생한 소득에 대하여 「소득세법」 제70조 제1항에 따른 신고기한 내에 같은 조 제3항에 따른 종합소득 과세표준 확정신고를 한 거주자 또는 같은 법 제71조 제1항에 따른 신고기한 내에 같은 조 제3항에 따른 퇴직소득 과세표준 확정신고를 한 거주자가 제95조에 따른 신고의무를 다하지 아니한 경우로서 해당 신고기한이 지난 후 1개월 이내에 종합소득 또는 퇴직소득에 대한 개인지방소득세를 제96조에 따라 수정신고하거나 「지방세기본법」 제51조에 따라 기한 후 신고하는 경우에는 같은 법 제53조 또는 제54조에 따른 가산세를 부과하지 아니한다.

제103조의 62(법인지방소득세 특별징수세액 정산을 위한 특례) ① 제103조의 23 제3항 제3호에 따라 해당 사업연도의 특별징수세액을 공제할 때 이 법에 따른 특별징수한 법인지방소득세의 납세지(이하 "특별징수지"라 한다)와 확정신고할 때의 납세지(이하 "신고지"라 한다)가 다른 경우 해

당 특별징수세액은 신고지 관할 지방자치단체의 장에게 납부하는 법인지방소득세로 본다.

② 제1항의 경우에 특별징수지 관할 지방자치단체의 장은 해당 특별징수세액의 감액경정을 하여 해당 법인의 본점 또는 주사무소 소재지(연결법인의 경우 연결모법인의 본점 또는 주사무소 소재지를 말하며, 이하 이 조에서 "본점 소재지"라 한다)를 관할하는 지방자치단체의 장에게 지급하여야 한다.

③ 제2항에 따라 특별징수세액을 지급받은 본점 소재지 관할 지방자치단체의 장은 제89조 제2항에 따라 신고법인이 안분신고한 내역을 근거로 대통령령으로 정하는 정산금액을 신고지 관할 지방자치단체에 배분하고, 그 내역을 통보하여야 한다. 이 경우 신고지 관할 지방자치단체의 장은 해당 배분액을 납세의무자가 납부한 법인지방소득세로 보아 징수하여야 한다.

④ 제3항에 따라 정산 금액을 배분할 때 본점 소재지 관할 지방자치단체의 장은 제103조의 29에 따라 특별징수된 세액이 법인지방소득세 총부담세액을 초과하여 환급세액이 발생한 경우 그 환급세액을 대통령령으로 정하는 바에 따라 납세의무자에게 환급하거나 지방세에 충당한다. 이 경우 체납된 징수금이 2건 이상인 경우에는 신고지 관할 지방자치단체의 체납된 징수금 중 소멸시효가 먼저 도래하는 것부터 충당하여야 한다.

⑤ 지방자치단체의 장은 제1항부터 제4항까지의 규정에 따른 정산을 위하여 지방자치단체간 협약을 체결할 수 있다. 이 경우 협약서에는 정산사무의 내용과 범위, 방법 및 절차 등에 관한 사항을 정하여야 한다.

⑥ 「지방세기본법」에 따른 충당과 환급은 제2항부터 제5항까지의 절차에 따른 정산이 완료된 후에 적용한다.　[본조신설 2015.12.29.]

제103조의 63(법인지방소득세 추가납부 등) ① 법인세 또는 소득세 과세표준 산정시 「조세특례제한법」 및 다른 법률에 따라 과세표준 산정에 관한 조세특례가 적용되어 법인세 또는 소득세(이자상당가산액을 포함한다)를 추가 납부하는 경우 그 추가납부하는 세액의 100분의 10에 상당하는 금액을 지방소득세로 추가하여 납부하여야 하며 그 대상 및 세액계산에 필요한 사항은 대통령령으로 정한다.

② 「법인세법」 제27조 및 제28조에 따라 업무와 관련 없는 비용 및 지급이자를 손금에 산입하지 아니하여 그 양도한 날이 속하는 법인세에 가산하여 납부하는 경우 그 납부하는 세액의 100분의 10에 상당하는 금액을 법인지방소득세로 추가하여 납부하여야 한다.

③ 「소득세법」 제46조 제1항에 따른 채권등에서 발생하는 이자, 할인액 및 투자신탁의 이익의 계산기간 중에 해당 채권등을 매도하는 경우로서 대통령령으로 정하는 경우에 해당하여 「법인세법」 제73조의 2에 따라 법인세를 추가납부하는 경우 그 추가납부하는 세액의 100분의 10에 상당하는 금액을 법인지방소득세로 추가하여 납부하여야 하며, 그 세액의 계산에 필요한 사항은 대통령령으로 정한다.　[본조신설 2015.12.29]

제103조의 64(사실과 다른 회계처리로 인한 경정 특례) ① 내국법인이 「법인세법」 제58조의 3 제1항 각 호의 요건을 모두 충족하는 사실과 다른 회계처리를 하여 과세표준 및 세액을 과다하게 계상함으로써 경정을 받은 경우에는 과다 납부한 세액을 환급하지 아니하고 그 경정일이 속하는 사업연도부터 각 사업연도의 법인지방소득세액에서 과다 납부한 세액을 차감한다. 이 경우 각 사업연도별로 차감하는 금액은 과다 납부한 세액의 100분의 20(제2항을 적용한 경우에는 차감 후 남은 금액을 말한다)을 한도로 하고, 차감 후 남아 있는 과다 납부한 세액은 이후 사업연도에 이월하여 차감한다.

② 제1항을 적용할 때 내국법인이 해당 사실과 다른 회계처리와 관련하여 그 경정일이 속하는 사업연도 이전의 사업연도에 「지방세기본법」 제50조에 따른 수정신고를 하여 납부할 세액이 있는 경우에는 그 납부할 세액에서 제1항에 따른 과다 납부한 세액의 100분의 20을 먼저 차감한다.

③ 제1항 및 제2항에 따라 과다 납부한 세액을 차감받은 내국법인으로서 과다 납부한 세액이 남아 있는 내국법인이 해산하는 경우에는 다음 각 호에 따른다.

1. 합병 또는 분할에 따라 해산하는 경우 : 합병법인 또는 분할신설법인(분할합병의 상대방 법인을 포함한다)이 남아 있는 과다 납부한 세액을 승계하여 제1항에 따라 차감한다.
2. 제1호 외의 방법에 따라 해산하는 경우 : 납세지 관할 지방자치단체의 장은 남아 있는 과다 납부한 세액에서 제103조의 41에 따른 청산소득에 대한 법인지방소득세 납부세액을 빼고 남은 금액을 즉시 환급하여야 한다.

④ 제1항부터 제3항까지에 따른 과다 납부 세액의 차감 방법 및 절차는 대통령령으로 정한다.

제103조의 65(사실과 다른 회계처리로 인한 경정에 따른 환급 특례)

② 제1항을 적용할 때 해당 내국법인이 해산(합병 또는 분할에 따른 해산은 제외한다)하는 경우에는 제103조의 41에 따른 청산소득에 대한 법인지방소득세 납부세액을 먼저 차감하고 남은 금액을 환급하여야 한다. [본조신설 2016.12.27.]

영 제100조의 33(지방소득세 관련 세액 등의 통보) ① 법 제103조의 59 제1항 각 호 외의 부분 및 같은 조 제2항 각 호 외의 부분에서 "대통령령으로 정하는 지방자치단체의 장"이란 소득세 및 법인세의 납세지를 관할하는 지방자치단체의 장을 말한다.

② 법 제103조의 59 제1항 및 제2항에 따라 세무서장등이 지방자치단체의 장에게 통보하는 자료를 전산처리하였을 때에는 전자문서로 통보할 수 있다.

③ 제1항에 따른 통보를 받은 지방자치단체의 장은 법인의 본점 또는 주사무소와 사업장의 소재지가 다른 경우에는 해당 법인의 사업장 관할 지방자치단체의 장에게 해당 법인의 법인세 과세표준 등을 지체 없이 통보하여야 한다. [본조신설 2014.3.14.]

제100조의 34(지방세환급금의 환급과 충당) 지방소득세의 환급금은 법 제89조 따른 납세지를 관할하는 지방자치단체에서 환급하거나 충당해야 한다.

제100조의 35(과세관리대장 비치) 지방자치단체의 장은 다음 각 호의 과세관리대장을 갖추어 두고, 필요한 사항을 등재하여야 한다. 이 경우 해당 사항을 전산처리하는 경우에는 과세관리대장을 갖춘 것으로 본다. 〈개정 2015.12.31.〉

1. 지방소득세 과세대장 2. 법인지방소득세 특별징수세액 정산대장

[본조신설 2014.3.14.] [제목개정 2015.12.31.]

제100조의 36(법인지방소득세 특별징수세액 정산 등) ① 법 제103조의 62 제3항에서 "대통령령으로 정하는 정산금액"이란 해당 납세지에 제88조 제1항에 따라 사업장 소재지별로 안분하여 납부할 법인지방소득세를 계산한 금액을 말한다.

② 법 제103조의 62 제2항에 따른 본점 소재지(이하 "본점 소재지"라 한다) 관할 지방자치단체의 장은 같은 조 제4항에 따라 환급세액을 납세의무자에게 환급하는 경우에는 같은 조 제1항에 따른 신고지(이하 "신고지"라 한다)를 관할하는 지방자치단체의 장에게 배분할 금액의 지급을 유보하고 환급금을 해당 법인에 일괄 환급(해당 지방자치단체의 장이 납세의무자에게 환급할 금액에 한정한다)을 하여야 한다. 이 경우에 해당 법인에 환급하고 남은 금액은 그 신고지를 관할하는

지방자치단체의 장에게 교부하여야 한다.

③ 납세자는 법 제103조의 62에 따라 법인지방소득세 특별징수세액의 정산을 받으려면 행정안전부령으로 정하는 서류를 본점 소재지를 관할하는 지방자치단체의 장에게 제출하여야 한다.

④ 본점 소재지를 관할하는 지방자치단체의 장은 법 제103조의 62에 따른 정산 등의 처리를 완료하면 다음 각 호의 구분에 따라 해당 사항을 통보하여야 한다.

1. 납세의무자 : 환급 또는 충당 내역
2. 지점 소재지 관할 지방자치단체의 장 : 교부·환급·충당 내역 [본조신설 2015.12.31.]

제100조의 37(지방소득세 추가납부 대상 등) ① 법 제103조의 63 제1항에 따라 지방소득세를 추가납부하여야 하는 대상과 그 세액의 계산은 다음 각 호와 같다.

1. 「법인세법」 제29조 제5및 제30조 제4항에 따라 익금에 산입하고 이자상당가산액을 법인세로 추가납부하는 경우 : 법인세로 추가납부하는 이자상당가산액의 100분의 10
2. 「조세특례제한법」 제9조 제4항, 제10조의 2 제4항, 제33조 제3항, 제34조 제2항, 제38조의 2 제3항, 제39조 제3항, 제40조 제5항, 제46조 제3항, 제46조의 4 제2항, 제47조의 4 제2항, 제60조 제4항, 제61조 제5항, 제62조 제2항, 제85조의 2 제2항, 제85조의 7 제2항, 제85조의 8 제2항, 제85조의 9 제2항, 제97조의 6 제3항 및 제104조의 11 제3항에 따라 익금에 산입하고 이자상당가산액을 법인세 또는 소득세로 추가납부하는 경우 : 법인세 또는 소득세로 추가납부하는 이자상당가산액의 100분의 10

② 법 제103조의 63 제3항에서 "대통령령으로 정하는 경우"란 법인이 「소득세법 시행령」 제190조 제1호에 따른 날에 원천징수하는 「소득세법」 제46조 제1항에 따른 채권등을 취득한 후 사업연도가 종료되어 원천징수된 세액을 전액 공제하여 법인세를 신고하였으나 그 후의 사업연도 중 해당 채권등의 만기상환일이 도래하기 전에 이를 매도함으로써 해당 사업연도 전에 공제한 원천징수세액이 「법인세법 시행령」 제113조 제2항에 따라 계산한 금액에 대한 세액을 초과하는 경우를 말한다.

③ 법 제103조의 63 제3항에 따라 법인지방소득세로 추가하여 납부하는 금액은 제2항에 따른 채권등을 매도한 날이 속하는 사업연도의 법인지방소득세에 가산한다.

제100조의 38(사실과 다른 회계처리로 인한 경정에 따른 환급 특례의 적용 방법 등) 법 제103조의 64를 적용할 때 동일한 사업연도에 같은 조 제1항 전단에 따른 경정청구의 사유 외에 다른 경정청구의 사유가 함께 경정청구된 경우 다음의 계산식에 따라 계산한 금액을 그 차감할 세액으로 한다.

$$\text{과다 납부한 세액} \times \frac{\text{사실과 다른 회계처리로 인하여 과다계상한 과세표준}}{\text{과다계상한 과세표준의 합계액}}$$

② 법 제103조의 65 제1항을 적용할 때 법 제103조의 64 제1항에 따른 기간(이하 이 항에서 "차감기간"이라 한다) 중에 내국법인이 합병 또는 분할로 해산한 경우에는 합병법인 또는 분할신설법인(분할합병의 상대방 법인을 포함한다)이 승계한 남은 금액에서 잔여 차감기간 동안 과다 납부한 세액을 차감한다. [본조신설 2016.12.30.]

| 최근 개정법령_2020.1.1. | 종합소득에 대한 개인지방소득세 무신고가산세 감면(법 §103의 61 ②)

개인지방소득세를 법정신고기한[75]까지 신고하지 아니한 경우에는 무신고 가산세를, 과소 신고한 경우에는 과소신고가산세를 각각 부과한다. 그런데 2020년 개인지방소득세의 지자체신고 전환에 따라 소득세 신고 후 개인지방소득세를 신고하지 아니하여 가산세를 부담하는 문제가 우려되었다. 그에 따라 지자체 신고제도가 정착될 때까지 한시적(2년간)으로 무신고자에 대해 기한 후 1개월 내 신고하는 경우 가산세를 면제토록 하였다(10%→0%). 이는 신고제도 변경에 따른 지원대책임을 고려하여 신고기간 내 소득세를 신고한 자에 한해 적용한다. 아울러 기한 내 신고한 납세자와의 형평을 고려하여 기한 후 1개월 내 수정신고하는 경우에도 과소신고가산세를 면제하였다(5% → 0%).

| 무신고 · 과소신고가산세 체계 |

구 분	가산세		납세자 사후조치	적용 가산세율				
				1개월 이내		~ 3개월 이내	~ 6개월 이내	~ 1년 이내
				현행	개정			
무신고	20%	⇨	기한 후 신고	10% (50%감면)	0% (면제)	14% (30%감면)	16% (20%감면)	20% (감면×)
과소신고	10%		수정 신고	5% (50%감면)	0% (면제)	2.5% (75%감면)	5% (50%감면)	7% (30%감면)

| 최근 개정법령_2016.1.1. | 특별징수 납부세액 환급 정산 절차 개선(법 제103조의 62 신설)

지방소득세는 과세기간 종료 후(4월) 신고 · 납부하는 것이 원칙이나 법인의 이자 · 배당소득은 금융회사(소득지급자)가 소득지급 시(매월) 지방소득세를 지자체에 납부하고 있다. 그런데 2015년부터 내국법인의 이자 · 배당소득에 대하여 특별징수를 실시함에 따라 확정신고 시 이를 기납부세액으로 처리해야 한다. 그리고 특별징수로 기납부된 세액이 납부해야 할 법인지방소득세를 초과할 경우 세액이 납부된 지자체에서 환급받아야 한다. 이로 인해 특별징수세액의 납세지[징수편의를 위해 특별징수 납세지를 소득지급지(계좌개설지)로 함]와 확정신고 시 납세지[사업장 소재지 관할 지자체]가 상이할 경우 원칙적으로 납세자는 특별징수 납세지별로 환급신청을 해야 하고 그에 따라 각 지자체에 신청한 후 환급받는 불편이 발생하게 되었다. 이에 대해 본점 소재지 지자체에서 일괄환급해 줄 수 있도록 환급 특례를 신설하였으며, 본점 소재지 지자체가 납세자로부터 일괄 환급신청을 받아 환급한 후 지자체간 기납부세액의 세입처리 등 정산업무를 수행하도록 하였다.

| 최근 개정법령_2016.1.1. | 종합소득 개인지방소득세 환급지 개선(영 제100조의 34)

종전 규정에 따르면 주소지를 이전 후 개인지방소득세가 경정 · 결정되는 경우 종전 주소지

75) 일반 5월말, 성실신고확인대상자(세무대리인의 성실신고 확인) 6월말

지자체에 환급신청해야 하므로 불편한 측면이 있었다. 이에 대해 개인지방소득세가 결정·경정되어 환급되는 경우 환급지를 환급당 시(결정·경정 시)의 주소지로 변경하였다. ※ 이 영 시행일 이후 개인지방소득세를 결정 또는 경정하는 분부터 적용

| 최근 개정법령_2017.1.1. | 동업기업 배분명세서 제출자료 지자체 통보(법 제103조의 59 ② 6호)

국세는 동업기업에 대해 동업자에게 배분한 소득에 대한 원천징수 명세서를 제출하도록 하여 세액적정납부 여부를 확인하고 있다. 그러나 지방소득세는 명세서 제출을 규정하고 있지 않아, 적정납부여부의 확인이 곤란한 상황이다. 따라서 국세청이 동업기업으로부터 제출받은 자료를 지자체에 통보하여 자료를 공유할 수 있도록 하였다.

〈2017년 행자부 적용요령〉 '17.1월~4월말까지 국세청에 제출한 동업기업 배분명세서에 대해 '17.5월말까지 자치단체 통보, 이 후 매월 15일에 전월 제출자료 자치단체 통보 예정

| 최근 개정법령_2017.1.1. | 사실과 다른 회계처리로 인한 경정에 따른 환급 특례(영 제100조의 38)

지방세의 경우 사실과 다른 회계처리로 인한 경정청구 시 법인지방소득세는 즉시 환급(지방세법 제103조의 25)이 가능하지만 분식회계로 경제질서를 어지럽힌 법인에 대해서는 간접적으로 제제 할 필요가 있었다. (국세의 경우 사실과 다른 회계처리로 인한 경정청구 시 그 환급금을 즉시 환급하지 않고 5년간 납부할 세액에서 공제한 후 잔액을 환급) 따라서 환급금을 일시지급하지 않고 향후 5년간 납부할 금액에서 공제하고 5년 후에 환급할 금액이 남은 경우 일시 지급하도록 조정하였다.

〈2017년 행자부 적용요령〉 이 법 시행('17.1.1.) 이후 경정청구를 하거나 결정한 분을 환급하는 경우부터 적용

| 최근 개정법령_2019.1.1. | 지방소득세 소액징수면제 명확화(법 §103의 60)

현행 소액징수 면제 규정을 고지금액 최저한 개념으로 명확히 하여 최소한의 행정비용에도 미치지 못하는 문제점을 보완하였다. 고지서 1장당 세액이 2천원 미만인 경우 징수하지 않으며, 특별징수분도 소액징수면제를 적용토록 하였다.

| 최근 개정법령_2020.1.1. | 개인지방소득세 납세지 개정에 따른 환급규정 정비(영 §100의 34)

개인지방소득세 납세지가 "소득세 신고 당시"에서 "납세의무 성립 당시" 주소지 등으로 개정(법 §89 ①)됨에 따라, "소득세 신고 당시 주소지"에서 환급토록 규정한 현행 환급지(영 §100의 34) 규정을 개정된 납세지에서 환급토록 함께 개정할 필요가 있었다. 그에 따라 납세지(납세의무 성립 당시 주소지 등)를 관할하는 자치단체를 환급지로 보완하였다.

제 9 장

지방세법

재산세

■ 재산세 연혁

□ 일제시대

〈지세〉

○ 1914.3.16. 조선총독부제령 제1호, 「지세령」 시행

- 밭 · 논 · 대지 · 저수지 · 잡종지, 임야 · 사사지 · 분묘지 · 공원지 · 철도용지 · 수도용지 · 도로 · 하천 · 개거 · 제방 · 성첩 · 철도선로 · 수도선로에 지세 부과

○ 1943.4.1. 조선총독부제령 제6호, 「조선지세령」 시행, 「지세령」은 폐지

〈가옥세〉

○ 1912.1.1. 조선총독부제령 제14호, 「국세징수령」 및 1912.1.1. 조선총독부령 제157호 「국세징수령시행규칙」에 따라 국세로 가옥세 과세

※ 세목 : 지세, 호세, 가옥세, 주세, 연초세, 염세, 선세, 인삼세

○ 1919.3.15. 조선총독부제령 제3호, 「지방비에 충당하기 위한 호세 가옥세 부과에 관한 건」에 의거 가옥세와 호세는 지방비로 과세

□ 1961년 말 세제개혁 전까지

○ 1950.12.1. 법률 제155호 「지세법」 제정 시행

- 구 법령인 「지세령」 대체, 1960.12.31. 법률 제578호로 「지세법」 폐지

○ 1952.12.16. 법률 제266호 「광세법」 제정 시행

- 1962.1.1. 법률 제780호로 「광세법」 폐지, 지방이양

□ 재산세 신설

○ 1962.1.1. 법률 제827호, 「지방세법」 폐지제정 시행

- 서울특별시 · 시군세로 재산세 신설. 토지, 가옥, 광구, 선(船)에 과세

○ 1973.4.1. 법률 제2593호, 「지방세법」 일부개정

- 대도시 내에서 공장을 신설에 재산세 중과, 법인의 비업무용 토지 중과세, 사치성 재산 재산세 세율 인상 등

○ 1974.1.14. 대통령긴급조치 제3호, 「국민생활의 안정을 위한 대통령 긴급조치」

- 골프장, 별장, 고급오락장용 토지 및 가옥, 공한지, 고급선박에 대하여 재산세 5% 과세(1975.1.1. 법률 제2743호로 중과세율 법제화)

□ 토지과다보유세 신설

○ 1987.1.1. 법률 제3878호, 「지방세법」 일부개정

- 토지수급의 원활화와 부동산투기를 억제하기 위하여 토지과다보유세* 신설

* 1년간의 준비기간을 거쳐 1988.1.1.부터 시행

- 법인의 비업무용 토지 및 공한지만을 과세대상으로 함.

□ 종합토지세 신설, 토지를 재산세 과세대상에서 제외

○ 1990.1.1. 법률 제4128호, 「지방세법」 일부개정, 종합토지세 신설

- 토지분의 재산세와 유휴토지 및 비업무용토지를 주요대상으로 과세되고 있는 토지과다보유세를 통·폐합하여 전국에 있는 모든 토지를 소유자별로 합산한 후 누진세율을 적용하는 종합토지세제를 도입함으로써 토지보유정도에 따른 응능과세원칙을 확립하고 과다한 토지보유를 억제하여 지가안정과 토지소유의 저변확대 도모
- 종합토지세의 과세표준은 원칙적으로 과세기준일 현재 납세의무자가 소유하고 있는 전국의 모든 토지의 과세시가표준액을 합산한 금액으로 하되, 대통령령으로 정하는 건축물의 부속토지는 이를 별도로 합산한 과세시가표준액으로 하며, 대통령령으로 정하는 농지·공장용지·목장용지·산림의 보호육성을 위하여 필요한 임야 등은 합산대상에서 제외하여 현행대로 분리과세 함.

□ 종합부동산세 도입, 토지를 재산세 과세대상으로 포함

○ 2004년에는 건물과표를 산정할 때 공동주택의 경우 종전의 면적 가감산율을 적용하던 방식이 지역간 과세불형평 문제의 시정을 위하여 1㎡당 국세청기준시가를 근거로 시가가감산율을 적용하는 방식으로 개선

- 2004년 건물에 대한 재산세 부과결과 아파트에 대해서는 매우 급격한 세부담 증가가 있어 서울을 비롯한 수도권의 시장·구청장들이 감면조례를 제정하여 재산세를 경감하는 사례발생

○ 2005.1.5. 법률 제7332호, 「지방세법」 일부개정

- 부동산 관련 보유세를 지방세인 재산세와 국세인 종합부동산세로 이원화하고, 주택에 대해서는 토지·건물을 통합과세
- 지방세의 과표산정 방식을 시가기준으로 일원화하여 주택 등 부동산의 가격에 상응하게 보유세를 부담하게 함으로써 세부담의 공평성 확보되도록 하고, 재산세의 세율체계 조정

□ 서울시 재산세 공동과세 제도 도입

○ 2007.7.20. 법률 제8540호, 「지방세법」 일부개정

- 특별시 자치구(區) 간의 심각한 재정불균형상태를 해소하기 위하여 특별시의 관할구역 안에 있는 구의 경우에 재산세(선박 및 항공기에 대한 재산세를 제외한다)를 "특별시 및 구세인 재산세"로 하고,
- 특별시장은 특별시분 재산세 전액을 관할 구역 안의 자치구에 교부하도록 함.

□ 도시계획세를 재산세와 통폐합

○ 2011.1.1. 법률 제10221호,「지방세법」 전부 개정

- 종전 지방세법을 지방세3법으로 분법 및 지방세 세목의 통폐합으로 도시계획세를 재산세에 통합(재산세 도시지역분)함.

재산세 개요

1. **과세대상** : 토지, 건축물, 주택, 선박, 항공기

〈토지 과세대상의 구분〉

① 종합합산과세대상 : 별도합산과세대상과 분리과세대상을 제외한 토지

② 별도합산과세대상

- 공장용 건축물의 부속토지
- 차고용 토지, 보세창고용 토지, 시험·연구·검사용 토지, 공지상태나 해당 토지의 이용에 필요한 시설 등을 설치하여 업무 또는 경제활동에 활용되는 토지(17종)

※ 신탁재산은 단위신탁 사업별로 구분하여 위탁자 기준으로 종합합산 또는 별도합산

③ 분리과세대상

- 공장용지·전·답·과수원 및 목장용지
- 산림의 보호육성을 위해 필요한 임야 및 종중 소유 임야
- 골프장용 토지와 고급오락장용 토지
- 공장의 부속토지로서 개발제한구역의 지정이 있기 전에 취득이 완료된 토지
- 위와 유사한 토지(38종)

2. **납세의무자** : 과세기준일 현재 사실상 재산을 소유하고 있는 자

3. **납세지** : 토지·건축물·주택의 소재지, 선박의 선적한 소재지, 항공기 정치장의 소재지

4. **과세표준**

- 토지·주택·건축물 : 시가표준액에 공정시장가액비율을 곱한 가액

※ 공정시장가액비율 : 토지 및 건축물 70%, 주택 60%

- 선박, 항공기 : 시가표준액

5. **세율**

- **(토지)** 종합합산 : 5,000만원 이하 0.2% ~ 1억원 초과 0.5%, 3단계 초과누진

별도합산 : 2억원 이하 0.2% ~ 10억원 초과 0.4% 3단계 초과누진

분리과세 : 전·답·과수원·목장용지 및 임야 : 0.07%

골프장 및 고급오락장용 건축물 : 4%

그 밖의 토지 : 0.2%

- (건축물) 일반건축물 : 과세표준액의 0.25%
  골프장 및 고급오락장용 건축물 : 4%
  주거지역 내의 공장 : 0.5%
- (주 택) 별장 : 4%
  그 밖의 주택 : 6,000만원 이하 0.1% ~ 3억원 초과 0.4% 초과누진
- (선 박) 고급선박 : 5%, 기타 0.3%
- 항공기 : 0.3%

6. 과세기준일 : 매년 6월 1일

7. 납부방법 및 납기
- 납부방법 : 보통징수
- 납기

구 분		납 기	비 고
토 지		매년 9. 16. ~ 9. 30.까지	
건축물		매년 7. 16. ~ 7. 31.까지	
주택	제1기분	매년 7. 16. ~ 7. 31.까지	20만원 미만 1기 일시납
	제2기분	매년 9. 16. ~ 9. 30.까지	
선 박		매년 7. 16. ~ 7. 31.까지	
항공기		매년 7. 16. ~ 7. 31.까지	

※ 세부담 상한 적용 : 재산세 산출세액이 직전연도 재산세액의 100분의 150을 초과하는 경우에는 100분의 150에 해당하는 금액을 당해연도에 징수할 세액으로 하지만, 당해연도의 주택공시가격이 3억원 이하의 주택의 경우 100분의 105에 해당하는 금액을, 3억원 초과~6억원 이하의 경우에는 100분의 110에 해당하는 금액을 징수할 세액으로 함.

재산세 도시지역분

○ 과세대상
- 국토의 계획 및 이용에 관한 법률 제6조의 규정에 의거 도시지역 안에 있는 토지 또는 건축물(공공시설용지, 개발제한구역내의 지상건축물·골프장·유원지·기타이용시설이 없는 토지는 제외)
  ※ 부과지역의 고시 : 자치단체조례로 부과지역을 고시

○ 세율 : 시가표준액의 1,000분의 1.4

○ 납기 및 과세기준일 : 보통징수(부과고지)

구 분	과세기준일	납 기
건축물	매년 6월 1일	7. 16.~7. 31.
토 지	매년 6월 1일	9. 16.~9. 30.
주 택	매년 6월 1일	7. 16.~7. 31.

제104조(정의)~제105조(과세대상)

> **법** 제104조(정의) 재산세에서 사용하는 용어의 뜻은 다음과 같다.
> 1. "토지"란 「공간정보의 구축 및 관리 등에 관한 법률」에 따라 지적공부의 등록대상이 되는 토지와 그 밖에 사용되고 있는 사실상의 토지를 말한다.
> 2. "건축물"이란 제6조 제4호에 따른 건축물을 말한다.
> 3. "주택"이란 「주택법」 제2조 제1호에 따른 주택을 말한다. 이 경우 토지와 건축물의 범위에서 주택은 제외한다.
> 4. "항공기"란 제6조 제9호에 따른 항공기를 말한다.
> 5. "선박"이란 제6조 제10호에 따른 선박을 말한다.
> 6. 삭제 〈2010.12.27.〉
>
> 제105조(과세대상) 재산세는 토지, 건축물, 주택, 항공기 및 선박(이하 이 장에서 "재산"이라 한다)을 과세대상으로 한다.

재산세는 토지, 주택, 건축물, 항공기, 선박에 과세된다. 토지는 지적공부상 토지뿐 아니라 사실상 토지 모두를 포함하며, 주택은 주택법상 주택, 건축물은 시설물을 포함한 건축물을 말한다.

1. 토지

토지에 대한 과세는 1989년 이전까지는 재산세로 과세되었고, 1990년 종합토지세가 도입되면서 별도의 세목으로 과세되었다. 이후 2005년 종합부동산세가 도입되면서 종합토지세가 사라지고 재산세 틀 안에 토지분 재산세로 과세되었다.

종합토지세 당시 "종합토지세 과세대상은 모든 토지로 한다"고 규정되어 있었고, 같은 지방세법상 취득세에서 과세대상 "토지"란 「공간정보의 구축 및 관리 등에 관한 법률」에 따라 지적공부(地籍公簿)의 등록대상이 되는 토지와 그 밖에 사용되고 있는 사실상의 토지로 규정하고 있었다. 이후 현행 재산세에서는 과세대상을 취득세와 동일한 개념으로 재정의하고 있다.

지방세법상 재산세 과세대상 토지는 지적공부의 등록대상이 되는 토지와 그 밖에 사용되고 있는 사실상의 토지를 말한다. 여기서 지적공부란 공간정보의 구축 및 관리 등에 관한 법률(제2조 제19호)에 따라 토지대장, 임야대장, 공유지연명부, 대지권등록부, 지적도, 임야도 및 경계점좌표등록부 등 지적측량 등을 통하여 조사된 토지의 표시와 해당 토지의 소유자 등을 기록한 대장 및 도면(정보처리시스템을 통하여 기록·저장된 것을 포함한다)을 의미한다. 그리고 "사실상의 토지"란 지적공부상 등재되지 않은 토지지만 객관적으로 보아 해당 재산을 배타적으로 사용·수익·처분할 수 있고 언제라도 공부상 등재될 수 있는 상태(지방세운영과-16, 2014.11.24.)의 토지를 의미한다. 예를 들어 매립·간척 등으로 준공인가 전에 사실상으로 사용하는 토지 등 토지대장에 등재되어 있지 않는 토지를 포함한다(예규 지법 104-1).

◎ 공유수면에 육지화된 구조물이 설치된 경우 재산세 과세대상 토지로 볼 수 없음

쟁점구조물은 소유주가 배타적으로 사용·수익·처분할 수 있다 하더라도 「공유수면 관리 및 매립에 관한 법률」에 따라 공유수면의 점용·사용허가 기간이 종료된 후 철거하여 원상회복을 해야 하므로 언제라도 공부상 소유자로 등재될 수 있는 사실상의 토지로 보기 어려움(부동산세제과-467, 2019.9.19.).

◎ 준공 이전의 공유수면 매립토지는 사용승낙·허가를 받은 토지에 한해 재산세 과세대상

준공검사 또는 준공 전 사용허가를 받지 않은 경우 사실상 매립이 완료되었다고 인정되는 토지라 하더라도 「공유수면 관리 및 매립에 관한 법률」 제2조 제1호에 따른 바다 또는 바닷가로서 공유수면이라 할 것이므로 「측량·수로 및 지적에 관한 법률」 따른 등록대상이 되는 토지로 보기도 어렵다 할 것이므로 준공검사 전 공유수면 매립토지의 경우 재산세 과세기준일 현재 공사준공 인가를 받은 토지나 공사준공일 전에 사용승낙 또는 허가를 받은 토지에 대해서만 재산세 과세대상에 해당됨(지방세운영과-1228, 2014.4.9.).

◎ 공유수면 매립토지의 재산세 납세의무 관련 취득의 시기를 준용하여 판단

지방세법상 재산세 납세의무자를 재산세 과세기준일 현재 재산을 사실상 소유하고 있는 자로 규정하고 있는데, 이러한 사실상의 소유자가 되는 취득시기에 대하여는 재산세편에서 별도로 규정하고 있지 아니하므로 취득세에 있어서의 취득시기에 관한 같은 법 시행령 제20조를 준용하여 결정하여야 할 것인 바, 이와 같은 법리는 공유수면 매립에 의한 원시취득의 경우라 하여 달리 볼 근거는 없으므로 공유수면 매립공사 준공인가 전에 사용허가를 받은 경우에는 위 시행령 제20조 제8항 단서에 따라 그 허가일을 사실상 소유자가 되는 취득시기로 보아야 함(대법원 98두14549, 1999.9.7. 참조).

◎ **화력발전소 부지(공유수면 매립으로 조성)가 준공검사 전 재산세 대상이 아니라는 사례**

쟁점 회처리장 중 일부는 2007.4. 공유수면매립 준공검사 전 사용허가를 받아 2009. 9. 회처리수재순환펌프 발전시설을 설치하였으므로 2007.4.에 원시취득시기가 도래하여 과세대상 토지에 해당됨. 그러나 그 외의 쟁점 회처리장은 외부방조 제 설치, 물과 혼합된 석탄재를 공유수면으로 배출하기 위한 배수관로 존재, 화력발전소 가동시 발생하는 석탄회 처리 및 기 매립된 석탄회를 외부로 반출하는 등으로 활용되고 있다고 하더라도 2008.10. 준공기간을 2017.12.31.까지로 실시계획을 변경한 점, 건축물, 인공구조물이 존재하지 않는 점 등으로 보아 공유수면 매립 진행단계로 보아야 할 것으로 원시취득시기가 도래하지 않아 사실상의 토지로 볼 수 없음(지방세운영과-4082, 2012.12.18.).

2. 주택

지방세법상 재산세 과세대상 주택이란 세대원이 장기간 독립된 주거생활을 영위할 수 있어야 하므로, 그 구조가 「침실 · 화장실 · 부엌 · 출입문」의 구성요건을 최소한 구비해야 하고, 주거용으로서의 구조를 갖추었다 하더라도 세대원이 아닌 불특정다수인을 대상으로 영업용으로 제공되는 주택은 주택으로 볼 수 없다(펜션, 콘도, 여관, 모텔 등).

과세기준일(6.1.) 현재 주택으로 볼 경우 주택분 재산세(부속토지 포함)로 과세하고, 그렇지 않으면 건물 부분은 건축물분 재산세, 부속토지는 토지분 재산세로 각각 과세된다.

과세구분이 어떻게 되느냐에 따라 종부세 부담으로 이어질 수 있고, 때로는 양도소득세 판단(1주택자 비과세 등)에 영향을 미칠 수 있기 때문에 주택으로 과세되는 것이 납세자에게 무조건 유리하지 않을 수 있다. 재산세에서 주택을 어떻게 판단하는지에 대한 문제는 취득세와도 밀접히 관련이 있다. 주택을 유상거래로 취득할 경우 '주택유상거래 취득세율(1~3%)'이 적용되고 그렇지 않으면 4%의 표준세율이 적용된다.

한편, 재산세 "과세대상 물건이 공부상 등재 현황과 사실상의 현황이 다른 경우에는 사실상 현황에 따라 재산세를" 부과하는 '현황과세'에 대해 규정하고 있다(영 제119조). '현황과세' 규정에 따라 주택인지 여부와 관련하여, 공부상 주택인 경우에 비주거용 부동산으로 볼 수 있는지, 또는 공부상 주택이 아님에도 불구하고 주택으로 볼 수 있는지에 대하여 다틈이 있는데, 아래의 기준을 참고할 수 있다.

1) 공부상 주택을 비주거용 부동산으로 보는 경우

건축물 대장상 주택이지만 해당 주택이 농어촌 민박 용도에 사용되는 경우 주택인지 여부에 대한 판단에서, 행정해석은 "「침실 · 화장실 · 부엌 · 출입문」의 구성요건(사정에 따라 달리할 수 있음)을 구비하고, 세대의 세대원이 거주하는 공간으로 보는 것이 원칙이라 하여 물리적인 구조를 강조하면서 그 용도 측면에서 세대원이 아닌 불특정 다수인을 대상으로 영업용으로 제공되는 경우에는 주택으로 보기 어렵다"고 판단하였다(행자부 지방세운영과-1331, 2016.5.27., 재산세 부과징수 운용요령). 주택과 비교되는 경우로 숙박업을 예로 들 수 있는데 대법원은 "숙박업은 손님이 잠을 자고 머무를 수 있도록 시설 및 설비 등의 서비스를 제공하는 행위를 계속하여 영리를 목적으로 반복하는 것을 의미하므로, 숙박업에 해당하기 위해서는 단순히 그에 필요한 인적 또는 물적 시설을 구비한 것 외에도 행위의 반복 · 계속성, 영업성 등을 갖추어야 하고, 그 행위의 의도와 규모 · 횟수 · 기간 · 태양 등의 여러 사정을 종합적으로 고려하여 그에 해당하는지를 사회통념에 따라 판단"하여야 할 사안으로 보았다(대법원 2009도6431, 2010.4.5.). 이와 같이 주택인지 여부를 판단하기 위해서는 주택의 외형적인 모습, 어떻게 사용하는 지에 대한 이용 행태 등 많은 사정을 고려해야 한다.

2) 공부상 비주거용 부동산을 주택으로 보는 경우

공부상 주택은 아니지만 주택으로 볼 수 있는지에 대한 쟁점과 관련하여 오피스텔을 중심으로 살펴본다. 오피스텔이란 "업무시설 중 일반 업무시설에 해당하고, 업무를 주로 하며, 분양하거나 임대하는 구획 중 일부의 구획에서 숙식을 할 수 있도록 한 건축물"이라고 규정하고 있다(건축법 시행령 별표 1). 오피스텔은 공부상으로는 비주거용 부동산인데, 전국적으로 상당한 규모에 이르고 있다. 주택여부의 판단에 따라 과세체계가 상이하고,[76] 그에 따른 세부담의 차이가 있으므로 오피스텔을 주거용인지 또는 비주거용 부동산인지의 구분은 중요한 의미를 가진다. 과세체계의 차이로 인해 오피스텔 소유자로 하여금 주거용의 구분에 따라 조세회피의 유인을 제공할 수 있다. 오피스텔이 비주거용으로 구분되면 건축물분 재산세 및 토지분 재산세로 이원화되어 과세되고, 지역자원시설세까지 중과세를 적용한다(지방세법 제146조 ② 2호, 2의 2호).

오피스텔에 대한 과세관청의 판단기준을 보면, 일반적으로 건축물로 과세하되 '현황과세원칙'에 따라 주거용으로 사용하는 경우에는 주택으로 과세하게 된다. 공부상 주택은 아니

76) 비주거용으로 구분되면 건축물분 재산세 및 토지분 재산세로 이원화되어 과세되고, 지역자원시설세까지 중과세를 적용한다(지방세법 제146조 ② 2호, 2의 2호).

지만 그 사용현황이 객관적으로 주택으로 볼 여지가 있다면 주택분 재산세를 과세한다는 의미인데, 세부 적용기준에 따르면 납세자가 주민등록, 사업자 등록, 취학 여부, 수도·전기·가스 사용현황 등을 입증하여 주거용인지 확인되는 경우 주택분 재산세를 과세한다. 이와 같이 납세자의 입증범위(주민등록, 취학 등 어느 정도까지 입증해야 하는지), 입증시기(재산세 부과고지 전에 할 것인지 또는 부과고지 이후에도 입증하더라도 가능한지 등), 입증에 대한 과세관청의 사실관계 확인 과정 등 오피스텔에 대한 재산세 부과방식이 복잡해 질 수 있다.

취득세 관련 사례를 보면, 기존에 오피스텔이 주택세율 적용대상인지에 대해 쟁점(유상거래시 '주택 유상거래 세율' 적용 여부)이 있었지만 대법원에는 주택세율 적용 대상이 아니라고 보았다. 왜냐하면 「건축법」상 오피스텔은 부동산 가격공시에 관한 법에 따라 가격이 공시되는 개별주택 또는 공동주택에 포함되지 아니하고, 오피스텔이 사실상 주거용으로 사용된다고 하더라도 그것은 당초 업무시설로 건축된 것이어서 주택거래의 활성화와는 거리가 있어 취득세 감면대상이 아니라는 것이다(대법원 2013두13945, 2013.11.28.).이는 취득세 판례이긴 하지만 재산세에서도 유사한 의미로 적용된다고 볼 수 있다(현재는 주택이 아닌 것으로 입법적으로 보완하였음).

한편 재산의 소유권 변동 또는 과세대상 재산의 변동 사유가 발생하였으나 과세기준일까지 그 등기가 되지 아니한 재산의 공부상 소유자는 그 사실을 신고하여야 한다(법 제120조 ① 1호). 따라서 공부상 오피스텔에 대해 주택분 재산세로 부과받고자 하는 경우에는 증빙자료를 갖추어 신고하는 것이 타당하다. 만약 10일 이후에 신고하는 경우라도 불복청구 등을 통해 주택이라는 사실이 입증되면 주택분 재산세 과세가 가능하다. 그런데 불복청구기간을 경과한 경우라면 당초의 재산세 과세처분이 무효가 아닌한 과세관청이 직권으로 경정하는 것은 곤란할 것이다.

3) 재개발·재건축에서의 주택 판단

(1) 그동안의 해석 사례

재개발·재건축 사업이 진행되는 구역에서 멸실이 임박한 주택의 경우 어느 시점까지 '주택'으로 볼 것인지 혼선이 있었다. '주택' 여부에 따라 취득세·재산세 세부담 차이로 과세관청과 납세자간 다툼이 빈번하게 일어났다. 취득세 관련 기존 적용사례를 보면, 관리처분계획인가 후 단전, 단수, 이주완료, 이주비 지급 완료 등을 종합적으로 판단하여 이미 주택의 기능을 상실하였다고 인정될 경우 주택유상거래 취득세율 적용에서 제외된다(지방세운영과-2641, 2016.10.17. 등)고 보았다. 재산세에 있어서는 철거예정주택은 세대원이 퇴거·

이주하여 단전·단수 및 출입문 봉쇄 등 폐쇄조치가 이루어진 경우 주택에 해당되지 않는다(지방세운영과-138, 2008.6.20.)고 보았다. 이러한 기준에서는 재산세 또는 취득세 과세시점 현재 멸실되지 않은 상태에서 공부상 주택일 뿐 아니라, 주택의 외형까지 그대로이고 단지 사람이 살지 않는다는 이유로 주택이 아닌 것으로 볼 수 있는지 법리적으로 명확하지 않다. 그리고 이주, 단전·단수, 출입문 봉쇄 등 현황을 파악하기 위해 일일이 확인해야하는 등 과세행정상 어려움도 있었다.

(2) 멸실 기준의 판단

대법원은 관할 관청이 건물 붕괴의 우려가 있다는 이유로 대피명령 및 사용금지 명령을 하여 사용·수익이 제한된 상태에 있는 건물에 대하여 재산이 훼손되거나 일부 멸실 혹은 붕괴되고 그 복구가 사회통념상 거의 불가능하게 된 정도에 이르러 재산적 가치를 전부 상실하게 된 때에는 재산세 과세대상이 되지 아니하며, 재산세에 있어 현실적으로 재산을 그 본래의 용도에 따라 사용·수익하였는지 여부는 그 과세요건이 아니라고 보았다(대법원 99두110, 2001.4.24.).

조세심판원의 사례를 보면, 2009.4.7. 철거를 목적으로 단전·단수 등 조치를 완료하고 입주민을 퇴거시킨 후 공실(空室) 상태에 있는 임대용 아파트에 대해 "재산세는 재산의 보유사실에 대하여 담세력을 포착하여 부과하는 세목이지 이를 사용·수익하는 사실에 대하여 부과하는 세목이 아니며, 공동주택의 외관상으로도 단순히 노후한 주택이라는 사실 이외에 하자·보수를 하더라도 더 이상 주택으로 사용할 수 없는 상태에 이르렀다고 보여지지 아니한다"는 사유로 주택으로 과세하여(조심 2008지0654) 주택 기능이 확정적으로 상실되는 시점을 기준으로 '주택' 여부를 판단하고 있다.

따라서 재개발·재건축 정비구역 내 철거예정주택에 대해서도 해당 건물이 사실상 철거·멸실된 날[사실상 철거·멸실된 날이 분명하지 않은 경우 공부(公簿)상 철거·멸실된 날을 뜻함] 등 외형적으로 주택의 구조가 훼손되어 주택의 기능이 확정적으로 상실되는 시점과 같이 객관적이고 명확한 시점을 기준으로 '주택' 여부를 판단하는 것이 합리적이다.

같은 취지로 행정안전부는 기존 유권해석으로는 다양한 사례에 대한 적용이 곤란하고, 개별 사실관계 확인 과정에 많은 행정력이 소모되는 점, 지자체간 상이한 운영에 따른 과세불형평이 초래되는 등 문제점이 있어, 재개발·재건축 사업이 진행되고 있는 경우 "주택의 건축물이 사실상 철거·멸실된 날, 사실상 철거·멸실된 날을 알 수 없는 경우에는 공부상 철거·멸실된 날"을 기준으로 주택 여부를 판단하는 것이 타당하다는 기준을 마련하였다(재개발·재건축 구역 멸실 예정 주택 적용 기준, 지방세운영과-1, 2018.1.2.). 즉, '주택'에 대한 판단

기준(적용 시점)을 재개발·재건축 구역 이외에 소재하는 일반 주택과 동일하게 적용하고, 취득세와 재산세 판단기준도 동일하게 적용토록 하였다.

〈주택법〉

제2조(정의) 이 법에서 사용하는 용어의 뜻은 다음과 같다.

1. "주택"이란 세대(世帶)의 구성원이 장기간 독립된 주거생활을 할 수 있는 구조로 된 건축물의 전부 또는 일부 및 그 부속토지를 말하며, 이를 단독주택과 공동주택으로 구분한다.

1의 2. "준주택"이란 주택 외의 건축물과 그 부속토지로서 주거시설로 이용가능한 시설 등을 말하며, 그 범위와 종류는 대통령령으로 정한다.

2. "공동주택"이란 건축물의 벽·복도·계단이나 그 밖의 설비 등의 전부 또는 일부를 공동으로 사용하는 각 세대가 하나의 건축물 안에서 각각 독립된 주거생활을 할 수 있는 구조로 된 주택을 말하며, 그 종류와 범위는 대통령령으로 정한다.

- (지침) 오피스텔 과세 요령(지방세운영과-2241, 2010.5.28.)
  - 과세 원칙 : 오피스텔은 업무시설 중 일반 업무시설에 해당(건축법 시형령 별표 1), 업무를 주로 하며, 분양하거나 임대하는 구획 중 일부의 구획에서 숙식을 할 수 있도록 한 건축물로서 일반적으로 건축물로 과세하나 현황과세의 원칙에 따라 주거용으로 사용하는 경우에 한해 주택으로 과세
  - 주거용 오피스텔 판단기준 : 주거사실을 증명할 수 있는 자료 확인. 예를 들어 주민등록, 사업자등록, 취학여부, 수도·전기·가스 사용 현황 등
  - 주거용 오피스텔 과표적용 방법 : 건물부분과 부속토지부분을 각각 구분하여 산출한 시가표준액의 합을 "준주택"의 시가표준액으로 적용 ⇒ 건물시가표준액은 법 제111조 제2항에 따른 시가표준액을, 토지시가표준액은 법 제111조 제2항의 개별공시지가로써 건물·토지의 시가표준액의 합에 주택분 공정시장가액 비율을 곱한 후 주택분 세율을 적용하여 과세액 산출
- 비영리법인이 주택의 건물부분을 소유하고 있지 않고 토지만을 소유하고 있다고 하더라도 당해 건축물의 용도가 주택으로 사용되고 있는 경우라면 주택에 대한 재산세는 토지와 건물을 구분하여 과세하는 것이 아니라 토지와 건물의 소유자에게 지방세법 제111조 제2항의 규정에 의한 건축물과 그 부속토지의 시가표준액 비율로 안분함(지방세정팀-234, 2008.1.18.).
- 주택과 대지의 소유자가 다르지만 동일한 울타리 내에서 수년간 주택과 마당으로 사용하고 있는 경우 당해 토지를 주택의 부속토지로 보는 것이 타당

주택의 건물과 대지의 소유자가 다르다 하더라도 1구의 주택이라 함은 소유상의 기준이 아니고 거주상의 독립성을 기준으로 한 거주단위를 말한다 할 것이므로 동일한 울타리내에서 주택의 마당으로 사용되고 있는 경우라면 주택의 부속토지로 보는 것이 타당함(지방세정팀-5195, 2007.12.4.).

◎ 재산세 부과대상 주택은 공유면적을 포함하여 개별주택가격을 과세표준으로 하여 과세됨

재산세의 과세대상인 건축물은 지방세법 제104조 제4호 및 제180조 제2호 규정에 의거 건축법 제2조 제1항 제2호의 토지에 정착하는 공작물중 지붕과 기둥 또는 벽이 있는 것과 이에 부수되는 시설물, 지하 또는 고가의 공작물에 설치하는 사무소·공연장·점포·차고·창고 기타 대통령령이 정하는 것으로 규정하고 있으므로, 건축물 등기부에 기재여부에 관계없이 건축법의 규정에 의한 건축물은 재산세 과세대상이며, 주택의 경우에는 개별주택가격을 과세표준으로 하여 과세되며 주택의 전용면적을 기준으로 과세되는 것은 아님(지방세정팀-1937, 2006.5.12.).

◎ 발코니(복도 등)를 확장한 경우라도 재산세를 추가 부담하지는 아니함

주택의 경우에는 개별공시주택가격에 적용비율(50%)을 곱하여 산정한 가액을 과세표준으로 하여 재산세를 부과하므로 발코니를 확장하였다 하더라도 재산세를 추가로 부담하지는 아니하나, 발코니 등의 확장으로 인하여 개별주택공시가격이 상승하였다면 그에 비례하여 재산세가 과세됨(지방세정팀-1937, 2006.5.12.).

3. 건축물

건축물의 범위에는 주택은 제외되는데, 먼저 주택인지 여부에 대한 판단을 하고 이에 해당하지 않으면 건축물분 재산세로 과세한다. 재산세 과세대상 건축물은 취득세 과세대상 건축물과 동일한 개념인데(제6조 4호), 건축법(제2조 ① 2호)상 건축물로서 토지에 정착(定着)하는 공작물 중 지붕과 기둥 또는 벽이 있는 것과 이에 딸린 시설물, 지하나 고가(高架)의 공작물에 설치하는 사무소·차고·창고 등을 의미한다. 아울러 토지에 정착하거나 지하 또는 다른 구조물에 설치하는 레저시설, 도관시설 등 '시설'을 포함한다. 다만 취득세 과세대상이 되는 시설물(엘리베이터, 발전시설 등)은 제외된다.

건축물로 구분되면 건축물분에 대한 시가표준액을 기준으로 과세표준을 산정하는데, 주택과 토지와 달리 부동산평가법에 따른 가격이 공시되어 있지 않아, 지방세법에 따른 건축물 시가표준액을 산정하여 과표로 사용한다. 건축물에 대한 시가표준액은 신축연도, 건축물의 구조, 위치지수, 용도에 따라 가액이 달라진다. 상업용 건축물의 경우 층에 따라 가감산 비율이 달리 적용된다.

건축물은 토지분 재산세 과세와 밀접히 관련되어 있는데, 건축물의 부속토지는 일정배율 범위내에서 별도합산토지로 구분하여 과세하므로 건축물의 사용형태에 따라 그 범위가 달라질 수 있다(별도합산 대상 건축물 부속토지 참고).

건축물은 준공을 통해 재산세 과세대상이 되어 멸실되기 직전까지는 과세대상이 된다. 즉 공부상은 존재하더라도 과세기준일 현재 건축물이 철거중인 경우라면 재산세 과세대상 건축물이 아니다(지방세운영과-2773, 2008.12.30.). 그리고 준공에 이르지 않은 건축중에 있는 경우 또한 과세대상이 될 수 없다.

◎ 대형 스포츠센타의 옥내에 설치한 풀장에 대하여 건물분 재산세를 과세하고 시설물에 대한 재산세를 별도로 과세하지 아니함

대형 스포츠센타 옥내에 실내수영장이 설치된 경우라면 당해 건축물 내 수영장 부분도 건축법 제2조 제1항 제2호에 의한 건축물의 범위에 포함되는 것이므로 건축물로 과세되는 것이 타당하며, 건축물로 과세된 옥내 수영장은 별도의 재산세 과세대상에 해당되지 아니함(지방세운영과-2577, 2009.6.29.).

◎ 환경교통재해 등에 관한 영향평가법에 따라 재해방지 시설로 사업장내 설치된 우수 저류용 유수지가 지방세법상 건축물의 범위로 지정하고 있는 급·배수시설에 해당

급·배수시설이란 구조·형태·용도·기능 등을 전체적으로 고려하여 급수와 배수기능을 발휘하는 시설이면 족하다 할 것이므로 환경교통재해 등에 관한 영향평가법에 의하여 사업부지 내 재해영향 저감대책으로 우수를 저장하였다가 공용하천으로 배출되도록 설치·운용되고 있는 시설이라 하면 「지방세법」 제104조 제4호에서 규정한 급·배수시설로 볼 수 있음(지방세정팀-3539, 2007.8.30.).

◎ 캐노피, 옥탑, 계단실, 기계실 등은 지붕과 기둥 또는 벽이 있는 공작물로서 건축물대장의 연면적 포함 여부, 등기 여부에 관계없이 재산세 과세대상임(세정-1421, 2006.4.7.).

◎ 필로티가 건축법상 바닥면적에 산입되지 않는다고 하더라도 재산세 과세대상 건축물에 포함됨(대법원 2009두2832, 2009.4.23.).

◎ 건물붕괴의 우려에 따른 대피명령으로 건물의 사용·수익이 제한되더라도 과세대상

재산세는 보유하는 재산에 담세력을 인정하여 부과되는 수익세적 성격을 지닌 보유세로서, 재산가액을 그 과세표준으로 하고 있어 그 본질은 재산소유 자체를 과세요건으로 하는 것이므로, 당해 재산이 훼손되거나 일부 멸실 혹은 붕괴되고 그 복구가 사회통념상 거의 불가능하게 된 정도에 이르러 재산적 가치를 전부 상실하게 된 때에는 재산세 과세대상이 되지 아니하나, 현실적으로 당해 재산을 그 본래의 용도에 따라 사용·수익하였는지 여부는 과세요

건이 아니므로, 처분청의 건물붕괴의 우려에 따른 대피명령 등으로 건물의 사용·수익이 일시적으로 제한되었다고 하여 과세대상에서 제외되는 것은 아님(대법원 1999두110, 2001.4.24.).

◎ (지침) 호텔식 레지던스에 대한 지방세 운영기준(지방세운영과-1916, 2010.5.7.)

- 대법원 판결(2009도6431, 2010.4.5.)에서 사회통념상 숙박이라고 생각할 수밖에 없는 ① 일시적인 객실사용계약(1~2일의 단기투숙도 가능하며 요금도 대체로 1일을 단위로 책정되어 있다)을 하고 ② 일반공중이 잠을 잘 목적으로 그 시설과 비품 등을 사용하는 경우라면 그 건물의 형태가 공동주택 또는 업무시설이라고 하더라도 "임대용 주거시설이 아닌 숙박용 숙박시설"에 해당된다고 보고 있으므로 ⇒ 임대용 공동주택을 ① 단기숙박시설 기준인 30일(국제표준산업분류표, 조심 2009지144, 2009.12.10. 참조) 이내로 계약하고, ② 숙박시설과 비품 등을 갖춘 형태로 운영되는 경우라면 "임대용 공동주택이 아닌 숙박용 숙박시설"로 보아야 할 것으로 지방세 운영기준을 참고하여 운영하시기 바람.
- (재산·공동시설세) : 과세기준일(6.1.) 현재 공동주택 임대사업자가 임대용으로 사용하지 않고 숙박시설로 사용되는 경우에는 임대용 공동주택이 아닌 숙박용 숙박시(지방소득세) : 국세청에서 숙박시설을 운영한 것으로 보아 공동주택 임대소득 외에 소득세, 법인세 등을 추징하는 경우에는 국세청에서 과세한 소득세액, 법인세액 등의 10% 지방소득세로 과세되므로 ⅰ) 재산세 감면대상에서 제외 및 기 감면세액 추징 ⅱ) 건축물 용도지수를 공동주택이 아닌 숙박시설(100 ⇒ 135)로 상향조정 ⅲ) 재산세 과세대상구분을 주택이 아닌 건축물 및 토지로 과세 ⅳ) 4층 이상의 화재위험 건축물인 경우 공동시설세 2배 중과
- (취득·등록세) : 임대주택사업자가 공동주택(전용면적 60㎡ 이하)을 최초 분양받아 숙박시설로 사용하기 위하여 취득하는 경우에는 임대용 공동주택이 아닌 숙박용 숙박시설이므로 취득·등록세 면제 대상이 아니고, 기 감면받은 후 임대의무 기간(5년) 이내 숙박시설로 사용하는 경우라면 추징
- (재산분 주민세) : 과세기준일(7.1.) 현재 인적 및 물적설비를 갖추고 계속적으로 숙박시설로 운영되는 사업소인 경우에는 임대용 주택이 아닌 숙박용 숙박시설이므로 사업소 연면적이 330㎡ 초과라면 재산분 주민세 과세

◎ 양수발전소 수로터널(도수로터널, 상부조압수조, 수직터널, 수압철관, 흡출터널, 하부조압수조, 방수터널)은 그 구조, 형태, 용도, 기능 등을 전체적으로 고려할 때, 하부저수지의 물을 상부저수지로 끌어올리고, 발전설비를 통과한 물을 하부저수지로 배수하는 등 급수와 배수 기능을 발휘하는 시설에 해당하므로 재산세의 과세대상인 급수·배수시설에 포함됨(대법원 2013두13716, 2014.2.13.).

◎ 농지위에 설치되어 있는 태양광시설은 재산세 과세대상 건축물의 범위에 포함되지 않음

농지위에 설치되어 있는 태양광시설의 경우 딸린 시설물로 보기에는 그 전제가 되는 '지붕과 기둥 또는 벽이 있는 공작물'이 없는 상태로 볼 수 있으며(건물 옥상에 설치되어 있는 태양광시설의 경우도 마찬가지라 할 것임), 아울러 지방세법령에서 건축물로 보는 시설에 대하여 레저시설, 저장시설, 도관시설 등 일정 시설을 열거하고 있는 바, 태양광 시설의 경우 이에 해당하지 아니하므로 지방세법상 건축물로 볼 수 없어 재산세 과세대상이 아님(지방세운영과-3544, 2015.11.9.).

◎ **건물의 전유부분의 면적과 공용부분의 면적이 반드시 비례하여 과세되는 것은 아님**

이 사건 건물은 전유부분 건물의 주용도 및 그 위치, 구조 등에 따라 공용부분에 화장실이나 복도의 존재 여부를 달리하거나 복도 및 주차장의 면적 비율을 달리하고 있는 등으로 일부의 구분소유자들에게 제공되는 일부공용면적이 있고, 일부 구분소유자들마다 제공되는 그 일부 공용면적도 차이가 있으므로, 이 사건 건물의 구분소유자의 공용부분의 면적 비율은 전유부분의 면적 비율과 비례한다고 할 수 없음(건축물 대장은 건물 구조의 특성을 반영하여 별도의 기준에 따라 안분)(대법원 2015두58386, 2016.3.10.).

4. 선박·항공기

◎ **준설선이 부양성·적재성·이동성을 모두 갖춘 경우 선박에 해당되나, 범프식·바켓식·그래브식 등 자력으로 항해가 불가한 경우 기계장비에 해당**

취득세 과세대상이 되는 선박은 수상 또는 수중에서 항행용으로 사용하거나 사용할 수 있는 모든 배를 말한다고 할 것임(조심 2012지423, 2012.11.19.). 따라서 준설선은 수상에서 자유롭게 이동하며 바닥에 있는 흙·모래·자갈 등을 파내는 시설을 설치한 것으로 선박(배)이 되기 위한 조건인 부양성, 적재성, 이동성을 모두 갖추고 있다고 볼 수 있으므로 지방세법 제6조 제10호에서 규정하는 "선박"에 해당하여 재산세 과세대상으로 포함되어야 한다고 판단되나, 지방세법 제6조 제8호 및 지방세법 시행규칙 제3조 관련 별표 1에서 펌프식·바켓식·딧퍼식 또는 그래브식으로서 자력으로 항해가 불가능한 준설선은 기계장비로 규정하고 있음(지방세운영과-1231, 2013.6.26.).

☞ 선박·항공기의 세부 사례는 취득세편의 정의 규정(법 제6조)을 참고

제106조(과세대상의 구분 등) 제1항 제1호[종합합산]

> 법 제106조(과세대상의 구분 등) ① 토지에 대한 재산세 과세대상은 다음 각 호에 따라 종합합산과세대상, 별도합산과세대상 및 분리과세대상으로 구분한다. <개정 2010.12.27., 2015.12.29.>
> 1. 종합합산과세대상 : 과세기준일 현재 납세의무자가 소유하고 있는 토지 중 별도합산과세대상 또는 분리과세대상이 되는 토지를 제외한 토지.

토지분 재산세는 종합합산, 별도합산, 분리과세 대상으로 구분되며, 별도합산과세대상 및 분리과세에 해당하지 아니하면 종합합산 과세대상 토지가 된다. 따라서 과세대상 이해를 위해서는 실무적으로 분리과세대상 및 별도합산 토지의 과세요건을 먼저 파악한 뒤 이에 해당하지 않으면 종합합산토지로 봐야한다.

한편 제106조 제1항은 토지에 대한 재산세 과세대상을 종합합산과세대상, 별도합산과세대상과 분리과세대상으로 구분하면서, 이 법(「지방세법」) 또는 관계 법령에 따라 재산세가 면제되는 토지와 재산세가 경감되는 토지의 경감비율에 해당하는 토지는 각각 종합합산과세대상 및 별도합산과세대상으로 보지 아니한다고 규정하고 있다. 즉 어떤 토지가 감면대상토지라면 먼저 해당토지가 분리과세, 별도합산, 종합합산 토지 중 어느 토지에 해당하는지 판단하고, 이 후 감면대상 토지라면 해당 비율만큼을 과세표준에서 제외하여 세액을 산출한다.

그런데 2005년 「종합부동산세법」을 제정하면서, 종전에 종합토지세를 경감할 때 경감 비율만큼 종합토지세 과세표준에서 차감하던 방식[77]을, 새로 개편된 재산세와 종합부동산세에도 동일하게 적용하기 위한 취지에서 이를 "과세대상의 구분"에 현행 규정[78]과 같이 도입하였다. 대법원은 이부분에 대하여 경감 비율에 해당하는 만큼을 과세표준에서 차감하여 과세대상에서 제외하는 것이 아니라, 과세대상 구분체계 상 종합합산과세대상 및 별도합산과세대상에서 분리과세대상으로 전환하는 것이라고 판단하였다(대법원 2018두45725, 2018.11.29.).

대법원 판례에 따르면 예를들어 종합합산 대상 토지(공시가 10억원)가 50% 감면 대상인 경우 ① 감면율(50%)인 5억원은 분리과세 대상으로 변경한 후 ② 분리과세 대상토지(5억원)와 남은 종합합산 대상토지(5억원)에 각각 50% 감면 적용하고, ③ 감면 안된 부분 중 2.5억원은 분리과세, 2.5억원은 종합합산 과세한다고 보았다. 이렇게 되면 감면대상 토지에 대하여 분리과세를 추가로 적용함으로써, 일부 납세자에게 의도하지 않은 과도한 조세혜택

77) "경감비율에 해당하는 토지가액은 종합토지세 과세표준에 합산하지 아니한다"로 규정함.

78) "과세대상에서 제외한다"로 규정함.

이 제공되어 과세 형평이 저해되는 문제가 발생할 수 있다. 이와 같은 문제점을 보완하기 위해 경감비율에 대해 과세표준에서 제외하는 것이라는 점이 법률에서 명확하게 나타날 수 있도록, 토지에 대한 재산세의 과세대상 구분(제106조 ①)에 규정되어 있는 경감 방식에 관한 사항[79]을 세율적용(제113조 ①)으로 옮겨 규정하는 방식으로 개정하였다(2019.12.31.).

|과세대상 구분의 개요|

종합합산	별도합산	분리과세
▶세율 : 0.2~0.5% ○별도합산·분리과세 토지를 제외한 모든 토지	▶세율 : 0.2~0.4% ○건축물 부속토지 ○업무 또는 경제활동에 활용되는 토지(17종)	▶저율 분리과세(0.07%) ○농지(전·답·과수원), 목장용지, 임야 ▶기타(일반) 분리과세(0.2%) ○공장용지 ○분리과세하여야 할 타당한 이유가 있는 토지(38종) ▶고율 분리과세(4%) ○고급오락장, 회원제 골프장

1. 분리과세 토지

분리과세 토지는 저율의 분리과세, 기타(일반) 분리과세, 고율 분리과세 토지로 구분된다. 그런데 회원제 골프장, 고급오락장용 토지 등 고율의 토지는 종합합산 토지, 별도합산토지에 비해 세부담이 훨씬 높은 반면, 저율의 분리과세 및 일반분리과세 토지는 세부담이 낮은 토지로 구분된다.

고율이 아닌 분리과세 토지는 농지, 임야, 공장용지, 기타토지로 크게 구분되며, 1990년 종합토지세 도입당시의 과세구분 및 2005년 세제개편 전후를 기준으로 아래와 같이 구분할 수 있다.

|분리과세 토지 현황|

구분	종토세 시행당시(1990)	시행이후(1991) ~ 종부세 시행 이전(2004)	종부세 시행(2005) 이후
농지	개인 소유의 자경농지 등	영농에 제공되는 모든 개인소유의 농지로 확대('02)	

79) 「지방세법」 또는 관계법령에 따라 토지에 대한 재산세를 경감할 때는 과세표준에서 경감대상 토지의 과세표준액에 경감비율을 곱한 금액을 공제하여 세율을 적용함.

구분	종토세 시행당시(1990)	시행이후(1991) ~ 종부세 시행 이전(2004)	종부세 시행(2005) 이후
임야	보전임지내 시업중인 임야 · 문화재보호구역임야 · 자연환경보호구역 임야 · 종중소유임야	개발제한구역, 군사시설보호구역(제한보호구역) 내 임야('91) 상수원보호구역('95) 접도구역 · 철도보호구역 · 도시공원 · 하천 연안구역('98)	도시자연공원구역('11)
공장용지	읍면, 산업단지, 공업지역 소재 공장용지		개발제한구역 지정 전 취득한 공장용지('08)
기타토지	1. 토공의 공급용 토지 및 주공의 분양임대용 토지 3. 수공의 공급용 토지 4. 전기사업용 토지 5. 광구용토지	2. 염전으로 사용되는 토지('91) 6. 공유수면매립토지('91) 7. 주택건설사업용토지('91) 8. 석유공사 비축용토지('91) 9. 가스공사의 공급용 토지('92) 10. 지역난방공사 사업용토지('95) 11. 국방용 공장구내 토지('95) 12. 농협 등 구판사업용토지('96) 13. 비영리사업자소유토지('96) 14. 기업진흥공단분양토지('96) 15. 농어촌정비사업자토지('96) 16. 자산관리공사 사업용토지('97) 17. 산업공단 공급용토지('97) 18. 산업단지 사업시행자용('99) 19. 대덕연구단지원형보전('99) 20. 수공 홍수조절용 토지('00)	21. 군용화약류시험토지('01) 22. 부동산투자목적토지('02) 23. 부동산 집합투자기구 사업용('06) 24. 주택용지 · 산업단지 등 도시개발사업용 토지('04) 25. 철도공사용토지('05) 26. 산업단지 내 사업용토지('05) 27. 여객 · 화물 터미널용('06) 12. 농수산물 유통공사 시설용('06) 28. 전시장용 토지('06) 29. 방송공사 중계용토지('08) 30. 전기통신사업용토지('09) 31. LH비축용토지('11) 32. 항만공사('11) 33. 인천국제공항공사('11) 34. 지식산업센터 사업시행자('11) 35. 지식산업센터 입주 중소기업 ('11) 36. 기부채납예정 공공용토지('13) 3. 친수구역내 토지('13) 37. 지방공사 분양임대용토지('14) 38. 한국농어촌공사의 공공기관 지방이전 관련 일시취득('15)

2. 별도합산토지

건축물 부속토지를 별도합산토지의 대표적인 토지로 볼 수 있다. 그리고 "차고용 토지, 보세창고용 토지, 시험 · 연구 · 검사용 토지, 물류단지시설용 토지 등 공지상태(空地狀態)나 해당토지의 이용에 필요한 시설 등을 설치하여 업무 또는 경제활동에 활용되는 토지"라 하여 건축물 부속토지 이이에 일정요건의 개별 토지를 열거하고 있다.

| 별도합산토지 현황 |

종토세 시행당시(1990)	시행이후(1991) ~ 종부세 시행 이전(2004)	종부세 시행 이후(2005)
건축물부속토지		
업무 또는 경제활동에 활용되는 토지	1. 자동차 운송·대여사업의 차고용('91) 2. 건설기계 대여·정비('91)·매매('97) 업용 주기장용 토지 3. 자동차 운전학원용 토지('91) 4. 지정된 야적장용, 컨테이너장치용, 보제장치용 토지('91) 5. 자동차 관리사업용으로 정비('95)·재활용('96)·매매·경매장('98)용 토지 7. 유통단지안 유통시설용('96) 8. 레미콘제조업용토지('00)	6. 교통안전공단의 시험연구검사용, 자동차·건설기계 검사대행용, 자동차 배출가스 검사용 토지('05) 9. 운동시설용 토지('05) 10. 박물관등야외전시장용토지('05) 11. 부설주차장용토지('08)[80] 12. 법인묘지용 토지('07) 13. 스키장·골프장·휴양업 등 원형보전임야('07), 준보전산지 임야('08) 14. 종자사업용 토지('08) 15. 양식(종묘)어업용 토지('08) 16. 견인차량보관용 토지('08) 17. 폐기물매립용 토지('11)

제106조 제1항 제2호 가목[별도합산 건축물 부속토지]

법 제106조(과세대상의 구분) ① 토지에 대한 재산세 과세대상은 다음 각 호에 따라 종합합산과세대상, 별도합산과세대상 및 분리과세대상으로 구분한다.

2. 별도합산과세대상 : 과세기준일 현재 납세의무자가 소유하고 있는 토지 중 다음 각 목의 어느 하나에 해당하는 토지.

가. 공장용 건축물의 부속토지 등 대통령령으로 정하는 건축물의 부속토지

나. ~

다. 철거·멸실된 건축물 또는 주택의 부속토지로서 대통령령으로 정하는 부속토지

영 제101조(별도합산과세대상 토지의 범위) ① 법 제106조 제1항 제2호 가목에서 "공장용 건축물의 부속토지 등 대통령령으로 정하는 건축물의 부속토지"란 다음 각 호의 어느 하나에 해당하는 건축물의 부속토지를 말한다. 다만, 「건축법」 등 관계 법령에 따라 허가 등을 받아야 할 건축물로서 허가 등을 받지 아니한 건축물 또는 사용승인을 받아야 할 건축물로서 사용승인(임시사용승인을 포함한다)을 받지 아니하고 사용 중인 건축물의 부속토지는 제외한다. 〈개정 2010.12.30.〉

80) 2005년 휴양업·공연장·체육시설업·의료기관·방송국용 주차장용 토지가 별도합산으로 추가되었으며, 2008년 이를 확대하였음.

1. 특별시 · 광역시(군 지역은 제외한다) · 특별자치시 · 특별자치도 및 시지역(다음 각 목의 어느 하나에 해당하는 지역은 제외한다)의 공장용 건축물의 부속토지로서 공장용 건축물의 바닥면적(건축물 외의 시설의 경우에는 그 수평투영면적을 말한다)에 제2항에 따른 용도지역별 적용배율을 곱하여 산정한 범위의 토지
   가. 읍 · 면지역
   나. 「산업입지 및 개발에 관한 법률」에 따라 지정된 산업단지
   다. 「국토의 계획 및 이용에 관한 법률」에 따라 지정된 공업지역
2. 건축물(제1호에 따른 공장용 건축물은 제외한다)의 부속토지 중 다음 각 목의 어느 하나에 해당하는 건축물의 부속토지를 제외한 건축물의 부속토지로서 건축물의 바닥면적(건축물 외의 시설의 경우에는 그 수평투영면적을 말한다)에 제2항에 따른 용도지역별 적용배율을 곱하여 산정한 면적 범위의 토지
   가. 법 제106조 제1항 제3호 다목에 따른 토지 안의 건축물의 부속토지
   나. 건축물의 시가표준액이 해당 부속토지의 시가표준액의 100분의 2에 미달하는 건축물의 부속토지 중 그 건축물의 바닥면적을 제외한 부속토지

② 제1항에 적용할 용도지역별 적용배율은 다음과 같다.

용도지역별		적용배율
도시지역	1. 전용주거지역	5배
	2. 준주거지역 · 상업지역	3배
	3. 일반주거지역 · 공업지역	4배
	4. 녹지지역	7배
	5. 미계획지역	4배
도시지역 외의 용도지역		7배

③ 법 제106조 제1항 제2호 나목에서 "대통령령으로 정하는 토지"란 다음 각 호의 어느 하나에 해당하는 토지를 말한다. 〈개정 2010.12.30., 2011.5.30., 2013.6.28., 2014.8.12.〉

1. ~ 17. ➡ 이하 다음에서 각 호별로 설명

제103조(건축물의 범위 등) ① 제101조 제1항에 따른 건축물의 범위에는 다음 각 호의 건축물을 포함한다. 〈개정 2014.1.1., 2015.12.31.〉

1. 삭제 〈2015.12.31.〉 2. 건축허가를 받았으나 「건축법」 제18조에 따라 착공이 제한된 건축물
3. 「건축법」에 따른 건축허가를 받거나 건축신고를 한 건축물로서 같은 법에 따른 공사계획을 신고하고 공사에 착수한 건축물[개발사업 관계법령에 따른 개발사업의 시행자가 소유하고 있는 토지로서 같은 법령에 따른 개발사업 실시계획의 승인을 받아 그 개발사업에 제공하는 토지(법 제106조 제1항 제3호에 따른 분리과세대상이 되는 토지는 제외한다)로서 건축물의 부속토지로 사용하기 위하여 토지조성공사에 착수하여 준공검사 또는 사용허가를 받기 전까지의 토지에 건축이 예정된 건축물(관계 행정기관이 허가 등으로 그 건축물의 용도 및 바닥면적을 확인한 건축물을 말한다)을 포함한다]. 다만, 과세기준일 현재 정당한 사유 없이 6개월 이상 공사

가 중단된 경우는 제외한다.

4. 가스배관시설 등 행정안전부령으로 정하는 지상정착물

② 제101조 및 제102조에 따른 공장용 건축물의 범위에 관한 사항은 행정안전부령으로 정한다.

제103조의 2(철거·멸실된 건축물 또는 주택의 범위) 법 제106조 제1항 제2호 다목에서 "대통령령으로 정하는 부속토지"란 과세기준일 현재 건축물 또는 주택이 사실상 철거·멸실된 날(사실상 철거·멸실된 날을 알 수 없는 경우에는 공부상 철거·멸실된 날을 말한다)부터 6개월이 지나지 아니한 건축물 또는 주택의 부속토지를 말한다. 이 경우 「건축법」 등 관계 법령에 따라 허가 등을 받아야 하는 건축물 또는 주택으로서 허가 등을 받지 않은 건축물 또는 주택이거나 사용승인을 받아야 하는 건축물 또는 주택으로서 사용승인(임시사용승인을 포함한다)을 받지 않은 경우는 제외한다.

규칙 제49조(건축물 시가표준액의 기준) 영 제101조 제1항 제2호 나목에서 "건축물의 시가표준액"이란 해당 건축물이 과세기준일 현재 신축된 것으로 보아 계산한 시가표준액을 말한다.

제51조(지상정착물의 범위) 영 제103조 제1항 제4호에서 "행정안전부령으로 정하는 지상정착물"이란 다음 각 호의 시설을 말한다. 〈개정 2014.1.1.〉

1. 가스배관시설 및 옥외배전시설 2. 「전파법」에 따라 방송전파를 송수신하거나 전기통신역무를 제공하기 위한 무선국 허가를 받아 설치한 송수신시설 및 중계시설

제52조(공장용 건축물의 범위) 영 제103조 제2항에 따른 공장용 건축물은 영업을 목적으로 물품의 제조·가공·수선이나 인쇄 등의 목적에 사용할 수 있도록 생산설비를 갖춘 제조시설용 건축물, 그 제조시설을 지원하기 위하여 공장 경계구역 안에 설치되는 다음 각 호의 부대시설용 건축물 및 「산업집적활성화 및 공장설립에 관한 법률」 제33조에 따른 산업단지관리기본계획에 따라 공장경계구역 밖에 설치된 종업원의 주거용 건축물을 말한다.

1. 사무실, 창고, 경비실, 전망대, 주차장, 화장실 및 자전거 보관시설 2. 수조, 저유조, 저장창고, 저장조 등 저장용 옥외구축물 3. 송유관, 옥외 주유시설, 급수·배수시설 및 변전실
4. 폐기물 처리시설 및 환경오염 방지시설 5. 시험연구시설 및 에너지이용 효율 증대를 위한 시설
6. 공동산업안전시설 및 보건관리시설 7. 식당, 휴게실, 목욕실, 세탁장, 의료실, 옥외 체육시설 및 기숙사 등 종업원의 복지후생 증진에 필요한 시설

토지분 재산세의 과세대상 구분 중 별도합산대상 토지는 대표적으로 건축물 부속토지이다. 이 때 주택은 건축물의 범위에서 제외되고, 공장용 건축물의 경우 읍면지역·공업지역·산업지역에 위치하면 분리과세토지가 되지만, 도시지역 등에 위치한 경우 그 부속토지는 별도합산토지가 된다. 그리고 차고용 토지, 보세창고용 토지, 시험·연구·검사용 토지, 물류단지시설용 토지 등 공지상태(空地狀態)나 해당 토지의 이용에 필요한 시설 등을 설치하여 업무 또는 경제활동에 활용되는 토지로서 대통령령으로 정하는 토지를 별도합산토지로 구분하고 있다.

| 건축물의 부속토지 중 별도합산과세대상에서 제외되는 토지 |

• 읍·면지역, 산업단지, 공업지역의 공장용 건축물의 부속토지	저율분리
• 골프장·고급오락장용 토지	고율분리
• 건축물의 시가표준액이 해당 부속토지의 시가표준액의 2%에 미달하는 건축물의 부속토지 중 그 건축물의 바닥면적을 제외한 토지	종합합산
• 관계법령에 따라 허가 등을 받아야 할 건축물로서 허가 등을 받지 아니한 건축물 또는 사용승인을 받아야 할 건축물로서 사용승인(임시사용승인 포함)을 받지 아니하고 사용 중인 건축물의 부속토지	종합합산

| 공장용 건축물의 부속토지 과세구분 |

○ 별도합산

- (공장용 건축물) 지방세법시행규칙 제52조
- (지역구분) 특별시·광역시 및 시지역(읍·면지역, 산업단지, 공업지역 제외)
- (면적범위) 공장용 건축물의 바닥면적* × 용도지역별 적용배율

* 건축물 외의 시설의 경우에는 그 수평투영면적

〈공장용 건축물의 범위(지방세법시행규칙 제52조)〉 : ① + ② + ③

① 생산설비를 갖춘 제조시설용 건축물

② 공장 경계구역 안에 설치되는 부대시설용 건축물 중 아래시설

1. 사무실, 창고, 경비실, 전망대, 주차장, 화장실 및 자전거 보관시설
2. 수조, 저유조, 저장창고, 저장조 등 저장용 옥외구축물
3. 송유관, 옥외 주유시설, 급수·배수시설 및 변전실
4. 폐기물 처리시설 및 환경오염 방지시설
5. 시험연구시설 및 에너지이용 효율 증대를 위한 시설
6. 공동산업안전시설 및 보건관리시설
7. 식당, 휴게실, 목욕실, 세탁장, 의료실, 옥외 체육시설 및 기숙사 등 종업원의 복지후생 증진에 필요한 시설

③ 산업단지관리기본계획에 따라 공장경계구역 밖에 설치된 종업원의 주거용 건축물

○ 분리과세

- (공장용 건축물) 지방세법시행규칙 제52조 (별도합산토지의 공장용 건축물과 동일)
- (지역구분) 읍·면지역, 산업단지, 공업지역
- (면적범위) 공장입지기준면적 범위의 토지

※ 건축 중인 경우 포함. 과세기준일 현재 건축기간이 지났거나 정당한 사유 없이 6개월 이상 공사가 중단된 경우 제외

ㅇ 종합합산
  • 별도합산 및 분리과세 이외의 모든 토지

1. 별도합산토지 요건의 건축물의 범위

재산세 과세대상을 토지, "건축물", 주택 등 3가지 유형으로 구분하고 있는데, 별도합산토지인 "건축물" 부속토지를 판단시 그 "건축물"의 개념과 상통하는 것으로 이해할 수 있다. 건축물분 재산세가 과세되는 건축물의 그 부속토지는 별도합산 대상이다. 다만 불법건축물, 건축물의 가치가 토지 가액 대비 지나치게 낮은 경우, 건축물이 없는 경우에도 건축물이 있는 것으로 보는 등 별도합산 토지를 판단함에 있어 건축물분 재산세 과세대상 건축물과 완전히 동일한 것은 아니다.

◎ 폐기물처리시설관련, 파쇄시설 및 보관시설은 토지의 정착물에 불과하여 별도의 시설물로 볼 수 없어, 건축물 또는 저장시설에 해당하지 않아 별도합산 적용 불가함

파쇄시설은 이 사건 건물들의 효용과는 무관한 폐기물을 처리하는데 사용되는 기계장비로서, 이 사건 건물들의 객관적 구조에 따른 효용을 증대시키는 시설물로 보기 어렵고, 보관시설은 콘크리트 포장에 불과하여 토지의 정착물로서 그 구성부분이 될 뿐이므로 별도의 시설물이라고 보기 어려움. 따라서 이 사건 파쇄시설이나 보관시설은 이 사건 건물들에 딸린 시설물로 볼 수 없으므로 건축법상 건축물에 해당하지 아니함. 또한 파쇄시설이 구 건축법 시행령 제3조의 4 별표 1의 규정에 해당하므로 건축물이라고 추가로 주장하나, 위 규정은 건축법에 따른 건축물임을 전제로 하고 있으므로 이 역시 이유 없음(대법원 2014두11038, 2014.11.27.).

◎ 야적장으로 사용하고 있는 부분은 그 지상 창고의 부속토지라 할 수 없다는 사례

토목・건축, 건축자재 제조 및 판매업 등을 목적사업으로 하는 법인이 건축자재 등의 야적장으로 사용하기 위해 토지와 그 지상 창고를 취득하여 토지는 건축자재 및 장비 등의 야적장으로, 창고 역시 건축자재 등의 보관장소로 사용하고 있다면, 위 토지 중 야적장으로 사용하고 있는 부분은 그 지상 창고의 부속토지라 할 수 없고, 한편 위 법인의 목적사업에 비추어 토지를 건축자재 등의 야적장으로 사용하는 것은 고유업무에 직접 사용하는 것이므로, 별다른 사정이 없는 한 위 토지 중 야적장으로 사용하고 있는 부분을 비업무용 토지라고 볼 수는 없음(대법원 95누3312, 1995.11.21.).

◎ 주유소 내 특수방화벽・콘크리트바닥・세차기는 시가표준액 계산대상 건축물에 해당

지방세법 및 건축법상 토지에 정착하는 공작물 중 지붕과 기둥 또는 벽이 있는 것에 딸린 시설물은 시가표준액 계산대상인 건축물에 해당하는 바, 특수방화벽은 주유소에 화재가 발생하였을 경우 불이 번지는 것을 방지하기 위한 시설물로서 사회통념상 주유소 시설과 일체가 되어 그 보존을 위하여 필요하고 경제적 효용을 증가시키는 건물에 딸린 시설물이고, 콘크리트바닥도 이 사건 건물에 부수하여 기름이 스며들거나 불이 번지는 것을 방지하기 위하여 필요한 시설물이므로 시가표준액 계산대상 건축물임. 또한 건축법 시행령 [별표 1]상 세차기와 같은 기계식 세차설비는 위험물 저장시설 및 처리시설인 주유소에 포함되므로 건물에 부수하는 시설물임(대법원 2012두13825, 2012.10.11.).

◎ 불법 용도변경한 건축물의 부속토지에 대한 토지분 재산세 과세대상 구분

축사를 불법 용도변경하여 공장으로 사용한다 하더라도 당해 건축물이 건축허가를 받아 사용승인된 건축물로서 건물시가표준액이 당해 부속토지의 시가표준액의 100분의 3을 초과하는 경우 건축물의 바닥면적에 용도지역별 적용배율을 곱하여 산정한 면적 범위 안 토지의 재산세 과세는 별도합산 대상임(지방세정팀-201, 2006.1.17.).

◎ 사용검사를 받지 않았으나 양성화 조치를 받아 보존등기가 경료되었다면 별도합산

공장용 건축물이 신축당시 건축법에 의하여 건축허가를 득하고 사용승인(종전 사용검사)은 받지 아니하였더라도 종토세가 시행(1990.1.1.)되기 이전에 이미 양성화 조치 등을 받아 합법적으로 소유권보전등기를 경료한 후 사실상 공장으로 계속 사용되어 왔다면, 지방세법 시행령 제194조의 14 제1항 제4호에서 규정한 건축법 등 관계법령의 규정에 의하여 사실상 사용승인을 받은 공장용 건축물로 간주하여 그 공장용 건축물의 부속토지는 별도합산 대상으로 구분함이 타당(세정 13430-492, 1998.11.19.)

2. 건축물 부속토지의 범위

1) 1구의 의미

건축물 부속토지의 범위에 관한 설명에 앞서 1구의 의미를 살펴볼 필요가 있다. 재산세에서 과세의 단위가 되거나, 감면, 중과세, 시가표준액 산정기준 등을 적용하는 기준으로 "1구"의 개념이 사용된다. 먼저 지방세법 전반에서 사용되는 1구의 의미를 통해 그 개념을 유추해볼 수 있다. 취득세가 중과세되는 고급주택에 해당하는지에 대한 판단을 1구를 기준으로 적용하고 있는데, "한 가구가 독립하여 거주할 수 있도록 구획된 부분을 각각 '1구'의 건축물"로 본다.[81] 대도시내 법인 설립에 따른 부동산 취득시 취득세가 중과세 되는데, 중

81) 지방세법 시행령 제28조 제4항

과세 적용에서 제외되는 주택의 범위로 '1구'의 주택이 60제곱미터 이하인 경우로 한정하고 있으며, 이 때 '1구'란 1세대가 독립하여 구분 사용할 수 있도록 구획된 부분으로 규정하고 있다.[82] 주택분 재산세 부과와 관련하여 "다가구주택은 1가구가 독립하여 구분사용 할 수 있도록 분리된 부분을 '1구'의 주택으로 보며, 그 부속 토지는 건물 면적의 비율에 따라 각각 나눈 면적을 '1구'의 부속토지로 본다"고 규정하고 있다.[83]

지방세법 관련규정을 종합하면 '1구'는 부동산의 현황이나 용도 측면에서 적용하는 경제적 용법이라고 할 수 있는데, 물리적 공간인 부동산을 구성원의 생활 또는 사업의 실체, 경제적 일체성 등을 기준으로 독립적으로 구분하는 단위이다.[84]

1구의 개념은 주택분 재산세, 건축물분 재산세 각각의 과세단위와 관련되기도 하고, 별도합산 토지분 재산세 부과와 관련하여 과세단위를 정하는 기준이 되기도 한다. 토지의 경우 지상에 건축물이 있는 이상 그 기능은 지상 건축물의 용도에 종속되어 있다고 볼 수 있다. 그리고 1구의 개념은 건축물과 그 부속토지를 하나의 과세단위로 묶어내는 기능을 한다. 농지나 임야와 같은 순수한 토지에 대한 재산세 과세가 아니면 1구의 개념이 부동산 보유세 전반에 중요하게 적용되고 있다.

2) 1구와 별도합산 토지의 관계

건축물 부속 토지는 대부분 별도합산 토지로 구분되어 과세된다. 그런데 건축물의 부속토지라 하여 모두 별도합산 토지가 되는 것이 아니라 '건축물의 부속 토지' 중에서 일정 범위 내(바닥면적 기준 용도지역별 배율범위)의 토지에 한해 적용한다. 즉 별도합산 토지의 범위와 1구와의 관계를 통해 별도합산 대상 토지의 범위를 파악할 수 있다.

먼저 건축물을 기준으로 그 부속토지에 대해 앞에서 정의한 '1구'의 범위를 산정한다. 이후 1구의 토지에 대해 용도지역별 적용배율을 적용했을 때, 그 배율 범위 내에 있으면 1구의 토지 전체는 별도합산 대상이 되고, 범위를 초과하면 1구의 토지라 하더라도 초과되는 면적은 종합합산 토지가 된다. 한편 건축물 바닥 면적을 기준으로 배율범위를 적용했을 때 그 범위 내에 있다 하더라도 1구 내의 토지가 아닌 1구의 범위를 벗어난 토지는 종합합산 토지가 된다.

3) 1구의 판단 기준

별도합산 대상인 건축물 부속토지의 범위와 관련한 실제 적용사례에서 '1구'를 어떻게 판

82) 지방세법 시행령 제26조 제2항

83) 지방세법 시행령 제112조

84) 행정안전부 지방세운영과-1367, 2015.5.7.

단하는지에 대한 문제는 복잡한 사례로 나타나는데, 유형별로 다음과 같이 구분할 수 있다.

① "건축물의 부속토지라 함은 당해 건축물과 경제적 일체를 이루고 있는 토지로서 사회통념상 건축물 용도에 따른 토지의 객관적 이용현황에 따라 결정되는 것이라 할 것이므로 일단의 토지가 1구의 건축물에 부속되는지 여부에 대한 판단은 담장·철책·도로 인접 여부, 이용현황·사용권 유무 등 객관적인 사실에 의하여 판단하는 것으로서, 토지가 도로에 의하여 구획되어 서로 분리되어 있는 경우에는 별개의 토지이므로 동일한 건축물의 부속토지로 볼 수 없다"[85]고 보고 있다. 이는 이용현황보다 위치 등 물리적인 현황에 중점을 두고 적용한 사례이다.

② 이용현황에 초점을 두어 건축물의 부속토지로 본 사례이다. 건축물이 있던 토지가 필지의 분할로 인해 당해 필지 위에는 건축물이 없다고 하더라도 일단의 토지가 1구의 건축물에 부속되는지에 대한 판단은 그 건축물의 이용현황 등 사회통념상의 객관적인 사실에 의하여 판단하는 것으로, 필지가 분할되었다 하더라도 당해 토지가 건축물의 부속토지로 이용되는 경우라면 그 토지에 대한 토지분 재산세는 별도합산 과세대상에 해당 된다.[86]

③ 물리적인 현황(위치)과 이용현황을 모두 고려한 경우로써, 특정 토지(지상에 건축물이 있음)와 연접해 있는 쟁점 토지를 연결하는 통로가 비포장의 소로로 되어 있고, 거리도 상당히 떨어져 있으며, 건축물의 출입은 연접토지의 출입문을 이용할 수 있으나, 소로를 통하거나 북동쪽의 끝부분을 통하여 출입할 수 있으며, 건축물을 사용하면서 그 출입을 쟁점 토지를 거치지 아니하고 북쪽의 소로를 통하여 출입하고 있으므로, 해당 토지를 사용하는 것으로 보기 어려워, 건축물 효용과 편익을 위해서 사용되는 토지로 보기 어렵다고 판단하였다.[87]

◎ 건물 및 주차장 이용 현황상 일단의 건물 부속토지로 사용되고 있다고 본 사례

건물을 신축할 당시 주차장법 시행령의 부설주차장 설치기준에 따라 주차장(92면)을 설치하고, 건물 이용자의 주차공간이 부족하여 인접 토지를 추가로 매입하여 합병한 후 113면에 대한 주차장을 추가로 설치한 점, 쟁점 토지(A토지+B토지) 둘레에는 펜스가 설치되어 있어 주차장 출입구인 주차관리실을 통해서만 차량 출입이 가능하고, A토지와 B토지는 건물 이용자가 자유롭게 사용할 수 있으며, A토지와 B토지가 구분됨 없이 동일한 경계구역 내 일단

85) 행정자치부 세정과-935, 2004.4.26.
86) 행정자치부 지방세정팀-3328, 2007.8.21.
87) 조세심판원 2008지489, 2008.12.2.

의 토지로 사용되고 있다고 볼 수 있는 점. 쟁점 토지는 건물 이용자뿐만 아니라 인근 식당 이용자들도 유료로 이용하고 있으나, 그 차량 주차대수는 약 2.6천대로 2.7% 수준에 불과함 … 쟁점건물의 효용과 편익을 위해서 사용되고 있는 부속토지에 해당함(지방세운영과-2164, 2013.9.4.).

◎ 호텔과 연접한 토지가 그 부속 주차장으로 사용하고 있는 경우 별도합산 대상이라는 사례

건축물과 그 부속토지 및 쟁점토지의 소유자는 동일인으로서 쟁점 건축물에서 숙박업을 영위하고 있고, 쟁점토지상에는 건축물을 이용하는 차량들이 주차되어 있는 점, 건축물 및 쟁점토지의 앞쪽과 뒤쪽에는 도로가 있고, 쟁점토지는 건축물을 중심으로 "ㄷ"자 형태의 휀스로 둘러싸여 있으며 쟁점토지에서 건축물로 직접 출입하는 통로가 있는 점, 건물 정면에 주된 출입구 및 지하주차장 입구가 위치하고, 지하주차장 입구와 바로 연접하여 쟁점토지로 출입하는 지상주차장(쟁점토지) 출입구도 함께 있는 점 등을 고려할 때, 건축물의 부속토지로 보는 것이 합리적임(지방세운영과-876, 2011.2.25.).

◎ 일반건축물을 신축하면서 인근 지역의 토지를 주차장으로 활용하기 위하여 토지의 지목을 주차장으로 변경하였더라도 이를 건축물의 부속토지로 볼 수 없다고 한 사례

건축물을 신축하면서 인근에 있는 토지가 주차장으로 이용되고 있다고 할지라도 건축물의 부속토지는 필지 개념으로 보는 것이 아니라 점유상의 독립성을 기준으로 보아야 할 것이므로, 당해 토지가 신축한 건축물의 도로 및 담장 등으로 구획되어 있는 인근 토지에 해당된다면 당해 건축물의 주차장으로 사용하고 있다고 하더라도 건축물의 부속토지로 보기는 어렵다 할 것임(지방세정팀-5656, 2007.12.31.).

◎ 토지가 분할되어도 여전히 건축물의 부속토지로 이용되는 경우 별도합산 과세대상

건축물이 있던 토지가 필지의 분할로 인하여 당해 토지위에는 건축물이 없다고 하더라도 일단의 토지가 1구의 건축물에 부속되는지에 대한 판단은 그 건축물의 이용현황 등 사회통념상의 객관적인 사실에 의하여 판단하는 것으로, 필지가 분할되었다 하더라도 당해 토지가 건축물의 부속토지로 이용되는 경우라면 그 토지에 대한 토지분 재산세는 별도합산 과세대상에 해당됨(지방세정팀-3328, 2007.8.21.).

◎ 토지가 도로에 의해 분리된 경우 동일건축물 부속토지가 아니라는 사례

건축물의 부속토지라 함은 당해 건축물과 경제적 일체를 이루고 있는 토지로서 사회통념상 건축물 용도에 따른 토지의 객관적 이용현황에 따라 결정되는 것이라 할 것이므로 일단의 토지가 1구의 건축물에 부속되는지 여부에 대한 판단은 담장·철책·도로·인접 여부·이용현황·사용권 유무 등 객관적인 사실에 의하여 판단하는 것으로서, 토지가 도로에 의하여 구획되어 서로 분리되어 있는 경우에는 별개의 토지이므로 동일한 건축물의 부속토지로 볼

수 없음(세정과-935, 2004.4.26.).

◎ 소유현황 및 사용관계를 고려할 때 연접토지는 이 건 건축물의 부속토지로 보기 어려움

이 건 토지와 이 건 연접토지를 연결하는 통로는 비포장의 소로로 되어 있고, 이 건 건축물은 청구외 (주)○○가 소유하고 있는 토지(이 건 연접토지 중 ○○번지)와의 거리도 상당히 떨어져 있으며, 또한 이 건 건축물은 청구인의 소유로서 청구외 (주)○○가 사용하지 않는 것으로 보고하고 있고, 이 건 건축물의 출입은 이 건 연접토지의 출입문을 이용할 수 있으나, 이 건 토지 중 ○○번지의 소로를 통하거나 북동쪽의 끝부분을 통하여 출입할 수 있으며, 청구외 (주)○○는 이 건 연접토지상의 건축물을 사용하면서 그 출입을 이 건 토지를 거치지 아니하고 이 건 연접토지 북쪽의 ○○번지 소로를 통하여 출입하고 있으므로 이 건 토지를 청구외 (주)○○가 사용하는 것으로 보기 어렵다 할 것임. 따라서, 이 건 연접토지는 이 건 건축물 효용과 편익을 위해서 사용되는 토지로 보기 어려움(조심 2008지489, 2008.12.2.).

3. 시가표준액 2% 미만 건축물 부속토지

2010년 이후부터 별도합산 적용대상에서 제외되는 건축물의 요건으로 시가표준액 비율이 3% 미만에서 2% 미만으로 조정되었고, 2% 미만인 경우라도 해당 건축물의 바닥면적만큼은 별도합산 대상 토지로 인정되는 등 적용범위가 조정되었다. 여기서 시가표준액 비율은 토지시가표준액 대비 '현년도' 기준 건물시가표준액 비율을 의미한다. 건축물의 경우 잔가율을 적용한 것이 아니라 과세기준일 현재 신축건물로 보아 가액을 산정한다.

◎ 별도합산 배제대상 건축물의 시가표준액이 해당 부속토지 시가표준액의 3%(현재 2%)에 미달하는 건축물의 부속토지를 판단함에 있어, 건축물 시가표준액 산정시 주유소 건물과 함께 설치된 세차기, 바닥포장, 방화벽 등도 건축물에 딸린 시설물로 보아 시가표준액 계산 대상에 포함됨(대법원 2012두13825, 2012.10.11.).

◎ 3% 미달 건축물의 부속토지 판단시, 허가받은 것과 무허가 건축물이 혼재된 경우, 허가받은 건축물의 시가표준액이 전체 부속토지 3% 미달 여부를 기준으로 결정

1필지의 토지에 허가받은 건축물과 허가받지 아니한 건축물이 혼재되어 있는 경우라면 당해 허가 등을 받은 건축물의 시가표준액이 전체 부속토지 시가표준액의 100분의 3에 미달 여부를 기준으로 결정되어야 하며, 만약 허가 등을 받은 건축물의 시가표준액이 당해 전체 부속토지 시가표준액의 100분의 3에 미달된다면 재산세 과세구분상 종합합산 대상(감심 2000-79, 2000.5.16. 참조)이라고 할 것임(지방세운영과-1088, 2009.3.13.).

4. 건축물 부속토지 적용배율 적용 등 산정방식

◎ 건축물 경계가 구획된 경우와 그렇지 아니한 경우의 부속토지의 적용배율 적용방법

건축물 부속토지는 토지의 이용현황에 따라 객관적으로 결정되는 것이므로 담장·철책 등으로 경계가 구획된 경우에는 그 구내의 토지 중 기준면적(건축물 바닥면적 × 용도지역별 적용배율) 이내의 토지를 말하나, 경계구획이 되어 있지 않은 경우에는 그 토지가 명백히 건축물의 부속토지로 볼 수 없는 것을 제외하고는 기준면적(건축물 바닥면적 × 용도지역별 적용배율) 이내의 토지를 건축물의 부속토지로 봄(세정 13407－621, 1999.5.19.).

◎ (예규) 부속토지의 필지별 가액이 다를 경우의 과세표준 산출

「지방세법 시행령」 제101조 제1항의 규정에 의하여 용도지역별 적용배율을 곱하여 기준면적을 산출하는 경우 등에 있어서 부속토지가 여러 필지로서 필지별 과세표준이 다를 경우에는 총과표를 산정한 후 기준면적 이내의 토지와 기준면적 초과토지의 각 필지별 면적에 따라 비례안분하여 각각 과세표준을 산출함(지법 106…101－1)

◎ 수개의 필지에 다수 건축물이 존재하는 경우 연면적이 아닌 바닥면적기준으로 산정

수개의 필지에 다수 건축물이 존재하는 경우라 하더라도 별도합산과세대상 건축물의 부속토지 산정은 당해 건축물의 바닥면적(건물 외의 시설물의 경우에는 그 수평투영면적을 말한다)을 기준으로 용도지역별 적용배율을 곱하여 산정한 면적을 당해 건축물의 부속토지라 할 것임(지방세정팀－4597, 2007.11.6.).

◎ 주유소의 저유조는 시설물로서 수평투영면적에 적용배율을 적용하여 별도합산 산정

주유소의 저유조는 유류(휘발유, 경유 등), LPG, LNG 등을 저장하였다가 공급할 수 있는 시설물에 해당하기 때문에 저유조의 수평투영면적에 용도지역별 적용배율을 적용(지방세정팀－1145, 2007.4.10.)

◎ 한 건물이 두 개의 지자체에 속해 있는 경우 하나의 단위로 계산한 후 안분 적용

토지분 재산세의 과세는 하나의 사업장 용도로 사용하고 있는 일단의 토지이므로 전체 건축물 바닥면적에 용도지역별 적용배율 이내 토지분 재산세는 별도합산과세대상으로 적용하고 배율초과 토지는 종합합산 과세대상토지로 구분한 후 각 자치단체 토지 지분별로 안분하여 과세되어야 할 것임(지방세정팀－1129, 2007.4.10.).

◎ 주거지역과 상업지역에 걸쳐 있는 건축물 부속토지는 각 용도지역별 배율적용 안분

동일구내 건축물의 부속토지가 주거지역과 상업지역으로 이루어져 있고 각 지역간 경계가 명백하지 아니한 때에는 건축물의 바닥면적을 부속토지의 용도지역 비율로 안분한 후 용도지역별 적용배율을 곱하여 산정한 면적을 별도합산 대상으로 하며, 건축물의 부설주차장은

지방세법 시행령 제132조 제3항 제12호 각목에서 규정한 업종(전문휴양업·종합휴양업 및 유원시설업, 공연장, 체육시설업, 의료기관, 방송국) 이외는 별도합산 과세대상에 해당하지 아니함(지방세정팀-1422, 2006.4.7.).

5. 멸실 건축물 및 건축중인 건축물 부속토지

| 최근 개정법령 _ 2016.1.1.| 멸실주택 부속토지 재산세 과세대상 구분 명확화(법 제106조)

주택은 건축물이 아니기 때문에 주택이 멸실된 경우는 해당 토지는 별도합산 토지로 볼 수 없다는 주장이 있었는데, 주택이 멸실된 그 부속토지에 대한 토지분 재산세 과세대상의 구분도 건축물멸실 부속토지와 동일하게 별도합산을 적용할 수 있도록 관련 규정을 명확히 하였다.

| 최근 개정법령 _ 2019.1.1.| 불법건축물을 철거한 토지를 재산세 별도합산 과세대상에서 제외(영 §103의 2)

별도합산 대상인 '철거·멸실된 지 6개월 이내 건물 부속토지'의 범위에서 불법건축물이 철거·멸실된 부속토지는 제외토록 명확히 하였다.

☞ 건축중인 건축물에 대해서는 시행령 제103조 제1항 제3호 참고

6. 가설 건축물 부속토지

◎ 가설건축물 존치기간 연장신고가 수리되지 않아 기간이 경과된 경우 별도합산 대상 아님

아파트견본주택의 존치기간 연장신고가 수리되지 않아 가설 건축물의 존치기간이 경과되었다면 비록 존치기간 연장신고가 지방세 체납사유로 인해 수리되지 못한 불가피한 사정이 있다 하더라도 건축법령상 허가 등을 받아야 할 건축물로서 허가 등을 받지 아니한 건축물에 해당하여, 지방세법 시행령상 그 부속토지는 별도합산 과세대상에 해당되지 않는다고 사료됨(지방세운영과-57, 2008.4.3.).

◎ 가설건축물축조신고 대상일 뿐 건축허가·건축신고의 대상이 아닌 가설건축물을 존치기간이 만료되기까지 기간 연장신고를 하지 않았다고 하여 건축허가 등을 받지 않은 건축물로 보아 그 부속토지에 대한 별도합산 적용을 배제할 수는 없음(대법원 2009두1709, 2009.4.9.).

◎ 모델하우스의 부속토지를 종합합산과세대상 토지로 취급한 과세처분은 위법

콘도분양용 모델하우스는 구 건축법상 건축허가를 받거나 건축신고를 하여야 하는 건축물이 아니고, 사용승인을 받아야 할 건축물에도 해당하지 아니하므로 위 모델하우스의 부속토지를 종합합산과세대상 토지로 취급한 과세처분은 위법하고, 이는 신고한 가설건축물의 존치기간 만료시까지 존치기간의 연장신고가 이루어지지 않았다고 하더라도 동일함(대법원 2002다31018, 2004.6.11., 부당이득금).

제106조 제1항 제2호 나목[업무 또는 경제활동 활용 토지]

법 제106조(과세대상의 구분) ① 토지에 대한 재산세 과세대상은 다음 각 호에 따라 종합합산과세대상, 별도합산과세대상 및 분리과세대상으로 구분한다.

2. 별도합산과세대상 : 과세기준일 현재 납세의무자가 소유하고 있는 토지 중 다음 각 목의 어느 하나에 해당하는 토지

가. ~

나. 차고용 토지, 보세창고용 토지, 시험·연구·검사용 토지, 물류단지시설용 토지 등 공지상태(空地狀態)나 해당 토지의 이용에 필요한 시설 등을 설치하여 업무 또는 경제활동에 활용되는 토지로서 대통령령으로 정하는 토지

영 제101조(별도합산과세대상 토지의 범위) ③ 법 제106조 제1항 제2호 나목에서 "대통령령으로 정하는 토지"란 다음 각 호의 어느 하나에 해당하는 토지를 말한다. 〈개정 2010.12.30., 2011.5.30., 2013.6.28., 2014.8.12.〉

1. 「여객자동차 운수사업법」 또는 「화물자동차 운수사업법」에 따라 여객자동차운송사업 또는 화물자동차 운송사업의 면허·등록 또는 자동차대여사업의 등록을 받은 자가 그 면허·등록조건에 따라 사용하는 차고용 토지로서 자동차운송 또는 대여사업의 최저보유차고면적기준의 1.5배에 해당하는 면적 이내의 토지
2. 「건설기계관리법」에 따라 건설기계사업의 등록을 한 자가 그 등록조건에 따라 사용하는 건설기계대여업, 건설기계정비업, 건설기계매매업 또는 건설기계폐기업의 등록기준에 맞는 주기장 또는 옥외작업장용 토지로서 그 시설의 최저면적기준의 1.5배에 해당하는 면적 이내의 토지
3. 「도로교통법」에 따라 등록된 자동차운전학원의 자동차운전학원용 토지로서 같은 법에서 정하는 시설을 갖춘 구역 안의 토지
4. 「항만법」에 따라 해양수산부장관 또는 시·도지사가 지정하거나 고시한 야적장 및 컨테이너 장치장용 토지와 「관세법」에 따라 세관장의 특허를 받는 특허보세구역 중 보세창고용 토지로서 해당 사업연도 및 직전 2개 사업연도 중 물품 등의 보관·관리에 사용된 최대면적의 1.2배 이내의 토지
5. 「자동차관리법」에 따라 자동차관리사업의 등록을 한 자가 그 시설기준에 따라 사용하는 자동차관리사업용 토지(자동차정비사업장용, 자동차해체재활용사업장용, 자동차매매사업장용 또는 자동차경매장용 토지만 해당한다)로서 그 시설의 최저면적기준의 1.5배에 해당하는 면적 이내의 토지
6. 「한국교통안전공단법」에 따른 한국교통안전공단이 같은 법 제6조 제6호에 따른 자동차의 성능 및 안전도에 관한 시험·연구의 용도로 사용하는 토지 및 「자동차관리법」 제44조에 따라 자동차검사대행자로 지정된 자, 같은 법 제44조의 2에 따라 자동차 종합검사대행자로 지정된 자, 같은 법 제45조에 따라 지정정비사업자로 지정된 자 및 제45조의 2에 따라 종합검사 지정정비사업자로 지정된 자, 「건설기계관리법」 제14조에 따라 건설기계 검사대행 업무의 지정을 받은 자 및 「대기환경보전법」 제64조에 따라 운행차 배출가스 정밀검사 업무의 지정을 받은 자가 자동차 또는 건설기계 검사용 및 운행차 배출가스 정밀검사용으로 사용하는 토지

7. 「물류시설의 개발 및 운영에 관한 법률」 제22조에 따른 물류단지 안의 토지로서 같은 법 제2조 제7호 각 목의 어느 하나에 해당하는 물류단지시설용 토지 및 「유통산업발전법」 제2조 제16호에 따른 공동집배송센터로서 행정안전부장관이 산업통상자원부장관과 협의하여 정하는 토지
8. 특별시 · 광역시(군 지역은 제외한다) · 특별자치시 · 특별자치도 및 시지역(읍 · 면 지역은 제외한다)에 위치한 「산업집적활성화 및 공장설립에 관한 법률」의 적용을 받는 레미콘 제조업용 토지(「산업입지 및 개발에 관한 법률」에 따라 지정된 산업단지 및 「국토의 계획 및 이용에 관한 법률」에 따라 지정된 공업지역에 있는 토지는 제외한다)로서 제102조 제1항 제1호에 따른 공장입지기준면적 이내의 토지
9. 경기 및 스포츠업을 경영하기 위하여 「부가가치세법」 제8조에 따라 사업자등록을 한 자의 사업에 이용되고 있는 「체육시설의 설치 · 이용에 관한 법률 시행령」 제2조에 따른 체육시설용 토지로서 사실상 운동시설에 이용되고 있는 토지(「체육시설의 설치 · 이용에 관한 법률」에 따른 회원제골프장용 토지 안의 운동시설용 토지는 제외한다)
10. 「관광진흥법」에 따른 관광사업자가 「박물관 및 미술관 진흥법」에 따른 시설기준을 갖추어 설치한 박물관 · 미술관 · 동물원 · 식물원의 야외전시장용 토지
11. 「주차장법 시행령」 제6조에 따른 부설주차장 설치기준면적 이내의 토지(법 제106조 제1항 제3호 다목에 따른 토지 안의 부설주차장은 제외한다). 다만, 「관광진흥법 시행령」 제2조 제1항 제3호 가목 · 나목에 따른 전문휴양업 · 종합휴양업 및 같은 항 제5호에 따른 유원시설업에 해당하는 시설의 부설주차장으로서 「도시교통정비 촉진법」 제15조 및 제17조에 따른 교통영향분석 · 개선대책의 심의 결과에 따라 설치된 주차장의 경우에는 해당 검토 결과에 규정된 범위 이내의 주차장용 토지를 말한다.
12. 「장사 등에 관한 법률」 제14조 제3항에 따른 설치 · 관리허가를 받은 법인묘지용 토지로서 지적공부상 지목이 묘지인 토지
13. 다음 각 목에 규정된 임야
    가. 「체육시설의 설치 · 이용에 관한 법률 시행령」 제12조에 따른 스키장 및 골프장용 토지 중 원형이 보전되는 임야
    나. 「관광진흥법」 제2조 제7호에 따른 관광단지 안의 토지와 「관광진흥법 시행령」 제2조 제1항 제3호 가목 · 나목 및 같은 항 제5호에 따른 전문휴양업 · 종합휴양업 및 유원시설업용 토지 중 「환경영향평가법」 제22조 및 제27조에 따른 환경영향평가의 협의 결과에 따라 원형이 보전되는 임야
    다. 「산지관리법」 제4조 제1항 제2호에 따른 준보전산지에 있는 토지 중 「산림자원의 조성 및 관리에 관한 법률」 제13조에 따른 산림경영계획의 인가를 받아 실행 중인 임야. 다만, 도시지역의 임야는 제외한다.
14. 「종자산업법」 제37조 제1항에 따라 종자업 등록을 한 종자업자가 소유하는 농지로서 종자연구 및 생산에 직접 이용되고 있는 시험 · 연구 · 실습지 또는 종자생산용 토지
15. 「양식산업발전법」에 따라 면허 · 허가를 받은 자 또는 「수산종자산업육성법」에 따라 수산종자생산업의 허가를 받은 자가 소유하는 토지로서 양식어업 또는 수산종자생산업에 직접 이용되고 있는 토지
16. 「도로교통법」에 따라 견인된 차를 보관하는 토지로서 같은 법에서 정하는 시설을 갖춘 토지

17.「폐기물관리법」제25조 제3항에 따라 폐기물 최종처리업 또는 폐기물 종합처리업의 허가를 받은 자가 소유하는 토지 중 폐기물 매립용에 직접 사용되고 있는 토지

1. 자동차 운송·대여사업의 차고용 토지 등(1호)

◎ 여객운송사업 차고용 토지의 최저보유면적기준 1.5배만 별도합산(허가면적 전체가 아님)

「여객자동차운수사업법」제5조 제1항에서 여객자동차운수사업의 등록기준이 되는 최저등록기준대수, 보유차고면적, 부대시설 그 밖에 필요한 사항은 국토해양부령으로 정한다고 규정하고,「여객자동차운수사업법 시행규칙」제21조에서 등록기준대수, 보유차고의 면적기준, 운송부대시설의 등록기준에 대하여 규정.「여객자동차운수사업법」제5조의 규정에 의해 여객자동차운송사업 등록을 받고 그 등록조건에 따라 사용하는 차고용 토지라면 자동차운수사업의 최저보유차고면적기준의 1.5배에 해당하는 면적 이내의 토지에 대하여만 별도합산 과세대상으로 허가면적이 아님(지방세운영과-2456, 2008.7.9.).

2. 건설기계 대여·정비·매매업의 주기장용 토지 등(2호)

◎ 주기장용토지의 별도합산 범위는 최저기준면적의 1.5배에 대해서만 별도합산

건설기계관리법에 의한 건설기계매매업에 사용하는 주기장용토지에 대한 별도합산으로 볼 수 있는 면적기준은 지방세법 시행령 제131조의 2 제3항 제3호에서 그 시설 최저면적기준(165제곱미터)의 1.5배에 해당하는 토지에 대하여만 별도합산다고 규정하고 있으므로, 주기장의 최저 기준면적인 1.5배에 대하여만 별도합산대상임(지방세운영과 2009-652, 2009.2.10.).

3. 자동차운전학원용 토지(3호)

◎ 휴원 중인 자동차운전학원용 부지를 별도합산토지로 볼 수 없음

"자동차운전학원용"이라 함은 용도를 지정하여 별도합산 과세혜택을 부여한 것으로 과세기준일 현재 자동차운전학원의 해당 용도에 사용하는 경우에만 별도합산과세하는 것이 타당. 그러나 해당 자동차운전학원의 경우에는 2009.11.20. 지방경찰청에 휴원신고, 과세기준일 현재 등록된 교육용 자동차가 없는 점, 국세청에 폐업신고한 점 등으로 보아 해당 자동차운전학원 부지를 위 규정의 "자동차운전학원용 토지"로 보기 어려움(지방세운영과-504, 2012.2.15.).

4. 야적장용 토지, 보세창고용 토지 등(4호)

◎ 종합보세구역 내 보세창고용 토지도 특허보세구역과 같이 별도합산토지에 해당

종합보세구역과 특허보세구역의 연관성을 종합적으로 고려할 경우 특허보세구역인 보세창

고의 기능을 수행하는 종합보세사업장은 「관세법」 제174조 및 제183조에 따른 보세창고와 동일한 법률적 성격을 갖추고 있다할 것임(관세청 수출입물류과 - 431, 2011.2.9.). … 쟁점토지에 대한 종합보세구역 지정 및 보세창고업 영위경위, 관세법상 종합보세구역제도의 취지, 종합보세구역과 특허보세구역의 관계 등을 종합적으로 고려해 볼 때, 종합보세구역 내 보세창고 사업장 부속토지의 경우에는 별도합산 대상임(지방세운영과 - 1875, 2011.4.22.).

5. 자동차 정비사업용 토지(5호)

◎ 자동차 정비사업용 토지는 공장용토지의 분리과세가 아닌 별도합산 대상토지

시행령상 자동차정비사업장용 토지는 별도합산과세대상에 해당한다고 명시하고 있는 점, 시행규칙 제72조의 문언과 취지상 제조나 가공을 수반하지 않고 자동차정비 등 수선의 목적에만 사용하는 건축물의 부속토지는 분리과세대상이 되는 제조시설용 건축물의 부속토지에 해당한다고 보기 어려운 점, 시행령 제132조 제1항 제1호의 위임에 따라 시행규칙 제74조가 공장용 건축물의 부속토지 중 분리과세대상의 범위에 해당하는 공장입지기준면적을 정함에 있어 자동차정비사업장용 토지에 관하여는 아무런 규정을 두고 있지 않는 점 등을 고려하면, 자동차정비사업의 목적에만 사용되는 건축물의 부속토지는 재산세 분리과세대상이 아니라 별도합산과세대상(대법원 2009두9390, 2011.9.8.)

6. 자동차 시험연구검사용, 검사대행용, 배출가스 검사용 토지(6호)

◎ 교통안전공단으로부터 출장검사장 지정을 받은 토지는 별도합산 대상이 아님

교통안전공단으로부터 "출장검사장"으로 지정을 받은 경우라면 「자동차관리법」 제44조 및 제45조의 규정에 의한 자동차검사대행업무의 지정을 받은 자에 해당되지 아니하므로 당해 출장검사용 토지는 별도합산 과세대상에 해당되지 아니함(지방세운영과 - 245, 2009.2.7.).

7. 물류단지시설용 토지 등(7호)

◎ 물류단지시설용 토지를 분양 후 물류사업에 사용하지 아니한 경우 별도합산 대상 아님

「물류시설의 개발 및 운영에 관한 법률」상 "물류단지시설"이란 화물의 운송 · 집화 · 하역 · 분류 · 포장 · 가공 · 조립 · 통관 · 보관 · 판매 · 정보처리 등을 위하여 물류단지 안에 설치되는 물류터미널 및 창고 등(생략)의 시설을 말함. 별도합산 대상 토지가 되기 위해서는 「물류시설의 개발 · 운영에 관한 법률」에 의한 물류단지용 토지로 지정받은 것으로 한정하지 않고, 동법 제2조 제7호 규정에 따른 물류단지시설용 토지로 실제 사용하여야 하므로 비록 당해 토지가 물류단지시설 이외에 타 용도로 사용할 수 없다 하더라도 과세기준일 현재 나대지

상태로서 물류단지 시설용 토지로 볼 수 있는 어떠한 시설이나 사업행위가 없다면 별도합산 과세대상 토지가 아님(지방세운영과-5458, 2009.12.26.).

8. 운동시설용 토지(9호)

◎ 회원모집 절차없이 단순히 회원에게 요금혜택을 부여하거나 우선이용권 등을 부여하는 대중제 골프장으로 등록된 토지에 대해서는 별도합산 과세함이 타당

쟁점토지는 현재 대중제 골프장용 토지로 사업계획 승인을 받아, 대중제 골프장으로 등록이 되어 있어, 회원제 골프장으로 전환이 불가능하므로 회원제 골프장으로 구분등록 대상이 되는 토지로 보기는 어렵다 할 것임. 두 번째로 회원모집 절차없이 단순히 회원에게 요금혜택을 부여하거나 우선이용권 등을 부여하는 것은 「체육시설법」상 시정명령 대상일 뿐이지 회원제 골프장으로 볼 수 없다고 판단되고(지방세운영과-89, 2014.1.9.), 회원모집 절차 없이 회원에 혜택을 부여하거나 결합코스로 이용하는 등의 운영방식만으로는 회원제 골프장용 토지로 판단할 수 없으므로, 쟁점토지를 대중골프장용 토지로 보아 별도합산 과세함이 타당(지방세운영과-684, 2018.3.28.)

◎ 대중골프장 조경시설(관리시설)은 별도합산(운동시설용토지) 해당(2008년 이후 과세분)

본래 불규칙한 경사도를 가진 임야를 절토·성토하여 골프코스를 조성하는 과정에서 생긴 골프코스와 골프코스 사이의 절토지와 성토지이고, 체시법규칙 [별표4]의 "관리시설"의 설치기준에 따라 의무적으로 조성된 조경지이므로 운동시설인 골프코스와 불가분의 관계인 점, 골프경기 중 골프공이 들어가고 거기서 골프경기를 이어가는 등 운동경기에 이용되는 점, [별표4]에서 골프장의 "필수시설"로서 운동시설과 관리시설이 함께 규정되어 있어 관리시설로써 체육시설인 "대중골프장"의 필수시설인 점, 사업계획승인 전에 환경영향평가협의 내용에 "원형보전녹지"와 "조성녹지"를 모두 보존한다고 한 점, 2007.12.31. 시행령 개정[88]으로 관리시설도 사실상 운동시설에 이용되고 있으면, 별도합산과세대상으로 적용하게 된 점 등 … 별도합산토지임(감심 2010-85, 2010.8.19.).

※ 별도합산 대상 운동시설용 토지로 변경(2007.12.30.) 이후 부과처분에 대한 결정임.

◎ 골프장 조성녹지는 운동시설용 토지에 해당하지 않아 종합합산 대상('08년 이전 과세분)

체육시설법상 "러프" 또는 "러프지역"이 운동시설로서 러프 등이 설치된 토지가 운동시설용 토지에 해당하여 별도합산과세 대상이라고 할지라도 이 사건 조성녹지에 '러프' 또는 '러프지역'이 포함되어 있다고 보기 어렵고, "골프코스 주변"이 운동시설에 해당한다고 볼 근거도

88) 체시법에 의한 대중체육시설업자가 대중체육시설업의 시설기준에 따라 설치하여야 하는 필수시설 중 운동시설용 토지"→ 체시법 시행령 제2조에 따른 체육시설용 토지로서 사실상 운동시설에 이용되고 있는 토지

없으므로, 이 사건 조성녹지가 운동시설용 토지에 해당하지 않는다고 판단하였다고 하여 엄격해석 원칙에 위배되지 아니함. 또한 이 사건 조성녹지가 골프경기에 직접 제공되는 것은 아니므로 골프경기에 직접 제공되는 골프코스가 설치된 운동시설용 토지와 달리 종합합산과세 대상으로 본다고 하여 실질과세원칙에 위배되지도 않음(대법원 2011두31819, 2012.4.13.).

☞ 별도합산 대상 운동시설용 토지로 변경(2007.12.30.)되기 이전 부과처분에 대한 결정임, 2008년부터는 "사실상 운동시설용"토지로 지방세법 시행령 개정이 개정되었는바 이를 근거로 별도합산토지로 인정(감심 2010-85, 2010.8.19.)

◎ (지침) 골프장 내 조경지 재산세 과세대상구분 관련 세정운영기준 통보

심사결정일(2010.8.19.) 이후 부과분은 감사원 심사결정 요지에 따라 별도합산 적용, 다만 「지방세법 시행령」 개정일(2007.12.31.) 이전 납세의무 성립 건에 대하여는 종전과 같이 종합합산 적용. 그리고 심사결정일(2010.8.19.) 전 기(旣) 부과분은 불복청구 중이거나 불복청구기간이 도과하지 않은 건은 감사원 심사결정 요지에 따라 별도합산으로 경정과세. 다만, 2008.1.1. 이후 재산세 납세의무 성립분에 한정하고, 불복청구기간이 이미 도과한 건은 소급경정과세 곤란(지방세운영과-4173, 2010.9.8.)

※ 구 「지방세법 시행령」(2007.12.31. 대통령령 제20517호로 개정되기 이전의 것)에서는 별도합산대상을 "사실상 운동시설"이 아닌 "필수시설 중 운동시설"로 한정하고 있어 별도합산 적용 한계

◎ 2006년 대중체육시설업자 대상에서 테니스장이 제외되었음

테니스장은 2006년도에 「체육시설의 설치·이용에 관한 법률」 제10조에서 규정한 대중체육시설업자 대상에서 제외되었기 때문에 2007년 토지분 재산세는 전체 건축물 바닥면적에 용도지역별 적용배율 이내 토지분 재산세는 별도합산 과세대상으로 적용하고 배율초과 토지는 종합합산 과세대상토지로 변경되어 과세됨(지방세정팀-1128, 2007.7.10.).

◎ 승마장, 축구장, 농구장 등 필수시설 중 운동시설용 토지는 별도합산 대상

승마장, 잔디축구장, 농구장, 배구장, 테니스장, 족구장, 옥외풀장 등을 설치하여 일반이용객을 상대로 영리목적으로 운영하는 토지의 별도합산에 해당. 지방세법 시행령 제131조의 2 제3항 제10호에서 규정한 별도합산 대상토지에 해당되기 위해서는 「체육시설의 설치·이용에 관한 법률」 제10조 제1항에서 규정한 대중체육시설업자로서 대중체육시설업의 시설기준에 따라 설치하여야 하는 필수시설 중 운동시설용 토지에 대하여는 별도합산 과세대상에 해당됨(지방세정팀-900, 2007.3.28.).

◎ 공사 중인 골프코스는 운동시설용 토지에 해당하지 아니함

「체육시설의 설치·이용에 관한 법률」에 근거하여 대중골프장 사업계획 승인을 받고 재산세 과세기준일 현재 골프장을 공사 중인 경우 건축물의 부속토지에 대하여는 별도합산 과세대상에 해당하지만, 공사 중인 골프코스는 지방세법 시행령 제131조의 2 제3항 제10호에 규정

한 운동시설용 토지에 해당하지 아니함(지방세정팀-401, 2007.1.23.).

◎ **체육시설(테니스장)의 부대시설로서의 주차장이 운동시설용 토지로 볼 수 없다는 사례**

대중골프장의 경우 체육시설업의 종류별 기준에 따른 필수시설에 해당하는 "운동시설(골프코스 등) 및 관리시설(조경지 등)"을 별도합산 대상으로 한정하고 이와 무관한 토지는 종합합산 토지로 과세하는 것이 타당하다는 결정 사례(감심-85, 2010.8.19.) 등을 고려할 때, 운동을 위한 목적과 그 기능을 수행하기 위해 설치되는 시설에 직접 이용되고 있는 토지를 말한다고 할 것임. 따라서 운동시설의 접근 편의를 위한 목적으로 설치되어 있는 주차장에 사용되는 토지는 운동시설용 토지로 볼 수 없음(지방세운영과-685, 2016.3.16.).

9. 별도합산 임야(9호)

| 최근 개정법령_2020.1.1. | 회원제골프장 원형보전지 세부담 합리화(영 §101 ③ 13호 단서 삭제)

골프장 내 원형보전 임야의 경우 대중제 골프장은 별도합산 과세하고, 회원제는 종합합산 과세하였는데, 세부담의 합리화측면에서 회원제 골프장의 원형보전지도 대중제와 동일하게 별도합산으로 과세하게 되었다.

◎ **공사 중인 대중골프장용 토지의 원형보전 임야 등은 종합합산 과세대상**

공사 중인 골프장(건축물 부속토지는 제외)과 대중골프장 토지 중의 임야(원형보전지), 건축물의 배율초과 토지, 나대지의 경우는 종합합산 과세대상에 해당함(지방세정팀-2757, 2006.7.5.).

◎ **관광단지 내 토지 중 원형보전 임야에 한정하여 별도합산 적용대상으로 보아야 함**

관광진흥법에 따른 휴양·유원시설업 등 관광사업, 관광단지 조성사업을 환경영향 평가의 대상으로 규정하고(환경영향평가법 제22조 ① 제11호, ②, 영 제31조 ②), 환경영향평가의 협의결과에 따라 일정 면적의 임야에 대해 그 원형을 보전토록 하고 있는 바, 관광단지 내 토지 중 관련법에 따른 환경영향평가의 협의 결과에 따라 원형이 보전되는 임야에 한해 별도합산 대상으로 보아야 할 것임(지방세운영과-1771, 2015.6.12.).

10. 부설주차장용 토지(11호)

주차장법에 따라 설치된 부설주차장은 주차장 외의 다른 용도로 사용할 수 없으며, 만약 이를 다른 용도로 사용하는 경우 원상회복 명령을 받게 되고 그 명령에 따르지 아니할 경우에는 해당 건축물은 건축법 위반건축물로서 각종 행정조치를 받는 등의 공법상 제한을 받는다(주차장법 제19조의 4 참조). 부설주차장 설치기준면적 이내의 토지를 별도합산과세대상으로 보는 것은, 이처럼 법령상 설치가 강제되는 부설주차장 확보를 위하여 토지를 소유하는 경우 그 지방세 부담을 덜어주려는 취지이다.

부설주차장 설치기준면적 이내의 토지는 별도합산 대상인데, 건축물이 있다면 건축물의 용도지역별 배율범위 내의 토지를 먼저 별도합산 대상으로 판단한다. 이와 별개로 해당 토지가 주차장법에 따른 부설 주차장용 토지에도 해당한다면 법정 면적 범위 내에서는 별도합산 대상 토지로 추가한다. '「주차장법 시행령」 제6조에 따른 부설주차장 설치기준면적 이내의 토지'란 실제 사용하고 있는 면적이 아니라 주차장법령에 따라 설치가 강제되는 설치기준면적을 의미한다(대법원 2019두42174). 이에 따라 건축 당시 설치하여 건축물대장에 기재된 대수에 대한 면적을 기준으로 판단하여야 한다. 다만, 건물 내 부설주차장(예. 지하주차장 등)이 일부 있는 경우, 이 부분은 이미 건축물 부속토지(용도지역별 배율면적 범위 내 토지)에 포함되어 있기 때문에 부설주차장용 토지의 범위에서 배제하는 것이 타당하다(지방세운영과-4632, 2010.10.1.).

◎ **도시계획상 건축행위 제한으로 부설주차장으로 사용하더라도 별도합산토지가 아님**

건축이 불가하게 된 귀책사유가 도시계획에 있다 하더라도 토지의 이용현황이 나대지 상태의 주차장으로 사용되고 있으면 지방세법 시행령 제131조의 2 제3항 제12호에서 말하는 부설주차장에 해당되지 않아 별도합산 과세대상토지 아님(지방세정팀-276, 2007.1.17.).

◎ **주차장업을 영위하는 노외주차장의 경우 별도합산 대상이 아님. 조례상 감면은 적용가능**

노외주차장 운영에 필요한 시설을 갖추고 주차장업을 영위하고 있다 하더라도 당해 주차장이 지방세법 시행령상 부설주차장으로서 「주차장법」에 의한 부설주차장 설치기준면적 이내의 토지에 해당되지 아니하면 토지분 재산세는 종합합산 과세대상이 되는 것임. 다만, 「주차장법」 제12조 제1항의 규정에 의하여 통보를 하고 설치한 노외주차장(주⇒차대수 20대 이상의 주차전용토지와 그 부대시설로서 주차장의 1년간 수입금액이 당해 부동산가액의 3% 이상)으로서 당해 용도에 직접 사용하는 토지는 5년간 재산세와 도시계획세의 100분의 50을 감면조례로 경감함(지방세정팀-741, 2006.2.21.).

☞ 지방자치단체별 감면조례가 있는지 확인 필요

11. 별도합산-법인 묘지용토지(12호)

「장사 등에 관한 법률」 제14조 제3항에 따른 설치・관리허가를 받은 법인묘지용 토지로서 지적공부상 지목이 묘지인 토지는 별도합산 대상이다. 소유주체를 법인으로 한정하고 공부상 지목(묘지) 요건을 구비하여야 한다. 사실상 묘지로 사용되고 있다 하더라도 공부상 지목이 임야인 경우에는 별도합산 대상에서 제외되어 종합합산 대상이다.

◎ **공원묘지 운영법인 소유의 공원묘지가 공부상 지목이 임야인 경우 별도합산 배제**

당해 토지를 묘지로 사용하고 있다 하더라도 토지분 재산세가 별도합산을 적용받기 위해서는 「장사 등에 관한 법률」 제13조 제3항에 따른 설치·관리허가를 받고 지적공부상 지목이 묘지인 토지에 대해서만 별도합산 과세대상임(지방세정팀-2997, 2007.8.1.).

제106조 제1항 제3호 가목[분리과세 공장용지]

법 제106조(과세대상의 구분) ① 토지에 대한 재산세 과세대상은 다음 각 호에 따라 종합합산과세대상, 별도합산과세대상 및 분리과세대상으로 구분한다.

1. ~ 2. (생략)

3. 분리과세대상 : 과세기준일 현재 납세의무자가 소유하고 있는 토지 중 국가의 보호·지원 또는 중과가 필요한 토지로서 다음 각 목의 어느 하나에 해당하는 토지

가. 공장용지·전·답·과수원 및 목장용지로서 대통령령으로 정하는 토지

나. 산림의 보호육성을 위하여 필요한 임야 및 종중 소유 임야로서 대통령령으로 정하는 임야

다. 제13조 제5항에 따른 골프장용 토지와 같은 항에 따른 고급오락장용 토지로서 대통령령으로 정하는 토지

라. 「산업집적활성화 및 공장설립에 관한 법률」 제2조 제1호에 따른 공장의 부속토지로서 개발제한구역의 지정이 있기 이전에 그 부지취득이 완료된 곳으로서 대통령령으로 정하는 토지

마. 가목부터 라목까지의 토지와 유사한 토지 중 분리과세하여야 할 타당한 이유가 있는 것으로서 대통령령으로 정하는 토지

☞ 나 ~ 마 토지는 이후의 관련내용 참조

영 제102조(분리과세대상 토지의 범위) ① 법 제106조 제1항 제3호 가목에서 "대통령령으로 정하는 토지"란 다음 각 호에서 정하는 것을 말한다. 〈개정 2014.1.1.〉

1. 공장용지 : 제101조 제1항 제1호 각 목에서 정하는 지역에 있는 공장용 건축물의 부속토지(건축 중인 경우를 포함하되, 과세기준일 현재 정당한 사유 없이 6개월 이상 공사가 중단된 경우는 제외한다)로서 행정안전부령으로 정하는 공장입지기준면적 범위의 토지

규칙 제50조(공장입지기준면적) 영 제102조 제1항 제1호에서 "행정안전부령으로 정하는 공장입지기준면적"이란 별표 6에 따른 공장입지기준면적을 말한다.

토지분 재산세 과세대상구분에서 분리과세 대상토지는 공장용지·전·답·과수원 및 목장용지, 임야, 사치성 재산, 개발제한구역(GB) 지정 이전부터 소유하고 있던 공장부속토지, 그 밖에 분리과세대상으로 하여야 할 타당한 이유가 있는 토지 등이다.

공장용지의 과세구분을 보면 다음과 같다. 분리과세가 대상 공장용지의 경우 먼저 지상에 공장용 건축물이 있는지 확인해야 한다. 이때의 공장용 건축물은 영업을 목적으로 물품의 제조·가공·수선이나 인쇄 등의 목적에 사용할 수 있도록 생산설비를 갖춘 제조시설용 건축물, 그 제조시설을 지원하기 위하여 공장 경계구역 안에 설치되는 사무실, 창고 식당·휴게실 등 부대시설용 건축물, 공장 경계구역 밖에 설치된 종업원의 주거용 건축물을 말한다.

분리과세 대상 공장용지의 지역적 요건으로 특정지역에 위치한 공장이라야 하는데, 읍·면 지역, 「산업입지 및 개발에 관한 법」에 따라 지정된 산업단지, 「국토계획법」에 따라 지정된 공업지역 등 3개의 지역에 위치해 있어야 한다. 이들 이외의 지역에 공장이 위치해 있다면 건축물 부속토지로서 별도합산 과세대상이 된다.

| 공장부속토지의 과세구분별 유형 |

구 분	유 형	과세구분별 요건
분리과세	읍면지역, 산업단지, 공업지역에 소재하는 공장 부속토지	공장입지 기준면적 범위 내 토지
	지방이전 법인이 소유하고 있는 수도권 소재 기존 공장의 부속토지	공장이전일부터 5년간
별도합산	도시지역내 공장용 건축물 부속토지	용도지역별 배율범위 내 토지
종합합산	분리과세, 별도합산 대상에 해당되지 아니하는 공장용지	

지상정착물의 부속토지는 지상정착물의 효용과 편익을 위해 사용되고 있는 토지를 말하며 필지 수나 공부상의 기재와 관계없이 토지의 이용현황에 따라 객관적으로 결정되므로 공장용 건축물의 효용과 편익을 위해 사용되는 부분이 명백히 구분된다면 공장입지기준면적의 범위 내에서는 분리과세 하여한다. 예를 들어 해당 토지가 도로나 블록담장에 의하여 외형상 공장과 분리되어 있더라도 공장과의 거리, 토지의 용도 및 그 지상건축물의 실제기능 등을 종합하여 고려할 때 부지 전체가 하나의 유기적인 공장구역을 이루고 있다고 볼 수 있다면 해당 토지는 공장경계구역 안에 설치된 부대시설용 건축물의 부속토지로서 공장용 건축물의 부속토지에 해당한다고 판단한다(대법원 2000두3740, 2001.11.13.).

공장용 건축물의 부속토지로서 분리과세 대상으로 보는 범위는 공장용 건축물의 연면적에 업종별 기준공장 면적률의 비를 곱하여 산정한다. 별도합산 대상 건축물 부속토지 범위 산정시에는 연면적이 아닌 건축물 바닥면적에 용도지역별 배수를 적용하는 방식과 차이가 있다. 연면적 계산시 무허가 건축물 및 위법시공 건축물은 제외하고, 옥외에 있는 기계장치 또는 저장시설의 수평투영면적을 포함한다. 그리고 업종별 기준공장 면적률은 산업통상자원부 공장입지기준 고시의 별표1 업종별 비율을 적용한다.

※ 공장입지기준면적 = 공장건축물연면적 × (100 ÷ 업종별 기준공장면적률)

여기에 20%의 면적을 추가하고(공장신설 제한지역은 10%), 공장 구내에 있는 도로, 저수지, 침전지, 종업원용 체육시설용지 등도 추가면적으로 인정한다. 그 밖에 공장입지기준면적 산정방식은 아래(지방세법시행규칙 별표6)와 같다.

〈계산 사례〉 읍면지역 또는 산업단지 소재에 반도체 공장용 건축물 연면적 500㎡, 부속토지 6,000㎡, 공장구내 도로 300㎡인 경우 분리과세 대상 토지 면적?

① 공장입지기준면적 = 공장건축물연면적(500㎡) × (100 ÷ 업종별 기준공장면적률*)
= 500㎡ × (100÷12) = 4,167㎡

* 산업통상자원부 공장입지기준 고시 별표1 : 설탕제조업 12

② 추가 인정 면적 = 833㎡(20% 추가), 공장구내 도로 300㎡ = 1,133㎡

⇒ 분리과세 대상 토지 : 5,300㎡(4,167+1,133), 나머지 700㎡는 종합합산 토지로 과세

[별표 6] 〈개정 2016. 12. 30.〉 공장입지기준면적(제50조 관련)

1. 공장입지기준면적 = 공장건축물 연면적 × $\frac{100}{\text{업종별 기준공장 면적률}}$
2. 공장입지기준면적의 산출기준
   가. 공장건축물 연면적 : 해당 공장의 경계구역 안에 있는 모든 공장용 건축물 연면적(종업원의 후생복지시설 등 각종 부대시설의 연면적을 포함하되, 무허가 건축물 및 위법시공 건축물 연면적은 제외한다)과 옥외에 있는 기계장치 또는 저장시설의 수평투영면적을 합한 면적을 말한다.
   나. 업종별 기준공장면적률 : 「산업집적활성화 및 공장설립에 관한 법률」 제8조에 따라 산업통상자원부장관이 고시하는 "업종별 기준공장면적률"에 따른다.
   다. 1개의 단위 공장에 2개 이상의 업종을 영위하는 경우에는 각 업종별 공장입지기준면적을 산출하여 합한 면적을 공장입지기준면적으로 보며, 명확한 업종구분이 불가능한 경우에는 매출액이 가장 많은 업종의 기준공장면적률을 적용하여 산출한다.
3. 공장입지기준면적의 추가 인정기준
   가. 제1호 및 제2호에 따라 산출된 면적을 초과하는 토지 중 다음의 어느 하나에 해당하는 토지는 공장입지기준면적에 포함되는 것으로 한다.
      1) 「산업집적활성화 및 공장설립에 관한 법률」 제20조 제1항 본문에 따라 공장의 신설 등이 제한되는 지역에 소재하는 공장의 경우에는 제1호 및 제2호에 따라 산출된 면적의 100분의 10 이내의 토지(그 면적이 3,000제곱미터를 초과하지 아니하는 부분에 한정한다)
      2) 1)에 규정된 지역 외의 지역에 소재하는 공장의 경우에는 제1호 및 제2호 따라 산출된 면적의 100분의 20 이내의 토지
   나. 도시관리계획상의 녹지지역, 활주로, 철로, 6미터 이상의 도로 및 접도구역은 공장입지기준면적에 포함되는 것으로 한다.
   다. 생산공정의 특성상 대규모 저수지 또는 침전지로 사용되는 토지는 공장입지기준면적에 포함되는

것으로 한다.

라. 공장용으로 사용하는 것이 적합하지 아니한 경사도가 30도 이상인 사면용지는 공장입지기준면적에 포함되는 것으로 한다.

마. 공장의 가동으로 인하여 소음·분진·악취 등 생활환경의 오염피해가 발생하게 되는 토지로서 해당 공장과 인접한 토지를 그 토지 소유자의 요구에 따라 취득하는 경우에는 공장경계구역 안에 있는 공장의 면적과 합한 면적을 해당 공장의 부속토지로 보아 공장입지기준면적을 산정한다.

바. 공장입지기준면적을 산출할 때 다음 표의 기준면적에 해당하는 종업원용 체육시설용지(공장입지기준면적의 100분의 10 이내에 해당하는 토지에 한정한다)는 공장입지기준면적에 포함되는 것으로 한다.

(단위 : 제곱미터)

구 분		종업원 100명 이하	종업원 500명 이하	종업원 2,000명 이하	종업원 10,000명 이하	종업원 10,000명 초과
실외체육시설	운동장	1,000	1,000제곱미터 + (100명 초과 종업원수 × 9제곱미터)	4,600제곱미터 + (500명 초과 종업원수 × 3제곱미터)	9,100제곱미터 + (2,000명 초과 종업원수 × 1제곱미터)	17,100
	테니스 또는 정구코트	970	970	1,940	2,910	2,910
실내체육시설		150	300	450	900	900

※ 비고

1. 적용요건

운동장과 코트에는 축구·배구·테니스 등 운동경기가 가능한 시설이 있어야 하고, 실내체육시설은 영구적인 시설물이어야 하며, 탁구대 2면 이상을 둘 수 있어야 한다.

2. 적용요령

가. 종업원수는 그 사업장에 근무하는 종업원을 기준으로 한다.

나. 종업원이 50명 이하인 법인의 경우에는 코트면적만을 기준면적으로 한다.

다. 실내체육시설의 건축물바닥면적이 기준면적 이하인 경우에는 그 건축물 바닥면적을 그 기준면적으로 한다.

라. 종업원용 실내체육시설이 있는 경우에는 그 실내체육시설의 기준면적에 영 제101조 제2항의 용도지역별 적용배율을 곱하여 산출한 면적을 합한 면적을 기준면적으로 한다.

법인이 공장을 수도권 밖으로 이전하는 경우 그 법인이 소유하고 있는 이전 전 공장용 건축물의 부속토지(수도권 소재 공장용 건축물 부속토지)에 대해서는 5년간 계속해서 분리과세대상 토지로 과세한다(조세특례제한법 제63조의 2 ⑥).

| 최근 개정법령 _ 2017.1.1. | 재산세 분리과세 대상 공장용지의 범위 명확화(영 제102조 ①)

공장을 건축 중인 경우 분리과세 적용범위와 관련하여, '건축기간'은 건축주가 임의로 조정할 수 있고, '6개월 이상 공사 중단' 규정을 두고 있는 점을 고려할 때, '건축기간' 요건은 과세요건으로 부적합하고 존치 실익이 없었다. 그에 따라 공장을 건축 중인 경우 분리과세 대상에서 제외되는 과세요건으로 '건축기간'을 삭제하여 분리과세 범위를 명확히 하였다.

◎ **산업단지 내 4차선 도로로 기존공장과 분리된 토지라도 부지 전체가 하나의 유기적인 공장구역을 이루고 있어 공장용건축물 부속토지로 보아 분리과세가 가능하다는 사례**

B토지(쟁점토지)는 계약서상 A토지와 동일 목적(공장용도)으로 사용하도록 되어 있고, A토지의 공장에 근무하는 종업원을 위한 기숙사로 사용 중이며, 나머지 부분은 A토지의 공장 관련 주차장, 야적장・운동장・산책로 등을 건축 중이며, 향후 연차계획에 따라 A토지의 공장과 동일한 공장을 건축할 계획인 점에서 1구의 공장경계구역 안에 설치되는 부대시설용 건축물의 부속토지로 볼 수 있음. 즉, A토지 분리되어 있더라도 부지 전체가 하나의 유기적인 공장구역을 이루고 있다고 볼 수 있으며, B토지 내 기숙사, 주차장, 야적장, 운동장, 산책로 등은 공장용 건축물의 효용과 편익을 위해 사용되고 있는 토지로서 공장용 건축물의 부속토지로 보아 분리과세 대상(지방세운영과-1232, 2013.6.26.).

◎ **공장구내 공장용 건축물과 아무 용도에도 사용하지 않는 건축물이 혼재된 경우 분리과세(입지기준면적)를 먼저 적용하되, 미사용 건축물의 바닥면적만큼은 별도합산 적용**

쟁점 부동산의 경우 그 일부를 임대하여 유리식기제품 생산 공장으로 사용하고 있으므로 해당 부분은 공장용 건축물로 볼 수 있으나 그 나머지 부분은 생산설비를 갖추지 않은 공실로서 … 공장용 건축물로 볼 수 없음. 따라서 1구의 공장용지 안에 공장으로 사용 중인 건축물과 아무런 용도로도 사용하지 않는 건축물이 혼재해 있으면서 그 부속토지가 구분되지 않는다면 공장용 건축물을 기준으로 한 공장입지기준면적 범위 내에서 분리과세를 먼저 적용하되, 범위 내라 하더라도 미사용 건축물의 바닥면적은 별도합산 과세가 타당(지방세운영과-3672, 2012.11.14.)

◎ **공장과 외형상 분리되어 있는 부대시설용 건축물(창고 등)도 공장구역 내 토지라는 사례**

부대시설용 건축물(창고, 종업원후생복지시설)이 설치되어 있는 토지가 공장과 도로와 블록담장에 의하여 외형상 분리되어 있지만 공장과의 거리, 토지용도 및 그 지상 건축물의 실제 기능 및 관리현황 등을 종합해 볼 때 사회통념상 공장 및 연구소 부지 전체가 함께 하나의 유기적인 공장구역을 이루고 있다면, 공장경계구역 안에 설치된 부대시설용 건축물의 부속토지로서 분리과세 대상 공장용 건축물의 부속토지에 해당함(대법원 2000두3740, 2001.11.3.).

◎ **공장경계구역 밖 옥외체육시설 부속토지는 분리과세 대상 공장용 토지에 해당하지 아니함**

시행규칙 제72조 제7호에서 공장경계구역 안의 「식당・휴게실 … 옥외체육시설 및 기숙사 등 종업원의 복지후생증진에 필요한 시설」을 공장용 건축물로 규정하고 있음. 옥외 체육시설 및 기숙사 등 종업원의 복리후생증진에 필요한 부대시설용 건축물의 부속 토지가 공장용지로서 토지분 재산세 분리과세 대상이 되기 위하여는 공장경계구역 안에 있어야 하나(대법원 95누6144, 1996.2.9. 참조), 공장경계구역으로부터 350미터정도 떨어져 있는 옥외체육시설의 경우에는 종업원들이 휴식시간에 도보로 이동하여 자유롭게 이용하더라도 공장경계구역 밖의 시설에 해당하므로, 그 부속토지는 지방세법령에서 규정한 공장용지에 해당하지 아니함(지방세정팀-886, 2006.3.3.).

◎ (예규) 공장입지기준면적(지법 106…102-1)

「지방세법 시행령」 제102조 제1항 제1호에 정한 입지기준면적을 산정하는 데 있어서 공장구내의 토지인 경우 필지수 또는 지목에 불구하고 공장구내의 전체 토지면적을 기준으로 입지기준면적을 계산함.

◎ 골재선별파쇄업에 공여되는 건축물을 공장용 건축물로 보아 분리과세 적용

골재채취법 시행령 제2조 바다 골재 외의 골재를 선별 또는 파쇄하는 골재선별파쇄업이 통계청에서 고시하는 한국표준산업분류상(통계청 고시 제2000-1호 2000.1.7.) 제조업에 해당하는 경우라면, 골재선별파쇄업에 공여되는 건축물은 공장용 건축물로 보아 공장용 건축물의 부속토지에 대한 공장입지기준면적까지는 분리과세, 나머지 공장입지기준면적을 초과하는 토지는 종합합산 과세대상임(지방세운영과-51, 2008.6.4.).

◎ 자동차 정비사업용 토지는 분리과세가 아닌 별도합산 과세대상에 해당한다고 한 사례

시행령 제131조의 2 제3항 제6호가 자동차정비사업장용 토지는 별도합산 과세대상에 해당한다고 명시하고 있는 점, 시행규칙 제72조의 문언과 취지에 비추어 제조나 가공을 수반하지 않고 자동차정비 등 수선의 목적에만 사용하는 건축물의 부속토지는 분리과세대상이 되는 제조시설용 건축물의 부속토지에 해당한다고 보기 어려운 점, 시행령 제132조 제1항 제1호의 위임에 따라 시행규칙 제74조가 공장용 건축물의 부속토지 중 분리과세대상의 범위에 해당하는 공장입지기준면적을 정함에 있어 자동차정비사업장용 토지에 관하여는 아무런 규정을 두고 있지 않는 점 등을 고려하면, 자동차정비사업의 목적에만 사용되는 건축물의 부속토지는 시행령 제132조 제1항 제1호에 의한 재산세 분리과세대상이 아니라 시행령 제131조의 2 제3항 제6호에 의한 재산세 별도합산 과세대상에 해당한다고 할 것임(대법원 2009두9390, 2011.9.8.).

◎ "공업지역"이 아닌 자연녹지지역에 속한 토지(공장경계구역 내)는 분리과세대상이 아님

조세법령의 해석은 법문대로 엄격히 해석하여야 하며 납세자에게 유리하다하여 확장해석하거나 유추해석할 수 없으므로(대법원 07두21242, 2008.2.14. 참조), 분리과세대상이 되는 공장용지는 광역시지역의 경우 산업단지 또는 "공업지역" 안에 위치한 공장용지이어야 하며, 「공

장입지기준면적」에 포함된다 하여 「국토계획법」상 공업지역이 아닌 지역까지 분리과세대상으로 정하는 것은 아니라고 판단됨. 따라서 쟁점토지가 "공업지역"이 아닌 자연녹지지역에 속한 이상 공장경계구역 내(공장입지기준면적 내) 토지라 하더라도 분리과세대상인 공장용지에 해당하지 않는다(행심 2006-162호, 2006.5.2. 결정)고 할 것임(지방세운영과-202, 2012.1.17.).

제106조 제1항 제3호 가목[분리과세 농지(영 제102조 ① 2호)]

법 제106조(과세대상의 구분) ① 토지에 대한 재산세 과세대상은 다음 각 호에 따라 종합합산과세대상, 별도합산과세대상 및 분리과세대상으로 구분한다.

3. 분리과세대상 : 과세기준일 현재 납세의무자가 소유하고 있는 토지 중 국가의 보호·지원 또는 중과가 필요한 토지로서 다음 각 목의 어느 하나에 해당하는 토지
   가. 공장용지·전·답·과수원 및 목장용지로서 대통령령으로 정하는 토지
   나. ~ 마.

영 제102조(분리과세대상 토지의 범위) ① 법 제106조 제1항 제3호 가목에서 "대통령령으로 정하는 토지"란 다음 각 호에서 정하는 것을 말한다.

2. 전·답·과수원
   가. 전·답·과수원(이하 이 조에서 "농지"라 한다)으로서 과세기준일 현재 실제 영농에 사용되고 있는 개인이 소유하는 농지. 다만, 특별시·광역시(군 지역은 제외한다)·특별자치시·특별자치도 및 시지역(읍·면 지역은 제외한다)의 도시지역의 농지는 개발제한구역과 녹지지역(「국토의 계획 및 이용에 관한 법률」 제6조 제1호에 따른 도시지역 중 같은 법 제36조 제1항 제1호 각 목의 구분에 따른 세부 용도지역이 지정되지 아니한 지역을 포함한다. 이하 이 항에서 같다)에 있는 것으로 한정한다.
   나. 「농지법」 제2조 제3호에 따른 농업법인이 소유하는 농지로서 과세기준일 현재 실제 영농에 사용되고 있는 농지. 다만, 특별시·광역시(군 지역은 제외한다)·특별자치시·특별자치도 및 시지역(읍·면 지역은 제외한다)의 도시지역의 농지는 개발제한구역과 녹지지역에 있는 것으로 한정한다.
   다. 「한국농어촌공사 및 농지관리기금법」에 따라 설립된 한국농어촌공사가 같은 법에 따라 농가에 공급하기 위하여 소유하는 농지
   라. 관계 법령에 따른 사회복지사업자가 복지시설이 소비목적으로 사용할 수 있도록 하기 위하여 소유하는 농지
   마. 법인이 매립·간척으로 취득한 농지로서, 과세기준일 현재 실제 영농에 사용되고 있는 해당 법인 소유농지. 다만, 특별시·광역시(군 지역은 제외한다)·특별자치시·특별자치도 및 시지역(읍·면 지역은 제외한다)의 도시지역의 농지는 개발제한구역과 녹지지역에 있는 것으로 한정한다.
   바. 종중(宗中)이 소유하는 농지

일정요건의 농지(전·답·과수원)에 대해 분리과세대상 토지로 규정하고 있다.

재산세의 과세표준은 매년 독립적으로 과세기준일 현재의 토지의 현황이나 이용상황에 따라 구분되는 것이므로, 과세기준일 현재 분리과세 요건을 갖추지 못한 데 정당한 사유가 있는지 여부는 분리과세를 판단하기 위한 사유가 되지 못한다(대법원 99두7265, 2001.5.29.).

1. 개인이 소유하는 농지

개인소유농지가 분리과세 대상 토지가 되기 위해서는 과세기준일 현재 실제 영농에 사용되고 있는 농지일 뿐 아니라 국토계획법상 용도지역이 녹지지역이거나, 개발제한구역 내의 토지, 또는 행정구역상 읍·면 지역의 토지라야 하는 지역적 요건을 동시에 충족하여야 한다. 즉, 실제 영농에 사용되고 있는 토지라도 도시지역(주거상업공업)으로써 행정구역상 동지역이고, 개발제한구역도 아니라면 종합합산 토지가 될 수 있다.[89]

1) 실제 영농에 사용되고 있는 농지

「지방세법」상 농지란 등기 당시 공부상 지목이 전, 답 또는 과수원인 토지로서 실제 농작물의 경작이나 다년생식물의 재배지로 이용되는 토지라고 규정하고 있고, "실제 농작물의 경작이나 다년생식물의 재배지로 이용되는 토지"란 농작물 등의 경작, 재배 즉 "땅을 갈아서 농사를 짓는 것"에 이용되는 토지를 말하는 것으로 일시적·잠정적으로 토지에 농작물 등을 심어 둔 것만으로 농사를 짓는다고 할 수 없고, 일정기간 동안 농작물 등에 농작물 경작자의 노동력 등을 투입하여 농작물이 성장할 수 있도록 당해 토지를 이용하는 경우를 뜻한다고 봐야 할 것이다(법제처 법령해석총괄과-4628, 2010.10.1.). 이와 같이 농지에 해당하느냐 여부는 그 토지의 장기적인 주된 사용목적과 그에 적합한 위치, 형상 등을 객관적으로 평가하여 결정하여야 하고, 그 일시적인 사용관계에 구애되는 것은 아니다(대법원 85누234, 1985.9.10. 등).

◎ **GB 내 농지에 비닐하우스시설을 설치하고 화분에서 화훼류를 재배·판매하는 경우 농지**

개발제한구역 내 농지(답)상에 화훼작물의 재배목적으로 비닐하우스를 설치하고 화훼작물을 화분에서 재배하면서 판매하는 경우라면 다년생식물재배지로 이용되는 토지로 보아 농지(법 제131조 제1항 제3호 1목)에 따른 세율을 적용하는 것이 타당하다고 판단됨. 농지 해당 여부는 토지이용현황 및 객관적인 증빙자료(농지취득자격증명서, 농지원부, 토지거래허가내용, 등기부등본 등), 농지등기 이행사항 등을 종합적으로 확인 후 판단됨(지방세운영과-904, 2010.3.4.).

89) 다만, 별도의 분리과세(영 제102조 제5항의 기타토지 등)나 별도합산 요건에 해당하는지 여부는 따로 판단해 봐야 함.

◎ 버섯재배사 부속토지를 분리과세 대상 농지로 본 사례

잡종지에 설치된 버섯재배사 부속토지는 농지법 제2조에서 농지란 「초지법」에 따라 조성된 토지 등 대통령령이 정하는 토지(지적법에 따른 지목이 전·답·과수원이 아닌 토지로서 농작물 경작지 또는 다년생식물 재배지로 계속하여 이용되는 기간이 3년 미만인 토지)를 제외하고 전·답·과수원 그 밖에 법적 지목을 불문하고 실제로 농작물 경작지 또는 다년생식물 재배지로 이용되는 토지로서 그 토지에 설치하는 버섯재배사 및 비닐하우스와 그 부속시설 등의 부지를 포함한다고 규정하고 있으므로 분리과세 대상 토지임(지방세운영과-2506, 2008.12.15.).

◎ 과수류가 아닌 소나무 등이 식재되어 있는 토지는 과수원으로 보기 곤란

공부상 지목이 전인 토지에 감나무, 소나무, 관상수를 식재하고 있다고 하더라도 지방세법 시행령 제143조에서 공부상 현황과 사실상 현황이 다른 경우에는 사실상 현황에 의하여 과세하도록 되어 있고, 과수원은 과수류를 집단적으로 재배하는 토지와 이에 접속된 저장고 등 부속시설물의 부지를 말한다고 규정하고 있으므로 과수류가 아닌 소나무 등이 식재되어 있는 토지는 과수원으로 보기는 어려움(지방세정팀-5597, 2007.12.27.).

◎ 실제 토지이용 현황은 농지라도 공부상 임야는 분리과세 대상으로 볼 수 없음

공부상 임야가 공부와 다르게 20년 이상 농지로 사용하고 있어 농지원부에 등재되어 있다고 하더라도 산지관리법의 규정에 의한 산지전용 허가 등을 득하지 않고 무단으로 농지로 이용되고 있는 경우에는 지방세법 제132조 제1항 제2호에서 규정한 농지로 볼 수 없음(지방세정팀-3538, 2007.8.29.).

◎ 분리과세 대상이 되는 전·답·과수원은 공부상 등재된 지목에 관계없이 적어도 그 사실상의 현황이 농작물 등의 경작에 이용되는 토지일 것을 요하므로(대법원 2000두9847, 2002.2.8.), 지목이 농지라도 그 주된 용도가 화훼 등을 보관·판매하는 경우라면 분리과세로 볼 수 없음(대법원 2012두6926, 2012.6.28.).

◎ 다른 곳에서 재배한 꽃을 화분에 옮겨 심은 상태로 보관·판매하는 장소는 종합합산 대상

비록 공부상 지목이 답이나 전이지만, 실제로는 그곳에서 직접 영농을 하는 것이 아니라 다른 곳에서 재배한 꽃과 나무를 화분에 옮겨 심은 상태로 보관·판매하는 장소의 용도로 사용되고 있으므로, 설령 꽃과 나무가 그 상태로 다소간 성장을 계속한다고 하더라도 사회통념상 이 사건 쟁점토지의 주된 용도는 경작이 아닌 화분의 보관 및 판매라고 보아야 함. 따라서 종합합산 과세대상 토지로 분류하여 종합부동산세를 부과한 것은 적법함(대법원 2012두6926, 2012.6.28.).

◎ **GB에서 '답'인 토지에 꽃재배 농장으로 이용하는 비닐하우스 부속토지는 농지라는 사례**

농작물 판매목적이 아닌 농작물의 재배를 목적으로 설치하는 유리온실, 비닐하우스, 버섯재배사 등 농작물 재배시설의 부속토지는 농지로 볼 수 있으나, 재산세 과세대장상의 지목이 사실상 현황과 다른지의 여부는 법령의 해석사항이 아니라 해당 과세권자가 사실 판단할 사항임(지방세정팀-10, 2008.1.2.).

◎ **판매 전 일시적으로 화분, 가식상태로 이용되는 비닐하우스 내 토지는 분리과세 대상 농지에 해당되지 아니한다는 사례**

도·소매업 사업자등록을 한 자가 ⅰ) 다른 농장에서 재배된 농작물 또는 다년생식물을 매입하여 ⅱ) 판매목적으로 공부상 지목이 답인 토지에 비닐하우스 판매시설을 갖추고 판매사업장으로 이용하면서 ⅲ) 판매 전 일시적으로 화분, 가식상태로 이용되는 비닐하우스 내 토지는 농지에 해당되지 아니함(법제처 법령해석총괄과-4628, 2010.10.1.).

◎ **분리과세 대상 농지는 장기적인 주된 사용목적과 그에 적합한 위치, 형상 등을 객관적으로 평가하여 결정하여야 하고, 그 일시적인 사용관계에 구애될 것은 아니라고 한 사례**

○○조경은 과세기준일 이후에 사업자등록을 하였고, 골프장 및 ○○조경에 잔디를 판매한 금액을 지급받았다는 금융 자료를 제출하지 못하고 있는 등에 위 주장을 믿기 어려움. 설령, 2번에 걸쳐 잔디를 판매하였다 하더라도, 재산세 과세대상으로서 농지에 해당하느냐 여부는 그 토지의 장기적인 주된 사용목적과 그에 적합한 위치, 형상 등을 객관적으로 평가하여 결정하여야 하고, 그 일시적인 사용관계에 구애될 것은 아닌데(대법원 85누234, 1985.9.10. 참조), 쟁점토지는 골프장과 잇닿아 있으면서 한 울타리 내에 위치하고 있고, 골프장에는 매일 수십 명의 내장객이 골프를 치고 있어 영농에 적합하다고 보기 어려운 점, 잔디판매 실적도 2건에 불과한 점 등 영농에 사용되는 농지라고 볼 수 없음(대법원 2011두22426, 2011.12.27.).

◎ **도시개발사업 완료지구("읍") 내 "대"인 토지를 농지로 사용하고 있더라도 분리과세 배제**

쟁점토지는 주거·상업·유통 등 도시기능 생성을 위해 도시개발법에 따라 조성된 도시지역의 주거단지 내에 소재해 있고, 주거지로써의 주변 기반시설이 갖추어져 있으며, 도시개발사업 완료와 동시에 해당 지목도 대지로 전환되어 사업시행 전의 토지와는 그 기능 및 현황이 전혀 상이한 상태이고, 「국토계획법」 및 「건축법」 등에 따라 주거용으로 예정되어 언제든지 특별한 절차없이 그 사용이 가능하므로, 농지로서의 현상을 상실한 상태로 보는 것이 타당. 따라서 직전연도에 도시개발사업으로 주거단지 조성이 완료되어 과세기준일 현재 주택이 건축되기 전 당해 토지에 일시적으로 영농행위를 하는 것은 '실제 영농에 사용되고 있는 농지'로 볼 수 없음(지방세운영과-1251, 2010.3.25.).

◎ **실제 영농에 사용하지 않는 농지라면 분리과세 대상이 아니라고 한 사례**

농지전용허가를 얻은 후 사정에 의하여 사업시행에 착수하지 못하고 있는 경우라도 과세기준일 현재 실제 영농에 사용되고 있지 아니하다면 이는 사실상 나대지(잡종지 등)에 해당하므로 농지에 적용되는 분리과세 대상이 아님(지방세정팀-2063, 2006.5.23.).

◎ 비록 그 지목이 답으로 되어 있고 제3자인 임차인이 원고의 의사에 반하여 이를 농지가 아닌 야적장으로 사용하고 있는 것이라고 하더라도 분리과세대상인 '실제 영농에 사용되고 있는 농지'로 보기 어려움(대법원 2009두713, 2009.3.12.).

◎ 공부상 지목이 전·답으로서 수목원으로 이용되고 있는 개인 소유 토지의 경우, 사람들이 수목을 관람하면서 휴식을 취하는 곳이라면 농작물의 생산 용도로 사용되는 토지가 아니며, 단순히 토지상에 다수의 식물이 존재한다고 하여 농지로 볼 수는 없음(지방세운영과-682, 2016.3.16.).

2) 지역적 요건에 따른 분리과세 대상 농지

개인소유 농지가 실제 영농에 사용되고 있다하더라도 지역적 요건(용도지역, 행정구역, 개발제한구역 여부 등)을 충족하지 아니하면 분리과세 대상 농지에서 제외될 수 있다. 즉, 실제 영농에 이용되고 있는 농지가 국토계획법상 용도지역이 도시지역(주거·상업·공업지역)이면서 행정구역이 동인 경우(개발제한구역이 해제된 지역)에는 종합합산 대상이 된다.

| 참고 _ 용도지역 등에 따른 분리과세 해당 농지 |

구 분		도시지역		비도시지역
		(주거·상업·공업)	(녹지)	농림·관리
읍·면	GB지정	분리	분리	분리
	GB해제	분리	분리	분리
동	GB지정	분리	분리	분리
	GB해제	종합합산	분리	분리

※ 실제 영농에 사용되고 있는 농지로서 음영에 해당하는 토지(종합합산) 외의 토지는 분리과세

| 참고_국토의 계획 및 이용에 관한 법률에 따른 용도지역 구분 |

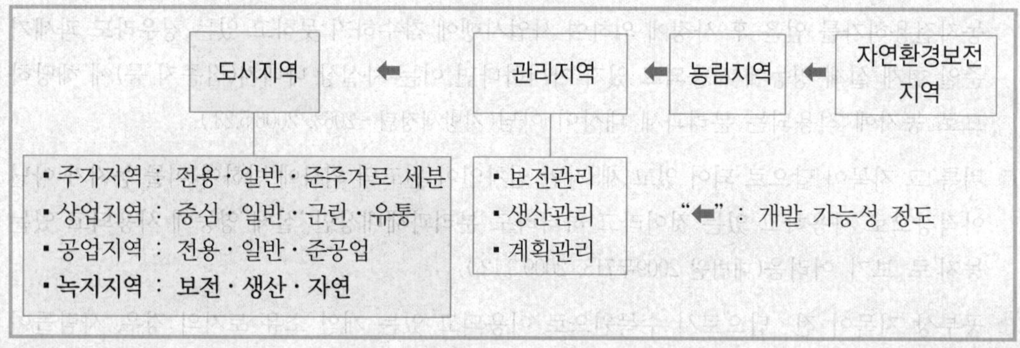

◎ GB해제 토지에 대한 종합합산 과세는 실질과세원칙에 위배되지 아니함

비록 이 사건 각 토지가 이 사건 공익사업을 위하여 수용되면서 개발제한구역에서 해제되기 이전의 상태로 평가받아 원고가 개발제한구역의 해제로 인한 어떠한 이득을 취한 바 없더라도, 이는 토지보상법 시행규칙상(제23조 ②) 토지보상금 산정시 토지평가기준에 따른 것으로서 토지보상금 산정과 재산세 등의 부과처분은 근거법령, 입법목적 등이 전혀 다르므로 위와 같은 사정만으로 이 사건 처분이 형평에 반하거나 실질과세원칙에 어긋난다고 볼 수 없음. 지방세법 시행령이 2010.5.31. 개정되면서 제132조 제7항이 신설되었으나, 위 신설조항은 부칙 제2조에 의하여 2010.6.1. 현재 납세의무가 성립하는 것부터 적용되므로, 이 사건에는 적용되지 않음(대법원 2011두6660, 2011.6.24.).

◎ 택지개발계획이 승인되었으나 용도지역이 세분화되지 않은 농지의 경우 분리과세 적용

용도지역의 지정 또는 변경을 도시관리계획으로 결정하는 점(국토계획법 제36조 ①), 실시계획승인을 도시관리계획 결정으로 의제하고 있는 점(택지개발촉진법 제6조), 택지개발예정지구 지정이 도시지역으로 의제(국토계획법 제42조 ① 4호)되어 도시지역으로 구분되더라도 주거·상업·공업지역으로 세분화되지 아니한 점, 도시지역이 세부 용도지역으로 지정되지 아니한 경우 건축제한·건폐율·용적률 적용시 녹지지역에 관한 규정을 적용하고 있는 점(국토계획법 제79조) 등을 종합할 때, 택지개발예정지구 지정 및 개발계획 승인 고시는 되었으나, 실시계획승인이 이루어지지 않아 주거·상업·공업지역으로 세분화되지 아니하였다면 분리과세 적용이 타당함(지방세운영과-1448, 2010.4.9.).

◎ 광역시 동지역의 개발행위허가 제한지역 내의 농지는 분리과세 대상이 아니라는 사례

개발제한구역에서는 건축물의 건축 및 용도변경, 공장물의 설치, 토지의 형질변경, 죽목의 벌채, 토지의 분할, 물건을 쌓아놓는 행위 또는 「국토계획법」 제2조 제11호에 따른 도시계획사업의 시행을 할 수 없으므로, 「국토계획법」 제63조에 의해 개발행위허가가 제한된 지역

내의 농지라면 동법 제38조 규정에 의해 지정된 개발제한구역과는 지정취지, 지정지역, 제한 정도, 지정기간 등이 상이하므로 분리과세 대상토지에 해당되지 않음(지방세운영과-885, 2009.6.25.).

◎ 도시지역의 농지는 영농에 사용중이라도 개발제한구역이나 녹지지역에 해당되지 않는다면 분리과세할 수 없음 … 자연녹지지역에서 제1종일반주거지역으로 변경고시되었다고 하더라도 현재 개발행위가 제한되어 있고 공부상 지목도 농지이며 영농에 사용되고 있는 경우 종전처럼 분리과세할 수 없음(대법원 2016두36406, 2016.6.23.).

3) 소유주체의 제한

◎ **개인이 아닌 단체(○○클럽) 소유의 농지는 분리과세 대상에 해당하지 아니함**

○○클럽은 구성원의 회비로 운영되고, 의사결정기구로 이사회 및 임원단을 두고 있고, 내부의 동산관리위원회가 재산을 관리·운영 및 수익금 관련 업무를 처리하는 등 특정 목적을 위해 개인들로 구성된 단체로 볼 수 있으므로, 지방세법령에서 정하고 있는 분리과세 대상 소유주체에 해당하지 아니하므로 토지의 현황이 농지라 하더라도 분리과세대상 아님(지방세운영과-1447, 2010.4.9.).

2. 종중소유 농지

◎ **재단법인의 묘소수호·세향봉행·제각용 농지라 하더라도 종중소유 농지로 볼 수 없음**

종중은 민법상 특정한 목적을 위해 두 사람 이상이 결합한 사단으로서 개개의 구성원을 초월하여 독립된 단체로 존재하고 활동하는 권리능력 없는 사단 또는 사단법인에 해당하므로(지방세운영과-2166, 2013.9.4.), 공익적 또는 사회적 목적을 위하여 출연된 재산을 구성요소로 하는 재단으로서 법인격을 갖춘 재단법인은 그 법인격이 종중과는 다르다고 할 것임. 따라서, 재단법인이 ○○신씨 묘소수호와 세향의 봉행, 제각 및 기타 유산관리를 목적으로 하고 있더라도 그 법인 소유의 농지를 지방세법상 종중이 소유하고 있는 농지에 해당한다고 볼 수는 없어 분리과세 대상이 아님(지방세운영과-346, 2015.1.29.).

◎ **별개의 실체를 가진 3개의 종중이 설립한 재단법인이 지방세법상 종중이 아니라는 사례**

종중이란 공동선조의 후손들에 의하여 선조의 분묘수호와 봉제사 및 후손 상호간의 친목 도모를 목적으로 형성되는 자연발생적인 친족단체로서 그 선조의 사망과 동시에 그 자손에 의하여 성립하는 것으로 그 대수에 제한이 없는(대법원 96다20567, 1996.8.23.) 바, 종중은 민법상 특정한 목적을 위해 두 사람 이상이 결합한 사단으로서 개개의 구성원을 초월하여 독립된 단체로 존재하고 활동하는 권리능력 없는 사단 또는 사단법인에 해당하나, 쟁점 법인은 공익적 또는 사회적 목적을 위하여 출연된 재산을 구성요소로 하는 재단으로서 법인격을 갖춘 재단법인에 해당하므로 종중으로 볼 수는 없음. 또한, 법인의 목적이 제주도 고·량·부 삼성 시조의 제사 및 분묘수호 등에 있다 하더라도 별개의 실체를 가진 3개의 종중이 함께 민법상 재단법인의 설립요건을 갖추어 등기한 것으로 보아야 할 것이므로 분리과세 대상 종중에 해당되지 아니함(지방세운영과-2166, 2013.9.4.).

제106조 제1항 제3호 가목[분리과세 목장용지(영 제102조 ① 3호)]

법 제106조(과세대상의 구분) ① 토지에 대한 재산세 과세대상은 다음 각 호에 따라 종합합산과세대상, 별도합산과세대상 및 분리과세대상으로 구분한다.

3. 분리과세대상 : 과세기준일 현재 납세의무자가 소유하고 있는 토지 중 국가의 보호·지원 또는 중과가 필요한 토지로서 다음 각 목의 어느 하나에 해당하는 토지
   가. 공장용지·전·답·과수원 및 목장용지로서 대통령령으로 정하는 토지

영 제102조(분리과세대상 토지의 범위) ① 법 제106조 제1항 제3호 가목에서 "대통령령으로 정하는 토지"란 다음 각 호에서 정하는 것을 말한다.

3. 목장용지 : 개인이나 법인이 축산용으로 사용하는 도시지역 안의 개발제한구역·녹지지역과 도시지역 밖의 목장용지로서 과세기준일이 속하는 해의 직전 연도를 기준으로 다음 표[90]에서 정하는 축산용 토지 및 건축물의 기준을 적용하여 계산한 토지면적의 범위에서 소유하는 토지 (표 생략)

◎ 도시지역 내 축사부속토지에 대한 토지분 재산세 과세대상 구분

도시지역(개발제한구역 및 녹지지역 제외) 내의 목장용지 내 축사가 있는 경우라면 그 축사 부속토지는 지방세법 제182조 제1항 제2호에 의한 별도합산대상인 건축물의 부속토지에 해당(축사 건축물의 가액이 부속토지 가액의 3% 미만인 경우 제외)되므로 별도합산 과세대상으로 보아야 하나, 다만 그 축사가 「건축법」 등 관계법령의 규정에 따라 허가 등을 받아야 할 건축물 또는 사용승인을 받아야 할 건축물로서 사용승인(임시사용승인을 포함)을 받지 아니하고 사용중인 경우 등 지방세법상 별도합산 과세대상에 해당되지 않는 경우에 종합합산 과세대상임(지방세운영과-416, 2009.1.30.).

◎ 목장용지에 대한 토지분 재산세 과세대상 구분

토지를 개인 또는 법인이 축산용으로 사용하더라도 도시지역 안의 목장용지는 개발제한구

90) 축산용 토지 및 건축물의 기준(생략)으로 가축별, 사업별, 사육두수, 축사 및 부대시설, 초지사료밭 등의 기준에 따라 목장용지의 범위를 정하고 있음.

역·녹지지역 내에서 1989.12.31. 이전부터 소유하는 토지를 분리과세대상으로 한정하고 있으므로, 당해 목장용지가 개발제한구역·녹지지역 내 소재하는 경우가 아니라면 축사·부대시설 중 건축물인 경우 용도지역별 적용배율 이내 토지는 별도합산 과세대상으로 구분하고, 이를 초과하는 경우에는 종합합산 과세대상임(세정팀-306, 2008.1.22.).

◎ 과수원과 목장 등은 분리과세를 적용하는 반면 1차산업인 양어장은 종합합산 대상

토지분의 과세대상 구분은 일정한 산업별 분류기준에 따라 정한 것이 아니고 토지의 사용현황과 정책적인 측면 등을 종합적으로 고려하여 정한 것으로 농지, 과수원, 목장용지라고 하더라도 일정한 요건(과수원, 목장용지라도 일반 시지역의 경우 개발제한구역과 녹지지역에 한정하여 분리과세 적용)에 해당하는 토지만을 한정하여 분리과세 대상으로 정하고 있으므로 현행 지방세법령상 양어장은 사업용 시설로 보아 별도합산 과세대상(지방세정팀-6432, 2006.12.22.)

제106조 제1항 제3호 나목[분리과세 임야(영 제102조 ②)]

법 제106조(과세대상의 구분) ① 토지에 대한 재산세 과세대상은 다음 각 호에 따라 종합합산과세대상, 별도합산과세대상 및 분리과세대상으로 구분한다.

3. 분리과세대상 : 과세기준일 현재 납세의무자가 소유하고 있는 토지 중 국가의 보호·지원 또는 중과가 필요한 토지로서 다음 각 목의 어느 하나에 해당하는 토지

나. 산림의 보호육성을 위하여 필요한 임야 및 종중 소유 임야로서 대통령령으로 정하는 임야

영 제102조(분리과세대상 토지의 범위) ② 법 제106조 제1항 제3호 나목에서 "대통령령으로 정하는 임야"란 다음 각 호에서 정하는 임야를 말한다. 〈개정 2010.12.30., 2014.1.1.〉

1. 「산림자원의 조성 및 관리에 관한 법률」 제28조에 따라 특수산림사업지구로 지정된 임야와 「산지관리법」 제4조 제1항 제1호에 따른 보전산지에 있는 임야로서 「산림자원의 조성 및 관리에 관한 법률」 제13조에 따른 산림경영계획의 인가를 받아 실행 중인 임야. 다만, 도시지역의 임야는 제외하되, 도시지역으로 편입된 날부터 2년이 지나지 아니한 임야와 「국토의 계획 및 이용에 관한 법률 시행령」 제30조에 따른 보전녹지지역(「국토의 계획 및 이용에 관한 법률」 제6조 제1호에 따른 도시지역 중 같은 법 제36조 제1항 제1호 각 목의 구분에 따른 세부 용도지역이 지정되지 않은 지역을 포함한다)의 임야로서 「산림자원의 조성 및 관리에 관한 법률」 제13조에 따른 산림경영계획의 인가를 받아 실행 중인 임야를 포함한다.
2. 「문화재보호법」 제2조 제3항에 따른 지정문화재 및 같은 조 제5항에 따른 보호구역 안의 임야
3. 「자연공원법」에 따라 지정된 공원자연환경지구의 임야
4. 종중이 소유하고 있는 임야
5. 다음 각 목의 어느 하나에 해당하는 임야

> 가. 「개발제한구역의 지정 및 관리에 관한 특별조치법」에 따른 개발제한구역의 임야
> 나. 「군사기지 및 군사시설 보호법」에 따른 군사기지 및 군사시설 보호구역 중 제한보호구역의 임야 및 그 제한보호구역에서 해제된 날부터 2년이 지나지 아니한 임야
> 다. 「도로법」에 따라 지정된 접도구역의 임야
> 라. 「철도안전법」 제45조에 따른 철도보호지구의 임야
> 마. 「도시공원 및 녹지 등에 관한 법률」 제2조 제3호에 따른 도시공원의 임야
> 바. 「국토의 계획 및 이용에 관한 법률」 제38조의 2에 따른 도시자연공원구역의 임야
> 사. 「하천법」 제12조에 따라 홍수관리구역으로 고시된 지역의 임야
> 6. 「수도법」에 따른 상수원보호구역의 임야

법 제106조 제1항 제3호, 시행령 제102조 제2항에서는 산림의 보호육성을 위하여 필요한 임야 및 종중 소유 임야 등에 대하여 분리과세대상으로 규정하고 있다.

| 최근 개정법령 _ 2014.1.1. | 도시지역 내 하위 용도지역이 지정되지 않은 경우 (보전)녹지지역으로 보아 농지, 목장용지 및 임야를 분리과세 대상으로 규정하였다(영 제102조 ① 제2호 가목 및 ② 제1호). 이는 도시지역으로 지정되었으나 하위 용도지역이 지정되지 않은 경우 (보전)녹지지역과 동일한 건축제한 등을 받고 있음에도 명문 규정이 없어 혼란이 초래되어 이를 보완하였다.

법령에서 비과세, 분리과세, 별도합산 대상 임야를 열거하고 있고 이에 해당하지 않으면 종합합산 대상이다. 분리과세 대상이 되는 임야는 보전산지 내 임야 등(이하 '일반임야'라 함), 개별법에서 정한 특정지역안의 임야, 종중소유 임야로 크게 3가지로 분류할 수 있다. 분리과세 대상이 되는 '일반임야'는 「산림자원의 조성 및 관리에 관한 법」상 특수산림사업지구로 지정된 임야와 「산지관리법」상 보전산지 내 임야이어야 하며, 다만 「국토계획법」에 따른 도시지역에 해당하면 제외하되 도시지역으로 편입된 지 2년 이내인 경우는 포함한다. 또한 산림의 보호육성이라는 입법 취지상 「산림조성법」에 따른 산림경영계획의 인가를 받아 실행 중인 임야를 한정하고 있다.

개별법에서 정한 특정지역 안의 임야로는 「문화재보호법」상 지정문화재 및 보호구역 안의 임야, 「자연공원법」상 공원자연환경지구의 임야, 「개발제한구역의 지정 및 관리에 관한 특별조치법」상 개발제한구역의 임야 등 특정 임야를 한정하고 있다.

지방세법상 임야의 비과세·분리과세 별도합산 등의 유형별 요건을 아래의 표로 정리할 수 있다.

구 분	유 형		과세구분별 요건		
			지역요건	시업 여부	취득시기
비과세	산림보호구역, 채종림 · 시험림, 공원자연보존지구, 백두대간보호지역 내 임야				
분리과세	보전산지 내 임야 특수산림사업지구 내 임야		도시지역 제외	시업중	
	특정구역임야	지정문화재 및 보호구역 내 임야, 공원자연환경지구 내 임야			
		개발제한구역 · 군사시설보호구역 · 접도구역 · 철도보호구역 · 도시공원 · 도시자연공원구역 · 홍수관리구역 내 임야			1989.12.31. 이전
		상수원보호구역 내 임야			1990.5.31. 이전
	종중 소유 임야				1990.5.31. 이전
별도합산	준보전산지 내 임야		도시지역 제외	시업중	
	스키장 및 골프장용 토지 중 원형이 보전되는 임야, 관광단지 안의 임야, 전문휴양업 · 종합휴양업 · 유원시설업용 토지 중 환경영향평가에 따른 원형 보전 임야				
종합합산	분리과세 · 별도합산 · 비과세 요건에 해당되지 아니하는 임야				

1. 산림경영계획의 인가를 받아 실행 중인 임야

보전산지 내 임야 또는 특수산림사업지구 내 임야의 분리과세 요건은 도시지역이 아니어야하고 산림경영계획의 인가를 받아 실행 중인 임야에 한해 적용한다. 당초 분리과세 대상으로 「산림자원의 조성 및 관리에 관한 법률」 제13조에 따른 산림경영계획의 인가를 받아 "시업(施業) 중인 임야"로 규정하던 것을 2011년 지방세분법 시행시 "실행 중인 임야"로 문구를 정비하였다.

◎ 시업 중인 임야에 대한 재산세 분리과세 여부

산림조성법 제13조에 따라 인가를 받은 10년간의 경영계획이 포함된 산림경영계획상 해당 연도에 특별한 산림사업의 실행계획이 없어 재산세 과세기준일 현재 아무런 사업실적이 없더라도 그 임야는 분리과세대상인 토지에 해당함(지방세운영과－1508, 2008.9.29.).

◎ 분리과세 요건인 '시업 중인 임야'란 반드시 산림사업의 실적이 있어야 하는 것은 아님

"시업 중"이란 인가 받은 산림경영계획의 내용에 따라 산림사업을 개시하여 진행 중이라는 것으로 과세기준일 현재 임야의 사실상의 현황이 산림의 보호육성에 필요한 산림사업 중에 있으면 충분하고, 반드시 산림사업의 실적이 있어야 하는 것은 아니므로 「산림조성법」 제13조에 따라 인가를 받은 10년간의 경영계획이 포함된 산림경영계획상 해당 연도에 특별한 산림사업의 실행계획이 없어 재산세 과세기준일 현재 아무런 사업실적이 없더라도 분리과세대상인 토지에 해당됨(법제처 법령해석총괄과-1840, 2008.10.29.).

2. 특정구역 내 임야 등

지정문화재 및 보호구역 내 임야, 공원자연환경지구 내 임야, 개발제한구역·군사시설보호구역·접도구역·철도보호구역·도시공원·도시자연공원구역·홍수관리구역 내 임야의 경우 산림경영계획인가 여부와 무관하게 분리과세 대상이다. 다만 취득의 시기가 1990년 이전(1989.12.31. 이전, 상수원보호구역 내 임야는 1990.5.31. 이전)부터 소유한 경우만 한정한다.

◎ 1989년부터 소유하던 개발제한구역 내의 임야 중 일부 지분을 당초 취득시점부터 명의신탁하였던 자료를 1996.6월 명의신탁을 해지하였을 경우 분리과세 대상이 아님

부동산의 취득은 원칙적으로 소유권이전의 형식에 의한 부동산 취득의 모든 경우를 포함하므로 명의신탁해지를 원인으로 소유권이전등기를 마친 경우도 여기에 해당된다는 판결(대법원 2002두2079, 2002.5.28.)에 비추어, 공부상 제3자 명의로 등기되어 있던 토지를 명의신탁한 부동산을 부동산실명권리자명의 등기에 관한 법률에 의거 1996년 6월에 실명전환하였다면, 실명전환한 시점을 새로운 취득으로 보아야 할 것이므로 지방세법 시행령 제132조 제5항의 규정에 의한 1989.12.31 이전에 소유한 부동산이라 볼 수 없어 분리과세 대상이라 할 수 없음(지방세정팀-3471, 2006.8.3.).

◎ 1989년 이전에 명의신탁 임야를 부동산실명법 시행 이전에 신탁해지한 경우만 분리과세

1987.4.22. 개발제한구역 안의 임야인 토지를 매수하여 제3자에게 명의신탁한 후 부동산실권리자명의 등기에 관한 법률 시행 이전인 1994.3.16. 명의신탁해지를 원인으로 한 소유권이전등기를 경료하였다면 지방세법 시행령 제132조 제5항에서 정한 1989.12.31. 이전부터 토지를 소유한 것으로 보아 분리과세 대상이라고 판단되나(대법원 99두1328, 2000.8.22.) 부동산실명법 시행 이후에 명의신탁 해지를 원인으로 소유권이전등기를 경료한 경우라면 이는 소유권 취득(대법원 98다12171.)에 해당되므로 명의신탁 해지에 따른 소유권이전등기일이 1995.9.16.인

토지는 종합합산 과세대상임(지방세정팀-241, 2006.1.20.).

◎ 철도보호지구 내 임야의 분리과세는 철도사업의 준공이 완료된 시점부터 적용

「철도안전법」 제45조에 따른 철도보호지구의 임야는 재산세를 분리과세하도록 규정하고 있고, 「철도안전법」 제45호에는 철도보호지구란 철도경계선(가장 바깥쪽 궤도의 끝선을 말함)으로부터 30미터 이내의 지역을 말한다고 정하고 있음. 한편 철도보호지구의 효력은 「철도건설법」 제16조에 따른 철도사업의 준공확인이 완료된 시점부터 그 효력이 발생함(국토부 철도기술안전과-57호, 2012.1.5.). 따라서 「철도안전법」에 따른 철도보호지구의 임야에 대한 분리과세는 그 효력이 발생하는 철도사업의 준공완료 시점부터 적용하는 것이 타당함(지방세운영과-282, 2012.1.27.).

◎ 군사시설보호구역 중 제한보호구역 내 임야를 증여 후 사망한 경우 분리과세 적용 배제

상증세법에서 상속개시일 전 10년 이내에 피상속인이 상속인에게 증여한 재산가액을 상속세 과세가액에 포함하는 특례규정(제13조 제1항 제1호)을 두고 있지만, 지방세법에서는 피상속인이 상속인에게 상속개시일 전에 증여한 재산을 상속 재산으로 보도록 하는 규정은 두고 있지 아니하므로 지방세법 시행령 제132조 제5항에 규정한 분리과세 대상요건은 상속받은 재산의 경우에 적용되는 규정으로 보아야 할 것이며, 증여를 통한 소유권이전을 상속으로 확장해석하거나 유추해석 하기는 어려움(지방세정팀-158, 2007.2.9.).

◎ GB 내 골프장 외곽에 위치하여 골프장과 일체가 되지 않은 순수임야는 분리과세 대상

쟁점 원형보전지 중 일부분은 골프장 외곽경계에서 다른 임야와 접하면서 급경사를 이루고 있는 사실이 인정되는바, 이와 같이 골프장 외곽경계 밖의 임야와 자연스럽게 이어져 급경사를 이루고 있으면서 수목이 생육하고 있는 토지로서 개발제한구역 안에 위치한 임야의 경우에는 골프장 내 골프코스 등 다른 토지와 일체가 되어 골프장을 구성하는 토지라고 보기는 어렵고, 산림의 보호육성을 위하여 필요한 임야로 볼 수 있어, 이러한 부분은 종합합산과세 대상토지로 볼 수 없고, 분리과세 대상토지에 해당한다고 할 것임(대법원 2013두24617, 2014.3.14.).

※ 원형보전지 중 상당 부분이 홀과 홀의 경계나 골프코스 외곽에 자연스럽게 위치하여 안전사고를 예방함과 아울러 골프장의 조경 및 경관에도 중요한 역할을 하고 있어 회원제 골프장 내 골프코스 등 다른 토지와 일체가 되어 골프장을 구성하고 있는 것은 체육용지에 해당하여 종합합산과세 대상토지에 해당

3. 종중 소유 임야

◎ **공부상 개인명의이나 사실상 종중이 1990년 이전부터 소유한 농지 · 임야인 경우 종중소유임이 입증되고, 사실상 소유자가 종중이라고 신고(10일 내)한 경우에 한해 분리과세 적용**

토지가 공부상 개인명의재산이나 종중이 1990.5.31. 이전 사실상 소유한 재산인지 여부는, 어느 정도의 유기적인 조직을 가진 종중이 존재하여야 하고, 그 토지가 종중의 소유로 된 과정이나 내용이 증명되거나 종중소유로 인정할 수밖에 없는 사정명의인과 종중과의 관계, 개인명의로 사정받게 된 연유, …, 사정된 토지의 규모 및 시조를 중심으로 한 종중분묘의 설치상태, 분묘수호와 봉제사의 실태, 토지의 관리상태, 토지에 대한 수익이나 보상금의 수령 및 지출관계, 재세공과금의 납부관계, 등기필증의 소지관계 등 간접자료가 될 만한 정황, 그 밖의 모든 사정을 종합적으로 판단할 사항임(대법원 2001다76731, 2002.7.26.). 또한, 과세기준일부터 10일 이내에 증빙자료를 갖추어 신고하지 않은 경우라면 공부상 소유자가 재산세 납세의무자임(지방세운영과-75, 2009.1.29.).

◎ **종중소유 잡종지를 임야 또는 농지로 지목변경시 분리과세대상 여부**

현재 지목이 잡종지인 토지를 농지 또는 임야로 지목변경을 할 경우로서 당해 토지는 1990년 5월 31일 이전부터 농지 또는 임야로 소유한 토지에 해당되지 아니하며, 지방세법 시행령 제73조 제8항에서 지목변경은 토지의 지목이 사실상 변경된 날에 새로이 취득한 것으로 보는 점 등을 감안할 때 토지분 재산세는 분리과세 대상이 아님(지방세정팀-335, 2007.5.22.).

◎ **사실상 종중소유 토지를 종중원에게 부동산실명법에서 정한 명의신탁한 토지의 소유권을 이전하면서 증여를 원인으로 소유권 이전을 한 경우 분리과세 대상에 해당되지 아니함**

지방세법 시행령상 농지와 임야는 1990.5.31. 이전부터 소유(1990.6.1. 이후 상속받아 소유하는 경우와 법인합병으로 취득하여 소유하는 경우를 포함)하는 것에 한한다라고 규정하고 있어, 중중의 종중원에게 명의신탁된 토지라 할지라도 1990.5.31. 이후에 증여를 원인으로 소유권이 이전되었다면 분리과세 대상에 해당되지 아니함(지방세정팀-1258, 2007.4.18.).

◎ 당초 종중토지였으나 직권분할로 인하여 등기가 1990년 이후 종중으로 단순분할 합병으로 인하여 소유권 변동없이 지번만 변경된 경우라면 새로운 취득에 해당하지 아니하여 분리과세 대상임(지방세정팀-901, 2007.3.28.).

◎ 1910년부터 종중원들이 공동 소유하고 있던 명의 신탁 토지를 1999년도에 종중에 증여하였다면 지방세법 시행령 제132조 제5항에서 규정한 1990.6.1. 이전에 종중이 소유한 재산에 해당되지 아니함(지방세정팀-15, 2007.1.31.).

◎ 종중이 상속받았다고 하고 있지만 지방세법 시행령 제132조 제5항에 규정하는 “상속받아 소

유하는 경우"라 함은 개인이 소유하는 농지·임야를 1990.6.1. 이후에 피상속인의 사망으로 인한 재산 상속을 받을 수 있는 민법상의 상속인이 상속받아 이를 소유하는 경우임(지방세정팀-442, 2007.1.24.).

◎ **1929년부터 종중원(1950년대 작고) 명의 농지를 1994년 종중회를 설립등록하면서 종중회의 명의로 등기한 경우 이를 상속받아 소유하는 경우로 볼 수 없음**

민법상 종중은 권리능력없는 사단으로서 상속인에 해당한다고 볼 수 없기 때문에 당해 재산을 종중에게 이전하는 경우에는 지방세법 시행령 제132조 제5항에서 규정한 1990. 6.1. 이후에 상속받아 소유하는 경우에 해당되지 아니함(지방세정팀-6503, 2006.12.28.).

◎ **부동산실명법에 따라 실명전환한 경우 그 시점을 새로운 취득으로 보아 분리과세 배제**

공부상 제3자 명의로 등기되어 있던 토지를 「부동산실명법」에 의거 1996년 6월에 실명전환하였다면, 실명전환한 시점을 새로운 취득으로 보아야 할 것이므로 지방세법 시행령 제132조 제5항의 규정에 의한 1989.12.31. 이전에 소유한 부동산이라 볼 수 없어 분리과세 대상이라 할 수 없음(지방세정팀-3471, 2006.8.2.).

◎ **공부상 개인명의이나 사실상 종중이 1990.5.31. 이전 소유한 점이 입증되면 분리과세 적용**

유기적인 조직을 가진 종중이 존재하여야 하고, 종중의 소유로 된 과정이나 내용이 증명되거나 또는 여러 정황에 미루어 사정 이전부터 종중 소유로 인정할 수밖에 없는 사정명의인과 종중과의 관계, 사정명의인이 여러 사람인 경우에는 그들 상호간의 관계, 한 사람인 경우에는 그 한 사람 명의로 사정받게 된 연유, 등기관계, 사정된 토지의 규모 및 종중 분묘의 설치상태, 분묘수호와 봉제사의 실태, 토지의 관리상태, 토지에 대한 수익, 지출관계, 재세공과금의 납부 관계, 등기필증의 소지 관계 등 모든 사정을 종합적으로 판단할 사항으로(대법원 2001다76731, 2002.7.26.) 과세권자가 판단할 사안(지방세운영과-381, 2009.1.29.)

제106조 제1항 제3호 다목[분리과세 골프장·고급오락장]

법 제106조(과세대상의 구분) ① 토지에 대한 재산세 과세대상은 다음 각 호에 따라 종합합산과세대상, 별도합산과세대상 및 분리과세대상으로 구분한다.

3. 분리과세대상 : 과세기준일 현재 납세의무자가 소유하고 있는 토지 중 국가의 보호·지원 또는 중과가 필요한 토지로서 다음 각 목의 어느 하나에 해당하는 토지
   다. 제13조 제5항에 따른 골프장(같은 항 각 호 외의 부분 후단은 적용하지 아니한다)용 토지와 같은 항에 따른 고급오락장용 토지로서 대통령령으로 정하는 토지

> 영 제102조(분리과세대상 토지의 범위) ③ 법 제106조 제1항 제3호 다목에서 "대통령령으로 정하는 토지"란 법 제13조 제5항 제4호에 따른 고급오락장의 부속토지를 말한다. 〈개정 2010.12.30.〉

법 제106조 제1항 제3호, 시행령 제102조 제3항에서는 골프장용 토지와 고급오락장용 토지를 분리과세대상으로 규정하고 있으며, 이들은 고율의 단일세율이 적용되는 분리과세 대상이다.

☞ 취득세 중과대상토지와 동일하므로 취득세 편의 관련사례를 참고하고, 재산세 세율부분에서 재산세를 중심으로 다양하게 소개되어 있다.

골프장용 토지 및 건축물 과세구분

○ 분리과세(고율중과)

- 「체육시설의 설치·이용에 관한 법률」에 따른 회원제 골프장 토지 중 구분등록대상이 되는 토지 및 건축물

〈구분등록 대상 토지 및 건축물(체육시설의 설치·이용에 관한 법률 §20)〉

1. 골프코스(티그라운드·페어웨이·러프·해저드·그린 등을 포함한다)
2. 주차장 및 도로
3. 조정지(골프코스와는 별도로 오수처리 등을 위하여 설치한 것은 제외한다)
4. 골프장의 운영 및 유지·관리에 활용되고 있는 조경지(골프장 조성을 위하여 산림훼손, 농지전용 등으로 토지의 형질을 변경한 후 경관을 조성한 지역을 말한다)
5. 관리시설(사무실·휴게시설·매점·창고와 그 밖에 골프장 안의 모든 건축물을 포함하되, 수영장·테니스장·골프연습장·연수시설·오수처리시설 및 태양열이용설비 등 골프장의 용도에 직접 사용되지 아니하는 건축물은 제외한다) 및 그 부속토지
6. 보수용 잔디 및 묘목·화훼 재배지 등 골프장의 유지·관리를 위한 용도로 사용되는 토지

○ 별도합산

- 체육시설로 등록된 골프장 토지 중 사실상 운동시설에 이용되는 토지(회원제골프장용 토지안의 운동시설용 토지는 제외, 즉 대중제 골프장용 토지, 간이골프장용 토지 등을 말함)
- 골프장용 토지 중 원형이 보전되는 임야(회원제 골프장용 임야는 제외)

○ 종합합산

- 별도합산 및 분리과세 이외의 모든 토지

※ 구분등록 대상이 아닌 토지나 건축물은 해당 토지나 건축물의 구분에 따라 과세

제106조 제1항 제3호 라목[분리과세 GB지정 전 공장용지]

법 제106조(과세대상의 구분) ① 토지에 대한 재산세 과세대상은 다음 각 호에 따라 종합합산과세대상, 별도합산과세대상 및 분리과세대상으로 구분한다.

3. 분리과세대상 : 과세기준일 현재 납세의무자가 소유하고 있는 토지 중 국가의 보호·지원 또는 중과가 필요한 토지로서 다음 각 목의 어느 하나에 해당하는 토지

   라. 「산업집적활성화 및 공장설립에 관한 법률」 제2조 제1호에 따른 공장의 부속토지로서 개발제한구역의 지정이 있기 이전에 그 부지취득이 완료된 곳으로서 대통령령으로 정하는 토지

영 제102조(분리과세대상 토지의 범위) ④ 법 제106조 제1항 제3호 라목에서 "대통령령으로 정하는 토지"란 제1항 제1호에서 행정안전부령으로 정하는 공장입지기준면적 범위의 토지를 말한다.

개발제한구역 지정 전에 취득한 공장용 부속토지로서 공장입지기준면적 범위의 토지에 대하여는 분리과세 대상이다. 대부분의 분리과세 대상 토지는 시행령에서 규정하고 있는 것과 달리 지방세법에서 직접규정하고 있는 것이 특징이다. 특히 2018년부터 분리과세 대상을 주요 특성별로 범주화하여 시행령에서 열거하였으므로 해당토지도 이러한 과세체계에 맞게 법에서 시행령으로 옮기는 것이 타당하다고 판단된다.

제106조 제1항 제3호 마목[분리과세 대상 국가지원 등 특정목적 사업용 토지(영 제102조 ⑤)]

법 제106조(과세대상의 구분) ① 토지에 대한 재산세 과세대상은 다음 각 호에 따라 종합합산과세대상, 별도합산과세대상 및 분리과세대상으로 구분한다.

3. 분리과세대상 : 과세기준일 현재 납세의무자가 소유하고 있는 토지 중 국가의 보호·지원 또는 중과가 필요한 토지로서 다음 각 목의 어느 하나에 해당하는 토지

   마. 국가 및 지방자치단체 지원을 위한 특정목적 사업용 토지로서 대통령령으로 정하는 토지

영 제102조(분리과세대상 토지의 범위) ⑤ 법 제106조 제1항 제3호 마목에서 "대통령령으로 정하는 토지"란 다음 각 호에서 정하는 토지(법 제106조 제1항 제3호 다목에 따른 토지는 제외한다)를 말한다. 〈개정 2017.12.29., 2018.2.27.〉

1. 국가나 지방자치단체가 국방상의 목적 외에는 그 사용 및 처분 등을 제한하는 공장 구내의 토지
2. 「국토의 계획 및 이용에 관한 법률」, 「도시개발법」, 「도시 및 주거환경정비법」, 「주택법」 등(이

하 이 호에서 "개발사업 관계법령"이라 한다)에 따른 개발사업의 시행자가 개발사업의 실시계획승인을 받은 토지로서 개발사업에 제공하는 토지 중 다음 각 목의 어느 하나에 해당하는 토지

가. 개발사업 관계법령에 따라 국가나 지방자치단체에 무상귀속되는 공공시설용 토지

나. 개발사업의 시행자가 국가나 지방자치단체에 기부채납하기로 한 기반시설(「국토의 계획 및 이용에 관한 법률」 제2조 제6호의 기반시설을 말한다)용 토지

3. 「방위사업법」 제53조에 따라 허가받은 군용화약류시험장용 토지(허가받은 용도 외의 다른 용도로 사용하는 부분은 제외한다)와 그 허가가 취소된 날부터 1년이 지나지 아니한 토지
4. 「한국농어촌공사 및 농지관리기금법」에 따라 설립된 한국농어촌공사가 「혁신도시 조성 및 발전에 관한 특별법」 제43조 제3항에 따라 국토교통부장관이 매입하게 함에 따라 타인에게 매각할 목적으로 일시적으로 취득하여 소유하는 같은 법 제2조 제6호에 따른 종전부동산
5. 「한국수자원공사법」에 따라 설립된 한국수자원공사가 「한국수자원공사법」 및 「댐건설 및 주변지역지원 등에 관한 법률」에 따라 국토교통부장관이 수립하거나 승인한 실시계획에 따라 취득한 토지로서 「댐건설 및 주변지역지원 등에 관한 법률」 제2조 제1호에 따른 특정용도 중 발전·수도·공업 및 농업 용수의 공급 또는 홍수조절용으로 직접 사용하고 있는 토지

2018.1.1. 재산세(토지분) 과세대상의 구분체계를 개선하였다(법 제106조 ① 3호, 영 제102조 ⑤·⑥·⑦·⑧). 토지에 대한 재산세는 종합합산이 원칙[91]이고, 저율 분리과세는 일종의 세제혜택으로서 대상을 예외적으로 한정하여야 하나, 「지방세법」에서 과세대상 구분의 기준과 위임범위가 불명확하여, 정책 판단에 따라 저율 분리과세 대상이 확대되어 온 문제점이 있었다. 이에 대해 기타 분리과세대상을 한정할 수 있도록 위임규정을 법률에 명확히 하였다. 즉, 저율분리과세 토지와 유사한 토지 중 분리과세하여야 할 타당한 이유가 있는 것으로서 대통령령으로 정하는 토지로 규정하고 있던 것을 국가 및 지방자치단체 지원을 위한 특정목적 사업용 토지, 에너지·자원의 공급 및 방송·통신·교통 등의 기반시설용 토지, 국토의 효율적 이용을 위한 개발사업용 토지, 그 밖에 지역경제의 발전, 공익성의 정도 등을 고려하여 분리과세하여야 할 타당한 이유가 있는 토지로 체계적으로 구분하여 시행령에 위임하였다. 그에 따라 시행령에서 그동안 모든 토지가 한꺼번에 혼재되어 있던 것을 법에서 정한 각각의 토지의 성격에 맞게 재분류하였다.

91) 법령에서 분리과세 대상, 별도합산 대상 토지 등을 열거하고, 이에 해당하지 않은 토지는 종합합산 대상토지로 분류하고 있는데 이러한 입법체계를 고려할 때 종합합산 대상 토지를 기본 원칙으로 보는 측면이 있다.

1. 국방용 공장 구내 토지(⑤ 1)

국방상의 목적 외에는 그 사용 및 처분 등을 제한하는 공장 구내의 토지를 분리과세 대상이다. 읍·면지역, 산업단지, 공업지역에 소재하는 공장용지는 분리과세 대상이기 때문에 실익이 없지만, 이 외의 지역인 도시지역에 공장이 있는 경우에도 위 규정에 따라 분리과세 대상이라 할 것이다.

◎ 국방상의 목적 외에는 그 사용 및 처분을 제한받고 있는 경우는 분리과세대상

국가와 군수물품을 생산에 대한 매매계약 체결시 특약사항으로 지정된 "군수사업목적을 폐기하였을 때에는 계약을 해지한다"고 등기부등본상에 부기하였던 사항을 말소하였지만, 특약조항을 유지하는 상태에서 군수물품을 생산하고 있는 공장구내의 토지의 경우 국가와 매매계약 체결 시 등기부상에 "이 재산의 매수인이 매매계약 후 지정된 군수사업목적을 폐기하였을 때 매매계약을 해제할 수 있다"라는 특약 등기사항을 말소하였다 하더라도 당해 공장 구내의 토지가 당초 국가와의 매매계약서상의 관련 계약 내용에 따라 국방상의 목적 외에는 그 사용 및 처분을 제한받고 있는 경우라면 분리과세대상 토지로 보는 것이 타당(지방세정팀-2999, 2007.8.1.).

2. 기부채납예정 공공시설용 토지 등(⑤ 2)

기부채납 예정 도시·군계획시설용 토지를 분리과세 대상 토지로 구분하고 있다.

개발사업용 토지의 경우 종전까지는 도시개발구역(「도시개발법」) 및 경제자유구역개발구역(「경제자유구역법」) 내의 토지 중 주택건설용·산업단지용 토지에 한해 분리과세 대상으로 규정하고 있었고, 기부채납예정 공공시설용 토지에 대해서는 별도로 규정하지 않았다. 그에 따라 기부채납예정인 공공시설용 토지가 종합합산 대상토지인지에 대한 쟁점이 있었으나 대법원에서 주택건설용·산업단지용 토지에 부수되는 "기부채납 예정 도시·군계획시설용 토지[92]의 경우 판례에서 분리과세 대상 토지로 판단하였다.[93]

따라서 개발사업용 토지의 경우 주택건설용·산업단지용 토지에 부속되는 공공시설용 토지 등은 분리과세 대상이고 그에 부수되는 "기부채납 예정인 도시·군계획시설용 토지"도 분리과세 대상이다. 그런데 주택건설용·산업단지용이 아닌 상업용지·복합단지용 토지에 부수되는 공공시설용 토지의 경우 종합합산 대상토지로 구분될 소지가 있었다. 이에

92) 도시군계획시설은 「국토의 계획 및 이용에 관한 법률」 제2조 제7호의 기반시설 중 도시관리계획으로 결정된 도시계획시설을 의미, 동법 제2조 제13호의 공공시설 대비 범위가 약간 넓음.

93) 도시계획시설은 기부채납이 예정되어 있고 주택단지 건설을 위한 필수기반시설로서 주택건설용 토지에 해당함(대법원 2009두15760, 2010.2.11.).

대해 사업자 부담으로 공공시설을 설치하고 토지와 함께 무상 기부채납하는 점을 고려할 필요가 있었고, 그에 따라 상업용지에 있는 토지까지 모든 "기부채납 예정 도시·군계획시설용 토지"는 분리과세 대상 토지로 보완하였다(2013.1.1. 시행).

도시·군 관리계획으로 결정되지 않았더라도 기부채납 예정인 기반시설용 토지는 종전과 같이 분리과세가 적용될 수 있도록 보완하였다(2014.1.1. 시행). 이는 국가 등에 기부채납 예정인 "도시·군 계획시설용 토지"에 한정하여 분리과세를 적용함으로써 도시·군 계획시설로 결정되지 않은 기반시설(도서관, 문화시설 등)용 토지가 분리과세 대상에서 누락되는 문제점을 보완한 것이다.

| 참고_도시·군계획시설과 공공시설의 구별 |

| 도시기반시설 |

도시·군계획시설 : 「국토의 계획 및 이용에 관한 법률」 제2조 제7호의 기반시설 중 도시관리계획으로 결정된 도시계획시설

공공시설 : 국토의 계획 및 이용에 관한 법률 제2조 제13호의 공공시설
- 도로·공원·철도·수도,
- 항만·공항·광장·녹지·공공공지·공동구·하천·유수지·방화설비·방풍설비·방수설비·사방설비·방조설비·하수도·구거
- 행정청이 설치하는 주차장·운동장·저수지·화장장·공동묘지·봉안시설
- 「스마트도시 조성 및 산업진흥 등에 관한 법률」 제2조 제3호 다목에 따른 시설

- 도로·철도·항만·공항·주차장 등 교통시설
- 광장·공원·녹지 등 공간시설
- 유통업무설비, 수도·전기·가스공급설비, 방송·통신시설, 공동구 등 유통·공급시설
- 학교·공공청사·문화시설 및 공공필요성이 인정되는 체육시설 등 공공·문화체육시설
- 하천·유수지(遊水池)·방화설비 등 방재시설
- 장사시설 등 보건위생시설
- 하수도, 폐기물처리 및 재활용시설, 빗물저장 및 이용시설 등 환경기초시설

◎ 주택건설사업계획에 공여토지는 사업계획승인을 받고 다른 용도로 사용되지 않는 토지

재산세 분리과세 대상인 "사업계획의 승인을 받은 토지로서 주택건설사업에 공여되고 있는 토지"라 함은 「주택법」에 따른 주택건설사업계획의 승인을 받은 토지로서 주택건설사업의 부지로 제공되기 위하여 다른 용도로 사용되지 않고 있는 토지를 의미한다고 할 것임(법제처 법령해석 08-0373, 2009.1.21.).

3. 군용화약류 시험장용 토지

군용화약류 시험장용 토지를 분리과세 대상으로 규정하고 있다.

4. 한국농어촌공사의 공공기관 지방 이전 관련 일시취득 토지

○ 매입공공기관인 한국농어촌공사가 이전공공기관의 종전 부동산 처리계획에 따라 취득하여 과세기준일 현재 소유하고 있는 건축물 부속토지 및 일반토지에 대해 분리과세 적용. 해당 계획에 따라 취득한 토지가 아닌 경우 적용배제. 그리고 매각할 목적으로 일시적으로 취득하여 소유하는 경우로 한정되므로 해당 토지를 개발사업용으로 사용하는 경우는 토지 현황(기타 구분과세 요건)에 따라 과세(지방세운영과-1631, 2015.6.2.)

5. 수자원공사의 홍수조절용 토지 등

한국수자원공사의 정부계획에 따라 취득한 토지로서 발전·수도·공업 및 농업 용수의 공급 또는 홍수조절용으로 직접 사용하고 있는 토지를 분리과세 대상으로 규정하고 있다.

제106조 제1항 제3호 바목[분리과세 대상 기반시설용 토지(영 제102조 ⑥)]

법 제106조(과세대상의 구분) ① 토지에 대한 재산세 과세대상은 다음 각 호에 따라 종합합산과세대상, 별도합산과세대상 및 분리과세대상으로 구분한다.

3. 분리과세대상 : 과세기준일 현재 납세의무자가 소유하고 있는 토지 중 국가의 보호·지원 또는 중과가 필요한 토지로서 다음 각 목의 어느 하나에 해당하는 토지
   바. 에너지·자원의 공급 및 방송·통신·교통 등의 기반시설용 토지로서 대통령령으로 정하는 토지

영 제102조(분리과세대상 토지의 범위) ⑥ 법 제106조 제1항 제3호 바목에서 "대통령령으로 정하는 토지"란 다음 각 호에서 정하는 토지(법 제106조 제1항 제3호 다목에 따른 토지는 제외한다)를 말한다. 이 경우 제5호 및 제7호부터 제9호까지의 토지는 같은 호에 따른 시설 및 설비공사를 진행 중인 토지를 포함한다. 〈신설 2017.12.29.〉

1. 과세기준일 현재 계속 염전으로 실제 사용하고 있거나 계속 염전으로 사용하다가 사용을 폐지한 토지. 다만, 염전 사용을 폐지한 후 다른 용도로 사용하는 토지는 제외한다.
2. 「광업법」에 따라 광업권이 설정된 광구의 토지로서 산업통상자원부장관으로부터 채굴계획 인

가를 받은 토지(채굴 외의 용도로 사용되는 부분이 있는 경우 그 부분은 제외한다)

3. 「방송법」에 따라 설립된 한국방송공사의 소유 토지로서 같은 법 제54조 제1항 제5호에 따른 업무에 사용되는 중계시설의 부속토지
4. 「여객자동차 운수사업법」 및 「물류시설의 개발 및 운영에 관한 법률」에 따라 면허 또는 인가를 받은 자가 계속하여 사용하는 여객자동차터미널 및 물류터미널용 토지
5. 「전기사업법」에 따른 전기사업자가 「전원개발촉진법」 제5조 제1항에 따른 전원개발사업 실시계획에 따라 취득한 토지 중 발전시설 또는 송전·변전시설에 직접 사용하고 있는 토지(「전원개발촉진법」 시행 전에 취득한 토지로서 담장·철조망 등으로 구획된 경계구역 안의 발전시설 또는 송전·변전시설에 직접 사용하고 있는 토지를 포함한다)
6. 「전기통신사업법」 제5조에 따른 기간통신사업자가 기간통신역무에 제공하는 전기통신설비(「전기통신사업 회계정리 및 보고에 관한 규정」 제8조에 따른 전기통신설비를 말한다)를 설치·보전하기 위하여 직접 사용하는 토지(대통령령 제10492호 한국전기통신공사법 시행령 부칙 제5조에 따라 한국전기통신공사가 1983년 12월 31일 이전에 등기 또는 등록을 마친 것만 해당한다)
7. 「집단에너지사업법」에 따라 설립된 한국지역난방공사가 열생산설비에 직접 사용하고 있는 토지
8. 「한국가스공사법」에 따라 설립된 한국가스공사가 제조한 가스의 공급을 위한 공급설비에 직접 사용하고 있는 토지
9. 「한국석유공사법」에 따라 설립된 한국석유공사가 정부의 석유류비축계획에 따라 석유를 비축하기 위한 석유비축시설용 토지와 「석유 및 석유대체연료 사업법」 제17조에 따른 비축의무자의 석유비축시설용 토지, 「송유관 안전관리법」 제2조 제3호에 따른 송유관설치자의 석유저장 및 석유수송을 위한 송유설비에 직접 사용하고 있는 토지 및 「액화석유가스의 안전관리 및 사업법」 제20조에 따른 비축의무자의 액화석유가스 비축시설용 토지
10. 「한국철도공사법」에 따라 설립된 한국철도공사가 같은 법 제9조 제1항 제1호부터 제3호까지 및 제6호의 사업(같은 항 제6호의 경우에는 철도역사 개발사업만 해당한다)에 직접 사용하기 위하여 소유하는 철도용지
11. 「항만공사법」에 따라 설립된 항만공사가 소유하고 있는 항만시설(「항만법」 제2조 제5호에 따른 항만시설을 말한다)용 토지 중 「항만공사법」 제8조 제1항에 따른 사업에 사용하거나 사용하기 위한 토지. 다만, 「항만법」 제2조 제5호 다목부터 마목까지의 규정에 따른 시설용 토지로서 제107조에 따른 수익사업(이하 이 조에서 "수익사업"이라 한다)에 사용되는 부분은 제외한다.

1. 염전으로 사용되는 토지

과세기준일 현재 계속 염전으로 실제 사용하고 있거나 계속 염전으로 사용하다가 사용을 폐지한 토지는 분리과세 대상이다. 다만, 염전 사용을 폐지한 후 다른 용도로 사용하는 토지는 제외한다.

◎ 골프장사업계획 승인 등을 받은 전체 토지에 대하여 '염전 사용을 폐지한 후 다른 용도로 사용하는 토지'로 볼 수 있는지 여부는 사실관계 판단 사항

해당 토지 전체에 대하여 골프장사업계획 승인을 받아 공사착공신고를 완료하였고, 그 일부에 골프장공사 수행을 위한 가설건축물을 준공한 점 등을 고려할 때 관련법령상 다른 용도로 사용하는 토지에 해당한다고 보여져 재산세 분리과세대상으로 보기는 어렵다고 할 것임. 다만, 과세기준일 현재 공사가 진행되지 않는 부분의 경계가 명확히 구분되고 폐염전 상태 그대로 존치되고 있다는 사실이 객관적으로 명백히 확인된다면 재산세 분리과세 대상으로 볼 수 있을 것임. 사실관계 판단 사항임(지방세운영과-2149, 2012.7.10.).

◎ 염전으로 사용하다가 사용을 폐지한 토지라 하더라도 과세기준일 현재 산업폐기물매립장으로 사용되고 있는 토지라면 다른 용도로 사용하는 토지로 보아야 할 것이므로 분리과세 대상으로 볼 수 없음(지방세정팀-3180, 2007.8.10.).

◎ 당초 염전을 운영하던 자가 염전을 폐지한 후 소유권이 제3자에게 이전되었다 하더라도 폐염전의 분리과세대상 여부는 폐염전을 재산세 과세기준일(매년 6월 1일) 현재 타 용도로 사용하지 아니하고 있다면 지방세법 시행령 제132조 제4항 제3호에서 규정한 재산세 분리과세 대상임(지방세정팀-1796, 2007.5.17.).

2. 광구용 토지

광업권이 설정된 광구의 토지에 대하여 분리과세 대상으로 규정하고 있다. 채굴 외의 용도로 사용하는 경우 제외한다.

◎ 광업권이 설정된 광구 내의 유원지시설 사업용 토지는 분리과세 대상이 아님

「유원지실시계획인가」를 득하여 대부분의 토지도 유원지로 이용 중이거나 유원지 조성사업 부지 내 토지인 점, 도시계획시설(유원지)로 결정되는 경우 지상 · 수상 · 공중 · 수중 또는 지하는 건축물의 건축이나 공작물의 설치가 제한되는 점(국토계획법 제64조), 유원지 조성사업이 주변 환경과의 친밀도 · 경관 등을 최대한 활용하는 관광 · 레저 · 휴식 등 종합휴양시설 사업을 추진하고 있는 점, 구체적인 채광실적이나 채광계획에 대한 입증자료도 제시하지 않는 점 등을 고려할 때, 현재 광구용 토지로서의 기능을 사실상 상실하고, 유원지 조성사업에만 직 · 간접적으로 공여되는 토지로 보는 것이 타당하므로 분리과세 대상 토지로 보기 곤란(지방세운영과-2204, 2010.5.26.)

◎ '광업법에 의하여 광업권이 설정된 광구 내의 토지'라 함은 '과세기준일 현재 광업법에 의하여 광업권이 설정되어 있는 광구 내의 토지'만을 의미하므로, 광업권이 설정되었다가 소멸한 광구 내의 토지는 분리과세 대상에 포함되지 않음(대법원 2010두1507, 2010.5.27.).

3. 한국방송공사 중계시설용 토지

한국방송공사 소유의 토지로서 국가가 필요로 하는 대외방송과 사회교육방송 업무에 사용하는 중계시설의 부속토지는 분리과세 대상이다.

4. 여객 · 물류터미널용 토지

여객자동차터미널 및 물류터미널용 토지를 분리과세 대상으로 규정하고 있다.

◎ 일반화물터미널 부지 과세대상 구분

일반화물터미널이 화물유통촉진법 제28조에 의하여 공사시행 인가를 받은 기존사업자의 사업을 포괄 양 · 수도하여 인가받은 기존사업을 계속적으로 운영하고 있다면 인가를 받은 자가 계속하여 사용하는 화물터미널용 토지에 해당하는 것으로 보아야 할 것임(지방세정팀-4813, 2006.10.4.).

◎ 지방세법 시행령 제132조 제4항 제27호의 개정 입법취지와 주차장, 창고, 집배송센터 등으로 사용되고 있는 화물터미널용 토지의 분리과세 대상 요건

화물유통촉진법상 화물터미널이란 화물의 집하 · 하역 · 분류 · 포장 · 보관 또는 통관에 필요한 기능을 갖춘 시설물이고, 동법 시행규칙상(별표 1) 주차장, 화물취급장, 창고 및 배송센터 등의 시설을 구비하여야 하고, 「도시계획시설의 결정 · 구조 및 설치기준에 관한 규칙」 제31조 제2호에서 "화물터미널은 「화물유통촉진법」 제2조 제7호의 화물터미널로서 화물터미널 사업자가 「화물자동차 운수사업법 시행령」 제3조 제1호에 의한 일반화물자동차운송사업 또는 「해운법」 제2조 제3호의 규정에 의한 해상화물운송 사업에 제공하기 위하여 설치하는 터미널을 자동차 정류장"이라고 규정하고 있고, 동 규칙 제33조에서 자동차정류장에 설치할 수 있는 시설기준을 부대시설과 편익시설로 규정하고 있는 바 부대시설(주유소 · 자동차용 가스충전소 · 변전실 · 보일러실 · 공해방지시설 · 자동차정비시설 · 방송실 · 배차실 · 안내실 · 차고 · 세차장 · 종업원용휴게실 · 종업원용 목욕실 · 종업원용 기숙사 · 승무원대기실)은 화물터미널에 직접적으로 필요한 시설이라 할 수 있으므로 터미널용 토지로 볼 수 있으나, 편익시설은 자동차정류장에 필수불가결한 시설로 보기 어려우므로 터미널용 토지로 볼 수 없음(지방세정팀-4773, 2006.9.29.).

5. 전기사업용 토지

전기사업자가 전원개발사업 실시계획에 따라 취득한 토지 중 발전시설 또는 송전 · 변전시설에 직접 사용하고 있는 토지를 분리과세 대상으로 규정하고 있다.

◎ '발전시설 또는 송전·변전시설에 직접 사용하고 있는 토지'에는 발전시설 또는 송전·변전시설 자체가 들어서 있는 토지만이 아니라 그러한 시설들의 가동·운영에 필수불가결한 토지도 포함된다고 하겠으나, 그 외의 토지는 그러한 시설의 가동·운영과 관련이 있다 하더라도 여기에 포함된다고 할 수 없음(대법원 2009두5008 2011.7.14.).

◎ 발전시설 또는 송전·변전시설에 "직접적으로" 사용되지 않는 토지는 분리과세대상에서 제외된다고 보아야 하므로, 테니스장, 자재야적장, 전기설비 보수교육장, 창고 등으로 이용되거나 타인이 무상으로 임차하여 사용하고 있거나 일부 녹지 상태로 그대로 남아있는 토지는 분리과세 대상이 아님(대법원 2001두3525, 2003.8.22.).

◎ 발전소 저탄장 및 방풍림이 분리과세 대상에 해당한다는 사례
저탄장은 발전시설 바로 옆에 위치하고, 기계장비와 컨베이어를 통해 발전설비까지 탄을 운반하는 등 발전시설과 물리적·기능적으로 연계되어 있고, 원료를 수용할 저탄장은 발전을 위한 필수시설로 볼 수 있으며, 전원개발촉진법상 "전원설비"란 발전 등을 위한 전기사업용 전기설비와 그 부대시설을 말하며 그 부대설비로 발전을 위한 건물 및 구축물과 재료 적치장 등을 포함한다는 점을 종합할 때, 저탄장은 발전시설에 공여되고 있는 토지로 봄이 타당. 방풍림의 경우, 「대기환경보전법」상 저탄시설의 설치가 필요한 발전업 등 비산 먼지를 발생시키는 사업은 비산먼지 발생 억제시설을 설치하여야 하는 바, 관련법령에 의거 신고하고 설치된 시설인 점과, 발전을 위한 필수시설인 저탄장과 일체의 형태를 이루고 있는 점 등을 감안할 때, 저탄장뿐 아니라 이를 둘러싼 방풍림은 발전시설에 직접 사용하는 토지로써 분리과세 대상 토지임(지방세운영과-3726, 2010.8.19.).

◎ 원자력발전에 직접 사용하고 있는 토지로 볼 수 있는지 여부
전원개발사업의 실시계획의 승인을 받아 시설 및 설비공사를 진행 중인 토지를 포함하여 토지분 재산세 분리과세 대상인 발전시설에 직접 사용하는 토지라 함은 담장·철조망 등으로 구획된 경계구역 안에 설치 예정인 발전·송전·변전시설의 부속토지와 그 시설의 가동·유지·관리에 필수불가결한 배전반실, 보안시설(방카, 무기고, 망루), 창고, 사무실 등의 부속토지도 이에 해당됨(지방세정팀-2093, 2007.6.8.).

◎ 발전설비정비 등을 위탁업체에 임차한 경우 직접 사용되고 있는 토지에 해당
한전○○○에스 등이 이 사건 부동산을 임차하여 이를 사용, 수익하고 있다 하더라도 한전○○○에스 등은 원고로부터 발전설비 등의 정비 업무를 위탁받아 이를 수행하고 있는 업체로서 발전사업의 특성상 이 사건 발전소 내에서 그 업무가 이루어져야 하는 점, 주민들에게 전력을 안정적으로 공급함으로써 국민경제의 발전에 이바지할 필요가 있고, 이는 전기사업법상의 전기사업자인 원고가 그 설립목적에 따라 이 사건 부동산을 사용, 수익하고 있는 것

과 동일하게 평가할 수 있는 점 등에 비추어 볼 때 … '발전시설 또는 송전·변전시설에 직접 사용하고 있는 토지'에 해당(대법원 2016두47383, 2016.10.27.)

☞ '직접 사용'이란 당해 재산 용도가 직접 그 본래 업무에 사용하는 것이면 충분하고, 그 사용방법이 스스로 그와 같은 용도에 제공하거나 혹은 제3자에게 임대 또는 위탁하여 그와 같은 용도에 제공하는지 여부는 가리지 않는다고 할 것임(대법원 2008두15039, 2011.1.27.).

◎ 한국수력원자력 주식회사 토지의 분리과세 여부

'발전시설 또는 송전·변전시설에 직접 사용하고 있는 토지'에는 발전시설 또는 송전·변전시설 자체가 들어서 있는 토지만이 아니라 그러한 시설들의 가동·운영에 필수불가결한 토지도 포함되므로, 경계구역 내의 토지는 필수토지로 분리과세 대상이나 그 외 경계구역 밖의 나대지, 보안유지를 위한 임야, 공원용지 등은 포함된다고 할 수 없음(대법원 2009두5008, 2011.7.14.).

◎ 태양광시설이 설치된 부속토지의 경우 분리과세 대상인 발전시설용 토지로 볼 수 없음

전기사업자가 전기사업법에 따라 태양광 발전사업을 위해 ○○시장으로부터 허가를 받아 태양광 발전설비를 설치하여 전기사업을 추진하는 것으로 전원개발촉진법상 산업통상자원부장관으로부터 전원개발 실시계획승인을 받아 전기사업에 제공되는 토지가 아니라면 분리과세 대상에 해당되지 않음(지방세운영과-3544, 2015.11.9.).

6. 기간통신사업자의 전기통신설비용 토지

「전기통신사업법」에 의한 기간통신사업자의 전기통신설비용 토지를 분리과세 대상으로 규정하고 있다.

7. 지역난방공사 사업용 토지

한국지역난방공사의 열생산설비용 토지를 분리과세 대상으로 규정하고 있다. 이 경우는 시설 및 설비 공사가 진행 중인 경우도 분리과세 대상 토지에 포함된다.

8. 가스공사의 공급용 토지

한국가스공사의 가스공급 설비용 토지를 분리과세 대상으로 규정하고 있다. 이 경우는 시설 및 설비 공사가 진행 중인 경우도 분리과세됨에 주의하여야 한다.

9. 석유공사 비축용 토지

한국석유공사가 정부의 석유류비축계획에 따라 석유를 비축하기 위한 석유비축시설용 토지, 석유정제업자 등 석유비축의무자의 석유비축시설용 토지, 송유관설치자가 송유설비에 직접 사용하고 있는 토지 등을 분리과세 대상으로 규정하고 있다. 이 경우는 시설 및 설비공사가 진행 중인 경우도 동 토지에 대하여는 분리과세된다.

◎ **위험물안전관리법에 의하여 설치허가를 받은 저장시설이라면 물류센터(위험물안전관리법에 따라 설치허가를 받은 저장소)는 석유비축시설용 토지에 해당**

석유정제업자는 「석유 및 석유대체연료 사업법」에 따라 석유비축의무자이며, 석유저장시설을 갖추도록 되어 있고, 석유저장시설 범위를 위험물안전관리법에 의해 설치허가를 받은 저장시설로 규정하고 있으며, … 석유비축의무량 산정시 공장・수입기지의 저장탱크, 저유소, 송유관 부속저장시설 등을 열거하고 있고, 석유비축의무자가 비축하여야 하는 석유의 양과 운영재고량을 산자부장관이 고시토록 하고 있음. 따라서 석유정제업자로서의 석유비축의무자는 석유비축 의무량 중에서 비축과 판매가 동시에 이루어지기 때문에 설치허가를 받은 저장시설이라면 물류센터는 석유비축시설용 토지에 해당함(지방세정팀-5732, 2006.11.20.).

10. 철도공사의 사업용 토지 등

철도여객사업, 화물운송사업 등에 직접 사용하기 위하여 소유하고 있는 철도용지를 분리과세 대상으로 규정하고 있다.

11. 항만공사의 항만시설용 토지

항만공사가 소유하고 있는 항만시설용 토지 중 항만시설의 시설・개축 등 사업용 토지를 분리과세 대상으로 규정하고 있다. 당초 조례에서 규정하였으나 지방세법 시행령으로 이관함과 동시에 분리과세 범위를 일부 조정하였다(2011.5.30.).

◎ **울산항만공사가 소유하고 있는 토지를 선박제조회사 등에게 임대하여 선박제조용 등(조선용부지, 공장 부속토지 등)으로 사용하는 경우 분리과세 배제**

쟁점토지는 과세기준일 현재 선박제조회사 등에게 임대하여 선박제조, 공장 및 창고 부속토지, 적치장 등의 용도로 사용되고 있는 바, 항만법 제2조 제5호에서 열거하고 있는 항로 등의 수역시설, 방파제 등 외곽시설 … 등에 해당되는 것으로 볼 수 없으며, 항만공사법 제8조 제1항에 따른 항만시설의 신설・개축・유지・보수 및 준설 등에 관한 공사의 시행, … 물류시설

운영업 등 항만공사의 사업에 사용하는 토지로도 보기 어렵다 할 것임. 따라서, 쟁점 토지는 항만법 제2조 제5호 및 항만공사법 제8조 제1항에 따른 사업에 사용하거나 사용하기 위한 토지로 볼 수 없어, 수익사업 사용 여부와 관계없이 분리과세 요건을 충족하지 아니함(지방세운영과-205, 2015.1.21.).

제106조 제1항 제3호 사목[분리과세 대상 개발사업용 토지(영 제102조 ⑥)]

법 제106조(과세대상의 구분) ① 토지에 대한 재산세 과세대상은 다음 각 호에 따라 종합합산과세대상, 별도합산과세대상 및 분리과세대상으로 구분한다.

3. 분리과세대상 : 과세기준일 현재 납세의무자가 소유하고 있는 토지 중 국가의 보호·지원 또는 중과가 필요한 토지로서 다음 각 목의 어느 하나에 해당하는 토지
   사. 국토의 효율적 이용을 위한 개발사업용 토지로서 대통령령으로 정하는 토지

영 제102조(분리과세대상 토지의 범위) ⑦ 법 제106조 제1항 제3호 사목에서 "대통령령으로 정하는 토지"란 다음 각 호에서 정하는 토지(법 제106조 제1항 제3호 다목에 따른 토지는 제외한다)를 말한다. 다만, 제9호 및 제11호에 따른 토지 중 취득일로부터 5년이 지난 토지로서 용지조성사업 또는 건축을 착공하지 않은 토지는 제외한다.

1. 「공유수면 관리 및 매립에 관한 법률」에 따라 매립하거나 간척한 토지로서 공사준공인가일(공사준공인가일 전에 사용승낙이나 허가를 받은 경우에는 사용승낙일 또는 허가일을 말한다)부터 4년이 지나지 아니한 토지
2. 「금융회사부실자산 등의 효율적 처리 및 한국자산관리공사의 설립에 관한 법률」 제6조에 따라 설립된 한국자산관리공사 또는 「농업협동조합의 구조개선에 관한 법률」 제29조에 따라 설립된 농업협동조합자산관리회사가 타인에게 매각할 목적으로 일시적으로 취득하여 소유하고 있는 토지
3. 「농어촌정비법」에 따른 농어촌정비사업 시행자가 같은 법에 따라 다른 사람에게 공급할 목적으로 소유하고 있는 토지
4. 「도시개발법」 제11조에 따른 도시개발사업의 시행자가 그 도시개발사업에 제공하는 토지(주택건설용 토지와 산업단지용 토지로 한정한다)와 종전의 「토지구획정리사업법」(법률 제6252호 토지구획정리사업법폐지법률에 의하여 폐지되기 전의 것을 말한다. 이하 이 호에서 같다)에 따른 토지구획정리사업의 시행자가 그 토지구획정리사업에 제공하는 토지(주택건설용 토지와 산업단지용 토지로 한정한다) 및 「경제자유구역의 지정 및 운영에 관한 특별법」 제8조의3에 따른 경제자유구역 또는 해당 단위개발사업지구에 대한 개발사업시행자가 그 경제자유구역개발사업에 제공하는 토지(주택건설용 토지와 산업단지용 토지로 한정한다). 다만, 다음 각 목의 기간 동안만 해당한다.
   가. 도시개발사업 실시계획을 고시한 날부터 「도시개발법」에 따른 도시개발사업으로 조성된 토지가 공급 완료(매수자의 취득일을 말한다)되거나 같은 법 제51조에 따른 공사 완료 공

고가 날 때까지

나. 토지구획정리사업의 시행인가를 받은 날 또는 사업계획의 공고일(토지구획정리사업의 시행자가 국가인 경우로 한정한다)부터 종전의 「토지구획정리사업법」에 따른 토지구획정리사업으로 조성된 토지가 공급 완료(매수자의 취득일을 말한다)되거나 같은 법 제61조에 따른 공사 완료 공고가 날 때까지

다. 경제자유구역개발사업 실시계획 승인을 고시한 날부터 「경제자유구역의 지정 및 운영에 관한 특별법」에 따른 경제자유구역개발사업으로 조성된 토지가 공급 완료(매수자의 취득일을 말한다)되거나 같은 법 제14조에 따른 준공검사를 받을 때까지

5. 「산업입지 및 개발에 관한 법률」 제16조에 따른 산업단지개발사업의 시행자가 같은 법에 따른 산업단지개발실시계획의 승인을 받아 산업단지조성공사에 제공하는 토지. 다만, 다음 각 목의 기간 동안만 해당한다.

가. 사업시행자가 직접 사용하거나 산업단지조성공사 준공인가 전에 분양·임대 계약이 체결된 경우 : 산업단지조성공사 착공일부터 준공인가일과 토지 공급 완료일(매수자의 취득일, 임대차 개시일 또는 건축공사 착공일 등 해당 용지를 사실상 사용하는 날을 말한다. 이하 이 호에서 같다) 중 빠른 날

1) 준공인가일

2) 토지 공급 완료일(매수자의 취득일, 임대차 개시일 또는 건축공사 착공일 등 해당 용지를 사실상 사용하는 날을 말한다. 이하 이 호에서 같다)

나. 산업단지조성공사 준공인가 후에도 분양·임대 계약이 체결되지 않은 경우 : 산업단지조성공사 착공일부터 준공인가일 후 5년이 경과한 날과 토지 공급 완료일 중 빠른 날

1) 준공인가일 후 5년이 경과한 날

2) 토지 공급 완료일

6. 「산업집적활성화 및 공장설립에 관한 법률」 제45조의 9에 따라 설립된 한국산업단지공단이 타인에게 공급할 목적으로 소유하고 있는 토지(임대한 토지를 포함한다)

7. 「주택법」에 따라 주택건설사업자 등록을 한 주택건설사업자(같은 법 제11조에 따른 주택조합 및 고용자인 사업주체와 「도시 및 주거환경정비법」 제24조부터 제28조까지 또는 「빈집 및 소규모주택 정비에 관한 특례법」 제17조부터 제19조까지의 규정에 따른 사업시행자를 포함한다)가 주택을 건설하기 위하여 같은 법에 따른 사업계획의 승인을 받은 토지로서 주택건설사업에 제공되고 있는 토지(「주택법」 제2조 제11호에 따른 지역주택조합·직장주택조합이 조합원이 납부한 금전으로 매수하여 소유하고 있는 「신탁법」에 따른 신탁재산의 경우에는 사업계획의 승인을 받기 전의 토지를 포함한다)

8. 「중소기업진흥에 관한 법률」에 따라 설립된 중소벤처기업진흥공단이 같은 법에 따라 중소기업자에게 분양하거나 임대할 목적으로 소유하고 있는 토지

9. 「지방공기업법」 제49조에 따라 설립된 지방공사가 같은 법 제2조 제1항 제7호 및 제8호에 따른 사업용 토지로서 타인에게 주택이나 토지를 분양하거나 임대할 목적으로 소유하고 있는 토지(임대한 토지를 포함한다)

10. 「한국수자원공사법」에 따라 설립된 한국수자원공사가 소유하고 있는 토지 중 다음 각 목의 어느 하나에 해당하는 토지(임대한 토지는 제외한다)

가. 「한국수자원공사법」 제9조 제1항 제5호에 따른 개발 토지 중 타인에게 공급할 목적으로 소유하고 있는 토지

나. 「친수구역 활용에 관한 특별법」 제2조 제2호에 따른 친수구역 내의 토지로서 친수구역조성사업 실시계획에 따라 주택건설에 제공되는 토지 또는 친수구역조성사업 실시계획에 따라 공업지역(「국토의 계획 및 이용에 관한 법률」 제36조 제1항 제1호 다목의 공업지역을 말한다)으로 결정된 토지

11. 「한국토지주택공사법」에 따라 설립된 한국토지주택공사가 같은 법에 따라 타인에게 토지나 주택을 분양하거나 임대할 목적으로 소유하고 있는 토지(임대한 토지를 포함한다) 및 「자산유동화에 관한 법률」에 따라 설립된 유동화전문회사가 한국토지주택공사가 소유하던 토지를 자산유동화 목적으로 소유하고 있는 토지

12. 「한국토지주택공사법」에 따라 설립된 한국토지주택공사가 소유하고 있는 비축용 토지 중 다음 각 목의 어느 하나에 해당하는 토지

가. 「공공토지의 비축에 관한 법률」 제14조 및 제15조에 따라 공공개발용으로 비축하는 토지

나. 「한국토지주택공사법」 제12조 제4항에 따라 국토교통부장관이 우선 매입하게 함에 따라 매입한 토지(「자산유동화에 관한 법률」 제3조에 따른 유동화전문회사등에 양도한 후 재매입한 비축용 토지를 포함한다)

다. 「혁신도시 조성 및 발전에 관한 특별법」 제43조 제3항에 따라 국토교통부장관이 매입하게 함에 따라 매입한 같은 법 제2조 제6호에 따른 종전부동산

라. 「부동산 거래신고 등에 관한 법률」 제15조 및 제16조에 따라 매수한 토지

마. 「공익사업을 위한 토지 등의 취득 및 보상에 관한 법률」 제4조에 따른 공익사업(이하 이 목 및 바목에서 "공익사업"이라 한다)을 위하여 취득하였으나 해당 공익사업의 변경 또는 폐지로 인하여 비축용으로 전환된 토지

바. 비축용 토지로 매입한 후 공익사업에 편입된 토지 및 해당 공익사업의 변경 또는 폐지로 인하여 비축용으로 다시 전환된 토지

사. 국가·지방자치단체 또는 「국가균형발전 특별법」 제2조 제9호에 따른 공공기관으로부터 매입한 토지

아. 2005년 8월 31일 정부가 발표한 부동산제도 개혁방안 중 토지시장 안정정책을 수행하기 위하여 매입한 비축용 토지

자. 1997년 12월 31일 이전에 매입한 토지

1. 공유수면 매립 토지

「공유수면 관리 및 매립에 관한 법률」에 따라 매립하거나 간척한 토지로서 공사준공인가일(공사준공인가일 전에 사용승낙이나 허가를 받은 경우에는 사용승낙일 또는 허가일을 말한다)부터 4년이 지나지 아니한 토지는 용도구분에 관계없이 분리과세 대상이다. 준공일(사실상 사용일)로부터 4년 이내에 양도하였다면 그 매수인에게도 준공일(사실상 사용일)로부터 4년이 경과하기 전까지는 분리과세 대상이다.

◎ 매립 및 간척 후 4년 이내 토지는 용도구분 없이 분리과세 대상임

「공유수면 관리 및 매립에 관한 법률」에 따라 매립하거나 간척한 후 4년이 지나지 아니한 토지는 다른 자에게 양도하거나 매립목적을 변경하여 사용하는 경우에도 분리과세 대상이 됨(법제처-15-0224, 2015.7.28.).

◎ 공유수면매립 준공완료일부터 4년이 경과되었지만 기반시설공사가 완료되지 않아 사용이 불가할 경우 토지분 재산세 과세구분은 실제 사용현황에 따라 결정되어야 함(지방세운영과-717, 2009.2.16.).

◎ 공유수면매립기본계획에 의거 기존의 제방을 철거, 잡종지로 공사를 완료한 경우 … 기존의 제방을 잡종지로 지목 변경한 것은 공유수면매립으로 보기는 어려움. 분리과세 대상 아님(지방세정팀-4862, 2007.11.19.).

◎ 대중골프장용 토지는 세율 적용에 있어 별도합산과 분리과세, 인천광역시 중구세감면조례의 요건에 동시 해당되지만 동일한 요건이라면 납세자에게 유리한 해석을 적용하는 것이 합리적이라 할 것이므로, 당해 토지는 지방세법 제132조 제4항 제7호에서 규정한 「공유수면매립법」에 의하여 매립된 토지로서 공사준공 인가일(2006.2.9. 인가)로부터 4년이 경과되지 아니한 토지에 해당하기 때문에 분리과세 대상토지임(지방세정팀-5028, 2006.10.16.).

2. 한국자산관리공사 등의 매각 목적 토지

한국자산관리공사와 농업협동조합자산관리회사가 타인에게 매각목적으로 일시 소유하는 토지를 분리과세 대상으로 규정하고 있다.

3. 농어촌정비사업자의 공급용 토지

농어촌정비사업자의 공급 목적용 토지는 분리과세 대상 토지이다.

4. 도시개발사업용 토지 등

도시개발사업에 제공되는 토지(주택건설용 및 산업단지용 토지에 한함), 토지구획정리사업에 제공되는 토지(주택건설용 및 산업단지용 토지에 한함), 경제자유구역개발사업에 제공되는 토지(주택건설용 및 산업단지용 토지에 한함) 등은 분리과세 대상이다(도시개발사업 2004년 시행, 경제자유구역개발사업용 토지는 2009년부터 적용). 한국토지주택공사나 지방공사가 도시개발사업을 추진하는 경우는 관련규정에 따라 분리과세 된다. 해당 규정은 민간이 추진하는 경우가 그 대상이라 할 것이다.

도시개발사업에 제공되는 주택건설용 및 산업단지조성용 토지에 대한 분리과세는 2004년에 도입되었는데 당시 종합토지세가 분리과세되는 한국토지공사 등과 주택사업자가 공급하는 주택지 등과의 형평을 고려한 것이다. 아울러 도시개발사업의 시행자가 도시개발사업을 보다 효율적으로 수행할 수 있도록 하기 위하여 공익적인 목적으로 사용되는 토지를 종합합산과세표준에서 제외하여 예외적으로 저율의 분리과세를 함으로써 조세부담을 경감해 주는 취지이다(대법원 2009두15760).

도시개발법에 따른 사업진행 과정을 보면 먼저 사업구역내 토지를 확보하고 실시계획인가를 받아 토지를 조성하고, 조성된 토지를 제3자에게 공급한다. 도시개발사업으로 토지조성이 완료되면 제3자가 토지를 취득하는데(완료전이라도 제3자가 취득·사용할 수 있음), 이때 주택건설을 위해 주택건설사업자가 취득하여 주택건설사업계획승인을 받으면 해당 사업자에게는 제7항 제7호에 따른 분리과세 대상이 된다. 사업시행자 자신이 조성된 토지에 또는 조성된 토지의 일부에 직접 건축공사(주택건설, 상업시설 건설 등)를 시행하는 경우도 있을 수 있다.

도시지역이기 때문에 주로 주택용지를 공급하는데 도시개발사업의 일부로 산업단지를 개발하는 경우도 있을 수 있다(산입법 제19조 ① 27호). 그리고 도시개발사업으로 국가나 지자체에 무상귀속되는 공공시설용지 및 기부채납하기로 한 기반시설용 토지를 공급하는데 이러한 토지는 제5항 제2호에 따라 분리과세가 된다. 나머지 상업용지, 복합용지 등은 조성중에 있는 토지라도 종합합산 대상이 된다.

분리과세대상 토지의 범위에 사업시행자가 소유하지 않은 토지가 분리과세 대상인지에 대한 쟁점이 있을 수 있다. 도시개발사업은 일정비율의 토지소유권을 확보하면 사업진행이 가능하다. 더구나 환지방식의 경우 기존 토지소유자가 소유권이 있는 상태에서 사업이 진행된다. 하지만 실시계획인가가 나면 사업구역내 토지는 사업시행자의 개발계획하에 들어가기 때문에 개인이 임의로 토지를 사용할 수 없다. 따라서 사업시행자가 아닌 토지도 실시계획인가로 해당 사업에 제공되는 토지라면 분리과세 대상이 된다. 다만, 건축물의 부속토지이거나 수익사업에 사용하는 경우에는 분리과세 대상으로 볼 수 없다.

한편, 도시개발법에 따른 사업의 실시계획을 인가하고 있는 다른 법에 의한 개발사업도 분리과세 대상으로 볼 수 있는지에 대하여, 국민임대주택건설 등에 관한 특별조치법(현 공공주택 특별법)에 따른 사업의 경우 사업의 성격 및 법적절차를 고려하여 도시개발사업에 공여하는 토지로 보아 분리과세 대상으로 보았다(지방세정팀-560, 2008.2.11.). 그런데 제4호에서 분리과세 대상을 도시개발법 및 구 토지구획정리사업법, 경제자유구역의 지정 및 운영에 관한 특별법으로 한정하고 있기 때문에 특별한 사정이 없는 한 그 범위를 엄격하게 적용해야 할 것이다.

◎ **공사재개 노력을 계속한 경우 '도시개발사업에 제공하는 토지'라는 사례**
과세기준일 현재 공사가 70%까지 진행되어 있는 상태에서 타 용도로 사용되지 아니하고 있는 점, 이해관계자간의 각종 대책회의, 과세관청의 중재노력, 시공사 재선정 노력 등 공사재개를 위한 제반업무가 지속적으로 이루어지고 있었던 점, 사업지구 내 조합사무실이 존치하고 조합장 · 직원(2명)에 대한 급여가 매월 지급되고 있는 점 등을 고려할 때 쟁점토지는 분리과세 대상으로 보는 것이 타당(지방세운영과-2478, 2011.5.30.)

◎ **도시개발사업구역 내 분리과세 대상 '주택건설용 토지' 판단 기준**
도시개발사업 실시계획이 고시되었다 하여 실시계획 고시시점부터 사업지구 내 모든 토지에 대해 바로 '주택건설용 토지'로 보는 것이 아니라 개별 토지의 이용현황에 따라 판단하여야 하는 바, 과세기준일 현재 주택 · 건축물 부속토지로 사용되고 있는 경우라면 그 해당 용도의 토지이지 주택건설에 제공하는 토지로 보기가 어렵고, 다만 당해 사업지구가 '면'지역으로써, 제132조 제1항 제2호 가목의 전 · 답 · 과수원으로서 과세기준일 현재 실제 영농에 사용되고 있는 개인이 소유하는 농지에 해당한다면 분리과세(0.07%)를 계속적용 가능하고,… ③ 한편, 나대지 등 당초 종합합산 대상 토지의 경우 주택건설사업의 부지로 제공되기 위하여 '주차장, 적치장 등' 다른 용도로 사용되지 않고 있는 토지라면 주택건설용 토지로 볼 수 있음(지방세운영과-4134, 2010.9.7.).

◎ 과세기준일(6.1.) 현재 도시개발사업 실시계획이 고시되고 그 사업이 진행 중인 경우라면 도시개발사업시행자가 그 도시개발사업에 공여하는 토지 중 기부채납예정인 공공시설용토지에 대하여는 분리과세 대상임(지방세운영과-2218, 2008.11.19.).

◎ **도시개발사업구역 내 근린생활시설부지는 주택건설사업을 할 경우 의무적으로 설치하는 필수부대시설로 볼 수 없으므로 주택건설용 토지로 볼 수 없어 분리과세 대상이 아님**
'주택건설용 토지'의 범위는 도시개발사업시행자가 재산세 과세기준일 현재 그 도시개발사업에 공여하는 주택건설용 토지로서 단독 · 공동주택용지를 의미하며, 상업기능 및 업무기능을 보완하는 준주거용지에 대하여는 주택건설용 토지로 볼 수 없으며, 공동주택용지 중 근린생활시설부지는 주택건설사업을 할 경우 의무적으로 설치하는 필수부대시설로 보기에는 그 상당성이 없으므로 주택건설용 토지로 볼 수 없다(심사 2007-270, 2007.5.28.)할 것임(지방세운영과-794, 2008.8.26.).

◎ **「국민임대주택건설 등에 관한 특별조치법」에 의하여 실시계획 승인을 받은 경우라면 도시개발사업에 공여하고 있는 주택건설용 토지로 보아 분리과세 대상임**
「국민임대주택건설 등에 관한 특별조치법」에 따라 실시계획 승인이 있는 때에는 도시개발법 제11조의 규정에 의한 사업시행자의 지정 및 동법 제17조 규정에 의한 실시계획 인가가 있는 것으로 의제하고 있으므로 지방세법 시행령 제132조 제4항 제24호에서 규정하고 있는 도시개발사업에 공여하는 토지라 할 것이며, 도시개발사업의 시행자가 그 도시개발사업에 공여하는 주택건설용 토지의 범위는 그 사업방식 또는 소유 여부에 따라 판단할 것이 아니라 당해 도시개발사업에 공여하고 있는 모든 주택건설용 토지로 보는 것이 타당함(지방세정팀-560, 2008.2.11.).

◎ 도시개발사업시행자의 체비지가 주택건설용지로 지정된 경우는 분리과세 대상이라는 사례

도시개발사업시행자가 도시개발사업에 필요한 사업비의 충당을 위해 유보한 체비지라도 도시개발법 제25조 규정에 의한 조성토지의 공급계획(구 토지구획정리사업법에 의한 토지구획정리사업계획)에 의거 주택건설용 토지로 지정되어 개발중인 경우 도시개발사업의 시행자가 도시개발사업에 공여하는 토지로 보아 분리과세하는 것이 타당함(지방세정팀-158, 2006.1.13.).

◎ 종전과 같이 농지로 경작하고 있다 하더라도 주택건설사업에 제공된 토지로 본다는 사례

농지로 경작하였다고 하더라도, 이는 사업시행자의 환지예정지 지정이나 환지처분 등에 관한 권한을 배제하지 아니한 채 일시적으로 사용하고 있는 것에 불과하고, 환지예정지 지정이나 환지처분이 있을 경우 이 사건 각 토지에 대한 권리를 상실함. 제24호는 과세대상 물건의 현황과 무관하게 도시개발사업의 시행자가 그 도시개발사업에 제공하는 토지에 대하여 일정기간 저율의 분리과세를 하겠다는 취지로 보임. 제5항은 모두 31목으로 나누어 각 목에서 정하는 시설, 설비, 용도 등에 직접 사용되고 있는 경우와 그렇지 아니한 경우를 명백히 구분하여 분리과세대상 토지의 범위를 규정하고 있는데, 그 중 제24호는 분리과세대상 토지를 도시개발사업의 시행자가 그 도시개발사업에 '제공하는' 주택건설용 토지와 산업단지용 토지라고 규정하고 있을 뿐임(대법원 2013두8622, 2013.8.30.).

◎ 시가지조성사업에 제공하는 주택건설용 토지는 분리과세대상 토지에 해당하지 않음

지방세법 시행령 제132조 제5항 각 호는 예시적 규정이 아니라 한정적 규정으로 보아야 하는 점(대법원 99두7265, 2001.5.29.), 따라서 제24호가 규정한 분리과세 토지는 원칙적으로 도시개발법의 규율을 받는 도시개발 사업에 제공하는 주택건설용 토지와 산업단지용 토지로 제한된다고 봄이 위 규정의 취지나 성격에 부합하는 점, 종전의 도시계획법에 따라 규율되는 도시계획사업과 도시개발법에 따른 도시개발사업은 그 시행방식이나 수용권 행사의 요건 등에 차이가 있는 점 등을 종합하여 보면, 도시개발법 시행 이후에도 종전의 도시계획법에 따라 규율되는 시가지조성사업에 제공하는 주택건설용 토지는 제24호에 따른 분리과세대상 토지에 해당하지 않음(대법원 2011두23665, 2013.7.25. 등).

◎ **도시개발사업 지구 내 체비지 및 보류지로 지정된 토지 중 그 용도가 주차장, 공공청사, 학교, 문화집회시설 용지인 경우 분리과세에 해당된다고 한 사례**

분리과세대상인 '도시개발사업에 공여하는 주택건설용 토지'라 함은 주택부지만을 의미하는 것이 아니라 주택건설에 필수불가결하게 수반되는 시설용 토지(도로 등 교통시설, 공원, 녹지, 학교 등은 입주민들의 생활편익과 쾌적한 주거환경을 위한 공공시설 또는 기반시설용 토지)를 포함하는 것으로 봄이 상당하고(대법원 2009두15760, 2010.2.11.), 동 공공시설이 체비지・보류지로 지정된 경우에도 동일함(대법원 2012두10086, 2013.6.13.).

◎ **과세기준일 현재 도시지역의 농지로서 '상업지역' 안에 있는 토지는 종합합산대상**

청구인은 쟁점 토지가 서류상으로만 대지로 변경되어 있을 뿐 현황은 농지 그대로이고, 토공사나 도로공사가 전혀 이루어지지 않아 건물을 지을 수도 없는 상태이므로 현황에 따라 분리과세대상이라 주장하나, 과세기준일 현재 도시지역의 농지로서 '상업지역' 안에 있는 토지로 나타나는 이상 분리과세대상에는 해당되지 아니하는 것으로 보아야 할 것이고, 쟁점토지에 토공사나 도로공사가 전혀 이루어지지 않았다는 등의 사정은 이와 같은 판단에 영향을 미칠 수 없음. 따라서 과세기준일 현재 용도지역이 상업지역으로 나타나는 쟁점토지를 종합합산과세대상으로 구분하여 재산세 등을 부과 고지한 처분은 달리 잘못이 없는 것으로 판단됨(조심 2012지75, 2012.7.26.).

◎ **경제자유구역개발사업구역의 골프장 내 주택건설목적의 토지는 분리과세 대상**

경제자유구역개발지침상 골프장 내 주택단지 조성목적 토지의 경우 골프장과 독립된 "주택건설용 토지"로 보이고, 제5항의 분리과세 대상 토지는 시설・설비・용도 등에 직접 사용되고 있는 경우와 그렇지 아니한 경우를 구분하고 있는 바(대법원 2013두8622), 제24호의 경우 직접 사용되고 있는 토지로 그 대상을 한정하지 않으므로, 주택건설에 직접 사용하지 않더라도 사업시행인가 계획에 따라 주택건설이 예정된 토지라면 개발사업에 "제공하는 주택건설용 토지"로 볼 수 있음. 다만, 장기간 사업진행이 중단되어 실시계획인가가 형식적으로만 유지되고, 본래의 기능은 상실하였거나 다른 용도로 전용된 것이 입증되는 경우라면 그렇지 아니하며, 사업시행 의지와 노력, 전체 개발사업 규모와 세부 단위사업과의 관계, 진행상황 등을 고려하여 판단할 사안(지방세운영과-1448, 2015.5.12.)

◎ **경제자유구역 개발사업구역내 토지가 실시계획승인으로 녹지지역에서 주거지역으로 변경되면서 종합합산 과세되었으나 이후 실시계획이 실효되더라도 재산세의 소급정정은 불가**

행정행위의 실효란 그 효력이 행정청의 의사와 관계없이 일정한 사실의 발생에 의해 장래를 향해 당연히 소멸되는 것을 의미하는 바, 「경제자유구법」 제12조에서 '사업 착수기한까지 그 사업에 착수하지 아니하면 그 실시계획의 승인은 효력을 잃게 되므로, 착수기한까지 사업에 착수하지 아니하여 그 익일부터 당해 실시계획승인은 그 효력을 잃었고, 그 이전까지는 유지되었다고 봐야 함. 따라서 또한 재산세는 매년 독립적으로 납세의무가 발생하는 것으로 과세기준일 현재 토지의 현황이나 이용상황에 따라 과세하는 것(대법원 95누7857 등)이므로 … 과세된 재산세는 변경될 수 없음(지방세운영과-2434, 2010.6.12.).

◎ **도시개발사업에 제공하는 토지 중 상업용지(주상복합용지)를 분리과세대상 토지로 볼 수 없음**

분리과세대상인 도시개발사업에 제공하는 주택건설용 토지라 함은 주택건설에 필수불가결하게 수반되는 시설용 토지를 말한다 할 것이므로, 주택용지가 아닌 준주거 및 상업용지는 주거기능을 위주로 이를 지원하는 일부 상업기능 및 업무기능을 보완하기 위하여 필요한 지역으로서 주택건설에 필수불가결하게 수반되는 시설용 토지가 아니라 하겠으므로 재산세 분리과세대상에 해당한다고 보기는 어려움(부동산세제과-1077, 2020.5.14.).

5. 산업단지 개발사업 시행자의 조성공사용 토지

산업단지조성공사 시행자가 산업단지조성공사를 시행하고 있는 토지를 분리과세 대상으로 규정하고 있다(1999년). 이 규정을 적용할 때에는 산업단지 개발사업시행자에 대한 감면(지방세특례제한법 제76조) 규정과 함께 검토가 필요하다.

분리과세 적용은 산업단지개발실시계획의 승인을 받아 산업단지조성공사에 제공하는 토지로 한정했기 때문에 주로 조성공사 기간에만 인정되었다. 그러나 조성공사 준공 이후에도 장기간 미분양 상태로 존치하고 있는 토지에 대해 종합합산 대상이 되어 기업의 부담으로 작용하였다. 이에 따라 2021년부터 조성공사 준공이후에도 일정기간 분리과세 대상으로 확대하였다.

사업시행자가 직접 사용하거나 산업단지조성공사 준공인가 전에 분양·임대 계약이 체결된 경우에는 준공인가일까지로 하되, 토지 공급이 완료된 날까지 적용한다. 이 경우 매수자의 토지 취득시기가 도래하지 않더라도 임대차 개시일 또는 건축공사 착공일 등 해당 용지를 사실상 사용을 시작했다면 그 날까지 분리과세 한다.

산업단지조성공사 준공인가 후에도 분양·임대 계약이 체결되지 않은 경우에는 준공인가일 후 5년이 경과한 날까지 분리과세를 적용한다. 그리고 2021.1.1. 전에 산업단지조성공사의 준공인가를 받았으나 여전히 분양·임대 계약이 체결되지 않은 토지에 대해서는 2021.1.1.을 준공인가일로 보아 5년까지 분리과세를 적용한다(부칙 제4조).

◎ **「신탁법」에 따른 신탁계약을 체결하여 수탁자 명의의 토지인 경우 분리과세 적용 배제**

분리과세가 되기 위해서는 ① 산업입지법에 따른 사업시행자로 지정을 받은 자가 소유하고 있는 토지이어야 하고, ② 산업단지개발실시계획의 승인을 받아야 하며, ③ 산업단지조성공사를 시행하고 있는 토지이어야 할 것임. 쟁점 부동산 소유자인 ㈜○○는 2008.8.8. 사업시행자 지정 및 개발계획 승인을 받은 후 2013.11.15. ㈜△△신탁과 신탁계약 체결 및 신탁등기를 완료하였고, 신탁계약을 체결한 ㈜△△신탁은 사업시행자 지정을 받지 않은 상태이며, 대법원에서는 부동산을 신탁하여 수탁자 앞으로 소유권이전등기를 마치게 되면 그 소유권은 대내외적으로 수탁자에게 완전히 이전되고, 위탁자와의 내부관계에서조차 위탁자에게 유보되어 있는 것이 아니라고 판시하고 있어, 쟁점 토지의 소유권은 ㈜△△신탁에 있고, 사업시행자로 지정을 받지 않은 이상, 사업시행자가 소유하고 있는 토지로 볼 수 없어 분리과세대상으로 보기 곤란(지방세운영과-381, 2014.12.24.).

◎ **「기업도시개발 특별법」에 따른 실시계획 승인을 받은 토지는 분리과세대상이 아님**

「기업도시개발 특별법」에서는 도시개발법에 따른 도시개발사업에 관한 실시계획의 인가에 대하여만 의제하고 있을 뿐, 도시개발사업의 시행자의 지정 등 사업시행자의 지위에 대하여는 의제하는 규정이 없어 두 가지 요건이 모두 충족되지 못하므로 제24호의 분리과세규정에는 해당되지 아니함(지방세운영과-796, 2014.3.10.).

◎ 산업단지를 조성하는 사업시행자가 토지를 수용하는 과정에서 불가피하게 산업단지 외부의 토지(잔여지)도 함께 취득하는 경우, 해당 잔여지는 분리과세 대상에 해당되지 아니함(지방세운영과-380, 2016.2.12.).

6. 산업단지공단의 공급용 토지

한국산업단지공단이 타인에게 공급할 목적으로 소유하고 있는 토지를 분리과세 대상으로 규정하고 있다(1997년).

7. 주택건설 사업용 토지

주택건설 사업에 공여되고 있는 토지를 분리과세 대상으로 구분한 것은 주택건설사업자에 대한 조세지원을 통하여 국민의 주거안정을 위한 주택의 건설·공급이 활발하게 이루어지게 하기 위한 것이다.

「주택법」에 따른 주택건설사업자(주택건설사업자 등록)가 주택을 건설하기 위하여 같은 법에 따른 사업계획의 승인을 받은 토지로서 주택건설사업에 제공되고 있는 토지는 분리과세 대상이다. 만약 주택건설사업자가 공동주택 건설을 위해 택지지구 내 토지를 분양받았는데, 6월 1일 이후에 사업계획승인을 받았다면 해당 연도에는 분리과세대상에서 제외된다(종합합산 토지로 과세).

주택건설사업자뿐 아니라 주택법상 주택조합(직장, 지역주택조합)이 시행하는 사업, 도시정비법상 주택 재개발·재건축 사업도 해당한다. 예를들어 주택재건축사업의 조합원이 사업구역내 소유한 토지나 사업구역내 조합이 소유한 토지에 대해서는 새로운 주택이 준공되기까지 분리과세 토지로 과세된다. 한편 재개발·재건축 조합원 소유토지에 대해서는 분리과세뿐 아니라 세부담상한제 적용에 관한 특례를 두어 세제지원을 하고 있다(영 제118조 1호 라목 참조).

'사업계획의 승인을 받은 토지로서 주택건설사업에 공여되고 있는 토지'란 「주택법」에 의한 주택건설사업자가 주택건설사업승인을 받은 후 재산세 과세기준일(6.1.)까지 주택건설사업을 착공하지 않았더라도 재산세 과세기준일 현재 다른 용도(주차장, 임대 등)로 사용되지 않고 주택건설사업에 공여되고 있는 토지라 할 것이다. 그리고 주택건설사업자가 아닌 타인 소유의 토지라고 하더라도 그 사용권 등을 확보하여 주택건설사업계획의 승인을 받으면 주택건설사업에 공여되는 토지로 볼 수 있다(대법원 2010두28632, 2012.4.26.).

조합원이 납부한 금전을 신탁받아 지역주택조합·직장주택조합이 매수하여 소유하고 있는 신탁재산의 경우에는 사업계획의 승인을 받기 전이라도 분리과세를 적용한다. 이러한 규정은 2014.1.1. 신탁재산의 재산세 납세의무자가 위탁자에서 수탁자(조합)로 변경되면서 도입되었다. 주택건설 사업 시행을 위해 조합은 사업계획승인 이전에 사업구역내 토지를 취득하게 된다. 그런데 분리과세 요건에 해당하지 않는다면 종합합산 토지나 주택(멸실되지 않은 경우)으로 과세될 수 있다. 이 경우 조합 소유의 과세대상 규모가 커짐에 따라 합산효과로 인한 세부담이 급증하게 된다. 이와같이 지역·직장 조합에 대한 납세의무자를 수탁자로 변경하면서 조합 명의의 재산 결집에 따른 문제점을 보완하기 위해 분리과세 규정을 도입하였다. 한편 부동산등기상 신탁표시 없이 지역주택조합 명의로 등기된 토지의 경우라면 「신탁법」에 따른 신탁재산으로 볼 수 없어 사업계획승인 전에는 분리과세 적용이 곤란하다(행안부 부동산세제과-375, 2019.9.5.).

◎ **조합원들로부터 개별 신탁관계에 기초하여 각각의 고유재산을 신탁받은 경우가 아니므로 납세의무자인 지역주택조합만을 합산 단위(종합합산)로 하여 산정한 것은 타당함**

과세기준일인 2013.6.1. 현재 이 사건 각 토지에 대한 재산세 납세의무자는 구 지방세법 제107조 제2항 제5호 본문에 따라 실질적 위탁자인 원고임.… '신탁법상 신탁재산에 관하여 위탁자별로 구분하여 과세표준을 산정하여야 한다'는 법리는 수탁자가 다수의 위탁자로부터 개별 신탁관계에 기초하여 각각의 고유재산을 신탁받음으로써 그 신탁재산이 위탁자별로 구분되는 경우에 적용함. 그런데 이 사건의 경우는 원고가 이 사건 각 토지에 관하여 조합원들로부터 개별 신탁관계에 기초하여 각각의 고유재산을 신탁받은 경우에 해당하지 않음. 기록에 따르면, 과세기준일인 2013.6.1. 현재 이 사건 각 토지에 관하여 원고 앞으로 소유권이전등기를 마친 적이 없으므로, 원고와 조합원들 사이에서 신탁법상 신탁재산으로 편입되지 않았음(대법원 2016두50846, 2019.10.31).

☞ 대법원 2012두26852(2014.11.27.)은 과세기준일 당시 해당 부동산에 관하여 수탁자인 지역주택조합 명의로 소유권이전등기를 마친 경우로서 해당 부동산이 신탁법상 신탁재산으로 편입된 사안이므로, 이 사건과 무관

◎ 주택건설사업에 공여되더라도 사업계획승인 대상이 아닌 토지는 분리과세 대상이 아님

주택법상 사업계획승인 대상이 아닌 토지는 그것이 주택건설사업에 공여되고 있는 토지라고 하더라도 구 지방세법 시행령 제132조 ⑤ 제8호에서 정한 분리과세 대상토지에 포함되지 아니함(대법원 2011두5551, 2015.4.16., 대법원 2011두3289, 2015.9.10.).

◎ 주택건설사업자 등록을 하지 않은 주택사업조합 소유 토지는 분리과세 대상 아님

주택사업조합은 과세기준일 현재 주택법에 따른 주택건설사업자 등록을 하지 않은 상태이며, 같은 법에 따른 사업계획 승인도 받지 않은 경우로서, 위에서 규정하고 있는 분리과세 요건을 모두 충족하고 있지 않은 이상, 분리과세대상에 해당하지 않음(지방세운영과-380, 2014.12.24.).

◎ 주택건설사업계획에 따라 학교용지로 계획되어 있으나, 도시계획시설 실시계획인가가 확정되지 않았고 사실상 농지로 사용하는 경우 분리과세 배제

주택건설용 토지의 분리과세 적용에 있어 주택건설사업계획에 포함되었다는 사실만으로 대상 토지를 주택건설에 제공되고 있다고 볼 수 있는 것은 아니며, 주택건설에 제공되고 있다고 보기 위해서는 해당 토지가 사업계획 승인을 받은 후 실제 주택이 건설되는 부지로서의 기능을 수행하고 있는 상태이어야 하는 바, 해당 토지에 대한 도시계획실시 인가가 확정되지 않아 그 실시가 불투명한 점, 재산세 과세기준일(6.1.) 현재 주택건설사업자의 주택건설에 실제 제공되고 있지 않는 점, 해당 토지를 다른 용도(경작 등)로 사용하고 있는 점 등을 고려할 때 당해 토지는 "주택건설에 제공되고 있는 토지"로 볼 수 없으므로 분리과세대상 토지가 아님(지방세운영과-78, 2012.1.6.).

◎ 주택건설사업에 공여되는 토지의 판단기준

재산세 과세기준일 현재 주택건설사업 승인을 받아 당초 주택건설사업계획에 따라 주택건설공사를 착공하였으나, 그 이후 장기간(2002.7월~현재) 공사가 중단된 상태로 방치되어 있고, 주택건설사업승인서상 주택건설사업 변경승인을 받지도 않은 경우라면 당해 토지는 주택건설사업에 공여되는 토지로 볼 수 없음(지방세운영과-2104, 2009.5.26.).

◎ 주택건설사업 승인을 받았으나 주택과 일반건축물이 철거되지 아니한 경우 주택의 경우 주택분 재산세를 건물의 경우 건물분 및 토지분 재산세를 각각 납부하여야 함

철거되지 아니한 주택과 일반 건축물의 부속토지는 주택건설사업에 공여되고 있는 토지로 볼 수 없기 때문에 주택은 주택분 재산세를 납부하여야 하며 일반 건축물은 토지에 대하여는 토지분 재산세를, 건축물은 건축물분 재산세를 납부하여야 함(지방세정팀 - 2216, 2007.6.13.).

◎ 주택건설사업 승인을 받았다는 이유로 주택건설사업에 공여되고 있는 토지로 볼 수 없음

주택건설사업 승인을 받았다는 사실만으로는 주택건설사업에 공여되고 있는 토지로 볼 수는 없으며 사업지구 내 주택 또는 일반건축물 등의 철거여부, 공사시공 상황 등 당해 토지의 현황이나 사실관계 등을 종합적으로 고려하여 판단할 사항임(지방세정팀 - 2216, 2007.6.13.).

◎ 주택재건축사업계획승인 후 이주완료, 전기·도시가스 등 시설물이 철거되었으나, 과세기준일 현재 아파트가 멸실되지 아니한 경우 분리과세대상이라는 사례

주택재건축사업 대상인 주택에 대한 재산세 과세는 사실상 멸실 시점까지는 주택으로서 주택분 재산세 과세대상이며, 멸실 이후부터는 토지분 재산세를 과세하여야 하나 당해 주택이 사회통념상 전기, 도시가스, 상하수도 등의 시설물이 철거되어 주거생활을 영위할 수 있는 상태로 복원할 수 없을 뿐만 아니라 사실상 거주가 불가능한 상황이라면 형식적으로 주택의 요건을 충족한다고 하더라도 이는 주택분 재산세 부과대상인 주택에 해당하지 않는 것으로 보아 분리과세 대상으로 하여 토지분 재산세를 부과하는 것이 타당함(지방세정팀 - 1999, 2007.6.1.).

☞ 2018.1.1. 주택재건축 재개발 주택의 판단기준(지침)에 따라 위의 해석사례는 변경되었음. 주택의 멸실 이전까지는 주택분 재산세로 과세하는 것이 타당

◎ 당해 사업 토지 중 재건축사업인가 조건에 의하여 학교용지, 도로, 공원, 완충녹지 등을 조성하여 기부채납하는 토지가 있다 하더라도 기부채납을 하기 전까지는 당해 토지의 소유권이 변경되지 아니하기 때문에 해당 부분에 대하여는 재산세 납세의무가 존속한다 할 것임(지방세정팀 - 1390, 2007.4.26.).

◎ '사업계획의 승인을 받은 토지로서 주택건설사업에 공여되고 있는 토지'의 의미

사업계획 승인을 얻은 후에도 다양한 사유로 상당 기간 동안 실제 주택 건설이 이루어지지 않을 수 있으며, 일정 기간이 지나도 공사에 착수하지 않을 경우 그 사업계획 승인이 취소될 수 있는 점, 사업계획 승인을 얻었다고 하여 바로 해당 토지에서의 다른 용도로의 사용이 제한되는 등의 법적인 효과가 있는 것으로 보이지 않는 점, 또한 법문에서 분리과세 대상 토지를 "사업계획 승인을 받은 토지"로만 규정하지 않고 "사업계획 승인을 받은 토지로서 주택건설사업에 공여되고 있는 토지"를 규정하고 있는 점, 사업계획 승인을 받았다는 사실만으로 대상 토지가 주택건설사업에 공여되고 있다고 보기는 어려운 점 등을 종합적으로 고

려할 때, 「주택법」에 따른 주택건설사업계획의 승인을 받은 토지로서 주택건설사업의 부지로 제공되기 위하여 다른 용도로 사용되지 않고 있는 토지를 의미(법제처 법령해석총괄과 2009-360, 2009.2.23.)

8. 중소기업진흥공단의 분양·임대용 토지

중소기업진흥공단이 중소기업자에게 분양이나 임대할 목적으로 소유하고 있는 토지를 분리과세 대상으로 규정하고 있다(1996년).

9. 지방공사의 분양·임대용 토지

지방공사의 경우에도 한국토지주택공사의 경우와 유사하게 타인에게 주택이나 토지를 분양하거나 임대할 목적으로 소유하고 있는 사업용 토지를 재산세 분리과세 대상으로 규정하고 있다(2014.1.1. 시행). 이는 지방공사의 공급용 토지(타인에게 토지나 주택을 분양·임대목적으로 소유하고 있는 토지)에 대한 분리과세 규정이 없어 LH와의 과세불형평 발생 및 종합합산·별도합산으로 인한 세부담 급증문제를 보완한 것이다. 아울러 2012년부터 경영효율화 및 과세형평성 제고를 위해 지방공사 등에 대한 재산세 감면을 축소한(면제→50% 경감, 지특법 제85조의 2) 측면도 고려한 것으로 이해된다.

10. 수자원공사의 공급용 토지 등

한국수자원공사의 특정 개발 토지 중 타인에게 공급할 토지와 친수구역 내의 토지로서 주택건설용 토지 및 공업지역 내의 토지에 대하여는 분리과세 대상으로 규정하고 있으며, 그 밖에 발전·수도·공업 및 농업용수의 공급 또는 홍수조절용으로 직접 사용하고 있는 토지에 대하여는 제5항 제5호에 규정되어 있다.

11. LH의 분양·임대용 토지 등

◎ 1995.12.31. 이전 소유 임야는 과세표준의 0.2%를 적용함

분리과세대상인 "제22조에 따른 비영리사업자가 1995.12.31. 이전부터 소유하고 있는 토지"의 지목 및 현황이 모두 임야인 경우, 분리과세 세율 적용에 있어 위 토지는 같은 목 3)에 따른 "그 밖의 토지"로 보아 과세표준의 1천분의 2를 적용하여야 한다고 할 것임(법제처 법령해석 12-0319, 2012.7.12.).

◎ **불허가 취소소송이 진행중인 토지는 공장용 건축물 부속토지로 볼 수 없어 분리과세 제외**

병합발전소를 신축하기 위해 2010.8. 기존 건축물에 대한 철거·멸실 신고를 하고 철거공사에 착수하였으므로 사실상 건축공사에 착수하였다고 주장할 수 있으나, 관계법령에서 건축물 철거공사와 열병합발전소 건축공사를 각각 별도의 신청 또는 허가 대상으로 규정하고 있는 이상 기존 건축물에 대한 철거공사의 착수사실을 열병합발전소 건축공사의 착수로 볼 수는 없다 할 것이므로 쟁점토지의 경우 건축 중인 경우, 과세기준일 현재 건축기간이 지난 경우, 정당한 사유로 6개월 이상 공사가 중단된 경우 중 어느 하나에도 해당되지 않으므로 공장용 건축물의 부속토지로 볼 수 없어 분리과세 대상에 해당되지 않음(지방세운영과-804, 2014.3.10.).

◎ **최초 취득 후 5년이 경과되기 전부터 과세기준일 현재까지 지장물 철거공사, 문화재 발굴조사, 폐기물 처리 용역 등을 하고 있는 경우 분리과세에 해당**

최초 취득일부터 5년이 경과된 토지로서 지장물 철거공사, 문화재 발굴조사, 폐기물 처리용역 등(이하 '지장물 철거공사 등')을 진행하고 있는 바, 이에 대해 용지 조성에 필요한 직접비로 산정하고 있는 점을 감안 지장물 철거공사 등 자체를 용지조성사업으로 보는 것이 타당. 또한, 「택지개발촉진법」 제11조에서 실시계획 승인이 완료되면 착공 등 건축행위가 가능하고, 통상적으로 지장물 철거공사 등과 착공이 동시에 이루어진다는 점을 고려할 때, 지장물 철거공사 등이 완료된 다음 별도로 용지조성사업이 착공된다고 볼 것이 아니라 지장물 철거공사 등을 용지조성사업의 범위에 포함된다고 보는 것이 타당하므로 최초 취득 후 5년이 경과되기 전부터 지장물 철거공사 등을 하고 있는 경우 용지조성사업을 하고 있는 것으로 보아 분리과세가 타당함(지방세운영과-845, 2014.3.10.).

◎ **LH가 사업지구 내 주택의 부속토지만 취득한 경우 과세대상 구분**

지방세법상 과세대상을 주택, 토지 및 건축물로 구분하고, 주택의 범위에는 그 부속토지를 포함하고 있는 바, 비록 LH가 공급용 토지로 취득한 토지라 하더라도 과세기준일 현재 주택으로 사용하고 있는 이상 과세대상은 주택으로 보아야 하므로 부속토지만 주택에서 별도로 분리하여 토지로 과세할 수는 없음(지방세운영과-3725, 2010.8.19.).

12. LH의 비축용 토지 등

한국토지주택공사가 소유하고 있는 비축용 토지를 분리과세 대상으로 규정하고 있다. 「공공토지의 비축에 관한 법률」에 따라 취득하는 비축용 토지를 분리과세 대상으로 신설하고(2010년), 한국토지주택공사의 비축용 토지에 대한 일몰이 2010년 종료됨에 따라 비축용 토지의 취지 및 분리과세 포함 여부를 재검토하여 새롭게 재편하였다.

제106조 제1항 제3호 아목[분리과세 대상 기타 토지(영 제102조 ⑧)]

법 제106조(과세대상의 구분) ① 토지에 대한 재산세 과세대상은 다음 각 호에 따라 종합합산과세대상, 별도합산과세대상 및 분리과세대상으로 구분한다.

3. 분리과세대상 : 과세기준일 현재 납세의무자가 소유하고 있는 토지 중 국가의 보호·지원 또는 중과가 필요한 토지로서 다음 각 목의 어느 하나에 해당하는 토지
   아. 그 밖에 지역경제의 발전, 공익성의 정도 등을 고려하여 분리과세하여야 할 타당한 이유가 있는 토지로서 대통령령으로 정하는 토지

영 제102조(분리과세대상 토지의 범위) ⑧ 법 제106조 제1항 제3호 아목에서 "대통령령으로 정하는 토지"란 다음 각 호에서 정하는 토지(법 제106조 제1항 제3호 다목에 따른 토지는 제외한다)를 말한다. 〈신설 2017.12.29.〉

1. 제22조 제2호에 해당하는 비영리사업자가 1995년 12월 31일 이전부터 소유하고 있는 토지
2. 「농업협동조합법」에 따라 설립된 조합, 농협경제지주회사 및 그 자회사, 「수산업협동조합법」에 따라 설립된 조합, 「산림조합법」에 따라 설립된 조합 및 「엽연초생산협동조합법」에 따라 설립된 조합(조합의 경우 해당 조합의 중앙회를 포함한다)이 과세기준일 현재 구판사업에 직접 사용하는 토지와 「농수산물 유통 및 가격안정에 관한 법률」 제70조에 따른 유통자회사에 농수산물 유통시설로 사용하게 하는 토지 및 「한국농수산식품유통공사법」에 따라 설립된 한국농수산식품유통공사가 농수산물 유통시설로 직접 사용하는 토지. 다만, 「유통산업발전법」 제2조 제3호에 따른 대규모점포(「농수산물 유통 및 가격안정에 관한 법률」 제2조 제12호에 따른 농수산물종합유통센터 중 대규모 점포의 요건을 충족하는 것을 포함한다)로 사용하는 토지는 제외한다.
3. 「부동산투자회사법」 제49조의 3 제1항에 따른 공모부동산투자회사(같은 법 시행령 제12조의 3 제27호, 제29호 또는 제30호에 해당하는 자가 발행주식 총수의 100분의 100을 소유하고 있는 같은 법 제2조 제1호에 따른 부동산투자회사를 포함한다)가 목적사업에 사용하기 위하여 소유하고 있는 토지
4. 「산업입지 및 개발에 관한 법률」에 따라 지정된 산업단지와 「산업집적활성화 및 공장설립에 관한 법률」에 따른 유치지역 및 「산업기술단지 지원에 관한 특례법」에 따라 조성된 산업기술단지에서 다음 각 목의 어느 하나에 해당하는 용도에 직접 사용되고 있는 토지
   가. 「산업입지 및 개발에 관한 법률」 제2조에 따른 지식산업·문화산업·정보통신산업·자원비축시설용 토지 및 이와 직접 관련된 교육·연구·정보처리·유통시설용 토지
   나. 「산업집적활성화 및 공장설립에 관한 법률 시행령」 제6조 제5항에 따른 폐기물 수집운반·처리 및 원료재생업, 폐수처리업, 창고업, 화물터미널이나 그 밖의 물류시설을 설치·운영하는 사업, 운송업(여객운송업은 제외한다), 산업용기계장비임대업, 전기업, 농공단지에 입주하는 지역특화산업용 토지, 「도시가스사업법」 제2조 제5호에 따른 가스공급시설용 토지 및 「집단에너지사업법」 제2조 제6호에 따른 집단에너지공급시설용 토지
   다. 「산업기술단지 지원에 관한 특례법」에 따른 연구개발시설 및 시험생산시설용 토지

라. 「산업집적활성화 및 공장설립에 관한 법률」 제30조 제2항에 따른 관리기관이 산업단지의 관리, 입주기업체 지원 및 근로자의 후생복지를 위하여 설치하는 건축물의 부속토지(수익사업에 사용되는 부분은 제외한다)

5. 「산업집적활성화 및 공장설립에 관한 법률」 제28조의 2에 따라 지식산업센터의 설립승인을 받은 자의 토지로서 다음 각 목의 어느 하나에 해당하는 토지. 다만, 지식산업센터의 설립승인을 받은 후 최초로 재산세 납세의무가 성립한 날부터 5년 이내로 한정하고, 증축의 경우에는 증축에 상당하는 토지 부분으로 한정한다.

가. 같은 법 제28조의 5 제1항 제1호 및 제2호에 따른 시설용(이하 이 조에서 "지식산업센터 입주시설용"이라 한다)으로 직접 사용하거나 분양 또는 임대하기 위해 지식산업센터를 신축 또는 증축 중인 토지

나. 지식산업센터를 신축하거나 증축한 토지로서 지식산업센터 입주시설용으로 직접 사용(재산세 과세기준일 현재 60일 이상 휴업 중인 경우는 제외한다)하거나 임대할 목적으로 소유하고 있는 토지(임대한 토지를 포함한다)

6. 「산업집적활성화 및 공장설립에 관한 법률」 제28조의 4에 따라 지식산업센터를 신축하거나 증축하여 설립한 자로부터 최초로 해당 지식산업센터를 분양받은 입주자(「중소기업기본법」 제2조에 따른 중소기업을 영위하는 자로 한정한다)로서 같은 법 제28조의 5 제1항 제1호 및 제2호에 규정된 사업에 직접 사용(재산세 과세기준일 현재 60일 이상 휴업 중인 경우와 타인에게 임대한 부분은 제외한다)하는 토지(지식산업센터를 분양받은 후 최초로 재산세 납세의무가 성립한 날부터 5년 이내로 한정한다)

7. 「연구개발특구의 육성에 관한 특별법」 제34조에 따른 특구관리계획에 따라 원형지로 지정된 토지

8. 「인천국제공항공사법」에 따라 설립된 인천국제공항공사가 소유하고 있는 공항시설(「공항시설법」 제2조 제7호에 따른 공항시설을 말한다)용 토지 중 「인천국제공항공사법」 제10조 제1항의 사업에 사용하거나 사용하기 위한 토지. 다만, 다음 각 목의 어느 하나에 해당하는 토지는 제외한다.

가. 「공항시설법」 제4조에 따른 기본계획에 포함된 지역 중 국제업무지역, 공항신도시, 유수지(수익사업에 사용되는 부분으로 한정한다), 물류단지(수익사업에 사용되는 부분으로 한정한다) 및 유보지[같은 법 시행령 제5조 제1항 제3호 및 제4호에 따른 진입표면, 내부진입표면, 전이(轉移)표면 또는 내부전이표면에 해당하지 않는 토지로 한정한다]

나. 「공항시설법 시행령」 제3조 제2호에 따른 지원시설용 토지(수익사업에 사용되는 부분으로 한정한다)

9. 「자본시장과 금융투자업에 관한 법률」 제229조 제2호에 따른 부동산집합투자기구[집합투자재산의 100분의 80을 초과하여 같은 호에서 정한 부동산에 투자하는 같은 법 제9조 제19항 제2호에 따른 전문투자형 사모집합투자기구(투자자가 「부동산투자회사법 시행령」 제12조의 3 제27호, 제29호 또는 제30호에 해당하는 자로만 이루어진 사모집합투자기구로 한정한다)를 포함한다] 또는 종전의 「간접투자자산 운용업법」에 따라 설정 · 설립된 부동산간접투자기구가 목적사업에 사용하기 위하여 소유하고 있는 토지 중 법 제106조 제1항 제2호에 해당하는 토지

10. 「전시산업발전법 시행령」 제3조 제1호 및 제2호에 따른 토지

11.「전통사찰의 보존 및 지원에 관한 법률」 제2조 제3호에 따른 전통사찰보존지 및 「향교재산법」 제2조에 따른 향교재산 중 토지. 다만, 수익사업에 사용되거나 유료로 사용되는 부분은 제외한다.

1. 비영리사업자 소유 토지

비영리사업자(영 제22조의 종교 및 제사를 목적으로 하는 단체, 학교, 사회복지법인 등)가 1995년 12월 31일 이전부터 소유하고 있는 토지는 분리과세 대상이다. '90년대 이후 토지분 재산세 과표를 현실화('96년부터 공시지가를 과표로 사용)하면서 이를 즉시 반영함에 따른 충격을 완화하기 위해 '95년 이전에 취득한 토지는 분리과세로 전환 하였는데('96년 도입), 비영리사업자의 세부담을 완화하기 위한 취지로 볼 수 있다. 재산세 과세요건이 주로 토지의 현황에 따라 세부담에 차이를 두고 있는 것과 달리 소유주체(비영리사업자)와 소유시점을 기준으로 일률적으로 적용하고 있는 점이 특징이다. 영업용 건축물의 부속토지, 골프장용 토지(회원제 골프장 제외), 나대지 등 토지의 지목이나 용도를 구분하지 않고 0.2% 세율이 적용된다. 물론 해당 토지가 농지(영 제102조 ① 2호)나 임야(영 제102조 ②)에 해당한다면 0.07%의 세율이 적용된다.

◎ **비영리사업자 소유 토지 중 임야의 경우 "그 밖의 토지"로 보아 과세표준의 0.2% 적용**

분리과세 대상에 적용되는 세율 역시 위와 같이 대상 토지를 분리과세 대상으로 선정한 사유, 즉, 중과세 또는 경과세의 필요성 등을 고려하여 적용하는 것이 「지방세법」상의 재산세 규정 체계 및 문언의 취지에 보다 적합하다고 할 것임. 또한, 입법연혁상 단순히 현황이나 지목만을 고려하여 세율을 적용하겠다는 것이라기보다는 다목 3)에 따른 "그 밖의 토지"로 보아 세율을 적용한다는 결론이 자연스럽게 도출됨. 판례 역시 실제 현황이 농지라 하더라도 「지방세법」 제182조 제1항 제3호 가목의 "농지"에 해당하지 않는 이상 같은 법 제188조 제1항 제1호 다목 (1)에 따른 저율의 세율을 적용받을 수 없다고 판시한 것으로 보임(대법원 2011두8307, 2011.7.14.). 따라서, "제22조에 따른 비영리사업자가 1995.12.31. 이전부터 소유하고 있는 토지"의 지목 및 현황이 모두 임야인 경우, 3)에 따른 "그 밖의 토지"로 보아 과세표준의 0.2%를 적용(법제처 법령해석총괄과-3107, 2012.7.12.)

◎ **박물관 및 미술관진흥법에 의하여 등록된 미술관이 소유한 토지 중 1995.12.31 이전에 취득한 수익사업용 토지는 비영리사업자가 소유한 토지로 볼 수 없어 분리과세 배제**

박물관 및 미술관진흥법 제16조 제1항의 규정에 의한 박물관 및 미술관으로 등록된 경우에는 지방세법 시행령 제79조에서 규정하는 비영리사업자의 범위에는 포함된다 할 수 없으므로 당해 토지는 지방세법 시행령 제132조 제4항 제14호에서 규정한 토지로 볼 수 없음(지방세정팀-4388, 2007.10.25.).

◎ 1995.12.31. 이전부터 소유하고 있는 비영리사업자(향교)의 토지 위에 제3자의 주택이 존재하는 경우 비영리사업자 소유 토지는 분리과세 대상이 아니라고 한 사례

지방세법 시행령 제79조에서 규정한 비영리사업자인 향교가 소유하고 있는 토지위에 제3자의 주택이 존재한다 하더라도 주택에 대하여는 지방세법 제180조에서 별도의 과세대상 재산으로 규정하고 있으므로 당해 주택의 부속 토지에 대하여는 지방세법 시행령 제132조 제4항 제14호의 분리과세 대상 토지로 볼 수 없음(지방세정팀-295, 2007.1.18.).

◎ 1995년 이전부터 토지를 소유하고 있던 ○○학원을 흡수합병한 경우 분리과세 대상 아님

원고는 지방세법 시행령 제102조 제5항 제13호가 '취득'이 아닌 '소유'를 기준으로 분리과세대상을 정하고 있고 구 사립학교법상 합병의 본질은 법인격의 합일이므로, 존속법인인 원고는 소멸법인인 ○○학원이 이 사건 각 토지를 취득하여 소유한 시점부터 계속 소유하고 있었던 것으로 보아야 한다고 주장하나, '취득'과 '소유'는 그 개념 본질상 분리하여 해석·적용할 수 없고, 원고가 주장하는 인격합일설에 의하더라도 합병의 효력이 발생하는 시점은 합병등기를 마친 때이므로, 원고가 그 합병의 효력이 발생하기 전부터 이 사건 각 토지를 소유하고 있었다고 볼 수 없고, 분리과세대상으로 한다는 규정을 두고 있지 아니함(대법원 2018두37519, 2018.6.15.).

2. 농협 구판사업용 토지 등

농업협동조합(중앙회 포함) 등이 구판사업에 직접 사용하는 토지, 농수산물 유통자회사의 유통시설용 토지, 한국농수산식품유통공사의 농수산물 유통시설용 토지 등을 분리과세 대상이다.

| 최근 개정법령 _ 2015.7.24. | 농협경제지주(자회사) 구매·판매사업 토지 분리과세 추가(영 제102조 제5항 제12호)

당초 농업협동조합중앙회가 구판사업(경제사업)에 직접 사용하는 토지에 대해 분리과세 적용하였다. 그런데 중앙회의 사업구조 개편(농협법 개정, 2011년)에 따라 경제사업은 경제지주회사 및 자회사로 이관되었는바, 사업수행 조직만 변경된 것으로 현재 농협중앙회의 구판사업과 동일하여 개편 이후에도 동일 세부담 유지 필요가 있었다. 이에 따라 농협중앙회의 사업구조 개편으로 신설되는 경제지주회사 및 자회사에 대해 분리과세를 적용하는 것으로 개정되었다.

⇒ 농협의 경제지주회사 및 자회사가 구판사업에 직접 사용하는 토지에 대해 분리과세 적용(2015년 토지분 재산세 부과분부터 적용)

◎ 농협중앙회가 운영하는 종묘센터에서 종묘의 생산부터 판매까지 이루어지는 경우 종묘 생산

용 농지는 구판사업에 직접 사용하는 분리과세 대상 토지로 볼 수 없음

분리과세 대상으로 구판사업에 직접 사용하는 토지로 보기 위해서는 … 매도자와 매수자간의 상거래행위가 계속적·반복적으로 일어나는 일정한 장소로서의 기능을 주된 역할로 수행하기 위해 사용하는 토지라야 할 것임 … 쟁점 토지는 ① 토지형질 자체가 농작물이 식생하는 농지이며 실제 주된 토지 사용도 종묘의 생육 장소로 사용되고 있는 점, ② 종묘의 판매를 위하여 쟁점 토지 이외에 별도의 판매장, 영업부 사무실 등 상거래 행위를 하는 장소를 두고 있는 점, ③ 종묘사업용 토지에 대해서는 한미 FTA 체결 이후 농업의 경쟁력 강화를 위해 2008년부터 별도합산토지로 구분한 점 등을 고려할 때, 구판사업에 직접 사용하는 토지라고 보기는 어려움(지방세운영과-1449, 2015.5.12.).

3. 부동산투자회사의 목적 사업용 토지

부동산투자회사의 목적사업용 토지를 분리과세 대상으로 규정하고 있다. 부동산투자회사는 주식회사 형태로 다수의 투자자로부터 자금을 모아 부동산에 투자하고 수익을 돌려주는 부동산간접투자기구(Real Estate Investment Trusts)를 의미한다(국토부 홈페이지).

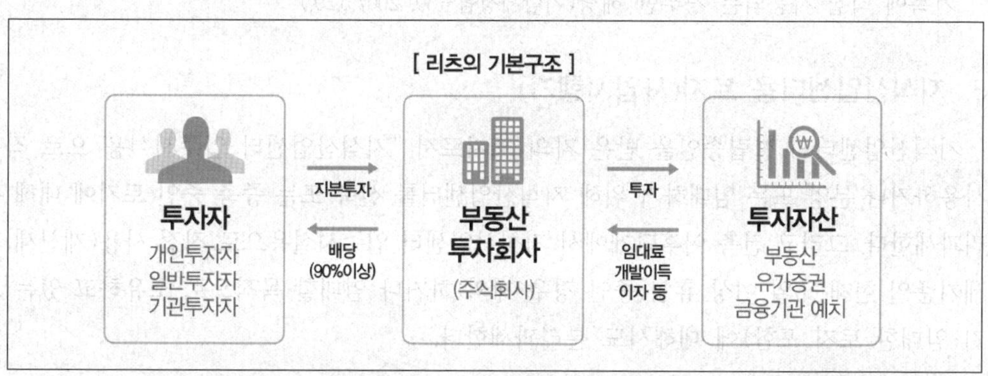

4. 산업단지 내 사업용 토지 등

산업단지, 유치지역, 산업기술단지 내 토지 등을 분리과세 대상으로 규정하고 있다.

◎ 지정된 산업단지 내 그 용도에 직접 사용하고 있는 토지의 판단기준

산업입지 및 개발에 관한 법률에 의하여 지정된 산업단지 내 토지를 취득하여 과세기준일 현재 그 용도에 직접 사용되고 있는 토지에 대하여는 분리과세 대상이라고 규정하고 있기 때문에 당해 토지가 분리과세 대상이 되기 위해서는 지방세법 시행령 제132조 제4항 제26호 가목에 정하는 용도에 직접 사용되는 경우에 해당되어야 할 것임(지방세정팀-1945, 2007.5.29.).

◎ 산업단지 개발시행자로서 조합이 소유하는 토지의 분리과세 여부 등

① 지방산업단지 개발시행자로서 조합이 소유하고 있는 지원시설이 분리과세 대상토지에 해당되는지 : 조합이 산업단지 안에서 소유하면서 관리하고 있는 토지 중 산업단지의 관리, 입주기업체 지원 및 근로자의 후생복지를 위하여 설치하는 건축물의 부속토지에 해당하는 경우에는 분리과세 대상

② 지방세법 제276조 제3항에 규정한 감면대상 토지 여부 : 지방세법 제276조 제3항에서 산업단지 개발사업시행자가 개발·조성하여 분양 또는 임대할 목적으로 취득한 부동산에 대하여는 재산세를 감면한다고 규정하고 있으나, 이미 조성이 완료된 당해 산업단지는 동 규정에 의한 감면대상에 해당하지 않음(지방세정팀-6319, 2006.12.15.).

◎ 산업단지 내 토지를 취득일로부터 건물착공, 매각시점까지 토지분 재산세가 분리과세 해당 여부(취득 : 2002.7월, 착공 : 2005.7월, 완공 : 2008.2월)

산업입지 및 개발에 관한 법률에 의하여 지정된 산업단지 내 토지를 취득하여 과세기준일 현재 그 용도에 직접 사용되고 있는 토지에 대하여는 분리과세 대상이라고 규정하고 있기 때문에 당해 토지가 분리과세 대상이 되기 위해서는 지방세법 시행령 제132조 제4항 제26호 가목에 직접 사용되는 경우만 해당(지방세정팀-39, 2007.5.29.)

5. 지식산업센터용 토지(사업시행자)

지식산업센터의 설립승인을 받은 자의 토지로서 "지식산업센터 입주시설용"으로 직접 사용하거나 분양 또는 임대하기 위해 지식산업센터를 신축 또는 증축 중인 토지에 대해 분리과세한다. 그리고 건축 이후단계에서 지식산업센터 입주시설용으로 직접 사용(재산세 과세기준일 현재 60일 이상 휴업 중인 경우 제외)하거나 임대할 목적으로 소유하고 있는 토지(임대한 토지 포함)에 대해서도 분리과세한다.

| 최근 개정법령_2019.5.31. | 분리과세 대상 지식산업센터 토지의 범위 명확화(영 §102 ⑧ 5)

당초 지식산업센터설립승인을 받은자(사업시행자)가 소유한 토지 중 착공 이전단계에도 분리과세를 적용하는지 명확하지 않았는데, 지식산업센터를 신축 또는 증축 중인 토지와 신·증축 후 사용 중인 토지로 명확히 하였다.

◎ 지식산업센터 신축을 위해 토지 취득 후 설립 승인을 득하였으나 과세기준일 현재 건축공사를 착공하지 않은 경우 재산세 분리과세 대상에 해당되지 않음

지식산업센터 설립 과정에서 과세기준일 현재 '착공'(건축중)에 이른 경우, 이는 사업추진을 위한 실질적 실행 단계로써 해당 토지를 목적사업에 사용하고 있다고 볼 수 있어, 설립승인

이후 착공에 이르지 않거나 착공전 사업권을 이전하는 사례도 있을 수 있어, 분리과세 대상 토지는 최소한 착공에 이른 토지를 의미한다고 보는 것이 타당. 따라서 쟁점토지가 지식산업센터 설립승인을 받고, 착공에 이르지 아니한 경우라면 재산세 분리과세 대상이 아님(지방세운영과-3543, 2015.11.9.).

〈산업집적활성화 및 공장설립에 관한 법률〉

제28조의 2(지식산업센터의 설립 등) ① 지식산업센터의 설립승인, 인·허가등의 의제, 설립등의 승인에 대한 특례, 처리기준의 고시등, 설립등의 승인취소, 건축허가, 사용승인, 제조시설설치승인, 제조시설설치승인의 취소 및 협의에 관하여는 제13조, 제13조의 2부터 제13조의 5까지, 제14조, 제14조의 2부터 제14조의 4까지 및 제18조를 준용한다.

제28조의 4(지식산업센터의 분양) ① 지식산업센터를 설립한 자가 지식산업센터를 분양 또는 임대하려는 경우에는 공장건축물 착공 후 산업통상자원부령으로 정하는 바에 따라 모집공고안을 작성하여 시장·군수 또는 구청장의 승인을 받아 공개로 입주자(지식산업센터를 분양 또는 임대받아 제조업이나 그 밖의 사업을 하는 자를 말한다. 이하 같다)를 모집하여야 한다. 승인을 받은 사항 중 산업통상자원부령으로 정하는 중요사항을 변경하려는 경우에도 또한 같다.

제28조의 5(지식산업센터에의 입주) ① 지식산업센터에 입주할 수 있는 시설은 다음 각 호의 시설로 한다.

1. 제조업, 지식기반산업, 정보통신산업, 그 밖에 대통령령으로 정하는 사업을 운영하기 위한 시설 2. 「벤처기업육성에 관한 특별조치법」 제2조 제1항에 따른 벤처기업을 운영하기 위한 시설

6. 지식산업센터용 토지(수분양자)

지식산업센터를 설립(신·증축)한 자로부터 최초로 해당 지식산업센터를 분양받은 입주자(중소기업)로서 제조업, 지식기반산업 등에 직접 사용하는 토지에 대해 분리과세 한다. 분양받은 후 최초 납세의무가 성립한 날부터 5년간 적용하며, 과세기준일 현재 60일 이상 휴업 중인 경우와 타인에게 임대한 부분은 제외한다. 건축물의 부속토지에 대해 적용하므로 별도합산과 분리과세와의 차액만큼 세부담이 완화되는데 일정규모 이하의 토지라면 해당 규정의 실익은 없는 편이다. 아울러 지방세특례제한법 감면(제58조의 2)과 함께 고려할 필요가 있다.

7. 대덕연구단지 원형보전용 토지

대덕연구단지 특구관리계획에 따라 원형지(연구환경을 유지하기 위하여 자연상태로 보존하는 토지)로 지정된 토지를 분리과세 대상으로 규정하고 있다.

8. 인천국제공항공사의 공항시설용 토지

인천국제공항공사가 소유하고 있는 공항시설용 토지 수도권신공항 건설사업, 인천국제공항의 관리·운영 등 사업용 토지를 분리과세 대상으로 규정하고 있다. 조례에서 규정하였으나 지방세법 시행령으로 이관함과 동시에 분리과세 범위를 일부 조정하였다(2011.5.30.).

9. 부동산집합투자기구의 목적사업용 토지

부동산집합투자기구 및 부동산간접투자기구(종전의 「간접투자자산 운용업법」에 따라 설정·설립)의 목적사업용 토지 중 별도합산 과세대상인 토지를 분리과세 대상으로 규정하고 있다.

☞ 부동산집합투자기구란 다수의 투자자들로부터 투자자금을 모아 부동산 또는 부동산 관련 증권에 투자하거나 부동산 사업에 대출하여 수익을 낸 후 이를 투자자에게 배분하는 간접투자기구를 말한다. 부동산집합투자기구는 일종의 펀드로 집합투자기구의 투자대상을 부동산으로 확대하는 특수자산 집합투자기구이며 부동산이 주식으로 거래되어 접근성이 높고 투자자 입장에서 직접투자보다는 안전하고 편리한 간접투자수단을 제공한다.

부동산투자회사와 부동산펀드는 기본적인 구조는 유사하고 운영상 약간의 차이점만 존재한다. 부동산투자회사는 자금을 모집하여 부동산 등에 투자하여 운용함으로써 운용수익을 투자자에게 배당하는 상법상의 주식회사다. 부동산투자회사는 일반형인 자기관리 부동산투자회사와 위탁관리 부동산투자회사, 특수형인 기업구조조정 부동산투자회사와 개발전문 부동산투자회사가 있다. 부동산펀드는 자금을 모집하여 부동산, 부동산 관련 채권 등에 투자하여 운용함으로써 운용수익을 투자자에게 배당하는 자본시장법(자본시장과 금융투자업에 관한 법률 제229조)상 간접투자기구이다. 부동산펀드에는 법적형태에 따라 신탁형과 회사형이 있고, 회사형 부동산펀드는 명목회사의 형태로 운용을 자산운용회사에 위탁하고 신탁형 부동산펀드는 신탁의 형태로 운용을 자산운용회사에 위탁한다.

| **리츠와 펀드의 구분** |

구 분	리츠			부동산 펀드	
	자기관리	위탁관리	CR	회사형	신탁형
자본금	최저 70억원	최저 50억원	최저 50억원	최저순자산 10억원	해당사항 없음
회사 형태	자산운용 전문 인력을 포함한 임직원을 상근으로 두고 자산의 투자·운용을 직접 수행	자산의 투자·운용을 자산관리회사에 위탁	기업구조조정용 부동산을 투자 대상으로 하며 자산의 투자·운용을 자산관리회사에 위탁	상법에 따른 주식회사(합명·합자 등) 형태의 집합투자기구	집합투자업자인 위탁자가 신탁업자에게 신탁한 재산을 신탁업자로 하여금 그 집합투자업자의 지시에 따라 투자·운용하게 하는 신탁 형태의 집합투자기구

구 분	리츠			부동산 펀드	
	자기관리	위탁관리	CR	회사형	신탁형
투자 대상	총자산의 70% 이상 부동산 등		총자산의 70% 이상 기업구조조정 부동산 등	부동산 PF 대출, 부동산, 부동산 신탁 수익권	
근거법	부동산투자회사법			자본시장법	

| 최근 개정법령_2016.1.1. | 사모펀드 분리과세 적용(영 제102조 제5항)

"자본시장법" 개정으로 집합투자재산을 부동산에 투자하는 사모펀드라도 제229조를 적용받지 않아 사모펀드에 대해서는 별도로 명시할 필요가 있었다. 그에 따라 "자본시장법(약칭)" 제9조 제19항 제2호에 따른 집합투자기구(펀드)의 투자재산의 100분의 80을 초과하여 부동산에 투자하는 전문투자형 집합투자기구를 분리과세 적용 대상인 부동산집합투자기구(부동산 펀드)에 포함하였다.

※ 사모집합투자기구 중 "경영참여형"은 부동산에 투자하더라도 분리과세 적용 배제

10. 전시장용 토지

전시회를 개최하기 위한 면적 2천제곱미터 이상의 시설(옥내와 옥외 시설을 모두 포함한다)은 분리과세 대상이다. 전시회부대행사를 개최하기 위한 연회장, 공연시설, 상담회장 및 설명회장 등 전시회부대행사의 개최에 필요한 시설도 분리과세 대상이다. 그러나 이같은 시설에 부수되는 숙박, 식품접객, 판매, 휴식 등을 위한 편의시설은 제외된다.

시행령 제102조(분리과세대상 토지의 범위) 제9항 · 제10항

영 제102조(분리과세대상 토지의 범위) ⑨ 제1항 제2호 라목 · 바목 및 제2항 제4호 · 제6호에 따른 농지와 임야는 1990년 5월 31일 이전부터 소유(1990년 6월 1일 이후에 해당 농지 또는 임야를 상속받아 소유하는 경우와 법인합병으로 인하여 취득하여 소유하는 경우를 포함한다)하는 것으로 한정하고, 제1항 제3호에 따른 목장용지 중 도시지역의 목장용지 및 제2항 제5호 각 목에서 규정하는 임야는 1989년 12월 31일 이전부터 소유(1990년 1월 1일 이후에 해당 목장용지 및 임야를 상속받아 소유하는 경우와 법인합병으로 인하여 취득하여 소유하는 경우를 포함한다)하는 것으로 한정한다.

⑩ 제1항 및 제2항을 적용할 때 다음 각 호의 경우에는 각 호의 시기까지 계속하여 분리과세 대상 토지로 한다. 〈개정 2015.12.31.〉

> 1. 「공익사업을 위한 토지 등의 취득 및 보상에 관한 법률」 제4조에 따른 공익사업의 구역에 있는 토지로서 같은 법에 따라 사업시행자에게 협의 또는 수용에 의하여 매각이 예정된 토지 중 「택지개발촉진법」 등 관계 법률에 따라 「국토의 계획 및 이용에 관한 법률」 에 따른 도시·군관리계획 결정이 의제되어 용도지역이 변경되거나 개발제한구역에서 해제된 경우 : 그 토지가 매각되기 전(「공익사업을 위한 토지 등의 취득 및 보상에 관한 법률」 제40조 제2항에 따라 보상금을 공탁한 경우에는 공탁금 수령일 전을 말한다)까지[94]
> 2. 제1호에 따라 매각이 예정되었던 토지 중 「공공주택 특별법」 제6조의 2에 따라 특별관리지역으로 변경된 경우 : 그 토지가 특별관리지역에서 해제되기 전까지

사회복지사업자가 복지시설의 소비목적으로 사용하기 위하여 소유하는 농지, 종중이 소유하는 농지·임야, 상수원보호구역의 임야에 대하여는 1990.5.31. 이전부터 소유(1990.1.1. 이후 상속이나 합병으로 취득·소유하는 것 포함)한 것에 한하여 분리과세 대상으로 규정하고 있는 등 일부 토지는 취득의 시기를 기준으로 분리과세 대상에서 제외하고 있다.

| 최근 개정법령_2016.1.1.| 특별관리지역 내 토지 분리과세 적용(영 제102조 제7항)

「공공주택건설 등에 관한 특별법」 제6조의 2에 따라 특별관리지역으로 지정된 토지는 해제 전까지 지방세법 시행령 제102조 제1항 및 제2항의 분리과세 대상 토지로 적용한다. 부칙 제6조(분리과세에 관한 적용례)에 따라 본 개정규정은 2015.4.21. 이후 특별관리지역으로 지정된 토지에 대해 최초로 재산세 납세의무가 성립하는 분부터 소급 적용하도록 한다.

◎ 1989.12.31. 이전에 개발제한구역 안의 임야를 매수하여 제3자에게 명의신탁하여 두었다가 부동산실명법 시행 전인 1995년경 신탁을 해지하고 자신 앞으로 소유권이전등기를 경료한 경우에는 분리과세를 적용할 수 있음(대법원 99두1328, 2000.8.22.).

◎ **(지침) 용도지역 변경 등에 따른 세부담 급증문제 개선**(지방세운영과-2241, 2010.5.28.)

- 당초 2009년 이전까지 도시지역 내 녹지지역 또는 개발제한구역 안의 농지·임야는 저율 분리과세(세율 0.07%) 대상이나, 택지지구 조성 등 개발사업 추진으로 용도지역이 변경되거나(녹지 → 주거·상업) 개발제한구역 해제로 종합합산 토지로 전환됨. 이에 따라 납세자 세부담이 증가하게 되어 공익사업으로 수용 예정된 토지(농지·임야)에 대하여는 수용 전까지는 분리과세를 계속 적용하는 것으로 개정되었음(2010.5.31.).[95]

---

94) 제7항에서는 제1항이나 제2항을 적용할 때 공익사업의 구역에 있는 토지로서 매각이 예정된 토지 중 용도지역이 변경되거나 개발제한구역에서 해제된 경우에는 그 토지가 매각되기 전까지는 계속 분리과세하도록 규정하고 있다(2011.5.30. 시행).

95) 지방세법 시행령 제132조 제7항 신설(2010.5.31. 대통령령 제22178호). 현재는 지방세법 시행령 제102조 제7항에 규정하고 있음.

〈분리과세 적용 요령〉

• 적용대상 관련 법률 : 「토지보상법」 제4조의 공익사업 지구 내 토지
  ※ 공익사업이 아닌 개별적인 용도지역 변경 및 GB가 해제되는 경우는 배제
• 사업시행자에게 협의 또는 수용에 의하여 매각이 예정된 토지 : 당해 사업지구에서 용도지역 변경 및 개발제한구역 해제 후 제3자(수용자 포함)에게 매각된 이후에는 적용 배제하고, 또한 피수용자로부터 제3자가 취득하여 사업시행자에게 수용되는 경우 제3자에게는 적용배제하며, 다만, 피수용자가 사망하여 납세의무가 상속인에게 승계된 경우에는 포함
  ※ 공익사업지구라 하더라도 수용이 예정된 토지가 아닌 환지 등은 적용대상 아님.
• 「택지개발촉진법」 등 관계 법령에 따라 도시관리계획 결정이 의제됨으로 인해 당해 용도지역이 변경되거나 개발제한구역에서 해제된 경우 : 「경제자유구역의 지정 및 운영에 관한 법률」, 「보금자리주택건설특별법」, 「산업입지 및 개발에 관한 법률」 등 개별법에서 용도지역이 변경되거나 개발제한구역에서 해제되는 경우
  ※ 용도지역 변경 및 GB해제 시점은 고시 등 관련 절차 구체적으로 확인
• 분리과세 적용기간 : 당해 토지가 사업시행자에게 매각되기 전까지. 다만, 「공익사업을 위한 토지 등의 취득 및 보상에 관한 법률」 제40조 제2항에 따라 보상금을 공탁한 경우에는 '공탁금 수령일'까지

시행령 제103조(건축물의 범위 등)~제103조의 2(철거 · 멸실된 건축물 또는 주택의 범위)

영 제103조(건축물의 범위 등) ① 제101조 제1항에 따른 건축물의 범위에는 다음 각 호의 건축물을 포함한다. 〈개정 2014.1.1., 2015.12.31.〉

1. 삭제 〈2015.12.31.〉 2. 건축허가를 받았으나 「건축법」 제18조에 따라 착공이 제한된 건축물
3. 「건축법」에 따른 건축허가를 받거나 건축신고를 한 건축물로서 같은 법에 따른 공사계획을 신고하고 공사에 착수한 건축물[개발사업 관계법령에 따른 개발사업의 시행자가 소유하고 있는 토지로서 같은 법령에 따른 개발사업 실시계획의 승인을 받아 그 개발사업에 제공하는 토지(법 제106조 제1항 제3호에 따른 분리과세대상이 되는 토지는 제외한다)로서 건축물의 부속토지로 사용하기 위하여 토지조성공사에 착수하여 준공검사 또는 사용허가를 받기 전까지의 토지에 건축이 예정된 건축물(관계 행정기관이 허가 등으로 그 건축물의 용도 및 바닥면적을 확인한 건축물을 말한다)을 포함한다]. 다만, 과세기준일 현재 정당한 사유 없이 6개월 이상 공사가 중단된 경우는 제외한다.
4. 가스배관시설 등 행정안전부령으로 정하는 지상정착물 (2017. 7. 26. 직제개정 : 행정안전부

와~직제 부칙)

② 제101조 및 제102조에 따른 공장용 건축물의 범위에 관한 사항은 행정안전부령으로 정한다.

제103조의 2(철거·멸실된 건축물 또는 주택의 범위) 법 제106조 제1항 제2호 다목에서 "대통령령으로 정하는 부속토지"란 과세기준일 현재 건축물 또는 주택이 사실상 철거·멸실된 날(사실상 철거·멸실된 날을 알 수 없는 경우에는 공부상 철거·멸실된 날을 말한다)부터 6개월이 지나지 아니한 건축물 또는 주택의 부속토지를 말한다. 이 경우 「건축법」 등 관계 법령에 따라 허가 등을 받아야 하는 건축물 또는 주택으로서 허가 등을 받지 않은 건축물 또는 주택이거나 사용승인을 받아야 하는 건축물 또는 주택으로서 사용승인(임시사용승인을 포함한다)을 받지 않은 경우는 제외한다.

제104조(도시지역) 제101조 및 제102조에서 "도시지역"이란 「국토의 계획 및 이용에 관한 법률」 제6조에 따른 도시지역을 말한다.

규칙 제51조(지상정착물의 범위) 영 제103조 제1항 제4호에서 "행정안전부령으로 정하는 지상정착물"이란 다음 각호의 시설을 말한다.

1. 가스배관시설 및 옥외배전시설
2. 「전파법」에 따라 방송전파를 송수신하거나 전기통신역무를 제공하기 위한 무선국 허가를 받아 설치한 송수신시설 및 중계시설

제52조(공장용 건축물의 범위) 영 제103조 제2항에 따른 공장용 건축물은 영업을 목적으로 물품의 제조·가공·수선이나 인쇄 등의 목적에 사용할 수 있도록 생산설비를 갖춘 제조시설용 건축물, 그 제조시설을 지원하기 위하여 공장 경계구역 안에 설치되는 다음 각 호의 부대시설용 건축물 및 「산업집적활성화 및 공장설립에 관한 법률」 제33조에 따른 산업단지관리기본계획에 따라 공장 경계구역 밖에 설치된 종업원의 주거용 건축물을 말한다.

1. 건축중인 토지의 범위

| 최근 개정법령 _ 2019.1.1. | 재산세 별도합산 과세대상인 건축 중인 건축물 범위 명확화(영 §103 ① 3)

예규상 '건축 중'의 개념을 시행령에 규정하여 별도합산 과세대상인 ' 건축 중'인 건축물의 개념을 구체화하였다.

※ 「건축법」은 「지방세법 예규」과 같이 공사착수를 "건축공정상 일련의 행정절차(신고 등)을 마치고, 실질적인 공사를 실행한 것"으로 규정하고 있음.

○ **건축허가를 받고 토지조성공사를 착수였더라도 터파기 공사 등 실제 건축공사가 진행되지 않았다면, 건축중인 건축물로 볼 수 없어 별도합산 과세대상이 아니라 할 것임**

터파기 등 실제로 건축공사를 진행하는 행위는 축조할 건축물을 유지할 수 있는 최소한의 정도로 부지를 파내는 행위에 착수된 것을 말하는 것으로(수원지법 2010구합11390, 2011.2.10.), 기존 건물이나 시설 등의 철거, 벌목이나 수목 식재, 부지조성, 울타리 가설이나 진입로 개설 등은 건물 신축을 위한 준비행위에 불과하여, 실제로 건축공사를 진행하는 것으로 보기 어렵

다 할 것임(대법원 2010두22973, 2017.7.11.). 또한, 쟁점토지는 개발사업 관계법령에 따른 실시계획승인을 받은 내역도 없으므로, 「지방세법 시행령」 제103조 제1항 제3호에서 정한 건축 중인 건축물의 범위에 해당되지 않아 별도합산 과세대상이 아니라고 판단됨(지방세운영과-653, 2018.3.26.).

◎ **과세기준일 이전부터 사실상 건축 중이었으나, 과세기준일 이후 착공신고서를 제출한 경우(건축허가는 과세기준일 이전에 받음) 별도합산 과세대상 토지에 해당하지 않음**

건축 중인 건축물이라 함은 과세기준일 현재 건축공사에 착수하여 건축을 하고 있는 건축물을 말하는데(대법원 2016두58406), '공사에 착수'하였다고 인정하기 위해서는 건축물을 착공하기 위하여 필요한 준비행위만으로는 부족하고, 건축공정상 일련의 행정절차를 마친 다음 건물의 신축을 위한 굴착공사에 착수하는 경우에 비로소 공사에 착수하였다고 보아야 함(수원지법 2010구합11390). … 과세기준일 이후 착공신고서를 제출한 경우, 과세기준일 현재 '공사에 착수'한 것으로 볼 수 없어 건축 중인 건축물의 범위에 포함되지 않으므로 별도합산 토지에 해당하지 않음(지방세운영과-2294, 2018.10.4.).

◎ **지구단위계획구역으로 결정되어 개발행위가 제한된 토지라 하더라도 건축허가를 받거나 착공이 제한된 사실 등이 없는 경우 별도합산과세대상 토지에 해당하지 아니함**

지구단위계획구역 상 공동주택용지로 결정되었을 뿐, 건축허가를 받거나 「건축법」 제18조에 따라 착공이 제한된 사실, 토지조성공사에 착수한 사실 등이 없으므로, 별도합산과세대상 토지에 해당하지 않는다고 판단됨(지방세운영과-2296, 2018.10.4.).

◎ **흙막이 공사를 위한 규준틀 설치는 건축물 신축공사의 착수에 해당됨**

흙막이 작업의 필수적 전제가 되는 규준틀 설치 작업이 재산세 과세기준일 이전에 개시되었고, 이를 기초로 통상적인 일정에 따라 흙막이 작업, 터파기, 구조물 공사 등을 거쳐 이 사건 건축물이 완공되었음. 규준틀은 건물의 위치와 높이, 땅파기의 너비와 깊이 등을 건축 현장에 표시하기 위한 것으로서 이를 토대로 흙막이 작업 등이 공정에 따라 순차로 이루어짐. 이 사건 규준틀 작업에 따라 설치된 철제 가이드빔은 그 재료의 크기와 상태에 비추어 쉽게 이동이나 분리를 할 수 없어 단순한 가설물과는 다르고, 위 작업 이후 약 2개월 내에 정상적으로 흙막이 작업이 이루어졌고, 그 후 예정된 후속 공사가 지연되었다는 사정은 기록에 나타나 있지 않음(따라서 시행령 제103조 제1항에서 정한 '과세기준일 현재 정당한 사유 없이 6개월 이상 공사가 중단된 건축물'에 해당한다고 볼 수도 없음). 이러한 점들을 고려하면 이 사건 규준틀 설치 작업시점에 이미 건축물 신축공사를 시작하였다고 할 수 있으므로 그때부터 이 사건 건축물에 관한 굴착이나 축조 등의 공사에 착수한 것으로 보아야 함(대법원 2016두58406, 2017.3.15.).

◎ 견본주택이 멸실한 날로부터 6개월 이내라면 별도합산 대상 건축물의 범위에 포함

견본주택이 신고대상, 신고절차, 설치기준, 존치기한 연장 등 건축법이 정하는 절차에 따라 건축된 이상 이를 「건축법」 등 관계 법령의 규정에 따라 허가 등을 받지 아니한 건축물로 볼 수는 없다할 것이므로, 당해 견본주택이 「건축법」에 따라 건축 후 멸실되어 과세기준일 현재 멸실한 날로부터 6개월이 경과되지 아니하였다면 별도합산 과세대상 건축물 범위에 포함됨(지방세운영과-3498, 2010.8.11.).

◎ 별도합산 대상 "건축 중인 건축물"의 부속토지라 함은 '과세기준일 현재 공사에 착수한 경우'만을 말하고 그 착공에 필요한 준비작업을 하고 있는 경우까지 포함한다고 볼 수는 없으므로(대법원 95누7857, 1995.9.26.), 기존건물을 철거한 시점을 건축착공으로 볼 수 없고 건축착공을 하지 못한데 정당한 사유가 있다고 하더라도 이를 적용할 수 없으며(대법원 96누7304, 1997.10.28.), 공사에 착수하지 아니하였음은 과세관청이 입증하여야 함(대법원 2010두16288, 2010.11.11.).

◎ 「건축중」이란 과세기준일 현재 착공신고서를 제출하고 공사에 착수한 경우를 의미

감사원(심사결정 2004-68, 2004.8.12.)은 「건축중」이라 함은 건축허가를 받아 착공신고서를 제출한 후 규준틀 설치, 터파기, 구조물공사 등 실제로 건축공사를 진행하고 있는 것을 말하는 것으로서, 단순히 건축 준비작업인 가설 울타리설치는 건축공사를 착공한 것으로 볼 수 없다고 결정하였으며, 대법원(95누7857, 1995.9.26.)에서도 「건축중」이라 함은 과세기준일 현재 공사에 착수한 경우만을 말하고 그 착공에 필요한 준비작업을 하고 있는 경우까지 포함한다고 볼 수 없음(지방세운영과-4820, 2009.11.12.).

☞ (예규 106…103-1) '건축 중인 건축물'이라 함은 과세기준일 현재 건축허가·신고를 한 후 착공신고서를 제출하여 터파기 공사 등 실제로 건축공사를 진행하고 있는 것을 말한다.

◎ 철거중인 건축물이 재산세 과세대상인지, 그 부속토지가 별도합산 대상인지

재산세 과세기준일(6.1.) 현재 그 철거중인 건축물이 멸실등기되어 있지 않고, 건축허가를 받고 착공신고서를 제출한 후 규준틀설치, 터파기공사 등 실제로 공사가 진행중인 경우가 아니라면 그 건축물의 부속토지는 별도합산 대상에 해당되지 않음(지방세운영과-2551, 2008.9.26.).

◎ 공업지역 소재 공장용 건축물이 멸실일부터 6개월이 지나지 않은 경우 별도합산 대상

시행령 제101조 제1항에서 별도합산 대상으로 '대통령령으로 정하는 공장용 건축물 등 건축물 부속토지'로 규정하고 있어, 원칙적으로 공장용 건축물 또한 건축물의 범위에 포함된다고 밝히고 있고, ② 지방세법 시행령 제101조 ①에 따르면 공장용 건축물 중 제1호에서 제외되는 경우는 제2호에 포함된다고 볼 수 있는 바, 쟁점 토지와 같이 시지역의 공업지역에 소재

하는 공장용 건축물이 제1호에 해당하지 않는다면 제2호에 따른 건축물에 해당한다고 볼 수 있으며,… 따라서 시지역의 공업지역에 위치한 공장용 건축물이 멸실되어 6개월이 경과하지 아니한 경우라면, 구 지방세법 시행령 제103조 ①에서 말하는 건축물의 범위에 포함되어 그 부속토지는 별도합산 대상(지방세운영과-522, 2016.2.26)

◎ **과세기준일 현재 건축공사에 착수하지 못한 데에 정당한 사유가 있는 경우, 건축하고자 하는 건축물의 부속토지는 별도합산과세대상 토지에 해당되지 않음**

종합토지세는 보유하는 토지에 담세력을 인정하여 과세하는 수익세적 성격을 지닌 재산세로서 당해 토지를 보유하는 동안 매년 독립적으로 과세기준일 현재의 토지의 현황이나 이용상황에 따라 구분되는 것이므로, 구 지방세법 시행령(1993.12.31. 대통령령 제14041호로 개정되기 전의 것) 제194조의 14 제1항이 정하는 "건축중인 건물"이라 함은 과세기준일 현재 공사에 착수한 경우만을 말하고 그 착공에 필요한 준비작업을 하고 있는 경우까지 포함한다고 볼 수는 없고, 과세기준일 현재 착공을 하지 못한 것에 정당한 사유가 있다 하더라도 건축하고자 하는 건축물의 부속토지는 위 시행령 제194조의 14 제1항 소정의 건축 중인 건축물의 부속토지에 해당한다고 볼 수 없음(대법원 95누7857, 1995.9.26.).

☞ '정당한 사유'의 판단기준 : 법령에 의한 금지·제한 등 법인이 마음대로 할 수 없는 외부적 사유는 물론 고유업무에 사용하기 위한 정상적인 노력을 다하였음에도 시간적인 여유가 없어 유예기간을 넘긴 내부적 사유도 포함한다 할 것이고, 나아가 그 정당 사유의 유무를 판단함에 있어 그 중과의 입법 취지를 충분히 고려하면서 당해 법인이 영리 또는 비영리법인인지 여부, 토지의 취득목적에 비추어 고유목적에 사용하는 데 걸리는 준비기간의 장단, 고유목적에 사용할 수 없는 법령·사실상의 장애사유와 장애 정도, 당해 법인이 토지를 고유업무에 사용하기 위한 진지한 노력을 다하였는지 여부, 행정관청의 귀책사유가 가미되었는지 여부 등을 아울러 참작하여 구체적인 사안에 따라 개별적으로 판단(대법원 2000두1300, 2000.5.12., 대법원 2002두6668, 2004.7.8.)

◎ **(예규) 지법 106…103…52-1(공장용건축물의 판단기준인 제조시설)** 「지방세법 시행규칙」 제52조 공장용건축물의 판단기준인 제조시설은 통계청장이 고시하는 "한국산업분류"에 의한 제조업을 영위함에 필요한 제조시설을 말한다.

☞ 분리과세 대상 공장용 건축물 부속토지와 관련하여 그 '공장용 건축물의 범위'에 관한 내용임. 분리과세 대상 공장용지와 연계하여 참고할 것

2. 건축물의 부속토지로 사용하기 위하여 토지조성공사 중인 토지

| 최근 개정법령_2016.1.1.| 개발사업용 토지 건축물의 범위 개선(영 제103조 제1항)

종전의 규정에 따르면 개발사업 실시계획 승인을 받아 개발사업에 제공하는 토지로서 건축물의 부속토지로 사용이 예정된 토지는 별도합산을 적용하도록 규정하고 있어, 건축허가 등 전

에는 건축물의 바닥면적 등을 알 수 없어 용도지역별 적용배율(3~7배)을 적용할 수 없는 문제가 있었다. 그에 따라 건축물의 부속토지로 사용이 예정된 토지는 관계 행정기관이 허가 등으로 그 건축물의 용도 및 바닥면적을 확인한 건축물의 부속토지를 대상으로 한정하도록 명확히 하였다.

〈2016년 행자부 적용요령〉 개발사업 실시계획 승인을 받아 개발사업에 제공하는 토지 중 착공전 토지라도 건축 중인 건축물의 부속토지로 보아 별도합산이 적용되기 위해서는 건축담당부서에 건축 허가·신고(의제 포함)를 하여 용도·바닥면적이 확인된 건축단계에 이른 건축물에 대한 부속토지이어야 함.

| 최근 개정법령 _ 2020.1.1. | 별도합산과세 대상을 개발사업의 시행자가 소유한 토지로 한정하여, 토지조성공사가 사실상 준공되어 분양이 완료된 토지는 별도합산과세 적용을 배제하였다. 수분양자는 토지조성공사와 무관하고, 분양시점에 토지조성공사의 사실상 준공이 명백해지는 점을 고려하였다.

1) 도입 취지

공급용 토지의 경우 주택건설용이나 산업단지용은 분리과세 대상으로 열거하고 있는데 상업시설용지·복합시설용지 등에 대해서는 분리과세대상에 포함되지 않는다. 이러한 토지는 기존 규정에 따르면 착공에 이르지 않았다면 건축중인 토지(별도합산)에도 포함되지 않아 종합합산 대상 토지가 된다. 토지를 조성하여 대규모 건축물을 건축하는 경우 건축공사가 진행되기 전까지는 건축물 부속토지로도 볼 수 없어 경제활동에 활용중임에도 세부담이 급증하는 문제가 발생하였다. 이러한 점을 고려하여 "건축물의 부속토지로 사용하기 위하여 토지조성공사 중인 토지"는 건축물의 부속토지로 간주하게 되었다(2014.1.1., 2016.1.1. 보완). 한편 2014년에 제도가 시행 되었으나 건축물부속토지의 범위는 건축물 면적의 일정 배율범위 내 토지에 대해 별도합산을 적용하는데 당초 규정은 이에 대한 규정이 미비하여 2016년에 이를 보완하였다. 토지조성공사에 착수하여 준공검사 또는 사용허가를 받기 전까지 해당토지에 건축이 예정되어 있고 건축물 부속토지의 범위(배율범위)를 알 수 있도록 건축 허가 단계에 이른 것이 그 적용대상이라 할 것이다. 아울러 해당 규정의 의미가 누구에게 어떤 사업을 대상으로 어떤 시점에서 적용되는지 살펴볼 필요가 있다.

2) 적용대상 주체

모든 토지는 별도합산이나 분리과세 대상으로 열거되어 있지 않는한 종합합산 과세대상이 된다. 해당 규정이 도입되기 전 개발사업시행자가 조성한 토지위에 자신이 직접 건축물까지 준공하는 과정이 지나치게 오래 걸리고, 건축물부속토지로서의 별도합산대상에 이르기까지(착공단계 진입하기까지)의 기간 또한 장기간 소요되어 종합합산으로 오는 세부담을 완화해주기 위해 도입되었다. 이와 같이 과세구분 체계의 특성과 해당 규정의 시행 취지를 고려할 때 토지조성 사업의 주체인 사업시행자에게 적용되는 경우로 보는 것이 타당하다. 사업지구내 토지를 분양받은 제3자는 토지조성사업과는 별개의 사업을 추진하게 되며, 본인의 의사에 따라 취득의 시기나 사업의 계획을 조정하게 되는데 해당 규정이 이러한 제3자를 위한 규정이라고 보는 것은 타당하지 않다.

한편 대법원(2019두30638)은 토지조성공사를 진행하는 과정에서 수분양자가 사업지구내 토지를 취득하고 토지사용승인을 받은 상태에서 건축허가를 받은 경우 그 수분양자는 해당 규정의 적용대상이 된다고 판단하였다. 이 경우 토지조성공사를 하는 모든 토지는 준공 전까지 기본적으로 별도합산 대상이 된다는 논리가 되는데 당초 취지와 달리 건축물 부속토지의 범위가 지나치게 확대된다. 이러한 문제점을 보완하기 위하여 제3자가 아닌 사업시행자에게 한정하는 것으로 개정되었다(2019.12.31).

◎ **토지조성공사를 진행하는 사업시행자로부터 토지를 취득하고, 과세기준일 현재 토지사용승인을 받은 경우 별도합산 대상이라는 사례**

"토지조성공사와 건축공사를 하나의 개발사업으로 허가받은 경우에는 토지조성공사 중에도 건축 중인 경우에 해당되어 별도합산 대상이 된 반면, 토지조성공사와 건축공사가 이원화된 경우에는 토지조성공사 중에 종합합산 대상이 되는 불합리를 시정하고자 하는 취지로 신설되었다. 즉, 토지조성공사와 건축공사가 이원화된 경우에도 토지조성공사가 진행 중인 토지에 건축이 예정된 건축물의 부속토지는 별도합산 대상에 포함하고, 토지조성공사가 준공된 후 건축물이 착공되지 않은 상태인 경우에만 종합합산 대상에 포함하는 것이 이 사건 괄호 규정의 취지"임. … '개발사업 관계법령에 따른 개발사업의 시행자가 개발사업 실시계획의 승인을 받아 그 개발사업에 제공하는 토지'라고만 규정하고 있을 뿐이고, '개발사업의 시행자가 그 개발사업에 제공하는 토지를 법률상 및 사실상 소유하고 있을 것'까지 그 요건으로 정하고 있지 않음(대법원 2019두30638, 2019.4.24. 하급심).

3) 적용대상 사업

개발사업시행자가 토지조성을 위한 사업계획승인을 받은 경우를 그 대상으로 하는데, 도시개발법, 산업입지 및 개발에 관한 법률, 택지개발촉진법, 보금자리주택건설 등에 관한 특별법 등 대규모 개발사업을 통해 토지를 공급하는 사업으로 한정할 수 있다. 예를들어 개발사업시행자가 복합시설단지 개발을 위해 토지를 조성하는 과정에서 해당 사업지구내 토지 또는 사업시행자가 ○○보금자리주택지구에 사업시행자가 되어 토지조성공사를 진행하고 사업지구내 건축물 준공이 예정된 중심상업용지가 있는 경우를 예로 들 수 있다.[96] 반면 단순히 개인이 임야나 농지를 조성하여 건축물을 건축하는 경우에는 적용되지 않고 도시정비법에 따른 주택재건축, 주택재개발사업, 도시환경정비사업도 토지조성사업으로 볼 수 없다.

4) 적용기간

적용기간은 건축물 부속토지로 간주하는 규정의 특성상 건축물이 들어설 예정인 사업부지에 대해 적용하므로 사업계획승인을 받고 토지조성공사에 착수한 이후 단계라야 할 것이다. 그리고 토지조성공사에 착수하여 조성공사가 완료(준공검사 또는 사용허가를 받기 전까지)될 때까지의 기간으로 한정하고 있다. 그 결과 제3자가 취득한 토지는 그의 계획하에 임의로 토지를 활용할 수 있으므로 사업시행자가 토지조성공사를 진행 중에 있는 토지에 해당한다고 볼 수 없다.

시행령 제104조(도시지역)

영 제104조(도시지역) 제101조 및 제102조에서 "도시지역"이란 「국토의 계획 및 이용에 관한 법률」 제6조에 따른 도시지역을 말한다.

시행령 제104조에서는 시행령 제101조 · 제102조에서의 도시지역의 의미에 대하여 규정하고 있다.

〈국토의 계획 및 이용에 관한 법률〉

제6조(국토의 용도 구분) 국토는 토지의 이용실태 및 특성, 장래의 토지 이용 방향 등을 고려하여 다음과 같은 용도지역으로 구분한다.

1. 도시지역 : 인구와 산업이 밀집되어 있거나 밀집이 예상되어 그 지역에 대하여 체계적인 개발 · 정비 · 관리 · 보전 등이 필요한 지역

96) 사업지구 내 다른 토지들은 주택건설용 토지로서 분리과세 대상이다.

| 참고_용도지역 구분(국토의 계획 및 이용에 관한 법률) |

용도지역	지정목적 근거
1. 도시지역	인구와 산업이 밀집되어 있거나 밀집이 예상되어 당해 지역에 대하여 체계적인 개발·정비·관리·보전 등이 필요한 지역
가. 주거지역	거주의 안녕과 건전한 생활환경의 보호를 위하여 필요한 지역
전용주거지역	양호한 주거환경을 보호하기 위하여 필요한 지역
제1종	단독주택 중심의 양호한 주거환경을 보호하기 위하여 필요한 지역
제2종	공동주택 중심의 양호한 주거환경을 보호하기 위하여 필요한 지역
일반주거지역	편리한 주거환경을 조성하기 위하여 필요한 지역
제1종	저층주택을 중심으로 편리한 주거환경을 조성하기 위하여 필요한 지역
제2종	중층주택을 중심으로 편리한 주거환경을 조성하기 위하여 필요한 지역
제3종	중고층주택을 중심으로 편리한 주거환경을 조성하기 위하여 필요한 지역
준주거지역	주거기능을 위주로 이를 지원하는 일부 상업·업무기능을 보완하기 위하여 필요한 지역
나. 상업지역	상업이나 그 밖의 업무의 편익을 증진하기 위하여 필요한 지역
중심상업지역	도심·부도심의 업무 및 상업기능의 확충을 위하여 필요한 지역
일반상업지역	일반적인 상업 및 업무기능을 담당하게 하기 위하여 필요한 지역
근린상업지역	근린지역에서의 일용품 및 서비스의 공급을 위하여 필요한 지역
유통상업지역	도시내 및 지역간 유통기능의 증진을 위하여 필요한 지역
다. 공업지역	공업의 편익을 증진하기 위하여 필요한 지역
전용공업지역	주로 중화학공업·공해성 공업 등을 수용하기 위하여 필요한 지역
일반공업지역	환경을 저해하지 아니하는 공업의 배치를 위하여 필요한 지역
준공업지역	경공업 그 밖의 공업을 수용하되, 주거·상업·업무기능의 보완이 필요한 지역
라. 녹지지역	자연환경·농지 및 산림의 보호, 보건위생, 보안과 도시의 무질서한 확산을 방지하기 위하여 녹지의 보전이 필요한 지역
보전녹지지역	도시의 자연환경·경관·산림 및 녹지공간을 보전할 필요가 있는 지역
생산녹지지역	주로 농업적 생산을 위하여 개발을 유보할 필요가 있는 지역
자연녹지지역	도시의 녹지공간의 확보, 도시확산의 방지, 장래 도시용지의 공급 등을 위하여 보전할 필요가 있는 지역으로서 불가피한 경우에 한하여 제한적인 개발이 허용되는 지역
2. 관리지역	도시지역의 인구와 산업을 수용하기 위하여 도시지역에 준하여 체계적으로 관리하거나 농림업의 진흥, 자연환경 또는 산림의 보전을 위하여 농림지역 또는 자연환경보전지역에 준하여 관리가 필요한 지역

용도지역	지정목적 근거
가. 보전관리지역 나. 생산관리지역 다. 계획관리지역	
3. 농림지역	도시지역에 속하지 아니하는 농지법에 의한 농업진흥지역 또는 산지관리법에 의한 보전산지 등으로서 농림업의 진흥과 산림의 보전을 위하여 필요한 지역
4. 자연환경보전지역	자연환경 · 수자원 · 해안 · 생태계 · 상수원 및 문화재의 보전과 수산자원의 보호 · 육성 등을 위하여 필요한 지역

제106조(과세대상의 구분 등) 제2항

법 제106조(과세대상의 구분 등) ② 주거용과 주거 외의 용도를 겸하는 건물에서 주택의 범위를 구분하는 방법, 주택 부속토지의 범위 산정은 다음 각 호에서 정하는 바에 따른다.

1. 1동(棟)의 건물이 주거와 주거 외의 용도로 사용되고 있는 경우에는 주거용으로 사용되는 부분만을 주택으로 본다. 이 경우 건물의 부속토지는 주거와 주거 외의 용도로 사용되는 건물의 면적비율에 따라 각각 안분하여 주택의 부속토지와 건축물의 부속토지로 구분한다.
2. 1구(構)의 건물이 주거와 주거 외의 용도로 사용되고 있는 경우에는 주거용으로 사용되는 면적이 전체의 100분의 50 이상인 경우에는 주택으로 본다.
3. 주택 부속토지의 경계가 명백하지 아니한 경우 주택 부속토지의 범위 산정에 필요한 사항은 대통령령으로 정한다.

영 제105조(주택 부속토지의 범위 산정) 법 제106조 제2항 제3호에 따라 주택의 부속토지의 경계가 명백하지 아니한 경우에는 그 주택의 바닥면적의 10배에 해당하는 토지를 주택의 부속토지로 한다.

법 제106조 제2항에서는 주거용과 주거 외의 용도를 겸하는 건물에서 주택의 범위를 구분하는 방법, 주택 부속토지의 범위 산정 방법에 대하여 규정하고 있다.

한편 2020년까지 법 제106조 제3항에서는 신탁재산에 대한 토지의 합산 방법에 대하여 규정하고 있었다. 신탁재산에 대한 납세의무자를 위탁자에서 수탁자로 변경함에 따라 수탁자에 합산되는 효과를 배제하기 위한 취지였다. 그런데 2021년부터 신탁재산에 대한 납세의무자가 위탁자로 환원됨에 따라 해당 규정은 삭제되었다.

제106조의 2(분리과세대상 토지 타당성 평가 등)

법 제106조의 2(분리과세대상 토지 타당성 평가 등) ① 행정안전부장관은 제106조 제1항 제3호에 따른 분리과세대상 토지(이하 이 조에서 "분리과세대상토지"라 한다)를 축소·정비 등을 하려는 경우 또는 분리과세대상토지를 확대·추가하려는 경우에는 분리과세의 목적, 과세 형평성, 지방자치단체의 재정여건 및 다른 지원제도와의 중복 여부 등을 종합적으로 고려하여 분리과세의 타당성을 평가할 수 있다.

② 제1항에 따른 타당성 평가 결과에 따라 분리과세대상 토지를 확대·추가하려는 경우에는 「지방재정법」 제27조의 2에 따른 지방재정부담심의위원회의 심의를 거쳐야 한다.

③ 제1항에 따른 타당성 평가의 평가대상, 분리과세 적용의 필요성 등 평가기준, 분리과세 확대·추가 요청방법 등 평가절차 및 그 밖에 필요한 사항은 대통령령으로 정한다.

영 제105조의 2(분리과세대상 토지 타당성 평가 등) ① 법 제106조의 2 제1항에 따른 분리과세의 타당성 평가(이하 이 조에서 "타당성평가"라 한다) 대상은 다음 각 호와 같다.

1. 행정안전부장관이 법 제106조 제1항 제3호에 따른 분리과세대상 토지(이하 이 조에서 "분리과세대상토지"라 한다)에서 제외하거나 그 범위를 축소하려는 토지
2. 중앙행정기관의 장이 분리과세대상토지에 추가하거나 그 범위를 확대할 것을 요청한 토지

② 중앙행정기관의 장은 행정안전부장관에게 분리과세대상토지의 확대 또는 추가를 요청하는 경우에는 다음 각 호의 사항이 포함된 자료를 제출해야 한다.

1. 분리과세대상토지의 확대 또는 추가 필요성
2. 확대 또는 추가되는 분리과세대상토지의 규모
3. 분리과세 적용에 따라 예상되는 경제적 효과
4. 감소되는 지방세 규모 및 재원보전대책
5. 그 밖에 관련 사업계획서, 예산서 및 사업 수지 분석서 등 타당성평가에 필요한 자료

③ 행정안전부장관은 타당성평가와 관련하여 필요한 경우 관계 행정기관의 장 등에게 의견 또는 자료의 제출을 요구할 수 있다. 이 경우 관계 행정기관의 장 등은 특별한 사유가 있는 경우를 제외하고는 이에 따라야 한다.

④ 행정안전부장관은 다음 각 호의 사항을 고려하여 타당성평가 기준을 마련해야 한다.

1. 분리과세 적용의 필요성 및 그 대상의 적절성 등 분리과세의 타당성에 관한 사항
2. 분리과세로 인한 경제적 효과 및 지방자치단체 재정에 미치는 영향 등에 관한 사항

⑤ 제1항부터 제4항까지에서 규정한 사항 외에 타당성평가의 세부 평가 기준, 평가 절차 등에 관하여 필요한 사항은 행정안전부장관이 정한다.

종합토지세 도입 당시 분리과세는 정책적 지원이 필요한 일부 토지에 대해 세부담을 감소(낮은 재산세율, 종부세 배제)시키기 위해 도입하였는데, 시행 이후 적용대상이 지속 증가(시행령상 열거 기준 1990년 4종 → 2018년 38종)하였다. 그런데 당초의 지원목적이 종료되고, 수익용 부동산으로의 전환 등 분리과세 지원 필요성이 소멸되었음에도 그 혜택이 20년 넘게 지속되면서 기득권화 되고 유사 토지간에 과세불형평 문제가 발생하였다. 그에

따라 분리과세 대상을 존치하거나 신설할 경우 그에 대한 타당성을 평가할 필요성이 요구되었다. 분리과세 대상을 신설·확대하려는 경우, "지방재정부담심의위원회"의 심의를 거치도록 하였다. 이는 분리과세 적용도 일종의 조세혜택이므로 지방재정에 영향을 미칠 수 있어 이를 고려한 것이다.

제107조(납세의무자)

법 제107조(납세의무자) ① 재산세 과세기준일 현재 재산을 사실상 소유하고 있는 자는 재산세를 납부할 의무가 있다. 다만, 다음 각 호의 어느 하나에 해당하는 경우에는 해당 각 호의 자를 납세의무자로 본다. 〈개정 2014.1.1.〉

1. 공유재산인 경우 : 그 지분에 해당하는 부분(지분의 표시가 없는 경우에는 지분이 균등한 것으로 본다)에 대해서는 그 지분권자
2. 주택의 건물과 부속토지의 소유자가 다를 경우 : 그 주택에 대한 산출세액을 제4조 제1항 및 제2항에 따른 건축물과 그 부속토지의 시가표준액 비율로 안분계산(按分計算)한 부분에 대해서는 그 소유자

② 제1항에도 불구하고 재산세 과세기준일 현재 다음 각 호의 어느 하나에 해당하는 자는 재산세를 납부할 의무가 있다. 〈개정 2013.1.1.〉

1. 공부상의 소유자가 매매 등의 사유로 소유권이 변동되었는데도 신고하지 아니하여 사실상의 소유자를 알 수 없을 때에는 공부상 소유자
2. 상속이 개시된 재산으로서 상속등기가 이행되지 아니하고 사실상의 소유자를 신고하지 아니하였을 때에는 행정안전부령으로 정하는 주된 상속자
3. 공부상에 개인 등의 명의로 등재되어 있는 사실상의 종중재산으로서 종중소유임을 신고하지 아니하였을 때에는 공부상 소유자
4. 국가, 지방자치단체, 지방자치단체조합과 재산세 과세대상 재산을 연부(年賦)로 매매계약을 체결하고 그 재산의 사용권을 무상으로 받은 경우에는 그 매수계약자
5. 「신탁법」 제2조에 따른 수탁자(이하 이 장에서 "수탁자"라 한다)의 명의로 등기 또는 등록된 신탁재산의 경우에는 제1항에도 불구하고 같은 조에 따른 위탁자(「주택법」 제2조 제11호 가목에 따른 지역주택조합 및 같은 호 나목에 따른 직장주택조합이 조합원이 납부한 금전으로 매수하여 소유하고 있는 신탁재산의 경우에는 해당 지역주택조합 및 직장주택조합을 말하며, 이하 이 장에서 "위탁자"라 한다). 이 경우 위탁자가 신탁재산을 소유한 것으로 본다.
6. 「도시개발법」에 따라 시행하는 환지(換地) 방식에 의한 도시개발사업 및 「도시 및 주거환경정비법」에 따른 정비사업(재개발사업만 해당한다)의 시행에 따른 환지계획에서 일정한 토지를 환지로 정하지 아니하고 체비지 또는 보류지로 정한 경우에는 사업시행자
7. 외국인 소유의 항공기 또는 선박을 임차하여 수입하는 경우에는 수입하는 자

③ 재산세 과세기준일 현재 소유권의 귀속이 분명하지 아니하여 사실상의 소유자를 확인할 수

없는 경우에는 그 사용자가 재산세를 납부할 의무가 있다.

영 제106조(납세의무자의 범위 등) ① 법 제107조 제1항 제3호에 따른 납세의무자(위탁자별로 구분된 재산에 대한 수탁자를 말한다. 이하 이 항에서 같다)는 그 납세의무자의 성명 또는 상호(법인의 명칭을 포함한다. 이하 이 항에서 같다) 다음에 괄호를 하고, 그 괄호 안에 위탁자의 성명 또는 상호를 적어 구분한다. 〈신설 2014.1.1.〉

② 국가, 지방자치단체 및 지방자치단체조합이 선수금을 받아 조성하는 매매용 토지로서 사실상 조성이 완료된 토지의 사용권을 무상으로 받은 자가 있는 경우에는 그 자를 법 제107조 제2항 제4호에 따른 매수계약자로 본다. 〈개정 2014.1.1.〉

③ 법 제107조 제3항에 따라 소유권의 귀속이 분명하지 아니한 재산에 대하여 사용자를 납세의무자로 보아 재산세를 부과하려는 경우에는 그 사실을 사용자에게 미리 통지하여야 한다. 〈개정 2014.1.1.〉

규칙 제53조(주된 상속자의 기준) 법 제107조 제2항 제2호에서 "행정안전부령으로 정하는 주된 상속자"란 「민법」상 상속지분이 가장 높은 사람으로 하되, 상속지분이 가장 높은 사람이 두 명 이상이면 그 중 나이가 가장 많은 사람으로 한다.

제54조(납세의무 통지) 영 제106조 제3항에 따른 사용자에 대한 납세의무 통지는 별지 제58호 서식에 따른다. 〈개정 2014.1.1.〉

과세기준일 현재 재산을 사실상 소유하고 있는 자는 재산세 납세의무가 있다. 다만, 사실상 소유자 확인이 어려운 경우 등 일정요건에 해당하는 경우에는 예외를 두고 있다.

| 참고 _ 유형별 납세의무자 |

공유재산	지분권자
• 주택의 건물과 부속토지의 소유자가 다를 경우	안분계산한 소유자
• 공부상의 소유자가 소유권 변동신고를 하지 아니하여 사실상의 소유자를 알 수 없을 때	공부상 소유자
• 상속이 개시된 재산으로서 상속등기가 이행되지 아니하고 사실상의 소유자를 신고하지 아니하였을 때	주된 상속자
• 공부상에 개인 등의 명의로 등재되어 있는 사실상의 종중재산으로서 종중소유임을 신고하지 아니하였을 때	공부상 소유자
• 국가, 지방자치단체, 지방자치단체조합과 재산세 과세대상 재산을 연부(年賦)로 매매계약을 체결하고 그 재산의 사용권을 무상으로 받은 경우	그 매수계약자
• 신탁법에 의하여 수탁자 명의로 등기·등록된 신탁재산	위탁자별로 구분된 수탁자

1. 사실상 소유자

'재산세 과세기준일 현재 재산을 사실상 소유하고 있는 자는 재산세를 납부할 의무가 있다'고 규정하고 있고, 여기서 '사실상의 소유자'라 함은 공부상 소유자로 등재된 여부를 불문하고 객관적으로 보아 당해 재산을 배타적으로 사용·수익·처분할 수 있는 자, 즉 당해 재산에 대한 실질적인 소유권을 가진 자를 뜻한다(대법원 2005두15045, 대법원 95누5080 등). 이는 언제라도 공부상 소유자로 등재될 수 있는 상태에 있다면 재산을 사실상 소유하고 있다 할 것이며, 공부상 소유자라 하더라도 취득 또는 양도의 실질적 요건이 갖추어졌는지 등의 제반 사항을 종합하여 사실상 소유자가 따로 있음이 확인된다면 공부상 소유자에게 재산세 납세의무를 지울 수 없다(조심 2016지0544, 2016.9.30.).

이러한 사실상 소유자 또는 실질적 소유자의 개념은 세법의 특성 및 해당 규정의 목적과 취지에 따라 그에 적합하게 해석되어야 한다. 재산세의 납세의무자를 공부상 소유자 혹은 법률상 소유자가 아닌 사실상 소유자로 규정한 것은 재산에 대한 실질적 담세력이 있는 자를 납세의무자로 규정함으로써 보다 실질과세원칙에 충실하기 위한 취지이다. 사법상의 소유자가 갖는 형식적인 법률상의 외관에 불구하고 당해 재산을 경제적·실질적인 관점에서 관찰하여 이를 사실상 지배하는 자, 즉 경제적 소유자인지의 여부에 따라 재산세의 납세의무자에 해당하는지 여부를 판단하도록 하기 위한 것이다. 따라서 이때 사실상 소유자 내지 실질적 소유자에 해당하는지 여부를 판단함에 있어서는 그가 사법상의 소유자가 갖는 완전한 사용·수익·처분의 제반권능을 반드시 모두 갖추어야 하는 것은 아니다(서울고법 2011누43272, 2012.7.5.).

사인간의 내부관계를 과세관청이 판단할 수 없는 영역에 해당하는 경우까지 사실상 소유자를 조사해서 결정하라는 취지는 아니다. 실무적으로 볼 때 「지방세법」 제107조 제1항의 「사실상 소유하고 있는 자」라 함은 같은 법 시행령 제20조에 규정된 취득의 시기가 도래되어 당해 토지를 취득한 자를 말한다. 이는 법 제120조 제1항의 규정에 의하여 신고하는 경우에는 같은 법 제107조 제2항 제1호의 규정에 우선하여 적용된다(통칙 지법 107-1).

즉 등기가 이루어지지 않은 상태에서 취득의 시기가 도래하여 신고하였다면 취득한 자가 납세의무자이다. 만약 매매 등의 사유로 인해 소유권이 변동되었음에도 이를 신고하지 아니하여 사실상 소유자를 알 수 없는 때에는 과세관청은 공부상 소유자를 납세의무자로 보게된다. 과세관청은 납세자의 과세대상 재산의 취득사실을 등기부 등본이나 취득세 신고사실을 통해 취득의 시기를 알 수 있고 이를 통해 과세기준일 현재 사실상 소유자를 쉽게 알 수 있다. 다만, 취득 당시의 소유자가 사망 등으로 확인할 수 없는 경우, 당초 취득자를 알 수 없는 오래된 재산의 경우 등 단순히 취득의 시기를 기준만으로 확인할 수 없는 경우도 있다. 이에 대해서는 사실관계의 충분한 조사, 관련 규정간의 조화로운 해석 등을 바탕으로 납세의무자를 판단하여야 할 것이다.

◎ 종합토지세 납세의무자인 '토지의 사실상 소유자'가 되는 시기는 잔금지급일

종합토지세 납세의무자를 "종합토지세 과세기준일 현재 토지를 사실상으로 소유하고 있는 자"라고 규정하고 있으므로, 토지를 사실상 취득한 때에 비로소 종합토지세를 납부할 의무가 있는데, 그 취득의 시기에 대하여는 종합토지세에 관한 별도의 규정이 없으므로, 취득세에 있어서의 취득의 시기에 관한 지방세법 시행령 제73조를 준용하여 매매 등 유상승계취득의 경우에는 그 계약상의 잔금지급일을 취득일로 봄(대법원 94누13831, 1995.5.23.).

◎ 공유수면 매립공사 준공인가 전 사용허가를 받은 경우 사실상 소유자가 되는 취득시기임

지방세법 제234조의 9 제1항은 종합토지세 납세의무자를 종합토지세 과세기준일 현재 토지를 사실상으로 소유하고 있는 자로 규정하고 있는데, 이러한 사실상의 소유자가 되는 취득시기에 대하여는 별도로 규정하고 있지 아니하므로 취득세에 있어서의 취득시기에 관한 같은 법 시행령 제73조를 준용하여 결정하여야 할 것인 바, 이와 같은 법리는 공유수면 매립에 의한 원시취득의 경우라 하여 달리 볼 근거는 없으므로 공유수면 매립공사 준공인가 전에 사용허가를 받은 경우에는 위 시행령 제73조 제10항 단서에 따라 그 허가일을 사실상 소유자가 되는 취득시기로 보아야 할 것임(대법원 98두14549, 1999.9.7.).

◎ 분양대금을 완납하였으나, 사업시행자가 그 토지를 완성하지 못하여 매수자(완납자)가 그 토지를 사용하는 것이 사실상 불가능할지라도 매수자는 납세의무자임

재산의 사실상 소유여부는 취득세의 취득시기 규정을 준용하여 재산세 부과 여부를 결정하게 함으로써, 재산세에 있어서도 과세관청이 재산세를 부과하기 위하여 일일이 그 재산의 사실상 소유자를 확인하는 번거로움을 덜어주어 조세행정의 능률성을 도모하고, 동시에 일관적인 조세행정을 담보하기 위함으로 택지의 매수인이 「택지개발촉진법」에서 정한 택지개발사업이 진행 중인 택지를 분양받아 매매계약을 체결하고 대금을 완납한 경우(취득한 경우)라면, 위 택지개발사업이 완료되지 않은 상태여서 분양받은 택지의 사용이 사실상 불가능하다고 할지라도, 위 매수인은 "재산을 사실상 소유하고 있는 자"라 할 것임(법제처 법령해석총괄과 2008-933, 2008.12.11.).

◎ 객관적으로 외부에 표시되는 구분행위가 없었다면 공유지분 해당 비율만큼 납세의무가 있음

1동의 건물(근생 및 다가구주택, 5층) 중 다가구주택(4~5층)을 제외한 근린생활시설(1~3층) 일부를 취득하고 등기 시에는 근생만 구분등기할 수 없어 1동 전체에 대해 공유자 지분

으로 소유권이전등기를 마친 경우 … 1동의 건물 중 각 일부분의 위치 및 면적이 특정되지 않거나 독립성이 인정되지 아니한 경우에는 공유자들 사이에 이를 구분소유하기로 하는 취지의 약정이 있다 하더라도 일반적인 공유관계가 성립할 뿐, 공유지분등기의 상호명의신탁관계 내지 건물에 대한 구분소유적 공유관계가 성립한다고 할 수 없음(대법원 2011다42430). 따라서 쟁점 부동산에 대하여 공유관계의 구분의사가 내부 계약으로만 존재할 뿐 객관적으로 외부에 표시되는 구분행위가 없었다면, 주택과 근생의 납세의무자를 각각 달리 보기는 어려우며, 공유자 지분 해당비율만큼 납세의무가 있음(부동산세제과-2308, 2020.9.4.).

◎ **집합건물의 2층을 경락받았으나 법률적인 소유권은 물론 실질적인 소유권도 가지지 못했으므로, 2010년분 재산세는 취소하고, 그 이전분은 당연무효에 해당**

경락받은 시점은 물론 그 이후로도 구분소유의 목적이 될 수 있는 구조상·이용상의 독립성을 갖추지 못한 건물의 일부에 불과하여 구분소유권은 존재할 수 없는 것이고, 등기부상 구분소유권의 목적으로 등재되어 있다 하더라도 이는 존재하지 아니하는 건물에 관한 등기와 다를 바 없어 그 자체로 무효이므로, 결국 그 소유권을 취득하여 가지고 있다고 할 수 없음. 게다가 3층 내지 7층의 주차장을 출입하는 차량의 통행로로 이용되고 있어 그에 관한 원고의 독점적 사용·수익이 현실적으로 불가능할 뿐만 아니라 이 사건 전유부분에 관한 구분소유권의 존재 자체가 부정되는 관계로 통행로로의 이용을 배제할 수 있는 법률상 권한도 인정받지 못하고 있는 형편임(대법원 2012두11119, 2012.8.30.).

☞ 대법원 2005두15045를 바탕으로 사실상 소유자를 판단한 사례임.

☞ 구분소유권의 객체로서 적합한 물리적 요건을 갖추지 못한 건물의 일부는 그에 관한 구분소유권이 성립될 수 없는 것이어서, 건축물관리대장상 독립한 별개의 구분건물로 등재되고 등기부상에도 구분소유권의 목적으로 등기되어 있어 이러한 등기에 기초하여 경매절차가 진행되어 이를 낙찰받았다고 하더라도, 그 등기는 그 자체로 무효이므로 낙찰자는 그 소유권을 취득할 수 없음(대법원 99다46096, 2008마696 참조).

◎ **공부상 소유 여부를 불문하고 실질적인 소유권을 가진 자가 납세의무자라는 사례**

'사실상의 소유자'라 함은 공부상 소유자로 등재된 여부를 불문하고 객관적으로 보아 당해 재산을 배타적으로 사용·수익·처분할 수 있는 자, 즉 당해 재산에 대한 실질적인 소유권을 가진 자를 뜻함(대법원 2005두15045, 대법원 95누5080 등). 이 사건 변경계약상 잔금지급기일인 2011.5.16. 또는 과세대상 아파트에 대한 매매대금(최초 분양가의 60.2%의 매매대금)을 완납한 2011.5.18.에 과세대상 아파트를 취득하였으므로, 과세기준일 당시 이미 과세대상 아파트를 사실상 소유하고 있었다고 봄이 타당(대법원 2015두2307, 2015.9.24.)

◎ **국가로부터 이전받은 토지이나 사용수익처분권이 없어 사실상 소유자가 아니라는 사례**

재산세 납세의무자인 '사실상 소유자'란 공부상 소유자로 등재한 여부를 불문하고 재산에 대한 실질적인 소유권, 즉 그 재산을 배타적으로 사용·수익·처분할 수 있는 권능을 가진 자를 말함(대법원 2014두2980). … 원고는 대한민국의 승인 없이 임의로 토지를 사용·수익·처분한 바 없음. 대한민국에게 소유권이전에 대한 대가를 지급한 바 없고, 소유권이전에 관하여 독립적인 당사자로서 협의나 협상을 하였음을 인정할 자료도 없는 점, 만약 공부상 소유권뿐 아니라 사실상 소유권도 온전히 원고에게 이전하기로 합의하였다면 이 사건 조건이 부가될 이유가 없는 점, 대한민국이 이전등기를 마친 것은 소유권을 양도하기 위함이 아니라, 공부상 명의자를 원고로 하되 자신의 감독·승인 하에서 제한적으로 토지를 관리하도록 하여 보다 효율적으로 이용하기 위함이었다고 봄이 상당함(대법원 2020두43548, 2020.11.5.).

◎ 택지 분양대금 완납자는 택지개발사업 완료 전이라도 사실상 소유자에 해당됨

택지개발사업이 진행 중인 택지를 분양받아 매매계약을 체결하고 대금을 완납한 경우, 위 택지개발사업이 완료되지 않은 상태여서 분양받은 택지의 사용이 사실상 불가능하다고 할지라도, 위 택지의 매수인은 "재산을 사실상 소유하고 있는 자"라 할 것임(법제처 법령해석 08-0324, 2008.12.11.).

☞ 택지의 경우 취득일 현재 토지 자체의 실물이 존재하기 때문에 잔금을 납부한 이상 택지준공 이전이라 하더라도 취득의 시기가 도래되었다고 볼 수 있음. 한편 건축물(대지권 포함)을 분양받은 경우에는 건축물에 대한 준공이 도래되지 않았다면 과세대상 자체가 없으므로 잔금을 지급하였다 하더라도 취득의 시기가 도래되지 않아 사실상 소유자로 볼 수 없음.

◎ 지방세법 "토지과세대장에 등재된 소유자"와 "사실상 소유자"의 범위에 공부상 소유자가 아닌 관리자·사용자·경작자·점유자 등도 납세의무자가 될 수 있음

구 지방세법(2005.1.5. 법률 제7332호로 개정되기 전의 것) 제182조에서 규정한 "토지과세대장에 등재된 소유자"와 현행 지방세법 제182조에서 규정한 "사실상 소유자"라 함은 공부상 소유자(등기된 경우에는 등기부등본상의 소유자, 미등기된 경우에는 토지대장의 소유자)로 등재된 여부를 불문하고 당해 재산에 실질적인 소유권을 가진 자를 말한다고 할 것이므로 관리자, 사용자, 경작자, 점유자 등도 재산세의 납세의무자가 될 수 있다 할 것임(지방세정팀-352, 2007.2.26.).

◎ 택지개발지구로 조성 중인 공동주택용지를 2005.5.20. 잔금을 지급하였으나 토지조성공사가 마무리되지 않아 토지사용 승낙을 받지 않은 경우라도 납세의무 있음

2005.5.20. 잔금을 납부함으로써 당해 토지에 대한 재산세 납세의무자인 사실상 소유자에 해당되며, 제출된 토지용지매매계약서 제5조 제1항에서는 "을은 조성사업준공 전에 목적용지를 공급받은 때에는 조성사업으로 인하여 불가피하게 발생하는 토지사용의 제한을 수인하기로 한다"는 점 등을 감안할 때 택지개발지구로 조성 중인 공동주택용지가 토지사용승낙을 받지 못하여 사용권을 제약받는다 할지라도 지방세법 제183조에서 규정한 사실상 소유자에

해당된다 할 것임(지방세정팀-5922, 2006.11.28.).

◎ 임시사용기간 만료 후 사용승인서 교부일까지 사용하지 않았더라도 납세의무가 있음

재산세 과세기준일 현재 건축물 임시사용승인을 받은 경우로 취득이 이루어졌다면 건축물을 사실상 소유한 자로 재산세 납세의무가 있는 것이며, 설령 임시사용기간 만료 후 사용승인서 교부일까지 2년정도 건축물을 사용하지 않은 경우라 하더라도 재산세 과세기준일 현재 재산을 사실상 보유하고 있었다면 보유한 사실에 의해 부과하는 보유세 특성상 재산의 사용여부는 재산세 과세시 별도 고려요건에 해당되지 않음(지방세운영과-2774, 2008.12.30.).

◎ 분양금 잔액을 아파트 완공 후 은행융자금으로 대환키로 하고 입주하였으나 하자로 인해 대환조치가 늦어진 경우 실제 대환이 이루어진 날(취득시기)에 사실상 소유자가 됨

분양대금 중 은행융자금을 제외한 나머지를 모두 지급받고 아파트에 입주시켰으나, 일부 세대가 입주 당시 분양자에게 은행융자신청서류를 교부하였다가 그 후 준공검사 미필과 진입로 미포장 등을 이유로 회수하였고 하자보수요구가 이행된 이후 분양계약자들이 분양자에게 은행융자신청서류를 교부하여 주택건설자금 대출금이 주택구입자금 대출금으로 대환조치되었다면 그 대환이 이루어진 날 이전에는 아파트의 소유권이 피분양자들 앞으로 변동되었다거나 피분양자들이 아파트의 사실상 소유자라고 할 수 없고, 아파트를 취득한 것으로 간주되는 사실상의 잔금지급일은 그 대환이 이루어진 날이라고 봄이 상당하므로 과세대장상 소유자인 분양회사가 재산세 납세의무를 부담하여야 함. 잔금완납 전에 입주・임대한 사실 또는 취득세를 미리 자진신고・납부한 사실만으로는 사실상 소유자로 되어 납세의무를 부담한다고 볼 수 없음(대법원 93누22043, 1994.11.11.).

◎ 재산세 납세의무는 점유와 관계없이 사실상의 소유자에게 부과하는 것이므로, 제3자가 토지를 불법점유하여 재산권이 부당하게 침해된 경우에도 공부상 소유자에게 부과하는 것임

재산세의 납세의무는 점유와는 상관없이 사실상 소유자에게 있는 것인 바…, 원고는 1988.6.8. 이 사건 토지에 관하여 원고 명의로 소유권이전등기를 마치고 현재까지 이를 소유하여 온 사실을 인정할 수 있음. 위 인정사실에 의하면, 이 사건 토지의 사실상 소유자는 원고라 할 것이고, 피고가 원고의 재산권을 부당하게 침해하였다고 인정할 만한 증거도 없으므로, 원고를 이 사건 토지의 사실상 소유자로 보아 재산세를 부과한 이 사건 처분은 적법하고 원고의 위 주장은 이유 없다(대법원 2014두6944, 2014.7.24.).

◎ 전혀 사용할 수 없는 토지로 재산권을 부당하게 침해당하고 있다 하더라도 납세의무자

지방세법 제107조에 의하면 재산세의 납세의무는 점유와는 상관없이 사실상 소유자에게 있는 것인 바, 을 제1호증의 기재 및 변론 전체의 취지를 종합하면 원고는 1988.6.8. 이 사건 토지에 관하여 그 명의로 소유권이전등기를 마치고 현재까지 이를 소유하여 온 사실을 인정

할 수 있음. 따라서 원고가 주장하는 사정만으로는 ○○○ 등이 이 사건 토지의 사실상 소유자라고 할 수 없고, 피고가 원고의 재산권을 부당하게 침해하였다고 인정할 만한 증거도 없으므로, 이 사건 토지에 대한 재산세 납부의무자를 원고로 보아 피고가 한 이 사건 처분은 적법(대법원 2012두11843, 2012.8.30.)

◎ **건축물대장(잘못기재)에 근거하여 재산세를 부과한 경우 공용부분의 지분을 잘못 계산하였다 하더라도 당연무효에 해당하지 않는다는 사례**

사실관계를 정확히 조사하여야 비로소 밝혀질 수 있는 경우라면 그 하자가 중대한 경우라도 외관상 명백하다고 할 수 없어 과세요건사실을 오인한 위법의 과세처분을 당연무효라고는 볼 수 없음(대법원 2000다24986, 2001.7.10. 등). 피고가 지방세법의 관계법령에 따라 개별 집합건축물대장에 기재된 공용부분 면적을 근거로 하여 원고 소유 구분건물에 대한 재산세 등을 부과한 사실이 인정됨. 따라서, 피고가 설령 이 사건 집합건물의 공용부분에 대한 원고의 지분에 해당하는 면적을 오인하여 재산세 등을 부과하였다고 할지라도 위와 같이 개별 집합건축물대장에 기재된 공용부분 면적을 근거로 과세된 이상 그 처분을 당연무효라고 할 수 없음(대법원 2013다208456, 2013.9.26.).

◎ **보상금을 지급하거나 공탁한 때에는 수용의 개시일에 소유권을 취득한 것이므로 사업시행자가 납세의무자임. 건물을 사용중이라거나 취득의 시기 규정은 이와 무관하다는 사례**

토지보상법상(제40조 ①·②) 사업시행자는 관할 토지수용위원회가 재결로써 결정한 수용의 개시일까지 재결에서 정한 보상금을 토지나 물건의 소유자에게 지급하거나 공탁하여야 하고, 보상금을 지급하거나 공탁한 때에는 수용의 개시일에 토지나 물건의 소유권을 취득하고, 그 토지나 물건에 관한 다른 권리는 이와 동시에 소멸하며(제45조 ①), … 사업시행자인 조합이 수용개시일인 2009.5.29. 원고를 피공탁자로 하여 수용재결에서 정한 보상금을 공탁하였으므로, 소유권이전등기를 하였는지와는 관계없이, 수용개시일에 소유권을 취득하였고, 원고는 같은 날 소유권을 상실하였음이 명백함. 따라서, 과세기준일인 현재 쟁점 부동산을 소유하고 있지 않는 자를 상대로 부과한 것으로 그 하자가 중대하고 명백하여 당연 무효라 할 것임(서울고법 2010누17092, 2010.11.10.).

☞ 사업의 근거 법령인 도시정비법상(제38조) 사업시행자가 필요한 경우 토지보상법상(제3조) 토지·물건 또는 그 밖의 권리를 수용 또는 사용할 수 있고, 도시정비법상(제40조 ①) 사업시행을 위한 토지 또는 건축물의 소유권과 그 밖의 권리에 대한 수용 또는 사용에 관하여 도시정비법에 특별한 규정이 있는 경우를 제외하고는 토지보상법을 준용함.

◎ **기부채납 예정인 건축물이 준공되어 있는 경우 사실상의 소유자는 지자체로 볼 수 없음**

○○개발이 건축주가 되어 원시취득한 부동산으로 건축과정에서 인천시가 공동의 건축주로 참여하지 아니하였던 점, 쟁점 건축물의 용도는 사회기반시설이 아닌 상업시설로서 인천시

등 공공기관만이 사용할 수 있는 용도의 건축물이 아닌 점, 신축에 따른 원시취득 이후 인천시로의 이전등기, 수용의사(채납) 등 취득으로 볼 수 있는 별도의 행위가 없었던 점 … 과세기준일 현재 인천시가 쟁점 건축물을 사용·수익한 사실이 확인되지 않고, 협약서상 준공과 동시에 사용·수익 권한이 주어졌다고 볼 여지가 없고, 인천시가 쟁점 건축물을 ○○개발의 동의 없이 임의로 처분할 수 있는 지위에 있다고 보기도 어려운 점 등을 감안, 납세의무자는 ○○개발로 보는 것이 타당(지방세운영과-393, 2016.2.15.)

◎ A기술원이 기부채납 조건으로 신축하였으나, 기부채납을 이행하지 않은 경우 과세대상

△△부 소유의 국유지에 신축된 쟁점 건축물이 연구시설로서 △△부의 승인을 받아 신축하였다 하더라도, 이는 준공 후 △△부로 기부채납하는 등의 승인조건이 있는 점에 있어서도 신축 승인을 근거로 △△부가 쟁점 건축물에 대한 사용·수익·처분권을 행사할 수 있는 지위에 있다고 보기 어렵고, 재산세 비과세 대상은 국가의 '소유' 재산으로 한정하고 있으므로, 쟁점 건축물에 대하여 준공 및 사용승인을 받았지만 과세기준일 현재 기부채납이 예정되어 있을 뿐 실제로 기부채납 절차가 이행되지 않았다면 국가가 취득한 재산으로서 비과세 대상으로 보기 어려움(부동산세제과-2516, 2020.9.22.).

◎ (예규) 지법 107-3(공부상 소유자) 「지방세법」 제107조 제2항의 「공부상의 소유자」라 함은 등기된 경우에는 등기부등본상의 소유자를, 미등기인 경우에는 토지대장 또는 임야대장상의 소유자를 말한다.

◎ 재산세 납세의무자 관련 사례

- 증여계약을 체결하였음에도 이를 신고하지 아니하여 공부상 증여자 명의 그대로 있었다면, 등기부상 소유자(증여자)에게 재산세를 부과한 것은 적법함(대법원 2005두14493, 2006.5.25.).
- 등기부 등에 의하여 토지의 소유자가 아님이 일견 명백하게 알 수 있음에도 이를 오인하여 재산세를 제3자에게 과세한 것은 당연무효에 해당함(대법원 98두13140, 1999.10.12.).
- 부과처분은 권리와 의무의 주체가 될 수 없는 사자(死者)에 대한 행정처분으로서 당연무효이고, 이에 기한 압류처분 및 공매처분 역시 모두 무효임(대법원 99두660, 1999.4.23.).
- 「친일반민족행위자 재산의 국가귀속에 관한 특별법」에 따라 재산을 국가에 귀속시킨 경우 소유권 이전 전까지 기 과세된 재산세 부과처분에는 영향이 없음(지방세운영과-4665, 2009.11.2.).
- 「지방세법」 제106조 규정의 과세기준일 현재 재산세 과세대상물건의 소유권이 양도·양수된 때에는 양수인을 당해연도의 납세의무자로 봄(예규 지법 106-1).
- 택지개발지구 내 토지에 대한 소유권이전등기가 이루어지지 아니하였다고 하더라도, 분양받은 토지에 대한 대금정산을 하고 사용권까지 득한 경우라면 매수자가 당해 토지에 대한

사실상의 소유자로써 재산세 납세의무자가 됨(대법원 97누12709, 1998.11.13.).

• 채권담보 목적으로 신축 중인 건물에 대한 건축주 명의변경 및 사용승인신청을 채권자 명의로 하였더라도, 명의 변경 당시 건물의 신축공사 공정률이 이미 98% 정도에 이르렀다면 당초 건축주를 납세의무자인 사실상의 소유자로 보는 것이 타당(대법원 2005두2261, 2006.11.9.).

2. 재개발 · 재건축 주택 관련 납세의무

◎ **도정법에 따른 주택재건축사업으로 공동주택이 준공된 경우 신탁관계가 종료되지 아니하였더라도 조합원분 주택(부속토지 포함)은 조합원을 납세의무자로 주택분 재산세 과세**

(과세 대상) 주택재건축사업으로 재산세 과세기준일 현재 공사가 완료(준공)된 경우, 과세대상은 주택건설용 '토지' → 주택'으로 전환됨. 즉, 신축된 건축물의 면적과 해당 건축물의 부속토지(대지권 지분)를 통합하여 토지분이 아닌 "주택분재산세"가 과세되어야 함.

(납세의무자) 신축 건축물(아파트)의 경우 개별 조합원에게 "신축"을 원인으로 한 취득세가 과세되는 등 당해 건축물의 사실상 소유자는 조합원이라 할 수 있음. 한편, 신축건축물 부속토지(조합원분)의 경우에는 비록 과세기준일 현재 신탁관계가 해소되지 아니하였다 하더라도 신축으로 인하여 재산세 과세대상이 주택 건설용 "토지"가 아닌 "주택"(공동주택)으로 전환된 점[공동주택인 집합건물의 특성상 구분소유자는 그가 가지는 전유부분과 분리하여 대지사용권을 처분할 수 없는 점(집합건물법 제20조 ②)], 도정법에 따라 조합원이 조합을 설립하고, 조합의 의사결정은 곧 조합원의 전체의사로 볼 수 있는 등 조합원과 조합은 특수한 관계에 있으며, 관리처분계획에서 정한대로 이전고시 등의 절차를 거쳐 조합원이 그대로 소유권보존등기 권리자로 등재되는 점 등을 고려할 때 조합원에게 과세하는 것이 합리적임(지방세운영과-1631, 2015.6.2.).

◎ **재건축조합에 사실상 인도된 토지라 하더라도 조합이 취득한 것으로 볼 수 있는 취득시기가 도래하지 않은 이상 기존 토지 소유자가 재산세 납세의무를 짐**

'사실상 소유하고 있는 자'라 함은 공부상 소유자로 등재된 여부를 불문하고 당해 재산에 대한 실질적인 소유권을 가진 자를 말한다고 보아야 하고, 이에 해당하기 위하여는 그 재산을 취득하였거나 취득한 것으로 볼 수 있어야 할 것임. 조합은 이 사건 아파트(재건축 대상)에 관한 소유권이전등기를 마치지도 않았을 뿐만 아니라 매매대금에 해당하는 청산금을 지급하지도 않았던 점, 조합이 청산금지급의무를 부담한다는 사실만으로는 아파트에 관한 소유권 취득의 실질적 요건을 갖추었다고 보기 어려운 점, 조합이 이 사건 아파트에 관하여 배타적인 사용 · 수익 · 처분권을 갖게 되었다고는 할 수 없는 점 등 조합은 '사실상 소유하고 있는 자'로 볼 수 없음(대법원 2014두36440, 2014.7.24.).

◎ 주택재개발사업에 따라 과세기준일 현재 아파트가 준공되어 있는 경우(이전고시 전) 신축아파트는 주택분 재산세 과세대상으로 납세의무자는 "조합원 · 조합"이 됨

재산세 과세대상인 주택으로서의 그 실체가 있다할 것이며, 신축된 재개발주택에 대해 별도의 재산세 비과세 · 감면을 규정하지 아니한 점, 준공 이전에는 당해 토지에 대하여 재산세가 과세되어 왔는바, 준공 이후에도 주택의 부속토지로서 일관된 과세가 필요한 점, 관리처분계획에서 정한 내용대로 당해 "조합원 · 조합"이 궁극적으로 소유하게 되며 이전고시(분양처분) 그 자체로는 아무런 권리의 득상, 변동을 생기게 하는 것이 아닌 점(대법원 95다10570, 1995.6.30.), "조합원 · 조합"이 소유권보존등기 권리자로 등재되는 점 등을 종합적으로 고려할 때 이전고시 이전이라도 "조합원 · 조합"은 당해 신축아파트의 사실상 소유자로서 재산세 납세의무자임(지방세운영과-2780, 2011.6.14.).

◎ 재건축조합의 아파트 사용승인 후 조합원이 입주하였으나, 법원 "동 · 호수 추첨 무효에 따른 취득세 · 재산세 취소판결"에 이른 경우 재산세 납세의무자는 조합이라는 사례

동 · 호수 추첨을 위법 부당하게 처리하여 아파트 배정 및 분양계약은 무효라는 대법원 결정(2006다77272, 2008.2.15.)과 그에 따라 쟁점아파트를 사실상 취득한 바도 없어 사실상 소유자로 볼 수 없고, 그 사용자로도 볼 수 없어 재산세 등의 부과처분은 위법이라 결정하였음(대법원 2008두23191, 2009.3.12.). 또한 조합이 조합원용으로 취득하는 부동산은 그 조합원이 취득하는 것으로 의제하고 있는 점에 터잡아 과세관청이 해당 조합원을 사실상 소유자로 보아 재산세를 과세한 점을 고려할 때, 당초의 취득자인 조합을 사실상 소유자로 보는 것이 타당하며, 분양 · 재지정 등 의사결정의 주체이자 실질적 권리자로인 조합이 쟁점 동 · 호수의 사실상 소유자로서 납세의무자(지방세운영과-1876, 2011.4.21.)

◎ 재건축사업지구 내 토지소유자가 현금청산을 하기로 하여 조합이 매도청구권을 행사하였다고 하더라도, 소유권이전등기뿐만 아니라 매매대금에 대한 청산금이 지급되지 않은 경우에는 기존 토지소유자를 납세의무자로 보아야 함(대법원 2014두36440 2014.7.24.).

◎ 현금청산 대상인 조합원에 대해 재산세 납세의무가 있음

원고는 위 분양신청 기간 내에 분양신청을 하지 않았으므로 현금청산 대상자가 되었고 … 원고가 조합으로부터 청산금을 지급받지도 않았고, 그에 대응하여 이 사건 토지에 관한 소유권이전등기도 마치지 않은 이 사건에 있어서, 조합이 '사실상의 소유자'라고 해석할 수는 없음(대법원 2016두31074, 2016.4.15.).

◎ 계약상 잔금 지급일이 아닌 사실상 잔금 지급일을 취득시기로 보아 과세한 사례

실제 잔금을 지급하지 아니한 경우, 계약상 잔금지급일이 도래하였다 하더라도 사실상 취득으로 보기 어려우므로 청구인이 재산세 과세기준일(6.1.) 후에 이 건 주택에 대한 잔금을 지

급한 사실이 확인된 이상, 처분청에서 그 계약상 잔금지급일(5.28.)을 이 건 주택의 취득일로 보아 이 건 재산세 등을 부과한 처분은 잘못이 있음(조심 2016지0079, 2016.6.22.).

◎ 2015년도 재산세 과세기준일(6.1.) 현재 소유권에 관한 분쟁으로 소송이 계류중이었고 과세기준일이 지난 시점에 소유권이전등기말소 확정판결(사기매매)에 의하여 소유권이 말소된 경우 : 소유권이전등기말소청구의 소송이 확정되어 청구인은 이에 따라 소유권이전등기의 원인무효에 의한 말소등기를 하였고, 판결문에서 쟁점토지의 소유자는 당초 매도인의 상속인이라는 사실이 확인되므로 청구인을 쟁점토지의 소유자로 보아 이 건 재산세 등을 부과한 처분은 잘못임(조심 2015지1842, 2016.6.29.).

3. 소유권 회복에 따른 납세의무

◎ **확정판결 자체만으로 소유권이 이전되었다고 보기 어려움**

이 사건 확정판결 주문내용대로 ○○○ 이 이 사건 가등기에 대한 말소등기 절차를 이행하고 소유권이전등기를 완료해야만 비로소 이 사건 쟁점토지를 취득한 것으로 보아야 할 것이고 이 사건 확정판결 자체만으로 이 사건 쟁점토지에 대한 소유권이 사실상 ○○○ 에게 이전되었다고 보기가 어려움(감심 2009-141, 2009.6.25.).

◎ 국가를 상대로 제기한 소유권보존등기 말소등기청구소송에서 진정한 소유자임이 밝혀져 승소 확정판결을 받은 경우, 승소자는 그 과세기준일 당시 해당 토지에 대한 소유자로서의 권능을 실제로 행사하였는지 여부와 관계없이 판결 확정 전의 과세기간에 대하여도 재산세 납세의무자가 됨(대법원 2010두4964, 2012.12.13.).

◎ **명의신탁해지를 원인으로 한 소유권이전등기청구의 소에서 승소판결을 받았으나 소유권이전등기를 마치지 아니한 경우에는 사실상 취득하였다고 할 수 없음**

구 지방세법(1994.12.22.) 제105조 ①의 '부동산의 취득'이란 소유권 이전의 형식에 의한 부동산 취득의 모든 경우를 포함하는 것으로서 명의신탁이나 명의신탁해지로 인한 소유권이전등기를 마친 경우도 여기에 해당되고, 그 제2항에서 규정하는 '사실상 취득'이란 소유권 취득의 형식적 요건(등기·등록)을 갖추지 못하였으나 소유권 취득의 실질적 요건을 갖춘 것을 뜻하는 것인 바, 명의신탁관계를 해지한 단계이거나 명의신탁해지를 원인으로 한 소유권이전등기청구의 소에서 승소판결을 받고 그로 인한 소유권이전등기를 마치지 아니한 경우에는 같은 법 제105조 제1항의 '부동산 취득'에 해당하지 아니함은 물론, 소유권 취득의 실질적 요건을 갖추었다고 볼 수도 없어 같은 법조 제2항의 '사실상 취득'을 하였다고도 할 수 없음(대법원 2000두9311, 2002.7.12.).

◎ 소유권이전 소송으로 인한 원상회복결정에 따른 재산세 납세의무자

"소유권이전 소송에 따른 원상회복결정은 소송당사자간에만 그 효력이 발생할 뿐이지 직접 권리를 취득하는 것이 아니므로 원상회복을 구하는 판결을 받아 그 등기 명의가 원상회복되었다 하더라도 소유권이전등기 확정판결 이전 사실상 납세의무자에게 부과된 납세의무에는 영향을 미칠 수 없음"(대법원 98두11458, 2000.1.28. 참조).

◎ 전전 소유자에게 원상회복 소유권이전등기 되더라도 소송 당사자간에만 효력이 있음

원상회복을 원인으로 한 소유권이전 절차를 이행하라는 판결을 받고 소유권 등기명의가 원상회복되었다 하더라도 그 효력은 소송당사자간에만 발생할 뿐이고, 재산세 납세의무는 과세기준일 현재 사실상 소유자에게 있다(대법원 98두11458, 2000.12.8. 참조)고 할 것임(지방세운영과-320, 2008.7.22.).

◎ "명의신탁해지를 원인으로 한 소유권이전등기 절차를 이행하라"는 확정판결이 있는 경우 판결 이전의 납세자는 공부상 소유자인 명의수탁자임

공부상의 소유자는 명의수탁자로 등재되어 있다는 점, 사실상의 소유자가 수탁자가 아니라는 것을 신고한 바가 없어 사실상의 소유자를 확인할 수 없다는 점, 과세기준일 현재 명의수탁자를 납세의무자로 하여 과세처분한 사실에 대해 명백한 하자가 있다고 볼 수 없는 점, 대법원에서도 명의신탁자가 확정판결을 받아 부동산 소유권을 회복하였다 하더라도 소유권 이전 등기가 이루어지기 전까지는 명의수탁자가 법률적으로 소유권을 행사하게 되어 확정판결 자체만으로는 취득을 인정할 수 없고 소유권이전등기까지 완료되어야 취득(소유권 변동)으로 인정한 점(대법원 2000두9311, 2002.7.12.) 등 … 공부상 소유자인 명의수탁자가 납세의무자(지방세운영과-782, 2014.3.7.).

◎ 명의신탁 부동산에 대해 "진정명의회복을 원인으로 한 소유권이전등기 절차를 이행하라"는 확정판결이 있는 경우 판결 이전의 납세자는 공부상 소유자인 명의수탁자임

「부동산 실권리자 명의 등기에 관한 법률」 제4조에서 명의신탁약정의 경우 그 계약의 효력은 무효이나 등기관계를 믿은 선의의 제3자에 대하여는 대항하지 못한다고 규정하여 소급효의 적용을 배제하고 있음. 사실상의 소유자가 명의신탁자라는 점을 신고한 바가 없어 사실상의 소유자를 확인할 수 없었다는 점, 대법원에서도 확정판결 자체만으로는 취득을 인정할 수 없고 소유권이전등기까지 완료되어야 취득(소유권 변동)으로 인정할 수 있다고 판시(대법원 2000두9311, 2002.7.12.)하고 있는 점 등을 고려할 때 확정 판결 이전의 납세의무자는 공부상 소유자인 명의수탁자임(지방세운영과-2423, 2013.9.27.).

◎ 부동산 실권리자 명의 등기에 관한 법률 위반에 따른 형사판결문은 재산세 납세의무자 변경 사유가 될 수 없고, 공부상 소유자인 명의수탁자가 재산세 납세의무자임(지방세운영과-4132,

2010.9.7.).

◎ **채권자가 사해행위 취소와 일탈재산의 원상회복을 구하는 판결을 받아 명의를 원상회복시켰다 하더라도 재산세 납세자인 사실상 소유자는 수익자라고 한 사례**

지방세법 제182조 제1항의 취지는 원칙적으로 재산세는 당해 재산의 과세대장에 소유자로 등재된 사람이 납세의무를 부담하는 것이지만 재산세 과세대장에 소유자로 등재되어 있는 자로부터 재산을 매수하여 그 대금 전액을 지불한 경우와 같이 실질적인 소유권 변동이 있는 경우에는 과세대장상의 소유자 명의에 불구하고 그 재산을 사실상 소유하는 사람에게 납세의무를 부담시킨다는 것임. 민법 제406조의 채권자취소권의 행사로 인한 사해행위의 취소와 일탈재산의 원상회복은 채권자와 수익자 또는 전득자에 대한 관계에 있어서만 그 효력이 발생할 뿐이고 채무자가 직접 권리를 취득하는 것이 아니므로 채권자가 수익자와 전득자를 상대로 사해행위 취소와 일탈재산의 원상회복을 구하는 판결을 받아 그 등기 명의를 원상회복시켰다 하더라도 납세의무자인 사실상의 소유자는 수익자라고 할 것임(대법원 98두11458, 2000.12.8.).

◎ "소유권이전등기 절차를 이행하라"는 법원의 인낙조서에 따라 이전등기한 경우 기 과세된 재산세 부과처분에는 영향이 없다고 한 사례(지방세운영과-4044, 2009.9.25.)

4. 신탁재산 납세의무

1) 2014년 개정 배경

2014.1.1. 신탁재산에 대한 재산세 납세의무자를 위탁자에서 수탁자로 변경하였다.

이는 신탁재산의 법적 성격과 체납문제 해소라는 정책적 취지를 반영한 것이다. 법적 성격과 관련하여, 신탁법상의 신탁은 위탁자가 수탁자에게 특정의 재산권을 이전하거나 기타의 처분을 하여 수탁자로 하여금 신탁 목적을 위하여 그 재산권을 관리·처분하게 하는 것이므로, 부동산 신탁에 있어 수탁자 앞으로 소유권이전등기를 마치게 되면 대내외적으로 소유권이 수탁자에게 완전히 이전되고 위탁자와의 내부관계에서 소유권이 위탁자에게 유보되는 것이 아니며, 이와 같이 신탁의 효력으로서 신탁재산의 소유권이 수탁자에게 이전되는 결과 수탁자는 대내외적으로 신탁재산에 대한 관리권을 갖게 된다(대법원 2010다84246, 2011.2.10.).

그리고 체납문제와 관련하여, 종전에는 재산을 사실상 소유하고 있는 자가 재산세 납세의무자로 규정하고 있었으나, 「신탁법」상 신탁재산의 경우 수탁자가 사실상의 소유자임에도 예외적으로 위탁자를 납세의무자로 규정하고 있어 신탁재산에 대한 체납처분 금지 및 납세자와 재산명의인이 달라 조세징수권이 무력화되고, 체납액이 증가하는 문제가 있었다.

이에 대해 신탁재산의 재산세 납세의무자를 사실상 소유자인 수탁자로 환원하여 지방세 체납처분을 면탈할 목적으로 신탁제도가 악용되는 문제점을 보완하였다.

이와같은 취지로 납세의무자로 수탁자로 변경하면서 합산과세체계 및 체납관련 사안들을 보완하게 되었다. 토지분 재산세 및 종부세, 주택분 종부세의 경우 개인 기준으로 합산하여 누진과세하는 체계여서 신탁재산의 경우 납세의무자를 변경함으로 인해 세부담 또한 변동이 초래될 수 있다. 그에 따라 신탁재산의 경우 납세자 변경으로 인해 초래되는 합산과세체계의 부작용을 최소화하기 위한 장치를 마련하였다. 신탁업체의 고유재산은 신탁재산과 합산하지 않으며, 신탁재산은 위탁자 별로 구분하여 각각 합산과세하게 되었다.

◎ 신탁재산 관련 토지분 재산세 과세구분(합산대상 범위 적용)97)

| 신탁재산 합산대상 범위 |

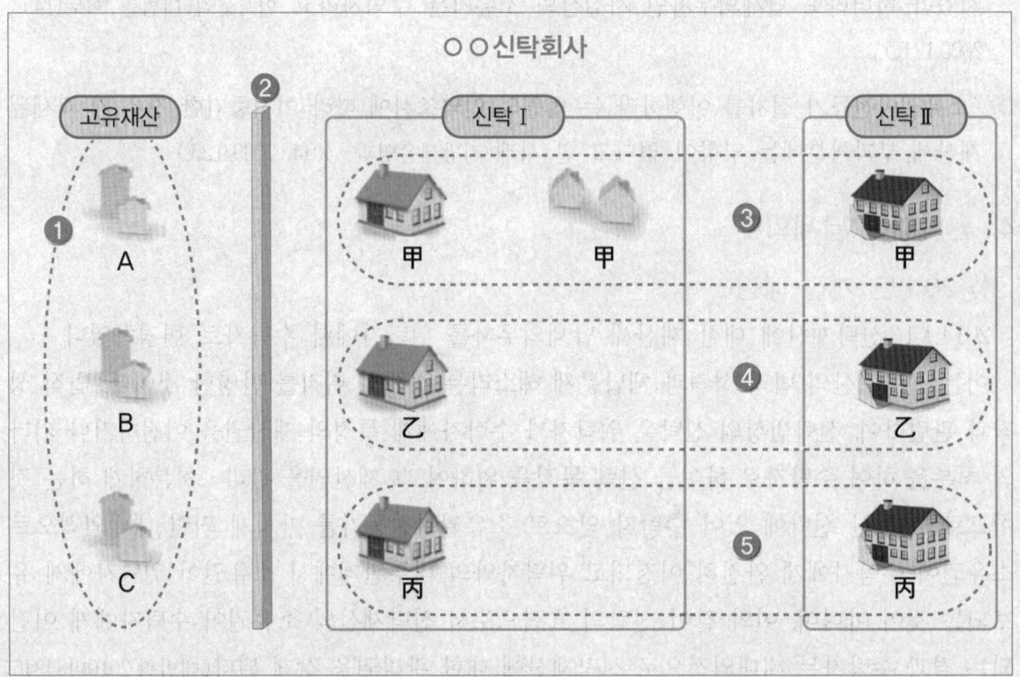

① 신탁업자의 고유재산인 A, B, C는 합산과세
② 신탁업자의 고유재산(A, B, C)과 甲, 乙, 丙의 신탁재산은 합산불가
③④⑤ "○○신탁회사"에 위탁한 신탁재산은 위탁자(甲, 乙, 丙)별로 각각 합산과세

97) 2014년 행자부 개정세법 교육교재 내용임.

• 한편, 납세의무자 변경에 따라 압류 등 체납처분, 납세증명서 발급 등에도 영향을 미치게 되어 보완하였다. 위탁자에 따라 구분된 특정 신탁재산의 재산세 체납 사실은 신탁업체의 고유재산이나 다른 신탁 및 다른 위탁자의 신탁재산에 대하여 아무런 영향을 미치지 않음, 즉, "신탁Ⅰ"에서 甲의 어느 하나의 신탁재산에 대한 체납이 있는 경우 신탁회사의 고유재산 및 다른 위탁자(乙, 丙)의 신탁재산 또는 다른 신탁(신탁Ⅱ)의 신탁재산을 압류하거나 납세완납증명 발급을 제한 할 수 없음, 다만, 동일한 신탁(신탁Ⅰ)의 동일한 위탁자(甲)의 신탁재산이 체납된 경우에는 압류 등 체납처분을 할 수 있으며, 납세완납증명서를 발급하지 않는다.

※ 관허사업 제한, 체납자명단공개 등의 경우에도 동일하게 적용

2) 2021년 재산세 납세의무자를 위탁자로 변경

재산세 납세의무자를 수탁자로 변경한 이후 체납문제 해소 등 긍정적인 기여를 하였지만 문제점 또한 나타나게 되었다. 5억원 또는 80억원 이상의 많은 토지를 보유하고 있는 사람의 경우 종합부동산세 부과대상이 되는데, 토지 소유자가 일부 토지를 신탁업자에게 위탁하는 경우 신탁한 재산은 납세의무대상에서 제외되기 때문에 조세를 회피할 수 있는 수단이 되었다. 그리고 고의 체납 문제가 발생하는 경우 신탁을 이용한 사실상의 재산분할로써 종부세를 회피하는 규모에 비해, 납세의무자 변경으로 인해 체납처분 및 강제징수가 불가능해지는 규모가 더 크게 나타날 가능성도 제기되었다.

결국 다주택자 등이 신탁제도를 통한 보유세 회피 방지를 위해 납세의무자를 수탁자에서 위탁자로 변경할 필요가 있었다. 그리고 재산세를 기반으로 과세되는 종합부동산세의 납세의무자를 위탁자로 변경하는 정부 입법안이 발의되어 같은 보유세 체계에서 재산세 납세의무자와 종부세 납세의무자 모두 위탁자로 일치시킬 필요가 있었다.

한편, 위탁자로 납세의무자가 환원될 경우 신탁을 통해 체납처분을 회피할 수 있는 문제점을 차단하기 위해 신탁재산에 대한 체납처분 특례 규정의 실효성 담보를 위해 수탁자에게는 신탁재산을 한도로 보충적 물적납세의무를 부여하였다. 그리고 2014년 당시 개정된 합산과세체계 등은 그 이전으로로 환원시켰다.

◎ (예규) 지법 107-5(신탁토지의 범위) 「지방세법」 제107조 제1항 제3호의 「신탁재산」은 신탁법에 의한 경우를 의미하므로 명의신탁은 이에 해당되지 아니한다.

◎ 개정법 시행전 신탁계약이 체결되었더라도 개정법에 따라 수탁자에 행한 재산세는 적법

이 사건 부칙규정은 개정법 시행일인 2014.1.1. 이전에 이미 재산세 과세요건이 충족된 경우

에 대해서 개정내용을 적용하여 재산세 납세의무자를 위탁자에서 수탁자로 변경하려는 것이 아니라 개정법 시행 이후 처음으로 과세요건이 충족되는 재산세부터 납세의무자를 수탁자로 변경하려는 것일 뿐이므로 이미 종료된 사실관계에 작용하는 진정소급입법으로 볼 수 없음(대법원 2016두33957, 2016.4.15.).

☞ 개정법 시행 전에 형성된 신뢰이익의 손상 정도와 개정법이 실현하고자 하는 위와 같은 공익을 비교형량할 때 후자가 전자보다 더 크다고 하지 않을 수 없을 뿐만 아니라 법률이 개정되는 경우에는 기존 법질서와의 사이에 크든 작든 어느 정도의 이해관계의 충돌이 불가피하기 마련이라는 점을 아울러 고려하면, 수탁자로 변경함으로 인하여 초래되는 신뢰의 손상은 헌법상 정당하다고 봄이 타당

아래 사례는 2013년 이전 신탁재산의 위탁자에게 납세의무가 있다는 사례임

◎ 재건축으로 인하여 신탁을 원인으로 소유권이전등기가 된 경우에는 「신탁법」에 의하여 수탁자 명의로 등기·등록된 신탁재산이라 할 것이므로 당해 신탁재산의 재산세 납세의무자는 지방세법 제183조 제2항 제5호에서 위탁자에게 납세의무가 있다고 규정되어 있음(지방세정팀-5214, 2007.12.5.).

◎ 신탁재산에 대하여 제3의 수익자가 있더라도 위탁자가 납세의무자

신탁재산에 대하여 제3의 수익자를 정하여 계약을 하였을 경우라 할지라도 과세기준일 현재 신탁법에 의하여 신탁 등기된 재산에 해당되는 경우라면 위탁자를 재산세 납세의무자로 보아야 하고, 등기부등본과 토지대장에 수탁자 명의로 등재되었다 하더라도 「지방세법」 제183조 제2항 제5호의 규정에 따라 위탁자가 재산세 납세의무자임(지방세정팀-479, 2007.11.15.).

◎ 위탁자가 신탁한 금전으로 매수한 토지에 대해 수탁자에게 과세한 것은 당연무효

위탁자가 신탁한 금전으로 매수하여 수탁자 명의로 등기를 마친 토지는 신탁법에 의한 신탁재산에 속하므로 그에 대한 재산세 또는 종합토지세의 납세의무자는 위탁자라고 할 것임. 그리고 신탁법에 의하여 수탁자 명의로 등기된 신탁재산임이 그 토지의 등기부상에 명백히 나타나 있다면 그 납세의무자가 아닌 수탁자에 대하여 한 재산세 등 부과처분은 그 하자가 중대하고도 명백하여 당연무효라고 할 것임(대법원 2006두14582, 2007.3.15. 참조)(대법원 2011다6076, 2011.11.10.).

◎ 지역주택조합이 조합원의 금전으로 취득한 신탁재산의 납세자는 위탁자

지역주택조합인 원고가 2003.2.경 조합원들로부터 신탁받은 금전으로 이 사건 토지를 매수하여 원고 명의로 소유권이전등기를 마친 사실, 이 사건 토지의 등기부에는 이 사건 토지가 신탁법에 의한 신탁재산임을 공시하기 위하여 '권리자 및 기타사항' 중 횡선으로 구획된 곳에 '신탁재산처분에 의한 신탁, 신탁원부 제14호'라고 기재되어 있는 사실, 이 사건 토지는

조합원들이 신탁한 금전으로 얻은 재산으로서 신탁법에 의한 신탁재산에 해당하여 재산세 등의 납세의무자는 위탁자인 조합원들이고, 납세의무자가 아닌 원고에 대하여 한 이 사건 처분은 그 하자가 중대하고도 명백하여 당연무효라고 보아, 원고가 납부한 재산세 등을 부당이득으로 반환할 의무가 있음(대법원 2009다969, 2011.10.27.).

◎ **신탁법에 의한 신탁등기가 마쳐지지 않은 신탁재산은 위탁자가 아닌 수탁자가 납세의무자**

신탁법에 의하여 수탁자 명의로 등기·등록된 재산에 대하여는 위탁자를 납세의무자로 보도록 규정하고 있는 것은 신탁법에 의한 신탁재산을 수탁자 명의로 등기하는 경우 취득세와 등록세는 비과세하면서 재산세 등은 등기명의자인 수탁자에게 부과하는 것이 실질과세의 원칙에 반한다는 비판을 수용하여 신탁법에 의해 수탁자 명의로 등기된 경우에는 위탁자에게 재산세 납부의무를 부과하도록 하기 위한 규정으로서, 신탁법 제3조는 등기 또는 등록하여야 할 재산권에 관한 신탁은 그 등기 또는 등록을 함으로써 제3자에게 대항할 수 있도록 규정하고 있는 점 등, 신탁법에 의한 신탁등기나 등록이 마쳐진 재산에 대하여만 적용되는 예외규정이라 보아야 하므로 신탁재산이라 하더라도 신탁법에 의한 신탁등기나 등록이 마쳐지지 아니한 것에 대하여는 적용되지 않음(대법원 2004두8767, 2005.7.28.).

◎ **신탁 목적을 위하여 수탁자 앞으로 소유권이전등기가 마쳐진 건축물에 대한 구 지방세법상 공동시설세의 납세의무자는 수탁자**

구 지방세법(2005.1.5. 법률 제7332호로 개정되기 전의 것) 제239조 제1항은 공동시설로 인하여 이익을 받는 자를 공동시설세의 납세의무자로 규정하고 있고, 건축물의 경우에는 그 소유자가 공동시설로 인하여 이익을 받는 자에 해당할 것인데 부동산의 신탁에 있어서 수탁자 앞으로 소유권이전등기를 마치게 되면 대내외적으로 소유권이 수탁자에게 완전히 이전되고 위탁자와의 내부관계에 있어서 소유권이 위탁자에게 유보되어 있는 것도 아니므로 비록 신탁 목적을 위하여 수탁자 앞으로 소유권이전등기가 마쳐졌더라도 공동시설세의 납세의무자는 수탁자가 됨(대법원 2004두8767, 2005.7.28.).

◎ **신탁재산에 대해 신고의무를 이행하지 않았더라도 위탁자인 조합원에게 부과하여야 함**

금전을 신탁하였고, …수탁자인 조합 명의의 소유권이전등기를 마쳤음. 위 등기에는 '신탁재산 처분에 의한 신탁, 신탁원부 제○호'가 기재되어 있음. 조합원이 신탁한 금전으로 취득한 신탁법 제19조가 정한 신탁재산으로 수탁자인 조합 명의로 등기되어 있으므로 납부의무자는 위탁자인 조합원이라 할 것임. … 토지가 신탁재산임은 등기부상에도 명백히 나타나 있고, 더욱이 피고는 부과처분 이전에 이미 조합이 제출한 자료에 의하여 조합원에 관한 사항도 파악하고 있었던 것으로 보이므로, 비록 이 사건 조합이 구 지방세법 제234조의 21 제6항이 정한 신고의무를 이행하지 않았다고 하더라도 마땅히 위탁자인 조합원에게 종합토지세를 부과하였어야 함(대법원 2006두14582, 2007.3.15.).

5. 상속재산의 납세의무

상속은 「민법」 제997조의 규정에 의하여 피상속자의 사망으로 인하여 개시되며, 상속등기가 되지 아니한 때에는 상속자가 지분에 따라 신고하면 신고된 지분에 따른 납세의무가 성립하고 신고가 없으면 같은 법 규칙 제53조 규정에 의거 주된 상속자에게 납세의무가 있다(예규 지법 107-7). 상속인에 대한 신고제도는 재산세가 신고주의 세목이 아닌 부과결정 세목으로서 상속재산의 소유권관계를 확인하기 곤란한 과세관청 입장에서 납세자의 협조를 구하는 절차로 이해할 수 있다. 상속재산은 분할을 할 때까지는 상속인들의 공유이고 분할은 상속개시된 때에 소급하여 효력이 발생하는 바, 재산세는 과세권자가 과세표준과 세액을 결정하여 고지하는 이른바 부과주의 세목이다. 그에 따라 상속등기 등이 이루어지지 아니한 재산의 경우 과세관청이 납세의무자를 확정하여 부과할 수밖에 없다. 실질적인 소유권 취득 여부를 떠나 행정안전부령이 정하는 주된 상속자를 납세의무자로 규정하고 있다.

재산세의 납세의무자가 과세기준일 이전에 사망하여 상속이 개시된 재산으로서 상속등기가 이행되지 않은 경우에는 「지방세법」 제107조 제2항에 따른 행정안전부령으로 정하는 주된 상속자가 납세의무자에 해당하고, 과세기준일 이후에 사망한 경우에는 「지방세기본법」 제42조(납세의무의 승계)에 따른 납세의무자의 상속인 또는 상속재산관리인이 재산세 납세의무자에 해당한다.

◎ **상속자(4명)의 상속지분이 동일한 경우 나이가 많은 사람이 재산세 납세의무자에 해당됨**

"주된 상속자" 규정은 상속자들간 지분의 순위를 정해 그 중에 지분이 가장 높은 순위에게 과세하고, 만약 지분이 가장 높은 同순위가 여러 명 있을 경우에는 그 중에 가장 나이가 많은 사람에게 과세하기 위한 취지로 보아야 할 것임. 따라서, 상속등기가 이행되지 아니하고, 사실상의 소유자를 신고하지 아니한 경우로서 상속지분이 동일한 사람이 4명인 경우라면 위 규정에 따라 상속지분이 가장 높은 사람이 두 명 이상에 해당되므로 그 중에 가장 나이가 많은 사람이 재산세 납세의무자라 할 것임(지방세운영과-783, 2014.3.7.).

◎ **주된 상속자를 재산세 납세의무자라 하더라도 종부세의 경우 신고납부세목이고, 상속세를 신고한 점 등을 감안, 종부세 신고기한을 기준으로 납세의무자 및 과표를 확정한 사례**

종부세는 과세표준과 세액을 납세의무자 스스로 확정하여 신고하는 신고주의 세목인 점 등을 감안하여 볼 때, 납세의무자가 신고기한(12월 15일) 전에 상속분에 응한 상속등기를 이행(2005.9.6.)함과 동시에 상속세과세표준 신고(2005.9.9.)를 하고, 상속인 중 1명이 상속분에 따른 재산세의 과세표준이 20억원에 미달한다 하여 종부세 과세대상이 아니라고 기재한 종부세신고서를 신고기한 내에 제출한 경우에는 비록 지방세법에서 주된 상속자를 재산세 납세의무자로 규정하고 있다 하더라도 종합부동산세법을 해석·적용함에 있어서는 종부세 신고기한을 기준으로 제반 사정을 참작하여 납세의무자 및 과표를 확정하는 것이 조세정의와 형평의 관점에서 타당(국심 2006서3462, 2007.3.26.).

◎ **공동상속인 중 일부가 본인의 법정 상속분에 대하여 사실상의 소유자로 하여 신고한 경우**

공동상속인들 간의 분할협의가 不성립되어 공동상속인 간 실제 귀속되는 상속분이 확정되지 않은 상태에서 본인들의 법정 상속분만 한정하여 관할 지자체장에게 신고한 경우라면 지방세법 제120조에 따라 상속재산의 사실상의 소유자를 신고한 것으로 보기 어렵고, 주된 상속자에게 있다고 판단됨(지방세운영과-992, 2016.4.19.).

◎ **과세기준일 이후 합유자가 사망한 경우 재산세는 상속인 또는 상속재산 관리인에게 승계**

부동산(합유재산)은 합유자 사이에 특별한 약정이 없어 상속의 대상은 아니지만(대법원 96다23238, 1996.12.10.), 사망한 합유자의 사망시점이 재산세 과세기준일 이후라면 과세기준일 현재 재산세 납세의무가 이미 성립하였으므로, 사망한 합유자 지분에 대한 재산세는 '피상속인이 납부할 지방자치단체의 징수금'에 해당함. 따라서, 해당 재산세의 납세의무는 「지방세기본법」 제42조의 규정에 따라 상속인 또는 상속재산 관리인에게 승계되는 것이 타당(행안부 지방세운영과-2111, 2019.7.12.)

◎ **상속 전 매매 여부는 사실관계를 정확히 조사하여야만 비로소 밝혀질 수 있는 사안이므로 별도의 매수자가 있음에도 주된 상속자에게 재산세를 부과한 것은 당연무효가 아님**

행정처분의 대상이 되지 아니하는 어떤 법률관계나 사실관계에 대하여 이를 처분의 대상이 되는 것으로 오인할 만한 객관적인 사정이 있는 경우로서 그것이 처분대상이 되는지의 여부가 그 사실관계를 정확히 조사하여야 비로소 밝혀질 수 있는 때에는 비록 이를 오인한 하자가 중대하다고 할지라도 외관상 명백하다고 할 수 없음(대법원 2002다68485, 2004.10.15., 대법원 2006다83802, 2007.3.16. 등 참조). 2008년 종합부동산세 및 재산세의 과세기준일인 2008.6.1. 당시까지 이 사건 토지에 관하여 상속등기가 이루어지지 아니하고 사실상의 소유자가 신고되지도 아니하였던 이상, 망인의 공동상속인으로서 연장자인 원고를 이 사건 토지의 재산세 납세의무자로 보고 한 피고의 이 사건 처분을 무효로 볼 수는 없음(대법원 2012두12228, 2014.3.27.).

6. 종중 재산의 납세의무

☞ 지방세기본법 제75조 종중 재산의 물적 납세의무 신설(2021.1.1.) 참고

◎ **종중 어른들의 개인명의로 소유하고 있던 농지를 1994년 종중회를 설립등록하면서 종중회의**

명의로 등기한 경우 이는 상속에 의한 취득으로 볼 수 없음

1929년부터 종중의 어른들이 소유하고 있던 당해 토지를 1994년 종중회를 설립하면서 종중 대표 자손 명의로 등기되었다 할지라도, 민법상 종중은 권리능력없는 사단으로서 상속인에 해당한다고 볼 수 없기 때문에 당해 재산을 종중에게 이전하는 경우에는 지방세법 시행령 제132조 제5항에서 규정한 1990.6.1. 이후에 상속받아 소유하는 경우에 해당되지 아니한다 할 것임(지방세정팀-6503, 2006.12.28.).

◎ **명의신탁자가 부동산실명법에 따라 등기를 마친 경우 1989년 이전취득으로 보아 분리과세**

명의신탁자가 1989.12.31. 이전에 임야를 매수해 제3자에게 명의신탁해 오다가 「부동산 실권리자명의 등기에 관한 법률」 시행 후 유예기간 내에 실명등기를 마친 경우, 「지방세법 시행령」 제132조 제2항 제5호 가목 및 제5항에서 정하는 1989.12.31. 이전부터 소유하고 있는 것으로 보아 분리과세 적용(법제처 07-0204, 2007.10.1.)

◎ **공부상 개인명의이나 사실상 종중이 1990년 이전부터 소유한 농지·임야인 경우 종중소유임이 입증되고, 사실상 소유자가 종중이라고 신고(10일 내)한 경우에 한해 분리과세 적용**

토지가 공부상 개인명의재산이나 종중이 1990.5.31. 이전 사실상 소유한 재산인지 여부는, 어느 정도의 유기적인 조직을 가진 종중이 존재하여야 하고, 그 토지가 종중의 소유로 된 과정이나 내용이 증명되거나 종중소유로 인정할 수밖에 없는 사정명의인과 종중과의 관계, 개인명의로 사정받게 된 연유, …, 사정된 토지의 규모 및 시조를 중심으로 한 종중분묘의 설치상태, 분묘수호와 봉제사의 실태, 토지의 관리상태, 토지에 대한 수익이나 보상금의 수령 및 지출관계, 재세공과금의 납부관계, 등기필증의 소지관계 등 간접자료가 될 만한 정황, 그 밖의 모든 사정을 종합적으로 판단할 사항임(대법원 2001다76731, 2002.7.26.). 또한, 과세기준일부터 10일 이내에 증빙자료를 갖추어 신고하지 않은 경우라면 공부상 소유자가 재산세 납세의무자임(지방세운영과-75, 2009.1.29.).

◎ **공부상 개인명의이나 사실상 종중이 1990.5.31. 이전 소유한 점이 입증되면 분리과세 적용**

유기적인 조직을 가진 종중이 존재하여야 하고, 종중의 소유로 된 과정이나 내용이 증명되거나 또는 여러 정황에 미루어 사정 이전부터 종중 소유로 인정할 수밖에 없는 사정명의인과 종중과의 관계, 사정명의인이 여러 사람인 경우에는 그들 상호간의 관계, 한 사람인 경우에는 그 한 사람 명의로 사정받게 된 연유, 등기관계, 사정된 토지의 규모 및 종중 분묘의 설치상태, 분묘수호와 봉제사의 실태, 토지의 관리상태, 토지에 대한 수익, 지출관계, 재세공과금의 납부 관계, 등기필증의 소지 관계 등 모든 사정을 종합적으로 판단할 사항으로(대법원 2001다76731, 2002.7.26.) 과세권자가 판단할 사안(지방세운영과-381, 2009.1.29.)

◎ **종중의 의미** : 「지방세법」 제107조 제2항 제3호의 「종중」이라 함은 공동선조의 분묘수호와

제사 및 종중원 상호간의 친목을 목적으로 하는 자연 발생적인 종족집단체를 말하며, 종중원 개인명의로 등기된 종중재산은 같은 법 제120조 제1항의 규정에 의하여 신고한 경우에만 인정함(예규 지법 107-4).

7. 국가 등으로부터 연부취득

국가, 지방자치단체, 지방자치단체조합과 재산세 과세대상 재산을 연부(年賦)로 매매계약을 체결하고 그 재산의 사용권을 무상으로 받은 경우에는 그 매수계약자는 재산세 납세의무가 있다. 이는 국가 · 지방자치단체 · 지방자치단체조합의 소유에 속하는 재산에 관하여 연부로 매매계약을 체결한 자가 매매대금을 완납하지 아니하여 아직 사용 · 수익 · 처분에 관한 실질적인 소유권을 취득하지 못하였다 하더라도, 연부매매계약의 특성과 재산세의 수익세적 성격 등에 비추어 당해 재산을 무상으로 사용 · 수익할 수 있는 권리를 부여받은 경우에는 사실상 소유자와 유사한 담세력이 있다고 보아 예외적으로 그를 재산세 납세의무자로 삼고자 하는 것이다(대법원 2013두15675, 2014.4.24.).

◎ 국가 등으로부터 연부취득 중에 있는 재산에 잠정적으로 사용승낙을 받은 경우라도 매수계약자가 사용 · 수익할 수 있는 권리를 부여받지 못한 경우 납세의무자로 볼 수 없음

국가 · 지방자치단체 · 지방자치단체조합으로부터 연부로 매수한 당해 재산을 이용 · 관리할 수 있는 승낙을 받았다고 하더라도, 그것이 당해 재산을 잠정적으로 보존 · 유지 · 관리한다거나 제한적인 목적에서 일시적으로 이용하도록 하는 승낙을 받은 것에 불과하고 당해 재산을 독자적으로 사용 · 수익할 수 있는 권리를 부여받은 것이 아닌 경우에는 그 매수계약자가 구 지방세법 제183조 제2항 제4호에 따라 재산세 납세의무를 진다고 할 수 없음(대법원 2013두15675, 2014.4.24.).

◎ 지자체로부터 무상으로 사용권을 부여받은 연부취득재산의 재산세 납세의무

연부취득에 따른 재산세납세의무자 요건으로 ① 연부로 매매계약을 체결하고, ② 매매계약의 당사자가 국가 및 지방자치단체 등이어야 하고, ③ 무상으로 재산의 사용권을 부여받은 경우에 한하여 매수 계약자에게 재산세 납세의무가 있는 것이며, "무상사용권을 부여받은 경우"라 함은 별도의 대가 없이 자신의 책임하에 당해 토지를 관리하거나 건축착공을 위한 절차 등을 구체적으로 진행할 수 있는 등 당해 토지를 사용할 수 있는 권한을 확보한 경우로 보는 것이 합리적이고, 당해 토지를 실제 사용하였는지 여부와는 무관하다고 보는 것이 합리적이라 할 것임(지방세운영과-4633, 2010.10.1.).

◎ 지자체로부터 연부취득하여 무상사용권을 부여받은 경우 재산세 납세의무자라는 사례

L법인이 서울시와 계약체결일로부터 5년간 6개월마다 균등하게 분할한 금액을 납부하는 연부계약을 체결한 상태임을 알 수 있고, 매매계약서 내용을 보면 매매대금 완납 전이라도 토지사용승낙을 요청하는 경우 토지사용을 승낙할 수 있고, 토지사용승낙일로부터 토지관리책임은 L법인에게 있다고 규정하고 있는 점, L법인이 서울시에 토지사용승낙 요청을 하였고, 이에 따라 서울시에서 L법인에게 통보한 토지사용 승인 내용을 보면 "당해 토지사용승인에 따른 토지사용승낙일(2010.3.12.)부터 토지관리책임이 귀사에 있음을 알려드리오니 선량한 관리자로서의 의무를 당하여 주시기 바랍니다"라고 회신한 점, 토지사용에 따른 별도의 사용료 등을 제공하고 있지 아니한 점을 종합할 때, 비록 토지사용승인서의 사용용도를 건축허가 신청으로 한정하였다고 하더라도 사용승낙일부터는 쟁점토지에 대하여 자신의 책임하에 사용할 수 있으므로 토지사용승낙일(2010.3.12.)에 무상의 사용권을 부여받았다고 볼 수 있음(지방세운영과-4633, 2010.10.1.).

※ 이와 달리 판단한 대법원 사례(대법원 2013두15675, 2014.4.24.)를 참조할 것

- **연부취득시 납세의무자** : 「지방세법」 제107조 제2항 제4호에서 연부취득에 의하여 무상사용권을 부여받은 토지는 국가·지방자치단체조합 등으로부터 연부취득한 것에 한하므로 일반법인으로부터 연부취득 중인 때에는 매수인이 무상사용권을 부여 받았다 하더라도 매도법인이 납세의무자가 됨(예규 지법 107-2).

8. 체비지 및 환지예정지의 납세의무

1) 도시개발법에 따른 납세의무

「도시개발법」에 따라 시행하는 환지(換地) 방식에 의한 도시개발사업 및 「도시 및 주거환경정비법」상 정비사업(재개발사업만 해당)의 시행에 따른 환지계획에서 일정한 토지를 환지로 정하지 아니하고 체비지 또는 보류지로 정한 경우에는 사업시행자를 재산세 납세의무자로 규정하고 있다. 도시개발법과 도시정비법에 따른 사업시행방식을 구분하여 이해할 필요가 있다.

「도시개발법」에 따라 시행하는 환지(換地) 방식은 환지계획에 따라 사업구역내 기존의 토지소유자(조합원)는 사업의 결과로 새로운 토지(주택 부속토지 또는 상가 부속토지 등)를 취득하게 된다. 사업진행과정을 보면 토지를 조성하는 단계와 그 이후 해당 토지에서 건축하는 단계가 이원화되어 있고, 그에 따른 토지와 건물 각각에 대해 사업단계별로 취득이 이루어지고 그 취득시기에 따라 재산세 납세의무자와 과세대상(토지, 건축물, 주택)이 구분된다.

「도시개발법」에 따라 시행하는 환지(換地) 방식에 의한 도시개발사업에서 어느 시점부

터 체비지에 대한 납세의무자를 시행자(조합)로 하라는 것인지 명백하지 않다. 도시개발사업은 기존의 토지 소유자가 개발사업의 결과로 받게 되는 토지는 새로운 토지이다. 그 면적이나 위치, 지번, 형질(농지나 임야였다면 대지로 변경되어 있음) 등이 전반적으로 새롭게 변경된다. 사업지구 내 토지의 전체 면적은 불변인 상태에서 사업시행자가 체비지 등에서 새롭게 납세의무자가 되면 기존의 조합원이 소유하게 되는 전체면적은 물리적으로 종전토지면적보다 더 적은 면적이 된다. 도시개발법상 관련 규정을 종합할 때 다음과 같은 이유로 환지예정지 지정일을 기준으로 재산세 납세의무자를 판단하는 것이 합리적이다.

지방세법 제107조 제1항 본문에서 재산을 사실상 소유하고 있는 자는 재산세를 납부할 의무가 있다고 규정하고 있는데, 여기서 '재산을 사실상 소유하고 있는 자'란 공부상 소유자로 등재되어 있는지 여부를 불문하고 당해 재산에 대한 실질적인 소유권을 가지고 있는 자를 말한다(대법원 2005두15045). 그리고 도시개발법 제36조 제1항은 "환지예정지가 지정되면 종전 토지의 소유자는 환지예정지 지정의 효력발생일로부터 환지처분이 공고되는 날까지 환지예정지에 대하여 종전과 같은 내용의 권리를 행사할 수 있으며 종전의 토지는 사용하거나 수익할 수 없다."고 규정하고 있고, 같은 조 제3항은 "환지예정지 지정의 효력이 발생한 경우 해당 환지예정지의 종전 소유자는 이를 사용하거나 수익할 수 없으며 제1항에 따른 권리의 행사를 방해할 수 없다"고 규정하고 있다. 또한, 환지예정지 지정의 효력이 발생한 후 종전 토지 소유자는 환지예정지를 처분할 수 있고, 환지예정지를 대상으로 하여 매매계약이 체결되는 경우 그 매매목적물은 장차 확정될 환지를 대상으로 한 것으로 보아야 한다(대법원 89다카14998). 따라서 종전토지의 소유자는 경제적 · 실질적인 관점에서 볼 때 환지예정지를 사실상 지배하는 자로서 재산세가 예정하고 있는 정도의 담세력을 가지므로 지방세법상 사실상 소유자에 해당한다고 할 것이다(대법원 2016두56790). 이는 환지예정지를 사용 · 수익함에 있어서 일정한 법적 또는 사실상의 제한이 존재한다거나, 또는 실제 사용 · 수익을 하지 아니하고 있다는 등의 사정이 있다 하더라도 달리 볼 것이 아니다(대법원 2020두33053). 이와 같이 조합원에 대해 환지예정지 지정처분이 있는 경우 기존 토지가 아닌 환지예정지를 과세대상으로 재산세가 과세되고 대상면적은 권리면적이 아닌 환지예정지 면적(과도면적 포함)이 된다(조심 2008지0958, 2009.6.29.). 따라서 이 시점을 기준으로 사업시행자인 조합은 체비지에 대한 납세의무자가 된다.

2) 환지예정지 지정 전후 재산세 과세 방식

환지예정지가 지정되면 가지번(블록)이 부여되고 당초 조합원이 소유한 토지와 향후 개발사업으로 받게 될 토지의 위치와 면적이 달라진다. 환지예정지가 하나의 블록으로 지정되어있다 하더라도, 도시개발사업이 지연되어 과세기준일 현재 환지예정지 내의 토지의 사용현황이 서로 다른 경우, 각각의 지목·용도 등 사실상의 현황을 기준으로 과세한다. 예를 들어 환지예정지로 지정된 이후에도 개발사업 진행이 지체되어 기존의 주택이나 건축물, 토지 현황이 그대로인 경우가 있다. 농사를 종전대로 짓고 있다거나 주택이 그대로 존치하고 있는 경우이다. 본격적인 토지조성공사가 진행되지 않고 기존 부동산의 현황이 그대로 유지되고 있다면 환지예정지(예. 대지)를 대상으로 과세하기보다 기존의 부동산 현황에 따라 과세하는 것이 합리적이다.

환지예정지 지정일에 사업구역내 기존 주택이 멸실되지 않은 상태라면 주택에 대해 어떻게 과세할 것인지에 대하여 행정해석(지방세운영과-2110, 2019.7.12.)은 다음과 같이 판단하고 있다. 부동산의 현황이 주택인 이상 주택분 재산세로 과세되어야 하며, 이 경우 주택 부속토지 또한 주택분 재산세로 과세되어야 한다. 그리고 舊주택의 부속토지는 환지계획에 따라 향후 토지조성공사를 거쳐 다른 조합원에 귀속되거나 조합(체비지)을 통해 타인에게 공급될 예정인데, 과세기준일 현재 멸실예정인 주택에 대해 재산세를 과세할 경우 누구에게 어떻게 과세할 것인지 쟁점이 된다. 이에 대해서는 지상 건축물(주택)과 부속토지의 소유자가 다른 것으로 보아 세액계산후 안분하여야 한다. 이 경우 환지예정지 지정 이후 구토지와 신토지 각각에 대한 소유자가 상이할 수 있는데 상호 비교해봐야 하는 어려움이 발생한다. 너무 기계적인 해석이긴 하지만 환지예정지 지정을 새로운 납세의무의 기준으로 삼다 보니 불가피한 해석이라고 판단된다.

과세표준 산정을 보면, 국토교통부 훈령인 표준지공시지가 조사·평가 기준 제33조 제1항에서는 "환지처분 이전에 환지예정지로 지정된 경우에는 청산금의 납부여부에 관계없이 환지예정지의 위치, 확정예정지번(블록·로트), 면적, 형상, 도로접면상태와 그 성숙도 등을 고려하여 평가하고, 환지예정지의 지정 전인 경우에는 종전 토지의 위치, 지목, 면적, 형상, 이용상황 등을 기준으로 평가한다"고 규정하고 있고, 개별공시지가 조사·산정지침에서는 "토지수용 및 환지방식의 개발사업지는 확정예정지번(블록·로트 포함)의 부여 시점을 기준으로 그 시점 이전에는 종전의 이용상황을 기준으로 기재하고, 그 시점 이후에는 개발사업지내 용도구획별 획지(또는 필지)를 기준으로 조사하며, 해당 용도목적의 나지로 기재하고, 기타 토지특성은 확정예정지번이 부여된 도면에 의해 조사·기재한다"고 규정하고 있다. 따라서 과세관청은 환지예정지의 현황을 기준으로 개별공시지가를 산정한 후 이를 기초로 과세표준을 산정하는 것이 타당하다(대법원 2020두33053).

3) 도시정비법에 따른 납세의무

도시정비법에 따른 사업으로 주택재개발사업과 도시환경정비사업이 있다(2017년부터 재개발 사업으로 명칭 통합). 도시정비법은 사업후 관리처분계획에 따라 새로운 건축물을 취득하는 사업이기 때문에 도시개발법상 환지방식과 달리 볼 필요가 있다. 도시개발법에서는 환지예정지 지정을 기준으로 과세대상과 납세의무자를 달리보지만, 도시정비법에서는 주택·건축물의 취득은 원시취득으로 그 취득시기는 준공일(임시사용승인일)로 보고 있다. 준공을 전후로 더 이상 토지분 재산세(건축중이므로)가 아닌 새로운 주택을 과세대상으로 주택분 재산세가 과세되어야 한다. 관리처분계획에서 정한 일반분양분 토지에 대해서는 사업시행자에게 과세하여야 한다.

◎ **철거가 완료되지 않은 경우 공동주택의 각 동별 기준으로 철거 여부에 따라 주택 여부를 판단**

어떠한 건축물을 주택으로 보는지에 대하여는 단전·단수·출입의 제한 여부, 철거의 개시 여부 보다는 '외형적으로 주택의 구조가 훼손되거나 일부 멸실 혹은 붕괴되고 그 복구가 사회통념상 거의 불가능하게 된 정도에 이르러 재산적 가치를 전부 상실하게 된 때를 기준으로 판단'하여야 하며, 재건축 구역 내 부동산이라고 하더라도 현황과세의 원칙상 개별 재산세 부과대상에 해당하는 각각의 주택 (동)별로 주택 여부를 달리 판단하여야 함(부동산세제과-1076, 2020.5.14.).

◎ **준공인가 전 사용허가 받은 공공임대주택의 재산세 납세의무자에 해당**

공공주택사업자가 임대주택에 대한 입주자 모집을 할 수 있다고 하더라도, 재산세 납세의무자는 과세기준일 현재 잔금 지급 여부에 따라 결정되어야 할 것이며, 잔금이 미지급된 경우라면 취득의 실질적 요건을 갖추지 못하였으므로 재개발사업자를 납세의무자로 보아 재산세를 부과하는 것이 타당하다고 판단됨(부동산세제과-1268, 2020.6.4.).

◎ **체비지대장 등재된 자는 환지처분 공고 전이라도 체비지에 대한 재산세 납세의무자에 해당**

재산세 과세기준일 현재 토지구획정리사업시행자로부터 체비지를 매수하여 잔금을 지급하고 체비지대장에 등재한 자는 해당 토지의 사실상의 소유자로서 환지처분이 공고되기 전이라 하더라도 해당 체비지에 대한 토지분 재산세의 납세의무자라고 할 것임(법제처 법령해석 08-0413, 2009.1.28.).

◎ **매매계약 체결 후 잔금 미지급상태이나 체비지 대장에 등재되어 점유 중인 경우 납세자 해당**

쟁점 체비지의 경우 매수인이 체비지를 학교설립 용도로 사용하기로 계약서상 기재되어 있는 점, 건축공사의 준공 및 등기이전의 완료시까지 매수인이 체비지를 사실상 점유하여 사용하고 있는 점, 잔금 미지급 상태이나 체비지 대장에 등재되어 취득의 실질적 요건을 갖추고 있는 점 등을 고려할 때, 매수인을 쟁점 체비지를 사실상 소유하고 있는 자로서 재산세 납세의무자로 보는 것이 타당함(부동산세제과-876, 2020.4.21.).

◎ 토지구획정리사업시행자가 환지처분 전에 체비지 지정을 하여 이를 제3자에게 처분하는 경우 그 매수인이 토지의 인도 또는 체비지 대장에의 등재 중 어느 하나의 요건을 갖추었다면, 체비지 대장상의 소유자가 재산세 납세의무자가 됨(대법원 2002두6361, 2003.11.28.).

◎ **(지침) 체비지 취득세·재산세 부과관련 적용요령 통보**(지방세운영과-3693, 2010.9.10.)

- (취득세) 체비지를 매수한 자에게 매매계약서 등을 첨부하여 잔금지급일로부터 30일 이내에 신고납부 하도록 하고, 미신고자는 사업시행자가 보유하고 있는 체비지대장 등을 통보받아 과세 … 취득일은 ① 유상승계취득 시 매매대금 등 대금지급이 있는 경우 잔금지급일과 체비지대장 등재일 중 빠른 날, 대물변제 등 대금의 지급이 없는 경우 체비지대장 등재일을 취득의 시기로 적용 ② 무상승계 취득 시 그 계약일(상속으로 인한 경우에는 상속개시일)을 취득의 시기로 적용
- (재산세) 과세기준일 현재 체비지를 매수한 자에게 재산세 부과 : 환지처분공고 전에 매각된 체비지는 사실상 소유자 여부 판단이 곤란하여 일정한 형식적 요건을 갖춘 자에게 재산세를 부과하는 예외적 납세의무조항(법 제183조 제2항 제6호)을 적용하는 것이 아니라, 실질적 납세의무 규정(법 제183조 제1항)을 적용, 취득신고자료, 체비지대장 등을 확인하여 매수자에게 부과(대법원 2002두6361, 2003.11.28., 법제처 08-413, 2008.12.4. 참조)

◎ 도시개발사업 추진에 따른 환지예정지 지정이 있는 경우 종전 토지가 아닌 환지예정지를 사실상 소유한 것으로 보아, 환지처분 공고가 있기 전이라도 종전 토지가 아닌 환지예정지의 현황을 기준으로 재산세를 과세하는 것이 타당함(대법원 2013두352, 2013.4.25.).

◎ **환지예정지 지정처분이 있는 경우 환지예정지 면적(과도면적 포함)이 재산세 과세대상**

환지예정지 지정이 있었으므로 이때부터 종전 토지를 사용·수익할 수 없게 됨과 동시에 이 사건 토지에 대하여는 종전과 동일한 내용의 권리를 행사할 수 있게 되었고, 이 사건 토지의 종전 소유자는 청구인의 권리행사를 방해할 수 없는 상태가 된 이상, 청구인은 위 지정일부터 토지에 대한 사용·수익이 가능하게 되었다고 보아야 하겠고, 환지대상 부동산 매매의 경우 향후 환지처분으로 받게 될 환지예정면적을 기준으로 하여 거래가 이루어지고, 환지계획에서 정하여진 환지는 그 환지처분의 공고가 있은 날의 다음 날부터 종전의 토지로 보는 것이므로, 환지예정지 지정처분이 있는 경우 과세대상은 권리면적만이 아닌 환지예정지 면적(과도면적 포함)이라 할 것임(조심 2008지0958, 2009.6.29.).

◎ **도시개발사업으로 인한 권리면적 이외 과도면적 재산세 납세의무**

재산세 과세기준일(6.1.) 현재 도시개발사업의 환지처분으로 확정된 면적 중 권리면적이외

에 청산금을 납부하여야 하는 과도면적에 대하여 청산금을 납부하지 않은 경우라고 하더라도 환지처분공고가 있은 다음날 원시취득이 이루어지므로 과도면적에 대한 사실상의 취득이 이루어지며, 그 사실상의 취득이 이루어지면 재산의 실질적인 소유자라 볼 수 있으므로 환지처분공고일 이후 재산세 과세기준일(6.1.)이 도래되었다면 과세기준일 현재 과도면적을 사실상 소유하고 있는 자로 보아 재산세 납세의무가 있음(지방세운영과-1766, 2008.10.13.).

◎ **토지구획정리사업에서 환지예정지가 지정된 경우 종전 토지가 아닌 환지예정지로 과세**

환지처분의 공고가 없어 이 사건 환지예정지가 바로 청구인 소유 토지가 되는 것은 아니라고 할지라도, 과세기준일 현재 이 사건 환지예정지를 사용·수익할 권리가 있는 점, 특별한 사정이 없는 한 환지예정지는 그대로 환지로 확정된다는 점, 종합토지세는 납세의무자가 사실상으로 소유하고 있거나 사용하는 토지에 관하여 부과되는 점, 도시계획세의 과세대상인 토지는 종합토지세의 과세대상 토지 중 환지처분의 공고가 되지 아니한 도시개발구역 안에 있어서는 전·답·과수원·목장용지 및 임야를 제외한 모든 토지인데, 쟁점토지는 건축자재 공장의 부속토지로 사용되고 있는 점 등을 고려하면 이 사건 부과처분의 과세대상은 이 사건 환지예정지라고 할 것임(감심 2005-102호, 2005.10.6.).

◎ **환지예정지지정이 이루어지지 않은 경우 환지예정지에 대해 납세의무자가 될 수 없음**

환지예정지 지정의 효력발생일부터 환지예정지를 사실상 소유하게 되는바, 그 효력발생이전에는 종전 토지에 대한 재산세 납세의무를 부담하고, 그 이후부터 환지예정지에 대한 재산세 납세의무를 부담하는 것이 타당한 점에 비추어 이 건 재산세 과세기준일 현재 환지예정지 지정이 이루어지지 아니하였으므로 청구인은 종전 토지에 대한 재산세 납세의무를 부담하여야 함(조심 2016지0499, 2016.9.30.).

9. 사용자와 재산세 납세의무

재산세 과세기준일 현재 소유권의 귀속이 분명하지 아니하여 사실상의 소유자를 확인할 수 없는 경우에는 그 사용자가 재산세를 납부할 의무가 있다. 여기서 "소유권의 귀속이 분명하지 아니하여 사실상의 소유자를 확인할 수 없는 경우"라 함은 소유권의 귀속 자체에 분쟁이 생겨 소송 중에 있거나 공부상 소유자가 생사불명 또는 행방불명되어 오랫동안 그 소유자가 관리하고 있지 아니한 상태에 있는 재산 등을 말하며(통칙 지법 107-6), "사용자"라 함은 당해 재산을 일시 관리하는 지위에 있는 자는 해당하지 않는다고 보는 것이 합리적이다(대법원 93누1022, 1996.4.18.).

소유권의 귀속 자체에 분쟁이 생겨 소송 중에 있는 경우 사실상 사용자를 납세의무자로 판단하는 것은 쉬운 일이 아니다. 소유권에 분쟁이 있는 상태에서는 서로 자신이 납세의무자라고 주장할 것이다. 그런 상황에서 과세관청이 상호 의견을 들어 특정 납세자를 지정할 경우 사인간의 소유권 분쟁에 법원보다 앞서 관여하는 상황이 될 수 있다. 따라서 특별한 사정이 없는 한 공부상 소유자나 취득세 신고 현황(취득의 시기)을 보고 판단하는 것이 합리적이다. 이 부분은 공부상 소유자가 생사불명 또는 행방불명되어 오랫동안 그 소유자가 관리하고 있지 아니한 부동산에 대해 판단 기준으로 적용해 볼 수 있다. 해당 규정은 과세대상 물건이 있다면 어떤 경우이든지 누락없이 재산세 납세의무자를 조사해서 부과하기 위한 장치라고 볼 수 있는데, 사례별로 다양한 사정과 개인간의 소유권·사용권 관계가 복잡하게 얽혀있을 수 있어 종합적인 접근이 필요하다.

◎ **장기 미준공 건축물의 부속토지가 경락되어 토지소유주가 건축물을 사용하는 경우, 당시 건축허가자를 납세의무자로 보기는 어렵고, 그 사용자가 납세의무자라는 사례**

당시 건축주 "갑"이 건축허가만을 득하였을 뿐 "갑"명의로 준공되었거나 등기부상에 등재된 적이 없고, "갑"의 상속인은 상속에 따른 소유권을 주장하지 않는 점, 착공 이후 장기 미준공 상태로 정당한 소유권을 가진 자를 알 수 없는 점, "을"이 "갑"명의의 쟁점 건축물 부속 토지를 경락받아 지상의 해당 건축물을 1989년부터 사용·수익을 취하고 있는 점 등 고려할 때, 건축허가 당시의 건축주라는 이유로 그 상속인을 납세의무자로 보기에는 무리가 있고, 당해 건축물은 소유권 귀속이 분명하지 않는 경우에 해당한다고 보여지는 바, 그 사용자가 납세의무자라고 사료됨(지방세운영과-5867, 2011.12.29.).

◎ **과세기준일 현재 분양대금은 완납하지는 않았으나, 미납대금에 대한 담보를 제공받고 사용 승낙하여 분양자가 토지를 사용하고 있더라도 납세의무자로 볼 수 없음**

'소유권의 귀속이 분명하지 아니한 경우'라 함은 소유권의 귀속자체에 분쟁이 생겨 소송 중에 있거나 공부상 소유자의 행방불명 또는 생사불명으로 장기간 그 소유자가 관리하고 있지 않은 경우에 한정하여 사용자를 재산세 납세의무자로 볼 수 있다 할 것이므로 당해 재산을 사용 승낙하여 분양자가 이를 사용하고 있다 하여 사용자를 재산세 납세의무자로 볼 수는 없음(지방세정팀-432, 2008.1.29.).

◎ 건설회사가 도산하여 그 존재가 유명무실하게 되었다거나 수분양자들이 분양잔금을 납부하지 않은 상태에서 미준공 아파트에 입주하여 점유·사용하면서 권리자 행세를 하고 있다고 하더라고 이를 '소유권의 귀속이 분명하지 아니하여 소유권자를 알 수 없는 경우'에 해당한다고 할 수 없어, 입주자를 재산세 납세의무자로 볼 수 없음(대법원 1999두5580, 2001.2.9.).

제108조(납세지)

> **법** 제108조(납세지) 재산세는 다음 각 호의 납세지를 관할하는 지방자치단체에서 부과한다.
> 1. 토지 : 토지의 소재지 2. 건축물 : 건축물의 소재지 3. 주택 : 주택의 소재지
> 4. 선박 : 「선박법」에 따른 선적항의 소재지. 다만, 선적항이 없는 경우에는 정계장(定繫場) 소재지(정계장이 일정하지 아니한 경우에는 선박 소유자의 주소지)로 한다.
> 5. 항공기 : 「항공안전법」에 따른 등록원부에 기재된 정치장의 소재지(「항공법」에 따라 등록을 하지 아니한 경우에는 소유자의 주소지)

제109조(비과세) 제1항 · 제2항 [국가소유 재산 등에 대한 비과세]

> **법** 제109조(비과세) ① 국가, 지방자치단체, 지방자치단체조합, 외국정부 및 주한국제기구의 소유에 속하는 재산에 대하여는 재산세를 부과하지 아니한다. 다만, 다음 각 호의 어느 하나에 해당하는 재산에 대하여는 재산세를 부과한다.
> 1. 대한민국 정부기관의 재산에 대하여 과세하는 외국정부의 재산
> 2. 제107조 제2항 제4호에 따라 매수계약자에게 납세의무가 있는 재산
>
> ② 국가, 지방자치단체 또는 지방자치단체조합이 1년 이상 공용 또는 공공용으로 사용(1년 이상 사용할 것이 계약서 등에 의하여 입증되는 경우를 포함한다)하는 재산에 대하여는 재산세를 부과하지 아니한다. 다만, 다음 각 호의 어느 하나에 해당하는 경우에는 재산세를 부과한다.
> 1. 유료로 사용하는 경우
> 2. 소유권의 유상이전을 약정한 경우로서 그 재산을 취득하기 전에 미리 사용하는 경우

국가, 지방자치단체, 지방자치단체조합 등의 소유에 속하는 재산은 재산세가 비과세 된다. 또한, 국가, 지방자치단체 등이 1년 이상 공용 또는 공공용으로 사용하는 재산도 재산세가 비과세되며, 다만 유료로 사용하는 경우에는 재산세를 부과한다.

| 참고_재산세의 비과세 |

(1) 국가 등에 대한 비과세	① 국가, 지방자치단체, 지방자치단체조합, 외국정부 및 주한국제기구의 소유에 속하는 재산(대한민국 정부기관의 재산에 대하여 과세하는 외국정부의 재산과 매수계약자에게 납세의무가 있는 재산은 제외) ② 국가, 지방자치단체 또는 지방자치단체조합이 1년 이상 공용(公用) 또는 공공용(公共用)으로 사용하는 재산(유료로 사용하는 재산은 제외)

(2) 용도구분에 의한 비과세	① 도로·하천·제방·구거·유지 및 묘지 ② 산림보호구역, 그 밖에 공익상 재산세를 부과하지 아니할 타당한 이유가 있는 일정한 토지 ③ 임시로 사용하기 위하여 건축된 건축물로서 재산세 과세기준일 현재 1년 미만의 것 ④ 비상재해구조용, 무료도선용, 선교(船橋) 구성용 및 본선에 속하는 전마용(傳馬用) 등으로 사용하는 선박 ⑤ 행정기관으로부터 철거명령을 받은 건축물 등 재산세를 부과하는 것이 적절하지 않은 일정한 건축물

1. 국가 등 소유재산의 비과세

- 철도건설사업이 완공되거나 단위사업이 끝나 공용이 개시된 후에는 건축물대장이나 부동산 등기부에 사업자가 소유자로 등재되어 있다 하더라도 그 소유권이 국가에 귀속되어 재산세 비과세대상임(대법원 2009두8045, 2011.11.10.).

2. 국가 등이 1년 이상 공용 또는 공공용으로 사용하는 재산

국가, 지방자치단체 또는 지방자치단체조합이 1년 이상 공용 또는 공공용으로 사용(1년 이상 사용할 것이 계약서 등에 의하여 입증되는 경우를 포함)하는 재산은 비과세 대상으로 규정하고 있다. "공용 또는 공공용으로 사용하는 재산"이란 국가 등이 재산을 직접 사용할 것을 요구하고 있는데, 행정주체가 직접 공용으로 사용하거나 행정주체가 이를 점유 또는 관리하여 일반 공중의 사용에 제공하는 재산을 말한다(대법원 2010두23026).

국가 등이 공용으로 사용하는 토지에 해당되어 재산세가 비과세되기 위해서는, 당해 토지가 직접 공용으로 사용되어야 할 뿐 아니라 그 사용에 있어 어느 정도의 지속성이 요구된다고 할 것이므로 그 사용이 일시적·임시적 사용인 경우에는 이에 포함되지 않는다(대법원 2002두4631).

공공용 재산이란 도로, 광장, 공원, 하천, 영해와 그 부속물 등과 같이 일반 공중의 자유로운 이용에 제공되는 공유재산을 말하는 것으로서, 특정 재산이 공공용 재산에 해당하는지 여부는 해당 재산이 그 자체로 직접 일반 공중의 공동사용에 이용되는지 여부 등을 종합적으로 고려해야 한다(법제처 05-0028, 2005.9.15.).

한편 국가 등이 개인의 재산을 공용 또는 공공용으로 사용하더라도 해당 재산을 유료로 사용하는 경우에는 비과세 대상에서 제외되는데, 여기서 「유료로 사용하는 경우」라 함은 당해 재산사용에 대하여 대가가 지급되는 것을 말하고, 그 사용이 대가적 의미를 갖는다면 사용기간의 장단이나, 대가의 지급이 1회적인지 또는 정기적이거나 반복적인 것인지, 대가의 다과 혹은 대가의 산출방식 여하를 묻지 아니한다(예규 지법 109-2).

| 최근 개정법령 _ 2019.1.1. | 국가 등이 사용하는 재산에 대한 재산세 비과세 범위 명확화(법 §109 ②)
국가·지자체 등이 1년 이상 사용할 것이 계약서 등에 의해 입증되는 경우 「지방세법 예규」 109-1를 근거로 비과세를 적용 중인데, 이를 법률로 상향하여 명확히 하였다. 아울러 국가 등이 소유권 유상이전을 약정한 경우로서, 취득 전에 미리 그 재산을 사용하는 경우는 재산세 부과대상임을 명시하였다.

◎ **부동산 사용 대가로 연간 000억 원을 지급받기로 약정하였으므로 비과세 대상이 아님**

노량진수산시장의 개설자인 서울시장은 15.5. 원고(수산업협동조합중앙회)가 100% 지분을 소유하고 있는 수협노량진수산주식회사(소외회사)를 15.6.부터 20.5.까지 노량진수산시장의 도매시장법인으로 지정 … 소외 회사는 수산물 판매를 위탁한 출하자로부터 지급받는 위탁 수수료 등을 수입원으로 하여 위 시설관리 및 사용계약에 따라 원고에 시설물 사용료를 지급하고 있음. 서울시가 이 사건 부동산의 사용권을 가진 소외 회사와 노량진수산시장의 운영을 위하여 이 사건 부동산을 무상 사용하기로 하는 시설사용대차계약을 체결하였으나, 이 사건 부동산의 소유자인 원고는 소외 회사와 '시설관리 및 사용계약'을 체결하여 소외 회사로부터 이 사건 부동산을 사용하는 대가로 연간 110억 원을 지급받기로 약정하였으므로, 지방세법 제109조 제2항의 재산세 비과세 대상이 아님(대법원 2019두54290, 2020.1.30.).

◎ **대학 소유 기숙사를 지자체가 조례에 따라 운영하는 경우 공용 또는 공공용 재산으로 보기 어렵고, 지자체 예산으로 기숙사를 대수선·증축 시 유료 사용으로 볼 수 없음**

경기도가 서울대로부터 무상으로 30년 동안 임대하는 것으로, 조례에 따라 사회적협동조합에 위탁 관리·운영하고 있는바, 특정인(선발된 일부 입사생)만이 장기간에 걸쳐 배타적인 사용권을 갖게 되므로, 일반 공중의 자유로운 이용에 제공되는 공공용 재산으로 보기 어렵고, 도로, 공원 등과 같이 필수불가결한 공공시설로 보기도 어려움. 한편 무상사용 계약내용에 대수선·증축에 대한 조건이 없고, 무상사용 계약이후에 지자체의 자체적인 필요에 의해 증축·대수선을 진행한 점, 무상사용 기간이 장기간(30년)이므로 대수선·증축 효익의 대부분을 지자체가 누리는 점을 고려, "유료로 사용하는 경우"에 해당하지 않는 것으로 판단됨(행안부 지방세운영과-2112. 2019.7.12.).

◎ **지자체가 공공용으로 사용하도록 소유자로부터 무상사용 동의를 받았다 하더라도 이를 재산세 비과세대상인 실질적인 무상사용으로 보기는 어려움**

사업구역 내 폐가·공가를 철거하고, 토지 소유자로부터 무상사용 동의를 받아 동주민센터가 공동텃밭을 조성하여, 공공근로자 등을 통해 채소를 재배하고 이를 관내 어려운 이웃들에게 제공하는 경우라도 이를 직접 불특정 다수 주민의 공동사용에 제공한 재산이거나 직접적으로 지방자치단체 자신의 사용에 제공한 재산에 해당한다고 볼 수는 없고, 또한 빈집 정비사업을 목적으로 행정관청이 철거비용을 부담하는 조건으로 철거가 진행되었다면 토지 소유자로부터 무상사용 동의를 받았다 하더라도 이를 실질적인 무상사용으로 보기 어려움(지방세운영과-576, 2012.2.21., 지방세운영과-2389).

◎ **○○시가 LH로부터 토지사용승낙을 받아 사용하는 토지가 비과세대상이 아니라는 사례**

○○시와 한국토지주택공사가 작성한 매매계약서 상 ○○시가 매매대금완납 전에 공사로부터 토지사용승낙을 받은 때에는 사용승낙일 이후 공사에 부과되는 조세 및 공과금을 ○○시가 부담하기로 한 바, ○○시가 부담하는 조세 및 공과금은 토지사용승낙을 받았기 때문에 부담하는 것이므로 통상적인 거래와 관련된 매매대금으로 보기 어렵고, 해당 토지의 소유권이 이전되기 전 토지사용승낙에 따라 토지를 사용하는데 대한 반대급부적인 성격의 대가를 지급하는 것으로 볼 수 있음. 해당 토지는 유료로 사용하는 경우에 해당되므로 비과세대상에 해당되지 아니함(지방세운영과-1058, 2013.6.14.).

◎ **지방자치단체가 법인소유 토지를 무상으로 제공받아 2년간 주말농장으로 주민에게 제공할 경우 해당 토지를 공공용으로 사용하는 재산(비과세)으로 볼 수 없다고 한 사례**

주말농장이 지방자치단체가 공공용으로 사용하는 재산에 해당하는지 여부는 해당 재산이 그 자체로 직접 일반공중의 자유로운 이용에 제공되는지 여부, 전체적인 공유재산 관리측면에서 공공용재산의 일부를 이루고 있어 일반공중이 공공용재산을 이용하는데 부대적으로 필요한 시설인지 여부 등을 종합적으로 고려하여 판단하여야 할 것인 바, 쟁점 주말농장을 이용함에 있어 모든 구민이 신청할 수 있지만 추첨을 통해 선정된 일부 주민(700명)만이 채소재배 등 장기간에 걸쳐 배타적 사용권을 갖게 된다는 점과 경작물의 소유자가 된다는 점을 고려할 때 그 자체로 직접 일반공중의 자유로운 이용에 제공되는 공공용 재산으로 보기 어려움(지방세운영과-1144, 2012.4.13.).

◎ **지자체가 도심빈집 정비사업으로 빈집을 무상 철거 후 해당 토지를 1년 이상 주차장 등 공공용지로 무상제공하는 경우 비과세 제외**

"유료로 사용하는 경우"라 함은 당해 재산의 사용에 대하여 대가가 지급되는 것을 말하는 바, 지자체가 빈집정비사업의 형식으로 철거비용을 지급하고 해당 토지의 무상사용기간 내에 토지소유자가 지상권설정 해제 요구시 사업비(철거비용)를 회수하는 점 등으로 보아 그 실질은 빈집 철거 후 해당 토지를 공공용지로 사용할 것에 대한 사용료 성격의 금액을 지급한 것이고, 지자체의 빈집 철거 사업비 지급으로 토지소유자에게 발생한 이익은 해당 토지

사용에 대한 대가로서의 의미를 가진다고 보는 것이 타당(지방세운영과-576, 2012.2.21.)

◎ **지자체가 LH 소유 토지를 수영장(공공체육시설)의 부속토지 및 주차장으로 무상사용하고 있는 경우, 공공용으로 사용하는 재산으로 보아 비과세 가능**

공용 및 공공용(이하 "공용"이라 함)으로 사용하는 재산에 해당하는지 여부는 지방자치단체의 공용 사용 여부, 공용재산을 이용하는 필요한 지 여부 등을 종합적으로 고려하여 판단하는 것이 합리적인 바(법제처 05-0028, 2005.9.15.), 한국토지주택공사(LH) 소유의 쟁점토지는 지방자치단체가 소유한 공공체육시설(수영장)의 부속토지로서 공공용 재산의 유지·관리를 위해 필요불가결한 토지라 할 수 있고, LH와의 기부채납 협약을 원인으로 하여 지방자치단체가 해당 토지의 무상사용 및 관리권한을 가지고 있는 점을 고려할 때, 토지에 대한 재산세는 비과세함이 타당(지방세운영과-4398, 2011.9.16.)

◎ **도로(기부채납예정)의 실시계획 인가 후 사업시행자가 공사 중인 경우 비과세대상 아님**

재산세가 비과세되기 위해서는 과세기준일 현재 국가 등이 사용 주체로서 1년 이상 공용 또는 공공용에 사용하는 재산에 한해 적용되어야 하므로, 사용이 개시되지 않은 재산은 이에 해당되지 않는다 할 것으로, 최소한 그 사용의 개시가 전제된 재산으로 보는 것이 타당하다 할 것임. 따라서, 장래에 지자체의 1년 이상 무상사용이 예정되어 있다 하더라도, 과세기준일 현재 토지소유자(사업시행자)가 공사 중에 있는 토지라면 지자체가 사용하고 있는 재산으로 볼 수 없어 비과세대상이 아님(지방세운영과-5640, 2010.11.30.).

◎ **도시계획시설(공원) 조성계획 결정만으로는 토지를 공원으로 사용하는 공용개시행위가 있다고 볼 수도 없어, 국가가 무상사용하는 공공용 재산이 아님**

학교예정 부지의 공공용 재산 해당 여부관련, 도시공원 조성 절차에 관한 관련 법령 내용에 비추어 위 토지 일부에 관하여 공원을 조성하기 위한 도시계획시설 조성계획 결정이 이루어졌을 뿐이고, 구 도시계획법상 공원조성사업 실시계획 인가, 토지 등 수용 또는 사용 등 절차가 이루어졌다고 볼 아무런 증거가 없음. 원고가 주장하는 자연 도시공원 개념은 법령에 아무런 근거가 없는 것으로서 이 역시 도시공원에 속하는 것이 분명한 이상 도시계획시설(공원) 조성계획 결정만으로는 원고가 이 사건 토지를 공원으로 사용하는 공용개시행위가 있다고 볼 수도 없음(대법원 2011두8680, 2011.7.14.).

◎ **비과세 대상에 해당한다는 사례**

- 「도시공원 및 녹지 등에 관한 법률」 제12조에 의거 도시 내 식생 등이 양호한 토지 소유자와 지자체간에 5년 이상 무상사용 계약을 체결하여, 지자체가 계약기간 동안 이를 관리하면서 일반시민에게 휴식공간으로 제공하는 경우라면 비과세대상 (지방세정팀-1582, 2007.5.4.).

- 소규모 공원으로 이용되는 공개공지로서 국가 등과 1년 이상 계속하여 공용 또는 공공용으로 사용 중인 것이 계약서 등에 입증되는 경우라면 비과세대상(지방세운영과-972, 2009.3.5.).

◎ 비과세 대상에 해당하지 않는 사례

- 인접토지의 공용 또는 공공용 사용으로 인하여 토지를 소유자가 사용하지 못하였다고 하여 비과세대상 공공용으로 사용하는 토지로 볼 수 없음(대법원 99두5511, 2000.12.12.).
- 국가로부터 사업비 전액을 보조받아 매립한 토지를 지역주민에게 임대하여 주는 경우라도, 국가가 소유한 것으로 보아 재산세를 비과세할 수 없음(대법원 98두17623, 1999.2.23.).
- 임야의 일부분에 체육시설 등이 설치되어 있고 인근 지역주민의 산책로, 체육시설 등으로 제공된다고 하여 비과세 대상 공용으로 볼 수 없음(대법원 2011두8680, 2011.7.14.).

제109조(비과세) 제3항 [도로 · 하천, 공익용 임야 등]

법 제109조(비과세) ③ 다음 각 호에 따른 재산(제13조 제5항에 따른 과세대상은 제외한다)에 대하여는 재산세를 부과하지 아니한다. 다만, 대통령령으로 정하는 수익사업에 사용하는 경우와 해당 재산이 유료로 사용되는 경우의 그 재산(제3호 및 제5호의 재산은 제외한다) 및 해당 재산의 일부가 그 목적에 직접 사용되지 아니하는 경우의 그 일부 재산에 대하여는 재산세를 부과한다. 〈개정 2010.12.27.〉

1. 대통령령으로 정하는 도로 · 하천 · 제방 · 구거 · 유지 및 묘지
2. 「산림보호법」 제7조에 따른 산림보호구역, 그 밖에 공익상 재산세를 부과하지 아니할 타당한 이유가 있는 것으로서 대통령령으로 정하는 토지
3. 임시로 사용하기 위하여 건축된 건축물로서 재산세 과세기준일 현재 1년 미만의 것
4. 비상재해구조용, 무료도선용, 선교(船橋) 구성용 및 본선에 속하는 전마용(傳馬用) 등으로 사용하는 선박
5. 행정기관으로부터 철거명령을 받은 건축물 등 재산세를 부과하는 것이 적절하지 아니한 건축물 또는 주택(「건축법」 제2조 제1항 제2호에 따른 건축물 부분으로 한정한다)으로서 대통령령으로 정하는 것

영 제107조(수익사업의 범위) 법 제109조 제3항 각 호 외의 부분 단서에서 "대통령령으로 정하는 수익사업"이란 「법인세법」 제4조 제3항에 따른 수익사업을 말한다.

제108조(비과세) 법 제109조 제3항 제1호에서 "대통령령으로 정하는 도로 · 하천 · 제방 · 구거 · 유지 및 묘지"란 다음 각 호에서 정하는 토지를 말한다.

1. 도로 : 「도로법」에 따른 도로(같은 법 제2조 제2호에 따른 도로의 부속물 중 도로관리시설, 휴게시설, 주유소, 충전소, 교통 · 관광안내소 및 도로에 연접하여 설치한 연구시설은 제외한다)와 그 밖에 일반인의 자유로운 통행을 위하여 제공할 목적으로 개설한 사설 도로. 다만, 「건축법 시행령」 제80조의 2에 따른 대지 안의 공지는 제외한다.

2. 하천 : 「하천법」에 따른 하천과 「소하천정비법」에 따른 소하천
3. 제방 : 「공간정보의 구축 및 관리 등에 관한 법률」에 따른 제방. 다만, 특정인이 전용하는 제방은 제외한다.
4. 구거(溝渠) : 농업용 구거와 자연유수의 배수처리에 제공하는 구거
5. 유지(溜池) : 농업용 및 발전용에 제공하는 댐·저수지·소류지와 자연적으로 형성된 호수·늪
6. 묘지 : 무덤과 이에 접속된 부속시설물의 부지로 사용되는 토지로서 지적공부상 지목이 묘지인 토지

② 법 제109조 제3항 제2호에서 "대통령령으로 정하는 토지"란 다음 각 호에서 정하는 토지를 말한다.
1. 「군사기지 및 군사시설 보호법」에 따른 군사기지 및 군사시설 보호구역 중 통제보호구역에 있는 토지. 다만, 전·답·과수원 및 대지는 제외한다.
2. 「산림보호법」에 따라 지정된 산림보호구역 및 「산림자원의 조성 및 관리에 관한 법률」에 따라 지정된 채종림·시험림
3. 「자연공원법」에 따른 공원자연보존지구의 임야
4. 「백두대간 보호에 관한 법률」 제6조에 따라 지정된 백두대간보호지역의 임야

③ 법 제109조 제3항 제5호에서 "대통령령으로 정하는 것"이란 재산세를 부과하는 해당 연도에 철거하기로 계획이 확정되어 재산세 과세기준일 현재 행정관청으로부터 철거명령을 받았거나 철거보상계약이 체결된 건축물 또는 주택(「건축법」 제2조 제1항 제2호에 따른 건축물 부분으로 한정한다. 이하 이 항에서 같다)을 말한다. 이 경우 건축물 또는 주택의 일부분을 철거하는 때에는 그 철거하는 부분으로 한정한다. 〈개정 2010.12.30.〉

도로·하천·제방·구거·유지 및 묘지, 산림보호구역·군사시설보호구역 중 통제구역 내의 토지 등, 임시용 건축물, 전마선, 철거명령을 받은 건축물 등에 대하여는 재산세 부과하지 않는다. 한편, 제사·종교·학교 등 비영리사업자의 고유목적사업용 부동산에 대한 비과세는 지방세특례제한법(제50조)으로 이관되었다(2011년 분법).

1. 비과세 대상 도로

| 최근 개정법령_2020.1.1. | 재산세 비과세 대상인 도로의 범위 개선(영 §108)

도로부속시설 중 차량 통행 및 교통안전 관련 시설 외에 한국도로공사의 수익사업에 사용되는 시설의 부속토지 등은 재산세 비과세 대상에서 제외토록 하였다. 도로관리시설, 휴게시설, 주유소, 충전소, 교통·관광안내소, 연구시설 등은 도로법상 도로에 해당하더라도 과세대상이다.

「도로법」에 따른 도로와 그 밖에 일반인의 자유로운 통행을 위하여 제공할 목적으로 개설한 사설 도로는 재산세가 비과세 된다. 사도의 소유자가 일반인의 통행에 대하여 아무런 제약을 가하지 않고 있으며 실제로도 널리 불특정 다수인의 통행에 이용되고 있다면 그러한 사도 역시 재산세 비과세대상 도로에 포함된다(대법원 92누9456, 1993.4.23.).

도로를 수익사업에 사용하는 경우와 해당 재산이 유료로 사용되는 경우에는 재산세를 부과한다. 여기서 '유료로 사용하는 경우'라 함은 당해 재산 등의 사용에 대하여 사용자가 비영리사업자에게 대가를 지급하는 경우를 말하는 것으로서 그 사용이 대가적 의미를 갖는다면 사용기간의 장단이나 대가의 지급방법 및 그 대가의 다과 등은 이를 묻지 아니하고(대법원 92누15505, 1993.9.14.), 어느 사업이 수익사업에 해당하는지의 여부는 그 사업이 수익성을 가진 것이거나 수익을 목적으로 하면서 그 규모, 횟수, 태양 등에 비추어 사업활동으로 볼 수 있는 정도의 계속성과 반복성이 있는지의 여부 등을 고려하여 사회통념에 따라 합리적으로 판단하여야 한다(대법원 96누14845, 1997.2.28.). 예를 들어 원인무효 소송 판결에 의하여 도로가 개인소유로 결정되고 이를 근거로 개인이 국가로부터 도로사용에 따른 부당이득금을 받게 된 경우에는 도로를 유료로 사용하는 것에 해당되어 비과세 대상이 아니다(대법원 2010두4964, 2012.12.13.).

◎ 건축법상 대지안의 공지에 해당하는 하나, 일반인의 통행로로 제공되는 사도의 요건을 갖추고 있는 경우라면 재산세 비과세대상 도로에 해당함(대법원 2002두2871, 2005.1.28.).

◎ **도로공사의 지역지사사무실 부지라도 비과세대상 도로법상의 '도로'에 해당된다는 사례**

도로법에서 정한 '도로의 부속물'은 지방세법상 '도로법에 따른 도로'로서 비과세대상에 해당하고, '도로의 부속물'에는 해당 시설과 그 부지가 포함되며 또한 해당 시설의 유지 · 관리에 필요한 부대시설 및 그 부지도 포함됨. 원고 소속 ○○지사의 사무소용 건물이 설치되어 있는 토지는 전체적으로 도로법에서 정한 '도로 구조의 보전과 안전하고 원활한 도로교통의 확보, 그 밖에 도로의 관리에 필요한 시설 및 공작물'로서 '도로의 부속물'에 해당. 위 토지에 있는 주차장, 테니스장, 조경시설, 법면 등은 이 사건 건물이나 차고, 정비고, 적치장 등의 원활한 이용을 위하여 조성된 것으로서 이 사건 건물 등과 유기적 일체를 이루고 있으므로, 도로관리에 필요한 시설 및 공작물로서 '도로의 부속물'에 해당(대법원 2016두49658, 2016.4.28.)

☞ 판례내용은 2020.1.1. 지방세법 개정에 따라 과세대상으로 보완되었음.

◎ **고속도로 휴게시설 및 그 부속토지의 경우 수익사업에 사용한 것으로 비과세 배제**

고속국도의 관리자로서 휴게시설을 설치 · 관리할 의무를 부담하고 있고, 휴게시설과 그 부속토지에서 발생한 임대료 수익의 대부분이 설립목적에 부합하는 공익적 용도에 사용되었다 하더라도, 각 토지의 임대행위는 그 자체로 수익성을 가지거나 수익을 목적으로 하는 것으로서, 그 규모와 횟수 등에 비추어 부동산 임대사업 활동으로 볼 수 있는 정도의 계속성과 반복성이 있으므로, 휴게시설의 임대사업은 수익사업에 해당하고, 부속된 토지 역시 수익사업에 사용되고 있다고 봄이 타당(대법원 2013두13310, 2013.10.17.)

◎ **휴게시설이 미설치된 이상 도로의 부속물로 보기 어렵고, 설치되었다고 하더라도 수익사업용으로 보아야 될 것으로 재산세 면제는 불가함**

도로는 도로의 형태를 갖추고, 도로법에 따른 노선 지정 또는 인정 공고 및 도로구역 결정·고시를 한 때 또는 도시계획법이나 도시재개발법에서 정한 절차를 거쳐야 비로소 도로법 적용을 받는 도로로 되는 것인 바(대법원 2010두28106, 2011.5.26. 등 참조), 이 사건에 관하여 보건대, 이 사건 토지는 도로의 부속물인 휴게소의 건설 예정 부지에 불과할 뿐, 아직 그 휴게소의 형태를 갖추지 못하고 있음은 앞서 본 바와 같으므로 이 사건 토지를 두고 '도로의 부속물'이라 할 수 없음(대법원 2015두59167, 2016.3.24.).

◎ **아파트 공시가격에 포함된 대지권의 일부가 도로인 경우 비과세대상으로 볼 수 없음**

부감법 제17조 ⑤과 「공동주택가격 조사·산정지침」 제16조 ①에서 공동주택가격은 구분소유권의 대상이 되는 건물부분과 그 대지권을 일괄산정 하되, 인근 유사 공동주택의 거래가격, 임대료 및 비용추정액 등을 종합적으로 참작하여 산정한다고 규정하고 있는 바, 재산세 과세대상인 주택은 그 건물 및 부속토지가 일체로서 하나의 과세물건을 이루고 있다 할 것임. 따라서 아파트의 공시가격에 포함된 일부 부속토지 중 현황도로로 사용되는 부분이 있다 하더라도 이는 공시가격 산정시 가격산정에 반영되어야 할 부분으로, 공동주택 공시가격 산정과정에서 별도로 다투어야 할 것이지 용도구분에 의한 비과세대상 토지로서 별도로 인정되는 것은 아님(지방세운영과-563, 2008.8.8.).

◎ **건축법상 '대지 안의 공지'의 취지와 이에 해당되지 아니하는 비과세대상인 사도의 조건**

'대지 안의 공지'를 비과세대상에서 제외한 취지는, 건축법 등 관계 규정에 의하여 건축선이나 인접대지경계선으로부터 띄어야 할 거리를 둠으로 인하여 생긴 공지에 대하여 당해 대지 소유자가 그 소유건물의 개방감과 안정성을 확보하고 고객을 유치하기 위한 목적 등으로 그 사용·수익 방법의 하나로 임의로 일반 공중의 통행로로 제공하는 경우 등과 같이 계속하여 독점적이고 배타적인 지배권(사용수익권)을 행사할 가능성이 있는 것을 전제로 한 것이라고 봄이 상당하므로, 그 공지의 이용현황, 사도의 조성경위, 대지소유자의 배타적인 사용가능성 등을 객관적·종합적으로 살펴보아, 대지소유자가 그 소유 대지 주위에 일반인들이 통행할 수 있는 공적인 통행로가 없거나 부족하여 부득이하게 그 소유 공지를 불특정 다수인의 통행로로 제공하게 된 결과 더 이상 당해 공지를 독점적·배타적으로 사용·수익할 가능성이 없는 경우 시행령상 '대지 안의 공지'에 해당하지 않는 것으로 보아야 할 것임(대법원 2002두2871, 2005.1.28., 대법원 2009두8984, 2009.9.10.).

◎ **백화점 부속토지의 일부가 "대지 안의 공지"가 아닌 비과세대상 사도에 해당한다는 사례**

백화점 신관 부지의 재개발사업에 관한 교통영향평가 협의과정에서 일반인의 통행을 위한 보도를 조성하여 계속 "공용의 도로"로 이용하게 해야 하고 다른 시설물을 설치하지 않도록 협의된 조건부로 재개발사업이 시행인가되었으므로 이를 독점적·배타적으로 사용·수익할 수 없고 "공용의 도로"로만 사용할 수 있음. 또한, 현실적으로 ○○역에서 ○○시장, 다수 금융기관의 본·지점, 대형 의류 쇼핑몰, ○○거리를 왕래하는 다수의 일반인들이 쟁점토지에 조성된 보도를 거쳐 왕래하고 있음. … 재산세 비과세대상인 "일반인의 자유로운 통행에 공여할 목적으로 개설한 사도"에 해당하고, 비과세대상에서 제외되는 "대지 안의 공지"에 해당하지 아니함(감심 2010-87, 2010.8.26.).

2. 묘지에 대한 비과세

토지를 장기간 묘지로 사용하고 있다고 하더라도 당해 토지가 분묘와 이에 접속된 부속 시설물의 부지로 사용되는 토지로서 지적공부상 지목이 묘지인 토지인 경우에 대해서만 재산세가 비과세대상이다 그 현황이 묘지에 해당한다 하더라도 지목이 임야이므로 재산세 비과세 대상인 묘지로 보기 어렵다(조심 2016지1045, 2016.10.28.).

◎ 시행령상 비과세대상 묘지로 지목요건을 규정하더라도 조세평등주의나 모법의 위임범위를 벗어났다고 할 수 없음

시행령에서 비과세의 실질적 요건인 현황 외에 형식적 요건으로 지적공부상의 지목이 묘지일 것을 요구하는 것을 충분히 예상할 수 있는 점, 현황이 묘지임을 전제로 지적공부상 지목도 묘지인 토지를 재산세 비과세대상으로 하고 있으므로 실질과세의 원칙에 반한다고 할 수 없는 점, 현황이 묘지인 토지 중 지적공부상 지목이 묘지인 토지에 대해서만 비과세혜택을 부여함으로써 위법하게 설치된 묘지까지 비과세혜택이 부여되는 것을 방지할 수 있는 점, 도로 등과 달리 묘지에 대해서만 지적공부상 지목 요건을 요구하였다고 하여 차별하는 것이라고 할 수는 없는 점, 스스로 지목변경의 절차를 밟아 비과세혜택을 받도록 하는 것이 보다 합리적인 점 등을 종합하면, 조세평등주의에 반하거나 위임범위를 벗어난 무효의 규정이라 할 수 없음(대법원 2009두14613, 2010.11.25.).

3. 철거명령 받은 건축물의 비과세

◎ LH가 택지지구 내 건물 소유자와 철거보상계약을 체결했다 하더라도 LH를 행정관청으로 볼 수 없어 재산세 비과세 적용 불가

종전(2007년 이전) 대한주택공사법상 공사가 토지보상법에 따라 국가 등이 임대나 양도의 목적으로 시행하는 주택 건설, 택지 조성에 관한 「택지개발촉진법」상 사업에 있어 "공사"를

"국가 또는 지방자치단체"로, "공사 사장"을 "관계 중앙행정기관의 장"으로 하여 행정관청으로 의제하고 있으나, 이후 개정된 대한주택공사법에서는 해당 규정이 삭제되어 행정관청으로 의제할 수 있는 법률 근거가 없어졌음. 한편, 현행법(일부규정 보완)에서는 타인 토지의 출입 및 측량·조사 등을 할 수 있는 권한을 부여한 것일 뿐, 행정관청으로 의제하고 있다고 보기는 어려우며, 설령 의제한다고 보더라도 철거보상계약을 체결한 경우까지 행정관청으로 본다고 하기는 어려움(지방세운영과-2220, 2013.9.6.).

☞ 기존 유권해석(지방세운영과-3725, 2010.8.19.)에서 행정관청으로 인정한 사례가 있었음.

◎ 택지개발사업 추진을 위해 철거보상 등 일련의 사업진행 과정에 있는 경우 건물의 철거일정이 구체적으로 명시되어 있지 않았더라도 비과세대상이라는 사례

택지개발사업 등 공익사업 추진을 위해서는 토지수용, 철거보상, 철거는 일련의 사업진행 과정에서 수반되며, 철거보상계약 자체가 조만간 철거를 전제로 이루어지고, 철거업체와 지장물 철거 계약이 기 체결되어 있는 점을 고려시, 사업시행자와 건축물 소유자가 지장물을 철거하거나 이전하기로 "지장물 보상 협의"가 이루어진 경우라면, 비록 개별건물의 철거일정이 구체적으로 명시되어 있지 않았더라도 "철거하기로 계획이 확정되었다"고 보는 것이 타당. 다만, 재산세를 부과하는 당해연도가 아닌 직전연도 이전에 철거보상계약이 이루어지거나, 당해연도 내에 철거가 이루어지지 않은 경우에는 비과세대상에서 배제(대법원 99두4426, 2001.10.23.)하는 것이 타당(지방세운영과-3725, 2010.8.19.)

◎ 당해 연도에 철거하기로 계획이 확정되었음에도, 다음 연도 과세기준일까지 철거되지 않는 건물은 재산세 비과세대상에 포함되지 않음(대법원 99두4426, 2001.10.23.).

◎ 주거환경개선사업의 보상철거계약이 체결된 경우 재산세 비과세대상

주거환경개선사업의 시행자는 원칙적으로 시장·군수이나 대한주택공사 등 공법인도 사업시행자로 지정하여 시행할 수 있도록 한 「도시저소득주민의 주거환경개선을 위한 임시조치법」 제7조 제2항의 취지와 동 주거환경개선사업비의 일부를 시장·군수가 부담하는 점을 감안할 때, 당해연도에 철거하기로 계획이 확정되어 있고 사업시행자와 과세기준일 현재 보상철거계약이 체결된 경우는 재산세 비과세대상으로 보는 것이 타당(세정 13407-1055, 2000.8.30.)

4. 기타 비과세 사례

◎ **가설건축물 축조신고서상 존치기간 시작일이 2019.6.2.인 경우 2020년 재산세 과세대상 해당**

건축물의 존속기간이란 '해당 임시건축물이 사실상 존속하는 기간'을 의미하는 것으로서, 그 시기는 사실상 사용이 가능한 날이고, 그 종기는 해당 임시건축물이 철거되는 등으로 사실상 사용이 불가능하게 된 날을 의미하므로, 취득시기가 존치기간 시작일과 동일하게 2019.6.2.인 경우라면 과세기준일 현재 '1년 미만'에 해당하지 않으므로 비과세 대상으로 보기 어려움(부동산세제과-2309, 2020.9.4.).

◎ **판결을 통해 과세대상이 되더라도 납세의무성립일로부터 5년이 경과하였다면 과세 불가**

판결을 통해 비과세대상이 아니라는 사실이 입증되었다 하더라도 이를 비과세에 대한 추징사유 발생일로 볼 수는 없으므로 부과제척기간 기산일은 당초 납세의무 성립일을 기준으로 적용되어야 함. 즉, 재산세는 부과고지 세목으로서, 비과세 요건으로 별도의 사후적인 추징요건을 두고 있지 않는 한, 과세기준일 당시의 현황에 따라 비과세 여부를 결정하여야 함(지방세운영과-1772, 2015.6.12.).

◎ **암거(暗渠)구조물 위에 건물이 있는 경우 용도구분 비과세(구거)로 볼 수 없음**

지적법 시행령 제5조 제18호에서 "용수 또는 배수를 위하여 일정한 형태를 갖춘 인공적인 수로·둑 및 그 부속시설물의 부지와 자연의 유수가 있거나 있을 것으로 예상되는 소규모 수로부지는 구거로 한다"라고 규정하고 있음. 당해 토지가 농업용수 또는 배수를 위하여 일정한 형태를 갖춘 인공적인 수로에 해당한다면 지방세법 시행령 제137조 제1항 제4호에서 규정한 구거에 해당한다 할 것임. 다만, 당해 토지가 구거에 해당한다 하더라도 건물의 부속토지는 구거 용도에 직접 사용하는 토지에 해당하지 아니하므로 해당토지는 용도구분 비과세대상에 해당되지 않음(지방세정팀-518, 2007.3.8.).

◎ 처분청에 귀책이 있는 정당한 사유가 있어서 건축이 지연되어 건축착공을 하지 못하였다고 하더라도 재산세 비과세대상이 될 수 없음(대법원 2011두3838, 2011.5.13.).

◎ 과세관청 착오로 장기간 특정 토지에 대하여 재산세를 비과세한 상태에서 재산세가 부과고지된 경우라도 신의칙 또는 비과세관행의 소급과세금지 원칙을 들어 비과세를 적용할 수 없음(대법원 2011두19864, 2011.11.10.).

제2절

과세표준과 세율

제110조(과세표준)

법 제110조(과세표준) ① 토지 · 건축물 · 주택에 대한 재산세의 과세표준은 제4조 제1항 및 제2항에 따른 시가표준액에 부동산 시장의 동향과 지방재정 여건 등을 고려하여 다음 각 호의 어느 하나에서 정한 범위에서 대통령령으로 정하는 공정시장가액비율을 곱하여 산정한 가액으로 한다.

1. 토지 및 건축물 : 시가표준액의 100분의 50부터 100분의 90까지
2. 주택 : 시가표준액의 100분의 40부터 100분의 80까지

② 선박 및 항공기에 대한 재산세의 과세표준은 제4조 제2항에 따른 시가표준액으로 한다.

영 제109조(공정시장가액비율) 법 제110조 제1항 각 호 외의 부분에서 "대통령령으로 정하는 공정시장가액비율"이란 다음 각 호의 비율을 말한다.

1. 토지 및 건축물 : 시가표준액의 100분의 70　2. 주택 : 시가표준액의 100분의 60

재산세의 과세표준은 토지 · 건축물 · 주택의 시가표준액에 공정시장가액비율을 곱하여 산정한다.

'공정시장가액비율'제도는 2005년 부동산 세제개편 이후 적용되어 오던 '과표적용비율'을 대신하여 2009년부터 도입 적용하고 있으며, 부동산시장 동향과 지방재정 여건 등을 고려하여 과세표준을 탄력적으로 조정할 수 있도록 하는 기능을 한다.

선박과 항공기의 경우는 시가표준액을 그대로 과세표준으로 하고 있다.

☞ 개별공시지가 없는 토지, 미공시 공동주택 등의 재산세 과세표준 산정관련 사례는 시가표준액 편(지방세법 제4조)을 참조하기 바람.

제111조(세율)

법 제111조(세율) ① 재산세는 제110조의 과세표준에 다음 각 호의 표준세율을 적용하여 계산한 금액을 그 세액으로 한다.

1. 토지

가. 종합합산과세대상

과세표준	세 율
5,000만원 이하	1,000분의 2
5,000만원 초과 1억원 이하	10만원+5,000만원 초과금액의 1,000분의 3
1억원 초과	25만원+1억원 초과금액의 1,000분의 5

나. 별도합산과세대상

과세표준	세 율
2억원 이하	1,000분의 2
2억원 초과 10억원 이하	40만원+2억원 초과금액의 1,000분의 3
10억원 초과	280만원+10억원 초과금액의 1,000분의 4

다. 분리과세대상

1) 제106조 제1항 제3호 가목에 해당하는 전・답・과수원・목장용지 및 같은 호 나목에 해당하는 임야 : 과세표준의 1천분의 0.7

2) 제106조 제1항 제3호 다목에 해당하는 골프장용 토지 및 고급오락장용 토지 : 과세표준의 1천분의 40

3) 그 밖의 토지 : 과세표준의 1천분의 2

2. 건축물

가. 제13조 제5항에 따른 골프장, 고급오락장용 건축물 : 과세표준의 1천분의 40

나. 특별시・광역시(군 지역은 제외한다)・특별자치시(읍・면지역은 제외한다)・특별자치도(읍・면지역은 제외한다) 또는 시(읍・면지역은 제외한다) 지역에서 「국토의 계획 및 이용에 관한 법률」과 그 밖의 관계 법령에 따라 지정된 주거지역 및 해당 지방자치단체의 조례로 정하는 지역의 대통령령으로 정하는 공장용 건축물 : 과세표준의 1천분의 5

다. 그 밖의 건축물 : 과세표준의 1천분의 2.5

3. 주택

가. 제13조 제5항 제1호에 따른 별장 : 과세표준의 1천분의 40

나. 그 밖의 주택

과세표준	세 율
6천만원 이하	1,000분의 1
6천만원 초과 1억5천만원 이하	60,000원+6천만원 초과금액의 1,000분의 1.5
1억5천만원 초과 3억원 이하	195,000원+1억5천만원 초과금액의 1,000분의 2.5
3억원 초과	570,000원+3억원 초과금액의 1,000분의 4

4. 선박
   가. 제13조 제5항 제5호에 따른 고급선박 : 과세표준의 1천분의 50
   나. 그 밖의 선박 : 과세표준의 1천분의 3
5. 항공기 : 과세표준의 1천분의 3

② 「수도권정비계획법」 제6조에 따른 과밀억제권역(「산업집적활성화 및 공장설립에 관한 법률」을 적용받는 산업단지 및 유치지역과 「국토의 계획 및 이용에 관한 법률」을 적용받는 공업지역은 제외한다)에서 행정안전부령으로 정하는 공장 신설·증설에 해당하는 경우 그 건축물에 대한 재산세의 세율은 최초의 과세기준일부터 5년간 제1항 제2호 다목에 따른 세율의 100분의 500에 해당하는 세율로 한다.

③ 지방자치단체의 장은 특별한 재정수요나 재해 등의 발생으로 재산세의 세율 조정이 불가피하다고 인정되는 경우 조례로 정하는 바에 따라 제1항의 표준세율의 100분의 50의 범위에서 가감할 수 있다. 다만, 가감한 세율은 해당 연도에만 적용한다.

영 제110조(공장용 건축물) 법 제111조 제1항 제2호 나목에서 "대통령령으로 정하는 공장용 건축물"이란 제조·가공·수선이나 인쇄 등의 목적에 사용하도록 생산설비를 갖춘 것으로서 행정안전부령으로 정하는 공장용 건축물을 말한다.

규칙 제55조(공장용 건축물의 범위) 영 제110조에서 "행정안전부령으로 정하는 공장용 건축물"이란 별표 2에 규정된 업종의 공장으로서 생산설비를 갖춘 건축물의 연면적(옥외에 기계장치 또는 저장시설이 있는 경우에는 그 시설물의 수평투영면적을 포함한다)이 500제곱미터 이상인 것을 말한다. 이 경우 건축물의 연면적에는 해당 공장의 제조시설을 지원하기 위하여 공장 경계구역 안에 설치되는 부대시설(식당, 휴게실, 목욕실, 세탁장, 의료실, 옥외 체육시설 및 기숙사 등 종업원의 후생복지 증진에 제공되는 시설과 대피소, 무기고, 탄약고 및 교육시설은 제외한다)의 연면적을 포함한다.

제56조(공장의 범위와 적용기준) ① 법 제111조 제2항에 따른 공장의 범위와 적용기준에 대해서는 제7조를 준용한다. 이 경우 같은 조 제1항 전단 및 제2항 각 호 외의 부분 중 "법 제13조 제8항"은 각각 "법 제111조 제2항"으로 본다. 〈개정 2011.5.30.〉

② 법 제111조 제2항에 따른 최초의 과세기준일은 공장용 건축물로 건축허가를 받아 건축하였거나 기존의 공장용 건축물을 공장용으로 사용하기 위하여 양수한 경우에는 영 제20조에 따른 취득일, 그 밖의 경우에는 공장시설의 설치를 시작한 날 이후에 최초로 도래하는 재산세 과세기준일로 한다.

재산세 세율은 표준세율 제도를 택하고 있다. 특별한 재정수요나 재해 등의 발생으로 세율의 조정이 불가피하다고 인정되는 경우에는 해당 지방자치단체의 조례로 표준세율의 50% 범위 내에서 가감조정이 가능하고, 가감조정한 세율은 당해 연도에만 적용토록 하고 있다.

| 최근 개정법령 _ 2020.1.1. | 토지분 재산세 분리과세 세율 적용 대상 명확화(법 §111)

농지와 목장용지 및 산림보호 육성 등을 위한 임야에 대한 세율은 0.07%이고, '그 밖의 분리과세대상 토지'는 0.2%의 세율을 적용한다고 규정하고 있다. 그런데, '그 밖의 분리과세대상 토지'가 농지, 목장용지, 임야인 경우 적용 세율에 대한 규정이 불분명하여 오해 소지가 있었다.

예를들어 비영리사업자가 1995년 12월 31일 이전부터 소유하는 임야는 '그 밖의 분리과세대상 토지'로서 0.2%를 적용하여야 하나, '임야'로 보아 0.07%를 적용하는 것으로 오해할 소지가 있었다. 그에 따라 개인, 농업법인, 종중 등이 소유한 농지(법 제106조 제3호 가목)와 산림경영지, 문화재보호구역, 개발제한구역내 임야(법 제106조 제3호 나목)에 한하여 0.07%의 세율을 적용하도록 명확히 하였다.

1. 세율적용 일반

◎ **GB나 녹지지역에 소재하지 아니하는 농지(분리과세)는 0.07%가 아닌 0.2% 세율 적용**

분리과세대상 토지에 해당함을 전제로 지방세법 제111조 제1항 제1호 다목 1)에서 그 세율을 과세표준의 1천분의 0.7로 정하고 있는 '전 · 답 · 과수원'의 의미를 별도로 직접적으로 정의하고 있는 규정은 없다. 그러나, 위 조항 적용의 전제가 되는 분리과세대상토지의 범위를 정하고 있는 지방세법 제106조 제1항 제3호와 시행령 제102조에서 '전 · 답 · 과수원'의 의미에 관하여 규정하고 있으므로, 지방세법 제111조 제1항 제1호 다목 1)의 '전 · 답 · 과수원'은 지방세법 제106조 제1항 제3호와 지방세법 시행령 제102조에서 규정하고 있는 '전 · 답 · 과수원'과 같은 의미로 봐야 함(대법원 2014두44373, 2015.2.12. 심불).

◎ **1,000분의 2의 표준세율을 적용받는 농지의 범위**

지방세법 제182조 제1항 제3호의 '전 · 답 · 과수원 및 목장용지'로서 지방세법 제188조 제1항 제1호 다목 (3)에 따라 과세표준액의 1,000분의 2의 표준세율을 적용받기 위하여는 이 사건 처분의 과세기준일인 2008.6.1. 실제 영농에 사용되고 있는 개인이 소유하고 있는 농지일 뿐 아니라, 광역시지역의 도시지역 안의 농지로서 개발제한구역과 녹지지역 안에 있어야 할 것임(대법원 2012두1136, 2012.4.26.).

◎ **비영리사업자가 1995.12.31. 이전부터 소유하고 있는 임야의 경우 0.2% 세율 적용**

지방세법 제106조 ① 제3호 나목 임야의 경우 대상 토지가 임야라는 전제에서 임야 중 특히 보전 필요성이 강한 경우 등 특수성을 고려하여 분리과세 대상으로 한 것으로 보이는 반면, 시행령 제102조 ⑤ 제13호에 따른 토지의 경우 임야이건 또는 다른 지목이건 간에 비영리사업자가 일정시점 이전부터 소유하는 토지라는 특성에 기인하여 분리과세 대상으로 한 것으로 보이는바 분리과세 대상으로 선정한 사유, 즉, 중과세 또는 경과세의 필요성 등을 고려하여야 할 것임. 또한, 입법연혁을 보더라도 구 시행령 제194조의 17 ②이 구 지방세법 개정으로 삭제되기는 하였으나, 자연스럽게 비영리사업자가 소유하고 있는 토지 등 「지방세법 시행령」 제102조 ⑤에 따른 토지의 경우 "그 밖의 토지"로 보아 세율을 적용한다는 결론이 자연스럽게 도출됨(법제처 법령해석총괄과-3107, 2012.7.12.).

◎ **(지침) 제주특자도법 세율조정에 관한 특례적용범위**(법제처 법령해석총괄과-2290, 2013.7.5.)

(쟁점) 「제주특별자치도 설치 및 국제자유도시 조성을 위한 특별법」 제74조 제1항 제4호에 따라 「지방세법」 제111조에 따른 재산세에 관한 제주자치도세의 세율을 가감조정할 경우에도, 「지방세법」 제111조 제3항에 따라 특별한 재정수요나 재해 등의 발생으로 재산세의 세율 조정이 불가피하다고 인정되어야 하고, 가감한 세율은 해당 연도에만 적용된다고 보아야 하는지?

「지방세법」이 법률 제7972호로 개정되어 2006.9.1. 시행되면서 특별한 재정수요나 재해 등의 발생으로 재산세의 세율 조정이 불가피하다고 인정되는 경우, 당해연도에 한하여 적용될 수 있다고 규정하였는바, 이는 재산세 탄력세율 제도로 인한 지역간 과세불형평 등의 문제점을 해소하기 위하여 재산세 탄력세율의 적용요건 및 기준을 강화한 것으로서, 이러한 「지방세법」 제111조 제3항의 취지 및 조례 제정의 한계는 제주특별자치도의 경우에도 마찬가지로 적용된다고 할 것임.

「제주특자도법」 제74조 제1항 제4호에 따라 「지방세법」 제111조에 따른 재산세에 관한 제주자치도세의 세율을 가감조정할 경우에도, 「지방세법」 제111조 제3항에 따라 특별한 재정수요나 재해 등의 발생으로 재산세의 세율 조정이 불가피하다고 인정되어야 하고, 가감한 세율은 해당 연도에만 적용됨.

| 참고 _ 토지에 대한 재산세와 종합부동산세 과세체계 비교 |

구 분		재산세			종합부동산세		
과세대상		• 토지			• 토지(종합합산, 별도합산)		
납세의무자		• 6.1. 현재 토지 소유자			• 재산세 납세자 중 종합합산 토지 5억원, 별도합산토지 80억원 초과자		
과세방법		• 인별 및 과세대상 유형별 구분하여 관내 합산			• 인별 및 과세대상 유형별 구분하여 전국합산 과세		
과세표준		• 시가표준액(공시가격) × 공정시장가액 비율(70%)			• 종합합산 : (공시가격-5억원) × 95% • 별도합산 : (공시가격-80억원) × 95%		
세율	종합합산	과표	세율	공제	과표	세율	
		5천 이하	0.2%	-	15억 이하	1%	
		1억 이하	0.3%	5만원	45억 이하	1,500만원+15억원 초과금액의 2%	
		1억 초과	0.5%	25만원	45억 초과	7,500만원+45억원 초과금액의 3%	
	별도합산	과표	세율	공제	과표	세율	공제
		2억 이하	0.2%	-	200억 이하	0.5%	-
		10억 이하	0.3%	20만원	400억 이하	0.6%	2,000만원
		10억 초과	0.4%	120만원	400억 초과	0.7%	6,000만원

구 분		재산세	종합부동산세
	분리과세	• 저율 분리과세 (0.07%) - 농지, 임야 등 • 일반(기타) 분리과세 (0.2%) - 읍·면 소재 공장용지, 주택건설용 토지 등 • 고율 분리과세 (4%) - 고급오락장, 회원제골프장 등	해당 없음
세부담상한		• 직전연도 세액 상당액의 150%	• 직전연도 총세액 상당액의 150%
납부		• 9.16. ~ 9.30. 납기 • 보통징수(부과징수)	• 12.1. ~ 12.15. 납기 • 부과징수(선택적 신고납부 가능)

☞ 중과세 대상 별장, 회원제 골프장, 고급오락장 등에 대해서는 취득세편의 사례도 함께 참조하기 바람.

2. 중과대상 별장

| 최근 개정법령_2017.1.1. | 미등록 회원제 골프장 재산세 중과대상 명확화(법 제106조 ①, 제111조 ①)

재산세 중과대상 골프장의 범위는 취득세 중과대상 골프장의 범위를 인용하고 있는 바, 취득세편의 '각 호 외의 부분 후단을 적용하지 않는다'고 규정되어 있어, 적용상 일부 오해의 여지가 있었다. 이에 따라 사실상 회원제 골프장으로 사용 중인 경우(시범라운딩으로 취득시기가 도래한 경우 등 미등록 상태라도 중과대상에 포함)에도 재산세 중과세 대상 골프장임을 명확히 하였다(해당 규정 삭제).

◎ **업무협의 등의 장소로 사용된 적이 있다고 하더라도 별장에 해당된다는 사례**

원고는 ○○○이 주주이자 이사인 1인 회사인 점, … 나머지 기간에는 신고한 매출액이 없었던 사실, 이 사건 부동산은 골프장 부지 안에 위치하고 있어 경관이 다른 일반주거지역에 비하여 뛰어난 점, 원고의 주주이자 이사인 ○○○이 휴양 등의 목적으로 다니기에 불편하지 아니한 사실, 업무협의 등의 장소로 사용하였다는 시기와 그렇지 않은 시기의 세대별 전기료에 큰 차이가 없고, 세대별 수도료도 계절적 요인으로 1월부터 3월까지만 비교적 적게 납부한 것으로 보일 뿐 그 이외의 시기에는 원고가 주장하는 용도와 뚜렷한 상관관계가 드러나지 아니하는 사실, 업무협의 등의 장소로 사용된 적이 있다고 하더라도 그것이 주된 용도였다고 보기는 어려움 … 임·직원의 휴양·피서·위락 등의 용도로 사용하기 위하여 취득한 '별장'에 해당(대법원 2014두12529, 2015.3.12.)

◎ **임직원의 교육연수시설로 사용하고 있는 부동산을 별장으로 본 사례**

이 건 부동산은 주거용 건축물(주택)로서의 구조를 갖추고 있을 뿐만 아니라, 이 건 부동산의 취득 이후 4년여 동안 연수시설로 사용한 실적이 13회(13일)에 불과한 점을 볼 때, 이

건 부동산은 청구법인의 임직원이 주로 휴양 등의 용도로 사용하면서 부수적으로 연수장소로 이용하고 있는 것으로 보이므로 취득세 등의 중과세 대상이 되는 별장으로 보는 것이 타당함(조심 2011지0834, 2012.7.10.).

3. 중과대상 골프장

회원제 골프장과 일반 골프장을 동시 경영하는 경우 안분하여 중과세 적용

회원제 골프장과 일반 골프장을 동시에 경영하는 경우 비록 체육시설법 시행령에 따라 회원제 골프장 시설로 등록된 건물 및 구축물이라 하더라도 실제로는 회원제 골프장과 일반 골프장의 공동시설로 사용되고 있다면 그 시설 전부가 중과세 대상에 해당하는 것이 아니라 그 실제 용도에 따라 중과세 대상과 일반과세 대상으로 안분하여야 함. 회원제 골프장과 일반 골프장의 공동시설로 이용되고 있는 클럽하우스, 수위실, 클럽하우스 건물비품, 주차장, 오수처리장, 테니스장, 정화조, 보일러, 소화물 승강기, 태양열 시설, 저수지 등의 취득비용에 대하여 회원제 골프장과 일반 골프장의 등록면적에 의하여 안분하여 그 중 회원제 골프장 부분에 상응하는 부분만큼에 대하여만 취득세를 중과하여야 함(대법원 96누11129, 1997.4.22.).

회원제 골프장 내 자연림 상태의 조경지, 조정지, 골프연습장, 도로 등에 대한 판단

A토지(33,358㎡) 중 13,723㎡는 골프연습장용 임야로서 종합합산, B토지(250,041㎡) 중 23,165㎡ 및 C토지(90,738㎡) 중 2,596㎡는 원형보전임야로서 종합합산, 나머지 토지는 골프장 조성을 위하여 원형을 훼손한 조경지로서 분리과세, D토지(46,079㎡) 중 12,533㎡는 골프코스 밖의 오수처리장으로서 코스의 난이도 조절 등을 위한 워터해저드 기능을 하는 조정지가 아닌 오수처리시설 등의 역할을 하는 시설로서 종합합산, F토지(130,123㎡) 중 50,394㎡는 원형보전지 내에 소재하거나 골프코스와는 무관한 곳에 소재한 토지로 종합합산, 63,396㎡는 골프연습장 관련 토지로서 별도합산대상, G토지(1,394㎡) 중 1,351㎡는 인근 마을 주민들이 사용하도록 사업계획승인 조건부로 조성된 도로로서 실제 주민들이 이용하는 사설도로에 해당하므로 비과세대상(조심 2013지1004, 2015.10.1.)

6.1. 현재 실질적으로 대중제로만 운영하는 경우 중과대상이 아니라는 사례

회생계획에서 이미 대중골프장으로의 전환을 예정하고 있었고, 골프회원권 채무에 대한 변제 및 출자전환이 이루어져 2016.5.23. 이후 이 사건 골프장에 회원이 더 이상 존재하지 않는 상태였으며, 원고가 2016.5.31. 실제로 이 사건 골프장을 대중골프장으로 운영하기 시작한 이상, 피고로부터 사업계획변경승인을 받지 못하였다거나, 과세기준일 직전에 대중골프장 운영을 시작하였다는 이유만으로 재산세를 회피하기 위한 탈법행위가 있었다고 볼 수 없음(대법원 2018두35889, 2018.5.31.).

☞ 같은취지 유권해석(부동산세제과-1850, 2020.7.31.) : 과세기준일 현재 회원제 골프장에서 대중제 골프장으로 변경하는 내용의 사업계획변경 미승인상태에서 대중제 골프장으로 사용한 경우 중과대상으로 보기 어려움.

◎ 회원제 골프장으로 등록 당시 구분등록된 수림대(조경지)가 20년이 지난 현재 관리소홀 등으로 현황상 원형보전지와 유사할 경우라도 중과세대상 토지라 보아야 할 것임(지방세운영과-471, 2015.2.10.).

◎ **회원제 골프장으로 등록되었으나 회원모집을 하지 아니하고 운영하더라도 언제든지 회원을 모집하여 운영할 수 있는 경우라면 재산세 중과대상**

체시법상 골프장업은 등록 체육시설업으로써, 사업계획서를 작성하여 승인을 받아야 하고, 사업계획승인을 받은 자가 시설을 갖춘 때에는 영업시작 전 체육시설업 등록을 하여야 하며, 회원제골프장업의 경우 골프코스 등 토지 및 건축물을 구분등록하여야 하고(법 제19조, 영 제20조), 대중골프장을 병설하거나 대중골프장 조성비를 예치하여야 하며(법 제14조, 영 제13조), 대중골프장업으로 승인받은 경우 회원제골프장으로 전환할 수 없는 등(법 제13조, 영 제12조 제1호) 회원제골프장은 대중골프장과 구분되는 특징이 있음. 당해 골프장이 관련법에 따라 회원제 골프장용 부동산으로 구분등록되어 있어 언제든지 회원을 모집하여 운영할 수 있는 경우라면, 현황상 회원제 골프장으로서 실체를 구비하고 있는 것으로 보아 중과대상 해당(지방세운영과-625, 2011.2.10.)

◎ **회원제 골프장 이용객들이 이용하는 클럽하우스 내 숙박시설 재산세 중과세 대상**

회원제 골프장 안의 식사・옷 갈아입기・목욕・휴식 등을 할 수 있도록 만든 클럽하우스 내에 위치하고 있고, 회원제 골프장의 편의시설로 구분등록이 되어 있으며, 골프장 회원들만 휴게목적으로 이용하고 있어 골프장 이용객의 서비스 향상을 위한 시설로서 회원제 골프장 용도에 직접 사용되므로 재산세 중과세 대상으로 보는 것이 타당(부동산세제과-465, 2020.2.28.)

◎ **회원제 골프장 내 후생관(직원식당, 탈의실, 샤워실, 교육장, 토론실)은 중과 제외**

골프장의 용도에 직접 사용되는 사무실・휴게시설・창고 등으로 이용된다면 구분대상 관리시설이라고 할 수 있으나, 후생관(직원식당, 탈의실, 샤워실, 교육장, 토론실)으로 사용하고 있는 시설은 골프장의 용도에 직접 사용하는 시설이라기보다는 직원교육 등의 목적시설인 연수시설로 보이므로 토지분 재산세는 분리과세 대상에 해당되지 않음(지방세정팀-144, 2007.2.8.).

◎ **회원제 골프장 스프링클러 시설(급·배수시설)이 구분등록되어 있지 않았더라도 중과대상**

이 사건 살수시설은 구 지방세법상 급·배수시설로서 이 사건 골프장의 용도에 직접 사용되고 있으므로, 체육시설법 시행령 제20조 ③ 5호의 구분등록 대상인 관리시설에 해당하고, 실제로 구분등록이 되어 있지 아니하였다 하더라도 중과세대상에서 제외되지 않음(하급심-고법). 특별한 사정이 없는 한 체육시설법 시행령 제20조 제3항이 규정한 구분등록의 대상으로서 구 지방세법상 취득세 및 재산세의 부과 대상인 급·배수시설의 설치비용이나 그 가액은 골프장 용지에 대한 재산세의 과세표준에 포함되거나 영향을 미칠 수 없다고 봄이 타당하므로, 급·배수시설에 대하여 골프장용 토지와 별도로 재산세 등을 부과하는 것이 이중과세에 해당한다고 볼 수 없음(대법원 2013두27234, 2014.4.10.).

◎ 체육시설법에 따라 실제로 따로 구분등록이 되어 있지 아니한 회원제골프장 내 살수시설(스프링클러)도 재산세 중과대상 급·배수시설에 해당함(대법원 2011두25142, 2013.9.26.).

◎ **대중골프장으로 등록된 쟁점 법인이 우선주주 및 자금을 대출해 준 계열회사에게 골프장을 우선적으로 이용할 수 있는 기회를 부여한 경우라도 회원제골프장으로 보기는 어려움**

문화체육관광부에서도 자금조달을 목적으로 주주를 모집하는 행위를 회원모집이라 할 수 없으므로 대중제골프장을 회원제골프장으로 변경 등록하도록 조치 할 사안이 아니라 우선 이용권을 주는 등의 혜택부여에 대해 시정명령을 해야 할 사안이라고 판단(체육진흥과-5146, 2013.12.12. 참조)하고 있으므로 자금조달 목적의 우선주 발생 등에 참여한 우선주주 또는 자금대여 계열회사에게 골프장을 우선적으로 이용할 수 있는 기회를 제공하는 경우라도 대중골프장으로 보아 별도합산과세가 타당(지방세운영과-89, 2014.1.9.)

◎ 체육시설법에 따라 회원제골프장으로 등록하였으나, 실제로는 회원을 모집하지 아니하고 대중제골프장으로만 운영하고 있는 경우에는 고율의 재산세 분리과세를 적용할 수 없음(대법원 2012두11904, 2013.2.15.).

◎ 과세기준일 현재회원제 골프장으로 등록되어 있을 뿐만 아니라 골프코스, 클럽하우스 등이 종전과 달라진 것이 없는 것으로 보아 재산세 과세기준일을 앞두고 일시적으로 대중제 골프장 영업을 하였다 하더라도 그러한 사실만으로 지방세법상 회원제 골프장에 해당되지 않는다고 보기 어려운 점 등에 비추어 처분청에서 이 건 건축물을 중과세 대상으로 보아 이 건 재산세 등을 부과한 처분은 잘못이 없음(조심 2016지0938, 2016.10.19.).

◎ **회원제골프장에 대중골프장이 병설된 경우 재산세 부과방법**(예규 지법 111-1)

「지방세법」 제111조 제1항 제2호 가목의 규정에 의거 재산세가 중과되는 회원제골프장에 대중골프장을 병설 운영하는 경우의 골프장용건축물에 대한 재산세부과는 회원제골프장과 대중골프장으로 사업승인된 각각의 토지의 면적에 따라 안분하여 중과세율과 일반세율을 적용함.

| 참고 _ 체육시설업의 종류별 기준(골프장업) |

구 분		시 설 기 준
필수 시설	① 운동시설	각 골프코스 사이 중 이용자의 안전사고 위험이 있는 곳은 20미터 이상의 간격을 두어야 한다. 다만, 지형상 일부분이 20미터 이상의 간격을 두기가 극히 곤란한 경우에는 안전망을 설치할 수 있다.
	② 관리시설	골프코스 주변 · 라프지역 · 절토지 및 성토지의 법면 등에 조경을 하여야 한다.

4. 중과대상고급오락장

1) 중과대상 판단 기준 관련 사례

◎ **고급오락장으로서 실체를 갖추고 있으면 충분하고, 인 · 허가 여부를 묻지 아니함**

유흥주점 영업이 일시 폐업 중에 있었더라도 그 영업허가를 계속 유지하기 위하여 유흥주점 등 기본시설을 존치하여 둔 채 폐업신고와 신규 영업허가를 반복하여 왔다면, 그 건물은 사실상 유흥주점 영업장소의 실체를 구비하고 있는 것으로서 고급오락장용 건축물이라고 보아야 함(대법원 89누3922, 1990.1.25.). 또한 취득세 중과대상인 고급오락장인지 여부를 판단하는 기준은 현황을 객관적으로 판단하여 고급오락장으로서 실체를 갖추고 있으면 충분하고, 영업을 함에 인 · 허가를 받았는지 여부는 묻지 아니함(대법원 92누15154, 1993.5.27.).

◎ **장기간 휴업상태로 유흥접객원을 고용하지 않는 경우 중과세 여부 판단 기준**

재산세 중과대상 유흥주점의 경우 휴업 중이라고 하여 유흥접객원이 없는 것으로 간주하여 중과대상이 아니라고 판단하는 것이 아니고, 유흥주점의 형태와 일정시설 등을 더불어 종합적으로 판단해야 하는 바, 과세기준일(6.1.) 현재 휴업 중인 경우라도 영업장의 시설, 영업행위의 성격, 영업이력 등 객관적 정황상 유흥접객원을 고용하는 영업장으로서의 실체가 유지되는 이상 중과대상 유흥주점으로 볼 수 있다고(심사 2008-53, 2008.1.28.) 사료됨. 다만, 장기간 휴업의 경우 그간의 내부 사유, 영업재개 의지, 영업장 현황 등 전반적인 사실관계를 고려하여 사실상 폐업에 준하는 상황이라면 중과대상으로 볼 수 없음(지방세운영과-3689, 2009.9.10.).

◎ **유흥접객원이 일시적으로 없었더라도 영업장으로서의 실체를 갖추고 있다면 중과대상**

고급오락장의 요건 중 유흥접객원은 상시고용 여부를 불문하고 그 유흥주점에서 객실위주의 영업형태를 가지고 이들로 하여금 손님들의 유흥을 돋우는 행위가 사회통념상 통상적으로 이루어지면 설사 유흥접객원이 일시적으로 없었다 하더라도 그 현황이 유흥주점 영업장으로서의 실체를 갖추고 있다고 보아야 할 것(조심 2009지0559, 2009.9.17. 참조)이므로, 이에 대하여는 과세권자가 해당 영업장의 영업형태, 시설, 전후사정 및 사실관계 등을 구체적으로 확인하여 판단하여야 할 사항(지방세운영과-2015, 2012.7.6.)

◎ **유흥주점 영업장 '전용면적' 중 '객실면적' 비율은 46.7%로서 고급오락장 기준에 못미침**

'영업장 전용면적' 및 '객실 면적'을 순수 실내면적 기준으로 할 것인지, 벽체 부분의 면적을 안분하여 합산한 면적 기준으로 할 것인지는 시행령 자체로는 분명하지 않으나 '영업장 전용면적'과 '공용면적으로 포함한 영업장 면적' 개념을 구분하여 규정하고 있는 점, 벽체 부분은 그 층에 있는 영업장과 사무실 등 내부 공간 전체를 위한 '공용면적'에 속한다고 봄이 상당한 점, 고급오락장 부속토지 산정에 있어서는 건축물대장상의 면적 개념을 기준으로 하는 것이 타당하겠지만, 유흥주점 해당여부를 구분하는 데 있어서는 해당업소가 사용하는 영업장 전체 면적 중에서 룸으로 사용하는 공간의 실사용 면적의 비율을 기준으로 하는 것이 입법취지에 부합되는 점, 1개층의 내부가 여러 용도로 구획되어 있고 그 중 어느 한 부분은 외벽과 접한 부분 없이 건물 내부의 일부만으로 되어 있는 경우에도 외벽의 면적을 안분하여 그 영업장 전용면적에 합산하는 것은 전용면적의 개념에 부합하지 않는 점 등을 종합하면, 위 영업장 전용면적 및 객실 면적은 어느 것이나 실제 사용되는 실내 공간의 면적을 의미(대법원 2011두1962, 2011.5.13.)

◎ **홀이라고 주장하는 부분이 시설이 갖춰져 있고 격리되어 있어 중과요건에 해당됨**

원고가 홀이라고 주장하는 위 86.33㎡의 방실은 벽을 따라 큰 테이블이 3군데 놓여 있고 노래방 기기 및 화면이 전면에 여러 개 설치되어 있는데, 그 방실은 복도와 벽으로 구획되어 있고 내부에서 출입문을 닫을 경우 다른 손님들이 외부에서 내부를 볼 수 없으며, 반영구적으로 구획되어 벽을 자유롭게 변경할 수 없고 출입문이 있는 객실로 봄이 상당함. 이 사건 업소를 취득할 당시뿐만 아니라 시설공사를 마친 후에도 여전히 다른 손님들과 격리된 장소에서 유흥을 즐길 수 있는 객실과 특수 조명시설 등 필요한 시설이 갖춰져 있는 사실, 매수한 후 유흥주점영업 허가 명의를 원고 앞으로 변경한 사실, 담당 공무원이 재산세 부과를 위해 현황을 조사한 당시에도 영업을 하고 있었던 사실 등, 취득세 중과세 대상임(대법원 2010두9907, 2010.8.26.).

2) 중과대상이라는 사례

◎ **별도의 임대차계약을 통해 유흥주점과 룸카페를 각각 운영하고 있는 영업장은 하나의 유흥주점으로 볼 수 있음**

제1, 2영업장에 관하여는 지인 사이인 ○○○, ○○○가 종전 소유자인 ○○○과 작성한 임대차계약서와 새로운 소유자인 원고와 작성한 계약서의 내용, 보증금 지급내역 (생략), "유흥영업으로 부과되는 재산세, 종합토지세는 임차인이 부담한다."는 특약사항, 제1, 2영업장은 출입구를 통하여 서로 연결되어 있었고, 객실 번호도 연속되어 있었으며, 각 객실의 내부 구조, 가구와 벽지 등이 동일한 형태를 유지하고 있었을 뿐만 아니라, 그 이전과 마찬가지로 "○○"이라는 간판만이 부착되어 있어 외관상 하나의 영업장소로 보인다. … 따라서 제1영업장과 제2영업장은 하나의 유흥주점으로 사용되었다고 봄이 타당(대법원 2014두43103, 2015.1.29.)

◎ **나이트클럽이 과세기준일 현재 휴업신고 및 단전·단수로 사실상 폐업 중이었으며, 건축물을 다른 용도로 개축하여 이용할 예정인 경우 중과 대상**

과세기준일 현재 유흥주점영업허가가 계속 유지되고, 손님이 춤을 출 수 있도록 객석과 구분된 무도장이 설치되어 나이트클럽으로 영업을 할 수 있는 객관적인 설비가 모두 유지되고 있었고, 손님이 노래를 부르거나 춤을 추는 행위가 허용되는 유흥주점영업허가가 유효하며, 반영구적으로 구획된 객실이 5개 이상인 영업장소로 유지되고 있어 고급오락장 영업을 하는 데 아무런 지장이 없어 영업을 하지 못할 상태에 이르렀다고 할 수 없음(대법원 2014두43660, 2015.2.12.).

◎ **사실상 영업을 하지 않더라도 언제든지 영업을 할 수 있는 상태라면 중과대상**

유흥주점의 집기시설을 철거하고 사실상 영업을 하지 아니하고 있는 경우라도 재산세 과세기준일(6.1.) 현재 유흥주점의 영업허가가 말소되지 아니하고 집기시설도 존재하여 언제라도 영업을 할 수 있는 상태라면 중과세 대상(지방세정팀-2999, 2006.7.14.).

◎ **폐업신고 이후에도 유흥주점 허가와 내부시설을 계속 유지하고 있는 경우 중과대상**

이 사건 상가건물에서 2008, 2009년도 각 재산세 과세기준일이 지난 이후 두 차례 신규 유흥주점 영업허가가 있었음에도 상호가 계속 동일할 뿐만 아니라 내부장식이나 시설이 각 폐업신고 직후와 특별히 달라진 바 없는 점 등을 보면, 2008, 2009년도 과세기준일을 기준으로 폐업신고만 되어 있었을 뿐 폐업신고일 이후로도 계속해서 이 사건 상가건물에서 유흥주점의 실체를 갖추고 있었다고 봄이 상당하고, 박○○의 증언만으로는 위 인정을 방해하기에 부족하고 달리 이를 인정할 증거가 없으므로, 중과세 처분은 적법함(하급심-지법)(대법원 2012두28148, 2013.3.28.).

◎ **유흥주점에 대한 폐업신고에도 불구하고 과세기준일을 전후하여 유흥주점 영업이 이루어졌고 현황 또한 유흥주점 영업장으로서 실체를 그대로 유지하고 있어 중과대상**

① 유흥주점 영업에 대한 폐업신고를 한 이후인 2009.5.28.부터 2009.10.22.까지 사이에 유흥주점 영업이 이루어지는 것으로 확인되었고 폐업신고 당시 영업시설이 그대로 이용되고 있었음 ② 경찰서에서 피고에게 한 단속사항 행정처분(유선) 통보 내용에는 손님과 유흥접객

원 이름이 특정되어 있고 일일 매출액, 영업 방식 등이 상세하게 기재되어 있음. 폐업신고 이후에도 계속하여 하루 평균 백만원가량 매상을 올리면서 영업한 점. 설령 유흥주점 영업에 대한 폐업신고를 한 후 이 사건 부동산에서 실제 유흥주점 영업이 이루어지지 않았다고 하더라도 폐업신고 이후에도 피고 현장조사시 기존 영업시설이 그대로 남아 있고 영업하는 것과 같은 외관이 남아 있었던 점, 경찰에서 무허가 유흥주점영업을 하였다는 풍속업소 단속사항 행정처분(유선) 통보가 있었던 점 등에 비추어, 중과 대상인 유흥주점 영업장에 해당(대법원 2012두17568, 2012.10.19.)

◎ **소유자의 동의 없이 임차인이 무단으로 유흥주점으로 사용하고 있는 경우라도 중과적용**

중과세 판단기준은 재산세 과세기준일 현재 고급오락장으로서의 실체를 갖추고 있는지 여부에 따라 결정되는 것으로, 임차인이 소유자의 동의를 받지 아니하고 건축물을 용도 변경하여 유흥주점으로 사용하였다 하더라도 재산세를 중과하는데는 아무런 영향을 받지 아니하는 것임(조심 2011지0873, 2012.7.20.).

◎ **실체를 구비하고 있다면, 타 용도 사용 또는 용도변경공사를 착공하지 아니한 이상 중과**

과세기준일인 2015.6.1.부터 이 사건 변론종결일인 2016.4.8.까지 제3건축물에서 고급오락장으로 영업이 이루어지지 아니하였으나, 이는 원고가 유흥주점 영업을 할 새로운 임차인을 찾는 과정에서 휴업 내지 폐업상태가 유지되고 있는 것일 뿐이고, 달리 원고가 고급오락장이 아닌 용도로 사용하거나 고급오락장이 아닌 용도로 사용하기 위하여 용도변경공사를 착공하였다고 볼 만한 아무런 자료가 없다(대법원 2016두40740, 2016.8.25.).

◎ **유흥주점과 연결된 노래방이 동일한 유흥주점영업장으로서 중과대상이라는 사례**

유흥주점영업장인 위 B01호, B04호와 출입구를 같이 사용하고 있고 내부 통로로 연결되어 있으며 영업주도 동일할 뿐 아니라 객실번호도 101호부터 108호까지 일련번호로 연결되어 있고 이 중 101호인 대형 룸으로서 안에 노래방시설이 설치되어 있는 점 등으로 볼 때, 이 사건 부동산과 위 B01호 및 B04호는 전체가 하나의 동일한 유흥주점영업장으로서의 실체를 갖추고 있다 할 것임(감심 2009-248, 2009.12.17.).

◎ **유흥주점에 객석과 구분된 별도의 무대가 없는 경우에도 재산세 중과대상이라는 사례**

업소의 영업형태, 구조 및 설치된 시설물의 종류·용도·규모, 손님들의 방문목적 등을 종합적으로 고려하여, 쟁점 영업장 면적이 100㎡를 초과하고, DJ박스 및 물품보관함 운영, 음향시설 및 조명시설 등을 갖추고 있을 뿐만 아니라, 객석과 객석 사이, 객석과 DJ박스 사이, 통로 등에 공간이 있어 손님이 춤을 추는 공간(무도장)으로 활용되며, 그 공간의 규모가 업소의 전체 규모와 비교했을 때 손님이 춤을 출 수 있도록 하는 것을 주된 영업형태로 볼 수 있는 규모라면 재산세 중과 대상에 해당(부동산세제과-1851, 2020.7.31.)

3) 중과대상이 아니라는 사례

◎ **유흥주점과 연접한 노래방이 하나의 사업자등록을 하고 있으나 유흥주점이 아니라는 사례**

유흥주점과 노래방은 임차인 ○○○ 가 상호 "○○○ (주점, 노래방)"으로, 개업연월일을 2005.11.17.로, 업종을 "음식/빠, 써비스/노래방"으로 하여 하나의 사업자등록을 하고 있으며, 노래방은 폐업신고가 수리되었고, 처분청의 출장보고서에도 폐업신고한 노래방의 영업장을 유흥주점으로 사용한 사실이 확인되지 아니하고, 노래방을 폐업한 상태라 사용하지 않고 유흥주점과 노래방으로 통하는 출입문은 화장실을 사용하기 위해 개방한 것으로 확인되는 점, 노래방은 영업부진으로 폐업한 후 이 건 부동산이 재건축예정이라 다시 영업을 재개하지 아니하고 노래방 기기와 집기 등을 쌓아 두었다고 진술하는 점 … 등 노래방을 중과대상으로 볼 수 없음(조심 2009지0506, 2009.12.1.).

◎ **노래연습장에서 접대부 고용 · 알선을 하였다고 하여 취득세 등을 중과세한 것은 부당**

행정처분통지서 위반내용을 보면 접대부 고용 · 알선 1차로 나타나 있어 이는 고급오락장의 영업형태를 계속 유지하고 있었다기보다는 일시적인 노래연습장 영업의 일탈행위라 보는 것이 타당할 것임(조심 2008지821, 2008.11.26.).

◎ **노래연습장 업자의 준수사항 위반은 중과대상이 아니라는 사례**

유흥접객원으로 하여금 유흥을 돋우는 룸살롱 또는 요정영업장소와 유사한 시설을 갖추고 향후 상시적으로 그와 같은 영업을 할 수 있는 상태로 볼 수 있는 경우에 한하여 고급오락장에 해당된다고 봄이 타당하다 하겠고, 이와 같이 사회통념상 유흥주점 영업장 중 룸살롱이나 요정영업장소와 유사한 실체를 갖추지 아니하고 일시적인 노래연습장 업자의 준수사항 위반만으로 곧바로 주로 주류를 조리 · 판매하고 유흥접객원을 둘 수 있는 유흥주점 형태의 영업장이라고 보는 것은 고급오락장에 대하여 취득세를 중과세하는 입법취지와 실질과세의 법리에 비추어 합리성이 없다할 것임(조심 2008지785, 2008.11.21.).

◎ **휴업 중인 유흥주점이 재산세 중과세 대상이 아니라는 사례**

2010.3월경부터 사실상 폐업이 되었고, 장기간 폐문된 상태에서 집기류가 압류처분되고 매각이 완료되었을 뿐 아니라, 2010.3월경부터 사실상 폐업된 이후로 심판청구 현재까지 동종업종의 영업이 이루어진 사실도 없었으며, 2010년도 재산세 현황조사시 처분청이 유흥주점 영업을 하지 않는 것으로 확인하였고, 임차인이 전기요금을 납부하지 않자 2011.6.11. 전원을 차단하여 현재까지도 전원이 단전된 상태이며 실제로 2011.6.11. 이후 전기가 사용된 사실이 없는 점을 종합하여 보면, 유흥주점의 사실상 폐업일인 2010년 3월 이후에는 계속하여 임대하거나 사용하려는 의사가 있었다고 보기 어려우므로 유흥주점 영업장소로서의 실체로 볼 수 없음(조심 2008지1018 참고, 조심 2012지72, 2012.3.7.).

◎ 유흥주점 시설일체를 철거하여 사실상 폐업한 상태라면 중과대상으로 보기 어려움

유흥주점이 세무서에 폐업신고를 하고 영업장 집기류(칸막이는 존재) 등을 철거한 것이 확인되었지만, 재산세과세기준일 이전에 관할구청에 폐업신고도 하지 않았고, 새로운 사업자와 영업 양도·양수를 원활히 하기 위해 법인의 대표자가 사업자 지위승계를 받은 경우 중과세대상으로 볼 수 있는지 여부 관련 : 과세기준일 현재 반드시 그 사치성 용도에 현실적으로 사용하고 있는 경우뿐만 아니라 그 현황이 객관적으로 영업장으로서의 실체를 갖는 등 사치성 재산으로서의 요건을 갖추고 있는 경우를 포함하므로 세무서에 폐업신고, 시설일체를 철거하여 사실상 폐업한 상태에 해당된다면 중과세 대상으로 보기 어려움(지방세정팀-3281, 2007.8.7.).

제111조의 2(1세대 1주택에 대한 세율 특례)

법 제111조의 2(1세대 1주택에 대한 세율 특례) ① 제111조 제1항 제3호 나목에도 불구하고 대통령령으로 정하는 1세대 1주택(제4조 제1항에 따른 시가표준액이 6억원 이하인 주택에 한한다)에 대해서는 다음의 세율을 적용한다.

과세표준	세 율
6천만원 이하	1,000분의 0.5
6천만원 초과 1억5천만원 이하	30,000원+6천만원 초과금액의 1,000분의 1
1억5천만원 초과 3억원 이하	120,000원+1억5천만원 초과금액의 1,000분의 2
3억원 초과	420,000원+3억원 초과금액의 1,000분의 3.5

② 제1항에 따른 1세대 1주택의 해당여부를 판단할 때 「신탁법」에 따라 신탁된 주택은 위탁자의 주택 수에 가산한다.

③ 제1항에도 불구하고 제111조 제3항에 따라 지방자치단체의 장이 조례로 정하는 바에 따라 가감한 세율을 적용한 세액이 제1항의 세율을 적용한 세액보다 작은 경우에는 제1항을 적용하지 아니한다.

④ 「지방세특례제한법」에도 불구하고 동일한 주택이 제1항과 「지방세특례제한법」에 따른 재산세 경감 규정(「지방세특례제한법」 제92조의 2에 따른 자동이체 등 납부에 대한 세액공제를 제외한다)의 적용 대상이 되는 경우에는 중복하여 적용하지 아니하고 둘 중 경감 효과가 큰 것 하나만을 적용한다.

영 제110조의 2(재산세 세율 특례 대상 1세대 1주택의 범위) ① 법 제111조의 2 제1항에서 "대통령령으로 정하는 1세대 1주택"이란 과세기준일 현재 「주민등록법」 제7조에 따른 세대별 주민등록표(이하 이 조에서 "세대별 주민등록표"라 한다)에 함께 기재되어 있는 가족(동거인은 제외한다)으로 구성된 1세대가 국내에 다음 각 호의 주택이 아닌 주택을 1개만 소유하는 경우 그 주택

(이하 이 조에서 "1세대 1주택"이라 한다)을 말한다.

1. 종업원에게 무상이나 저가로 제공하는 사용자 소유의 주택으로서 과세기준일 현재 다음 각 목의 어느 하나에 해당하는 주택. 다만, 「지방세기본법 시행령」 제2조 제1항 각 호의 어느 하나에 해당하는 관계에 있는 사람에게 제공하는 주택은 제외한다.
   가. 법 제4조 제1항에 따른 시가표준액이 3억원 이하인 주택
   나. 면적이 「주택법」 제2조 제6호에 따른 국민주택규모 이하인 주택
2. 「건축법 시행령」 별표 1 제2호 라목의 기숙사
3. 과세기준일 현재 사업자등록을 한 다음 각 목의 어느 하나에 해당하는 자가 건축하여 소유하는 미분양 주택으로서 재산세 납세의무가 최초로 성립한 날부터 5년이 경과하지 않은 주택. 다만, 가목의 자가 건축하여 소유하는 미분양 주택으로서 「주택법」 제54조에 따라 공급하지 않은 주택인 경우에는 자기 또는 임대계약 등 권원을 불문하고 다른 사람이 거주한 기간이 1년 이상인 주택은 제외한다.
   가. 「건축법」 제11조에 따른 허가를 받은 자
   나. 「주택법」 제15조에 따른 사업계획승인을 받은 자
4. 세대원이 「영유아보육법」 제13조에 따라 인가를 받고 「소득세법」 제168조 제5항에 따른 고유번호를 부여받은 후 「영유아보육법」 제10조 제5호에 따른 가정어린이집으로 운영하는 주택
5. 주택의 시공자(「주택법」 제33조 제2항에 따른 시공자 및 「건축법」 제2조 제16호에 따른 공사시공자를 말한다)가 제3호 가목 또는 나목의 자로부터 해당 주택의 공사대금으로 받은 같은 호에 해당하는 주택(과세기준일 현재 해당 주택을 공사대금으로 받은 날 이후 해당 주택의 재산세의 납세의무가 최초로 성립한 날부터 5년이 경과하지 않은 주택으로 한정한다). 다만, 제3호 가목의 자로부터 받은 주택으로서 「주택법」 제54조에 따라 공급하지 않은 주택인 경우에는 자기 또는 임대계약 등 권원을 불문하고 다른 사람이 거주한 기간이 1년 이상인 주택은 제외한다.
6. 「문화재보호법」 제53조 제1항에 따른 국가등록문화재에 해당하는 주택
7. 「노인복지법」 제32조 제1항 제3호에 따른 노인복지주택으로서 같은 법 제33조 제2항에 따라 설치한 사람이 소유한 해당 노인복지주택
8. 상속을 원인으로 취득한 주택으로서 과세기준일 현재 상속개시일부터 5년이 경과하지 않은 주택
9. 혼인 전부터 소유한 주택으로서 과세기준일 현재 혼인일로부터 5년이 경과하지 않은 주택. 다만, 혼인 전부터 각각 최대 1개의 주택만 소유한 경우로서 혼인 후 주택을 추가로 취득하지 않은 경우로 한정한다.

② 제1항에도 불구하고 다음 각 호의 어느 하나에 해당하는 경우에는 해당 주택을 1세대 1주택으로 본다.

1. 과세기준일 현재 제1항 제6호 또는 제8호에 해당하는 주택 1개만을 소유하고 있는 경우의 그 주택
2. 제1항 제9호에 해당하는 주택을 소유하고 있는 경우 그 주택 중 행정안전부령으로 정하는 1개의 주택

③ 제1항에도 불구하고 제1항 및 제2항을 적용할 때 배우자, 과세기준일 현재 미혼인 19세 미만의 자녀 또는 부모(주택의 소유자가 미혼이고 19세 미만인 경우로 한정한다)는 주택 소유자와 같은 세대별 주민등록표에 기재되어 있지 않더라도 1세대에 속한 것으로 보고, 다음 각 호의 어느 하나

에 해당하는 경우에는 각각 별도의 세대로 본다.
1. 과세기준일 현재 65세 이상의 부모(부모 중 어느 한 사람이 65세 미만인 경우를 포함한다)를 동거봉양하기 위하여 19세 이상의 자녀 또는 혼인한 자녀가 합가한 경우
2. 취학 또는 근무상의 형편 등으로 세대 전원이 90일 이상 출국하는 경우로서 「주민등록법」 제10조의 3 제1항 본문에 따라 해당 세대가 출국 후에 속할 거주지를 다른 가족의 주소로 신고한 경우
④ 제1항 및 제2항을 적용할 때 주택의 공유지분이나 부속토지만을 소유한 경우에도 각각 1개의 주택으로 보아 주택 수를 산정한다. 다만, 1개의 주택을 같은 세대 내에서 공동소유하는 경우에는 1개의 주택으로 본다.
⑤ 제4항 본문에도 불구하고 상속으로 여러 사람이 공동으로 1개의 주택을 소유하는 경우 지분이 가장 큰 상속인을 그 주택의 소유자로 보고, 지분이 가장 큰 상속인이 두 명 이상인 경우에는 그 중 다음 각 호의 순서에 따라 그 주택의 소유자를 판정한다. 이 경우 미등기 상속 주택의 소유지분이 종전의 소유지분과 변경되어 등기되는 경우에는 등기상 소유지분을 상속개시일부터 소유한 것으로 본다.
1. 그 주택에 거주하는 사람
2. 나이가 가장 많은 사람

2021년 1세대 1주택자가 보유한 공시가격 6억원 이하 주택에 대해 특례세율이 도입되었다. 「공시가격 현실화 계획」 과정에서 1세대 1주택을 보유한 서민들의 재산세 부담이 증가하게 되는 우려가 있었고, 서민의 주거안정을 도모하기 위해 공시가격 6억원 이하 1세대 1주택자에 대해 주택분 재산세 세율을 인하하였다.

현행 표준세율의 과세표준 구간별로 2023년까지 3년간 재산세율 0.05%p 인하하였다. 1세대의 기준은 세대별 주민등록표에 기재된 가족을 의미하며, 단 배우자, 미성년 자녀는 주민등록을 달리해도 1세대에 포함된다. 1주택의 범위는 지분소유는 1주택으로 포함하고, 문화재 주택 · 가정어린이집 등 사업용 주택은 주택수에서 배제 한다.[98)]

98) 세부요건은 지방세법 시행령 최종 개정내용 확인 필요

과표	표준 세율(공시 6억 초과 · 다주택자 · 법인)	특례 세율 (공시 6억 이하 1주택자)	감면액	감면율
0.6억 이하 (공시 1억)	0.1%	0.05%	~3만원	50%
0.6~1.5억 이하 (공시 1억~2.5억)	6.0만원+ 0.6억 초과분의 0.15%	3.0만원+ 0.6억 초과분의 0.1%	3~7.5만원	38.5~50%
1.5~3억 이하 (공시 2.5억~5억)	19.5만원+ 1.5억 초과분의 0.25%	12.0만원+ 1.5억 초과분의 0.2%	7.5~15만원	26.3~38.5%
3~3.6억 이하 (공시 5억~6억)	57.0만원+ 3.0억 초과분의 0.4%	42.0만원+ 3.0억 초과분의 0.35%	15~18만원	22.2~26.3%
3.6억 초과 (공시 6억)		–	–	

제112조(재산세 도시지역분)

법 제112조(재산세 도시지역분) ① 지방자치단체의 장은 「국토의 계획 및 이용에 관한 법률」 제6조 제1호에 따른 도시지역 중 해당 지방의회의 의결을 거쳐 고시한 지역(이하 이 조에서 "재산세 도시지역분 적용대상 지역"이라 한다) 안에 있는 대통령령으로 정하는 토지, 건축물 또는 주택(이하 이 조에서 "토지등"이라 한다)에 대하여는 조례로 정하는 바에 따라 제1호에 따른 세액에 제2호에 따른 세액을 합산하여 산출한 세액을 재산세액으로 부과할 수 있다. 〈개정 2010.12.27., 2013.1.1.〉

1. 제110조의 과세표준에 제111조의 세율(또는 제111조의 2 제1항의 세율)을 적용하여 산출한 세액
2. 제110조에 따른 토지등의 과세표준에 1천분의 1.4를 적용하여 산출한 세액

② 지방자치단체의 장은 해당 연도분의 제1항 제2호의 세율을 조례로 정하는 바에 따라 1천분의 2.3을 초과하지 아니하는 범위에서 다르게 정할 수 있다.

③ 제1항에도 불구하고 재산세 도시지역분 적용대상 지역 안에 있는 토지 중 「국토의 계획 및 이용에 관한 법률」에 따라 지형도면이 고시된 공공시설용지 또는 개발제한구역으로 지정된 토지 중 지상건축물, 골프장, 유원지, 그 밖의 이용시설이 없는 토지는 제1항 제2호에 따른 과세대상에서 제외한다. 〈개정 2010.12.27., 2013.1.1.〉

[제목개정 2013.1.1.]

영 제111조(토지 등의 범위) 법 제112조 제1항 각 호 외의 부분에서 "대통령령으로 정하는 토지, 건축물 또는 주택"이란 다음 각 호에 열거하는 것을 말한다. 〈개정 2010.12.30., 2015.12.31.〉

1. 토지 : 법 제9장에 따른 재산세 과세대상 토지 중 전 · 답 · 과수원 · 목장용지 · 임야를 제외한 토지와 「도시개발법」에 따라 환지 방식으로 시행하는 도시개발구역의 토지로서 환지 처분의 공고가 된 모든 토지(혼용방식으로 시행하는 도시개발구역 중 환지 방식이 적용되

는 토지를 포함한다)

2. 건축물 : 법 제9장에 따른 재산세 과세대상 건축물
3. 주택 : 법 제9장에 따른 재산세 과세대상 주택. 다만, 「국토의 계획 및 이용에 관한 법률」에 따른 개발제한구역에서는 법 제13조 제5항 제1호 또는 제3호에 따른 별장 또는 고급주택(과세기준일 현재의 시가표준액을 기준으로 판단한다)만 해당한다.

규칙 제57조(재산세 도시지역분 과세대상 토지의 범위) 법 제112조 제1항 제2호 및 영 제111조 제1호에 따른 재산세 도시지역분 과세대상 토지는 다음 각 호의 어느 하나에 해당하는 토지로 한다. 〈개정 2013.1.14.〉

1. 「도시개발법」에 따라 환지 방식으로 시행하는 도시개발구역(혼용방식으로 시행하는 도시개발구역 중 환지 방식이 적용되는 토지를 포함한다. 이하 이 조에서 같다) 외의 지역 및 환지처분의 공고가 되지 아니한 도시개발구역 : 전·답·과수원·목장용지 및 임야를 제외한 모든 토지
2. 환지처분의 공고가 된 도시개발구역 : 전·답·과수원·목장용지 및 임야를 포함한 모든 토지
3. 「국토의 계획 및 이용에 관한 법률」에 따른 개발제한구역 : 지상건축물, 영 제28조에 따른 별장 또는 고급주택, 골프장, 유원지, 그 밖의 이용시설이 있는 토지 [제목개정 2013.1.14.]

지방세 분법 및 세목체계 간소화 전에 舊 도시계획세가 세목간소화에 따라 재산세에 통합되면서 도시계획세를 "도시지역분"으로 규정하였다. 그러나, 재산세에 통합된 후에도 "도시지역분"은 과세대상·세율·감면 등 과세체계에 있어서는 재산세 본세와 독립적으로 적용하고 있다.

| 최근 개정법령 _ 2016.1.1. | 재산세 도시지역분 대상 주택 기준 명확화(영 제111조)

종전 규정에 따르면 고급주택의 시가표준액 적용에 관한 가액기준 판단시점이 주택 취득당시 가액인지 과세기준일 현재 가액인지 명확하지 않았다. 이에 따라 시가표준액 부분은 취득당시 가액이 아닌 과세기준일 현재의 시가표준액을 기준으로 판단하도록 명확히 하였다.

◎ **용도지역 미세분지역을 지방의회 의결로 고시하면 과세특례 적용**

"택지개발지구"로 지정·고시된 지역은 "도시지역"으로 결정·고시된 것으로 본다고 규정하고, 도시지역 중 미세분지역은 「국토계획법」 제79조 제2항에 따라 보존녹지지역 규정을 적용토록 하고 있음. 택지개발지구(舊 "택지개발예정지구") 내 토지로서 「국토이용법」 제6조 및 제42조에 따른 "도시지역"에 해당하므로, 당해 지역을 지방자치단체의 장이 과세대상지역으로 지방의회의 의결을 걸쳐 고시하였다면 "재산세 과세특례 적용대상 지역"에 해당함(지방세운영과-4399, 2011.9.16.).

◎ **도시개발구역 내 토지가 사실상 농지로 이용되는 토지가 아니라면 도시지역분 과세**

환지처분 공고가 되지 아니한 도시개발구역 내 "농지"의 경우에는 과세특례분 부과대상이

아니라 할 것이나, 이 때의 "농지"라 함은 「지방세법 시행령」 제119조에 따라 공부상 등재된 지목에 관계없이 적어도 그 현황이 사실상 농작물의 경작 등의 해당용도로 이용되는 토지로 보는 것이 타당. 따라서 당해 토지가 사실상 농지 등 해당 용도로 이용되는 토지가 아니라면 재산세 과세특례분 부과대상 토지임(지방세운영과-3716, 2011.8.3.).

☞ (비교사례) 재산세 도시지역분을 과세함에 있어서 농지의 범위에 이러한 재산세와 관련된 규정을 준용하는 규정이 없고, 재산세 도시지역분은 국토계획법상 도시지역을 적용대상 지역으로 하여 과세하는 것인 점에 비추어 도시지역에 해당하지 아니하는 농지를 과세대상에서 제외하고 있는 것이므로, 실제 영농에 사용하는 농지인지 여부에 관계없이 도시개발구역 내의 농지에 대하여는 재산세 도시지역분을 과세할 수 없음(조심 2016지0499, 2016.9.30.).

◎ 도시계획세 세부담상한적용은 재산세를 준용함

도시계획세 과세대상인 토지・건축물 또는 주택은 지방세법 시행령 제195조 제1, 2, 3호에서 규정한 각각의 개별 과세대상을 의미하며, 토지에 대한 도시계획세의 세부담 상한 적용은 재산세와 동일하게 종합합산・별도합산・분리과세대상 토지별로 구분하여 과세하는 것이 아니라 토지분 도시계획세 과세대상을 기준으로 세부담 상한을 적용함. 도시계획세 세부담 상한을 적용함에 있어 개인과 법인은 별도로 구분하지 않음. 도시계획세의 세부담 상한 적용 대상임(지방세정팀-56, 2008.1.4.).

◎ 항만 등 공공계획시설의 도시계획세 과세 관련

국토의 계획 및 이용에 관한 법률 제2조 제13호의 규정에 의한 공공시설인 항만으로 과세기준일(6.1.) 현재 도시관리계획에 의한 지형도면이 고시된 경우라면 재산세의 100분의 50이 경감된다 할 것이며, 도시계획세 또한 지상건축물 기타 이용시설이 없는 경우에는 과세대상에서 제외된다고 할 것임(지방세정팀-5215, 2007.12.5.).

◎ 환지처분 공고 이전이라도 종전 토지 현황(농지)이 아닌 환지예정지(공동주택용지)를 기준으로 도시지역분(과세특례)을 과세할 수 있음

재산세는 환지예정지인 토지의 가액을 기준으로 산정하였는바 이와 달리 과세특례는 종전 토지를 기준으로 적용한다는 것은 타당하다고 할 수 없는 점, 원고는 과세특례는 환지예정지를 대상으로 적용 여부를 결정한다면, 환지처분 공고가 되지 아니한 도시개발구역의 경우 전・답・과수원・목장용지・임야를 과세특례 대상에서 제외하고 있는 지방세법령의 취지에 반한다고 주장하나, 환지예정지 지목이 농지・임야인 경우가 없다는 것은 독자적인 견해에 불과한 점 등, 이 사건 과세특례의 적용 여부는 환지예정지인 이 사건 토지를 기준으로 하여야 하고, 따라서 토지의 지목 및 사용 현황이 공동주택용 토지인 이상 과세특례 대상이라고 봄이 타당(대법원 2013두352, 2013.4.25.)

◎ **개발제한구역 내 과세대상** : 「지방세법」 제112조 제1항의 재산세 특례대상 중 개발제한구역 내의 주택에 대해서는 별장으로 사용하거나 고급주택에 해당될 때만 과세한다(예규 지법 112-1).

◎ **환지처분의 공고가 된 도시개발구역** : 「도시개발법」에 따라 환지방식으로 시행하는 도시개발구역의 토지로서 환지처분의 공고가 되지 않은 환지예정지의 경우에는 그 환지예정지의 지목, 용도 등 현황을 기준으로 과세한다(예규 지법 112…111-1).

제113조(세율적용)

법 제113조(세율적용) ① 토지에 대한 재산세는 다음 각 호에서 정하는 바에 따라 세율을 적용한다. 다만, 이 법 또는 관계 법령에 따라 재산세를 경감할 때에는 다음 각 호의 과세표준에서 경감대상 토지의 과세표준액에 경감비율(비과세 또는 면제의 경우에는 이를 100분의 100으로 본다)을 곱한 금액을 공제하여 세율을 적용한다.

1. 종합합산과세대상 : 납세의무자가 소유하고 있는 해당 지방자치단체 관할구역에 있는 종합합산과세대상이 되는 토지의 가액을 모두 합한 금액을 과세표준으로 하여 제111조 제1항 제1호 가목의 세율을 적용한다.
2. 별도합산과세대상 : 납세의무자가 소유하고 있는 해당 지방자치단체 관할구역에 있는 별도합산과세대상이 되는 토지의 가액을 모두 합한 금액을 과세표준으로 하여 제111조 제1항 제1호 나목의 세율을 적용한다.
3. 분리과세대상 : 분리과세대상이 되는 해당 토지의 가액을 과세표준으로 하여 제111조 제1항 제1호 다목의 세율을 적용한다.

② 주택에 대한 재산세는 주택별로 제111조 제1항 제3호의 세율 또는 제111조의 2 제1항의 세율을 적용한다. 이 경우 주택별로 구분하는 기준 등에 관하여 필요한 사항은 대통령령으로 정한다.

③ 주택을 2명 이상이 공동으로 소유하거나 토지와 건물의 소유자가 다를 경우 해당 주택에 대한 세율을 적용할 때 해당 주택의 토지와 건물의 가액을 합산한 과세표준에 제111조 제1항 제3호의 세율 또는 제111조의 2 제1항의 세율을 적용한다.

④ 삭제 〈2016.12.27.〉

⑤ 「지방자치법」 제4조 제1항에 따라 둘 이상의 지방자치단체가 통합된 경우에는 통합 지방자치단체의 조례로 정하는 바에 따라 5년의 범위에서 통합 이전 시·군 관할구역별로 제1항 제1호 및 제2호를 적용할 수 있다.

영 제112조(주택의 구분) 「건축법 시행령」 별표 1 제1호 다목에 따른 다가구주택은 1가구가 독립하여 구분사용할 수 있도록 분리된 부분을 1구의 주택으로 본다. 이 경우 그 부속토지는 건물면적의 비율에 따라 각각 나눈 면적을 1구의 부속토지로 본다.

토지의 경우 종합합산과세대상과 별도합산과세대상은 납세자별로 해당 자치단체에 소재하는 토지의 가액을 합산한 가액을 과세표준으로 하여 세율을 적용하며, 분리과세대상은 각 토지별로 분리과세 세율을 적용한다.

주택의 경우는 합산하지 아니하고 각 주택별로 세율을 적용한다. 지방자치법에 따라 시·군이 통합되는 경우에는 합산 누진효과에 따라 세부담 인상을 방지하기 위하여 일정기간 통합 전 자치단체를 기준으로 세율을 적용하도록 하고 있다.

| **참고 _ 재산세의 세율적용** |

<table>
<tr><td rowspan="3">토지</td><td>• 분리과세대상이 되는 해당 토지의 가액을 과세표준으로 하여 비례세율을 적용</td><td>개별대물과세</td></tr>
<tr><td>• 납세의무자가 소유하고 있는 해당 지방자치단체 관할구역에 있는 별도합산과세대상이 되는 토지의 가액을 모두 합한 금액을 과세표준으로 하여 초과누진세율 적용</td><td rowspan="2">대인합산과세
(관할구역안)</td></tr>
<tr><td>• 납세의무자가 소유하고 있는 해당 지방자치단체 관할구역에 있는 종합합산과세대상이 되는 토지의 가액을 모두 합한 금액을 과세표준으로 하여 초과누진세율 적용</td></tr>
<tr><td>주택</td><td>• 주택별로 초과누진세율 적용*
- 주택을 2명 이상이 공동으로 소유하거나 토지와 건물의 소유자가 다른 경우라도 해당 주택에 대한 세율을 적용할 때 해당 주택의 토지와 건물의 가액을 합산한 과세표준에 초과누진세율을 적용한다.
* 다가구주택의 경우는 1가구가 독립하여 구분사용할 수 있도록 분리된 부분을 1구의 주택으로 본다. 이 경우 그 부속토지는 건물면적의 비율에 따라 각각 나눈 면적을 1구의 부속토지로 본다.</td><td rowspan="2">대물개별과세</td></tr>
<tr><td>건축물·선박·항공기</td><td>해당 재산별 그 과세표준액에 비례세율 적용</td></tr>
</table>

| **최근 개정법령 _ 2017.1.1.** | 재산세 세율기준 명확화(법 제113조 ④)

현행 규정상 같은 재산에 대하여 둘 이상의 세율이 해당되는 경우 그 중 높은 세율을 적용토록 규정하고 있어, 재산세 세율 적용시 불합리한 결과가 나타날 수 있는 등 해석상 오해의 여지가 있을 수 있었다. 그에 따라 재산세는 과세대상 또는 과세체계에 따라 각각의 세율을 규정하고 있는 점을 고려하여, 오해의 소지가 있는 해당 규정을 삭제하였다.

◎ **1구의 주택** : 「지방세법 시행령」 제112조 규정의 「1구의 주택」이라 함은 소유상의 기준이 아니고 점유상의 독립성을 기준으로 판단하되 합숙소·기숙사 등의 경우에는 방 1개를 1구의 주택으로 보며, 다가구주택은 침실, 부엌, 출입문이 독립되어 있어야 1구의 주택으로 본다(예규 지법 111…112-1).

◎ 1층과 2층을 연결하는 내부계단이 존재하고 2층에는 취사가 가능한 공간이 없어 2층만을 별도로 구분하여 장기간 독립된 주거생활을 영위할 수 있는 주택으로 보기 어려우므로 이 건 주택이 다가구주택에 해당한다고 볼 수 없음(조심 2016지0632, 2016.10.19.).

제 3 절 부과 · 징수

제114조(과세기준일)

> 법 제114조(과세기준일) 재산세의 과세기준일은 매년 6월 1일로 한다.

재산세의 과세기준일은 매년 6월 1일이다.

재산세는 과세기준일을 정하여 과세하는 제도이나 보유기간을 고려하여 재산세를 과세해야한다는 의견도 있을 수 있다. 그러나 재산세는 재산의 보유사실 자체에 담세력을 인정하여 과세하는 조세로서 과세표준 산정 기준이 되는 재산 가치는 연중 유동적일 수 있고, 가격공시 절차, 부동산 현황 조사, 과세자료 정비 등 일련의 과정 절차에 따른 과세 행정의 효율성 등을 종합적으로 고려하여야 한다.[99] 또한 재산세가 관내 합산과세라는 점을 고려할 때 재산의 이동이 있는 경우 세부담의 증가도 우려된다는 점도 고려하여야 할 것이다. 이런 여러 가지 점을 고려하여 헌법재판소에서도 합헌결정을 내린 것[100]으로 이해된다.

---

99) 자동차세는 자동차의 보유기간별로 안분하여 과세하고 있으나, 이는 자동차세가 갖는 세목의 취지상 도로이용·환경오염 등 자동차 이용에 따른 부담금적 성격이 있어 재산세와 성격이 상이하고, 과세체계가 단순(배기량 기준으로 세율 적용)하여 재산세 과세기준일 제도와 직접 비교할 수는 없다.

100) 재산세 본질과 조세행정의 효율성을 취지로 합헌결정 : 보유재산의 가치를 담세능력으로 보는 재산세의 본질상 수익 여부·보유기간의 장단은 따질 필요가 없고, 헌법이 부여한 정당한 조세입법권 행사임. 재산세의 부담과 관련된 전후 소유자의 이해관계는 과세대상 재산의 거래과정에서 조정될 수 있음. 재산세의 본질과 재산세 징수의 효율성을 높이고 징수비용을 줄이기 위한 것이므로, 불합리한 차별이라고 보기 어려움(헌법재판소 2006헌바111, 2008.9.25.).

제115조(납기)

> **법** 제115조(납기) ① 재산세의 납기는 다음 각 호와 같다. 〈개정 2010.12.27., 2013.1.1.〉
> 1. 토지 : 매년 9월 16일부터 9월 30일까지
> 2. 건축물 : 매년 7월 16일부터 7월 31일까지
> 3. 주택 : 해당 연도에 부과·징수할 세액의 2분의 1은 매년 7월 16일부터 7월 31일까지, 나머지 2분의 1은 9월 16일부터 9월 30일까지. 다만, 해당 연도에 부과할 세액이 20만원 이하인 경우에는 조례로 정하는 바에 따라 납기를 7월 16일부터 7월 31일까지로 하여 한꺼번에 부과·징수할 수 있다.
> 4. 선박 : 매년 7월 16일부터 7월 31일까지
> 5. 항공기 : 매년 7월 16일부터 7월 31일까지
>
> ② 제1항에도 불구하고 지방자치단체의 장은 과세대상 누락, 위법 또는 착오 등으로 인하여 이미 부과한 세액을 변경하거나 수시부과하여야 할 사유가 발생하면 수시로 부과·징수할 수 있다.

재산세 납기를 각 과세대상별로 구분하여 정하고 있다.

주택의 경우는 세액을 2번에 나누어[101] 부과·징수하도록 납기를 정하면서 세액이 일정액이하인 경우는 조례로 정하는 바에 따라 한꺼번에 징수할 수 있도록 하고 있다.

| 최근 개정법령 _ 2018.1.1. | 재산세(주택분)의 일시(一時) 부과·징수세액 조정(법 §115 ① 3)

종전에는 주택분 재산세의 경우 매년 7월, 9월에 부과할 세액의 1/2씩을 부과하는데 부과세액이 10만원 이하인 때에는 지자체 조례로 한꺼번에 부과할 수 있었다. 그런데 납세의무자가 이를 이중과세로 오해하고 지자체에서 2회의 고지서 발송으로 예산이 낭비되는 점과 물가·주택가격 상승 등을 이유로 일시부과가 가능한 금액의 상향을 요구하게 되었다. 그에 따라 주택분 재산세 일시 부과 한도를 확대(10만원→20만원)하였다.

제116조(징수방법 등)

> **법** 제116조(징수방법 등) ① 재산세는 관할 지방자치단체의 장이 세액을 산정하여 보통징수의 방법으로 부과·징수한다.
>
> ② 재산세를 징수하려면 토지, 건축물, 주택, 선박 및 항공기로 구분한 납세고지서에 과세표준과

101) 주택의 경우 2005년 이전에는 토지분과 건물분으로 나누어 재산세 부담을 하였으나 2005년부터 주택으로 일원화됨에 따라 세 부담의 급격한 증가를 억제하기 위하여 두 번에 나누어 부과하도록 한 것임.

세액을 적어 늦어도 납기개시 5일 전까지 발급하여야 한다.

③ 재산세의 과세대상별 종합합산방법·별도합산방법, 세액산정 및 그 밖에 부과절차와 징수방법 등에 관하여 필요한 사항은 행정안전부령으로 정한다.

규칙 제58조(재산세의 합산 및 세액산정 등) 법 제116조 제3항에 따른 재산세의 과세대상 조사, 과세대상별 합산방법, 세액산정, 그 밖의 부과절차와 징수방법 등은 다음 각 호에 따른다. 〈개정 2011.12.31., 2014.1.1.〉

1. 시장·군수·구청장은 법 제120조 제1항 각 호의 어느 하나에 해당하는 자 의 신고 또는 직권으로 매년 과세기준일 현재 모든 재산을 조사하고, 과세대상 또는 비과세·감면대상으로 구분하여 재산세 과세대장에 등재하여야 한다.
2. 시장·군수·구청장은 제1호에 따라 조사한 재산 중 토지는 종합합산과세대상 토지, 별도합산과세대상 토지와 분리과세대상 토지로 구분하고 납세의무자별로 합산하여 세액을 산출하여야 한다.
3. 시장·군수·구청장은 납기개시 5일 전까지 납세의무자에게 별지 제59호 서식의 납세고지서를 발급하여 재산세를 징수하여야 한다.
4. 제3호에 따라 납세고지서를 발급하는 경우 토지에 대한 재산세는 한 장의 납세고지서로 발급하며, 토지 외의 재산에 대한 재산세는 건축물·주택·선박 및 항공기로 구분하여 과세대상 물건마다 각각 한 장의 납세고지서로 발급하거나, 물건의 종류별로 한 장의 고지서로 발급할 수 있다.

재산세는 관할 지방자치단체의 장이 세액을 산정하여 보통징수의 방법으로 부과·징수한다.

제117조(물납)

법 제117조(물납) 지방자치단체의 장은 재산세의 납부세액이 1천만원을 초과하는 경우에는 납세의무자의 신청을 받아 해당 지방자치단체의 관할구역에 있는 부동산에 대하여만 대통령령으로 정하는 바에 따라 물납을 허가할 수 있다.

영 제113조(물납의 신청 및 허가) ① 법 제117조에 따라 재산세를 물납(物納)하려는 자는 행정안전부령으로 정하는 서류를 갖추어 그 납부기한 10일 전까지 납세지를 관할하는 시장·군수·구청장에게 신청하여야 한다.

② 제1항에 따라 물납신청을 받은 시장·군수·구청장은 신청을 받은 날부터 5일 이내에 납세의무자에게 그 허가 여부를 서면으로 통지하여야 한다.

③ 제2항에 따라 물납허가를 받은 부동산을 행정안전부령으로 정하는 바에 따라 물납하였을 때에는 납부기한 내에 납부한 것으로 본다.

제114조(관리 · 처분이 부적당한 부동산의 처리) ① 시장 · 군수 · 구청장은 제113조 제1항에 따라 물납신청을 받은 부동산이 관리 · 처분하기가 부적당하다고 인정되는 경우에는 허가하지 아니할 수 있다.

② 시장 · 군수 · 구청장은 제1항 및 제113조 제2항에 따라 불허가 통지를 받은 납세의무자가 그 통지를 받은 날부터 10일 이내에 해당 시 · 군 · 구의 관할구역에 있는 부동산으로서 관리 · 처분이 가능한 다른 부동산으로 변경 신청하는 경우에는 변경하여 허가할 수 있다.

③ 제2항에 따라 허가한 부동산을 행정안전부령으로 정하는 바에 따라 물납하였을 때에는 납부기한 내에 납부한 것으로 본다.

제115조(물납허가 부동산의 평가) ① 제113조 제2항 및 제114조 제2항에 따라 물납을 허가하는 부동산의 가액은 재산세 과세기준일 현재의 시가로 한다.

② 제1항에 따른 시가는 다음 각 호의 어느 하나에서 정하는 가액에 따른다. 다만, 수용 · 공매가액 및 감정가액 등으로서 행정안전부령으로 정하는 바에 따라 시가로 인정되는 것은 시가로 본다.

1. 토지 및 주택 : 법 제4조 제1항에 따른 시가표준액
2. 제1호 외의 건축물 : 법 제4조 제2항에 따른 시가표준액

③ 제2항을 적용할 때 「상속세 및 증여세법」 제61조 제1항 제3호에 따른 부동산의 평가방법이 따로 있어 국세청장이 고시한 가액이 증명되는 경우에는 그 고시가액을 시가로 본다.

규칙 제59조(재산세의 물납 절차 등) ① 영 제113조 및 제114조에 따른 물납 허가 신청, 물납부동산 변경허가 신청 및 그 허가 통지는 다음 각 호의 구분에 따른다.

1. 물납 허가 신청 또는 물납부동산 변경허가 신청 : 별지 제61호 서식
2. 물납 허가 또는 물납부동산 변경허가 통지 : 별지 제62호 서식

② 물납 허가 또는 물납부동산 변경허가를 받은 납세의무자는 그 통지를 받은 날부터 10일 이내에 「부동산등기법」에 따른 부동산 소유권이전등기에 필요한 서류를 시장 · 군수 · 구청장에게 제출하여야 하며, 해당 시장 · 군수 · 구청장은 그 서류를 제출받은 날부터 5일 이내에 관할 등기소에 부동산소유권이전등기를 신청하여야 한다.

③ 영 제113조 제3항 및 제114조 제3항에서 "행정안전부령으로 정하는 바에 따라 물납하였을 때"란 각각 제2항에서 정하는 절차에 따라 해당 시장 · 군수 · 구청장이 물납대상 부동산의 소유권이전등기필증을 발급받은 때를 말한다.

제60조(시가로 인정되는 부동산가액) ① 영 제115조 제2항 각 호 외의 부분 단서에서 "행정안전부령으로 정하는 바에 따라 시가로 인정되는 것"이란 재산세의 과세기준일 전 6개월부터 과세기준일 현재까지의 기간 중에 확정된 가액으로서 다음 각 호의 어느 하나에 해당하는 것을 말한다.

1. 해당 부동산에 대하여 수용 또는 공매사실이 있는 경우 : 그 보상가액 또는 공매가액
2. 해당 부동산에 대하여 둘 이상의 감정평가법인등(「감정평가 및 감정평가사에 관한 법률」 제2조 제4호에 따른 감정평가법인등을 말한다)이 평가한 감정가액이 있는 경우 : 그 감정가액의 평균액
3. 법 제10조 제5항 제1호 및 제3호에 따른 취득으로서 그 사실상의 취득가격이 있는 경우 : 그 취득가격

② 제1항에 따라 시가로 인정되는 가액이 둘 이상인 경우에는 재산세의 과세기준일부터 가장 가까운 날에 해당하는 가액에 의한다.

재산세의 납부세액이 1천만원을 초과하여 납세의무자가 신청하는 경우에는 해당 지방자치단체의 관할구역에 있는 부동산으로 물납을 허가할 수 있다.

| 최근 개정법령_2015.7.24. | 재산세 물납부동산 평가시 감정평가업자로 확대(규칙 제60조)

종전에는 감정평가법인이 평가한 감정가액의 평균액을 물납부동산 시가로 인정하였으나 감정평가업자가 평가한 감정가액의 평균액도 물납부동산 시가로 인정하였다.

◎ 지방세 물납범위와 방법(예규 지법 117-1)

1. 지방세물납대상이 되는 납부세액이 1천만원 초과 범위 판단은 다음과 같다. ① 동일 시·군·구 안에서 재산세의 납부세액을 합산하여 1천만원 초과 여부를 판단한다. 이 경우 동일 시·군·구의 범위는 지방자치법 제2조의 규정에 의한다. ② 1천만원 초과 여부는 재산세액(「지방세법」 제112조에 따른 도시지역분을 포함한 금액을 말한다)에 병기 고지되는 지역자원시설세·지방교육세를 제외한다.
2. 물납허가시 관리·처분에 부적당한 부동산의 범위를 예시하면 다음과 같다. ① 당해 부동산에 저당권 등의 우선순위 물권이 설정되어 처분하여도 배당의 실익이 없는 경우 ② 당해 부동산에 임차인이 거주하고 있어 부동산 인도 등에 어려움이 있는 경우 ③ 물납에 제공된 부동산이 소송 등 다툼의 소지가 있는 경우 등

제118조(분할납부)

법 제118조(분할납부) 지방자치단체의 장은 재산세의 납부세액이 250만원을 초과하는 경우에는 대통령령으로 정하는 바에 따라 납부할 세액의 일부를 납부기한이 지난 날부터 2개월 이내에 분할납부하게 할 수 있다.

영 제116조(분할납부세액의 기준 및 분할납부신청) ① 법 제118조에 따라 분할납부하게 하는 경우의 분할납부세액은 다음 각 호의 기준에 따른다.

1. 납부할 세액이 500만원 이하인 경우 : 250만원을 초과하는 금액
2. 납부할 세액이 500만원을 초과하는 경우 : 그 세액의 100분의 50 이하의 금액

② 법 제118조에 따라 분할납부하려는 자는 재산세의 납부기한까지 행정안전부령으로 정하는 신청서를 시장·군수·구청장에게 제출하여야 한다.

③ 시장·군수·구청장은 제2항에 따라 분할납부신청을 받았을 때에는 이미 고지한 납세고지서를 납부기한 내에 납부하여야 할 납세고지서와 분할납부기간 내에 납부하여야 할 납세고지서로 구분하여 수정 고지하여야 한다.

재산세의 납부세액이 500만원을 초과하는 경우에는 일시납부에 대한 세부담을 완화하기 위해 납부할 세액의 일부를 납부기한이 지난 날부터 45일 이내에 분할납부할 수 있도록 하고 있다.

| 최근 개정법령 _ 2018.1.1. | 재산세 분할 납부기한 조정(법 §118)

종전에는 재산세 납부세액이 500만원을 초과하여 분할납부를 신청한 경우 납기일은 당초 납부기한으로부터 45일 이내로서, 통상 분할 대상은 11월 중순이었다. 그런데 대부분의 지방세 납기일이 월말이므로, 납세자가 분납분 납기일도 월말로 오인하여 체납하는 사례가 빈번하였다. 그에 따라 재산세 분할납부기한을 국민이 통상적으로 생각하는 월말로 조정(당초 납부기한으로부터 2개월 이내)하여 납세편익과 기한의 이익을 제고하였다.

| 최근 개정법령 _ 2020.1.1. | 재산세 분할납부 기준 완화(법 §118)

현행 500만원인 재산세 분할납부 기준금액을 250만원으로 완화하여 재산세 부과액이 250만원을 초과하는 경우 세액의 일부를 2개월 이내에 나누어 납부할 수 있도록 하였다. 만약 납부할 세액이 500만원 이하인 경우 납기 내에 250만원을 납부후 차액을 2개월내 분납할 수 있고, 납부할 세액이 500만원을 초과하는 경우 납기 내에 부과액의 1/2을 납부한 후 차액을 2개월내 분납할 수 있다.

◎ 지방세 분납범위와 방법(예규 지법 118-1)

1. 지방세 분납대상이 되는 납부세액이 5백만원을 초과하는 범위는 다음과 같다. ① "동일 시 · 군 · 구"별로 납세자가 납부할 재산세의 세액이 5백만원 초과 여부로 판단하되, 초과 여부는 재산세액(「지방세법」 제112조에 따른 도시지역분을 포함한 금액을 말한다)만을 기준으로 하고, 병기 고지되는 지역자원시설세 · 지방교육세는 제외한다. ② 재산세가 분납대상에 해당할 경우 지방교육세도 함께 분납 처리한다.
2. 분납신청에 의거 지방세를 분납 처리할 경우에는 다음과 같이 한다. ① 납부할 세액이 1천만원 이하인 경우에는 5백만원은 납기 내 납부, 5백만원 초과금액은 분납기한 내 납부하도록 한다. ② 납부할 세액이 1천만원을 초과하는 때에는 분납세액 이외의 세액에 해당하는 금액은 납기 내에, 나머지 금액은 분납기한 내에 각각 납부하도록 한다. ③ 지방세를 분납 처리함에 있어서 이미 고지한 납세고지서는 "납기 내 납부할 납세고지서"와 "분납기간 내 납부할 납세고지서"를 구분하여 수정 고지하되, 이 경우 이미 고지한 납세고지서를 회수하며, 기고지한 부과결정을 조정 결정하여야 한다. 따라서, 분납기한 내 납부할 세액을 그 기간 내에 납부할 경우에는 가산금이 가산되지 아니한다.

제119조(소액 징수면제)

> 법 제119조(소액 징수면제) 고지서 1장당 재산세로 징수할 세액이 2천원 미만인 경우에는 해당 재산세를 징수하지 아니한다.

「지방세법」 제119조에서 규정하고 있는 「고지서 1장당 재산세로 징수할 세액이 2,000원 미만」이라 함은 재산세 고지서상에 병기고지된 세액을 제외한 재산세만을 지칭한다(예규 지법 119-1).

제119조의 2(신탁재산 수탁자의 물적납세의무)

> 법 제119조의 2(신탁재산 수탁자의 물적납세의무) ① 신탁재산의 위탁자가 다음 각 호의 어느 하나에 해당하는 재산세·가산금 또는 체납처분비(이하 "재산세등"이라 한다)를 체납한 경우로서 그 위탁자의 다른 재산에 대하여 체납처분을 하여도 징수할 금액에 미치지 못할 때에는 해당 신탁재산의 수탁자는 그 신탁재산으로써 위탁자의 재산세등을 납부할 의무가 있다.
>
> 1. 신탁 설정일 이후에 「지방세기본법」 제71조 제1항에 따른 법정기일이 도래하는 재산세 또는 가산금(재산세에 대한 가산금으로 한정한다)으로서 해당 신탁재산과 관련하여 발생한 것. 다만, 제113조 제1항 제1호 및 제2호에 따라 신탁재산과 다른 토지를 합산하여 과세하는 경우에는 신탁재산과 관련하여 발생한 재산세 등을 제4조에 따른 신탁재산과 다른 토지의 시가표준액 비율로 안분계산한 부분 중 신탁재산 부분에 한정한다.
> 2. 제1호의 금액에 대한 체납처분 과정에서 발생한 체납처분비
>
> ② 제1항에 따라 수탁자로부터 납세의무자의 재산세등을 징수하려는 지방자치단체의 장은 다음 각 호의 사항을 적은 납부통지서를 수탁자에게 고지하여야 한다.
>
> 1. 재산세등의 과세표준, 세액 및 그 산출 근거 2. 재산세등의 납부기한
> 3. 그 밖에 재산세등의 징수를 위하여 필요한 사항
>
> ③ 제2항에 따른 고지가 있은 후 납세의무자인 위탁자가 신탁의 이익을 받을 권리를 포기 또는 이전하거나 신탁재산을 양도하는 등의 경우에도 제2항에 따라 고지된 부분에 대한 납세의무에는 영향을 미치지 아니한다.
>
> ④ 신탁재산의 수탁자가 변경되는 경우에 새로운 수탁자는 제2항에 따라 이전의 수탁자에게 고지된 납세의무를 승계한다.
>
> ⑤ 지방자치단체의 장은 최초의 수탁자에 대한 신탁 설정일을 기준으로 제1항에 따라 그 신탁재산에 대한 현재 수탁자에게 납세의무자의 재산세등을 징수할 수 있다.
>
> ⑥ 신탁재산에 대하여 「지방세징수법」에 따라 체납처분을 하는 경우 「지방세기본법」 제71조 제1

항에도 불구하고 수탁자는 「신탁법」 제48조 제1항에 따른 신탁재산의 보존 및 개량을 위하여 지출한 필요비 또는 유익비의 우선변제를 받을 권리가 있다.
⑦ 제1항부터 제6항까지에서 규정한 사항 외에 물적납세의무의 적용에 필요한 사항은 대통령령으로 정한다.

「신탁법」에 따라 수탁자 명의로 등기된 신탁재산에 대한 재산세가 체납된 경우에는 재산세가 체납된 해당 재산에 대해서만 압류할 수 있도록 하고 있다. 이는 「신탁법」이 보호하려는 신탁제도 취지를 반영하기 위한 것이다.

2014년 재산세 납세의무자를 위탁자에서 수탁자로 변경한 원인중의 하나가 위탁자의 체납문제 해소를 위한 취지였다. 그런데 납세의무자를 위탁자로 환원함에 따라 체납문제에 대한 보완장치를 마련할 필요가 있었다. 그에 따라 신탁재산의 위탁자가 재산세를 체납한 경우로서 그 위탁자의 다른 재산에 대하여 체납처분을 하여도 징수할 금액에 미치지 못할 때에는 해당 신탁재산의 수탁자에게 그 신탁재산으로써 위탁자의 재산세를 납부할 의무가 있다고 하여, 수탁자의 물적납세의무를 부여하고 있다. 수탁자의 물적납세의무는 납세의무자인 위탁자의 체납 시, 수탁자 명의의 신탁재산에 대한 압류 · 처분이 불가능한 점을 해결하기 위하여 수탁자가 신탁재산으로 납세할 의무를 수인하게 하는 것이다.

제119조의 3(향교 및 종교단체에 대한 특례)

법 제119조의 3(향교 및 종교단체에 대한 특례) ① 대통령령으로 정하는 개별 향교 또는 개별 종교단체(이하 이 조에서 "개별단체"라 한다)가 소유한 토지로서 개별단체가 속하는 「향교재산법」에 따른 향교재단 또는 대통령령으로 정하는 종교단체(이하 이 조에서 "향교재단등"이라 한다)의 명의로 조세 포탈을 목적으로 하지 아니하고 등기한 토지의 경우에는 제113조 제1항에도 불구하고 개별단체별로 합산한 토지의 가액을 과세표준으로 하여 토지에 대한 재산세를 과세할 수 있다.
② 개별단체 또는 향교재단등이 제1항에 따라 토지에 대한 재산세를 개별단체별로 합산하여 납부하려는 경우에는 대통령령으로 정하는 바에 따라 해당 토지의 소재지를 관할하는 지방자치단체의 장에게 신청하여야 한다.

영 제116조의 2(향교 및 종교단체에 대한 재산세 특례 대상 및 신청 등) ① 법 제119조의 3 제1항에서 "대통령령으로 정하는 개별 향교 또는 개별 종교단체"란 「부동산 실권리자명의 등기에 관한 법률 시행령」 제5조 제1항 제3호에 따른 개별 향교 또는 같은 항 제2호에 따른 소속종교단체를 말한다.
② 법 제119조의 3 제1항에서 "대통령령으로 정하는 종교단체"란 「부동산 실권리자명의 등기에

관한 법률 시행령」 제5조 제1항 제1호에 따른 종단을 말한다.

③ 법 제119조의 3 제2항에 따라 토지에 대한 재산세를 개별단체별로 합산하여 납부할 것을 신청하려는 자는 행정안전부령으로 정하는 토지분 재산세 합산배제 신청서에 다음 각 호의 서류를 첨부하여 법 제115조에 따른 납기개시 20일 전까지 해당 토지의 소재지를 관할하는 지방자치단체의 장에게 제출해야 한다.

1. 「향교재산법」에 따른 향교재단 또는 「부동산 실권리자명의 등기에 관한 법률 시행령」 제5조 제1항 제1호에 따른 종단(이하 이 조에서 "향교재단등"이라 한다)의 정관(정관이 변경된 경우에는 「민법」 제45조 제3항에 따른 향교재단 등에 대한 주무관청의 정관 변경허가서를 포함한다)
2. 향교재단등의 이사회 회의록
3. 대상토지의 사실상 소유자가 「부동산 실권리자명의 등기에 관한 법률 시행령」 제5조 제1항 제3호에 따른 개별 향교 또는 같은 항 제2호에 따른 소속종교단체임을 입증할 수 있는 서류

④ 제3항에 따른 신청을 받은 지방자치단체의 장은 개별단체별 합산 여부를 결정하여, 신청한 내용이 사실과 다를 경우 세액이 추징될 수 있다는 내용과 함께 그 결과를 서면으로 통지해야 한다. 이 경우 상대방이 전자적 통지를 요청할 경우에는 전자적 방법으로 통지할 수 있다.

⑤ 제3항에 따른 신청을 하여 토지에 대한 재산세를 개별단체별로 합산하여 납부한 경우에는 다음 연도부터 해당 토지의 소유관계가 변동하기 전까지는 제3항의 신청을 다시 하지 않아도 된다.

토지분 재산세는 관할 자치단체(시 · 군 · 구)별로 납세의무자가 소유한 토지를 합산하여 과세한다. 그런데 향교, 교회 등 개별 종교단체는 종교시설의 효율적 관리 등을 목적으로 각 소속 종단의 규율에 따라 소유 재산을 종단명의로 등기(명의신탁) 가능하다. 그에 따라 사실상 소유 · 관리 주체가 서로 다른 개별종교단체의 토지임에도 동일 종단 명의로 등기된 경우 합산과세되는 문제점이 있었다. 한편 재산세와 달리 종부세의 경우 종단 명의의 재산이라도 개별종교단체의 재산으로 신고하는 경우 개별종교단체별로 합산하여 과세하고 있다(조세특례제한법 제104조의 13 ①~④). 그에 따라 개별향교 및 종교단체의 재산임을 입증하여 신고하는 경우 개별단체별로 구분하여 재산세를 합산하여 과세하도록 관련 규정을 신설하였다(2020.1.1. 시행).

| 최근 개정법령 _ 2020.1.1. | 개별 종교단체 등에 대한 토지분 재산세 합산범위 개선(법 §119의 3)

개별향교 및 종교단체의 재산임을 입증하는 경우 개별단체별로 구분하여 재산세를 합산하여 과세하도록 하였다. 예를 들어 감리교 등 개별교회의 부동산을 종단 명의로 등록한 경우, 개별교회 소유의 재산임을 서류로 입증하는 경우 토지분 재산세 합산을 배제하는데, 납세의무자는 종전과 같이 종단으로 하되, 종합합산 · 별도합산 토지는 각 개별교회 소유별로 합산한다. 개별교회 또는 납세의무자인 종단 모두 당사자의 지위로 보아 합산배제 신청이 가능(규칙 §61의 2 붙임 서식 참조)하다. 그리고 납세자가 변경되는 것이 아니라, 합산만 개별적으로 하는 것이므로 개별교회가 체납시 종단명의의 다른 개별교회 재산에 대하여 체납처분이 가능하다. 최초

로 합산배제 신청하고, 신청한 내용에 변경사항이 없는 경우에는 전년도와 동일하게 합산배제 하여 과세한다.

제120조(신고의무)

법 제120조(신고의무) ① 다음 각 호의 어느 하나에 해당하는 자는 과세기준일부터 10일 이내에 그 소재지를 관할하는 지방자치단체의 장에게 그 사실을 알 수 있는 증거자료를 갖추어 신고하여야 한다.

1. 재산의 소유권 변동 또는 과세대상 재산의 변동 사유가 발생하였으나 과세기준일까지 그 등기가 되지 아니한 재산의 공부상 소유자
2. 상속이 개시된 재산으로서 상속등기가 되지 아니한 경우에는 제107조 제2항 제2호에 따른 주된 상속자
3. 사실상 종중재산으로서 공부상에는 개인 명의로 등재되어 있는 재산의 공부상 소유자
4. 「신탁법」에 따라 수탁자 명의로 등기된 신탁재산의 수탁자

② 제1항에 따른 신고 절차 및 방법에 관하여는 행정안전부령으로 정한다.

③ 제1항에 따른 신고가 사실과 일치하지 아니하거나 신고가 없는 경우에는 지방자치단체의 장이 직권으로 조사하여 과세대장에 등재할 수 있다.

영 제117조(과세대장 등재 통지) 시장 · 군수 · 구청장은 법 제120조 제3항에 따라 무신고 재산을 과세대장에 등재한 때에는 그 사실을 관계인에게 통지하여야 한다.

규칙 제62조(재산세 납세의무자의 신고 등) ① 재산의 공부상 소유자가 법 제120조 제1항 제1호에 따라 재산의 소유권 변동 등에 따른 납세의무자의 변동신고 또는 과세대상 재산의 변동신고를 하는 경우에는 별지 제64호 서식에 따른다.

② 법 제107조 제2항 제2호에 따른 주된 상속자 또는 법 제120조 제1항 제3호에 따른 사실상 종중재산의 공부상 소유자가 법 제120조 제1항에 따른 신고를 하는 경우에는 별지 제64호 서식에 따른다.

③ 법 제120조 제1항 제4호에 따른 신탁재산의 수탁자가 법 제120조 제1항에 따른 신고를 하는 경우에는 별지 제64호의 2 서식에 따른다.[102] 〈신설 2014.8.8.〉

제63조(과세대장 직권등재) 시장 · 군수 · 구청장은 법 제120조 제3항에 따라 직권으로 재산세 과세대장에 등재한 때에는 그 재산의 납세의무자에게 별지 제65호 서식에 따라 직권등재 사실을 통지하고, 과세대장 용지 상부 여백에 별지 제66호 서식에 따른 직권등재 표시를 하여 신고에 따른 등재와 구별되도록 하여야 한다.

102) 2014년부터 「신탁법」에 따른 신탁재산의 납세의무자가 위탁자에서 수탁자로 변경되고, 위탁자에 따라 구분되는 재산에 대한 납세의무자는 서로 다른 납세의무자라고 규정(「지방세법」 제107조 제1항 제3호)함에 따라 「신탁법」에 따라 수탁자 명의로 등기된 신탁재산의 납세의무자(수탁자)가 위탁자 관련 정보를 신고하는 서식 신설(2014.8.8. 규칙 제62조 ③ 신설)

재산의 소유권 변동 등의 사유가 발생했으나 과세기준일까지 그 등기가 되지 아니한 재산 등의 소유자는 과세기준일부터 10일 이내에 관할 지방자치단체의 장에게 그 사실을 알 수 있는 증거자료를 갖추어 신고하도록 하고 있다. 만약 신고가 사실과 일치하지 아니하거나 신고가 없는 경우에는 지방자치단체의 장이 직권으로 조사하여 과세대장에 등재할 수 있다.

◎ 신고의무를 이행하지 않았다 하더라도 납세의무자는 위탁자임

「지방세법」 제183조 제2항 제5호에서 「신탁법」에 의하여 수탁자명의로 등록된 재산의 재산세 납세의무자는 위탁자라고 규정하고 있고, 재산세과세기준일(6.1.) 현재 등기부상에 「신탁법」 제19조에 의한 신탁재산임이 등록되어 있다면 비록 신고의무를 이행하지 않았다고 하더라도 재산의 위탁자가 재산세 납세의무자일 것(대법원 2006두14582, 2007.3.15. 참조)으로 사료됨(지방세운영과-157, 2009.2.10.).

제121조(재산세 과세대장의 비치 등)

법 제121조(재산세 과세대장의 비치 등) ① 지방자치단체는 재산세 과세대장을 비치하고 필요한 사항을 기재하여야 한다. 이 경우 해당 사항을 전산처리하는 경우에는 과세대장을 갖춘 것으로 본다. 〈개정 2015.12.29.〉

② 재산세 과세대장은 토지, 건축물, 주택, 선박 및 항공기 과세대장으로 구분하여 작성한다.

규칙 제64조(과세대장 비치) ① 법 제121조에 따른 재산세 과세대장은 별지 제67호 서식, 별지 제68호 서식 및 별지 제69호 서식에 따른다.

② 시장·군수·구청장은 제1항의 재산세 과세대장에 준하여 재산세 비과세 및 과세면제 대장을 갖추고 정리하여야 한다.

지방자치단체의 장에게 재산세 과세대장을 비치하고 관리하도록 하는 의무를 부여하고 있다.

제122조(세 부담의 상한)

법 제122조(세 부담의 상한) 해당 재산에 대한 재산세의 산출세액(제112조 제1항 각 호 및 같은 조 제2항에 따른 각각의 세액을 말한다)이 대통령령으로 정하는 방법에 따라 계산한 직전 연도의 해당 재산에 대한 재산세액 상당액의 100분의 150을 초과하는 경우에는 100분의 150에 해당하는 금액을 해당 연도에 징수할 세액으로 한다. 다만, 주택의 경우에는 다음 각 호에 의한 금액을 해당 연도에 징수할 세액으로 한다. 〈개정 2011.12.31.〉

1. 제4조 제1항에 따른 주택공시가격(이하 이 조에서 "주택공시가격"이라 한다) 또는 특별자치시장·특별자치도지사·시장·군수 또는 구청장이가 산정한 가액이 3억원 이하인 주택의 경우 : 해당 주택에 대한 재산세의 산출세액이 직전 연도의 해당 주택에 대한 재산세액 상당액의 100분의 105를 초과하는 경우에는 100분의 105에 해당하는 금액
2. 주택공시가격 또는 특별자치시장·특별자치도지사·시장·군수 또는 구청장이 산정한 가액이 3억원 초과 6억원 이하인 주택의 경우 : 해당 주택에 대한 재산세의 산출세액이 직전 연도의 해당 주택에 대한 재산세액 상당액의 100분의 110을 초과하는 경우에는 100분의 110에 해당하는 금액
3. 주택공시가격 또는 특별자치시장·특별자치도지사·시장·군수 또는 구청장이 산정한 가액이 6억원을 초과하는 주택의 경우 : 해당 주택에 대한 재산세의 산출세액이 직전연도의 해당 주택에 대한 재산세액 상당액의 100분의 130을 초과하는 경우에는 100분의 130에 해당하는 금액

영 제118조(세 부담 상한의 계산방법) 법 제122조 각 호 외의 부분 본문에서 "대통령령으로 정하는 방법에 따라 계산한 직전 연도의 해당 재산에 대한 재산세액 상당액"이란 법 제112조 제1항 제1호에 따른 산출세액과 같은 항 제2호 및 같은 조 제2항에 따른 산출세액 각각에 대하여 다음 각 호의 방법에 따라 각각 산출한 세액 또는 산출세액 상당액을 말한다.

1. 토지에 대한 세액 상당액
   가. 해당 연도의 과세대상 토지에 대한 직전 연도의 과세표준(법 제112조 제1항 제1호에 따른 산출세액의 경우에는 법 제110조에 따른 과세표준을 말하고, 법 제112조 제1항 제2호 및 같은 조 제2항에 따른 산출세액의 경우에는 법 제110조에 따른 토지 등의 과세표준을 말한다. 이하 이 조에서 같다)이 있는 경우 : 과세대상 토지별로 직전 연도의 법령과 과세표준 등을 적용하여 산출한 세액. 다만, 해당 연도의 과세대상별 토지에 대한 납세의무자 및 토지현황이 직전 연도와 일치하는 경우에는 직전 연도에 해당 토지에 과세된 세액으로 한다.
   나. 토지의 분할·합병·지목변경·신규등록·등록전환 등으로 해당 연도의 과세대상 토지에 대한 직전 연도의 과세표준이 없는 경우 : 해당 연도 과세대상 토지가 직전 연도 과세기준일 현재 존재하는 것으로 보아 과세대상 토지별로 직전 연도의 법령과 과세표준(직전 연도의 법령을 적용하여 산출한 과세표준을 말한다) 등을 적용하여 산출한 세액. 다만, 토지의 분할·합병으로 해당 연도의 과세대상 토지에 대한 직전 연도의 과세표준이 없는 경우에는 다음의 구분에 따른 세액으로 한다.
      1) 분할·합병 전의 과세대상 토지에 비하여 면적 또는 지분의 증가가 없는 경우 : 직전 연도에 분할·합병 전의 토지에 과세된 세액 중 해당 연도에 소유하고 있는 면적 또는

지분에 해당되는 세액

2) 분할·합병 전의 과세대상 토지에 비하여 면적 또는 지분의 증가가 있는 경우 : 분할·합병 전의 과세대상 토지의 면적 또는 지분에 대하여 1)에 따라 산출한 세액과 분할·합병 후에 증가된 과세대상 토지의 면적 또는 지분에 대하여 1) 및 2) 외의 부분 본문에 따라 산출한 세액의 합계액

다. 가목 및 나목에도 불구하고, 해당 연도 과세대상 토지에 대하여 법 제106조 제1항에 따른 과세대상 구분의 변경이 있는 경우에는 해당 연도의 과세대상의 구분이 직전 연도 과세대상 토지에 적용되는 것으로 보아 해당 연도 과세대상 토지별로 직전 연도의 법령과 과세표준(직전 연도의 법령을 적용하여 산출한 과세표준을 말한다) 등을 적용하여 산출한 세액

라. 가목부터 다목까지의 규정에도 불구하고 해당 연도 과세대상 토지가 「도시 및 주거환경정비법」에 따른 정비사업의 시행으로 주택이 멸실되어 토지로 과세되는 경우로서 주택을 건축 중인 경우(주택 멸실 후 주택 착공 전이라도 최초로 도래하는 재산세 과세기준일부터 3년 동안은 주택을 건축 중인 것으로 본다)에는 다음 계산식에 따라 산출한 세액 상당액(해당 토지에 대하여 나목에 따라 산출한 직전 연도 세액 상당액이 더 적을 때에는 나목에 따른 세액 상당액을 말한다)

멸실 전 주택에 실제 과세한 세액 × $(130/100)^n$ n = (과세연도 - 멸실 전 주택에 실제 과세한 연도 - 1)

2. 주택 및 건축물에 대한 세액 상당액

가. 해당 연도의 주택 및 건축물에 대한 직전 연도의 과세표준이 있는 경우 : 직전 연도의 법령과 과세표준 등을 적용하여 과세대상별로 산출한 세액. 다만, 직전 연도에 해당 납세의무자에 대하여 해당 주택 및 건축물에 과세된 세액이 있는 경우에는 그 세액으로 한다.

나. 주택 및 건축물의 신축·증축 등으로 해당 연도의 과세대상 주택 및 건축물에 대한 직전 연도의 과세표준이 없는 경우 : 해당 연도 과세대상 주택 및 건축물이 직전 연도 과세기준일 현재 존재하는 것으로 보아 직전 연도의 법령과 과세표준(직전 연도의 법령을 적용하여 산출한 과세표준을 말한다) 등을 적용하여 과세대상별로 산출한 세액

다. 해당 연도의 과세대상 주택 및 건축물에 대하여 용도변경 등으로 법 제111조 제1항 제2호 다목 및 같은 항 제3호 나목 외의 세율이 적용되거나 적용되지 아니한 경우 : 가목 및 나목에도 불구하고 직전 연도에도 해당 세율이 적용되거나 적용되지 아니한 것으로 보아 직전 연도의 법령과 과세표준(직전 연도의 법령을 적용하여 산출한 과세표준을 말한다) 등을 적용하여 산출한 세액

라. 주택의 경우에는 가목 본문, 나목 및 다목에도 불구하고 가목 본문, 나목 및 다목에 따라 산출한 세액 상당액이 해당 주택과 주택가격(「부동산 가격공시에 관한 법률」에 따라 공시된 주택가격을 말한다)이 유사한 인근 주택의 소유자에 대하여 가목 단서에 따라 직전 연도에 과세된 세액과 현저한 차이가 있는 경우 : 그 과세된 세액을 고려하여 산출한 세액 상당액

3. 제1호 및 제2호를 적용할 때 해당 연도의 토지·건축물 및 주택에 대하여 비과세·감면규정, 법 제111조 제3항에 따른 가감 세율 및 법 제111조의 2에 따른 세율 특례가 적용되지 않거나 적용

된 경우에는 직전 연도에도 해당 규정이 적용되지 않거나 적용된 것으로 보아 법 제112조 제1항 제1호에 따른 세액 상당액과 같은 항 제2호 및 같은 조 제2항에 따른 세액 상당액을 계산한다.

1. 세부담상한제 개요

세부담상한제도는 2005년도 보유세제 개편에 따라 납세의무자별로 전년도에 비해 보유세의 부담이 급격하게 늘어나는 것을 방지하기 위하여 세부담 급증 완화 차원에서 도입되었다. 세부담상한제도는 당해연도 산출세액이 직전연도 대비 세부담상한율(주택 105~130%, 토지 150% 등)을 초과하면 그 초과액은 없는 것으로 보고, 직전연도 대비 세부담상한액만큼 과세하는 제도이다. 현행 세부담상한비율은 주택의 경우 (3억원 이하) 105%, (3억원~6억원) 110%, (6억원 초과) 130%, 토지 · 건축물은 150%를 적용한다. 적용방법은 재산세가 전년도 세액보다 일정비율을 초과하여 인상되지 않도록 일정비율을 넘는 세액은 제외하는 방식이다.

제도연혁을 보면 2005년 세부담상한제가 최초로 도입되었고, 토지 · 건축물 · 주택 모두 150%였다. 2006년에는 6억원 이하 주택의 세부담을 완화하고 세부담상한율을 세분화하여 3억원 이하 105%, 3억원~6억원 110%, 6억원 초과 150%로 조정하였다. 2009년에는 6억원 초과 주택의 세부담 상한을 150%에서 130%로 하향 조정하였다. 2011년에는 재산세와 도시계획세(도시지역분 재산세)의 세목이 통합되었으며 세부담 상한 적용은 통합전과 같이 각각 적용토록 하였다.

세부담상한제도를 적용하기 위해서는 "직전연도의 해당 재산에 대한 재산세액 상당액"을 먼저 확인해야 한다. 직전년도에 비해 동일 납세자가 동일물건에 대해 과세요건에 변동이 없다면 세부담상한율 이상의 인상을 억제하겠다는 것이므로 직전연도 상당액은 "실제 납부한 세액"이 된다.

그렇지 않고 소유자가 변경되거나 과세대상 부동산의 현황이 변동되는 등 주요 과세요건이 직전연도와 다른 경우라면 직전연도 실제 납부한 세액을 기준으로 세부담상한액을 산출할 수 없다. 이 경우 "직전 연도의 법령과 과세표준 등을 적용하여 과세대상별로 산출한 세액"을 직전연도 상당액으로 본다. 만약 직전연도에 비해 과세요건이 변경되었다면 그 변경된 과세요건이 직전연도와 동일하다고 간주하고 그에 따른 직전연도의 법령과 과세표준을 적용하게 되는데 결국은 그렇게 산출한 세액은 실납부세액의 상대 개념인 "산출 세액"이다. "산출 세액"을 직전연도 상당액으로 보아 이를 기준으로 세부담상한율을 적용한다면 당해연도의 산출세액은 세부담상한율의 범위안(아래 적용방식 참조)에 있을 것이다. 세부담상한율의 범위내에 있으면 결과적으로 당해연도 산출세액이 당해연도 최종 결정 세액이 된다. 그 결과 납세의무자가 변동되거나 과세대상이 주택에서 건축물로 변동되거나 일반과세에서 중과세 대상으로 전환하는 경우 등 과세요건의 변동이 발생하면 실질적인 세부담상한제의 효과는 미치지 않고 당해연도에 산출한 세액이 그대로 납부할 세액이 된다.

2. 토지분 재산세 세부담 상한제 적용방법

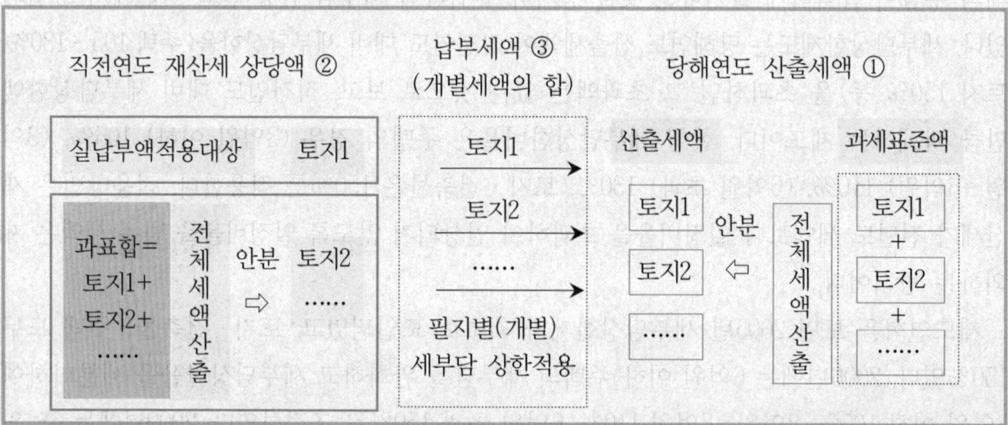

① 1단계 : 당해연도 산출세액 계산, 전체 소유토지를 합산하여 계산한 후 개별필지별 안분

② 2단계 : 직전연도 재산세 상당액 계산, 필지별 실납부세액 또는 산출상당액 대상인지 구분

1) 직전연도 당해 토지에 대한 실납부 세액이 있는 경우 그 세액

2) 실납부세액 적용 대상이 아닌 경우 "산출상당액"(직전연도 법령과 과세표준액 적용) 적용 실납수세액 적용대상까지 포함한 과표를 기준으로 세액산출 후 개별 토지별로 안분적용

③ 3단계 : 직전연도와 당해연도의 개별필지별 세부담상한제 적용 Min[①, ②×150%]

➡ 당해연도 재산세 : 세부담상한 적용 후 개별필지별 결정세액의 합

토지분 재산세는 종합합산, 별도합산, 분리과세 대상으로 과세체계가 독립적이므로 각각 구분하여 적용한다. 세부담상한제 적용대상은 합산대상 토지 내에서도 각각의 개별 토지로 봐야하는데 합산효과로 인해 직전연도 상당액을 산출하는 과정이 매우 복잡하다. 또한 당해연도에 신규토지가 합산대상으로 새로운 편입되거나 합산대상이던 토지가 제외되는 경우에는 합산누진세율체계상 세액이 변동될 수 있어 이를 고려하여야 한다.

당해 연도에 복수의 합산대상 토지를 소유하고 있는 경우를 가정해보자. ① 먼저 당해연도 토지분 재산세를 산출한다. 이때 복수의 필지의 합을 과세표준으로 하여 누진세율을 곱하여 전체세액을 산출한다. 그 다음 전체세액을 개별토지의 과표를 기준으로 안분하여 개별 토지별 산출세액을 도출한다. ② 직전연도 재산세 상당액을 계산한다. 이 때 '실납부세액' 적용대상토지(전년과 당해연도의 과세요건이 동일한 경우)와 '산출세액 상당액' 적용대상(당해연도 신규로 추가된 토지 등) 토지로 구분하여 각각 계산한다. '실납부세액'이 아닌 산출세액 상당액 토지의 경우 직전연도 기준의 과세표준과 세율을 적용하여 계산한 것을 개별토지의 과표로 안분하여 개별 토지별 산출상당액을 도출한다. 이때 '실납부세액' 대상토지도 포함하여 계산한다(합산효과 반영). ③ 전체 토지에 대해 개별 토지별로 당해연도 산출세액(①)과 직전연도 재산세 상당액(②)의 세부담상한율(150%)을 적용한 가액을 비교하여 개별토지별 세부담상한적용후의 세액을 결정한다. 이렇게 계산된 세액의 합이 납부할 세액이 된다.

산출세액 상당액 토지의 세부담상한액을 구하는 것이 매우 복잡하지만, 상한율이 150%로 높아 세부담상한제 적용효과가 사실상 없기 때문에 당해연도 산출세액이 그대로 납부할 세액이 될 수 있다. 종합합산 또는 별도합산 대상 토지의 경우 세부담상한제 적용과정이 매우 복잡하고 또한 다양한 사례가 있을 수 있어 위에서 설명한 계산방식은 참고로 이해하기 바란다.

3. 주택분 재산세 세부담상한제(일반)

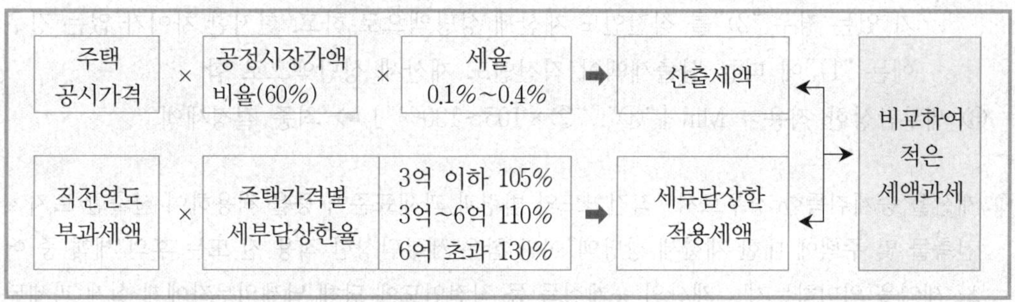

공시가격이 상승하여 재산세 산출세액이 급증하였으나, 직전연도 납부한 세액의 일정비율(세부담상한비율이라 함)을 초과하여 과세하지 아니함으로써 세부담 급증에서 오는 부담을 완화시키는데 제도적 의의가 있다. 한편 세부담상한제로 인해 공시가격과 달리 세부담에 차이가 나는 사례가 있을 수 있다. 예를 들어 직전연도 대비 주택 공시가격이 하락했는데도 재산세가 인상될 수 있는데, 이는 재산세는 「세부담상한제」에 따라 공시가격을 기준으로 계산된 산출세액이 직전연도에 납부한 세액에 "세부담상한비율"(3억원 이하 주택은 105%)을 적용한 세액보다 여전히 크다면, 세부담상한비율을 적용한 세액이 과세되기 때문이다. 아울러 공시가격이 같은데도 재산세액은 차이가 있을 수 있고, 공시가격이 더 비싼

경우라도 재산세가 적게 과세되는 경우가 있을 수도 있다.

4. 신축주택의 주택분 재산세 세부담상한제

신축주택은 당해연도에 처음으로 과세되기 때문에 직전연도 실납부세액이 없다. 그에 따라 산출상당액이 직전연도 재산세 상당액으로 볼 수 있는데 반드시 그렇지는 않다. 인근 유사주택과 비교하여 산출토록 하는 방법이 있는데, 이 경우 인근 유사주택의 직전연도 상당액이 해당주택의 직전연도 상당액이 될 수 있다.

① 현년도 재산세액 산출 : 현년도 신축주택 주택공시가격 × 공정시장가액비율 × 세율

② 직전연도 재산세액 상당액 산출(절차)

1) 당해주택의 직전연도 가격산정 및 세액산출 : 직전연도 주택가격이 없으므로 관내 주택의 공시가격 평균 상승률 등을 이용하여 역산하는 방식으로 공시가격을 구한 후 재산세 산출

2) 「"주택가격이 유사한 인근주택"의 직전연도 실납부세액」 확인 : 주택가격이 유사한 인근주택을 선정하여 직전연도 실납부세액을 확인함.

3) "1)"과 "2)"의 재산세액을 비교하여 직전연도 재산세 상당액 결정 : 현저한 차이가 있는 경우 "2)"를 직전연도 재산세 상당액으로 하고, 현저한 차이가 없는 경우에는 "1)"에 따른 산출세액이 직전연도 재산세 상당액으로 함

③ 세부담상한 적용 : Min ["①", "②×105~130%"] ➡ 최종 결정세액

◎ 재산을 승계취득한 경우로서 "직전연도의 법령과 과세표준액 등을 적용하여 산출한 토지·건축물 및 주택에 대한 재산세 상당액"이라 함은 세부담상한 적용 전 또는 후의 세액 중 어느 세액을 의미하는지 : 재산의 승계취득 등 직전연도에 당해 납세의무자에게 실제 과세된 재산세액이 없는 경우 직전연도의 법령과 과세표준액 등을 적용하여 산출한 재산세 상당세액이란 당해연도 직전의 1년으로 한정하여 그 당시의 세율, 과표적용률, 공시가격 등을 반영한 법정 산출세액(세부담 상한 적용 전)이 타당함(지방세운영과-3025, 2009.7.29.).

◎ 토지의 과세대상의 요건이 변동된 경우 직전연도 상당액 산출방법

「지방세법」 제195조의 2 세부담상한의 제정취지는 2004년 과표현실화 정책에 의해 재산세 과세대상의 요건(소유자, 토지현황 등)의 변동 없이 재산세액이 급증하는 것을 완화하기 위하여 도입된 제도이므로 토지의 과세대상의 요건(소유자, 토지현황 등)이 직전연도에 비해 변동된 경우에는 직전연도에 당해 토지가 있는 것으로 보아 직전연도의 법령과 과세표준액 등을 적용하여 산출한 재산세액을 기준으로 세부담 상한제도를 적용하는 것이 타당함(지방

세운영과-1184, 2009.3.23.).

◎ 실시계획승인을 받고 가지번이 부여된 경우 직전연도 상당세액은 산출한 재산세액상당액

재산세 과세기준일 현재 택지개발사업지구가 실시계획승인을 받고 기존주택 철거, 경작종료 등 택지개발사업에 공여되고 있어 기존 이용목적에 이용되지 않고 있고, 가지번이 부여되어 토지의 지번, 소재지, 면적 등의 변동이 있는 경우라면 사실상의 지목변경 등의 사유가 발생된 것으로 과세대상 토지별로 직전연도의 법령과 과세표준액(직전연도의 법령을 적용하여 산출한 과세표준액) 등을 적용하여 산출한 재산세액을 재산세액 상당액으로 하여야 할 것임(지방세운영과-649, 2009.2.10.).

◎ 분도로 개설을 위해 토지를 분할하였다 하더라도 산출한 재산세 상당액을 적용

도로를 개설하기 위하여 과세관청에서 토지를 분할하였다 하더라도 토지분 재산세는 매년 과세기준일) 현재의 과세요건을 기준으로 과세하게 되므로 당해 연도에 토지 분할로 인하여 필지가 늘어난 경우에는 세부담 상한은 구 지방세법 시행령 제142조 제2호의 규정에 의한 "당해 재산에 대하여 직전연도의 법령과 과세표준액 등을 적용하여 산출한 재산세액 상당액"이 적용됨에 따라 세부담이 증가될 수 있음(지방세정팀-820, 2008.2.26.).

◎ '11년까지 임야였으나 골프장 공사로 2012년은 잡종지로 보아 지목변경에 따른 직전연도 과세표준이 없는 토지로 보았다면 '13년은 직전연도의 과세표준이 있는 경우로 보아야 함

쟁점토지는 2013년 과세기준일 현재 공부상 지목은 임야이고, 개별공시지가는 공사 진척도에 따라 2012년 4,700원(40% 진행), 2013년 32,000원(98% 진행) … 2011년까지는 임야로 과세하던 것을 2012년부터는 사실상 잡종지로 보고, 제1호 나목의 지목변경에 따른 직전연도 과세표준이 없는 경우로 보아 세액상당액을 적용하였음. 시행령 제118조 제1호 나목 규정의 직전연도 과세표준이 없는 경우라 함은 토지의 분할 · 합병 · 지목변경 · 신규등록 · 등록전환 또는 이에 준하는 사유로 인해 직전연도와 다른 토지현황의 변동이 있어야 하는 바, 쟁점 토지는 직전연도(2012년)와 동일한 잡종지로서 토지조성 공사의 진척도가 높아져 경제적 가치도 높아졌지만, 이는 이미 사실상 지목이 변경된 토지 현황에 그 정도를 더한 것에 불과한 것임. 즉 쟁점토지는 제1호 가목에 따른 직전연도의 과세표준이 있는 경우에 해당함(지방세운영과-204, 2015.1.21.).

◎ 지방회원제 골프장 세율환원(4%→2%)된 경우 직전연도 상당액은 실납부세액(2%)이 아니라 사실상 감면에서 과세로 전환된 것으로 보아 세부담상한을 적용

시행령 제142조 제3호의 취지와 이 사건 괄호규정(세율규정)의 입법경위와 목적 · 내용 등에 비추어 볼 때, 그 실질에서 수도권 외 지역의 골프장에 한하여 예외적 · 한시적으로 조세부담을 경감하여 주는 규정으로서 시행령 제142조 제3호에서 말하는 '감면규정'에 해당한다고 봄

이 상당하고, 괄호규정이 단지 과세면제 및 경감에 관한 법 제5장이나 조세특례제한법 등에 규정되어 있지 아니하다는 점 또는 조문의 형식·체계만을 이유로 괄호규정이 시행령에서 말하는 '감면규정'에 해당하지 아니한다고 볼 수는 없음. 2009년도의 재산세액 상당액을 산출함에 있어서는 2010년도와 같은 과세표준액의 4%의 세율을 적용하여 그 재산세액 상당액을 산출하여야 함(대법원 2012두14064, 2012.10.25.).

◎ **재개발 등 멸실주택 부속토지의 세부담 상한 개선**(지방세운영과-2241, 2010.5.28.)

5. 도시정비법상 재개발재건축 사업구역내 토지의 세부담상한제 적용

도시 및 주거환경정비법에 따른 주택재건축 또는 주택재개발사업이 진행되는 사업구역의 경우 주택이 멸실되어 소유 토지에 대해 토지분 재산세가 과세된다. 해당 토지의 경우 지상 건축물이 없거나 공사중인 경우라 하더라도 종합합산 또는 별도합산 대상 토지로 과세하는 것이 아니라 세부담이 낮은 분리과세 대상 토지로 과세된다(영 제102조 ⑦ 7호). 분리과세 대상 토지로 과세됨에도 불구하고 과거 주택분 재산세로 과세되는 경우에 비해 세부담이 급증하게 된다. 왜냐하면 분리과세 세율이 0.2%인 반면 주택분은 최저 0.1% 세율부터 과세되고 공정시장가액비율(60% vs 70%)이 낮고, 개발사업으로 인해 토지 공시지가가 급격히 상승하여 과세표준이 높아졌기 때문이다.[103] 이러한 납세자 세부담을 고려하여 2010년 해당 토지에 대해 새로운 형태의 세부담상한제를 적용하였는데, 주택 멸실전 최종적으로 과세된 주택분 재산세를 기준으로 세부담상한제를 적용하는 방안이 도입되었다. 토지분 재산세를 과세하면서 토지분 재산세가 아닌 주택분 재산세를 기준으로 세부담상한제를 적용하는 것이 특징이다. 2011년 이를 보완하여 주택이 멸실되면 착공에 이르지 않더라도 적용대상으로 확대하였고(3년을 초과하여 건축에 이르지 않으면 적용 배제), 세부담 상한율을 인하하여 세부담을 추가로 완화하였다.

103) 주택멸실후 토지분 재산세로 과세될 경우, 당해연도 최초로 토지분 재산세로 과세되기 때문에 직전연도 실납부세액(주택분 재산세)을 기준으로 세부담상한이 적용되지 않고 과세표준과 세액이 없는 것으로 보아 당해연도와 동일한 기준의 토지가 존재하는 것으로 보아 산정한다. 이 경우 사실상 당해연도 산출세액이 그대로 과세된다.

| 참고_연차별 직전연도 상당액 및 세부담 상한 비교 |

주택멸실연차	1년차	2년차	3년차	4년차
n	0	1	2	3
① 상당액 산출지수	1	$(1.3)^1$	$(1.3)^2$	$(1.3)^3$
② 직전연도 상당액 (주택세액×①)	주택세액× 1	주택세액× $(1.3)^1$	주택세액× $(1.3)^2$	주택세액× $(1.3)^3$
③ 주택기준 세부담상한율 (①×150%)	150%	195%	253.5%	329.55%
세부담상한액	②×150% 또는 주택세액×③			

〈계산사례〉

- 20×1년 주택 멸실 전 최종 주택분 재산세로 과세(10만원)
- 20×2년 초 주택멸실, 이후 주택 건축 중
- 토지분 재산세 산출세액(공시지가×공정비율×분리과세세율)
  20×2년 20만원, 20×3년 25만원

1) 20X2년(멸실후 1년차) 납부할 재산세액

직전연도 재산세 상당액 = 멸실 전 주택에 실제 과세한 재산세액 × $\left(\frac{130}{100}\right)^n$

= 10만 × (1.3)0 = 10만원

※ n = 20×2(과세연도) - 20×1(멸실 전 주택 과세연도) - 1 = 0

납부할 세액

15만원 ⇐ Min(① 산출세액, ② 세부담상한 적용세액)

① 산출세액 = 공시가격 × 공정시장가액비율 × 세율 = 20만원

② 세부담상한 적용세액(재산세 세부담 상한액)

= 10만원(직전연도 상당액) × 150%(세부담상한율) = 15만원

2) 20X3년(멸실후 2년차) 납부할 재산세액

직전연도 재산세 상당액 = 멸실 전 주택에 실제 과세한 재산세액 × $(\frac{130}{100})^n$

= 10만 × $(1.3)^1$ = 13만원

※ n = 20×3(과세연도) - 20×1(멸실 전 주택 과세연도) - 1 = 1

납부할 세액

19.5만원 ⇐ Min(① 산출세액, ② 세부담상한 적용세액)

① 산출세액 = 공시가격 × 공정시장가액비율 × 세율 = 25만원

② 세부담상한 적용세액(재산세 세부담 상한액)

= 13만원(직전연도 상당액) × 150%(세부담상한율) = 19.5만원

6. 과세전환 또는 감면전환시 세부담 상한 적용

주택의 직전연도 재산세 상당액 산출 방법(직전연도 과세, 당해연도 감면 전환)은 비과세·감면규정이 적용되지 아니하거나 적용된 경우에는 직전연도에도 해당 규정이 적용되지 아니하거나 적용된 것으로 보아 재산세액 상당액을 산출한다(영 제142조 3호). 직전연도 과세, 당해연도 감면 전환된 경우 다음과 같이 적용한다(지방세운영과-2241, 2010.5.28.).

당해연도 감면(50%) 대상인 경우 직전연도에도 감면(50%)규정이 적용된 경우로 보아 직전연도 재산세 상당액을 산출하는데 ① 해당 납세자에 대한 실제 과세된 세액이 있는 경우에는 직전연도 산출상당액에 대한 감면세율(50%) 적용이 아니라 실제 과세된 세액에 감면율(50%)을 적용한 세액이 된다. 이때 직전연도에 세부담상한이 적용되어 산출세액보다 과소부과시, 실제납부세액에 감면율을 적용하는 것과 산출세액에 감면율을 적용하는 것에 따라 세액차이가 발생한다. ② 직전연도 실제 과세된 세액이 없는 경우에는 “직전연도 법령과 과세표준에 따른 산출상당액”에 감면세율(50%)을 적용한 상당액이 된다. “직전연도 법령과 과세표준에 따른 산출상당액에 감면세율을 적용한 상당액”이 인근 유사주택의 감면적용된 재산세액과 현저한 차이가 있는 때에는 그 재산세액을 고려하여 산출한 재산세액 상당액이 된다.

◎ **감면 ⇄ 과세 전환시 직전연도 재산세액 상당액 산출 방법**(지방세운영과-1902, 2014.6.2.)

직전연도 공시된 주택가격이 있고, 주택의 현황이 직전연도와 동일한 경우로서, 직전연도 50% 감면에서 당해연도 과세로 전환되는 경우(예 : 임대아파트 → 민간으로 분양전환 등) ⇨ 직전연도 주택가격과 세율 등을 적용하여 직전연도 재산세액 상당액을 산출하되, 직전연도에도 감면규정이 적용되지 아니한 것으로 보아 재산세액 상당액 산출

(1) 해당 납세자에 대한 실제 과세된 세액이 없는 경우 : 직전연도 법령과 과세표준에 따라 산출한 재산세액이 감면 적용되지 아니한 것으로 보아 산출한 세액

(2) 해당 납세자에 대한 실제 과세된 세액이 있는 경우 : 해당 납세자에 대한 직전연도 실제 과세된 세액이 감면 적용되지 아니한 것으로 보아 산출한 세액

○ 해당연도 주택가격 : 82,000,000원 → 산출세액(본세) : 49,200원(100% 과세)
○ 직전연도 주택가격 : 65,000,000원
→ 직전연도 법령과 과세표준에 따라 산출한 세액 : 19,500원(50% 감면)
※ 직전연도 실제 부과된 세액(50% 감면) : 12,899원

(1) 해당 납세자에 대한 실제 과세된 세액이 없는 경우
- 직전연도 세액 상당액(39,000원) = 직전연도 법령과 과세표준에 따라 산출한 세액(19,500원)이 감면 적용되지 아니한 것으로 보아 산출
- 해당연도 재산세액(40,950원) = 해당연도 산출세액(49,200원)과 직전연도 세액 상당액에 105%를 적용한 금액(40,950원) 중 낮은 금액

(2) 해당 납세자에 대한 실제 과세된 세액이 있는 경우
- 직전연도 세액 상당액(25,798원) = 직전연도 실제 과세된 세액(12,899원)이 감면 적용되지 아니한 것으로 보아 산출
- 해당연도 재산세액(27,088원) = 해당연도 산출세액(49,200원)과 직전연도 세액 상당액에 105%를 적용한 금액(27,088원) 중 낮은 금액

※ 다만, (2)에 따라 산출한 세액이 유사한 인근 주택에 대하여 직전연도에 실제 과세(일반과세)된 세액과 현저한 차이가 있는 경우는 그 과세된 세액을 고려하여 산출한 세액(영 제118조 제2호 라목)

◎ **감면율이 변경된 경우 '직전연도 당해 재산에 대한 재산세액 상당액' 산출방법**

당해연도 재산세 감면율이 변경(2008년 75%→2009년 50%)되어 당해 필지 과세분의 과세표준액비율이 증가(25%→50%)하였더라도, 당해연도 토지면적에 대해서는 지방세법 시행령 제142조 제1호 가목 규정의 직전연도 과세표준액이 있는 토지로서 직전연도의 법령과 과세표준액 등을 적용하여 산출한 재산세액을 '직전연도 당해 재산에 대한 재산세액 상당액'으로 하여 당해연도 재산세를 부과해야 하므로 직전연도에 기 과세된 과세표준액분(25%)에

대하여는 동 규정 단서의 직전연도 실제 과세된 세액을 '직전연도의 당해 재산에 대한 재산세액 상당액'으로 하고, 감면이 축소되어 당해연도에 새로 과세전환되는 과세표준액분(25%)에 해당하는 토지지분에 대해서는 동규정 본문의 직전연도의 법령을 적용하여 산출한 재산세액을 '직전연도 당해 재산에 대한 재산세액 상당액'으로 봄이 타당함(지방세운영과-4848, 2009.11.16.).

시행령 제119조(재산세의 현황부과)

> 영 제119조(재산세의 현황부과) 재산세의 과세대상 물건이 공부상 등재 현황과 사실상의 현황이 다른 경우에는 사실상 현황에 따라 재산세를 부과한다.

◎ 주택과 연접한 농지를 주택의 정원으로 불법 전용 사용하는 경우, 현황부과 원칙상 "주택 부속토지"로 보아, 주택가격비준표를 사용하여 산정한 개별주택가격을 적용하여 과세

주택의 부속토지 판단은 공부상 면적에 따라 획일적으로 결정하지 않고, 토지의 이용실태가 해당 주택의 효용과 편익을 위해 사용되는 것으로 확인된다면 「지방세법 시행령」 제119조의 현황부과 원칙에 따라, 적법한 주택과 하나의 울타리 내에서 사용하는 경우에 해당 토지는 "주택의 부속토지"로 판단되며(지방세운영과-2944, 2011.6.22. 참고), 국토교통부장관이 제공한 주택가격비준표를 사용하여 산정한 개별주택가격을 적용하여 재산세를 과세함이 타당하다고 사료됨(지방세운영과-968, 2013.6.10.).

제 10 장

지방세법

자동차세

■ 자동차세 개요

[자동차 소유에 대한 자동차세]

1. “자동차”란 「자동차관리법」의 규정에 의하여 등록되거나 신고된 차량과 「건설기계관리법」에 따라 등록된 덤프트럭 및 콘크리트 믹서트럭을 말한다.
2. 납세의무자 : 지방자치단체 관할구역에 등록되어 있거나 신고되어 있는 자동차를 소유하는 자
3. 과세표준과 세율
   - 승용자동차 (年세액) : 영업용 1,000cc 이하 18원/cc~2,500cc 초과 24원/cc
     비영업용 1,000cc 이하 80원/cc~1,600cc 초과 200원/cc
   - 기타 승용자동차 (年세액) : 영업용 20,000원, 비영업용 100,000원
   - 승합자동차 (年세액) : 영업용 25,000~100,000원, 비영업용 65,000~115,000원
   - 화물자동차 (年세액) : 영업용 6,600~45,000원, 비영업용 28,500~157,500원
   - 특수자동차 (年세액) : 영업용 13,500~36,000원, 비영업용 58,500~157,500원
   - 3륜 이하 소형자동차 (年세액) : 영업용 3,300원, 비영업용 18,000원
4. 징수방법 및 납기
   - 年 세액을 2기로 나누어 납기가 있는 달의 1일 현재 자동차 소유자에게 부과 · 징수
   - 납기 : 제1기분 6.16.~6.30., 제2기분 12.16.~12.31.

     ※ 年 세액을 일시에 납부할 경우 잔여기간의 자동차세 10% 세액 공제

[자동차 주행에 대한 자동차세]

1. 납세의무자 : 과세물품(휘발유, 경유 및 이와 유사한 대체유류)에 대한 교통 · 에너지 · 환경세의 납세의무가 있는 자
2. 납세지 : 비영업용 승용자동차에 대한 ‘자동차 소유에 대한 자동차세’의 납세지
3. 과세표준 및 세율 : 교통 · 에너지 · 환경세액(이하 ‘교통세’)의 26%
4. 납부방법 : 납세의무자는 교통세의 납세지를 관할하는 지방자치단체의 장(특별징수의무자)에게 교통세 납부기한(과세물품을 제조장으로부터 반출한 다음 달 말일)까지 신고납부
5. 시 · 군별 배분방법
   - 특별징수의무자 : 자동차세를 징수한 달의 다음 달 10일까지 주된 특별징수의무자(울산시장)에게 송금
   - 주된 특별징수의무자의 납부 : 송금받은 달 25일까지 각 시 · 군에 납부

   ※ 납부기준 : 전년도 자가용승용차분 자동차세 징수액 비율로 안분하여 납부

제1절 자동차 소유에 대한 자동차세

제124조(자동차의 정의)

> **법** 제124조(자동차의 정의) 이 절에서 "자동차"란 「자동차관리법」에 따라 등록되거나 신고된 차량과 「건설기계관리법」에 따라 등록된 건설기계 중 차량과 유사한 것으로서 대통령령으로 정하는 것을 말한다.
>
> **영** 제120조(자동차로 보는 건설기계의 범위) 법 제124조에서 "대통령령으로 정하는 것"이란 「건설기계관리법」에 따라 등록된 덤프트럭 및 콘크리트믹서트럭을 말한다.

자동차란 「자동차관리법」에 따라 등록되거나 신고된 차량과 「건설기계관리법」에 따라 등록된 덤프트럭 및 콘크리트믹서트럭을 말한다.

자동차세는 2011년 지방세 통·폐합시 자동차와 관련된 지방세를 「자동차세」로 통합하되 자동차 「소유」에 관한 부분과 자동차 「주행」에 관한 부분으로 나누어 각각 「자동차세」의 하위 세원화하였다.

| 참고_자동차세 통·폐합 시 변경내용 |

2010년 이전		2011년 이후
○(제3장)제3절 자동차세 ○(제3장)제3절의 2 주행세	➡	제10장 자동차세 ○제1절 자동차 소유에 대한 자동차세 - 자동차의 정의, 과세표준, 세율, 납기, 징수방법 ○제2절 자동차 주행에 대한 자동차세 - 세율, 신고 및 납부

자동차세는 「자동차관리법」에 의해 등록 또는 신고된 차량 등을 과세대상으로 하며, 차종(승용, 승합, 화물 등)과 용도(영업용, 비영업용)에 따라 세율을 달리 적용하여 과세한다. 승용차가 승합·화물차보다, 비영업용이 영업용보다 세율이 높고, 비영업용 승용차는 2001년부터 시행된 중고차 감면제도에 따라 3년차부터 연 5%씩, 최고 50%까지 세액이 경감된다.

차종	과세기준	영업용	비영업용
승용	배기량 × cc당 세액	cc당 18원~24원	cc당 80원~200원
기타승용	(전기차 등)	20,000원	100,000원
승합	규모 등에 따라 차등	25,000원~100,000원	65,000원~115,000원
화물	적재정량에 따라 차등	6,600원~45,000원	28,500원~157,500원
특수	소형/대형	13,500원/36,000원	58,500원/157,500원
3륜 이하	(단일세율)	3,300원	18,000원

〈자동차관리법〉

제5조(등록) 자동차(이륜자동차는 제외한다. 이하 이 조부터 제47조까지의 규정에서 같다)는 자동차등록원부(이하 "등록원부"라 한다)에 등록한 후가 아니면 이를 운행할 수 없다. 다만, 제27조 제1항에 따른 임시운행허가를 받아 허가 기간 내에 운행하는 경우에는 그러하지 아니하다.

〈건설기계관리법〉

제3조(등록 등) ① 건설기계의 소유자는 대통령령으로 정하는 바에 따라 건설기계를 등록하여야 한다.

제125조(납세의무자)

법 제125조(납세의무자) ① 자동차 소유에 대한 자동차세(이하 이 절에서 "자동차세"라 한다)는 지방자치단체 관할구역에 등록되어 있거나 신고되어 있는 자동차를 소유하는 자에게 부과한다.
② 과세기준일 현재 상속이 개시된 자동차로서 사실상의 소유자 명의로 이전등록을 하지 아니한 경우에는 다음 각 호의 순위에 따라 자동차세를 납부할 의무를 진다.
1. 「민법」상 상속지분이 가장 높은 자

> 2. 연장자
> ③ 과세기준일 현재 공매되어 매수대금이 납부되었으나 매수인 명의로 소유권 이전등록을 하지 아니한 자동차에 대하여는 매수인이 자동차세를 납부할 의무를 진다.

자동차의 소유 여부는 자동차등록원부상의 등록 여부로 결정되는 것이므로 과세기준일에 그 등록원부상 소유자로 등재된 자가 납세의무자가 되며, 자동차의 소유자가 이를 도난당하거나 폐차업소에 입고함에 따라 그 운행이익을 향유하지 못하고 있다고 하더라도 자동차세의 납세의무가 있다. 다만, 도난당한 후 말소등록을 하거나 시장·군수·구청장이 사실조사를 통하여 폐차업소에 입고하여 사실상 회수하거나 사용할 수 없는 것으로 인정하는 경우에는 도난신고접수일 또는 폐차업소 입고일 이후의 자동차세를 부과하지 않는다(예규 지법 125-1).

◎ 상속 차량 자동차세 납세의무

배우자는 민법 제1000조 및 제1003조에 의거 상속개시일부터 공동상속인의 지위를 취득하였으나, 같은법 제1004조에서 규정한 상속인의 결격사유에도 해당되지 않음. 또한, 같은법 제1019조에 의한 단순승인이나 한정승인, 상속포기도 하지 않은 상태로서 배우자는 상속에 따른 권리와 의무를 함께 부여받았으므로 재혼하였다 하여 납세의무가 소멸되는 것은 아니므로 차량 소유자의 사망으로 상속이 개시되었으나 사실상 소유자 명의로 이전등록이 완료되지 아니한 경우에 해당된다 할 것이므로 상속지분이 가장 높은 자에게 자동차세를 부과하는 것은 타당하다고 사료됨(지방세운영과-717, 2012.3.7.).

◎ 자가용자동차 유상운송허가를 받은 경우 납세의무

지방세법 시행령 제146조의 3 제1항에서 "영업용"이라 함은 「여객자동차운수사업법」에 의하여 면허(등록을 포함한다)를 받은 차량으로 일반의 수요에 공하는 것으로 규정하고 있으므로 지자체에서 자치단체장으로부터 자가용자동차의 유상운송 허가를 받아 장애인 교통편의를 위해 규정요금의 50% 수준 가격으로 실제 영업용으로 운행하더라도 이는 비영업용자동차의 예외적인 운송 사항이므로, 사업용자동차가 아닌 비영업용자동차에 해당하는 자동차세 납세의무가 있다 할 것임(지방세운영과-943, 2010.3.9.).

◎ 명의도용에 따른 원인무효 판결시 기 부과된 자동차세는 취소할 수 있음

「지방세법」 제196조의 3 제1항에서 "시·군 안에서 자동차를 소유하는 자는 자동차세를 납부할 의무를 진다."라고 규정하고 있고, 자동차관리법 제6조에서 "자동차소유권의 득실변경은 등록을 하여야 그 효력이 생긴다."라고 규정하고 있음. 따라서, 자동차 소유여부는 자동차

등록원부상 등록여부로 결정되는 것이므로 과세기준일에 그 자동차등록원부상 소유자로 등재된 경우라면 자동차세 납세의무가 있는 것이나(지방세 해석 운용 매뉴얼 196의 3-1), 추후 법원 판결 등에 의해 자동차 소유권 등록이 명의도용에 의하여 원인무효라는 판결로 자동차 소유사실이 인정되지 않는 경우에는 기 부과된 자동차세를 취소할 수 있는 것으로 판단됨(지방세운영과-2650, 2009.7.2.).

◎ **명의도용에 의한 자동차등록의 경우 원인무효 판결이 없는 이상 자동차세 납세의무가 있음**

명의도용에 의한 자동차등록의 경우에도 자동차관리법령에 의한 등록원부에 등록된 소유자에게 자동차세납세의무가 있는 것이며 원인무효판결 등으로 등록사항이 무효로 되지 않는 한 자동차세 납세의무가 성립(세정과-1706, 2004.6.23.).

◎ **경락받은 자동차의 자동차세 납세의무는 경락인에게 있음**

지방세법 제196조의 3 제1항에 의하면 시·군안에서 자동차를 소유하는 자는 자동차세를 납부할 의무를 진다라고 규정하고, 같은법 제196조의 4 제5호 및 같은 법 시행령 제146조의 2 제2항 제6호에 의하면 공매 등 강제집행절차가 진행 중인 자동차로서 집행기관 인도일 이후부터 경락대금 납부일 전까지의 자동차에 대해서는 자동차세를 부과하지 아니한다라고 규정하고 있으므로, 경락인이 자동차를 경락하여 그 경락허가 결정이 확정되고 그 대금을 완납하였다면 소유권이전등록 여부에 관계없이 경락인이 자동차 소유권을 취득한다고 할 것이므로(민법 제187조 및 대법원 73다1128, 1974.7.26. 참조), 경락인이 자동차세 납세의무자라고 사료됨(세정-2912, 2004.9.7.).

◎ **렌트카로 위장한 승용차구입의 경우라도 등록원부상 소유자가 자동차세 납세의무자가 됨**

지방세법 제196조의 3 제1항에서 「시·군안에서 자동차를 소유하는 자는 자동차세를 납부할 의무를 진다」라고 규정하고 있고, 동법 제196조의 2에서 자동차세 과세대상이 되는 자동차라 함은 자동차관리법 규정에 의하여 신고 또는 등록된 차량으로 규정하고 있어 시·군내에서 자동차를 소유하고 있는 사실상의 소유자가 아닌 자동차등록원부상의 소유자가 자동차세 납세의무자가 되므로, 렌트카 차량이 개인 용도로 이용되고 있다 하더라도 등록원부상 렌트카회사 명의로 등록되어 있는 경우에는 관련 규정상 자동차등록원부상 소유자에게 자동차세가 과세됨(세정-5045, 2006.10.16.).

◎ **민간단체가 소유하는 산불진화용 소방차의 경우 자동차세가 비과세되지 않음**

지방세법 제196조의 4 제1호 내지 같은 법 시행령 제146조의 2 제1항 제3호에서 자동차세가 비과세되는 "소방·청소·오물제거의 용에 공하는 자동차"라 함은 국가 또는 지방자치단체가 화재의 진압 또는 예방·청소·오물제거의 용에 공하는 특수구조를 가지고 그 용도의 표식을 한 자동차로서 그 용도에 직접 사용하는 자동차를 말한다고 규정하고 있으므로, 국가 또는 지방자치단체가 아닌 귀 협회와 같은 민간단체가 보유하는 산불 진화용 차량은 화재의 진압 또는 예방에 공하는 특수구조를 가지고 화재 진압 등에 직접 사용하더라도 자동차세 비과세대상에 해당되지 아니함(세정-1432, 2006.4.10.).

◎ 2001.1.1. 이전 승합자동차로 등록한 7~10인승 차량의 승합차세율 소급적용 불가

자동차세는 매년 과세기준일(6.1., 12.1.) 현재 자동차를 소유하고 있는 자에게 납세의무가 그때마다 각각 새로이 성립하는 세금으로, 과세기준일 현재 당해 자동차의 구분기준에 따라 자동차세를 과세하는 것이므로 소급과세가 아니며 비록, 자동차관리법령에 의한 등록원부에는 계속 승합으로 등재되어 있다 하더라도 세금은 실질과세 및 공평과세 원칙에 따라 과세하는 것이 타당하며 만약, 자동차등록원부의 기재 사실만을 기준으로 과세한다면 동종의 7~10인승 자동차에 대하여 서로 다른 세금이 과세되어 극심한 과세 불공평 문제가 발생함(세정-1488, 2005.7.5.).

◎ 미말소 차량에 대한 자동차세 납세의무 판단은 과세권자의 몫

자동차등록원부에 등록되어 있는 9년 전 엑셀 차량에 대하여 자동차세가 부과취소 또는 부과되지 않기 위해서는 엑셀차량이 파손 또는 폐차장에 입고되어 당해 자동차를 사용할 수 없었다는 것을 입증하여야 한다고 판단되고, 자동차세 부과취소 등에 대한 여부는 과세권자가 구체적인 사실관계를 종합적으로 고려하여 결정하여야 할 사안임(세정-780, 2005.5.19.).

◎ 자동차 결함으로 운행하지 아니하고 보관하는 경우라도 자동차세 납부의무 있음

이 사건 자동차는 운행중 제동시 엔진이 꺼지면서 제동 및 조향장치가 작동되지 아니한 치명적인 결함을 가진 차량으로 운행이 불가능한 상태에 있음을 이유로 차량의 구조적 결함에 따른 원인을 규명하고 피해보상을 받기 위한 증거보전차원에서 이 사건 자동차의 등록을 말소하지 않고 계속하여 자동차를 소유하고 있었다고 하더라도 처분청이 이 사건 자동차를 "교통사고 등으로 파손되어 사용할 수 없는 자동차"로 인정하지 않는 한 이 사건 자동차는 지방세법령에서 열거하고 있는 비과세대상자동차에 해당되지 아니한다고 할 것임(감심 2004-30, 2004.4.14.).

◎ 자동차 번호판이 영치된 차량에 대하여도 자동차세 납부의무가 있음

「지방세법」 제196조의 3 제1항에서 시·군 안에서 자동차를 소유하고 있는 자는 자동차세를 납부할 의무를 진다고 규정하고 있는 점에 비추어 볼 때 자동차세는 소유사실을 과세요건으로 하여 부과되는 재산세의 성질을 가진 조세이므로 자동차등록번호판이 영치되어 운행이익을 향유하지 못하고 있다고 하더라도 이러한 사정만으로는 자동차세의 납세의무를 면하지 못한다고 할 것(조심 2009지842, 2010.4.20.)

◎ 자동차의 소유자가 사실상 이를 운행하지 못하였다고 하더라도 그 등록원부상 말소등록절차를 거치지 않은 이상 그 소유권을 보유하고 있다고 보아야 할 것이므로, 자동차세 부과처분은 적법함(서울행법 2001구32089, 2001.10.19. : 대법확정).

◎ 명의신탁된 차량으로 실질적인 소유자가 아니라 하더라도 자동차등록원부상 소유자가 자동차세 등의 납세의무를 짐(대법원 2000두4385, 2001.5.8.).

◎ 자동차의 소유자가 이를 도난당하여 그 운행이익을 향유하지 못하고 있다고 하더라도 자동차등록원부상 말소등록 절차를 거치지 아니한 이상 자동차세의 납부의무를 면하지 못함(대법원 90누9704, 1991.6.25.).

제126조(비과세)

법 제126조(비과세) 다음 각 호의 어느 하나에 해당하는 자동차를 소유하는 자에 대하여는 자동차세를 부과하지 아니한다.

1. 국가 또는 지방자치단체가 국방·경호·경비·교통순찰 또는 소방을 위하여 제공하는 자동차
2. 국가 또는 지방자치단체가 환자수송·청소·오물제거 또는 도로공사를 위하여 제공하는 자동차
3. 그 밖에 주한외교기관이 사용하는 자동차 등 대통령령으로 정하는 자동차

영 제121조(비과세) ① 법 제126조 제1호 및 제2호에 따른 자동차는 다음 각 호의 어느 하나에 해당하는 것으로 한다.

1. 국방을 위하여 제공하는 자동차 : 「자동차관리법」 제70조 제6호에 따라 군용 특수자동차로 등록되어 그 용도에 직접 사용하는 자동차
2. 경호·경비·교통순찰을 위하여 제공하는 자동차 : 다음 각 목의 자동차를 말한다.
   가. 경호용 자동차 : 대통령, 외국원수, 그 밖의 요인의 신변 보호에 사용되는 자동차
   나. 경비용 자동차 : 경찰관서의 경비용 자동차
   다. 교통순찰용 자동차 : 교통의 안전과 순찰을 목적으로 특수표지를 하였거나 특수구조를 가진 자동차로서 교통순찰에 사용되는 자동차
3. 소방, 청소, 오물 제거를 위하여 제공하는 자동차 : 국가 또는 지방자치단체가 화재의 진압 또는 예방, 구조, 청소, 오물 제거를 위한 특수구조를 가지고 그 용도의 표지를 한 자동차로서 그 용도에 직접 사용하는 자동차
4. 환자 수송을 위하여 제공하는 자동차 : 환자를 수송하기 위한 특수구조와 그 표지를 가진 자동차로서 환자 수송 외의 용도에 사용하지 아니하는 자동차
5. 도로공사를 위하여 제공하는 자동차 : 도로의 보수 또는 신설과 이에 딸린 공사에 사용하기 위한 것으로서 화물운반용이 아닌 작업용 특수구조를 가진 자동차

② 법 제126조 제3호에서 "주한외교기관이 사용하는 자동차 등 대통령령으로 정하는 자동차"란

다음 각 호의 어느 하나에 해당하는 것을 말한다.

1. 정부가 우편·전파관리에만 사용할 목적으로 특수한 구조로 제작한 것으로서 그 용도의 표지를 한 자동차
2. 주한외교기관과 국제연합기관 및 주한외국원조기관(민간원조기관을 포함한다)이 사용하는 자동차
3. 「관세법」에 따라 세관장에게 수출신고를 하고 수출된 자동차
4. 천재지변·화재·교통사고 등으로 소멸·멸실 또는 파손되어 해당 자동차를 회수하거나 사용할 수 없는 것으로 시장·군수·구청장이 인정하는 자동차
5. 「자동차관리법」에 따른 자동차해체재활용업자에게 폐차되었음이 증명되는 자동차
6. 공매 등 강제집행절차가 진행 중인 자동차로서 집행기관 인도일 이후부터 경락대금 납부일 전까지의 자동차
8. 「자동차등록령」 제31조 제2항에 해당하는 자동차로서 같은 조 제6항 제7호에 해당하는 자동차

③ 제2항 제3호부터 제5호까지의 규정에 따라 비과세받으려는 자는 그 사유를 증명할 수 있는 서류를 갖추어 시장·군수·구청장에게 신청하여야 한다.

규칙 제65조(비과세 신청) 영 제121조 제3항에 따른 비과세 신청은 별지 제70호 서식에 따른다.

공공성, 공익성을 갖은 자동차에 대하여는 자동차세를 비과세한다.

국가 또는 지방자치단체가 국방·경호·경비·교통순찰·소방·환자수송·청소·오물제거 또는 도로공사에 제공하는 자동차, 주한외교기관이 사용하는 자동차 등에 대하여는 비과세한다.

| 최근 개정법령 _ 2019.1.1. 매매용 중고자동차의 자동차세 비과세 규정 정비(영 §121)

매매용 중고자동차에 대해서는 비과세뿐 아니라 지특법에서 감면도 규정하고 있었는데, 지특법 개정(감면 일몰 연장)과 병행하여 비과세 규정에서 삭제하였다.

〈자동차관리법〉

제70조(자동차관리의 특례) 다음 각 호의 자동차에 대한 등록(이륜자동차의 경우에는 사용신고를 말한다)·자동차자기인증·부품자기인증·점검·정비·검사·폐차·등록번호판(이륜자동차의 경우에는 이륜자동차번호판을 말한다) 및 봉인에 관하여는 이 법의 규정에도 불구하고 국토교통부령으로 정하는 바에 따른다.

6. 국가 안보 및 치안 유지를 위하여 특히 필요하다고 인정하여 국토교통부령으로 정하는 자동차

〈자동차등록령〉

제31조(말소등록 신청) ② 법 제13조 제1항 제7호 전단에서 "차령 등 대통령령으로 정하는 기준에 따라 환가가치가 남아 있지 아니하다고 인정되는 경우"란 다음 각 호의 어느 하나에 해당하는

경우를 말한다.
1. 차령 9년 이상인 승용자동차 2. 차령 8년 이상인 승합자동차, 화물자동차 및 특수자동차(경형 및 소형) 3. 차령 10년 이상인 승합자동차(중형 및 대형) 4. 차령 12년 이상인 화물자동차 및 특수자동차(중형 및 대형)
⑥ 법 제13조 제1항 제8호에서 "자동차를 교육·연구의 목적으로 사용하는 등 대통령령으로 정하는 사유에 해당하는 경우"란 다음 각 호의 어느 하나에 해당하는 경우를 말한다.
7. 시·도지사가 해당 자동차의 차령, 법령위반 사실, 보험가입 유무 등 모든 사정에 비추어 해당 자동차가 멸실된 것으로 인정할 경우

◎ 경찰관서의 경호·경비·작전시 물자 또는 경찰인력 수송 자동차는 비과세(경비용 자동차) 해당, 교통사고 조사 자동차는 비과세(교통순찰용 자동차) 미해당

대규모 집회 시위 등 현장의 안전관리를 위한 경비업무에 이용되는 물자 또는 경찰인력 수송을 주된 용도로 사용하는 자동차에 해당하는 경우라면 자동차세가 비과세된다고 할 것이나 이에 해당하는지는 과세권자가 해당 경찰서로부터 제출받은 공문, 운행일지 등의 사실관계를 면밀히 검토하여 판단할 사항이며, 교통사고 조사 자동차는 교통사고 발생시 사고 현장에 국한되는 것으로 자동차세 비과세대상인 교통순찰용 자동차에 해당하지 않는다고 할 것임(지방세운영과-681, 2017.10.17.).

◎ 차량의 중대한 구조적 결함을 원인으로 자동차 정비소에 장기간 정차되어 있던 차량을 폐차할 경우에는 자동차세 비과세 대상이 아님

자동차세 비과세와 관련하여 「지방세법」 제126조 제3호 및 「같은법 시행령」 제121조 제2항 제4호의 규정을 종합하여 보면, 천재지변·화재·교통사고 등으로 소멸·멸실 또는 파손되어 해당 자동차를 회수하거나 사용할 수 없는 것으로 시장·군수(과세권자)가 인정하는 경우에는 그 자동차의 소유자에 대하여는 사실상 소멸·멸실 또는 파손된 날부터 소급하여 자동차세를 부과하지 않도록(비과세) 하고 있음. 질의대상 자동차와 관련해서는, 차량의 구조적 결함을 이유로 자동차정비사업소에 보관중이라는 사실만으로는 위 비과세의 경우에 해당된다고 보기 어려운 것으로 판단됨(지방세운영과-1432, 2013.7.8.).

◎ 매도사실 증빙이 불명확하므로 등록원부상 소유자가 납세의무자가 됨

청구인은 1980.9. 이 건 자동차를 매도하였고, 그동안 납세고지서를 송달받은 사실이 없는데, 지금에 와서 5년분의 자동차세 등을 부과고지한 처분은 부당하다고 주장하지만, 자동차등록원부상 1979.12.27.부터 계속청구인이 이 건 자동차의 소유주로 등재되어 있을 뿐 다른 사람 명의로 이전등록이 된 사실이 없고, 또한 이 건 자동차를 타인에게 양도하였음을 알 수 있는 계약서등 증빙서류를 제시하지 아니한 채 청구인의 처 외 1인이 작성한 인우보증서만 제출

하고 있는 점을 보면, 청구인이 이 건 자동차의 소유자가 아니라는 주장은 받아들이기 어려운 것이라 하겠다. 또한, 지방세는 부과할 수 있는 날부터 5년간 부과할 수 있음(심사 99-475, 1999.7.28.).

◎ 우체국 직영 택배 차량은 자동차세 비과세 제외 대상에 해당함

우편법상 우편역무는 지식경제부장관이 제공하는 기본우편역무(통상우편물, 소포우편물) 및 부가우편역무를 말하며, 발송인의 요청에 따라 우편물을 방문 접수하는 "우체국 택배"도 부가우편역무에 해당하는 "우편"이므로, 우체국에서 직영하는 택배 차량은 우편역무를 수행하는 차량에 해당하여 자동차세를 비과세하여야 하나, 다만, 우체국 택배업무를 민간에 위탁하여 택배업무를 수행하는 민간 우체국 택배차량은 비과세대상에서 제외됨(지방세운영과-1765, 2009.5.4.).

◎ 횡령당한 차량으로서 차령이 10년이 경과되지 아니한 경우는 자동차세 비과세 불가

지방세법 시행령 제146조의 2 제2항 제4호에서 "천재지변, 화재, 교통사고 등으로 인하여 소멸, 멸실 또는 파손되어 당해 자동차를 회수하거나 사용할 수 없는 것으로 시장·군수가 인정하는 자동차"를 비과세하도록 규정하고 있고, 소멸, 멸실된 자동차로 인정여부에 대하여는 차령이 10년 이상 경과하고 최근 자동차세를 계속해서 4회 이상 체납된 자동차로서 자동차 검사를 최근 계속하여 2회 이상 미이행하고 책임보험 미가입기간이 최근 계속하여 2년 초과 차량 중 교통법규 위반사실이 있는지 등을 확인하여 판단(고질체납차량 자동차세 처리방안, 구 지방세정팀-39, 2006.1.3.)하는 것으로, 횡령당한 차량으로서 그 차령이 10년이 경과되지 아니한 경우라면 위 고질체납차량 자동차세 처리방안에 의한 비과세대상 자동차에는 해당되지 아니함(지방세운영과-707, 2009.2.13.).

◎ 자동차관리법에 의한 자동차 폐차업소에 입고된 차량이 파손·노후화 등으로 통상적으로 사용할 수 없는 것으로 확인되면 폐차입고일에 사실상 멸실된 것으로 보고 그날 이후 부과된 자동차세 부과처분을 취소해야 할 것임(세정-1030, 2007.4.5.).

◎ 교통사고로 파손되어 사용할 수 없는 자동차의 자동차세 비과세 관련

교통사고로 인하여 차량이 파손 후 보험금 지급을 위한 조사 등의 사정으로 즉시 폐차하지 아니하고 수개월 경과 후 폐차한 경우라도 사고일부터 폐차일까지 당해 차량의 파손으로 사용한 사실이 없음을 입증한다면 교통사고로 파손되어 사용할 수 없는 자동차로 볼 수 있으나 이에 해당 여부는 시장·군수가 판단할 사항이므로 당해 기간 동안 자동차세를 비과세 받고자 한다면 자동차공업사가 발행한 자동차 입고확인서 외에 관할 경찰서장이 발행한 교통사고 사실확인원, 해당 보험회사가 발행한 피해견적서 등을 갖추어 ○○시장에게 신청하여야 함(세정-2290, 2006.6.7.).

◎ 저속 전기자동차는 비영업용 기타자동차로 분류하여 자동차세 과세

전기자동자 과세구분 관련 승용자동차 중 전기·태양열 및 알콜을 이용하는 차량 자동차세 과세대상 관련, 「지방세법 시행령」상 경형승용자동차 구분은 배기량 1000cc 미만을 기본요건으로 하기 때문에 전기자동차의 경우 배기량이 없으므로 배기량이 0cc의 경우로 볼 수 있을 것이고, 자동차의 차대번호 및 원동기형식의 세부적인 운영규정인 「자동차차대번호 등의 운영에 관한 규정(국토해양부 고시 제2009-1328호, 2009.12.31.)」 제5조 제1항 제2호에서 전동기 정격출력이 7KW를 배기량으로 환산할 경우 배기량이 약 360cc로 볼 수 있을 것이므로 해당 자동차는 경차 감면대상으로 볼 수 있을 것으로 사료되며, 지방세법 제196조의 5 제1항 제2호에서 같은 법 시행령 제146조의 4 제1항 제3호에서 제1호의 승용자동차 중 전기·태양열 및 알콜을 이용하는 자동차는 기타자동차로 분류한다고 규정하고 있으므로 해당 저속전기자동차는 비영업용 기타자동차로 분류하여 자동차세를 과세함이 타당할 것임(지방세운영과-1424, 2010.4.7.).

◎ 국가 또는 지방자치단체가 아닌 귀 협회와 같은 민간단체가 보유하는 산불진화용 차량은 화재의 진압 또는 예방에 공하는 특수구조를 가지고 화재진압 등에 직접 사용하더라도 자동차세 비과세대상에 해당되지 아니함(지방세정팀-1432, 2006.4.7.).

◎ 자동차경매장에 출품된 경매자동차의 경우 매매용으로 이전등록한 때부터 자동차세 비과세대상에 해당

지방세법 시행령 제146조의 2 제2항 제7호에서 자동차관리법에 의한 자동차매매업자가 매매용으로 사용하기 위하여 사업자명의로 등록한 자동차는 비과세하되, 다만 "자동차관리법 제59조 제2항 제1호의 규정에 의하여 제시된 기간에 한한다"라고 규정하고 있으나, 자동차관리법 제59조 제2항에서는 "매매용자동차가 사업장에 제시된 때" 신고하되 다만, 경매장에 출품된 경우에는 신고를 하지 않도록 규정하고 있으므로 경매장에 출품된 자동차는 매매용으로 이전등록한 때부터 사실상 제시된 것으로 보는 것이 타당하므로 이때부터 비과세대상 자동차에 해당함(세정 13407-178, 2001.2.5.).

◎ 자동차폐차증명서가 있으면 자동차세 과세 제외됨

지방세법 제196조의 4 및 같은 법 시행령 제146조의 2 제2항 제5호에 의하면 「자동차관리법」에 의한 자동차폐차업소에서 폐차되었음이 증명되는 자동차에 대하여는 자동차세를 부과하지 아니한다라고 규정하고 있으므로 「자동차관리법」에 의한 자동차폐차업소에서 재발급받은 자동차폐차증명서가 있다면 폐차일부터 지금까지 과세된 자동차세에 대해서는 부과취소할 수 있음(세정-1270, 2005.6.21.).

◎ **제시된 사실을 자동차매매사업조합에 신고하지 않은 경우도 매매용자동차는 비과세 해당**

자동차매매조합 제시 사실이 없을 경우 자동차세 비과세 여부 관련, 지방세법 시행령 제146조의 2 제2항 제7호에서 자동차관리법에 의하여 자동차관리사업(자동차매매업에 한한다)의 허가를 받은 자가 매매용에 사용하기 위하여 사업자명의로 등록한 자동차는 매매용으로 제시된 기간 동안 자동차세를 비과세하도록 규정하고 있으므로, 자동차매매업자의 명의로 등록된 매매용자동차는 자동차매매업자가 당해 사업장에 제시된 사실을 자동차매매사업조합에 신고하지 않았다고 하더라도 자동차세가 비과세되는 것임(세정 13407-518, 2003.6.14.).

◎ **구조적 결함이 있어 미운행 차량 자동차세 비과세대상 제외**

이 사건 자동차를 운행하다가 제동장치가 작동되지 아니하여 사고를 내는 등 이 사건 자동차는 운행 중 제동시 엔진이 꺼지면서 제동 및 조향장치가 작동되지 아니한 치명적인 결함을 가진 차량으로 운행이 불가능한 상태에 있음을 이유로 차량의 구조적 결함에 따른 원인을 규명하고 피해보상을 받기 위한 증거 보전차원에서 이 사건 자동차의 등록을 말소하지 않고 계속하여 자동차를 소유하고 있었다고 하더라도 처분청이 이 사건 자동차를 '교통사고 등으로 파손되어 사용할 수 없는 자동차'로 인정하지 않는 한 이 사건 자동차는 지방세법령에서 열거하고 있는 비과세대상 자동차에 해당되지 아니한다고 할 것임(감심 2004-30, 2004.4.14.).

◎ **(예규 지법 126…121-1)(비과세전환시 세액계산)** 「지방세법 시행령」 제121조 제2항 제3호부터 제5호 규정의 비과세 해당 자동차의 세액계산은 다음 각 호의 날 이후 분을 일할 계산하여 산출한 세액을 당해 기분 자동차세에서 감액하여 과세한다. 1. 수출된 자동차는 선적일 2. 소멸·멸실 자동차는 그 소멸·멸실일 3. 폐차대상자동차는 폐차인수증명서를 발급받은 날

제127조(과세표준과 세율)

법 제127조(과세표준과 세율) ① 자동차세의 표준세율은 다음 각 호의 구분에 따른다.

1. 승용자동차

다음 표의 구분에 따라 배기량에 시시당 세액을 곱하여 산정한 세액을 자동차 1대당 연세액(年稅額)으로 한다.104)

영업용		비영업용	
배기량	시시당 세액	배기량	시시당 세액
1,000시시 이하	18원	1,000시시 이하	80원
1,600시시 이하	18원	1,600시시 이하	140원
2,000시시 이하	19원	1,600시시 초과	200원

영업용		비영업용	
배기량	시시당 세액	배기량	시시당 세액
2,500시시 이하	19원		
2,500시시 초과	24원		

2. 제1호에 따른 비영업용 승용자동차 중 대통령령으로 정하는 차령(이하 이 호에서 "차령"이라 한다)이 3년 이상인 자동차에 대하여는 제1호에도 불구하고 다음의 계산식에 따라 산출한 해당 자동차에 대한 제1기분(1월부터 6월까지) 및 제2기분(7월부터 12월까지) 자동차세액을 합산한 금액을 해당 연도의 그 자동차의 연세액으로 한다. 이 경우 차령이 12년을 초과하는 자동차에 대하여는 그 차령을 12년으로 본다.

   자동차 1대의 각 기분세액 = A/2 － (A/2 × 5/100)(n － 2)

   A : 제1호에 따른 연세액, n : 차령 (2 ≤ n ≤ 12)

3. 그 밖의 승용자동차

   다음의 세액을 자동차 1대당 연세액으로 한다.

영업용	비영업용
20,000원	100,000원

4. 승합자동차

   다음의 세액을 자동차 1대당 연세액으로 한다.

구 분	영업용	비영업용
고속버스	100,000원	－
대형전세버스	70,000원	－
소형전세버스	50,000원	－
대형일반버스	42,000원	115,000원
소형일반버스	25,000원	65,000원

5. 화물자동차

   다음의 세액을 자동차 1대당 연세액으로 한다. 다만, 적재정량 1만킬로그램 초과 자동차에 대하여는 적재정량 1만킬로그램 이하의 세액에 1만킬로그램을 초과할 때마다 영업용은 1만원, 비영업용은 3만원을 가산한 금액을 1대당 연세액으로 한다.

구 분	영업용	비영업용
1,000킬로그램 이하	6,600원	28,500원
2,000킬로그램 이하	9,600원	34,500원
3,000킬로그램 이하	13,500원	48,000원
4,000킬로그램 이하	18,000원	63,000원
5,000킬로그램 이하	22,500원	79,500원
8,000킬로그램 이하	36,000원	130,500원
1만킬로그램 이하	45,000원	157,500원

6. 특수자동차

다음의 세액을 자동차 1대당 연세액으로 한다.

구 분	영업용	비영업용
대형특수자동차 소형특수자동차	36,000원 13,500원	157,500원 58,500원

7. 3륜 이하 소형자동차

다음의 세액을 자동차 1대당 연세액으로 한다.

영업용	비영업용
3,300원	18,000원

② 제1항 각 호에 규정된 자동차의 영업용과 비영업용 및 종류의 구분 등에 관하여 필요한 사항은 대통령령으로 정한다.

③ 지방자치단체의 장은 제1항에도 불구하고 조례로 정하는 바에 따라 자동차세의 세율을 배기량 등을 고려하여 제1항의 표준세율의 100분의 50까지 초과하여 정할 수 있다.

영 제122조(영업용과 비영업용의 구분 및 차령 계산) ① 법 제127조에서 "영업용"이란 「여객자동차 운수사업법」 또는 「화물자동차 운수사업법」에 따라 면허(등록을 포함한다)를 받거나 「건설기계관리법」에 따라 건설기계대여업의 등록을 하고 일반의 수요에 제공하는 것을 말하고, "비영업용"이란 개인 또는 법인이 영업용 외의 용도에 제공하거나 국가 또는 지방공공단체가 공용으로 제공하는 것을 말한다.

② 법 제127조 제1항 제2호에서 "대통령령으로 정하는 차령"이란 「자동차관리법 시행령」 제3조에 따른 자동차의 차령기산일(이하 이 항에서 "기산일"이라 한다)에 따라 다음 각 호의 계산식으로 산정한 자동차의 사용연수를 말한다.

1. 기산일이 1월 1일부터 6월 30일까지의 기간 중에 있는 자동차의 차령 = 과세연도 - 기산일이 속하는 연도 + 1
2. 기산일이 7월 1일부터 12월 31일까지의 기간 중에 있는 자동차의 차령
   가. 제1기분 차령 = 과세연도 - 기산일이 속하는 연도
   나. 제2기분 차령 = 과세연도 - 기산일이 속하는 연도 + 1

제123조(자동차의 종류) 법 제127조 제2항에 따른 자동차 종류의 구분은 다음 각 호와 같다. <개정 2013.1.1.>

1. 승용자동차 : 「자동차관리법」 제3조에 따른 승용자동차
2. 그 밖의 승용자동차 : 제1호의 승용자동차 중 전기·태양열 및 알코올을 이용하는 자동차
3. 승합자동차
   가. 고속버스 : 「여객자동차 운수사업법 시행령」 제3조에 따른 시외버스운송사업용 고속운행버스
   나. 대형전세버스 : 「여객자동차 운수사업법 시행령」 제3조에 따른 전세버스운송사업용 버스로서 「자동차관리법」 제3조에 따른 대형승합자동차
   다. 소형전세버스 : 「여객자동차 운수사업법 시행령」 제3조에 따른 전세버스운송사업용 버스로서 나목의 대형전세버스 외의 버스
   라. 대형일반버스 : 「여객자동차 운수사업법 시행령」 제3조에 따른 시내버스운송사업용 버스,

농어촌버스운송사업용 버스, 마을버스운송사업용 버스 및 시외버스운송사업용 버스(가목의 고속버스는 제외한다)와 비영업용 버스로서 「자동차관리법」 제3조에 따른 대형승합자동차

마. 소형일반버스 : 「여객자동차 운수사업법 시행령」 제3조에 따른 시내버스운송사업용 버스, 농어촌버스운송사업용 버스, 마을버스운송사업용 버스 및 시외버스운송사업용 버스(가목의 고속버스는 제외한다)와 비영업용 버스로서 라목의 대형일반버스 외의 버스

4. 화물자동차 : 「자동차관리법」 제3조에 따른 화물자동차(최대적재량이 8톤을 초과하는 피견인차는 제외한다)와 「건설기계관리법」에 따라 등록된 덤프트럭 및 콘크리트믹서트럭. 이 경우 콘크리트믹서트럭은 최대적재량이 1만킬로그램을 초과하는 화물자동차로 본다.

5. 특수자동차

가. 대형특수자동차란 다음의 자동차를 말한다.

1) 최대 적재량이 8톤을 초과하는 피견인차 2) 「자동차관리법」 제3조에 따른 특수자동차 중 총중량이 10톤 이상이거나 최대적재량이 4톤을 초과하는 자동차 3) 「여객자동차 운수사업법 시행령」 제3조에 따른 특수여객자동차운송사업용 자동차 중 배기량이 4,000시시를 초과하는 자동차 4) 최대적재량이 4톤을 초과하거나 배기량이 4,000시시를 초과하는 자동차로서 제1호부터 제4호까지 및 제6호에 해당하지 아니하는 자동차

나. 소형특수자동차란 다음의 자동차를 말한다.

1) 「자동차관리법」 제3조에 따른 특수자동차와 「여객자동차 운수사업법 시행령」 제3조에 따른 특수여객자동차운송사업용 자동차 중 가목에 해당하지 아니하는 자동차

2) 최대적재량이 4톤 이하이고, 배기량이 4,000시시 이하인 자동차로서 제1호부터 제4호까지 및 제6호에 해당하지 아니하는 자동차

6. 3륜 이하 소형자동차

가. 3륜 자동차 : 3륜의 자동차로서 사람 또는 화물을 운송하는 구조로 되어 있는 소형자동차

나. 이륜자동차 : 총 배기량 125시시를 초과하거나 최고정격출력 12킬로와트를 초과하는 이륜자동차로서 등록되거나 신고된 자동차

제124조(자동차의 종류 결정) 자동차의 종류를 결정할 때 해당 자동차가 제123조에 규정된 종류에 둘 이상 해당하는 경우에는 주된 종류에 따르고, 주된 종류를 구분하기 곤란한 것은 시장·군수·구청장이 결정하는 바에 따른다.

| 최근 개정법령 _ 2020.1.1. | 전기 이륜자동차 자동차세 과세대상 범위 명확화(영 §123 6호 나목)

배기량 125cc를 초과하는 이륜자동차는 자동차세 과세대상인데, 전기이륜차는 과세대상이 명확하지 않았다. 이에 대해 이륜자동차의 배기량 125cc에 상응하는 기준인 최고정격출력 12kw 초과하는 전기이륜차를 과세대상으로 명확히 하였다.

---

104) 현행 비영업용 승용자동차의 과세표준과 세율은 「대한민국과 미합중국 간의 자유무역협정 및 대한민국과 미합중국 간의 자유무역협정에 관한 서한교환」의 합의에 따라 과세표준과 세율구간이 종전의 5단계에서 3단계로 축소되면서 조정된 세율이다(법 제127조 제1항 제1호 개정, 2012.3.15. 시행).

◎ 「자동차관리법」상 차량의 종류 변경없이, 내부 특수 설비로 인해 구조변경 승인을 통해 승차인원이 10인 이하로 변경되는 경우라면, 승합자동차 세율 적용

11인 이상인 비영업용 승합자동차에 대해, 구조변경을 통해 승차정원이 10인 이하가 된 경우 자동차세 적용세율에 대해서 살펴보면, 차량 종류별 자동차세 세율을 규정한 「지방세법」에서, 차량 종류의 구분은 「자동차관리법」에서 정한 구분에 따르도록 규정하고 있는 점, 「자동차관리법」 제3조 제2호에서 11인 이상을 운송하기에 적합하게 제작된 자동차가 승합자동차에 해당하나, 내부의 특수한 설비로 인하여 승차인원이 10인 이하로 된 경우에는 승차인원에 관계없이 승합자동차로 본다고 규정하고 있는 점 등을 종합해 볼 때, 승합자동차 세율을 적용하여야 할 것임(지방세운영과-120, 2017.1.11.).

◎ 특수자동차의 대 · 소형 판단시 "이에 상당하는 배기량"은 적용하지 않는 것이 타당

현행 「지방세법 시행령」 제123조 제5호에서는 특수자동차에 대한 대 · 소형 구분기준으로 "최대적재량 4톤 초과" 또는 "이에 상당하는 배기량"을 규정하고 있는 바, "이에 상당하는 배기량"을 특정할 수 있는 법적 근거가 없고, 최대적재량과 배기량 사이에 비례관계가 있는 것도 아니므로 특수자동차에 대한 대 · 소형 여부 판단시 "이에 상당하는 배기량"은 적용하지 않는 것이 타당하다고 판단됨(지방세운영과-3410, 2012.10.25.).

◎ 유상 운송허가된 자가용 자동차의 경우 비영업용에 해당됨

지방세법 시행령 제146조의 3 제1항에서 "영업용"이라 함은 「여객자동차운수사업법」에 의하여 면허(등록을 포함한다)를 받은 차량으로 일반의 수요에 공하는 것으로 규정하고 있으므로 지자체에서 자치단체장으로부터 자가용자동차의 유상운송 허가를 받아 장애인 교통편의를 위해 규정요금의 50% 수준 가격으로 실제 영업용으로 운행하더라도 이는 비영업용자동차의 예외적인 운송 사항이므로, 사업용자동차가 아닌 비영업용자동차에 해당하는 자동차세 납세의무가 있다 할 것임(지방세운영과-943, 2010.3.9.).

◎ 영업용으로 사용하지 못하더라도 등록원부상 등재내용에 따라 과세하는 것이 타당

영업용과 비영업용의 구분하는 기준이 관계법령의 규정에 의한 신고나 등록뿐만 아니라 실질상으로도 일반의 수요에 공하는 경우이어야 하는지 해석상의 여지는 있지만 일반적으로 자동차등록원부상의 대장과세방법을 취하고 있는 자동차세의 특성상 여객자동차운수사업법에 의하여 면허를 받고 일반의 수용에 공할 수 있도록 등록되어 있으면 족하다고 할 것이고 이를 개별적으로 실제 영업용에 사용하고 있는지 여부는 고려대상이 되지 않는다고 보는 것이 합리적이라 할 것으로서, 관계법령상 영업용으로 면허를 받았고, 차령이 초과된 자동차에 대해 말소등록을 아니하였더라도 이는 행정처분의 대상이 될 뿐 영업용과 비영업용을 구분하는 기준이 될 수는 없으므로 자동차등록원부상의 등재내용에 따라 영업용으로 자동차세를

과세하는 것이 타당함(조심 2008지555, 2009.5.22.).

◎ 자동차세의 과세표준은 자동차등록원부상의 기재에 의하여 결정되는 것이 아니라 위 법령들에 따라 분류된 자동차의 종류와 배기량에 따라 결정되는 것이므로(서울고법 2006누27665, 2007.6.13. : 대법확정), 1996.12.9. 이후에 등록된 7 내지 10인승 승합자동차는 승용자동차로 보아 과세표준이 적용됨(서울행법 2012구합25101, 2012.11.30. : 대법확정).

제128조(납기와 징수방법)

법 제128조(납기와 징수방법) ① 자동차세는 1대당 연세액을 2분의 1의 금액으로 분할한 세액(비영업용 승용자동차의 경우에는 제127조 제1항 제2호에 따라 산출한 각 기분세액)을 다음 각 기간 내에 그 납기가 있는 달의 1일 현재의 자동차 소유자로부터 자동차 소재지를 관할하는 지방자치단체에서 징수한다. 다만, 납세의무자가 연세액을 4분의 1의 금액(비영업용 승용자동차의 경우에는 각 기분세액의 2분의 1의 금액)으로 분할하여 납부하려고 신청하는 경우에는 제1기분 세액의 2분의 1은 3월 16일부터 3월 31일까지, 제2기분 세액의 2분의 1은 9월 16일부터 9월 30일까지 각각 분할하여 징수할 수 있다. 이 경우 지방자치단체에서 납기 중에 징수할 세액은 이미 분할하여 징수한 세액을 공제한 금액으로 한다.

기 분	기 간	납 기
제1기분	1월부터 6월까지	6월 16일부터 6월 30일까지
제2기분	7월부터 12월까지	12월 16일부터 12월 31일까지

② 지방자치단체의 장은 제1항에 따른 납기마다 늦어도 납기개시 5일 전에 그 기분의 납세고지서를 발급하여야 한다. 다만, 다음 각 호의 어느 하나에 해당하는 경우에는 제1항에도 불구하고 수시로 부과할 수 있다. 〈개정 2015.7.24.〉

1. 자동차를 신규등록 또는 말소등록하는 경우
2. 과세대상 자동차가 비과세 또는 감면대상이 되거나, 비과세 또는 감면대상 자동차가 과세대상이 되는 경우
3. 영업용 자동차가 비영업용이 되거나, 비영업용 자동차가 영업용이 되는 경우
4. 자동차를 승계취득함으로써 일할계산(日割計算)하여 부과·징수하는 경우
5. 제5항에 따라 신고납부하지 아니하는 경우

③ 납세의무자가 연세액을 한꺼번에 납부하려는 경우에는 제1항 및 제2항에도 불구하고 다음 각 호의 기간 중에 대통령령으로 정하는 바에 따라 연세액(한꺼번에 납부하는 납부기한 이후의 기간에 해당하는 세액을 말한다)의 100분의 10의 범위에서 다음의 계산식에 따라 산출한 금액을 공제한 금액을 연세액으로 신고납부할 수 있다. 〈개정 2019.12.31., 2021.1.1. 시행〉

연세액 신고납부기간	계 산 식
1월 16일부터 1월 31일까지	연세액 × 연세액 납부기한의 다음 날부터 12월 31일까지의 기간에 해당하는 일수/365(윤년의 경우에는 366) × 금융회사 등의 예금이자율 등을 고려하여 대통령령으로 정하는 이자율
3월 16일부터3월 31일까지	
6월 16일부터 6월 30일까지	
9월 16일부터 9월 30일까지	제2기분 세액 × 연세액 납부기한의 다음 날부터 12월 31일까지의 기간에 해당하는 일수/184 × 금융회사 등의 예금이자율 등을 고려하여 대통령령으로 정하는 이자율

1. 1월 중에 신고납부하는 경우 : 1월 16일부터 1월 31일까지
2. 제1기분 납기 중에 신고납부하는 경우 : 6월 16일부터 6월 30일까지
3. 제1항 단서에 따른 분할납부기간에 신고납부하는 경우 : 3월 16일부터 3월 31일까지 또는 9월 16일부터 9월 30일까지

④ 연세액이 10만원 이하인 자동차세는 제1항 및 제2항에도 불구하고 제1기분을 부과할 때 전액을 부과·징수할 수 있다. 이 경우 제2기분 세액의 100분의 10의 범위에서 다음의 계산식에 따라 산출한 금액을 공제한 금액을 연세액으로 한다. 〈개정 2019.12.31., 2021.1.1. 시행〉

계 산 식
연세액 × 연세액 납부기한의 다음 날부터 12월 31일까지의 기간에 해당하는 일수/365(윤년의 경우에는 366) × 금융회사 등의 예금이자율 등을 고려하여 대통령령으로 정하는 이자율

⑤ 자동차를 이전등록하거나 말소등록하는 경우 그 양도인 또는 말소등록인은 제1항 및 제2항에도 불구하고 해당 기분(期分)의 세액을 이전등록일 또는 말소등록일을 기준으로 대통령령으로 정하는 바에 따라 일할 계산하여 그 등록일에 신고납부할 수 있다.

영 제125조(자동차 소재지 및 신고·납부) ① 법 제128조 제1항 본문에 따른 자동차 소재지는 해당 자동차 또는 건설기계의 등록원부상 사용본거지로 한다. 다만, 등록원부상의 사용본거지가 분명하지 아니한 경우에는 그 소유자의 주소지를 자동차 소재지로 본다.

② 법 제128조 제3항에 따라 연세액을 한꺼번에 납부하려는 자는 납부서에 과세물건, 과세표준, 산출세액 및 납부액을 적어 시장·군수·구청장에게 같은 항 각 호에 따른 기간 중에 신고납부하여야 한다. 이 경우 법 제128조 제3항 제1호에 따라 1월 중에 연세액을 한꺼번에 신고납부한 자에 대해서는 그 다음 연도의 연세액 일시납부 신고가 없는 경우에도 시장·군수·구청장은 납부서를 송달할 수 있다.

③ 법 제128조 제3항에서 "한꺼번에 납부하는 납부기한 이후의 기간에 해당하는 세액"이란 1월 16일부터 1월 31일까지의 기간 중에 신고납부하는 경우에는 연세액을, 제1기분 납기 중에 신고납부하는 경우에는 제2기분에 해당하는 세액을, 분할납부기간에 신고납부하는 경우에는 그 분할납부기한 이후의 기간에 해당하는 세액을 말한다. 〈개정 2013.1.1.〉

④ 법 제128조 제3항 및 제4항에 따른 연세액을 신고납부하거나 부과징수하는 경우에는 제1항에 따른 자동차 소재지를 납세지로 하며, 연세액을 신고납부 또는 부과징수한 후에 자동차 소재지가

변경된 경우에도 그 변경된 자동차 소재지에서는 해당 연도의 자동차 소유에 대한 자동차세(이하 이 절에서 "자동차세"라 한다)를 부과하지 아니한다.

⑤ 법 제128조 제1항 단서에 따라 납세의무자가 연세액을 4분의 1의 금액으로 분할하여 납부하는 경우에는 제1기분의 분할납부분은 3월 16일, 제2기분의 분할납부분은 9월 16일 현재의 자동차 소재지를 관할하는 시·군·구에서 징수한다.

⑥ 법 제128조 제3항 및 제4항 본문 이외의 계산식에서 "대통령령으로 정하는 이자율"이란 과세연도별로 다음 각 호의 구분에 따른 율을 말한다.

1. 2021년 및 2022년 : 100분의 10
2. 2023년 : 100분의 7
3. 2024년 : 100분의 5
4. 2025년 이후: 100분의 3

자동차세는 부과징수의 방법에 의하여 징수한다. 다만, 연세액을 한꺼번에 납부하는 경우는 신고납부의 방법을 택하고 있다.

2020.1.1. 지방세법 개정으로 자동차세 연납 공제율을 축소하였다(법 제128조 ③·④). 자동차세를 연납 방식으로 일시에 납부하는 경우, 납부할 연세액의 10%를 공제하고 있는데, 최근 이러한 공제제도가 지나치게 높다는 지적이 있었다. 공제제도가 도입된 것은 자동차세 선납에 따른 이자환급 및 징수율 제고를 목적으로 당시 한국은행 기준금리(12.7%) 수준으로 연세액의 10%를 공제('94년 도입)했었다. 그런데 금리는 IMF 시기를 고점(26%, '97년)으로 점차 인하되었으나, 공제율은 변화된 저금리(1.75%, '18년) 상황을 반영하지 못한다는 것이다. 그에 따라 법률에서는 공제율의 범위만 규정하고, 구체적인 공제율은 시행령으로 위임하여 과세여건 변화, 경제상황 등에 신속하게 대응하도록 하였다. 일반적으로 감액, 경감 범위 등 기본사항은 법률로 규정하나, 공제율, 경감률 등은 시행령으로 위임하는 기존 사례(조세특례제한법상 연구인력 공제, 지방세특례제한법상 녹색인증 감면 등)를 참고하였다.

연납공제율의 시행령 위임에 따라 2021.1.1 시행령 개정으로 2022년까지 10%, 2023년 7%, 2024년 5%, 2025년 이후부터 3%로 축소하였다.

| 참고_자동차세의 납기 |

<table>
<tr><td rowspan="2">정기분</td><td>
<table>
<tr><th>구 분</th><th>기 간</th><th>납 기</th></tr>
<tr><td>제1기분</td><td>1월 ~ 6월</td><td>6.16~6.30</td></tr>
<tr><td>제2기분</td><td>7월 ~ 12월</td><td>12.16~12.31</td></tr>
</table>
</td></tr>
<tr><td>※ 연세액을 1/4금액으로 분할납부 신청한 경우
<table>
<tr><th>구 분</th><th>납 기</th></tr>
<tr><td>제1기분 세액의 1/2</td><td>3.16~3.31</td></tr>
<tr><td>제2기분 세액의 1/2</td><td>9.16~9.30</td></tr>
</table>
</td></tr>
<tr><td>수시부과</td><td>• 자동차를 신규등록 또는 말소등록하는 경우
• 과세대상 자동차가 비과세 또는 감면대상이 되거나, 비과세 또는 감면대상 자동차가 과세대상이 되는 경우
• 영업용 자동차가 비영업용이 되거나, 비영업용 자동차가 영업용이 되는 경우
• 자동차를 승계취득함으로써 일할계산(日割計算)하여 부과·징수하는 경우</td></tr>
<tr><td>연세액 일시납부</td><td>
<table>
<tr><th>구 분</th><th>납 기</th></tr>
<tr><td>1월중에 신고납부하는 경우</td><td>1.16~1.31</td></tr>
<tr><td>제1기분 납기 중에 신고납부하는 경우</td><td>6.16~6.30</td></tr>
<tr><td>제1기분 세액의 1/2납부시 신고납부하는 경우</td><td>3.16~3.31</td></tr>
<tr><td>제2기분 세액의 1/2납부시 신고납부하는 경우</td><td>9.16~9.30</td></tr>
</table>
</td></tr>
</table>

○ 등록번호판 영치

과세권자는 자동차세 연세액이 10만원 이하 자동차에 대하여 제1기분 부과시 전액 부과징수할 수 있고 이에 대한 자동차세를 납세의무자가 정해진 기한 내에 지방세를 납부하지 아니하여 독촉장을 송달하였음에도 독촉기한 내에 체납된 자동차세를 납부하지 아니한 경우 과세권자는 자동차 등록번호판을 영치할 수 있고 이에 대한 체납처분은 적법하다 할 것임(지방세운영과-87, 2009.1.7.).

제129조(승계취득 시의 납세의무)

> **법** 제129조(승계취득 시의 납세의무) 제128조 제1항에 따른 과세기간 중에 매매·증여 등으로 인하여 자동차를 승계취득한 자가 자동차 소유권 이전 등록을 하는 경우에는 같은 항에도 불구하고 그 소유기간에 따라 자동차세를 일할계산하여 양도인과 양수인에게 각각 부과·징수한다.

자동차를 승계취득 할 경우에는 그 소유기간에 따라 자동차세를 일할계산하여 양도인과 양수인에게 각각 부과·징수한다.

제130조(수시부과 시의 세액계산)

법 제130조(수시부과 시의 세액계산) ① 자동차를 신규등록하거나 말소등록한 경우에는 지방자치단체는 그 취득한 날 또는 사용을 폐지한 날이 속하는 기분의 자동차세액을 대통령령으로 정하는 바에 따라 일할계산한 금액을 각각 징수하여야 한다.

② 과세대상 자동차가 비과세 또는 감면대상으로 되거나, 비과세 또는 감면대상 자동차가 과세대상이 되는 경우 및 영업용 자동차가 비영업용이 되거나, 비영업용 자동차가 영업용이 되는 경우에는 해당 기분의 자동차세를 대통령령으로 정하는 바에 따라 일할계산한 금액을 징수하여야 한다.

③ 제129조에 따라 자동차세를 소유기간에 따라 일할계산하는 경우에는 소유권 이전 등록일을 기준으로 대통령령으로 정하는 바에 따라 일할계산한 금액을 징수하여야 한다. 다만, 양도인 또는 양수인이 행정안전부령으로 정하는 신청서에 소유권 변동사실을 증명할 수 있는 서류를 첨부하여 일할계산신청을 하는 경우에는 그 서류에 의하여 증명된 양도일을 기준으로 일할계산하며, 양도인 또는 피상속인이 연세액을 한꺼번에 납부한 경우에는 이를 양수인(양도인이 동의한 경우만 해당한다) 또는 상속인이 납부한 것으로 본다. 〈개정 2014.1.1.〉

④ 제1항부터 제3항까지의 규정에 따라 계산한 세액이 2천원 미만이면 자동차세를 징수하지 아니한다.

영 제126조(과세기간 중 소유권변동 등의 일할계산방법) 법 제128조 제5항 및 제130조 제1항부터 제3항까지의 규정에 따른 일할계산 금액은 해당 자동차의 연세액에 과세대상기간의 일수를 곱한 금액을 해당 연도의 총일수로 나누어 산출한 금액으로 한다. 다만, 제122조 제2항에 따른 사용연수가 3년 이상인 비영업용 승용자동차의 경우에는 법 제127조 제1항 제2호에 따라 계산한 소유권 이전등록일(법 제130조 제3항 단서의 경우에는 양도일을 말한다)이 속하는 해당 기분(期分)의 세액에 과세대상기간의 일수를 곱한 금액을 해당 기분의 총일수로 나누어 산출한 금액으로 한다. 〈개정 2013.1.1.〉

제127조(자동차의 용도 또는 종류변경 시의 세액) 자동차의 용도 또는 종류를 변경하였을 때에는 변경 전후의 해당 자동차의 종류에 따라 제126조에 준하여 산정한 금액의 합계액을 그 세액으로 한다.

자동차세는 매년 6.1. 또는 12.1. 등록 소재지 관할 지자체에서 과세된다. 연도중에 차량 소유자의 주소 변경으로 인해 차량 등록지가 변경되더라도 관할 지자체마다 일할계산하여 과세하는 것이 아니라 과세기준일 현재 등록지 관할 지자체에서 정기분으로 과세한다. 차량을 신규등록하거나 멸실하는 경우, 비과세 감면 대상 차량으로 전환되거나 비과세 감면에서 일반과세 대상으로 전환되는 경우, 차량의 용도가 변경(영업용↔비영업용)되는 경우, 차량의 매매가 이루어진 경우 등은 자동차세 수시부과 사유가 된다. 이러한 차량에 대해서는 해당 사유가 발생하면 신속히 과세자료를 확보하여 일할계산하여 부과해야 한다.

신규등록, 비과세·감면전환, 차종변경, 승계취득하는 경우 수시부과규정을 두고 있지만 납세지에 대해서는 별도의 규정을 두고 있지 않다. 이 경우 납세지 판단의 원칙적인 기준은 정기분 및 연납분 납세지 규정을 준용하여야 한다. 먼저 과세기준일 전에 수시부과 사유가 발생한 경우에는 과세기준일 현재 자동차 소재지 자치단체에서 정기분 과세하는 달에 수시분으로 부과해야 한다.

과세기준일 이후에 수시부과 사유가 발생한 경우 부과방식에 대한 행정지침(지방세운영과-1403, 2016.6.7.)에 따르면, 최초 수시부과 사유발생 당시 자동차 소재지 자치단체에서 사유발생일 다음 달에 해당 기분에 대한 수시분을 부과해야 한다. 그리고 자동차가 소멸되어 수시부과 사유가 발생한 경우에는 소멸(이전등록, 말소등록) 당시 자동차 소재지 자치단체에서 소멸일 다음 달에 수시분으로 부과하는 것을 원칙으로 하고 있다.

□ **수시부과 사유발생에 따른 사례별 과세방식**[105] **(A, B는 지방자치단체)**

○ 신규등록 : ① 4.1. A에 신규등록하고 6.10. B로 주소이전 ⇒ A에서 4.1.~6.30. 수시분 전체를 6월에 부과

② 4.1. A에 신규등록하고 5.30. B로 주소이전 ⇒ B에서 4.1.~6.30. 수시분 전체를 6월에 부과

③ 6.2. A에 신규등록하고 6.10. B로 주소이전 ⇒ A에서 6.2.~6.30. 수시분 전체를 7월에 부과

○ 비과세·감면전환 : ① 3.1. A에 비과세·감면에서 과세(기간 : 3.1.~6.30.)로 전환되고, 6.10. B로 주소이전 ⇒ A에서 3.1.~6.30. 수시분 전체를 6월에 부과

② 3.1. A에서 비과세·감면에서 과세(기간 : 3.1.~6.30.)로 전환되고, 5.30. B로 주소이전 ⇒ B에서 3.1.~6.30. 수시분 전체를 6월에 부과

③ 6.2. A에 비과세·감면에서 과세(기간 : 6.2.~6.30.)로 전환되고, 6.10. B로 주소이전 ⇒ A에서 6.2.~6.30. 수시분 전체를 7월에 부과

○ 차종변경 : ① 3.1. A에서 영업용에서 비영업용(기간 : 3.1.~6.30.)으로 변경되고, 6.10. B로 주소이전 ⇒ A에서 3.1.~6.30. 수시분 전체를 6월에 부과

② 3.1. A에서 영업용에서 비영업용(기간 : 3.1.~6.30.)으로 변경되고, 5.30. B로 주소

105) 행안부 운영지침(지방세운영과-1403, 2016.6.7.)을 정리하였음.

이전 ⇒ B에서 3.1.~6.30. 수시분 전체를 6월에 부과

③ 6.2. A에서 영업용에서 비영업용(기간 : 6.2.~6.30.)으로 변경되고, 6.10. B로 주소 이전 ⇒ A에서 6.2.~6.30. 수시분 전체를 7월에 부과

○ 승계취득 : ① 4.1. A에서 승계취득하고 6.10. B로 주소이전 ⇒ A에서 4.1.~6.30. 수시분 전체를 6월에 부과

② 4.1. A에서 승계취득하고 5.30. B로 주소이전 ⇒ B에서 4.1.~6.30. 수시분 전체를 6월에 부과

③ 6.2. A에서 승계취득하고 6.10. B로 주소이전 ⇒ A에서 6.2.~6.30. 수시분 전체를 7월에 부과

○ 이전 · 말소등록 : ① 3.1. A에서 B로 주소이전하고, 3.10. 말소등록 ⇒ B에서 1.1.~3.10. 수시분 전체를 4월에 부과

② 5.30. A에서 B로 주소이전하고, 5.30. 소유권이전등록 ⇒ B에서 1.1.~5.29. 수시분 전체를 6월에 부과

○ 수시부과 사유 발생 후 타 시도로 전출한 경우 : A의 甲소유자(양도인)가 B의 乙(양수인)에게 소유권이전(5.10.) ⇒ A에서 甲(양도인)에게 1.1.~5.9.분 6월에 수시부과, B에서 乙(양수인)에게 5.10~6.30.분 6월에 수시부과

○ 해당 기분내에 감면대상에서 과세전환 등 : 장애인차량 자동차세 감면적용 → 과세전환(3.15. 세대분리) → 감면 전환(5.10. 세대합가) ⇒ 1.1.~3.14.(감면적용 일할계산), 3.15.~5.9.(과세적용 일할계산), 5.10.~6.30.(감면적용 일할계산)

제131조(자동차등록증의 회수 등)

법 제131조(자동차등록증의 회수 등) ① 시장 · 군수 · 구청장은 자동차세의 납부의무를 이행하지 아니한 자가 있을 때에는 특별시장 · 광역시장 · 도지사에게 대통령령으로 정하는 바에 따라 그 자동차등록증을 발급하지 아니하거나 해당 자동차의 등록번호판의 영치(領置)를 요청하여야 한다. 다만, 특별자치시 · 특별자치도의 경우와 자동차등록업무가 시장 · 군수 · 구청장에게 위임되어 있는 경우에는 특별자치시장 · 특별자치도지사 · 시장 · 군수 또는 구청장은 그 자동차등록증을 발급하지 아니하거나 해당 자동차의 등록번호판을 영치할 수 있다.

② 특별자치시장 · 특별자치도지사 · 시장 · 군수 또는 구청장은 제1항에 따라 자동차등록번호판이 영치된 납세의무자가 해당 자동차를 직접적인 생계유지 목적으로 사용하고 있어 자동차등록번호판을 영치하게 되면 납세의무자의 생계유지가 곤란할 것으로 인정되는 경우 자동차등록번호

판을 내주고 영치를 일시 해제하거나 특별시장·광역시장 또는 도지사에게 이를 요청할 수 있다.

③ 제1항 및 제2항에 따른 시장·군수·구청장의 요청이 있을 때에는 특별시장·광역시장·도지사는 협조하여야 한다.

④ 자동차등록번호판의 영치방법 및 영치 일시 해제의 기간·요건 등에 관하여 필요한 사항은 대통령령으로 정한다.

영 제128조(자동차등록번호판의 영치 등) ① 특별시장·광역시장 또는 도지사는 법 제131조 제1항 본문에 따라 시장·군수·구청장(특별자치시장 및 특별자치도지사는 제외한다. 이하 이 항에서 같다)의 요청을 받았을 때에는 자동차등록증을 발급하지 아니하거나 자동차등록번호판을 영치하며, 그 결과를 시장·군수·구청장에게 통보하여야 한다.

② 시장·군수·구청장은 납세의무자가 독촉기간 내에 체납된 자동차세를 납부하지 아니하는 경우에는 그 자동차등록증을 발급하지 아니하거나, 자동차등록번호판을 영치하여야 한다.

③ 제2항에 따라 자동차등록증을 발급하지 아니하거나 자동차등록번호판을 영치하였을 때에는 납세의무자에게 그 사실을 통지하여야 한다.

④ 납세의무자가 체납된 자동차세를 납부한 경우에는 시장·군수·구청장은 영치한 자동차등록번호판을 즉시 내주거나 특별시장·광역시장 또는 도지사 영치한 자동차등록번호판을 즉시 내주도록 요청(특별자치시장 및 특별자치도지사는 제외한다)하여야 한다.

⑤ 제1항부터 제4항까지에서 규정한 사항 외에 자동차등록번호판의 영치에 필요한 사항은 행정안전부령으로 정한다.

제128조의 2(자동차등록번호판의 영치 일시 해제) ① 납세의무자는 법 제131조 제2항에 따른 자동차등록번호판의 영치 일시 해제를 신청하려는 경우 행정안전부령으로 정하는 신청서에 같은 항에 따른 일시 해제의 사유가 있음을 증명하는 자료를 첨부하여 시장·군수·구청장에게 제출해야 한다. 자동차등록번호판 영치 일시 해제 기간의 연장을 신청하려는 경우에도 또한 같다.

② 특별시장·광역시장·도지사 또는 시장·군수·구청장은 법 제131조 제2항에 따라 자동차등록번호판의 영치를 일시 해제하는 경우 그 기간을 6개월 이내로 해야 한다. 이 경우 그 기간이 만료될 때까지 법 제131조 제2항에 따른 일시 해제의 사유가 해소되지 않은 경우에는 1회에 한정하여 3개월의 범위에서 그 기간을 연장할 수 있다.

③ 특별시장·광역시장·도지사 또는 시장·군수·구청장은 제2항에 따라 자동차등록번호판의 영치를 일시 해제하거나 일시 해제 기간을 연장하는 경우 필요한 때에는 체납된 자동차세를 분할 납부할 것을 조건으로 붙일 수 있다. 이 경우 분할납부의 기간은 자동차등록번호판의 영치 일시 해제 기간 또는 일시 해제 기간을 연장한 기간으로 하고, 분할납부의 횟수는 납세의무자의 자동차 사용목적과 생계유지의 관련성 등을 고려하여 해당 특별시장·광역시장·도지사 또는 시장·군수·구청장이 정한다.

④ 특별시장·광역시장·도지사 또는 시장·군수·구청장은 다음 각 호의 어느 하나에 해당하는 경우에는 자동차등록번호판의 영치 일시 해제를 취소하고, 자동차등록번호판을 다시 영치할 수 있다.

1. 납세의무자가 다른 지방세를 체납하고 있는 경우
2. 강제집행, 경매의 개시, 파산선고 등 납세의무자로부터 체납된 자동차세를 징수할 수 없다고 인정되는 경우

3. 납세의무자가 제3항에 따른 분할납부 조건을 이행하지 않은 경우
4. 그 밖에 납세의무자에게 체납된 자동차세의 납부를 기대하기 어려운 사정이 발생한 경우

⑤ 특별시장·광역시장·도지사 또는 시장·군수·구청장이 제2항에 따라 자동차등록번호판의 영치 일시 해제 또는 일시 해제 기간의 연장을 하거나 제4항에 따라 자동차등록번호판을 다시 영치한 때에는 납세의무자에게 그 사실을 통지해야 한다.

규칙 제67조(자동차등록증 등의 영치증 교부) ① 시장·군수·구청장은 영 제128조 제1항 및 제2항에 따라 자동차등록증을 회수하고, 자동차등록번호판을 영치한 경우에는 자동차 소유주의 주소, 성명, 자동차의 종류, 등록번호 및 영치일시 등을 적은 별지 제73호 서식의 영치증을 교부하여야 하며, 그 영치사실을 문서로 자동차등록부서에 지체 없이 통보하여야 한다.

② 제1항에 따라 영치증을 교부하는 경우 해당 자동차 소유자의 소재가 불분명하거나 그 밖에 교부가 곤란하다고 인정되는 경우에는 해당 자동차에 영치증을 부착하는 것으로 제2항에 따른 통보를 갈음할 수 있다.

자동차세의 납부의무를 이행하지 아니할 경우 자동차등록증을 발급하지 아니하거나 발급한 자동차등록증을 회수하거나 해당 자동차의 등록번호판의 영치(領置)를 할 수 있다.

| 최근 개정법령 _ 2018.1.1. | 체납차량 자동차등록증 회수제도 폐지(법 §131)

자동차세 체납시 체납자의 자동차등록증을 회수하고, 자동차등록번호판을 영치할 수 있는데, 자동영치활동이 주로 운전자 부재시에 이루어지므로 등록증 b회수는 실효성이 없고, 「자동차관리법」상 등록증 비치의무 규정도 삭제('15.8.11.)되어 자동차등록증 회수제도를 폐지하였다.

| 최근 개정법령 _ 2019.1.1. | 생계유지 목적의 자동차등록번호판 영치 일시 해제 근거 마련(법 §131 ②~④)

자동차등록번호판의 영치로 인해 납세의무자의 생계유지가 곤란할 것으로 인정되는 경우, 영치를 일시 해제하거나 영치해제를 요청할 수 있도록 하였다. 2016년 12월에 개정된 「질서위반행위규제법」에 "자동차등록번호판이 영치된 자가 그 영치로 인해 생계유지가 곤란하다고 인정되는 경우 영치를 일시 해제"할 수 있도록 하는 규정이 신설된 점을 참고하여 본 제도를 도입하였다.('19.7.1. 시행)

◎ **영치증을 차량에 부착하였다면, 수령(인식)할 수 있는 지배권 내에 영치증을 교부한 것이고, 영치증을 수령하지 못했다면 사후 재교부함으로써 기존 통지행위의 하자는 치유됨**

번호판을 영치할 수 있는 요건은 독촉기간 내에 체납된 자동차세를 납부하지 아니한 경우이고, 자동차 등록번호판 영치 사실의 통지, 즉 영치증 교부행위는 등록번호판 영치 사실에 대한 단순한 통지로서 체납처분의 효력 발생요건이거나 사전 절차상의 요건도 아님. 따라서, 영치요건을 충족한 차량 등록번호판을 영치한 후에 영치사실의 즉각적 통지 수단으로 영치증과 징수촉탁 인수통지서를 차량에 부착하였다면, 납세자 등이 그 영치증을 수령(인식)할

수 있는 지배권 내에 영치증을 교부하였다고 보이며, 납세자 등이 여러 가지 사정 등으로 영치증을 수령하지 못했다면 사후에 영치증을 재교부함으로써 전 통지행위의 하자가 치유될 수 있음(지방세특례제도과-157, 2015.1.20.).

◎ 기말소된 경우는 자동차등록증 회수 및 자동차번호판 영치를 실행할 수 없음

자동차관리법 제13조 제1항에서 「말소등록대상차량」에 대하여는 자동차 소유자가 「자동차등록증 및 자동차번호판」 등을 반납하고 말소등록을 신청하도록 규정하고 있고, 동조 제3항에 의한 직권말소의 경우에도 동조 제5항에 의하여 지체없이 자동차등록증과 자동차번호판을 반납하도록 규정하고 있는 바, 신청에 의하거나 직권에 의한 말소등록의 경우에는 자동차등록증과 자동차번호판을 반납한 후에 비로소 말소등록이 할 수 있도록 규정하고 있어, 기말소된 차량은 자동차소유자가 자동차등록증이나 자동차번호판이 이미 반납된 것이므로, 이미 말소된 차량에 대하여는 실질적으로 지방세법 제196조의 12의 규정에 의한 자동차등록증의 회수나 자동차번호판 영치 등을 실행할 수 없는 것임(지방세운영과-2650, 2010.6.24.).

◎ 자동차세를 체납할 경우 자동차 등록번호판을 영치하는 행위는 정당함

지방세법 제196조의 12 제1항에서 "자동차세의 납부의무를 이행하지 아니한 자가 있을 때에는 시장·군수는 도지사에게 대통령령이 정하는 바에 따라 그 자동차등록증을 교부하지 아니하거나 교부한 자동차등록증의 회수 및 당해 자동차의 등록번호판의 영치를 요청하여야 한다. 다만, 자동차등록업무가 시장·군수에게 위임되어 있는 경우에는 시장·군수가 그 자동차등록증을 교부하지 아니하거나 교부한 자동차등록증의 회수 및 당해 자동차의 등록번호판을 영치할 수 있다."라고 규정하고 있고, 지방세법 시행령 제146조의 12 제1항 "시장·군수는 납세의무자가 독촉기간 내에 체납된 자동차세를 납부하지 아니하는 경우에는 그 자동차등록증을 교부하지 아니하거나 이미 교부한 등록증을 회수함과 동시에 당해 자동차의 등록번호판을 영치하여야 한다."라고 규정하고 있으므로 자동차세 납세의무자가 독촉기간 내에 체납된 자동차세를 납부하지 아니하여 과세권자가 당해 자동차의 등록번호판을 영치하는 행위는 정당한 법집행임(지방세운영과-2432, 2008.12.8.).

◎ 자동차세를 체납한 경우 등록신청의 수리거부는 정당함

자동차관리법 제12조 제4항에 의하여 자동차 양수인에 갈음하여 자동차의 이전등록을 신청하는 양도자가 자동차세를 체납한 사실은 「지방세법」 제196조의 12 및 제196조의 13에 따른 자동차 이전등록의 요건을 결여한 것으로서 「자동차등록령」 제17조 제9호에 따른 다른 법률에서 정하고 있는 등록의 요건을 충족하지 못한 때에 해당하므로 자동차 등록관청은 당해 이전등록 신청의 수리를 거부하여야 할 것임(세정-3462, 2006.8.3.).

◎ 정규근무시간 외에도 자동차번호판 영치업무를 수행할 수 있음

자동차세는 지방자치단체의 재정에 충당하기 위하여 시장·군수가 부과하는 시군세로서 자동차번호판의 영치는 지방세법 제196조의 12의 규정에 의하여 시장·군수가 체납된 자동차세를 징수하기 위하여 행하는 것으로서 업무처리상 필요한 경우 과세권자는 지방공무원 복무조례(규정) 제○○ 조에 의하여 근무시간 외의 근무를 명할 수 있으므로 정규 근무시간 외에도 영치업무를 수행할 수 있음(세정 13407-1011, 2000.8.16.).

◎ **자동차번호판 압수로 사용불가시에도 자동차세는 계속 부과되어야 함**

정식으로 등록된 차량의 번호판을 떼어내 다른 차량에 임의로 부착하였을 경우의 자동차세 과세대상은 「자동차관리법의 규정에 의하여 등록된 차량」 즉, 당초의 차량에 국한되는 것이므로, 자동차등록원부상 기재된 차량이 위의 비과세규정에 해당되지 않는다면 그 번호판의 압수 여부에 불구하고 자동차세는 계속적으로 부과되어야 함(세정 13430-482, 1996.12.3.).

제132조(납세증명서 등의 제시)

법 제132조(납세증명서 등의 제시) 다음 각 호의 어느 하나에 해당하는 자는 해당 등록관청에 해당 자동차에 대한 자동차세 영수증 등 자동차세를 납부한 증명서를 제출하거나 내보여야 한다. 다만, 「전자정부법」 제36조 제1항에 따른 행정정보의 공동이용을 통하여 해당 자동차의 자동차세의 납부사실을 확인할 수 있는 경우에는 그러하지 아니하다. 〈개정 2015.7.24.〉

1. 「자동차관리법」 제12조에 따른 이전등록을 하려는 자
2. 「자동차관리법」 제13조 제1항에 따른 말소등록을 하려는 자
3. 「건설기계관리법」 제5조에 따른 변경신고(건설기계의 소유권 이전으로 인한 변경신고만 해당한다)를 하려는 자
4. 「건설기계관리법」 제6조에 따른 말소등록(시·도지사가 직권으로 등록을 말소하는 경우는 제외한다)을 하려는 자

영 제129조(과세자료 통보) 지방자치단체의 장은 다음 각 호에 열거한 사항이 발생하였을 때에는 납세지 관할 시장·군수·구청장에게 통보하여야 한다.

1. 자동차의 취득 또는 소유권의 이전　2. 사용본거지의 변경　3. 자동차의 용도변경
4. 자동차의 사용 폐지　5. 자동차의 원동기, 차체, 승차정원 또는 최대적재량의 변경

제130조(과세대장 비치) 시장·군수·구청장은 자동차세 과세대장을 갖추어 두고, 필요한 사항을 등재하여야 한다. 이 경우 해당 사항을 전산처리하는 경우에는 과세대장을 갖춘 것으로 본다.

자동차·건설기계의 소유권을 이전하려는 자는 해당 등록관청에 자동차세 영수증 등 자동차세를 납부한 증명서를 제출하거나 내보이도록 규정하고 있다.

◎ 자동차의 사용본거지 변경등록이나 이전등록의 경우, 자동차세 영수증 등을 제출의무 여부

지방세법 제196조의 13 규정에서 자동차의 변경등록(시・도를 달리 하는 사용본거지의 변경등록에 한한다) 또는 자동차관리법 제12조의 규정에 의한 이전 등록을 받고자 하는 자는 자동차세 영수증 등 자동차세를 납부한 증명서를 제출하거나 내 보이도록 규정하고 있는 것은 체납된 자동차세의 납부 등 지방세 납세의무의 이행을 강제하기 위한 것이므로 자동차 변경등록 또는 이전등록을 받고자 하는 자는 자동차세 납부에 적극 협조하여야 함(세정 13570-938, 1999.7.28.).

제133조(체납처분)~제134조(면세규정의 배제)

> 법 제133조(체납처분) 제127조부터 제130조까지에서 규정된 자동차에 관한 지방자치단체의 징수금을 납부하지 아니하거나 납부한 금액이 부족할 때에는 해당 자동차에 대하여 독촉(督促)절차 없이 즉시 체납처분을 할 수 있다.
>
> 제134조(면세규정의 배제) 「지방세특례제한법」을 제외한 다른 법률 중에 규정된 조세의 면제에 관한 규정은 자동차세에 관한 지방자치단체의 징수금에 대하여는 적용하지 아니한다.

자동차에 관한 지방자치단체의 징수금의 체납의 경우에는 해당 자동차에 대하여 독촉(督促)절차 없이 즉시 체납처분을 할 수 있도록 하고 있다. 여기서 "즉시 체납처분"이라 함은 「지방세기본법」 제91조 제1항에 규정된 독촉절차를 거치지 않고 납부기간종료 즉시 압류 등 징세조치를 하는 것을 말한다(예규 지법 133-1).

제2절

자동차 주행에 대한 자동차세

제135조(납세의무자)

> **법** 제135조(납세의무자) 자동차 주행에 대한 자동차세(이하 이 절에서 "자동차세"라 한다)는 비영업용 승용자동차에 대한 이 장 제1절에 따른 자동차세의 납세지를 관할하는 지방자치단체에서 휘발유, 경유 및 이와 유사한 대체유류(이하 이 절에서 "과세물품"이라 한다)에 대한 교통·에너지·환경세의 납세의무가 있는 자(「교통·에너지·환경세법」 제3조 및 제11조에 따른 납세의무자를 말한다)에게 부과한다. 〈개정 2014.1.1.〉

「자동차 주행에 대한 자동차세(이하 주행세)」의 납세의무자는 「교통·에너지·환경세법」 제3조에 따른 교통·에너지·환경세의 납세의무가 있는 자이다. 정유사 및 유류수입업자가 납세의무자이고, 자동차 소유자나 자동차를 운행했다고 하여 주행세 납세의무가 직접적으로 발생하는 것이 아니다.

주행세 도입배경을 보면, 당시 자동차관련 세제를 주행과세 위주로 개편하고 취득·보유단계의 세부담을 완화하여야 한다는 주장이 지속적으로 제기되었다. 1998년 한·미통상 협상시 자동차 세율을 인하하기로 하였는데, 자동차세 경감에 따른 지방재정을 보전하기 위한 방안이 필요했다. 그에 따라 이미 과세되고 있는 유류에 대한 교통세의 일부재원을 지방으로 이전하는 방안을 마련하면서 1999년도분은 자동차세 인하분만큼의 재원을 특별교부금으로 배분하였다. 이후 1999년 말에 특별교부금을 세금형태인 주행세로 신설하여 부과하게 되었다.

2000.12월 제1차 에너지세제개편[106]으로 버스·택시·화물업체 등이 부담하는 유류세가

106) 경유, LPG에 부과되는 유류세를 각각 휘발유의 75%, 60%까지 인상하여 유류가격을 조정

인상되자 정부에서는 유가인상에 따른 대중교통요금이나 물류비용의 인상을 억제할 필요가 있었다. 2001.6월 유류세를 기준으로 인상분에 대한 보조금을 주행세를 재원으로 하여 지급하기로 결정함에 따라 2001.8월부터 유가보조금이 주행세에 포함되었다.

주행세의 성격이 자동차세 감소액 보전분과 유가보조금분으로 구분되기 때문에 이를 기준으로 세수가 귀속되며, 자동차세 감소액 보전분은 9,830억원으로 고정되어 있다.

교통·에너지·환경세의 납세지를 관할하는 지방자치단체의 장이 특별징수의무자가 되고, 특별징수의무자가 징수한 주행세를 주된 특별징수의무자인 울산광역시로 송부한다. 울산광역시는 자동차세 감소액 보전분과 유가보조금분으로 나누어 정해진 기준에 따라 지자체에 송부한다. 자동차세 감소분은 행정안전부에서 전국 지자체별 자동차세 징수액을 기준으로 안분비율을 마련하여 울산광역시에 송부하고, 울산광역시는 매월 각 지자체별로 안분비율에 따라 배분한다*. 나머지 유가보조금분은 국토부에서 마련한 지자체별 유가보조금 집행기준에 따라 울산광역시에서 해당금액을 지자체에 송부한다.

* 예) A지자체 : 9,830억 ÷ 12개월 × 안분비율(A지자체 자동차세 징수액 × 전국자동차세징수액)

〈교통·에너지·환경세법〉

제3조(납세의무자) 다음 각 호의 어느 하나에 해당하는 자는 이 법의 규정에 의하여 교통·에너지·환경세를 납부할 의무가 있다.

1. 과세물품을 제조하여 반출하는 자
2. 과세물품을 「관세법」에 의한 보세구역(이하 "보세구역"이라 한다)으로부터 반출하는 자(「관세법」에 의하여 관세를 납부할 의무가 있는 자를 말한다. 이하 같다)
3. 제2호의 경우 외에 관세를 징수하는 물품에 대하여는 그 관세를 납부할 의무가 있는 자

○ 선박용 연료유인 경유에 '자동차 주행에 대한 자동차세' 부과는 정당함

주행세는 한미자동차협상으로 자동차세제를 개편하면서 그에 따라 감소되는 지방세수를 보전하기 위해 1999년도에 단일 세목으로 신설하였으나, 2011년도 지방세 세목간소화에 따라 실질적인 내용의 변동 없이 자동차세의 하위세원인 "자동차 주행에 대한 자동차세"로 통합된 세목으로서 자동차세목에 편재되었다고는 하나 자동차세제 개편으로 인한 지방자치단체의 세수감소 보전과 유류세제 개편에 따른 운수업계 보조금을 지원하는 재원을 확보하기 위한 세목으로서 자동차주행을 과세요건으로 하고 있지 않다고 할 것이므로 주행세는 교통·에너지·환경세의 부가세로서 휘발유, 경유 및 이와 유사한 대체유류에 대한 교통세 납세의무가 있는 자(정유회사 및 유류수입업자 등)에게 부과되므로, 유류의 사용용도와 납세의무

발생과는 별개라 할 것임(지방세운영과-5619, 2011.12.8.).

◎ 유사 대체유류(세녹스)의 교통세 납세의무자에 대한 주행세 부과는 정당

지방세법 제196조의 16에서 주행세는 … 규정하고 있고, 주행세는 교통세법의 규정에 의하여 납부하여야 하는 교통세액을 과세표준으로 하는 지방세이므로, 청구인의 경우는 청구인이 주장하는 청구외 (주)○○ 에너지로부터 위탁을 받아 세녹스를 가공한 것에 불과하다는 사실 여부나 세녹스는 석유사업법령상 유사석유제품에 해당하지 않으며 연료가 아닌 첨가제 제품으로서 연료로 사용할 목적으로 제조되거나 또는 실제 연료로 사용되고 있는지의 사실 여부에 관계없이 ○○ 세무서장이 부과고지한 교통세가 경정 또는 취소결정이 되지 않은 이상 교통세를 근거로 하여 부과한 주행세는 정당한 것임(심사 2005-89, 2005.4.6.).

제136조(세율)

법 제136조(세율) ① 자동차세의 세율은 과세물품에 대한 교통·에너지·환경세액의 1천분의 360으로 한다.

② 제1항에 따른 세율은 교통·에너지·환경세율의 변동 등으로 조정이 필요하면 그 세율의 100분의 30의 범위에서 대통령령으로 정하는 바에 따라 가감하여 조정할 수 있다.

영 제131조(조정세율) 법 제136조 제2항에 따른 조정세율은 법 제135조에 따른 과세물품(이하 이 절에서 "과세물품"이라 한다)에 대한 교통·에너지·환경세액의 1천분의 260으로 한다. 〈개정 2014.12.30.〉

주행세 세율은 교통·에너지·환경세액의 26%이며, 교통·에너지·환경세율의 변동 등으로 조정이 필요하면 그 세율의 100분의 30의 범위에서 대통령령으로 가감하여 조정할 수 있다.

2019년 기준으로 제품별 유류세 과세 현황은 다음과 같다.

(단위 : 원)

제 품	유류세(1ℓ 기준)				
	개별소비세	교통세	교육세	주행세	합계
휘발유		529	79.35	137.54	745.89
경유		375	56.25	97.50	528.75

제137조(신고납부 등)~제137조의 2(납세담보 등)

법 제137조(신고납부 등) ① 자동차세의 납세의무자는 「교통·에너지·환경세법」 제8조에 따른 과세물품에 대한 교통·에너지·환경세 납부기한까지 교통·에너지·환경세의 납세지를 관할하는 지방자치단체의 장에게 자동차세의 과세표준과 세액을 대통령령으로 정하는 바에 따라 신고하고 납부하여야 한다. 이 경우 교통·에너지·환경세의 납세지를 관할하는 지방자치단체의 장을 각 지방자치단체가 부과할 자동차세의 특별징수의무자(이하 이 절에서 "특별징수의무자"라 한다)로 한다. 〈개정 2014.10.15.〉

② 납세의무자가 제1항에 따른 신고 또는 납부의무를 다하지 아니하면 해당 특별징수의무자가 제136조에 따라 산출한 세액 또는 그 부족세액에 「지방세기본법」 제53조부터 제55조까지의 규정에 따라 산출한 가산세를 합한 금액을 세액으로 하여 보통징수의 방법으로 징수한다. 〈개정 2013.1.1.〉 1. 삭제 〈2013.1.1.〉 2. 삭제 〈2013.1.1.〉

③ 특별징수의무자는 징수한 자동차세(그 이자를 포함한다)를 다음 달 25일까지 이 장 제1절에 따른 지방자치단체별 자동차세의 징수세액 등을 고려하여 대통령령으로 정하는 안분기준 및 방법에 따라 각 지방자치단체에 납부하여야 한다. 이 경우 특별징수의무자는 징수·납부에 따른 사무처리비 등을 행정안전부령으로 정하는 바에 따라 해당 지방자치단체에 납부하여야 할 세액에서 공제할 수 있다.

④ 특별징수의무자가 징수하였거나 징수할 세액을 제3항에 따른 기한까지 납부하지 아니하거나 부족하게 납부하더라도 특별징수의무자에게 「지방세기본법」 제56조에 따른 가산세는 부과하지 아니한다. 〈신설 2013.1.1., 2014.10.15.〉

⑤ 과세물품을 「관세법」에 따라 수입신고 수리 전에 반출하려는 자는 특별징수의무자에게 해당 자동차세액에 상당하는 담보를 제공하여야 한다. 〈개정 2013.1.1.〉

제137조의 2(납세담보 등) ① 특별징수의무자는 자동차세의 납세보전을 위하여 대통령령으로 정하는 바에 따라 「교통·에너지·환경세법」 제3조에 따른 납세의무자에게 담보의 제공을 요구할 수 있다.

② 특별징수의무자는 제1항에 따라 담보제공을 요구받은 납세의무자가 담보를 제공하지 아니하거나 부족하게 제공한 경우 제조장 또는 보세구역으로부터 과세물품의 반출을 금지하거나 세관장에게 반출금지를 요구할 수 있다.

③ 제2항에 따라 과세물품의 반출금지 요구를 받은 세관장은 그 요구에 따라야 한다.

[본조신설 2014.10.15.]

영 제132조(신고 및 납부) 법 제137조 제1항에 따라 자동차 주행에 대한 자동차세(이하 이 절에서 "자동차세"라 한다)를 신고하려는 자는 행정안전부령으로 정하는 신고서에 다음 각 호에서 정하는 서류를 첨부하여 법 제137조 제1항 후단에 따른 특별징수의무자(이하 "특별징수의무자"라 한다)에게 신고하고, 행정안전부령으로 정하는 납부서로 납부하여야 한다. 〈개정 2011.12.31., 2014.8.12., 2014.12.30.〉

1. 「교통·에너지·환경세법」 제7조 제1항 및 같은 법 제8조에 따라 교통·에너지·환경세를 신고납부하는 경우 : 과세물품과세표준신고서 사본 2. 「교통·에너지·환경세법」 제7조 제2항

또는 제3항 및 같은 법 제8조에 따라 교통·에너지·환경세를 신고납부하는 경우 : 「관세법」 제248조에 따른 신고필증 사본

제133조(안분기준 및 방법) ① 법 제137조 제3항 전단에 따른 자동차세 징수액의 안분은 다음 각 호에 따른 금액을 기준으로 한다.

1. 법 제10장제1절에 따른 특별시·광역시·특별자치시·특별자치도·시 및 군(이하 이 절에서 "시·군"이라 한다)별 비영업용 승용자동차의 자동차세 징수세액. 이 경우 1월부터 6월까지는 전전연도 결산세액으로 하고, 7월부터 12월까지는 직전 연도 결산세액으로 한다.
2. 유류에 대한 세금의 인상에 따라 운송업에 지급되는 유류세 보조금. 이 경우 그 총액은 국토교통부장관이 행정안전부장관과 협의하여 정하는 지급연도의 액수로 한다.

② 제1항의 기준에 따른 자동차세액의 시·군별 안분액은 다음 각 호의 금액을 합계한 금액으로 한다. 〈개정 2011.12.31.〉

1. $$\frac{9{,}830\text{억원}}{12} \times \frac{\text{해당 시·군의 전전연도 또는 직전 연도의 법 제10장 제1절에 따른 자동차세 징수세액}}{\text{전국의 전전연도 또는 직전 연도의 법 제10장 제1절에 따른 자동차세 징수세액}}$$

2. 해당 월의 자동차세 징수총액에서 (9,830억원/12)을 뺀 금액을 국토교통부장관이 행정안전부장관과 협의하여 정한 해당 월분의 시·군별 유류세 보조금

제134조(특별징수의무자의 납부 등) ① 자동차세를 징수한 특별징수의무자는 자동차세를 징수한 날이 속하는 달의 다음 달 10일까지 징수세액(법 제137조 제3항 후단에 따라 사무처리비 등을 공제한 징수세액을 말한다. 이하 같다)을 울산광역시장(이하 이 절에서 "주된 특별징수의무자"라 한다)에게 송금함과 동시에 그 송금내역과 제132조 각 호에 따른 서류의 사본을 보내야 한다.

② 주된 특별징수의무자는 제1항에 따라 특별징수의무자로부터 송금받은 자동차세액과 자체 징수한 전월분 자동차세액을 합한 세액을 제133조에 따라 시·군별로 안분하고, 그 안분한 자동차세를 법 제137조 제3항 전단에서 정한 기한까지 행정안전부령으로 정하는 납부통보서에 따라 각 시·군 금고에 납부하고 그 안분명세서를 각 시·군에 통보하여야 한다. 〈개정 2011.12.31.〉

제134조의 2(납세담보 등) ① 법 제137조의 2에 따라 특별징수의무자가 「교통·에너지·환경세법」 제3조에 따른 납세의무자로부터 제공받을 수 있는 납세담보액은 다음 각 호에서 정하는 금액 이상으로 한다.

1. 제조자 : 제조장에서 반출한 과세물품에 대한 산출세액과 제조장에서 반출하는 과세물품에 대한 산출세액의 합계액에서 이미 납부한 세액의 합계액을 뺀 세액에 해당하는 금액
2. 수입판매업자 : 수입신고를 받은 과세물품에 대한 산출세액과 수입신고를 받는 과세물품에 대한 산출세액의 합계액에서 이미 납부한 세액의 합계액을 뺀 세액에 해당하는 금액

② 제1항에도 불구하고 특별징수의무자는 과세물품을 제조장 또는 보세구역에서 반출한 날 이전 3년간 해당사업을 영위하고, 자동차세를 체납하거나 고의로 회피한 사실이 없는 제조자 또는 수입판매업자에 대하여 납세담보액을 면제할 수 있다. 이 경우 면제받은 제조자 또는 수입판매업자는 과세물품을 제조장 또는 보세구역으로부터 반출할 때 행정안전부령으로 정하는 납세담보면제 확인서를 통관지 세관장에게 제출하여야 한다.

③ 수입판매업자는 수입한 과세물품을 통관할 때에는 행정안전부령으로 정하는 납세담보확인서를 통관지 세관장에게 제출하여야 한다. 다만, 「전자정부법」 제36조 제1항에 따른 행정정보의 공동이용을 통하여 제출서류에 대한 정보를 확인할 수 있는 경우에는 그 확인으로 서류제출을 갈음할 수 있다.

④ 제3항에 따라 납세담보확인서를 제출받은 통관지 세관장은 납세담보확인서에 적힌 납세담보액의 범위에서 통관을 허용하여야 한다. [본조신설 2014.12.30.]

제134조의 3(담보에 의한 자동차세 충당) 법 제137조의 2 제1항에 따라 담보를 제공한 자가 기한 내에 자동차세를 납부하지 아니하거나 부족하게 납부하였을 때에는 그 담보물을 체납처분비, 자동차세액 및 가산금에 충당할 수 있다. 이 경우 부족액이 있으면 자동차세를 징수하고, 잔액이 있으면 환급한다. [본조신설 2014.12.30.]

규칙 제70조(신고 및 납부) ① 영 제132조에 따른 자동차 주행에 대한 자동차세(이하 이 절에서 "자동차세"라 한다)의 신고는 별지 제76호 서식에 따른다.

② 영 제132조에 따른 자동차세의 납부는 별지 제77호 서식에 따른다.

제71조(주된 특별징수의무자에 대한 송금내역 통보) 자동차세 특별징수의무자가 영 제134조 제1항에 따라 주된 특별징수의무자에게 자동차세 송금내역을 통보할 경우에는 별지 제78호 서식에 따른다.

제72조(사무처리비 등) ① 법 제137조 제3항 후단에 따라 공제할 수 있는 사무처리비 등은 다음 각 호의 금액 또는 비용으로 한다.

1. 행정안전부장관이 자동차세의 징수 또는 납부와 관련하여 드는 비용 등을 고려하여 자동차세 징수세액의 1만분의 2 범위에서 정하는 금액
2. 특별징수의무자가 자동차세의 부과 또는 징수에 관한 소송으로 인하여 지출한 비용으로서 행정안전부장관이 정하는 비용(「법인세법」 제121조, 「부가가치세법」 제32조 · 제36조 또는 「소득세법」 제163조에 따른 계산서 · 세금계산서 또는 영수증 등으로 그 지출사실이 객관적으로 증명되는 경우로 한정한다)

② 영 제134조 제1항에 따른 주된 특별징수의무자가 영 제134조 제1항 및 제2항에 따라 사무처리비를 공제하고 자동차세를 각 시 · 군 금고에 납부할 때에는 영 제134조 제2항에 따른 시 · 군별 안분명세서와 함께 시 · 군별 사무처리비의 공제명세를 통보하여야 한다. 이 경우 시 · 군별 안분명세와 사무처리비의 공제명세는 별지 제79호 서식에 따른다.

주행분 자동차세는 교통 · 에너지 · 환경세 납부기한까지 교통 · 에너지 · 환경세의 납세지를 관할하는 지방자치단체의 장(특별징수의무자)에게 신고하고 납부하여야 한다.

주행세를 징수한 특별징수의무자는 징수한 날이 속하는 달의 다음 달 10일까지 울산광역시장(주된 특별징수의무자)에게 송금하여야 하고, 송금을 받은 울산시장(주된 특별징수의무자)은 그 달 25일까지 각 시 · 군 금고에 납부하고 그 안분명세서를 각 시 · 군에 통보하도록 하고 있다.

2005.1.16.부터는 유류수입업자들이 세법을 악용하여 주행분 자동차세 납부를 고의적으로 회피하거나 폐업 또는 재산 도피 등의 방법으로 탈세하는 경우가 발생하여, 유류분 자동차세의 탈세방지를 위하여 담배소비세에서 운영되고 있는 납세담보 제도를 주행분 자동차세에 도입하게 되었다. 따라서 대통령령으로 정하는 바에 따라 「교통·에너지·환경세법」 제3조에 따른 납세의무자에게 담보의 제공을 요구할 수 있도록 하였고(제137조의 2 제1항 신설), 특별징수의무자는 담보제공을 요구받은 납세의무자가 담보를 제공하지 아니하거나 부족하게 제공한 경우 세관장에게 반출금지를 요구할 수 있도록 하고, 과세물품의 반출금지 요구를 받은 세관장은 요구에 따르도록 하였다(제137조의 2 제2항·제3항 신설).

제138조(이의신청 등의 특례)~제139조(「교통·에너지·환경세법」의 준용)

> **법** 제138조(이의신청 등의 특례) ① 자동차세의 부과·징수에 대하여 이의신청 등을 하려는 경우에는 특별징수의무자를 그 처분청으로 본다. 〈개정 2014.10.15.〉
> ② 자동차세의 지방세환급금이 발생한 경우에는 특별징수의무자가 환급하고 해당 지방자치단체에 납부하여야 할 세액에서 이를 공제한다.
> 제139조(「교통·에너지·환경세법」의 준용) 자동차세의 부과·징수와 관련하여 이 절에 규정되어 있지 아니한 사항에 관하여는 「교통·에너지·환경세법」을 준용한다. 이 경우 「교통·에너지·환경세법」에 따른 세무서장 또는 세관장 등은 특별징수의무자로 본다. 〈개정 2014.10.15.〉

제138조는 주행세의 부과·징수에 대한 이의신청 및 환급과 관련한 사항을, 제139조는 「교통·에너지·환경세법」의 준용에 관한 사항을 규정하고 있다.

제140조(세액 통보)

법 제140조(세액 통보) 세무서장 또는 세관장이 교통・에너지・환경세액을 결정 또는 경정하거나 신고 또는 납부받았을 때에는 그 세액을 다음 달 말일까지 교통・에너지・환경세의 납세지를 관할하는 지방자치단체의 장에게 대통령령으로 정하는 바에 따라 통보하여야 한다.

영 제135조(세액통보) 법 제140조에 따라 세무서장 또는 세관장이 「교통・에너지・환경세법」 제7조 및 제8조에 따라 교통・에너지・환경세액을 신고 또는 납부받거나 같은 법 제9조에 따라 교통・에너지・환경세액을 결정 또는 경정하였을 때에는 그 세액을 행정안전부령으로 정하는 서식으로 교통・에너지・환경세의 납세지를 관할하는 특별시장・광역시장・특별자치시장・특별자치도지사・시장 및 군수에게 통보하여야 한다. 이 경우 세무서장 또는 세관장이 관련 자료를 전산처리한 때에는 전자문서로 통보할 수 있다.

세무서장 또는 세관장이 교통・에너지・환경세액을 결정・경정하거나 신고・납부받았을 때에는 주행세 납세지를 관할하는 지방자치단체의 장에게 통보하여야 한다.

제 11 장

지방세법

지역자원시설세

제1절

통 칙

제141조(목적)~제142조(과세대상)

법 제141조(목적) 지역자원시설세는 지역의 부존자원 보호·보전, 환경보호·개선, 안전·생활편의시설 설치 등 주민생활환경 개선사업 및 지역개발사업에 필요한 재원을 확보하고 소방사무에 소요되는 제반비용에 충당하기 위하여 부과한다.

제142조(과세대상) ① 지역자원시설세는 주민생활환경 개선사업 및 지역개발사업에 필요한 재원을 확보하기 위하여 부과하는 특정자원분 지역자원시설세 및 특정시설분 지역자원시설세와 소방사무에 소요되는 제반비용에 충당하기 위하여 부과하는 소방분 지역자원시설세로 구분한다.

② 제1항의 구분에 따른 지역자원시설세의 과세대상은 다음 각 호와 같다.

1. 특정자원분 지역자원시설세 : 다음 각 목의 것
   가. 발전용수(양수발전용수는 제외한다)로서 대통령령으로 정하는 것(이하 이 장에서 "발전용수"라 한다)
   나. 지하수(용천수를 포함한다)로서 대통령령으로 정하는 것(이하 이 장에서 "지하수"라 한다)
   다. 지하자원으로서 대통령령으로 정하는 것(이하 이 장에서 "지하자원"이라 한다)
2. 특정시설분 지역자원시설세 : 다음 각 목의 것
   가. 컨테이너를 취급하는 부두를 이용하는 컨테이너로서 대통령령으로 정하는 것(이하 이 장에서 "컨테이너"라 한다)
   나. 원자력발전으로서 대통령령으로 정하는 것(이하 이 장에서 "원자력발전"이라 한다)
   다. 화력발전으로서 대통령령으로 정하는 것(이하 이 장에서 "화력발전"이라 한다)
3. 소방분 지역자원시설세 : 소방시설로 인하여 이익을 받는 자의 건축물(주택의 건축물 부분을 포함한다. 이하 이 장에서 같다) 및 선박(납세지를 관할하는 지방자치단체에 소방선이 없는 경우는 제외한다. 이하 이 장에서 같다)

영 제136조(과세대상) ① 법 제142조 제2항 제1호에 따른 특정자원분 지역자원시설세의 과세대상은 다음 각 호와 같다.

1. 발전용수 : 직접 수력발전에 이용되는 흐르는 물. 다만, 발전시설용량이 시간당 1만킬로와트 미만인 소규모 발전사업을 하는 사업자가 직접 수력발전에 이용하는 흐르는 물로서 해당 발전소의 시간당 발전가능 총발전량 중 3천킬로와트 이하의 전기를 생산하는데에 드는 흐르는 물은 제외한다.
2. 지하수
   가. 먹는 물 : 먹는 물로 판매하기 위하여 퍼 올린 지하수(해당 지하수 중 판매하지 아니하고 다른 용도로 사용한 지하수도 포함한다)
   나. 목욕용수 : 목욕용수로 이용하기 위하여 퍼 올린 온천수
   다. 그 밖의 용수 : 가목 및 나목 외의 퍼 올린 지하수. 다만, 다음의 지하수는 제외한다.
      1) 「농어촌정비법」 제2조 제3호에 따른 농어촌용수 중 행정안전부령으로 정하는 생활용수 및 공업용수 외의 지하수
      2) 「지하수법」 제7조 제1항 단서 및 제8조 제1항 제1호부터 제5호까지의 규정(같은 항 제5호의 경우 안쪽지름이 32밀리미터 이하인 토출관을 사용하면서 1일 양수능력이 30톤 미만인 가정용 우물로 한정한다)에 따른 지하수
3. 지하자원 : 채광된 광물. 다만, 석탄과 「광업법 시행령」 제58조에 따른 광산 중 납세의무 성립일이 속하는 달부터 최근 1년간 매출액(사업이 시작한 달부터 납세의무 성립일이 속하는 달까지의 기간이 12개월 미만인 경우에는 해당 기간 동안의 매출액)이 10억원 이하인 광산에서 채광된 광물은 제외한다.

② 법 제142조 제2항 제2호에 따른 특정시설분 지역자원시설세의 과세대상은 다음 각 호와 같다.

1. 컨테이너 : 컨테이너를 취급하는 부두를 이용하여 입항·출항하는 컨테이너. 다만, 환적 컨테이너, 연안수송 컨테이너 및 화물을 싣지 아니한 컨테이너는 제외한다.
2. 원자력발전 : 원자력발전소에서 생산된 전력
3. 화력발전 : 발전시설용량이 시간당 1만킬로와트 이상인 화력발전소에서 생산된 전력. 다만, 다음 각 목의 어느 하나에 해당하는 전력은 제외한다.
   가. 다음 중 어느 하나에 해당하는 것으로서 「전기사업법」 제2조 제10호에 따른 전기판매사업자에게 판매되지 않은 전력
      1) 「농어촌 전기공급사업 촉진법」 제2조 제1호에 따른 자가발전시설에서 생산된 전력
      2) 「전기사업법」 제2조 제12호에 따른 구역전기사업자가 생산한 전력
      3) 「전기사업법」 제2조 제19호에 따른 자가용전기설비에서 생산된 전력
      4) 「집단에너지사업법」 제9조에 따라 허가받은 사업자가 생산한 전력
   나. 「신에너지 및 재생에너지 개발·이용·보급 촉진법 시행령」 제2조 제2항에 따른 바이오에너지로 생산한 전력

규칙 제74조(과세대상 용수) 영 제136조 제2호 다목 1)에서 "행정안전부으로 정하는 생활용수 및 공업용수"는 다음 각 호의 용수를 말한다.[107] 〈개정 2015.7.24.〉

1. 영업용으로 사용되는 생활용수(「농어촌정비법」 제2조 제4호 라목에 따른 농어촌 관광휴양자원 개발사업 및 「도시와 농어촌 간의 교류촉진에 관한 법률」 제2조 제5호에 따른 농어촌체험·휴양마을사업에 사용되는 생활용수는 제외한다)

2. 별표 2 제2호 "음료 제조업"에 사용되는 공업용수 [제목개정 2015.7.24.]

1962년 소방시설 재원확보를 위해 특정부동산분에 대해 공동시설세로써 목적세로 도입되었다. 1991년 지역의 균형개발 등에 소요되는 재원 확보를 위해 특정자원분에 대해 지역개발세로써 목적세로 도입하게 되었다. 2011년 지방세목간소화로 공동시설세(특정부동산분)와 지역개발세(특정자원분)를 통합하여 지역자원시설세로 신설하였으며 시·도의 목적세에 해당한다. 과세여부, 과세지역, 세율의 가감조정(탄력세율), 신고기일, 납기 등 일체의 부과징수 사항이 조례에 위임되어 있는 임의세 방식의 지방세이다.

2014년부터는 지역자원시설세의 과세목적 범위에 지역의 소방사무나 특수한 재난예방이 추가되었다. 이와 연계하여 화재발생시 인명 및 재산피해의 우려가 높은 대형화재 취약대상 건축물인 대형마트, 복합상영관 등 중과세 대상범위를 세부적으로 규정하였다. 바닥면적 330㎡ 이상의 유흥주점, 상영관 10개 이상 또는 관람석 500석 이상의 영화상영관, 시장·백화점 및 대형할인마트 등 연면적 10,000㎡ 이상의 판매시설, 50실 이상의 숙박시설 등이 대상이고, 또한 「소방시설 설치유지 및 안전관리에 관한 법률 시행령」 별표 2 개정내용을 반영하였는 바, 극장, 영화상영관이 문화 및 집회시설에서 근린생활시설로 구분 변경하고, 중복 규정된 비디오물감상실 및 비디오물소극장을 삭제하였다. 적용방식은 유흥주점, 대형마트 및 복합상영관 등에 대해서는 1구의 건축물을 기준으로 중과 여부를 적용한다.

2020.1.1. 지역자원시설세의 분류체계와 과세목적을 새롭게 정비하였다(2021.1.1. 시행). '지역자원시설세 특정부동산분'은 전액 소방재원으로 사용 중임에도, 그 명칭을 통해서는 주민들이 과세목적을 알기 어려웠다. 기타 공공시설에 대한 재원 충당 부분은 1954년 신설 후 현재까지 과세되지 않고 있다(사용료, 원인자부담금 등 세외수입으로 충당하고 있는 상황). 그리고 법에서는 세목의 목적을 지역자원·환경보호 등으로 규정하고 있으나, 지자체에서는 주로 지역개발 재원으로 사용 중에 있어 과세목적과 괴리되는 면이 있었다.

그에 따라 특정부동산분 중 소방시설 재원충당 부분은 주민이 과세목적과 용도를 알기 쉽도록 '소방분'으로 명칭을 변경하고, 특정부동산분 중 기타 공공시설 재원충당 부분은 과세근거를 삭제하는 등 분류체계를 정비하였다. 그리고 특정자원분과 특정시설분은 실제 사용 현황을 반영하여, 과세 목적을 '지역개발', '주민생활환경개선'으로 변경하는 등 과세목적을 정비하였다.

107) 특정자원분 중 농어촌지역의 농어촌용수는 지역자원시설세 과세대상에서 제외되나, 종전에는 골프장, 목욕탕, 호텔 등 영업용으로 사용되는 경우도 과세대상에서 제외되는 문제가 있어 영업용으로 사용되는 생활용수는 과세대상으로 명확히 하였다(규칙 제74조, 2014.1.1. 시행).

2020년까지

세분류	과세대상	목적
특정 부동산분	건축물, 선박	소방시설 재원
	건축물·토지	기타 공공시설 재원
특정 자원분	발전용수, 지하수, 지하자원, 컨테이너, 원전, 화전	자원보호·개발 환경개선·지역 균형개발

2021년

세분류	과세대상	목적
소방분	건축물, 선박	소방재원
〈삭제〉	※ 이중부담 우려 등 해소	
특정 자원분	발전용수, 지하수, 지하자원	지역개발, 주민생활 환경개선
특정 시설분	컨테이너, 원전, 화전	

◎ **지하수이용부담금과 지역자원시설세는 이중부과 대상에 해당되지 않음**

목욕용수로 지하수를 사용하는 자에게 「지하수법」 및 지방자치단체의 조례에 따라 지하수이용부담금을 부과하면서 「지방세법」에 따른 지역자원시설세도 부과할 수 있다고 할 것임(법제처 법령해석 13-0614, 2013.12.27.).

◎ **'직접 수력발전에 이용되는 유수로서의 발전용수'에는 조력발전에 이용되는 바닷물이 포함되지 않음**(법제처 법령해석 10-0130, 2010.5.31.)

| **최근 개정법령_2015.7.24.** | 지하자원 지역자원시설세 과세제외 기준 명확화(영 제136조 제3호)

당초 지역자원시설세 과세를 위한 광물 채굴량 및 생산단가, 과세제외 확인 등의 자료로서 "광물 생산보고서"가 활용되고 있으나, 광구가 아닌 광산단위로 작성되고 있어 광구별 연간 매출액 산출이 현실적으로 불가하고, 법령과 실무간 괴리(실무적으로는 광산단위로 산출)가 있었다. 따라서 광물 채굴현황은 광산단위로 파악·관리되고 있고, 실무에서도 이에 따라 세액 및 과세제외 여부 등을 판단하고 있는 점을 감안하여 과세제외 기준을 광구에서 광산으로 변경하였다.

〈행자부 적용요령〉 지역자원시설세 신고납부시 「광업법 시행령」 제59조에 따른 "광물 생산보고서"상의 품목, 정광량, 거래량, 거래금액 등을 확인하여 처리. 자치단체 관련조례를 지방세법 개정내용에 맞도록 보완하여 시행

| **최근 개정법령_2019.1.1.** | 특정자원분 지역자원시설세 과세대상 지하수의 범위 명확화(영 §136 2호)

먹는 물 제조를 위해 설치한 채수공에서 퍼 올린 지하수는 채수한 자의 임의적인 사용에 관계없이 '먹는 물'로 과세되는 점을 명확히 하였다.

◎ **신·재생에너지와 화석연료를 이용하여 혼소발전하는 경우 전체 발전량 중 화석연료의 열량에 의하여 발전된 부분만을 안분하여 지역자원시설세를 과세하는 것이 타당**

바이오매스 혼소발전의 경우 발전효율 증대 및 안정적 열량발생을 위하여 「신에너지 및 재생에너지 개발·이용·보급 촉진법」(신재생에너지법)에서 허용하는 범위에서 화석연료인

유연탄을 혼합하여 발전을 하는 것으로써… 유연탄은 화석연료에 해당되고, 혼소발전의 경우에도 화석연료를 사용한 발전은 지역자원시설세 납세의무가 있음. 다만, 바이오매스 발전은 …신재생에너지와 화석연료를 혼소하여 발전하는 경우 전체 투입된 연료의 열량 중에서 신재생에너지의 열량이 차지하는 비율로 안분하여 발전량으로 인정하고 있으며, 지역자원시설세 과세대상도 화석연료를 이용한 발전만으로 규정하고 있으므로 혼소발전을 통한 전체 발전량 중 화석연료의 열량에 의하여 발전된 부분만을 안분하여 과세하는 것이 타당(지방세정책과-1947, 2015.5.19.)

◎ **먹는 샘물을 세척용으로 쓰는 경우도 먹는 물로 보아 과세함이 타당**

먹는 샘물 제조업허가를 받은 자가 같은 채수공에서 퍼 올린 지하수 중 일부를 먹는 물로 판매하지 아니하고 먹는 물을 담는 용기 등의 세척에 사용하는 경우, 이러한 용기 등의 세척에 사용되는 지하수도 "먹는 물로 판매하기 위하여 퍼 올린 지하수"에 해당한다고 할 것임(법제처 법령해석 13-0509, 2013.12.16.).

◎ **화력발전으로 생산한 전력을 집단에너지공급대상지역 이외에 매각하는 경우 과세대상**

「지방세법 시행령」상 화력발전에 대한 지역지원시설세가 과세되지 않는 전력은 한정된 지역이나 특정한 목적에 제한적으로 사용되는 경우만을 의미한다고 보는 것이 타당하므로 「전기사업법」상(제2조 제12호 등) 구역전기사업자와 자가용전기설비를 설치한 자가 생산한 전력이 같은 법 제16조의 2 ① 또는 제31조 ② 단서 등에 따라 전력시장에서 거래되는 경우이거나 「집단에너지사업법」 제9조에 따라 허가받은 사업자가 생산한 전력이 같은 법 제5조에 따른 집단에너지공급대상지역 이외의 지역에서 사용되도록 매각하는 경우 등에 대해서는 화력발전에 대한 지역자원시설세를 과세하는 것이 합리적일 것임(지방세운영과-1065, 2014.3.28.).

◎ **지하수이용부담금과 지역자원시설세는 이중과세에 해당되지 아니함**

조세인 지역자원시설세와 부담금의 일종인 지하수이용부담금은 그 성격과 취지 등이 전혀 다르므로 이중과세에 해당되지 않는다고 판단됨(지방세운영과-2967, 2013.11.18.).

◎ **목욕용수로 지하수를 사용하는 경우 지하수이용부담금 외에 지역자원시설세도 부과가능**

지역자원시설세는 「지방세법」을 근거로 부과・징수되어 일반재정수입의 재원이 되고, 지하수이용부담금은 「지하수법」과 조례를 근거로 해서 부과・징수되어 지하수관리특별회계의 재원이 되는 점을 고려할 때, 「지방세법」과 「지하수법」의 입법목적과 적용요건 등을 달리하고, 상호 관계에 대하여 양 법령에서 아무런 언급이 없으므로, 「지방세법」과 「지하수법」이 각각 적용되는 것으로 보아야 함. 따라서, 목욕용수로 지하수를 사용하는 자에게 「지하수법」 및 지방자치단체의 조례에 따라 지하수이용부담금을 부과하면서 「지방세법」에 따른 지역자원시설세도 부과할 수 있음(법령해석총괄과-4229, 2013.12.27.).

☞ 특정한 공익사업의 경비에 충당하기 위하여 특정집단에 대하여 부과되는 부담금은 국가나 지방자치단체의 일반재정수입을 목적으로 하는 조세 외의 금전지급의무로 조세와는 명확히 구별되는 개념이라고 할 것임. 또한, 입법 목적을 달리하는 법률들이 일정한 행위에 관한 요건을 각기 정하고 있는 경우, 어느 법률이 다른 법률에 우선하여 배타적으로 적용된다고 풀이되지 아니하는 한 그 행위에 관하여 각 법률의 규정이 모두 적용된다고 할 것임(대법원 2008두22631, 2010.9.9.).

◎ 수력발전소를 여러 개 운영시 과세 제외(1만KW 미만) 대상은 각 개별 발전소별로 판단

발전시설용량 1만 킬로와트 미만의 수력발전소를 여러 개 운영하는 사업자가 있는 경우 지역개발세(현 지역자원시설세)의 과세대상에서 제외되는 요건 중 '발전시설용량 1만 킬로와트 미만의 소규모 발전사업을 하는 사업자'에 해당하는지 여부는 각 개별 발전소의 발전시설 용량을 기준으로 하여 판단해야 함(법제처 법령해석 10-0112, 2010.5.20.).

◎ 발전시설용량 1만KW 미만인지 여부 등의 판단기준

지역개발세의 과세대상에 해당하지 아니하는 발전용수의 요건으로 ① '발전시설용량이 1만KW 미만의 소규모 발전사업을 하는 사업자'가 사용하는 유수로서, ② '당해 발전소'의 '단위 시간당 발전가능 총 발전량 중 3천KW 이하의 전기를 생산하는 데 소요되는 유수일 것'을 규정하고 있는데, 이처럼 발전가능 총 발전량을 판단하는 기준으로 '사업자'가 아닌 '당해 발전소'로 한정하고 있고, 발전용수에 대한 지역개발세는 허가를 받은 사업자 위주로 부과하는 조세라기보다는 '실제' 용수의 사용에 따라 부과하는 조세이므로 실제 유수를 사용하는 개별 발전소별로 발전시설의 용량과 발전량 등을 적용하여 발전시설용량이 1만KW 미만인지 여부 등을 판단하는 것이 타당(조심 2010지255, 2010.11.9.)

◎ 농어촌지역(군지역, 동지역 중 녹지지역)의 목욕탕 등에 사용하는 지하수는 과세대상

지방세법 시행령 제216조 제2호 다목 단서규정의 "농어촌용수"라 함은 농어촌지역에 필요한 생활용수·농업용수·공업용수와 환경오염의 방지를 위한 용수이고, 이 경우 "생활용수"라 함은 가정용 및 가정용에 준하는 목적으로 이용되는 경우로서 음용수·농업용수·공업용수 이외의 용수를 의미하는 것으로, 농어촌지역에 소재하는 목욕탕, 수영장, 호텔 등의 영업활동을 위하여 지하수를 채수하는 경우에는 농어촌용수 중 생활용수에 해당되는 것으로 볼 수 없어 지역개발세 과세대상임(세정 13430-255, 2001.3.10.).

◎ (예규) 지법 142-1(과세대상) 「지방세법」 제142조 제2호에서 선박의 경우 「소방시설로 인하여 이익을 받은 자」라 함은 당해 시·군에 소방선이 없다 하더라도 인접한 시·군의 소방선으로부터 실질적인 수혜를 받고 있는 자를 포함한다.

제143조(납세의무자)~제145조(비과세)

법 제143조(납세의무자) 지역자원시설세의 납세의무자는 다음 각 호와 같다.

1. 특정자원분 지역자원시설세의 납세의무자 : 다음 각 목의 자
   가. 발전용수 : 흐르는 물을 이용하여 직접 수력발전(양수발전은 제외한다)을 하는 자
   나. 지하수 : 지하수를 이용하기 위하여 채수(採水)하는 자
   다. 지하자원 : 지하자원을 채광(採鑛)하는 자
2. 특정시설분 지역자원시설세의 납세의무자 : 다음 각 목의 자
   가. 컨테이너 : 컨테이너를 취급하는 부두를 이용하여 컨테이너를 입항·출항시키는 자
   나. 원자력발전 : 원자력을 이용하여 발전을 하는 자
   다. 화력발전 : 연료를 연소하여 발전을 하는 자
3. 소방분 지역자원시설세의 납세의무자 : 건축물 또는 선박의 소유자

[전문개정 2019.12.31.] [시행일 : 2021.1.1.]

제144조(납세지) 지역자원시설세는 다음 각 호에서 정하는 납세지를 관할하는 지방자치단체의 장이 부과한다.

1. 특정자원분 지역자원시설세 : 다음 각 목의 납세지
   가. 발전용수 : 발전소의 소재지 나. 지하수 : 채수공(採水孔)의 소재지 다. 지하자원 : 광업권이 등록된 토지의 소재지. 다만, 광업권이 등록된 토지가 둘 이상의 지방자치단체에 걸쳐 있는 경우에는 광업권이 등록된 토지의 면적에 따라 안분한다.
2. 특정시설분 지역자원시설세 : 다음 각 목의 납세지
   가. 컨테이너 : 컨테이너를 취급하는 부두의 소재지
   나. 원자력발전 : 발전소의 소재지
   다. 화력발전 : 발전소의 소재지
3. 소방분 지역자원시설세 : 다음 각 목의 납세지
   가. 건축물 : 건축물의 소재지
   나. 선박 : 「선박법」에 따른 선적항의 소재지. 다만, 선적항이 없는 경우에는 정계장 소재지(정계장이 일정하지 아니한 경우에는 선박 소유자의 주소지)

제145조(비과세) ① 다음 각 호의 어느 하나에 해당하는 경우에는 특정자원분 지역자원시설세 및 특정시설분 지역자원시설세를 부과하지 아니한다.

1. 국가, 지방자치단체 및 지방자치단체조합이 직접 개발하여 이용하는 경우
2. 국가, 지방자치단체 및 지방자치단체조합에 무료로 제공하는 경우

② 제109조에 따라 재산세가 비과세되는 건축물과 선박에 대해서는 소방분 지역자원시설세를 부과하지 아니한다.

영 제137조(비과세) ① 제5조에 따른 시설(제138조 제1항 제2호 및 같은 조 제2항 제2호에 해당하는 건축물과 그 건축물의 일부로 설치된 시설은 제외한다)에 대해서는 법 제142조 제2항 제3호에 따른 소방분 지역자원시설세를 부과하지 않는다.

② 소방분 지역자원시설세를 부과하는 해당 연도 내에 철거하기로 계획이 확정되어 행정관청으

> 로부터 철거명령을 받았거나 보상철거계약이 체결된 건축물 또는 주택(「건축법」 제2조 제1항 제2호에 따른 건축물 부분으로 한정한다. 이하 이 항에서 같다)에 대해서는 지역자원시설세를 부과하지 않는다. 이 경우 건축물 또는 주택의 일부분을 철거하는 때에는 그 철거하는 부분에 대해서만 지역자원시설세를 부과하지 않는다.

특정자원분 지역자원시설세의 경우 흐르는 물을 이용하여 직접 수력발전(양수발전 제외)을 하는 자, 지하수를 이용하기 위하여 채수(採水)하는 자, 지하자원을 채광(採鑛)하는 자를 납세의무자로 한다.

특정시설분의 경우 부두를 이용하여 컨테이너를 입항·출항시키는 자, 원자력을 이용하여 발전을 하는 자, 연료를 연소하여 발전을 하는 자를 납세의무자로 한다.

소방분 지역자원시설세의 납세의무자는 건축물 또는 선박의 소유자이다. 건축물의 경우 취득세 및 재산세 과세대상이 되는데 건축물 중 시설에 대해서는 과세하지 않는다. 하지만 소방분이 중과대상에 해당하는 경우에는 시설이라도 과세대상이 된다(중과세이면서 과세대상). 예를 들어 공장의 경우 중과대상인데 그 내부에 있는 저장시설, 도관시설, 급배수시설 등은 중과대상으로서 과세대상이 된다(2016.1.1.).

국가, 지방자치단체 등이 직접 개발하여 이용하는 발전용수 등 특정자원에 대하여는 특정자원분 지역자원시설세를 부과하지 아니하며, 재산세가 비과세되는 건축물과 선박에 대하여는 소방분 지역자원시설세가 비과세된다.

화력발전에 대한 과세는 2014.1.1.부터 시행되었다. 한편 한정된 지역이나 특정 목적에만 제한적으로 사용되는 경우에 한해 화력발전에 대한 지역자원시설세를 과세 제외하였는데, 그로인해 전력판매사업자에게 판매하는 경우까지 과세 제외되는 것으로 해석될 개연성이 있어 관련규정을 보완하였다(2014.1.1. 발전분부터 적용). 그리고 화력발전 관련 납세의무자를 '화석연료'를 '이용'하는 자로 규정하고 있어 이용의 범위가 불분명하다는 지적이 있었는데 화력발전을 연료의 종류와 관계없이 '연료를 연소하여 발전을 하는 자'로 하여 납세의무자를 명확히 하였다(2021.1.1.). 한편 화석연료가 아니어서 기존에 납세의무가 성립하지 않았던 폐기물·바이오 연료 발전은 납세의무가 성립하게 되는 효과가 발생하였으나, 폐기물·바이오 연료 모두 연소과정을 거치므로 화력발전의 과세대상 및 납세의무자에 해당되어 과세함이 원칙이나, 목재펠릿 등 바이오 연료의 '탄소 중립성' 개념 및 산업부의 의견을 고려하여 바이오 연료[108]는 과세 제외하였다(2021.1.1. 시행령 개정).

108) 「신에너지 및 재생에너지 개발·이용·보급 촉진법」 제2조(정의) 2. 바. 생물자원을 변환시켜 이용하는 바이오에너지로서 대통령령으로 정하는 기준 및 범위에 해당하는 에너지

◎ 규석을 채광하여 가공처리 없이 파쇄, 건조 및 분쇄공정을 거쳐 주강 및 주물용 원료인 규사로 판매시 지역개발세 납세의무 없음

구 지방세법 제254조 제3호에서 지하자원에 대한 납세의무자를 "채광한 지하자원을 원료로 하여 직접 제품을 생산하는 채광자"라고 규정하고 있으므로, 지하자원인 규석을 채광하여 이를 파쇄, 건조 및 분쇄하여 주강 및 주물용 제품을 생산하는 타 업체에 원료로 공급·판매라는 경우라면, 채광한 지하자원을 원료로 하여 "직접 제품을 생산하는 채광자"라고 볼 수 없어 구 지방세법에 의한 지역개발세 납세의무가 없음(세정-184, 2007.1.11.).

◎ 장석 정제시 지역개발세 납세의무 없음

지하자원인 장석을 채광하여 세척·파쇄·건조과정을 거쳐 브라운관 및 판유리를 제조하는 자에게 원료를 공급·판매하는 경우에는 지방세법 제254조 제3호의 규정에 의한 채광한 지하자원을 원료로 하여 '직접 제품을 생산하는 채광자'로 볼 수 없어 지역개발세 납세의무가 없음(세정 13407-361, 2001.9.25.).

◎ 소방시설이 없는 지역이라도 소방시설공동세 과세대상

지방세법 제239조 제1항에서 시·도는 소방시설·오물 처리시설·수리시설 기타 공공시설에 필요한 비용에 충당하기 위하여 그 시설로 인하여 이익을 받는 자에 대하여 공동시설세를 부과할 수 있다라고 규정하고 있는 바, 소방시설이 없는 지역이라 하더라도 인접한 시·군으로부터 실질적인 소방의 수혜를 받고 있는 것으로 보아야 하기 때문에 공동시설세를 부과하는 것이 타당함(세정 13407-자620, 1998.7.20.).

◎ (예규) 지법 143-1(납세의무 등 성립시기) 1. 온천수를 채수한 자로부터 물을 공급받아 온천탕영업을 하는 경우는 채수한 자가 납세의무가 있는 것이다. 2. 컨테이너에 부과되는 지역자원시설세 납세의무의 성립시기는 컨테이너를 선적한 선박이 입·출항하는 때에 성립하나 「선박의 입항 및 출항 등에 관한 법률」 제4조 및 같은 법 시행령 제2조의 규정에 의하여 신고된 입·출항일자와 실제 입·출항일자가 다를 경우에는 실제 입·출항일자를 기준으로 하여야 한다.

◎ 철도부지로 편입예정인 건축물에 대해 공동시설세를 과세한 것은 적법함

2006.12.30. 지방세법 제289조 제4항의 공동시설세 면제규정을 삭제하여 철도시설용부동산에 대한 공동시설세가 과세전환되었고, 2008년 과세기준일. 현재 이건 건축물은 일반건축물관리대장에 청구인 명의로 등재되어 있으며, 당해연도 내에 철거하기로 확정되어 행정관청으로부터 철거명령을 받았거나 철거보상계약이 체결된 사실이 없고, 국가·지방자치단체의 소유에도 해당되지 않는 것은 물론, 건축물에 대하여 담당공무원이 현장확인 결과, 건축물을 청구인에게 매도한 청구 외 지○○ 과 김○○ 가 2008.11.14. 현재까지 거주하고 있는 것을

확인(원주시세무과-19887, 2008.11.14.)하고 있는 점 등을 종합해 볼 때, 처분청에서 공동시설세를 부과고지한 것은 적법함(조심 2008지883, 2008.12.18.).

- 지방세법 제254조 제3호의 규정에 의하여 지하수를 이용하기 위하여 채수하는 자는 채수한 지하수의 양을 과세표준으로 지역개발세를 납부하여야 함. 다만, 채수된 지하수를 국가나 지방자치단체에게 무료로 제공하는 경우 그 부분에 대하여는 지방세법 제255조의 규정에 의하여 지역개발세가 비과세됨(세정 13407-251, 2001.8.27.).

- (예규) 지법 145-1(비과세대상) 1. 지방자치단체가 온천을 개발하여 그 용수를 목욕탕을 경영하는 업자에게 공급하는 경우와 경영수익사업으로 생수를 개발하여 판매하는 경우 등은 지역자원시설세가 비과세된다. 2. 발전한 전기를 국가, 지방자치단체 및 지방자치단체 조합에 무료로 제공하는 경우 그 제공된 전력량으로 전력생산에 소요된 물의 양을 계산하여 그 부분에 해당하는 발전용수에 대한 지역자원시설세를 비과세하여야 한다.

- 공립학교의 지역개발세 비과세대상 여부

  ○○여자중학교는 지방교육자치에 관한 법률 제34조 및 서울특별시사립학교설치조례에 의해 설립된 서울특별시교육청 소속 교육기관으로서, 당해 교육기관이 과세대상 자원 등을 직접 개발하여 이용한다면 지방세법 제255조 제1항의 규정에 의하여 지역개발세 비과세대상이 됨(세정 13407-1306, 2000.11.15.).

2. 특정 부동산분

- 공무원 연금관리공단을 국가 등으로 보아 지역자원시설세 비과세는 타당함

  「공무원연금법」 제16조의 2에는 "공단은 「주택법」, 「택지개발촉진법」 또는 「임대주택법」에서 정하는 바에 따라 공무원을 위하여 주택을 건설·공급·임대하거나 택지를 취득할 수 있고, 이 경우 공단은 국가나 지방자치단체로 본다."라고 규정하고 있으며, 「정부조직법」이 아닌 「방송법」(2000.1.12. 이전의 것)상의 방송위원회는 그 설치의 법적근거, 법에 의하여 부여된 직무, 위원의 임명절차 등을 종합하여 볼 때 국가기관으로서 사업소세의 비과세대상으로 본 판례와 사단법인 부산항 부두관리협회가 … 이른바 행정보완적 기능을 가진 공익법인에 해당하여 사업소세 비과세대상으로 본 판례 등에 비추어 볼 때, 청구법인이 공무원을 위하여 주택을 건설·공급·임대하거나 택지를 취득하는 등 공익적 목적을 수행하는 경우 청구법인의 지위를 국가나 지방자치단체로 의제…과세특례와 지역자원시설세 등을 비과세하는 것이 타당(조심 2012지26, 2012.3.30.)

  ☞ 위 심판례로 인하여 2014.1.1. 지방세법 제9조 제1항을 개정하였는데 다른 법률에서 의제하는 법인을 국가 등에서 제외하였다.

과세표준과 세율

제146조(과세표준과 세율)

법 제146조(과세표준과 세율) ① 특정자원분 지역자원시설세의 과세표준과 표준세율은 다음 각 호와 같다.

1. 발전용수 : 발전에 이용된 물 10세제곱미터당 2원
2. 지하수
   가. 먹는 물로 판매하기 위하여 채수된 물 : 세제곱미터당 200원 나. 목욕용수로 이용하기 위하여 채수된 온천수 : 세제곱미터당 100원 다. 가목 및 나목 외의 용도로 이용하거나 목욕용수로 이용하기 위하여 채수된 온천수 외의 물 : 세제곱미터당 20원
3. 지하자원 : 채광된 광물가액의 1천분의 5

② 특정시설분 지역자원시설세의 과세표준과 표준세율은 다음 각 호와 같다.

1. 컨테이너 : 컨테이너 티이유(TEU)당 1만5천원
2. 원자력발전 : 발전량 킬로와트시(kWh)당 1원
3. 화력발전 : 발전량 킬로와트시(kWh)당 0.3원

③ 소방분 지역자원시설세의 과세표준과 표준세율은 다음 각 호에서 정하는 바에 따른다.

1. 건축물 또는 선박의 가액 또는 시가표준액을 과세표준으로 하여 다음 표의 표준세율을 적용하여 산출한 금액을 세액으로 한다.

과세표준	세 율
600만원 이하	10,000분의 4
600만원 초과 1,300만원 이하	2,400원 + 600만원 초과금액의 10,000분의 5
1,300만원 초과 2,600만원 이하	5,900원 + 1,300만원 초과금액의 10,000분의 6
2,600만원 초과 3,900만원 이하	13,700원 + 2,600만원 초과금액의 10,000분의 8
3,900만원 초과 6,400만원 이하	24,100원 + 3,900만원 초과금액의 10,000분의 10
6,400만원 초과	49,100원 + 6,400만원 초과금액의 10,000분의 12

2. 저유장, 주유소, 정유소, 유흥장, 극장 및 4층 이상 10층 이하의 건축물 등 대통령령으로 정하는 화재위험 건축물에 대해서는 제1호에 따라 산출한 금액의 100분의 200을 세액으로 한다.

2의 2. 대형마트, 복합상영관(제2호에 따른 극장은 제외한다), 백화점, 호텔, 11층 이상의 건축물 등 대통령령으로 정하는 대형 화재위험 건축물에 대해서는 제1호에 따라 산출한 금액의 100분의 300을 세액으로 한다.

④ 제3항의 건축물 및 선박은 제104조 제2호부터 제3호까지 및 제5호에 따른 건축물 및 선박으로 하며, 그 과세표준은 제110조에 따른 가액 또는 시가표준액으로 한다. 다만, 주택의 건축물 부분에 대한 과세표준은 제4조 제2항을 준용하여 지방자치단체의 장이 산정한 가액에 제110조 제1항 제2호에 따른 공정시장가액비율을 곱하여 산정한 가액으로 한다.

⑤ 지방자치단체의 장은 조례로 정하는 바에 따라 지역자원시설세의 세율을 제1항부터 제3항까지의 표준세율의 100분의 50의 범위에서 가감할 수 있다. 다만, 제2항 제2호 및 제3호는 세율을 가감할 수 없다.

〈개정 2019.12.31., 2021.1.1. 시행〉

영 제138조(화재위험 건축물 등) ① 법 제146조 제3항 제2호에서 "저유장, 주유소, 정유소, 유흥장, 극장 및 4층 이상 10층 이하의 건축물 등 대통령령으로 정하는 화재위험 건축물"이란 다음 각 호의 어느 하나에 해당하는 건축물을 말한다. 다만, 제2항 각 호의 어느 하나에 해당하는 건축물은 제외한다.

1. 주거용이 아닌 4층 이상 10층 이하의 건축물. 이 경우 지하층과 옥탑은 층수로 보지 아니한다.
2. 「화재예방, 소방시설 설치·유지 및 안전관리에 관한 법률 시행령」 별표 2에 따른 특정소방대상물 중 다음 각 목의 어느 하나에 해당하는 것
   가. 근린생활시설 중 학원, 비디오물감상실, 비디오물소극장 및 노래연습장. 다만, 바닥면적의 합계가 200제곱미터 미만인 것은 제외한다.
   나. 위락시설. 다만, 바닥면적의 합계가 무도장 또는 무도학원은 200제곱미터 미만, 유흥주점은 33 제곱미터 미만, 단란주점은 150제곱미터 미만인 것은 제외한다.
   다. 문화 및 집회시설 중 극장, 영화상영관, 비디오물감상실, 비디오물소극장 및 예식장
   라. 판매시설 중 도매시장·소매시장·상점, 운수시설 중 여객자동차터미널
   마. 숙박시설. 다만, 객실로 사용되는 부분의 바닥면적 합계가 60제곱미터 미만인 경우는 제외한다.
   바. 장례식장(의료시설의 부수시설인 장례식장을 포함한다)
   사. 공장 중 행정안전부령으로 정하는 것(이하 이 조에서 "공장"이라 한다)
   아. 창고시설 중 창고(영업용 창고만 해당한다), 물류터미널, 하역장 및 집배송시설
   자. 항공기 및 자동차 관련 시설 중 주차용 건축물
   차. 위험물 저장 및 처리 시설
   카. 의료시설 중 「의료법」 제3조 제2항 제3호에 따른 병원급 의료기관, 「감염병의 예방 및 관리에 관한 법률」 제36조에 따른 감염병관리기관, 「정신건강증진 및 정신질환자 복지서비스 지원에 관한 법률」 제3조 제5호에 따른 정신의료기관, 「장애인복지법」 제58조 제1항 제4호에 따른 장애인 의료재활시설
   타. 교육연구시설 중 학원

② 법 제146조 제3항 제2호의 2에서 "대형마트, 복합상영관(제2호에 따른 극장은 제외한다), 백화점, 호텔, 11층 이상의 건축물 등 대통령령으로 정하는 대형 화재위험 건축물"이란 다음 각 호의 어느 하나에 해당하는 건축물을 말한다.

1. 주거용이 아닌 11층 이상의 고층 건축물
2. 「소방시설 설치 · 유지 및 안전관리에 관한 법률 시행령」 별표 2에 따른 특정소방대상물 중 다음 각 목의 어느 하나에 해당하는 것
   가. 위락시설 중 바닥면적의 합계가 500제곱미터 이상인 유흥주점. 다만, 지하 또는 지상 5층 이상의 층에 유흥주점이 설치된 경우에는 그 바닥면적의 합계가 330제곱미터 이상
   나. 문화 및 집회시설 중 다음 어느 하나에 해당하는 영화상영관
      1) 상영관 10개 이상인 영화상영관　2) 관람석 500석 이상의 영화상영관
      3) 지하층에 설치된 영화상영관
   다. 연면적 1만제곱미터 이상인 다음 어느 하나에 해당하는 판매시설
      1) 도매시장　2) 소매시장　3) 상점
   라. 숙박시설 중 5층 이상으로 객실이 50실 이상(동일한 건물 내에 「다중이용업소의 안전관리에 관한 특별법」 제2조 제1항에 따른 다중이용업소가 있는 경우는 객실 30실 이상을 말한다)인 숙박시설
   마. 공장 및 창고시설 중 1구 또는 1동의 건축물로서 연면적 1만5천제곱미터 이상의 공장 및 창고(창고시설의 경우 샌드위치 판넬조 물류창고 또는 냉동 · 냉장창고에 한정한다)
   바. 위험물 저장 및 처리 시설 중 「위험물안전관리법 시행령」 제3조 및 별표 1에서 규정한 지정수량의 3천배 이상의 위험물을 저장 · 취급하는 위험물 저장 및 처리 시설
   사. 연면적 3만제곱미터 이상의 복합건축물. 이 경우 주상복합 건축물(하나의 건축물이 근린생활시설, 판매시설, 업무시설, 숙박시설 또는 위락시설의 용도와 주택의 용도로 함께 사용되는 것을 말한다)에 대해서는 주택부분의 면적을 제외하고, 주택부분과 그 외의 용도로 사용되는 부분이 계단을 함께 사용하는 경우에는 계단부분의 면적은 주택부분의 면적으로 보아 연면적을 산정한다.
   아. 「정신건강증진 및 정신질환자 복지서비스 지원에 관한 법률」 제3조 제5호에 따른 정신의료기관으로서 병상이 100개 이상인 의료기관 및 「의료법」 제3조 제2항 제3호에 따른 병원급 의료기관 중 5층 이상의 종합병원 · 한방병원 · 요양병원으로서 병상이 100개 이상인 의료기관

③ 1구 또는 1동의 건축물이 제1항 제2호 및 제2항 제2호에 따른 용도와 그 밖의 용도에 겸용되거나 구분사용되는 경우의 과세표준과 세액 산정방법 등에 대해서는 행정안전부령으로 정한다. 〈개정 2014.1.1.〉　[제목개정 2014.1.1.]

규칙 제75조(다른 용도와 겸용되거나 구분 사용되는 화재위험 건축물의 과세표준 등) ① 1구 또는 1동의 건축물(주거용이 아닌 4층 이상의 것은 제외한다)이 영 제138조 제1항 제2호 및 같은 조 제2항 제2호에 따른 용도(이하 이 조에서 "화재위험 건축물 중과대상 용도"라 한다)와 그 밖의 용도에 겸용되고 있을 때에는 그 건축물의 주된 용도에 따라 해당 건축물의 용도를 결정한다. 이 경우 화재위험 건축물 중과대상 용도로 사용하는 건축물에 대한 세율은 그 건축물의 주된 용도에 따라 법 제146조 제3항 제2호 또는 같은 항 제2호의 2의 세율을 각각 적용한다.

② 1구 또는 1동의 건축물이 화재위험 건축물 중과대상 용도와 그 밖의 용도로 구분 사용되는 경우에는 1구의 건축물을 기준으로 하여 그 밖의 용도로 사용되는 부분을 제외한 부분만을 화재위험 건축물 및 대형 화재위험 건축물로 보아 법 제146조 제3항 제2호 및 같은 항 제2호의 2의 세율을 각각 적용한다. 다만, 1동의 건축물이 2 이상의 구로 구성되어 있는 경우에는 1동의 건축물을 기준으로 하여 그 밖의 용도로 사용되는 부분을 제외한 부분만을 화재위험 건축물 및 대형 화재위험 건축물로 보아 법 제146조 제3항 제2호 및 같은 항 제2호의 2의 세율을 각각 적용한다.

③ 제2항에 따른 건축물에 대하여 소방시설에 충당하는 지역자원시설세를 과세하는 경우의 세액 산정은 각 구별로 다음 계산식에 따른다.

> 소방시설에 충당하는 지역자원시설세액 = X + Y + Z
>
> X = 1구의 건축물의 과세표준 × 법 제146조 제3항 제1호에 따른 세율
>
> $$Y = X \times \frac{\text{화재위험 건축물의 과세표준}}{\text{1구의 건축물의 과세표준}}$$
>
> $$Z = 2X \times \frac{\text{대형 화재위험 건축물의 과세표준}}{\text{1구의 건축물의 과세표준}}$$

④ 영 제138조 제1항 제2호 사목에서 "행정안전부령으로 정하는 것"이란 제55조에 따른 공장용 건축물을 말한다.

예규 지법 146…138-1(4층 이상의 건축물) : 「지방세법 시행령」 제138조 제1항 제1호에 규정된 「4층 이상의 건축물」이라 함은 지하층과 옥탑을 제외한 층수가 4층 이상인 건물을 말하며, 이 경우 4층 이상 건물의 일부를 주거용으로 사용하는 경우에는 그 주거용으로 사용하는 부분을 제외한 부분을 화재위험건축물로 중과세한다.

지법 146…138-2(영업용 창고) : 「지방세법 시행령」 제138조 제1항 제2호 아목 규정의 「영업용 창고」란 타인의 물건을 보관하는 것을 주된 영업으로 하는데 사용되는 창고를 말한다.

지법 146…138-3(겸용과 구분사용) : 1동의 건물이 3층 이하이면서 중과대상인 용도와 기타 용도로 겸용되는 경우에는 주된 용도에 따라 판단하는 것이나, 구분사용되는 경우에는 그 사용용도대로 각각 적용한다. 여기서 「겸용」이란 동일한 장소를 2가지 이상의 용도로 사용하는 것을 말하며, 「구분사용」이란 같은 건물일지라도 각각의 용도에 따라 구획하여 사용하는 것을 말한다.

1. 특정자원 및 특정시설분 지역자원시설세

특정자원분의 경우 발전용수는 10세제곱미터당 2원이다. 지하수의 경우 먹는 물로 판매하기 위하여 채수된 물은 세제곱미터당 200원, 목욕용수로 이용하기 위하여 채수된 온천수는 100원, 그 외의 용도로 채수된 물은 20원이다. 지하자원은 채광된 광물가액의 1천분의 5이다.

특정시설분의 경우 컨테이너는 티이유(TEU)당 1만5천원, 원자력발전은 발전량 킬로와트시(kWh)당 1원이고, 화력발전은 발전량 킬로와트시(kWh)당 0.3원이다.

◎ 운반비용은 지하자원의 과세표준인 "채광된 광물가액"에 포함되지 아니함

규석을 실수요자 및 도매업자에게 판매시 지역개발세 과세 관련, 지방세법 제257조 제1항 제3호에 의하면 지하자원의 과세표준은 "채광된 광물가액"이라고 규정하고, 같은 법 제111조 제5항 제3호에 의하면 법인장부에 의하여 취득가격이 입증되는 취득은 사실상의 취득가격을 취득세 과세표준으로 적용하도록 규정하고 있으므로 귀문 지하자원을 채광하는 자(납세의무자)가 법인이고, 법인장부에 채광된 광물가액(채굴, 파쇄, 분쇄비용등)과 그 채광된 광물을 운반하는데 지출된 운반비용이 명백히 구분되어 계상되어 있다면 그 운반비용은 지하자원의 과세표준인 "채광된 광물가액"에 포함되지 아니함(세정-2480, 2007.6.29.).

◎ 원자력발전에 대한 지역자원시설세 과세표준이 되는 '발전량'은 '판매량'과 구별되는 개념으로서 '생산된 발전량'으로 해석하는 것이 타당함(대법원 2008두17363, 2011.9.2.).

◎ 원자력발전에 대한 지역자원시설세는 그 부과요건의 하나인 부과지역에 관한 조례가 정해져야만 비로소 부과지역이 대외적으로 확정되어 이를 부과할 수 있음(대법원 2008두17363, 2011.9.2.).

2. 소방분 과세표준 및 세율적용방식

1) 과세표준

지역자원시설세 과세표준은 재산세 과세표준과 동일하다(주택의 건축물분은 예외). 법 제146조 제1항 제1호에서 "건축물(주택의 건축물 포함) 또는 선박의 가액 또는 시가표준액"을 과세표준으로 한다고 규정하고 있다. 이 규정만 보면 건축물의 경우 시가표준액 자체가 과표인 것으로 오해할 소지가 있다. 그런데 제3항에서 과세표준은 "제110조에 따른 가액 또는 시가표준액으로 한다"고 다시 규정하고 있는데 이는 재산세 과세표준을 따른다는 의미이다. 재산세에서 과세표준(제110조 ①)은 건축물·주택의 경우 시가표준액에 공정시장가액비율을 곱하여 산정한 "가액"으로 한다고 규정하고 선박의 경우 시가표준액 자체를 과표로 정하고 있다. 그에 따라 특정부동산분 지역자원시설에의 건축물분 과표는 시가표준액에 공정시장가액비율을 곱한 것이 되고, 선박은 시가표준액 자체가 과표가 된다. 한편 주택의 건축물분의 경우 주택분 재산세 과표인 공정시장가액비율 60%가 아니라 일반 건축물과 같은 70%의 공정시장가액비율을 적용하여야 한다.

2) 과세표준 및 세율 적용 방식

건축물에 대한 소방분 지역자원시설 부과와 관련하여 1구와 1동의 구분이 중요하다. 소방분은 과세표준에 대해 누진세율이 적용되기 때문에 과세대상이 되는 단위를 무엇으로 보

는지에 따라 세부담이 달라지기 때문이다.

1구 또는 1동이 법령에서 명확히 정의되어 있지는 않으며 행안부 운영요령(지방세운영과-1367, 2015.5.7.)에서 다음과 같이 정리하고 있다. 일반적으로 1구는 구성원의 생활 또는 사업의 실체, 경제적 일체성 등을 기준으로 독립적으로 구분되는 단위로 보고 있다. 1동(棟)은 건축 단위로써 하나의 건축물을 의미한다.

유형별로 구분해 보변 ⅰ) 집합건물인 1동에 여러 개의 구가 있을 수 있다(아래 표 "1구 및 1동 판단에 따른 세액 산출 방법"의 ②). 예를 들어 1동의 오피스텔에 여러개의 구가 존재하는 경우이다. ⅱ) 비집합건물의 경우 1동에 여러개의 구가 있거나 1동이 1구와 일치하는 경우가 있을 수 있다(아래 표의 ①). ⅲ) 비집합건물인 여러 동이 합쳐서 하나의 구를 형성할 수 있는데(아래 표의 ③), 1구의 공장 내부에 여러동의 건물이 있는 경우가 그러한 예이다.

시행령 제138조 제3항에서 1구 또는 1동의 건축물이 중과대상 용도와 그 밖의 용도에 겸용되거나 구분사용되는 경우의 과세표준과 세액 산정방법 등에 대해서는 행정안전부령으로 정하도록 규정하고 있다. 그동안 소방분의 과세단위는 1구 또는 1동으로 과세하는데 큰 범위를 기준으로 과세해왔다. 1동에 다수의 구가 있는 집합건축물도 화재위험 건축물의 속성상 동 전체를 기준으로 먼저 과세표준과 세율을 산정하고 개별 구(호) 단위로 안분했다.

이러한 과세방식이 2019년에 보완되었다. 종전에는 비주거용 집합건축물은 주거용과 세율 적용 방식이 달라, 세부담에 차이가 있었다. 주거용은 1구별 단위로 과표를 적용하여 세액을 산출하고, 비주거용 건물은 1동 전체를 단위로 과표를 적용하여 세액 산출한 후 1구(1호)별로 세액을 안분하였다. 이 경우 중과세가 적용되는 집합건축물(예. 업무용 오피스텔)의 세부담이 큰 편이었다. 이에 대해 합산범위를 용도에 따른 구분없이 1구로 규정하여, 주거용과 비주거용 건축물간 세부담의 형평성을 제고하였다. 즉, 오피스텔의 개별 호를 단위로 과세표준 및 세율(중과)을 적용하게 되었다(2019.5.31. 규칙 제75조 ②·③ 개정).

| 적용사례('19년 재산세 운영요령) |

【건물의 용도 / 과세표준 / 중과구분】

용 도	과 표	중과구분
① 휴게실	2천만원	일반
② 공장	3천만원	2배 중과
③ 위험물저장시설	4천만원	3배 중과

【1구 및 1동 판단에 따른 세액 산출 방법】

용 도		현 행	개 정
① 구 = 동	〈구=동〉 위험물저장시설 공장 휴게실	X+Y+Z = 178,443원	좌동
		X = (9천－6천4백)×12/10,000+49,100 = 80,300원 Y = 80,300×3천/9천 = 26,766원 Z = 2×(80,300)×4천/9천 = 71,377원	
② 구 〈 동	〈동〉 구(위험물시설) 구(공장) 구(휴게실)	X+Y+Z = 178,443원	10,100 + 33,800 + 75,300 = 119,200원
		X = (9천－6천4백)×12/10,000 +49,100 = 80,300원 Y = 80,300×3천/9천 = 26,766원 Z = 2×(80,300)×4천/9천 = 71,377원	동 → 구로 합산범위를 변경 • 구(휴게실) : 10,100원 (2천－1.3천)×6/10,000+5,900원 = 10,100원 • 구(공장) : 33,800원 [(3천－2.6천)×8/10,000+ 13,700원]×2 = 33,800원 • 구(위험물저장시설) : 75,300원 [(4천－3.9천)×10/10,000+ 24,100원]×3 = 75,300원
③ 동 〈 구	〈구〉 휴게동 공장동 위험물관리동	X+Y+Z = 178,443원	좌동
		X = (9천－6천4백)×12/10,000+ 49,100 = 80,300원 Y = 80,300×3천/9천 = 26,766원 Z = (80,300)×4천/9천×2 = 71,377원	

3) 소방분 중과 유형

소방분(특정부동산)에 대한 지역자원시설세는 2배 또는 3배 중과세 대상이 열거되어 있다. 특정부동산분의 경우 대형마트, 복합상영관, 백화점, 호텔, 11층 이상의 건축물 등에 대하여 2014년부터 표준세율에 3배를 적용하도록 하고 있다. 화재위험 건축물에 대한 소방수요가 증가하여 지역자원시설세 중과규정을 개선하였는데, 대형마트, 복합상영관 및 11층 이상의 건축물 등 대형화재 취약대상 건축물에 대하여 중과세를 강화하였다(2배→3배). 대형화채 취약대상 건축물은 대형마트, 복합상영관, 고위험물 저장 처리시설 등과 같이 화재가 발생할 경우 많은 인명과 재산피해가 발생할 우려가 높아 특별한 관리가 필요한 소방대상물을 의미한다.

|「화재위험 건축물」과 「대형화재 취약대상 건축물」 과세대상 비교|

구 분	화재위험 건축물	대형화재 취약대상 건축물
극장	극장	상영관 10개 이상 또는 관람석 500석 이상
판매시설	도매·소매시장, 상점	시장·백화점 및 대형할인매장 등 연면적 10,000㎡ 이상
숙박시설	숙박시설(여인숙 제외)	5층 이상으로 객실이 50실 이상
공장 및 창고	공장, 영업용 창고	하나의 건축물로서 연면적 15,000㎡ 이상
기타 건물	4층 이상 건물	11층 이상 건물

유흥주점, 대형마트 및 복합상영관 등에 대해서는 1구의 건축물을 기준으로 중과 여부를 적용한다. 예를 들어 유흥주점이 집합적으로 1구의 개념으로 영업하고 있는 경우 각 영업장 전체면적을 합산하여 중과 여부 적용하고, 대형마트가 1~4층으로 영업하는 경우 전체 연면적을 기준으로 중과 여부를 적용하며, 복합상영관이 동일 건축물에 동일한 사업자가 층을 달리하여 영업하는 경우 층별 영업장을 합산하여 중과 여부를 적용한다. 또한 다수의 영업점이 1구의 개념으로 동일하게 영업하는 경우 전체 영업장을 1구로 보아 중과 여부를 적용한다. 다만, 여러 개의 영업점이 각각 개별적으로 영업하는 전통시장 등은 각 영업점을 기준으로 적용한다.

중과대상은 2배중과 대상인 화재위험 건축물과 3배중과 대상인 대형화재위험 건축물로 구분되어 있고, 각각은 건물의 층수(4층 이상, 11층 이상)기준과 소방시설설치유지 및 안전관리에 관한 법률 시행령 [별표 2]의 특정소방대상물로 구분되어 있다. 특정소방대상물의 경우 아래 [별표 2]를 전제로 하면서 지방세법 시행령에서 일정요건으로 제한하고 있다.

| 최근 개정법령 _ 2016.1.1. | 지역자원시설세 2배중과 대상 숙박시설의 범위 명확화(영 제138조 제1항 2호 마목)

종전 규정에 따르면 지역자원시설세 2배 중과대상인 숙박시설 중 여인숙은 제외하도록 하였으나, 이 법 및 관련법 등에서 여인숙 정의 및 범위 등이 없었다. 그에 따라 중과제외 대상 숙박시설의 범위를 객실로 사용되는 부분의 바닥면적 합계가 60제곱미터 미만인 경우는 제외하도록 개정하였다.

| 최근 개정법령 _ 2016.1.1. | 지역자원시설세 3배중과 대상 유흥시설 기준 보완(영 제138조 제2항 2호 가목)

종전 규정에 따르면 유흥주점이 지하층(또는 5층 이상 층)과 지상 1~4층에 각각 설치되어 있을 경우 중과대상인지 여부 판단 기준 불명확하였는바, 유흥주점이 설치된 경우에는 그 영업장 바닥면적 합계가 500제곱미터 이상인 경우에는 지역자원시설세를 3배 중과대상으로 하였다. 다만, 지하 또는 지상 5층 이상의 층만에 유흥주점이 설치된 경우에는 그 바닥면적 합계가 330제곱미터 이상인 경우에도 3배 중과대상으로 한다. 예를들어 1층 유흥주점 150제곱미터, 지하층 유흥주점 160제곱미터, 5층 유흥주점 170제곱미터인 경우 지하와 5층 유흥주점 바닥면적 합이 330제곱미터(330제곱미터 이상 기준 충족)이므로 지하와 5층 유흥주점은 3배 중과세 대상이다. 전체 유흥주점 바닥면적 합은 480제곱미터(500제곱미터 이상 기준 미충족)이므로 1층 유흥주점의 경우에는 여전히 2배 중과세 대상에 해당된다.

| 최근 개정법령 _ 2016.1.1.| 지역자원시설세 3배중과 대상 공장의 판단기준 보완(영 제138조 제2항 2호 마목)

종전 규정에 따르면 지역자원시설세 3배 중과대상인 공장을 판단하는 하나의 건축물은 한 동의 건축물을 의미하는 것으로 보았는 바(지방세운영과-1367, 2015.5.7.), 공장은 그 건축물 구조나 형태에 따라 "한 동" 외 "한 구" 단위로도 과세되는 점을 고려하여 3배 중과대상의 건축물에 "한 구"를 포함하는 것으로 개정되었다. 예를들어 1.5만㎡ 미만의 다수의 개별 건축물이 1구를 이루어 운영되는 공장도 한 구를 단위로는 1.5㎡를 상회하므로 3배 중과대상인 대형화재위험건축물에 포함된다.

☞ 지방세법 제13조 공장에 대한 중과편 참고

| 최근 개정법령 _ 2019.1.1.| 특정부동산분 지역자원시설세 중과세 대상 합리화(영 §138 ①·②)

소방재원의 원인자 부담원칙을 제고하기 위해 화재위험 건물에 대한 지역자원시설세 중과세 제도를 합리적으로 보완하였다. 바닥면적 500㎡ 이상 학원(교육연구시설)도 지역자원시설세 중과세(2배) 대상임을 명확히 하고, 창고시설 중 하역장·집배송시설을 지역자원시설세 중과세 대상(2배)에 추가하였다. 그리고 의료시설을 중과세 대상에 추가하면서, 화재위험도에 따라 2배·3배로 구분하였다. 의료시설 중 병원, 격리병원, 정신의료기관, 장애인의료재활시설(소방시설법상 특정소방대상물) 등은 2배 중과, 정신보건시설로서 병상이 100개 이상, 5층 이상의 종합병원·한방병원·요양병원으로서 병상 100개 이상(소방시설법상 중점관리대상)은 3배 중과 대상으로 구분하였다.

주거용이 아닌 11층 이상의 고층 건축물 판단시, 구분등기된 경우라도 사실상 하나의 건축물로 사용되고 있다면 실제현황을 기준으로 지역자원시설세 중과 여부를 판단

건축물 하부는 상가이고 상부는 오피스텔로 외관상 하나의 건축물이나 건축물대장이 분리되어 있고, 상가와 오피스텔이 구분사용되는 경우, 지방세에 관한 기본적이고 공통적인 사항을 규정한 「지방세기본법」 제17조는 지방세관계법 중 과세표준 및 세액의 계산에 관한 규정은 거래의 명칭이나 형식에 관계없이 그 실질내용에 따라 적용하도록 규정하고 있으므로, 건축물대장 등의 공부상 현황이 아닌 실제현황을 기준으로 하나의 건축물로 11층 이상 여부를 적용해야 한다고 판단됨(지방세운영과-660, 2018.3.26.).

◎ 건축물 준공 후 법적분쟁으로 장기간 미사용이라도 지역자원시설세 3배중과 대상

지역자원시설세 3배중과 대상인 대형화재건축물로 '연면적 3만제곱미터 이상의 복합건축물'을 규정하되, 해당 건축물을 그 목적대로 사용하고 있는지 여부에 관한 사항은 대형화재위험건축물 판단을 위한 과세요건으로 규정하고 있지 아니함. 그러므로, 장기간 휴업으로 인한 미사용 등의 사유는 지역자원시설세 3배 중과세 대상인 대형화재위험건축물 판단 여부에 영향을 줄 수 없음(지방세운영과-3241, 2015.10.16.).

◎ 4층 이상 건축물의 지역자원시설세 중과세 안분 방식

주거용이 아닌 4층 이상의 화재위험건축물에 대하여는 산출세액의 100분의 200을 과세하도록 규정되어 있는 바, 쟁점건물을 포함한 상가건물은 지상 5층의 근린생활시설로 주거용이 아닌 4층 이상의 화재위험건축물에 해당되므로 지역자원시설세 중과대상에 해당되므로 비록 청구인이 화재위험건축물 중 일부를 소유하고 있다 하더라도 화재위험건축물 전체에 대한 지역자원시설세를 산출한 다음 청구인의 소유지분별로 안분하여 이를 고지한 처분은 적법하다 할 것이므로 쟁점건물에 대한 재산세에 재산세 과세특례분을 합산하고, 쟁점건물이 포함된 상가건물을 4층 이상의 화재위험건축물로 보아 건물에 대한 지역자원시설세를 산출(중과세)한 후 청구인의 소유비율로 안분하여 지역자원시설세를 과세한 처분은 달리 잘못이 없음(조심 2011지574, 2012.2.10.).

◎ 비주거용과 주거용이 혼합되어 있더라도 전체 층수를 기준으로 11층 이상 여부 판단

4층 이상 건축물이라 함은 지하층과 옥탑을 제외한 층수가 4층 이상인 건물을 말하며, 이 경우 4층 이상 건물의 일부를 주거용으로 사용하는 경우에는 그 주거용으로 사용하는 부분을 제외한 부분을 화재위험 건축물로 중과세하는 것이 타당하다고 판단(조심 2013지0680, 2013.11.19.)한 종전 유사 해석사례에 비추어 볼 때, 11층 이상의 건축물의 경우에도 주거용과 비주거용 건축물 혼합 여부와 관계없이 지하층과 옥탑을 제외한 전체 층수를 토대로 11층 이상의 고층 건축물에 해당하는지 여부를 판단한 후, 주거용으로 사용하는 부분을 제외한 부분에 대해 중과세 적용(지방세운영과-347, 2015.1.29.).

◎ 공장 경계구역 안에 있는 '시설'은 화재위험건축물로서 지역자원시설세 중과세 대상

규칙 제75조 ④은 "공장"을 제55조에 따른 "공장용 건축물"로 하고, 규칙 제55조에서는 "공장용 건축물"을 별표 2에 규정된 업종의 공장으로서 생산설비를 갖춘 건축물의 연면적(옥외에 기계장치 또는 저장시설이 있는 경우에는 그 시설물의 수평투영면적을 포함)이 500제곱미터 이상인 것을 말하되, 건축물의 연면적에는 해당 공장의 제조시설을 지원하기 위하여 공장 경계구역 안에 설치되는 부대시설(식당, 휴게실, 목욕실, 세탁장, 의료실, 옥외 체육시설 및 기숙사 등 종업원의 후생복지증진에 제공되는 시설과 대피소, 무기고, 탄약고 및 교육

시설은 제외)의 연면적을 포함한다고 규정하고 있음. … 규칙 제55조에 따른 공장의 경계구역 안에 있는 영 제5조의 시설들은 화재위험건축물로서 지역자원시설세 중과세 대상(지방세운영과-383, 2013.4.24.)

◎ 공장 내 수동의 건축물이 있는 경우 1구로 보아 모든 건축물의 과세표준을 합산 적용

지방세법 시행규칙 제107조 제1항에서 1구 또는 1동의 건축물(4층 이상의 주거용 이외의 것을 제외한다)이 영 제199조의 2 제1항 제2호의 규정에 의한 용도와 기타 용도에 겸용되고 있을 때에는 그 건축물의 주된 용도에 따라 당해 건축물의 용도를 결정한다라고 규정하고 있어, 공장 내에 건축물이 비록 수동의 건축물로 나누어져 있다하더라도 동일구역 내에 있으면서 하나의 공장으로 운영되고 있다면 1구(構)의 건축물로 보아야 할 것이므로 공동시설세 부과에 있어 화재위험 건축물의 적용은 동일구내에 있는 모든 건축물의 과세표준액을 합산하여야 함(세정-2834, 2007.7.23.).

◎ 3만제곱미터 이상의 복합건축물은 지역자원시설세 중과세율 적용대상

쟁점건축물의 신청사와 구청사는 외관상 붙어 있고, 각 층 내부도 연결되어 있어 사실상 하나의 건축물로 보이며, 1구 내의 건축물인 쟁점거축물의 연면적이 36,298.03㎡로서 3만㎡ 이상인 사실이 건축물대장 등에 의하여 확인되므로 이 건 지역자원시설세를 과세한 처분은 잘못이 없음(조심 2015지1777, 2016.9.7.).

◎ 다가구주택에 대한 공동시설세 과세시에는 독립된 구획별로 과표를 산정

공동시설세는 건축물의 1구 또는 1동 단위로 과세하는 것으로서 과세대상 건축물에 대하여는 지방세법 제240조 제2항에서 "같은법 제180조 제2호 규정에 의한 건축물(재산세과세대상 건축물)"로 규정하고 있으므로, 재산세가 독립된 구획별로 과세되는 다가구주택이라면 공동시설세도 독립된 구획별로 과표를 산정하여 과세하는 것이 타당함(세정 13407-1090, 2000.9.14.).

◎ 공장울타리 내의 종업원 후생복지시설인 식당, 대피소, 목욕탕은 공동시설세 중과세 대상인 공장의 범위에서 제외

지방세법 시행령 제199조의 2 제1항 제2호 바목 및 같은 법 시행규칙 제107조 제4항, 제78조의 7에서 "공장용건축물"이라 함은 별표 3에 규정한 업종의 공장으로서 생산설비를 갖춘 건축물의 연면적이 500㎡ 이상인 것을 말하는 것이므로, 공장용건축물의 연면적에는 당해 공장의 제조시설을 지원하기 위하여 공장 경계구역 안에 설치되는 부대시설의 연면적을 포함하되 식당, 휴게실 등 종업원의 후생복지증진에 공여되는 시설과 대피소, 무기고, 탄약고 및 교육시설을 제외하도록 규정하고 있으므로, 귀문의 경우 공장구내에 있는 종업원의 후생복지시설인 식당, 대피소, 목욕탕은 공동시설세의 중과세 대상인 공장의 범위에서 제외되는 것임(세정 13407-782, 2002.8.22.).

◎ 공항 내 자체 소방본부 건축물이라도 공동시설세 납세의무가 있음

지방세법 제239조 ①에서 소방시설로 인하여 이익을 받는 자에 대하여 공동시설세를 부과하도록 규정하고 있으므로 동 규정에서의 "소방시설로 인하여 이익을 받는 자"라 함은 화재가 발생하였을 경우 소방시설의 혜택을 받을 수 있는 상태에 있는 자를 뜻하는 것으로서, 비록 자체방화시설이 완벽하여 주관적으로 소방시설의 혜택을 받을 필요가 없다고 하여도 공동시설세의 납세의무를 배제하는 규정이 아니라고 보아야 하므로, 청구인의 경우와 같이 항공법령의 규정에 의하여 필수적으로 소방시설 등을 갖추어야만이 목적사업인 국제공항시설을 관리·운영할 수 있는 것이기 때문에 소방시설 등을 갖춘 것으로 보아야 하고, 비록 자체적으로 소방시설 등을 갖추었다고 하여 지방자치단체의 소방시설 혜택을 받을 수 있는 자에서 제외되는 것은 아님(심사 2001-626, 2001.12.17.).

◎ 항공기 정비공장이 지역자원시설세 중과세 대상인 공장에 해당하지 않음

「지방세법 시행령」 제138조 및 「지방세법 시행규칙」 제75조 제4항에서는 「지방세법 시행규칙」 [별표 2]에 규정된 업종이며 생산설비를 갖춘 건축물의 연면적이 500제곱미터 이상인 공장용 건축물은 화재위험 건축물로 명시하고 있고, 항공기 제조업과 달리 항공기 수리업에 대하여는 별도로 나열하고 있지 않는데, 「한국표준산업분류」에서는 항공기 제조공장 이외 사업체에서 수행하는 항공기 유지, 보수 및 정비활동은 수리업으로 분류하고 있으므로 제조공장이 아닌 정비활동 등만을 목적으로 하는 공장(항공기 수리업에 해당)에 대하여는 중과세 적용 곤란(지방세정책과-2377, 2020.6.19.)

 소방시설설치유지 및 안전관리에 관한 법률 시행령 [별표 2] 특정소방대상물

☞ 건축법 「별표 1」의 '용도별 건축물의 종류와 범위'와 다소 차이가 있음.

1. 공동주택
2. 근린생활시설
   가. ~
   나. 휴게음식점, 제과점, 일반음식점, 기원(棋院), 노래연습장 및 단란주점으로서 같은 건축물에 해당 용도로 쓰는 바닥면적의 합계가 150㎡ 미만인 것
   다. 이용원~　라. 의원 ~　마. 탁구장 ~
   바. 공연장(극장, 영화상영관, 연예장, 음악당, 서커스장, 「영화 및 비디오물의 진흥에 관한 법률」 제2조 제16호 가목에 따른 비디오물감상실업의 시설, 같은 호 나목에 따른 비디오물소극장업의 시설, 그 밖에 이와 비슷한 것을 말한다. 이하 같다) 또는 종교집회장[교회, ~]으로서 같은 건축물에 해당 용도로 쓰는 바닥면적의 합계가 300㎡ 미만인 것

사. 금융업소 ~ 아. 제조업소 ~ 자. 「게임산업진흥에 관한 법률」~ 차. 사진관, 표구점, 학원(같은 건축물에 해당 용도로 쓰는 바닥면적의 합계가 500㎡ 미만인 것만 해당하며, 자동차학원 및 무도학원은 제외한다), 독서실, 고시원(「다중이용업소의 안전관리에 관한 특별법」에 따른 다중이용업 중 고시원업의 시설로서 독립된 주거의 형태를 갖추지 않은 것으로서 같은 건축물에 해당 용도로 쓰는 바닥면적의 합계가 500㎡ 미만인 것을 말한다), 장의사, 동물병원, 총포판매사, 그 밖에 이와 비슷한 것 카. 의약품 판매소 ~

3. 문화 및 집회시설
가. 공연장으로서~ 나. 집회장~ 다. 관람장~ 라. 전시장~ 마. 동·식물원~

4. 종교시설

5. 판매시설
가. 도매시장 : 「농수산물 유통 및 가격안정에 관한 법률」 제2조 제2호에 따른 농수산물도매시장, 같은 조 제5호에 따른 농수산물공판장, 그 밖에 이와 비슷한 것(그 안에 있는 근린생활시설을 포함한다)
나. 소매시장 : 시장, 「유통산업발전법」 제2조 제3호에 따른 대규모점포, 그 밖에 이와 비슷한 것(그 안에 있는 근린생활시설을 포함한다)
다. 상점 : 다음의 어느 하나에 해당하는 것(그 안에 있는 근린생활시설을 포함한다)
1) 제2호 가목에 해당하는 용도로서 같은 건축물에 해당 용도로 쓰는 바닥면적 합계가 1천㎡ 이상인 것
2) 제2호 자목에 해당하는 용도로서 같은 건축물에 해당 용도로 쓰는 바닥면적 합계가 500㎡ 이상인 것

6. 운수시설 7. 의료시설 8. 교육연구시설 9. 노유자시설 10. 수련시설 11. 운동시설

12. 업무시설

13. 숙박시설
가. 일반형 숙박시설 : 「공중위생관리법 시행령」 제4조 제1호 가목에 따른 숙박업의 시설
나. 생활형 숙박시설 : 「공중위생관리법 시행령」 제4조 제1호 나목에 따른 숙박업의 시설
다. 고시원(근린생활시설에 해당하지 않는 것을 말한다)
라. 그 밖에 가목부터 다목까지의 시설과 비슷한 것

14. 위락시설
가. 단란주점으로서 근린생활시설에 해당하지 않는 것 나. 유흥주점, 그 밖에 이와 비슷한 것 다. 「관광진흥법」에 따른 유원시설업(遊園施設業)의 시설, 그 밖에 이와 비슷한 시설(근린생활시설에 해당하는 것은 제외한다) 라. 무도장 및 무도학원 마. 카지노영업소

15. 공장
물품의 제조·가공[세탁·염색·도장(塗裝)·표백·재봉·건조·인쇄 등을 포함한다] 또는 수리에 계속적으로 이용되는 건축물로서 근린생활시설, 위험물 저장 및 처리 시설, 항공기 및 자동차 관련 시설, 분뇨 및 쓰레기 처리시설, 묘지 관련 시설 등으로 따로 분류되지 않는 것

16. 창고시설(위험물 저장 및 처리 시설 또는 그 부속용도에 해당하는 것은 제외한다)
가. 창고(물품저장시설로서 냉장·냉동 창고를 포함한다) 나. 하역장 다. 「물류시설의 개발 및 운영에 관한 법률」에 따른 물류터미널 라. 「유통산업발전법」 제2조 제14호에 따른 집배송시설

17. 위험물 저장 및 처리 시설
18. 항공기 및 자동차 관련 시설 19. 동물 및 식물 관련 시설 20. 분뇨 및 쓰레기 처리시설
21. 교정 및 군사시설 22. 방송통신시설 23. 발전시설 24. 묘지 관련 시설 25. 관광 휴게시설
26. 장례식장 27. 지하가 28. 지하구 29. 문화재 30. 복합건축물

제3절

부과 · 징수

제147조(부과 · 징수)

법 제147조(부과 · 징수) ① 특정자원분 지역자원시설세 및 특정시설분 지역자원시설세의 납기와 징수방법은 다음 각 호에서 정하는 바와 같다.

1. 특정자원분 지역자원시설세 및 특정시설분 지역자원시설세는 신고납부의 방법으로 징수한다. 다만, 제146조 제1항 제2호에 따른 지하수에 대한 지역자원시설세의 경우 조례로 정하는 바에 따라 보통징수의 방법으로 징수할 수 있다.
2. 제1호 본문에 따라 지역자원시설세를 신고납부하는 경우 납세의무자는 제146조에 따라 산출한 세액(이하 이 조에서 "산출세액"이라 한다)을 납세지를 관할하는 지방자치단체의 장에게 조례로 정하는 바에 따라 신고하고 납부하여야 한다.
3. 납세의무자가 제2호에 따른 신고 또는 납부의무를 다하지 아니하면 산출세액 또는 그 부족세액에 「지방세기본법」 제53조부터 제55조까지의 규정에 따라 산출한 가산세를 합한 금액을 세액으로 하여 보통징수의 방법으로 징수한다.
   가. 삭제 〈2013.1.1.〉 나. 삭제 〈2013.1.1.〉

② 소방분 지역자원시설세는 재산세의 규정 중 제114조, 제115조 및 제122조(제122조의 경우는 각 호 외의 부분 본문만 해당한다)를 준용한다. 〈개정 2010.12.27.〉

③ 소방분 지역자원시설세는 관할 지방자치단체의 장이 세액을 산정하여 보통징수의 방법으로 부과 · 징수한다.

④ 소방분 지역자원시설세를 징수하려면 건축물 및 선박으로 구분한 납세고지서에 과세표준과 세액을 적어 늦어도 납기개시 5일 전까지 발급하여야 한다.

⑥ 지역자원시설세를 부과할 지역과 부과 · 징수에 필요한 사항은 해당 지방자치단체의 조례로 정하는 바에 따른다.

⑦ 제6항의 경우에 컨테이너에 관한 지역자원시설세의 부과 · 징수에 대한 사항을 정하는 조례에는 특별징수의무자의 지정 등에 관한 사항을 포함할 수 있다.

제148조(소액 징수면제) 지역자원시설세로 징수할 세액이 고지서 1장당 2천원 미만인 경우에는 그 지역자원시설세를 징수하지 아니한다.

영 제139조(납세고지) 소방분 지역자원시설세의 납기와 재산세의 납기가 같을 때에는 재산세의 납세고지서에 나란히 적어 고지할 수 있다.

특정자원분 및 특정시설분에 대한 지역자원시설세는 신고납부의 방법으로 징수한다. 다만, 지하수의 경우는 조례로 정하는 바에 따라 보통징수의 방법으로 징수할 수 있다.

소방분(특정부동산)에 대한 지역자원시설세는 부과징수의 방법으로 징수한다. 특정부동산에 대한 지역자원시설세의 납기와 재산세의 납기가 같을 때에는 재산세의 납세고지서에 나란히 적어 고지할 수 있다(현재 모든 지역자원시설세는 재산세와 함께 적어 고지하고 있음).

| 최근 개정법령 _ 2019.1.1. | 특정부동산분 지역자원시설세의 재산세 준용규정 명확화(법 §147)

지역자원시설세의 재산세 준용 규정을 명확히 하였다. 지역자원시설세 과세체계와 맞지 않는 제116조(징수방법)는 준용 대상에서 제외하고, 지역자원시설세 징수방법을 별도로 규정하였다. 보통징수, 과세물건(건축물·토지·선박)을 구분하여 납세고지서 발급, 지역자원시설세 부과절차 및 징수방법에 관한 세부절차는 행정안전부령에 위임하였다.

제 12 장

지방세법

지방교육세

지방교육세 연혁

□ 1962년 이전

○ 1949.11.1. 법률 제84호, 「지방세법」 제정

- 서울특별시와 교육구는 초등교육의 경비에 충당하기 위하여 호별세부가금, 특별부과금의 초등교육세 부과

○ 1958.8.28. 법률 제496호, 「교육세법」 제정으로 「지방세법」의 교육세 규정 폐지

- 교육세는 국세인 교육세('교육세'라 함)와 지방세인 교육세('지방교육세'라 함)의 2종으로 함.

○ 1962.1.1. 법률 제821호, 「소득세법」 폐지제정으로 「교육세법」 폐지

- 경제개발5개년계획에 필요한 투자재원을 효과적으로 조성하고 세제전반에 걸쳐 비능률적이고 불합리한 점을 개선하기 위하여 세제의 간소화 및 세정의 자동화를 기하고 저축과 투자의 촉진에 의하여 경제개발을 지원하려는 것임.

□ 국세로 교육세 신설

○ 1982.1.1. 법률 제3459호, 「교육세법」 제정 시행

- (납세의무자) 분리과세이자소득 및 분리과세배당소득에 대한 소득세의 납세의무자, 주세 납세의무자, 제조담배의 제조자 및 외국산 제조담배를 수입하는 자, 금융·보험업자

○ 1991.1.1. 법률 제4279호, 「교육세법」 전부개정

- (납세의무자) 금융·보험업자, 특별소비세 납세의무자, 주세납세의무자
- (지방세법에 의한 납세의무자) 등록세·마권세·균등할주민세·재산세·종합토지세·자동차세(비영업용 승용자동차에 한함) 납세의무자

□ 지방교육세 신설

○ 2001.1.1. 법률 제6312호, 「지방세법」 일부개정, 지방교육세 도입 시행

- 국세인 교육세 중 지방세에 부가되어 징수되고 있는 교육세를 지방교육세로 전환함과 아울러 일부 세율을 인상함으로써 지방자치단체의 지방교육재정에 대한 지원 확충

지방교육세 개요

1. 납세의무자 : 취득세, 등록면허세, 레저세, 담배소비세, 주민세 균등분, 재산세, 비영업용 승용자동차에 대한 자동차세 납세의무자

   ※ 자동차에 대한 취득세 및 등록면허세에 대한 납세의무자와 재산세 과세특례분 납세의무자는 제외한다.

2. 과세표준과 세율

   - 취득세액(표준세율에서 100분의 20을 뺀 세율을 적용하여 산출한 금액)의 100분의 20

     ※ 제11조 제1항 제8호의 경우에는 해당 세율에 100의 50을 곱한 세율을 적용하여 산출한 금액

   - 등록면허세액의 100분의 20
   - 레저세액의 100분의 40
   - 담배소비세액의 100분의 50
   - 주민세 균등분 세액의 100분의 10(다만, 인구 50만 이상의 시에 있어서는 100분의 25)
   - 재산세액(과세특례분 제외)의 100분의 20
   - 자동차세액의 100분의 30

3. 신고납부 및 부과징수

   - 신고납부 : 취득세, 레저세, 담배소비세를 신고·납부하는 때
   - 부과징수 : 주민세 균등분, 재산세, 자동차세를 부과·징수하는 때

제149조(목적)~제150조(납세의무자)

법 제149조(목적) 지방교육세는 지방교육의 질적 향상에 필요한 지방교육재정의 확충에 드는 재원을 확보하기 위하여 부과한다.

제150조(납세의무자) 지방교육세의 납세의무자는 다음 각 호와 같다.

1. 부동산, 기계장비(제124조에 해당하는 자동차는 제외한다), 항공기 및 선박의 취득에 대한 취득세의 납세의무자 2. 등록에 대한 등록면허세(제124조에 해당하는 자동차에 대한 등록면허세는 제외한다)의 납세의무자 3. 레저세의 납세의무자 4. 담배소비세의 납세의무자 5. 주민세 개인분 및 사업소분의 납세의무자 6. 재산세(제112조 제1항 제2호 및 같은 조 제2항에 따른 재산세액은 제외한다)의 납세의무자 7. 제127조 제1항 제1호 및 제3호의 비영업용 승용자동차에 대한 자동차세[국가, 지방자치단체 및 「초·중등교육법」에 따라 학교를 경영하는 학교법인(목적사업에 직접 사용하는 자동차에 한정한다)을 제외한다]의 납세의무자

교육세는 교육의 질적 향상을 도모하기 위하여 필요한 교육재정의 확충에 소요되는 재원을 확보할 목적으로 1981.12.5. 법률 제3459호로 국세(목적세)로 제정되었다. 당초에 지방세에 부가되는 교육세는 없었으나 1990.12.31. 방위세가 폐지되면서 지방세에 부가되던 방위세의 재원을 교육세로 전환하여 1991년부터 지방세에 교육세를 부가하여 과세하게 되었고, 국세이지만 그 부과징수의 방법은 지방세의 예에 따라 과세되었으며, 부과징수권도 지방세의 과세권자인 지방자치단체장에게 있었고 모세(母稅)의 부과징수와 동시에 징수하여 국고에 납입하는 제도로 되어 있었다.

그 후 2000.12.29. 국세에 부가되는 교육세는 국세로 존치시키면서 지방세에 부가되어 오던 교육세를 분리하여 지방교육세로 세목을 신설하여 2001년부터 시행하게 되었는데, 이는 지방자치와 교육자치의 연계성을 높이고 지방자치단체의 교육에 대한 역할을 강화하는 차원에서 조세체계를 정비한 것이다.

현재 지방교육세의 납세의무자는 취득세, 등록에 대한 등록면허세, 레저세, 담배소비세, 주민세 균등분, 재산세, 비영업용 승용자동차에 대한 자동차세 등의 납세의무자에 대해 부과한다.

제151조(과세표준과 세율)

법 제151조(과세표준과 세율) ① 지방교육세는 다음 각 호에 따라 산출한 금액을 그 세액으로 한다. 〈개정 2010.12.27., 2013.1.1., 2014.1.1., 2014.12.23., 2015.7.24.〉

1. 취득물건(제15조 제2항에 해당하는 경우는 제외한다)에 대하여 제10조의 과세표준에 제11조 제1항 제1호부터 제7호까지와 제12조의 세율(제14조에 따라 조례로 세율을 달리 정하는 경우에는 그 세율을 말한다. 이하 같다)에서 1천분의 20을 뺀 세율을 적용하여 산출한 금액(제11조 제1항 제8호의 경우에는 해당 세율에 100분의 50을 곱한 세율을 적용하여 산출한 금액)의 100분의 20. 다만, 다음 각 목의 어느 하나에 해당하는 경우에는 해당 목에서 정하는 금액으로 한다.
   가. 제13조 제2항·제3항·제6항 또는 제7항에 해당하는 경우 : 이 호 각 목 외의 부분 본문의 계산방법으로 산출한 지방교육세액의 100분의 300. 다만, 법인이 제11조 제1항 제8호에 따른 주택을 취득하는 경우에는 나목을 적용한다.
   나. 제13조의 2에 해당하는 경우 : 제11조 제1항 제7호 나목의 세율에서 중과기준세율을 뺀 세율을 적용하여 산출한 금액의 100분의 20
   다. 「지방세특례제한법」, 「조세특례제한법」 및 지방세감면조례(이하 "지방세감면법령"이라 한다)에서 취득세를 감면하는 경우
      1) 지방세감면법령에서 취득세의 감면율을 정하는 경우 : 이 호 각 목 외의 부분 본문의 계산방법으로 산출한 지방교육세액을 해당 취득세 감면율로 감면하고 남은 금액
      2) 지방세감면법령에서 취득세의 감면율을 정하면서 이 법 제13조 제2항 본문 및 같은 조 제3항의 세율을 적용하지 아니하도록 정하는 경우 : 이 호 각 목 외의 부분 본문의 계산방법으로 산출한 지방교육세액을 해당 취득세 감면율로 감면하고 남은 금액
      3) 1)과 2) 외에 지방세감면법령에서 이 법과 다른 취득세율을 정하는 경우 : 해당 취득세율에도 불구하고 이 호 각 목 외의 부분 본문의 계산방법으로 산출한 지방교육세액. 다만, 세율을 1천분의 20으로 정하는 경우에는 과세대상에서 제외한다.
   라. 가목 또는 나목과 다목 1)이 동시에 적용되는 경우 : 가목을 적용하여 산출한 지방교육세액을 해당 취득세 감면율로 감면하고 남은 금액
2. 이 법 및 지방세감면법령에 따라 납부하여야 할 등록에 대한 등록면허세액의 100분의 20
3. 이 법 및 지방세감면법령에 따라 납부하여야 할 레저세액의 100분의 40
4. 이 법 및 지방세감면법령에 따라 납부하여야 할 담배소비세액의 1만분의 4,399
5. 이 법 및 지방세감면법령에 따라 납부하여야 할 주민세 개인분 세액 및 사업소분 세액(제81조 제1항 제1호에 따라 부과되는 세액으로 한정한다)의 각 100분의 10. 다만, 인구 50만 이상 시의 경우에는 100분의 25로 한다.
6. 이 법 및 지방세감면법령에 따라 납부하여야 할 재산세액(제112조 제1항 제2호 및 같은 조 제2항에 따른 재산세액은 제외한다)의 100분의 20
7. 이 법 및 지방세감면법령에 따라 납부하여야 할 자동차세액의 100분의 30

② 지방자치단체의 장은 지방교육투자재원의 조달을 위하여 필요한 경우에는 해당 지방자치단체의 조례로 정하는 바에 따라 지방교육세의 세율을 제1항(같은 항 제3호는 제외한다)의 표준세율

의 100분의 50의 범위에서 가감할 수 있다.

③ 도농복합형태의 시에 대하여 제1항 제5호를 적용할 때 "인구 50만 이상 시"란 동지역의 인구가 50만 이상인 경우를 말하며, 해당 시의 읍·면지역에 대하여는 그 세율을 100분의 10으로 한다.

④ 제1항 제5호를 적용할 경우 「지방자치법」 제4조 제1항에 따라 둘 이상의 지방자치단체가 통합하여 인구 50만 이상 시에 해당하는 지방자치단체가 되는 경우 해당 지방자치단체의 조례로 정하는 바에 따라 5년의 범위에서 통합 이전의 세율을 적용할 수 있다. [법률 제10221호(2010.3.31.) 부칙 제1조의 2의 규정에 의하여 이 조 제1항 제4호의 개정규정은 2021년 12월 31일까지 유효함]

영 제140조(과세표준의 계산) 지방교육세를 납부하여야 할 자가 지방교육세의 과세표준이 되는 지방세를 납부하지 아니하거나 부족하게 납부함으로써 해당 세액에 가산세가 가산되었을 때에는 그 가산세액은 지방교육세의 과세표준에 산입하지 아니한다.

지방교육세 과세표준 및 세율과 그 계산방법 등을 규정하고 있다. 지방교육투자재원 조달을 위하여 필요한 경우에는 해당 지방자치단체의 조례로 표준세율의 50% 범위 내에서 가감할 수 있다.

2011년 취득세 세목통합 전의 舊등록세의 20%가 지방교육세라고 이해하면 된다. 주택 유상거래의 경우는 예외가 적용되는데 주택유상거래에 따른 취득세 표준세율(1%~3%)이 적용되는 경우에는 해당 세율에 50%를 곱한 세율을 적용하여 산출한 금액의 20%가 지방교육세가 된다. 즉 주택유상거래 취득세율의 10%에 해당하는 0.1%~0.3%의 세율이 적용된다. 그리고 2020.8.12. 주택취득세 중과제도가 시행되었는데, 다주택자·법인의 주택유상거래에 따른 취득세 중과세율(8%, 12%)이 적용되는 경우에는 0.4%의 세율이 일괄 적용된다. 조정대상지역에서 무상취득하는 경우(12% 세율)에도 동일하게 0.4%의 세율이 적용된다.

그 밖에 원시취득과 무상취득의 경우 각각의 취득세율에서 2%를 뺀 세율을 적용하여 산출한 금액에서 20%를 적용한 금액이 지방교육세가 된다.

| 최근 개정법령 _ 2015.7.24. | 취득세분 지방교육세 정비(법 제151조 ①)

취득세·등록세 통합 후 취득물건에 대한 중과세와 감면이 동시에 적용되는 경우 법규정상 중과세와 감면 규정에 따라 각각 산정된 지방교육세를 합산하여 부과함에 따라 지방교육세가 종전 대비 증가하는 문제가 발생하였다. 그에 따라 중과세와 감면이 동시에 적용되는 경우 세목 통합 전 지방교육세 세부담 수준으로 세율을 조정하였다. 즉, 취득세 과세표준 × (취득세 표준세율 − 2%)* × 20% × 3배 × (1 − 감면율)로 적용된다.

* 주택 유상거래의 경우 (1%~3%)에 50%를 곱하여 적용

제152조(신고 및 납부와 부과 · 징수)

법 제152조(신고 및 납부와 부과 · 징수) ① 지방교육세 납세의무자가 이 법에 따라 취득세, 등록에 대한 등록면허세, 레저세, 담배소비세 및 주민세 사업소분을 신고하고 납부하는 때에는 그에 대한 지방교육세를 함께 신고하고 납부하여야 한다. 이 경우 담배소비세 납세의무자(제조자 또는 수입판매업자에 한정한다)의 주사무소 소재지를 관할하는 지방자치단체의 장이 제64조 제1항에 따라 담보 제공을 요구하는 경우에는 담배소비세분 지방교육세에 대한 담보 제공도 함께 요구할 수 있다.

② 지방자치단체의 장이 이 법에 따라 납세의무자에게 주민세 개인분 · 재산세 및 자동차세를 부과 · 징수하거나 제60조 제6항에 따라 세관장이 담배소비세를 부과 · 징수하는 때에는 그에 대한 지방교육세를 함께 부과 · 징수한다. 〈개정 2015.12.29.〉

③ 지방교육세의 납세고지 등 부과 · 징수에 관하여 필요한 사항은 대통령령으로 정한다.

☞ [제152조 제2항 시행일 : 2016.6.30.]

영 제141조(신고납부와 부과 · 징수) ① 법 제152조 제1항에 따라 납세의무자가 지방교육세를 신고납부할 때에는 그 과세표준이 되는 지방세의 신고서 및 납부서에 해당 지방세액과 지방교육세액을 나란히 적고 그 합계액을 적어야 한다.

② 시장 · 군수 · 구청장은 법 제152조 제2항에 따라 지방교육세를 부과 · 징수할 때에는 그 과세표준이 되는 지방세의 납세고지서에 해당 지방세액과 지방교육세액 및 그 합계액을 적어 고지하여야 한다.

③ 시장 · 군수 · 구청장은 불가피한 사유로 지방교육세만을 부과 · 징수할 때에는 납세고지서에 지방교육세액만을 고지하되, 해당 지방교육세의 과세표준이 되는 세목과 세액을 적어야 한다.

지방교육세 납세의무자가 취득세, 등록에 대한 등록면허세, 레저세 또는 담배소비세를 신고 · 납부하는 때에는 그에 대한 지방교육세를 함께 신고하고 납부하여야 하고, 지방자치단체의 장이 주민세 균등분 · 재산세 및 자동차세를 부과 · 징수하는 때에는 그에 대한 지방교육세를 함께 부과 · 징수한다.

제153조(부족세액의 추징 및 가산세)~제154조(환급)

법 제153조(부족세액의 추징 및 가산세) ① 제152조 제1항에 따라 지방교육세를 신고하고 납부하여야 하는 자가 신고의무를 다하지 아니한 경우에도 「지방세기본법」 제53조 또는 제54조에 따른 가산세를 부과하지 아니한다.

② 제152조 제1항에 따라 지방교육세를 신고하고 납부하여야 하는 자가 납부의무를 다하지 아니한 경우에는 제151조 제1항에 따라 산출한 세액 또는 그 부족세액에 「지방세기본법」 제55조에 따라 산출한 가산세를 합한 금액을 세액으로 하여 보통징수의 방법으로 징수한다.

[전문개정 2013.1.1.]

제154조(환급) 지방교육세의 지방세환급금은 해당 지방자치단체의 장 또는 그 위임을 받은 공무원이 지방교육세의 과세표준이 되는 세목별 세액의 환급의 예에 따라 환급한다.

지방교육세를 신고하고 납부하여야 하는 자가 납부의무를 다하지 아니한 경우에는 「지방세기본법」에 따라 산출한 가산세를 징수한다.

한편, 지방교육세의 경우 신고불성실가산세를 폐지하였다. 부가세(Sur-tax)에 대한 가산세의 이중과세 문제를 해소하기 위해 지방교육세가산세를 폐지(2012.1.1.)한 국세와 균형을 맞추어 가산세를 정비하였다(법 제153조, 2013.1.1. 시행).

부 칙

법 **〈법률 제17473호, 2020.8.12.〉**

제1조(시행일) 이 법은 공포한 날부터 시행한다. 다만, 제103조의 3 제10항 제2호 및 제4호, 제103조의 31 제1항의 개정규정은 2021년 1월 1일부터 시행하고, 제93조 제4항, 제103조의 3 제1항 및 같은 조 제10항 각 호 외의 부분의 개정규정은 2021년 6월 1일부터 시행한다.

제2조(일반적 적용례) 이 법은 이 법 시행 이후 납세의무가 성립하는 분부터 적용한다.

제3조(주택 수의 판단 범위에 관한 적용례) 제13조의 3 제2호부터 제4호까지의 개정규정은 이 법 시행 이후 조합원입주권, 주택분양권 및 오피스텔을 취득하는 분부터 적용한다.

제4조(양도소득분 지방소득세 등에 관한 적용례) ① 제93조 제4항, 제103조의 3 제1항 및 같은 조 제10항 각 호 외의 부분의 개정규정은 2021년 6월 1일 이후 양도하는 분부터 적용한다.

② 제103조의 3 제10항 제2호 및 같은 항 제4호의 개정규정은 2021년 1월 1일 이후 새로 취득하는 분양권부터 적용한다.

제5조(토지등 양도소득에 대한 지방소득세 과세특례에 관한 적용례) 제103조의 31 제1항의 개정규정은 2021년 1월 1일 이후 양도하는 분부터 적용한다.

제6조(법인의 주택 취득 등 중과에 대한 경과조치) 제13조 제2항 및 제13조의 2의 개정규정을 적용할 때 법인 및 국내에 주택을 1개 이상 소유하고 있는 1세대가 2020년 7월 10일 이전에 주택에 대한 매매계약(공동주택 분양계약을 포함한다)을 체결한 경우에는 그 계약을 체결한 당사자의 해당 주택의 취득에 대하여 종전의 규정을 적용한다. 다만, 해당 계약이 계약금을 지급한 사실 등이 증빙서류에 의하여 확인되는 경우에 한정한다.

제7조(주택 수의 판단 범위에 관한 경과조치) 부칙 제3조에도 불구하고 제13조의 3 제2호부터 제4호까지의 개정규정은 이 법 시행 전에 매매계약(오피스텔 분양계약을 포함한다)을 체결한 경우는 적용하지 아니한다.

〈법률 제17769호, 2020.12.29.〉

제1조(시행일) 이 법은 2021년 1월 1일부터 시행한다. 다만, 제93조 제12항, 제111조의 2, 제112조, 제113조 및 제123조의 개정규정은 공포한 날부터, 제71조 제1항의 개정규정은 공포 후 1년이 경과한 날부터, 제93조 제17항의 개정규정은 2022년 1월 1일부터, 제103조의 46 제1항의 개정규정은 2022년 2월 3일부터 시행한다.

제2조(1세대 1주택에 대한 재산세 세율 특례의 유효기간) 제111조의 2, 제112조 및 제113조의 개정규정은 같은 개정규정 시행일부터 3년이 되는 날까지 성립한 납세의무에 한정하여 적용한다.

제3조(일반적 적용례) 이 법은 이 법 시행 이후 납세의무가 성립하는 분부터 적용한다.

제4조(법인과세 신탁재산의 소득에 대한 지방소득세 과세 등에 관한 적용례) 제87조 제1항 및 제103조의 58의 개정규정은 이 법 시행 이후 신탁계약을 체결하는 분부터 적용한다.

제5조(주택임대소득에 대한 세액 계산의 특례에 관한 적용례) ① 제93조 제12항 각 호 외의 부분 단서의 개정규정은 2020년 8월 18일 이후 등록이 말소되는 분부터 적용한다.

② 제93조 제12항 제1호 및 제2호의 개정규정은 2020년 8월 18일 이후 등록을 신청하는 민간임대주택부터 적용한다.

제6조(가상자산 과세에 관한 적용례) 제93조 제17항의 개정규정은 부칙 단서에 따른 시행일 이후 가상자산을 양도・대여하는 분부터 적용한다.

제7조(양도소득에 대한 개인지방소득세에 관한 적용례) 제103조의 3 제1항 제8호・제9호・제14호 및 제103조의 6 제2항 제4호의 개정규정은 이 법 시행 이후 양도하는 분부터 적용한다.

제8조(국외전출자의 납세담보 제공에 관한 적용례) 제103조의 7 제7항의 개정규정은 이 법 시행 이후 거주자가 출국하는 경우부터 적용한다.

제9조(지방소득세 특별징수 납세지에 관한 적용례) 제103조의 13 제2항 단서의 개정규정은 이 법 시행 이후 납부하는 경우부터 적용한다.

제10조(법인지방소득세 과세표준에 관한 적용례) 제103조의 19 제2항부터 제4항까지 및 제103조의 34 제2항의 개정규정은 이 법 시행 이후 법인지방소득세 과세표준을 신고(수정신고는 제외한다)하는 경우부터 적용한다. 다만, 2019년 12월 31일 이전에 개시한 사업연도의 과세표준에 포함된 외국납부세액에 대하여는 제103조의 19 제3항의 개정규정을 적용할 때 15년을 10년으로 본다.

제11조(신탁재산에 대한 재산세 납세의무자 등에 관한 적용례) 제106조 제3항, 제107조 및 제119조의 2의 개정규정은 이 법 시행 이후 납세의무가 성립하는 분부터 적용한다.

제12조(주민세 사업소분 가산세 부과에 관한 특례) 주민세 사업소분의 납세의무자가 제83조 제3항에 따른 신고 또는 납부의무를 다하지 아니한 경우에 제81조 제1항 제1호에 따라 산출한 세액 또는 그 부족세액에 대해서는 제83조 제6항의 개정규정에도 불구하고 2022년 12월 31일까지는 「지방세기본법」 제53조, 제54조 및 제55조 제1항 제1호・제2호에 따른 가산세를 부과하지 아니한다.

제13조(종전에 납부한 외국납부세액의 환급에 관한 특례) ① 2014년 1월 1일부터 2019년 12월 31일 이전까지 개시한 사업연도에 국외원천소득이 있는 내국법인이 종전의 「법인세법」(법률 제17652호 법인세법 일부개정법률에 따라 개정되기 전의 것을 말한다) 제57조 제1항 제1호에 따라 외국법인세액을 해당 사업연도의 산출세액에서 공제하는 방법을 선택한 경우로서 해당 사업연도의 법인지방소득세 과세표준에 외국법인세액이 포함된 경우에는 이미 납부한 해당 사업연도의 법인지방소득세액과 해당 사업연도의 법인지방소득세 과세표준에서 외국법인세액을 차감하여 계산한 해당 사업연도의 법인지방소득세액과의 차액을 「지방세기본법」 제60조에 따라 환급받을 수 있다. 이 경우 외국법인세액이 해당 사업연도의 법인지방소득세 과세표준을 초과하는 경우에 그 초과하는 금액은 해당 사업연도의 다음 사업연도 개시일부터 10년 이내에 끝나는 각 사업연도로 이월하여 그 이월된 사업연도의 법인지방소득세 과세표준을 계산할 때 차감할 수 있다.

② 제1항에 따라 환급을 받으려는 내국법인은 이 법 시행 전에 「지방세기본법」 제50조 제1항의 경정청구 기한이 경과한 경우라 하더라도 2021년 6월 30일까지 납세지 관할 지방자치단체의 장에게 경정을 청구할 수 있다. 이 경우 경정을 청구받은 지방자치단체의 장은 「지방세기본법」 제50조 제3항에 따른 처분을 하여야 한다.

③ 납세지 관할 지방자치단체의 장은 제1항에 따른 환급을 위하여 필요한 경우에는 해당 내국법인에게 해당 사업연도의 외국납부세액 납부에 관한 자료를 요구할 수 있다.

제14조(주택임대소득에 대한 세액 계산의 특례에 관한 경과조치) 2020년 8월 18일 전에 등록을 신청한 민간임대주택의 경우에는 제93조 제12항 제1호 및 제2호의 개정규정에도 불구하고 종전의 규정에 따른다.

제15조(감정가액 적용에 따른 가산세에 관한 경과조치) 이 법 시행 전에 매매계약을 체결하고 계약금

을 지급받은 사실이 증명서류에 의하여 확인되는 경우에는 제103조의 9 제2항의 개정규정에도 불구하고 종전의 규정에 따른다.

제16조(신탁재산에 대한 재산세 납세의무자 변경에 관한 경과조치) ① 이 법 시행 전에 재산세 납세의무가 성립된 경우에는 제107조 제2항 제5호의 개정규정에도 불구하고 종전의 규정에 따른다.
② 이 법 시행 전에 제105조에 따른 재산을 취득한 경우로서 「조세특례제한법」 및 「지방세특례제한법」에 따라 감면하여야 할 재산세에 대해서는 그 감면기한이 종료될 때까지 제107조 제1항 제3호의 개정규정에 따른 위탁자에게 해당 감면규정을 적용한다.

시행령 〈대통령령 제30939호, 2020.8.12.〉

제1조(시행일) 이 영은 공포한 날부터 시행한다.

제2조(조합원입주권 또는 주택분양권에 의하여 취득하는 주택에 관한 적용례) 제28조의 4 제1항 후단의 개정규정은 이 영 시행 이후 조합원입주권 또는 주택분양권을 취득하는 경우부터 적용한다.

제3조(상속 주택 등의 주택 수 산정에 관한 특례) 이 영 시행 전에 상속을 원인으로 취득한 주택, 조합원입주권, 주택분양권 또는 오피스텔에 대해서는 제28조의 4 제5항 제3호의 개정규정에도 불구하고 이 영 시행 이후 5년 동안 주택 수 산정 시 소유주택 수에서 제외한다.

제4조(주택 취득세율에 관한 경과조치) 제22조의 2, 제28조의 3 및 제28조의 4의 개정규정에도 불구하고 2019년 12월 4일 전에 주택에 대한 매매계약을 체결한 경우에는 대통령령 제30318호 지방세법 시행령 일부개정령 부칙 제5조에 따른다.

〈대통령령 제31343호, 2020.12.31.〉

제1조(시행일) 이 영은 2021년 1월 1일부터 시행한다. 다만, 다음 각 호의 개정규정은 해당 각 호에서 정하는 날부터 시행한다.

1. 제91조의 2 제1항 제1호, 같은 조 제2항 및 제100조의 18 제2항 제2호의 개정규정 : 공포한 날
2. 제100조 제6항의 개정규정 : 2021년 6월 1일
3. 별표 1 제1종 제55호, 제2종 제55호, 제3종 제56호, 제4종 제55호 및 제4종 제203호의 개정규정 : 2021년 2월 19일
4. 별표 1 제1종 제27호, 제2종 제27호, 제3종 제27호 및 제4종 제27호의 개정규정 : 2021년 3월 5일
5. 별표 1 제1종 제199호의 개정규정 : 2021년 4월 8일
6. 제4조 제1항 제1호·제1호의 2 및 제28조 제2항 제2호의 개정규정 : 2022년 1월 1일

제2조(일반적 적용례) 이 영은 이 영 시행 이후 납세의무가 성립하는 분부터 적용한다.

제3조(관리처분 대상 주택 등에 대한 일시적 2주택 기간에 관한 적용례) 제28조의 5 제3항의 개정규정은 「도시 및 주거환경정비법」 제74조 제1항에 따른 관리처분계획의 인가 또는 「빈집 및 소규모주택 정비에 관한 특례법」 제29조 제1항에 따른 사업시행계획인가를 받은 주택에 거주하고 있던 세대가 이 영 시행 전에 신규 주택을 취득한 경우에 대해서도 적용한다.

제4조(산업단지조성공사에 제공하는 토지의 분리과세 적용에 관한 특례) 이 영 시행일 전에 산업단지조성공사의 준공인가를 받았으나 이 영 시행일 현재 분양·임대 계약이 체결되지 않은 토지에 대해서는 이 영 시행일을 준공인가일로 보아 제102조 제7항 제5호 나목의 개정규정을 적용한다.

제5조(고급주택으로 보는 주거용 건축물과 그 부속토지의 범위와 적용기준에 관한 경과조치) 이 영 시행 전에 취득 당시 건축물의 가액이 9천만원 이하인 주거용 건축물과 그 부속토지에 대한 매매계약(분양계약을 포함한다)을 체결하고 계약금을 지급한 사실이 증명서류에 의하여 확인되는 경우에는 제28조 제4항 제1호 및 제2호의 개정규정에도 불구하고 종전의 규정에 따른다.

| 최근 개정법령 _ 2015.7.24. | 개인·중소기업의 비사업용 토지 양도소득 유예기간 1년 연장(법 부칙)

부동산 경기침체 및 개인, 중소기업에 부담 우려를 고려, 비사업용 토지 등에 대한 양도소득세 중과세 적용을 1년 유예하도록 국세법이 개정됨에 따라 납세자 혼란과 과세행정 부담을 최소화하도록 지방소득세도 당분간은 국세의 10% 수준으로 세율을 유지하기 위해, 중과세 적용을 국세와 동일하게 1년 유예(2015.12.31.까지)를 추진하였다. 즉 해당 중과세 조항 시행을 2016.1.1.부터 시행하도록 1년 유예하였다.

〈행자부 적용요령〉 2015.1.1. 양도하는 분부터 중과세율 적용 유예. ※ 2015.1.1.부터 법률 시행 시까지 중과세율을 적용하여 납부한 납세자에 대한 환급조치 필요

| 최근 개정법령 _ 2015.7.24. | 자동차세 신고납부 의무화 시행시기 연기(법률 제13427호, 부칙 제1조)

당초 지방세법 개정(2015.7.24, 시행일 : 2016.1.1.)에 따라 자동차 이전·말소 등록시, 납세자가 자동차세(일할계산)를 등록 이전에 의무적으로 신고납부하도록 하였다. 그런데 신고납부 방식에 따른 국민 불편을 최소화하기 위해 방문신고 외 온라인 신고납부 시스템을 완비하고 충분한 홍보 및 교육이 필요하므로 국민 불편을 최소화하고 원활한 제도운영을 위하여 자동차세 신고납부 의무화제도 시행시기를 1년 연기(당초 2016.1.1. → 개정 2017.1.1.)하였다.

| 최근 개정법령 _ 2017.1.1. | 개인지방소득세 탄력세율 적용 유예 연장(법률 제12153호, 2014.1.1. 부칙 제1조)

당초 지방소득세를 국세의 부가세에서 독립세로 전환(2014)하면서, 2017년부터는 지자체별로 탄력세율(조례로 100분의 50 범위 내에서 가감 조정한 세율)도 적용 가능하도록 규정(§92, §103의 4)하였다. 이후 개인지방소득세의 국세청 동시신고 방식 연장에 맞추어 탄력세율 시행을 보류하도록 유예기한 연장('16년 말 → '19년 말)하였다.

〈2017년 행자부 적용요령〉 법인지방소득세의 탄력세율은 이 법 시행일('17.1.1.)부터 적용하되, 개인지방소득세의 탄력세율 적용은 3년 유예('20.1.1.)

| 최근 개정법령 _ 2017.1.1. | 개인지방소득세 세무서 동시신고 연장(법률 제12153호, 2014.1.1. 부칙 제13조)

당초 '17년부터 개인지방소득세를 관할 자치단체에 직접 신고토록 할 예정이었으나, 개인지방소득세 신고편의 체계구축 등 지방소득세 안정화 시까지 국세청 동시신고 방식을 유지하도록 종료기한을 연장('16년 말→'19년 말)하였다.

| 최근 개정법령 _ 2017.1.1. | 양도소득 중과세율 특례 적용범위 조정(법률 제12505호, 부칙 제5조 · 제6조)

당초 부동산 경기 활성화를 위해 2009.3.16.~2012.12.31.에 취득한 토지 또는 2015.12.31.까지 양도하는 토지에 대해서는 중과 세율을 적용하지 않도록 「소득세법」, 「법인세법」 부칙에 특례를 규정하고 있는 바, 「지방세법」에는 특례 규정이 없었다(다만, '15.12.31.까지 양도한 토지에 대한 중과세율 적용제외 규정은 있음). 이에 따라 '09.3.16.~'12.12.31.에 취득한 토지의 납세자에 대해 지방소득세 중과세율 적용을 제외토록 하였다.

〈2017년 행자부 적용요령〉 2016년 1월 1일부터 이 법 시행 전까지 양도한 분에 대해서도 적용

◎ 지방세법 분법시에 반영되지 못한 종전 부칙규정[1994년 이전에 건축한 공동주택(공용 포함, 연면적 298㎡ 이하)은 분법 시행(2011.1.1.) 이후에도 적용 가능하다고 한 사례]

지방세법이 분법되면서 전면개정 · 시행(2011.1.1.)된 지방세법 시행령에는 종전 부칙규정이 반영되지 아니하였음. 그런데 지방세 체계의 간소화 등을 통해 지방세에 대한 국민이해도 증진 등을 위한 지방세법 분법의 입법취지에 비추어 볼 때, 지방세법 분법시 종전 부칙규정을 의도적으로 삭제하려는 입법취지는 아니었다고 할 것인 바, 종전의 부칙규정은 분법에 따른 지방세법 전면개정시 누락되었다고 봄이 타당하므로 이는 종전 부칙규정의 효력이 상실되지 아니한 '특별한 사유'에 해당된다고 할 것인 점(대법원 2001두11168, 2002.7.26. 참조) 등을 종합적으로 고려해 볼 때, 1994.12.31. 이전에 건축한 공동주택을 2011.1.1. 이후 승계취득하는 경우에도 종전 부칙규정을 적용하는 것이 합리적임(지방세운영과-109, 2013.4.1.).

☞ [종전 부칙규정] 취득세를 중과세하는 고급주택(공동주택)의 면적요건이 구 「지방세법 시행령」 제84조의 3 제1항 제2호(1994.12.31. 대통령령 제14481호로 개정)에 따라 '종전 1구의 건물의 연면적(공유면적을 포함한다)이 298제곱미터 초과하는 주거용 공동주택'에서 '1구의 건물의 연면적(공용면적을 제외한다)이 245제곱미터 초과하는 주거용 공동주택'으로 개정되었고, 같은 영 부칙 제3조(고급주택의 기준변경에 따른 취득세 중과세에 관한 경과조치)에서 '이 영 시행당시 건축허가를 받아 건축 중이거나 사용검사를 받은 건축물로서 공용면적을 포함한 연면적이 298제곱미터 이하인 주거용 공동주택에 부과하는 취득세에 대하여는 제84조의 3 제1항 제2호 라목의 개정규정에 불구하고 종전의 규정에 의한다(이하 "종전 부칙규정"이라 한다)'라고 규정하고 있었음.

제 4 편

지방세특례제한법

2011.1.1. 기존의 단행법이던 지방세법이 지방세기본법, 지방세법, 지방세특례제한법의 3개 법률(2016.12.27. 지방세기본법에서 지방세징수법이 분리되어 4개 법률)로 나누어지면서 종전 지방세법의 제5장에 규정되었던 과세면제와 경감에 관한 규정, 각 세목에서 감면의 성격이 강한 비과세규정 및 지방자치단체의 감면에 관한 조례 중 전국적으로 통일되게 적용할 필요가 있는 감면 사항을 묶어 지방세특례제한법에 일괄 규정하였다. 또한 감면조례 사전허가제를 폐지하여 감면주체를 행정안전부에서 지방자치단체로 전환한 바 있다.

지방세특례제한법 법안편재를 살펴보면 제1장 총칙→제2장 감면→제3장 지방소득세 특례→제4장 보칙 순이며, 제2장 감면 편에서는 유사 감면을 각 절별로 모아 편재하여 납세자와 과세권자가 알기 쉽도록 하였고, 제3장은 2014.1.1.부터 지방소득세가 독립세로 전환되면서 새로 규정되었다.

제1장은 이 법의 목적과 정의 지방세특례의 원칙, 지방세 특례의 제한, 조례에 따른 지방세 감면, 지방세 지출보고서의 작성 등 총론적인 내용을 규정하고 있다.

제2장에서는 제1절 농어업을 위한 지원, 제2절 사회복지를 위한 지원, 제3절 교육 및 과학기술 등에 대한 지원, 제4절 문화 및 관광 등에 대한 지원, 제5절에서는 중소기업 및 재무조정 등에 대한 지원, 제6절 수송 및 교통에 대한 지원, 제7절 국토 및 지역개발에 대한 지원, 제8절 공공행정 등에 대한 지원 등을 규정하고 있다.

제3장은 지방소득세에 대한 특례규정이다. 제1절 종합소득 세액공제와 세액감면, 제2절 중소기업에 대한 특례, 제3절 연구 및 인력개발에 대한 특례, 제4절 국제자본거래에 대한 특례, 제5절 투자촉진을 위한 특례, 제6절 고용지원을 위한 특례, 제7절 기업구조조정을 위한 특례, 제8절 지역 간의 균형발전을 위한 특례, 제9절 공익사업지원을 위한 특례, 제10절 국민생활의 안정을 위한 특례, 제11절 그 밖의 지방소득세 특례, 제12절 지방소득세 특례제한 등을 규정하고 있다.

제4장은 보칙으로 감면 제외대상, 지방세 감면특례의 제한, 토지에 대한 재산세의 경감율 적용, 중복 감면의 배제, 지방세 중과세율 적용배제 특례, 지방세 특례의 사전·사후관리, 지방자치단체의 감면율 자율 조정, 감면신청 등, 감면자료의 제출 등을 규정하고 있다.

□ 2021.1.1. 시행 지방세특례제한법 개정내용

(법 §6, 영 §3) 자경농민에 대한 감면 연장 및 재촌거리 기준 완화
(법 §31, 영 §13) 임대등록제도 변경에 따른 임대사업자 감면규정 정비
(법 §44 ②) 전공대학 감면에 대한 감면 확대
(법 §44 ③) 공공직업훈련시설 감면 신설
(법 §45의 2) 기초과학연구원 등에 대한 감면세목 축소
(법 §47의 4, 영 §24) 친환경건축물 감면 연장 및 기준 정비
(법 §47의 4, 영 §24의 2) 지진안전시설물 건축물에 대한 감면 신설
(법 §49의 2) 5G 무선국 등록면허세 감면 신설
(법 §57의 4) 자산관리공사 임대조건부 취득 주택 감면 신설
(법 §58의 3, 영 §29의 2) 창업중소기업 등에 대한 감면 연장 및 재설계
(법 §59) 중소벤처기업진흥공단 등에 대한 감면 연장 및 재설계
(법 §60) 중소기업협동조합 등에 대한 감면 연장
(법 §64의 2) 지능형 해상교통정보서비스 무선국에 대한 감면 신설
(법 §181, 영 §124) 지방세 특례의 사전·사후관리 예산 출연금 전환
(법 §183) 감면신청에 따른 감면결정 및 결과통지 규정 정비
(법 §167의 2) 개인지방소득세 공제·감면 유예기간 연장
(법 §10 등) 주민세 과세체계 개편에 따른 감면대상 명확화

□ 2021.1.1. 시행 지방세특례제한법 하위법령 개정내용

(영 §34) 토지수용 등으로 대체취득 시 부재부동산 소유자 기준 완화
(영 §123) 직접 사용의 범위 확대
(영 §126) 지방세 감면신청서 제출기한 규정 정비
(규칙 §2, §9) 지방세 감면신청 및 감면결과통지 규정 정비
(규칙 §8) 인용 법령 제명 개정에 따른 정비

제 1 장

지방세특례제한법

총 칙

제1조(목적)

법 제1조(목적) 이 법은 지방세 감면 및 특례에 관한 사항과 이의 제한에 관한 사항을 규정하여 지방세 정책을 효율적으로 수행함으로써 건전한 지방재정 운영 및 공평과세 실현에 이바지함을 목적으로 한다.

영 제1조(목적) 이 영은 「지방세특례제한법」에서 위임된 사항과 그 시행에 필요한 사항을 규정함을 목적으로 한다.

「지방세법」을 3개법(2016.12.27. 지방세기본법에서 지방세징수법이 분리되어 4개 법률)으로 분법하면서 「지방세특례제한법」을 신설하였다. 종전 「지방세법」의 제5장(과세면제 및 감면)을 중심으로 일부 비과세를 감면전환하고 조례에서 규정하던 감면을 통합하여 「지방세특례제한법」을 제정하면서 이 법의 성격과 목적을 명시하였다.

◎ 조세감면의 목적 및 조세부담 전가에 따른 제한의 의미

조세의 감면에 관한 규정은 조세의 부과·징수의 요건이나 절차와 직접 관련되는 것은 아니지만, 조세란 공공경비를 국민에게 강제적으로 배분하는 것으로서 납세의무자 상호간에는 조세의 전가관계가 있으므로 특정인이나 특정계층에 대하여 정당한 이유 없이 조세감면의 우대조치를 하는 것은 특정한 납세자군이 조세의 부담을 다른 납세자군의 부담으로 떠맡기는 것에 다름 아니므로 조세감면의 근거 역시 법률로 정하여야만 하는 것이 국민주권주의나 법치주의의 원리에 부응하는 것이다. 그런데, 조세감면의 우대조치는 조세평등주의에 반하고 국가나 지방자치단체의 재원의 포기이기도 하여 가급적 억제되어야 하고 그 범위를 확대하는 것은 결코 바람직하지 못하므로 특히 정책목표 달성에 필요한 경우에 그 면제혜택을 받는 자의 요건을 엄격히 하여 극히 한정된 범위 내에서 예외적으로 허용되어야 한다(헌법재판소 93헌바2, 1996.6.26.).

제2조(정의)

법 제2조(정의) ① 이 법에서 사용하는 용어의 뜻은 다음과 같다.

1. "고유업무"란 법령에서 개별적으로 규정한 업무와 법인등기부에 목적사업으로 정하여진 업무를 말한다.

지방세특례제한법

2. "수익사업"이란 「법인세법」 제4조 제3항에 따른 수익사업을 말한다.
2의 2. "주택"이란 「지방세법」 제104조 제3호에 따른 주택을 말한다.
3. "공동주택"이란 「주택법」 제2조 제3호에 따른 공동주택을 말하되 기숙사는 제외한다.
4. "수도권"이란 「수도권정비계획법」 제2조 제1호에 따른 수도권을 말한다.
5. "과밀억제권역"이란 「수도권정비계획법」 제6조 제1항 제1호에 따른 과밀억제권역을 말한다.
6. "지방세 특례"란 세율의 경감, 세액감면, 세액공제, 과세표준 공제(중과세 배제, 재산세 과세대상 구분전환을 포함한다) 등을 말한다.
7. "재산세"란 「지방세법」 제111조에 따라 부과된 세액을 말한다.
8. "직접 사용"이란 부동산·차량·건설기계·선박·항공기 등의 소유자가 해당 부동산·차량·건설기계·선박·항공기 등을 사업 또는 업무의 목적이나 용도에 맞게 사용하는 것을 말한다.
9. "내국인"이란 「지방세법」에 따른 거주자 및 내국법인을 말한다.
10. "과세연도"란 「지방세법」에 따른 과세기간 또는 사업연도를 말한다.
11. "과세표준신고"란 「지방세법」 제95조, 제103조의 5 및 제103조의 23에 따른 과세표준의 신고를 말한다.
12. "익금(益金)"이란 「소득세법」 제24조에 따른 총수입금액 또는 「법인세법」 제14조에 따른 익금을 말한다.
13. "손금(損金)"이란 「소득세법」 제27조에 따른 필요경비 또는 「법인세법」 제14조에 따른 손금을 말한다.
14. "이월과세(移越課稅)"란 개인이 해당 사업에 사용되는 사업용고정자산 등(이하 이 호에서 "종전사업용고정자산등"이라 한다)을 현물출자(現物出資) 등을 통하여 법인에 양도하는 경우 이를 양도하는 개인에 대해서는 「지방세법」 제103조에 따른 양도소득에 대한 개인지방소득세(이하 "양도소득분 개인지방소득세"라 한다)를 과세하지 아니하고, 그 대신 이를 양수한 법인이 그 사업용고정자산 등을 양도하는 경우 개인이 종전사업용고정자산등을 그 법인에 양도한 날이 속하는 과세기간에 다른 양도자산이 없다고 보아 계산한 같은 법 제103조의 3에 따른 양도소득에 대한 개인지방소득세 산출세액(이하 "양도소득분 개인지방소득 산출세액"이라 한다) 상당액을 법인지방소득세로 납부하는 것을 말한다.

② 이 법에서 사용하는 용어의 뜻은 특별한 규정이 없으면 「지방세기본법」, 「지방세징수법」 및 「지방세법」에서 정하는 바에 따른다. 다만, "제3장 지방소득세 특례"에서 사용하는 용어의 뜻은 「지방세기본법」, 「지방세징수법」 및 「지방세법」에서 정하는 경우를 제외하고 「조세특례제한법」 제2조에서 정하는 바에 따른다.

| 최근 개정법령_2016.1.1. | 주택의 정의 신설(법 제2조)

지방세법은 재산세의 과세대상을 건축물, 토지, 주택 등으로 분류하나 지방세특례제한법에서는 감면대상을 "주거용 건축물"과 "주택"의 용어를 구분 없이 사용하고 있었는바, "주택"에 대한 정의를 지방세법 제104조 제3호에 따른 주택으로 정의하였다.

| 최근 개정법령_2016.1.1.| "특수한 사유"에 열거된 '화재'규정 삭제(영 제2조)

종전 규정에 따르면 감면범위에 "화재"가 포함되어 실화(失火)에 의한 경우도 감면대상으로 볼 여지가 있어 "대통령령으로 정하는 특수한 사유"에 "화재"를 삭제하였다.

| 최근 개정법령_2018.1.1.| 종전의 '직접 사용이란 부동산의 소유자가 해당 부동산을 사업 또는 업무의 목적이나 용도에 맞게 사용하는 것'으로 규정하고 있던 것을, 부동산외에 차량, 건설기계 등에 대해서는 해당 조문이 적용되지 않는 것으로 해석될 여지가 있어, 직접 사용 정의 규정이 선박, 차량 등에도 적용되도록 명확화하였다.

1. 직접 사용

1) 직접 사용 개요

지특법상 감면 요건으로 "직접 사용"을 광범위하게 규정하고 있다. 2013.12.31. 현재 「지방세특례제한법」 중 116곳에서 감면의 요건으로 '직접 사용'이라는 개념이 사용되고 있다(2017.1.1. 현재 262곳). 아울러 지특법의 개별 감면 조문에서 직접 사용을 규정하지 않더라도 모든 취득세 감면은 특별한 사정이 없는 한 "직접 사용" 요건이 붙어 있다고 봐야 한다. 지특법 제178조 제1항에서 부동산에 대한 감면을 적용할 때 이 법에서 특별히 규정한 경우를 제외하고는 취득일부터 1년이 경과할 때까지 해당 용도로 "직접 사용"하지 아니하는 경우 또는 해당 용도로 "직접 사용"한 기간이 2년 미만인 상태에서 매각·증여하거나 다른 용도로 사용하는 경우에는 취득세를 추징토록 규정하고 있다.

2013년 이전까지 직접 사용이라는 과세요건이 명확하지 않아 적용상 많은 혼란이 있었다. 판례에서는 직접 사용에 대한 기준으로 다음과 같이 판단하고 있다. 감면 주체(예. 비영리법인)가 부동산을 그 사업에 직접 사용한다고 함은 현실적으로 해당 부동산을 법인의 목적사업 자체에 사용하는 것을 뜻하고 법인의 목적사업 자체에 사용하는 것인지는 해당 법인의 사업목적과 부동산의 취득목적을 고려하여 그 실제의 사용관계를 기준으로 객관적으로 판단해야 한다(대법원 2000두3238).

해당 판례는 직접 사용의 일반적인 기준을 제시한 것에 불과한데 구체적인 쟁점이 되는 경우는 소유자가 취득 부동산을 사용하지 않고 임대하는 경우이다. 임대의 형태가 다양할 수 있는데 임대업(수익사업)을 목적으로 하는 단순히 유상임대의 경우 임대업 자체에 제공되는 부동산으로서 직접 사용으로 볼 여지가 없다. 그런데 소유자의 목적사업을 위해 불가피하게 제3자를 통해 영위하게 하는 경우에도 직접 사용으로 볼 수 있는지에 대한 쟁점이 있었다. 즉 '직접 사용'의 주체와 관련하여 소유관계를 기준으로 해당 부동산의 소유자가 직접 자신의 목적사업에 사용하는 경우로 한정할 것인지, 소유관계보다는 사용용도 측면에서 직접 사용 여부를 판단할 것인지에 관하여 해석상 다툼의 소지가 있었다.

이와 관련하여 판례(대법원 2008두15039, 2011.1.27.)에서는 '직접 사용'의 의미는 당해 재산의 용도가 직접 그 본래의 업무에 사용하는 것이면 충분하고, 그 사용의 방법이 법인 스스로 그와 같은 용도에 제공하거나 혹은 제3자에게 임대 또는 위탁하여 그와 같은 용도에 제공하는지 여부는 가리지 않는다고 보았다. ○○생명주식회사가 취득한 부동산을 제3자를 통해 사용토록 한 경우에도 직접 사용으로 보아 취득세 감면대상으로 판단하였다.

◎ 제3자에게 임대 또는 위탁하여 해당 용도에 제공하는 경우 직접 사용에 포함될 수 있음

원고(○○생명)는 보험업 이외의 업무를 영위하지 못하도록 정하고 있는 보험업법상의 제한 때문에 이 사건 건물 등을 ○○공익재단에 임대하는 형식으로 본래의 목적인 노인복지시설에 사용하고자 한 사실, 이 사건 건물 등에 관한 임대차계약상 임차인인 ○○공익재단은 원고의 사전 동의가 없는 한 이 사건 건물 등을 노인복지 및 부대사업 목적으로만 사용할 수 있는 사실, 이 사건 건물 등을 포함한 '○○노블카운티'가 실제로 노인복지시설로 운영되고 있는 사실 등을 인정한 다음, 신 조례 제9조 단서가 추징사유의 하나로 들고 있는 '노인복지시설에 직접 사용하지 아니하고 다른 용도로 사용하는 경우'에서 말하는 '직접 사용'의 의미는 당해 재산의 용도가 직접 그 본래의 업무에 사용하는 것이면 충분하고, 그 사용의 방법이 원고 스스로 그와 같은 용도에 제공하거나 혹은 제3자에게 임대 또는 위탁하여 그와 같은 용도에 제공하는지 여부는 가리지 않으므로, 원고가 이 사건 건물 등을 취득한 후 ○○공익재단에 임대한 것만으로는 위 추징사유에 해당하지 아니함.

2) 직접 사용 정의 신설

위와 같은 판례(대법원 2008두15039)에 따르면 유사 사례의 경우 소유자가 사용하지 않고 제3자가 해당 부동산을 사용하는 경우 어디까지 직접 사용에 해당하는지에 대해 여전히 세법 적용상 혼선이 나타날 수 밖에 없다. 이러한 혼선을 최소화하고 직접 사용에 대한 개념을 명확히 하기 위해 2014.1.1. "직접 사용"에 대한 정의를 신설하였는데, "직접 사용"이란 부동산의 소유자가 해당 부동산을 사업 또는 업무의 목적이나 용도에 맞게 사용하는 것을 말한다(제2조 8호). 이는 '직접 사용'의 주체가 부동산 소유자인지 사용자인지 여부가 불분명하여 다툼의 소지가 있었던 쟁점에 대해 소유자 중심으로 일원화한 것으로 볼 수 있다.[1] 아울러 지방세 감면의 수혜자가 해당 부동산의 소유자인 점, 직접 사용의 주체를 구분하지 않을 경우 제3자 임대 등 다른 수익적 방법이 있는 경우까지 과도한 감면혜택으로 이어지

1) 2013.12. 국회 심사보고서

는 불합리한 점을 고려하여 '직접 사용'의 주체가 해당 부동산의 소유자임을 명확히 하고자 하는 취지를 반영한 것이다.

한편 종교단체가 재산세 과세기준일 현재 사업에 직접 사용하는 부동산은 재산세를 면제하고, 종교단체가 제3자의 부동산을 무상으로 사용하는 경우 재산세 감면을 예외적으로 규정(지특법 제50조 ②)하고 있다. 즉 취득세 · 재산세 모두 취득자 또는 소유자가 직접 해당 목적사업에 사용해야 감면대상인데, 재산세의 경우 제3자 소유의 재산을 종교단체가 목적사업에 무상으로 사용하는 경우에도 추가로 감면대상으로 인정하는 예외를 두고 있다. 무료노인복지시설에 대한 재산세 감면규정(지특법 제20조 1호)에서도 직접 사용의 범위에 종교단체가 취득한 것을 대표자 명의로 사용하는 것에 대해 직접 사용으로 보도록 하는 예외규정을 두고 있다. 이와 같이 소유자와 사용자가 불일치하는 경우에도 감면대상으로 적용하기 위해 명확한 규정을 두었으며, 명확한 규정 없이는 직접 사용은 취득자(소유자)가 자신의 목적사업에 사용하는 것으로 한정해야 한다. 여타 과세 체계에서도 볼 수 있듯이 그만큼 직접 사용의 의미를 명확하게 하였다고 할 수 있다.

직접 사용의 정의가 신설된 이후 대법원 2008두15039의 판례의 의미는 퇴색되었다고 할 수 있으므로, 제3자에게 임대 또는 위탁하여 그와 같은 용도에 제공한다면 직접 사용을 볼 수 없다할 것이다. 이후 판례에서는 이러한 입법취지가 반영되어 있음을 보여준다.

◎ 스스로 사용하지 아니하고 임대하여 운영을 위탁한 것은 '직접 사용'에 해당하지 않음

2014.1.1. 시행된 지특법 제2조 제1항 제8호의 '직접 사용'에 대한 신설 규정의 취지는 직접 사용의 주체를 구분하지 아니할 경우 제3자 임대 등 다른 수익적 방법이 있는 경우까지 과도한 감면혜택으로 이어지는 불합리한 점이 있어 이 경우에는 특례를 제한하여 취득세를 감면하고자 하는 입법의 취지에 맞추고자 그 사용의 주체를 명확히 하고자 함에 있음. … '해당 사업에 직접 사용'이라 함은 원고가 소유자로서 주체가 되어 이 사건 골프장을 조성한 후에 이 사건 부동산 등을 그 용도와 목적에 맞게 스스로 사용하는 것을 의미한다고 봄이 타당. 원고가 이 사건 골프장 조성을 마치고 이 사건 부동산 등을 취득한 후에 그 용도와 목적에 맞게 스스로 사용하지 아니하고, 곧바로 ○○○○○에게 임대하고 운영을 위탁하였으므로 '해당 사업에 직접 사용'에 해당하지 않음(대법원 2018두65996, 2019.4.5.).

◎ 농협이 해당 부동산을 현물출자하여 해당 용도대로 사용하였어도 직접 사용으로 볼 수 없음

매각 · 증여와 같이 유상 또는 무상으로 소유권이 이전된 경우를 추징사유의 하나로 규정하고 있는 점 …, 농협이 '고유업무에 직접 사용'한다고 함은 농업협동조합이 그 부동산의 소유자 또는 사실상 취득자의 지위에서 현실적으로 이를 농업협동조합의 업무 자체에 직접 사용

하는 것을 의미한다고 봄이 타당 … 법인에 현물출자하여 소유자로서의 지위를 상실한 이후에는 이 사건 각 건물이 원고의 고유업무에 직접 사용되고 있다고 볼 수 없으므로, 각 건물을 그 사용일부터 2년 이내에 현물출자한 이상 추징사유가 발생한 것임(대법원 2014두43097, 2015.3.26.).

☞ 2014.1.1. '직접 사용' 관련 지특법 개정 이후의 대법원 판례임.

3) 직접 사용 관련 쟁점

지특법에서 직접 사용이라는 감면요건을 한정하면서 동시에 "임대용을 제외한다"고 규정하는 경우가 있다[농협중앙회(§14), 청소년 단체(§21), §23 · §47 · §48 · §53 · §88 등]. 직접 사용에 대한 정의 신설로 소유자와 사용자의 일치를 전제로 그 의미를 명확히 한 상황에서 "임대용을 제외한다"는 규정을 둘 필요가 없다고 사료된다. 이러한 규정은 특정 법인(농협 중앙회, 청소년 단체 등)에 대한 감면에 많이 나타나는데 해당 법인의 고유업무에 임대사업을 포함하고 있기 때문에 감면 요건을 직접 사용의 의미로는 제한하는데 한계가 있을 것을 우려해 "임대용 부동산은 제외한다"는 규정을 추가하여 감면 요건을 명확히 한 것으로 볼 수 있다.

그러나 이러한 방식은 해당규정 자체는 명확해질지라도 다른 규정의 해석에 있어 오해를 불러올 수 있다. 왜냐하면 그 밖의 조문에서 "임대용은 제외한다"는 규정이 없으면 임대하는 경우도 직접 사용의 범위에 포함된다고 반대해석을 할 여지가 있다. 아래 대법원 판례(2018두46643)에서는 임대 또는 위탁과 무관하게 물류사업 용도에 사용되는 부동산에 대해 직접 사용으로 보았는데, 그 근거의 하나로 여타 규정에서 "임대를 제외한다"고 규정하고 있지만 물류사업 관련 규정에서는 제외한다는 규정이 없으므로 직접 사용으로 보아 감면대상으로 보았다.

◎ 제3자에게 임대 또는 위탁 여부와 무관하게 물류사업에 사용하는 것이면 충분(직접 사용)

지특법 제178조는 추징 사유로 물류시설을 매각 또는 증여하는 경우와 이를 물류시설이 아닌 다른 용도로 사용하는 경우를 규정하고 있을 뿐이고 물류시설로 사용할 것을 전제로 임대하는 경우에 관하여는 규정하고 있지 아니한 점, 위 법은 각종 취득세 감면규정을 두면서 임대용 부동산을 감면대상에서 제외할 경우에는 명문으로 이를 밝히고 있는데(법 §14 · §21 · §23 · §47 · §48 · §53 · §88 등) 제71조 제2항은 물류사업과 관련하여 임대용 부동산을 감면대상에서 제외한다고 규정하고 있지 아니한 점 등에 비추어 '직접 사용'의 의미는 부동산의 소유자가 해당 부동산을 사업 또는 업무의 목적이나 용도에 맞게 물류사업에 사용하는 것이면 충분하고, 그 사용 방법이 원고 스스로 그와 같은 용도에 사용하거나 혹은 제3자에게 임대 또는 위탁하여 그와 같은 용도에 사용하는지 여부는 가리지 아니함(대법원 84누297, 2008두15039 참조)(대법원 2018두46643, 2018.10.4.).

위 사례는 직접 사용의 정의 규정 신설 이전의 판례를 근거로 들고 있는데 이는 개정규정의 취지에 부합하지 않는다. 직접 사용의 정의규정 신설 이후에는 특별한 사정이 없는 한 소유자 지위에서 직접 사용여부를 판단하는 것이 합리적이라 할 것이며, 해당 판례를 일반화하기에는 곤란하다고 사료된다.

아래 판례는 직접사용 관련 개정규정이 실질적인 의미의 변화를 가져왔고, 그에 따라 개정이전의 사례에 대해서는 제3자가 사용한 경우 직접사용으로 보았다. 1심법원은 '직접 사용'에 관한 정의 규정을 신설(14.1.1.)하였지만 이는 종래의 해석을 명확히 하기 위한 것에 불과하여, 신설 규정의 시행 전후로 그 의미가 달라지는 것은 아니라고 보아 추징대상으로 보았다.

◎ 지역균형개발법상 제3자에 임대하였다 하더라도 직접사용으로 보아 감면이 타당

지역균형개발법상 영월군○○ 일대에 스파, 숙박(콘도) 조성사업 시행자로 지정(7.10.), 스파 시설 건물 건축(12.11. 사용승인) 및 취득세 면제, 2년간 임차하여 운영할 업체 선정 입찰공고(13.9.) 및 임대(13.11.), 3년 이내에 직접 사용하지 않고 타인에게 임대하였다는 사유로 추징(17.1.), 사업시행자의 '임대행위 또는 임대사업'과 개발촉진지구 내에서의 '개발사업'은, 그 중 하나가 성립하면 다른 하나는 성립할 수 없는 모순적인 관계가 아니라 양립할 수 있는 관계임. … 지역균형개발법의 목적을 고려할 때 특정 사업분야에 전문화된 다수의 제3자가 사업시행자와의 계약을 통하여 개발사업에 참여할 수 있게끔 유도하는 것이 보다 효과적일 수 있음. … 지특법상 직접사용 정의규정의 신설(14.1.1.)은 이 사건 조항에 대한 종래의 해석을 재확인하였다기보다는 새로 규정을 둔 것으로 보아야 하므로 정의 규정이 이 사건 조항의 해석에 영향을 미칠 수 없음(대법원 2019두57916, 2020.3.12.).

2. 감면 세액의 추징

1) 개요

취득당시 납세자가 감면신청을 하면 과세관청은 감면결정을 한다. 과세관청의 감면결정은 취득당시 확인할 수 있는 기본적인 사안에 대해 판단한다. 즉 주체적 요건(예. 종교단체에 대한 감면인 경우 취득자가 종교단체인 지 여부에 대한 확인)에 대한 판단만 하고 향후 감면목적에 사용한다는 전제하에 감면한다. 이후 감면요건에 맞게 사용하여야하는데 그렇지 않은 경우 사유 발생일을 기준으로 감면세액을 추징한다. 일반적인 추징요건으로 "정당

한 사유 없이 그 취득일부터 1년이 경과할 때까지 해당 용도로 직접 사용하지 아니하는 경우", 그리고 "해당 용도로 직접 사용한 기간이 2년 미만인 상태에서 매각·증여하거나 다른 용도로 사용하는 경우"는 추징요건이 발생한다(기간은 개별 조문마다 상이할 수 있음).

취득세 추징규정의 연혁을 보면 다음과 같다. 구 지방세법(2000.12.29. 이전) 제107조 단서 및 제127조 제1항 단서는 '대통령령이 정하는 수익사업에 사용하는 경우와 취득일·등기일부터 3년 이내에 정당한 사유 없이 전부 또는 일부를 그 사업에 사용하지 아니하는 경우'만을 부과사유로 규정하고 있었다. 그러나 해당 비영리사업자가 해당 부동산을 공익사업 용도로 일시 사용하고 곧바로 매각하거나 다른 용도로 사용하는 경우에는 취득세·등록세를 비과세하는 취지에 반함에도 그 사용기간에 상관없이 부과할 수 없는 문제가 발생했다. 이에 2000.12.29. 개정된 지방세법은 '그 사용일부터 2년 이상 그 용도에 직접 사용하지 아니하고 매각하거나 다른 용도로 사용하는 경우'를 부과사유로 추가하였다. 이후 비영리사업자에 대한 비과세가 지방세특례제한법으로 옮겨왔으며, 비영리사업자 각각에 대한 감면규정으로 편제되면서 각각의 조문별로 추징규정을 두고 있다.

◎ **추징규정은 본래의 부과처분과는 별개이므로 추징규정 없으면 추징은 불가함**

추징은 일단 면제 요건에 해당되면 그 세액을 면제한 후 당초의 면제취지에 합당한 사용을 하느냐에 대한 사후관리의 측면에서 규정한 것으로서 본래의 부과처분과는 그 요건을 달리하는 별개의 부과처분이라 할 것(대법원 2002두516, 2003.9.26. 참조)인 바, 감면 이후 사후관리 측면에서 별도의 추징규정을 두고 있지 아니한 이상 면제된 재산세를 추징할 수는 없음(지방세운영과-2982, 2013.11.19.).

2) 직접 사용하지 않는 경우와 정당한 사유

(1) 정당한 사유의 판단 기준

지특법에서 "정당한 사유 없이" 그 취득일부터 1년(또는 2년)이 경과할 때까지 해당 용도로 직접 사용하지 아니하는 경우에는 취득세 추징대상으로 규정하고 있다. 즉 일정기간 내에 사용하지 못한 것이 정당한 사유가 있다면 추징되지 않는다. 판례에서 "정당한 사유"에 대한 일관된 기준으로 다음과 같이 제시하고 있다. "정당한 사유"라 함은 법령에 의한 금지·제한 등 그 법인이 마음대로 할 수 없는 외부적인 사유는 물론 고유업무에 직접 사용하기 위한 정상적인 노력을 다하였음에도 시간적인 여유가 없어 유예기간을 넘긴 내부적인 사유도 포함하고, 정당사유의 유무를 판단함에 있어서는 해당 부동산의 취득목적에 비추어 고유목적에 사용하는 데 걸리는 준비기간의 장단, 고유목적에 사용할 수 없는 법령·사실상의 장애사유 및 당해 법인이 토지를 고유업무에 사용하기 위한 진지한 노력을 다하였는지 여부, 행정관청의 귀책사유가 가미되었는지의 여부를 참작하여 구체적인 사안에 따라 개별적으로 판단하여야 한다(대법원 97누5121, 1998.11.27.).

(2) 건축 중인 경우와 정당한 사유

건축 중인 경우는 직접 사용 또는 추징 유예기간과 밀접한 관계가 있다. 토지를 취득하여 고유업무에 직접 사용하기 위해 건축 등의 공사를 하였다 하더라도 그것만으로는 그 토지를 고유업무에 직접 사용한 것이라고 볼 수 없고, 다만 그 고유업무에 직접 사용하지 못한 데 정당한 사유가 있는 것으로 보아야 한다. 그리고 그 정당한 사유가 있는 범위는 특별한 사정이 없는 한 건축 중인 건물의 연면적 중 고유 업무에 직접 사용되는 건물 부분이 차지하는 비율에 해당하는 토지 부분으로 제한된다(대법원 2006두11781, 2009.3.12.). 즉, 착공신고를 한 이후 공사를 한 기간은 해당 토지를 목적사업에 직접 사용하는 행위라기보다는 이를 위한 준비행위에 지나지 않는 것이므로, 해당 기간 동안에는 부동산을 목적사업에 사용하였다고 볼 수도 없다. 따라서 토지 취득 후 건축을 통해 건물에 관한 사용승인을 받은 이후에야 토지를 목적사업에 사용하기 시작하였다고 봐야 한다(대법원 2014두46560, 2015.4.9.). 취득세에서 예를 들어 1년이 경과할 때까지 해당 용도로 직접 사용하지 아니하는 경우를 추징요건으로 한다면, 토지를 취득하여 6개월 만에 목적사업에 사용하기 위해 건축(착공)을 시작했다면, 건축물 건축기간이 1년이 경과되더라도 해당 공사를 한 기간은 정당한 사유에 해당하므로 정당한 사유가 해소된 시점(준공)부터 6개월 이내에 목적사업에 사용하면 추징에서 배제된다.

(3) 재산세 감면과 정당한 사유

재산세 감면의 경우 법령에서 직접 건축 중에 있는 경우 '직접 사용'으로 보아 감면대상으로 규정하고 있다. 학교등의 재산세 면제(지특법 제41조 ②, 영 제18조 ②), 평생교육단체에 대한 재산세감면(법 제43조 ②, 영 제29조), 종교단체 등에 대한 감면(지특법 제50조 ②, 영 제25조 ①)에서 건축 중인 경우 직접 사용의 범위에 포함하고 있다. 그리고 지특법시행령 제123조에서도 직접 사용의 범위와 관련하여 토지에 대한 재산세의 감면규정을 적용할 때 직접 사용의 범위에는 해당 감면대상 업무에 사용할 건축물을 건축 중인 경우를 포함한다.

◎ 취득 당시 장애사유는 그 업무에 직접 사용하지 못한 데 대한 "정당한 사유"가 될 수 없음

비영리사업자가 부동산을 취득할 당시에 이미 임대(수익사업)부분이 존치하고 있었으므로 조금만 주의를 기울였더라면, 임대(수익사업)기간이 종료하더라도 ① 명도명령에 불응하여 명도소송으로 발전할 수도 ② 임대차보호규정에 따라 재계약 등의 요구를 수용할 수밖에 없

다는 장애사유를 인지할 수 있었다고 할 것이며, 실제 그 장애사유 해소를 위하여 노력하여 이를 해소하였는데도 예측하지 못한 전혀 다른 사유로 그 사업에 사용하지 못하였다는 등의 특별한 사정이 없는 한, 취득 당시 그 장애사유는 당해 토지를 그 업무에 직접 사용하지 못한 데 대한 "정당한 사유"가 될 수 없음(대법원 2001두229, 2002.9.4. 참조).

◎ 부동산을 취득한 후 건축공사에 착공하기 위하여 정상적인 노력을 다하여 왔으나, 취득 당시에는 예상하지 못했던 처분청의 대형건축물 굴토심의규정 신설(2011.1.18.)로 인한 건축규제와 유예기간 경과 시점의 계속적인 장마로 인하여 건축공사에 착공하지 못한 경우 유예기간(1년) 내 고유업무에 직접 사용하지 못한 정당한 사유에 해당됨(조심 2011지0936, 2012.6.18.).

◎ **현물출자자의 계약취소 이전등기 말소는 직접 사용하지 못한 정당한 사유에 해당**

원고가 이 사건 토지를 영농에 직접 사용하지 못한 데에는 정당한 사유가 있다고 보는 것이 타당하다(대법원 2005두4212, 2006.2.9. 등 참조). 따라서 원고에게는 구 지방세법 제266조 제7항 단서 전단 부분이 적용되지 않고, 원고가 정당한 사유에 해당하는 이 사건 계약 취소로 이 사건 토지를 취득일부터 1년 내에 다시 사용할 수도 없게 된 이상, 후단 부분 역시 적용되지 아니함. 이와 전제가 다른 이 사건 제1처분은 위법함. 이와 달리 이 사건 토지를 영농에 일시적으로 직접 사용하였다고 보더라도 취득일부터 1년 이내에 정당한 사유로 직접 사용하지 못하게 된 경우에는 지방세법 제266조 ⑦ 단서 전단 부분이 적용되어 추징 요건에 해당한다고 보기도 어려울 뿐 아니라, 이 사건 계약 취소로 계약이 소급적으로 무효가 되어 등기가 말소된 경우를 후단 부분에서 정한 2년 이내에 '매각하거나 다른 용도로 사용한 경우'라고 볼 수도 없음(대법원 2013두27036, 2014.4.10.).

☞ 추징규정 전단 부분은 그 용도로 직접 사용하기 시작할 유예기간을 부여한 것이라고 보아야 하고 후단 부분은 유예기간 이내에 그 용도에 직접 사용하였다가 일정한 기간 그 사업에 사용하지 않은 경우에 적용되는 규정으로 보아야 하므로(대법원 2012두26678, 2013.3.28. 참조), 정당한 사유로 그 취득일부터 1년 내에 그 용도에 직접 사용하지 못하게 되는 경우에는 전단 부분이 적용될 수 없고, 특히 정당한 사유로 인한 처분 등으로 말미암아 취득일부터 1년 내에 다시 사용할 수 없게 된 경우에는 후단 부분 역시 적용될 수 없음.

3) 매각·증여에 대한 추징

감면 추징사유인 '매각·증여'는 '직접 사용'과 함께 추징요건을 구성하여 직접 사용을 불가능하게 하는 사유로서 소유자 지위의 변경을 가져오는 이전행위를 전제로 하고 있다. 예를 들어 "해당 용도로 '직접 사용'한 기간이 2년 미만인 상태"와 결부하여 매각·증여하거나 다른 용도로 사용하는 경우를 추징요건으로 정하고 있는 바, '직접 사용'은 취득세를 면제받은 자가 그 부동산의 소유자 또는 사실상 취득자의 지위에서 현실적으로 이를 해당 목적사업의 용도로 직접 사용하는 것을 의미하는데(대법원 2014두43097, 헌재 2015헌바277), 취득세를 면제받은 자가 그 부동산의 소유권을 다른 사람에게 이전하는 등 처분하게 되면 더 이상 '직접 사용'한다고 할 수 없다. 따라서 해당 규정의 체계와 내용상 '매각·증여'는 직접 사용을 불가능하게 하는 사유로서 소유자 지위의 변경을 가져오는 다양한 형태의 처분이 포섭될 수 있다(대법원 2018두44920, 2018.9.13.). 추징 요건인 매각·증여가 직접 사용과 결부되므로 인해 직접 사용의 정의규정 신설이후 매각·증여와 관련하여 감면대상을 엄격하게 제한하는 사례들이 나타난다.

◎ 현물의 가치를 평가하여 그 대가로 주식을 교부받는 것이어서 현물출자도 '매각'에 포함

'매각'의 의미에 관하여 지특법은 물론 지방세기본법, 지방세법에도 달리 정함이 없으므로 사전적 의미, 법률적인 용례 등에 앞서 본 이 사건 각 조항의 입법취지를 종합하여 매각을 해석할 수밖에 없다. 매각의 사전적 의미는 '물건을 팔아 버린다는 것'이고, 법률적으로는 '매매 등의 법률행위나 경매 등 법률의 규정에 따른 유상성이 있는 원인(법률요건)에 의해 처분이라는 법률효과가 발생한 결과'를 의미하는 것인데, 현물출자는 부동산 등 출연하는 현물의 가치를 평가하여 그 대가로 주식을 교부받는 것이어서 매각과 실질에 있어서 차이가 없으므로, 현물출자도 '매각'에 포함되므로(헌재2, 2018.1.25.) 추징요건을 충족함(대법원 2018두44920, 2018.9.13.).

◎ 3년이 경과할 때까지 해당 용도로 직접 사용하지 아니하는 경우에 '매각'도 포함

제1호는 해당 부동산 취득일부터 3년이 경과하기까지 해당 용도에 사용하지 않은 경우를, 제2호는 해당 부동산을 취득일로부터 3년이 경과하기 전에 해당 용도로 사용하기는 하였으나 그 사용 기간이 2년 미만인 상태에서 매각·증여하거나 다른 용도로 사용하여 지방세 감면 목적을 달성하기 어려운 경우를 의미하는 것으로 해석할 수 있고, 이와 같이 해석한다면 위 제1호의 추징사유에는 3년 이내에 정당한 사유 없이 취득한 부동산을 타에 매각처분하는 등으로 3년이 경과할 때까지 이를 해당 용도로 사용하지 아니하게 된 경우도 포함(대법원 2017두64903, 2018.1.31.).

◎ 산업단지 내에서 직접 사용한 지 2년 이내인 시점에서 현물출자한 경우 추징사유 해당

원고가 이 사건 부동산을 계속 업무에 사용하지 못하고 이 사건 회사에 현물출자한 것이 법령 또는 행정관청의 사용금지, 제한 등 외부적인 사유로 인한 것이었다거나 그에 준하는 장애사유가 있었다고 인정하기에 부족하고 달리 이를 인정할 증거가 없다. 원고가 주장하는 것과 같이, 이 사건 부동산이 종전과 동일한 용도로 계속 사용되고 있다거나 원고가 이 사건 회사의 대주주로서 대표이사로 재직 중이라는 것만으로는 관련 법률에서 정하고 있는 정당

한 사유가 있다고 볼 수도 없어(대법원 2016두55377) 추징은 타당함(대법원 2018두48908, 2018.10.12.).

◎ 2년 이상 공익사업에 직접 사용 후 매각 또는 임대하는 경우 추징대상에서 제외됨

추징규정(구 지방세법 제107조 단서 및 제127조 제1항 단서)은 비영리사업자가 일정한 기간 동안 공익사업의 용도로 사용하면 그 후부터는 취득세·등록세를 부과하지 않겠다는 내용을 규정한 것으로 보는 것이 입법 취지나 목적에 부합하는 해석이라고 할 것임. 따라서 비영리사업자가 해당 부동산을 2년 이상 공익사업의 용도에 직접 사용하였다면 그 후에 매각하거나 임대 등 다른 용도로 사용하더라도 비과세된 취득세·등록세를 부과할 수 없음(대법원 2012두26678, 2013.3.28.).

☞ 지방세법 분법 이전 제사·종교·자선·학술·기예 기타 공익사업을 목적으로 하는 대통령령으로 정하는 비영리사업자(구 지방세법시행령 제79조) : 1. 종교 및 제사를 목적으로 하는 단체 2. 초·중등교육법 및 고등교육법에 따른 학교, 외국교육기관을 경영하는 자, 평생교육법에 따른 평생교육단체, 3. 사회복지사업법에 따라 설립된 사회복지법인, 4. 양로원·보육원·모자원·한센병자치료보호시설 등 사회복지사업을 목적으로 하는 단체 및 한국한센복지협회, 5. 정당법에 의하여 설립된 정당

☞ 감면세액의 추징관련 지방특례제한법 제178조 참조

3. 수익사업에 사용되는 경우와 유료로 사용되는 경우

사회복지법인(제22조 ②), 학교(제41조 ②), 평생교육단체(제43조 ①), 종교단체(제50조 ②, ⑤), 문화재 소유자(제55조 ①), 정당(제89조 ②), 마을회 등에 대한 재산세 감면에서 다음과 같은 공통적인 요건을 정하고 있다. 사회복지법인등이 과세기준일 현재 해당 사업에 직접 사용하는 부동산에 대해서는 재산세를 면제한다. 다만, 수익사업에 사용하는 경우와 해당 재산이 유료로 사용되는 경우의 그 재산 및 해당 재산의 일부가 그 목적에 직접 사용되지 아니하는 경우의 그 일부 재산에 대해서는 면제하지 아니한다.

비영리사업자가 부동산을 그 공익사업에 직접 사용한 것인지 아니면 수익사업에 사용한 것인지는 당해 비영리사업자의 사업목적과 취득목적을 고려하여 그 실제의 사용관계를 기준으로 객관적으로 판단하여야 하며, 그 사업이 수익성을 가진 것이거나 수익을 목적으로 하면서 그 규모, 횟수, 태양 등에 비추어 사업 활동으로 볼 수 있는 정도의 계속성과 반복성이 있는지의 여부 등을 고려하여 사회통념에 따라 합리적으로 판단하여야 한다(대법원 95누13104, 2000두3238, 2007두20027 등).

한편 해당 부동산이 수익사업에 사용되고 있는지 여부를 판단함에 있어서는 그 이용대상의 범위, 당해 사업의 목적, 이용대가의 사용처 등이 중요한 판단기준이 되는 반면, 유료로

사용되는지 여부의 판단기준은 지급받는 금원의 성격이 당해 부동산의 사용대가인지 아니면 별도로 제공되는 재화나 용역의 사용대가인지 여부에 따라 결정된다. 따라서 양자는 서로 엄밀히 구별되는데 해당 부동산이 수익사업에 사용된다고는 볼 수 없더라도 그 대가가 부동산의 이용에 대한 것이라면 얼마든지 부동산이 유료로 사용되는 경우에 해당될 수 있다(대법원 2005두10590, 2006.12.8.).

◎ **구내식당 · 은행 · 커피숍 등으로 임대하는 경우 직접 사용 · 수익사업 여부 판단기준**

직접 사용 · 수익사업 사용 여부에 대한 판단은 실제 사용관계를 기준으로 객관적으로 판단하여야 하고, 유료사용 여부에 대한 판단은 재화 · 용역을 제공할 필요성, 제3자에게 임대 필요성과 합리성, 대상고객, 판매품목, 판매가격 및 그 결정구조, 임대료가 가격결정에 미치는 영향 등을 종합하여 판단하여야 할 것임. 따라서, 학교사업에 직접 사용하고 있는지 여부, 교육사업에 직접 사용하고 있는 것으로 볼 수 있다하더라도 임대사업으로서의 수익성이 있다거나 임대수익을 목적으로 한 것이라고 볼 수 있는지 여부, 임대부동산의 사용에 대한 대가로 지급된 것인지 여부에 대하여 과세 관청에서 사실관계 및 현황 조사를 통하여 최종판단할 사안임(지방세특례제도과－181, 2015.1.22.).

4. 세율 경감의 범위

◎ **종업원분 주민세 표준세율을 조례로 50% 인하하는 것은 세율 경감에 포함되지 않음**

'지방세 감면'은 「지방세법」에서 과세대상으로 규정한 것을 국가정책 또는 납세의무자의 개별적 사정을 고려하여 일정기간 세액의 일부를 경감하거나 전부를 면제하는 것으로 그 감면근거는 지특법, 지자체 감면조례, 조특법에 규정된 것으로 한정하는 것이며, 지방세의 탄력세율이라 함은 지방자치단체가 법률로 정한 표준세율을 탄력적으로 변경하여 운영하는 세율로서, 국내외경제여건이 수시로 변하고 이것이 지역경제에 미치는 영향이 빠르고 크게 작용하기 때문에 신축성 있게 지방자치단체 조례로서 표준세율을 정책목적에 따라 임시로 적용하는 세율이라 할 것임. 따라서 지특법 제2조 ① 제6호에서 정한 '세율의 경감'은 지세법 또는 지방세 감면조례 등을 통해 세율을 개별적 조문을 경감하는 것이라 할 것이므로, 지방세법에서 정한 범위 내에서 탄력세율을 적용하는 것은 '세율의 경감'의 범위에 포함되지는 아니함(지방세특례제도과－2469, 2016.9.9.).

제2조의 2(지방세특례의 원칙)

법 제2조의 2(지방세 특례의 원칙) 행정안전부장관 및 지방자치단체는 지방세 특례를 정하려는 경우에는 다음 각 호의 사항 등을 종합적으로 고려하여야 한다.

1. 지방세 특례 목적의 공익성 및 지방자치단체 사무와의 연계성
2. 국가의 경제・사회정책에 따른 지역발전효과 및 지역균형발전에의 기여도
3. 조세의 형평성
4. 지방세 특례 적용 대상자의 조세부담능력
5. 지방세 특례 대상・적용 대상자 및 세목의 구체성・명확성
6. 지방자치단체의 재정여건
7. 국가 및 지방자치단체의 보조금 등 예산 지원과 지방세 특례의 중복 최소화
8. 지역자원시설세 등 특정 목적을 위하여 부과하는 지방세에 대한 지방세 특례 설정 최소화

지방세특례의 일반원칙을 규정하고 있다. "지방세 특례"란 세율의 경감, 세액감면, 세액공제, 과세표준 공제(중과세 배제, 재산세 과세대상 구분전환을 포함한다) 등을 말하며, 지방세 특례사항을 정할 경우에는 공익성, 국가정책, 형평성, 조세부담능력 및 지방자치단체의 재정여건 등을 종합적으로 고려하도록 함으로써 지방세특례가 남용되지 않도록 하려는 것이다.

제3조(지방세특례의 제한)

법 제3조(지방세 특례의 제한) ① 이 법, 「지방세기본법」, 「지방세징수법」, 「지방세법」, 「조세특례제한법」 및 조약에 따르지 아니하고는 「지방세법」에서 정한 일반과세에 대한 지방세 특례를 정할 수 없다.

② 관계 행정기관의 장은 이 법에 따라 지방세 특례를 받고 있는 법인 등에 대한 특례 범위를 변경하려고 법률을 개정하려면 미리 행정안전부장관과 협의하여야 한다.

「지방세특례제한법」, 「지방세법」 및 「조세특례제한법」에 의하지 아니하고는 「지방세법」에서 정한 일반과세에 대한 지방세 특례를 정할 수 없도록 하고 있다. 지방세 특례는 조세공평주의에 반하고 지방자치단체 재원의 포기이므로 극히 한정된 범위 내에서 예외적으로 허용되어야 할 것이다. 이의 실현을 위해서 지방세 특례는 다른 법령에서는 정할 수 없도록 하고 있고, 법인 등에 대한 특례의 변동을 가져올 경우 행정안전부장관과 사전 협의토록 하고 있다.

| 최근 개정법령 _ 2016.1.1. | 지방세특례 근거에 조약 등 규정 신설(법 제3조)

「지방세법」에서 정한 일반과세에 대한 지방세 특례를 정할 수 있는 근거 법령을 「지방세기본법」(이후 분법된 「지방세징수법」 포함), 「지방세법」, 「조세특례제한법」 외에 "조약"을 추가로 포함하였다.

제4조(조례에 따른 지방세 감면)

법 제4조(조례에 따른 지방세 감면) ① 지방자치단체는 다음 각 호의 어느 하나에 해당하는 때에는 3년의 기간 이내에서 지방세의 세율경감, 세액감면 및 세액공제(이하 이 조 및 제182조에서 "지방세 감면"이라 한다)를 할 수 있다.

1. 서민생활 지원, 농어촌 생활환경 개선, 대중교통 확충 지원 등 공익을 위하여 지방세의 감면이 필요하다고 인정될 때
2. 특정지역의 개발, 특정산업·특정시설의 지원을 위하여 지방세의 감면이 필요하다고 인정될 때

② 지방자치단체는 제1항에도 불구하고 다음 각 호의 어느 하나에 해당하는 지방세 감면을 할 수 없다. 다만, 국가 및 지방자치단체의 경제적 상황, 긴급한 재난관리 필요성, 세목의 종류 및 조세의 형평성 등을 고려하여 대통령령으로 정하는 경우에는 제1호에 해당하는 지방세 감면을 할 수 있다.

1. 이 법에서 정하고 있는 지방세 감면을 확대(지방세 감면율·감면액을 확대하거나 지방세 감면 대상·적용 대상자·세목·기간을 확대하는 것을 말한다)하는 지방세 감면
2. 「지방세법」 제13조 및 제28조 제2항에 따른 중과세의 배제를 통한 지방세 감면
3. 「지방세법」 제106조 제1항 각 호에 따른 토지에 대한 재산세 과세대상의 구분 전환을 통한 지방세 감면
4. 제177조에 따른 감면 제외대상에 대한 지방세 감면
5. 과세의 형평을 현저하게 침해하거나 국가의 경제시책에 비추어 합당하지 아니한 지방세 감면 등으로서 대통령령으로 정하는 바에 따라 행정안전부장관이 정하여 고시하는 사항

③ 지방자치단체는 지방세 감면(이 법 또는 「조세특례제한법」의 위임에 따른 감면은 제외한다)을 하려면 「지방세기본법」 제147조에 따른 지방세심의위원회의 심의를 거쳐 조례로 정하여야 한다. 이 경우 대통령령으로 정하는 일정 규모 이상의 지방세 감면을 신설 또는 연장하거나 변경하려는 경우에는 대통령령으로 정하는 조세 관련 전문기관이나 법인 또는 단체에 의뢰하여 감면의 필요성, 성과 및 효율성 등을 분석·평가하여 심의자료로 활용하여야 한다.

④ 제1항과 제3항에도 불구하고 지방자치단체의 장은 천재지변이나 그 밖에 대통령령으로 정하는 특수한 사유로 지방세 감면이 필요하다고 인정되는 자에 대해서는 해당 지방의회의 의결을 얻어 지방세 감면을 할 수 있다. [감면분만 농비]

⑤ 지방자치단체는 지방세 감면에 관한 사항을 정비하여야 하며, 지방자치단체의 장은 정비 결과를 행정안전부장관에게 제출하여야 한다. 이 경우 행정안전부장관은 그 정비 결과를 지방세 감면

에 관한 정책 수립 등에 활용할 수 있다.

⑥ 지방자치단체는 제1항부터 제3항까지의 규정에 따라 지방세 감면을 하는 경우에는 전전년도 지방세징수 결산액에 대통령령으로 정하는 일정비율을 곱한 규모(이하 이 조에서"지방세 감면규모"라 한다) 이내에서 조례로 정하여야 한다.

⑦ 지방자치단체는 제6항의 조례에 따라 감면된 지방세액이 지방세 감면규모를 초과한 경우 그 다음 연도의 지방세 감면은 대통령령으로 정하는 바에 따라 축소·조정된 지방세 감면규모 이내에서 조례로 정할 수 있다. 다만, 지방세 감면규모를 초과하여 정하려는 경우로서 행정안전부장관의 허가를 받아 조례로 정한 지방세 감면에 대해서는 지방세 감면규모 축소·조정 대상에서 제외한다.

⑧ 제1항에 따른 지방세 감면을 조례로 정하는 경우 제주특별자치도에 대해서는 제2항(단서 및 제1호는 제외한다)·제6항 및 제7항을 적용하지 아니한다.

영 제2조(지방세 감면규모 등) ① 「지방세특례제한법」(이하 "법"이라 한다) 제4조 제2항 각 호 외의 부분 단서에서 "대통령령으로 정하는 경우"란 다음 각 호의 어느 하나에 해당하는 경우로서 지방세 감면(법 제4조 제1항에 따른 지방세 감면을 말한다. 이하 이 조에서 같다)이 필요한 것으로 행정안전부장관이 인정하는 경우를 말한다.

1. 「재난 및 안전관리 기본법」 제3조 제1호에 따른 재난의 대응 및 복구를 위해 필요한 경우
2. 경기침체, 대량실업 등 국가 및 지방자치단체의 경제위기 극복을 위해 필요한 경우
3. 장애인 등 사회적 취약계층 보호를 위해 필요한 경우
4. 법 제3장 지방소득세 특례의 적용 대상자로서 법 제2장 감면의 적용 대상자가 아닌 자에 대해 감면 세목(지방소득세는 제외한다)을 추가하려는 경우

② 행정안전부장관은 「지방세특례제한법」(이하 "법"이라 한다) 제4조 제2항 제5호에 따라 지방자치단체가 지방세 감면을 할 수 없는 사항을 고시할 때에는 다음 각 호의 사항을 고려하여야 한다.

1. 「지방세기본법」, 「지방세징수법」 또는 「지방세법」에 따른 지방세의 납부기한이 경과된 지방세의 감면인지 여부 2. 「지방세기본법」, 「지방세징수법」, 「지방세법」, 「조세특례제한법」 또는 법에 따른 지방세 과세정책에 중대한 영향을 미치는지 여부 3. 토지 등 부동산정책, 사회적 취약계층의 보호 등 사회복지정책이나 그 밖의 주요 국가시책에 반하는지 여부 4. 그 밖에 지방자치단체 주민 간 지방세 부담의 현저한 형평성 침해 등 지방세 과세정책 추진에 저해되는지 여부

③ 법 제4조 제3항 후단에서 "대통령령으로 정하는 일정 규모 이상"이란 지방세 감면을 신설하는 경우에는 해당 조례안의 지방세 감면 조문별로 그 감면기간 동안 발생할 것으로 예상되는 지방세 감면 추계액이 10억원 이상인 경우를 말하며, 지방세 감면을 연장하거나 변경하려는 경우에는 해당 조례의 감면기한이 도래하는 날 또는 지방세 감면의 변경에 관한 조례안을 해당 지방자치단체의 장이 정하는 날이 속하는 해의 직전 3년간(지방세 감면을 신설한 지 3년이 지나지 않은 경우에는 그 기간)의 연평균 지방세 감면액이 10억원 이상인 경우를 말한다.

④ 법 제4조 제3항 후단에서 "대통령령으로 정하는 조세 관련 전문기관이나 법인 또는 단체"란 다음 각 호의 어느 하나에 해당하는 기관이나 법인 또는 단체를 말한다.

1. 「지방세기본법」 제151조에 따른 지방세연구원 2. 「민법」 외의 다른 법률에 따라 설립된 조세 관련 기관이나 법인 3. 「민법」에 따라 설립된 조세 관련 학회 등 법인

4. 조세 관련 교육과정이 개설된 「고등교육법」 제2조에 따른 학교
5. 조세에 관한 사무에 근무한 경력이 15년 이상인 사람이 2명 이상 속해 있는 법인 또는 단체
6. 그 밖에 행정안전부장관이 정하여 고시하는 기관이나 법인 또는 단체
⑤ 법 제4조 제4항에서 "대통령령으로 정하는 특수한 사유"란 지진, 풍수해, 벼락, 전화(戰禍) 또는 이와 유사한 재해를 말한다.
⑥ 법 제4조 제4항에 따라 지방세 감면을 받으려는 자는 그 사유가 발생한 날부터 30일 이내에 그 사유를 증명할 수 있는 서류를 갖추어 관할 특별자치시장 · 특별자치도지사 · 시장 · 군수 · 구청장(구청장은 자치구의 구청장을 말한다. 이하 "시장 · 군수 · 구청장"이라 한다)에게 지방세 감면을 신청하여야 한다.
⑦ 시장 · 군수 · 구청장은 법 제4조 제4항에 따라 지방세 감면을 할 필요가 있다고 인정할 경우에는 직권으로 지방세 감면 대상자를 조사할 수 있다.
⑧ 법 제4조 제6항에서 "대통령령으로 정하는 일정비율"이란 지방자치단체의 재정상황 및 지방세 수입 규모 등을 고려하여 100분의 5의 범위에서 행정안전부장관이 정하여 고시하는 비율을 말한다. 이 경우 행정안전부장관은 법 제4조 제2항 각 호 외의 부분 단서에 따른 지방세 감면(행정안전부장관이 별도로 정하는 지방세 감면으로 한정한다)과 다음 각 호의 어느 하나에 해당하는 경우로서 지방자치단체가 행정안전부장관과 협의하여 조례로 정하는 지방세 감면이 있는 경우에는 해당 감면규모를 반영한 비율을 전단에 따라 고시하는 비율에 별도로 추가하여 고시(각 비율의 합은 100분의 5를 초과할 수 없다)할 수 있다.
1. 「재난 및 안전관리 기본법」 제3조 제1호에 따른 재난의 대응 및 복구를 위해 필요한 경우
2. 여러 지방자치단체에 영향을 미치는 국가적 현안의 해결을 위해 필요한 경우
3. 특정 지역에 소재한 국가기반시설의 지원을 위해 필요한 경우
4. 특정 산업의 육성을 목적으로 제정된 법률에 따라 지정된 특구나 단지 등의 지원을 위해 필요한 경우
5. 그 밖에 제1호부터 제4호까지의 경우와 유사한 것으로 행정안전부장관이 인정하는 경우
⑨ 법 제4조 제6항의 조례에 따라 감면된 지방세액이 해당 연도의 지방세 감면규모(법 제4조 제6항에 따른 지방세 감면규모를 말한다. 이하 이 항에서 같다)를 초과한 경우에는 법 제4조 제7항 본문에 따라 그 초과한 금액의 2배에 해당하는 금액을 그 다음 연도의 지방세 감면규모에서 차감한다.
[전문개정 2010.12.30.]

규칙 제2조(감면 신청) ① 「지방세특례제한법 시행령」(이하 "영"이라 한다) 제2조 제6항 및 제126조 제1항에 따른 지방세 감면 신청은 별지 제1호 서식에 따른다.
② 제1항에 따른 지방세 감면 신청을 받은 특별자치시장 · 특별자치도지사 · 시장 · 군수 또는 구청장(자치구의 구청장을 말하며, 이하 "시장 · 군수 · 구청장"이라 한다)은 지방세 감면을 신청한 자 또는 그 위임을 받은 자(이하 이 항에서 "감면신청인"이라 한다)에게 지방세 감면 관련 사항을 별지 제2호 서식에 따라 직접 또는 우편발송 등의 방법으로 안내해야 한다. 이 경우 감면신청인이 요청하는 경우에는 전자적 방법으로 안내할 수 있다.

지방자치단체가 지방세감면조례에 의하여 지방세 감면을 할 수 있도록 하면서 그 감면기

간, 대상, 절차 및 한도, 조례로 감면할 수 없는 사항 등에 대하여 규정하고 있다. 이 규정은 종전에 행정안전부장관의 감면조례 허가권을 폐지하면서 감면조례 제정요건 및 절차를 마련하고, 지방자치단체장에게 감면정비 노력의무를 부과하여 허가제 폐지에 따른 감면남발을 사전에 방지하기 위한 취지이다.

지방자치단체가 10억원 이상의 지방세 감면을 신설 또는 연장하는 조례를 입법하는 경우 조세전문기관에 필요성 등을 의뢰하고, 지방세심의위원회의 심의를 거치도록 하고 있는데, 지방자치단체의 선심성 등 무분별한 조례입법을 방지하기 위한 것이다. 다만, 지방세특례제한법에서 위임한 사항에 대해서는 별도의 지방세심의위원회를 거치지 않는다.

| 최근 개정법령 _ 2020.1.15. | 조례에 따른 지방세 감면 범위 명확화(법 §4, 영 §2)

「지특법」에서 정하고 있는 지방세 감면은 조례로 추가 "확대"가 불가하다고 규정하고 있는데, 여기서 "확대"의 의미가 불확실하여 지방세 감면율·감면액, 감면 대상, 적용 대상자, 세목, 기간을 법에서 정한 정도보다 확대 또는 완화하는 것을 의미하는 것으로 조례로 확대할 수 없는 법정 감면의 의미를 명확히 하였다. 예를 들어 감면율이 취득세 50%인 것을 조례로 감면율을 75%로 정할 수 없고, 3자녀 이상 가구의 자동차 취득에 대한 취득세 50% 감면의 경우 조례로 2자녀 이상 가구에 대한 감면으로 적용대상자를 확대할 수 없다. 감면 기간 또한 조례에서 법에서 정한 기간 이상으로 확대할 수 없다. 다만 경제 위기, 재난 대응 등의 사유로 감면 확대가 필요하다고 행안부 장관의 인정을 받은 경우에는 확대하여 감면할 수 있다(법 §4 ② 단서, 영 §2 ①).

◎ 용도지역 변경(공업지역→주거지역)으로 재산세가 상승한 지역의 기존공장에 대하여 조례개정을 통한 재산세의 감면이 가능

「○○도 ○○시 시세 감면조례」 개정안은 공업지역이 해제되어 주거지역으로 용도지역이 변경되었으나 이전 하고자 하는 산업단지 조성공사가 완료되지 않아 불가피하게 이전하지 못하는 연면적 500제곱미터 이상의 공장용 건축물 또는 그 부속토지에 대하여 3년간 재산세의 100분의 50을 경감한다는 내용으로 이는, 기존 공장용 건축물을 특정지역의 개발로 인한 특정시설로 보아 세 부담 증가에 따른 기업들의 부담을 경감하여 지역경제 활성화를 유도하고자 하는 취지로 감면조례를 통한 재산세 경감이 가능함(지방세특례제도과-1510, 2014.8.28.).

◎ 전문 개정인 경우 특별한 사정이 없는 한 종전의 법률부칙 경과 규정은 모두 실효됨

법률의 일부 개정인 경우에는 종전 법률 부칙의 경과규정을 개정하거나 삭제하는 명시적인 규정이 없고 개정 법률에 다시 경과규정을 두지 않았다고 하여도 부칙의 경과규정이 당연히 실효하는 것은 아니지만, 개정 법률이 전문 개정인 경우에는 기존법률을 폐지하고 새로운 법률을 제정하는 것과 같은 것으로 종전의 본칙은 물론 부칙규정도 모두 소멸된 것으로 보아야 할 것이므로 특별한 사정이 없는 한 종전의 법률부칙의 경과규정도 모두 실효된다 할 것임(대법원 2001두11168, 2002.7.26. 참조).

◎ **종전조례 적용에 대한 경과규정이 없다면 납세의무성립 당시 시행조례를 적용하여야 함**
자치단체의 조례가 납세자에게 불리하게 개정되어 납세자의 기득권 내지 신뢰보호를 위해 특별히 경과규정을 두고 납세자에게 유리한 종전 조례를 적용하도록 하고 있는 경우에는 종전 조례를 적용해야 할 것이나, 종전의 규정을 개정 조례 시행 후에도 계속 적용한다는 경과규정이 없다면 납세의무성립 당시에 시행되는 조례를 적용하여야 하고, 이는 구 조례가 실효되고 이를 대체한 새로운 조례가 제정된 경우에도 같음(대법원 2008두5773, 2010.11.11.).

◎ **지자체 조례제정 여부는 자치권의 문제로 조세평등의 문제는 아님**
특정의 지방세에 관하여 지방세법 제7조 및 제9조에 의한 불균일과세 또는 과세면제를 할 것인가의 여부는 각 지방자치단체가 각각의 필요에 따라 결정할 문제이고, 따라서 그 조례를 제정할 것인지의 여부 및 그러한 조례를 어떠한 내용으로 제정할 것인지의 여부는 각 지방자치단체의 자치권에 속하는 것으로서 특정광역시에만 조례를 제정하지 아니함으로써 결국 다른 시도에 비하여 중고자동차매매업자들이 고율의 등록세와 교육세를 납부한다 하더라도 조세평등의 원칙에 위배한 것으로 볼 수가 없음(대법원 95누13050, 1996.1.26.).

◎ **(예규) 지특법 4-1(공익)** 「지방세특례제한법」 제4조 제1항 제1호의 「공익」이라 함은 사회생활을 해 나가는 데 있어서 누구에게나 보편적으로 납득될 만한 보편화된 가치규범, 공동체자체의 권익, 사회 전체의 생존이나 발전에 요구되는 미래의 이익이나 효용성, 사회적 약자의 이익, 불특정다수인의 이익을 도모하는 사유를 의미한다.

◎ **(예규) 지특법 4-2(천재·지변 등으로 인한 지방세감면 범위)** 지방자치단체는 풍·수해 등으로 인한 천재·지변, 화재, 전화(戰禍) 등 기타 재해 등이 발생한 경우에는 납세자의 자력복구를 지원하기 위하여 다음과 같이 지방세를 조속히 감면조치하여야 한다.

1. 지방세기본·관계법상 근거규정
   ① 감면 : 「지방세특례제한법」 제4조 제3항(지방의회 의결사항)
   ② 대체취득 감면
      가. 건축물·자동차·건설기계파손, 소실 : 「지방세특례제한법」 제92조 제1항 제3호
      나. 소실건축물 복구시 건축허가 : 「지방세특례제한법」 제92조 제2항
      다. 자동차소실·멸실·파손 : 「지방세특례제한법」 제92조 제3항
   ③ 기한의 연장 : 「지방세기본법」 제26조, 영 제5조
   ④ 징수유예 등 : 「지방세기본법」 제80조, 영 제67조
2. 피해대상별 지원내역(예시)

① 주택 등 건축물의 피해 : 소실 또는 파손된 건축물을 복구하기 위하여 2년 이내에 신축 또는 개축하는 건축물에 대하여 취득세·등록면허세 감면
② 자동차·기계장비 피해 : 소실·멸실·파손자동차의 대체취득시 취득세를 감면하고 소실·멸실·파손된 자동차를 회수하거나 사용할 수 없는 것으로 인정할 경우에는 자동차세를 감면
③ 사망·실종·중상자가 발생된 경우에는 기한의 연장, 징수유예 등 조치

◎ (예규) 지특법 4－3(행정안전부장관 허가의 목적)「지방세특례제한법」제4조의 규정에서 행정안전부장관의 허가를 얻도록 하는 것은 헌법 제117조 및「지방자치법」제9조, 제35조 제1항 제1호에 저촉되는 것으로 볼 수가 없는 것이고, 당해 지방자치단체의 감면조례를 제정할 때 지방자치단체의 합리성 없는 과세면제의 남용을 억제하여 지방자치단체 상호간 균형을 맞추게 함으로써 조세평등주의를 실천함과 아울러 건전한 지방세제도를 확립하고 안정된 지방재정운영에 기여하는 데 그 목적이 있다.

◎ (지침) 구제역 피해 농가 지방세 지원기준(지방세운영과－8, 2011.1.3.)

－지원대상 : 구제역 발생으로 소, 돼지 살처분 등 피해를 입은 축산 농가

－지원내용

• 재산세 감면 : 구제역 발생으로 소, 돼지 살처분 등 피해를 입은「축산농가의 가축시설」에 대한 재산세(지방교육세 포함)
• 징수유예 : 이미 고지서가 발부된 지방세 부과액 및 체납액에 대한 징수유예, 체납처분 등 유예조치(6개월간 연장하되, 최대 12개월까지 재연장 가능)
• 기한연장 : 취득세, 지방소득세의 납세자가 자신신고·납부하는 세목의 납부기한을 연장(3개월간 연장하되, 최대 9개월까지 재연장 가능)
※ 근거 : 지방세기본법 제26조(취득세, 지방소득세 등)

－지원방법 : 당해 시장·군수나 읍·면장이 발행하는 별첨「피해사실확인서」를 첨부 징수유예, 감면 등 신청시 신속하게 처리 지원

◎ (지침) 저축은행 영업정지 피해자에 대한 지방세 지원기준(지방세운영과－922, 2011.2.28.)

－지원대상 : 저축은행 영업정지로 지방세 납부기한 이내에 예금인출 지연이나 불능으로 납기 내에 납부가 불가능한 서민, 소상공인 등 개인 및 법인 납세자. 다만, 사실상 예금인출 지연 및 불능이 확인되는 경우로 한정

* 지방세기본법 제26조 및 시행령 제5조～제7조(취득세, 지방소득세 등)

－지원내용 : 취득세, 지방소득세 등 자진 신고·납부 세목에 대한 지방세 납부기한을 6개월간 연장하되, 기한연장 대상금액은 부실은행에 예치한 금액을 한도로 함.

- 지원방법 : 납세자로부터 피해사실 입증서류를 첨부한 「기한연장 신청서*」를 제출받거나, 피해사실이 확인되는 경우 당해 자치단체장이 직권으로 연장 조치

* 지방세기본법 시행규칙 제4조(기한연장의 신청)에 따른 별지 제1호 서식

○ (지침) 집중호우 피해주민 지원기준 시달(지방세운영과 - 3608, 2011.7.28.)

- 지원대상 : 집중호우로 주택 등 재산상 피해를 입어 담세력이 취약해진 주민
- 지원내용
  ① (취득세 면제) 주택, 선박, 자동차 · 기계 등이 파손 · 멸실되어 2년 이내에 이를 복구 또는 대체하여 취득하는 경우 취득세 면제
  ※ 근거 : 지방세특례제한법 제92조 제1항
  ② (등록면허세 면제) 파손된 주택, 선박, 자동차 · 기계 등의 말소등기 · 등록 또는 2년 이내에 신축 및 개축하는 경우 건축허가 면허에 대해 등록면허세 면제
  ※ 근거 : 지방세특례제한법 제92조 제2항
  ③ (자동차세 면제) 자동차 등이 소멸, 파손되어 회수하거나 사용할 수 없는 것으로 자치단체장이 인정하는 경우 자동차세를 면제
  ④ (지방의회 의결) 피해지역 자치단체장이 피해지원을 위해 지방의회의 의결을 얻어 재산세 등 감면 조치 가능
  ※ 근거 : 지방세특례제한법 제4조 및 시행령 제2조
  ⑤ (기한연장) 지방세관계법이 정하는 신고 · 신청 · 청구 등의 기한연장
  ※ 근거 : 지방세기본법 제26조 및 시행령 제6조(취득세, 지방소득세 등)
  ⑥ (징수유예 등) 재산상의 손실로 인하여 지방세의 납부가 어려울 경우 고지유예, 분할고지, 징수유예, 체납액의 징수유예 가능
  ※ 근거 : 지방세기본법 제80조 및 시행령 제67조(재산세, 자동차세 등)

제5조(지방세지출보고서의 작성)

법 제5조(지방세지출보고서의 작성) ① 지방자치단체의 장은 지방세 감면 등 지방세 특례에 따른 재정 지원의 직전 회계연도의 실적과 해당 회계연도의 추정 금액에 대한 보고서(이하 "지방세지출보고서"라 한다)를 작성하여 지방의회에 제출하여야 한다.

② 지방세지출보고서의 작성방법 등에 관하여는 행정안전부장관이 정한다.

지방자치단체의 장은 지방세 감면 등에 대한 지방세지출보고서를 작성하여 지방의회에 제출하여야 한다. 2010년부터 지방세지출예산제도가 시행됨에 따라 지방세 지출보고서 제출의무 및 구체적인 작성방법에 대한 법적 근거를 명확히 하고 있다.

제 2 장

지방세특례제한법

감 면

제1절

농어업을 위한 지원

제6조(자경농민의 농지 등에 대한 감면) 제1항~제3항 [자경농민 감면]

법 제6조(자경농민의 농지 등에 대한 감면) ① 대통령령으로 정하는 바에 따라 농업을 주업으로 하는 사람으로서 2년 이상 영농에 종사한 사람 또는 「농어업경영체 육성 및 지원에 관한 법률」 제10조에 따른 후계농업경영인(이하 이 조에서 "자경농민"이라 한다)이 대통령령으로 정하는 기준에 따라 직접 경작할 목적으로 취득하는 농지(「지방세법」 제11조 제1항 제1호 가목 및 같은 항 제7호 가목에 따른 세율을 적용받는 농지로서 논, 밭, 과수원 및 목장용지를 말한다. 이하 이 절에서 같다) 및 관계 법령에 따라 농지를 조성하기 위하여 취득하는 임야에 대해서는 취득세의 100분의 50을 2023년 12월 31일까지 경감한다. 다만, 다음 각 호의 어느 하나에 해당하는 경우 그 해당 부분에 대해서는 경감된 취득세를 추징한다. [감면분만 농비] (단. 농지, 임야는 농비)

1. 정당한 사유 없이 그 취득일부터 2년이 경과할 때까지 자경농민으로서 농지를 직접 경작하지 아니하거나 농지조성을 시작하지 아니하는 경우
2. 해당 농지를 직접 경작한 기간이 2년 미만인 상태에서 매각·증여하거나 다른 용도로 사용하는 경우

② 자경농민이 다음 각 호의 어느 하나에 해당하는 시설로서 대통령령으로 정하는 기준에 적합한 시설을 농업용으로 직접 사용하기 위하여 취득하는 경우 해당 농업용 시설에 대해서는 취득세의 100분의 50을 2023년 12월 31일까지 경감한다. [감면분만 농비]

1. 양잠(養蠶) 또는 버섯재배용 건축물, 고정식 온실 2. 「축산법」 제2조 제1호에 따른 가축을 사육하기 위한 시설 및 그 부속시설로서 대통령령으로 정하는 시설
3. 창고[저온창고, 상온창고(常溫倉庫) 및 농기계보관용 창고만 해당한다] 및 농산물 선별처리시설

③ 자경농민이 경작할 목적으로 받는 도로점용, 하천점용 및 공유수면점용의 면허에 대해서는 등록면허세를 면제한다.

영 제3조(자경농민 및 직접 경작농지의 기준 등) ① 법 제6조 제1항 각 호 외의 부분 본문에서 "대통령령으로 정하는 바에 따라 농업을 주업으로 하는 사람으로서 2년 이상 영농에 종사한 사람"

이란 본인 또는 배우자[「주민등록법」 제7조에 따른 세대별 주민등록표(이하 "세대별 주민등록표"라 한다)에 함께 기재되어 있는 경우로 한정한다. 이하 이 조에서 같다] 중 1명 이상이 취득일 현재 다음 각 호의 요건을 모두 갖추고 있는 사람을 말한다.

1. 농지(「지방세법 시행령」 제21조에 따른 농지를 말한다. 이하 같다)를 소유하거나 임차하여 경작하는 방법으로 직접 2년 이상 계속하여 농업에 종사할 것
2. 제1호에 따른 농지의 소재지인 특별자치시·특별자치도·시·군·구(자치구를 말한다. 이하 "시·군·구"라 한다) 또는 그와 잇닿아 있는 시·군·구에 거주하거나 해당 농지의 소재지로부터 30킬로미터 이내의 지역에 거주할 것
3. 직전 연도 농업 외의 종합소득금액(「소득세법」 제4조 제1항 제1호에 따른 종합소득에서 농업, 임업에서 발생하는 소득, 「소득세법」 제45조 제2항 각 호의 어느 하나에 해당하는 사업에서 발생하는 부동산임대소득 또는 같은 법 시행령 제9조에 따른 농가부업소득을 제외한 금액을 말한다)이 「농업·농촌 공익기능 증진 직접지불제도 운영에 관한 법률」 제9조 제3항 제1호 및 같은 법 시행령 제6조 제1항에 따른 금액 미만일 것

② 법 제6조 제1항 각 호 외의 부분 본문에서 "대통령령으로 정하는 기준"이란 다음 각 호의 요건을 모두 갖춘 경우를 말한다.

1. 농지 및 임야의 소재지가 「국토의 계획 및 이용에 관한 법률」에 따른 도시지역(개발제한구역과 녹지지역은 제외한다. 이하 이 항 및 제3항에서 "도시지역"이라 한다) 외의 지역일 것
2. 농지 및 임야를 취득하는 사람의 주소지가 농지 및 임야의 소재지인 시·군·구 또는 그 지역과 잇닿아 있는 시·군·구 지역이거나 농지 및 임야의 소재지로부터 30킬로미터 이내의 지역일 것
3. 본인 또는 배우자가 소유하고 있는 농지 및 임야(도시지역 안의 농지 및 임야를 포함한다)와 본인 또는 배우자가 새로 취득하는 농지 및 임야를 모두 합한 면적이 논, 밭, 과수원은 3만제곱미터(「농지법」에 따라 지정된 농업진흥지역 안의 논, 밭, 과수원은 20만제곱미터로 한다), 목장용지는 25만제곱미터, 임야는 30만제곱미터 이내일 것. 이 경우 초과부분이 있을 때에는 그 초과부분만을 경감대상에서 제외한다.

③ 법 제6조 제2항 각 호 외의 부분에서 "대통령령으로 정하는 기준에 적합한 시설"이란 다음 각 호의 요건을 모두 갖춘 농업용 시설을 말한다.

1. 농업용 시설의 소재지가 도시지역 외의 지역일 것
2. 농업용 시설을 취득하는 사람의 주소지가 해당 농업용 시설의 소재지인 시·군·구 또는 그 지역과 잇닿아 있는 시·군·구 지역이거나 그 농업용 시설의 소재지로부터 30킬로미터 이내의 지역일 것. 다만, 법 제6조 제2항 제1호에 따른 고정식 온실과 같은 항 제2호에 따른 시설은 소재지에 관한 제한을 받지 않는다.

④ 법 제6조 제2항 제2호에서 "대통령령으로 정하는 시설"이란 다음 각 호의 시설을 말한다.

1. 사육시설, 소독 및 방역 시설, 착유실, 집란실
2. 「가축분뇨의 관리 및 이용에 관한 법률」 제2조 제3호에 따른 배출시설
3. 「가축분뇨의 관리 및 이용에 관한 법률」 제2조 제7호에 따른 정화시설

⑦ 제1항에 따른 직전 연도 농업 외의 종합소득금액, 2년 이상 농업에 종사하는 사람을 확인하는 세부적인 기준, 감면신청 절차 및 그 밖에 필요한 사항은 행정안전부령으로 정한다.

규칙 제2조의 2(자경농민 농지 감면 소득기준 등의 범위) ① 영 제3조 제7항에서 "직전 연도 농업 외의 종합소득금액"이란 다음 각 호의 금액을 합산한 것을 말한다.

1. 「소득세법」 제19조에 따른 사업소득금액 2. 「소득세법」 제20조 제1항에 따른 근로소득에서 같은 법 제12조에 따른 비과세소득을 차감한 금액 3. 「소득세법」 제16조, 제17조, 제20조의 3 및 제21조에 따른 이자소득금액, 배당소득금액, 연금소득금액 및 기타소득금액

② 제1항에 따른 직전 연도 농업 외의 종합소득금액은 다음 각 호의 구분에 따른 연도의 소득금액으로 한다.

1. 「소득세법」 제70조에 따른 종합소득 과세표준이 확정된 경우 : 「지방세특례제한법」(이하 "법"이라 한다) 제6조에 따른 농지 취득일이 속하는 연도의 직전 연도
2. 「소득세법」 제70조에 따른 종합소득 과세표준이 확정되지 아니한 경우 : 법 제6조에 따른 농지 취득일이 속하는 연도의 전전 연도

③ 법 제6조에 따라 취득세를 경감받으려는 자(이하 이 항에서 "감면신청인"이라 한다)는 제2조 제1항에도 불구하고 별지 제1호의 2 서식에 따른 감면신청서에 제2항에 따른 소득금액을 확인할 수 있는 다음 각 호의 서류를 첨부하여 관할 지방자치단체의 장에게 제출해야 한다. 이 경우 감면신청인이 「전자정부법」 제36조 제1항에 따른 행정정보의 공동이용을 통한 주민등록등본 등의 확인에 동의하는 경우에는 그 확인으로 주민등록등본 등의 제출을 갈음할 수 있다.

1. 주민등록등본 2. 소득금액증명원, 그 밖의 종합소득금액을 확인하는 서류로서 행정안전부장관이 정하여 고시하는 서류 3. 2년 이상 영농에 종사하고 있음을 확인하는 서류로서 행정안전부장관이 정하여 고시하는 서류

자경농민이 직접 경작할 목적으로 취득하는 농지 등에 대한 취득세, 농업용으로 사용하기 위한 양잠용 건축물 축사 등에 대한 취득세, 점용면허 등 등록면허세에 대한 경감을 규정하고 있는데, 2018년부터 그간 무기한 감면으로 설계되었던 취득세 감면규정에 대해 일몰기간을 부여하였다.

2019년에는 자경농민이 취득하는 농업용시설에 대하여 감면기준(도시지역이외 농업용시설, 신규취득 농업용시설 소재지 또는 20km 이내 거주)을 신설(영 ③)하였다.

2021년에는 감면대상 농지의 개념을 지방세법상 농지세율 적용대상과 동일하게 판단하도록 공부와 현황이 모두 농지인 경우로 명확화(법 ①)하였고, 자경농민이 취득하는 농업용시설 중 축사의 정의와 범위를 명확화(법 ②, 영 ④)하였으며, 자경농민의 감면대상인 재촌거리의 기준을 당초 20km 이내의 지역에서 30km이내의 지역으로 완화(영 ①, ②, ③)하였다.

농업을 주업으로 하는 사람으로서 2년 이상 영농에 종사한 사람 또는 후계농업경영인이 직접 경작할 목적으로 취득하는 농지(공부와 현황이 모두 농지 限) 및 관계 법령에 따라 농지조성을 위하여 취득하는 임야에 대해서는 취득세 50%를 감면한다(법 ①). 임야의 경우 농지조성을 전제로 한 감면이기 때문에 취득 후 농지로 지목을 변경하지 않을 경우에는 추

징사유에 해당하며, 농지로 전용이 불가한 임야인 경우에는 취득시부터 감면을 배제해야 할 것이다. 먼저 농업을 주업으로 하는 사람으로서 2년 이상 영농에 종사한 사람(영 ①)에 대해서는 세가지 요건인 기간, 주소, 소득 요건을 모두 충족해야 한다. 한편, 후계 농업경영인의 경우에는 2년의 영농조건이 필요하지 않다.

첫째, 농지를 소유하거나 임차하여 경작하는 방법으로 직접 2년 이상 계속하여 농업에 종사할 것. 반드시 본인의 농지 소유주가 아니더라도 2년 이상 임차 경작한 사실이 입증되면 해당 요건을 충족한 것으로 본다. 둘째, 농지의 소재지인 특별자치시·특별자치도·시·군·구 또는 그와 잇닿아 있는 시·군·구에 거주하거나 해당 농지의 소재지로부터 30킬로미터 이내 지역에 거주할 것. 여기서 시·군·구는 행정구가 아닌 자치구의 영역을 말한다. 셋째, 직전 연도 농업 외의 종합소득금액이 3천7백만원 미만일 것의 요건인데 이는 농업을 부업이 아니라 주업으로 하는 경우에 감면해 주겠다는 취지이다.

취득자가 이 세가지 요건 중 1가지라도 충족하지 못한다면 감면을 받을 수 없으며, 다만 취득자 본인과 주민등록을 같이하고 있는 배우자(사실혼 관계에 있는 자는 제외)가 이 세가지 요건을 모두 충족한 경우라면 취득자의 감면이 가능하다.

다음으로, 직접 경작할 목적으로 취득하는 농지 및 임야 기준(영 ②)은 농지 및 임야의 소재지가 도시지역 외의 지역이면서, 취득하는 사람의 주소지가 농지 및 임야의 소재지로부터 30킬로미터 이내 등의 지역에 위치하고, 본인 또는 배우자 농지 및 임야 모두 합한 면적이 일정면적 이내에 해당해야 한다.

자경농민이 농업용으로 직접 사용하기 위해 취득하는 농업용 시설에 대해서는 취득세를 50% 감면한다(법 ②). 농업용시설은 양잠·버섯재배용 건축물·고정식 온실, 「축산법」 제2조 제1호에 따른 가축을 사육하기 위한 시설·사육시설·소독 및 방역 시설·착유실·집란실·「가축분뇨의 관리 및 이용에 관한 법률」 제2조 제3호에 따른 배출시설·「가축분뇨의 관리 및 이용에 관한 법률」 제2조 제7호에 따른 정화시설, 창고(저온창고, 상온창고, 농기계보관용창고限)·농산물 선별처리시설 등이며, 감면이 되기 위해서는 농업용 시설의 소재지가 도시지역 외의 지역이면서, 취득자의 주소지가 농업용 시설 소재지인 시·군·구 또는 그와 잇닿아 있는 시·군·구의 지역이거나 30킬로미터 이내 지역일 것(여기서 예외적으로 고정식 온실, 축사·축산폐수 및 분뇨 처리시설은 인접거리 거주요건에서 제외)의 요건을 갖추어야 한다.

한편, 곤충사육사는 '동물'이 아닌 곤충의 사육을 위한 시설로서 「지방세특례제한법」 제6조 제2항 제2호로서 열거하고 있는 축사, 축산폐수 및 분뇨 처리시설로 보기는 어렵다는 행안부의 2019년 해석(지방세특례제도과-1912, 2019.5.27.)이 있었으나, 그 후 축사를 정의한 축산법에서 곤충을 가축에 포함하도록 개정하면서 곤충사육사도 해당 감면규정을 적용받을 수 있게 되었다. 또한, 제1항에 따라 감면을 적용받은 후 그 유예기간 내에 제2항에 따른 농업용 시설을 설치한 경우 그 부속토지는 여전히 농업용으로 사용되고 있는 것이므로 추징에서 제외해야 할 것(조심 2014지2074, 2015.8.10.)이다.

자경농민이 경작할 목적으로 받는 도로점용, 하천점용 및 공유수면점용의 면허에 대해 등록면허세를 면제한다(법 ③).

1. 자경농민의 조건(아래 요건을 모두 충족하는 경우)

1) 본인 또는 배우자

종전에는 직계비속 등도 동거인의 범위에 포함하였으나 사실상 농·어업에 종사하지 않는 등 부당하게 감면을 받는 사례가 발생하여, 2016년부터 감면대상인 동거인의 범위(영 제3조)를 주민등록표에 기재된 배우자로 한정하였다(사실혼 관계의 배우자 제외). 한편, 자경농민의 요건을 갖춘 배우자와 취득일 현재에만 세대별 주민등록표에 기재되고 실제 함께 거주하는 경우라면 그 요건을 충족한 것(지방세특례제도과-1243, 2020.6.3.)으로 본다.

◎ 자경농민 요건의 본인 또는 배우자

본인 및 배우자가 1969년부터 2017년까지 영농에 종사하다가 본인이 일시적으로 주소를 이전한 후 2018.1월 세대합가 후 2019.4월 배우자가 사망함으로써 농지를 상속받은 경우, 지방세특례제한법 시행령 제3조에서 규정한 자경농민 요건에서 취득일 현재 취득일을 기준으로 피상속인과 배우자가 2년 이상 계속하여 동일한 세대별 주민등록표에 기재 되어 있는 경우에만 감면이 가능한지에 대해서는, 본인 또는 배우자는 동일한 세대별 주민등록표에 기재되어 있는 경우에 한정하여 감면요건을 정하고 있으므로 취득일 현재 피상속인과 배우자가 동일한 세대별 주민등록표에 기재되어 있으면 족하며, 2년 이상 계속하여 동일한 세대별주민등록표에 기재되어 있을 필요는 없음(지방세특례제도과-1243, 2020.6.3.).

2) 농지를 소유하거나 임차하여 경작하면서 2년 이상 농업에 종사

◎ 2년 이상 농업에 종사한 사람이라면 시도를 달리하여 취득할 경우라도 자경농민에 해당

'농지의 소재지로부터 20킬로미터 이내의 지역에 거주'는 자경한다고 볼 수 있는 통작 가능한 거리에 생활근거를 둔 자로 해석되고, 여기에서 '지역'이라 함은 거주하는 자가 둔 '주소지'를 말한다 할 것임. 따라서 2년 이상 계속 농업에 종사한 사람이 시·도를 달리하여 주소를 이전하였다 하더라도 농지 취득일 현재 자경한다고 볼 수 있는 통작 가능한 거리에 주소지를 두고 농지를 취득한 경우라면 거주지 요건이 충족되기 때문에 자경농민으로 보는 것이

타당(지방세특례제도과-2915, 2016.10.10.)

◎ 자경농민이 되기 위해서는 반드시 전업농이어야 하는 것은 아님

취득세 등의 감면대상이 되는 자경농민이 되기 위해서는 반드시 전업농을 요하는 것은 아니고, 농지원부 발급 또는 농지원부 등재여부와는 상관없이 농지 취득일 현재를 기준으로 그 이전에 농지를 소유 또는 임차하여 직접 2년 이상 농업에 종사하였거나 농지를 소유 또는 임차하여 경작하는 자의 동거가족으로서의 요건을 충족하고 있으면 되는 것임(조심 2009지0885, 2010.9.10.).

◎ '직접 농업에 종사하는 경우'의 의미

반드시 전업농일 필요는 없으나, 농업이 주된 직업이 아니면서 부업 내지 주말에만 농사를 지은 경우라면 여기서 말하는 '직접 농업에 종사하는 경우'에 해당한다고 보기 어렵고, 농지원부에 등재되었다는 사정만으로는 자경농민으로 단정할 수 없음(대법원 2012두1426, 2012.4.26.).

◎ 투기목적으로 부정하게 농지취득자격증명을 발급받는 경우 자경농민으로 볼 수 없음

범죄사실 통보자료 등에서 지방공무원으로 근무하면서 이 건 토지를 비롯하여 여러 필지의 농지를 취득하였지만 이를 직접 경작하였다고 보기는 어렵고, 동거가족 중에는 농업에 종사하는 사람은 없다고 진술하고, 수 필지 농지를 소유하고 있으면서도 농산물 출하내역, 농기계 소유현황 등 직접 경작하였다고 볼 만한 객관적인 증빙이 없고, 실제로 농업경영에 이용할 의사나 능력이 없음에도 부동산 투기목적으로 농업을 경영할 것처럼 거짓 또는 부정한 방법으로 농지취득자격증명을 발급받아 농지를 취득한 점이 인정되는 이상, 자경농민에 해당한다고 할 수도 없을 뿐더러 자신의 노동력을 투입하여 직접 경작할 목적으로 취득하였다고 볼 수 없음(조심 2009지0107, 2010.4.13.).

◎ 주민등록만 두고 실제 미거주시 자경농민 요건에 충족하지 아니함

지방세법령상 "주소지"는 주민등록법에 의하여 신고한 주소일 뿐만 아니라 실질적으로도 거주하고 있는 장소임을 의미한다고 보아야 할 것이므로, 처분청이 제출한 출장결과 보고서와 청구인의 주민등록표 등에 의하여 청구인은 이 사건 농지에 대한 법원의 매각허가 결정 당시에는 농지 소재지에 주소를 두고 있었지만 낙찰대금을 완납하여 농지를 취득할 당시에는 ○○○소재 아파트에 주소를 두고 있었고 실제로도 그 이전부터 동 아파트에서 거주하고 있었음이 확인되고 있으므로, 청구인은 농지 취득 당시 농지 소재지 또는 그와 연접한 구·시·군 또는 농지 소재지로부터 20킬로미터 이내에 거주하는 자에 해당된다고 인정하기는 어려움(조심 2008지0877, 2009.7.30.).

◎ 영농자재 구매 관련 간이영수증 등의 제출만으로 직접경작 판단 곤란

자경농민의 거주요건을 충족하지 못하고 있을 뿐만 아니라, 이 건 농지 취득일인 2008.1.7.

이후인 2008.1.30.에서야 이 건 쟁점농지의 자경사실을 기재한 청구인의 농지원부가 최초로 작성된 사실을 미루어 보면, 조세법률관계에서 공적으로 인정될 만한 자료라고 보기는 무리가 있는 영농자재 등의 구매와 관련된 간이영수증 등의 제출만으로 이 건 농지 취득 당시 취득세 등의 감면대상인 자경농민으로서의 요건을 충족하고 있었다고 보기는 어렵다고 할 것임(조심 2008지0629, 2009.5.11.).

- 청구인은 이 사건 농지를 상속 취득할 당시 그 농지 소재지로부터 20㎞ 이상 떨어진 "경기도 여주군"에 주소지를 두고 있었으므로, 취득자의 주소지가 농지 소재지 구·시·군 및 그 지역과 연접한 구·시·군 또는 농지 소재지로부터 20킬로미터 이내의 지역안 일 것이라는 요건을 충족하지 못하였다고 할 것임(조심 2008지197, 2008.6.30.).
- 취득세의 경감대상이 되는 "농업을 주업으로 하는 자"의 요건이 반드시 "전업농"이어야 할 것은 아님(법제처 법령해석 08-0223, 2008.10.2.).

3) 농지 소재지 또는 30km(2020년까지는 20km) 이내에 거주

- **자경농민의 거주 요건에 관한 기준**

  지방세특례제한법 제6조 제1항 각 호 외의 부분 본문 및 같은 법 시행령 제3조 제1항 제2호에 따른 2년 이상 자경농민에 해당하기 위해서 취득세 과세대상 농지를 취득하는 사람이 거주하여야 하는 지역은 기존 자경농지 소재지로 한정되며, 취득세 과세대상 농지에 대하여 취득세를 경감하는 2년 이상 자경농민에 해당하기 위해서는 기존 자경농자 소재지에 2년 이상 거주하였어야 함(법제처 17-0422, 2017.9.20.).

- **주민등록상과 실제주소가 다를 경우 실제주소를 기준으로 감면요건을 판단하여야 함**

  자경농민이 취득하는 농지 등에 대한 감면요건 판단에 있어 주민등록상 주소지와 실제 주소가 다를 경우에는 실제 주소를 기준으로 감면요건을 판단하여야 하는데 처분청이 제출한 출장결과보고서 및 확인서에 의하면 주택을 임차하거나 실제 거주한 사실없이 주민등록만 이전한 것으로 농지 소재지로부터 20킬로미터 이내의 지역 안에 주소지가 있는 경우에 해당되지 아니하므로 감면요건을 충족하지 아니함(조심 2009지1110, 2010.9.29.).

- **"농지의 소재지로부터 20㎞ 이내의 지역"의 의미**

  취득세 등의 감면대상이 되는 "자경농민"이란 농지원부의 발급여부와는 상관없이 2년 이상 영농에 종사하였음이 농업소득, 농지 소유실태, 수매실적 등 관련 증빙자료에 의하여 입증되는 경우라면 이에 해당된다고 할 것이고, "농지의 소재지로부터 20㎞ 이내의 지역"의 의미란 "농지소재지를 기준으로 직선거리로서 반경 20㎞ 이내의 지역"을 말하는 것으로, "지역"이란 거주하는 자가 둔 "주소지"를 말함(지방세운영과-155, 2009.1.13.).

4) 직전연도 농업소득에 소득이 일정금액 미만

직전 연도 농업 외의 종합소득금액(「소득세법」 제4조 제1항 제1호에 따른 종합소득에서 농업, 임업에서 발생하는 소득, 「소득세법 시행령」 제9조에 따른 농가부업소득 및 부동산임대소득을 제외한 금액을 말한다)이 「쌀소득 등의 보전에 관한 법률」 제6조 제3항 제1호 및 같은 법 시행령 제4조의 3 제1항 본문에 따른 금액 미만이어야 한다.

2015년부터 농업을 주업으로 하는 자의 범위에 소득기준이 추가됨에 따라 세부 소득의 범위, 신고절차 등을 시행규칙에서 정하고 있다. 소득기준은 2015.1.1.부터 취득하는 농지부터 적용하고, 소득금액의 범위는 시행규칙 제2조의 2 제1항 각 호에서 정하는 각각의 소득금액 합산액을 말하며, 같은 조 제2호에 따른 근로소득금액이란 급여총액에서 비과세소득(소득세법 제12조에 따른 소득)을 제외한 소득금액을 말한다. 소득금액은 농지 취득일 현재를 기준으로 직전연도 소득금액으로 적용하되, 「소득세법」 제70조에 따른 종합소득 과세표준이 확정되지 않아 직전연도 소득금액을 확인할 수 없는 경우는 전전연도의 소득금액을 적용한다. 소득금액의 확인은 세무관서의 장이 발행하는 "소득금액증명원", "근로소득원천영수증"으로 하되, "소득금액증명원" 등으로 소득금액을 확인할 수 없는 경우는 "사실증명서"로 확인한다. 그리고 감면신청은 세무관서의 장이 발행하는 "소득금액증명원" 등을 첨부한 별지 제1호의 2 서식으로 농지소재지 지방자치단체의 장에게 신청하여야 한다.

◎ **본인 또는 배우자의 감면 요건 인정 사례**

본인 또는 배우자 중 1명 이상이 취득일 현재 2년 이상 계속해서 영농에 종사하고 있다는 사실이 객관적으로 입증되는 경우라면 부부 중 1명이 농업 외의 종합소득금액이 농업소득의 보전에 관한 법률 제6조 제3항 제1호 및 같은 법 시행령 제6조 제1항 본문에 따른 금액을 초과한 경우에 해당된다 하더라도 감면대상에서 제외되는 것으로 보기 어렵다 할 것임(지방세특례제도과-1686, 2017.6.26.).

2. 농지의 소재지 요건 등

1) 도시지역 외의 지역(GB, 녹지지역은 포함)

☞ 도시지역은 「국토의 계획 및 이용에 관한 법률」에 따른 도시지역을 의미함.

◎ **자경농민의 농지에 대한 용도지역 변경(녹지지역→용도미지정)시 감면받을 수 없음**

「지방세법」 제261조 및 같은 법 시행령 제219조에 따라 취득세 등을 감면받는 자경농민의 농지에 대한 용도지역이 도시관리계획에 따라 "도시지역 녹지지역"에서 "도시지역 용도미지정지역"으로 변경된 경우에는 같은 법 시행령 제219조 제2항 각 호에서 정한 요건을 갖춘 경우에 해당하지 아니하므로 취득세 등을 감면 받을 수 없음(법제처 07-0340, 2007.11.16.).

2) 농지 취득자의 소재지

◎ 일정거리(농지소재지로부터 20㎞) 요건이 거주이전의 자유나 평등원칙에 반하지 않음

'20킬로미터'는 단순히 물리적인 거리를 의미함이 법문상 명백하다 할 것이고, 이를 원고가 주장하는 것처럼 속도와 시간을 반영한 거리('거리 = 속도 × 시간')로 새길 수 있는 법령상의 그 어떠한 근거도 없다. 지방세의 감경이라는 특혜를 부여하는 취지의 규정일 뿐, 이들 규정으로 인해 직업의 자유나 거주이전의 자유가 직접 침해된다고 보기 어려울 뿐만 아니라, 취득세 감경과 관련한 탈법이나 부재지주의 농지소유 등에 따른 폐단을 억제하는 차원에서 취득세 감경의 혜택을 받고자 하는 농업인은 누구나 평등하게 그 취득한 농지의 소재지로부터 20킬로미터 이내의 지역에 거주할 것을 요구하는 시행령규정이 평등의 원칙에 위배된다고 보기 어려움(대법원 2013두22840, 2014.2.14.).

3) 농지의 규모

소유 농지 및 임야의 규모가 새로 취득하는 농지 및 임야를 합하여 논, 밭, 과수원은 3만제곱미터(「농지법」에 따라 지정된 농업진흥지역 안의 논, 밭, 과수원은 20만제곱미터), 목장용지는 25만제곱미터, 임야는 30만제곱미터 이내에 한해 감면하고 초과부분만을 경감대상에서 제외한다. 2017년부터는 직접 자경을 하지 않는 배우자도 자경농민의 범위에 포함되므로 농지(임야포함)의 감면대상 규모를 산정함에 있어 배우자 소유의 농지도 합산하도록 하였다.

3. 감면대상 농지의 범위

감면 대상 농지는 「지방세법 시행령」 제21조에 따른 농지를 말하는데, 취득 당시 공부상 지목이 논, 밭 또는 과수원인 토지로서 실제 농작물의 경작이나 다년생식물의 재배지로 이용되는 토지를 의미한다. 농지 경영에 직접 필요한 농막(農幕)·두엄간·양수장·못·늪·농도(農道)·수로 등이 차지하는 토지 부분을 포함하고, 축산용(공부상 지목이 논·밭·과수원·목장용지)으로 사용되는 축사와 그 부대시설로 사용되는 토지, 초지 및 사료밭도 포함한다.

◎ 사실상 답이라도 공부상 하천부지라면 감면대상 "농지"에 해당되지 아니함

「지방세법」 제261조 제1항에 규정하고 있는 취득세와 등록세의 감면대상이 되는 "농지"의 범위는 공부상 지목이 전·답·과수원 및 목장용지로 되어 있는 농지로서 자경농민이 취득

하여 직접 경작하는 농지에 한한다 할 것으로, 10년 전부터 계속하여 벼농사를 경작하고 있는 사실상 답일지라도 공부상 지목이 하천부지라면, 비록 농지법의 규정에 의한 농지에 포함된다 하더라도 지방세법상 취득세와 등록세의 감면대상이 되는 "농지"에 해당되지 아니함(지방세운영과-438, 2008.6.17.).

◎ 일시·계절적인 휴경지를 취득하는 경우 사실상 농지로 보아 취·등록세 감면 대상

「지방세법」상 사실상 지목의 결정은 그 토지의 장기적인 주된 사용목적과 그에 적합한 위치·형상 등을 객관적으로 평가하여야 할 것이지, 그 일시적인 사용관계에 구애받을 것은 아니라 할 것이므로(대법원 1985누234, 1985.9.10. 참조), 그 토지의 위치·형상 등이 언제든지 경작가능한 상태의 일시적·계절적 휴경지 상태라고 한다면 비록 취득(등기) 당시 경작 중인 농지가 아니라고 하더라도 사실상 농지에 해당된다고 사료되므로, 「지방세법」 제261조에 의한 자경농민이 공부상 지목이 농지(전·답·과수원 및 목장용지)이고 사실상 현황이 일시·계절적인 휴경지를 직접 경작할 목적으로 취득하는 경우라면 취득·등록세 50% 감면대상임(지방세운영과-1754, 2010.4.28.).

◎ 30여 년간 농사를 짓고 있는 사실상 농지라도 지목이 임야인 경우 취득세 감면대상이 아님

「지방세특례제한법 시행령」에서 사용하는 "농지"의 정의를 「지방세법시행령」 제21조에 따른 농지로 규정하고 있으며, 같은 조 제2항에서는 취득하는 농지 및 임야의 소재지 기준, 농지를 취득하는 사람의 주소지 기준, 새로 취득하는 농지 및 임야의 규모에 대하여 규정하고 있음 … 「지방세법」 농지에 대한 취득세율을 별도로 규정하면서, 「지방세법 시행령」 제21조에서 취득 당시 공부상 지목이 논, 밭 또는 과수원인 토지로서 실제 농작물의 경작이나 다년생식물의 재배지로 이용되는 토지를 농지로 규정하고 있음. 따라서, '농지'는 공부상 지목이 논, 밭 또는 과수원인 토지로서 실제 농작물의 경작에 이용되는 토지를 의미한다 할 것임(지방세특례제도과-769, 2015.3.19.).

☞ 위의 상황에서 공부상 지목이 임야인 사실상 농지를 취득하여 관계법령에 따라 산지전용허가 등을 득하고 지목을 변경하는 경우라면 '농지를 조성하기 위하여 취득하는 임야'에 해당하므로 취득세 경감대상에 해당

◎ 하우스형태로 꽃 등을 재배하는 시설은 농지에 해당되지 않음

토지에서 땅을 갈아서 직접 농작물을 재배하지 아니하고 화분이나 묘판에 농작물을 재배하고, 그 지상의 건축물을 잔디, 튤립, 수선화 등을 판매하는 시설로 사용한 경우에는 농지에 해당한다고 할 수 없어 추징대상에 해당함(대법원 2015두35918, 2015.4.23.).

◎ 농지취득 후 창고용지로 지목을 변경한 경우 농지로 볼 수 없음

취득세와 등록세의 감면대상이 되는 "농지"라 함은 공부상 지목이 전·답·과수원 및 목장

용지로 되어 있고, 사실상으로도 농지로서 자경농민이 취득하여 직접 경작하는 것으로, 실제로 농작물의 경작지 또는 다년생 식물의 재배지로 이용되는 토지에 한한다 할 것이고, 「건축법」 제11조 제5항 제7호에서 건축허가를 받은 경우 농지법에 따른 농지전용허가 및 협의를 받은 것으로 보도록 규정하고 있으므로, 공부상 농지를 취득하여 유예기간 이내에 개발행위허가와 건축허가를 받아 창고를 신축한 후 창고용지로 지목을 변경한 경우, 「지방세법」 제261조 제1항에서 규정하고 있는 취득세와 등록세의 경감대상이 되는 "농지"에 해당하지 아니함(지방세운영과-3560, 2010.8.13.).

◎ **농지에 건물을 신축하기 위해 개발행위허가를 받은 후 취득한 농지는 감면대상이 아님**

농지취득 후 정당한 사유 없이 2년 내에 직접 경작하지 아니하거나 2년 이상 경작하지 아니하고 매각 또는 다른 용도로 사용하는 경우에는 경감된 취득세와 등록세를 추징한다고 규정하고 있으므로, 제3자로부터 임차하여 농사를 짓던 농지에 본인 명의의 건축물 신축을 위하여 관할 지방자치단체로부터 개발행위허가를 받은 후 취득한 경우라면 이는 경작할 목적이 아닌 건축물 신축을 위하여 취득한 부동산에 해당된다 할 것이므로 상기 규정에 의한 감면대상으로 보기는 어려움(지방세정팀-725, 2006.2.20.).

4. 감면세액의 추징

정당한 사유 없이 취득일부터 2년이 경과할 때까지 농지를 직접 경작하지 않는 경우, 그리고 정당한 사유 없이 경작한 기간이 2년 미만인 상태에서 매각·증여하거나 다른 용도로 사용하는 경우에는 감면받은 취득세를 추징한다. 한편, 2017년부터는 자경농민의 추징요건 중 "정당한 사유없이 경작한 기간이 2년 미만인 상태에서"를 "해당 농지를 직접 경작한 기간이 2년 미만인 상태에서"로 보완하여 정당한 사유 여부에 대한 논란이 발생되지 않도록 명확히 하였다.

1) 직접 경작하는 경우의 판단

◎ **"직접 경작"이란 자경농민이 농지소재지에서 직접 경작하는 것을 의미함**

자경농민이 직접 경작할 목적으로 농지를 취득할 당시 「지방세법 시행령」 제219조 제1항에서 규정하는 자경농민의 인적요건 및 같은 조 제2항에서 규정하는 농지의 물적요건을 모두 갖추어야 감면을 적용받을 수 있고, 「지방세법」 제261조 제1항 본문에서 "대통령령이 정하는 기준에 따라 직접 경작할 목적으로 취득하는 농지"를 감면요건으로 규정한 점, 같은 법 시행령 제219조 제2항 제2호에서 대통령령이 정하는 기준의 하나로서 자경농민이 농지소재지 또는 농지소재지로부터 20킬로미터 이내에 거주할 것을 규정한 점, 자경농민의 농지 취득에 대한 취득세 등 감면규정의 입법취지가 자경농민이 취득한 농지를 농지소재지에 거주하면서 자경할 경우 감면혜택을 부여하려는 데 있는 것으로 보이는 점 등을 감안해 볼 때, "직접 경작"이란 자경농민이 농지소재지에서 직접 경작하는 것을 뜻한다 할 것임(조심 2010지0418, 2011.4.11.).

◎ 토지현황, 영농비용, 소규모 경작 등을 감안 영농에 직접 사용했다고 볼 수 없음

이 사건 제1토지 중 일부가 밭으로 개간되어 파, 배추 등 농작물이 재배되고 있음. 그러나 이 사건 각 토지 중 위 경작부분 외에는 대부분 개간되지 않고 방치되어 있는 것으로 보이고, 특히 이 사건 제2토지는 수풀이 우거져 임야와 다름없는 상태로 보이는 점, 이 사건 각 토지에 관하여 농지원부가 작성되어 있지 않고, 원고가 경작을 위하여 지출한 영농비용이나 농작물을 수확한 후 얻은 수익금 내역에 대한 자료도 보관하고 있지 않아 소규모의 경작만을 한 것으로 보이는바, 약 2,000㎡에 이르는 토지 일부에 조합원 1명이 소규모로 채소를 경작한 것을 원고의 목적 사업인 영농활동으로 보기는 어려운 점 등… 영농에 직접 사용하지 않았다고 봄이 상당(대법원 2014두4771, 2014.5.2.)

◎ 경작사실 확인서 및 인우보증서만으로 직접경작 판단은 곤란

농지 취득 이후 김○○이 이 건 농지를 지급대상 농지로 하여 쌀소득등보전직접지불금 지급대상자 등록신청을 하였고, 동 등록신청서상의 마을대표자 확인란에도 최○○가 각각 날인한 사실을 미루어 보면 이 건 농지는 청구인이 직접경작하였다고 보기는 어려우며, 더구나 2006년과 2007년도에 쌀소득등보전직접지불금 지급신청을 김○○이 한 것에 대하여 책임있는 행정기관에서 쌀소득등보전직접지불금을 감액지급하거나 회수 또는 등록제한 등의 조치를 취하였다는 사실이 나타나고 있지 아니한 이상, 농지를 경작한 자는 청구외 김○○이라고 봄이 타당, 청구인이 제출한 경작사실 확인서 및 인우보증서만으로는 직접 경작하였다고 보기 어려움(조심 2008지0594, 2009.3.17.).

◎ 버섯재배사로 이용시는 감면세액 추징이 제외되는 농지의 "직접 경작"에 해당함

취득세 감면대상 "직접 경작"하는 농지의 범위에 대하여 「지방세특례제한법」에서 별도로 규정하고 있지 아니하므로 「지방세법 시행령」 제21조를 살펴보면, 농지의 범위에 "실제 농작물의 경작이나 다년생식물의 재배지로 이용되는 토지"를 포함하고 있는 점, 한국표준산업분류표에 따르면 농업 관련 작물재배업의 범위에 버섯재배 활동을 포함하고 있는 점 등을 종합적으로 고려해 볼 때, 영농목적의 농지를 버섯재배사로 이용하는 경우 취득세 감면세액의 추징이 제외되는 농지의 "직접 경작"에 해당된다고 판단됨(지방세운영과-3280, 2012.10.12.).

2) 정당한 사유에 해당하지 않는다는 사례

◎ 자경농민이 농지 취득 후 직접 경작하지 않고 제3자에게 임대한 경우 추징대상에 해당됨

위 규정 "직접 경작"이란 자경농민이 농지소재지에 거주하면서 농지를 직접 경작하는 것을 뜻하므로(조심 2010지0418, 2011.4.11. 참조) 직접 경작할 목적으로 취득한 농지를 취득일로부터 2년 이내에 제3자에게 임대하여 제3자가 쌀소득등보전직접지불금을 수령한 경우라면, 이는 농지를 취득하여 2년 이상 경작하지 아니하고 임대 등의 다른 용도로 사용하는 경우(조심 2010지0510, 2011.2.14. 참조)로서 "직접 경작" 요건을 결여하였다고 할 것이므로 농지를 임대한 시점에 '다른 용도로 사용한 경우'에 해당되어 경감받은 취득세는 추징대상에 해당됨(지방세운영과-1953, 2013.8.20.).

◎ 법원의 강제경매로 인해 매각된 경우라도 정당한 사유에 해당하지 아니함

직접 경작할 목적으로 가압류등기가 되어 있던 농지를 취득하여 법원의 강제경매로 매각된 경우 정당한 사유 없이 2년 이상 경작하지 아니하고 매각한 경우로 보아 기 경감된 취득세 등을 추징한 것은 적법함(조심 2009지1009, 2010.1.28.).

◎ 농지 취득 후 영농조합법인에 현물출자한 경우 추징대상에 해당

농지를 취득한 후 유예기간(2년) 내에 이를 영농조합법인에 현물출자(매각)한 사실이 확인되고 있고, 「조세특례제한법」 제68조 ②에서 영농조합법인에 현물출자한 경우 양도소득세를 면제하도록 규정하고 있는 것과는 달리 취득세 등에 대하여는 별도의 특례규정이 없으므로 기 경감한 취득세 등을 추징한 처분은 적법함(조심 2011지0419, 2011.12.8.).

◎ 농지 취득 후, 2년간 쌀소득 등 보전직접지불금을 전 소유자가 수령한 경우에 "농지를 취득하여 2년 이상 경작하지 아니하고 다른 용도로 사용하는 경우"로 보아 처분청이 취득세 등을 추징한 처분은 잘못이 없다고 판단됨(조심 2010지0510, 2011.2.14.).

◎ 자경농민이 농지를 취득한 후 직접 경작·사용하지 아니하고 농업용 저온창고를 신축하여 단체명의로 소유권이전시 추징대상

부동산 취득일부터 2년 이내에 단체명의로 소유권이전등기한 사유가 행정관청의 사용금지, 제한 등 외부적인 사유로 인한 불가항력적인 사항에 해당한다 할 수 없고, 단체명의로 이 건 부동산을 취득하지 못하여 단체의 회장인 청구인 개인명의로 취득하였다고 하더라도 이는 내부적인 사정에 기인한 것으로서 정당한 사유에 해당되는 것으로 보기 어려움(조심 2009지1077, 2010.3.3.).

◎ 토지수용 고시 이후 취득한 농지가 수용되는 경우 정당한 사유 해당 안됨

부동산 취득일부터 2년 이내에 단체명의로 소유권이전등기한 사유가 행정관청의 사용금지, 제한 등 외부적인 사유로 인한 불가항력적인 사항에 해당한다 할 수 없고, 단체명의로 이

건 부동산을 취득하지 못하여 단체의 회장인 청구인 개인명의로 취득하였다고 하더라도 이는 내부적인 사정에 기인한 것으로서 정당한 사유에 해당되는 것으로 보기 어려움(조심 2009지1077, 2010.3.3.).

3) 정당한 사유에 해당한다는 사례

◎ **농지 취득 이후 이혼에 따른 재산분할의 경우 정당한 사유에 해당함**

자경농민에 대한 취득세 등을 감면받은 후 이혼에 따른 재산분할을 원인으로 배우자에게 소유권이 이전되었다고 하더라도 유예기간 내 이혼에 따른 재산분할을 원인으로 배우자에게 소유권을 이전하는 경우는 매각이나 증여와는 그 성질상 다른 측면이 있고, 혼인중에 부부의 공동의 노력으로 취득한 재산에 대하여 이를 배분하는 과정으로 볼 수 있으므로 농지의 취득자가 2년 이상 직접 경작하지 아니한 정당한 사유에 해당한다고 할 것임(조심 2012지0338, 2012.6.2.).

◎ **농사를 짓던 중 심장병 병원생활로 미경작한 경우 정당한 사유에 해당**

2007년 1월경 쟁점농지를 취득하여 직접 농사를 짓던 중 2007년 11월경부터 심장병 등으로 인하여 병원생활을 하게 되면서 부득이 하게 농사를 지을 수 없게 되어, 2008년도에는 제3자에게 일시적으로 쟁점농지의 경작을 위임하였고, 2009년 3월부터 청구인의 동생에게 맡기게 된바, 쟁점농지를 취득한 후 2년 내에 직접 경작하지 못한 정당한 사유에 해당하므로 이 건 부과처분은 취소되어야 함(조심 2010지0461, 2011.5.18.).

4) 감면 유예기간 전에 추징이 가능한 경우

◎ **감면 유예기간 전에도 직접경작하지 아니한 경우라면 추징할 수 있음**

유예기간이 경과하기 전까지는 추징사유가 발생한 것으로 볼 수는 없으나, 단서 후단은 자경농민이 전단 규정의 2년 이내에 직접 경작을 시작하였으나 그 경작기간이 '2년'이 되지 않은 상태에서 매각·증여하거나 다른 용도에 사용하는 경우를 추징사유로 규정한 것이므로, 자경농민이 그 취득 농지를 경작한 지 2년이 되기 전에 다른 용도로 사용하여 매각·증여의 경우처럼 직접 경작하지 않으리라는 것이 사실상 명백한 경우에는 위 단서 전단 규정의 2년의 유예기간 경과 전에도 추징할 수 있음. 이 사건 건축물(농업용 고정식유리온실)이 잔디, 튤립, 수선화 등을 판매하는 판매시설로 사용되고 있는 것이 확인된 점, 4개월여 동안 이 사건 토지를 잔디판매용으로 사용하였음을 인정하고 있는 점, 본격적인 잔디 판매를 위해 이 사건 토지를 사업장 소재지로 하고 잔디, 묘목 도소매를 사업내용으로 하여 '○○잔디'라는 상호로 사업자등록까지 하였던 점 … 취득세 등 추징은 적법(대법원 2014두35918, 2015.4.23.)

5. 농업용으로 직접 사용하기 위하여 취득하는 시설(제2항)

◎ 곤충사육사가 축사에 해당하는지 여부

곤충사육사는 '동물'이 아닌 곤충의 사육을 위한 시설로서 「지방세특례제한법」 제6조 제2항 제2호로서 열거하고 있는 축사, 축산폐수 및 분뇨 처리시설로 보기는 어려움(지방세특례제도과-1912, 2019.5.17.).

☞ 「축산법」에서 "축사"란 가축을 사육하기 위한 우사 등의 시설을 말하는데, 그 가축의 범위를 규정한 「축산법 시행령」 및 농림부고시 "가축으로 정하는 기타 동물"에 곤충이 포함되도록 개정(2019.7.25.)됨에 따라 곤충사육사는 축사에 해당

◎ 감면대상 농업용 창고의 의미

상온창고(常溫倉庫)는 저온저장(5℃ 이하)을 위한 저온창고와는 다르게 냉동기 등의 기계에 의하지 아니하고 상온에서 그대로 저장할 수 있는 시설로서의 농산물 보관용 창고를 의미함(지방세특례제도과-1231, 2019.4.1.).

◎ 자경농지 감면 후 농업용 시설 신축에 따른 지목변경시 추징하지 아니함

제1항에 따라 감면을 적용받은 후 그 유예기간 내에 제2항에 따른 농업용 시설을 설치한 경우 그 부속토지는 여전히 농업용으로 사용되고 있는 것이므로 추징에서 제외해야 할 것임(조심 2014지2074, 2015.8.10.).

제6조(자경농민의 농지 등에 대한 감면) 제4항 [귀농인 감면]

법 제6조(자경농민의 농지 등에 대한 감면) ④ 대통령령으로 정하는 바에 따라 「농업·농촌 및 식품산업 기본법」 제3조 제5호에 따른 농촌 지역으로 이주하는 귀농인(이하 이 항에서 "귀농인"이라 한다)이 직접 경작할 목적으로 대통령령으로 정하는 귀농일(이하 이 항에서 "귀농일"이라 한다)부터 3년 이내에 취득하는 농지 및 「농지법」 등 관계 법령에 따라 농지를 조성하기 위하여 취득하는 임야에 대해서는 취득세의 100분의 50을 2021년 12월 31일까지 경감한다. 다만, 귀농인이 정당한 사유 없이 다음 각 호의 어느 하나에 해당하는 경우에는 경감된 취득세를 추징하되, 제3호 및 제4호의 경우에는 그 해당 부분에 한정하여 경감된 취득세를 추징한다. 〈신설 2010.12.27., 2011.12.31., 2014.12.31., 2015.6.22., 2016.12.27.〉 감면분만 농비

1. 귀농일부터 3년 이내에 주민등록 주소지를 취득 농지 및 임야 소재지 특별자치시·특별자치도·시·군·구(구의 경우에는 자치구를 말한다. 이하 같다), 그 지역과 연접한 시·군·구 또는 농지 및 임야 소재지로부터 30킬로미터 이내의 지역 외의 지역으로 이전하는 경우
2. 귀농일부터 3년 이내에 「농업·농촌 및 식품산업 기본법」 제3조 제1호에 따른 농업(이하 이 항에서 "농업"이라 한다) 외의 산업에 종사하는 경우. 다만, 「농업·농촌 및 식품산업 기본법」

제3조 제8호에 따른 식품산업과 농업을 겸업하는 경우는 제외한다.

3. 농지의 취득일부터 2년 이내에 직접 경작하지 아니하거나 임야의 취득일부터 2년 이내에 농지의 조성을 개시하지 아니하는 경우
4. 직접 경작한 기간이 3년 미만인 상태에서 매각·증여하거나 다른 용도로 사용하는 경우

영 제3조(자경농민 및 직접 경작농지의 기준 등) ⑤ 법 제6조 제4항 각 호 외의 부분 본문에서 "대통령령으로 정하는 바에 따라 「농업·농촌 및 식품산업 기본법」 제3조 제5호에 따른 농촌 지역으로 이주하는 귀농인"이란 다음 각 호의 요건을 모두 갖춘 사람을 말한다.

1. 농촌(「농업·농촌 및 식품산업 기본법」 제3조 제5호에 따른 지역을 말한다. 이하 이 조에서 같다) 외의 지역에서 제4항에 따른 귀농일귀농일을 기준으로 1년 이전부터 「주민등록법」 제16조에 따른 전입신고를 하고 계속하여 실제 거주한 사람일 것
2. 제4항에 따른 귀농일 전까지 계속하여 1년 이상 「농업·농촌 및 식품산업 기본법」 제3조 제1호에 따른 농업에 종사하지 않은 사람일 것
3. 농촌에 「주민등록법」에 따른 전입신고를 하고 실제 거주하는 사람일 것

⑥ 법 제6조 제4항 각 호 외의 부분 본문에서 "대통령령으로 정하는 귀농일"이란 제4항에 따른 귀농인이 새로 이주한 해당 농촌으로 전입신고를 하고 거주를 시작한 날을 말한다.

농촌의 공동화 현상 방지대책의 일환으로 도시민의 농촌정착을 유도하기 위한 세제지원으로 농림수산식품부의 「도시민 귀농·귀촌 정착 지원사업」(2009.5월)과 연계하여 감면규정을 신설하였다. 귀농인 감면을 적용받기 위해서는 농어촌 외의 지역에서 귀농일 전까지 계속하여 1년 이상 실제 거주할 것, 귀농일 전까지 계속하여 1년 이상 농업에 종사하지 않은 사람일 것, 농촌에 「주민등록법」에 따른 전입신고를 하고 실제 거주하는 사람일 것의 3가지 요건(영 ③)을 모두 갖추어야 한다. 2016년부터는 도시지역에서 비농·어업분야에 종사했던 사람이 농·어업 지역으로 이주하여 농·어업에 종사하는 경우로 감면범위를 조정(농·어촌지역에서 다른 농·어촌지역으로 이주하는 경우 감면대상 제외)하였고, 2018년부터는 귀농인의 농촌 외 거주요건 판단시 '귀농일을 기준으로 1년 이상 거주'가 아닌 '과거 어느 시점이든 1년 이상 거주'한 경우에도 감면가능한 것으로 해석할 여지가 있어, 귀농일을 기준으로 과거 1년 이전부터 계속하여 농촌 외의 지역에서 거주 및 주민등록을 의무적으로 하도록 명확화하였다(영 ⑤).

한편, 추징 요건(법 ④ 단서 및 각호)은 제1항의 자경농민보다는 다소 엄격하다고 할 것인데, '1. 귀농일부터 3년 이내에 30킬로미터 이외의 지역 등으로 이전한 경우, 2. 귀농일부터 3년 이내에 농업 외의 산업에 종사하는 경우(식품산업과 겸업하는 경우에는 제외), 3. 농지 취득일부터 2년 이내 직접 경작 또는 농지 조성을 개시하지 않는 경우, 4. 직접 경작 기간이 3년 미만인 상태에서 매각·증여하거나, 타용도로 사용하는 경우'가 여기에 해당하는데 사

후관리 기간을 3년으로 두었다는 것과, 제1호와 제2호는 감면받은 전체가, 제3호와 제4호는 해당하는 부분만 추징한다는 점에 유의하여야 한다. 한편, 제1호의 추징규정은 2020년까지는 20킬로미터였으나 2121년부터 30킬로미터로 개정된 것으로서, 2020년까지 취득이 있었던 부분에 대해서는 개정규정에도 불구하고 20킬로미터의 요건을 갖추어야 추징에서 제외된다(부칙 §6)고 할 것이다.

◎ '귀농일 전까지 계속하여 1년 이상 농업에 종사하지 않은 사람일 것'의 의미

같은 항 제2호 문언상에서도 '귀농일전까지 계속하여 1년 이상'으로 명시하고 있어, 농업에 종사하지 않아야 하는 기간을 귀농일을 기준으로 과거 일정 기간(1년 이상)을 산정하여 판단해야 함을 알 수 있음 … 귀농일을 기준으로 과거 1년 이상 농업에 종사한 사실이 없는 경우는 귀농인에 대한 감면 요건을 충족한 것으로 보아야 할 것이고, 귀농일 직전부터 과거 1년 이내에 농업에 종사한 사실이 있는 경우라면, 그 기간이 1년 이상이 아니라 하여도 감면대상에 해당되지 아니함(지방세특례제도과-3615, 2018.10.2.).

◎ 귀농인의 취득세 감면기간(3년) 귀농일의 기산점은 실제 거주일로 봄

지특법 제6조 ④의 귀농일의 요건은 시행령 제3조 ④에서 "전입신고를 하고 거주를 시작한 날"로 규정하고 있으므로 전입신고 요건과 거주요건을 충족하는 시점을 귀농일로 판단하여야 할 것임. 따라서, 전입신고를 하고 실제 거주하는 경우라면, 실제 거주일을 귀농일로 보아 귀농일부터 3년 이내에 취득하는 농지에 대해서는 취득세를 경감하는 것이 타당(지방세특례제도과-3352, 2015.12.7.)

◎ 귀농 관련 지원대상자는 취득세 면제대상인 주택개량 대상자로 볼 수 없음

「2012년도 귀농 농업창업 및 주택구입 지원사업」에 따라 주택개량 대상자로 선정되어 지원을 받은 경우라도 위 규정 취득세 면제대상이 되는 「농어촌정비법」 또는 「농어촌주택개량사업 촉진법」에 따른 생활환경정비사업이나 농어촌주거환경개선사업 계획에 따른 농어촌 주택개량 대상자에 해당되지 아니한 경우라면 취득세 면제대상으로 볼 수 없음(지방세운영과-797, 2012.3.14.).

◎ (지침) 귀농인에 대한 감면 적용(지방세운영과-2917, 2010.7.9.)

- 귀농인의 정의 : 농촌지역 외의 지역에서 1년 이상 농업에 종사하지 않은 사람으로서 농업 등에 직접 종사하기 위해 농촌지역(농림수산식품부 장관이 고시한 지역)으로 전입신고하고 실제 거주하는 사람
- 감면대상 : 귀농인이 직접 경작할 목적으로 3년 이내에 취득하는 농지 및 농지를 조성하기 위해 취득하는 임야
- 농어촌특별세 : 농어민과 관련된 종전 농어촌특별세법 제4조 제2호 및 같은 법 제4조 제3

호에 따라 비과세

- 추징요건 : 3년 이내 주민등록을 농지소재지 시군구 외의 지역으로 이전하거나 농업 외의 산업에 종사하는 경우, 취득일로부터 2년 이내 직접 경작하지 않거나 3년 이상 직접 경작하지 아니하고 매각하는 경우
- 겸업 가능 업종 : 귀농인이 농업에 직접 종사하는 경우를 원칙으로 하되, 농업과 식품산업을 겸업하는 경우에만 감면 인정, 농업 또는 농업과 식품산업의 겸업 외에 다른 산업에 종사하는 경우에는 감면대상이 아님.
- 귀농일로부터 3년 이후 감면 여부 : 현재 자경농민은 2년 이상 영농에 종사한 경력이 있어야 감면요건 해당됨. 감면시한(3년) 경과 후 자경농민으로 전환되어 감면대상임.
- 적용사례
  1) 귀농인이 2010.7.10. 농촌지역으로 전입하고 거주하면서 2013.7.10. 직접 경작할 목적으로 농지 또는 임야를 취득한 경우 ☞ 귀농일로부터 3년 이내에 취득한 경우에 해당되어 지방세법 제261조 제3항에 의한 귀농인 감면(50%) 대상
  2) 귀농인이 2010.7.10. 농촌지역으로 전입하고 거주하면서 농지를 취득하여 직접 경작하면서 슈퍼마켓을 운영하는 경우 ☞ 농업 외 식품산업을 겸업하는 경우로 기 감면액 추징대상
  3) 귀농인이 2010.7.10. 농촌지역으로 전입하고 거주하면서 임차로 농지를 경작하다 2013.7.11. 직접 경작할 목적으로 농지 또는 임야를 취득한 경우 ☞ 귀농일부터 3년이 초과하여 취득하였기에 귀농인 감면은 적용받을 수 없으나, 2년 이상 영농에 종사하였기 때문에 지방세법 제261조 제1항에 의한 자경농민 감면(50%) 대상

제7조(농기계류 등에 대한 감면)

> **법** 제7조(농기계류 등에 대한 감면) ① 농업용(영농을 위한 농산물 등의 운반에 사용하는 경우를 포함한다)에 직접 사용하기 위한 자동경운기 등 「농업기계화 촉진법」에 따른 농업기계에 대해서는 취득세를 2023년 12월 31일까지 면제한다. 농비
>
> ② 농업용수의 공급을 위한 관정시설(管井施設)에 대해서는 취득세와 재산세를 각각 2023년 12월 31일까지 면제한다. 농비

농업 육성 및 농업 현대화 계획을 지원하기 위해 「농업기계화 촉진법」에 따른 농업기계 및 농업용수 공급을 위한 관정시설에 대한 취득세 및 재산세를 면제한다. 그간 무기한으로

운영되던 감면혜택에 대해 2019년부터 그 일몰기한을 부여하였다.

농업용에 직접 사용하기 위한 자동경운기 등 「농업기계화 촉진법」에 따른 농업기계에 대해서는 취득세를 면제(법 ①)하는데, 여기서 농업용이라 함은 영농을 위한 농산물 운반용으로 사용되는 것을 포함한다. 한편, 「농업기계화 촉진법」에서는 해당 규정에 열거해 놓은 농업기계 중에 자동차관리법에 따른 자동차나 건설기계관리법상 건설기계에 해당하면 농업기계로 보지 않는다는 규정이 있다. 농업기계 감면을 받으려면, 1) 「농업기계화 촉진법」에 따른 농업기계여야 하고, 2) 농업용으로 사용해야 하고, 3) 자동차관리법이나 건설기계관리법에 해당하지 않아야 하는 3가지 요건을 다 갖추어야 할 것이다.

농업용수의 공급을 위한 관정시설에 대해 취득세와 재산세를 면제한다(법 ②).

◎ 지열냉난방설비 또는 주요 부품인 히트펌프는 취득세 면제대상 농업기계에 해당됨

지열냉난방설비 또는 주요 부품인 히트펌프가 농업용으로 사용되는 경우라면 「농업기계화 촉진법」 제2조 제1호에 포함되어 농업기계에 해당 되는 것(농림축산식품부 식량산업과-4110, 2013.12.26.)으로 취득세 면제대상임. 해당 제품이 농업 외 산업 또는 공장용 등으로 사용될 경우에는 농업기계로 볼 수 없으므로 취득세를 면제할 수 없음(지방세운영과-3535, 2013.12.30.).

◎ 농업용이라도 항공기는 농기계에 해당되지 않음

농업기계화촉진법 제2조에서 농업기계라 함은 농림·축산물의 생산 및 생산 후 처리작업과 생산시설의 환경제어 및 자동화 등에 사용되는 기계·설비 및 그 부속자재를 말한다고 정의하고 있으므로, 비록 농업회사법인이 항공방제용 이외의 목적으로 사용이 불가한 항공기를 취득하여 농업용으로 사용한다 하더라도 항공기는 농기계에 해당하지 아니하므로 「지방세법」 제262조 제1항의 농기계류 등에 대한 취득세 면제대상에 해당하지 아니함(지방세운영과-3946, 2010.8.30.).

◎ 취득세가 비과세되는 농기계류라 함은 그 사용목적이 주로 농업에 직접 사용하기 위하여 제작된 것을 의미하므로 농기계 원형대로 농업용에만 사용되고 있는 경우에는 영업용 사용여부에 불문하고 농기계류는 비과세됨(세정 22670-13042, 1988.12.2.).

◎ 농업용에 직접 사용하기 위한 자동경운기 등 농기계류에 대해서는 취득세 및 자동차세가 비과세되는 것이나, 비록 농산물을 운반한다 하더라도 화물자동차를 취득·등록한 경우에는 취득세와 자동차세가 과세됨(세정 22670-8100, 1988.7.26.).

제8조(농지확대개발을 위한 면제 등)

법 제8조(농지확대개발을 위한 면제 등) ①「농어촌정비법」에 따른 농업생산기반 개량사업의 시행으로 인하여 취득하는 농지 및 같은 법에 따른 농지확대 개발사업의 시행으로 인하여 취득하는 개간농지에 대해서는 취득세를 2022년 12월 31일까지 면제한다. 다만, 「한국농어촌공사 및 농지관리기금법」에 따라 설립된 한국농어촌공사(이하 이 조 및 제13조에서 "한국농어촌공사"라 한다)가 취득하는 경우에는 취득세를 면제하지 아니한다. 농비

②「농어촌정비법」이나 「한국농어촌공사 및 농지관리기금법」에 따라 교환·분합하는 농지, 농업진흥지역에서 교환·분합하는 농지에 대해서는 취득세를 2022년 12월 31일까지 면제한다. 다만, 한국농어촌공사가 교환·분합하는 경우에는 취득세를 면제하지 아니한다. 농비

③ 대통령령으로 정하는 바에 따라 임업을 주업으로 하는 사람 또는 임업후계자가 직접 임업을 하기 위하여 교환·분합하는 임야의 취득에 대해서는 취득세를 2022년 12월 31일까지 면제하고, 임업을 주업으로 하는 사람 또는 임업후계자가 「산지관리법」에 따라 지정된 보전산지를 취득(99만제곱미터 이내의 면적을 취득하는 경우로 한정하되, 보전산지를 추가적으로 취득하는 경우에는 기존에 소유하고 있는 보전산지의 면적과 합산하여 99만제곱미터를 초과하지 아니하는 분에 한정한다)하는 경우에는 취득세의 100분의 50을 2022년 12월 31일까지 경감한다. 감면분만 농비

④「공유수면 관리 및 매립에 관한 법률」에 따른 공유수면의 매립 또는 간척으로 인하여 취득하는 농지에 대한 취득세는 「지방세법」 제11조 제1항 제3호의 세율에도 불구하고 2021년 12월 31일까지 1천분의 8을 적용하여 과세한다. 다만, 취득일부터 2년 이내에 다른 용도에 사용하는 경우 그 해당 부분에 대해서는 경감된 취득세를 추징한다. 농비

영 제4조(임업을 주업으로 하는 사람 등) 법 제8조 제3항에서 "대통령령으로 정하는 바에 따라 임업을 주업으로 하는 사람 또는 임업후계자"란 「임업 및 산촌 진흥촉진에 관한 법률」 제2조 제5호에 따른 독림가(篤林家) 또는 같은 조 제4호에 따른 임업후계자를 말한다.

농지확대 개발사업 및 농어촌 정비사업의 시행으로 취득하는 개간농지 및 교환·분합 농지의 세제지원을 통해 농지의 효율화를 도모하기 위한 목적으로, 농업생산기반 개량사업의 시행으로 취득하는 농지, 농지확대개발사업의 시행으로 취득하는 개간 농지, 농어촌정비법 등에 따라 교환·분합하는 농지, 임업을 주업으로 하는 사람 등의 임야의 교환·분합 또는 산지 취득, 공유수면 매립 등으로 취득하는 농지 등에 대한 취득세의 경감 및 추징 등에 대하여 규정하고 있다.

농업생산기반 개량사업의 시행으로 인해 취득하는 농지, 농지확대개발사업의 시행으로 취득하는 개간농지에 대해서 취득세를 면제(법 ①)하고, 「농어촌정비법」, 「한국농어촌공사 및 농지관리기금법」에 따라 교환·분합하는 농지나 농업진흥지역에서 교환·분합하는 농

지에 대해서는 취득세를 면제(법 ②)한다. 교환이란 농지와 농지를 서로 바꾸는 것을 의미하고, 분합이란 자기농지 일부를 타인에게 주고, 그 사람의 농지 일부를 가져오는 것을 말하며, 제1항과 제2항은 농어촌공사가 취득하는 경우에는 면제하지 않는다.

임업을 주업으로 하는 자(임업법상 독림가) 또는 임업후계자가 직접 임업을 영위하기 위해 교환·분합하는 임야의 취득에 대해서는 취득세를 면제하고, 그 자들이 보전산지를 취득(99만㎡ 限)하는 경우에는 99만㎡까지만 취득세를 50% 감면한다. 2018년부터는 보전산지 취득시 감면 대상 범위를 자경농민의 경우와 같이 신규 및 기존 임야를 합산하여 99만㎡ 이내가 되도록 하고 초과되는 부분에 대해서는 감면에서 제외하도록 명확화하였다(법 ③).

공유수면 매립 또는 간척으로 인해 농지를 취득할 경우에 세율을 경감(2.8→0.8%)하되, 2년 내 다른 용도로 사용하는 경우에는 추징한다(법 ④). 제4항을 제외하고는 개별적 추징규정이 없으므로, 제178조에 따른 추징규정이 적용된다.

◎ 임업후계자가 소유 임야를 감면유예기간 이내에 산림청과 교환한 경우 추징대상 해당

「지방세특례제한법」 제94조 제2항에서 규정하고 있는 '매각·증여'란 유상·무상을 불문하고 취득자가 아닌 타인에게 소유권이 이전되는 모든 경우를 의미하는 것이므로, 직접 사용한 기간이 2년 미만인 상태에서 소유권을 이전하는 경우에는 정당한 사유에 관계없이 추징대상에 해당된다(지방세특례제도과-326, 2014.12.16.)고 회신한 바 있습니다. 따라서, '교환'은 당사자 쌍방이 재산권을 상호 이전하는 것을 약정함으로써 효력이 발생하는 것으로 그 의미가 매각과 다르지 않다 할 것이라고 해석함이 상당하므로 임업후계자가 취득세 감면받은 임야를 유예기간 이내에 '교환'을 통해 당해 부동산의 소유권을 이전한 것이므로 추징대상으로 보는 것이 타당함(지방세특례제도과-2916, 2016.10.10.).

◎ 농어촌정비법상 교환·분합시 취득농지의 가액 및 면적이 증가한 경우도 면제 적용

「지방세법」 제263조 제2항의 규정에 의거 농어촌정비법·농업기반공사 및 농지관리기금법에 의하여 교환·분합하는 농지, 농업진흥지역에서 교환·분합하는 농지의 취득·등기 등에 대하여는 취득세와 등록세를 면제토록 규정하고 있으므로 농어촌정비법 등에 의하여 교환·분합하여 취득한 농지의 가액이나 면적이 증가하는 경우에도 취득세 및 등록세 면제대상이 되는 것임(세정 13407-413, 2002.5.6.).

◎ 「지방세법」 제108조 제3호의 규정에 의거 공유수면매립으로 인한 농지의 취득에 대하여는 취득세를 비과세하는 것이므로 농지는 지목이 전, 답 등 사실상의 농지만을 의미하므로 영농부대시설(농가주택, 창고) 부속토지는 취득세 과세대상에 해당하는 것임(세정 13407-175, 1994.6.10.).

◎ 공유수면매립으로 농지를 취득한 후 2년 이내 다른 용도로 사용하면 비과세된 취득세를 추징하지만 공유수면매립으로 인하여 취득한 농지가 토지수용 등으로 관계규정에 의하여 수용되는 때에는 추징대상이 아님(도세 22670-4385, 1991.11.5.).

◎ 공유수면매립에 따른 농지의 취득에 대하여 취득세를 비과세할 수 있는 경우는 농지취득을 목적으로 하는 공유수면의 매립준공인가를 받은 자에 한하는 것이므로 기 준공된 매립지를 양수받은 경우, 즉 매립공사에 참여하여 그 시공의 대가로 받은 경우에는 취득세를 비과세할 수 없음(세정 1268-730, 1981.1.16.).

제9조(자영어민 등에 대한 감면)

법 제9조(자영어민 등에 대한 감면) ① 어업을 주업으로 하는 사람 중 대통령령으로 정하는 사람 또는 「농어업경영체 육성 및 지원에 관한 법률」 제10조에 따른 후계어업경영인이 대통령령으로 정하는 기준에 따라 직접 어업을 하기 위하여 취득하는 어업권, 어선(제2항의 어선은 제외한다), 다음 각 호의 어느 하나에 해당하는 어업용으로 사용하기 위하여 취득하는 토지(「공간정보의 구축 및 관리 등에 관한 법률」 제67조에 따라 공부상 지목이 양어장인 토지를 말한다) 및 대통령령으로 정하는 건축물에 대해서는 취득세의 100분의 50을 2023년 12월 31일까지 경감한다. 감면분만 농비

1. 「수산업법」 제41조 제3항 제2호에 따른 육상해수양식어업 2. 「내수면어업법」 제11조 제2항에 따른 육상양식어업 3. 「수산종자산업육성법」에 따른 육상 수조식(水槽式) 수산종자생산업 및 육상 축제식(築堤式) 수산종자생산업

② 20톤 미만의 소형어선에 대해서는 취득세와 재산세 및 「지방세법」 제146조 제2항에 따른 지역자원시설세를 2022년 12월 31일까지 면제한다. 농비

③ 출원에 의하여 취득하는 어업권에 대해서는 취득세를, 어업권에 관한 면허 중 설정을 제외한 등록에 해당하는 면허로 새로 면허를 받거나 그 면허를 변경하는 경우에는 면허에 대한 등록면허세를 2022년 12월 31일까지 각각 면제한다. 농비

영 제5조(어업을 주업으로 하는 사람 및 그 기준) ① 법 제9조 제1항에서 "대통령령으로 정하는 사람"이란 다음 각 호의 사람을 말한다.

1. 어업권·양식업권 또는 어선을 취득하여 그 취득세를 경감받으려는 사람으로서 어선 선적지(船籍地) 및 어장·양식장에 잇닿아 있는 연안이 속하는 특별자치시·특별자치도·시·군·구(자치구가 아닌 구를 포함한다. 이하 이 조에서 같다) 지역(그 지역과 잇닿아 있는 다른 시·군·구 지역을 포함한다. 이하 이 조에서 같다)에 거주하며 어선 또는 어장을 소유하는 사람과 그 배우자(동일한 세대별 주민등록표에 기재되어 있는 경우로 한정한다. 이하 이 조에서 같다) 중에서 1명 이상이 직접 어업(양식업을 포함한다. 이하 같다)에 종사하는 사람
2. 지목이 양어장인 토지 또는 제3항에 따른 수조를 취득하여 그 취득세를 경감받으려는 사람으

로서 해당 토지 또는 수조가 소재한 특별자치시·특별자치도·시·군·구 지역에 거주하면서 지목이 양어장인 토지를 소유하거나 임차한 사람과 그 배우자 중에서 1명 이상이 직접 법 제9조 제1항 각 호에 따른 어업을 전업으로 하는 사람. 다만, 직전 연도 어업 외의 종합소득금액(「소득세법」 제4조 제1항 제1호에 따른 종합소득에서 어업에서 발생하는 소득, 같은 법 제45조 제2항 각 호의 어느 하나에 해당하는 사업에서 발생하는 부동산임대소득 및 같은 법 시행령 제9조에 따른 농가부업소득을 제외한 금액을 말한다)이 「조세특례제한법 시행령」 제64조 제11항에 따른 금액 이상인 사람은 제외한다.

② 법 제9조 제1항에서 "대통령령으로 정하는 기준"이란 다음 각 호의 요건을 갖춘 경우를 말한다. 〈개정 2015.12.31., 2017.12.29.〉

1. 어업권·양식업권 또는 어선을 취득하는 사람의 주소지가 어선 선적지 및 어장·양식장에 잇닿아 있는 연안이 속하는 특별자치시·특별자치도·시·군·구 지역일 것

1의 2. 지목이 양어장인 토지 또는 제3항에 따른 수조를 취득하는 사람의 주소지가 해당 토지 또는 수조가 소재한 특별자치시·특별자치도·시·군·구 지역일 것

2. 어업권·양식업권은 새로 취득하는 어장·양식장과 소유 어장·양식장의 면적을 합하여 10헥타르 이내, 어선은 새로 취득하는 어선과 소유 어선의 규모를 합하여 30톤 이내, 지목이 양어장인 토지는 새로 취득하는 지목이 양어장인 토지와 기존에 소유하고 있던 지목이 양어장인 토지의 면적을 합하여 1만 제곱미터 이내일 것. 이 경우 초과부분이 있을 때에는 그 초과부분만을 경감대상에서 제외한다.

③ 법 제9조 제1항에서 "대통령령으로 정하는 건축물"이란 「지방세법 시행령」 제5조 제1항 제2호에 따른 수조를 말한다.

④ 제1항 제2호 단서에 따른 직전 연도 어업 외의 종합소득금액, 감면신청 절차 및 그 밖에 필요한 사항은 행정안전부령으로 정한다.

규칙 제2조의 2(자경농민 농지 감면 및 자영어민 어업용 토지 감면 소득기준 등의 범위) ① 영 제3조 제7항에서 "직전 연도 농업 외의 종합소득금액"이란 다음 각 호의 금액을 합산한 것을 말한다.

1. 「소득세법」 제19조에 따른 사업소득금액 2. 「소득세법」 제20조 제1항에 따른 근로소득에서 같은 법 제12조에 따른 비과세소득을 차감한 금액 3. 「소득세법」 제16조, 제17조, 제20조의 3 및 제21조에 따른 이자소득금액, 배당소득금액, 연금소득금액 및 기타소득금액

② 제1항에 따른 직전 연도 농업 외의 종합소득금액은 다음 각 호의 구분에 따른 연도의 소득금액으로 한다.

1. 「소득세법」 제70조에 따른 종합소득 과세표준이 확정된 경우 : 「지방세특례제한법」(이하 "법"이라 한다) 제6조에 따른 농지 취득일이 속하는 연도의 직전 연도

2. 「소득세법」 제70조에 따른 종합소득 과세표준이 확정되지 아니한 경우 : 법 제6조에 따른 농지 취득일이 속하는 연도의 전전 연도

④ 영 제5조 제4항에 따른 직전 연도 어업 외의 종합소득금액은 제1항 각 호의 금액을 합산한 것으로 한다.

⑤ 제4항에 따른 직전 연도 어업 외의 종합소득금액의 산정은 다음 각 호의 구분에 따른 연도의 소득금액을 기준으로 한다.

1. 「소득세법」 제70조에 따른 종합소득 과세표준이 확정된 경우 : 법 제9조 제1항에 따른 양어장

인 토지 및 영 제5조 제3항에 따른 수조의 취득일이 속하는 연도의 직전 연도
2. 「소득세법」 제70조에 따른 종합소득 과세표준이 확정되지 아니한 경우: 법 제9조 제1항에 따른 양어장인 토지 및 영 제5조 제3항에 따른 수조의 취득일이 속하는 연도의 전전 연도
⑥ 법 제9조에 따라 취득세를 경감받으려는 자(이하 이 항에서 "감면신청인"이라 한다)는 제2조 제1항에도 불구하고 별지 제1호의 3 서식에 따른 감면신청서에 제4항에 따른 소득금액을 확인할 수 있는 다음 각 호의 서류를 첨부하여 관할 지방자치단체의 장에게 제출해야 한다. 이 경우 감면신청인이 「전자정부법」 제36조 제1항에 따른 행정정보의 공동이용을 통한 주민등록등본 등의 확인에 동의하는 경우에는 그 확인으로 주민등록등본 등의 제출을 갈음할 수 있다.
1. 주민등록등본 2. 소득금액증명원, 그 밖의 종합소득금액을 확인하는 서류로서 행정안전부장관이 정하여 고시하는 서류 3. 어업에 종사하고 있음을 확인하는 서류로서 행정안전부장관이 정하여 고시하는 서류

어업에 직접 종사하는 자 등이 어업활동에 직접 사용하기 위해 취득하는 어업권 및 어선에 대한 세제지원을 통해 어업의 육성 및 어민의 안정적인 영어활동을 지원하기 위한 목적으로, 자영어민 등이 취득하는 어업권, 어선 및 어업용 토지 및 건축물 취득에 대한 취득세 감면(50%), 소형어선(20톤 미만) 취득 및 보유에 대한 취득세·재산세·지역자원시설세 면제, 출원에 의한 어업권 취득에 대한 취득세 면제, 어업권 면허에 대한 면허에 대한 등록면허세 면제 등을 규정하였으며, 시행령에서는 어업을 주업으로 하는 사람 등의 기준을 구체적으로 정하고 있다.

어업을 주업으로 하는 사람 또는 후계어업경영인이 직접 어업을 하기 위해 취득하는 어업권, 어선, 양어장, 수조에 대해서는 취득세를 50% 감면하는데, 2018년부터는 일몰기한을 부여하면서 육상양식어업에 사용하기 위하여 취득하는 지목이 양어장인 토지 및 수조에 대한 취득세 감면규정을 신설(법 ①)하였으며, 육상양식업자에 대해 자영어민 수준으로 자격요건(본인·배우자 중 1인이 전업양식인)을 신설, 양식업에 필요한 시설물인 '수조'를 감면에 추가(영 ①)하였고, 자영어민과 육상양식업자의 거주요건을 자경농민 수준(영 ②)으로 개정하였다. 감면대상에 해당하기 위해서는 취득 종류별(어업권·어선, 양어장·수조)로 어업을 주업으로 하는 사람의 요건, 거주요건, 규모요건을 갖추어야 한다. 후계어업경영인의 경우에는 자경농민의 후계농업경영인과 같이 어업을 주업으로 하는 사람의 요건을 갖춘 것으로 본다. 규모요건에서 어선의 경우를 예를 들어보면 기존 소유부분을 합하여 30톤 이내여야 할 것인데 기존에 20톤 어선이 있었다고 가정하면 이번에 20톤 어선을 취득시에는 30톤을 초과하지 않는 1/2부분까지만 감면이 될 것이다. 그러나 이번에 취득하는 어선이 15톤이라면 10톤까지인 2/3부분이 감면되는 것이 아니라 제2항에 따라 취득세가 면제된다.

20톤 미만 소형어선은 취득세, 재산세(지역자원시설세 포함)를 면제(법 ②)하며, 출원에 의해 취득하는 어업권은 취득세 2%를 면제하고, 어업권에 관련된 면허 중에서 설정을 제외한 면허분 등록면허세를 면제(법 ③)하는데, 여기서 출원이란 원시취득으로 보면 이해가 쉬울 것이다. 2020년부터는 제2항과 제3항에도 일몰기한을 부여하였다.

제10조(농어업인 등에 대한 융자관련 감면 등)

법 제10조(농어업인 등에 대한 융자관련 감면 등) ① 다음 각 호의 조합 및 그 중앙회 등이 농어업인[영농조합법인, 영어조합법인(營漁組合法人) 및 농업회사법인을 포함한다. 이하 이 조에서 같다]에게 융자할 때에 제공받는 담보물에 관한 등기(20톤 미만 소형어선에 대한 담보물 등록을 포함한다)에 대해서는 등록면허세의 100분의 50을 2021년 12월 31일까지 경감한다. 다만, 중앙회, 농협은행 및 수협은행에 대해서는 영농자금·영어자금·영림자금(營林資金) 또는 축산자금을 융자하는 경우로 한정한다. 감면분만 농비

1. 「농업협동조합법」에 따라 설립된 조합 및 농협은행 2. 「수산업협동조합법」에 따라 설립된 조합(어촌계를 포함한다) 및 수협은행 3. 「산림조합법」에 따라 설립된 산림조합 및 그 중앙회 4. 「신용협동조합법」에 따라 설립된 신용협동조합 및 그 중앙회 5. 「새마을금고법」에 따라 설립된 새마을금고 및 그 중앙회

② 농어업인이 영농, 영림, 가축사육, 양식, 어획 등에 직접 사용하는 사업소에 대해서는 주민세 사업소분(「지방세법」 제81조 제1항 제2호에 따라 부과되는 세액으로 한정한다) 및 종업원분을 2021년 12월 31일까지 면제한다.

농업협동조합 및 그 중앙회 등이 농어업인(영농조합법인 등 포함) 등에게 융자할 때에 제공받는 담보물에 관한 등기에 대하여 등록면허세의 50%를 감면하고, 영농, 영림, 가축사육, 양식, 어획 등을 영위하는 농어업인에 대해서도 주민세 사업소분(「지방세법」 제81조 제1항 제2호) 및 종업원분을 면제한다.

농협, 수협, 산림조합, 신협, 새마을금고가 농어업인에게 융자할 때 제공받는 담보물 등기시에는 등록면허세를 50% 감면하는데, 여기서의 농어업인에는 영농조합법인, 영어조합법인, 농업회사법인이 포함되며, 농협은행, 수협은행, 중앙회는 영농·영어·영림·축산자금에 한하여 감면한다(법 ①). 2016.12.1.자로 「수산업협동조합법」의 개정·시행으로 기존 수협중앙회에서 수협은행이 분리됨에 따라 2017년부터 감면대상을 수협은행으로 변경하였고, 2019년부터는 20톤 미만 소형어선을 담보로 제공하는 경우에도 등기대상인 20톤 이상 어선과 동일하게 등록면허세를 감면받을 수 있도록 규정을 신설하였다. 담보설정권리자인

금융기관이 납세의무자지만 실제로는 담보를 제공하는 자가 그 비용을 부담하기 때문에 그 비용을 부담하는 농어업인을 지원하기 위한 취지이다. 여기서 농업인의 개념이 규정되어 있지 않기 때문에 실무상 혼선이 있을 수 있으나, 농업협동조합법 시행령 제4조에서 규정하는 농업인으로 보아야 한다는 행안부의 예규(세정과-581, 2008.2.13.)가 있는데, 해당 법령에서는 농업인은 1천제곱미터 이상의 농지, 1년 중 90일 이상 농업에 종사하는 자 등을 말하고 있으므로, 지방세특례제한법 제6조의 자경농민의 요건을 갖출 필요는 없고, 농지원부와 농업경영체등록확인서, 직불금 수령 내역 등을 통해 실제 농어업인에 해당하는지 확인하면 될 것이다. 또한, 농업협동조합이 농민에게 융자할 때 제공받는 감면대상 담보물등기에는 지상권설정등기가 포함된다(운영예규 법10-1).

제2항에서는 농어업인이 영농, 영림, 가축사육, 양식, 어획 등에 직접 사용하는 사업소에 대해서는 주민세 사업소분(「지방세법」 §81 ① 2) 및 종업원분을 면제한다. 감면범위에 대한 해석상 논란의 여지가 있어 2016년부터는 농·어업인이 영농 등에 직접 사용하는 사업소에 대해 주민세 감면 대상임을 명확히 한바 있다.

〈농업협동조합법〉

제134조의 4(농협은행) ② 농협은행은 다음 각 호의 업무를 수행한다.

1. 농어촌자금 등 농업인 및 조합에게 필요한 자금의 대출 2. 조합 및 중앙회의 사업자금의 대출 3. 국가나 공공단체의 업무의 대리 4. 국가, 공공단체 및 중앙회가 위탁하거나 보조하는 사업 5. 「은행법」 제27조에 따른 은행업무, 같은 법 제27조의 2에 따른 부수업무 및 같은 법 제28조에 따른 겸영업무

◎ 취득 당시 장애사유는 직접 사용하지 못한 "정당한 사유"가 될 수 없음

이 건 토지를 취득할 당시에 고유업무에 사용하지 못하는 장애요인이 존재하고 있음을 이미 알고 있었고, 취득 후에 이를 해소하였는데도 예측치 못한 전혀 다른 사유로 고유업무에 사용하지 못하였다는 등의 특별한 사정이 없는 한, 취득 당시 그 장애사유는 당해 토지를 그 업무에 직접 사용하지 못한 데 대한 "정당한 사유"가 될 수 없다(대법원 2000두10038, 2002.4.26. 등 참조)고 할 것임(지방세운영과-5612, 2011.12.8.).

◎ 생활안정자금 등은 영농자금에 해당되지 아니함

영농자금·영어자금·영림자금 또는 축산자금의 범위는 농업협동조합 등에서 정책자금으로 사용되는 부분을 의미하는 것으로, 그 범위는 법률적으로 정의된 용어가 아니므로 농업협동조합 중앙회에서 발행하는 영농자금대출확인서 등에 의거 감면대상 여부에 대하여 사실 확

인하여야 할 것이며, 생활안정자금이나 영농과 별도의 운영자금 등은 이에 해당되지 않는다 할 것임(지방세운영과-1014, 2011.3.4.).

◎ **지역농협 등의 융자 담보물 등기는 등록세 감면 대상에 해당됨**
「지방세법」 제264조 제1항 단서규정에 해당하는 조합 등의 중앙회 및 연합회가 농어업인에게 융자하는 경우에 제공받는 담보물에 관한 등기에 대하여는 영농자금·영어자금·축산자금 또는 산림개발자금에 한하여 등록세를 감면하는 것이나, 조합 등의 중앙회 및 연합회가 아닌 지역농협 등의 농어업인에게 융자하는 경우에 제공받는 담보물에 관한 등기에 대하여는 자금의 용도에 상관없이 등록세를 감면하여야 할 것임(지방세운영과-7, 2008.5.20.).

◎ **수산업협동조합으로부터 융자를 받는 자가 농업인이어도 감면이 가능하다고 한 사례**
"농업인"이라 함은 「농업협동조합법」 제19조 제3항, 같은 법 시행령 제4조 제1호 내지 제6호 및 제10조 제1호·제2호의 규정에 의한 농업인을 말한다고 하겠고, "어업인"이라 함은 수산업법 제2조 제11호의 규정에 의한 어업자와 어업종사자를 말한다 할 것이며, 수산업협동조합으로부터 융자를 받는 자가 등록세 납세의무 성립일 현재 농업인에 해당되는 경우라 하더라도 영농자금 등의 융자를 받기 위하여 본인소유 또는 타인소유의 물건을 담보로 제공하는 경우라면 당해 담보물등기에 관한 등록세는 면제되는 것이라 할 것임(세정과-581, 2008.2.13.).

◎ 농업회사법인이 여러 지역의 양계장에서 생산된 계란을 저장하기 위하여 양계장의 소재지와는 별도의 본점 인근지역에서 저온저장고를 가동하는 경우는 양축에 직접 제공되는 건축물로 볼 수 없어 「지방세법」 제267조 제3항에 의한 재산할사업소세가 면제되지 않는다고 사료됨(지방세정팀-5626, 2007.12.28.).

◎ 농·수협 등에서 융자를 받는 자가 농·어업인에 해당된다면 담보물 제공자가 융자를 받는 여부에 관계없이 담보물에 관한 등기는 등록세가 면제되는 것이 타당함(세정과-704, 2005.2.11.).

◎ 농업협동조합으로부터 융자받는 채무자가 농어업인에 해당되지 아니하고 담보제공자가 농어업인이라면 농업협동조합에 제공한 담보물에 관한 등기에 대하여는 등록세가 면제되지 아니함(세정 13470-474, 2001.4.30.).

◎ 「지방세법」 제264조 규정에 의하면 농업협동조합이 "농어민"에게만 융자할 때 제공받은 담보물에 대하여는 등록세를 면제하도록 되어 있으므로, 위탁영농회사는 농어민에 해당되지 않아 등록세를 면제될 수 없음(세정 13407-502, 1995.6.10.).

◎ (예규) 지특법 10-1(농어업인 융자관련 감면) 농업협동조합이 농민에게 융자할 때 제공받는 담보물등기에는 지상권설정등기를 포함한다.

제11조(농업법인에 대한 감면)

법 제11조(농업법인에 대한 감면) ① 다음 각 호의 어느 하나에 해당하는 농업법인 중 경영상황을 고려하여 대통령령으로 정하는 법인(이하 이 조에서 "농업법인"이라 한다)이 대통령령으로 정하는 기준에 따라 영농에 사용하기 위하여 법인설립등기일부터 2년 이내(대통령령으로 정하는 청년농업법인의 경우에는 4년 이내)에 취득하는 농지, 관계 법령에 따라 농지를 조성하기 위하여 취득하는 임야 및 제6조 제2항 각 호의 어느 하나에 해당하는 시설에 대해서는 취득세의 100분의 75를 2023년 12월 31일까지 경감한다.

1. 「농어업경영체 육성 및 지원에 관한 법률」 제16조에 따른 영농조합법인
2. 「농어업경영체 육성 및 지원에 관한 법률」 제19조에 따른 농업회사법인 농비

② 농업법인이 영농·유통·가공에 직접 사용하기 위하여 취득하는 부동산에 대해서는 취득세의 100분의 50을, 과세기준일 현재 해당 용도에 직접 사용하는 부동산에 대해서는 재산세의 100분의 50을 각각 2023년 12월 31일까지 경감한다. 감면분만 농비

③ 제1항 및 제2항에 대한 감면을 적용할 때 다음 각 호의 어느 하나에 해당하는 경우 그 해당 부분에 대해서는 감면된 취득세를 추징한다.

1. 정당한 사유 없이 그 취득일부터 1년이 경과할 때까지 해당 용도로 직접 사용하지 아니하는 경우
2. 해당 용도로 직접 사용한 기간이 3년 미만인 상태에서 매각·증여하거나 다른 용도로 사용하는 경우 3. 해당 용도로 직접 사용한 기간이 5년 미만인 상태에서 「농어업경영체 육성 및 지원에 관한 법률」 제20조의 3에 따라 해산명령을 받은 경우

④ 농업법인의 설립등기에 대해서는 등록면허세를 2020년 12월 31일까지 면제한다.

영 제5조의 2(농업법인의 기준 등) ① 법 제11조 제1항 각 호 외의 부분에서 "대통령령으로 정하는 법인"이란 「농어업경영체 육성 및 지원에 관한 법률」 제4조 제1항에 따라 농업경영정보를 등록(이하 이 조에서 "농업경영정보 등록"이라 한다)한 농어업경영체 중 농업법인(설립등기일부터 90일 이내에 농업경영정보 등록을 한 농업법인을 포함한다)을 말한다.

② 법 제11조 제1항 각 호 외의 부분에서 "대통령령으로 정하는 기준"이란 농지, 임야 및 농업용 시설의 소재지가 「국토의 계획 및 이용에 관한 법률」에 따른 도시지역(개발제한구역과 녹지지역은 제외한다) 외의 지역인 것을 말한다.

③ 법 제11조 제1항 각 호 외의 부분에서 "대통령령으로 정하는 청년농업법인"이란 대표자가 다음 각 호의 요건을 모두 갖춘 농업법인을 말한다.

1. 법인 설립 당시 15세 이상 34세 이하인 사람. 다만, 「조세특례제한법 시행령」 제27조 제1항 제1호 각 목의 어느 하나에 해당하는 병역을 이행한 경우에는 그 기간(6년을 한도로 한다)을 법인 설립 당시 연령에서 빼고 계산한 연령이 34세 이하인 사람을 포함한다.
2. 「법인세법 시행령」 제43조 제7항에 따른 지배주주등으로서 해당 법인의 최대주주 또는 최대출자자일 것

농업법인(영농조합법인 및 농업회사법인)이 영농에 사용하기 위하여 설립등기일부터 2년 이내에 취득하는 부동산에 대한 취득세 및 설립등기에 대한 등록면허세 면제, 영농 등에 직접 사용하기 위하여 취득·보유하는 부동산에 대한 취득세 및 재산세의 감면에 대하여 규정하고 있다.

농업경영정보를 등록한 농업법인이 영농에 사용하기 위해 법인설립등기일부터 2년 이내에 취득하는 농지 및 농지 조성용 임야, 농업용 시설에 대해서는 취득세를 75% 감면(법 ①)하며, 농업법인이 영농, 유통, 가공에 직접 사용하기 위해 취득하는 부동산에 대해 취득세를 50% 감면하고, 과세기준일 현재 해당 용도에 직접 사용하는 부동산에 대해 재산세를 50% 감면(법 ②)한다. 2020년부터는 농업법인(영농조합법인·농업회사법인)이 설립 후 2년 내 취득하는 부동산에 대한 감면율을 축소(100%→75%)하면서, 농업경영정보를 등록한 농업법인을 적용대상자로 하고(영 ①), 도시지역 外에서 영농목적으로 농지, 임야(농지조성용), 농업용 시설물을 취득하는 경우를 적용대상으로 하도록 요건을 강화하는 한편, 청년농업법인에 대해서는 설립 후 4년까지 법 제1항을 적용받을 수 있도록 하였다.

제1항은 도시지역 외의 영농만 되고, 설립일로부터 2년 이내 취득하는 부분까지만 해당 규정에 따른 적용이 가능하다. 즉, 도시지역이거나, 유통·가공에 해당하거나, 설립일로부터 2년이 경과한 법인의 경우에는 제2항을 적용해야 할 것이다.

| 법 제11조 제1항, 영 제5조의 2 개정내용 비교 |

구분	개정 전(~'19)	개정 후('20~)
감면율	100%	75%
대상자	모든 농업법인	농업경영정보 등록* 농업법인 * 설립 후 90일 이내 농업경영정보 등록 확인서 제출 시 인정
감면대상	영농목적 부동산	도시지역(개발제한구역, 녹지지역 제외) 外 영농목적 농지, 임야(농지조성용), 농업용 시설물
감면기간	설립 후 2년 이내	설립 후 2년 이내 ※ 청년(15~34세) 농업법인은 설립 후 4년 이내

2020년부터 감면대상 농업법인에 대한 정의를 '농업경영정보 등록을 한' 법인으로 한정하였으므로, 세목별·과세물건별 납세의무 성립시점 이전(설립법인의 경우 설립일로부터 90일 이내 농업경영정보 등록한 경우까지 포함)까지는 해당 등록을 완료한 경우라야 감면이 가능하다. 아울러 2019년 이전에 설립한 법인에 대해서는 부칙 규정을 두어 농업경영정보 등록을 완료한 경우라면 2년 이내에 취득하는 농지 등에 대해 100% 감면을 유지(§8)하

고, 그 외의 취득의 경우에는 2020년말까지 제2항에 따른 감면을 적용(§11)하도록 조치를 하였다. 따라서 2021년 이후에는 농업경영정보 등록을 한 법인에 한해 제1항과 제2항의 감면을 적용하여야 할 것이다.

| 농업법인 세목별 감면적용 요약(지방세특례제도과-2608, 2020.11.3.) |

세목	설립일	납세의무 성립일		등록*	미등록
취 득 세	~'19년	'20년	①항 2년 이내 영농	100%	50%
			②항 그 외	50%	50%
		'21년~	①항 2년 이내 영농	100%	×
			②항 그 외	50%	×
	'20년	'20년	①항 영농	75%	50%
			②항 그 외	50%	50%
	'20년~	'21년~	①항 2년 이내 영농	75%	×
			②항 그 외	50%	×
재 산 세	-	②항 '20년		50%	50%
	-	②항 '21년~		50%	×
등록면허세	'20년	④항 '20년(일몰종료)		100%	100%

* (등록) 설립등기일부터 90일 이내 또는 납세의무성립일 이전에 농업경영정보 등록 完

한편, 정당한 사유없이 취득일부터 1년 경과시까지 해당 용도로 직접 사용하지 않는 경우, 해당 용도로 직접 사용한 기간이 3년 미만인 상태에서 매각·증여 또는 타용도 사용하는 경우, 해당 용도로 직접 사용한 기간이 5년 미만인 상태에서 해산명령을 받은 경우에는 감면된 취득세를 추징(법 ③)한다. 2015년부터 농업법인이 농업 이외의 목적으로 지방세를 감면받은 부동산을 사용하지 않도록 하고, 농업법인이 취득하는 부동산이 장기적으로 농업을 위해 영위하도록 유도하기 위하여 추징규정을 강화(3년)하였으며(다만, 2014.12.31. 이전에 해당 부동산을 취득한 경우에는 개정 규정에도 불구하고 매각 등 추징요건을 2년으로 적용), 2017년부터는 취득 후 직접 사용한 기간이 5년 미만인 상태에서 법원의 해산명령을 받은 경우 감면분을 추징하도록 사후관리규정을 강화하였다.

농업법인의 설립등기에 대해 등록면허세를 면제하는 규정은 등록면허세의 수수료적인 측면을 고려하여 2020년을 마지막으로 그 일몰을 종료(법 ④)하였다.

| 참고 _ 영농조합법인 VS 농업회사법인 |

구분	영농조합법인	농업회사법인
근거법령	농어업경영체 육성법 §16	농어업경영체 육성법 §19
설립목적	농업협업경영	기업적 농업경영
운영현황	1.3만개(평균매출 9억)	0.6만개(평균매출 24억)
설립요건	농업인 5인 이상	상법상 발기인 규정
법인형태	민법상 조합	상법상 회사
의결권	1인 1표	1좌 1표
비농업인 참여	의결권 없는 준조합원	총 출자액의 100분의 90 한도
주요사업	농업경영, 농산물 출하·유통·가공·수출 등, 농지 소유 가능	

◎ 전체토지 중 일부를 개간하거나 경작한 사실이 있다면 해당부분은 감면대상으로 봐야 함

피고는 원고가 경작한 면적이 극히 일부에 지나지 않아 실질적으로 이 사건 토지 전부를 영농을 위하여 사용하지 않았으므로 이 사건 토지 전부에 대한 처분이 적법하다고 주장함. … 경작한 면적이 극히 일부에 불과하거나 다른 특별한 사정이 있으면 일부 경작한 사정이 나타난다고 하더라도 실질적으로 해당 토지 전부를 영농을 위하여 사용하지 않았다고 평가하여 토지 전부에 관한 취득세를 추징할 수도 있음. 그러나 원고가 비록 일부이기는 하나 그러한 정도를 넘어 이 사건 토지의 일부를 개간하거나 경작한 사실은 앞에서 본 바와 같으므로, 피고의 주장은 받아들일 수 없다. 그 외 원고가 농작물 수익금내역을 제출하지 못하였다거나, 감면신청 당시 제시한 형태와 다른 형태의 영농을 하였다고 하여 달리 볼 것도 아님(대법원 2018두42153, 2018.8.30.).

◎ 당초 주식회사로 설립된 법인을 농업회사법인으로 변경해도 감면 가능

당초 주식회사로 설립된 법인을 농업회사법인으로 변경등기를 한 경우에도 그 법인은 같은 법 제19조에 따른 농업회사법인으로 보는 것이 타당하고, 그 법인이 영농·유통·가공에 직접 사용하기 위하여 취득하는 부동산은 「지방세특례제한법」 제11조 제2항에 따른 취득세 감면대상에 해당하는 것임(지방세특례제도과-3530, 2015.12.24.).

◎ 농지전용한 양어장은 재산세 경감대상 영농 토지 등에 해당되지 않음

「농어업·농어촌 및 식품산업 기본법」 제3조 제1호에서 '농업'이란 농작물재배업, 축산업(수생동물 제외), 임업 및 이들과 관련된 산업으로 정의하고 있는 바, 농업법인이 운영하는 양어장은 농업법인이 영농·유통·가공에 직접 사용하기 위하여 취득하는 부동산의 범위에 포함되지 않으므로, 재산세 경감대상으로 보기 어려움(지방세특례제도과-368, 2014.12.31.).

◎ 농업회사법인이 유예기간 내에 감면목적에 미사용시 추징 대상에 해당

농업회사법인이 감면추징 유예기간 내에 토목, 주택, 건축업 등을 수행하기 위하여 일반회사법인 형태로 변경된 경우라면 감면대상법인이 감면추징 유예기간 내에 감면대상 용도에 직접 사용하였다고 볼 수 없는 것이므로, 감면추징 유예기간 내에 영농조합법인에서 일반회사법인의 형태로 변경된 경우 해당 법인이 감면대상 물건을 취득한 후 감면대상 용도인 영농, 유통, 가공에 사용하고 있다고 하더라도 농업회사법인이 감면추징 유예기간 내에 감면대상 용도에 직접 사용하지 않았으므로 추징대상에 해당됨(지방세운영과-1483, 2010.4.12.).

◎ 약초체험관이 영농 등에 직접 사용되는 부동산에 해당된다고 보기 어려움

영농조합법인에 대한 감면은 비록 시·도지사가 도시민 유치를 통한 농가의 소득향상 등을 위해 필요한 농촌체험기반 등을 갖추는 "녹색체험마을 조성사업"자로 선정하고 국가가 보조금 등을 지원하고 있다고 하더라도 해당 영농조합법인이 관광객들에게 약초찜질방, 숙박시설 등의 용도로 이용료를 받고 운영 중인 약초체험관으로 사용되는 부동산은 영농·유통·가공에 직접 사용한다고 보기 어려움(지방세운영과-1002, 2010.3.11.).

◎ 민박시설 및 어린이시설 등은 영농 등에 직접 사용되는 부동산으로 보기 어려움

영농조합법인이 창업(종전 법인설립) 후 2년 이내에 부대시설로 삼베 수가공을 위한 공동작업장, 전시·판매를 위한 농수산물판매장, 농가소득 증대 일환인 민박시설, 어린이놀이시설을 취득한 경우라면, 공동작업장 및 농산물 판매장은 농작물 재배 등 영농을 목적으로 하는 부동산으로 보기에 무리가 있다 할 것이므로 농업활동으로 생산되는 농산물을 가공·유통하기 위한 부동산으로 보아 취득·등록세의 100분의 50을 경감하고, 이와 무관한 민박시설 및 어린이시설은 취·등록세 경감대상에서 제외함이 타당함(지방세운영과-1937, 2008.10.24.).

◎ 현물출자받아 취득한 부동산(농지 등)도 취득세 등 면제대상이라고 한 사례

농업·농어촌기본법 제15조 제1항과 제16조 제2항 규정에 의한 기준에 맞게 농업인이나 농산물생산자단체가 농지를 현물출자하여 농업법인(영농조합법인, 농업회사법인)을 설립하는 경우 당해 농업법인의 설립등기에 대한 등록세와 법인설립 후 2년 이내에 영농 등에 직접 사용하기 위하여 제3자 등으로부터 현물출자받아 취득하는 부동산(농지 등)은 취득세와 등록세의 면제대상임(세정-748, 2007.3.22.).

◎ 현물출자자의 계약취소 이전등기 말소는 직접 사용하지 못한 정당한 사유에 해당

원고가 이 사건 토지를 영농에 직접 사용하지 못한 데에는 정당한 사유가 있다고 보는 것이 타당하다(대법원 2005두4212, 2006.2.9. 등 참조). 따라서 원고에게는 구 지방세법 제266조 제7항 단서 전단 부분이 적용되지 않고, 원고가 정당한 사유에 해당하는 이 사건 계약 취소로 이 사건 토지를 취득일부터 1년 내에 다시 사용할 수도 없게 된 이상, 후단 부분 역시 적용되지

아니함. 이와 전제가 다른 이 사건 제1처분은 위법함. 이와 달리 이 사건 토지를 영농에 일시적으로 직접 사용하였다고 보더라도 취득일부터 1년 이내에 정당한 사유로 직접 사용하지 못하게 된 경우에는 지방세법 제266조 ⑦ 단서 전단 부분이 적용되어 추징 요건에 해당한다고 보기도 어려울 뿐 아니라, 이 사건 계약 취소로 계약이 소급적으로 무효가 되어 등기가 말소된 경우를 후단 부분에서 정한 2년 이내에 '매각하거나 다른 용도로 사용한 경우'라고 볼 수도 없음(대법원 2013두27036, 2014.4.10.).

☞ 추징규정 전단 부분은 그 용도로 직접 사용하기 시작할 유예기간을 부여한 것이라고 보아야 하고 후단 부분은 유예기간 이내에 그 용도에 직접 사용하였다가 일정한 기간 그 사업에 사용하지 않은 경우에 적용되는 규정으로 보아야 하므로(대법원 2012두26678, 2013.3.28. 참조), 정당한 사유로 그 취득일부터 1년 내에 그 용도에 직접 사용하지 못하게 되는 경우에는 전단 부분이 적용될 수 없고, 특히 정당한 사유로 인한 처분 등으로 말미암아 취득일부터 1년 내에 다시 사용할 수 없게 된 경우에는 후단 부분 역시 적용될 수 없음.

◎ **임야 내에서 농작물을 경작하면서 건축준비를 한 경우 감면목적에 사용한 것으로 볼 수 없음**

원고는 이 사건 부동산 일부에서 농작물을 재배한 사실은 있으나 그 재배규모나 관리 현황 등에 비추어, 이를 원고의 정관에 기재된 고유목적사업인 농산물 가공판매, 농산물 도·소매업 등을 위한 것으로 보기 어려운 점, 이 사건 부동산은 위 인정사실에서 이미 본 것처럼 대부분 임야상대로 방치되어 있을 뿐, 원고가 이 사건 부동산에 신청목적과 같이 공장 및 창고를 설치하기 위한 공사를 시작하였다거나, 공사를 위한 준비행위를 하고 있는 것으로 볼 만한 흔적들이 전혀 없는 점 등을 종합해 보면, 원고가 이 사건 부동산을 취득한 후 1년 이내에 이를 그 지방세 감면을 받기 위한 신청 용도나 원고의 고유목적사업에 직접 사용하였다고 보기는 어려움(대법원 2013두35037, 2014.2.13.).

☞ (인정사례) 해당 농업회사법인이 해당 임야에 나무식재, 관리자재 구입 및 임야관리원을 지속적으로 고용하는 등 임업에 직접 사용하고 있는 경우라면 나무식재 후 가지치기 등 체계적인 관리가 이루어지지 않았다는 이유로 추징할 수 없음(지방세운영과-555, 2010.2.5.).

◎ **물류창고 및 작업장으로 불법사용, 공실상태의 방치 등은 직접 사용에 해당되지 않음**

2007.6.15. 영농에 사용하기 위하여 부동산을 취득하였으나 2007년 11월경 물류창고 및 작업장으로 불법 사용하여 처분청으로부터 2007.11.12. 부동산 농지법 위반에 따른 원상복구 계고받은 사실을 보면, 부동산을 취득하여 2년 이상 농업용에 직접 사용하지 아니하고 다른 용도로 사용한 경우에 해당한다 할 것이고, 더욱이 취득일부터 1년이 경과한 2009.3.20.부터 2009.6.11.까지의 기간 중에 3회에 걸쳐 처분청 세무담당공무원이 현지조사를 하였으나 청구법인이 취득 이후 계속하여 공실상태로 방치하고 있다고 복명하고 있고, 농업용에 직접 사용하지 못한 법령상 장애사유 등이 있었다거나, 농업용에 직접 사용하기 위해 정상적인 노력을 다했다고 보기도 어려움(조심 2009지0862, 2010.5.28.).

◎ 가지치기·덩굴제거 작업을 주기적으로 했더라도 영농에 직접 사용하였다고 보기 곤란

청구법인의 경우 제1토지(임야)에 식재되어 있는 참나무 군락을 관리하기 위하여 가지치기나 덩굴제거 작업을 주기적으로 시행하였다고 주장하나 이에 대한 객관적인 입증자료가 없으므로 청구법인이 제1토지를 영농에 직접 사용하였다고 보기는 어렵다 할 것이며, 제2토지(유지)는 근거리에 청구법인이 자경하고 있는 농지와 타인 소유의 농지가 각각 위치하고 있고 제2토지와 농지가 수로(水路)로 연결되어 있는 사실로 미루어 볼 때 제2토지(유지)는 농업용수 공급용으로 사용되고 있는 것으로 봄이 상당하다 할 것임(조심 2009지0649, 2010.1.28.).

◎ 토지상에 나무를 식재했다는 사실만으로 영농으로 보기 어렵다는 사례

2007년에 참가죽나무를 심은 사실과 2008년에 보식한 것으로 추정되고, 이 건 토지와 연접한 농지 소유자가 청구법인은 2007년 5월경에 1차 풀베기 작업을 하고, 식재부지조성과 식목 및 제초작업 등 모든 영농사실을 확인해 주고 있다고 주장하나, 2006.12.부터 2007.12. 사이에 이 건 토지상에 나무를 식재한 것을 제외하고는 영농에 직접 사용한 것으로 볼 수 있는 자료를 달리 발견할 수 없고, 토지를 취득한 다음 참가죽나무를 식재하였다 하더라도 이러한 사실만으로 영농에 직접 사용하는 것으로 보기는 어렵다 할 것임(조심 2009지0099, 2009.12.28.).

◎ 농업회사 법인의 임직원이 아닌 자가 사용하는 것은 직접 사용으로 볼 수 없음

농업회사법인인 원고는 목장용지, 임야 등을 매매 원인 소유권이전등기(2014.6.30.), 감면 신청(2014.7.15.) 후 면제받음(법 §11 ①). 피고는 토지 취득일로부터 1년이 지날 때까지 직접 사용하지 않았다는 사유(법 §174)로 취득세 추징(2016.2.) ⇒ 설령 원고의 주장대로 이○호, 여△숙이 이 사건 각 토지에서 흑염소를 사육하고, 수목을 식재·관리하였다고 가정하더라도, … 여△숙이 발기인으로서 원고의 정관 작성에 참여했다는 사정만으로는 이○호, 여△숙의 사용을 원고의 '직접 사용'으로 평가할 수도 없음. 부동산의 소유자가 법인인 경우 지특법 제2조 제8호의 '직접 사용'이란 법인의 임직원 또는 법인으로부터 고용된 사람이 해당 부동산을 사용한 경우만을 의미한다고 보는 것이 타당. 그런데 원고의 법인등기사항증명서에 이○호, 여△숙은 임원으로 등재되어 있지 않음(대법원 2019두59806, 2020.3.12.).

◎ 영농에 직접 사용하지 아니하고 다른 용도로 사용한 사례

- 영농에 사용하기 위하여 이 사건 건축물을 취득하였으나 가공포장용으로, 보관·유통·판매용으로 활용하고 있는 이상 추징대상(조심 2010지0441, 2011.2.16.).
- 재산세 분리과세대상 목장용지 기준에 관한 규정이 영농조합법인이 직접 영농목적으로 취득한 목장용지의 범위에 적용된다고 볼 수 없음(조심 2010지0807, 2011.3.29.).
- 도계장업이 「농업·농촌 및 식품산업기본법」상 "농업"의 범위에 포함되지 않고, 표준산업분류에서도 제조업으로 분류, '영농'에 직접 사용한다고 볼 수 없음(조심 2011지0176,

2011.10.13.).

- 영농목적으로 취득한 부동산을 위탁경작방식으로 생산한 고구마의 유통·가공·판매장소로 사용하고 있으므로 추징대상이 되었다고 보아야 함(조심 2009지0566, 2009.11.5.).

제12조(어업법인에 대한 감면)

법 제12조(어업법인에 대한 감면) ① 다음 각 호의 어느 하나에 해당하는 어업법인(이하 이 조에서 "어업법인"이라 한다)이 영어·유통·가공에 직접 사용하기 위하여 취득하는 부동산에 대해서는 취득세의 100분의 50을, 과세기준일 현재 해당 용도에 직접 사용하는 부동산에 대해서는 재산세의 100분의 50을 각각 2023년 12월 31일까지 경감한다. 감면분만 농비

1. 「농어업경영체 육성 및 지원에 관한 법률」 제16조에 따른 영어조합법인
2. 「농어업경영체 육성 및 지원에 관한 법률」 제19조에 따른 어업회사법인

② 어업법인의 설립등기에 대해서는 2020년 12월 31일까지 등록면허세를 면제한다. 농비

③ 제1항에 대한 감면을 적용할 때 다음 각 호의 어느 하나에 해당하는 경우 그 해당 부분에 대해서는 감면된 취득세를 추징한다.

1. 정당한 사유 없이 그 취득일부터 1년이 경과할 때까지 해당 용도로 직접 사용하지 아니하는 경우
2. 해당 용도로 직접 사용한 기간이 3년 미만인 상태에서 매각·증여하거나 다른 용도로 사용하는 경우 3. 해당 용도로 직접 사용한 기간이 5년 미만인 상태에서 「농어업경영체 육성 및 지원에 관한 법률」 제20조의 3에 따라 해산명령을 받은 경우

어업법인(영어조합법인 및 어업회사법인)이 영어·유통·가공 등에 직접 사용하기 위하여 취득·보유하는 부동산에 대한 감면과 어업법인 설립등기에 대한 등록면허세의 면제 등을 규정하고 있다. 어업법인에 대한 감면은 제11조의 농업법인과 유사하다. 다만, 제11조 제1항의 설립 후 2년내 75% 감면 규정만 없고 추징규정까지 동일하다. 자세한 내용은 제11조를 참고하기 바란다.

어업법인(영어조합법인, 어업회사법인)이 영어·유통·가공에 직접 사용하기 위해 취득하는 부동산은 취득세를 50% 감면하고, 과세기준일 현재 해당 용도에 직접 사용하는 부동산은 재산세를 50% 감면(법 ①)한다.

어업법인의 설립등기에 대해서는 등록면허세를 면제하는데 농업법인과 동일하게 2020년을 마지막으로 일몰을 종료(법 ②)하였다.

한편, 정당한 사유없이 취득일부터 1년 경과시까지 해당 용도로 직접 사용하지 않는 경우, 해당 용도로 직접 사용한 기간이 3년 미만인 상태에서 매각·증여 또는 다른 용도로

사용하는 경우, 해당 용도로 직접 사용한 기간이 5년 미만인 상태에서 해산명령을 받은 경우에는 감면된 취득세를 추징(법 ③)한다. 2016년까지는 어업법인은 농업법인과 달리 추징규정이 없어 일반적 추징 조항을 적용하고 있었던 바, 사후관리 강화를 위해 2017년 추징규정을 신설하였으며, 취득 후 직접 사용한 기간이 5년 미만인 상태에서 법원의 해산명령을 받은 경우에도 추징하도록 하였다.

〈농어업경영체 육성 및 지원에 관한 법률〉

제16조(영농조합법인 및 영어조합법인의 설립) ② 협업적 수산업경영을 통하여 생산성을 높이고 수산물의 출하·유통·가공·수출 등을 공동으로 하려는 어업인 또는 「농어업·농어촌 및 식품산업 기본법」 제3조 제4호에 따른 어업 관련 생산자단체(이하 "어업생산자단체"라 한다)는 5인 이상을 조합원으로 하여 영어조합법인(營漁組合法人)을 설립할 수 있다.

제19조(농업회사법인 및 어업회사법인의 설립 등) 수산업의 경영이나 수산물의 유통·가공·판매를 기업적으로 하려는 자는 대통령령으로 정하는 바에 따라 어업회사법인(漁業會社法人)을 설립할 수 있다.

제20조의 3(해산명령) ① 농업법인 또는 어업법인의 해산명령에 관하여는 「상법」 제176조에 따른 회사의 해산명령에 관한 규정을 준용한다. 이 경우 "회사"는 "농업법인 또는 어업법인"으로 본다.
② 시장·군수·구청장은 다음 각 호에 해당하는 농업법인 및 어업법인에 대하여 법원에 해산을 청구할 수 있다.

1. 조합원이 5명 미만이 된 후 1년 이내에 5명 이상이 되지 아니한 영농조합법인 또는 영어조합법인
2. 총 출자액 중 비농업인 또는 비어업인이 보유한 출자지분이 제19조 제2항 또는 제4항에서 정한 출자한도를 초과한 후 1년 이상 경과한 농업회사법인 또는 어업회사법인
3. 제16조 제6항에 따른 사업범위에서 벗어난 사업을 하는 영농조합법인 또는 영어조합법인
4. 제19조 제6항에 따른 부대사업의 범위에서 벗어난 사업을 하는 농업회사법인 또는 어업회사법인
5. 제1항에 따라 준용되는 「상법」 제176조 제1항 각 호에 해당하는 농업법인 또는 어업법인
6. 제20조의 2 제5항에 따른 시장·군수·구청장의 시정명령에 3회 이상 불응한 농업법인 또는 어업법인

제13조(한국농어촌공사의 농업 관련 사업에 대한 감면)

법 제13조(한국농어촌공사의 농업 관련 사업에 대한 감면) ① 한국농어촌공사가 하는 다음 각 호의 등기에 대해서는 해당 호에서 정한 날까지 각각 등록면허세를 면제한다.

1. 한국농어촌공사가 「한국농어촌공사 및 농지관리기금법」에 따라 농민(영농조합법인 및 농업회사법인을 포함한다. 이하 이항에서 같다)에게 농지관리기금을 융자할 때 제공받는 담보물에 관한 등기 및 같은 법 제19조에 따라 임차(賃借)하는 토지에 관한 등기 : 2014년 12월 31일까지
2. 한국농어촌공사가 「자유무역협정 체결에 따른 농어업인 등의 지원에 관한 특별법」 제5조 제1항 제1호에 따른 농업경영 규모의 확대 사업을 지원하기 위하여 농민에게 자유무역협정이행지원기금을 융자할 때 제공받는 담보물에 관한 등기 및 임차하는 농지에 관한 등기 : 2015년 12월 31일까지[2)]

② 한국농어촌공사가 취득하는 부동산에 대해서는 다음 각 호에서 정하는 바에 따라 지방세를 2022년 12월 31일까지 감면한다.

1. 한국농어촌공사가 「한국농어촌공사 및 농지관리기금법」 제18조·제20조·제24조 및 제44조에 따라 취득·소유하는 부동산과 「농지법」에 따라 취득하는 농지에 대해서는 취득세 및 재산세의 100분의 50을 각각 경감한다.

1의 2. 한국농어촌공사가 「농어촌정비법」에 따른 국가 또는 지방자치단체의 농업생산기반 정비계획에 따라 취득·소유하는 농업기반시설용 토지와 그 시설물에 대해서는 다음 각 목의 구분에 따라 지방세를 감면한다.

가. 2021년 12월 31일까지는 취득세의 100분의 50을 경감하고, 재산세를 면제한다. 나. 2022년 1월 1일부터 2022년 12월 31일까지는 취득세 및 재산세의 100분의 50을 각각 경감한다.

2. 한국농어촌공사가 「한국농어촌공사 및 농지관리기금법」 제24조의 3 제1항에 따라 취득[같은 법 제24조의 3 제3항에 따라 해당 농지를 매도할 당시 소유자 또는 포괄승계인이 환매(還買)로 취득하는 경우(이하 "환매취득"이라 한다. 이하 이 호에서 같다)를 포함한다]하는 부동산에 대해서는 취득세의 100분의 50(환매취득의 경우에는 취득세의 100분의 100)을, 과세기준일 현재 같은 법 제24조의 3 제1항에 따라 임대하는 부동산에 대해서는 재산세의 100분의 50을 각각 경감한다.
3. 한국농어촌공사가 「자유무역협정 체결에 따른 농어업인 등의 지원에 관한 특별법」 제5조 제1항 제1호에 따라 취득·소유하는 농지에 대해서는 취득세의 100분의 50을 경감한다.
4. 한국농어촌공사가 국가 또는 지방자치단체의 계획에 따라 제3자에게 공급할 목적으로 「농어촌정비법」 제2조 제10호에 따른 생활환경정비사업에 직접 사용하기 위하여 일시 취득하는 부동산에 대해서는 취득세의 100분의 25를 경감한다.
5. 한국농어촌공사가 「한국농어촌공사 및 농지관리기금법」 제24조의 2 제2항에 따라 취득하는 농지에 대해서는 취득세의 100분의 50을 경감한다. 감면분만 농비

2) 그동안 한국농어촌공사에서 FTA 이행지원 기금을 농민에게 융자해주는 경우 발생하는 융자담보물의 등기에 대해 등록면허세를 면제하였다. 그런데 융자에 따른 등록면허세는 은행이 부담하는 것으로 거래제도가 변경(2011년 공정위, 대법원 판결)되었고, 감면목적이 달성되어 2015년 말로 감면을 종료하였다.

③ 제2항 제4호에 따라 취득하는 부동산 중 택지개발사업지구 및 단지조성사업지구에 있는 부동산으로서 관계 법령에 따라 국가 또는 지방자치단체에 무상으로 귀속될 공공시설물 및 그 부속토지와 공공시설용지에 대해서는 재산세(「지방세법」 제112조에 따른 부과액을 포함한다)를 2021년 12월 31일까지 면제한다. 이 경우 공공시설물 및 그 부속토지의 범위는 대통령령으로 정한다.

영 제6조(공공시설물의 범위) 법 제13조 제3항 후단에 따른 공공시설물 및 그 부속토지는 공용청사·도서관·박물관·미술관 등의 건축물과 그 부속토지 및 도로·공원 등으로 한다. 이 경우 공공시설용지의 범위는 해당 사업지구의 실시계획 승인 등으로 공공시설용지가 확정된 경우에는 확정된 면적으로 하고, 확정되지 아니한 경우에는 해당 사업지구 총면적의 100분의 45(산업단지조성사업의 경우에는 100분의 35로 한다)에 해당하는 면적으로 한다.

한국농어촌공사는 농지관리기금을 설치하여 농어촌정비사업과 농지은행사업을 시행하고 농업기반시설을 종합관리하며 농업인의 영농규모 적정화를 촉진함으로써 농업생산성의 증대 및 농어촌의 경제·사회적 발전에 기여하기 위한 목적으로 설립되었는바, 한국농어촌공사가 하는 일정한 등기에 대한 등록면허세 면제와 동 공사가 취득·보유하는 부동산에 대한 지방세 감면에 대하여 규정하고 있다. 2017년, 여타 공단과의 형평성을 고려하여 감면율을 대대적으로 축소(100%→50%)하였다. 다만, 농업기반시설용 토지와 시설물에 대한 재산세(법 ② 1의 2)에 대해서는 2018년 지원을 일시적으로 확대(50%→100%, 최소납부세제 적용)하였다가, 2020년 일몰을 연장하면서 2년 간 현행을 유지하고 3년차(2022년)에는 감면율을 축소(100%→50%) 하도록 하였다. 또한, 2020년부터 농어촌공사의 제3자 공급 목적의 농어촌 생활환경정비사업을 위해 일시 취득하는 부동산(법 ② 4)에 대한 감면율을 축소(30%→25%)하였다.

한국농어촌공사가 농지매매사업, 농업생산기반정비사업, 경영회생지원사업, FTA피해농업인 경영규모 확대지원사업, 생활환경정비사업, 농지시장안정 등을 위해 취득하는 부동산에 대해 지방세 감면을 지원하는데, 농지매매사업이란 농업인이 아닌 자의 농지소유를 억제하기 위해 해당 공사가 그들의 농지를 취득하는 사업을 말하고, 장기임대차 간척농지 매입·매도사업은 장기간 임대차되고 있는 간척농지나 개간농지를 공사가 매입해서 경작농업인에게 매도하는 사업을 말하며, 농지 재개발사업은 용도폐지된 농업기반시설을 휴양지나 상공업 용지 등으로 개발하는 사업을 말하는데, 이 사업들을 위해 취득·소유하는 부동산에 대해 취득세와 재산세를 50% 감면한다(법 ② 1).

농촌용수 개발사업이나 배수개선 사업 등 농업생산기반 정비계획에 따라 취득·소유하는 농업기반시설용 토지와 시설물에 대해 취득세를 50% 감면하고, 재산세는 면제한다(법 ② 1의 2).

자연재해 등으로 경영위기에 처한 농업인의 숨통을 틔게 하기 위한 지원으로 농업인 경영회생을 위해 취득하는 부동산에 대해서는 취득세를 50% 감면하고 재산세는 매도자인 농업인에게 임대하는 경우에 한해 50% 감면하며, 그 후 당초 소유자가 환매로 다시 취득해 가는 경우에는 소유자였던 농업인의 취득세를 면제한다(법 ② 2).

그 외에도 FTA 피해 농업인에 대한 경영규모 확대지원을 위해 취득하는 부동산에 대해 취득세 50%를 감면하고(법 ② 3), 전원마을 조성사업 등 생활환경정비사업에 직접 사용하기 위해 일시 취득하는 부동산에 대해서는 취득세 25%를 감면(법 ② 4)하는데, 국가·지자체에 무상귀속될 공공시설물과 그 부속토지(청사·도로·공원 등)에 대해서는 재산세를 면제한다(법 ③). 또한, 농지시장 안정 및 농업구조개선을 위해 취득하는 농지에 대해서는 취득세를 50% 감면한다(법 ② 5).

◎ 한국농어촌공사가 「한국농어촌공사 및 농지관리기금법」 제24조의 2 제3항에서 규정한 바와 같이 농지를 매입·매도 또는 임대하지 않고, 해당 농지를 전업농업인 등이 아닌 자에게 매각하는 경우에는 농지 활용을 위하여 매입하여 소유하는 농지에 해당하는 것으로 보기 어렵다 할 것이므로 감면된 취득세는 추징대상(지방세특례제도과-1963, 2015.7.24.)

◎ 수로를 일시적으로 도로로 사용하더라도 주용도는 수로이므로 재산세 면제 대상

임대기간 동안 일시적 다른 목적으로 중첩적(수직적 경합)으로 사용되는 것일 뿐 실제로 주된 활용용도는 수로로 사용되는 것이 분명하고, 해당 재산의 전부 또는 일부를 임대할 경우 감면 배제 등 달리한다는 예외 규정이 없으므로 조세법규의 엄격해석 원칙상 재산세 면제대상인 농업생산기반시설용 토지로 보아야 할 것임(지방세운영과-1709, 2012.6.4.).

◎ 문화재보호각은 농업기반시설용 시설물이 아니라고 한 사례

한국농촌공사가 옥외에 노출되어 있는 문화재를 대상으로 자연적·인위적 요인에 의한 훼손을 최소화하기 위해 신축 취득하는 시설물(문화재보호각)은 농업기반시설용 시설물에 해당된다고 볼 수는 없다 할 것이나, 다만 당해 시설물이 「경주시세감면조례」 제10조 제1항 제1호 내지 제3호의 규정에 의한 재산세와 도시계획세의 면제대상에 해당되는지 여부는 과세권자가 확인하여 판단할 사항임(세정-1656, 2007.5.9.).

◎ 과원영농규모화사업[3)]에 따라 취득·소유하는 부동산은 농업기반시설용이 아님

한국농어촌공사의 농업 관련 사업에 대한 감면 관련, 「지방세법」 제266조 제2항에 의하면 농업기반공사 및 농지관리기금법에 의하여 설립된 농업기반공사가 동법 제18조 등의 규정에

3) 과원영농규모화 사업은 과원매매 및 임대차사업을 통해 과수재배농가의 과원규모를 확대하고 과원을 집단화함으로써 경쟁력 및 개방대응력을 제고하려는 사업으로 한국농어촌공사가 시행하는 사업임.

의하여 취득·소유하는 부동산과 농지법에 의하여 취득하는 「농지 및 농어촌정비법」에 의하여 국가 또는 지방자치단체의 농업생산기반정비계획에 따라 취득·소유하는 농업기반시설용 토지와 그 시설물에 대하여는 취득세 등을 면제한다라고 규정하고 있으므로 자유무역협정체결에 따른 「농어업인 등의 지원에 관한 특별법」 제4조 제1호의 규정에 의한 과원영농규모화사업에 따라 취득·소유하는 부동산에 대하여는 취득세 등이 면제되지 아니함(세정-2188, 2004.7.23.).

◎ **과세기준일 현재 농업생산기반시설용에 제공하지 않으면 농업기반시설용이 아님**

한국농어촌공사가 「농어촌정비법」에 의하여 국가 또는 지방자치단체의 농업생산기반 정비계획에 따라 토지를 취득하여 소유하고 있다고 하더라도, 과세기준일 현재 동법 제2조 제6호의 농업생산기반시설용에 제공하지 않고 다른 목적에 사용하는 경우라면, 농업기반시설용 토지에 해당되지 아니하므로 재산세 면제 대상에 해당되지 아니함(지방세운영과-2103, 2009.5.26.).

제14조(농업협동조합 등의 농어업 관련 사업 등에 대한 감면)

법 제14조(농업협동조합 등의 농어업 관련 사업 등에 대한 감면) ① 농업협동조합중앙회, 수산업협동조합중앙회, 산림조합중앙회가 구매·판매 사업 등에 직접 사용하기 위하여 취득하는 다음 각 호의 부동산(「농수산물유통 및 가격안정에 관한 법률」 제70조 제1항에 따른 유통자회사에 농수산물 유통시설로 사용하게 하는 부동산을 포함한다. 이하 이 항에서 같다)에 대해서는 취득세의 100분의 25를, 과세기준일 현재 그 사업에 직접 사용하는 부동산에 대해서는 재산세의 100분의 25를 각각 2023년 12월 31일까지 경감한다. 감면분만 농비

1. 구매·판매·보관·가공·무역 사업용 토지와 건축물
2. 생산 및 검사 사업용 토지와 건축물
3. 농어민 교육시설용 토지와 건축물

② 농업협동조합중앙회, 수산업협동조합중앙회, 산림조합중앙회, 엽연초생산협동조합중앙회가 회원의 교육·지도·지원 사업과 공동이용시설사업에 사용하기 위하여 취득하는 부동산(임대용 부동산은 제외한다. 이하 이 항에서 같다)에 대해서는 취득세의 100분의 25를 2016년 12월 31일까지 경감한다. 감면분만 농비

③ 「농업협동조합법」에 따라 설립된 조합(조합공동사업법인을 포함한다), 「수산업협동조합법」에 따라 설립된 조합(어촌계 및 조합공동사업법인을 포함한다), 「산림조합법」에 따라 설립된 산림조합(산림계 및 조합공동사업법인을 포함한다) 및 엽연초생산협동조합이 고유업무에 직접 사용하기 위하여 취득하는 부동산(임대용 부동산은 제외한다. 이하 이 항에서 같다)에 대해서는 취득세를, 과세기준일 현재 고유업무에 직접 사용하는 부동산에 대해서는 재산세를 각각 2023년 12월 31일까지 면제한다. 농비

> ④ 「농업협동조합법」에 따라 설립된 조합(조합공동사업법인을 포함한다), 「수산업협동조합법」에 따라 설립된 조합, 「산림조합법」에 따라 설립된 산림조합 및 엽연초생산협동조합에 대하여는 2014년 12월 31일까지 주민세 사업소분(「지방세법」 제81조 제1항 제2호에 따라 부과되는 세액으로 한정한다) 및 종업원분의 100분의 50을 경감한다.
>
> ⑤ 제3항 및 제4항에서 정하는 각 조합들의 중앙회에 대해서는 해당 감면 규정을 적용하지 아니한다.

농업협동조합중앙회 등이 취득하는 구매·판매사업 등에 직접 사용하기 위하여 취득하는 부동산, 농업협동조합중앙회 등이 회원의 공동이용시설사업 등에 사용하기 위하여 취득하는 부동산, 「농업협동조합법」에 의하여 설립된 조합 등이 고유업무에 직접 사용하기 위하여 취득하는 부동산 및 동 조합 등에 대한 주민세 사업소분(「지방세법」 §81 ① 2)과 종업원분의 경감 등에 대하여 규정하고 있다.

이 규정은 농업협동조합 등의 농어업 관련 사업 등에 대한 감면을 통하여 농업인 등의 경제적·사회적·문화적 지위를 향상시키고, 농업의 경쟁력 강화를 통하여 농업인의 삶의 질을 높이며, 국민경제의 균형 있는 발전에 이바지하기 위한 것으로 이해된다. 산림조합이 임산물의 판매·유통 등을 공동으로 수행하기 위해 설립하는 산림조합공동사업법인[4]이 고유업무에 사용하기 위하여 취득하는 부동산에 대한 취득세 및 재산세 면제 규정이 신설되었다(법 제14조 제3항, 2012.3.21. 시행). 즉, 기존에는 산림조합(산림계 포함)이 고유업무에 직접 사용하기 위하여 취득하는 부동산에 대해서만 감면하였으나 「산림조합공동사업법인」까지 감면이 확대되었다. 2015년 농협 등(중앙회)의 구판사업, 교육사업 등(법 ①, ②)에 대한 감면율을 축소(취득·재산세 50%→25%)하였고, 농협중앙회 등이 교육·지도 등에 활용하는 부동산(법 ②)에 대해서는 2016년을 마지막으로 그 감면을 종료하였다. 한편, 100% 감면이 적용되는 제3항에 대해서는 2018년부터 최소납부세제가 적용되었다.

농협 등에 대한 감면규정의 정확한 이해를 위해서는 제14조, 제14조의 2, 제15조를 함께 비교하여야 할 것인데, 하나로마트를 중심으로 살펴보면 다음과 같다. 하나로마트(클럽)는 소유주체가 누구인지(중앙회, 지역농협, 경제지주, 유통자회사)에 따라 감면범위, 감면율 등이 각각 다르게 적용된다.

제14조를 먼저 살펴보면, 제1항에서 농협·수협·산림조합 중앙회가 구매·판매·보관·가공·무역 사업용, 생산 및 검사 사업용, 농어민 교육시설용에 직접 사용하기 위해 취득하는 부동산에 대해서는 취득세 및 재산세를 25% 감면하는데, 여기서 중앙회 뒤에 괄호

4) 산림조합이 공동사업법인 설립이 가능하도록 「산림조합법」 개정(2011.12.29.)

를 규정하여 「농안법」에 따른 유통자회사에 농수산물 유통시설을 사용하게 하는 부동산을 포함하도록 규정하고 있다. 따라서 중앙회가 구판사업을 하는 경우에는 구판사업 전체에 대해 감면하고, 유통자회사에 임대하여 농수산물 유통시설로 사용하게 하는 경우에는 농수산물 부분에 한해 감면하는 것이다. 유통자회사가 소유자가 되어 직접 사용하는 부분에 대한 감면은 제15조 제1항에서 별도로 규정(50% 감면)하고 있으므로 유의해야 할 것이다.

제14조 제3항에서는 단위 농협·수협·산림조합·엽연초생산협동조합이 고유업무에 직접 사용하기 위해 취득하는 부동산(임대용은 제외)에 대해 취득세 및 재산세를 면제하는데, 단위 농협 등의 고유업무를 어디까지 볼 것인지가 쟁점이 될 수 있다. 전체 이용자 대비 조합원 비율, 해당지역 인구수 대비 조합원 수, 매장의 위치, 이용현황 등을 종합적으로 고려하여 개별적·구체적으로 판단하여야 할 것인데, 행안부에서는 조합원 수가 5% 이상인 경우에도 공산품 매장은 '조합원의 사업과 생활에 필요한 물자의 구입·제조·가공 등의 사업'으로 보기 어렵다고 판단(지방세특례제도과-1255, 2016.6.8.)한 바 있다. 따라서 조합원이 대부분을 차지하는 일부 농업지역이 아닌 경우라면 공산품 등 생필품매장은 감면대상에서 제외된다.

제14조의 2에서는 농협이 경제지주와 금융지주로 분리되면서 농협경제지주와 자회사가 구판사업 등에 사용하는 부동산에 대해 취득세와 재산세를 2017년말까지 25% 감면하였다.

제15조 제1항에서는 유통자회사가 농수산물종합직판장 등의 농수산물 유통시설에 직접 사용하기 위해 취득하는 부동산에 대해서는 농수산물 부분에 대해 취득세와 재산세를 50% 감면한다. 아래의 지침과 농협 조직도를 참고하면 이해가 쉬울 것이다.

하나로마트 관련 감면방법은 다음과 같다. ※ 지방세특례제도과-2793, 2020.11.18.

조문	감면대상자	감면율	감면범위	하나로마트	사례
§14 ①	중앙회①	25%	구매·판매 등	전체	2016두49587
§14 ③	조합②	100%	고유업무	농산물 등	지특과-1255(2016)
§14의 2	경제지주, 자회사	25%	구매·판매 등	전체	-
§15 ①	유통자회사③	50%	농수산물 유통시설	농수산물	지특과-2731(2020)

① (중앙회) 중앙회가 직접 사용시 전체에 대해, 중앙회 소유 부동산을 유통자회사가 임차 사용시 농수산물 유통시설에 限 감면적용

※ 유통자회사 소유 부동산은 §14 ①이 아닌 §15 ①을 적용함에 유의

② (지역조합) 공산품 매장의 경우 읍·면지역 중 전체 이용자 대비 조합원 비율 등* 고려, 조합원의 사업과 생활에 필요한 물자의 구입·제조·가공·공급 등 사업에 해당 여부 자체 판단하여 감면 적용

판단 기준	감면 대상
전체 이용자 대비 조합원 비율 등 ↑	전체
전체 이용자 대비 조합원 비율 등 ↓	농산물 限

* '주된 목적사업'에 해당하는지 여부는 전체 이용자 대비 조합원 비율, 해당지역 인구수 대비 조합원 수, 매장의 위치, 이용현황 등을 종합적으로 고려하여 개별적·구체적으로 판단

③ (유통자회사) 2017년 이전에는 유통자회사의 경우 §14의 2(2017.12.31. 일몰종료)와 §15 ① 중 유리한 감면*을 선택 적용할 수 있으나, 하나의 과세대상에 대해 유리한 부분을 나누어 두 개의 감면을 모두 적용하는 것은 불가

* (§14의 2) 감면율은 25%이나 공산품 포함 / (§15 ①) 감면율은 50%이나 농수산물 限

참고_농협 조직현황('19년말 기준)

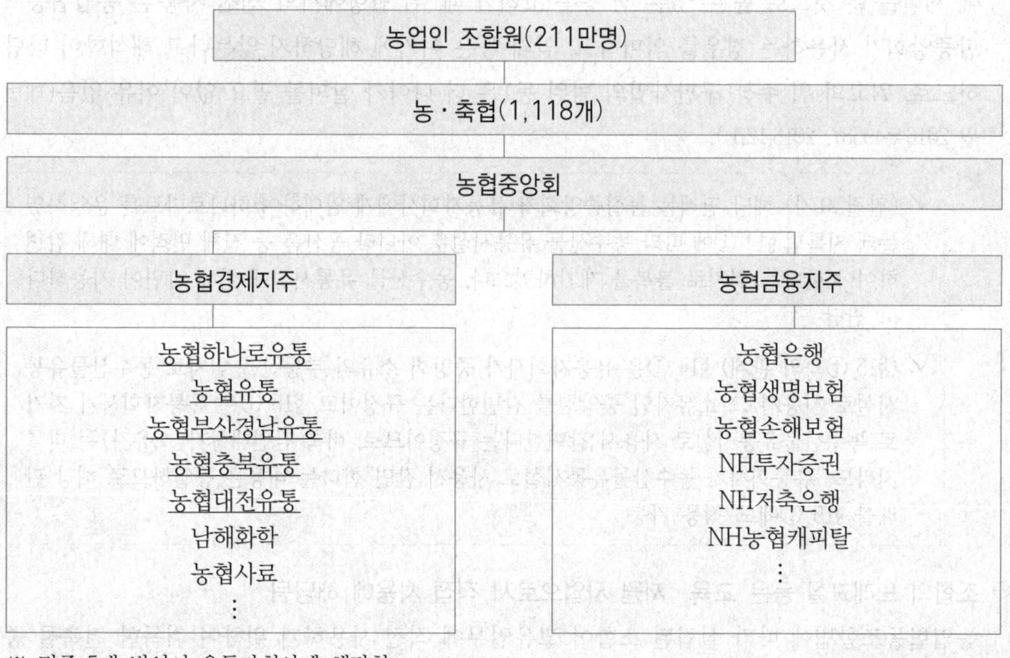

※ 밑줄 5개 법인이 유통자회사에 해당함.

◎ 읍·면 소재 농업협동조합의 유료 문화센터, 유료 주차장은 감면대상이 아님

쟁점 부동산을 이용할 수 있는 자가 그 소재 지역에 거주하는 주민이면 누구나 이용할 수 있고 전체 주민수 대비 조합원이 차지하는 비율이 낮아 조합원만을 위한 부동산이라고 보기도 어려우며, 조합원을 위하여 유료 문화센터, 유료 주차장을 운영하여야 할 특별한 사정이 확인되지 아니하는 점 등을 종합할 때, 조합원을 위한 시설이라고 하기보다는 조합 자체의 영리를 목적으로 하여 유료로 운영하는 시설로 봄이 상당하므로 고유업무에 직접 사용하기 위한 부동산이 아님(행안부 지방세특례제도과-1051, 2019.3.21.).

◎ 농협중앙회와 하나로마트 운영주체인 농협유통은 별개의 법인격이므로 임대하여 운영한 경우는 직접 사용으로 볼 수 없음

하나로마트 △△점의 운영주체인 농협유통은 원고와는 별개의 법인격인데다가 괄호 안에서 유통자회사를 원고와 구분하여 규정하고 있고, 위 법령상 '구판사업 … 에 직접 사용하기 위하여' 또는 '구매·판매 사업 등에 직접 사용하기 위하여'로 규정하고 있으므로 하나로마트 △△점 운영이 여기에 해당한다고 해석하기에 무리가 있는 점, 농협유통은 원고와 달리 수익을 목적으로 설립된 법인으로 공익목적법인인 원고와 동일하게 취급할 수 없으므로, 위 법령에 제한을 둔 것으로 볼 수 있는 점 등을 고려할 때, 위 법령에서의 '직접 사용'은 농업협동조합중앙회가 사용하는 경우를 의미하고, 임대 등은 여기에 해당하지 않는다고 해석함이 타당하므로, 원고의 위 주장(구판사업의 범위 등)은 더 나아가 살펴볼 필요 없이 이유 없음(대법원 2016두49587, 2016.12.1.).

☞

- ✓ (판결 요지) 해당 판례는 농협중앙회가 유통자회사에게 임대하여 하나로마트를 운영하였는데 지특법 §14 ①에 따라 농수산물 유통시설뿐 아니라 공산품 등 전체 면적에 대해 감면하여야 한다는 취지로 불복을 제기하였으나, 농수산물 유통시설에 한해 감면이 가능하다고 판단
- ✓ (§15 ①과의 관계) §14 ①은 유통자회사가 중앙회 소유의 부동산을 임차로 농수산물유통시설로 사용시 그 소유자인 중앙회를 감면한다는 규정이고, §15 ①은 유통자회사가 자가로 농수산물유통시설로 사용시 감면한다는 규정이므로, 비록 감면대상자(소유자)는 다를지라도 "유통회사가 농수산물유통시설로 사용시 감면"한다는 내용은 동일하므로 해당 판례를 §15 ①에도 적용 가능

◎ 조합의 노래교실 등은 교육·지원 사업으로서 직접 사용에 해당됨

농업협동조합법에 따라 설립된 조합이 고유업무에 직접 사용하기 위하여 취득한 건축물 중 노래교실 등에 사용되는 건축물은 농업협동조합법 제57조에서 정한 문화 향상을 위한 교육·지원 사업으로서 지역농업협동조합의 업무에 직접 사용한 것으로 보이고, 비조합원으로부터 취득한 농축산물의 판매사업에 사용하는 건축물은 조합의 업무에 직접 사용한 것으로

보기 어려움(지방세특례제도과-2386, 2015.9.4.).

◎ 농협이 해당 부동산을 현물출자하여 해당 용도대로 사용하였어도 직접 사용으로 볼 수 없음

매각·증여와 같이 유상 또는 무상으로 소유권이 이전된 경우를 추징사유의 하나로 규정하고 있는 점 …, 농협이 '고유업무에 직접 사용'한다고 함은 농업협동조합이 그 부동산의 소유자 또는 사실상 취득자의 지위에서 현실적으로 이를 농업협동조합의 업무 자체에 직접 사용하는 것을 의미한다고 봄이 타당 … 법인에 현물출자하여 소유자로서의 지위를 상실한 이후에는 이 사건 각 건물이 원고의 고유업무에 직접 사용되고 있다고 볼 수 없으므로, 각 건물을 그 사용일부터 2년 이내에 현물출자한 이상 추징사유가 발생한 것임(대법원 2014두43097, 2015.3.26.).

◎ 농안법상의 유통자회사의 공산품 매장은 재산세 감면대상이 아님

농안법 제2조 제1호에서 '농수산물'은 '농산물·축산물·수산물 및 임산물을 말한다'고 정의하고 있으므로, 농안법 제정 목적과 조세법규의 엄격해석 원칙 등을 종합적으로 고려할 때 농안법에 의한 유통자회사의 '농수산물 유통시설'은 '농산물·축산물·수산물 및 임산물의 유통시설'로 한정하는 것이 지방세 감면 취지에 부합한다 할 것이며, 농안법 상의 유통자회사가 운영하는 공산품 매장에 대하여 재산세를 감면하는 것은 농수산물 유통시설에 대한 세제 지원 기본취지에 부합되지 않음(지방세운영과-1150, 2012.4.13.).

◎ 무허가라도 농협의 고유목적사업 사용이 확인되면 감면대상이라는 사례

「농업협동조합법」에 의하여 설립된 조합에 대한 재산세 면제 요건으로 과세기준일 현재 고유업무에 직접 사용하는 부동산을 한정하고 있고, 건축과정의 위법여부에 대하여 별도로 규정하고 있지는 아니하므로, 과세기준일 현재 당해 건축물이 조합원이 생산한 농산물의 판매사업에 제공되는 부동산으로서 농협의 고유목적사업에 사용하는 것이 확인된 이상 감면요건을 충족했다고 볼 수 있으며, 무허가 건물이라는 이유로 감면요건에 대한 법규의 해석을 달리 적용할 여지는 없으므로 재산세 감면 대상임(지방세운영과-5638, 2010.11.30.).

◎ 조합의 공산품 부분에 대해 과세환경 변화를 반영한 해석 변경 사례

① (도시지역 농협의 공산품 매장은 감면대상에 해당되지 않는다는 사례) 농협의 공산품 매장의 경우 도시지역의 주거 밀집 지역에 위치해 있고, ○○시 전역의 고객을 대상으로 영업이 이루어지며, 당해 농협 조합원은 8,500명, ○○시 인구는 42만명, A동 인구 4.2만명, B동 인구 4.8만명에 이르는 점, 매출액(2009년 기준)이 각각 707억, 49억원에 달하고 일반사업자의 판매(영업)행위와 큰 차이가 없는 등의 사정이 있고, 일반인에 비해 조합원이 주로 사용하고 있다는 객관적 근거 제시도 없는 상황에서 농협의 목적사업인 "조합원의 사업과 생활에 필요한 물자의 구입·제조·가공·공급 등의 사업"에 해당된다고 보기 어

려우므로 감면대상 아님(지방세운영과-2976, 2010.7.12.).

② (단위농협 매장의 공산품매장 적용요령) 조합원의 실제 이용현황에 따라 목적사업(구매·공급사업) 해당 여부를 판단하되 도시지역과 읍·면 지역은 구분 적용(지방세운영과-3808, 2010.8.20.)

- (읍·면지역) 농협의 고유목적에 직접 사용하는 것으로 보아 재산세 면제
  ※ 지역 농협은 일반적으로 읍·면에 기반을 두고 경제적·사회적 열위 계층인 농민의 권익 보호를 취지로 설립·운영
- (도시지역) 조합원의 실질적인 이용현황을 고려하여 지자체별로 현황 조사하여 감면 여부 판단
  ※ 전체 이용자 대비 농협조합원 비율, 해당지역 인구 대비 조합원 비율, 이용현황 등을 종합적으로 고려

③ (읍·면지역도 공산품 매장이 감면대상에 해당하지 않는다는 사례) 읍·면지역에 기반을 둔 지역 농업협동조합이 공산품 매장으로 사용하는 부동산의 경우, 농협매장 중 공산품 매장이 조합원의 사업과 생활에 필요한 사업에 주로 공여되는 경우에 한하여 재산세 면제대상인 주된 목적사업으로 봄이 합리적이라 할 것이고, '주된 목적사업'에 해당하는지 여부는 전체 이용자 대비 조합원 비율, 해당지역 인구수 대비 조합원 수, 매장의 위치, 이용현황 등을 종합적으로 고려하여 개별적·구체적으로 판단하여야 할 것으로, 쟁점 지역 농협이 소재한 면지역의 경우 인구수가 18,384명에 이르지만 조합원수는 1,067명에 불과하고, 지역농협의 연간 매출규모는 95억원에 달하고 있는 등, 영업 형태에서 일반 사업자의 판매행위와 큰 차이가 없으며 불특정 다수인이 구분 없이 이용이 가능하고, 일반인에 비해 조합원이 주로 사용하고 있다는 객관적 근거 제시도 없는 상황이라면, 농협의 목적사업인 '조합원의 사업과 생활에 필요한 물자의 구입·제조·가공 등의 사업'으로 보기 어려우므로 당해 지역농협은 감면대상이 아님(지방세특례제도과-1255, 2016.6.8.).

⇨ 읍면지역의 공산품 부분에 대해 2010년에는 무조건 감면하였으나, 과세환경 등의 변화에 맞춰 2016년 해석시 도시지역과 동일한 기준으로 판단토록 해석 보완

◎ **농수산물유통공사가 입주상인들에게 시설사용료를 받고 임대시 직접 사용이 아님**

농수산물유통공사가 재산세 과세기준일 현재 농수산물유통시설인 화훼공판장을 직접 운영할 경우에는 지방세법 제266조 제1항의 규정에 의거 농수산물유통공사가 그 시설에 직접 사용하는 부동산으로 보아 재산세 경감 대상에 해당된다고 볼 수 있겠으나, 동 시설의 일부를 입주상인들에게 시설사용료를 받고 임대하고 있는 경우에는 그 시설에 "직접" 사용하는 부동산에 해당된다고 볼 수 없음(시군세-344, 2008.4.11.).

◎ 공산품매장은 농협의 고유업무에 사용되는 부동산으로 볼 수 없음

이 건 ○○○마트의 농축산물매장은 조합원이 생산하는 농산물의 가공, 판매 등의 사업에 사용되고 있으므로 청구법인 고유업무에 직접 사용되는 부동산으로 보아야 하고, 공산품매장은 그 이용에 있어서 조합원과 비조합원간에 아무런 차별이 없고 불특정다수인이 자유롭게 이용할 수 있으며 조합원과 비조합원 간에 그 판매가격에 있어서도 차이가 없는 점 등에 비추어 청구법인의 고유업무에 직접 사용되는 부동산으로 보기 어려움(조심 2014지1214, 2014.10.30.).

◎ 농협이 자회사를 설립한 후 토지를 현물출자하여 자회사를 통해 사업을 추진한 경우, 직접 사용한 것으로 볼 수 없고 정당한 사유에 해당되지 아니함.

자회사는 원고와 법인격을 달리하는 독립한 권리의무의 주체이고 사업주체는 원고가 아닌 자회사인 점, 원고가 토지를 자회사에 현물출자함으로써 토지 소유권의 귀속주체도 원고에서 자회사로 변경된 점 등에 비추어 자회사가 사업주체로서 자신 소유의 이 사건 토지를 사용하는 것을 두고 원고가 자회사를 통하여 토지를 직접 사용하고 있다고 볼 수는 없음(청주지법 2012구합2554, 2013.5.16.). 당초부터 고정투자 한도 초과로 자신이 토지를 직접 사용할 수 없음을 알면서도 토지를 취득하였고, 사업 추진 경위 등을 모두 고려하더라도 토지 취득에 따른 유・불리는 원고 자신의 책임에 해당하는 문제로 보일 뿐인 점 등에 비추어 정당한 사유가 있다고 볼 수도 없음(대법원 2014두6616, 2014.8.20.).

☞ 농업협동조합이 취득한 토지를 2년 이상 고유업무에 직접 사용하지 아니하고 자회사에 현물출자한 경우 기 감면한 취득세 등을 추징한 처분에 대하여 청구법인이 쟁점토지를 취득한 후 2년 이상 고유업무에 직접 사용하지 아니하고 이를 자회사인 농업회사법인에 현물출자(매각)한 사실이 확인되고 있는 반면, 유예기간 내에 현물출자한데 대한 정당한 사유를 인정할 만한 증빙이 달리 확인되지 아니하므로 기 감면한 취득세 등을 추징한 처분은 적법함(조심 2012지0265, 2012.8.30.).

◎ 장례식장이 수익사업에 공여되는지 여부는 조합원의 이용실적 등을 고려하여 판단

장례식장의 2006년도 이용실적을 보면, 조합원과 준조합원 등의 이용률이 79.3%에 이르고, 1일 사용료도 민간 장례식장의 60%에 불구하고 이 또한 조합원일 경우에는 50%를 할인하여 민간 장례식장 대비 30%의 사용료를 받고 있음을 미루어 이 사건 장례식장은 농업협동조합법 제57조 제1항 제5호 나목에서 규정하고 있는 청구인의 복지후생사업 중 장제사업에 직접 사용되고 있다고 보아야 하므로 장례식장을 일반인이 자유롭게 이용이 가능하다는 이유로 수익사업에 공여되는 부동산으로 보아 이 사건 취득세 등을 부과 고지한 것은 잘못이 있다고 하겠음(구 심사 2007-363, 2007.6.25.).

◎ 불특정 다수를 상대로 하는 일반음식점의 경우 감면대상으로 보기 어려움

처분청 및 관할세무서에서 “○○한우정”이라는 일반음식점 영업허가와 사업자등록증을 교

부받은 다음 영업용 조리기구와 식탁 및 의자 그리고 객실 등의 접객시설을 갖추고 불특정 다수인을 상대로 청구인이 생산한 한우뿐만 아니라 조리된 음식과 각종 주류도 함께 판매하고 있는 바, 이는 법인등기부등본에서 목적사업으로 규정한 "조합원이 생산하는 물자의 운반, 보관, 처리, 가공, 검사 등 판매사업"에 해당된다고 보기 어려우며, 또한 음식점은 영업을 하는 판매시설로서 일반인의 이용에 아무런 제한이 없을 뿐 아니라 다른 음식점과 비교하여 차이가 있다고 볼 수 없는 이상, 조합원의 사업과 생활을 위한 판매시설로서 고유업무에 사용하는 부동산이라고 보기 어려움(심사 2007-362, 2007.6.25.).

◎ 양곡판매장 부속토지는 고유업무에 사용되었다고 보여짐

지역농협이 다른 조합으로부터 양곡 전량을 수매하여 직접 소비자에게 이를 판매하고, 조합원・비조합원 구분 없이 불특정다수인에게 양곡을 판매하고 있다고 하여 양곡판매장의 부속토지인 쟁점토지를 고유업무에 직접 사용하지 아니한 것으로 보아 처분청이 이 사건 취득세 등을 부과처분한 것은 잘못이 있다 할 것임(심사 2006-380, 2006.8.28.).

◎ 축산업협동조합 예식장은 고유업무에 사용되었다고 보기 어려움

축산업협동조합이 예식장으로 사용하는 부동산으로서 이용객 대부분이 준조합원이고 조합의 구역 안에 거주하는 개인까지 준조합원으로 규정하고 있어 사실상 일반인이 자유로이 이용하고 있다고 볼 수 있으며, 이용요금도 인근 예식장의 것과 별다른 차이가 없는 점을 볼 때 고유업무에 직접 사용하는 부동산으로 볼 수 없고, 감면대상으로 보는 경우 일반인이 운영하는 예식장과 조세의 형평성 측면에서 어긋나므로 취득세 등을 추징한 처분은 잘못이 없음(심사 2000-623, 2000.8.29.).

제14조의 2(농협경제지주회사 등의 구매・판매 사업 등에 대한 감면)

법 제14조의 2(농협경제지주회사 등의 구매・판매 사업 등에 대한 감면) 「농업협동조합법」 제161조의 2에 따라 설립된 농협경제지주회사와 법률 제10522호 농업협동조합법 일부개정법률 부칙 제6조에 따라 설립된 자회사가 구매・판매 사업 등에 직접 사용하기 위하여 취득하는 다음 각 호의 부동산(「농수산물 유통 및 가격안정에 관한 법률」 제70조 제1항에 따른 유통자회사에 농수산물 유통시설로 사용하게 하는 부동산을 포함한다. 이하 이 항에서 같다)에 대해서는 취득세의 100분의 25를, 과세기준일 현재 그 사업에 직접 사용하는 부동산에 대해서는 재산세의 100분의 25를 각각 2017년 12월 31일까지 경감한다. 감면분만 농비

1. 구매・판매・보관・가공・무역 사업용 토지와 건축물　2. 생산 및 검사 사업용 토지와 건축물
3. 농어민 교육시설용 토지와 건축물　[본조신설 2014.12.31.]

정부의 정책에 따라 이루어지는 농협의 사업구조 개편으로 발생하는 각종 세금을 면제함으로써 농협의 구조조정을 보다 원활하게 수행하기 위하여 농협경제지주회사와 자회사가 구매·판매 사업 등에 직접 사용하기 위하여 취득하는 부동산에 대하여 취득세 및 재산세 감면혜택(25%)을 부여하였으나, 2017년을 마지막으로 그 지원을 종료하였다.

제15조(한국농수산식품유통공사 등의 농어업 관련 사업 등에 대한 감면)

법 제15조(한국농수산식품유통공사 등의 농어업 관련 사업 등에 대한 감면) ① 「한국농수산식품유통공사법」에 따라 설립된 한국농수산식품유통공사와 「농수산물유통 및 가격안정에 관한 법률」 제70조 제1항에 따른 유통자회사가 농수산물종합직판장 등의 농수산물 유통시설과 농수산물유통에 관한 교육훈련시설에 직접 사용(「농수산물 유통 및 가격안정에 관한 법률」 제2조 제7호부터 제9호까지의 규정에 따른 도매시장법인, 시장도매인, 중도매인 및 그 밖의 소매인이 해당 부동산을 그 고유업무에 사용하는 경우를 포함한다. 이하 이 조에서 같다)하기 위하여 취득하는 부동산에 대해서는 취득세의 100분의 50을, 과세기준일 현재 그 시설에 직접 사용하는 부동산에 대해서는 재산세의 100분의 50을 각각 2022년 12월 31일까지 경감한다.

② 「지방공기업법」 제49조에 따른 지방공사로서 농수산물의 원활한 유통 및 적정한 가격의 유지를 목적으로 설립된 지방공사(이하 이 조에서 "지방농수산물공사"라 한다)에 대해서는 다음 각 호에서 정하는 바에 따라 지방세를 2022년 12월 31일까지 감면한다. 감면분만 농비

1. 그 고유업무에 직접 사용하기 위하여 취득하는 부동산에 대해서는 취득세의 100분의 100(100분의 100의 범위에서 조례로 따로 정하는 경우에는 그 율)에 지방자치단체의 주식소유비율[해당 농수산물공사의 발행주식총수에 대한 지방자치단체의 소유주식(「지방공기업법」 제53조 제4항에 따라 지방자치단체가 출자한 것으로 보는 주식을 포함한다) 수의 비율을 말한다. 이하 이 조에서 같다]을 곱한 금액을 감면한다.
2. 그 법인등기에 대해서는 등록면허세의 100분의 100(100분의 100의 범위에서 조례로 따로 정하는 경우에는 그 율)에 지방자치단체의 주식소유비율을 곱한 금액을 감면한다.
3. 과세기준일 현재 그 고유업무에 직접 사용하는 부동산에 대해서는 재산세(「지방세법」 제112조에 따른 부과액을 포함한다)의 100분의 100(100분의 100의 범위에서 조례로 따로 정하는 경우에는 그 율)에 지방자치단체의 주식소유비율을 곱한 금액을 감면한다.

영 제6조의 2(지방농수산물공사에 대한 지방자치단체 투자비율) 법 제15조 제2항 제1호에서 "대통령령으로 정하는 지방자치단체 투자비율"이란 「지방공기업법」 제49조에 따른 지방공사로서 농수산물의 원활한 유통 및 적정한 가격의 유지를 목적으로 설립된 지방공사(이하 이 조에서 "지방농수산물공사"라 한다)의 자본금에 대한 지방자치단체의 출자금액(둘 이상의 지방자치단체가 공동으로 설립한 경우에는 각 지방자치단체의 출자금액을 합한 금액)의 비율을 말한다. 다만, 지방농수산물공사가 「지방공기업법」 제53조 제3항에 따라 주식을 발행한 경우에는 해당 발행 주식 총수에 대한 지방자치단체의 소유 주식(같은 조 제4항에 따라 지방자치단체가 출자한 것으로 보

는 주식을 포함한다) 수(둘 이상의 지방자치단체가 주식을 소유하고 있는 경우에는 각 지방자치단체의 소유 주식 수를 합한 수)의 비율을 말한다.

한국농수산식품유통공사 등의 농수산물 유통시설과 농수산물유통에 관한 교육시설에 직접 사용하기 위하여 취득·보유하는 부동산에 대하여 취득세 및 재산세의 경감을 규정하고 있다. 또한 농수산물 지방공사에 대한 감면을 신설(2012.1.1.)하였다.

이 규정은 농산물·임산물·축산물 및 수산물의 가격안정 및 유통개선사업을 통하여 농산물 등의 수급(需給)을 안정시키기 위하여 설립된 한국농수산식품유통공사의 유통시설과 그와 관련된 교육훈련시설에 사용하기 위해 취득한 부동산에 대한 세제지원으로 농어업인의 소득 증진과 국민경제의 균형 있는 발전 등을 취지로 이해된다.

한국농수산식품유통공사, 유통자회사가 농수산물종합직판장 등의 농수산물 유통시설과 농수산유통에 관련된 교육훈련시설에 직접 사용하기 위해 취득하는 부동산에 대해서는 취득세와 재산세를 50% 감면하는데, 여기서 직접 사용이란 도매시장법인, 시장도매인, 중도매인, 소매인이 해당 부동산을 그 고유업무에 사용하는 경우를 포함한다(법 ①). 하나로마트도 감면대상 '농수산물종합직판장 등의 농수산물 유통시설'에 해당하나, 농수산물과 관련 없는 공산품·생필품 등의 매장 면적은 제외(지방세특례제도과-2731, 2020.11.16.)된다.

지방농수산물공사가 도매시장의 관리 및 농수산물 유통사업에 직접 사용하기 위해 취득하는 부동산에 대해서는 취득세 및 재산세를, 법인등기에 대해서는 등록면허세를 감면하는데, 그 감면율은 100%를 기준으로 지자체 투자비율을 곱해서 적용하며, 만약 조례로 감면율을 따로 정하는 경우에는 100% 대신 그 율에 지자체 투자비율을 곱하여 감면한다(법 ②). 또한 농수산물 유통산업이 아닌 농수산물의 가공·판매는 제85조의 2의 지방공기업 등에 대한 감면(50%)을 적용해야 한다. 2020년, 농수산물의 원활한 유통과 적정한 가격 유지를 목적으로 설립된 지방농수산물공사의 감면대상 부동산 및 감면세액의 범위를 구체화하였다. 입법취지 및 기존 해석 등을 고려하여 부동산의 감면 범위를 "고유업무"에서 "도매시장 관리 및 농수산물 유통 사업"으로 개정하였다(제15조 제1항에 따른 한국농수산식품유통공사 및 농림수협등이 설립한 유통자회사에 대해서는 이미 농수산물 유통관련 시설만 감면 적용 중). 또한, 감면세액의 범위를 정하는 '지방자치단체의 주식소유비율'을 '지방자치단체 투자비율'로 보완하여 구체화하였다. 이는 지자체 외에 다른 출자자가 없는 경우 주식발행이 없는 점과 둘 이상의 지자체가 공동설립한 경우 비율 계산 규정이 없는 점 등 미비점을 개선한 것이다. 그리고 당초 2020년 1월 1일부터 도입 예정이었던 최소납부세제는 2022년 1월 1일부터 적용하는 것으로 유예하였다.

[적용사례]

도매시장 관리 · 운영 및 농수산물의 유통 외의 사업을 조례나 정관 등에 따로 규정하여 법인등기사항에 기재하더라도 감면대상이 아니다. 농수산물 가공 · 판매의 기업화를 통해 농어민 소득증대 및 지역경제 발전 등을 목적으로 설립된 지방공사는 본 조항이 아닌 제85조의 2(지방공기업 등에 대한 감면) 적용대상이다. 법 제15조에 적용(제1항에 규정)되는 '직접 사용'의 범위는 도매시장법인 · 시장도매인 · 중도매인 · 소매인이 농수산물 유통 · 판매에 직접 사용하는 경우를 포함한다.[5] 그리고 출자자가 지자체로만 구성되어 있는 공사의 경우에는 납세의무 성립 당시의 공사 자본금에 대한 지자체 출자금액의 비율을, 그 외의 출자자가 있는 경우(자본금을 주식으로 분할 발행)에는 지자체의 주식 소유 비율을 기준으로 감면세액을 계산한다.

◎ 농협 유통자회사가 운영하는 하나로마트 감면 여부

「농수산물유통 및 가격안정에 관한 법률」(이하 "「농안법」"이라 함)에서 농림수협등은 농수산물 유통의 효율화를 도모하기 위하여 유통사업을 수행하는 별도의 상법상 회사인 유통자회사를 설립 · 운영(§70 ①)할 수 있도록 하고 있고, 농림수협등은 농협경제지주회사를 포함(§2. 5)하므로, 농협경제지주회사가 50% 초과지분을 보유하면서 농수산물 유통의 효율화를 도모하기 위해 유통사업을 수행하고 있는 농협하나로유통, 농협유통, 농협부산경남유통, 농협충북유통, 농협대전유통은 쟁점규정의 유통자회사에 해당한다고 할 것임. 지역농협에서 운영하는 유사한 마트의 경우도 별도의 규정(지특법 §14 ③)에 따라 감면을 적용하고 있는 점 등에서 볼 때, 농협의 유통자회사가 소유 · 운영하는 하나로마트도 해당 사업을 영위한다면 감면 목적에 부합하는 부분에 대해서는 제15조 제1항을 적용할 수 있다고 할 것이나, 농수산물과 관련없는 공산품 · 생필품 등의 매장 면적에 대해서는 제외된다고 할 것임(지방세특례제도과-2731, 2020.11.16.).

5) 직접 사용의 범위를 지특법 제2조 제1항 제8호에서 "직접 사용"이란 부동산 · 차량 · 건설기계 · 선박 · 항공기 등의 소유자가 해당 부동산 · 차량 · 건설기계 · 선박 · 항공기 등을 사업 또는 업무의 목적이나 용도에 맞게 사용하는 것을 말한다고 규정하고 있는바, 즉 해당 부동산의 사용주체와 그 소유자가 동일함을 전제로 하고 임차인이 사용하는 경우는 원칙적으로 배제하기 위한 취지로 개정된 것이다. 그런데 농수산물 유통공사의 경우 '직접 사용'의 범위는 도매시장법인 · 시장도매인 · 중도매인 · 소매인이 농수산물 유통 · 판매에 직접 사용하는 경우를 포함하고 있는데 해당 법인의 설립 취지와 고유업무의 특성을 고려한 것으로 이해할 수 있다[대법원 2018두54367(2018.12.13.)]. 이 사건 감면규정에서 '그 밖의 소매인 등이 해당 부동산을 그 고유업무에 직접 사용하는 경우'라 함은 원고로부터 이 사건 건물 중 일부를 임차한 상인이 직접 농수산물의 유통 또는 판매업을 영위하거나 그에 준하는 영업을 하는 경우에 한하고, 그 외의 소매인 등은 여기에 포함된다고 할 수 없음(서울고법 2017누77222).

◎ **지방공사의 임대용부동산은 고유업무용으로 보기 어려움**

지방공사가 그 고유업무에 직접 사용하기 위하여 취득하는 부동산을 감면대상으로 규정하고 있는 바, 여기서 고유업무에 '직접 사용'이라 함은 부동산을 취득·등기한 자가 그 시설의 사용자로서 그 취득·등기한 부동산을 직접 사용하는 경우만을 의미한다고 할 것(지방세운영과-1820, 2011.4.19. 해석 참조)이므로, 비록 지방공사의 법인정관 등에 임대사업이 당해 목적사업으로 규정되어 있다고 하더라도 취득의 주체인 지방공사가 그 시설의 사용주체로서 자신의 목적사업에 사용하지 않은 경우라면 위 규정 고유업무에 '직접 사용'으로 볼 수 없다고 할 것임(지방세운영과-3772, 2011.8.8.).

◎ **농수산물유통시설 내 본점사무실은 유통시설에 해당되지 아니함**

본점의 사무실이 농수산물유통시설 내에 설치되어 있다고 하더라도 위 사무실은 농수산물종합직판장과 같은 유통시설에 직접 사용되는 시설물에 해당되지 않을 뿐만 아니라 농수산물유통시설의 운영을 위한 부속시설에 해당된다고 볼 수 없어 이 부분에 대하여는 지방세법상의 감면대상에서 제외된다고 할 것임(감심 2004-89, 2004.9.2.).

제16조(농어촌 주택개량에 대한 감면)

법 제16조(농어촌 주택개량에 대한 감면) ① 대통령령으로 정하는 사업의 계획에 따라 주택개량 대상자로 선정된 사람으로서 취득일 현재 해당 특별자치시·특별자치도·시·군·구에 거주하는 사람(과밀억제권역에서는 취득일 현재까지 1년 이상 계속하여 거주한 사실이 「주민등록법」에 따른 주민등록표 등에 따라 증명되는 사람으로 한정한다)이 주택개량 사업계획에 따라 본인과 그 가족이 상시 거주(본인이 「주민등록법」에 따른 전입신고를 하고 계속하여 거주하는 것을 말한다. 이하 이 조에서 같다)할 목적으로 취득하는 연면적 150제곱미터 이하의 주거용 건축물(증축하여 취득하는 경우에는 기존에 소유하고 있는 주거용 건축물 연면적과 합산하여 150제곱미터 이하인 경우로 한정한다)에 대해서는 취득세를 다음 각 호에서 정하는 바에 따라 2021년 12월 31일까지 감면한다.

1. 취득세액이 280만원 이하인 경우 : 전액 면제
2. 취득세액이 280만원을 초과하는 경우 : 280만원을 공제

② 제1항을 적용할 때 다음 각 호의 어느 하나에 해당하는 경우에는 그 해당 부분에 대해서는 감면된 취득세를 추징한다.

1. 정당한 사유 없이 그 취득일부터 3개월이 지날 때까지 해당 주택에 상시 거주를 시작하지 아니한 경우
2. 해당 주택에 상시 거주를 시작한 날부터 2년이 되기 전에 상시 거주하지 아니하게 된 경우

3. 해당 주택에 상시 거주한 기간이 2년 미만인 상태에서 해당 주택을 매각·증여하거나 다른 용도(임대를 포함한다)로 사용하는 경우 [전문개정 2018.12.24.]

영 제7조(주택개량사업의 범위) 법 제16조 제1항 각 호 외의 부분에서 "대통령령으로 정하는 사업"이란 「농어촌정비법」 제2조 제10호에 따른 생활환경정비사업을 말한다. [전문개정 2018.12.31.]

농어촌지역과 준농어촌지역의 주거환경을 자력으로 개량하는 사람에게 취득세 등을 감면함으로써 낡았거나 불량한 농어촌 주택의 개량을 촉진하여 농어업인 등의 복지를 향상시키기 위한 세제지원으로 이해할 수 있다.

생활환경정비사업의 계획에 따라 주택개량 대상자로 선정된 사람으로서 본인과 그 가족이 상시 거주할 목적으로 취득하는 연면적 150㎡ 이하의 주택에 대해 취득세를 280만원까지 공제(법 ①)한다. 2016년 감면범위를 해당 시·군·구에 거주하는 사람으로 감면대상을 명확히 하였고(해당 지역→해당 시·군·구), 2016년까지는 자력에 의해 개량하는 사람도 지원하였으나 2017년부터는 주택개량 대상자로 선정된 사람에 한해 감면받도록 개정하였다. 2018년까지는 취득세·재산세를 100% 면제했지만, 2019년부터는 재산세는 감면지원을 종료하면서 취득세는 280만원을 한도로 감면하는 것으로 개정하였다. 다만, 종전 규정에서 재산세를 5년간 감면토록 규정하고 있었기 때문에 일반적 경과조치에 따라 기존 취득자의 재산세 감면은 그 기간 동안 유지된다. 한편, 2019년부터는 부속토지도 감면대상에서 제외하면서, 건축물 면적기준도 전용면적 100㎡에서 연면적 150㎡으로 개정하였는데, 연면적이란 바닥면적에 층수를 곱하는 형태로 만일 농가용 창고가 지하 1층에 있다면 그 면적도 포함하여 150㎡ 이하 여부를 따져야 한다. 감면요건은 취득일 현재 해당 시·군·구에 거주해야 하는데, 과밀억제권역의 경우에는 취득일 현재까지 1년 이상 계속 거주했어야 한다.

한편, 정당한 사유없이 취득일부터 3개월 경과시까지 거주를 시작하지 않는 경우, 상시 거주 시작한 날부터 2년이 되기 전에 상시 거주를 아니하게 된 경우, 상시 거주를 시작한 기간이 2년 미만인 상태에서 매각·증여 또는 타용도(임대 포함)로 사용하는 경우에는 그 해당 부분에 대해 감면된 취득세를 추징한다(법 ②).

|2019년 개정에 따른 농어촌주택개량 감면 적용범위 비교|

	개정 전	개정 후
감면 내용	취득세 100% 재산세 100% (최소납부 적용 배제)	취득세 100% – (최소납부 적용 배제)
감면 한도	–	(신설) 취득세 감면 한도액 설정 : 280만원 ▪ 취득세 280만원 이하 : 전액면제 ▪ 취득세 280만원 초과 : 280만원 공제(초과액 납부)
감면 대상	전용면적 100㎡ 이하 주택 (부속토지는 바닥 면적의 7배)	연면적 150㎡ 이하의 주거전용 건축물 (부속토지 제외)
추징 규정	일반적 추징규정 적용 (제178조)	(신설) 상시거주하지 않는 경우 등 추징 ▪ 정당한 사유 없이 그 취득일부터 3개월이 지날 때까지 해당 주택에 상시 거주를 시작하지 아니한 경우 ▪ 해당 주택 상시거주를 시작한 날부터 2년이 되기 전에 상시 거주하지 아니하게 된 경우 ▪ 해당 주택 상시 거주한 기간이 2년 미만인 상태에서 해당 주택을 매각·증여하거나 다른 용도(임대 포함)로 사용하는 경우 ※ "상시거주"란? : 농어촌주택개량 대상자 본인이 「주민등록법」에 따른 전입신고를 하고 계속하여 거주하는 것

① (이 법 시행 전의 사업계획에 따라 주택개량대상자로 선정된 사람이 이 법 시행 이후 주택 취득한 경우) 주택에 대한 취득세 감면 기준은 개정 규정 또는 종전 규정에 따른 면적기준 중 유리한 규정 적용
② (종전에 취득세가 감면된 주택에 대한 재산세 감면) 이 법 시행 당시 그 주택 취득 후 재산세 납세의무가 최초로 성립하는 날부터 5년이 지나지 아니한 주택에 대해서는 종전의 규정에 따라 재산세 감면

◎ 취득 당시에 해당 지역에 거주하지 않는 경우에는 감면대상에서 제외

농어촌정비법 제2조 제10호에 따른 생활환경정비사업의 계획에 따라 주택개량 대상자로 선정된 사람이 그 개량된 주택을 취득할 당시에 해당 지역에 거주하지 않는 경우에는 지특법 제16조에 따른 취득세 및 재산세의 감면대상에 해당하지 않음(법제처-15-0361, 2015.7.28.).

◎ 감면대상 지역은 생활환경정비사업시행계획이 시행되는 지역을 의미함

농어촌생활환경정비사업에 따른 주택개량의 대상자에 대한 감면은 농어촌정비법에 따른 생활환경정비사업의 시행계획에 따라 주택개량 대상에 해당되어야 하고, 그 대상자 또는 자력으로 주택을 개량하는 사람은 해당지역에 거주하는 사람이어야 할 것인 바, '해당 지역'은 그 생활환경정비사업시행계획이 시행되는 지역을 의미하는 것으로 보는 것이 타당(지방세특례제도과-1522, 2015.6.9.)

◎ 취득일 이전에 개량주택 소재지에 거주시 거주요건을 충족한다고 한 사례

농림수산식품부 주관으로 조성되는 전원마을의 도시민 입주자가 생활환경정비사업계획에 따른 주택개량대상자로 선정되어 해당 개량 주택을 취득한 경우 관련, '대통령령으로 정하는 사업의 계획에 따라 주택개량 대상자로 선정된 사람과 같은 사업계획에 따라 자력(自力)으로 주택을 개량하는 대상자로서 해당 지역에 거주하는 사람'이란 취득일 현재 개량 주택 소재지에 거주한 사실이 있는 사람을 말한다고 할 것이고, 과밀억제권역(1년 이상)을 제외하고는 그 거주기간을 별도로 규정하고 있지 아니하므로 조세의 비과세·감면규정 엄격해석 원칙에 비추어 취득일 이전에 개량 주택 소재지에 주민등록표 등에 따른 주소를 두고 사실상 거주한 사실이 있는 경우라면, 위 '해당 지역에 거주하는 사람'의 요건을 충족하였다고 할 것임(지방세운영과-2169, 2012.7.10.).

◎ 귀농 관련 지원대상자는 주택개량 대상자로 볼 수 없음

귀농인 주택개량시 취득세 감면대상 여부 관련, 「2012년도 귀농 농업창업 및 주택구입 지원사업」에 따라 주택개량 대상자로 선정되어 지원을 받은 경우라도 위 규정 취득세 면제대상이 되는 「농어촌정비법」 또는 「농어촌주택개량사업 촉진법」에 따른 생활환경정비사업이나 농어촌주거환경개선사업 계획에 따른 농어촌 주택개량 대상자에 해당되지 아니한 경우라면 취득세 면제대상으로 볼 수 없다고 할 것임(지방세운영과-797, 2012.3.14.).

◎ 농어촌주택 개량사업 계획에 의하지 아니한 농어촌주택 취득은 면제대상이 아님

「○○○○도세 감면조례」 제19조에 의하여 당해 시군의 농어촌 주택개량사업 계획에 의하여 취득하는 주택으로서 당해 지역에 거주하는 자 및 그 가족이 상시 거주할 목적으로 취득하는 전용면적 85 제곱미터 이하인 주거용 부동산은 취득세·등록세 면제대상이나 농어촌주택 개량사업 계획에 의하지 아니하는 경우에는 면제대상에서 제외됨(세정 13407-159, 1998.2.25.).

사회복지를 위한 지원

제17조(장애인용 자동차에 대한 감면)

법 제17조(장애인용 자동차에 대한 감면) ① 대통령령으로 정하는 장애인(제29조 제4항에 따른 국가유공자등은 제외하며, 이하 이 조에서 "장애인"이라 한다)이 보철용·생업활동용으로 사용하기 위하여 취득하는 다음 각 호의 어느 하나에 해당하는 자동차로서 취득세 또는 「지방세법」 제125조 제1항에 따른 자동차세(이하 "자동차세"라 한다) 중 어느 하나의 세목(稅目)에 대하여 먼저 감면을 신청하는 1대에 대해서는 취득세 및 자동차세를 각각 2021년 12월 31일까지 면제한다. 농비

1. 다음 각 목의 어느 하나에 해당하는 승용자동차
   가. 배기량 2천시시 이하인 승용자동차
   나. 승차 정원 7명 이상 10명 이하인 대통령령으로 정하는 승용자동차. 이 경우 장애인의 이동편의를 위하여 「자동차관리법」에 따라 구조를 변경한 승용자동차의 승차 정원은 구조변경 전의 승차 정원을 기준으로 한다.
   다. 「자동차관리법」에 따라 자동차의 구분기준이 화물자동차에서 2006년 1월 1일부터 승용자동차에 해당하게 되는 자동차(2005년 12월 31일 이전부터 승용자동차로 분류되어 온 것은 제외한다)
2. 승차 정원 15명 이하인 승합자동차
3. 최대적재량 1톤 이하인 화물자동차
4. 배기량 250시시 이하인 이륜자동차

② 장애인이 대통령령으로 정하는 바에 따라 대체취득을 하는 경우 해당 자동차에 대해서는 제1항의 방법에 따라 취득세와 자동차세를 면제한다. 농비

③ 제1항 및 제2항을 적용할 때 장애인 또는 장애인과 공동으로 등록한 사람이 자동차 등록일부터 1년 이내에 사망, 혼인, 해외이민, 운전면허취소, 그 밖에 이와 유사한 부득이한 사유 없이 소유권을 이전하거나 세대를 분가하는 경우에는 면제된 취득세를 추징한다. 다만, 장애인과 공동 등록할 수 있는 사람의 소유권을 장애인이 이전받은 경우, 장애인과 공동 등록할 수 있는 사람이 그

장애인으로부터 소유권의 일부를 이전받은 경우 또는 공동 등록할 수 있는 사람 간에 등록 전환하는 경우는 제외한다.

영 제8조(장애인의 범위 등) ① 법 제17조 제1항 각 호 외의 부분에서 "대통령령으로 정하는 장애인"이란 「장애인복지법」에 따른 장애인으로서 장애의 정도가 심한 장애인(이하 이 조에서 "장애인"이라 한다)을 말한다.

1. 삭제 〈2015.12.31.〉 2. 삭제 〈2015.12.31.〉 3. 삭제 〈2015.12.31.〉 4. 삭제 〈2015.12.31.〉

② 법 제17조 제1항 제1호 나목에서 "대통령령으로 정하는 승용자동차"란 「자동차관리법」에 따라 승용자동차로 분류된 자동차 중 승차 정원이 7명 이상 10명 이하인 승용자동차를 말한다.

③ 법 제17조 제1항 및 제2항에 따라 취득세 및 자동차세를 면제하는 자동차는 장애인이 본인 명의로 등록하거나 그 장애인과 동일한 세대별 주민등록표에 기재되어 있고 「가족관계의 등록 등에 관한 법률」 제9조에 따른 가족관계등록부(이하 "가족관계등록부"라 한다)에 따라 다음 각 호의 어느 하나에 해당하는 관계가 있는 것이 확인(취득세의 경우에는 해당 자동차 등록일에 세대를 함께 하는 것이 확인되는 경우로 한정한다)되는 사람이 공동명의로 등록하는 자동차를 말한다.

1. 장애인의 배우자ㆍ직계혈족ㆍ형제자매 2. 장애인의 직계혈족의 배우자
3. 장애인의 배우자의 직계혈족ㆍ형제자매

④ 제3항을 적용할 때 장애인 및 같은 항 각 호의 어느 하나에 해당하는 사람이 모두 「출입국관리법」 제31조에 따라 외국인등록을 하고 같은 법 제10조의 3에 따른 영주자격을 가진 사람인 경우에는 같은 법 제34조 제1항에 따른 등록외국인기록표 및 외국인등록표(이하 "등록외국인기록표 등"이라 한다)로 가족관계등록부와 세대별 주민등록표를 갈음할 수 있다.

⑤ 법 제17조 제2항에 따른 대체취득을 하는 경우는 법 제17조에 따라 취득세 또는 자동차세를 면제받은 자동차를 말소등록하거나 이전등록(장애인과 공동명의로 등록한 자가 아닌 자에게 이전등록하는 경우를 말한다. 이하 이 항에서 같다)하고 다른 자동차를 다시 취득하는 경우(취득하여 등록한 날부터 60일 이내에 취득세 또는 자동차세를 면제받은 종전 자동차를 말소등록하거나 이전등록하는 경우를 포함한다)로 한다.

⑥ 법 제17조 제1항 및 제2항에 따라 취득세와 자동차세를 면제받은 자동차가 다음 각 호의 어느 하나에 해당하는 경우에는 장부상 등록 여부에도 불구하고 자동차를 소유하지 아니한 것으로 본다.

1. 「자동차관리법」에 따른 자동차매매업자가 중고자동차 매매의 알선을 요청받은 사실을 증명하는 자동차. 다만, 중고자동차가 매도(賣渡)되지 아니하고 그 소유자에게 반환되는 경우에는 그 자동차를 소유한 것으로 본다.
2. 천재지변ㆍ화재ㆍ교통사고 등으로 소멸ㆍ멸실 또는 파손되어 해당 자동차를 회수할 수 없거나 사용할 수 없는 것으로 해당 시장ㆍ군수ㆍ구청장이 인정하는 자동차
3. 「자동차관리법」에 따른 자동차해체재활용업자가 폐차되었음을 증명하는 자동차
4. 「관세법」에 따라 세관장에게 수출신고를 하고 수출된 자동차

장애인이 보철용ㆍ생업활동용으로 취득하는 자동차에 대하여 취득세 또는 자동차세를 감면함으로써 장애인의 사회활동을 지원하기 위한 내용으로, 지원대상 장애인 및 자동차의 범위 등에 대하여 규정하고 있다.

2016년 자동차 감면대상 조문 정비하였는데, 감면의 취지 등이 장애인 감면과 상이한 국가유공자에 대한 감면은 이 조항에서 분리하여 별도로 신설(§29 ④)하였다. 2017년에는 장애인용 자동차 감면대상 및 범위를 명확히 하였는데, 시행령상 장애인의 범위를 「장애인복지법」에 따른 장애인으로서 장애등급 제1급부터 제3급까지에 해당하는 사람으로 명확히 하였고, 장애인이 감면받은 차량을 이전등록하고 신규 차량을 대체취득하는 경우 1년 경과 규정 등 감면요건을 강화하였다(영 ④). 다만, 시행시기를 1년간 유예하여, 2018.1.1. 이후 납세의무가 성립하는 분부터 적용하도록 하였다.

취득세 면제요건은 별도 규정이 없는 한 취득일을 기준으로 판단하도록 하고 있으나(지방세기본법 §34 ① 1호), 장애인등 및 공동등록자가 자동차 취득일과 등록일 사이에 주민등록을 이전하여, 취득세 감면을 받지 못하는 사례 발생하였다. 이에 대해 장애인등과 세대를 함께하는지 여부 확인일을 자동차등록일로 보도록 개선(영 ③)하였다. 그리고 대체취득하는 자동차의 감면 제한 규정의 시행시기를 2019.1.1.로 유예하였다(부칙 §1).

장애등급 1~3급 장애인이 보철용·생업활동용으로 사용하기 위하여 취득하는 자동차로서 취득세 또는 자동차세 중 먼저 신청하는 1대에 대해 취득세와 자동차세를 면제하는데, 감면대상 자동차에 대해 살펴보면 승용자동차는 배기량 2천cc 이하이거나 승차정원이 7~10인 등인 승용자동차를 말하며, 승합자동차는 15인 이하, 화물자동차는 1톤 이하, 이륜자동차는 250cc 이하가 되어야 한다. 감면대상자는 장애인 단독명의 또는 장애인과 그 동일세대 가족이 함께 공동명의로 등록한 경우가 가능하다(법 ①).

새로운 자동차를 대체취득하는 경우에도 취득세와 자동차세를 제1항과 동일하게 면제(법 ②)한다. 감면 요건은 제1항에 따라 종전에 감면받은 자동차를 새로 대체취득한 자동차의 등록일부터 60일 이내까지 말소등록하거나 이전등록한 경우에 감면이 가능한데, 여기서 이전등록한 경우란 장애인과 공동명의로 등록한 자가 아닌 자에게 이전등록한 경우만을 말한다.

장애인 또는 장애인과 공동으로 등록한 사람이 자동차 등록일부터 1년 이내에 사망·혼인·해외이민·운전면허취득, 그 밖에 유사한 사유없이 소유권 이전 또는 세대 분가 할 경우에는 감면받은 취득세를 추징(법 ③)한다. 자동차세의 경우에는 일할계산이기 때문에 추징 사유 발생일부터 과세로 전환해야 할 것이며, 추징 예외 사유 중 혼인을 규정하고 있으므로 이혼의 경우에도 동일하게 인정하고 있다. 또한, 장애인과 공동등록할 수 있는 자 간의 지분 이전시에는 추징하지 않는 것이나, 이 경우 감면을 유지하기 위해서는 장애인 지분이 1%라도 남아 있어야 할 것이다.

국가유공자(§29), 다자녀(§22의 2) 자동차 감면도 이와 유사하게 구성되어 있으므로 아래 비교표와 2019년 개정 적용례를 참고하면 이해에 도움이 될 것이다. 구체적 내용은 각 부분별로 해설 및 사례를 자세히 반영하였으니 참고하기 바란다.

| 장애인, 국가유공자, 다자녀 자동차 감면 비교 |

구 분		장애인(§17)	국가유공자(§29)	다자녀(§22의 2)
감면대상자		장애인 또는 국가유공자 + 동일세대 가족		다자녀 양육자
대상차량	승용	배기량 2천cc 이하, 승차정원 7~10인 등		모든 승용자동차
	승합	승차정원 15인 이하		
	화물	최대적재량 1톤 이하		
	이륜	250cc이하		
감면지원	취득세	면제		승차정원 7~10인 외의 승용차는 140만원까지 공제, 그 외 자동차는 면제
	자동차세	면제		과세

① 장애인(A)과 아들(B)이 제3자인 C에게 해당차량을 모두 이전('A' 1% + 'B' 99% ⇒ 'C' 100% 소유)한 이후 A(또는 A+B)명의로 신규차량 취득하여 등록시

⇨ 감면받은 종전 자동차를 공동명의자가 아닌 제3자에게 이전하였으므로 신규취득 차량은 감면대상에 해당

② 장애인(A)이 소유 지분(1%)을 아들(B)에게 이전(⇒ 'B'가 100% 소유) 이후 A(또는 A+B) 명의로 신규차량 취득하여 등록시

⇨ 공동명의자에게 해당 차량을 이전한 경우에 해당되므로 신규차량은 감면 대상에 해당되지 않음. 다만, 신규차량 등록일부터 60일 이내에 B가 소유한 차량을 제3자에게 이전한 경우에는 감면 가능

③ 장애인(A) 소유 지분(1%)을 제3자(C)에게 이전하여(⇒ 'B'가 99%, 'C'가 1% 지분을 소유) 이후 A(또는 A+B) 명의로 신규차량 취득하여 등록시

⇨ 장애인의 소유지분을 공동명의자가 아닌 제3자에게 이전하였으나 해당 차량은 여전히 공동명의자 명의로 등록되어 있으므로 신규취득 차량은 감면 대상에 해당되지 않음. 다만, 신규차량 등록일부터 60일 이내에 'B'가 소유한 지분을 'C' 또는 '제3자'에게 이전한 경우에는 감면 가능

④ 장애인(A)이 소유 지분(1%)을 제3자(C)에게 이전(⇒ 'B'가 99%, 'C'가 1% 지분을 소유) 1년이 경과 후 A(또는 A+B)명의로 신규차량 취득하여 등록시

⇨ 장애인의 소유지분을 공동명의자가 아닌 제3자에게 이전하였으나 해당 차량은 여

전히 공동명의자 명의로 등록되어 있으므로 신규취득 차량은 감면 대상에 해당되지 않음. 다만, 신규차량 등록일부터 60일 이내에 'B'가 소유한 지분을 'C' 또는 '제3자'에게 이전한 경우에는 감면 가능

⑤ 장애인이 신규취득 차량을 취득하여 등록일부터 60일 이내에도 종전차량을 제3자에게 이전하지 못하는 경우

⇨ 신규 취득 차량은 감면 대상에 해당되지 않으나, 이후 '종전의 감면받은 차량'을 대체취득 요건에 부합하도록 제3자에게 이전한 이후에는 추가로 취득하는 차량은 감면 가능

1. 감면대상 차량

배기량 2천시시 이하인 승용자동차, 승합자동차(승차 정원 15명 이하), 화물자동차(1톤 이하), 이륜자동차(250시시 이하)를 대상으로 한다.

경제적 취약계층에 대한 지원을 위한 취지를 고려하여, 250시시 초과 고급 이륜자동차는 감면목적에 맞지 않아 제외하였다. 아울러 장애인의 편의를 위하여 차량을 개조한 경우 승차 정원은 구조변경 전의 승차 정원을 기준으로 판단하도록 보완하였다(영 §8 ② 신설, 2016.1.1. 시행). 즉 승차 정원 7명 이상 10명 이하인 승용자동차도 포함되는데, 이 경우 장애인의 이동편의를 위하여 「자동차관리법」에 따라 구조를 변경한 경우 구조변경 전의 승차 정원을 기준으로 한다.

휠체어 탑재를 위하여 자동차를 개조하는 경우 개조로 인해 승차 정원이 감소되어 감면 대상에서 배제되는 것을 방지하고자 대통령령에서 장애인의 이동편의를 위하여 「자동차관리법」에 따라 구조를 변경한 승용자동차의 승차 정원은 구조변경 전의 승차 정원을 기준으로 감면하도록 규정(영 §8 ②)하고 있었는데, 제도의 실효성을 확보하기 위해 법으로 이관하여 규정하였다(2018.1.1. 시행).

◎ 가솔린(배기량 1,499cc)과 전기를 사용하는 하이브리드차량(BMWi8)인 경우 보철용 · 생업활동용으로 사용하기 위한 것이라면 취득세 및 자동차세 면제대상인 장애인용 자동차에 해당함(지방세특례제도과-1814, 2015.7.8.).

◎ **장애인 감면차량에는 환경친화적 자동차도 포함됨**

감면대상 자동차는 「자동차관리법」의 규모별 구분에 따른 것으로 환경친화적 자동차가 같은 법에 따라 중형 이하의 승용자동차에 해당된다면 「지특법」 제17조 제1항의 지방세 감면대상 장애인용 자동차의 범위에 포함되는 것임(지방세운영과-388, 2014.2.6.).

◎ 장애인 차량 대체취득 감면 후 30일 이내 직계비속에게 이전은 추징대상에 해당됨

청구인과 ○○○은 이 건 자동차 등록일부터 30일 이내에 종전 자동차를 장애인등을 제외한 제3자에게 이전하였어야 함에도 장애인인 ○○○의 직계비속인 청구인 명의로 이전등록을 하였으므로, 이 건 자동차는 위 감면조례에서 정한 취득세 등의 면제요건을 충족하지 못하였다 할 것임(조심 2010지0668, 2010.12.30.).

◎ 세대분리기간 동안의 자동차세는 추징대상에 해당함

청구인은 2008.7.10. 쟁점자동차를 배우자와 공동으로 취득하고 주민등록상 동일 세대를 이루고 있었으나, 2012.8.8. 배우자와 세대를 분리한 후 2013.11.19. 쟁점자동차에 대한 소유권을 청구인 단독명의로 이전한 사실이 나타나므로, 세대분리기간에 대하여 기 면제한 자동차세를 부과한 처분은 잘못이 없음(조심 2014지1463, 2014.11.10.).

2. 공동명의자의 취득

취득세 및 자동차세를 면제하는 자동차는 장애인이 본인 명의로 등록하거나 그 장애인과 동일한 세대별 주민등록표에 기재되어 있고, 가족관계등록부에 따라 다음 가족관계에 있는 것이 확인되는 사람이 공동명의로 등록하는 자동차를 말한다. 여기서 가족관계에 있는 사람은 ⅰ) 장애인의 배우자 · 직계혈족 · 형제자매, ⅱ) 장애인의 직계혈족의 배우자, ⅲ) 장애인의 배우자의 직계혈족 · 형제자매를 말한다. 취득세의 경우에는 해당 자동차 등록일에 세대를 함께 하는 것이 확인되는 경우로 한정하고 있다.

| 최근 개정법령_2020.1.15. | 장애인 · 국가유공자 자동차 면제대상 확대 등(영 §8, §12의 2)

현대사회의 다양한 가족 형태를 반영하여, 장애인과 공동명의로 등록하는 가족을 배우자 가족까지 인정하였는데, 민법상 가족관계를 중심으로 재설계하고, 배우자의 직계존속 · 형제자매까지 확대하였다. 그리고 면제요건을 판단함에 있어 외국인등록제도 일부를 도입하여, 기존의 내국인 위주 제도로 인해 배제되었던 일부 외국인 가정에도 혜택이 갈 수 있도록 보완하였다.

[적용사례]

세대별 주민등록표의 기재사항을 통해 가족관계가 확인되지 아니하는 경우에는 가족관계증명서를 별도로 확인하여 면제대상을 판단한다.

주민등록표를 통해 가족관계 확인이 가능한 경우		주민등록표를 통해 가족관계 확인이 불가능한 경우	
세대주 : A (공동명의자) 배우자 : B 자녀 : C (장애인) 배우자의 자매: D 동거인 : E	공동명의자에 세대주 포함 주민등록표만으로 확인 可	세대주 : A 배우자 : B 자녀 : C 배우자의 자매: D (공동명의자) 동거인 : E (장애인)	D와 E는 실제 모자관계이나 주민등록표상 확인 不可

제3항 개정규정의 적용대상은 내・외국인을 불문하나 주민등록 및 가족관계등록 제도는 내국인을 기준으로 설계되어 있다(외국인은 단독으로 주민등록법상 세대를 구성하거나 가족관계등록부를 창설할 수 없고, 내국인의 세대별 주민등록표나 가족관계등록부에 기록사항으로만 등재되어 있음). 그에 따라 외국인의 경우 내국인의 세대별 주민등록표 또는 가족관계등록부를 통하여 내국인과의 가족관계 등이 확인되는 경우에만 적용이 가능하다.

제3항의 적용이 불가능한 외국인 중 등록외국인기록표 및 외국인등록표를 통해 가족관계, 세대구성이 확인되는 외국인은 제4항을 적용할 수 있다.

■ 출입국관리법 시행규칙 [별지 제139호 서식]

외국인등록 사실증명

발급번호		발급일			
대상자	외국인등록번호 (Alien Registration No.)				
	성명 (Full name)				
(생 략)					
동거가족 사항	관계	성명	성별	생년월일	외국인등록 번호
(생 략)					

▷ 영주 외국인인 장애인과 그 가족만 적용대상임
→ 장애인복지법상 장애인등록도 영주자격에 한정하고 있음

▷ 외국인등록은 개인별 등록이 원칙으로 모든 체류자격에 대해 가족사항이 확인되는 것은 아님

▷ 관련체류자격 등에 따라 외국인등록사항으로 동거가족이 확인되는 경우만 면제대상
→ 동일 주소 내 세대를 분리한 내국인을 면제대상에서 배제하는 등 세정운영과 내국인과의 형평을 고려해 외국인의 가족관계 및 동거사실이 공부상 확인되는 경우로 한정

◎ 장애인으로 등록한 외국인이 내국인과 공동명의로 등록시 감면대상에 해당되지 않음

장애인 감면대상은 장애인뿐만 아니라 가족관계등록부나 세대별 주민등록표상 공동등록할 수 있는 자와 공동등록의 경우도 해당된다고 할 것임. 다만, 외국인의 경우는 세대별 주민등록표상 세대원이 아니므로 가족관계등록부상 공동등록대상에 해당되어야 할 것인데, 가족관계등록부상 공동등록할 수 있는 대상을 외국인 배우자 또는 직계비속의 외국인 배우자로 한정하고 있음에 비추어 볼 때 당해 장애인은 내국인으로 보는 규정이라고 할 것이므로 장애인이 외국인이라면 가족관계등록부상의 공동등록 대상에 해당되지 아니한다고 판단됨(지방세운영과-1491, 2013.7.12.).

◎ 1세대에 장애인이 2인인 경우 자동차 2대를 취득하여 장애인별로 각각 사용하는 경우 2대 모두가 자동차세 면제대상임(심사 2003-156, 2003.7.28.).

◎ 부부가 모두 장애인인 경우 부부 각각 명의인 2대의 자동차에 대해서는 면제대상임(세정 13404-371, 2000.3.10.).

◎ A차량을 취득하면서 장애인인 아들과 국가유공자인 아버지가 공동명의로 취득하여 장애인용 차량으로 취득세를 감면받았다 하더라도 국가유공자인 아버지가 장애인용 자동차에 대한

감면을 받은 경우에 해당되지 않으므로, 새로 취득한 B차량은 국가유공자인 아버지가 딸과 공동명의로 취득하는 국가유공자용 차량으로 취득세 등이 감면된다고 할 것임(지방세특례제도과-562, 2019.9.10.).

◎ 1년 후 장애인 지분 이전시 추징 및 이전 지분에 대한 취득세 납세의무 여부

2018.3.16. 장애인용 자동차를 부(50%)와 장애인(50%) 공동명의로 등록하여 취득세 등을 감면받고, 1년이 경과한 2019.4.1. 장애인 지분 49%를 부에게 이전하고, 2019.4.23. 장애인의 잔여지분 1%마저 부에게 이전함으로써 부(100%) 단독 소유로 되는 경우 당초 장애인과 공동등록인(부) 명의로 취득하여 등록한 날(2018.3.16.)부터 1년이 경과한 2019.4.1.에 장애인의 지분을 공동등록인(부)이 취득한 것이기 때문에 기 감면된 취득세는 추징요건에 해당하지 않아 추징할 수 없다 하겠으나, 장애인으로부터 공동등록인(부)이 2019.4.1. 취득한 지분 49%와 2019.4.23. 취득한 지분 1%에 대해서는 별도의 취득세 납세의무가 발생한 것으로 취득세 과세대상이라 할 것임(지방세특례제도과-556, 2019.9.10.).

3. 최초 1대 및 대체 취득 감면

"장애인"이 보철용·생업활동용으로 사용하기 위하여 취득하는 자동차의 취득세 또는 자동차세 중 어느 하나의 세목(稅目)에 대하여 먼저 감면을 신청하는 1대에 대해서는 취득세 및 자동차세를 각각 면제한다.

2017.1.1. 그동안 시행령에 규정하고 있던 대체취득에 대한 정의와 감면대상을 법으로 이관하여 규정하였다. 장애인 차량을 대체취득을 하는 경우에도 해당 자동차에 대해서는 취득세와 자동차세를 면제한다. 대체 취득하는 경우란 취득세 또는 자동차세를 면제받은 자동차를 말소등록하거나 이전등록(장애인과 공동명의로 등록한 자가 아닌 자에게 이전등록하는 경우를 말함)하고, 다른 자동차를 다시 취득하는 경우를 의미한다. 이 때 일시적으로 기존차량과 신규차량을 동시에 보유하는 경우가 있을 수 있는데, 새로운 차량을 취득하여 등록한 날부터 60일 이내에 취득세 또는 자동차세를 면제받은 종전 자동차를 말소등록하거나 이전등록하는 경우 감면대상에 포함한다.

◎ 최초로 감면을 신청하는 1대의 의미

차량을 취득하면서 취득·등록세를 감면받지 않았다고 하더라도 자동차세를 감면받았다면 이를 최초로 감면 신청한 1대라고 할 것인 바, 감면포기나 세대분가를 통하여 기존 차량이 감면대상에서 과세대상으로 전환되더라도 그 지위나 순위까지 변동되는 것은 아니므로, 새로이 취득한 자동차 등록일부터 30일 이내에 종전 자동차를 이전 또는 말소하지 않은 한

새로이 취득하여 감면신청하는 자동차에 대하여는 취득세 등의 감면을 적용할 수 없음(지방세운영과-1777, 2010.4.29.).

◎ 공동명의자의 세대분리시 자동차세 면제 여부

공동명의로 등록한 자가 세대를 분리하는 경우에는 그 감면요건이 충족되지 않아 그때부터는 자동차세가 면제되지 않는다 할 것임(지방세특례제도과-553, 2019.9.9.).

◎ 감면 없이 취득하여 보유 중인 종전 차량에 대해 자동차세 감면 가능 여부

종전 면제받은 차량 A가 취득세 유예기간이 경과하고 자동차세가 과세되는 경우에는 취득시점 또는 보유기간에 감면받고 있는 차량이 없으므로, 기존 보유하고 있던 차량 B에 대해 감면신청하는 경우에는 자동차세를 면제할 수 있음(지방세특례제도과-1246, 2020.6.3.).

☞ 추징 유예기간 1년이 지났기 때문에 추징은 제외되더라도 이전받은 지분에 대해서는 납세의무가 있다는 사례이다. 1년 이내에 이전하였다면 기 감면세액 추징도 발생하고, 이전 지분에 대한 취득세도 동시에 발생하게 된다. 다자녀 감면과 같이 공동명의자 간 지분 이전시 감면을 규정하고 있지 않은 경우라면 최초 등록하는 1회에 한해 감면이 적용되는 것이며 그 후의 지분 이전에 대해서는 납세의무가 발생하기 때문이다.

◎ 대체취득 후 종전차량을 재차 이전 취득시 대체취득에 대한 감면 여부

장애인과 공동명의로 감면받은 차량(A)을 제3자에게 소유권 이전하고 장애인과 공동명의자가 새로운 차량(B)을 취득한 후 종전 제3자에게 이전했던 차량(A)을 다시 공동명의자에게 이전한 경우, 종전 감면받던 차량(A)을 제3자에게 소유권을 이전하고 새차(B)를 취득하는 경우에는 대체취득에 대한 감면요건을 충족한 것으로 추후 제3자에게 이전하였던 종전 감면차량(A)을 공동명의로 등록한 자의 명의로 다시 취득하더라도 새로 취득한 차량에 대한 감면이 가능함(지방세특례제도과-1245, 2020.6.3.).

☞ 취득시에만 요건을 충족하면 그 후 다시 가져오더라도 추징하지 않겠다는 취지의 해석이다. 이전할 때마다 종전 차량에 대한 취득세를 부담했으므로, 기존 차량을 보유하면서 취득함에 따라 대체취득 감면이 불가한 자와의 합리적 차이가 있는 것이다. 아울러, 대체취득에 대해 종전 차량을 60일 이내에 이전하도록 규정한 것은 납세자에게 종전 차량에 대한 처분기간의 혜택을 부여한 것에 불과하므로, 대체취득 전 종전 자동차를 양도한 후에 대체취득 자동차의 등록일부터 60일 이전에 그 종전 자동차를 재취득한다고 하더라도 대체취득 자동차의 감면은 유지된다 하겠다.

◎ 장애인용 자동차를 대체취득하면서 신차(B) 구입 후 60일 이내 구차(A)를 이전·말소할 경우, 신차와 구차를 동시에 소유하고 있는 기간 동안의 자동차세 감면은 B만 적용

대체취득하는 자동차 B는 60일 이내에 종전자동차 A를 이전등록하고 대체취득하는 경우로서 동법 제2항의 규정에 의거 제1항의 방법에 따라 취득세와 자동차세를 면제하는 것이므로

기존차량(A)과 대체취득하는 자동차(B)를 동시에 소유하고 있는 기간 동안에도 자동차세는 1대만 감면되어야 할 것이며, 대체취득하면서 최근에 감면신청한 대체취득 자동차(B)가 사실상 보철용 자동차로 보는 것이 합리적이므로 대체취득 자동차(B)에 대해서만 자동차세를 감면하는 것이 타당(행안부 지방세특례제도과-561, 2019.9.10.).

◎ 종전 감면차량의 소유기간이 1년 이상 경과하였더라도 신차는 감면받을 수 없음

종전 자동차 등록일로부터 1년이 지났다는 사정만으로 종전 자동차를 보유하고 있는 상태에서 새로 취득하는 이 사건 자동차에 대하여도 취득세를 감면할 수 있다면 원고에게 동시에 취득세 감면대상 자동차를 2대 허용하는 셈이 될 뿐만 아니라, 원고는 매년 1대씩 취득세 없이 자동차를 취득할 수 있다는 결론에 이르게 된다. 이는 취득세 면제 자동차를 1대로 한정하고 있는 구 지방세특례제한법 제17조 제1항, 법 시행령 제8조 제2항에 반하는 부당한 결과가 됨(대법원 2015두40682, 2015.7.10.).

◎ 공동명의자에게 이전한 후 새로운 자동차를 취득하는 경우 '최초 1대'에 해당됨

소유지분을 공동명의자에게 이전한 경우에는 자동차 등록일부터 1년 이상 보철용·생업활동용으로 사용하였으므로 그 자동차에 대한 취득세는 추징 대상에 해당되지 않고, 자동차세는 과세 대상으로 전환되는 것으로 보아야 하고, 당초 차량에 대한 장애인의 소유지분을 공동명의자에게 이전하고 장애인이 감면 자동차를 보유하지 않은 상태에서 새로운 자동차를 취득하여 장애인 명의 또는 세대원 및 기존 공동명의자와 공동명의로 등록하고 해당 자동차에 대하여 감면신청하는 경우 '장애인이 최초로 감면을 신청하는 1대'로 보아 취득세를 감면하는 것이 타당(지방세특례제도과-2573, 2015.9.23.)

◎ 장애인이면서 국가유공자에 해당하는 경우라도 최초 1대만이 감면대상에 해당됨

최초로 감면신청하는 장애인용 자동차 1대에 대하여 취득세 등을 감면하는 장애인의 범위는 장애인, 국가유공자, 5·18민주화운동부상자, 고엽제후유의증환자를 포괄하는 개념으로 「장애인복지법」에 따른 장애인(1급~3급)으로 한정하고 있지 아니한 점, 최초로 감면신청하는 1대의 범위도 장애인 또는 장애인과 공동명의로 등록하는 1대로 한정한다고 규정하고 있을 뿐, 장애를 국가유공자 등으로 구별하여 감면한다는 별도의 규정이 없는 점 등을 종합적으로 고려해 볼 때 기존 1대에 대해 장애인용으로 취득세 등을 감면받아 소유하고 있다면 국가유공자로서 자격이 있다고 하더라도 추가 취득하는 자동차는 감면대상에 해당되지 아니한다고 판단됨(지방세운영과-1488, 2013.7.11.).

◎ 자동차세 등이 면제되는 자동차를 기존 면제자동차에서 추가 취득자동차로 변경하는 것은 허용되지 않음(대법원 2011두68, 2011.4.14.).

◎ 취득세를 감면받은 종전 자동차에 관하여 취득세 추징기간인 1년을 경과하였더라도, 종전

자동차와 별개로 새로이 구입한 보철용 자동차를 감면 받을 수 없음(대법원 2015두40682, 2015.7.10.).

4. 세대 분리에 따른 추징

○ 장애인 아들의 세대분가로 기 감면받았던 A차량의 취득세가 추징되었고, 이후 A차량의 장애인 지분(1%)을 아들에게 이전하고 새로운 B차량을 취득하는 경우 감면 대상

장애인과 장애인의 아들이 공동명의로 등록하여 감면받은 A차량은 공동명의자가 세대를 분가함으로써 장애인용 감면 자동차에서 제외되었고, 장애인 지분 1%도 아들에게 이전함으로써 장애인용 자동차가 없는 상태에서 장애인이 보철용·생업활동용으로 사용하기 위하여 새로 취득하는 B차량에 대하여는 대체취득하는 차량으로 보아 감면요건을 판단할 것이 아니라 '취득세 또는 자동차세 중 어느 하나의 세목에 대하여 먼저 감면을 신청하는 1대'로 보아 감면되는 것임(행안부 지방세특례제도과-560, 2019.9.10.).

☞ 대체취득 감면의 전제 요건이 기존 차량을 공동명의자가 아닌 자에게 이전해야 감면이 가능한 것이므로, 장애인이 기존 공동명의자에게 차량을 이전했다면 대체취득 차량에 대해 감면이 안 된다고 할 것이다. 다만, 1년 이내에 전부를 이전했다면 감면받은 취득세가 추징이 될 것이고, 그렇다면 감면받은 자동차가 없어지게 되어 대체취득이 아닌 신규로 감면이 가능하다고 할 것이다.

장애인 지분을 공동등록자로 이전시	1년 이내		1년 초과	
	일부 이전	전부 이전	일부 이전	전부 이전
종전자동차 추징	×	O	×	×
대체자동차 감면	×	O	×	×

○ 장애인 감면규정의 세대란 주민등록표상의 세대를 말함

"주민등록법에 의한 세대별 주민등록표에 기재되어 있는 장애인의 직계존·비속, 장애인의 직계비속의 배우자, 장애인의 형제·자매는 장애인 본인과 공동명의로 등록하는 경우"에만 면세를 해 주도록 정하고 있는 바, 이와 같이 "주민등록법에 의한 세대별 주민등록표"를 명시하고 있는 이상, 그 단서 규정의 "세대" 역시 주민등록표상의 세대를 가리킨다고 해석하여야 할 것임. 이렇게 해석하는 경우 실질적인 세대분가가 없으면서도 면제되었던 취득세·등록세 등을 추징당하는 사례들이 생길 수 있으나, 이는 주민등록표와 자신의 실제 주거지를 일치시키지 않고 허위신고를 한 데서 기인한 것이라고 보아야 함(대법원 2007두3299, 2007.4.26.).

○ 주민등록표에 의하여 세대를 함께 하는 것이 확인되지 않는 경우 면제되지 않음

해당 자동차를 장애인과 공동명의로 등록한 직계비속이 장애인과 실질적으로 세대를 함께 하고 있다고 하더라도 주민등록표에 의하여 세대를 함께 하는 것이 확인되지 않는 경우에는

자동차세가 면제되지 않는다고 봄이 타당함(대법원 2015두60839, 2016.3.24.).

◎ '세대 분가' 여부는 주민등록표의 기재 여부에 의하여 판단한다고 한 사례

「주민등록법」에 따른 세대별 주민등록표에 기재되어 있는지 여부를 자동차세 면제의 기준으로 삼고 있는 점에 비추어 볼 때 '세대 분가' 역시 주민등록표의 기재 여부에 의하여 판단함이 상당하고, 피고에게 자동차세 면제 내용에 대하여 사전 안내를 할 의무가 있다고 볼 아무런 근거가 없고, 오히려 제출된 기재(감면신청서)에 의하면 '세대를 분가하는 경우에는 감면세액을 납부하겠습니다.'라는 문구가 기재된 사실을 인정할 수 있으므로, 원고는 세대 분가를 하면 자동차세 면제대상이 되지 않는다는 사실을 알았다고 봄이 상당함. 또한, 피고의 직무유기나 직무태만에서 기인한 위법한 처분이라는 점을 인정할 아무런 증거가 없으므로, 원고의 위 주장 역시 이유 없음(대법원 2010두17892, 2010.12.9.).

◎ 사채업자들의 빚 독촉을 피하고, 질병치료를 위하여 형식상으로만 세대분가를 한 경우라도 정당한 사유에 해당하지 아니함

주민등록표와 자신의 실제 주거지를 일치시키지 않고 허위신고를 한 데서 기인한 것이라고 보아야 하며, 「시세감면조례」 제4조 제2항의 '부득이한 사유'란 같은 규정이 예시한 '사망·혼인·해외이민·운전면허취소'의 사유에서 볼 수 있듯이 국내에서 더 이상 운전을 하지 못할 사유이거나 동거가족이 불가피하게 변경되는 사유만을 가리킨다(대법원 2007두3299, 2007.4.26. 등 참조). … 원고가 사채업자들의 빚 독촉을 피하고, 질병치료를 위하여 세대를 분가하였다고 하더라도 이는 국내에서 더 이상 운전을 하지 못할 사유이거나 동거가족이 불가피하게 변경되는 사유로 볼 수 없으므로, '부득이한 사유'에 해당하지 아니함(지법)(대법원 2012두28421, 2013.4.11.).

◎ 세대분가를 한 이상 장애인을 위하여 사용하는지 여부를 불문하고 추징 대상에 해당함

이 사건 조례 제6조 문언에 비추어 원고가 자동차등록일부터 1년 이내에 ○○○(신체장애 2급)과 주민등록표상 세대를 분가한 이상 면제된 취득세와 등록세를 추징하여야 하고, 달리 위 규정을 원고 주장대로 해석할 근거가 없음(대법원 2014두35928, 2014.6.26.).

◎ 결혼을 위하여 주민등록상 세대를 분리하였다고 주장하지만, 청구인이 세대분가한 주소지와 결혼 후 이전한 주소지가 서로 상이한 사실이 확인되므로 결혼을 위하여 일시적으로 세대를 분가하였다는 주장을 수용하기는 어려움(조심 2011지0402, 2012.9.20.).

◎ 청구인은 쟁점주소지 주택에 대한 임차보증금에 대한 대항력을 갖추기 위하여 부득이 세대분가를 하였다고 주장하지만, 이러한 사유는 「지방세특례제한법」에서 규정하고 있는 세대분리의 부득이한 사유(사망·혼인·해외이민·운전면허취소 등)로는 볼 수 없으므로 처분청의 이 건 취득세 등의 부과처분은 적법함(조심 2011지0140, 2012.4.17.).

◎ 월동준비 및 65세 이상 노인에게 지급하는 목욕권 등을 수령하기 위한 목적으로 거동이 불편한 거주지를 이전함으로써 세대분가를 한 것은 청구인들 스스로 판단하여 결정한 주관적인 사정일 뿐 부득이한 사유에 해당한다고 볼 수 없음(조심 2010지0872, 2010.12.30.).

◎ 장애인과 직계비속이 자동차를 공동명의로 등록하였다가 세대분가 및 세대합가를 반복한 경우 그 세대분가 기간에 대하여 자동차세 부과는 적법함(조심 2010지0661, 2010.11.9.).

◎ 장애인과 공동명의로 자동차등록을 한 자가 전세자금 대출을 위하여 세대를 분가하였고, 세대분리시 감면세액(취득등록세)을 추징당한다는 사실을 알지 못하였다는 사정은 "부득이한 사유"에 해당하지 않음(조심 2009지10660, 2010.11.4.).

◎ 면제받은 취득세 등의 추징요건을 잘 알지 못하여 세대분가한 것은 부득이한 사유에 해당하지 아니하므로 부득이한 사유없이 3년 이내에 세대를 분가함에 따라 취득세 등을 추징한 처분은 적법함(조심 2010지0392, 2010.6.23.).

◎ 출국의 목적으로 세대분가한 것은 부득이한 사유에 해당하지 아니하므로 취득세 등을 추징한 처분은 적법함(조심 2010지0107, 2010.3.19.).

◎ 군복무 중 일정부분의 경제적 편익 등을 위하여 자의적으로 주민등록표상의 주소지를 변경한 것이라 할 것이므로 이를 「○○○시세 감면조례」에서 규정하고 있는 세대분가를 위한 부득이한 사유에 해당된다고 할 수는 없음(조심 2009지0770, 2010.3.15.).

◎ 노인요양시설에 입소하는 과정에서 정부보조금을 지원받기 위해서는 주민등록상 전입이 반드시 필요하다는 요양원측의 요구에 따라 세대분가를 하게 되었다 하더라도 이는 관계법령에서 강제하고 있는 사항이 아니므로 부득이한 사유에 해당된다고 볼 수 없음이 타당함(조심 2009지0656, 2009.12.9.).

◎ 임대차계약조건 때문에 어쩔 수 없이 세대분가를 하게 되었다는 것은 부득이한 사유에 해당한다고 인정하기는 어렵다 하겠고 처분청의 처분은 타당함(조심 2009지0802, 2009.10.26.).

◎ 자동차세 감면대상 여부는 담당자의 답변이나 의견에 따라 좌우될 수 없음

자동차 관련 세금의 면제는 법령이 정하는 바에 따라 이루어지는 것일 뿐 담당 공무원의 답변이나 의견 여하에 따라 좌우되는 것이 아니고 특별한 사정이 없는 한 담당 공무원의 답변이나 의견 표명만으로 그 상대방에게 보호받을 수 있는 신뢰가 형성되었다고 볼 수도 없는 것이므로 이와 다른 전제에 선 원고의 이 부분 주장은 그 자체로 이유 없다(서울고법 2013누45869, 2014.4.22.)고 할 것임(대법원 2014두36822, 2014.8.20.).

세대분리가 부득이한 사유에 해당한다는 사례

- 장애인이 자동차를 취득하여 취득세 등의 면제를 받은 후 당해 자동차의 차량고장(엔진결함)이 수차례 발생함으로써 자동차판매회사에서 제조상의 결함을 인정하고 구입 당시 구입가를 환불하는 조건으로 자동차를 회수하는 경우, 자동차를 더 이상 운행할 수 없는 상황에서 양도할 수밖에 없는 부득이한 사유에 해당된다고 사료됨(지방세정팀-327, 2008.4.3.).
- 장애인이 본인 명의로 자동차를 취득하여 보철용 또는 생업활동용으로 사용하던 중 병세의 악화로 인해 운행능력을 상실함에 따라 제3자에게 매각한 경우는 부득이한 사유에 해당된다고 판단됨(지방세정팀-711, 2007.3.20.).
- 장애인 또는 장애인과 공동 명의로 등록한 자가 예측할 수 없는 교통사고로 인하여 당해 자동차가 전손됨에 따라 보험회사가 보험약관에 의하여 전손부담금을 지급하고 당해 자동차를 인수한 후 제3자에게 매각한 경우 부득이한 사유에 해당된다고 판단됨(지방세정팀-628, 2007.3.15.).
- 청구인은 장애인과 이 건 자동차를 공동으로 등록한 후, 결혼으로 인한 임대주택의 확정일자 부여 등을 위해 세대를 분가한 것은 세대분가의 "부득이한 사유"에 해당함(조심 2011지0843, 2012.5.18.).
- 「지방세특례제한법」상 협의이혼으로 인한 세대분가를 사망, 혼인 등과 같은 세대분가의 부득이한 사유로 열거하고 있지는 아니하지만, 협의이혼으로 인한 세대분가는 "혼인" 등과 같이 세대분가의 부득이한 사유로 폭 넓게 인정하는 것이 타당함(조심 2012지0187, 2012.5.7.).
- 제1주소지와 제2주소지는 출입문을 나란히 하여 연접하고 있고, 청구인이 제2주소지에서 파킨스병으로 투병 중인 청구인의 어머니와 함께 생활하며 청구인의 어머니를 부양하고 있는 사실이 제출된 자료에 의하여 확인되는 이상 청구인의 이러한 사정을 세대분리의 부득이한 사유로 보아 취득세 등을 감면하는 것이 타당하다 할 것임(조심 2012지0181, 2012.6.5.).

제17조의 2(한센인 및 한센인정착농원 지원을 위한 감면)

법 제17조의 2(한센인 및 한센인정착농원 지원을 위한 감면) ① 한센병에 걸린 사람 또는 한센병에 걸렸다가 치료가 종결된 사람(이하 이 조에서 "한센인"이라 한다)이 한센인의 치료·재활·자활 등을 위하여 집단으로 정착하여 거주하는 지역으로서 거주목적, 거주형태 등을 고려하여 대통령령으로 정하는 지역(이하 이 조에서 "한센인정착농원"이라 한다) 내의 다음 각 호의 부동산

을 취득하는 경우에는 취득세를 2021년 12월 31일까지 면제한다. 농비

1. 주택(전용면적이 85 제곱미터 이하인 경우로 한정한다) 2. 축사용 부동산
3. 한센인의 재활사업에 직접 사용하기 위한 부동산(한센인정착농원의 대표자나 한센인이 취득하는 경우로 한정한다)

② 한센인이 과세기준일 현재 소유하는 한센인정착농원 내의 부동산(제1항 각 호의 부동산을 말한다)에 대해서는 재산세(「지방세법」 제112조에 따른 부과액을 포함한다) 및 「지방세법」 제146조 제2항에 따른 지역자원시설세를 각각 2021년 12월 31일까지 면제한다.

영 제8조의 2(한센인정착농원의 범위) 법 제17조의 2 제1항 각 호 외의 부분에서 "대통령령으로 정하는 지역"이란 별표에 따른 지역을 말한다.

[본조신설 2014.1.1.] [종전 제8조의 2는 제8조의 3으로 이동 〈2014.1.1.〉]

한센정착농원에 거주하는 한센인이 취득・보유하는 그 농원안의 주거용 건축물 및 그 부속토지, 축사용 부동산 등에 대하여 취득세 등의 감면을 규정하고 있다.

한센인이 한센인 정착농원 내에서 취득하는 85제곱미터 이하의 주택, 축사용 부동산, 한센인의 재활사업에 직접 사용하기 위한 부동산에 대해 취득세를 면제(법 ①)하고, 한센인이 과세기준일 현재 소유하는 제1항의 부동산에 대해 재산세(도시지역분)와 지역자원시설세를 면제(법 ②)한다. 감면대상 한센인정착농원에 대해서는 거주목적, 거주형태 등을 고려하여 시행령에 위임하여 국내 총 85개소를 열거하고 있다. 이는 한센인정착농원이 울타리 등으로 그 경계가 명확히 구분되지 않은 경우가 많아, 그동안 한센인이 집단적으로 정착하여 거주하는 지역에 대해 논란이 있었음을 감안하여 개정한 것으로, 시행령 별표에 규정된 한센인정착농원에 거주하지 않거나, 거주하더라도 단독으로 거주하거나 그 소재지와 현저히 떨어진 지역에 거주하는 경우는 감면에서 제외하고, 한센인 감면을 위한 부동산의 범위에 대해서는 취득세 및 재산세 모두 한센인정착농원 내의 부동산으로 한정하게 되는 것이다.

◎ 한센인의 재산세 감면대상 부동산의 범위

「지방세특례제한법」 제17조의 2에서 감면대상 한센인의 거주지역에 대한 제한을 두고 있지 않고, 감면대상 부동산의 범위를 농지에 한정하지 않고 있으므로 과세기준일 현재 한센정착농원 외의 지역에서 거주하는 한센인이 한센정착농원 내의 농지 외 부동산을 소유하더라도 재산세 면제대상에 해당된다고 보아야 하나, 해당 감면규정은 자치단체별로 감면조례로 운영하던 기존 규정을 일원화하여 2012년부터 법에서 규정한 것으로 기존의 감면범위를 변경하고자 한 취지가 없었던 점, 취득세와 재산세를 동시에 감면하고 있는 점 등을 고려할 때 감면대상 부동산의 범위는 같은 조 제1항에서 규정하고 있는 부동산으로 한정하는 것으로 보아야 할 것임(지방세운영과-2304, 2012.7.19.).

◎ 한센인이 재활사업용으로 신축한 공장을 임대한 경우 추징대상에 해당됨

재활사업용에 "직접 사용"이라 함은 그 부동산의 취득자가 그 토지의 사용주체로서 자신의 목적사업에 직접 사용하기 위하여 취득하는 것을 의미한다고 할 것(지방세운영과-3714, 2011.8.3., 지방세운영과-3772, 2011.8.8. 해석 참조)이므로 귀문과 같이 한센인이 재활사업용으로 취득한 토지에 공장을 신축하여 임대하는 경우는 재할사업에 직접 사용으로 볼 수 없다고 할 것임(지방세운영과-2343, 2013.9.16.).

◎ 협회의 목적달성을 위한 부설병원도 한국○○복지협회의 기관이므로 비영리사업자의 범위에 해당된다고 한 사례

「지방세법」 제245조의 2 제1항 제1호에 공익사업을 목적으로 대통령령으로 정하는 비영리사업자는 사업소세를 부과하지 아니하고, 「지방세법」 제79조 제1항 제4호에 비영리사업의 범위 중에 ○○협회를 포함하고 있으므로 귀 문의 ○○협회의 경우 협회의 목적달성을 위한 사업을 수행한다면 부설 의원도 또한 한국○○복지협회의 기관으로 보아 비영리사업자의 범위에 해당한다고 볼 수 있을 것으로 판단됨(세정과-1994, 2004.7.9.).

제18조(한국장애인고용공단에 대한 감면)

> 법 제18조(한국장애인고용공단에 대한 감면) 「장애인고용촉진 및 직업재활법」에 따른 한국장애인고용공단이 같은 법 제43조 제2항 제1호부터 제11호까지의 사업에 직접 사용하기 위하여 취득하는 부동산(수익사업용 부동산은 제외한다)에 대해서는 취득세의 100분의 25를, 과세기준일 현재 그 사업에 직접 사용하는 부동산에 대해서는 재산세의 100분의 25를 각각 2022년 12월 31일까지 경감한다.

기업이 장애인고용을 통해 사회에 기여하도록 지원하기 위한 목적으로 설립된 한국장애인고용공단에 대해 지방세 감면을 지원하여 장애인의 안정된 생활과 완전한 사회참여 실현을 도모하기 위한 규정이다.

한국장애인고용공단이 일정 사업에 직접 사용하기 위해 취득하는 부동산(수익사업용 부동산 제외)에 대해서는 취득세를 25% 경감하고, 과세기준일 현재 직접 사용하는 부동산에 대해서는 재산세를 25% 경감하는데, 2017년부터 감면율을 축소(취득세 100%, 재산세 50% → 취득 · 재산세 25%)하였다. 감면대상 사업에 대해서는 아래 관련법을 참고하기 바란다.

〈장애인고용촉진 및 직업재활법〉

제43조(한국장애인고용공단의 설립) ② 공단은 다음 각 호의 사업을 수행한다.

1. 장애인의 고용촉진 및 직업재활에 관한 정보의 수집·분석·제공 및 조사·연구 2. 장애인에 대한 직업상담, 직업적성 검사, 직업능력 평가 등 직업지도 3. 장애인에 대한 직업적응훈련, 직업능력개발훈련, 취업알선, 취업 후 적응지도 4. 장애인 직업생활 상담원 등 전문요원의 양성·연수 5. 사업주의 장애인 고용환경 개선 및 고용 의무 이행 지원 6. 사업주와 관계 기관에 대한 직업재활 및 고용관리에 관한 기술적 사항의 지도·지원 7. 장애인의 직업적응훈련 시설, 직업능력개발훈련시설 및 장애인 표준사업장 운영 8. 장애인의 고용촉진을 위한 취업알선 기관 사이의 취업알선전산망 구축·관리, 홍보·교육 및 장애인 기능경기 대회 등 관련 사업 9. 장애인 고용촉진 및 직업재활과 관련된 공공기관 및 민간기관 사이의 업무 연계 및 지원 10. 장애인 고용에 관한 국제 협력 11. 그 밖에 장애인의 고용촉진 및 직업재활을 위하여 필요한 사업 및 고용노동부장관 또는 중앙행정기관의 장이 위탁하는 사업 12. 제1호부터 제11호까지의 사업에 딸린 사업

○ 감면 토지를 정부에 기부채납한 경우 직접 사용못하는 정당한 사유에 해당됨

장애인고용촉진 및 직업재활법에 의한 한국장애인고용촉진공단이 동법 제36조 제2항 제1호 내지 제8호의 규정에 의한 업무에 직접 사용하기 위하여 취득하는 부동산에 대하여는 취득세와 등록세를 면제하나 그 취득일로부터 1년 이내에 정당한 사유없이 그 업무에 직접 사용하지 아니하는 경우 또는 그 사용일로부터 2년 이상 그 업무에 직접 사용하지 아니하고 매각하거나 다른 용도로 사용하는 경우 그 해당부분에 대하여는 면제된 취득세 등을 추징토록 규정하고 있으므로, 한국장애인고용촉진공단이 해당 업무에 직접 사용하기 위하여 토지를 취득하여 취득세 등을 감면받은 후 그 취득일로부터 1년 이내에 정부의 지시에 의거 당해 토지를 정부에 기부채납한 경우라면 당해 업무에 직접 사용하지 아니하고 매각한 정당한 사유가 있는 것이므로 기 감면된 취득세 등이 추징되지 아니함(세정 13407－595, 2002.6.25.).

제19조(어린이집 및 유치원에 대한 감면)

법 제19조(어린이집 및 유치원에 대한 감면) ①「영유아보육법」에 따른 어린이집 및「유아교육법」에 따른 유치원(이하 이 조에서 "유치원등"이라 한다)을 설치·운영하기 위하여 취득하는 부동산에 대해서는 취득세를 2021년 12월 31일까지 면제한다. 농비

② 다음 각 호의 부동산에 대해서는 재산세(「지방세법」 제112조에 따른 부과액을 포함한다)를 2021년 12월 31일까지 면제한다.

1. 해당 부동산 소유자가 과세기준일 현재 유치원등에 직접 사용하는 부동산
2. 과세기준일 현재 유치원등에 사용하는 부동산으로서 해당 부동산 소유자와 사용자의 관계 등을 고려하여 대통령령으로 정하는 부동산 [전문개정 2011.12.31.] [제목개정 2015.12.29.]

영 제8조의 3(영유아어린이집 등에 사용하는 부동산의 범위) 법 제19조 제2항 제2호에서 "대통령령으로 정하는 부동산"이란 다음 각 호의 어느 하나에 해당하는 부동산을 말한다.

1. 해당 부동산의 소유자가 해당 부동산을 영유아어린이집 또는 유치원으로 사용하는 자(이하 "사용자"라 한다)의 배우자 또는 직계혈족으로서 그 운영에 직접 종사하는 경우의 해당 부동산
2. 해당 부동산의 사용자가 그 배우자 또는 직계혈족과 공동으로 해당 부동산을 소유하는 경우의 해당 부동산
3. 해당 부동산의 소유자가 종교단체이면서 사용자가 해당 종교단체의 대표자이거나 종교법인인 경우의 해당 부동산
4. 「영유아보육법」 제14조 제1항에 따라 사업주가 공동으로 설치·운영하는 직장어린이집 또는 같은 법 제24조 제3항에 따라 법인·단체 또는 개인에게 위탁하여 운영하는 직장어린이집의 경우 해당 부동산

어린이집 및 유치원에 대한 세제지원을 통한 기반 확충으로 취업한 부모, 맞벌이 부부 등 보호자의 양육부담을 경감하고, 출산장려 정책을 지원하기 위한 취지이다.

어린이집, 유치원(이하 "유치원 등"이라 함)을 설치·운영하기 위하여 취득하는 부동산에 대해 취득세를 100% 감면(법 ①)하는데, 취득세를 감면받기 위해서는 취득자가 곧 설치·운영자인 대표자에 해당해야 한다(조심 2011지165, 2011.5.2. 등).

과세기준일 현재 유치원 등으로 사용되는 부동산에 대해 도시지역분을 포함하여 재산세를 면제(법 ②)하는데, 제1항에서와 같이 소유자가 직접 사용하는 경우뿐 아니라, 소유자와 사용자의 관계 등을 고려하여 시행령(영 §8의 3)에서 규정한 부동산에 대해서도 동일한 감면을 적용한다. 즉, 재산세는 취득자가 설치·운영자가 아닌 경우라도 시행령에서 위임한 사항에 해당할 경우에는 감면이 가능하다. 이는 당초 재산세의 경우 과세기준일 현재 영유아어린이집 및 유치원 시설에 직접 사용하는 부동산에 대하여는 면제하도록 규정하고 있었으나, '직접 사용'에 대한 범위를 "소유자가 직접 사용하는 부동산"으로 한정할 경우 가족 등 특수관계인이 소유하는 경우까지 감면이 배제되는 경우가 있었다. 이와 같이 감면의 범위를 제한하는 것은 정부의 저출산·고령화 정책방향에 배치될 뿐 아니라, 가족간 부동산 소유관계의 특성, 가족 내부의 보육시설운영상 특수성을 고려할 때 바람직하지 않은 측면이 있었기 때문에 부부·직계존비속 공동소유의 부동산, 종교단체 소유부동산 등의 경우 소유

자가 직접 운영하지 아니하는 경우에도 재산세 감면대상에 포함하는 것으로 2012년에 명확히 한바 있다.

또한, 2018년에는 「영유아보육법」상 직장어린이집의 경우 사업주 공동 설치·운영 또는 지역의 어린이집에 위탁운영을 할 수 있도록 규정되어 있음에도 '직접 사용'의 예외 범위에 포함되지 않아 위탁운영 등의 경우 재산세 감면 대상에서 제외되는 문제가 있어, 「영유아보육법」에 따라 사업주 공동 또는 위탁운영하는 부동산이 감면대상에 포함되도록 근거를 신설(영 §8의 3)하였다. 소유자와 사용자의 관계로 재산세 면제를 인정하는 범위는 '1. 소유자가 운영에 종사하면서, 소유자의 배우자 또는 직계혈족이 사용자인 경우', 즉 내가 취득자면서 배우자가 대표자이고 그 직원으로 내가 근무하는 경우가 여기에 해당할 수 있으며, '2. 배우자 또는 직계비속과 공동소유하면서, 그 중 1인이 사용자인 경우', 즉 나와 배우자가 공동으로 취득했는데 배우자만 대표자인 경우가 해당할 수 있다. 그 외에도 '3. 소유자가 종교단체이고, 사용자가 그 종교단체의 대표자 또는 종교법인인 경우. 4. 사업주가 공동으로 설치·운영하는 직장어린이집 또는 법인·단체 또는 개인에게 위탁하여 운영하는 직장어린이집의 경우'가 있다. 네 가지 사유에 해당할 경우에는 제2항에 따른 재산세 감면만 적용되는 것이므로 제1항에 따른 취득세 감면대상은 되지 않음에 유의해야 한다.

1. 취득세 감면대상이 아니라는 사례

◎ 소유자가 대표자가 아닌 경우 취득세 감면이 아님

부동산의 소유자 및 유치원 원장이기는 하나 유치원의 대표자가 아니며 배우자와 유치원을 공동으로 경영하고 있는 것으로 인정할 수 없는 점에서 당해 유치원은 지방세법 제272조 제5항 본문상의 유치원에 직접 사용하는 부동산에 해당된다고 볼 수 없으므로, 청구인이 유치원의 대표자가 아니며 배우자와 유치원을 공동 경영하고 있는 것으로 인정되지 아니하므로 쟁점 부동산을 유치원에 직접 사용하는 부동산으로 볼 수 없음(조심 2011지165, 2011.5.2.).

◎ 어린이집으로 용도의 부동산을 취득(신축)하여 운영하던 중 남편에게 임대차계약을 체결하고 대표자를 변경하여 어린이집으로 계속 사용하더라도 추징대상

취득세 추징 규정인 지특법 제178조 제2호의 '해당 용도로 직접 사용'이란 그 부동산을 취득한 소유자가 그 부동산을 어린이집의 설치·운영의 용도로 사용하는 것(지특법 제2조 제1항 제8호는 2014.1.1. 신설되었는데, 이는 '직접 사용'의 주체가 사용자가 아닌 소유자임을 분명히 하기 위한 취지임)을 의미함. 그런데 원고가 2014.4월 신축건물을 신축하여 어린이집을 운영하다가, 2016.2월 남편에게 임대차기간 2016.2월부터 2020.2월까지로 정하여 임대하고, 2016.2월 대표자를 원고에서 남편명의로 변경하였으므로, 2년이 되기 전인 2016.2월 이후로는 이 사건 부동산을 자신이 설치·운영하는 어린이집의 용도가 아닌 다른 용도로 사용한 것으로 보아야함(대법원 2019두34968, 2019.5.30.).

◎ 명의신탁으로 수탁자에게 이전한 경우 매각으로 보아 취득세 등 추징은 적법함

2자간 명의신탁의 경우 법률상 처분권은 여전히 소유권자에게 있지만 명의수탁자가 제3자에게 부동산을 처분하는 경우 제3자는 유효하게 소유권을 취득하므로 명의수탁자 또한 사실상 부동산은 유효하게 처분할 수 있는 지위에 있어, 명의수탁자의 경우에도 취득세의 납부의무가 성립된다 할 것이므로, 이 사건 부동산이 영유아보육법에 의한 영유아보육시설을 운영하기 위하여 취득하는 부동산에 해당한다며 감면을 신청하여 취득세 및 등록세를 면제받았으나, 사용일로부터 2년 이상 당해 용도에 직접 사용하지 아니하고 매각하였다."는 이유로 「지방세법」 제272조 제5항 단서에 따른 부과 처분은 적법함(대법원 2010두10549, 2010.9.9.).

◎ 소유권이전등기소송 진행 사실만으로 정당한 사유로 볼 수 없음

이 건 토지에 대한 소유권이전등기소송이 제기된 사실을 모르는 상태에서 이 건 토지를 취득하였다하더라도 동 소송에 대한 1심법원 판결은 청구인이 이 건 토지를 취득한 날부터 1년이 경과한 후에서야 내려졌으므로 청구인은 이 건 토지 취득일부터 1년 내에 어린이집 용도에 직접 사용하는데 법령상의 장애나 행정관청의 사용금지·제한 등 외부적인 사유는 없는 것으로 보임에도 청구인은 어린이집 설립인가도 받지 아니한 채 나대지 상태로 방치하였고, 소유권이전등기소송이 제기되어 진행 중인 사실만으로는 당해용도에 직접 사용하지 못한 정당한 사유가 있었다고 보기는 어려우므로 취득세 등을 부과고지한 처분은 잘못이 없다고 판단됨(조심 2010지0295, 2011.2.14.).

◎ 유치원 설립인가를 받을 수 없는 '사단'은 감면대상이 아님

구 「지방세법」 제272조 제5항에서 취득세 및 등록세 면제대상으로 정한 '유아교육법에 의한 유치원을 설치·운영하기 위하여 취득하는 부동산'이란 유아교육법이 정한 바에 따라 적법한 유치원 설립인가를 받았거나 받을 수 있는 '법인 또는 사인'이 그 유치원을 설치·운영하기 위하여 취득하는 부동산을 의미한다 할 것임. 따라서 유아교육법에 따라 적법한 유치원 설립인가를 받을 수 없는 '법인 아닌 사단'이 유치원의 설치·운영 목적으로 취득한 부동산은 설령 그 법인 아닌 사단의 대표자 이름으로 유아교육법에 따른 유치원 설립인가를 받았다고 하더라도 구 「지방세법」 제272조 제5항의 취득세 및 등록세 면제대상에 해당하지 않음(대법원 2012두14804, 2012.10.25.).

◎ 사단의 대표자 이름으로 유치원 설립인가를 받았다고 하더라도 감면대상이 아님

유아교육법에 따라 적법한 유치원 설립인가를 받을 수 없는 '법인 아닌 사단'이 유치원의 설치·운영 목적으로 취득한 부동산은 설령 그 법인 아닌 사단의 대표자 이름으로 유아교육법

에 따른 유치원 설립인가를 받았다고 하더라도 취득세 면제대상에 해당하지 않음(대법원 2012두232, 2012.4.26.).

◎ 쟁점부동산을 취득한 청구인이 쟁점부동산을 영유아보육시설로 직접 사용(운영)하지 아니하고 다른 사람(청구인의 모친)이 사용(운영)하다가 영유아보육시설의 운영자(대표자)를 청구인으로 변경한 경우 취득세 등을 추징(가산세 적용)한 것은 적법함(조심 2011지0439, 2011.12.12.).

◎ 청구인은 청구인의 배우자와 이 건 부동산을 각 1/2 지분으로 하여 취득하였지만, 유치원의 설립은 청구인의 배우자 단독 명의로 설립인가를 받아 운영하고 있으므로 청구인은 유치원을 설치·운영하는 자로 보기는 어려움(조심 2011지0457, 2011.12.16.).

☞ 재산세는 전체 지분이 다 감면 되더라도, 취득세는 대표자의 지분까지만 감면이 가능하다. 이와 반대로 단독명의로 취득했는데 공동대표자로 인가를 받은 경우라면, 취득자가 대표자 중 1명에 해당하므로 취득세 전체를 감면한다.

2. 취득세 감면대상에 해당한다는 사례

◎ **취득 당시 예측하지 못한 주민들의 강력반대는 정당한 사유라고 한 사례**

청구인이 이 건 아파트를 취득할 당시에는 전혀 예측하지 못했던 주민들의 강력한 반대 등 외부적인 사유로 인하여 부득이 이를 매각한 것으로 보는 것이 타당하다 할 것이므로, 청구인이 영유아보육시설을 설치·운영하기 위하여 취득한 이 건 아파트를 그 사용일부터 2년 이상 당해 용도에 직접 사용하지 아니하고 매각한 데 대한 "정당한 사유"가 있는 것으로 판단됨(조심 2010지0475, 2011.3.15.).

◎ **보육시설 기준 충족을 위한 내부공사 소요기간 초과는 정당한 사유로 볼 수 있음**

쟁점아파트를 취득한 날부터 1년 이내에 가정보육시설로 사용 중이고, 현재까지 아파트 전체를 어린이집으로 사용 중인 사실, 비록 쟁점아파트를 취득한 날부터 가정보육시설 신청일까지 77일(허가일까지 130일)이 경과하였다 하더라도 이는 기존 세입자의 잔여 임대차계약기간 보장 및 보육시설 기준을 충족하기 위한 내부공사에 소요된 불가피한 기간으로 볼 수 있고, 취득당시 주택으로 사용할 의도가 없었던 것으로 보이는 점 등을 고려할 때, 보육시설용 부동산으로서의 감면요건을 충족하고 있음이 분명하고, 청구인이 취득세 등을 신고한 이후라도 감면대상임을 인지하고 청구기간 이내에 불복청구를 제기한 이상 취득세를 면제하여야 할 것으로 판단됨(조심 2010지0524, 2011.2.9.).

◎ **감면유예기간 내에 유치원 설립자변경을 하지 못하였다 하더라도 원장인 배우자와 공동으로 실질적으로 운영했다면 추징대상 아님**

일정한 자격요건을 필요로 하는 유치원업 등의 특성상 반드시 그 부동산의 소유자가 대표자로 신고하여 운영하는 것만을 감면대상으로 한정하는 것은 아니라 할 것인 바, 청구인이 이 건 부동산을 취득하기 이전부터 심판청구일 현재까지 쟁점유치원의 교직원 채용과 인사관리 등을 담당하고 있다고 쟁점유치원의 교직원들이 확인하고 있는 점 등에 비추어 청구인은 쟁점유치원의 운영에 종사하면서 배우자와 공동으로 쟁점유치원을 실제 경영하고 있는 것으로 보이므로 이 건 취득세 등을 부과한 처분은 잘못이 있음(조심 2016지0160, 2016.8.25.).

- 유치원으로 사용 중인 부동산을 상속 취득한 후 계속하여 유치원을 운영하고 있음에도 취득일부터 1년 이내에 설립자변경을 하지 아니하였다는 사유로 당해 용도에 직접 사용하지 아니하는 것으로 보아 취득세 등을 면제하지 아니하는 것은 잘못이라 할 것임(조심 2009지1056, 2010.3.18.).
- 배우자 명의로 영유아보육시설인가를 받은 후 부동산 취득일부터 1년 이내에 당해 보육시설의 대표자를 공동으로 운영하고 있는 청구인 명의로 변경하였다면 취득세 등을 추징할 수 없음(조심 2009지0768, 2009.11.24.).

3. 재산세 감면대상이 아니라는 사례

재산세 감면과 취득세 감면 요건에 차이가 있다. 취득세의 경우 유치원등을 설치·운영하기 위하여 취득하는 부동산에 대해서는 면제하므로 취득자와 설치운영자가 동일해야 한다. 그러나 재산세의 경우 소유자가 직접 사용하는 부동산으로 소유자와 사용자가 동일한 경우(1호)뿐 아니라, 다음의 경우에는 일치하지 않은 경우에도 감면 대상이 된다.

ⅰ) 부동산의 소유자가 유치원 등의 사용자(운영의 법적 책임자, 설치·운영자와 동일한 의미로 판단됨)는 아니지만 그 사용자의 배우자 또는 직계혈족으로서 그 운영에 직접 종사하는 경우라야 한다. 만약 유치원등의 운영과 무관한 직업을 가진 경우에는 감면대상이 아니다. ⅱ) 그 배우자 또는 직계혈족과 공동으로 해당 부동산을 소유하는 경우 유치원등의 운영에 참여하지 않는 그 배우자 또는 직계혈족의 소유지분도 감면 대상이다. 예를들어 부부가 공동명의로 된 부동산을 배우자 사용자로서 유치원등을 운영한다면 상대방 배우자 지분에 대해서도 유치원 운영에 관여하지 않아도 감면대상이다(2호). ⅲ) 해당 부동산의 소유자가 종교단체이면서 사용자가 해당 종교단체의 대표자이거나 종교법인인 경우의 해당 부동산은 감면 대상이다. 이는 종교단체 명의로는 유치원 등을 운영할 수 없고 그 대표자 또는 종교법인(종교단체가 소속된 모 법인)이 운영의 주체가 되어야하는 점을 고려한 것이다. ⅳ) 사업주가 공동으로 설치·운영하는 직장어린이집(위탁운영 포함)은 감면대상이다.

물론 민간건물을 임차하여 운영하는 것은 감면대상이 아니다. 아래의 사례는 현행과 같이 입법적으로 보완(2012.1.1.)되기 전의 해석상 쟁점이 되었던 사례이다.

◎ 유치원을 공동 상속받은 경우 대표자 외의 상속인 지분은 상속자가 운영에 참여하지 않는 이상 무상 여부와 관계없이 감면 배제

재산세 등을 면제하는 것은 유치원의 확충을 쉽게 하기 위한 세제적 뒷받침인 점, 그런데 유치원의 운영자가 아닌 자가 보유하는 부동산이 실제로 유치원에 사용된다 하여 재산세 등을 면제하더라도 그 효과가 직접 유치원 운영자에게까지 미친다고 볼 수 없는 점 등을 종합하면, '직접 사용하는 부동산'이란 소유자가 실질적인 운영자로서 유치원의 용도에 사용하는 부동산을 말함. 설령 원고 지분이 무상으로 유치원의 사용에 제공되고 있다 하더라도 원고가 유치원의 실질적인 운영자가 아닌 이상 구 지방세법 제272조 ⑤이나 구 지특법 제42조 ⑤이 적용될 수 없고, 재산세는 보유세로서 당해 재산을 사용·수익하였는지는 그 과세요건도 아니므로 적법함(대법원 2013두13754, 2013.10.25.).

◎ 이 건 어린이집이 2007.7.1.부터 2008.6.30.까지 휴원상태에 있는 사실이 확인되고 있는 이상, 이 건 부동산은 재산세 비과세 대상으로 규정하고 있는 비영리사업자가 그 사업에 직접 사용하는 부동산에 해당하지 아니하므로 이 건 재산세 등의 부과처분은 적법함(조심 2009지0084, 2009.7.10.).

◎ 소유자가 유치원을 설립·운영하지 아니하는 경우에는 재산세 감면대상으로 볼 수 없음

유치원에 직접 사용하는 부동산에 대하여 재산세 등을 면제하는 것은 유치원에 직접 사용하기 위한 부동산의 보유에 대하여 재산세 등을 면제함으로써 유치원의 확충을 쉽게 하기 위한 세제적 뒷받침 조치인 점, 그런데 유치원의 운영자가 아닌 자가 보유하는 부동산이 실제로 유치원에 사용된다고 하여 재산세 등을 면제하더라도 그 효과가 직접 유치원을 운영하는 자에게까지 미친다고 볼 수 없는 점 등을 종합하면, 여기서 '유치원에 직접 사용하는 부동산'이라 함은 재산세 등 과세대상인 부동산의 소유자가 유치원의 실질적인 운영자로서 과세기준일 현재 유치원의 용도에 사용하는 부동산을 말한다고 보는 것이 타당(대법원 2013두26538, 2014.3.27.)

4. 위탁운영에 따른 감면 여부

◎ 개인이 취득한 부동산을 지자체에 무상임대하고, 지자체가 그 부동산에 어린이집을 설치하고 소유자에게 관리운영을 위탁하는 경우, 취득세 감면대상 아님

서○○은 부동산을 취득하고 부동산과 일체의 시설 및 장비를 ○○구청장에게 20년간 무상임대하고, ○○구청장은 자기 예산으로 리모델링사업을 실시하여 국공립어린이집을 설치한

다음, 그 관리운영을 서○○에게 5년간 위탁하여 서○○이 그 어린이집을 운영하도록 하는 경우 …, 서○○은 「영유아보육법」 제13조 제1항에 따른 어린이집을 설치인가를 받은 사실이 없고, 시행규칙 제24조 제4항에 따라 어린이집운영을 수탁 받은 경우이므로, 서○○이 「영유아보육법」에 따른 영유아어린이집을 운영하는 것으로 볼 수 있다하더라도 영유아어린이집을 설치한 자에 해당하는 것으로 볼 수 없으므로 영유아어린이집을 설치·운영하는 경우에 해당되지 않음(지방세특례제도과-1331, 2015.5.12.).

◎ **법인명의 보육시설 허가 후 영유아보육전문기관에 위탁운영할 경우는 감면대상에 해당됨**

법인의 직장보육시설을 설치운영하기 위하여 부동산을 취득한 후 취득한 부동산을 제3자에게 임대하여 임대받은 자가 영유아보육시설을 설치운영하는 경우에는 상기 규정에 의한 취득세와 등록세의 감면대상이 되지 않는다 할 것이나, 법인의 근로자 자녀보육을 위한 직장보육시설을 설치운영하기 위하여 법인명의로 부동산 취득과 보육시설 허가를 받은 후 영유아보육전문기관에 위탁운영하는 경우라면 상기 규정에 의한 취득세와 등록세의 면제대상이 되는 것으로 판단됨(지방세정팀-5511, 2006.11.9.).

◎ **위탁운영 신청을 통해 수탁자로 지정받아 어린이집으로 운영시 감면대상에 해당됨**

○○교회가 당해 영유아보육시설 부동산을 소유하고 있고, 「영유아보육법」 관련규정에 따라 영유아보육시설 위탁운영 신청을 통해 수탁자로 지정받아 실제 어린이집을 운영하고 있다면, 비록 구청으로부터 당해 부동산에 대해 영유아보육시설 사용대가를 받더라도, 「지방세법」상 수익분에 대한 별도의 규정이 없고, 운영주체(○○교회)가 당해 부동산을 어린이집으로 직접 사용하고 있는 한 감면대상(지방세운영과-5459, 2009.12.24.)

5. 주민세[사업소분(「지방세법」 §81 ① 2)] 감면

◎ **종교단체가 운영하는 유치원의 경우 주민세[사업소분(「지방세법」 §81 ① 2)] 감면대상에 해당됨**

주민세 재산분의 감면대상은 '해당 단체' 즉 종교를 목적으로 하는 단체이고, 그 단체가 사업주로서 사용하고 있는 사업소라면 감면요건을 충족한 것이라 할 것이고, 「법인세법」 제3조 및 「법인세법 시행령」 제2조 제1항 제3호에서는 교육서비스업 중 「유아교육법」에 따른 유치원을 경영하는 사업을 수익사업의 범위에서 제외하도록 규정하고 있으므로 종교를 목적으로 하는 단체가 사업주로서 유치원으로 사용하는 사업소인 경우에는 「지방세특례제한법」 제50조 제3항의 주민세 재산분 면제 대상으로 보는 것이 타당함(지방세특례제도과-3175, 2015.11.17.).

제19조의 2(아동복지시설에 대한 감면)

> **법** 제19조의 2(아동복지시설에 대한 감면) 「아동복지법」 제52조 제1항 제8호에 따른 지역아동센터를 설치·운영하기 위하여 취득하는 부동산에 대해서는 취득세를, 과세기준일 현재 지역아동센터로 직접 사용하는 부동산에 대해서는 재산세(「지방세법」 제112조에 따른 부과액을 포함한다)를 각각 2023년 12월 31일까지 면제한다. [본조신설 2017.12.26.]

지역아동센터는 지역사회 아동의 보호·교육, 건전한 놀이와 오락의 제공 등을 제공하는데 재정여건이 불안정하고, 이용 아동 수가 증가하고 있어 이에 대한 세제지원을 규정하고 있다.

2018년 신설된 규정으로 지역아동센터를 설치·운영하기 위해 취득하는 부동산에 대해 취득세를 면제하고, 과세기준일 현재 지역아동센터로 직접 사용하는 부동산에 대해서는 재산세(도시지역분 포함)를 면제하되, 제177조의 2에 따른 최소납부세제는 적용한다.

제20조(노인복지시설에 대한 감면)

> **법** 제20조(노인복지시설에 대한 감면) 「노인복지법」 제31조에 따른 노인복지시설을 설치·운영하기 위하여 취득하는 부동산에 대해서는 다음 각 호에서 정하는 바에 따라 지방세를 2023년 12월 31일까지 감면한다. 감면분만 농비
>
> 1. 대통령령으로 정하는 무료 노인복지시설에 사용하기 위하여 취득하는 부동산에 대해서는 취득세를 면제하고, 과세기준일 현재 노인복지시설에 직접 사용(종교단체의 경우 해당 부동산의 소유자가 아닌 그 대표자 또는 종교법인이 해당 부동산을 노인복지시설로 사용하는 경우를 포함한다. 이하 이 조에서 같다)하는 부동산에 대해서는 재산세의 100분의 50을 경감한다. 다만, 노인의 여가선용을 위하여 과세기준일 현재 경로당으로 사용하는 부동산(부대시설을 포함한다)에 대해서는 재산세(「지방세법」 제112조에 따른 부과액을 포함한다) 및 같은 법 제146조 제2항에 따른 지역자원시설세를 각각 면제한다.
> 2. 제1호 외의 노인복지시설에 사용하기 위하여 취득하는 부동산에 대해서는 취득세의 100분의 25를 경감하고, 과세기준일 현재 제1호 외의 노인복지시설에 직접 사용하는 부동산에 대해서는 재산세의 100분의 25를 경감한다.
>
> **영** 제8조의 4(무료 노인복지시설의 범위) 법 제20조 제1호에서 "대통령령으로 정하는 무료 노인복지시설"이란 「노인복지법」 제31조에 따른 노인여가복지시설·노인보호전문기관·노인일자리지원기관·노인주거복지시설·노인의료복지시설 또는 재가노인복지시설로서 다음 각 호의 어느

하나에 해당하는 시설을 말한다.

1. 입소자의 입소비용(이용비용을 포함한다)을 국가 또는 지방자치단체가 전액 부담하는 시설
2. 노인복지시설 이용자 중 「노인장기요양보험법」에 따른 재가급여 또는 시설급여를 지급받는 사람과 「국민기초생활 보장법」 제7조 제1항 제1호부터 제3호까지의 규정에 따른 급여를 지급받는 사람이 연평균 입소 인원의 100분의 80 이상인 시설로서 행정안전부령으로 정하는 기준에 적합한 시설 [본조신설 2015.12.31.]

규칙 제2조의 3(연평균 입소 인원의 계산) 영 제8조의 4 제2호에서 "행정안전부령으로 정하는 기준"이란 다음의 계산식에 따라 계산한 연평균 입소 인원 비율이 100분의 80 이상인 경우를 말한다.

$$(\text{연평균 입소 인원 비율}) = \frac{(A+B+C)}{(A+B+C+D)}$$

A : 「국민기초생활 보장법」 제7조 제1호부터 제3호에 따른 급여를 지급받는 사람의 입소일수의 합

B : 「노인장기요양보험법」에 따른 급여를 지급받는 사람의 입소일수의 합

C : 무료로 입소한 사람의 입소일수의 합

D : 「국민기초생활 보장법」 제7조 제1호부터 제3호에 따른 급여를 지급받는 사람과 「노인장기요양보험법」에 따른 급여를 지급받는 사람 및 무료로 입소한 사람을 제외한 사람의 입소일수의 합

[본조신설 2015.12.31.]

고령화시대의 대비 등 노인복지시설을 설치 · 운영하기 위하여 취득하는 부동산에 대한 세제지원을 규정하고 있다.

「노인복지법」 제31조에 따른 노인복지시설의 설치 · 운영을 위해 취득하는 부동산에 대해서는 취득세와 재산세를 감면하는데, 노인복지시설의 소유자가 종교단체일 경우에는 소유자가 아닌 그 대표자나 종교법인이 노인복지시설로 사용하는 경우를 포함한다. 종교단체의 특성상 부동산의 소유자와 사용자가 일치하지 않는 경우가 많은데 그 특성을 반영하여 소유자는 교회인데 운영자는 담임목사나 소속 재단인 경우에도 직접 사용으로 보아 감면을 인정하겠다는 취지이다.

먼저, 무료 노인복지시설에 사용하기 위해 취득하는 부동산은 취득세를 면제하고, 과세기준일 현재 직접 사용하는 부동산은 재산세를 50% 감면하는데, 경로당의 경우에는 도시지역분을 포함한 재산세와 지역자원시설세를 면제한다. 여기서 무료 노인복지시설이라 함은 노인여가복지시설 · 노인보호전문기관 · 노인일자리지원기관 · 노인주거복지시설 · 노인의료복지시설 또는 재가노인복지시설로서 입소자의 입소비용을 국가 · 지자체가 전액 부담하는 시설 등을 말한다. 2014년 법 개정시, 시행령으로 노인복지시설 구분기준에 따라 감면율을 차등 적용하도록 하였으나 시행령 미개정으로 운영상 혼란이 있었다. 2016년 무료 노인복지 시설의 범위를 신설(영 §8의 4 신설)하면서 법에서 위임한 무료노인복지시설에 대한

범위를 노인복지법에서 규정하는 노인복지시설에 따라 구분하였는데, 대부분 시설은 무료시설로 보아 높은 감면율을 적용하되, 개인의 자기 부담이 지나치게 높은 시설(고급 양로시설 및 실버타운)의 경우 무료노인복지시설로 보기 어렵다.

다음으로 무료 외 노인복지시설에 사용하기 위해 취득하는 부동산은 취득세를 25% 감면하고, 과세기준일 현재 직접 사용하는 부동산에 대해서는 재산세를 25% 감면한다.

2014.1.1. '직접 사용'에 대한 정의규정이 신설(지방세특례제한법 제2조 제8호)되면서, 이 규정에서 '직접 사용'이라 함은 원칙적으로 해당 부동산의 소유자(노인복지시설 운영자)가 직접 해당 목적사업에 사용하는 경우를 의미한다고 볼 수 있다. 다만, 종교단체가 운영하는 노인복지시설의 감면에 대해서는 직접 사용의 범위가 다소 완화되어 적용된다. 예를 들어 종교단체가 교회명의의 부동산으로 노인복지시설 사업을 수행함에 있어 교회가 소속된 재단 명의로 노인복지시설을 설치·신고하여 운영하는 경우 소유자와 사용자가 상이하지만 직접 사용의 범위에 포함된다고 볼 수 있다. 즉, 종교단체가 노인복지시설, 사회복지사업 등을 영위하는 경우가 많은데, 종교단체의 특성상 부동산의 소유자와 사용자가 일치하지 아니하는 경우(예, 소유자는 교회, 운영자는 담임목사 또는 소속 재단)가 있을 수 있는 바, 이 경우에도 직접 사용의 범위에 포함하는 것으로 볼 수 있다. 그러나 종교단체가 단순히 제3자의 부동산을 해당 목적사업에 사용하는 경우는 직접 사용으로 볼 수 없을 것이다.

한편, 감면대상 노인복지시설에 해당하기 위해서는 「노인복지법」 제31조에서 열거한 시설에 해당하여야 한다는 점에 유의해야 한다. 일례로 노인요양병원의 경우 「노인복지법」 제31조에 따른 노인의료복지시설이 아닌 의료법에 적용을 받아 감면대상이 아니다.

〈노인복지법〉

제31조(노인복지시설의 종류) 노인복지시설의 종류는 다음 각 호와 같다.

1. 노인주거복지시설 2. 노인의료복지시설 3. 노인여가복지시설 4. 재가노인복지시설
5. 노인보호전문기관 6. 노인일자리지원기관 7. 학대피해노인 전용쉼터

1. 노인복지시설 해당 여부

◎ 장기요양급여수급자가 아닌 사람이 있는 등 무료노인복지시설로 볼 수 없다는 사례

'무료'의 사전적 의미, 구 지방세특례제한법 제20조 제1호의 입법 취지, 구 노인복지법(2007.8.3. 개정 전) 제34조 제1항의 규정 내용 등에 비추어 보면, 취득세 등 면제요건인 '무

료 노인복지시설'이라고 함은, ① 해당 노인복지시설의 입소비용(이용비용 포함)을 국가 또는 지방자치단체가 전액 부담하는 노인복지시설이거나 ② 해당 노인복지시설의 입소자 전부가 장기요양급여수급자이거나 위와 같이 비용을 부담하지 않는 노인들로서 그 중 장기요양급여수급자는 통상적인 실비 범위 내의 비급여대상 비용과 본인부담금만을 지급하면 되는 노인복지시설을 의미한다고 봄(대법원 2017두73945, 2018.3.15.).

◎ 감면대상은 노인복지법에 따라 적법하게 설치된 노인복지시설인 경우로 한정함

노인복지법 제35조 및 제40조에서는 국가 또는 지방자치단체외의 자가 노인의료복지시설을 설치하고자 하는 경우 및 설치신고사항 중 변경사항이 있는 경우에는 시장·군수·구청장에게 신고하여야 하도록 그 설치신고와 변경신고에 대한 의무규정을 두고 있음(보건복지부에서도 노인복지법에 따라 설치신고 되지 않은 경우는 해당 법상의 노인복지시설로 보지 아니함). 지특법 제20조에 따른 감면대상은 노인복지법에서 정한 절차에 따라 적법하게 설치된 노인복지시설인 경우에 한해 적용(지방세특례제도과-159, 2016.1.21.)

◎ 노인복지주택을 분양받아 취득한 경우 지방세 감면대상에 해당되지 않음

지특법 제20조에 따른 감면 대상자는 '노인복지시설을 설치·운영하는 자' 즉 노인복지주택을 분양하거나 임대하는 자라 할 것이고, 그 노인복지주택에 입소하기 위하여 분양받은 자는 감면 대상자에 해당되지 아니함(지방세특례제도과-2727, 2015.10.6.).

◎ 장기요양급여를 수령하여 운영하는 시설인 경우 무료노인복지시설이라고 봄이 타당함

구 「노인복지법」 제34조는 노인의료복지시설의 명칭에서 유료의 경우 "입소시켜 급식·요양 등 편의 제공에 따른 소요비용 일체를 입소자로부터 수납하여 운영하는 시설"로 유료와 무료를 명확하게 구분하였으나, 2007.8.3. 법률 제8608호로 노인복지법이 개정(2008.4.4. 시행)되면서 시설 명칭상으로는 노인의료복지시설이 노인요양시설과 노인요양공동생활가정으로 구분될 뿐 유·무료의 명칭 구분이 없어졌으나, 시행규칙(§18 ①, §19의 2)에서 "입소자로부터 입소비용의 전부를 수납하여 운영하는 노인요양시설 또는 노인요양공동생활가정의 경우로서 60세 이상의 자의 경우 입소자 본인이 전액 부담한다"라고 유료의 개념을 규정하고 있는 바, 귀문과 같이 「노인장기요양보험법」에 따라 입소자가 장기요양급여수급자로 구성되어서 장기요양급여를 수령(당해 장기요양급여비용의 20%만 본인이 부담)하여 운영하는 시설인 경우라면 무료 노인복지시설이라고 봄이 타당함(지방세운영과-4133, 2010.9.7.).

2. 정당한 사유 해당 여부

◎ 정상적인 노력을 다하였음에도 시간적 여유가 없어 유예기간 경과는 정당한 사유에 해당

기존 건축물 취득일로부터 1년 이내에 용도변경공사에 착수한 점, 용도변경공사(바닥면적

100㎡ 이상)도 건축공사와 같이 시장·군수·구청장으로부터 허가 및 사용검사를 받아야 하는 점, 특히 이 민원 건축물의 경우 그 규모가 대형(연면적 8,116㎡)이여서 공사기간이 1년간(2009.11.2.~2010.11.2.)이나 지속되었던 점 등을 종합하여 볼 때, 취득일부터 1년 이내에 착수한 위 용도변경공사가 장기간 소요되어 당해 용도로 사용하기 위해 정상적인 노력을 다하였음에도 시간적 여유가 없어 유예기간 1년을 넘긴 경우라면 당해 노인복지시설에 직접 사용하지 못한 정당한 사유에 해당(대법원 97누5121)한다고 봄(지방세운영과-3079, 2010.7.19.).

◎ **사회복지법인이 취득한 노인복지시설을 사용일로부터 2년 이내 매각한 정당한 사유가 있음**

사회복지법인(○○회)이 법인정관상 목적사업인 아동복지사업과 노인복지사업을 운영하던 중 취득일부터 2년 이내에 노인복지시설로 사용하던 부동산을 같은 재단 내에 별도 설립한 사회복지법인(○○효도마을)에게 증여하여 계속 노인복지시설로 사용하는 경우라면 이는 그 사용일부터 2년 이상 그 용도에 직접 사용하지 아니하고 매각(증여)한 정당한 사유가 있으므로(심사결정 2004-90호, 2004.4.26.) 취득세는 추징대상이 아님(세정-1124, 2006.3.20.)

◎ **건축허가를 받는 데에 1년의 기간이 소요된 사정 등을 고려하여 정당한 사유 인정한 사례**

노인요양시설의 설치 예정지와 규모에 비추어 노인요양시설의 착공 준비에 상당한 기간이 필요할 것으로 보이고, 원고가 노인요양시설의 착공을 방치하고 있었다고 보기는 부족하며, 노인요양시설의 신축에 필요한 부지의 취득부터 그 착공과 완공에 이르는 일련의 과정, 특히 피고로부터 건축허가를 받는 데에 1년의 기간이 소요된 사정 등을 전체적으로 파악할 때, 원고가 위 부동산 취득 간주일부터 유예기간 1년 내에 이 사건 요양시설의 착공에 이르지 못한 데에 정당한 사유가 있음(대법원 2013두18582, 2014.2.13.).

◎ **법령변경(노인복지주택 입소자격 제한 등)을 정당한 사유로 인정한 사례**

노인복지시설 건축허가(2006.6.28.)를 받아 노인복지주택 입주자모집공고 승인(2007.5.10.)을 받을 당시에는 「노인복지법」상 유료노인복지주택에 대한 양도(매매·증여나 그 밖에 소유권변동을 수반하는 일체의 행위를 포함), 임대 및 입소자격 등에 대한 제한이 없었으나, 2007.8.3. 「노인복지법」 제33조의 2의 신설로 인하여 노인복지주택에 대한 입소자격 등이 제한됨에 따라 수분양자들의 입소지연 및 분양·임대 저조 등으로 청구법인이 이 건 부동산을 유예기간 내 노인복지시설에 직접 사용하지 못한 사정이 인정됨(조심 2011지0721, 2012.4.16.).

◎ **공익재단에 임대한 사유만으로는 추징사유에 해당되지 아니함**

원고는 보험업 이외의 업무를 영위하지 못하도록 정하고 있는 보험업법상의 제한 때문에 건물 등을 ○○공익재단에 임대하는 형식으로 본래의 목적인 노인복지시설에 사용하고자 한 사실, 임대차계약상 임차인인 ○○공익재단은 원고의 사전 동의가 없는 한 노인복지 및 부대사업 목적으로만 사용할 수 있는 사실, 건물 등을 포함한 '○○노블카운티'가 실제로 노인복지시설로 운영되고 있는 사실, 신 조례 제9조 단서가 추징사유의 하나로 들고 있는 '직접 사용'의 의미는 당해 재산의 용도가 직접 그 본래의 업무에 사용하는 것이면 충분하고, 그 사용의 방법이 원고 스스로 그와 같은 용도에 제공하거나 혹은 제3자에게 임대 또는 위탁하여 그와 같은 용도에 제공하는지 여부는 가리지 않는다고 할 것이므로(대법원 84누297, 1984.7.24. 등), 건물 등을 취득한 후 ○○공익재단에 임대한 것만으로는 위 추징사유에 해당하지 아니함(대법원 2008두15039, 2011.1.27.).

제21조(청소년단체 등에 대한 감면)

법 제21조(청소년단체 등에 대한 감면) ① 다음 각 호의 법인 또는 단체가 그 고유업무에 직접 사용하기 위하여 취득하는 부동산(임대용 부동산은 제외한다)에 대해서는 취득세의 100분의 75를 2023년 12월 31일까지 경감하고, 과세기준일 현재 그 고유업무에 직접 사용하는 부동산에 대해서는 재산세를 각각 2023년 12월 31일까지 면제한다. 농비

1. 「스카우트활동 육성에 관한 법률」에 따른 스카우트주관단체
2. 「한국청소년연맹 육성에 관한 법률」에 따른 한국청소년연맹
3. 「한국해양소년단연맹 육성에 관한 법률」에 따른 한국해양소년단연맹
4. 제1호부터 제3호까지의 단체 등과 유사한 청소년단체로서 대통령령으로 정하는 단체

② 「청소년활동 진흥법」에 따라 청소년수련시설의 설치허가를 받은 비영리법인이 청소년수련시설을 설치하기 위하여 취득하는 부동산에 대해서는 취득세를 2023년 12월 31일까지 면제하고, 과세기준일 현재 그 시설에 직접 사용하는 부동산에 대해서는 재산세의 100분의 50을 2023년 12월 31일까지 경감한다.

영 제9조(청소년단체의 범위) 법 제21조 제1항 제4호에서 "대통령령으로 정하는 단체"란 다음 각 호의 어느 하나에 해당하는 청소년단체를 말한다.

1. 정부로부터 허가 또는 인가를 받거나 「민법」 외의 법률에 따라 설립되거나 그 적용을 받는 청소년단체　2. 행정안전부장관이 여성가족부장관과 협의하여 고시하는 단체

스카우트주관단체, 한국청소년연맹, 한국해양소년단연맹 등이 그 고유업무에 직접 사용하기 위하여 취득·보유하는 부동산과 청소년수련시설을 설치하기 위하여 취득·보유하는 부동산에 대한 세제지원을 규정하고 있다.

청소년단체가 고유업무(임대용 제외)에 직접 사용하기 위해 취득하는 부동산에 대해서는 취득세를 75% 감면하고, 재산세를 면제(법 ①)하는데, 여기서 청소년단체란 스카우트주관단체, 한국청소년연맹, 한국해양소년단연맹, 정부로부터 인허가를 받거나 「민법」 외의 법률에 따라 설립한 청소년단체를 말한다.

청소년수련시설의 설치허가를 받은 비영리법인이 청소년수련시설을 설치하기 위하여 취득하는 부동산에 대해 취득세를 면제하고, 재산세를 50% 감면(법 ②)한다.

◎ 비영리법인이 비인가 대안학교를 운영하는 경우 청소년단체 등에 대한 감면 적용대상

A재단은 청소년육성사업, 청소년문화사업 등을 동 재단의 주요사업에 포함하여 관계 중앙행정기관으로부터 허가를 받아 설립되었고, 「청소년기본법」 제40조에 따른 '한국청소년단체협의회' 창립때부터 회원으로 가입하여 참여해오고 있으며, A재단이 운영하는 대안학교는 「청소년기본법」에 따른 수련활동, 교육활동, 문화활동 등 다양한 형태의 청소년 활동을 편성 · 운영 … 위와 같은 청소년 활동을 주된 목적사업으로 하고 있고, 해당 부동산이 동 청소년 활동에 직접 사용하기 위하여 취득한 경우라면 감면대상임(행안부 지방세특례제도과-772, 2019.3.11.).

◎ 학교형태의 교육시설인 대안학교은 청소년 단체에 해당하지 아니함

해당 법인의 경우 「초 · 중등교육법」에서 규정하고 있는 각종 학교 중 하나인 대안학교를 직접 운영하고자 부동산을 취득한 것으로 확인되고 있는 바, 학교형태의 교육시설인 대안학교를 운영하고 있고 스카우트주관단체 등과 유사한 업무를 하고 있지 아니하므로 청소년단체에 해당되는 것으로 보기 어렵다 사료됨(지방세특례제도과-95, 2015.1.13.).

◎ 청소년단체 이사장의 사택(주거용)으로 사용하는 경우 "그 사업에 사용"으로 볼 수 없음

청소년단체가 당해 부동산을 "그 사업에 사용"한다고 함은 현실적으로 당해 부동산의 사용용도가 청소년단체의 고유업무 자체에 직접 사용되는 것을 뜻하고, "그 고유업무에 사용"의 범위는 당해 청소년단체의 사업목적과 취득목적을 고려하여 그 실제의 사용관계를 기준으로 객관적으로 판단되어야 할 것으로, 처분청 담당공무원의 1 · 2차 출장복명서에 의하여 쟁점부동산 중 2층은 제3자에게 임대하여 주거용으로 사용토록 하고 있고, 3층은 청구법인의 이사장이 사택(주거용)으로 사용하고 있음이 확인되고 있는 이상, 이를 청구법인의 고유업무에 직접 사용하였다고 보기는 어렵다 하겠으므로 처분청이 이 사건 재산세 등을 청구법인에게 부과고지한 것은 적법함(조심 2009지0180, 2009.9.28.).

제22조(사회복지법인등에 대한 감면) 제1항 [취득세 감면]

> **법** 제22조(사회복지법인등에 대한 감면) ① 「사회복지사업법」 제2조 제1호에 따른 사회복지사업(이하 이 조에서 "사회복지사업"이라 한다)을 목적으로 하는 법인 또는 단체로서 지원대상 및 공익성 등을 고려하여 대통령령으로 정하는 법인 또는 단체(이하 이 조에서 "사회복지법인등"이

라 한다)가 해당 사회복지사업에 직접 사용하기 위하여 취득하는 부동산에 대해서는 취득세를 2022년 12월 31일까지 면제한다. 다만, 다음 각 호의 어느 하나에 해당하는 경우 그 해당 부분에 대해서는 면제된 취득세를 추징한다. 농비

1. 해당 부동산을 취득한 날부터 5년 이내에 수익사업에 사용하는 경우
2. 정당한 사유 없이 그 취득일부터 3년이 경과할 때까지 해당 용도로 직접 사용하지 아니하는 경우
3. 해당 용도로 직접 사용한 기간이 2년 미만인 상태에서 매각·증여하거나 다른 용도로 사용하는 경우

영 제10조(사회복지법인등의 면제대상 사업의 범위 등) ① 법 제22조 제1항 각 호 외의 부분 본문에서 "대통령령으로 정하는 법인 또는 단체"란 다음 각 호의 어느 하나에 해당하는 법인 또는 단체를 말한다.

1. 「사회복지사업법」 제2조 제3호에 따른 사회복지법인
2. 「사회복지사업법」 제2조 제4호에 따른 사회복지시설로서 「노인복지법」 제32조 제1항 제1호에 따른 양로시설(입소자의 입소 및 이용에 대한 비용이 없거나 입소 및 이용에 대한 비용을 국가 또는 지방자치단체가 전액 부담하는 시설로 한정한다), 「아동복지법」 제52조 제1항 제1호에 따른 아동양육시설, 「한부모가족지원법」 제19조 제1항 제1호부터 제3호까지의 규정에 따른 모자가족복지시설·부자가족복지시설·미혼모자가족복지시설 또는 한센병요양시설을 직접 설치·운영하는 법인 또는 단체. 이 경우 법인은 「민법」 제32조에 따라 설립된 비영리법인으로 한정하고, 단체는 법인이 아닌 사단, 재단, 그 밖의 단체로서 다음 각 목의 요건을 모두 갖춘 단체로 한정한다.
   가. 단체의 조직과 운영에 관한 규정(規程)을 가지고 대표자나 관리인을 선임하고 있을 것
   나. 단체 자신의 계산과 명의로 수익과 재산을 독립적으로 소유·관리할 것
   다. 단체의 수익을 구성원에게 분배하지 않을 것
3. 사단법인 한국한센복지협회

복지법인과 양로원, 보육원, 모자원, 한센병자 치료보호시설 등 사회복지사업을 목적으로 하는 단체 및 한국한센복지협회 등의 세제지원에 대하여 규정하고 있다.

「사회복지사업법」 제2조 제1호에 따른 사회복지사업을 목적으로 하는 법인 또는 단체(이하 "사회복지법인등")가 해당 복지사업에 직접 사용하기 위해 취득하는 부동산에 대해서는 취득세를 면제(법 ①)한다.

여기서 법인 또는 단체란, 1) 사회복지사업법에 따른 사회복지법인, 2) 무료 양로시설, 아동 양육시설, 모자·부자·한부모가족복지시설, 한센병요양시설을 직접 설치·운영하는 비영리법인 또는 단체(단체의 경우 그 규정 및 대표자·관리인이 있을 것, 단체재산을 독립적으로 소유·관리할 것, 수익을 구성원에게 배분하지 않을 것의 요건을 모두 갖추어야 함), 3) 사단법인 한국한센복지협회를 말한다. 유의할 사항은 2)의 비영리법인 또는 단체는 사회복지사업 모두가 감면대상이 되는게 아니라, 시행령에서 열거한 무료 양로시설, 아동

양육시설, 모자 등 가족복지시설, 한센병요양시설에 한하여만 감면이 적용된다는 점이다.

그 연혁을 살펴보면, 2015년 사회복지사업을 목적으로 하는 단체의 인정 요건을 명확히 하였는데, 사회복지사업을 목적으로 설립한 단체의 경우 정관, 대표자 여부, 단체의 계산, 수익 분배여부 등을 확인 후 감면을 적용하되, 신규 단체의 경우 부동산 취득 당시에는 단체의 계산(영 ① 2호 가목), 수익(영 ① 2호 나목) 등의 감면요건이 발생하지 않을 수도 있다. 따라서 영 제10조 제1항 제2호 각목의 요건을 준수한 것으로 보고 먼저 감면을 적용한 후에 사후관리(법 ① 단서)를 통해 개정된 감면요건의 준수 여부를 확인해야 한다. 또한, 2020년에 시행령을 개정하여 비영리법인 또는 단체의 감면대상사업 범위를 명확화(대법원 2012두24276, 2013.2.14.)하는 조치를 하였다.

한편 취득일부터 5년 이내 수익사업에 사용하거나, 정당한 사유없이 취득일부터 3년이 경과할 때까지 직접 사용하지 않을 경우, 직접 사용한 기간이 2년 미만 상태에서 매각·증여하거나 타용도로 사용하는 경우에는 해당부분에 대해 면제받은 취득세를 추징한다. 사회복지법인이 수익사업에 사용하는 경우에는 면제된 취득세를 추징하도록 규정되어 있었으나 추징유예기간이 명시되어 있지 않아 언제든 추징이 가능하다는 해석 등 혼선이 있어, 2017년 개정을 통해 취득한 날부터 5년 이내 수익사업에 사용하는 경우에만 추징하도록 개선하였다.

| 2020년 개정, 사회복지법인 등 면제대상 명확화 |

개정 전	개정 후
사회복지법인	사회복지법인(사회복지사업법 §2)
사회복지사업 목적 단체	사회복지시설(사회복지사업법 §2)을 직접 설치·운영하는 법인·단체
양로원	양로시설(노인복지법 §32 ① 1) ※ 국가·지자체 전액 부담시설* 限
보육원	아동양육시설(아동복지법 §52 ① 1)
모자원	모자·부자·미혼모자가족복지시설(한부모가족법 §19 ① 1~3)
한센병자 치료보호시설	한센병 요양시설(사회복지사업법시행령 §18의 3)
한국한센복지협회	사단법인 한국한센복지협회
해당 사업, 그 사업	해당 사회복지사업, 그 사회복지사업(사회복지사업법 §2)

* 사회복지법인 및 한국한센복지협회는 관련 사회복지사업 전부 면제, 비영리법인·단체는 특정 사회복지시설을 직접 설치·운영하는 경우에 면제

| 참고 _ 사회복지시설의 종류 |

대상	유형	세부유형
노인	노인주거 복지시설	양로시설
		노인공동생활가정
		노인복지주택
	노인의료 복지시설	노인요양시설
		노인요양공동생활가정
	노인여가 복지시설	노인복지관
		경로당
		노인교실
	노인보호 전문기관	노인보호전문기관
	재가노인 복지시설	재가노인복지시설
	노인일자리 지원기관	노인일자리지원기관
	학대피해노인 전용쉼터	학대피해노인전용쉼터
아동	아동복지시설	아동양육시설
		아동일시보호시설
		아동보호치료시설
		공동생활가정
		자립지원시설
		아동상담소
		아동전용시설
		지역아동센터
		아동보호전문기관
		가정위탁지원센터
		아동권리보장원
한부모 가족	한부모가족 복지시설	모자가족복지시설
		부자가족복지시설

대상	유형	세부유형
장애인	장애인 거주시설	장애유형별거주시설
		중증장애인거주시설
		장애영유아거주시설
		장애인단기거주시설
		장애인공동생활가정
	장애인지역 사회 재활시설	장애인복지관
		장애인주간보호시설
		장애인체육시설
		장애인수련시설
		장애인생활이동지원센터
		한국수어통역센터
		점자도서관
		점자도서·녹음서출판시설
		장애인재활치료시설
	장애인직업 재활시설	장애인보호작업장
		장애인근로사업장
		장애인직업적응훈련시설
	장애인의료 재활시설	장애인의료재활시설
	장애인생산품 판매시설	장애인생산품판매시설
청소년	청소년 복지시설	청소년쉼터
		청소년자립지원관
		청소년치료재활센터
		청소년회복지원시설
정신 보건	정신요양시설	정신요양시설
	정신재활시설	생활, 재활훈련시설 등

대상	유형	세부유형	대상	유형	세부유형
		미혼모자가족복지시설	일반	일반사회 복지시설	사회복지관
		일시지원복지시설	기타	다문화가족 복지시설	다문화가족지원센터
		한부모가족복지상담소		저소득자활시설	지역자활센터
결핵 한센인	결핵한센시설	결핵요양시설		노숙인복지시설	일시보호, 자활시설 등
		한센병요양시설		그외법률	성폭력피해자보호시설 등

◎ '양로원 · 보육원 · 모자원 · 한센병자 치료보호시설 등'은 예시가 아닌 한정한 것임

조세감면의 특혜를 주어 공익사업을 장려하면서도 그 구체적 대상을 명확히 하여 무분별한 면세 혜택에 따른 세원 감축을 방지하고 일반 납세자와의 조세공평 또한 유지하려는 데에 그 입법목적이 있다고 할 것임. 따라서 지방세법 시행령 제79조 제1항 제4호 등에서 말하는 '양로원 · 보육원 · 모자원 · 한센병자 치료보호시설 등 사회복지사업을 목적으로 하는 단체'는 위에서 열거된 사회복지시설을 직접 운영하는 단체로 한정된다고 해석함이 상당하고, 원고가 위에서 열거된 사회복지시설을 직접 운영하는 단체가 아닌 이상 지방세 비과세요건을 충족하였다고 보기 어려움(대법원 2012두24276, 2013.2.14.).

◎ 보육아동 등의 실습지 및 체험학습장 등의 사회복지사업 감면 부동산 해당 여부 기준

사회복지법인이 사회복지사업에 사용할 목적으로 농지(보육아동 등의 실습지 및 체험학습장 등)를 취득하는 경우로서 「사회복지사업법」에 따른 사회복지사업의 경우 사회복지시설 설치뿐만 아니라 사회복지사업의 지원 등 그 범위가 광범위하므로 위 규정 취득세 면제대상 여부를 오로지 사회복지시설 설치 여부로만 판단할 것은 아니라 할 것이고, 당해 사회복지법인의 사업목적과 취득목적을 고려하여 그 실제의 사용관계를 기준으로 객관적으로 판단되어야 할 것(대법원 2001두878, 2002.10.11.)이므로, 취득 농지와 당해 사회복지시설과의 접근성, 사회복지시설 수용자들의 이용 빈도나 이용자 비율 등을 종합적으로 고려하여 판단함이 타당하다고 할 것임(지방세운영과-3439, 2012.10.29.).

◎ 사회복지법인등이 아닌 자가 취득한 경우에는 사회복지시설로 이용하고 있더라도 감면 제외

청구인이 이 건 부동산을 취득하여 지적장애인을 위한 장애인복지시설로 이용하고 있다고 하더라도, 청구인은 「사회복지사업법」에 따라 설립된 사회복지법인 내지는 사회복지사업을 목적으로 하는 단체가 아니라 자연인에 불과할 뿐만 아니라 이 건 부동산을 단체의 명의로 독립적으로 소유하거나 관리하고 있다고 보기도 어려우므로 청구인이 감면요건을 충족하지

못한 것으로 보아 경정청구를 거부한 처분은 잘못이 없음(조심 2016지1287, 2017.1.17.).

◎ 비영리법인인 사회복지법인이 취득한 토지를 3년의 유예기간 내에 그 사업 또는 고유업무에 사용하지 못한 데 정당한 사유가 없다고 한 사례

비영리법인인 사회복지법인이 유료 양로시설을 건축하기 위하여 건축법 및 도시계획법에 의한 건축허가, 형질변경허가 등의 신청절차를 통하지 아니한 채 도시계획시설결정승인신청이라는 절차를 택한 것은 법령상의 장애사유가 있음을 알고 있었기 때문에 이를 피하기 위한 방편이었고, 이와 같은 승인신청은 형질변경허가 등에 관한 법령상 제한사유를 해소시킬 수 있는 유효한 수단이 될 수 없어 위 과세대상 토지를 3년의 유예기간 내에 그 사업 또는 고유업무에 사용하지 못한 데 정당한 사유가 있다고 볼 수 없음(대법원 2001두229, 2002.9.4.).

◎ 취득 당시 이미 택지개발지구로 지정된 경우의 매각은 정당사유가 아님

이 건 토지를 취득할 당시에는 그 일대가 이미 택지개발지구로 지정되어 있어 청구인이 조금만 주의를 기울였더라면 목적사업에 사용할 수 없는 사실을 알 수 있었다 할 것이므로, 청구인이 이 건 토지를 취득하여 당해 사업에 직접 사용하지 못하고 매각한 데 대한 정당한 사유가 있다고 볼 수는 없음(조심 2011지0618, 2010.10.25.).

◎ 직원(선교사)의 임시숙소로의 사용은 사회복지사업의 직접 사용으로 볼 수 없음

청구법인은 기아와 재난으로 고통당하는 사람들의 생존과 지역발전을 지원하기 위하여 구호, 개발, 선교, 의료, 교육사업 등을 목적으로 하는 단체라고는 하나, 사회복지사업법의 규정에 의하여 설립된 사회복지법인에 해당되지 아니할뿐더러 사회복지사업법 제2조 제3호에서 정한 사회복지시설을 직접 운영하는 단체에도 해당되지 아니하고, 더구나 이 건 부동산을 증여 취득한 후 청구법인 직원(선교사)의 임시 숙소로 사용하고 있으므로 사회복지사업에 직접 사용하고 있다고 인정할 수도 없음(조심 2010지0795, 2010.11.25.).

◎ 기타 사례

정관상 기본재산으로 등재되어 있고, 다른 용도로 사용한 사실이 없다 하더라도 농지로 사용하는 경우까지 비영리사업 자체에 직접 사용되는 재산으로 보기 곤란(조심 2009지1132).

건강가정지원센터와 아이돌봄서비스 제공기관은 사회복지시설을 직접 운영하기 위하여 설립된 단체가 아닌 이상 경감대상으로 볼 수 없음(지방세특례제도과-708, 2014.6.20.).

사회복지시설을 직접 운영하지 아니하고 그에 대한 지원만을 하고 있는 단체는 사회복지사업 목적 단체로 볼 수 없음(대법원 2009두8892, 2009.9.24.).

제22조(사회복지법인등에 대한 감면) 제2항~제6항 [재산세 등 감면]

법 제22조(사회복지법인등에 대한 감면) ② 사회복지법인등이 과세기준일 현재 해당 사회복지사업에 직접 사용(종교단체의 경우 해당부동산의 소유자가 아닌 그 대표자 또는 종교법인이 해당부동산을 사회복지사업의 용도로 사용하는 경우를 포함한다. 이하 이 조에서 같다)하는 부동산(대통령령으로 정하는 건축물의 부속토지를 포함한다)에 대해서는 재산세(「지방세법」 제112조에 따른 부과액을 포함한다) 및 「지방세법」 제146조 제2항에 따른 지역자원시설세를 각각 2022년 12월 31일까지 면제한다. 다만, 수익사업에 사용하는 경우와 해당 재산이 유료로 사용되는 경우의 그 재산 및 해당 재산의 일부가 그 목적에 직접 사용되지 아니하는 경우의 그 일부 재산에 대해서는 면제하지 아니한다.

③ 사회복지법인등이 그 사회복지사업에 직접 사용하기 위한 면허에 대해서는 등록면허세를, 사회복지법인등에 대해서는 주민세 사업소분(「지방세법」 제81조 제1항 제2호에 따라 부과되는 세액으로 한정한다. 이하 이 항에서 같다) 및 종업원분을 각각 2022년 12월 31일까지 면제한다. 다만, 수익사업에 관계되는 대통령령으로 정하는 주민세 사업소분 및 종업원분은 면제하지 아니한다.

④ 사회복지법인등에 생산된 전력 등을 무료로 제공하는 경우 그 부분에 대해서는 「지방세법」 제146조 제1항에 따른 지역자원시설세를 2019년 12월 31일까지 면제한다.

⑤ 「사회복지사업법」에 따른 사회복지법인의 설립등기 및 합병등기에 대한 등록면허세와 같은 법에 따른 사회복지시설을 경영하는 자에 대하여 해당 사회복지시설 사업장에 과세되는 사업소분(「지방세법」 제81조 제1항 제1호에 따라 부과되는 세액으로 한정한다)을 각각 2022년 12월 31일까지 면제한다. 농비

⑥ 제1항부터 제5항까지의 규정에도 불구하고 「사회복지사업법」에 따라 설립된 사회복지법인이 의료기관을 경영하기 위하여 취득하거나 사용하는 부동산에 대해서는 다음 각 호에 따라 취득세와 재산세를 각각 경감한다. 감면분만 농비

1. 의료업에 직접 사용하기 위하여 취득하는 부동산에 대해서는 2020년 12월 31일까지 취득세의 100분의 50을 경감한다.
2. 과세기준일 현재 의료업에 직접 사용하는 부동산에 대해서는 2020년 12월 31일까지 재산세(「지방세법」 제112조에 따른 부과액을 포함한다)의 100분의 50을 경감한다.
3. 2021년 1월 1일부터 2021년 12월 31일까지 취득하는 부동산에 대해서는 다음 각 목의 구분에 따라 취득세 및 재산세를 각각 경감한다.
   가. 의료업에 직접 사용하기 위하여 취득하는 부동산에 대해서는 취득세의 100분의 30을 경감한다.
   나. 해당 부동산 취득일 이후 해당 부동산에 대한 재산세 납세의무가 최초로 성립한 날부터 5년간 재산세의 100분의 50을 경감(과세기준일 현재 의료업에 직접 사용하고 있지 아니하는 경우는 제외한다)한다.

영 제10조(사회복지법인등의 면제대상 사업의 범위 등) ② 법 제22조 제2항 본문에서 "대통령령으로 정하는 건축물의 부속토지"란 해당 사업에 직접 사용할 건축물을 건축 중인 경우와 건축허가 후 행정기관의 건축규제조치로 건축에 착공하지 못한 경우의 건축 예정 건축물의 부속토지를

말한다.
③ 법 제22조 제3항 본문에서 "사회복지법인등이 그 사업에 직접 사용하기 위한 면허"란 법 제22조 제1항에 따른 사회복지법인등이 그 비영리사업의 경영을 위하여 필요한 면허 또는 그 면허로 인한 영업 설비나 행위에서 발생한 수익금의 전액을 그 비영리사업에 사용하는 경우의 면허를 말한다.
④ 법 제22조 제3항 단서에서 "수익사업에 관계되는 대통령령으로 정하는 주민세 사업소분 및 종업원분"이란 수익사업에 제공되고 있는 사업소와 종업원을 기준으로 부과하는 주민세 사업소분(「지방세법」 제81조 제1항 제2호에 따라 부과되는 세액으로 한정한다)과 종업원분을 말한다. 이 경우 면제대상 사업과 수익사업에 건축물이 겸용되거나 종업원이 겸직하는 경우에는 주된 용도 또는 직무에 따른다.

복지법인과 양로원, 보육원, 모자원, 한센병자 치료보호시설 등 사회복지사업을 목적으로 하는 단체 및 한국한센복지협회 등에 대한 세제지원을 규정하고 있다. 감면대상 사회복지법인등의 정의에 대해서는 제22조 제1항을 참고하기 바란다.

사회복지법인등이 과세기준일 현재 해당 사회복지사업에 직접 사용하는 부동산에 대해 도시지역분을 포함한 재산세와 지역자원시설세를 면제하는데, 종교단체의 경우에는 해당 부동산 소유자가 아닌 그 대표자 또는 종교법인이 사용하는 경우를 직접 사용하는 것으로 보아 감면을 적용(취득세는 감면 제외)한다(법 ②). 감면대상 부동산에는 직접 사용할 건축물을 건축 중인 경우 그 부속토지 및 건축허가 후 행정기관의 건축규제 조치로 착공 못한 경우의 건축 예정 건축물의 부속토지를 포함한다. 한편, 해당 부동산을 수익사업에 사용하는 경우나 해당 재산이 유료로 사용되는 경우 등의 경우에는 제2항의 재산세 감면대상에서 제외된다.

사회복지법인등이 비영리 사회복지사업(수익금 전액을 비영리사업에 사용하는 경우 포함)에 직접 사용하기 위한 면허분 등록면허세를 면제하고, 사회복지법인등의 비영리사업에 대해 주민세 사업소분(「지방세법」 §81 ① 2)과 종업원분을 면제(법 ③)한다. 2017년부터는 주민세 사업소분(「지방세법」 §81 ① 2), 종업원분에 있어 사회복지법인이 그 사업에 직접 사용하는 경우에만 경감대상으로 명확히 하였다.

사회복지법인등에 전력 등을 무료로 제공하는 경우 그 제공하는 업체에 대해 지역자원시설세를 면제(법 ④, 2019년 일몰 종료)하고, 사회복지법인의 설립・합병 등기에 대한 등록면허세를 면제하고, 사회복지시설을 경영하는 자의 사업장에 대한 주민세 사업소분(「지방세법」 §81 ① 1)을 면제(법 ⑤)한다.

제1항의 취득세・제2항의 재산세・제3항의 면허분 등록면허세 및 주민세 사업소분(「지방

세법」 §81 ① 2)・종업원분은 단체를 포함한 개념인 사회복지법인등이 감면대상이고, 제4항의 지역자원시설세는 사회복지법인등에 전력을 무상으로 제공하는 업체가 감면대상이며, 제5항 전단의 설립 등록면허세는 사회복지사업법에 따른 사회복지법인만 대상이기 때문에 사회복지사업법에 따라 설립되지 아니한 일반법인은 사회복지사업법에 따른 사업을 하는 경우에도 감면대상이 아니라 할 것이다. 또한 제5항 후단의 주민세 사업소분(「지방세법」 §81 ① 1)은 사회복지사업법에 대한 사회복지시설을 경영하는 자가 감면대상이다.

한편, 사회복지법인이 의료기관을 경영하기 위하여 취득하거나 사용하는 부동산에 대한 취득세 및 재산세에 대해 취득세 및 재산세를 감면(법 ⑥)하는데, 해당 조항에서 '제1항부터 제5항까지의 규정에도 불구하고'라고 규정하고 있으므로 사회복지법인이라 하더라도 의료업을 영위하는 경우에는 제3항에 따른 주민세 면제가 적용되지 않음에 유의해야 한다. 사회복지법인의 의료업에 대해서는 감면율을 단계적으로 축소했는데, 2014년까지는 취득세・재산세・등록면허세・지역자원시설세・주민세까지 다른 사업과 동일하게 면제하였으나, 2015년 개정으로 취득세와 재산세를 제외한 감면은 일몰을 종료했으며, 취득세와 재산세에 대해서는 2016년까지는 75%, 2020년까지는 50%, 2021년에는 30%의 감면율을 적용한다.

| **의료기관 유형별 감면율 현황** |

구분		제1유형	제2유형	제3유형
병원		지방의료원 * 자치단체 출자・출연	근로・보훈복지 병원 국립중앙의료원・암센터 국립대병원・치과병원 서울대병원・치과병원 한국원자력의학원	사립대 부속병원 사회복지법인 병원 종교재단법인 병원 의료법상 의료법인
기타			대한적십자사 적십자병원 등 국민건강증진사업자*	
현행		취・재・재도(75)	취(75), 재・재도(50~75)	취(20~50), 재・재도(50)
개정	'19~'20년	현행 유지	현행 유지	현행 유지
	'21년	취(75), 재(75, 5년간)	취(50), 재(50, 5년간)	취(30), 재(50, 5년간)

* (인구보건복지협회) 산모・영유아 대상 보건의료서비스, 정보제공, 임신・출산・양육 지원
(한국건강관리협회) 감염병 예방・관리법에 따라 제5군 감염병 예방사업 지원
(대한결핵협회) 결핵 조사연구, 예방 및 퇴치사업 수행

(적용요령) 2021년부터 적용되는 개정 규정(제22조 제6항 제3호 나목, 제27조 제2항 제2호 나목, 제30조 제2항 제2호 나목, 제37조 제2항 제2호, 제38조 제1항 제2호 나목, 같은 조 제4항 제2호 나목,

제38조의 2 제2호 나목, 제40조 제2항 제2호, 제40조의 3 제2호 나목 및 제41조 제7항 제2호 나목)은 2020.12.31.까지 취득한 부동산으로서 2021년 1월 1일 당시 그 부동산에 대한 재산세 납세의무가 최초로 성립한 날부터 5년이 지나지 아니한 경우에도 각각 적용한다. 이 경우 재산세의 경감 기간은 2021년 1월 1일을 기준으로 해당 부동산에 대한 재산세 납세의무가 최초로 성립한 날부터 5년이 지나지 아니한 잔여기간으로 한다(부칙 제5조).

◎ 사회복지법인이 경영하는 의료기관에 '장애인 의료재활시설'이 포함됨

「장애인복지법」 제58조 제1항 제4호에서 장애인복지시설의 종류로 '장애인 의료재활시설'을 열거하면서, 같은 법 제59조 제5항에서 장애인 의료재활시설의 설치는 「의료법」을 따른다고 규정하고 있으며, 「의료법」 제3조 제2항 제3호 라목에서 「장애인복지법」 제58조 제1항 제4호에 따른 장애인 의료재활시설을 의료기관 중 하나인 요양병원에 포함하여 규정하고 있는바, '장애인 의료재활시설'로 신고한 경우라도 「의료법」에 따라 공중 또는 특정다수인을 위하여 의료업을 영위하기 위한 의료기관의 실질을 갖추고 있는 것이므로 지특법상(§22 ⑥) '사회복지법인이 경영하는 의료기관'에 해당됨(행안부 지방세특례제도과-2794, 2019.7.17.).

◎ 의료법인이 운영하는 노인요양시설은 주민세(사업소분(「지방세법」 §81 ① 2)) 감면대상에 해당되지 아니함

해당법인은 의료법인으로써 「사회복지사업법」에 따른 사회복지법인에 해당되지 않으며, 쟁점 사업장인 노인요양시설은 「사회복지사업법」에 따른 복지시설에 해당하나, 이는 해당 의료법인이 「의료법」 제49조에 따라 부수적인 부대사업으로 설립한 시설로써 독립적인 "사회복지사업을 목적으로 하는 단체"가 아님을 알 수 있음. 따라서 「지방세특례제한법」 제22조 제1항 및 제3항에 따른 "사회복지법인등"에 해당하지 않으므로 주민세(재산분) 면제대상이 아님(지방세운영과-767, 2014.3.5.).

◎ 일부 실비를 받는다는 이유만으로 유료사용으로 보기는 어렵다고 한 사례

청구법인이 운영하는 ○○○는 노인요양시설로서 노인복지법상 입소대상자가 장기요양급여수급자, 기초수급권자로서 65세 이상인 자, 부양의무자로부터 적절한 부양을 받지 못하는 65세 이상의 자 등에 해당되고, 입소비용은 장기요양급여수급자의 경우 본인부담금은 장기요양급여의 20%를 부담하고, 그 외는 국가나 자치단체에서 전액 지원하는 시스템으로 되어 있는 점을 볼 때 ○○○가 일부의 실비를 받는다 하여 이를 유료로 사용하고 있다고 보기도 어렵다 할 것임(조심 2010지0696, 2010.12.28.).

◎ 노인요양시설 건축 준비과정은 재산세 감면대상이 아니라고 한 사례

청구법인을 「사회복지사업법」의 규정에 의하여 설립된 사회복지법인에 해당되는 것으로 본

다 하더라도 2009년도 재산세 과세기준일인 6월 1일 현재 청구법인이 취득한 이 건 토지에 노인요양시설 건축허가를 받아 건축공사에 착공한 사실 없이 도시계획시설 변경결정(자연녹지지역→사회복지시설) 등 노인요양시설을 건축하기 위한 준비과정에 있었던 것으로 확인되고 있으므로 건축물을 건축 중에 있었거나 행정기관의 건축규제조치로 인하여 건축에 착공하지 못한 것으로 확인되지도 않는 이상, 청구법인에게 이 건 재산세를 부과고지한 것은 적법한 것으로 판단됨(조심 2010지0037, 2010.10.13.).

◎ 휴게음식점을 사회복지사업을 수행하는 근로사업장으로 보아 비과세 대상이라는 사례

쟁점 휴게음식점의 설치・운영이 청구법인의 목적사업인 장애인복지시설 설치운영과 사회적 기업 설치운영에 따라 "시각장애인 카페 및 문화예술단 일자리 창출사업"의 사회적일자리 창출사업 지원약정에 따라 설치한 점, …시각장애인을 고용하여 근로의 기회를 제공하고 있는 점, …가격이 저렴하여 실비수준으로 판매하여 운영하고 있는 점, 2009년도 …판매 이익금이 4,102,007원인 점 등을 고려할 때, 쟁점 휴게음식점을 수익사업에 사용하였다기보다는 …사회복지사업을 수행하는 근로사업장으로 이용하고 있다고 보는 것이 합리적이라 할 것이므로 쟁점 휴게음식점을 사회복지법인이 사업에 직접 사용하는 부동산으로 보아 재산세 등을 비과세하여야 함(조심 2009지1022, 2010.4.6.).

◎ 기타 관련 사례

- 민법상의 비영리사단법인이 사회복지시설을 직접 운영하지 않는 경우에 있어, 설령 비영리법인으로서 그 운영방식이 사회복지법인의 그것과 상당히 유사하다고 하더라도 취득세 감면대상으로 볼 수 없음(대법원 2012두24276, 2013.2.14.).
- 장기요양기관의 장기요양서비스(급여)는 노인의료복지 및 재가노인복지에 해당한다 할 것으로서 이러한 장기요양사업은 수익사업의 범위에서 제외되는 사업에 해당하므로 부과고지한 처분은 부당함(조심 2010지0695, 2010.12.28.).

제22조의 2(출산 및 양육 지원을 위한 감면)

법 제22조의 2(출산 및 양육 지원을 위한 감면) ① 18세 미만의 자녀(가족관계등록부 기록을 기준으로 하고, 양자 및 배우자의 자녀를 포함하되, 입양된 자녀는 친생부모의 자녀 수에는 포함하지 아니한다) 3명 이상을 양육하는 자(이하 이 조에서 "다자녀 양육자"라 한다)가 양육을 목적으로 2021년 12월 31일까지 취득하여 등록하는 자동차로서 다음 각 호의 어느 하나에 해당하는 자동차(자동차의 종류 구분은 「자동차관리법」 제3조에 따른다) 중 먼저 감면 신청하는 1대에 대해

> 서는 취득세를 면제하되, 제1호 나목에 해당하는 승용자동차는 「지방세법」 제12조 제1항 제2호에 따라 계산한 취득세가 140만원 이하인 경우는 면제하고 140만원을 초과하면 140만원을 경감한다. 다만, 다자녀 양육자 중 1명 이상이 종전에 감면받은 자동차를 소유하고 있거나 배우자 외의 자와 공동등록을 하는 경우에는 그러하지 아니하다. 감면분만 농비
>
> 1. 다음 각 목의 어느 하나에 해당하는 승용자동차
>   가. 승차정원이 7명 이상 10명 이하인 승용자동차　나. 가목 외의 승용자동차
> 2. 승차정원이 15명 이하인 승합자동차　3. 최대적재량이 1톤 이하인 화물자동차
> 4. 배기량 250시시 이하인 이륜자동차
>
> ② 다자녀 양육자가 제1항 각 호의 어느 하나에 해당하는 자동차를 2021년 12월 31일까지 다음 각 호의 어느 하나의 방법으로 취득하여 등록하는 경우 해당 자동차에 대해서는 제1항의 방법에 따라 취득세를 감면한다. 감면분만 농비
>
> 1. 대통령령으로 정하는 바에 따라 대체취득하여 등록하는 경우
> 2. 다자녀 양육자가 감면받은 자동차의 소유권을 해당 다자녀 양육자의 배우자에게 이전하여 등록하는 경우
>
> ③ 제1항 및 제2항에 따라 취득세를 감면받은 자가 자동차 등록일부터 1년 이내에 사망, 혼인, 해외이민, 운전면허 취소, 그 밖에 이와 유사한 사유 없이 해당 자동차의 소유권을 이전하는 경우에는 감면된 취득세를 추징한다. 다만, 제1항 본문에 따라 취득세를 감면받은 다자녀 양육자가 해당 자동차의 소유권을 해당 다자녀 양육자의 배우자에게 이전하는 경우에는 감면된 취득세를 추징하지 아니한다.
>
> ④ 제1항 및 제2항에 따라 감면을 받은 자동차가 다음 각 호의 어느 하나에 해당되는 경우에는 장부상 등록 여부에도 불구하고 자동차를 소유하지 아니한 것으로 보아 제1항 및 제2항에 따른 취득세 감면 규정을 적용한다.
>
> 1. 「자동차관리법」에 따른 자동차매매업자가 중고자동차 매매의 알선을 요청한 사실을 증명하는 자동차(매도되지 아니하고 그 소유자에게 반환되는 중고자동차는 제외한다)
> 2. 천재지변, 화재, 교통사고 등으로 소멸, 멸실 또는 파손되어 해당 자동차를 회수할 수 없거나 사용할 수 없는 것으로 특별자치시장·특별자치도지사·시장·군수 또는 구청장(구청장의 경우에는 자치구의 구청장을 말하며, 이하 "시장·군수"라 한다)이 인정하는 자동차
> 3. 「자동차관리법」에 따른 자동차해체재활용업자가 폐차되었음을 증명하는 자동차
> 4. 「관세법」에 따라 세관장에게 수출신고를 하고 수출된 자동차
>
> [본조신설 2010.12.27.]

18세 미만의 자녀를 3명 이상 양육하는 자가 양육을 목적으로 취득하는 자동차에 대한 취득세 면제 등 정부의 출산 및 양육 지원 정책에 따른 세제지원을 규정하고 있다.

2016년부터는 입법취지를 고려하여 250시시 초과 이륜자동차는 감면대상에서 제외하였고, 2017년부터는 다자녀 양육자에 대한 추징규정을 개선하였는데 다자녀 양육자가 소유한 감면차량을 배우자에게 소유지분 전체 또는 일부지분을 이전하였을 경우에도 감면이 가능

하도록 하면서 대체취득에 따른 기존 감면차량 소유기간을 1년으로 하는 등 대체취득 정의 규정을 명확히 하였다. 2019년부터는 다자녀 양육자가 취득하는 자동차에 대한 취득세 감면 요건을 명확히 하면서, 최소납부세제를 적용하는데 자동차 '취득일'과 '등록일'이 다른 경우, '자동차 등록일' 기준으로 최소납부세제 적용 여부를 결정(지방세특례제도과-5074, 2018.12.28.) 하도록 하였다. 자세한 사항은 아래 사례 및 해설과 제17조의 장애인용 자동차에 대한 감면을 참고하기 바란다.

1. 감면범위

- 다자녀 양육용 자동차를 등록하여 감면을 받은 자가 배우자에게 그 소유권을 이전하고 이혼한 후 단독 다자녀 양육자로 결정되어 다자녀 양육용으로 새로운 자동차를 취득하는 경우 취득세를 감면함(지방세특례제도과-1242, 2020.6.3.).
- 재혼가정의 경우 취득일 현재 각각의 가족관계등록부로 그 자녀임이 입증되는 자를 주민등록 확인 등으로 실질적으로 양육하고 있다는 사실이 인정시 자녀 수에 포함하여 감면 적용 (지방세특례제도과-2608, 2020.11.3.)
- 취득 당시에는 18세 미만 3자녀 양육 요건을 갖추었으나 공휴일인 사유로 그 등록일 기준으로는 자녀 1명이 18세가 된 경우에는 감면대상에서 제외(지방세특례제도과-3072, 2020.12.21.)

✓ (취득자 현황) 2002.8.1.생 자녀를 첫째로 하여 총 3명의 자녀 양육
※ 첫째 자녀가 2020.8.1. 18세, 그 이후로는 18세 미만 자녀 2명으로 감면적용 不

✓ (취득일) 2020.7.31.(금) / (등록일) 2020.8.3.(월)

⇒ 해당 감면 규정을 적용받기 위해서는 18세 미만의 자녀 3명 이상을 양육하는 자에 해당되어야 할 것인데, 그 기준일은 취득일에도 불구하고 등록일을 기준으로 판단하도록 규정하고 있는 점, 자동차 소유권의 득실변경은 자동차관리법에 따라 등록을 하여야 그 효력이 생기는 점 등을 고려하여 '등록일'까지 그 요건을 갖추도록 한 것이며, 감면요건 뿐 아니라 추징의 기산일 역시 동일 취지로 등록일을 기준으로 적용하도록 규정(§22의 2 ③)하고 있는 점, 18세 미만이 종료되는 날이 공교롭게도 공휴일에 해당하여 등록이 불가한 경우였다고 하더라도, 이는 본인의 의사결정에 따른 취득까지의 과정이 지체되어 등록을 못하게 된 것으로 보아야 할 것인 점 등을 종합 감안시 감면이 불가하다고 판단한 사례

◎ **차량 취득자가 배우자와 배우자의 전배우자 사이의 자녀를 실질적으로 양육하고 있다는 객관적인 증빙이 없는 한 감면요건을 충족하였다고 보기 어려움**

18세 미만의 자녀는 취득자 A를 기준으로 배우자인 B의 자녀까지 포함하여 3명이 되나, 취득자 A가 양육하는 자녀는 1명이며, 배우자인 B가 양육하는 자녀는 없고, B의 전 배우자 C는 자녀 2명과 별도의 세대를 구성하고 있으므로 특별한 사정(A가 B와 C 사이의 자녀 2명에 대한 양육권이 없다고 하더라도 실질적으로 양육하고 있다는 사실이 객관적으로 증명되는 경우)이 없는 한 취득자 A는 자녀 3명 이상을 양육하는 자에 해당한다고 보기에는 사회통념상 어려움(행안부 지방세특례제도과-564, 2019.9.10.).

◎ 다자녀 양육을 목적으로 A차량을 취득(5.16.)하여 취득세를 감면받은 상태에서 B차량을 취득(7.21.)하고 기 감면받았던 A차량을 제3자에게 양도(8.4.)한 경우, 1년이 경과되지 않은 시점에서 매각하는 B차량의 경우 감면대상 아님(행안부 지방세특례제도과-563, 2019.9.10.).

◎ 냉장탑차를 취득하여 다자녀양육용으로 취득세를 감면받고, 동 차량을 현물출자(지입)를 통해 다른 법인으로 소유권이 이전되고, 감면받은 자가 운송사업을 계속하는 경우에는 그 밖에 이와 유사한 사유로 보아 기 감면받은 취득세를 추징하지 않는 것이 타당(행안부 지방세특례제도과-534, 2019.9.9.)

◎ **(지침) 출산 및 양육지원을 위한 차량 감면관련 운영지침(지방세운영과-1043, 2011.3.8.)**

남편이 차량을 취득하여 감면받은 후 그 차량을 부인에게 소유권이전하고 그 남편은 새로운 차량을 취득하는 경우 그 새로 취득하는 차량도 감면대상인지 여부 ⇒ 「지방세특례제한법」 제22조의 2 제1항에서 먼저 감면 신청하는 1대에 대하여 취득세를 감면한다고 규정하며, 단서에서 배우자가 감면을 받은 경우에는 감면대상에서 제외한다고 규정하고 있으므로 조세법률주의 원칙상 기존 감면차량을 공동양육자인 배우자에게 이전하고 신규로 차량을 취득한 경우에는 감면대상에 해당하지 않음.

[적용례] 차량 1대를 감면받은 자가 의무보유 기간인 1년 이내 추가로 신규 차량을 취득하는 경우 ①(대체취득) 기존 감면차량에 대체하기 위하여 새로이 차량취득 후 30일 이내에 기존 차량을 양도 또는 폐차하는 경우 감면대상 ②(제3자에게 양도) 기존 차량의 감면받은 세액은 추징하고 새로이 취득하는 차량은 감면 가능 ③(공동양육자에게 양도) 공동양육자 소유의 차량이 2대가 되고, 먼저 감면 신청한 차량이 감면되었으므로 새로이 취득하는 차량은 감면대상이 아님.

◎ 감면조례에서 감면대상 자동차의 취득주체를 "직계비속을 직접 양육하는 자"로 한정하여 규정하고 있기 때문에 夫의 지분(50%)에 대하여는 감면대상이라 할 것입니다만, 귀문 子의 경우는 이에 해당되지 아니한다고 사료됨(지방세운영과-380, 2009.1.29.).

◎ 감면대상 지분에 대하여만 감면함이 타당

청구인 중 ○○○의 경우 비록 가족관계증명서에서 청구인의 자녀들의 부(父)인 사실이 입증되더라도 자동차 등록당시 청구인의 자녀들과 세대별주민등록표상 별도세대인 사실이 입증되는 이상, 이 건 자동차 중 ○○○의 지분에 해당하는 부분은 감면조례 제26조의 4 ①에 따른 취득세 감면대상에 해당하지 아니하나, 동 조례에서 자동차를 공동으로 등록하는 경우 공동등록자 모두가 자녀와 세대별주민등록표상 동일세대를 이루는 경우에 한하여 취득세를 감면한다고 규정하지는 아니하므로 이 건 자동차 중 청구인의 자녀들과 세대별주민등록표상 동일세대를 이루고 있는 ○○○의 지분(1/2)은 감면대상에 해당(조심 2009지0582, 2009.12.22.).

2. '이와 유사한 사유' 등 추징요건에 대한 판단

◎ '이혼'에 따라 소유권 이전시 추징 예외 정당한 사유에 해당

다자녀양육을 목적으로 자동차를 취득하여 취득세를 감면받은 자가 이혼에 따라 1년 이내 해당 자동차의 소유권을 이전하는 경우 추징예외 사유에 해당함(지방세특례제도과-2826, 2020.11.26.).

◎ 감면받은 후 배우자와 공동으로 소유하는 것으로 변경등록은 취득세 추징대상 아님

신규등록한 청구인의 배우자가 1년 내에 지분 1%를 청구인에게 이전하였다고 하더라도, 청구인은 청구인의 배우자와 동일하게 취득세가 감면되는 다자녀 양육자에 해당되어 여전히 취득세 감면요건 충족하고 있다할 것임(조심 2016지0414, 2016.8.8.).

☞ 아래 행자부 유권해석(지방세운영과-5341, 2010.11.10) 및 기존 조심(조심 2012지0227, 2012.6.13.)과도 상반된 결정인 바, 지특법 개정으로 2017.1.1.부터 배우자 공동 소유로 변경등록 하는 경우 감면대상으로 전환함.

◎ 공동등록이 가능한 배우자간의 지분이전의 경우라 하더라도 그 소유권변경 등이 자동차를 양도할 수밖에 없는 어쩔수 수 없는 불가항력적인 사유로서 객관적으로 누구나 납득이 가는 사유에 해당하는 경우에 한하여 "이와 유사한 사유"에 해당(지방세운영과-5341, 2010.11.10.).

◎ 쟁점 자동차를 신규등록한 청구인의 배우자가 유예기간(1년) 내에 지분 1%를 청구인에게 이전하였다고 하더라도, 청구인은 청구인의 배우자와 동일하게 취득세가 감면되는 다자녀 양육자에 해당되어 여전히 취득세 감면요건 충족하고 있다 할 것이므로, 이 건 취득세 부과처분은 타당하지 아니함(조심 2012지0227, 2012.6.13.).

◎ 청구인은 교통사고로 인하여 부득이 1년 이내에 자동차를 매각한 것이므로 기 감면한 취득세 등의 추징은 부당하다고 주장하지만, 폐차가 아닌 매각의 경우는 청구인의 자의적인 선택에 의한 것이므로 유예기간 내 매각할 수밖에 없는 부득이한 사유로는 볼 수 없음(조심 2012

지0199, 2012.3.30.).

◎ 청구인은 안과 질환 치료를 위해 1년 이내에 자동차를 매각한 것이므로 기 감면한 취득세 등의 추징은 부당하다고 주장하지만, 청구인이 이 건 자동차를 취득하기 이전부터 안과질환으로 치료를 받은 사실이 확인되는 이상 유예기간 내 매각할 수밖에 없는 부득이한 사유로는 보기 어려움(조심 2012지0322, 2012.6.21.).

◎ 자동차를 취득·등록한 후 1년 이내인 2010.12.9. 청구인의 아버지와 배우자에게 소유권을 이전등록한 사실이 자동차등록원부에 의해 확인되고, 병원통원과 치료를 위한 명의이전은 '그 밖에 이와 유사한 사유'에 해당한다고 보기 어려움(조심 2011지0229, 2011.3.29.).

◎ 청구인이 주장하는 차량보험료의 과다청구로 인한 명의이전은 위 감면조례에서 정하는 부득이한 사유에 해당한다고 보기 어렵다 할 것임(조심 2011지0149, 2011.3.4.).

제22조의 3(휴면예금관리재단에 대한 면제)

법 제22조의 3(휴면예금관리재단에 대한 면제) 「서민의 금융생활 지원에 관한 법률」에 따라 설립된 휴면예금관리재단 {같은 법 제2조 제6호에 따른 사업수행기관(대통령령으로 정하는 자로 한정한다) 중 2008년 8월 1일 이후에 같은 법 제2조 제5호에 따른 서민 금융생활 지원사업만을 목적으로 금융위원회의 허가를 받아 설립하는 법인인 사업수행기관을 포함한다}의 법인설립의 등기(출자의 총액 또는 재산의 총액을 증가하기 위한 등기를 포함한다)에 대해서는 등록면허세를 2016년 12월 31일까지 면제한다. 농비

영 제10조의 2(등록면허세 면제 대상이 되는 휴면예금관리재단의 범위) 법 제22조의 3에서 "대통령령으로 정하는 자"란 「서민의 금융생활 지원에 관한 법률」 제2조 제6호에 따른 사업수행기관을 말한다.

2017.1.1. 시행 지방세특례제한법 개정으로 휴면예금관리재단(미소금융재단)의 복지사업 목적용 법인설립등기에 대한 등록면허세 감면(~2016.12.31)을 종료하였다.

〈휴면예금관리재단의 설립 등에 관한 법률〉

제2조(정의) 이 법에서 사용하는 용어의 정의는 다음과 같다.

6. "복지사업자"란 저소득층 복지사업 등을 영위하는 자로서 대통령령으로 정하는 자격을 갖춘 자를 말한다.

〈휴면예금관리재단의 설립 등에 관한 법률 시행령〉

제4조(복지사업자의 자격) 법 제2조 제6호에서 "대통령령으로 정하는 자격을 갖춘 자"란 저소득층 복지사업 등을 영위하는 데 필요한 재정능력, 공신력, 사업수행 능력을 고려하여 재단이 정하는 기준을 충족하는 자로서, 다음 각 호의 어느 하나에 해당하는 법인 또는 단체를 말한다.

3. 「민법」 또는 「상법」에 따라 설립된 법인으로서 저소득층 복지사업 등을 정관의 사업목적에 포함하고 있는 자

제22조의 4(사회적기업에 대한 감면)

법 제22조의 4(사회적기업에 대한 감면) 「사회적기업 육성법」 제2조 제1호에 따른 사회적기업(「상법」에 따른 회사인 경우에는 「중소기업기본법」 제2조 제1항에 따른 중소기업으로 한정한다)에 대해서는 다음 각 호에서 정하는 바에 따라 지방세를 2021년 12월 31일까지 경감한다.

1. 그 고유업무에 직접 사용하기 위하여 취득하는 부동산에 대해서는 취득세의 100분의 50을 경감한다. 다만, 다음 각 목의 어느 하나에 해당하는 경우 그 해당 부분에 대해서는 경감된 취득세를 추징한다.
   가. 그 취득일부터 3년 이내에 「사회적기업 육성법」 제18조에 따라 사회적기업의 인증이 취소되는 경우 나. 정당한 사유 없이 그 취득일부터 1년이 경과할 때까지 해당 용도로 직접 사용하지 아니하는 경우 다. 해당 용도로 직접 사용한 기간이 2년 미만인 상태에서 매각·증여하거나 다른 용도로 사용하는 경우
2. 그 법인등기에 대해서는 등록면허세의 100분의 50을 경감한다.
3. 과세기준일 현재 그 고유업무에 직접 사용하는 부동산에 대해서는 재산세의 100분의 25를 경감한다.

취약계층의 일자리 지원 및 사회서비스 기능을 수행하고 있는 사회적기업의 공익적 측면을 고려하여 취득세 등 지방세 감면 지원을 규정하고 있다. 일반 기업이 경제적 가치를 우선한다면 사회적 기업은 취약계층의 고용 등의 사회적 가치를 우선으로 하는 기업이라 생각하면 이해가 쉬울 것이다.

「사회적기업 육성법」 제2조 제1호에 따른 사회적기업이 고유업무에 직접 사용하기 위해 취득하는 부동산에 대해서는 취득세를 50% 감면하고, 법인 등기시에는 등록면허세 50%를, 과세기준일 현재 고유업무 직접 사용 부동산에 대해서는 재산세 25%를 감면하는데, 고용부에서 사회적기업 인증을 받은 기업에 한하여 감면을 적용하므로 조례 등에 따라 예비 사회적기업으로 선정된 기업은 감면대상에 해당하지 않는다. 또한 상법에 따른 회사일 경우

에는 중소기업에 한해 감면이 적용된다. 한편, 취득일부터 3년 이내에 사회적 기업에 대한 인증이 취소되는 경우, 정당한 사유없이 취득일부터 1년 경과시까지 직접 사용하지 않는 경우, 직접 사용한 기간이 2년 미만인 상태에서 매각·증여하거나, 다른 용도로 사용하는 경우에는 해당 부분에 대해 감면받은 취득세를 추징한다.

〈사회적기업 육성법〉

제2조(정의) 이 법에서 사용하는 용어의 뜻은 다음과 같다.

1. "사회적기업"이란 취약계층에게 사회서비스 또는 일자리를 제공하거나 지역사회에 공헌함으로써 지역주민의 삶의 질을 높이는 등의 사회적 목적을 추구하면서 재화 및 서비스의 생산·판매 등 영업활동을 하는 기업으로서 제7조에 따라 인증받은 자를 말한다.

제7조(사회적기업의 인증) ① 사회적기업을 운영하려는 자는 제8조의 인증 요건을 갖추어 고용노동부장관의 인증을 받아야 한다.

제23조(권익 증진 등을 위한 감면)

법 제23조(권익 증진 등을 위한 감면) ① 「법률구조법」에 따른 법률구조법인이 그 고유업무에 직접 사용하기 위하여 취득하는 부동산(임대용 부동산은 제외한다. 이하 이 조에서 같다)에 대해서는 취득세를, 과세기준일 현재 그 고유업무에 직접 사용하는 부동산에 대해서는 재산세를 다음 각 호에서 정하는 바에 따라 각각 감면한다. 농비

1. 2020년 12월 31일까지는 취득세 및 재산세(「지방세법」 제112조에 따른 부과액을 포함한다)를 각각 면제한다.
2. 2021년 1월 1일부터 2021년 12월 31일까지는 취득세 및 재산세의 100분의 50을 각각 경감한다.
3. 2022년 1월 1일부터 2022년 12월 31일까지는 취득세 및 재산세의 100분의 25를 각각 경감한다

② 「소비자기본법」에 따른 한국소비자원이 그 고유업무에 직접 사용하기 위하여 취득하는 부동산에 대해서는 취득세를, 과세기준일 현재 그 고유업무에 직접 사용하는 부동산에 대해서는 재산세를 다음 각 호에서 정하는 바에 따라 각각 감면한다.

1. 2020년 12월 31일까지는 취득세 및 재산세(「지방세법」 제112조에 따른 부과액을 포함한다)를 각각 면제한다.
2. 2021년 1월 1일부터 2021년 12월 31일까지는 취득세 및 재산세의 100분의 50을 각각 경감한다.
3. 2022년 1월 1일부터 2022년 12월 31일까지는 취득세 및 재산세의 100분의 25를 각각 경감한다.

농비

국민의 권익증진을 위한 업무를 수행하는 법률구조법인과 한국소비자원에 대한 지방세 감면을 규정하고 있다.

「법률구조법」에 따른 법률구조법인(대한법률구조공단과 법률구조법에 따라 법무부에 등록된 법인)(법 ①), 「소비자기본법」에 따른 한국소비자원(법 ②)이 취득하는 부동산에 대해서는 취득세와 재산세를 감면(~'20년 면제, '21년 50%, '22년 25%)한다. 2016년부터는 이 규정에서 대한적십자사의 감면규정을 별도로 분리하여 제40조로 이관하였고, 2021년부터는 취득세와 재산세의 감면율을 단계적으로 축소하도록 2020년에 개정한바 있다.

제24조(연금공단 등에 대한 감면)

법 제24조(연금공단 등에 대한 감면) ① 「국민연금법」에 따른 국민연금공단이 같은 법 제25조에 따른 업무에 직접 사용하기 위하여 취득하는 부동산에 대하여는 다음 각 호에서 정하는 바에 따라 2014년 12월 31일까지 지방세를 감면한다.

1. 「국민연금법」 제25조 제4호에 따른 복지증진사업을 위한 부동산에 대하여는 취득세 및 재산세를 면제한다. 2. 「국민연금법」 제25조 제7호에 따라 위탁받은 그 밖의 국민연금사업을 위한 부동산에 대하여는 취득세 및 재산세의 100분의 50을 경감한다.

② 「공무원연금법」에 따른 공무원연금공단이 같은 법 제17조에 따른 사업에 직접 사용하기 위하여 취득하는 부동산에 대하여는 다음 각 호에서 정하는 바에 따라 2014년 12월 31일까지 지방세를 감면한다.

1. 「공무원연금법」 제17조 제4호 및 제5호의 사업을 위한 부동산에 대하여는 취득세 및 재산세를 면제한다. 2. 「공무원연금법」 제17조 제3호 및 제6호의 사업을 위한 부동산에 대하여는 취득세 및 재산세의 100분의 50을 경감한다.

③ 「사립학교교직원 연금법」에 따른 사립학교교직원연금공단이 같은 법 제4조에 따른 사업에 직접 사용하기 위하여 취득하는 부동산에 대하여는 다음 각 호에서 정하는 바에 따라 2014년 12월 31일까지 지방세를 감면한다.

1. 「사립학교교직원 연금법」 제4조 제4호의 사업을 위한 부동산에 대하여는 취득세 및 재산세를 면제한다. 2. 「사립학교교직원 연금법」 제4조 제3호·제5호의 사업을 위한 부동산에 대하여는 취득세 및 재산세의 100분의 50을 경감한다.

국민연금공단, 공무원연금공단, 사립학교교직원연금공단 등이 고유사업에 직접 사용하기 위하여 취득하는 부동산에 대해 지방세를 감면하였으나, 2014년을 마지막으로 그 감면의 일몰을 종료하였다.

◎ 직접 사용 요건은 취득세만 규정하고 있어 재산세는 이에 해당되지 않음

감면요건 규정에서 업무에 직접 사용하기 위하여 취득하는 부동산을 대상으로 하고 있을 뿐이고, 문언상 별도로 재산세 과세기준일 현재 그 부동산을 업무에 직접 사용할 것을 요건으로 하지 않고 있으므로, 국민연금공단이 국민연금법 소정의 업무를 수행하기 위하여 토지를 취득하기만 하면 되고, 별도로 재산세 과세기준일 현재 그와 같은 목적으로 직접 사용될 것을 감면요건으로 하지 않음(대법원 2012두8113, 2012.7.26.).

◎ 유예기간 내 기금증식사업에 사용하지 아니하는 경우 추징대상이라고 한 사례

해당 토지가 기금증식사업 용도로 변경된 것으로 보아 기 100% 면제받은 세액 중 50%만이 추징대상인지 여부와 관련해서는 해당 토지는 현재 주택건설사업계획승인 등을 받고 주택건설 착공을 앞두고 있고, 공무원 기금증식사업을 위하여 별도 사업계획이나 사업진행 등이 없으므로 「공무원연금관리법」 제16조 제3호(공무원연금기금의 증식)사업에 사용하기 위하여 취득한 토지로 볼 수 없으나 기금증식사업용으로 변경되었다고 하더라도 기금증식사업용 부동산 취득에 대하여는 취득·등록세 50%만이 감면대상이므로 주택건설용으로 사용하겠다고 기 면제받은 100% 면제받은 세액 중 감면대상 세액인 50%를 제외한 50%는 과세대상이고, 기금증식용으로 사용하겠다고 감면받은 감면대상 세액 50%도 과세유예기간 내 기금증식 사업에 사용하지 않은 경우에 해당되어 추징대상이므로 결국 면제받은 전액을 추징하여야 할 것임(지방세운영과-2111, 2010.5.19.).

◎ 취득 당시 알 수 없는 외부적 사유는 정당한 사유에 해당됨

토지 취득 당시에는 주택건설을 위해 도시경관조례에 따라 경관심의 대상 여부 및 국제공항 건설 기본계획 등은 법령에 의한 금지, 제한 등 공무원연금관리공단이 마음대로 할 수 없는 외부적 사유로 볼 수 있어 주택건설사업을 진행하지 못한 정당한 사유로 볼 수 있고, 정당한 사유로 인정할 수 있는 기간 범위는 도시경관조례에서 시장이 경관 형성에 필요하다고 부의한 사항에 대하여는 도시경관심의를 받도록 하였으나 공무원연금관리공단이 당해 토지를 취득당시에는 경관심의 대상임을 알 수 없었을 것이고, 영종하늘도시(A4, A6블록) 건축물 고도제한과 관련하여 제5활주로 건립계획의 위치가 특정되기 전까지는 주택건설사업계획을 승인받을 수 없었을 것이므로 경관심의를 위하여 소요된 기간 및 제5활주로의 위치가 영종하늘도시(A4, A6블록)와 무관하다고 확인된 기간까지는 정당한 사유가 있는 기간으로 보아야 할 것임(지방세운영과-1331, 2010.4.10.).

◎ 공단이 「도시 및 주거환경정비법」에 따른 재건축조합의 조합원으로서 당해 재건축 주택을 일반분양하기 위하여 취득하는 경우라도, 공단 목적사업의 하나로 주택의 공급사업을 정하고 있는 이상, 이는 공단의 사업용부동산에 해당된다 할 것이며(심사결정 제2008-36호,

2008.1.28.), 이를 분양(매각)하였다고 하여 그 목적사업 이외의 용도로 사용한다고 보기에는 무리가 있음(지방세운영과-2384, 2008.12.2.).

◎ 일반인 분양분도 공무원연금관리공단의 목적사업에 해당됨

공무원연금관리공단이 주택의 건설·공급 사업을 목적사업으로 하고 있고 그에 따라 공동주택을 건설하여 공급(분양)하는 경우라면, 그 일부를 공무원이 아닌 일반인에게 분양하는 경우라도, 지방세법상 공단이 취득하는 공무원연금법 제16조 제5호의 사업용부동산에 해당된다 할 것(심사결정 제2008-36호, 2008.1.28. 참조)이므로 취득세 및 등록세를 면제하는 것이 타당함(지방세운영과-211, 2008.7.11.).

◎ 공무원분 미분양으로 일반분양하는 경우 감면대상 공무원후생복지사업이 아님

이는 당초 목적인 공무원후생복지사업에 사용하였다고 볼 수 없다 할 것이고 일반인에게 분양된 부분에 대하여는 「공무원연금법」 제16조 제3호(공무원기금증식을 위한 사업)를 적용하여 기 면제한 취득세와 등록세의 50%는 추징대상임(지방세운영과-1772, 2006.5.2.).

◎ 공무원연금관리공단의 지위를 국가나 지방자치단체로 의제할 수 있어 재산세 등 비과세

정부조직법이 아닌 방송법(2000.1.12. 개정전)상의 방송위원회는 그 설치의 법적근거, 법에 의하여 부여된 직무, 위원의 임명절차 등을 종합하여 볼 때 국가기관으로서 지방세법상 사업소세의 비과세대상에 해당되는 것으로 본 판례가 있는 점, … 공무원을 위하여 주택을 건설·공급·임대하거나 택지를 취득하는 등 공익적 목적을 수행하는 경우 청구법인의 지위를 국가나 지방자치단체로 의제하여 부동산을 취득한 것으로 보아야 함이 합리적이고, 이 건 아파트를 공무원을 위하여 취득·보유하고 있으므로 이에 대하여는 국가 또는 지방자치단체 소유의 재산으로 보아 재산세 과세특례와 지역자원시설세를 비과세하는 것이 타당한 것임[6] (조심 2011지0750, 2012.4.19.).

◎ 공무원들만이 직접 사용하는 후생복지용 부동산이라기보다는 직원들의 후생복지에 이용되고 있으므로 종합토지세 면제대상에 해당되지 않음(감심 96-149, 1996.8.27.).

---

6) 지방세관계법 이외의 법령에서 국가 또는 지방자치단체로 의제되는 법인의 경우 지방세 비과세 대상에서 제외되도록, 「지방세법」 제9조를 개정(2014.1.1.)하여 국가 또는 지방자치단체의 범위를 보완함.

제25조(근로자 복지를 위한 감면)

법 제25조(근로자 복지를 위한 감면) ① 다음 각 호의 법인이 대통령령으로 정하는 회원용 공동주택을 건설하기 위하여 취득하는 부동산에 대하여는 2014년 12월 31일까지 취득세의 100분의 50을 경감한다.

1. 「군인공제회법」에 따라 설립된 군인공제회 2. 「경찰공제회법」에 따라 설립된 경찰공제회
3. 「대한지방행정공제회법」에 따라 설립된 대한지방행정공제회
4. 「한국교직원공제회법」에 따라 설립된 한국교직원공제회

② 「근로복지기본법」에 따른 기금법인의 설립등기 및 변경등기에 대하여는 2016년 12월 31일까지 등록면허세를 면제한다.

영 제11조(회원용 공동주택의 범위) 법 제25조 제1항 각 호 외의 부분에서 "대통령령으로 정하는 회원용 공동주택"이란 전용면적 85 제곱미터 이하의 회원용 공동주택을 말한다.

군인공제회, 경찰공제회, 대한지방행정공제회, 한국교직원공제회 등이 고유업무에 사용하기 위하여 취득하는 부동산에 대해 일부 지방세를 감면하였으나, 군인공제회 등 회원용 공동주택 건설을 위한 부동산 취득세 감면(법 ①)은 2014년을 마지막으로, 사내근로기금법인의 설립등기 및 변경등기에 대한 등록면허세 감면(법 ②)에 대해서는 2016년을 마지막으로 그 일몰을 종료하였다.

- **사업소세 납세의무는 수탁자에게 있음**

국방부와 군인공제회간에 군체력단련장 관리운영 대행 약정을 체결하고서 이를 근거로 동 계약서 제4조에서 규정하고 있는 사업에 관한 일체를 위탁받아 남수원체력단련장을 군인공제회의 책임하에 관리·운영하고 있는 경우라면, 계약서 제4조에서 규정하고 있는 사업과 관련된 사업소세 납세의무는 수탁자인 군인공제회에게 있음(지방세정팀-2570, 2006.6.23.).

- **태릉체력단련장에 대한 주민세 및 사업소세 납세의무는 군인공제회에 있음**

국방부와 태릉체력단련장 관리운영에 관한 약정을 체결하고 동 계약서 제4조(체력단련장, 골프연습장, 부속식당·티하우스 등)에서 규정하고 있는 사업에 관하여 일체를 위탁받아 귀회의 책임하에 운영하고 있는 경우라면 계약서 제4조에서 규정하고 있는 사업과 관련된 사업소에 대한 주민세 및 사업소세 납세의무는 군인공제회에 있음(지방세정팀-40, 2005.12.13.).

- **수분양자 비회원에게 전매한 사유로 분양자인 청구인에게 책임을 물어 추징한 것은 잘못**

청구법인은 쟁점공동주택을 군인공제회 회원들에게 이를 공급한 사실이 확인되고, 「지방세법」에서 공동주택을 분양받은 회원이 이를 제3자에게 전매하거나 회원이 분양 받은 주택을 부부 공동명의로 전환하였다 하더라도 경감받은 취득세 등을 추징한다는 별도의 추징 규정

을 두지 아니한 이상, 쟁점공동주택의 수분양자가 이를 비회원에게 전매하였다는 사유로 분양자인 청구법인에게 그 책임을 물어 기 경감한 취득세 등을 추징한 것은 잘못임(조심 2012지0157, 2012.7.31.).

제26조(노동조합에 대한 감면)

> 법 제26조(노동조합에 대한 감면) 「노동조합 및 노동관계조정법」에 따라 설립된 노동조합이 그 고유업무에 직접 사용하기 위하여 취득하는 부동산(수익사업용 부동산은 제외한다. 이하 이 조에서 같다)에 대하여는 취득세를, 과세기준일 현재 그 고유업무에 직접 사용하는 부동산에 대하여는 재산세를 각각 2021년 12월 31일까지 면제한다.

노동조합이 고유업무에 직접 사용하기 위하여 취득하는 부동산에 대해 일부 지방세를 감면한다.

2019.1.1. 시행, 지방세특례제한법 개정으로 노동조합의 취득세·재산세 면제규정(최소납부 세제는 적용)에 대해 사회적 가치 구현 등을 위해 2021년 12월 31일까지 3년간 연장하였다.

근로자가 주체가 되어 자주적으로 단결하여 근로조건의 유지·개선 및 경제적·사회적 지위 향상을 도모하기 위한 목적으로 조직하는 단체인 노동조합에 대한 지방세 감면 지원을 규정하고 있다.

노동조합이 고유업무에 직접 사용하기 위해 취득하는 부동산(수익사업용 제외)에 대해서는 취득세를 면제하고, 과세기준일 현재 직접 사용하는 부동산에 대해서는 재산세를 면제한다. 2016년부터 제177조의 2 규정에 따른 최소납부세제는 적용되었으며, 노동조합이 직원 복지 차원에서 콘도회원권을 취득하는 경우에 있어 회원권은 부동산이 아니기 때문에 감면대상이 아니라 할 것이고, 주민세 등 다른 부분에 대한 감면은 없다.

- 주민세 법인균등할은 법인격 여부를 불문하고 시·군내 사무소 또는 사업소를 둔 법인 단체를 납세의무자로 「지방세법」 제173조에 규정하고 있으므로 귀 조합도 과세대상에 해당되며, 사업소세, 면허세의 경우도 「지방세법 시행령」 제79조 규정에서는 제사·종교 등에 대한 비과세 대상을 열거하고 있으나 귀 조합은 이 비과세 대상에 해당되지 않으므로 과세대상임(세정 22670-6789, 1988.6.25.).
- 운송하역업을 영위하는 법인이 노동조합과 협약에 의하여 노동조합의 조합원들로 하여금 하

역작업을 수행하도록 하고 그 임금을 지급하고 있는 경우 종업원할 사업소세 과세대상이 되는 종업원에 해당됨(심사 2004-0074, 2004.4.26.).

제27조(근로복지공단 지원을 위한 감면)

> **법** 제27조(근로복지공단 지원을 위한 감면) ① 「산업재해보상보험법」에 따른 근로복지공단(이하 이 조에서 "근로복지공단"이라 한다)이 같은 법 제11조 제1항 제1호부터 제5호까지, 제6호 및 제7호의 사업에 직접 사용하기 위하여 취득하는 부동산에 대해서는 취득세를, 과세기준일 현재 그 사업에 직접 사용하는 부동산에 대해서는 재산세를 다음 각 호에서 정하는 바에 따라 각각 감면한다.
> 1. 2020년 12월 31일까지는 취득세 및 재산세의 100분의 25를 각각 경감한다.
> 2. 2021년 1월 1일부터 2022년 12월 31일까지는 취득세의 100분의 25를 경감한다.
>
> ② 근로복지공단이 「산업재해보상보험법」 제11조 제1항 제5호의 2, 제5호의 3 및 같은 조 제2항에 따른 의료사업 및 재활사업에 직접 사용하기 위하여 취득하는 부동산에 대해서는 취득세의 100분의 75를, 과세기준일 현재 그 업무에 직접 사용하는 부동산에 대해서는 재산세를 다음 각 호에서 정하는 바에 따라 각각 경감한다. 〈개정 2013.1.1, 2014.1.1, 2015.12.29, 2016.12.27, 2018.12.24.〉
> 1. 2020년 12월 31일까지는 취득세의 100분의 75를, 재산세(「지방세법」 제112조에 따른 부과액을 포함한다)의 100분의 50을 각각 경감한다.
> 2. 2021년 1월 1일부터 2021년 12월 31일까지 취득하는 부동산에 대해서는 다음 각 목의 구분에 따라 취득세 및 재산세를 각각 경감한다.
>   가. 해당 부동산에 대해서는 취득세의 100분의 50을 경감한다.
>   나. 해당 부동산 취득일 이후 해당 부동산에 대한 재산세 납세의무가 최초로 성립한 날부터 5년간 재산세의 100분의 50을 경감한다.

산업재해근로자의 보건향상과 근로자의 복지증진을 위해 설립된 근로복지공단에 대한 지방세 감면을 규정하고 있다.

근로복지공단이 해당 사업에 직접 사용하기 위해 취득하는 부동산에 대한 취득세 및 재산세를 감면하는데, 의료사업에 해당할 경우에는 제2항에서 별도로 높은 감면율을 적용한다.

보험가입자와 수급권자에 관한 기록의 관리·유지, 보험료징수법에 따른 보험료 등 징수, 보험급여의 결정·지급, 보험급여 결정 관련 심사청구의 심리·결정, 산업재해보상보험 시설의 설치·운영, 근로자의 복지 증진, 정부로부터 위탁받은 사업에 대해서는 2016년까지 취득세 75%와 재산세 25%를 감면하였으나, 일몰도래 시 재정비를 통해 2020년까지는 취득세와 재산세를 25% 감면하고, 그 후 2022년까지는 취득세만 25% 감면한다(법 ①).

근로복지공단이 의료·재활사업에 직접 사용하기 위해 취득하는 부동산에 대해서는

2020년까지는 취득세를 75%, 재산세를 50% 감면하고, 2021년에는 취득세는 50%를 감면하고, 재산세는 최초 납세의무 성립일부터 5년간 50%를 감면한다(법 ②).

◎ 부동산 취득 후 기부채납 승인을 받았다면 취득세 과세대상

「지방세법」 제106조 제2항 및 제126조 제2항에서 국가, 지방자치단체 또는 지방자치단체조합에 기부채납을 조건으로 취득등기하는 부동산은 취득세와 등록세를 비과세하도록 규정하고 있는 바, 귀문의 근로복지공단과 같이 국가에 기부채납하는 것을 승인받지 않고 부동산을 취득한 후 국가에 기부채납하는 경우라면 상기 규정에 의한 취득세 등의 비과세 대상이 되기 어렵다고 판단됨(지방세정팀-4684, 2006.9.27.).

◎ 임차재산의 권리확보를 위한 전세권설정등기는 직접 사용하기 위하여 취득하는 재산에 해당

「지방세법」 제278조 제3항에서 「산업재해보상보험법」에 의한 근로복지공단이 동법 제14조 제1호 내지 제8호의 규정에 의한 사업에 직접 사용하기 위하여 취득하는 재산에 대하여는 취득세와 등록세를 면제하도록 규정하고 있는 바, 「산업재해보상보험법」에 의한 근로복지공단이 동법 제14조 제1호 내지 제8호의 규정에 의한 사업에 직접 사용하기 위하여 제3자의 부동산을 임차하면서 임차재산의 권리확보를 위해 하는 전세권설정등기는 근로복지공단이 "직접 사용하기 위하여 취득하는 재산"에 해당되는 것이므로 등록세의 면제대상이 되는 것임(지방세정팀-1999, 2006.5.17.).

제28조(산업인력 등 지원을 위한 감면)

법 제28조(산업인력 등 지원을 위한 감면) ① 「근로자직업능력 개발법」에 따른 직업능력개발훈련시설(숙박시설을 포함한다. 이하 이 항에서 같다)에 직접 사용하기 위하여 취득하는 토지(건축물 바닥면적의 10배 이내의 것으로 한정한다)와 건축물에 대하여는 2014년 12월 31일까지 취득세의 100분의 50을 경감하고, 과세기준일 현재 직업능력개발훈련시설에 직접 사용하는 부동산에 대하여는 2014년 12월 31일까지 재산세를 면제한다. [감면분만 농비]

② 「한국산업안전보건공단법」에 따라 설립된 한국산업안전보건공단이 같은 법 제6조 제2호 및 제6호의 사업에 직접 사용하기 위하여 취득하는 부동산에 대해서는 취득세의 100분의 25를, 과세기준일 현재 그 사업에 직접 사용하는 부동산에 대해서는 재산세의 100분의 25를 각각 2022년 12월 31일까지 경감한다.

③ 「한국산업인력공단법」에 따라 설립된 한국산업인력공단이 같은 법 제6조 제1호의 사업에 직접 사용하기 위하여 취득하는 부동산에 대해서는 취득세의 100분의 25를 2022년 12월 31일까지 경감한다.

산업재해 예방에 관한 사업을 하는 한국산업안전보건공단과 근로자의 평생학습지원 사업을 하는 한국산업인력공단의 근로환경 구축 및 산업인력 양성 도모를 위한 지방세 감면을 규정하고 있다.

한국산업안전보건공단이 산업안전보건교육 및 산업재해예방시설의 설치·운영사업에 직접 사용하기 위해 취득하는 부동산에 대해 취득세 및 재산세를 25% 감면한다(법 ②).

한국산업인력공단이 근로자의 평생학습지원사업에 직접 사용하기 위해 취득하는 부동산에 대해 취득세 25%를 감면한다(법 ③).

제2항과 제3항은 당초 한 개의 항으로 규정되어 2016년까지는 취득세 75%·재산세 25%를 감면하였고, 2019년까지는 취득세·재산세 25%를 감면하였으나, 2020년부터 안전분야와 인력분야로 구분하여 감면세목 및 감면율에 차등(안전분야 : 취득세·재산세 25%, 인력분야 : 취득세 25%)을 두게 되었다.

◎ **「지방세특례제한법」 제28조 제1항에 따른 재산세 면제의 경우, 재산세 면제 대상인 토지의 범위는 건축물 바닥면적의 10배 이내의 것으로 한정하지 아니함**

「지방세특례제한법」 제28조 제1항에 따라 재산세를 면제하는 경우, 법문언상 "직업능력개발훈련시설에 직접 사용하는 부동산"이라고만 규정하고 있으므로, 재산세 면제 대상인 부동산 중 토지는 직업능력개발훈련시설에 직접 사용하기 위하여 취득하는 토지의 취득세와 다르게 건축물 바닥면적의 10배 이내의 것으로 한정되는 것이 아니라 해당 토지가 과세기준일 현재 직업능력개발훈련시설에 직접 사용된다면 면적 제한 없이 모두 재산세 면제 대상이라고 할 것임(법제처 법령해석총괄과-4045, 2013.12.11. 13-0446회 신문).

◎ **직업훈련시설 및 직업능력개발훈련시설의 건축물 연면적 비율로 직접 사용 토지 판단**

외선 실습장, 바인드 실습장 등 야외 훈련장과 본관, 교육관, 기숙사, 경비실 등 지상 건축물 4개동이 위치해 있고, 지상건축물 중 기숙사만 전체를 직업훈련시설로 사용하고, 본관, 교육관은 일정 비율만 직업훈련시설로 사용하고 있는 바, 외선 실습장과 바인드 실습장 등 야외 훈련시설용으로 사용되는 토지는 지상건축물 유무와 관계없이 직업훈련시설에 직접 사용하는 토지로 보는 것이 합리적일 것이라 판단되며, 전체 건물이 직업훈련시설에 사용되는 경우에는 전체 바닥면적이 직접 사용되는 것으로 보아야 하며, 다른 용도와 함께 쓰이는 경우에는 해당 건축물 연면적 중 직업훈련시설로 사용되는 면적으로 안분하여 산정된 바닥 면적만을 직접 사용되는 토지로 보아야 할 것임(지방세운영과-1464, 2013.7.10.).

◎ **직업능력 개발훈련시설로 지정받은 시설은 재산세 면제대상**

근로자직업훈련촉진법 제2조, 시행령 제2조 제4호에서 능력개발 훈련시설의 범위를 사업주,

사업주 단체 등이 설치 · 운영하는 시설로서 직업능력 개발훈련을 실시하기 위하여 노동부장관의 지정을 받은 시설 등으로 규정하고 있는 바, 노동부장관으로부터 근로자직업훈련촉진법에 의한 직업능력 개발훈련시설로 지정을 받고 과세기준일 현재 당해 훈련시설에 직접 사용하는 경우라면 재산세가 면제되는 것임(세정-2453, 2004.8.10.).

◎ 직업능력개발훈련시설 또는 훈련과정을 설치 · 운영하는 경우 감면대상에 해당

「한국산업인력공단법」 제6조 제1호에 규정된 사업(직업능력개발시설의 설치 · 운영 및 직업능력개발훈련의 실시 · 지도)을 주된 사업으로 하고, 귀 공단의 본부 · 지역본부 · 지방사무소 등이 그 사업에 직접 사용하는 경우에는 감면대상이며, 「근로자직업훈련촉진법시행령」 제3조 제1호의 규정에 의한 직업능력개발훈련교사 양성을 위한 직업능력개발훈련시설(한국산업인력공단의 출연에 의하여 설립된 학교법인이 설립한 대학을 포함한다)을 직업능력개발훈련시설 또는 훈련과정을 설치 · 운영하는 경우에도 감면대상에 해당하는 것임(세정 13407-464, 2001.4.26.).

◎ 교직원 사택 및 관사는 공공직업능력개발훈련시설의 일부로 볼 수 있음

○○직업전문학교 건물로서 국가로부터 직업능력개발훈련사업을 위임받아 … 산업인력을 양성하기 위한 강의 및 실습동 등으로 사용되고 있어 근촉법 제2조 제2호 및 영 제3조 제2호의 공공단체가 설치 · 운영하는 공공직업능력개발훈련시설에 해당되고 또한 제2, 3건축물은 위 학교의 필수적인 구성원인 교수 및 교직원의 주거문제 해결을 위한 사택 및 관사로서 실제 위 학교의 무주택 교수 등이 사용하고 있어 공공직업능력개발훈련시설의 일부로 볼 수 있음. 따라서 이 사건 건축물은 재산세 면제대상인 근촉법에 의한 직업능력개발훈련시설인 동시에 지방세법 제278조 ⑤의 경감대상인 공단법에 의한 사업용 부동산이라 할 것이고, 그 중 감면율이 높은 것을 적용(감심 2002-48, 2002.4.2.).

제29조(국가유공자 등에 대한 감면)

법 제29조(국가유공자 등에 대한 감면) ① 「국가유공자 등 예우 및 지원에 관한 법률」, 「보훈보상대상자 지원에 관한 법률」, 「5 · 18민주유공자예우 및 단체설립에 관한 법률」 및 「특수임무유공자 예우 및 단체설립에 관한 법률」에 따른 대부금을 받은 사람이 취득(부동산 취득일부터 60일 이내에 대부금을 수령하는 경우를 포함한다)하는 다음 각 호의 부동산에 대해서는 취득세를 2023년 12월 31일까지 면제한다. 농비

1. 전용면적 85 제곱미터 이하인 주택(대부금을 초과하는 부분을 포함한다)
2. 제1호 외의 부동산(대부금을 초과하는 부분은 제외한다)

② 제1호 각 목의 단체에 대해서는 제2호 각 목의 지방세를 2023년 12월 31일까지 면제한다. 농비

1. 대상 단체
   가. 「국가유공자 등 단체 설립에 관한 법률」에 따라 설립된 대한민국상이군경회, 대한민국전몰군경유족회, 대한민국전몰군경미망인회, 광복회, 4·19민주혁명회, 4·19혁명희생자유족회, 4·19혁명공로자회, 재일학도의용군동지회 및 대한민국무공수훈자회
   나. 「특수임무유공자 예우 및 단체설립에 관한 법률」에 따라 설립된 대한민국특수임무유공자회
   다. 「고엽제후유의증 환자지원 등에 관한 법률」에 따라 설립된 대한민국고엽제전우회
   라. 「참전유공자예우 및 단체설립에 관한 법률」에 따라 설립된 대한민국6·25참전유공자회 및 대한민국월남전참전자회
2. 면제 내용
   가. 그 고유업무에 직접 사용하기 위하여 취득하는 부동산에 대한 취득세
   나. 그 고유업무에 직접 사용하기 위한 면허에 대한 등록면허세
   다. 과세기준일 현재 그 고유업무에 직접 사용하는 부동산에 대한 재산세(「지방세법」 제112조 제1항 제2호에 따른 재산세를 포함한다) 및 「지방세법」 제146조 제2항에 따른 지역자원시설세
   라. 해당 단체에 대한 주민세 사업소분(「지방세법」 제81조 제1항 제2호에 따라 부과되는 세액으로 한정한다) 및 종업원분

③ 대통령령으로 정하는 바에 따라 상이등급 1급을 판정받은 사람들로 구성되어 국가보훈처장이 지정한 국가유공자 자활용사촌에 거주하는 중상이자(重傷痍者)와 그 유족 또는 그 중상이자와 유족으로 구성된 단체가 취득·소유하는 자활용사촌 안의 부동산에 대해서는 취득세와 재산세(「지방세법」 제112조에 따른 부과액을 포함한다) 및 「지방세법」 제146조 제2항에 따른 지역자원시설세를 각각 2023년 12월 31일까지 면제한다. 농비

④ 「국가유공자 등 예우 및 지원에 관한 법률」에 따른 국가유공자로서 상이등급 1급부터 7급까지의 판정을 받은 사람 또는 그 밖에 대통령령으로 정하는 사람(이하 "국가유공자등"이라 한다)이 보철용·생업활동용으로 사용하기 위하여 취득하는(대통령령으로 정하는 바에 따라 대체취득하는 경우를 포함한다) 다음 각 호의 어느 하나에 해당하는 자동차로서 취득세 또는 자동차세 중 어느 하나의 세목(稅目)에 대하여 먼저 감면 신청하는 1대에 대해서는 취득세 및 자동차세를 각각 2020년 12월 31일까지 면제한다. 다만, 제17조 제1항에 따른 장애인용 자동차에 대한 감면을 받은 경우는 제외한다. 농비

1. 다음 각 목의 어느 하나에 해당하는 승용자동차
   가. 배기량 2천시시 이하인 승용자동차　나. 승차 정원 7명 이상 10명 이하인 대통령령으로 정하는 승용자동차　다. 「자동차관리법」에 따라 자동차의 구분기준이 화물자동차에서 2006년 1월 1일부터 승용자동차에 해당하게 되는 자동차(2005년 12월 31일 이전부터 승용자동차로 분류되어 온 것은 제외한다)
2. 승차 정원 15명 이하인 승합자동차　3. 최대적재량 1톤 이하인 화물자동차　4. 배기량 250시시 이하인 이륜자동차

⑤ 제4항을 적용할 때 국가유공자등 또는 국가유공자등과 공동으로 등록한 사람이 자동차 등록일

부터 1년 이내에 사망, 혼인, 해외이민, 운전면허취소, 그 밖에 이와 유사한 부득이한 사유 없이 소유권을 이전하거나 세대를 분가하는 경우에는 면제된 취득세를 추징한다. 다만, 국가유공자등과 공동 등록할 수 있는 사람의 소유권을 국가유공자등이 이전받은 경우, 국가유공자등과 공동 등록할 수 있는 사람이 그 국가유공자등으로부터 소유권의 일부를 이전받은 경우 또는 공동 등록할 수 있는 사람 간에 등록 전환하는 경우는 제외한다. 〈신설 2015.12.29.〉

영 제12조(자활용사촌의 정의) 법 제29조 제3항에서 "대통령령으로 정하는 바에 따라 상이등급 1급을 판정받은 사람들로 구성되어 국가보훈처장이 지정한 국가유공자 자활용사촌"이란 「국가유공자 등 예우 및 지원에 관한 법률 시행령」 제88조의 4 제1항에 따라 지정된 자활용사촌(自活勇士村)을 말한다.

제12조의 2(국가유공자 등의 범위 등) ① 법 제29조 제4항에서 "대통령령으로 정하는 사람"이란 다음 각 호의 어느 하나에 해당하는 사람을 말한다.

1. 「5·18민주유공자예우에 관한 법률」에 따라 등록된 5·18민주화운동부상자로서 신체장해등급 1급부터 14급까지의 판정을 받은 사람
2. 「고엽제후유의증 등 환자지원 및 단체설립에 관한 법률」에 따른 고엽제후유의증환자로서 경도(輕度) 장애 이상의 장애등급 판정을 받은 사람

② 법 제29조 제4항 제1호 나목에서 "대통령령으로 정하는 승용자동차"란 「자동차관리법」에 따라 승용자동차로 분류된 자동차 중 승차 정원이 7명 이상 10명 이하인 승용자동차를 말한다. 다만, 법 제29조 제4항에 따른 국가유공자등(이하 이 조에서 "국가유공자등"이라 한다)의 이동편의를 위하여 구조를 변경한 자동차의 경우 그 승차 정원은 구조변경 전의 승차 정원을 기준으로 한다.

③ 법 제29조 제4항에 따라 취득세 및 자동차세를 면제하는 자동차는 국가유공자등이 본인 명의로 등록하거나 그 국가유공자등과 동일한 세대별 주민등록표에 기재되어 있고 가족관계등록부에 따라 다음 각 호의 어느 하나에 해당하는 관계가 있는 것이 확인(취득세의 경우에는 해당 자동차 등록일에 세대를 함께 하는 것이 확인되는 경우로 한정한다)되는 사람이 공동명의로 등록하는 자동차를 말한다.

1. 국가유공자등의 배우자·직계혈족·형제자매
2. 국가유공자등의 직계혈족의 배우자
3. 국가유공자등의 배우자의 직계혈족·형제자매

④ 제3항을 적용할 때 국가유공자등 및 같은 항 각 호의 어느 하나에 해당하는 사람이 모두 「출입국관리법」 제31조에 따라 외국인등록을 하고 같은 법 제10조의 3에 따른 영주자격을 가진 사람인 경우에는 등록외국인기록표등으로 가족관계등록부와 세대별 주민등록표를 갈음할 수 있다.

⑤ 법 제29조 제4항 각 호 외의 부분 본문에 따른 대체취득을 하는 경우는 법 제29조에 따라 취득세 또는 자동차세를 면제받은 자동차를 말소등록하거나 이전등록(국가유공자등과 공동명의로 등록한 자가 아닌 자에게 이전등록하는 경우를 말한다. 이하 이 항에서 같다)하고 다른 자동차를 다시 취득하는 경우(다른 자동차를 취득하여 등록한 날부터 60일 이내에 취득세 또는 자동차세를 면제받은 종전의 자동차를 말소등록하거나 이전등록하는 경우를 포함한다)로 한다. 농비

⑥ 법 제29조 제4항에 따라 취득세와 자동차세를 면제받은 자가 소유한 자동차가 다음 각 호의 어느 하나에 해당하는 경우에는 자동차등록원부의 기재 여부와 관계없이 그 날부터 해당 자동차를 소유하지 아니한 것으로 본다.

1. 「자동차관리법」에 따른 자동차매매업자에게 해당 자동차의 매매 알선을 요청한 경우. 다만, 자동차를 매도(賣渡)하지 아니하고 반환받는 경우에는 자동차를 소유한 것으로 본다.
2. 천재지변 · 화재 · 교통사고 등으로 자동차가 소멸 · 멸실 또는 파손되어 해당 자동차를 회수할 수 없거나 사용할 수 없는 것으로 해당 시장 · 군수 · 구청장이 인정한 경우
3. 「자동차관리법」에 따른 자동차해체재활용업자가 폐차한 경우
4. 「관세법」에 따라 세관장에게 수출신고를 하고 수출된 경우 [본조신설 2015.12.31.]

국가유공자 및 해당 단체 등을 지원하기 위하여 유공자가 대부금으로 취득하는 부동산과 단체가 취득하는 부동산 등에 대한 세제지원을 규정하고 있다. 이 조에서 규정하는 감면에 대해서는 제177조의 2에 따라 최소납부세제를 적용하지 아니한다.

관련 법에 따라 대부금을 받아 취득하는 부동산에 대해 취득세를 면제(법 ①)하는데, 대부금 수령을 취득 이전에 수령하지 않은 경우라도 취득일부터 60일 이내 수령하는 경우라면 감면대상으로 본다. 전용면적 85㎡ 이하인 주택은 대부금 정도에 관계없이 부동산 전체를 면제하고, 그 외 부동산(85㎡ 초과 주택, 농지 등)에 대해서는 대부금을 한도로 취득세를 면제한다. 또한, 대부금을 수령한 자가 그 배우자 등과 공동명의로 취득하는 경우라면 대부금 수령자 본인 지분에 대해서만 감면이 적용됨에 유의해야 한다. 이를 명확히 하기 위해 2021년에는 취득세 감면대상에 대해 '대부금을 받아 취득하는 부동산'을 '대부금을 받은 사람이 취득하는 부동산'으로 입법보완 하였다. 한편, 대부금을 받은 자가 부동산 취득 전 분양금을 상환하던 중 사망하여 상속인에게 분양권 및 대부금 채무가 승계된 경우 상속인의 취득세 감면 여부에 대해, 대부금을 지급받은 피상속인의 채무를 승계한다는 사유만으로 그 상속인을 "대부금을 받은 자"로 보아 쟁점규정을 적용할 수는 없다고 할 것이나, 대부금을 받아 부동산을 취득하기 전에 사망하여 그 부동산에 대한 분양권과 대부금에 대한 채무를 승계한 경우에 있어, 그 채무승계자가 「국가유공자 등 예우 및 지원에 관한 법률」 제47조 제1항에 따른 대부 대상자에 해당하는 경우에 한해 대부금을 받은 자의 지위를 승계한 것으로 보아 쟁점규정의 감면을 적용할 수 있다고 할 것(지방세특례제도과-3129, 2020.12.30.)이다.

국가유공자 단체가 고유업무에 직접 사용하기 위해 취득하는 부동산에 대해서는 취득세, 면허분 등록면허세, 도시지역분을 포함한 재산세 및 지역자원시설세, 주민세 사업소분(「지방세법」 §81 ① 2) · 종업원분을 면제한다(법 ②). 현재 국가유공자 단체는 「국가유공자 등 단체 설립에 관한 법률」에 따라 9개 단체로 한정하고 있으나 개별법으로 설립된 대한민국고엽제전우회, 대한민국특수임무수행자회, 대한민국 6 · 25참전유공자회에 대해서도 감면대상에 포함하고 있다.

국가보훈처장이 지정한 국가유공자 자활용사촌에 거주하는 중상이자와 그 유족 또는 그들로 된 단체가 취득·소유하는 자활용사촌 안의 부동산에 대해 취득세·재산세(도시분 포함)·지역자원시설세를 면제한다(법 ③).

한편, 국가유공자가 보철용·생업활동용으로 사용하기 위해 취득하는 자동차에 대한 취득세와 자동차세를 면제(법 ④, ⑤)하는데, 2016년에 국가유공자에 대한 자동차 감면을 제17조의 장애인 감면과 분리하여 규정하였고, 2017년에는 국가유공자등이 감면받은 자동차를 이전등록하고 신규 차량을 대체취득하는 경우 1년 경과 규정 등 감면요건을 강화(시행시기는 1년간 유예하여, 2018.1.1. 이후 납세의무가 성립하는 분부터 적용)하였다. 또한, 2018년부터는 취득세 면제요건은 별도 규정이 없는 한 취득일을 기준으로 판단하도록 하고 있으나(「지방세기본법」 §34 ① 1), 장애인등 및 공동등록자가 자동차 취득일과 등록일 사이에 주민등록을 이전하여, 취득세 감면을 받지 못하는 사례 발생하여 장애인등과 세대를 함께하는지 여부 확인일을 자동차등록일로 보도록 개선(영 ③)하였고, 2018년 적용하려던 대체취득하는 자동차의 감면 제한 규정에 대한 시행시기를 2019.1.1.로 유예하였다(부칙 §1). 자세한 사항은 아래 사례 및 해설과 제17조의 장애인용 자동차에 대한 감면을 참고하기 바란다.

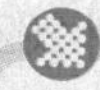

〈국가유공자 등 단체 설립에 관한 법률〉

제1조(목적) 이 법은 대한민국상이군경회, 대한민국전몰군경유족회, 대한민국전몰군경미망인회, 광복회, 4·19민주혁명회, 4·19혁명희생자유족회, 4·19혁명공로자회, 재일학도의용군동지회 및 대한민국무공수훈자회를 설립함으로써 국가유공자와 그 유족이 상부상조(相扶相助)하여 자활(自活) 능력을 기르고 순국선열과 호국전몰장병의 유지(遺志)를 이어 민족정기를 선양(宣揚)하고 국민의 애국정신을 함양하며 자유민주주의의 수호 및 조국의 평화적 통일과 국제평화의 유지에 이바지함을 목적으로 한다.

- **대부금을 지급받은 자가 사망한 경우 그 채무를 승계한 상속인이라 하여 대부금을 받은 자로 볼 수는 없으며, 그 채무 승계자가 관련법에 따른 '대부 대상자'에 해당하는 경우에 한해 감면 적용 가능**(지방세특례제도과-3129, 2020.12.30.)

☞ 해당 쟁점은 대부금을 받은 자가 부동산 취득 전 분양금을 상환하던 중 사망하여 분양권 및 대부금 채무가 승계된 경우 상속인의 취득세 감면 여부인데, 문리해석상 관련법에 따른 ① 대부금을 받은 자가, ② 그 대부금으로 취득하는 부동산에 대해 쟁점규정의 감면이 적용되는 것이므로, 대부금을 지급받은 피상속인의 채무를 승계한다는 사유만으로 그 상속인을 "대부금을 받은 자"로 볼 수는 없다. 한편, 피상속인의 사망으로 대부 대상자의 지위를 얻게 되는 경우 그 상속인이 대부금을 받아 취득하는 부동산에 대해 감면을 적용받을 수 있으나, 피상속인이

대부금을 지급받고나서 부동산 취득 전에 사망한 경우에 있어서는, 상속인은 대부 대상자에 해당하더라도 그 대부금을 승계하여야 하는 사유로 다른 대부는 받지 못하는 점에서 볼 때, 채무승계자가 피상속인의 사망에 따라 대부 대상자의 지위를 부여받게 되는 경우라면 쟁점 규정의 감면을 적용하는 것이 합리적이라고 판단한 사례이다.

◎ 대부금 범위 내에서 취득한 부동산에 대하여만 면제대상

「○○시세감면조례」 제2조 제2항 규정에 의하여 국가유공자등 예우에 관한 법률에 의한 대부금으로 취득하는 전용면적 85제곱미터 이하인 주거용부동산에 대하여는 취득세, 등록세 면제대상이나, 단독주택의 경우 지하층을 포함하여 85제곱미터를 초과한다면 면제대상에 해당되지 않음. 다만, 국가유공자등 예우에 관한 법률의 규정에 의한 주택 대부금으로 취득하였다면 「지방세법」 제270조 제1항의 규정에 의하여 그 대부금 범위 내에서 취득세, 등록세 면제대상임(세정 13407-551, 1999.5.7.).

☞ 연면적은 지하층을 포함한 각 층의 바닥면적의 합이고, 전용면적은 주택법 시행규칙 제2조 제1호에 따라 지하층은 거실, 즉 주거용으로 사용되는 경우에만 포함된다. 예를 들어 지하층에 창고가 있다면 연면적에는 합산되고 전용면적에서는 제외되는 것이다.

◎ 감면신청한 부동산과 대부금 부동산이 상이한 경우 감면대상에 해당하지 아니함

국가유공자가 당초 A아파트를 취득하기 위해 대부금을 신청한 후, 잔금 납부 전 분양권을 매각하고 새로이 B아파트를 취득한 경우, B아파트에 대한 취득세 면제 여부에 대해서는 감면대상을 '대부금으로 취득하는 주택 또는 부동산'으로 명시하고 있는바, 당초 대부금을 신청하였던 물건이 아닌 새로운 주택을 취득하는 것은 대부금으로 취득하는 부동산으로 볼 수 없으므로 취득세 감면대상에 해당되지 않음(지방세특례제도과-2376, 2016.8.31.).

◎ 대부금으로 취득한 부동산을 담보로 제공하지 않더라도 감면

처분청은 청구인이 법령에 따라 주택구입자금 대부를 받아 주택을 취득한 후 이 건 아파트를 국가에 담보로 제공하지 않았으므로 감면대상에 해당하지 않는다는 의견이나, 「지방세특례제한법」에서 국가유공자가 대부금으로 취득하는 주택에 대해 담보로 제공하지 않는 경우에는 감면을 제한한다는 별도의 규정을 두고 있지 않은 점, 청구인은 국가보훈처로부터 국가유공자에 대한 주택구입자금 대부업무를 위탁받은 국민은행에서 대부금을 받아 이 건 아파트를 취득한 것이 확인이 되는 점 등에 비추어 이 건 아파트는 「국가유공자 등 예우 및 지원에 관한 법률」에 따른 대부금으로 취득한 85제곱미터 이하인 주택으로서 취득세 등의 면제대상으로 보는 것이 타당함(조심 2018지0939, 2019.5.29.).

◎ 대체취득하면서 30일 이내 종전차량을 처분하지 못하였다면 추징대상

자동차를 등록할 당시에 국가유공자용 차량으로 취득세 등을 과세면제받은 종전자동차를 이 건 자동차 등록일부터 30일 이내에 이전 또는 등록말소하지 아니하였으므로 이때부터 이 건

자동차는 취득세 등의 과세대상으로 전환되었으므로 청구인인 과세전환일부터 30일 이내에 이 건 자동차에 대하여 취득세 등을 신고납부하지 아니한 이상, 가산세를 포함하여 취득세 등을 부과고지한 처분은 적법하다 할 것임(조심 2011지0436, 2012.1.2.).

- 대부금으로 취득하는 전용면적 85 제곱미터 이하인 주거용 건축물 및 부속토지의 경우에는 그 소유권이전 및 근저당권설정등기의 수속을 완료한 경우의 대부금으로 취득한 경우에 한하여 취득세 등을 면제하는 것이 타당하다 할 것이므로 주택의 취득가액을 과세표준액으로 신고납부한 것은 적법함(조심 2010지0155, 2010.4.9.).
- 취득세와 등록세 면제가 가능한 것으로 여신업무를 운영하고 있으므로 대부 대상자가 대부 부동산 취득 이전에 정상적으로 대부기관에 대출을 신청하고 당해 부동산을 취득한 경우에는 당해 부동산은 「국가유공자 등 예우 및 지원에 관한 법률」에 의한 대부금으로 취득하는 부동산에 해당되는 것으로 봄이 타당함(조심 2009지0643, 2010.3.18.).
- 국가유공자가 주거용 부동산을 취득한 후 국가유공자 등 예우 및 지원에 관한 법률에 의한 대부금으로 취득비용을 변제한 경우 취득세와 등록세를 면제할 수 없음(조심 2009지1015, 2010.1.29., 조심 2008지1081, 2009.11.30.).

제30조(한국보훈복지의료공단 등에 대한 감면)

법 제30조(한국보훈복지의료공단 등에 대한 감면) ① 「한국보훈복지의료공단법」에 따라 설립된 한국보훈복지의료공단이 같은 법 제6조 제2호부터 제9호까지의 사업에 직접 사용하기 위하여 취득하는 부동산에 대해서는 취득세의 100분의 25를, 과세기준일 현재 해당 사업에 직접 사용하는 부동산에 대해서는 재산세의 100분의 25를 각각 2022년 12월 31일까지 경감한다.

② 「한국보훈복지의료공단법」 제7조 제1항에 따른 보훈병원이 의료업에 직접 사용하기 위하여 취득하는 부동산에 대해서는 취득세를, 과세기준일 현재 해당 사업에 직접 사용하는 부동산에 대해서는 재산세를 다음 각 호에서 정하는 바에 따라 각각 경감한다.

1. 2020년 12월 31일까지는 취득세 및 재산세(「지방세법」 제112조에 따른 부과액을 포함한다)의 100분의 75를 각각 경감한다.
2. 2021년 1월 1일부터 2021년 12월 31일까지 취득하는 부동산에 대해서는 다음 각 목의 구분에 따라 취득세 및 재산세를 각각 경감한다.
   가. 해당 부동산에 대해서는 취득세의 100분의 50을 경감한다.
   나. 해당 부동산 취득일 이후 해당 부동산에 대한 재산세 납세의무가 최초로 성립한 날부터 5년간 재산세의 100분의 50을 경감한다.

③ 「독립기념관법」에 따라 설립된 독립기념관이 같은 법 제6조 제1항의 업무에 직접 사용하기

위하여 취득하는 부동산에 대해서는 취득세를, 과세기준일 현재 해당 업무에 직접 사용하는 부동산(해당 부동산을 다른 용도로 함께 사용하는 경우 그 부분은 제외한다)에 대해서는 재산세(「지방세법」 제112조에 따른 부과액을 포함한다)를, 해당 법인에 대해서는 주민세 사업소분(「지방세법」 제81조 제1항 제2호에 따라 부과되는 세액으로 한정한다)을 각각 2021년 12월 31일까지 면제한다. 농비

국가유공자 등의 재활 및 복지증진을 위해 설립·운영하는 한국보훈복지의료공단 및 보훈병원, 민족문화의 정체성 확립 및 올바른 국가관 정립을 위해 설립한 독립기념관에 대한 지방세 감면을 규정하고 있다.

한국보훈복지의료공단이 해당 사업(의료업 제외)에 직접 사용하기 위해 취득하는 부동산에 대해 취득세와 재산세를 25% 감면한다(법 ①). 2016년까지는 취득세와 재산세를 면제하였으나, 2016년말 일몰도래시 그 일몰을 연장하면서 2017년부터는 25%로 감면율을 축소하도록 하였다.

보훈병원이 의료업에 직접 사용하기 위해 취득하거나 사용하는 부동산에 대해 취득세와 재산세를 감면(법 ②)하는데, 2016년까지는 취득세와 재산세를 면제하였으나, 단계적으로 감면율을 축소하도록 하여 2020년까지는 취득세·재산세(도시지역분 포함) 75%, 2021년에는 취득세·재산세(도시지역분 제외) 50%를 감면한다.

독립기념관이 해당 업무에 직접 사용하기 위해 취득하는 부동산에 대해 취득세, 도시지역분을 포함한 재산세 및 주민세 사업소분(「지방세법」 §81 ① 2)을 면제(법 ③)하는데, 취득세와 재산세에 대해서는 사회적 가치 구현 등을 감안하여 최소납부세제 적용을 배제하고 있다.

◎ 보훈복지의료공단이 국가유공자의 의료·보호·진료 등에 직접 사용하지 않는다면 과세

「한국보훈복지의료공단법」에 의하여 설립된 한국보훈복지의료공단이 동법 제6조 제1호 내지 제6호의 규정에 의한 업무에 직접 사용하기 위하여 취득하는 재산에 대하여는 취득세와 등록세를 면제하고, 과세기준일 현재 당해 업무에 직접 사용하는 부동산에 대하여는 재산세와 종합토지세를 면제하도록 규정되어 있으므로, … 광주광역시 ○구 ○○동 소재 구○○보훈병원을 재산세 과세기준일 현재 귀 공단의 사업인 국가유공자 등의 의료·보호 및 의학적·정신적 재활과 진료에 직접 사용하지 않고 있다면 재산세 등이 면제되지 아니한다 할 것임(세정-1333, 2005.6.27.).

제31조(임대주택 등에 대한 감면) 제1항~제3항 [취득세 감면범위]

법 제31조(임대주택 등에 대한 감면) ①「공공주택 특별법」에 따른 공공주택사업자 및「민간임대주택에 관한 특별법」에 따른 임대사업자(임대용 부동산 취득일부터 60일 이내에 해당 임대용 부동산을 임대목적물로 하여 임대사업자로 등록한 경우를 말한다. 이하 이 조에서 "임대사업자"라 한다)가 임대할 목적으로 공동주택(해당 공동주택의 부대시설 및 임대수익금 전액을 임대주택관리비로 충당하는 임대용 복리시설을 포함한다. 이하 이 조에서 같다)을 건축하는 경우 그 공동주택에 대해서는 다음 각 호에서 정하는 바에 따라 지방세를 2021년 12월 31일까지 감면한다. 다만, 토지를 취득한 날부터 정당한 사유 없이 2년 이내에 공동주택을 착공하지 아니한 경우는 제외한다. 감면분만 농비

1. 전용면적 60제곱미터 이하인 공동주택을 취득하는 경우에는 취득세를 면제한다.
2. 「민간임대주택에 관한 특별법」 또는「공공주택 특별법」에 따라 10년 이상의 장기임대 목적으로 전용면적 60제곱미터 초과 85 제곱미터 이하인 임대주택(이하 이 조에서 "장기임대주택"이라 한다)을 20호(戶) 이상 취득하거나, 20호 이상의 장기임대주택을 보유한 임대사업자가 추가로 장기임대주택을 취득하는 경우(추가로 취득한 결과로 20호 이상을 보유하게 되었을 때에는 그 20호부터 초과분까지를 포함한다)에는 취득세의 100분의 50을 경감한다.

② 임대사업자가 임대할 목적으로 건축주로부터 공동주택 또는「민간임대주택에 관한 특별법」 제2조 제1호에 따른 준주택 중 오피스텔(그 부속토지를 포함한다. 이하 이 조에서 "오피스텔"이라 한다)을 최초로 분양받은 경우 그 공동주택 또는 오피스텔에 대해서는 다음 각 호에서 정하는 바에 따라 지방세를 2021년 12월 31일까지 감면한다. 다만,「지방세법」 제10조에 따른 취득 당시의 가액이 3억원(「수도권정비계획법」 제2조 제1호에 따른 수도권은 6억원으로 한다)을 초과하는 경우에는 감면 대상에서 제외한다. 감면분만 농비

1. 전용면적 60제곱미터 이하인 공동주택 또는 오피스텔을 취득하는 경우에는 취득세를 면제한다.
2. 장기임대주택을 20호(戶) 이상 취득하거나, 20호 이상의 장기임대주택을 보유한 임대사업자가 추가로 장기임대주택을 취득하는 경우(추가로 취득한 결과로 20호 이상을 보유하게 되었을 때에는 그 20호부터 초과분까지를 포함한다)에는 취득세의 100분의 50을 경감한다.

③ 제1항 및 제2항을 적용할 때「민간임대주택에 관한 특별법」 제43조 제1항 또는「공공주택 특별법」 제50조의 2 제1항에 따른 임대의무기간에 대통령령으로 정한 경우가 아닌 사유로 다음 각 호의 어느 하나에 해당하는 경우에는 감면된 취득세를 추징한다.

1. 임대 외의 용도로 사용하거나 매각·증여하는 경우
2. 「민간임대주택에 관한 특별법」 제6조에 따라 임대사업자 등록이 말소된 경우

영 제13조(추징이 제외되는 임대의무기간 내 분양 등) ① 법 제31조 제3항 각 호 외의 부분에서 "대통령령으로 정한 경우"란「민간임대주택에 관한 특별법」 제43조 제4항 또는「공공주택 특별법 시행령」 제54조 제2항 제1호 및 제2호에서 정하는 경우를 말한다.

서민 주거안정 및 이와 관련한 임대사업 활성화를 위해 임대사업자가 임대목적으로 공동주택을 건축하거나 공동주택을 최초로 분양받는 경우 지방세를 감면한다. 2012년부터 취득

세 신고납부기한이 30일에서 60일로 확대됨과 동시에 임대사업자 감면 요건도 30일에서 60일로 조정되었다.

2012.4.27. 전월세 대책 후속조치의 일환으로 업무시설인 오피스텔이 주거용으로 임대되는 경우에도 임대주택과 동일하게 취득세・재산세를 감면하게 되었다. 한편, 주거용으로 임대되는 오피스텔이 감면대상에 해당되더라도 오피스텔은 건축법상 업무용 시설에 해당되므로 종전과 같이 업무용에 해당하는 취득세 세율을 적용한 후 면적에 따라 감면율을 차등적용하고, 재산세의 경우 사실상 주거용으로 사용되는 경우에는 사실상 현황 과세의 원칙에 따라 주택분 세율을 적용한 후 감면을 적용한다. 그리고, 「임대주택법(제2조 제3호)」에서 오피스텔에 대해서는 매입임대만 임대주택으로 인정하고 있어 건설임대 오피스텔은 감면대상이 아니다.

2016년에는 중산층 주거안정을 위한 기업형 임대주택의 육성을 지원하기 위해 임대주택 의무 임대기간이 축소(일반 5→4년, 준공공 10→8년)되고, 취득세 감면이 확대(60~85㎡ : 25→50%)되었으며, 2017년에는 임대사업자가 부동산을 추가로 취득하여 임대용으로 감면을 받고자 하는 경우, 추가 취득일부터 60일 이내에 해당 임대용 부동산을 임대목적물로 하여 임대사업자로 등록한 경우로 감면대상 임대사업자의 정의를 명확히 하였다.

2020년 「7.10. 대책」으로 「지방세특례제한법」과 「민간임대주택에 관한 특별법」을 동반 개정하였는데, 그 요지는 단기임대 및 아파트 장기임대는 임대사업자에서 제외하고, 매입임대에 관한 가액 요건을 강화하면서 당초 제1항으로 구성되었된 취득세 감면규정을 건설임대사업자는 제1항, 매입임대사업자는 제2항을 적용하도록 재구성하였다. 2021년에는 7.10. 대책시 입법한 부분에 대한 보완을 하였는바, 장기 임대 기간을 '8년'에서 '10년'으로 명확화(법 ①)하면서, 취득세 감면을 법에서 건설부분과 매입부분으로 분항하면서 이를 인용하고 있는 시행령의 각 규정을 법에 따른 항에 맞도록 단순 재정비한 사안이라 하겠다.

| 참고 _ 임대주택 유형별 지방세 감면 현황 |

감면대상		조문	감면율		
			취득세	재산세	도시지역분
임대주택 (단기 및 공공)	40㎡ 이하 (30년 이상 공공임대)	취 §31 ①, ② 재 §31 ④	100%1)	100%3)	100%
	60㎡ 이하	취 §31 ①, ② 재 §31 ④	100%1)	50%3)	50%
	60㎡~85㎡ 이하	취 §31 ①, ② 재 §31 ④	50%1) (8년 장기 & 20호 이상)	25%3)	

감면대상		조문	감면율		
			취득세	재산세	도시지역분
장기일반 민간임대 등 (舊준공공, 기업형)	40㎡ 이하	취 §31 ①, ② 재 §31의 3	100%[2]	100%[3]	100%
				대상확대(다가구)[4]	
	40㎡~60㎡ 이하	취 §31 ① ,② 재 §31의 3	100%[2]	75%[3]	75%
	60㎡~85㎡ 이하	취 §31 ①, ② 재 §31의 3	50%[2] (20호 이상)	50%[3]	
LH공사	LH 매입 공공임대 (다중주택 · 다가구)	§31 ⑤	50%	50%	
	소규모 공동주택 (60㎡ 이하)	§32 ①	50%	50%	
부동산 투자회사	공공임대리츠 (60㎡ 이하)	§31의 4 ①, ② 1	20%	40%	40%
	공공임대리츠 (85㎡ 이하)	§31의 4 ①, ② 2	20%	15%	15%

1) 매입임대사업자는 최초 분양취득 & 가액요건[3억↓(수도권 6억↓)]을 충족한 경우에 한해 취득세 감면
2) §31 ①, ②에 따라 면적별로 감면 가능(단기 임대주택 요건과 동일)
※ 100% 면제인 경우 최소납부세제 적용
※ 건설임대사업자가 오피스텔을 건축하는 경우 감면대상 아님(공동주택 건축만 해당)
3) 가액요건[공동주택 3억↓(수도권 6억↓), 오피스텔 2억↓(수도권 4억↓)] 충족한 경우에 한해 재산세 감면
4) 주인이 거주하는 1호를 제외한 모든 호실을 전용면적 40㎡ 이하(대장 구분기재)로 하여 임대사업하여야 함.

1. 등록 임대사업자

「공공주택 특별법」에 따른 공공주택사업자 및 「민간임대주택에 관한 특별법」에 따라 임대사업자로 등록한 경우에 한해서 감면을 적용한다. 또한 임대용 부동산 취득일부터 60일 이내에 해당 임대용 부동산을 임대목적물로 하여 임대사업자로 등록해야 한다. 기존 임대사업자가 임대물건을 추가로 취득한 경우 추가취득한 후 60일 내 등록한 경우에 한해 감면대상이다.

◎ 피합병법인이 영위하던 임대용 부동산을 합병법인이 4.2. 취득하였으나 60일이 경과한 7.12. 임대목적물로 등록한 경우 재산세 감면대상이 아님

舊「지방세특례제한법」 제31조 제1항에서는 임대사업자의 범위를 임대용 부동산 취득일부터 60일 이내에 해당 임대용 부동산을 임대목적물로 하여 임대사업자로 등록한 경우를 '임대

사업자'라고 명시하고 있으므로 제3항의 재산세 감면 규정 적용 시에도 피합병법인의 임대용 부동산을 합병법인의 명의로 60일 이내에 임대사업자 변경등록을 하지 아니한 경우 재산세 감면에 해당되지 않음(지방세특례제도과-717, 2019.9.25.).

◎ 기존의 매입임대사업자라도 토지 취득일부터 60일 이내 추가로 임대물건을 변경등록하는 경우만 취득세 감면대상에 해당

취득세 감면대상 임대사업자란 임대용 부동산 취득일부터 60일 이내에 임대사업자로 등록한 경우를 포함한다고 할 것인 점, 임대주택법 제6조 ①의 신규등록뿐만 아니라 같은 조 제2항에 따른 기존 임대업자의 변경등록도 임대사업자 등록에 해당되는 점, 임대주택 소재지 및 호수 등으로 기존 임대사업자의 임대물건 추가도 변경등록 대상에 해당되는 점, 임대주택 건설용 토지를 취득·소유한 경우 사업계획승인서 또는 건축허가서를 첨부하면 임대사업자 변경등록이 가능한 점, 임대사업자 등록부에 등재하지 않은 공동주택은 임대주택법에 따른 임대사업자의 임대주택으로 볼 수 없는 점(국토부 주거복지기획과-2024호, 2011.7.29.) 등을 고려할 때, 기존의 임대사업자라 하더라도 임대주택 건설용 토지 취득일부터 60일 이내에 임대사업자 변경등록을 통하여 임대물건으로 추가등록한 경우만 감면대상(지방세운영과-2344, 2013.9.16.)

☞ 행자부는 기존 임대사업자라도 60일 이내 추가 등록하는 물건만 감면대상에 해당된다는 동일한 취지의 유권해석을 추가로 함(지방세특례제도과-2470, 2016.9.9.).

◎ 행정관청의 지연처리 관련 주택임대사업자등록을 신청일 기준으로 인정한 사례

쟁점 공동주택을 신축취득한 후 30일 이내 주택임대사업자등록을 신청하였으나, 행정관청이 주택임대사업자 등록요건을 처리하는 과정에서 30일이 경과한 사정이 인정되므로 30일 이내에 임대사업자로 등록한 임대사업자에 해당한다 할 것임(조심 2012지0234, 2012.5.1.).

☞ 사업자 등록의 기준이 신청일 기준으로 일방적으로 보게 되면 엄격해석의 원칙에 반함. 해당 사례의 경우 개별사안으로 보는 것이 타당하다고 판단됨.

◎ 공동주택을 건축하면서, 준공 전에 일부 주택에 대해 전세권을 설정하고, 준공 후 나머지 주택에 대하여 임대 또는 임대용으로 전환하는 경우 감면대상에 해당하지 아니함

'13.3.6. 다세대주택(총 20호, 전용 23.76㎡)을 신축 준공하기 전에 9세대에 대하여 전세권을 설정하여 임대하였고, 그 후 나머지 11세대는 전세권을 설정하였거나 임대목적으로 전환하려고 하는 바, 이 건 다세대주택 취득시기인 '13.3.6. 이전에 전세권을 설정하여 임대한 9세대는 이미 임대하였으므로 분양을 목적으로 취득하는 공동주택으로 보기 어렵고, 나머지 11세대는 '13.3.6부터 60일 이내에 임대사업자로 등록을 하지 않은 경우라면 제31조 제1항 또는 제33조 제1항에서 정한 감면대상에 해당하지 아니함(지방세특례제도과-180, 2015.1.22.).

◎ **공동명의 신규임대사업의 경우 종전 단독명의 사업자등록증은 '임대사업자'로 볼 수 없음**

기존의 사업장에서 단독명의 임대사업자라고 하더라도 신규사업장에서 2인 이상이 공동으로 임대목적 주택을 건설하는 경우는 2인 이상이 공동명의로 신규등록하여야 할 것임. 2인이 임대주택 건설용 부지(토지)를 취득한 후 공동명의의 임대사업자 등록신고 없이 종전 사업장의 단독명의 임대사업자 등록증을 첨부한 경우라면 취득세 감면대상인 '임대사업자'로 볼 수 없음(지방세운영과-2895, 2012.9.12.).

◎ **공무원연금관리공단의 임대목적 공동주택은 취득세 감면대상 임대주택에 해당되지 않음**

공무원연금법에서 공무원연금관리공단을 국가나 지방자치단체로 의제한다 하더라도 지특법 제31조 ①에서 정한 임대사업자로 의제되는 것은 아님(대법원 2013두11338. 등), 따라서 공무원연금관리공단이 임대주택법에 따라 주택임대사업을 하기 위하여 임대사업자로 등록되지 않은 이상 취득세 감면대상 임대사업자에 해당되지 않음(지방세특례제도과-3330, 2015.12.4.).

2. 유형별 감면 요건

공공주택사업자 및 임대사업자(임대용 부동산을 임대목적물로 하여 취득일부터 60일 이내 임대사업자 등록을 한 경우 限)가 임대할 목적으로 공동주택을 건축하는 경우에 취득세를 감면한다(법 ①). 전용면적 60㎡ 이하는 취득세를 면제하고, 85㎡ 이하인 경우에는 장기임대에 한해 20호 이상을 취득해야 취득세를 50% 감면한다. 감면요건 20호를 적용함에 있어, 한 번에 20호 이상을 일괄 취득하는 경우에는 전체가, 20호 이상 보유 중에 추가로 취득하는 경우에는 추가 취득분에 대해, 20호 미만을 보유하다가 추가 취득하는 경우에는 20호부터 초과분까지 50% 감면이 된다고 할 것이다. 또한, 토지 취득일로부터 정당한 사유없이 2년 이내에 공동주택을 착공하지 않는 경우에는 감면을 제외한다고 규정하고 있으므로 건축을 위해 취득하는 부속토지에 대해서도 임대목적물 등록을 토지 취득일로부터 60일 이내에 완료하는 등 위의 요건들을 갖춘 경우라면 취득세 감면대상이 된다. 한편, 오피스텔의 경우 공동주택과 달리 건설임대사업자는 감면대상이 아니고 매입임대사업자에 한해 감면대상이다.

임대사업자가 임대할 목적으로 공동주택 또는 오피스텔을 최초로 분양받아 취득하는 경우에는 제1항과 동일한 비율로 취득세를 감면하는데 7.10. 대책(2020)을 통해 매입임대 취득세에 대한 가액기준이 추가되어 취득 당시의 부동산 가액이 3억원 이하(수도권은 6억원 이하)인 경우에만 감면이 가능하도록 정비하였다(법 ②). 임대목적으로 기존의 공동주택이나 오피스텔을 단순히 승계 취득하는 경우에는 취득세 감면대상이 아니고 건축된 공동주택이나 오피스텔을 최초로 분양받은 경우에 적용한다. 공동주택에 대해 적용하므로 다가구주택이나 단독주택은 감면대상이 아니다.

임대를 목적으로 주택을 취득했다 하더라도 공동주택이 아닌 다가구주택은 감면대상에 해당하지 않는다. 공동주택이라도 최초에 건축주(사업시행자)로부터 분양받은 경우만 해당되고 그 이후에 분양이 아닌 매매거래를 통해 취득한 경우에는 해당되지 않는다.

◎ 재건축조합원이 임대 목적으로 배정받은 공동주택은 임대목적 신축공동주택(면제)에 해당

조합원이 임대사업자로서 임대를 목적으로 원시취득한 공동주택은 이를 임대목적 신축공동주택으로 볼 것이고(대법원 2010두6427), 조합원이 분양받아 소유권보존등기를 경료한 공동주택은 조합원들이 기존의 건물을 제공하고 건축에 소요되는 비용을 분담하는 등의 방법으로 신축되는 공동주택의 건설에 참여한 대가로 배정받은 것이므로, 조합원이 건축한 주택으로 평가함이 상당함. … 임대사업자등록을 한 원고들이 조합원으로서 임대목적으로 배정받은 전용면적 60㎡ 이하의 공동주택인 사실은 앞서 본 바와 같으므로, 임대목적 신축공동주택으로서 이 사건 규정 전단에 의한 취득세 면제 대상임(대법원 2020두39389, 2020.9.9.).

◎ 임대주택을 신축하기 위해 기존건축물 취득하는 경우 감면대상이 아님

임대사업자는 임대주택을 건축하기 위하여 부동산을 취득하는 경우 통상적으로 '종전의 토지와 건축물'을 취득하는 것이 일반적이라 할 것이며, '종전의 건축물과 토지'는 「지방세법」에서 제6조에서 규정하고 있는 일반적인 취득에 해당한다 할 것이므로 지특법상 감면대상이라고 볼 수는 없음. 다만 토지의 경우 '종전의 토지'와 '임대사업자가 임대할 목적으로 공동주택을 건축하는 그 공동주택에 부속된 토지'로 동시에 해당하기 때문에 '종전의 토지'를 '종전의 토지와 건축물을 취득' 시점에서 이를 세정운영 실무상 소급하여 감면대상으로 처리하는 것임(지방세특례제도과-1815, 2018.5.25.).

◎ 신탁종료로 건축주가 소유권을 회복한 이후 시행한 분양은 최초분양에 해당됨

신탁계약의 종료에 따라 건축주가 소유권을 이전받아 최초로 분양하는 경우 이를 분양받은 매입임대사업자의 입장에서는 사실상 임대용 부동산을 최초로 분양받은 경우에 해당되는 것으로 인식하는 것이 통상적이라 하겠고, 위와 같이 매입임대사업자의 입장에서 동일한 효과가 있는 임대부동산에 대하여 당해 재산이 신탁재산이었다는 사유로 달리 취급하는 것은 입법취지상 불합리하다 하겠는 바, 이 사건 부동산의 건축주이자 매도인인 ○○○에 신탁등기한 상태에서 청구인이 2016.1.9. ○○○에게 소유권이전이 된 후, 같은 날 ○○○로부터 소유권이전을 받은 점 등에 비추어 청구인이 건축주로부터 최초로 분양받은 것과 같으므로 취득세 면제대상에 해당(조심 2016지0921, 2016.10.13.)

☞ 아래 행자부 유권해석과 상반된(지방세특례제도과-3249, 2015.11.30.) 심판임.

◎ 건축주와의 교환계약으로 취득한 경우를 최초 분양으로 볼 수 없음

지특법 제31조 제1항에서 임대사업자가 임대할 목적으로 건축주로부터 공동주택 또는 오피스텔을 최초로 분양받은 경우 그 공동주택 또는 오피스텔에 대해서는 다음 각 호에서 정하는 바에 따라 지방세를 감면한다고 규정하고 있고, 질의의 경우는 조합원이 대지를 신탁회사에 제공하여 신탁등기를 경료하고 신탁회사는 건축물을 건축하여 소유권보존등기 후 조합원에게 소유권을 이전하였다 하더라도 계약서에 의하면 조합원의 대지와 건축물을 교환계약에 의거 취득한 것으로 나타나므로 사업시행자로부터 최초로 분양받은 것으로 볼 수 없어 취득세 감면이 어렵다고 할 것임(지방세특례제도과-715, 2019.9.24.).

◎ 신탁해지로 건축주가 소유권을 회복한 이후 분양받았더라도 최초분양으로 볼 수 없음

임대사업자가 임대할 목적으로 건축주로부터 공동주택을 최초로 분양받은 경우라 함은 건축주가 공동주택을 신축하고 보존등기한 이후 그 건축주로부터 소유권이 최초로 이전되는 경우로 보아야할 것이므로, 건축주가 신탁 및 신탁해지를 원인으로 신탁회사 앞으로 공동주택에 대한 소유권이전등기를 경료한 이상, 그 건축주가 소유권을 다시 취득하여 최종적으로 임대사업자가 그 건축주로부터 공동주택을 분양 받았다 하더라도 이는 지방세특례제한법 제31조 제1항에 따른 '최초로 분양받은 경우'에 해당되는 것으로 볼 수 없고 취득세 감면 대상에 해당되지 않는 것임(지방세특례제도과-3249, 2015.11.30.).

◎ 상속으로 건축주 지위가 승계된 경우 그 건축주로부터 취득하는 경우도 최초분양으로 봄

임대사업자가 임대할 목적으로 건축주로부터 공동주택을 최초로 분양받는 경우 그 공동주택에 대하여 취득세 등을 감면한다는 규정에서 건축주란 당해 공동주택의 건축허가 명의인 또는 이와 동일시할 수 있는 경우로서 상속 또는 합병·분할 등의 사유로 건축주의 지위를 승계한 자를 포함한다고 할 것(서울고법 2004누13938, 2006.11.9. 참조)이므로, 임대주택 공동건축주(부부) 1인의 사망으로 불가피하게 상속지분과 건축주의 지위를 승계받은 상속인(공동건축주 1인)으로부터 분양받은 경우 그 상속지분도 건축주로부터 최초로 분양받은 경우에 해당됨(지방세운영과-2759, 2011.6.13.).

◎ 취득당시 분양을 목적으로 취득하였는데, 이후 임대목적으로 용도가 변경되어 감면요건(임대주택 감면)을 충족하였다 하더라도 취득당시로 소급하여 감면적용은 불가함

취득세의 경우 취득세 과세물건을 취득하는 시점에서 감면요건의 충족 여부로 판단하여야 할 것임. 임대주택 건축사업자가 임대용 공동주택을 건축할 목적으로 취득하는 부속토지에 대하여 취득세를 면제한다고 규정하고 있는 바, 분양을 목적으로 공동주택의 부속토지를 취득한 경우라면, 취득세 납세의무 성립시기인 당해 토지의 취득시점에 임대할 목적으로 건축하는 공동주택이라는 위 감면요건을 충족하지 못하였으므로 취득시점 이후에 감면요건을 충

족하였다고 하더라도 법적 안정성 측면에서 이를 소급하여 적용할 수는 없음(지방세운영과-2758, 2011.6.13.).

◎ 일부 증축 및 용도변경하여 공동주택으로 사용승인을 받은 경우 건축주로 볼 수 있고, 증축(공동주택) 부분을 최초로 분양받은 경우에만 취득세 감면 해당

기존건축물의 내부를 일부 증축 및 용도변경하여 공동주택으로 사용승인을 받은 경우로서 지방세법 제6조 제5호 및 건축법 제2조 ① 제8호에 따르면 취득세에서 '건축'이란 건축물을 신축·증축·개축·재축하거나 건축물을 이전하는 것을 말하는 것으로 규정하고 있는 바, 조세법률주의의 원칙상 … 용도변경한 부분은 '건축'에 해당하지 아니하고 증축한 부분만 '건축'에 해당하므로 사용승인을 받은 자(건축주)로부터 증축한 부분에 해당하는 공동주택을 최초로 분양받은 경우에만 취득세를 감면(지방세운영과-762, 2014.3.4.)

◎ 임대사업자가 용도변경된 건축물을 취득한 경우 최초분양받은 경우가 아니므로 감면제외

'건축주로부터 최초로 분양받은 경우'란 건축행위를 통한 건축물의 분양을 그 전제로 하는 것이므로, 임대사업자가 이 사건 조항 후단에 의하여 취득세 감면의 혜택을 누리기 위해서는 건축물을 건축한 자로부터 분양계약에 따라 임대주택을 최초로 매입하여 취득하여야 함(대법원 2017두32401). … ○○디앤씨는 이미 신축된 건물을 매수한 다음 그 용도를 근린생활시설에서 공동주택으로 변경하였을 뿐 이를 건축하지 아니하였으므로, 원고가 ○○디앤씨로부터 매입하였다 하더라도 '건축주로부터 최초로 분양받은 경우'에 해당한다고 할 수 없음(대법원 2018두38482, 2018.6.15.).

◎ 건축물을 건축한 자로부터 분양계약에 따라 최초로 매입하여야 감면적용

이 사건 조항 후단에서 정하고 있는 '건축주로부터 최초로 분양받은 경우'란 건축행위를 통한 건축물의 분양을 그 전제로 하는 것이므로, 임대사업자가 이 사건 조항 후단에 의하여 취득세 감면의 혜택을 누리기 위해서는 건축물을 건축한 자로부터 분양계약에 따라 임대주택을 최초로 매입하여 취득하여야 함(대법원 2017두32401). 그런데 ○○디앤씨는 이미 신축된 건물을 매수한 다음 그 용도를 근린생활시설에서 공동주택으로 변경하였을 뿐 이를 건축하지는 아니하였으므로 감면대상이 아님(대법원 2018두37731, 2018.5.15.).

◎ 타 건축주가 건축한 건축물 전체를 임대사업자가 일괄 매수한 경우 감면 적용

제31조 제1항에서 임대주택에 대한 지방세 감면을 규정하면서 건축주가 임대용 공동주택을 신축하여 취득하는 경우뿐만 아니라 임대사업자가 건축주로부터 그 공동주택 등을 최초로 분양받은 경우까지 포함하는 등 임대용 공동주택의 공급촉진을 통하여 일반 서민의 주거안정을 도모하는데 임대주택에 대한 지방세 감면의 주된 목적이 있는 점 등을 종합할 때 임대사업자가 건축주로부터 공동주택을 임대할 목적으로 취득하여 임대용으로 사용하는 경우라

면 일부만을 취득하는 경우뿐만 아니라 전체를 최초 취득하는 경우까지 임대사업자가 분양받은 경우로 보아 감면 적용(지방세특례제도과-2564, 2018.7.24.).

◎ **(예규) 지특법 31-1(임대 공동주택 판단)** 임대용 공동주택을 단기숙박시설 기준인 임차사용기간(국제표준산업분류표상 30일) 이내로 계약하고, 숙박시설과 비품 등을 갖춘 형태로 사용하는 경우에는 임대용 공동주택이 아닌 숙박용 숙박시설에 해당함.

3. 임대의무기간 위반 등 감면세액의 추징

임대의무기간 내 임대외의 용도로 사용하거나 매각·증여시, 임대사업자 등록이 말소된 경우에는 감면받은 취득세를 추징하도록 하면서, 예외로 민간임대주택 특별법 제43조 제4항, 공공주택특별법 시행령 제54조 제2항 제1호, 제2호에 해당하는 경우에는 추징하지 않는다(법 ③). 만약 임대의무기간 내에 민간임대주택 특별법 제43조 제4항에 따라 말소하고 매각·증여하는 경우에는 추징대상에서 제외된다고 할 것인데, 7.10. 대책으로 임대주택자 요건을 강화(단기임대를 폐지 및 아파트 장기임대 폐지)하면서 같은 법 제43조 제4항 제3호를 신설(제6조 제1항 제11호에 따라 말소하는 경우)하였는바, 종전 법에 따른 단기임대사업자 및 아파트 장기임대사업자가 임차인의 동의를 얻어 말소하는 경우에는 취득세를 추징하지 아니함에 유의해야 한다.

〈민간임대주택에 관한 특별법〉

제43조(임대의무기간 및 양도 등) ④ 생략

1. 부도, 파산, 그 밖의 대통령령으로 정하는 경제적 사정 등으로 임대를 계속할 수 없는 경우
2. 공공지원임대주택을 20년 이상 임대하기 위한 경우로서 필요한 운영비용 등을 마련하기 위하여 제21조의 2 제1항 제4호에 따라 20년 이상 공급하기로 한 주택 중 일부를 10년 임대 이후 매각하는 경우
3. 제6조 제1항 제11호에 따라 말소하는 경우

제6조(임대사업자 등록의 말소) ① 생략

11. 제43조에도 불구하고 종전의 「민간임대주택에 관한 특별법」(법률 제17482호 민간임대주택에 관한 특별법 일부개정법률에 따라 개정되기 전의 것을 말한다. 이하 이 조에서 같다) 제2조 제5호의 장기일반민간임대주택 중 아파트를 임대하는 민간매입임대주택 또는 제2조 제6호의 단기민간임대주택에 대하여 임대사업자가 임대의무기간 내 등록 말소를 신청(신청 당시 체결된 임대차계약이 있는 경우 임차인의 동의가 있는 경우로 한정한다)하는 경우

한편, 임대의무기간에 대해서는 관련법에 따르도록 규정하고 있지만, 5년·10년 등 관련법에서 정한 기간을 적용하는 것이지 그 기산일까지 동일하게 적용하는 것은 아니다. 만약 임대사업자 등록을 하고 3개월 후에 취득을 한 경우라면 관련법의 기산일은 별론으로 하고 지방세에서는 취득일부터 기산하여 그 기간을 계산해야 한다(조심 2019지2013, 2019.7.17. 등).

◎ 피상속인이 임대주택에 대한 취득세 감면을 받고 임대의무기간 이내 사망하고, 상속인이 임대사업을 승계하지 않는 경우 피상속인의 기 감면 세액은 추징대상임(지방세특례제도과-746, 2019.9.26.).

◎ 당초 자기지분에 대해 공유물분할하는 경우 매각에 해당하지 아니함

공유물분할로 소유권을 이전하는 경우라 하더라도 당초 각자 본인의 지분에 상당하는 부분으로서 공유자가 모두 지방세법상 저율의 취득세율이 적용되는 부분에 대해서는 매각에 해당하지 아니한다고 할 것이나, 지방세법상 공유물분할에 해당하지 아니하는, 즉 당초 지분을 초과하여 취득이 발생하는 세대에 대해서는 쟁점규정의 추징사유인 매각에 해당한다고 할 것임. 다만, 「민간임대주택에 관한 특별법」 제6조에 따라 임대사업자 등록이 말소되는 경우에 해당하거나 공유물분할 이후 임대의무기간에 임대외의 용도로 사용하는 등의 경우에는 매각 해당 여부에 관계없이 추징대상이 된다고 할 것임(지방세특례제도과-2995, 2020.12.15.).

◎ 임대주택 감면 임대의무기간 기산일은 부동산 취득일 이후가 된다고 할 것임

청구인은 2014.1.6. 매입임대주택인 이 건 부동산 등 3개호에 대해 처분청 건축과에 임대사업자등록을 하면서 이 건 부동산에 대한 임대 시작일을 이 건 부동산의 잔금을 지급하기 전인 2014.1.6.로 기재하였고, 2014.4.7. 잔금을 지급하여 취득한 후 임대주택으로 사용하다가 그 취득일부터 5년 이내인 2019.3.29. 매각한 사실이 등기사항전부증명서 등에 의하여 확인되며, 또한 청구인이 이 건 부동산에 대하여 면제된 취득세 등의 추징여부와 관련하여 처분청의 세무부서가 아닌 건축과에 구두로 문의한 데에 처분청의 공적인 견해표명이 있었다고 보기 어려우므로, 처분청이 이 건 부동산을 임대의무기간 내에 매각한 것으로 보아 청구인의 경정청구를 거부한 처분은 달리 잘못이 없음(조심 2019지2035, 2019.7.17.).

◎ 임대사업자가 임대목적 '공동주택'을 신축하기 위해 '토지'를 먼저 취득한 경우, '토지'에 대한 취득세도 공동주택에 대한 그 부속토지로 보아 취득세 감면을 적용하여야 하며, 토지 취득일부터 2년 이내 공동주택에 대한 건축물을 착공하지 아니하는 경우 감면을 제외한다는 규정은 '토지'의 감면분에 대해서만 적용되는 것임(지방세특례제도과-129, 2020.1.21.).

◎ 임대주택을 취득한 후 임대의무기간 내에 신탁등기를 한 경우 임대외의 용도로 사용하거나 매각·증여한 것으로 볼 수 없음(취득세 추징대상이 아님)

「신탁법」상의 신탁행위는 재산의 사용 · 수익 · 처분의 권리를 배타적으로 양도하는 일반적인 소유권의 이전과는 다르게 볼 수 있는 점, 이 건 신탁의 경우 담보부신탁으로서 신탁으로 인하여 쟁점임대주택의 소유권이 수탁자에게 이전된 후에도 위탁자인 청구인은 부동산담보신탁계약 및 그 특약에 따라 월 임료의 수납행위, 임대차보증금 반환채무의 부담, 신탁부동산의 현실적인 점유, 유지관리 및 통상적인 임대업무 수행 등 실질적인 관리를 하면서 여전히 임대인의 지위를 보유하고 있는 점 등에 비추어 이 건 신탁을 임대 외의 용도 내지 매각으로 사용한 것으로 보아 취득세 등을 추징한 처분은 잘못이 있음(조심 2016지0383, 2016.12.2. 및 2016지0171, 2017.1.6. 등 다수).

☞ 추징대상이라는 행자부 해석(지방세특례제도과-1353, 2015.5.15.)과 상반된 심판임.

◎ 임대사업자가 임대용 부동산을 취득하여 신탁회사에 신탁한 경우 신탁계약을 체결하고 그 신탁계약에 따라 소유권이전등기를 한 경우 취득세 추징대상

(주)○○건설(위탁자)은 '13.6.7 토지 및 미준공건물을 경락받은 다음, '14.5.2. 임대사업자 등록을 하고, '14.5.9. 그 미준공건물의 사용승인을 받고, '14.11.27. ○○부동산신탁(수탁자)와 부동산담보신탁계약을 체결하고 소유권이전등기를 하였는 바, 수탁자는 소유권을 완전히 취득하고, 대내외적으로 신탁재산에 대한 관리권을 갖게 되었다 할 것이므로 소유권 행사에 따른 임대할 수 있는 권리는 수탁자에게 있다할 것이고, 임대사업자인 위탁자가 신탁계약에 따라 임대차계약, 임대차보증금수납 · 관리 등을 하는 것은 수탁자가 위탁자로 하여금 그 업무를 하게 한 것에 불과하므로 위탁자가 위 부동산을 임대용으로 사용하는 것으로 볼 수 없다 할 것임(지방세특례제도과-1353, 2015.5.15.).

◎ 임대주택의 최소 보유기간은 취득일부터 5년으로 규정하고 있고 5년을 충족하지 아니한 상태에서 임대주택의 소재지를 관할하는 구청장의 허가를 받지 아니하고 매각한 것으로 확인되고 있는 이상 주택에 대하여 기 면제받은 취득세 등을 납부한 것은 적법함(조심 2010지0120, 2010.4.15.).

◎ 매입임대사업자가 건설임대사업자의 지위를 승계하면서 임대의무기간이 경과된 공동주택을 공급 받은 후 5년 내에 제3자에게 매각한 경우 임대의무기간 내 매각한 경우로 봄

지특법령에서 임대사업자의 지위 승계시 종전 임대사업자의 임대기간을 합한 것으로 한다는 등 별도의 규정이 없는 한 임대사업자의 임대의무기간 계산의 기산일은 임대사업자별로 취득시점부터 각각 계산되어야 하는 바, 임대사업자가 임대주택을 임대의무기간 내에 매각하더라도 감면된 취득세를 추징하지 않는 예외 규정(영 제13조 ② 제2 · 3호)에 해당되지 아니하고, 해당 임대주택을 취득 후 5년 내에 제3자에게 매각하였다면 임대의무기간(임대개시일부터 5년)에 매각한 것에 해당되어 감면된 취득세를 추징하는 것이 타당함(지방세운영과-3448,

2013.12.20.).

◎ 임대주택법령 개정에 따라 다른 임대사업자에게 매각하기 전에 행정관청에 매각신고를 의무화하도록 조례가 불리하게 개정되었으므로 개정 조례에 의한 추징사유가 발생하였다 하더라도 납세의무자의 기득권 내지 신뢰보호를 위하여 유리한 종전 조례를 적용하여야 할 것임(조심 2010지0499, 2011.8.24.).

◎ **임대주택으로 공동주택을 취득하여 취득세를 감면 받은 후 유예기간 내에 매각한 경우 주택유상거래에 대한 취득세 감면(100분의 50)을 적용할 수 있음**

취득할 당시 임대주택에 대한 감면을 규정하고 있는 도세감면조례 제12조 ②과 주택유상거래 감면 규정을 모두 충족하였으나, 지방세법 제294조에 따라 감면율이 높은 임대주택에 대한 감면을 적용한 것인 바, 임대주택에 대한 취득세를 감면받은 후에 추징사유가 발생하였다 하더라도 주택유상거래에 대한 감면사유가 존재하는 이상, 주택유상거래에 대한 취득세 감면까지 배제되는 것은 아님(조심 2013지0851, 2014.2.13.).

제31조(임대주택 등에 대한 감면) 제4항 · 제5항 [재산세 감면]

법 제31조(임대주택 등에 대한 감면) ④ 대통령령으로 정하는 임대사업자 등이 대통령령으로 정하는 바에 따라 국내에서 임대용 공동주택 또는 오피스텔을 과세기준일 현재 2세대 이상 임대 목적으로 직접 사용하는 경우에는 다음 각 호에서 정하는 바에 따라 재산세를 2021년 12월 31일까지 감면한다. 다만, 「지방세법」 제4조 제1항에 따라 공시된 가액 또는 시장·군수가 산정한 가액이 3억원(「수도권정비계획법」 제2조 제1호에 따른 수도권은 6억원으로 한다)을 초과하는 공동주택과 「지방세법」 제4조 제2항에 따른 시가표준액이 2억원(「수도권정비계획법」 제2조 제1호에 따른 수도권은 4억원으로 한다)을 초과하는 오피스텔은 감면 대상에서 제외한다.

1. 전용면적 40제곱미터 이하인 「공공주택 특별법」 제50조의 2 제1항에 따라 30년 이상 임대 목적의 공동주택에 대해서는 재산세(「지방세법」 제112조에 따른 부과액을 포함한다)를 면제한다.
2. 전용면적 60제곱미터 이하인 임대 목적의 공동주택 또는 오피스텔에 대해서는 재산세(「지방세법」 제112조에 따른 부과액을 포함한다)의 100분의 50을 경감한다.
3. 전용면적 85제곱미터 이하인 임대 목적의 공동주택 또는 오피스텔에 대해서는 재산세의 100분의 25를 경감한다.

⑤ 제4항을 적용할 때 「민간임대주택에 관한 특별법」 제6조에 따라 임대사업자 등록이 말소된 경우에는 그 감면 사유 소멸일부터 소급하여 5년 이내에 감면된 재산세를 추징한다. 다만, 다음 각 호의 어느 하나에 해당하는 경우에는 추징에서 제외한다.

1. 「민간임대주택에 관한 특별법」 제43조 제1항에 따른 임대의무기간이 경과한 후 등록이 말소된 경우 2. 그 밖에 대통령령으로 정하는 경우

> 영 제13조(추징이 제외되는 임대의무기간 내 분양 등) ② 법 제31조 제4항 각 호 외의 부분 본문에서 "대통령령으로 정하는 임대사업자 등"이란 다음 각 호의 어느 하나에 해당하는 자를 말한다.
> 1. 주택건설사업자(해당 건축물의 사용승인서를 내주는 날 또는 매입일 이전에 「부가가치세법」 제8조에 따라 건설업 또는 부동산매매업의 사업자등록증을 교부받거나 같은 법 시행령 제8조에 따라 고유번호를 부여받은 자를 말한다)
> 2. 「주택법」 제4조 제1항 제6호에 따른 고용자
> 3. 「민간임대주택에 관한 특별법」 제2조 제7호의 임대사업자 또는 「공공주택 특별법」 제4조에 따른 공공주택사업자
>
> ③ 법 제31조 제4항 각 호에서 정하는 바에 따라 재산세를 감면받으려는 자는 「민간임대주택에 관한 특별법」 제5조에 따라 해당 부동산을 임대목적물로 하여 임대사업자로 등록하여야 한다.
> ④ 법 제31조 제5항 제2호에서 "대통령령으로 정하는 경우"란 「민간임대주택에 관한 특별법」 제43조 제4항의 사유로 임대사업자 등록이 말소된 경우를 말한다.

주택임대사업자 등이 2세대 이상의 임대용 공동주택을 건축·매입하여 임대목적에 직접 사용하는 경우에는 재산세, 도시지역분 재산세를 면적에 따라 차등 감면한다. 특정부동산분 지역자원시설세는 2019년부터 감면이 종료되었다.

임대사업자 등이 국내에서 임대용 공동주택 또는 오피스텔을 과세기준일 현재 2세대 이상 임대 목적으로 직접 사용시에는 재산세를 감면(법 ④)하는데, 재산세를 감면받으려는 자는 「민간임대주택에 관한 특별법」 제5조에 따라 해당 부동산을 임대목적물로 하여 임대사업자로 등록하여야 한다. 전용면적 40㎡ 이하인 「공공주택 특별법」에 따른 30년 이상 임대목적의 공동주택에 대해서는 재산세를 면제(도시지역분 포함)한다. 공공임대주택이 아닌 60㎡ 이하인 임대 목적의 공동주택 또는 오피스텔에 대해서는 재산세(도시지역분 포함)를 50% 경감하고, 85㎡ 이하인 임대 목적의 공동주택 또는 오피스텔에 대해서는 재산세를 25% 경감한다. 여기서 2세대 이상이라 함은 공동주택과 오피스텔을 합한 세대수(제31조의3 재산세 감면은 각각 2세대임)를 말한다. 2017년까지는 공동주택과 오피스텔을 각각 2세대 이상 보유 및 임대하는 경우에 재산세를 감면하였으나, 2018년부터는 현재와 같이 공동주택과 오피스텔을 합하여 2세대가 되는 경우에도 감면되도록 확대하였으며, 2018.1.1. 이후 납세의무가 성립하는 분부터 적용토록 하였다. 2019년부터는 임대용 부동산을 임대목적물로 등록한 경우에만 감면(영 ③)되도록 명확히 하였다. 또한, 2020.7.10. 대책으로 가액기준을 추가하여 공동주택은 주택가격 3억 이하(수도권은 6억 이하), 오피스텔은 시가표준액 2억 이하(수도권은 4억 이하)의 요건을 충족한 경우라야 감면대상에 해당한다. 다만, 재산세 관련 가액기준에 대해서는 부칙에 적용례(§2 ②, §3)를 두어 시행 이후 임대사업자가 임

대할 목적으로 취득하여 등록하거나, 시행 전에 보유한 물건을 신규 등록한 경우부터 적용하도록 하였다.

임대사업자 등록이 말소된 경우에는 감면사유 소멸일로부터 소급해서 5년분의 재산세를 추징하는데, 임대의무기간 경과 후에 말소되거나, 민간임대주택 특별법 제43조 제4항에 해당하는 경우에는 추징하지 않는다(법 ⑤). 추징 예외에 관해서는 앞의 취득세 감면 부분을 참고하기 바란다.

◎ 부부공동명의 지분으로 취득한 주택이 감면 요건인 주택수 산정시 포함 여부

임대주택 사업자의 주택수를 산정할 때에는 비록 지분으로 취득한 주택의 경우에도 주택 수에 포함하여야 할 것으로 재산권 행사에 대한 부부별산제를 채용하고 있는 현행 법령에 비추어, 감면분에 대하여만 부부합산을 인정함은 법 논리에도 맞지 않으며, 재산세 감면범위는 임대사업자 본인명의로 소유한 지분에 한하여 감면을 적용함이 타당함(지방세특례제도과-724, 2014.6.23.).

☞ 지분이라도 1호로 보아 주택수를 계산하되, 요건 충족자의 지분에 대해서만 감면

(예시)

지분 유형	감면 여부
A, B주택을 甲·乙이 각 1/2 지분 보유	각 지분별 2세대로 보아 감면
A주택은 甲 단독으로, B주택은 甲·乙 1/2 지분으로 보유	甲만 2세대가 되므로(乙은 1세대), A주택 전체 및 B주택 1/2 지분 감면

◎ 임대용 공동주택을 건축 중인 경우에는 재산세 감면 대상에 해당하지 않음

'국내에서 임대용 공동주택을 건축·매입하거나'라고 규정한 사항은 공동주택으로 사용할 수 있도록 건축 또는 매입을 완료한 상태라고 해석되고, … 제31조 제3항은 토지나 건축물에 대한 감면규정이 아니라 「건축법」 제2조 제3호에 따른 공동주택을 감면요건으로 규정하고 있으며, 임대사업자가 공동주택을 건축 중에 있다 함은 감면요건에 해당하는 공동주택을 건축 또는 매입을 완료한 상태에서 임대사업자가 공동주택을 다른 자에게 2세대 이상을 임대하는 경우에 해당한다고 볼 수 없어 감면대상이 아님(지방세특례제도과-1813, 2018.5.25.).

◎ 상속·증여 등 무상취득하는 임대주택을 임대목적으로 사용하는 경우 재산세 감면 적용

취득세의 감면대상을 '건축' 또는 '최초 분양' 받은 임대주택으로 제한하여 규정한 반면, 재산세 감면대상은 '건축'하는 임대주택 외에 '매입'하는 임대주택까지 확대하여 규정하고 있는 점, 재산을 사실상 소유하고 있는 자에게 부과되는 재산세는 현황과세 성격의 조세로서 과세기준일 현재 임대주택의 용도로 직접 사용하는지 여부에 따라 그 과세 및 감면 등 요건의 충족여부가 판단되어야 하는 점 등을 종합할 때 재산세 감면대상에 포함되는 것으로 보는

것이 타당(지방세특례제도과-3616, 2018.10.4.)

◎ 등록하지 않은 주택은 「임대주택법」에 따른 임대주택으로 볼 수 없어 감면 배제

「지방세특례제한법」 제31조 제3항에서의 임대주택 감면은 국민의 장기적인 주거안정 지원을 위해 「임대주택법」에 따른 임대주택의 재산세를 감면하는 것으로 재산세 과세기준일(매년 6.1.) 현재 「임대주택법」 제2조 제4호 및 제6조에 따라 임대주택으로 등록하지 않은 주택은 「임대주택법」에 따른 임대주택으로 볼 수 없으므로(국토해양부 주거복지기획과-2024호, 2011.7.29.) 재산세 감면대상에서 제외함이 타당함(지방세운영과-3924, 2011.8.19.).

◎ 부부공동명의 지분으로 취득하는 주택도 주택 수에 포함된다고 한 사례

주택 수 산정과 관련하여 「지방세특례제한법」 운영예규 40의 2-2에서는 "하나의 주택에 대한 지분을 보유하거나 취득할 경우, 각각의 지분을 1주택으로 간주하여 주택수를 산정한다." 라고 규정하고 있는 바, 임대주택 사업자의 주택수를 산정할 때에는 비록 지분으로 취득한 주택의 경우에도 주택 수에 포함하여야 할 것으로 재산권 행사에 대한 부부별산제를 채용하고 있는 현행 법령에 비추어, 감면분에 대하여만 부부합산을 인정함은 법 논리에도 맞지 않으며, 재산세 감면범위는 임대사업자 본인명의로 소유한 지분에 한하여 감면을 적용함이 타당함(지방세특례제도과-723, 2014.6.23.).

◎ LH의 분납형 임대주택은 연부취득에 해당되고, 임대목적의 재산세 감면대상에 해당됨

분납형 임대주택은 분양(매매)계약과 임대차계약의 성격을 함께 가지고 있는 것으로 볼 수 있는 바, 분양계약의 효력은 연부금액이 완납되기 전까지는 소유권 변동 효력이 발생하지 않는 정지조건부 계약에 해당한다고 할 것이므로 재산세 과세기준일 현재 임대용 공동주택으로 보는 것이 합리적(감면대상)임. 취득세의 경우에는 쟁점 주택의 분납금(분양전환금)을 10년 후 분양이 전제된 주택가격을 분납하는 것이므로 「지방세법」상 연부취득에 해당되어 과세대상이 되는 것임(지방세운영과-2349, 2013.9.16.).

◎ 과세기준일 현재 임대목적에 직접 사용하는 경우에 한해 재산세 감면대상에 해당됨

지특법 제31조 제3항은 "토지"나 "건축물"이 아닌 주택 중에서 임대용 공동주택에 한하여 재산세를 감면하는 규정이고, 지특법 시행령 제45조는 토지에 대한 재산세의 감면 규정임. 따라서 임대용 공동주택을 건축 중인 경우에는 지특법 시행령 제45조 규정을 적용하기보다는 지특법 제31조 제3항에 따른 과세기준일 현재 임대 목적에 직접 사용하는 경우에 한해서 감면대상으로 판단하는 것이 합리적임(지방세운영과-123, 2013.4.2.).

◎ 등록된 임대주택이라도 임대 이외의 목적사용으로 행정처분 대상인 경우 감면 배제

「임대주택법」에 따라 등록된 "매입임대주택"으로서 사실상 임대목적 용도로 직접 사용하였음이 확인되는 부분에 한해 재산세를 감면하는 것이 합리적이라 사료되며, 「임대주택법」에

따라 등록된 임대주택이라 하더라도, 임대 이외의 목적사용 등으로 같은 법령에서 정하는 벌칙, 과태료 처분, 시정명령 등 행정처분 대상인 경우에는 해당 주택은 「지방세특례제한법」 제31조 제3항에서의 "임대목적에 직접 사용하는 경우"에 해당한다고 볼 수 없으므로 감면대상에서 제외됨(지방세운영과-5883, 2011.12.29.).

◎ 임대주택법에 따라 등록된 임대사업자가 "매입임대주택"에 주소지를 등록하고 제3자와 임대차계약을 체결하여 공동사용하는 경우 재산세 감면대상이 아님

임대주택법에 따라 등록된 "매입임대주택"으로서 사실상 임대목적 용도로 직접 사용하였음이 확인되는 부분에 한해 재산세를 감면하는 것이 합리적이며, 임대주택법에 따라 등록된 임대주택이라 하더라도, 임대 이외의 목적사용 등으로 같은 법령에서 정하는 벌칙, 과태료 처분, 시정명령 등 행정처분 대상인 경우에는 해당 주택은 지특법 제31조 제3항의 "임대목적에 직접 사용하는 경우"에 해당한다고 볼 수 없으므로 감면대상에서 제외함이 타당함. 사실관계 확인 후 판단할 사안임(지방세운영과-5883, 2011.12.29.).

◎ 근로복지공단의 근로여성 임대아파트는 임대주택법 제16조 ①에 해당되는 100% 감면대상

당해 임대주택은 자치단체 및 국가의 예산으로 건설되었고, 국가의 근로자 복지업무를 위탁받은 공공단체에 의해 운영되고 있으며, 1989년 준공 이후 현재까지 지역 여성근로자에게 당해 주택을 저렴한 비용으로 임대하고 있는 점, 구 임대주택건설촉진법에 의해 건설 공급된 당해 임대주택의 임대의무기간을 건설당시 매각제한이 5년이라도 50년으로 보고 있는 점(국토부 공공주택운영과-458, 2010.2.23.)을 감안할 때, 감면조례에서 규정하고 있는 임대주택법 제16조 제1항 제1호의 규정을 적용할 여지가 있으므로 ○○구세감면조례에 의거 재산세 100% 감면 대상 임대주택임(지방세운영과-3724, 2010.8.18.).

◎ 기타 임대주택 관련 사례

임대의무기간이 경과하여 분양전환하였다 하더라도 여전히 임대용으로 공하여 지고 있는 주택에 대하여 단순히 분양전환승인을 받았다는 사유만으로는 임대주택에 해당되지 아니한다고 볼 수는 없음(조심 2012지0129, 2012.3.30.).

제31조(임대주택 등에 대한 감면) 제6항 [한국토지주택공사 감면]

법 제31조(임대주택 등에 대한 감면) ⑥ 「한국토지주택공사법」에 따라 설립된 한국토지주택공사(이하 "한국토지주택공사"라 한다)가 「공공주택 특별법」 제43조 제1항에 따라 매입하여 공급하는 것으로서 대통령령으로 정하는 주택에 대해서는 취득세 및 재산세의 100분의 50을 각각 2021

년 12월 31일까지 경감한다. 다만, 다음 각 호의 어느 하나에 해당하는 경우 그 해당 부분에 대해서는 경감된 취득세 및 재산세를 추징한다.

1. 정당한 사유 없이 그 매입일부터 1년이 경과할 때까지 해당 용도로 직접 사용하지 아니하는 경우 2. 해당 용도로 직접 사용한 기간이 2년 미만인 상태에서 매각·증여하거나 다른 용도로 사용하는 경우

영 제13조(추징이 제외되는 임대의무기간 내 분양 등) ⑤ 법 제31조 제6항 각 호 외의 부분 본문에서 "대통령령으로 정하는 주택"이란 「건축법 시행령」 별표 1 제1호 나목의 다중주택 및 그 부속토지와 같은 호 다목의 다가구주택(이하 "다가구주택"이라 한다) 및 그 부속토지를 말한다.

보금자리 주택사업 활성화를 위하여 한국토지주택공사가 보금자리 주택사업을 위해 매입하는 기존주택에 대한 취득세 등 세제지원을 규정하고 있다.

LH가 다중주택 및 다가구주택을 매입하여 공공임대매입주택으로 공급하는 경우 취득세 및 재산세를 50% 감면하는데, 소위 말하는 보금자리주택이 여기에 해당한다. 이 경우 단독주택에 대해서도 재산세 감면이 적용되며, 최초분양이 아니더라도 취득세 감면이 된다.

한편, 매입하여 공급하는 경우에만 해당 규정을 적용하는 것이므로, 신축하여 공급하는 경우에는 감면대상에 해당하지 않는다(지방세특례제도과-716, 2019.9.25.).

제31조의 3(장기일반민간임대주택 등에 대한 감면)

법 제31조의 3(장기일반민간임대주택 등에 대한 감면) ① 「민간임대주택에 관한 특별법」 제2조 제4호에 따른 공공지원민간임대주택 및 같은 조 제5호에 따른 장기일반민간임대주택을 임대하려는 자가 대통령령으로 정하는 바에 따라 국내에서 임대 목적의 공동주택 2세대 이상 또는 대통령령으로 정하는 다가구주택(모든 호수의 전용면적이 40제곱미터 이하인 경우를 말하며, 이하 이 조에서 "다가구주택"이라 한다)을 과세기준일 현재 임대 목적에 직접 사용하는 경우 또는 같은 법 제2조 제1호에 따른 준주택 중 오피스텔(이하 이 조에서 "오피스텔"이라 한다)을 2세대 이상 과세기준일 현재 임대 목적에 직접 사용하는 경우에는 다음 각 호에서 정하는 바에 따라 2021년 12월 31일까지 지방세를 감면한다. 다만, 「지방세법」 제4조 제1항에 따라 공시된 가액 또는 시장·군수가 산정한 가액이 3억원(「수도권정비계획법」 제2조 제1호에 따른 수도권은 6억원으로 한다)을 초과하는 공동주택과 「지방세법」 제4조 제2항에 따른 시가표준액이 2억원(「수도권정비계획법」 제2조 제1호에 따른 수도권은 4억원으로 한다)을 초과하는 오피스텔은 감면 대상에서 제외한다.

1. 전용면적 40 제곱미터 이하인 임대 목적의 공동주택, 다가구주택 또는 오피스텔에 대해서는

재산세(「지방세법」 제112조에 따른 부과액을 포함한다)를 면제한다.
2. 전용면적 40 제곱미터 초과 60제곱미터 이하인 임대 목적의 공동주택 또는 오피스텔에 대하여는 재산세(「지방세법」 제112조에 따른 부과액을 포함한다)의 100분의 75를 경감한다.
3. 전용면적 60제곱미터 초과 85 제곱미터 이하인 임대 목적의 공동주택 또는 오피스텔에 대하여는 재산세의 100분의 50을 경감한다.
② 제1항을 적용할 때 「민간임대주택에 관한 특별법」 제6조에 따라 임대사업자 등록이 말소된 경우에는 그 감면 사유 소멸일부터 소급하여 5년 이내에 감면된 재산세를 추징한다. 다만, 다음 각 호의 어느 하나에 해당하는 경우에는 추징에서 제외한다.
1. 「민간임대주택에 관한 특별법」 제43조 제1항에 따른 임대의무기간이 경과한 후 등록이 말소된 경우 2. 그 밖에 대통령령으로 정하는 경우

영 제13조의 2(다가구주택의 범위 등) ① 법 제31조의 3 제1항 각 호에서 정하는 바에 따라 지방세를 감면받으려는 자는 「민간임대주택에 관한 특별법」 제5조에 따라 해당 부동산을 임대목적물로 하여 임대사업자로 등록하여야 한다.
② 법 제31조의 3 제1항 각 호 외의 부분에서 "대통령령으로 정하는 다가구주택"이란 다가구주택(「민간임대주택에 관한 특별법 시행령」 제2조의 2에 따른 일부만을 임대하는 다가구주택은 임대 목적으로 제공하는 부분만 해당한다)으로서 「건축법」 제38조에 따른 건축물대장에 호수별로 전용면적이 구분되어 기재되어 있는 다가구주택을 말한다.
③ 법 제31조의 3 제2항 제2호에서 "대통령령으로 정하는 경우"란 「민간임대주택에 관한 특별법」 제43조 제4항의 사유로 임대사업자 등록이 말소된 경우를 말한다.

서민 주거안정을 위한 8년 이상 임대하는 장기일반민간임대주택 등에 대한 세제지원으로, 주택구입을 촉진하고 서민의 주거생활을 안정시키기 위해 2013.6.4. 「임대주택법」 개정을 통해 도입되어(신규 매입주택이 대상이며 임대료 인상의 제한이 있음) 2013.12.5.부터 시행된 제도이다. 2019년부터는 다가구주택까지 감면대상에 포함하였으며, 그 일몰을 3년간 연장(2021년까지)하면서 지역자원시설세에 대한 감면은 종료하였다.

「민간임대주택에 관한 특별법」 제2조(정의) 제5호에서 "장기일반민간임대주택"이란 임대사업자가 공공지원민간임대주택이 아닌 주택을 8년 이상 임대할 목적으로 취득하여 임대하는 민간임대주택을 말한다. 그리고 동법 동조 제1호에서 "민간임대주택"이란 임대 목적으로 제공하는 주택(토지를 임차하여 건설된 주택 및 오피스텔 등 대통령령으로 정하는 준주택 및 대통령령으로 정하는 일부만을 임대하는 주택을 포함)으로서 임대사업자가 제5조에 따라 등록한 주택을 말하며, 민간건설임대주택과 민간매입임대주택으로 구분한다.

공공지원임대주택 및 장기일반민간임대주택을 임대하려는 자가 공동주택 2세대 이상, 오피스텔 2세대 이상, 다가구주택을 과세기준일 현재 직접 사용하는 경우 재산세를 감면하는데, 40㎡ 이하는 면제(도시분 포함)하고 40㎡ 초과 60㎡ 이하는 75%를 감면(도시분 포

함)하며 60㎡ 초과 85㎡ 이하인 경우에는 50%를 감면(도시분 제외)한다(법 ①). 취득세는 임대사업자가 취득일부터 60일 이내에 임대용 부동산을 임대목적물로 등록한 경우 감면하도록 규정하고 있으나, 재산세는 임대목적물 등록에 대한 별도의 규정이 없어, 2019년부터는 임대용 부동산을 임대목적물로 등록한 경우에만 감면되도록 명확히 하였다(영 ①). 유의할 점은 공동주택과 오피스텔은 각각 2세대 이상(제31조 제4항 재산세 감면은 공동주택과 오피스텔을 합하여 2세대 이상)이어야 하고, 다가구주택은 주인이 거주하는 호를 제외한 모든 호실이 40㎡ 이하여야 하고, 그 호실을 임대 목적에 직접 사용하여야 하며, 건축물대장상 호수별 전용면적이 구분 기재되어야 한다(영 ②). 한편, 오피스텔에 있어서는 집합건축물로 건축되는 것이 일반적이라 할 것이나, 일반건축물 형태로 건축되는 경우에도 법규정상 특별한 요건을 부여하고 있지 아니한 이상 동일하게 적용하여야 할 것인바, 2호 이상을 임대목적물로 하여 임대사업자 등록을 한 경우로서, 과세기준일 현재 해당 용도로 직접 사용하는 경우라면, 임대사업자 등록증상 기재된 호를 세대로, 그 호별 면적을 세대별 전용면적으로 보아 감면을 적용(지방세특례제도과-2746, 2020.11.18.)하여야 할 것이다.

추징에 대해서는 제31조 제4항과 동일하게 임대사업자 등록이 말소된 경우 감면사유 소멸일부터 소급 5년분 추징하며, 추징예외 사유도 그와 동일하게 임대의무기간 경과 후 말소된 경우, 민간임대주택 특별법 제43조 제4항에 해당하는 경우를 규정(법 ②)하고 있다. 2017년부터는 임대의무기간이 종료되어 등록이 말소된 경우에는 추징대상에서 배제하도록 명확히 규정하였다. 기타 사항에 대해서는 아래 사례와 해설 및 임대주택에 대한 취득세 감면(§31 ①~③)과 재산세 감면(§31 ④, ⑤) 내용을 참고하기 바란다.

◎ 일반건축물로 건축된 오피스텔에 대해서도 재산세 감면 가능

집합건축물이 아닌 일반건축물로 건축된 오피스텔에 대해 2호 이상을 임대목적물로 하여 임대사업자 등록을 한 경우로서 과세기준일 현재 해당 용도로 직접 사용하는 경우라면 임대사업자 등록증상 기재된 호를 세대로, 그 호별 면적을 세대별 전용면적으로 보아 재산세 감면 적용(지방세특례제도과-2746, 2020.11.18.)

☞ 건축물대장의 구분에 따른 특성은 아래 표와 같다.

구분	집합건축물	일반건축물
소유형태	각 세대별 소유	전체를 하나로 소유
면적구분	각 세대별 구분 명확	호별 구분 불명확
주택종류	공동주택	다가구주택
감면요건	2세대 이상 임대시	호수별 구분 기재 및 전체 임대시

오피스텔은 일반건축물로도 건축·소유가 가능하나, 현행 건축물대장 관리법상 호별 구분등

재는 다가구주택에 한해 가능하며, 현행 지특법상 오피스텔에 대해 별도의 요건을 충족토록 규정하고 있지 않아, 공동주택 기준으로 적용시에는 불법 쪼개기 등으로 감면을 적용받으려는 악용사례가 발생할 여지가 있는 반면, 다가구주택 기준으로 적용시에는 현행 건축물대장 관리 법상 호별 구분등재는 다가구주택에 한해 가능하므로 감면적용 대상에서 배제되는 문제가 발생한다. 따라서 건축물대장 상단에 호를 구분토록 등재하고, 실제 그 대장에 따라 건축하였고, 건축물대장 및 현황도 등을 통해 공부와 현황에 부합하도록 임대사업자 등록을 한 경우라면 일반건축물로 건축한 경우에도 제31조의 3을 적용할 수 있도록 하였다.

◎ 다가구주택은 건축물대장상 호수별 구분 기재된 경우에 한해 감면 적용

다가구 임대주택 재산세 감면 요건인 호수별 전용면적 40㎡ 이하 해당 여부를 판단함에 있어, 재산세 과세기준일 현재 건축법 제38조에 따른 건축물대장에 호수별로 전용면적이 구분되어 기재되어 있는 경우에 한해 감면요건을 충족한 것으로 판단하여야 할 것임(지방세특례제도과－1867, 2020.8.11.).

◎ 다가구주택의 경우 상가부분이 있더라도 주택부분이 요건 충족시 감면 가능

1개 동의 건축물이 다가구주택과 상가로 혼재되어 있는 경우 상가부분을 제외하고 다가구 임대주택의 감면요건을 갖춘 경우에는 감면대상에 해당함(지방세특례제도과－1259, 2020.6.4.).

◎ 임대사업자의 10년 임대주택은 장기일반민간임대주택 등에 대한 재산세 감면 대상

임대주택사업자가 아파트를 건설하여 2014.3.19. 임대사업자 등록(10년 임대주택, 민간, 건설)을 하였고, 2019.4.3. 발급된 임대사업자 등록증에도 전용면적별 호수와 임대주택 종류(10년임대주택, 민간, 건설) 및 주택유형(아파트)이 등록되어 있고, 민간임대주택에 관한 특별법(제2조 제5호)에서 "장기일반민간임대주택"이란 임대사업자가 공공지원민간임대주택이 아닌 주택을 8년 이상 임대할 목적으로 취득하여 임대하는 민간임대주택으로 규정하고 있음 … 장기일반임대주택에 포함(지방세특례제도과－718, 2019.9.25.).

제31조의 4(주택임대사업에 투자하는 부동산투자회사에 대한 감면)

법 제31조의 4(주택임대사업에 투자하는 부동산투자회사에 대한 감면) ① 「부동산투자회사법」 제2조 제1호 나목에 따른 위탁관리 부동산투자회사(해당 부동산투자회사의 발행주식 총수에 대한 국가, 지방자치단체, 한국토지주택공사 및 지방공사가 단독 또는 공동으로 출자한 경우 그 소유주식 수의 비율이 100분의 50을 초과하는 경우를 말한다)가 임대할 목적으로 취득하는 부동산[「주택법」 제2조 제3호에 따른 공동주택(같은 법 제2조 제4호에 따른 준주택 중 오피스텔을 포함한다. 이하 이 조에서 같다)을 건축 또는 매입하기 위하여 취득하는 경우의 부동산으로 한정한다]에 대해서는 취득세의 100분의 20을 2021년 12월 31일까지 경감한다. 이 경우 「지방세법」 제13조 제2항 본문 및 같은 조 제3항의 세율을 적용하지 아니한다. 감면분만 농비

② 제1항에 따른 부동산투자회사가 과세기준일 현재 국내에 2세대 이상의 해당 공동주택을 임대 목적에 직접 사용(「부동산투자회사법」 제22조의 2 또는 제35조에 따라 위탁하여 임대하는 경우를 포함한다)하는 경우에는 다음 각 호에서 정하는 바에 따라 지방세를 2021년 12월 31일까지 감면한다.

1. 전용면적 60제곱미터 이하인 임대 목적의 공동주택에 대해서는 재산세(「지방세법」 제112조에 따른 부과액을 포함한다)의 100분의 40을 경감한다.
2. 전용면적 85 제곱미터 이하인 임대 목적의 공동주택에 대해서는 재산세의 100분의 15를 경감한다.

③ 제1항을 적용할 때 다음 각 호의 어느 하나에 해당하는 경우에는 경감받은 취득세를 추징한다.

1. 토지를 취득한 날부터 정당한 사유 없이 2년 이내에 착공하지 아니한 경우
2. 정당한 사유 없이 해당 부동산의 매입일부터 1년이 경과할 때까지 해당 용도로 직접 사용하지 아니하는 경우
3. 해당 용도로 직접 사용한 기간이 2년 미만인 상태에서 매각·증여하거나 다른 용도로 사용하는 경우 [본조신설 2014.12.31.]

부동산투자회사(REITs)[7]가 임대할 목적으로 취득하는 부동산에 대해서 주택임대사업의 활성화를 위해 취득세 및 재산세에 대한 조세지원을 규정하고 있다. 2017년부터는 출자한 그 소유주식을 산정함에 있어 타 법령에서 의제되거나, 부동산투자회사의 자회사 등 공공기관이 직접 출자하지 아니한 경우는 포함되지 않도록 그 범위를 명확히 하였다.

2019년부터는 공공임대리츠의 취득세·재산세 감면에 대해 지원을 축소하면서 2021.12.31.까지 3년간 연장하였다.

구분		~2018년	2019년~2021년
60㎡ 이하	취득세	30%	20%
	재산세(도시지역분 포함)	50%	40%
	지역자원시설세	100%	-
85㎡ 이하	취득세	30%	20%
	재산세	25%	15%

◎ 주택도시보증공사가 국토부장관으로부터 주택도시기금의 운용·관리에 관한 사무를 위탁받아 부동산투자회사에 50% 초과하여 출자한 경우에는 국가가 부동산투자회사에 50% 초과하

7) 부동산투자회사(REITs : Real Estate Investment Trusts)는 다수의 투자자로부터 자금을 모아 부동산에 투자·운영하고 그 수익을 투자자에게 돌려주는 부동산 간접투자기구인 주식회사를 말함.

여 출자한 경우로 볼 수 있을 것이며, 해당 부동산투자회사가 임대할 목적으로 취득하는 경우에는 취득세 감면이 가능(지방세특례제도과-909, 2020.4.24.)

◎ **부동산투자회사가 감면대상이라도 그 과점주주까지 바로 감면되는 것은 아님**

부동산투자회사 과점주주 취득세 감면 여부 관련, 감면대상의 경우 부동산투자회사가 2012.12.31.까지 취득하는 부동산으로 규정하고 있으므로 설령, 당해 부동산투자회사가 부동산을 취득하면서 취득세를 감면받았다고 하여도 부동산이 아닌 부동산이 있는 법인의 주식을 인수하여 과점주주로 된 자의 취득세 납세의무까지 바로 감면되는 것은 아니라(대법원 99두6897, 2001.1.30.)고 보아야 할 것임(지방세운영과-1223, 2012.4.20.).

◎ **부동산투자집합기구 관련 별도의 추징규정이 없어 추징은 불가함**

구 「조세특례제한법」 제119조 제6항 제2호 · 제120조 제4항 제2호 및 구 「지방세법」 제182조 제1항 제3호 마목에서 부동산투자집합기구가 간접투자재산을 취득 · 등기한 경우에는 취득 · 등록세를 50% 감면하고 목적사업에 직접 사용하기 위해 소유하고 있는 경우에는 토지분 재산세를 분리과세한다고 규정하고 있을 뿐 동 감면과 관련하여 별도의 추징규정을 두고 있지 아니한 이상 구 「간접투자자산 운용업법」에서 규정하고 있는 제한규정(자산운용회사가 간접투자재산을 운용함에 있어 부동산을 취득한 후 3년 이내의 처분제한)을 이유로 기 감면한 취득 · 등록세를 추징하거나 분리과세한 재산세를 별도합산으로 경정하여 추징할 수는 없다고 판단됨(지방세운영과-4691, 2009.11.3.).

제32조(한국토지주택공사의 소규모 공동주택 취득에 대한 감면 등)

법 제32조(한국토지주택공사의 소규모 공동주택 취득에 대한 감면 등) ① 한국토지주택공사가 임대를 목적으로 취득하여 소유하는 대통령령으로 정하는 소규모 공동주택(이하 이 조에서 "소규모 공동주택"이라 한다)용 부동산에 대해서는 취득세 및 재산세의 100분의 50을 각각 2021년 12월 31일까지 경감한다.

② 한국토지주택공사가 분양을 목적으로 취득하는 소규모 공동주택용 부동산에 대해서는 취득세의 100분의 25를 2016년 12월 31일까지 경감한다.

③ 제1항 또는 제2항을 적용할 때 토지를 취득한 후 대통령령으로 정하는 기간에 소규모 공동주택의 건축을 착공하지 아니하거나 소규모 공동주택이 아닌 용도에 사용하는 경우 그 해당 부분에 대해서는 감면된 취득세 및 재산세를 추징한다.

영 제14조(소규모 공동주택의 범위 등) ① 법 제32조 제1항에 따른 소규모 공동주택용 부동산은 1구(1세대가 독립하여 구분 사용할 수 있도록 구획된 부분을 말한다. 이하 같다)당 건축면적(전용면적을 말한다)이 60제곱미터 이하인 공동주택(해당 공동주택의 입주자가 공동으로 사용하는

> 부대시설 및 공공용으로 사용하는 토지와 영구임대주택단지 안의 복리시설 중 임대수익금 전액을 임대주택 관리비로 충당하는 시설을 포함한다) 및 그 부속토지(관계 법령에 따라 국가 또는 지방자치단체에 무상으로 귀속될 공공시설용지를 포함한다)를 말한다.
> ② 법 제32조 제3항에서 "대통령령으로 정하는 기간"이란 제1항에 따른 소규모 공동주택용 토지를 취득한 날(토지를 일시에 취득하지 아니하는 경우에는 최종 취득일을 말하며, 최종 취득일 이전에 사업계획을 승인받은 경우에는 그 사업계획승인일을 말한다)부터 4년을 말한다.

한국토지주택공사가 임대 및 분양을 목적으로 취득·소유하는 소규모 공동주택 등에 대한 취득세 등 세제지원을 규정하고 있다.

LH공사가 임대 목적으로 취득·소유하는 소규모(60㎡↓) 공동주택용 부동산에 대해 취득세 및 재산세를 50% 감면(법 ①)하며, 토지를 취득한 후 4년 이내에 건축을 착공하지 않거나 소규모 공동주택이 아닌 용도에 사용하는 경우에는 해당부분에 대해 감면된 취득세 및 재산세를 추징(법 ③)하는데, 여기서 4년 이내의 기산일은 취득일(일시에 취득하지 않는 경우 최종 취득일)과 사업계획승인일 중 빠른 날이므로, 일시에 취득하지 않는 경우에는 최종 취득일과 사업계획승인일 중 빠른 날을 기산일로 보아 적용하여야 한다. 한편, LH의 분양용 소규모 공동주택에 대한 취득세의 감면은 영리성이 강하고 장기간 지원된 점 등을 고려하여 2016년말로 그 일몰을 종료하였다(법 ②).

◎ **정부정책에 의해 종전 국민임대주택 건설사업 승인이 취소되고 보금자리주택사업으로 변경은 추징이 제외되는 '정당한 사유'로 볼 수 있음**

소규모 임대주택을 건설할 목적으로 부동산을 취득한 후 그 사용 용도를 변경하여 공공분양사업에 사용하였으므로 구 지특법 제32조 ③에 따른 추징사유가 발생하였다고 봄이 타당하나, 정부정책에 의한 사정변경으로 인하여 종전의 국민임대주택 건설사업 승인이 취소되고 공공분양사업으로 변경됨으로써 소규모 임대주택에 사용할 것을 기대할 수 없게 된 점, 원고가 당초부터 공공분양사업을 목적으로 토지를 취득하였거나 사정변경 후 같은 목적으로 토지를 취득하였더라면 구 지방세법 제289조 ① 내지 구 지특법 제76조 ①에 의한 취득세 면제사유에 해당하게 되는 점 등의 사정을 고려하면, 이 사건 부동산을 소규모 임대주택에 사용하지 아니한 데에 정당한 사유가 있음(대법원 2016두37867, 2016.9.8.)

◎ **대한주택공사의 근저당권 등기말소 등에 따른 기타등기는 면제대상 아님**

등록세 면제대상은 대한주택공사가 임대를 목적으로 취득하는 부동산에 관한 등기로서 취득등기에 한정된다고 해석하는 것이 합리적이라 할 것임. 따라서 소유권이전등기이외 근저당권 및 임차권 등의 등기말소에 따른 기타 등기는 등록세 면제대상에 포함되지 않는다고 판단됨(지방세운영과－791, 2009.2.17.).

◎ **LH가 보금자리주택건설 사업지구내에 취득하는 근린생활시설 부속토지는 감면대상 아님**

공공복리시설에 대하여「한국토지주택공사법 시행령」 제11조 … 공사가 공급하는 토지와 주택 등의 기능 발휘와 이용을 위하여 필요한 부대시설과 편익시설로서 공원・녹지・주차장・어린이놀이터・노인정・관리시설・사회복지시설과 그 부대시설, 문화・체육・업무 시설 등 거주자의 생활복리를 위하여 필요한 시설로 규정하고 있는 점, "보금자리주택"을 국가 또는 지방자치단체의 재정이나 국민주택기금을 지원받아 건설 또는 매입하여 공급하는 주택으로 규정하고 있는 점 … 근린생활시설은 이에 해당하지 아니함(지방세특례제도과－772, 2015.3.19.).

◎ **LH가 보금자리지구 내 철거예정인 건축물을 취득하는 경우 이는 취득시점 이후 소유권변동을 전제로 하지 않으므로 제3자 공급 목적의 일시 취득 부동산에 해당하지 아니함**

제76조 제1항에서 "일시 취득하는 부동산"이라는 규정에 있어서 "일시 취득"의 개념은 취득행위가 잠정적・임시적인 것으로 취득시점 이후 소유권변동을 전제로 하고 있는 규정이라 할 것이어서, 보금자리주택건설사업지구 내 토지를 취득하면서 그 지상의 건축물을 취득하여 철거 예정인 건축물은 감면대상에 해당하지 아니함(지방세특례제도과－772, 2015.3.19.).

◎ 국가정책에 공공부문의 임대주택 비축 확대방안이 포함되어 있고, 건설교통부에서 청구법인에게 주택 비축 확대 방안에 대한 세부추진계획 수립을 통보한 사실만으로는 이 건 주택을 국가의 계획에 따라 취득한 부동산으로 인정하기는 어렵다고 봄이 타당함(조심 2009지0942, 2010.6.24.).

◎ 취득 시점에서 30년 이상 임대할 목적으로 취득・등기한 부동산에 해당되기 때문에 일시적으로 취득하는 부동산의 취득으로 인정하기 어려운 이상 공동주택의 복리시설인 이 건 부동산을 제3자에게 분양하기 위하여 취득하였다 하더라도 취득세 등의 과세면제 대상으로 보기는 어려움(조심 2009지0909, 2010.6.24.).

◎ **10년 임대 후 분양전환 예정은 '일시취득'에 해당됨**

이 사건 아파트는 그 취득 당시부터 10년의 임대기간 경과 후 분양전환되어 제3자에게 매각될 것이 예정되어 있음을 알 수 있으므로(입주자모집공고에 이러한 취지가 공고되기도 하였다) 이 사건 아파트를 그 매각시까지 일시적으로 취득・보유하는 것이라 할 것임. 따라서 원고가 취득한 이 사건 아파트가 '제3자에게 공급할 목적으로 일시 취득하는 부동산'에 해당함(대법원 2011두6516, 2011.12.22.).

☞ **(지침) LH공사 일시취득 부동산 관련 취득세 등 감면적용 통보**(지방세운영과－5856, 2011.12.28.) 최근 대법원 판결(2011두6516, 2011.12.22.)에 따라 LH공사 일시취득 부동산에 대한 취득세 등 감면 적용요령을 통보함. [적용요령] 판결(2011.12.22.) 전 : 신고납부 및 부과고지에

대한 이의신청 등 불복청구가 진행 중인 사안에 대하여는 소 취하 등 부과취소와 환급조치.
판결(2011.12.22.) 이후 : 납세의무가 새로이 성립되는 분부터 취득세 등 감면적용, 이의신청 등 불복청구기간이 미 도래한 경우는 직권 부과취소

제32조의 2(한국토지주택공사의 방치건축물 사업재개에 대한 감면)

> **법** 제32조의 2(한국토지주택공사의 방치건축물 사업재개에 대한 감면) 「공사중단 장기방치 건축물의 정비 등에 관한 특별조치법」 제6조에 따른 공사중단 건축물 정비계획(건축물 완공으로 인한 수익금이 같은 법 제13조에 따른 공사중단 건축물 정비기금에 납입되는 경우에 한정한다)에 따라 한국토지주택공사가 공사 재개를 위하여 취득하는 부동산에 대해서는 취득세의 100분의 35를, 과세기준일 현재 해당 사업에 직접 사용하는 부동산에 대해서는 재산세의 100분의 25를 각각 2021년 12월 31일까지 경감한다. [본조신설 2015.12.29.]

방치건축물의 사업재개 사업에 대한 지방세 감면 지원을 통해 건설현장의 안전을 확보하고 주민 편익을 제고하기 위한 취지로 2016년 신설되었다.

공사중단 건축물 정비계획에 따라 LH가 공사 재개를 위해 취득하는 부동산에 대해 취득세를 35% 감면하고, 과세기준일 현재 직접 사용하는 부동산에 대해 재산세를 25% 감면하는데, 건축물 완공으로 인한 수익금이 공사중단 건축물 정비기금으로 납입되는 경우에 한해 감면을 적용한다. 한편, LH가 공사 재개를 위해 취득할 당시 과세대상은 토지만 존재할 것이므로 토지에 대한 취득세 및 재산세가 감면되고, 준공시 건축물에 대해 감면을 적용하면 된다.

제33조(주택 공급 확대를 위한 감면)

> **법** 제33조(주택 공급 확대를 위한 감면) ① 대통령령으로 정하는 주택건설사업자가 공동주택(해당 공동주택의 부대시설 및 복리시설을 포함하되, 분양하거나 임대하는 복리시설은 제외한다. 이하 이 조에서 같다)을 분양할 목적으로 건축한 전용면적 60제곱미터 이하인 5세대 이상의 공동주택(해당 공동주택의 부속토지를 제외한다. 이하 이 항에서 같다)과 그 공동주택을 건축한 후 미분양 등의 사유로 제31조에 따른 임대용으로 전환하는 경우 그 공동주택에 대해서는 2014년 12월 31일까지 취득세를 면제한다.

② 상시 거주(「주민등록법」에 따른 전입신고를 하고 계속하여 거주하는 것을 말한다. 이하 이 조에서 같다)할 목적으로 대통령령으로 정하는 서민주택을 취득[상속 · 증여로 인한 취득 및 원시취득(原始取得)은 제외]하여 대통령령으로 정하는 1가구 1주택에 해당하는 경우(해당 주택을 취득한 날부터 60일 이내에 종전 주택을 증여 외의 사유로 매각하여 1가구 1주택이 되는 경우를 포함한다)에는 취득세를 2021년 12월 31일까지 면제한다. 농비

③ 제2항을 적용할 때 다음 각 호의 어느 하나에 해당하는 경우에는 면제된 취득세를 추징한다.

1. 정당한 사유 없이 그 취득일부터 3개월이 지날 때까지 해당 주택에 상시 거주를 시작하지 아니한 경우
2. 해당 주택에 상시 거주를 시작한 날부터 2년이 되기 전에 상시 거주하지 아니하게 된 경우
3. 해당 주택에 상시 거주한 기간이 2년 미만인 상태에서 해당 주택을 매각 · 증여하거나 다른 용도(임대를 포함한다)로 사용하는 경우

영 제15조(주택건설사업자의 범위 등) ① 법 제33조 제1항에서 "대통령령으로 정하는 주택건설사업자"란 다음 각 호의 어느 하나에 해당하는 자를 말한다.

1. 해당 건축물의 사용승인서를 내주는 날 이전에 「부가가치세법」 제8조에 따라 건설업 또는 부동산매매업의 사업자등록증을 교부받거나 같은 법 시행령 제8조에 따라 고유번호를 부여받은 자
2. 「주택법」 제4조 제1항 제6호에 따른 고용자

② 법 제33조 제2항에서 "대통령령으로 정하는 서민주택"이란 연면적 또는 전용면적이 40 제곱미터 이하인 주택[「주택법」 제2조 제1호에 따른 주택으로서 「건축법」에 따른 건축물대장 · 사용승인서 · 임시사용승인서 또는 「부동산등기법」에 따른 등기부에 주택으로 기재{「건축법」(법률 제7696호로 개정되기 전의 것을 말한다)에 따라 건축허가 또는 건축신고 없이 건축이 가능했던 주택(법률 제7696호 건축법 일부개정법률 부칙 제3조에 따라 건축허가를 받거나 건축신고가 있는 것으로 보는 경우를 포함한다)으로서 건축물대장에 기재되어 있지 않은 주택의 경우에도 건축물대장에 주택으로 기재된 것으로 본다}된 주거용 건축물과 그 부속토지를 말한다. 이하 이 조에서 같다]으로서 취득가액이 1억원 미만인 것을 말한다.

③ 법 제33조 제2항에서 "대통령령으로 정하는 1가구 1주택"이란 취득일 현재 취득자와 같은 세대별 주민등록표에 기재되어 있는 가족(동거인은 제외한다)으로 구성된 1가구(취득자의 배우자, 취득자의 미혼인 30세 미만의 직계비속 또는 취득자가 미혼이고 30세 미만인 경우 그 부모는 각각 취득자와 같은 세대별 주민등록표에 기재되어 있지 아니하더라도 같은 가구에 속한 것으로 본다)가 국내에 1개의 주택을 소유하는 것을 말하며, 주택의 부속토지만을 소유하는 경우에도 주택을 소유한 것으로 본다. 이 경우 65세 이상인 직계존속, 「국가유공자 등 예우 및 지원에 관한 법률」에 따른 국가유공자(상이등급 1급부터 7급까지의 판정을 받은 국가유공자만 해당한다)인 직계존속 또는 「장애인복지법」에 따라 등록한 장애인(장애의 정도가 심한 장애인만 해당한다)인 직계존속을 부양하고 있는 사람은 같은 세대별 주민등록표에 기재되어 있더라도 같은 가구에 속하지 아니하는 것으로 본다.

서민 주거 안정을 지원하기 위한 취지로 서민주택(40㎡ 이하로서 취득가액이 1억원 미만인 것) 취득 시 세제지원을 규정하고 있다.

주택건설사업자의 분양용 소규모 공동주택에 대한 감면은 2014.12.31. 일몰기한이 도래되어 감면대상에서 제외되었다(법 ①).

상시 거주할 목적으로 서민주택(40㎡ 이하, 1억원 미만)을 취득하여 1가구1주택에 해당(취득일부터 60일 이내에 증여 외의 사유로 매각하여 1가구1주택 충족시 포함)하는 경우에는 취득세를 면제하는데, 취득유형이 상속·증여와 원시취득인 경우에는 감면을 제외한다(법 ②).

2019년부터는 서민주택 1가구1주택 취득세 감면 규정을 적용함에 있어 증여 취득의 경우에도 상속·원시취득과 같이 배제토록 하고, 상시거주에 대한 추징규정을 신설하였고, 시행령 개정으로 종전에는 30세 미만 미혼인 사람에 대한 1가구1주택 판단 시 직계존속인 조부모와 증조부모까지 포함하여 1가구로 판단하였으나 앞으로는 부모만 포함하도록 1가구1주택 판단 기준을 완화하였다.

감면대상 1가구1주택을 적용함에 있어 취득일 현재 세대별 주민등록표상 가족(동거인 제외)을 원칙으로 하되, 그 기준에서 취득자의 배우자 및 미혼인 30세 미만 직계비속, 취득자가 미혼이고 30세 미만시 그 부모는 세대를 달리하더라도 1가구에 포함되며, 65세 이상의 직계존속, 국가유공자 또는 장애인인 직계존속을 부양하는 경우에는 직계존속이 소유한 주택은 주택수에 포함하지 않는다(영 ③). 1가구는 세대별주민등록표상 가족으로 하되, 배우자는 주소를 달리하더라도 포함하는바, 사실혼 관계에 있는 자에 대해서는 가족관계가 성립하지 않기 때문에 1가구로 볼 수 없다. 반대로 30세 미만 미혼한 자녀는 1가구에 포함되므로 그 자녀가 주소를 달리 하더라도 같은 가구로 본다. 그 자녀가 주소를 달리하면서 사실혼 관계에 있다고 하더라도 부모와 같은 가구로 보아야 한다.

정당한 사유 없이 3개월 이내에 상시 거주를 시작하지 않는 경우, 상시거주 시작일부터 2년이 되기 전에 상시 거주하지 않게 되는 경우, 상시 거주 2년 미만에서 매각·증여 또는 타용도(임대 포함) 사용시에는 감면받은 취득세를 추징한다(법 ③).

◎ 분양할 목적으로 건축한 공동주택을 준공후 sh공사에 일괄 매각한 경우에도 감면대상

원고는 당시 분양사무소를 개설하고, 인터넷을 통하여 이 사건 주택에 관한 분양광고를 하는 등 이 사건 주택을 분양하려고 노력하였음. sh에 매입신청을 한 것은 분양이 성공하지 못할 경우에 대비한 것이고 매입신청을 하더라도 소외 공사의 매입 여부는 유동적인 점, 원고는 매입신청 이후에도 이 사건 주택에 관한 분양광고를 한 점, 소외 공사의 이 사건 주택에 관한 매입승인 통보도 사용승인일보다 훨씬 이후인 점 …위와 같은 매입신청과 매입승인이 처음부터 예정되어 있지 않았던 이상, 대출을 받아 이 사건 주택을 건축한 원고가 건축 당시 분양 이외에 다른 목적을 가졌을 가능성은 적음(대법원 2020두42781, 2020.10.15.).

◎ 감면대상 1가구의 기준

'1가구'는 동일 세대에서 생계를 같이하는 경우로 한정하여 축소 해석할 수는 없고, 법문언대로 '세대별 주민등록표에 기재되어 있는 세대주와 그 가족'으로 엄격하게 해석하여 세대별 주민등록표의 기재에 따라 획일적으로 판단하여야 함(대법원 2014두42377, 2015.1.15.).

◎ 서민주택 감면 추징 규정의 기준이 되는 상시거주를 시작한 날은, 취득일 전부터 그 감면 주택에 임차인으로 주소를 두면서 거주하였더라도 취득일로 보아야 할 것임(지방세특례제도과-1241, 2020.6.3.).

제34조(주택도시보증공사의 주택분양보증 등에 대한 감면)

법 제34조(주택도시보증공사의 주택분양보증 등에 대한 감면) ①「주택도시기금법」에 따른 주택도시보증공사(이하 "주택도시보증공사"라 한다)가 같은 법 제26조 제1항 제2호에 따른 주택에 대한 분양보증을 이행하기 위하여 취득하는 건축물로서 분양계약이 된 주택에 대해서는 취득세의 100분의 50을 2016년 12월 31일까지 경감한다. [감면분만 농비]

② 삭제 〈2014.1.1.〉 ③ 삭제 〈2014.1.1.〉

④「부동산투자회사법」 제2조 제1호 가목 및 나목에 따른 부동산투자회사(이하 이 조에서 "부동산투자회사"라 한다)가 임대목적으로 2014년 12월 31일까지 취득하는 주택에 대하여는 취득세를 면제하고, 취득한 주택에 대한 재산세는 2014년 12월 31일까지 「지방세법」 제111조 제1항 제3호 나목의 세율에도 불구하고 1천분의 1을 적용하여 과세한다. 다만, 취득세를 면제받거나 재산세를 감면받은 후 정당한 사유 없이 제5항에 따른 계약조건을 유지하지 아니하거나 위반한 경우에는 감면된 취득세와 재산세를 추징한다. [농비]

⑤ 제4항에 따라 취득세를 면제받거나 재산세를 감면받으려면 다음 각 호의 계약을 모두 체결하여야 한다.

1. 부동산투자회사와 임차인 간의 계약
   가. 부동산투자회사가 전용면적 85 제곱미터 이하의 1가구[주택 취득일 현재 세대별 주민등록표에 기재되어 있는 세대주와 그 세대원(배우자, 직계존속 또는 직계비속으로 한정한다)으로 구성된 가구를 말한다] 1주택자의 주택을 매입(주택지분의 일부를 매입하는 경우를 포함한다)하여 해당 주택의 양도인(이하 이 조에서 "양도인"이라 한다)에게 임대하되, 그 임대기간을 5년 이상으로 하는 계약
   나. 가목에 따른 임대기간 종료 후 양도인이 해당 주택을 우선적으로 재매입(임대기간 종료 이전이라도 양도인이 재매입하는 경우를 포함한다)할 수 있는 권리를 부여하는 계약
2. 부동산투자회사와 한국토지주택공사 간의 계약 : 양도인이 제1호 나목에 따른 우선매입권을 행사하지 아니하는 경우 한국토지주택공사가 해당 주택의 매입을 확약하는 조건의 계약

⑥ 삭제 〈2014.1.1.〉

⑦ 「부동산투자회사법」 제2조 제1호 다목에 따른 기업구조조정 부동산투자회사 또는 「자본시장과 금융투자업에 관한 법률」 제229조 제2호에 따른 부동산집합투자기구(집합투자재산의 100분의 80을 초과하여 같은 법 제229조 제2호에서 정한 부동산에 투자하는 같은 법 제9조 제19항 제2호에 따른 전문투자형 사모집합투자기구를 포함한다. 이하 같다)가 2016년 12월 31일까지 「주택법」에 따른 사업주체로부터 직접 취득하는 미분양주택 및 그 부속토지(이하 이 항에서 "미분양주택등"이라 한다)에 대해서는 취득세의 100분의 50을 경감하고, 취득한 미분양주택등에 대한 재산세는 2016년 12월 31일까지 「지방세법」 제111조 제1항 제3호 나목의 세율에도 불구하고 1천분의 1을 적용하여 과세한다. [제목개정 2015.1.6.] 감면분만 농비

주택도시보증공사가 분양보증을 이행하기 위하여 취득하는 건축물, 기업구조조정부동산투자회사 또는 부동산집합투자기구 등에 대한 세제지원을 규정하고 있다. 이는 미분양 주택의 조기 해소를 통하여 주택경기를 안정시켜 서민생활의 안정과 건설부문의 유동성을 지원하기 위한 취지로 볼 수 있다.

주택 구입을 위한 과도한 대출과 주택가격 하락에 따른 경제적 부담으로 어려움을 겪고 있는 하우스푸어(house poor) 계층을 지원하려는 목적으로 2013.5.10. 도입되었던 부동산투자회사(REITs)[8]의 임대목적 취득 부동산 감면에 대한 감면은 2014.12.31. 일몰기한이 도래함에 따라 감면대상에서 제외되었다.

2016.1.1.부터 주택도시보증공사 보증주택(§34 ①)의 취득세 감면(50%)과 주한미군의 임대주택(§34 ⑦)에 대한 취득세(100%) 및 재산세(50%) 감면을 각각 1년 연장하였다.

2017.1.1. 시행, 지방세특례제한법에서 주택도시보증공사 분양보증용 주택에 대한 취득세의 감면을 종료하였고(§34 ①), 영리성이 강한 부동산투자회사, 집합투자기구 취득 미분양주택에 대한 감면도 종료하였다(§34 ⑦).

○ 부동산투자회사가 신탁회사로부터 미분양주택을 취득하여도 '최초 취득'에 해당함

신탁회사 명의의 신탁등기는 분양자 및 매수예정자들의 재산권을 온전하게 관리한 후 분양계약서상 채무이행 완료시 소유권이전과, 채권채무의 정산 등 효율적인 사업진행을 위한 형식적인 소유권이전으로 미분양 주택의 실질적인 소유권은 여전히 사업주체인 위탁자에게 있다 할 것이고, 실질적으로 미분양 상태가 지속되고 있음에도 형식적으로 소유권이 신탁회사로 이전되었다하여 미분양이 해소되었다 볼 수 없고, 부동산투자회사가 등기명의자인 신탁회사로부터 미분양주택을 취득하였다 하더라도 신탁원부상 위탁자인 사업주체를 수익자로

8) 부동산투자회사(REITs : Real Estate Investment Trusts)는 다수의 투자자로부터 자금을 모아 부동산에 투자·운영하고 그 수익을 투자자에게 돌려주는 부동산 간접투자기구인 주식회사를 말함.

지정하여 위탁자가 사실상 당해 부동산의 소유자인 경우 실질적으로 영 제223조의 2 ③의 "사업주체로부터 미분양 주택을 직접 최초로 취득하는 경우"에 해당(지방세운영과-6108, 2010.12.30.)

제35조(주택담보노후연금보증 대상 주택에 대한 감면)

법 제35조(주택담보노후연금보증 대상 주택에 대한 감면) ①「한국주택금융공사법」에 따른 연금보증을 하기 위하여 같은 법에 따라 설립된 한국주택금융공사와 같은 법에 따라 연금을 지급하는 금융회사가 같은 법 제9조 제1항에 따라 설치한 주택금융운영위원회가 같은 조 제2항 제5호에 따라 심의·의결한 연금보증의 보증기준에 해당되는 주택을 담보로 하는 등기에 대하여 그 담보의 대상이 되는 주택을 제공하는 자가 등록면허세를 부담하는 경우에는 다음 각 호의 구분에 따라 등록면허세를 2021년 12월 31일까지 감면한다. 〈단서 삭제〉

1. 「지방세법」 제4조 제1항에 따라 공시된 가액 또는 시장·군수가 산정한 가액(이하 이 조에서 "주택공시가격등"이라 한다)이 5억원 이하인 주택으로서 대통령령으로 정하는 1가구 1주택(이하 이 조에서 "1가구 1주택"이라 한다) 소유자의 주택을 담보로 하는 등기에 대해서는 등록면허세의 100분의 75를 경감한다.
2. 제1호 외의 등기 : 다음 각 목의 구분에 따라 감면
   가. 등록면허세액이 400만원 이하인 경우에는 등록면허세의 100분의 75를 경감한다.
   나. 등록면허세액이 400만원을 초과하는 경우에는 300만원을 공제한다. 농비

② 제1항에 따른 주택담보노후연금보증을 위하여 담보로 제공된 주택(1가구 1주택인 경우로 한정한다)에 대해서는 다음 각 호의 구분에 따라 재산세를 2021년 12월 31일까지 감면한다.

1 주택공시가격등이 5억원 이하인 주택의 경우에는 재산세의 100분의 25를 경감한다.
2. 주택공시가격등이 5억원을 초과하는 경우에는 해당 연도 주택공시가격등이 5억원에 해당하는 재산세액의 100분의 25를 공제한다.

③「한국주택금융공사법」 제2조 제11호에 따른 금융기관으로부터 연금 방식으로 생활자금 등을 지급받기 위하여 장기주택저당대출에 가입한 사람이 담보로 제공하는 주택(1가구 1주택인 경우로 한정한다)에 대해서는 다음 각 호의 구분에 따라 재산세를 2021년 12월 31일까지 감면한다.

1. 주택공시가격등이 5억원 이하인 주택의 경우에는 재산세의 100분의 25를 경감한다.
2. 주택공시가격등이 5억원을 초과하는 경우에는 해당 연도 주택공시가격등이 5억원에 해당하는 재산세액의 100분의 25를 공제한다.

영 제16조(주택담보노후연금보증 대상 주택의 1가구 1주택 범위) ① 법 제35조 제1항 제1호에서 "대통령령으로 정하는 1가구 1주택"이란 과세기준일 현재 주택 소유자와 같은 세대별 주민등록표에 기재되어 있는 가족(동거인은 제외한다)으로 구성된 1가구(소유자의 배우자, 소유자의 미혼인 30세 미만의 직계비속은 각각 소유자와 같은 세대별 주민등록표에 기재되어 있지 않더라도 같은 가구에 속한 것으로 본다)가 국내에 1개의 주택을 소유하는 것을 말하며, 주택의 부속토지

만을 소유하는 경우에도 주택을 소유한 것으로 본다.

② 제1항을 적용할 때 주택담보노후연금보증을 위해 담보로 제공하는 주택 외에 소유하고 있는 주택이 다음 각 호의 어느 하나에 해당하는 주택인 경우에는 그 주택을 소유하지 않는 것으로 본다.

1. 「국토의 계획 및 이용에 관한 법률」 제6조에 따른 도시지역(과세기준일 현재 도시지역을 말한다)이 아닌 지역에 건축되어 있거나 면의 행정구역(수도권은 제외한다)에 건축되어 있는 주택으로서 다음 각 목의 어느 하나에 해당하는 주택
   가. 사용 승인 후 20년 이상 경과된 「건축법 시행령」 별표 1 제1호 가목에 따른 단독주택(이하 "단독주택"이라 한다) 나. 85 제곱미터 이하인 단독주택 다. 상속으로 취득한 주택
2. 전용면적이 20제곱미터 이하인 주택. 다만, 전용면적이 20제곱미터 이하인 주택을 둘 이상 소유하는 경우는 제외한다.
3. 「문화재보호법」 제2조 제2항에 따른 지정문화재 또는 같은 법 제53조 제1항에 따른 등록문화재 [본조신설 2018.12.31.]

주택을 담보로 연금을 지급하는 한국주택금융공사와 같이 법에 따라 연금을 지급하는 금융회사 등에 대한 세제지원을 규정하고 있다.

한국주택금융공사와 연금을 지급하는 금융회사가 연금보증 기준에 해당되는 주택을 담보로 하는 등기에 대해 등록면허세를 감면하는데, 감면대상은 담보주택 제공자가 등록면허세 부담하는 경우에 한한다(법 ①). 가액 등의 기준에 따라 감면율을 달리하는데 주택공시가격이 5억원 이하이면서, 1가구1주택에 해당하면 75%를 감면하고, 그 외의 경우에는 세액이 400만원 이하이면 75%를 감면하고 그 세액을 초과시에는 300만원을 공제한다. 2020년부터는 주택연금보증 주택 담보등기에 대한 감면은 담세력이 부족한 만 60세 이상의 국민에게 노후생계비를 지원하기 위한 취지임을 반영하여 감면범위를 조정하였다. 공시가격 5억원 초과 주택 소유자 혹은 다주택자의 경우 담세력이 충분하므로 재산세 감면기준과 동일한 주택가격 5억원에 해당하는 등록면허세액 공제한도를 설정하였다.

또한, 주택담보노후연금보증을 위해 담보로 제공된 주택에 대해 재산세를 감면하는데, 재산세 감면을 위해서는 1가구1주택의 요건을 충족한 경우라야 한다. 5억원 이하인 경우에는 25%를 감면하고, 5억원 초과인 경우에는 5억원에 해당하는 재산세액에 대해서 25%를 감면한다(법 ②).

한편, 2013년부터 「한국주택금융공사법」 제2조 제11호에 따른 금융기관으로부터 연금방식으로 생활자금 등을 지급받기 위하여 장기주택저당대출에 가입한 사람이 담보로 제공하는 주택에 대한 재산세 감면을 추가하여 주택담보노후연금보증과 동일하게 감면을 적용하도록 하였다(법 ③).

재산세 감면의 경우 2018년까지는 주택수에 관계없이 감면을 지원했으나, 2019년부터는 주택 소유자가 대통령령으로 정하는 1가구1주택 요건을 충족하는 경우로 한정하여 재산세 감면을 적용토록 그 요건을 강화한바 있다.

◎ 역모기지 설정등기의 등록세는 면제대상에 해당됨

위 규정은 역모기지 대상주택에 대한 담보물건 설정등기와 관련하여 한국주택금융공사 또는 금융기관이 「지방세법」 제124조의 규정에 의한 본래 납세의무자로서 등록세를 납부하여야 함에도 실제 등록세 담세자는 주택을 담보로 보증을 받는 자가 되기 때문에 담보의 대상이 되는 주택을 제공하는 자가 등록세를 부담하는 경우에 한하여 등록세를 면제하도록 한 것으로, 한국주택금융공사가 보증을 받는 자(채무자)로부터 담보로 제공받는 주택에 근저당권을 설정하고 이에 소요되는 등록세를 보증을 받는 자가 부담하기로 약정한 경우라면 등록세 면제대상에 해당됨(지방세정팀-2483, 2007.6.29.).

제35조의 2(농업인의 노후생활안정자금대상 농지에 대한 감면)

> **법** 제35조의 2(농업인의 노후생활안정자금대상 농지에 대한 감면) 「한국농어촌공사 및 농지관리기금법」 제24조의 5에 따른 노후생활안정자금을 지원받기 위하여 담보로 제공된 농지에 대해서는 다음 각 호의 구분에 따라 재산세를 2021년 12월 31일까지 감면한다.
>
> 1. 「지방세법」 제4조 제1항에 따라 공시된 가액 또는 시장·군수가 산정한 가액(이하 이 조에서 "토지공시가격등"이라 한다)이 6억원 이하인 농지의 경우에는 재산세를 면제한다.
> 2. 토지공시가격등이 6억원을 초과하는 경우에는 해당연도 토지공시가격등이 6억원에 해당하는 재산세액의 100분의 100을 공제한다. [본조신설 2013.1.1.]

2013년 신설되어 노후생활안정자금을 지원받기 위하여 담보로 제공되는 농지에 대하여 재산세를 감면하는 규정이다.

농업인의 노후생활안정자금을 위해 담보된 농지에 대한 재산세 감면인데, 등록면허세에 대한 지원은 없다. 등록면허세는 지역농협의 경우 노후생활안정자금도 제10조에 따라 감면이 가능하겠지만, 중앙회는 영농자금만 감면이 가능하다. 제35조의 2에서는 노후생활안정자금을 지원받기 위해 담보로 제공된 농지에 대해, 공시가격이 6억원 이하인 경우에는 재산세를 면제하고, 6억원을 초과하는 경우에는 6억원에 해당하는 재산세액의 100%를 공제한다.

〈한국농어촌공사 및 농지관리기금법〉

제24조의 5(농지를 담보로 한 농업인의 노후생활안정 지원사업 등) ① 공사는 농업인의 생활안정지원을 위하여 농업인이 소유한 농지를 담보로 노후생활안정자금을 지원할 수 있다.

② 제1항에 따른 노후생활안정자금을 지원받을 권리는 다른 자에게 양도하거나 담보로 제공할 수 없으며, 다른 자는 이를 압류할 수 없다.

③ 제1항에 따른 지원기준·방법, 지원대상자의 권리보호, 농지의 저당권설정 등의 제한 및 자금의 회수방법, 가입비와 위험부담금의 징수방법, 그 밖에 필요한 사항은 대통령령으로 정한다.

제35조의 3(임차인의 전세자금 마련 지원을 위한 주택담보대출 주택에 대한 재산세액 공제)

법 제35조의 3(임차인의 전세자금 마련 지원을 위한 주택담보대출 주택에 대한 재산세액 공제)

① 재산세 과세기준일 현재 임대인과 임차인 간에 임대차계약을 체결하고 임대주택으로 사용하는 경우로서 그 주택을 보유한 자에 대해서는 다음 각 호에서 정하는 요건을 모두 충족하는 경우 「지방세법」 제111조 제1항 제3호 나목의 세율을 적용하여 산출한 재산세액에서 주택담보대출금액의 100분의 60에 1천분의 1을 적용하여 산출한 세액을 2016년 12월 31일까지 공제한다. 다만, 임대차계약 기간 동안 다음 각 호의 요건 중 어느 하나를 위반하는 경우 공제된 재산세액을 추징한다.

1. 임차인이 계약일 현재 무주택세대주이면서 직전 연도 소득(그 배우자의 소득을 포함한다)이 6천만원 이하인 경우
2. 임차주택의 전세보증금이 2억원(수도권은 3억원) 이하인 경우
3. 주택담보대출금액이 3천만원(수도권은 5천만원) 이하인 경우
4. 제2호에 따른 전세보증금의 전부 또는 일부를 임대인의 주택담보대출로 조달하고 그 대출이자는 임차인이 부담하는 방식으로 하고, 국토교통부장관이 정하는 임대차계약서 서식에 따라 「금융실명거래 및 비밀보장에 관한 법률」 제2조 제1호에 따른 금융회사등(이하 이 조에서 "금융회사등"이라 한다)과 주택담보대출 계약을 체결하는 경우
5. 금융회사등이 취급하는 주택담보대출로서 목돈 안드는 전세대출임이 표시된 통장으로 거래하는 경우

② 제1항에 따라 재산세액을 공제하는 경우에는 산출한 재산세액 중 공제되는 세액이 차지하는 비율(백분율로 계산한 비율이 소수점 이하일 경우에는 절상한다)에 해당하는 부분 만큼을 재산세 감면율로 본다.

③ 제1항을 적용할 때 무주택세대주 및 직전 연도 소득을 확인하는 방법은 제36조의 2 제4항에 따라 행정안전부장관이 정하는 기준을 준용한다. [본조신설 2013. 8.6.]

'목돈 안드는 전세방식'에 대한 세제지원 대책의 일환으로 재산세 세액 공제제도가 도입되었다. 임대인이 주택담보대출을 통해 임차인의 전세자금 마련을 지원하고 임차인이 이에 따른 대출이자를 상환할 경우 해당 주택의 재산세액을 일정부분 공제해 주는 제도이다.

※ 재산세액 공제방식 : 재산세액 - (임대인의 대출액 × 60% × 재산세 최저세율 0.1%)

2017.1.1. 시행, 지방세특례제한법을 개정하여 임차인 전세자금 마련 지원을 위한 집주인 대출 담보주택에 대한 재산세의 감면을 종료(~2016.12.31.까지)하였다.

제36조(무주택자 주택공급사업 지원을 위한 감면)

법 제36조(무주택자 주택공급사업 지원을 위한 감면) 「공익법인의 설립·운영에 관한 법률」에 따라 설립된 공익법인으로서 대통령령으로 정하는 법인이 무주택자에게 분양할 목적으로 취득하는 주택건축용 부동산에 대해서는 취득세를, 과세기준일 현재 그 업무에 직접 사용하는 부동산에 대해서는 재산세(「지방세법」 제112조에 따른 부과액을 포함한다)를 각각 2021년 12월 31일까지 면제한다. 다만, 그 취득일부터 2년 이내에 정당한 사유 없이 주택건축을 착공하지 아니하거나 다른 용도에 사용하는 경우 그 해당 부분에 대해서는 면제된 취득세를 추징한다. 농비

영 제17조(공익법인의 범위) 법 제36조 본문에서 "대통령령으로 정하는 법인"이란 「주택법」 제4조 제1항 제4호를 적용받는 사단법인 한국사랑의집짓기운동연합회를 말한다.

무주택자에게 분양할 목적으로 「공익법인의 설립·운영에 관한 법률」에 따라 설립된 공익법인이 취득하는 주택건축용 부동산에 대한 세제지원을 규정하고 있다.

(사)한국사랑의집짓기운동연합회가 무주택자에게 분양할 목적으로 취득하는 주택건축용 부동산에 대해 취득세 및 재산세(도시지역분 포함)를 면제하는데, 취득일부터 2년 이내에 정당한 사유없이 주택 건축을 착공하지 않거나 타 용도로 사용하는 경우에는 감면받은 취득세를 추징한다.

〈주택법〉

제9조(주택건설사업 등의 등록) ① 연간 대통령령으로 정하는 호수(戶數) 이상의 주택건설사업을 시행하려는 자 또는 연간 대통령령으로 정하는 면적 이상의 대지조성사업을 시행하려는 자는 국토교통부장관에게 등록하여야 한다. 다만, 다음 각 호의 사업주체의 경우에는 그러하지 아니하다.

4. 「공익법인의 설립·운영에 관한 법률」 제4조에 따라 주택건설사업을 목적으로 설립된 공익법인(이하 "공익법인"이라 한다)

제36조의 2(생애최초 주택 구입 신혼부부에 대한 취득세 경감) ~제36조의 3(생애최초 주택 구입에 대한 취득세 감면)

법 제36조의 2(생애최초 주택 구입 신혼부부에 대한 취득세 경감) ① 혼인한 날(「가족관계의 등록 등에 관한 법률」에 따른 혼인신고일을 기준으로 한다)부터 5년 이내인 사람과 주택 취득일부터 3개월 이내에 혼인할 예정인 사람(이하 이 조에서 "신혼부부"라 한다)으로서 다음 각 호의 요건을 갖춘 사람이 거주할 목적으로 주택(「지방세법」 제11조 제1항 제8호에 따른 주택을 말한다. 이하 이 조에서 같다)을 유상거래(부담부증여는 제외한다)로 취득한 경우에는 취득세의 100분의 50을 2020년 12월 31일까지 경감한다.

1. 주택 취득일 현재 신혼부부로서 본인과 배우자(배우자가 될 사람을 포함한다. 이하 이 조에서 같다) 모두 주택 취득일까지 주택을 소유한 사실이 없을 것. 이 경우 본인 또는 배우자가 주택 취득 당시 대통령령으로 정하는 주택을 소유하였거나 소유하고 있는 경우에는 주택을 소유한 사실이 없는 것으로 본다.
2. 주택 취득 연도 직전 연도의 신혼부부의 합산 소득이 7천만원(「조세특례제한법」 제100조의 3 제5항 제2호 가목에 따른 홑벌이 가구는 5천만원)을 초과하지 아니할 것
3. 「지방세법」 제10조에 따른 취득 당시의 가액이 3억원(「수도권정비계획법」 제2조 제1호에 따른 수도권은 4억원으로 한다) 이하이고 전용면적이 60제곱미터 이하인 주택을 취득할 것

② 제1항에 따라 취득세를 경감받은 사람이 다음 각 호의 어느 하나에 해당하는 경우에는 경감된 취득세를 추징한다.

1. 혼인할 예정인 신혼부부가 주택 취득일부터 3개월 이내에 혼인하지 아니한 경우
2. 주택을 취득한 날부터 3개월 이내에 대통령령으로 정하는 1가구 1주택이 되지 아니한 경우
3. 정당한 사유 없이 취득일부터 3년 이내에 경감받은 주택을 매각·증여하거나 다른 용도(임대를 포함한다)로 사용하는 경우

③ 제1항을 적용할 때 신혼부부의 직전 연도 합산 소득은 신혼부부의 소득을 합산한 것으로서 급여·상여 등 일체의 소득을 합산한 것으로 한다.

④ 제1항 및 제3항을 적용할 때 신혼부부의 직전 연도 소득 및 주택 소유사실 확인 등에 관한 세부적인 기준은 행정안전부장관이 정하여 고시한다.

⑤ 행정안전부장관 또는 지방자치단체의 장은 제3항에 따른 신혼부부 합산소득의 확인을 위하여 필요한 자료의 제공을 관계 기관의 장에게 요청할 수 있다. 이 경우 요청을 받은 관계 기관의 장은 특별한 사유가 없으면 이에 따라야 한다. [본조신설 2018.12.24.]

영 제17조의 2(생애최초 주택 구입 신혼부부 취득세 감면대상이 되는 주택의 범위 등) ① 법 제36조의 2 제1항 제1호 후단에서 "대통령령으로 정하는 주택을 소유하였거나 소유하고 있는 경우"란 다음 각 호의 어느 하나에 해당하는 경우를 말한다.

1. 상속으로 주택의 공유지분을 소유(주택 부속토지의 공유지분만을 소유하는 경우를 포함한다)하였다가 그 지분을 모두 처분한 경우

2. 「국토의 계획 및 이용에 관한 법률」 제6조에 따른 도시지역(취득일 현재 도시지역을 말한다) 이 아닌 지역에 건축되어 있거나 면의 행정구역(수도권은 제외한다)에 건축되어 있는 주택으로서 다음 각 목의 어느 하나에 해당하는 주택을 소유한 자가 그 주택 소재지역에 거주하다가 다른 지역(해당 주택 소재지역인 특별시·광역시·특별자치시·특별자치도 및 시·군 이외의 지역을 말한다)으로 이주한 경우. 이 경우 그 주택을 감면대상 주택 취득일 전에 처분했거나 감면대상 주택 취득일부터 3개월 이내에 처분한 경우로 한정한다.

가. 사용 승인 후 20년 이상 경과된 단독주택 나. 85 제곱미터 이하인 단독주택 다. 상속으로 취득한 주택

3. 전용면적 20제곱미터 이하인 주택을 소유하고 있거나 처분한 경우. 다만, 전용면적 20제곱미터 이하인 주택을 둘 이상 소유했거나 소유하고 있는 경우는 제외한다.

4. 취득일 현재 「지방세법」 제4조 제2항에 따라 산출한 시가표준액이 100만원 이하인 주택을 소유하고 있거나 처분한 경우

② 법 제36조의 2 제2항 제2호에서 "대통령령으로 정하는 1가구 1주택"이란 주택 취득자와 같은 세대별 주민등록표에 기재되어 있는 가족(동거인은 제외한다)으로 구성된 1가구(취득자의 배우자, 취득자의 미혼인 30세 미만의 직계비속은 각각 취득자와 같은 세대별 주민등록표에 기재되어 있지 않더라도 같은 가구에 속한 것으로 본다)가 국내에 1개의 주택을 소유하는 것을 말하며, 주택의 부속토지만을 소유하는 경우에도 주택을 소유한 것으로 본다. [본조신설 2018.12.31.]

법 제36조의 3(생애최초 주택 구입에 대한 취득세 감면) ① 주택 취득일 현재 세대별 주민등록표에 기재되어 있는 세대주 및 그 세대원[동거인은 제외하고 세대주의 배우자(「가족관계의 등록 등에 관한 법률」에 따른 가족관계등록부에서 혼인이 확인되는 외국인 배우자를 포함한다. 이하 이 조에서 같다)는 세대별 주민등록표에 기재되어 있지 않더라도 같은 가구에 속한 것으로 본다. 이하 이 조에서 "1가구"라 한다]이 주택(「지방세법」 제11조 제1항 제8호에 따른 주택을 말한다. 이하 이 조에서 같다)을 소유한 사실이 없는 경우로서 합산소득이 7천만원 이하인 경우에는 그 세대에 속하는 자가 「지방세법」 제10조에 따른 취득 당시의 가액(이하 이 조에서 "취득 당시의 가액"이라 한다)이 3억원(「수도권정비계획법」 제2조 제1호에 따른 수도권은 4억원으로 한다) 이하인 주택을 유상거래(부담부증여는 제외한다)로 취득하는 경우에는 다음 각 호의 구분에 따라 2021년 12월 31일까지 지방세를 감면(이 경우 「지방세법」 제13조의 2의 세율을 적용하지 아니한다)한다. 다만, 취득자가 20세 미만인 경우 또는 주택을 취득하는 자의 배우자가 취득일 현재 주택을 소유하고 있거나 처분한 경우는 제외한다.

1. 취득 당시의 가액이 1억 5천만원 이하인 경우에는 취득세를 면제한다.
2. 취득 당시의 가액이 1억 5천만원을 초과하는 경우에는 취득세의 100분의 50을 경감한다

② 제1항에서 합산소득은 취득자와 그 배우자의 소득을 합산한 것으로서 급여·상여 등 일체의 소득을 합산한 것으로 한다.

③ 제1항에서 주택을 소유한 사실이 없는 경우란 다음 각 호의 어느 하나에 해당하는 경우를 말한다.

1. 상속으로 주택의 공유지분을 소유(주택 부속토지의 공유지분만을 소유하는 경우를 포함한다) 하였다가 그 지분을 모두 처분한 경우
2. 「국토의 계획 및 이용에 관한 법률」 제6조에 따른 도시지역(취득일 현재 도시지역을 말한다)

이 아닌 지역에 건축되어 있거나 면의 행정구역(수도권은 제외한다)에 건축되어 있는 주택으로서 다음 각 목의 어느 하나에 해당하는 주택을 소유한 자가 그 주택 소재지역에 거주하다가 다른 지역(해당 주택 소재지역인 특별시 · 광역시 · 특별자치시 · 특별자치도 및 시 · 군 이외의 지역을 말한다)으로 이주한 경우. 이 경우 그 주택을 감면대상 주택 취득일 전에 처분했거나 감면대상 주택 취득일부터 3개월 이내에 처분한 경우로 한정한다.

가. 사용 승인 후 20년 이상 경과된 단독주택

나. 85제곱미터 이하인 단독주택

다. 상속으로 취득한 주택

3. 전용면적 20제곱미터 이하인 주택을 소유하고 있거나 처분한 경우. 다만, 전용면적 20제곱미터 이하인 주택을 둘 이상 소유했거나 소유하고 있는 경우는 제외한다.
4. 취득일 현재 「지방세법」 제4조 제2항에 따라 산출한 시가표준액이 100만원 이하인 주택을 소유하고 있거나 처분한 경우
5. 주택을 취득한 자의 직계존속(배우자의 직계존속을 포함한다)이 취득일 현재 주택을 소유하고 있거나 처분한 경우

④ 제1항에 따라 취득세를 감면받은 사람이 다음 각 호의 어느 하나에 해당하는 경우에는 감면된 취득세를 추징한다.

1. 주택을 취득한 날부터 3개월 이내에 상시 거주(「주민등록법」에 따른 전입신고를 하고 계속하여 거주하는 것을 말한다. 이하 이 조에서 같다)를 시작하지 아니하는 경우
2. 주택을 취득한 날부터 3개월 이내에 1가구 1주택(국내에 한 개의 주택을 소유하는 것을 말하며, 주택의 부속토지만을 소유하는 경우에도 주택을 소유한 것으로 본다)이 되지 아니한 경우
3. 해당 주택에 상시 거주한 기간이 3년 미만인 상태에서 해당 주택을 매각 · 증여하거나 다른 용도(임대를 포함한다)로 사용하는 경우

⑤ 제2항 또는 제3항을 적용할 때 합산소득 및 무주택자 여부 등을 확인하는 세부적인 기준은 행정안전부장관이 정하여 고시한다.

⑥ 행정안전부장관 또는 지방자치단체의 장은 제2항에 따른 합산소득의 확인을 위하여 필요한 자료의 제공을 관계 기관의 장에게 요청할 수 있다. 이 경우 요청을 받은 관계 기관의 장은 특별한 사유가 없으면 이에 따라야 한다. [본조신설 2020.8.12.]

2013년까지는 주택 표준세율이 현재의 세율체계(1~3%)와 달리 지방세법 제11조 제1항 제7호의 그 밖의 취득 세율인 4% 단일세율이었으며, 지방세특례제한법 제40조의 2 감면규정을 두어 주택거래 동향 등에 따라 일몰기한을 두고 25%~75%의 감면율을 적용하였다. 이에 침체된 주택거래의 활성화 및 서민주거안정을 위해 그간 없었던 생애최초 주택구입에 대한 감면(舊지방세특례제한법(법률 제11762호, 2013.5.10.) 제36조의 2)을 신설하여 2013.4.1.부터 2013.12.31.까지 한시적으로 감면을 운영하였다. 2013년 8.28. 대책으로 불확정적인 일몰기한 연장 여부와 감면세율 변동 등 혼란을 없애고 지속적인 주거안정 지원 등을 위해 지방세법 제11조 제1항 제8호의 주택 유상거래 세율을 신설(1~3%)하여 현재의 세율체계가 확립

되었다. 2013년 한시적으로 시행한 생애최초 주택구입에 대한 감면이 모태가 되어, 2019년에는 신혼부부의 경제적 부담을 완화하기 위해 신혼부부가 생애최초로 구입하는 주택에 대해 감면을 추가로 지원하는 생애최초 감면제도를 부활하여 2020.12.31.까지 적용하였고, 2020년에는 7.10. 대책으로 지방세특례제한법 제36조의 3을 추가 신설하여 청장년층 등 전 국민의 생애최초 주택구입을 지원하기에 이르렀다.

2019년부터 시행된 제36조의 2 신혼부부 생애최초는 3억원(수도권 4억원) 이하의 60㎡ 이하의 주택을 유상으로 생애최초 취득하는 경우에는 취득세의 50%를 감면한다. 감면 대상은 혼인 3개월 전부터 혼인 후 5년까지이며, 부부합산소득이 외벌이는 5천만원, 맞벌이는 7천만원 이하여야 한다. 상속으로 취득한 공유지분을 모두 처분한 경우 등 예외적으로 열거한 사항에 해당할 경우에는 주택수에서 합산을 제외하고 있다. 감면받은 자가 취득일부터 3개월 이내에 혼인을 하지 않는 등의 경우에는 감면받은 취득세를 추징한다.

2020년 7.10. 대책으로 신설된 제36조의 3 규정은 신혼부부뿐 아니라 모든 국민이 3억원(수도권 4억원) 이하의 주택을 유상으로 생애최초 취득하는 경우에 주택가격을 기준으로 1.5억원 이하는 취득세를 면제하고, 그 외의 경우에는 취득세를 50% 감면한다. 신혼부부 감면은 면적제한이 있으나 해당 규정은 면적제한이 없으며, 취득가격을 기준으로 보다 높은 차등 감면율을 적용한다. 주택수에서 제외하는 규정은 신혼부부와 유사한 체계로 구성되어 있으나, 취득일 현재 직계존속이 소유 또는 처분한 주택은 주택수에 포함하지 않도록 완화하였다. 또한, 추징에서도 강화된 기준을 적용하는데 감면 주택을 취득한 날로부터 3개월 이내에 상시거주하지 아니하거나 1가구1주택이 되지 아니한 경우에는 감면받은 취득세를 추징하도록 규정하고 있으므로, 취득자는 3개월 이내에 상시거주를 시작하여야 하고, 3개월까지는 상시거주에 따라 구성된 세대원 전원이 주택이 없어야 한다. 예를 들어, 취득 전에 직계존속의 주택이 있었던 경우에는 감면대상에는 해당되나, 추징규정의 1가구1주택에는 그 직계존속의 주택이 주택수에 포함되므로 추징에서 제외되기 위해서는 그 직계존속과 세대를 달리하거나, 그 직계존속의 주택을 처분한 후에 세대에 편입하여야 할 것이다.

한편, 취득 당시에 법정상속으로 일부 지분을 소유하고 있어 취득 당시에는 감면대상에서 제외된 자가 향후 그 상속지분에 대해 협의 등으로 다른 상속인에게 그 지분을 이전한 경우에는 민법에 따라 소급하여 그 상속재산을 소유하지 않은 것을 보아야 하므로 사후적으로 감면대상이 될 수 있다고 하겠다. 또한 생애최초로 취득하여 감면 적용 후 3년 이내에 기존 주택을 멸실하고 신규주택을 건축하는 경우에는 추징대상에서 제외하되 멸실 후 재건축 완공시까지의 기간은 거주기간에 포함하지 않는다(지방세특례제도과-2408, 2020.10.12.).

| 참고 _ 신혼부부 생애최초 VS 전국민 생애최초 |

<table>
<tr><th colspan="2">구분</th><th>제36조의 2</th><th>제36조의 3</th></tr>
<tr><td colspan="2">감면대상</td><td>신혼부부(혼인 3개월 前~혼인 5년)
생애최초</td><td>全대상 생애최초</td></tr>
<tr><td rowspan="5">감
면
요
건</td><td>가액, 유형</td><td colspan="2">3억원(수도권 4억원) 이하의 주택을 유상으로 취득하는 경우</td></tr>
<tr><td>부동산 면적</td><td>60㎡ 이하</td><td>×</td></tr>
<tr><td>합산 소득</td><td>맞벌이 7천, 홑벌이 5천</td><td>7천</td></tr>
<tr><td rowspan="2">주택수 예외</td><td colspan="2">• 상속 취득한 공유지분을 모두 처분시
• 도시지역 외 지역에 종전 주택 소유 후 그 외 지역으로 이주한 경우로서, 취득일 전에 처분 또는 취득일부터 3개월 이내 처분한 경우로서
– 20년 이상된 단독주택, 85㎡ 이하 단독주택, 상속 취득주택 중 하나에 해당시
• 20㎡ 이하 주택을 소유하거나 처분한 경우(둘 이상인 경우 제외)
• 취득일 현재 시가표준액 100만원 이하 주택을 소유하거나 처분한 경우</td></tr>
<tr><td>×</td><td>• 취득일 현재 직계존속이 소유 또는 처분한 경우</td></tr>
<tr><td colspan="2">감면율</td><td>50%</td><td>1.5억 이하 : 면제, 1.5억 초과 : 전체 50%</td></tr>
<tr><td colspan="2">추징요건</td><td>• 취득일부터 3개월 이내 혼인 미이행
• 취득일부터 3개월 이내 1가구1주택 초과시
• 정당한 사유없이 취득일부터 3년 이내 매각·증여, 타 용도 사용시(임대 포함)</td><td>• 취득일부터 3개월 이내 상시 거주 미이행
• 취득일부터 3개월 이내 1가구1주택 초과시
• 상시 거주한 기간이 3년 미만인 상태에서 매각·증여, 타 용도 사용시(임대포함)</td></tr>
</table>

◎ 신혼부부 생애최초 주택취득에 따른 취득세 감면[9]

○ 아래의 요건을 모두 충족한 경우 취득세 감면 대상에 해당

① (신혼부부) 혼인*한 날부터 5년 이내인 사람과 주택취득일부터 3개월 이내에 혼인할 예정인 사람

* 혼인신고일을 기준으로 확인하고 재혼도 포함

② (소득기준) 부부합산소득(근로소득, 사업소득 등 종합소득) 기준 맞벌이가구* 7,000만원 이하, 홑벌이가구 5,000만원 이하

* (맞벌이가구) 본인과 배우자 각각의 소득금액이 모두 300만원 이상인 경우

9) 행안부 '19년 개정 특례법 적용요령 참고

③ (주택기준) 주택* 가격기준과 면적기준을 모두 충족 필요
- (가격기준) 취득가액 기준 수도권 4억원 이하, 비수도권 3억원 이하
- (면적기준) 전용면적 60㎡ 이하

* 아파트, 연립, 다세대, 단독주택, 다가구주택 등

④ (생애최초 기준) 본인과 배우자 모두 주택을 소유한 사실이 없을 것
다만, 아래의 경우에는 주택을 소유한 사실이 없는 것으로 간주
- (상속주택) 상속으로 취득한 주택의 공유지분을 처분한 경우
- (도시지역 외) 도시지역 외의 지역 등에 소재한 주택* 소유자가 소재지역에 거주하다 타 지역으로 이주한 경우(해당 주택을 처분하였거나 감면대상 주택 취득일부터 3개월 내로 처분한 경우로 한정)

  * 20년 이상 경과된 주택, 85㎡ 이하인 단독주택, 상속주택
- (20㎡ 이하) 전용면적 20㎡ 이하 주택을 소유하고 있거나 처분한 경우. 다만, 둘 이상을 소유한 경우는 제외
- (100만원 이하) 시가표준액이 100만원 이하인 주택 소유하고 있거나 처분한 경우

◎ 생애최초 취득세 감면 운영 지침(지방세특례제도과-1868, 2020.8.11.)

○ (대상) 생애최초로 주택을 구입하는 세대의 세대원(만20세 이상)
- (무주택 확인 범위) 주민등록표에 등재된 세대원 전원(동거인 제외)

  ※ 세대주의 배우자는 같은 주민등록표에 기재되어 있지 않더라도 같은 세대에 속한 세대원으로 봄.
- (주택의 범위) 「주택법」 제2조 제1호에 따른 주택으로서 단독주택 및 아파트·다세대·연립 등 공동주택(오피스텔은 제외)

  ※ 주택 소유 여부 및 취득세 감면 대상 판단 시 동일하게 적용
- (요건 및 예외사유) 주택 취득자가 실제 거주 해야 하며, 상속으로 인한 일시적 주택 보유 등은 예외적으로 무주택 인정

○ (주택가액 및 감면범위) 1.5억원 이하 취득세 면제, 1.5억원 초과~3억원(수도권은 4억원) 이하 50% 감면
- 생애최초 구입 요건 충족 시 6억원 이하 취득세율(1%) 적용하여 감면

○ (소득기준) 세대 합산 7천만원 이하
- 전체 세대원 중 '취득자 및 배우자'의 합산 소득을 의미하며, 근로소득 외에 이자·배당·사업·연금·기타소득을 포함

  ※ 「소득세법」 제4조 제1항에 따른 '종합소득' 기준

  ※ 주택 취득일이 속하는 년도의 직전년도 소득을 기준으로 함.

○ (적용기간) '20.7.10.(정책 발표시점)~'21.12.31.

○ (취득세 감면 혜택 적용 범위)

① 주민등록표상 세대원 전원이 주택 취득일 전까지 주택 구입 경험이 없으며,

② 취득자와 배우자의 합산 소득이 7천만원 이하인 경우

⇒ 세대원 중 1인이 3억원(수도권 4억원) 이하의 주택을 구입 시 취득세 감면 혜택 적용

※ 취득자가 만 20세 미만인 경우 또는 취득자의 배우자가 취득일 현재 주택을 소유하였거나 처분한 경우는 감면 제외

○ 주택 소유 여부 관련 예외사항

※ ①~⑤는 주택을 소유하지 않은 것으로 봄.

① 상속으로 공유지분을 소유하였다가 모두 처분한 경우

② 도시지역 외 또는 면 단위 행정구역(수도권 제외)에 건축된 주택으로서 ㉮ 20년 이상 경과 단독주택이거나 ㉯ 85㎡ 이하 단독주택 또는 ㉰ 상속으로 취득한 주택에 거주하다가 다른 지역으로 이주한 경우

※ 그 주택을 감면대상 주택 취득일 전에 처분했거나, 신규 주택 취득일부터 3개월 이내에 처분한 경우로 한정

③ 전용면적 20㎡ 이하 주택을 소유하고 있거나 처분한 경우

※ 다만, 20㎡ 이하 주택을 둘 이상 소유했거나 소유한 경우는 제외

④ 취득일 현재 시가표준액 100만원 이하인 주택을 소유하고 있거나 처분한 경우

⑤ 주택 취득자의 직계존속이 주택을 소유하고 있거나 처분한 경우

○ 추징 요건

※ ①~③ 중 어느 하나에 해당하는 경우 감면한 취득세 추징

① 주택 취득일부터 3개월 이내에 실거주를 시작하지 아니하는 경우(「주민등록법」에 따른 전입신고 필요)

※ 전·월세, 갭투자 등 실거주 목적이 아닌 주택 구입은 혜택 배제

② 주택 취득일부터 3개월 이내에 1가구 1주택이 되지 아니하는 경우

③ 실거주 기간이 3년 미만인 상태에서 해당 주택을 매각·증여하거나 다른 용도(임대)로 사용하는 경우

○ 다주택 구입 취득세 중과세율 미적용

- (현황) 1가구 2주택 보유 시부터 취득세율 8% 인상
- (고려사항) 부모가 유주택인 상태에서 만 30세 미만 청년이 최초 주택 구입시 1가구 2주택 보유로 중과세율이 적용되는지 여부

※ (현행) 1~3주택(6억원 이하) 1% 적용, (개정) 2주택 8%, 3주택 이상 12% 적용
⇒ 청년 · 신혼부부 등에 대한 주택 취득 부담 완화라는 취지를 감안하여 감면 요건을 충족하는 경우에는 1% 취득세율 적용*

* (제36조의 3 제1항) 지방세법 제13조의 2 중과세율을 적용하지 않는다는 내용 규정

제37조(국립대병원 등에 대한 감면)

> **법** 제37조(국립대병원 등에 대한 감면) ① 다음 각 호의 법인이 고유업무에 직접 사용하기 위하여 취득하는 부동산에 대해서는 취득세의 100분의 75를, 과세기준일 현재 그 고유업무에 직접 사용하는 부동산에 대해서는 재산세(「지방세법」 제112조에 따른 부과액을 포함한다)의 100분의 75를 2020년 12월 31일까지 각각 경감한다. 감면분만 농비
>
> 1. 「서울대학교병원 설치법」에 따라 설치된 서울대학교병원 2. 「서울대학교치과병원 설치법」에 따라 설치된 서울대학교치과병원 3. 「국립대학병원 설치법」에 따라 설치된 국립대학병원 4. 「암관리법」에 따라 설립된 국립암센터 5. 「국립중앙의료원의 설립 및 운영에 관한 법률」에 따라 설립된 국립중앙의료원 6. 「국립대학치과병원 설치법」에 따라 설립된 국립대학치과병원
> 7. 「방사선 및 방사성동위원소 이용진흥법」에 따라 설립된 한국원자력의학원
>
> ② 제1항 각 호의 법인이 2021년 1월 1일부터 2021년 12월 31일까지 취득하는 부동산에 대해서는 다음 각 호의 구분에 따라 취득세 및 재산세를 각각 경감한다. 〈신설 2018.12.24.〉
>
> 1. 그 고유업무에 직접 사용하기 위하여 취득하는 부동산에 대해서는 취득세의 100분의 50을 경감한다. 2. 해당 부동산 취득일 이후 해당 부동산에 대한 재산세 납세의무가 최초로 성립한 날부터 5년간 재산세의 100분의 50을 경감(과세기준일 현재 그 고유업무에 직접 사용하고 있지 아니하는 경우는 제외한다)한다. [제목개정 2018.12.24.]

특수질환 치료, 보편적 진료 서비스 제공을 목적으로 하는 국립대병원 등 공공의료기관이 진료사업 등 공익적 사업을 원활히 수행할 수 있도록 지방세 세제지원을 규정하고 있다.

공공의료기관이 고유업무에 직접 사용하기 위해 취득하는 부동산에 대한 취득세 및 과세기준일 현재 고유업무에 직접 사용하는 부동산에 대한 재산세를 감면하는데, 감면대상 공공의료기관에는 서울대학교병원, 서울대학교치과병원, 국립대학병원, 국립암센터, 국립중앙의료원, 국립대학치과병원, 한국원자력의학원이 해당한다. 감면율의 연혁을 살펴보면 2016년까지는 취득세 · 재산세 100% 감면, 2017년부터 2020년까지는 취득세 · 재산세(도시지역분 포함) 75% 감면, 2021년에는 취득세 · 재산세(도시지역분 제외) 50%를 감면하도록 하여 일몰도래시마다 담세력 등 필요성 검토에 따른 정비를 통해 그 지원을 점차 축소하고 있다. 한편, 재산세는 취득일 이후 납세의무가 최초로 성립한 날부터 5년간 감면한다.

○ 병원 유지를 위해 필수적인 주차장은 고유목적사업에 해당된다는 사례

국립대학교 병원이 취득하는 부동산에 대하여 취득세 등을 감면하는 목적은 「국립대학병원 설치법」 제8조 등에 정하여진 진료사업 등 공익적 사업을 원활하게 수행할 수 있도록 정책적으로 지원·육성하는 데 있고, 병원 주차장은 병원 이용자의 접근 편리성을 위하여 반드시 확보되어져야 할 공간으로서 국립대학병원이 진료사업 등 고유업무를 수행하는 데 필수적 구성부분이라고 할 것임. 그리고 그 주차장은 병원 경계구역 내에 위치한 것뿐 아니라 경계구역 내 주차장을 추가로 확보할 수 없는 부득이한 경우에 한하여 병원 이용자들이 쉽게 이용할 수 있는 병원 인근에 있는 토지까지 포함됨(감심 2003-86, 2003.8.19.).

제38조(의료법인 등에 대한 과세특례)

법 제38조(의료법인 등에 대한 과세특례) ① 「의료법」 제48조에 따라 설립된 의료법인이 의료업에 직접 사용하기 위하여 취득하는 부동산에 대해서는 취득세를, 과세기준일 현재 의료업에 직접 사용하는 부동산에 대해서는 재산세를 다음 각 호에서 정하는 바에 따라 각각 경감한다. 〈개정 2018.12.24.〉

감면분만 농비

1. 2020년 12월 31일까지는 취득세의 100분의 50을(특별시·광역시 및 도청소재지인 시 지역에서 취득하는 부동산에 대해서는 「지방세법」 제11조 제1항의 세율에서 1천분의 10을 경감하는 것을 말한다), 재산세(「지방세법」 제112조에 따른 부과액을 포함한다)의 100분의 50을 각각 경감한다.
2. 2021년 1월 1일부터 2021년 12월 31일까지 취득하는 부동산에 대해서는 다음 각 목의 구분에 따라 취득세 및 재산세를 각각 경감한다.
   가. 해당 부동산에 대해서는 취득세의 100분의 30을 경감한다.
   나. 해당 부동산 취득일 이후 재산세 납세의무가 최초로 성립한 날부터 5년간 재산세의 100분의 50을 경감한다.

② 「고등교육법」 제4조에 따라 설립된 의과대학(한의과대학, 치과대학 및 수의과대학을 포함한다)의 부속병원에 대하여는 주민세 사업소분(「지방세법」 제81조 제1항 제2호에 따라 부과되는 세액으로 한정한다) 및 종업원분을 2014년 12월 31일까지 면제한다.

④ 종교단체(「민법」에 따라 설립된 재단법인으로 한정한다)가 「의료법」에 따른 의료기관 개설을 통하여 의료업에 직접 사용할 목적으로 취득하는 부동산에 대해서는 취득세를, 과세기준일 현재 의료업에 직접 사용하는 부동산에 대해서는 재산세를 다음 각 호에서 정하는 바에 따라 각각 경감한다. 〈신설 2011.12.31., 2013.1.1., 2014.1.1., 2014.12.31., 2018.12.24.〉

1. 2020년 12월 31일까지는 다음 각 목에서 정하는 경감율에 따라 취득세를 경감하고, 재산세(「지방세법」 제112조에 따른 부과액을 포함한다)는 100분의 50의 범위에서 조례로 정하는 율을 경감한다.

> 가. 특별시·광역시 및 도청 소재지인 시 지역에서 취득하는 부동산에 대해서는 취득세의 100분의 20의 범위에서 조례로 정하는 율을 경감한다.
> 나. 가목에 따른 지역 외의 지역에서 취득하는 부동산에 대해서는 취득세의 100분의 40의 범위에서 조례로 정하는 율을 경감한다.
> 2. 2021년 1월 1일부터 2021년 12월 31일까지 취득하는 부동산에 대해서는 다음 각 목의 구분에 따라 취득세 및 재산세를 각각 경감한다.
> 가. 해당 부동산에 대해서는 취득세의 100분의 30을 경감한다.
> 나. 해당 부동산 취득일 이후 해당 부동산에 대한 재산세 납세의무가 최초로 성립한 날부터 5년간 재산세의 100분의 50을 경감한다.
> ⑤ 「지방자치법」 제4조 제1항에 따라 둘 이상의 시·군이 통합되어 도청 소재지인 시가 된 경우 종전의 시(도청 소재지인 시는 제외한다)·군 지역에 대해서는 제1항 및 제4항에도 불구하고 통합 지방자치단체의 조례로 정하는 바에 따라 통합 지방자치단체가 설치된 때부터 5년의 범위에서 통합되기 전의 감면율을 적용할 수 있다. 〈신설 2011.12.31.〉

국민보건복지 증진과 중소도시 의료 환경의 개선 등을 위하여 의료법인, 의과대학 부속병원, 지방의료원, 종교단체가 운영하는 의료기관 등에 대한 세제지원을 규정하고 있다.

의료법인이 의료업에 직접 사용하기 위해 취득하는 부동산에 대한 취득세 및 과세기준일 현재 의료업에 직접 사용하는 부동산에 대한 재산세를 감면하는데, 취득세는 '20년까지 50%를 감면하되 특·광역시와 도청소재지인 시지역은 지방세법의 표준세율의 1%p를 경감(예. 신축 2.8→1.8%)하고, '21년에는 그 구분없이 30%를 감면하며, 재산세는 '20년까지 도시지역분을 포함해 50%를 감면하고, '21년에는 도시지역분을 제외하고 동일한 감면율(50%)을 적용하되 취득일 이후 재산세 납세의무가 최초로 성립한 날부터 5년간 50%를 감면한다(법 ①). 여기서 감면대상은 고유목적 사업이 아니라 의료업에 한정하고 있는바, 의료업에 해당하는지에 대해서는 관련 법 규정인 「의료법」을 살펴보아야 한다. 「의료법」에서 "의료업"이란 의료인이 공중(公衆) 또는 특정 다수인을 위해 하는 의료·조산의 업(법 §3)을 말하며, 의료법인은 의료업무 외에 열거된 부대사업을 할 수 있는데 그 부대사업에 해당하는 경우에는 감면대상 의료업에 해당하지 않는다고 할 것이다. 따라서, 의료법인이 그 부대사업에 해당하는 장례식장의 운영(행안부 세정 13407-783, 2002.8.23.), 의료나 의학에 관한 조사 연구(지방세운영과-1455, 2012.5.10.), 노인복지시설(조심 2012지717, 2012.11.21.), 산후조리원(지방세특례제도과-2879, 2020.12.2.)을 운영하는 경우에는 그 부분에 대해 감면대상에서 제외해야 할 것이다.

의과대학(한의과·치과·수의과 대학 포함)의 부속병원에 대해 주민세 사업소분(「지방세법」 §81 ① 2)과 종업원분을 면제한다. 여기에 해당하지 아니하는 일반 의료법인에 대해서는 과세한다(법 ②).

민법상 재단법인에 해당하는 종교단체가 의료법에 따른 의료기관 개설을 통해 의료업에 직접 사용할 목적으로 취득하는 부동산에 대한 취득세 및 재산세를 감면하는데, 취득세는 '20년까지는 특·광역시, 도청소재지인 시지역은 20%를, 그 외 지역은 40%의 범위 내에서 조례로 정하는 율로 감면하고, '21년에는 그 구분없이 30%를 감면하며, 재산세는 50%를 감면하되 '21년에는 도시지역분은 그 감면에서 제외한다(법 ④).

한편, 의료법인과 종교단체 의료기관에 대하여는 시·군 통합으로 인하여 세부담이 증가하지 않도록 통합되기 전의 감면율을 적용할 수 있다(법 ⑤).

※ 의료법인(법 ①) : 취(50%→30%)·재(50%), 종교단체 병원(법 ④) : 취(40%→30%)·재(50%), 지방의료원에 대한 감면 규정(법 ③)은 제38조의 2로 이관

〈의료법〉

제48조(설립 허가 등) ① 제33조 제2항에 따른 의료법인을 설립하려는 자는 대통령령으로 정하는 바에 따라 정관과 그 밖의 서류를 갖추어 그 법인의 주된 사무소의 소재지를 관할하는 시·도지사의 허가를 받아야 한다.

② 의료법인은 그 법인이 개설하는 의료기관에 필요한 시설이나 시설을 갖추는 데에 필요한 자금을 보유하여야 한다.

③ 의료법인이 재산을 처분하거나 정관을 변경하려면 시·도지사의 허가를 받아야 한다.

④ 이 법에 따른 의료법인이 아니면 의료법인이나 이와 비슷한 명칭을 사용할 수 없다.

1. 직접 사용하는 감면대상 부동산의 범위

◎ 신탁 후 위탁자가 의료업에 계속 사용한 경우에는 직접 사용으로 볼 수 없음

위탁자인 의료법인이 금융기관(수탁자)에 부동산담보신탁계약을 체결한 후 해당 부동산을 의료법인(위탁자)이 의료업에 계속 사용하였을 경우 수탁자 소유기간 동안 재산세 감면이 되는지 여부에 대하여 위탁자인 ○○의료재단이 이 사건 부동산을 사실상 임의처분하거나 관리·운영할 수 있는 지위에 있다고 보기 어렵다는 점, 신탁재산의 경우 그 수탁자를 납세의무자로 보고 있는 점, 직접 사용의 범위도 의료법인으로 한정하여 명시되어 있는 점 등을 고려할 경우에 감면대상으로 볼 수 없음(대법원 2018두59427, 2019.10.31.).

◎ 의료법인이 산후조리업 운영시 감면대상 의료업으로 볼 수 없음

산후조리원은 「의료법」상 의료업이 아닌 부대사업이며, 「모자보건법」에서도 산후조리업을

급식·요양 등 일상생활에 필요한 편의를 제공하는 업으로 규정하고 있고, 일반 산후조리원과 달리 의료법인에서 운영하는 산후조리원에 대해서만 감면을 지원할 경우에는 과세 불형평이 발생하게 되는 점 등을 고려시, 의료법인이 의료업과 산후조리원을 함께 운영하는 경우라 하더라도, 그 산후조리원에 대해서는 쟁점규정에 따른 의료업에 직접 사용한다고 볼 수 없으므로 감면대상에서 제외하여야 할 것임(지방세특례제도과-2879, 2020.12.2.).

◎ 의료법인의 노인요양시설 운영은 감면대상 의료업으로 볼 수 없음

법령의 문언내용 및 2010.3.31. 법률 제10220호로 제정되어 2011.1.1.부터 시행된 지방세특례제한법이 의료법인 등에 대한 과세특례(제38조)와 별도로 노인복지시설에 사용하기 위하여 취득한 부동산에 대한 취득세 감면규정(제20조)을 둔 입법취지 등을 종합하여 보면, 구 노인복지법에 따른 노인요양시설을 설치·운영하는 데에 제공되는 부동산은 의료법인이 의료업에 직접 사용하는 것이라고 할 수 없으므로, 구 지방세법 제287조 제2항이 정한 취득세 등의 면제대상에 해당하지 아니함(대법원 2013두18582, 2014.2.13.).

◎ 장례식장의 설치·운영은 부대사업일 뿐 의료업에 해당되지 않음

「의료법」 제49조 제1항 제4호에서 의료법인은 의료업무 외에 「장사 등에 관한 법률」 제25조 제1항에 따른 장례식장의 설치·운영을 부대사업으로 할 수 있다고 규정하고 있다고 할지라도, 장례식장의 설치 운영 사업은 의료법인의 부대사업일 뿐이므로 지방세 감면대상인 의료업에 해당되지 아니함(조심 2011지0495, 2011.11.23.).

◎ 정신병원을 운영하는 의료법인이 정신질환자를 위한 운동시설(족구장 등) 및 산책로 조성을 위해 취득한 토지의 경우 의료업에 직접 사용하기 위한 토지로 보기 어려움

의료법 제3조 ①에서 '의료업'을 의료인이 공중 또는 특정 다수인을 위하여 의료, 조산의 업을 하는 것으로 규정하고 있고, 정신보건법 제3조에서 '정신병원'을 의료법에 의한 의료기관 중 주로 정신질환자의 진료를 행할 목적으로 제12조 ①의 시설기준 등에 적합하게 설치된 병원으로 정의하고, 법 제12조 ①, 규칙 제7조 ①에서 시설기준을 입원실, 응급실 …, 환자들의 생활에 불편이 없도록 식당, 휴게실, …편의시설을 갖추도록 규정하고 있음. … 의료법, 정신보건법 등 관련법령에서는 운동시설(배드민턴, 족구장) 및 산책로를 정신병원 시설기준 등으로 정하고 있지 아니하므로, 그 토지는 의료법인이 의료업에 직접 사용하기 위해 취득하는 부동산으로 볼 수 없음(지방세특례제도과-159, 2015.1.20.).

◎ 대도시와 떨어져 위치한 병원의 의료진에게 제공할 목적으로 취득한 사택의 경우라도 의료업에 직접 사용하는 부동산으로 볼 수 있다는 사례

병원에서 근무하는 의사 또는 직원으로서 필요불가결한 존재이고, 녹동현대병원은 35개의 입원실을 갖추고 있고, 대도시와 멀리 떨어진 곳에 위치하고 있어 입원환자나 응급환자의

야간 등 진료를 위하여 의사들이 대기할 수 있도록 병원 인근에 그러한 목적에 상응하는 시설, 면적을 갖춘 사택을 제공하는 것이 위 병원 운영과 의료진 확보를 위하여 반드시 필요하다고 보이므로, 각 부동산은 의료업에 직접 사용되는 부동산이라고 할 것임(원고가 병원 건물에 기숙사로 사용할 수 있는 공간을 보유하고 있다고 하여 달리 볼 것은 아님). 취득세 부과처분은 위법(대법원 2013두18582, 2014.2.13.)

◎ 임상시험센터용 부동산은 의료업에 직접 사용하기 위한 부동산으로 보기 어려움

약사법 제2조 제15호에 따른 "임상시험"의 경우 「의료법」 제49조 제1항 제2호에서 규정한 '의료나 의학에 관한 조사 연구' 에 포함된다고 할 것이므로 의료기관의 의료업무 외의 '부대사업'의 하나에 해당된다고 할 것이므로 첨단임상시험센터용 부동산의 경우 취득세 면제대상인 의료법인이 의료업에 직접 사용하기 위한 부동산으로 보기는 어려움 다만, 부대사업이라도 의료업무의 연장선상에서 수행되며 의료행위와 밀접한 연관을 가진 연구활동들은 부대사업에 해당되지 않는다(보건복지부 의료자원과-4263, 2010.8.2. 참조)할 것임(지방세운영과-1455, 2012.5.10.).

◎ 90m 떨어진 경우 병원의 부설주차장 용도로 보기는 어려움

부동산 취득 및 건물 철거 시기 등에 비추어 청구인이 이 건 부동산을 취득한 후 1년 이내에 의료업에 직접 사용한 것으로 볼 수 없을 뿐만 아니라, 청구인의 사업장인 ○○○병원과 연접하거나 연결되어 있지 않고, 90m정도 동떨어져 있는 그 부동산의 위치, 5대~7대 정도의 주차 가능대수 및 연접 토지 사용에 따른 실질적인 사용의 제한 등을 고려할 때, 병원의 부설주차장으로 사용하기 위해 취득하여 그 용도로 직접 사용하고 있다는 청구 주장을 인정하기에는 어려움이 있음(조심 2010지0881, 2011.10.4.).

◎ 병원과 약 4㎞ 정도 떨어진 곳에 위치하고 있는 점 부동산을 청구법인의 의료기구 및 의료소모품 창고로 사용하고 있는 객관적인 사실 여부도 입증되지 아니하는 점 등을 볼 때 부동산을 취득한 후 2년 이상 직접 사용하지 아니하고 다른 용도로 사용하고 있는 것으로 보아 부과고지한 것은 적법함(조심 2010지0476, 2010.11.17.).

◎ 병원에 근무하는 의사 등의 복리후생을 위하여 기숙사 용도로 사용하고 있으므로 의료업에 직접 사용하는 부동산으로 보기 어려움(조심 2010지0299, 2011.2.7.).

◎ 의과대학부속병원으로 취득한 건물의 일부를 식당, 편의점, 커피점 등의 용도로 제3자에게 임대한 경우 수익사업에 사용하는 것으로 보아 기 면제한 취득세 등을 부과고지하는 것이 타당함(조심 2010지0263, 2010.9.9.).

◎ 쟁점주택의 사용목적이 야간응급환자 등 긴급 상황에 대처하기 위한 것이라기보다는 병원의 종사자인 의사, 간호사 및 장기근속 직원 등을 위한 복리후생차원에서 제공하고 있는 것으로 판단되어 재산세를 부과고지한 것은 정당(조심 2008지0995, 2009.12.29.)

○ 직접 사용 관련, 법인이 병원의 구성원으로서 필요불가결한 존재인 간호사와 일반 사무직원들의 기숙사로 사용하고자 이 사건 아파트를 취득하여 그 용도로 사용하고 있는 이상 이 사건 아파트가 병원건물과 동일한 구내에 있지 아니하고 떨어져 있다고 하여도 법인의 목적사업에 직접 사용하는 재산으로 볼 것임(대법원 92누 7315, 1992.9.22.).

2. 정당한 사유

○ **의료법인이 병원건축공사를 장기간 중단한 경우 건축 중으로 볼 수 없어 재산세 감면 배제**
구 「지방세법 시행령」 제230조의 '재산세의 감면규정을 적용함에 있어 직접 사용의 범위에는 당해 법인의 고유업무에 사용할 건축물을 건축 중인 경우를 포함한다'는 규정은 건축물을 건축 중이라고 하더라도 이를 과세기준일 현재 의료업에 직접 사용하는 부동산이라고 볼 수 있는 정도에 이른 예외적인 경우에만 재산세 감면 대상이라고 엄격하게 해석하여야 할 것임. 원고는 병원 건축공사를 착공한지 10년이 지나도록 완공하지 못한 채로 상당기간 공사를 중단하고 있을 뿐만 아니라, 언제 공사가 다시 재개되어 병원 건물을 의료업을 위하여 사용할 수 있는지 알 수 없는 상황이라면, 과세기준일 현재 의료업에 직접 사용하는 부동산이라고 볼 수 없고, 구 「지방세법 시행령」 제230조에서 정한 건축 중인 경우라고 볼 수도 없음(대법원 2013두17671, 2013.12.12.).

○ 부동산을 고유업무인 의료업에 직접 사용하기 위하여 진지한 노력을 다하였음에도 근저당권자들과의 등기말소협상에 실패하고 이 사건 부동산에 관한 경매절차가 진행되는 등의 사정으로 인하여 부득이 의료용에 사용할 수 없었던 것이라고 보기 어려워, 의료업에 직접 사용하지 못한 데에는 정당한 사유가 없음(대법원 2009두12655, 2009.9.15.).

○ **병원 리모델링 등 공사진행 중에 있는 경우는 직접 사용으로 볼 수 없음**
기존의 건축물을 취득하여 의료업에 사용하기 위해 리모델링(대수선, 증축, 용도변경) 공사를 진행하고 있다면, 과세기준일 현재 의료업에 사용하기 위한 준비행위이지 해당 용도로 직접 사용하는 것으로는 볼 수 없으므로 해당 건축물은 감면대상이 아니라 할 것임(지방세운영과-3715, 2011.8.3.).

○ 취득할 당시 채권최고액 3,840백만원의 근저당이 설정된 사실을 이미 알고 있었으므로 전소유자인 주식회사 ○○○이 채무불이행시 당연히 쟁점부동산이 경매로 소유권이 이전될 것을 충분히 예측할 수 있었다고 보여지므로 경매로 인해 취득일(사용일)부터 2년 이내에 매각된 경우 정당한 사유에 해당되지 않음(조심 2011지0926, 2012.3.14.).

○ 부동산을 취득하기 이전부터 고유업무에 직접 사용하기 위한 준비를 계속하여 왔고 취득 후

곧 바로 건축공사에 착공하였으나, 취득 당시에는 예상하지 못했던 임의경매개시 결정과 시공사의 유치권행사로 인하여 공사가 중단되자 예기치 못한 장애요인을 해소하기 위하여 여러 가지 진지한 노력을 다하여 유예기간 종료일부터 약 6개월여 경과한 시점에 사용승인을 받고, 의료기관 개설허가를 받은 점 등은 고유업무에 직접 사용하지 못한 정당한 사유에 해당됨(조심 2011지0239, 2012.2.29.).

◎ **유치권 점유자와의 협의지연 등은 정당한 사유에 해당하지 않음**

이 건 부동산에 대하여 기존 점유자 퇴거, 건축허가 심의서 제출, 병원설립을 위한 정관변경 및 보건복지부 허가, 인력충원, 석면 해체 공사 등은 목적사업에 직접 사용하기 위한 준비과정에 불과할 뿐이고, 유치권 점유자와의 협의지연, 건축설계의 어려움, 행정관청의 교통개선 대책요구 등 이러한 사유만으로는 유예기간 이내에 고유업무에 직접 사용하지 못한 "정당한 사유"가 있다고 볼 수 없다 할 것임(지방세운영과-89, 2011.1.7.).

◎ 병원용도로 사용하지 못한 경우 정당한 사유에 해당되는지 여부와 관련하여 의료법인이 병원으로 사용하기 위하여 신축한 건축물 중 20%는 정보·연구산업 등의 용도로 사용하도록 부동산 취득 전부터 지정되어 있다면 정당한 사유에 해당되지 않음(조심 2008지0945, 2009.6.24.).

◎ **의료법인이 출연받은 부동산을 신탁재산으로 신탁등기를 한 경우 취득세 추징대상**

취득세 면제 요건의 구비 여부나 추징사유의 존부는 특별한 사정이 없는 한 취득세 납세의무자별로 개별적으로 판단하여야 할 것(대법원 2014두43097, 2015.3.26.)이며 따라서, ○○의료재단이 부동산을 ○○은행에 신탁하는 경우에는 소유자로서의 지위를 상실하게 되고, 소유자의 지위를 상실한 이후에는 ○○의료재단이 그 부동산을 의료업에 직접 사용하고 있다고 볼 수 없으므로, 지특법 제178조에서 정한 추징사유가 발생한 것임(지방세특례제도과-3558, 2015.12.29.).

제38조의 2(지방의료원에 대한 감면)

법 제38조의 2(지방의료원에 대한 감면) 「지방의료원의 설립 및 운영에 관한 법률」에 따라 설립된 지방의료원이 의료업에 직접 사용하기 위하여 취득하는 부동산에 대해서는 취득세를, 과세기준일 현재 의료업에 직접 사용하는 부동산에 대해서는 재산세를 다음 각 호에서 정하는 바에 따라 각각 경감한다.

1. 2020년 12월 31일까지는 취득세 및 재산세(「지방세법」 제112조에 따른 부과액을 포함한다)의 100분의 75를 각각 경감한다.

> 2. 2021년 1월 1일부터 2021년 12월 31일까지 취득하는 부동산에 대해서는 다음 각 목의 구분에 따라 취득세 및 재산세를 각각 경감한다.
> 가. 해당 부동산에 대해서는 취득세의 100분의 75를 경감한다.
> 나. 해당 부동산 취득일 이후 해당 부동산에 대한 재산세 납세의무가 최초로 성립한 날부터 5년간 재산세의 100분의 75를 경감한다. [본조신설 2018.12.24.]

지역주민의 건강 증진과 지역보건의료의 발전을 위해 지방자치단체가 설립하는 지방의료원에 대한 지방세 지원을 규정하고 있는데, 2018년까지 제38조 제3항에 규정하던 것을 2019년부터는 현 규정으로 이관하였다.

지방의료원이 의료업에 직접 사용하기 위해 취득하는 부동산에 대한 취득세 및 과세기준일 현재 의료업에 직접 사용하는 부동산에 대한 재산세 감면을 규정하고 있는데, 의료업의 범위는 제38조를 참고하면 될 것이다. 취득세는 '21년까지 75%를 감면하며, 재산세는 '20년까지는 도시지역분을 포함하여 75%를 감면하고, '21년에는 도시지역분을 제외하고 동일한 감면율을 적용하되 취득일 이후 재산세 납세의무가 최초로 성립한 날부터 5년간 50%를 감면한다.

제39조(국민건강보험사업 지원을 위한 감면)

> **법** 제39조(국민건강보험사업 지원을 위한 감면) ① 「국민건강보험법」에 따른 국민건강보험공단이 고유업무에 직접 사용하기 위하여 취득하는 부동산에 대하여는 다음 각 호에서 정하는 바에 따라 2014년 12월 31일까지 지방세를 감면한다.
> 1. 국민건강보험공단이 「국민건강보험법」 제14조 제1항 제1호부터 제3호까지, 제7호 및 제8호의 업무에 직접 사용하기 위하여 취득하는 부동산에 대하여는 취득세를 면제하고, 과세기준일 현재 그 업무에 직접 사용하는 부동산에 대하여는 재산세의 100분의 50을 경감한다.
> 2. 국민건강보험공단이 「국민건강보험법」 제14조 제1항 제6호의 업무에 사용하기 위하여 취득하는 부동산에 대하여는 취득세의 100분의 50을 경감하고, 과세기준일 현재 그 업무에 직접 사용하는 부동산에 대하여는 재산세의 100분의 50을 경감한다.
>
> ② 「국민건강보험법」에 따른 건강보험심사평가원이 고유업무에 직접 사용하기 위하여 취득하는 부동산에 대하여는 다음 각 호에서 정하는 바에 따라 2014년 12월 31일까지 지방세를 감면한다.
> 1. 건강보험심사평가원이 「국민건강보험법」 제63조 제1항 제1호의 업무에 직접 사용하기 위하여 취득하는 부동산에 대하여는 취득세를 면제하고, 과세기준일 현재 그 업무에 직접 사용하는 부동산에 대하여는 재산세의 100분의 50을 경감한다.

2. 건강보험심사평가원이 「국민건강보험법」 제63조 제1항 제2호의 업무에 직접 사용하기 위하여 취득하는 부동산에 대하여는 취득세의 100분의 50을 경감하고, 과세기준일 현재 그 업무에 직접 사용하는 부동산에 대하여는 재산세의 100분의 25를 경감한다.

「국민건강보험법」에 따른 국민건강보험공단이 고유업무에 직접 사용하기 위하여 취득하는 부동산에 대한 세제지원을 규정하고 있다. 그런데, 국민건강보험공단・국민건강보험평가원에 대한 감면의 일몰기한이 2014.12.31. 종료됨에 따라 2015.1.1.부로 효력이 자동 상실되어 감면대상에서 제외되었다.

◎ 업무분장상 지원부서 사용분도 요양급여비용심사의 직접 사용에 해당한다고 한 사례

건강보험심사평가원이 직접 사용하는 부동산 관련, 요양급여비용의 심사업무에 직접 사용하기 위하여 취득하는 부동산이라 함은 건강보험심사평가원의 설립목적과 요양급여비용의 심사업무와 그 외 업무간의 연관성 등을 고려하여 당해 부동산의 실질적 사용 현황에 따라 직접 사용 여부를 판단하여야 할 것이므로, 귀 원의 조직과 예산의 대부분이 요양급여의 심사업무를 위해 제공되거나 지원되고, 당해 부동산의 주된 사용 목적이 요양급여 심사업무에 사용되고 있는 경우라면 업무분장상 지원부서 등이 사용하는 부분도 요양급여비용의 심사에 직접 사용하는 부동산에 해당함(세정-2685, 2006.6.29.).

◎ 보험급여의 관리업무 등에 직접 사용하기를 포기한 경우 정당한 사유에 포함되지 않음

단서조항의 "정당한 사유"란 그 취득 부동산을 보험급여의 관리업무 등에 직접 사용하지 못한 사유가 행정관청의 사용금지・제한 등 외부적 사유로 인한 것이거나 또는 내부적으로 그 취득 부동산을 보험급여의 관리업무 등의 용도에 사용하기 위하여 정상적인 노력을 하였음에도 불구하고 시간적인 여유가 없거나 기타 객관적인 사유로 인하여 부득이 위 용도에 사용할 수 없는 경우를 말하는 것이고, 부동산의 취득자가 그 자체의 수익상의 문제이나 자금사정 등으로 보험급여의 관리업무 등에 직접 사용하기를 포기한 경우는 이에 포함되지 아니함(대법원 2003두9978, 2003.12.12.).

제40조(국민건강 증진사업자에 대한 감면)

법 제40조(국민건강 증진사업자에 대한 감면) ① 다음 각 호의 법인이 그 고유업무에 직접 사용하기 위하여 취득하는 부동산(임대용 부동산은 제외한다. 이하 이 조에서 같다)에 대해서는 취

득세의 100분의 75를, 과세기준일 현재 그 고유업무에 직접 사용하는 부동산에 대해서는 재산세(「지방세법」 제112조에 따른 부과액을 포함한다)의 100분의 75를 2020년 12월 31일까지 각각 경감한다. 감면분만 농비

1. 「모자보건법」에 따른 인구보건복지협회 2. 「감염병의 예방 및 관리에 관한 법률」에 따른 한국건강관리협회 3. 「결핵예방법」에 따른 대한결핵협회

② 제1항 각 호의 법인이 2021년 1월 1일부터 2021년 12월 31일까지 취득하는 부동산에 대해서는 다음 각 호의 구분에 따라 취득세 및 재산세를 각각 경감한다. 〈신설 2018.12.24.〉

1. 그 고유업무에 직접 사용하기 위하여 취득하는 부동산에 대해서는 취득세의 100분의 50을 경감한다. 2. 해당 부동산 취득일 이후 해당 부동산에 대한 재산세 납세의무가 최초로 성립한 날부터 5년간 재산세의 100분의 50을 경감(과세기준일 현재 그 고유업무에 직접 사용하고 있지 아니하는 경우는 제외한다)한다.

저출산 문제 해결을 위한 인구보건복지협회, 국민의 건강증진을 위한 한국건강관리협회, 결핵 예방과 퇴치를 위한 대한결핵협회 등 국민건강증진사업자에 대한 세제지원을 규정하고 있다.

인구보건복지협회, 한국건강관리협회, 대한결핵협회가 고유업무에 직접 사용하기 위해 취득하는 부동산에 대한 취득세 및 과세기준일 현재 의료업에 직접 사용하는 부동산에 대한 재산세를 감면하는데, 2020년까지는 취득세·재산세(도시지역분 포함)를 75%, 2021년에는 취득세·재산세(도시지역분 제외) 50%를 감면한다. 또한 재산세는 취득일 이후 재산세 납세의무가 최초로 성립한 날부터 5년간 감면한다. 당해 법인의 고유업무에 직접 사용하는 부동산에 한해 재산세를 면제하는데 "고유업무에 직접 사용하는 부동산"인지의 판단기준이 되는 "고유업무"의 범위는 "법령에서 개별적으로 규정한 업무, 정관, 법인등기부상 목적사업으로 정하여진 업무"에 속하는지 여부를 종합적으로 고려하여야 한다.

- 등기부상에 임대수입을 등재하였더라도 고유업무에 직접 사용한 것으로 볼 수 없음

 비록 등기부상 "임대수입"을 등재하였더라도 이를 결핵협회의 "고유업무"로 보기는 어려움. 또한, 결핵협회는 결핵예방·치료에 관한 건강증진사업을 목적으로 설립한 법인으로서 해당 부동산을 과세기준일(6.1.) 현재 주된 고유업무인 결핵사업 용도로 직접 사용하지 아니하고 유상임대를 통해 타인이 해당 부동산을 직접점유·사용하게 하고, 그 대가로 결핵협회가 임대수익을 취하는 것을 "직접 사용하는 부동산"으로 보기에는 곤란함(지방세운영과-4869, 2011.10.18.).

제40조의 3(대한적십자사에 대한 감면)

법 제40조의 3(대한적십자사에 대한 감면) 「대한적십자사 조직법」에 따른 대한적십자사가 그 고유업무에 직접 사용하기 위하여 취득하는 부동산(임대용 부동산은 제외한다)에 대해서는 취득세를, 과세기준일 현재 그 고유업무에 직접 사용하는 부동산에 대해서는 재산세를 다음 각 호에서 정하는 바에 따라 각각 경감한다. 감면분만 농비

1. 같은 법 제7조 제4호 중 의료사업(간호사업 및 혈액사업을 포함한다. 이하 이 조에서 의료사업이라 한다)에 직접 사용하기 위하여 취득하는 부동산에 대해서는 취득세의 100분의 75를, 과세기준일 현재 의료사업에 직접 사용하는 부동산에 대해서는 재산세(「지방세법」 제112조에 따른 부과액을 포함한다)의 100분의 75를 각각 2020년 12월 31일까지 경감한다.
2. 2021년 1월 1일부터 2021년 12월 31일까지 취득하는 부동산에 대해서는 다음 각 목의 구분에 따라 취득세 및 재산세를 각각 경감한다.
   가. 의료사업에 직접 사용하기 위하여 취득하는 부동산에 대해서는 취득세의 100분의 50을 경감한다. 나. 해당 부동산 취득일 이후 해당 부동산에 대한 재산세 납세의무가 최초로 성립한 날부터 5년간 재산세의 100분의 50을 경감한다.
3. 제1호의 의료사업 외의 사업(이하 이 조에서 "의료외사업"이라 한다)에 직접 사용하기 위하여 취득하는 부동산에 대해서는 취득세의 100분의 25를, 과세기준일 현재 의료외사업에 직접 사용하는 부동산에 대해서는 재산세의 100분의 25를 각각 2022년 12월 31일까지 경감한다.

[본조신설 2015.12.29.]

지역거점 공공의료, 안전한 혈액 공급, 구호 사회봉사 등의 사업을 수행하는 대한적십자사가 고유업무에 직접 사용하기 위해 취득하는 부동산의 취득세 및 재산세에 대한 감면을 규정하고 있다.

의료사업(간호사업 및 혈액사업 포함)에 대해서는 높은 감면율을 적용하는데 취득세는 '20년에는 75%, '21년에는 50%를 감면하며, 재산세는 '20년까지는 도시지역분을 포함하여 75%, '21년에는 50%를 감면하되 취득일 이후 재산세 납세의무가 최초로 성립한 날부터 5년간 감면한다(법 ①).

의료업 외의 사업에 대해서는 제1항보다 낮은 감면율을 적용하는데, 취득세와 재산세를 '22년까지 25%를 감면한다(법 ②).

제 3 절

교육 및 과학기술 등에 대한 지원

제41조(학교 및 외국교육기관에 대한 면제)

법 제41조(학교 및 외국교육기관에 대한 면제) ①「초·중등교육법」 및 「고등교육법」에 따른 학교, 「경제자유구역 및 제주국제자유도시의 외국교육기관 설립·운영에 관한 특별법」 또는 「기업도시개발 특별법」에 따른 외국교육기관을 경영하는 자(이하 이 조에서 "학교등"이라 한다)가 해당 사업에 직접 사용하기 위하여 취득하는 부동산(대통령령으로 정하는 기숙사는 제외한다)에 대해서는 취득세를 2021년 12월 31일까지 면제한다. 다만, 다음 각 호의 어느 하나에 해당하는 경우 그 해당 부분에 대해서는 면제된 취득세를 추징한다. 농비

1. 해당 부동산을 취득한 날부터 5년 이내에 수익사업에 사용하는 경우 2. 정당한 사유 없이 그 취득일부터 3년이 경과할 때까지 해당 용도로 직접 사용하지 아니하는 경우 3. 해당 용도로 직접 사용한 기간이 2년 미만인 상태에서 매각·증여하거나 다른 용도로 사용하는 경우

② 학교등이 과세기준일 현재 해당 사업에 직접 사용하는 부동산(대통령령으로 정하는 건축물의 부속토지를 포함한다)에 대해서는 재산세(「지방세법」 제112조에 따른 부과액을 포함한다) 및 「지방세법」 제146조 제3항에 따른 지역자원시설세를 각각 2021년 12월 31일까지 면제한다. 다만, 수익사업에 사용하는 경우와 해당 재산이 유료로 사용되는 경우의 그 재산 및 해당 재산의 일부가 그 목적에 직접 사용되지 아니하는 경우의 그 일부 재산에 대해서는 면제하지 아니한다.

③ 학교등이 그 사업에 직접 사용하기 위한 면허에 대한 등록면허세와 학교등에 대한 주민세 사업소분(「지방세법」 제81조 제1항 제2호에 따라 부과되는 세액으로 한정한다. 이하 이 항에서 같다) 및 종업원분을 각각 2021년 12월 31일까지 면제한다. 다만, 수익사업에 관계되는 대통령령으로 정하는 주민세 사업소분 및 종업원분은 면제하지 아니한다.

④ 학교등에 생산된 전력 등을 무료로 제공하는 경우 그 부분에 대해서는 「지방세법」 제146조 제1항 및 제2항에 따른 지역자원시설세를 2021년 12월 31일까지 면제한다.

⑤ 「사립학교법」에 따른 학교법인과 국가가 국립대학법인으로 설립하는 국립학교의 설립등기, 합병등기 및 국립대학법인에 대한 국유재산이나 공유재산의 양도에 따른 변경등기에 대해서는

등록면허세를, 그 학교에 대해서는 주민세 사업소분(「지방세법」 제81조 제1항 제1호에 따라 부과되는 세액으로 한정한다)을 각각 2021년 12월 31일까지 면제한다. 농비

⑥ 국립대학법인 전환 이전에 기부채납받은 부동산으로서 국립대학법인 전환 이전에 체결한 계약에 따라 기부자에게 무상사용을 허가한 부동산에 대해서는 그 무상사용기간 동안 재산세(「지방세법」 제112조에 따른 부과액을 포함한다) 및 「지방세법」 제146조 제3항에 따른 지역자원시설세를 각각 2021년 12월 31일까지 면제한다.

⑦ 제1항부터 제6항까지의 규정에도 불구하고 「고등교육법」 제4조에 따라 설립된 의과대학(한의과대학, 치과대학 및 수의과대학을 포함한다)의 부속병원이 의료업에 직접 사용하기 위하여 취득하는 부동산에 대해서는 취득세를, 과세기준일 현재 의료업에 직접 사용하는 부동산에 대해서는 재산세를 다음 각 호에서 정하는 바에 따라 각각 경감한다. 감면분만 농비

1. 2020년 12월 31일까지는 취득세의 100분의 50을, 재산세(「지방세법」 제112조에 따른 부과액을 포함한다)의 100분의 50을 각각 경감한다.
2. 2021년 1월 1일부터 2021년 12월 31일까지 취득하는 부동산에 대해서는 다음 각 목의 구분에 따라 취득세 및 재산세를 각각 경감한다.
   가. 해당 부동산에 대해서는 취득세의 100분의 30을 경감한다.
   나. 해당 부동산 취득일 이후 해당 부동산에 대한 재산세 납세의무가 최초로 성립한 날부터 5년간 재산세의 100분의 50을 경감한다.

영 제18조(학교등 면제대상 사업의 범위 등) ① 법 제41조 제1항 각 호 외의 부분 본문에서 "대통령령으로 정하는 기숙사"란 제18조의 2에 따른 기숙사를 말한다.

② 법 제41조 제2항 본문에서 "대통령령으로 정하는 건축물의 부속토지"란 해당 사업에 직접 사용할 건축물을 건축 중인 경우와 건축허가 후 행정기관의 건축규제조치로 건축에 착공하지 못한 경우의 건축 예정 건축물의 부속토지를 말한다.

③ 법 제41조 제3항 본문에서 "학교등이 그 사업에 직접 사용하기 위한 면허"란 법 제41조 제1항에 따른 학교등이 그 비영리사업의 경영을 위하여 필요한 면허 또는 그 면허로 인한 영업 설비나 행위에서 발생한 수익금의 전액을 그 비영리사업에 사용하는 경우의 면허를 말한다.

④ 법 제41조 제3항 단서에서 "수익사업에 관계되는 대통령령으로 정하는 주민세 사업소분 및 종업원분"이란 수익사업에 제공되고 있는 사업소와 종업원을 기준으로 부과하는 주민세 사업소분(「지방세법」 제81조 제1항 제2호에 따라 부과되는 세액으로 한정한다)과 종업원분을 말한다. 이 경우 면제대상 사업과 수익사업에 건축물이 겸용되거나 종업원이 겸직하는 경우에는 주된 용도 또는 직무에 따른다.

학교, 외국교육기관을 경영하는 자(이하 "학교등")가 해당 사업에 직접 사용하기 위해 취득하는 부동산에 대해 취득세를 면제하는데 여기서 해당 사업의 범위에 기숙사 중 직영기숙사는 포함되지만 민자기숙사는 제외된다(법 ①). 민자기숙사는 다시 두 부류로 분리되어 한국사학진흥재단이 운영하는 행복기숙사의 경우 제42조 제1항의 감면을 적용받을 수 있고, 그 외의 민자기숙사는 감면이 제외된다. 한편, 5년 이내에 수익사업에 사용하거나, 정

당한 사유없이 취득일부터 3년 이내에 직접 사용하지 않는 경우, 직접 사용한 기간이 2년 미만인 상태에서 매각・증여하거나 다른 용도에 사용하는 경우에는 감면된 취득세를 추징한다. 2016년 민자형기숙사에 대한 감면 규정(법 §42)을 정비하면서 해당 규정에 따라서는 '행복기숙사'만 감면되도록 개정되었고 현재 학교등에 대한 감면(법 §41)에서는 '민자형기숙사'가 아닌 '법 제42조 제1항에 따른 기숙사'를 제외하는 것으로 규정하고 있어 학교등에 대한 감면(법 §41)에서 '행복기숙사(법 §42)'만 제외되는 것으로 해석될 여지가 있었다. 따라서 2018년에는 '학교등이 취득하는 부동산'에 대한 감면(법 §41) 범위에서 민자형기숙사 전체(영 §18의 2)를 제외하는 것으로 명확히 규정하였다. 추징규정에 있어 2016년까지는 학교등이 취득한 부동산을 수익사업에 사용하는 경우에는 면제된 취득세를 추징하도록 규정하였으나, 추징 유예기간이 명시되어 있지 않아 언제든 추징이 가능하다는 해석 등 혼선이 있어, 2017년부터 취득한 날부터 5년 이내에 수익사업에 사용하는 경우에만 추징하도록 개선하였다.

학교 경영에 필요한 경비를 마련하기 위하여 경영하는 수익용 재산은 교육에 직접 사용하고 있는 재산(교사, 교지, 실습장, 운동장 등)으로 볼 수 없으므로 재산세 과세대상에 해당하고(예규 특법 41-1), 「초・중등교육법」 및 「고등교육법」에 의한 각종 학교를 경영하는 자가 그 사업에 사용하기 위한 부동산 취득의 경우에는 취득세가 면제되나, 이 경우 타인명의로 취득한 경우는 과세대상이다(예규 특법 41-2). 그리고 취득세 감면대상이 되는 외국교육기관을 경영하는 자에는 개인사업자도 포함된다(예규 특법 41-3). 한편 비과세 대상인 학교가 "해당사업에 직접 사용하는 부동산"이란 당해 부동산의 용도가 당해 목적사업 자체에 직접 사용하는 것을 뜻하는 것으로 당해 학교법인의 사업목적과 취득목적을 고려하여 그 실제 사용관계를 기준으로 객관적으로 판단하여야 한다(대법원 2004다58901, 2005.12.23. 참조).

학교등이 과세기준일 현재 해당 사업에 직접 사용하는 부동산에 대해 도시지역분을 포함한 재산세와 지역자원시설세를 면제한다. 토지에 있어서는 직접 사용할 건축물을 건축 중인 경우와 건축허가 후에 행정기관의 건축규제 조치로 착공하지 못한 경우에는 직접 사용으로 인정한다. 한편, 수익사업에 사용하는 경우이거나, 해당 재산이 유료로 사용되는 경우 등의 경우에는 재산세 면제가 제외된다(법 ②). 취득세는 수익사업에 사용하는 경우에 추징하나 재산세는 수익사업에 사용하지 않더라도 그 부동산이 유료로 사용되는 경우에도 추징하도록 규정하고 있는 점에 유의할 필요가 있다. 일례로 대법원(2005두10255, 2006.12.7.)에서는 학생 및 교직원의 후생복지시설로 임대한 구내식당에 대해 해당 사실관계를 토대로 이용대상의 범위, 당해 사업의 목적, 이용대가의 사용처 등을 종합 고려해 수익사업에 해당하지는 아니하지만, 유료 사용으로 보아 재산세 과세가 타당하다고 판단하였다.

학교등에 대해 면허분 등록면허세와 주민세 사업소분(「지방세법」 §81 ① 2) 및 종업원분을 면제하지만, 면제대상사업과 수익사업에 혼용되는 경우에는 주된 용도 또는 직무에 따라 과세 여부를 판단한다(법 ③).

학교등에 전력 등을 무료로 제공하는 경우에는 지역자원시설세를 면제(법 ④)하며, 사립학교법인과 국립대학법인의 설립등기 및 합병등기, 국립대학법인에 대한 국・공유재산 양도에 따른 변경등기에 대해서는 등록면허세를 면제하고 해당 학교에 대해서는 주민세 사업소분(「지방세법」 §81 ① 1)을 면제한다(법 ⑤).

국립대학법인 전환 이전에 기부채납받은 부동산으로서 既체결한 계약에 따라 기부자에게 무상사용을 허가한 경우, 그 기간 동안 도시지역분을 포함한 재산세와 그 지역자원시설세를 면제한다(법 ⑥).

의과대학(한의과・치과・수의과대학 포함)의 부속병원이 의료업에 직접 사용하기 위해 취득하는 부동산에 대한 취득세와 과세기준일 현재 의료업에 직접 사용하는 부동산에 대한 재산세를 감면한다(법 ⑦). 해당 규정에서는 제7항의 의과대학 부속병원은 제1항~제6항까지의 감면 규정을 적용하지 않음에 유의해야 한다.

〈초・중등교육법〉

제2조(학교의 종류) 초・중등교육을 실시하기 위하여 다음 각 호의 학교를 둔다.
1. 초등학교・공민학교 2. 중학교・고등공민학교 3. 고등학교・고등기술학교
4. 특수학교 5. 각종학교

〈고등교육법〉

제2조(학교의 종류) 고등교육을 실시하기 위하여 다음 각 호의 학교를 둔다.
1. 대학 2. 산업대학 3. 교육대학 4. 전문대학 5. 방송대학・통신대학・방송통신대학 및 사이버대학(이하 "원격대학"이라 한다) 6. 기술대학 7. 각종학교

1. 임대용 부동산의 판단

◎ 구내식당・은행・커피숍 등으로 임대하는 경우 직접 사용・수익사업 여부 판단기준

직접 사용・수익사업 사용 여부에 대한 판단은 실제 사용관계를 기준으로 객관적으로 판단하여야 하고, 유료사용 여부에 대한 판단은 재화・용역을 제공할 필요성, 제3자에게 임대 필요성과 합리성, 대상고객, 판매품목, 판매가격 및 그 결정구조, 임대료가 가격결정에 미치는 영향 등을 종합하여 판단하여야 할 것임. 따라서, 학교사업에 직접 사용하고 있는지 여부, 교육사업에 직접 사용하고 있는 것으로 볼 수 있다하더라도 임대사업으로서의 수익성이 있

다거나 임대수익을 목적으로 한 것이라고 볼 수 있는지 여부, 임대부동산의 사용에 대한 대가로 지급된 것인지 여부에 대하여 과세 관청에서 사실관계 및 현황 조사를 통하여 최종판단할 사안임(지방세특례제도과-181, 2015.1.22.).

◎ 학교법인의 수익사업 사용 판단 기준

학교법인의 교육사업에 직접 사용하는 것인지 아니면 수익사업에 사용하는 것인지 여부를 판단하기 위해서는 사용관계(이용주체, 이용현황 등) 및 일반인의 접근 가능성 여부, 이 사건 쟁점부분의 운영과 학교법인의 교육사업과의 연관성, 시설운영으로 인한 수익의 귀속 주체 및 그 규모 등의 제반사정을 종합적으로 고찰해야 함(대법원 2009두19533, 2010.2.25.).

◎ 학교법인이 취득한 학교건물의 일부를 구내식당, 은행, 레스토랑 등으로 제3자에게 임대・경영하게 하고, 그 대가로 받은 장학금, 임차료 등은 전액 학교법인의 고유목적사업에 사용되고, 그 이용자도 학생 및 교수 등으로 외부인이 이용할 수 없는 경우라면, 건물부분을 위탁관리하도록 하고 임대보증금 및 임대료를 지급받았다 하더라도, 학생 및 교직원들의 후생복지시설로 운영되고 있고 그 임대차계약에 의해 그로부터의 이탈이 엄격히 통제되고 있으며, 달리 임대사업으로서의 수익성이 있다거나 임대수익을 목적으로 한 것이라고 볼 증거가 없는 이상 이 사건 건물부분의 사용이 수익사업으로 되는 것은 아님(대법원 2005두10255, 2006.12.7.).

※ 수익사업에는 해당하지 아니하나, 유료 사용으로 보아 재산세는 과세가 타당

◎ 임대 사용시는 교육사업에 직접 사용하는 부동산으로 볼 수 없음

① 원고는 ○○로부터 매월 8백만원을 기부금 형식으로 지급받았는 바, 이는 사용 대가로서 실질적으로 월차임에 해당하는 것으로 보이고, ② 원고가 2년간은 ○○로부터 매월 기부금 형식의 금원을 받지는 않았으나, 이는 ○○이 자신의 비용으로 이 사건 쟁점 부분에 스튜디오 등 시설물을 설치하고 이를 원고에게 기부함에 따른 대가로 매월 기부금 형식의 금원 지급을 면제받은 것으로 보이는 점, … ⑤ 원고는 영상학과 수업을 위하여 필요시마다 일시적으로 사용한 것으로 보이나, 이는 ○○의 프로그램 제작에 차질이 없는 범위 내에서 협의하여 이루어진 것으로서 주된 용도는 △△텍의 프로그램 제작을 위한 것이라고 보이는 점 등, 교육사업에 직접 사용된 것이 아니라 수익사업의 하나인 임대업을 위해 사용된 것으로 봄이 타당(대법원 2014두40333, 2014.11.27.)

2. 사택이나 숙소 제공

◎ 중추적 지위에 있는 총장의 관사는 학교의 해당사업 직접 사용에 해당함

비과세대상인 "해당사업에 직접 사용하는 부동산"이란 당해 부동산의 용도가 당해 목적사업 자체에 직접 사용하는 것을 뜻하는 것으로 당해 학교법인의 사업목적과 취득목적을 고려하여

그 실제 사용관계를 기준으로 객관적으로 판단하여야 할 것임. 학교법인이 산하 대학교 총장의 관사로 사용하기 위해 부동산을 취득한 후 실제로 총장이 그곳에 거주하면서 각종 업무를 보고있는 경우, 학교법인이 그 목적사업에 직접 사용하는 경우에 해당함(대법원 2004다58901, 2005.12.23.).

※ 총장의 관사는 직접 사용시 해당, 교원이나 ·초빙교수 등 중추적 지위에 있지 않는 자는 제외

◎ **사택이나 숙소의 제공이 단지 구성원의 편의를 도모하기 위한 것에 불과하여 학교의 목적사업에 직접 사용된 것으로 볼 수 없음**

비영리사업자가 구성원에게 사택이나 숙소를 제공한 경우 그 구성원이 비영리사업자의 사업 활동에 필요불가결한 중추적인 지위에 있어 사택이나 숙소에 체류하는 것이 직무 수행의 성격도 겸비한다면 당해 사택이나 숙소는 목적사업에 직접 사용되는 것으로 볼 수 있지만, 사택이나 숙소의 제공이 단지 구성원에 대한 편의를 도모하기 위한 것이거나 그곳에 체류하는 것이 직무 수행과 크게 관련되지 않는다면 그 사택이나 숙소는 비영리사업자의 목적사업에 직접 사용되는 것으로 볼 수 없다(대법원 2013두21953, 2014.3.13.)고 할 것임(대법원 2014두40296, 2014.11.27.).

◎ **비영리사업자가 구성원에게 제공한 구외 사택이나 숙소는 감면대상에 해당하지 않음**

○○대학교에 근무하는 외국인 교원의 지위와 근무현황, 그리고 이 사건 각 오피스텔의 위치와 취득 목적 등에 비추어 보면, ○○대학교에 근무하는 외국인 교원들이 원고의 목적사업인 대학교육에 필요불가결한 중추적인 지위에 있다거나 그들이 이 사건 오피스텔에 체류하는 것이 직무 수행의 성격을 겸비하는 것으로는 볼 수 없으므로 이 사건 오피스텔은 목적사업에 직접 사용되는 것으로 보기 어려움(대법원 2013두21953, 2014.3.13.).

◎ **초빙교수 주거용 사택은 고유목적사업용으로 볼 수 없음**

초빙교수는 당해 학교 운영에 필요불가결한 중추적인 지위에 있다 볼 수 없고 해당 부동산이 초빙교수의 주거를 위한 사택으로 사용되고 있다면 학교의 고유목적사업에 직접 사용하는 부동산으로 보기는 어렵다고 할 것임(지방세운영과-4397, 2011.9.16.).

3. 직접 사용하는 것으로 볼 수 없다는 사례

◎ **○○신학교 평생교육원, 총회신학대학원 등의 운영에 대해 학원을 운영하고 있는 것으로 보아 주민세(사업소분(「지방세법」 §81 ① 2)) 면제대상에 해당하지 않는다는 사례**

주무관청에 종교단체로 등록한 사실이 없고, 고등교육법상 학교 또는 평생교육법상 평생교육시설로 주무관청으로부터 설립인가를 받았다고 인정할 증거도 없으며, 오히려 학원으로 등록하여 ○○신학교 평생교육원, ○○신학교, 총회신학대학원 등의 명칭으로 학원을 운영 중인데, 한국표준산업분류에 따르면 학원은 교육서비스업의 일종으로 수익사업임. 이 사건 건물

은 학원의 용도로 사용되기에 적합하고, 규모가 작은 4층 성가대실(15.14㎡)을 제외하고는 예배당 등 종교행위를 위한 시설은 없는 것으로 보임. ○○신학교 평생교육원에서는 일반인도 수강대상으로 하는 심리상담사 1급, 심리상담사 2급 강의를 유상(48시간에 35만 원)으로 개설하고 있는데, 이를 '종교의 보급 기타 교화에 현저히 기여하는 사업' 또는 원고의 고유의 사업목적을 위한 실비 수준의 용역제공이라고 보기도 어려움(대법원 2019두32405, 2019. 5.10.)

◎ 학교가 목적사업을 위해 취득한 부동산의 일부에 대해 유예기간 이내에 적극적으로 임대차계약을 체결하여 임대인으로서 권리를 취득하였다면 추징대상

일부가 임대되어 있는 부동산을 매수하여 스스로 새로이 계속 반복하여 임대할 의사가 없이 기존의 임대차관계가 종료되는 대로 자신이 사용할 의사로 임대인의 지위를 승계하였을 뿐인 경우에는 부동산임대 자체를 계속적 반복적으로 사업으로 하는 것이라고 하기는 어려워 이를 수익사업을 영위하는 것으로 볼 수 없으나(대법원 94누14575, 1995.6.30. 참조), 이 사건에서 원고는 적극적으로 이 사건 각 임대차계약을 체결하여 스스로 임대인으로서 권리를 취득하고 의무를 부담하는 행위를 하였으므로 이미 존재하는 의무를 승계한 것과 동일하다고 볼 수는 없음(대법원 2015두35888, 2015.5.14.).

◎ 장기간 방치되고 골프장으로 전용계획인 경우 학교법인의 목적사업용으로 볼 수 없음

학교법인이 교육용으로 사용하던 부동산을 캠퍼스 이전으로 일부는 교육용으로 직접 사용하고, 일부는 장기간 방치되어 있는 경우라면 학교법인이 교육용으로 직접 사용하는 부분은 재산세가 비과세되고, 장기간 방치되어 있는 부분은 골프장 등 수익사업으로 전용할 계획이 군 계획위원회심의 등의 서류에 의거 확인되므로 학교법인의 그 목적사업에 직접 사용하는 것으로 볼 수 없음(지방세운영과-2602, 2009.6.30.).

◎ 학교의 기본재산이라고 해서 모두 비과세되는 것은 아님

직접 사용 관련, 종합토지세는 공부상 명칭에 불구하고 사실상의 현황에 따라 과세를 하기 때문에 비록 당해 토지가 공부상 교육용 기본재산으로 되어 있다하여 모두가 비과세 되는 것은 아니고 그 토지가 주어진 목적사업에 직접 사용되는지 여부에 따라 과세대상여부가 결정된다 할 것이고 목적사업에 직접 사용된다 함은 교지 체육장 등과 같이 당해 토지의 사용용도가 학교법인의 교육사업 자체에 직접 사용하는 것에 한하는 것으로 보아야 할 것임(감심 2001-115, 2001.10.9.).

◎ 학교법인 소유의 토지상에 무상으로 교회 소유의 건물을 교회 용도로 사용하는 경우 토지분 재산세는 감면대상이 아님

쟁점 토지에는 교회 소유의 건물이 있고, 불특정 다수의 신도들이 이용하는 교회 용도로 사용하고 있어 이를 대학의 구성원으로서 필요불가결한 존재인 학생 또는 교직원의 교육 및

연구활동에 직접 사용되는 것으로 보기는 어려우므로 쟁점 토지에 대해 학교가 해당 사업에 직접 사용하는 부동산으로 볼 수 없어 재산세 면제대상에 해당되지 않는다고 판단됨(지방세운영과-2983, 2013.11.19.).

◎ 일시적이거나 부수적으로 수업장소로 활용한 것에 불과할 뿐이어서 감면대상이 아님

쟁점토지에 울타리를 설치하거나 잡목 및 수풀을 제거하고 조림로를 개설하였고, 비닐하우스 실습장 및 창고시설 등을 개설한 사실은 인정되나, 그러한 사정만으로 교육목적에 사용하기 위하여 지속적으로 관리하였다고 보기에 부족함. 오히려 전체 면적은 171,906㎡에 이르고, 그 지목은 전, 답, 임야 등이며, 화장실을 비롯한 교사동, 강의실 등 교육시설이 구비되어 있지 아니할 뿐만 아니라 대부분이 자연림 상태로서 그 지목과 같은 상태로 유지되고 있는 것으로 나타남. 학기 중에 간헐적으로 쟁점 토지를 방문하여 실습하는 일정이 있더라도, 전체 면적, 수업장소로 이용된 면적, 그 횟수 및 수강인원 등을 고려하면, 일시적이거나 부수적으로 수업장소로 활용한 것에 불과할 뿐 계속적·반복적으로 학교교육을 위해 사용하였다고 보기 어려움(대법원 2018두37519, 2018.6.15.).

◎ 서울대학교가 국가로부터 재산을 무상양여 받은 경우, 취득세 납세의무가 있음

국립대학법인 서울대학교가 국가로부터 권리·의무를 포괄적으로 승계하였다고 하더라도 「국립대학법인 서울대학교 설립·운영에 관한 법률」에 의하여 설립된 법인으로서 국가에 해당하지 아니하고, 2012.1.2. 국가와 국립대학법인 서울대학교 간에 국유재산 무상양여 계약을 체결하고, 2012.2.24. 소유권이전 등기(등기원인 2012.1.2. 양여)한 것은 「지방세법」 제6조 제1호의 "취득"에 해당하므로, 국립대학법인 서울대학교는 같은 법 제7조 제1항에 따라 취득세 납세 의무가 있음(지방세특례제도과-321, 2015.2.6.).

◎ 학교 등이 공공직업훈련시설용으로 취득하는 부동산은 감면대상이 아님

지방세 감면은 「고등교육법」 제2조에서 열거하는 경우로 제한된다 할 것임. 「고등교육법」 제2조에 의한 전문대학으로 인정되는 기능대학이 직업훈련과정으로 '○○○○기술교육원'을 병설하여 '하이테크과정 및 신중년 특화과정' 등 직업훈련시설 형태로 운영하는 경우임 … 현재 다른 지역에서 ○○○○기술교육원이 하이테크과정을 5개월 또는 10개월 단위로 운영하면서 그 수업연한이 1년 미만인 비학위과정만을 다루고 있는 점 등을 종합할 때, 쟁점부동산을 「고등교육법」에 따른 전문대학이 해당 사업에 직접 사용하는 부동산으로 보기 어려움(지방세특례제도과-1847, 2019.5.14.).

◎ 기타 학교 용도에 직접 사용하는 것으로 볼 수 없다는 사례

• 학교법인이 교육용 기본재산에 편입된 토지를 그 사업에 직접 사용한다고 함은 학교법인의 교지, 체육장 등과 같이 교육사업 자체에 직접 사용되는 것을 뜻하며, 자연림 상태의

임야를 학생들의 산책로 내지는 야외수업공간으로 간헐적으로 이용하여 왔다는 사정만으로 토지를 교육사업에 직접 사용하는 것으로 볼 수 없음(조심 2012지0420, 2012.9.28.).

- 유소년스포츠센터 등은 건축물을 교육사업 자체에 직접 사용하고 있다고 보기는 어렵다 하겠고 학생들의 교과실습장소로 활용되고 있더라도 주된 용도가 아닌 부수적으로 활용되고 있는 것으로 보아야 할 것이며 더구나 일반인들을 대상으로 교육 또는 상담을 하면서 교육비 또는 상담비를 받고 이를 운영비에 충당하고 있으므로 유료로도 사용하고 있으므로 고육목적에 사용하지 않는다고 봄(조심 2010지0073 2010.12.7.).
- 학교 구외에 위치한 이 건 부동산은 학교법인이 교육용에 직접 사용하는 부동산이라기보다는 학생 등을 위한 후생복지시설로서 기숙사에 해당된다고 하겠으므로 교육용에 직접 사용되는 부동산에 해당하지 아니함이 타당함(조심 2009지0749, 2010.5.31.).

4. 기타 사례

◎ **신축된 건축물의 소유권을 처음부터 학교에 원시적으로 귀속시키기 위해 학교명의로 건축 및 소유권보전등기가 된 경우에는 학교를 원시취득자로 보아야 함**

이 사건 건물은 처음부터 학교법인 ○○대학교(이하 '○○대학교'라 한다)와 대순진리회 종단 및 원고 등 관계자 사이에서 완성된 건물의 소유권을 ○○대학교에 원시적으로 귀속시키기로 하는 합의 아래 그 신축공사가 진행되었고, 그에 따라 소유권보존등기도 ○○대학교 명의로 마쳐진 사정 등에 비추어 이 사건 건물의 원시취득자는 원고가 아닌 ○○대학교로 보아야 한다는 이유로, 원고가 이 사건 건물을 원시취득하였음을 전제로 한 이 사건 부과처분은 위법함(대법원 2014두10042, 2014.11.13.).

제42조(기숙사 등에 대한 감면)

법 제42조(기숙사 등에 대한 감면) ① 「초·중등교육법」 및 「고등교육법」에 따른 학교, 「경제자유구역 및 제주국제자유도시의 외국교육기관 설립·운영에 관한 특별법」 또는 「기업도시개발 특별법」에 따른 외국교육기관을 경영하는 자(이하 이 조에서 "학교등"이라 한다)가 대통령령으로 정하는 기숙사(「한국사학진흥재단법」 제19조 제4호 및 제4호의 2에 따른 기숙사로 한정한다)로 사용하기 위하여 취득하는 부동산에 대해서는 취득세를, 과세기준일 현재 해당 용도로 사용하는 부동산에 대해서는 재산세 및 주민세 사업소분(「지방세법」 제81조 제1항 제2호에 따라 부과되는 세액으로 한정한다. 이하 이 조에서 같다)을 각각 2021년 12월 31일까지 면제한다. 다만, 다음 각 호의 어느 하나에 해당하는 경우 그 해당 부분에 대해서는 면제된 취득세를 추징한다.

1. 정당한 사유 없이 그 취득일부터 3년이 경과할 때까지 해당 용도로 직접 사용하지 아니하는 경우 2. 해당 용도로 직접 사용한 기간이 2년 미만인 상태에서 매각·증여하거나 다른 용도로 사용하는 경우

② 「교육기본법」 제11조에 따른 학교를 설치·경영하는 자가 학생들의 실험·실습용으로 사용하기 위하여 취득하는 차량·기계장비·항공기·입목(立木) 및 선박에 대해서는 취득세를, 과세기준일 현재 학생들의 실험·실습용으로 사용하는 항공기와 선박에 대해서는 재산세를 각각 2021년 12월 31일까지 면제한다. 다만, 다음 각 호의 어느 하나에 해당하는 경우 면제된 취득세를 추징한다. 농비

1. 정당한 사유 없이 그 취득일부터 1년이 경과할 때까지 해당 용도로 직접 사용하지 아니하는 경우 2. 해당 용도로 직접 사용한 기간이 2년 미만인 상태에서 매각·증여하거나 다른 용도로 사용하는 경우

③ 「산업교육진흥 및 산학연협력촉진에 관한 법률」 제25조에 따라 설립·운영하는 산학협력단이 그 고유업무에 직접 사용하기 위하여 취득하는 부동산에 대해서는 취득세의 100분의 75를, 과세기준일 현재 그 고유업무에 직접 사용하는 부동산에 대해서는 재산세의 100분의 75를 2023년 12월 31일까지 각각 경감한다. 감면분만 농비

④ 제3항에 따른 산학협력단에 대하여는 2014년 12월 31일까지 주민세 사업소분 및 종업원분을 면제한다. 다만, 수익사업에 관계되는 대통령령으로 정하는 주민세 사업소분 및 종업원분은 면제하지 아니한다.

영 제18조의 2(민간투자사업 방식으로 설립·운영되는 면제대상 기숙사의 범위) 법 제42조 제1항 본문에서 "대통령령으로 정하는 기숙사"란 다음 각 호의 어느 하나에 해당하는 방식으로 설립·운영되는 기숙사를 말한다.

1. 법 제42조 제1항에 따른 학교등(이하 이 조에서 "학교등"이라 한다)이 사용하는 기숙사를 건설하는 사업시행자(이하 이 조에서 "사업시행자"라 한다)에게 준공 후 학교등과의 협약에서 정하는 기간 동안 해당 시설의 소유권이 인정되며, 그 기간이 만료되면 시설소유권이 학교등에 귀속되는 방식
2. 준공 후 해당 시설의 소유권이 학교등에 귀속되며, 학교등과의 협약에서 정하는 기간 동안 사업시행자에게 시설관리운영권을 인정하는 방식(제3호에 해당하는 경우는 제외한다)
3. 준공 후 해당 시설의 소유권이 학교등에 귀속되며, 학교등과의 협약에서 정하는 기간 동안 사업시행자에게 시설관리운영권을 인정하되, 그 시설을 협약에서 정하는 기간 동안 임차하여 사용·수익하는 방식 [본조신설 2014.12.31.]

제19조(산학협력단 면제대상 사업의 범위) 법 제42조 제4항 단서에서 "수익사업에 관계되는 대통령령으로 정하는 주민세 사업소분 및 종업원분"이란 수익사업에 제공되고 있는 사업소와 종업원을 기준으로 부과하는 주민세 사업소분(「지방세법」 제81조 제1항 제2호에 따라 부과되는 세액으로 한정한다)과 종업원분을 말한다. 이 경우 면제대상 사업과 수익사업에 건축물이 겸용되거나 종업원이 겸직하는 경우에는 주된 용도 또는 직무에 따른다.

대학 등이 기숙사로 사용하기 위하여 취득·보유하는 부동산, 학생들의 실험·실습용으로 사용하기 위하여 취득·보유하는 차량·기계장비 등, 산학협력단이 고유업무에 직접 사용하기 위하여 취득·보유하는 부동산 등에 대한 세제지원을 규정하고 있다.

학교 등이 기숙사 중에서 한국사학진흥재단의 민자기숙사로 사용하기 위하여 취득하는 부동산에 대해 취득세, 재산세, 주민세 사업소분(「지방세법」 §81 ① 2)을 면제한다(법 ①). 따라서, 일반 민자기숙사는 감면이 제외된다고 할 수 있다. 기숙사 감면은 자본투자방식에 따라 학교의 자기자본과 민간자본으로 이원화해서 볼 수 있는데, 납세의무자는 모두 학교등이 되어야 감면이 가능하다. 2016년까지는 민자기숙사 전체에 대해 감면을 적용 하였으나, 2017년부터는 직영기숙사에 비해 영리성이 강한 사립학교 민자형 기숙사는 감면을 종료하고, 공공기금이 투입되는 등 공공성이 높은 '행복기숙사'에 대해서만 감면을 적용토록 한 것이다. 또한, 2019년부터는 재산세 도시지역분과 지역자원시설세에 대한 감면을 배제토록 하였다. 예를 들어, 대학이 자기자본으로 구내에서 직접 취득하는 부동산은 학교와 관련성 있는 것으로 보아 제41조 제1항에 따른 감면이 적용된다고 할 것이며, 구외에 있는 경우에는 구내에 토지가 없어서 불가피하게 구외의 인접한 곳에 기숙사를 두었고 학교등의 교육사업과 관련성이 있다면 동일한 규정의 감면대상에 해당할 수 있다. 다음 민간자본으로 취득하는 경우를 살펴보면 BTO, BOT, BTL 등 방식으로, 즉 소유권을 국가 등에게 이전하고 사용권을 받아가는 등의 경우에는 한국사학진흥재단이 설치하는 행복기숙사에 대해서만 제42조 제1항을 적용받을 수 있다고 하겠다. 제41조에 해당하는 경우에는 농특세까지 감면이 되나 제42조 제1항에 해당시에는 농특세가 과세되는 차이가 있다.

학교를 설치·경영하는 자가 학생들의 실험·실습용으로 사용하기 위해 취득하는 차량·기계장비·항공기·입목·선박에 대해 취득세를 면제하고, 과세기준일 현재 해당 용도로 사용하는 항공기·선박에 대해서는 재산세를 면제한다(법 ②). 2019년부터는 최소납부세제가 적용되었다. 한편, 실험실습용이라 하더라도 자동차관리법에 따라 등록된 차량에 대해서는 자동차세는 납세의무가 있음에 유의해야 한다.

산학협력단이 그 고유업무에 직접 사용하기 위해 취득하는 부동산에 대해 취득세를 75% 감면하고, 과세기준일 현재 고유업무에 직접 사용하는 부동산에 대해서는 재산세를 75% 감면한다(법 ③). 2014년까지 100% 감면하였으나, 2015년부터는 감면목적 달성 및 수익성 등을 고려하여 75%로 감면율을 축소하였다. 소유자가 학교이고 산학협력단에게 위탁경영한다면, 해당 규정의 감면은 적용되지 아니하며 제41조에 따른 학교의 교육사업용 직접 사용에도 해당되지 아니하나, 제60조 제3항(취득세 75%, 재산세 면제)에 따른 감면을 적용받을 수 있다.

〈교육기본법〉

제11조 (학교 등의 설립) ① 국가와 지방자치단체는 학교와 사회교육시설을 설립 · 경영한다.

② 법인이나 사인(私人)은 법률로 정하는 바에 따라 학교와 사회교육시설을 설립 · 경영할 수 있다.

〈산업교육진흥 및 산학연협력촉진에 관한 법률〉

제25조(산학협력단의 설립 · 운영) ① 대학은 학교규칙으로 정하는 바에 따라 대학에 산학연협력에 관한 업무를 관장하는 조직(이하 "산학협력단"이라 한다)을 둘 수 있다.

② 산학협력단은 법인으로 한다.

③ 산학협력단은 대통령령으로 정하는 바에 따라 주된 사무소의 소재지에서 설립등기를 함으로써 성립한다.

④ 산학협력단의 명칭에는 해당 학교명이 표시되어야 한다.

⑤ 산학협력단이 해산하는 경우 남은 재산은 해당 학교의 설립 · 경영자에게 귀속한다. 이 경우 학교법인에 귀속하는 남은 재산은 「사립학교법」 제29조 제2항에 따른 교비회계에 편입한다.

⑥ 산학협력단의 능력, 주소, 등기, 재산목록, 이사, 해산 및 청산에 관하여는 「민법」 제34조부터 제36조까지, 제50조부터 제52조까지, 제53조, 제54조, 제55조 제1항, 제59조 제2항, 제61조, 제65조 및 제81조부터 제95조까지를 준용하며, 산학협력단의 청산인에 관하여는 같은 법 제59조 제2항, 제61조 및 제65조를 준용한다.

1. 기숙사에 대한 감면

○ 기숙사와 학교용 부동산의 관계 및 제42조 제1항의 취지

지방세특례제한법 제42조 제1항을 둔 취지는 대학교가 취득하는 기숙사 건물의 경우에는 수익사업에 사용하는 경우라서 같은 법 제41조 제1항에 의해 취득세를 감면받을 수 없는 경우이더라도 특별히 한시적으로 취득세를 감면받을 수 있게 함으로써 대학교 기숙사의 신축을 위한 민간투자 활성화의 유인을 마련하고자 하는데 있으므로, 만약 수익사업에 사용하지 아니하는 대학교 기숙사까지도 같은 법 제41조 제1항이 아닌 같은 법 제42조 제1항을 근거로 취득세를 감면받는다고 해석한다면, 수익사업에 사용하지 아니하는 대학교 기숙사의 경우 같은 법 제41조 제1항이 적용되어 취득세는 물론 농어촌특별세까지 면제받을 수 있었던 것이 같은 법 제42조 제1항으로 인해 오히려 농어촌특별세의 부과대상에 해당하게 되는바, 이는 특별히 같은 법 제42조 제1항을 둔 입법취지에 반하는 해석으로서 불합리하다 할 것임(대법원 2014두7060, 2014.8.20.).

◎ 구외 아파트를 사실상 학생 기숙사로 사용하는 경우 감면대상에 해당됨

공동취사 등 기숙사의 용도로 사용되는 경우는 건축법상 용도에도 불구하고 사실상 기숙사에 해당된다고 할 것인 점, 학교의 학생은 외국인 초빙교수나 시간강사 등과 달리 학교 운영에 있어 필요불가결한 중추적인 위치에 있다고 할 것인 점 등을 종합적으로 고려해 볼 때, 학교 구외에 위치하는 아파트라고 하더라도 사실상 학생들의 기숙사로 사용되고 있다면 면제대상 기숙사용 부동산에 해당됨(지방세운영과-2867, 2013.11.8.).

◎ 민간투자사업 실시협약에 따라 학교로부터 20년간 기숙사 사용수익권을 부여받아 기숙사를 운영하는 법인의 경우 학교로 볼 수 없으므로 주민세(사업소분(「지방세법」 §81 ① 2))를 면제할 수 없음

쟁점법인은 숙박 및 건설업으로 사업자 등록을 한 영리법인으로서 2012년 결산서에 의하면 기숙사 사용료 및 편의시설 임대수입 등 50억의 수익과 기숙사 운영에 대한 감가상각비, 차입금 이자비용, 시설관리비용, 인건비 등 50억의 비용을 쟁점법인의 의사결정에 따라 자체적으로 지출하는 독자적인 영업활동을 영위하고 있고, 위탁운영에 따른 해당 사업 일체에 대하여 손해배상 등 민·형사상 책임을 지는 등 자기책임 하에 사업을 운영하고 있어 일반적인 사업소로서의 성격을 가지고 있다고 볼 수 있음. 따라서 기숙사를 실질적으로 지배하여 운영·관리하는 독립된 사업소에 해당하는 쟁점법인을 학교와 동일시하여 재산분 주민세를 면제하는 것은 타당치 아니함(지방세운영과-1628, 2013.7.25.).

◎ 기숙사를 운영하는 위탁법인의 기숙사 전체 연면적에 대해 주민세 사업소분(「지방세법」 제81조 제1항 제2호)를 과세함

정규학기 중에 학교 기숙사를 학생 숙소로 이용토록 하는 것은 일반적인 부동산 임대와 달리 쟁점법인의 목적사업인 숙박업에 사용되는 것으로 보는 것이 합리적이라 할 것이며, 실시협약 및 쟁점법인의 정관에 따르면 사업시설물을 기숙사 전체로 정하고 있고, 쟁점법인에서 학교 기숙사 운영을 위해 각 동(棟)마다 사감을 두고 급여를 지급하고 있으며, 쟁점법인의 2012년 결산서에 의하면 기숙사 건물 전체에 대한 보안 경비, 환경미화용역비, 인터넷 통신비, 쓰레기 수거비용 등을 지급하고 있음을 알 수 있으므로 기숙사 전체 연면적을 쟁점법인의 사업소 연면적으로 보아야 한다고 판단됨(지방세운영과-1628, 2013.7.25.).

◎ 외국인 교수의 기숙사는 교육용에 직접 사용이 아닌 기숙사 감면규정을 적용하여야 함

외국인 교수의 주거안정과 복리증진을 위하여 기숙사 용도로 이 사건 건축물을 신축한 후 외국인 교수들이 입주하여 사용하고 있다면, 학교 구외에 위치한 이 사건 건축물은 학교법인인 청구인이 교육용에 직접 사용하는 부동산이라기보다는 학생 또는 교직원을 위한 후생복지시설로서 「지방세법」 제272조 제6항에서 규정한 취득세 및 등록세 면제대상인 기숙사에

해당됨(심사 2007-595, 2007.10.29.).

◎ 재학생들의 기숙사는 교육용 직접 사용이 아닌 기숙사에 대한 감면규정을 적용하여야 함

재학생들이 기숙사로 사용토록 하기 위하여 이 건 부동산을 취득한 것이라 하더라도「지방세법」제107조 제1호 및 제127조 제1항 제1호에서 규정하고 있는 교육용에 직접 사용하기 위하여 취득한 부동산이라기보다는 지방학생들에게 거주생활의 편의를 제공하기 위하여 취득한 후생복지시설로서 같은 법 제272조 제6항에서 취득세 등의 감면대상으로 규정하고 있는 기숙사에 해당함(조심 2010지0376, 2010.11.9.).

◎ 교환학생 거주생활 편의제공 후생복지시설은 감면대상 기숙사에 해당됨

지방소재 학교의 구외지역인 다른 지방자치단체에 소재하는 숙박시설인 이 건 부동산은 당해 대학의 소속 학생으로서 수도권 소재 대학에서 수학하는 교환학생들이 사용토록 하기 위하여 취득하였으므로 청구인이 교육용에 직접 사용하는 부동산이라기보다는 교환학생들에게 거주생활의 편의를 제공하기 위하여 취득한 후생복지시설로서「지방세법」제272조 제6항에서 취득세 등의 감면대상으로 규정하고 있는 기숙사에 해당됨(조심 2009지0749, 2010.5.31.).

2. 산학협력단의 운영

◎ A대학교가 산학협력단으로 하여금 학교건물을 이용하여 창업보육사업을 운영토록 하는 경우 재산세 면제대상에 해당되지 아니함

산학협력단이 운영하는 창업보육센터의 입주자격이 학생 또는 교직원으로 한정되지 않고 창업에 어려움을 겪고 있는 예비창업자(입주업체)에게까지 개방되어 예비창업자의 이용이 더 많은 경우라면 학생 및 교직원의 교육 및 연구활동에 직접 사용되는 것으로 볼 수 없음. 한편, 산학협력단이 운영하는 창업보육센터를 학교가 직접 사용하는 것으로는 본다고 하더라도「지방세특례제한법」제41조 제2항에서 규정하고 있는 학생 및 교직원의 교육 및 연구 활동(해당 사업)에 직접 사용하는 것으로 확대 해석하는 것은 곤란하다고 보여짐(지방세운영과-2274, 2013.9.11.).

◎ 대학부설 연구소의 실습지인 토지는 직접 사용 부동산으로 볼 수 없음

소수의 대학부설 연구소 관계자가 산양삼을 식재하여 재배지로 사용하는 자연림 상태의 임야로서 학과계열별 부속시설인 농장·학술림·사육장·목장·양식장·어장 및 약초원 등 실습지와 같이 다수의 학생 또는 교직원이 항시 이용할 수 있는 토지가 아니라 할 것이므로 대학의 구성원으로서 필요불가결한 존재인 학생 및 교직원의 교육 및 연구활동에 직접 사용되는 부동산으로 볼 수 없음(지방세운영과-2305, 2012.7.19.).

산업체 등이 운영하는 연구소의 활용실태 등이 대학의 교육 및 연구활동에 사용되는 교사(校舍) 등에 해당될 경우 면제대상이라는 사례

쟁점 건축물은 대학의 교지 안에서 산업체 등이 운영하는 연구소로서 「산업교육진흥 및 산학연협력촉진에 관한 법률」 제37조에서 규정하고 있는 "협력연구소"에 해당하며, 「대학설립·운영규정」 제4조 제7항에서 협력연구소의 경우에는 건축물이 대학의 교육 및 연구활동에 사용되는 경우에 한하여 해당 면적을 교사(校舍)로 보도록 규정하고 있으므로, 쟁점건축물의 활용실태 등이 대학의 교육 및 연구활동에 사용되는 교사(校舍) 등에 해당될 경우 서울대학교가 해당 사업에 직접 사용하는 부동산에 해당되어 재산세 면제대상이라고 판단됨(지방세운영과-1505, 2012.5.15.).

학교목적사업 관련, 대학교에서 산업체 등과 공동으로 특정부문에 대하여 연구개발을 원활히 하기 위하여 협약서 등을 체결하고 학교 구내의 일정시설에 관련 사업체를 입주시켰고, 학교(교수 및 학생 등)가 입주산업체와 상시적으로 긴밀하게 연계되어 특정분야에 대한 연구개발이나 관련 인력양성 및 자문 등의 활동에 실적이 있는 산학협력의 경우 학교목적사업으로 볼 수 있음(심사 2005-76, 2005.5.30.).

제43조(평생교육단체 등에 대한 면제)

법 제43조(평생교육단체 등에 대한 면제) ① 「평생교육법」에 따른 교육시설을 운영하는 평생교육단체(이하 이 조에서 "평생교육단체"라 한다)가 해당 사업에 직접 사용하기 위하여 취득하는 부동산에 대해서는 취득세를 2019년 12월 31일까지 면제한다. 농비

② 평생교육단체가 과세기준일 현재 해당 사업에 직접 사용하는 부동산(대통령령으로 정하는 건축물의 부속토지를 포함한다)에 대해서는 재산세를 2019년 12월 31일까지 면제한다. 다만, 수익사업에 사용하는 경우와 해당 재산이 유료로 사용되는 경우의 그 재산 및 해당 재산의 일부가 그 목적에 직접 사용되지 아니하는 경우의 그 일부 재산에 대해서는 면제하지 아니한다.

③ 평생교육단체가 2020년 1월 1일부터 2021년 12월 31일까지 해당 사업에 직접 사용하기 위하여 취득하는 부동산에 대해서는 취득세를, 같은 기간에 취득한 부동산으로서 과세기준일 현재 해당 사업에 직접 사용하는 부동산(대통령령으로 정하는 건축물의 부속토지를 포함한다)에 대해서는 재산세를 다음 각 호의 구분에 따라 각각 경감한다.

1. 해당 부동산에 대해서는 취득세의 100분의 50을 경감한다.
2. 해당 부동산 취득일 이후 해당 부동산에 대한 재산세 납세의무가 최초로 성립한 날부터 5년간 재산세의 100분의 50을 경감한다. 다만, 수익사업에 사용하는 경우와 해당 재산이 유료로 사용되는 경우의 그 재산 및 해당 재산의 일부가 그 목적에 직접 사용되지 아니하는 경우의 그 일부

재산에 대해서는 경감하지 아니한다.

④ 제1항 및 제3항 제1호를 적용할 때 다음 각 호의 어느 하나에 해당하는 경우 감면된 취득세를 추징한다.

1. 해당 부동산을 취득한 날부터 5년 이내에 수익사업에 사용하는 경우
2. 정당한 사유 없이 그 취득일부터 3년이 지날 때까지 해당 용도로 직접 사용하지 아니하는 경우
3. 해당 용도로 직접 사용한 기간이 2년 미만인 상태에서 매각·증여하거나 다른 용도로 사용하는 경우 [전문개정 2018.12.24.]

영 제20조(평생교육단체 면제대상 사업의 범위) ① 법 제43조 제2항 본문 및 같은 조 제3항 각 호 외의 부분에서 "대통령령으로 정하는 건축물의 부속토지"란 각각 해당 사업에 직접 사용할 건축물을 건축 중인 경우와 건축허가 후 행정기관의 건축규제조치로 건축에 착공하지 못한 경우의 건축 예정 건축물의 부속토지를 말한다.

평생교육단체가 해당사업에 사용하기 위하여 취득하는 부동산 등에 대한 세제지원과 면제대상 사업범위에 대하여 규정하고 있다. 이는 정규교육과정 후 국민들의 배우고자 하는 욕구에 맞추어 각종 교육을 시행하는 단체에 대한 세제지원을 하기 위한 취지이다.

「평생교육법」에 따른 교육시설을 운영하는 평생교육단체가 해당 사업에 직접 사용하기 위하여 취득하는 부동산은 취득세를 50% 감면하고, 과세기준일 현재 해당 사업에 직접 사용하는 부동산은 재산세에 대해 납세의무가 최초로 성립한 날부터 5년간 50%를 감면한다(법 ③). 여기서 재산세 감면대상 토지에는 직접 사용할 건축물을 건축 중인 경우의 그 부속토지와 건축허가 후 행정기관의 건축규제조치로 착공하지 못한 경우의 건축 예정 건축물의 부속토지를 포함한다. 한편, 수익사업에 사용하는 경우, 해당 재산이 유료로 사용되는 경우 등의 경우에는 감면을 제외한다. 2019년부터 재산세 도시지역분, 지역자원시설세, 주민세 사업소분(「지방세법」 §81 ① 2)·종업원분 감면을 종료하였고, 취득세·재산세는 2019년까지 100%, 2020년부터 2021년까지 50% 감면한다.

취득일부터 5년 이내 수익사업에 사용하는 경우, 정당한 사유없이 취득일부터 3년 이내에 직접 사용하지 않는 경우, 직접 사용한 기간이 2년 미만인 상태에서 매각·증여하거나 다른 용도로 사용하는 경우에는 감면된 취득세를 추징한다(법 ④). 2016년까지는 평생교육단체가 취득한 부동산을 수익사업에 사용하는 경우에는 면제된 취득세를 추징하도록 규정되어 있었으나, 추징 유예기간이 명시되어 있지 않아 언제든 추징이 가능하다는 해석 등 혼선이 있었던 바, 2017년부터는 취득한 날부터 5년 이내 수익사업에 사용하는 경우에만 추징하도록 개선하였다.

구분	평생교육단체 감면(§43)	평생교육시설(§44)
감면대상	평생교육법에 따라 등록·신고된 법인 및 단체	평생교육법에 따라 등록·신고된 시설
유　형	평생교육진흥원, 기관형교육기관(구민회관), 문화시설기관(도서관·박물관·미술원), 아동관련기관(아동복지회관), 여성관련기관(여성인력개발센터), 청소년관련기관(청소년수련시설), 노인관련기관(노인교실) 등	학교(교실, 도서관 등 활용), 학교부설(학교장이 설치·운영), 학교형태(학교장이 학력인정), 사내대학형태(사업장), 원격형태(교과부장관에 신고), 사업장부설(사업장의 고객대상), 시민단체부설, 언론기관부설, 지식·인력개발사업

◎ **평생교육원을 설치·운영하는 경우 '평생교육단체'에 해당됨**

「평생교육법」 제25조 제1항에서 "각급 학교의 장은 당해 학교의 교육환경을 고려하여 그 특성에 맞는 평생교육을 실시할 수 있다."고 규정하고 있고, 그 제3항에서 "각급 학교의 장은 학생·학부모 및 지역주민을 대상으로 교양증진 또는 직업교육을 위한 평생교육시설을 설치할 수 있다. 평생교육시설을 설치한 경우 각급 학교의 장은 관할관청에 이를 보고하여야 한다."고 규정하고 있으므로, 「평생교육법」 제25조의 규정에 따라 평생교육원을 설치하여 운영하고 있는 경우라면, 당해 학교법인은 "평생교육법에 의한 교육시설을 운영하는 평생교육단체"에 해당된다 할 것임(세정-265, 2008.1.21.).

◎ **골프연습장은 평생교육시설이 아닌 사회체육시설의 일종**

청구법인이 운영하는 대학의 학생 또는 부설 평생교육원의 수강생들이 이 건 골프연습장에서 골프 관련 수업을 수강한다고 하더라도 일반인과 겸용되는 이 건 골프연습장은 평생교육을 위한 평생교육시설이 아니라 누구나 자유롭게 유료 또는 무료로 이용할 수 있는 사회체육시설의 일종으로 보는 것이 타당함(조심 2011지0204, 2011.9.30.).

◎ **평생교육단체가 아닌 개인명의로 부동산을 취득·등기하는 경우라면 취득세 등이 비과세되지 아니함**(세정 13407-336, 2003.4.28.).

제44조(평생교육시설 등에 대한 감면)

> **법** 제44조(평생교육시설 등에 대한 감면) ① 대통령령으로 정하는 평생교육시설에 사용하기 위하여 취득하는 부동산에 대해서는 취득세를, 과세기준일 현재 평생교육시설에 직접 사용하는 부동산(해당 시설을 다른 용도로 함께 사용하는 경우 그 부분은 제외한다)에 대해서는 재산세를

다음 각 호에서 정하는 바에 따라 각각 감면한다. 농비

1. 2019년 12월 31일까지는 취득세 및 재산세를 각각 면제한다.
2. 2020년 1월 1일부터 2021년 12월 31일까지 취득하는 부동산에 대해서는 다음 각 목의 구분에 따라 취득세 및 재산세를 각각 경감한다.
   가. 해당 부동산에 대해서는 취득세의 100분의 50을 경감한다.
   나. 해당 부동산 취득일 이후 해당 부동산에 대한 재산세 납세의무가 최초로 성립한 날부터 5년간 재산세의 100분의 50을 경감한다.

② 제1항에 따른 평생교육시설로서 「평생교육법」 제31조 제4항에 따라 전공대학 명칭을 사용할 수 있는 평생교육시설(이하 이 항에서 "전공대학"이라 한다)에 직접 사용하기 위하여 취득하는 부동산에 대해서는 2021년 12월 31일까지 취득세를 면제하고, 과세기준일 현재 전공대학에 직접 사용하는 부동산(해당 시설을 다른 용도로 함께 사용하는 경우 그 부분은 제외한다)에 대해서는 2021년 12월 31일까지 재산세를 면제한다.

③ 「근로자직업능력 개발법」 제2조 제3호 가목에 따른 공공직업훈련시설에 직접 사용하기 위하여 취득하는 부동산에 대해서는 2021년 12월 31일까지 취득세의 100분의 50을 경감하고, 과세기준일 현재 공공직업훈련시설에 직접 사용하는 부동산(해당 시설을 다른 용도로 함께 사용하는 경우 그 부분은 제외한다)에 대해서는 2021년 12월 31일까지 재산세의 100분의 50을 경감한다.

④ 제1항부터 제3항까지의 규정을 적용할 때 다음 각 호의 어느 하나에 해당하는 경우 그 해당 부분에 대해서는 감면된 취득세 및 재산세를 추징한다.

1. 해당 부동산을 취득한 날부터 5년 이내에 수익사업에 사용하는 경우
2. 정당한 사유 없이 그 취득일부터 3년이 지날 때까지 해당 용도로 직접 사용하지 아니하는 경우
3. 해당 용도로 직접 사용한 기간이 2년 미만인 상태에서 매각·증여하거나 다른 용도로 사용하는 경우 [제목개정 2018.12.24.]

영 제21조(평생교육시설의 범위) 법 제44조에서 "대통령령으로 정하는 평생교육시설"이란 「평생교육법」에 따라 보고·인가·등록·신고된 평생교육시설로서 다음 각 호에서 정하는 것을 말한다.
1. 「평생교육법」 제30조에 따른 학교 부설 평생교육시설 2. 「평생교육법」 제31조에 따른 학교형태의 평생교육시설 3. 「평생교육법」 제32조에 따른 사내대학형태의 평생교육시설 4. 「평생교육법」 제33조에 따른 원격대학형태의 평생교육시설 5. 「평생교육법」 제35조에 따른 사업장 부설 평생교육시설 6. 「평생교육법」 제36조에 따른 시민사회단체 부설 평생교육시설 7. 「평생교육법」 제37조에 따른 언론기관 부설 평생교육시설 8. 「평생교육법」 제38조에 따른 지식·인력개발사업 관련 평생교육시설

전공대학 등의 평생교육시설 및 공공직업훈련시설에 직접 사용하기 위하여 취득·보유하는 부동산에 대한 세제지원과 평생교육시설의 범위를 정하고 있다.

평생교육시설에 사용하기 위해 취득하는 부동산은 취득세를 50% 감면하고, 과세기준일 현재 평생교육시설에 직접 사용하는 부동산은 재산세에 대해 납세의무가 최초로 성립한 날부터 5년간 50%를 감면한다(법 ①). 2016년에는 평생교육법에서 분류하고 있는 평생교육시

설의 종류에 따라 감면대상 범위를 세분화하였다(영 §21). 2019년부터 재산세 도시지역분, 지역자원시설세 감면을 종료하였고, 취득세·재산세는 2019년까지 100%, 2020년부터 2021년까지 50% 감면한다. 여기서 감면대상 평생교육시설이란 평생교육법 중에서 아래와 같이 열거한 경우에만 해당됨에 유의해야 한다.

* 학교 부설 평생교육시설, 학교형태의 평생교육시설, 사내대학형태의 평생교육시설, 원격대학형태의 평생교육시설, 사업장 부설 평생교육시설, 시민사회단체 부설 평생교육시설, 언론기관 부설 평생교육시설, 지식·인력개발사업 관련 평생교육시설

평생교육법에 따라 전공대학 명칭을 사용할 수 있는 평생교육시설에 직접 사용하기 위해 취득하는 부동산에 대해서는 취득세를 면제하고, 과세기준일 현재 전공대학에 직접 사용하는 부동산(해당 시설을 다른 용도로 함께 사용하는 경우 그 부분은 제외)에 대해서는 재산세를 면제한다(법 ②). 同 규정은 전문대학교와의 유사성 등을 고려하여 2021년 신설된 규정으로 최소납부세제는 적용된다. 한편, 종전에 제1항에 따라 감면받고 있던 경우에는 종전의 규정을 적용받을 수 있으며, 둘 중 하나를 선택하는 경우에는 감면기간 동안 동일한 규정을 계속하여 적용하여야 한다(부칙 §8).

근로자직업능력 개발법에 따른 공공직업훈련시설에 직접 사용하기 위해 취득하는 부동산에 대해서는 취득세를 50% 감면하고, 과세기준일 현재 공공직업훈련시설에 직접 사용하는 부동산(해당 시설을 다른 용도로 함께 사용하는 경우 그 부분은 제외)에 대해서는 재산세를 50% 감면한다(법 ③). 폴리텍 대학 등 공공직업훈련시설이 수행하고 있는 기술인력양성 기능을 지원하기 위한 취지로 2021년 신설된 규정이다.

* (「근로자직업능력 개발법」 제2조 제3호 가목) 국가·지방자치단체 및 대통령령으로 정하는 공공단체가 직업능력개발훈련을 위하여 설치한 시설로서 제27조에 따라 고용노동부장관과 협의하거나 고용노동부장관의 승인을 받아 설치한 시설

취득일부터 5년 이내 수익사업에 사용하는 경우, 정당한 사유없이 취득일부터 3년 이내 직접 사용하지 않는 경우, 직접 사용한 기간이 2년 미만인 상태에서 매각·증여하거나 다른 용도로 사용하는 경우에는 감면된 취득세와 재산세를 추징한다(법 ④). 제43조의 감면대상인 평생교육단체는 평생교육법에 따라 등록된 법인 및 단체만 해당되나, 제44조 제1항의 감면대상 평생교육시설은 단체 등록없이 신고된 시설이면 족하다. 다만 평생교육시설 감면은 추징시 재산세까지 소급해서 추징함에 유의해야 한다.

○ **불특정 다수가 아닌 법인 소속 임·직원의 업무수행능력 향상교육에 주로 사용된 경우 지방세 감면대상 평생교육시설에 해당되지 않음**

평생교육은 특정 집단 또는 계층에 한정하지 아니하고 일반 지역사회 주민 등 불특정 다수를

대상으로 하는 교육을 당연히 전제하는 것으로 보이는 바, 원고가 지식·인력개발사업 관련 평생교육시설로 신고된 이 사건 교육시설에서 불특정 다수가 아닌 원고 또는 계열 회사의 임·직원에 대한 교육을 주로 진행하였으므로, 이 사건 교육시설은 구 평생교육법 제38조에서 정한 지식·인력개발 관련 평생교육시설에 직접 사용하는 부동산이라고 할 수 없음(대법원 2016두41842, 2016.9.30.).

◎ **장애인평생교육시설이 평생교육시설에 해당된다고 한 사례**

「평생교육법」상 "평생교육기관"이란 이 법에 따라 인가·등록·신고된 시설·법인 또는 단체로 그 다목은 그 밖에 다른 법령에 따라 평생교육을 주된 목적으로 하는 시설·법인 또는 단체로 규정하고 있고, 「장애인 등에 대한 특수교육법」 제34조 제2항에서 국가 및 지방자치단체 외의 자가 제1항에 따른 장애인평생교육시설을 설치하고자 하는 때에는 일정 시설과 설비를 갖추어 교육감에게 등록하여야 하고, 시설과 설비를 갖추어 학교형태의 장애인평생교육시설로 관할 교육감에게 등록하여 한글기초과정, 초등학교과정 등을 교과목으로 학력보완교육, 자립생활교육 등을 목적사업으로 하는 민들레야학의 경우 평생교육법에 따라 등록된 평생교육시설에 해당(지방세운영과-1024, 2012.4.2.)

◎ **종교단체가 취득 당시 종교용으로 사용하기 위해 취득한 부동산을 취득 당시의 목적과는 달리 평생교육시설로 사용하기로 결정한 경우 감면대상으로 볼 수 없음**

법 제44조의 '평생교육시설에 사용하기 위하여 취득하는 부동산'에 해당하기 위해서는 그 부동산을 취득할 당시 그와 같은 사용목적이 있었음을 인정할 수 있어야 하고, 부동산을 취득할 당시의 사용목적과는 달리 이후 평생교육시설로 사용하기로 결정한 경우까지 위 요건에 해당한다고 볼 수는 없다 할 것임(대법원 2013두12706, 2013.7.31.).

◎ 평생교육시설에 "직접 사용"이라 함은 부동산의 소유자가 평생교육시설의 운영자로서 그 소유한 부동산을 과세기준일 현재 평생교육시설에 직접 사용하는 경우만을 의미하고, 소유자가 아닌 다른 사람이 평생교육시설을 운영하는 것까지를 재산세 등의 면제대상 부동산이라고 볼 수 없음(감심 189, 2011.11.10.).

◎ 청구법인은 이 건 토지를 2006.6.2. 취득한 후 2006.6.5. 곧바로 관할 교육관청에 평생교육시설(실습지)로 신고하여 그 신고필증을 교부받아 당해 용도에 사용한 것이므로 위 감면조례의 구성요건에 적합한 것임(조심 2010지0935, 2011.8.4.).

◎ 협회의 보완사항에 적극적으로 대처하지 않으므로 인해 2009.5.12. 협회의 2차 현지 출장시에도 박물관 현황이 개선되지 않아 협회는 전시시설의 보완 및 개선을 약속받고 우선 등록허가를 처리하는 것이 타당하다는 의견을 개진한 것을 볼 때, 청구인이 이 사건 박물관을 취득일부터 1년 이내에 직접 사용(등록)하지 못한 데에 대한 정당한 사유가 있다고 보기는 어려

움(조심 2010지0669, 2011.4.14.).

◎ 토지상에 콘크리트와 플라스틱으로 제작된 수개의 의자를 설치하여 학생들의 휴식공간 등으로 사용하고 있다 하더라도 별도의 휴식공간을 두고 있는 점을 고려하여 평생교육시설이 아님(조심 2009지0179, 2009.12.4.).

◎ 재산세 감면기준일 현재 조달청을 통한 입찰로 인한 착공지연을 행정기관의 건축 규제조치로 보기 어려우므로 재산세 과세함이 타당(조심 2015지687, 2015.9.2.)

제44조의 2(박물관 등에 대한 감면)

법 제44조의 2(박물관 등에 대한 감면) ① 대통령령으로 정하는 박물관 또는 미술관에 사용하기 위하여 취득하는 부동산에 대해서는 취득세를, 과세기준일 현재 해당 박물관 또는 미술관에 직접 사용하는 부동산(해당 시설을 다른 용도로 함께 사용하는 경우에는 그 부분은 제외한다)에 대해서는 해당 부동산 취득일 이후 해당 부동산에 대한 재산세(「지방세법」 제112조에 따른 부과액을 포함한다)를 2021년 12월 31일까지 각각 면제한다. 농비

② 대통령령으로 정하는 도서관 또는 과학관에 사용하기 위하여 취득하는 부동산에 대해서는 취득세를, 과세기준일 현재 해당 도서관 또는 과학관에 직접 사용하는 부동산(해당 시설을 다른 용도로 함께 사용하는 경우에는 그 부분은 제외한다)에 대해서는 재산세(「지방세법」 제112조에 따른 부과액을 포함한다)를 각각 2021년 12월 31일까지 면제한다. [전문개정 2018.12.24.]

영 제21조의 2(박물관 등의 범위) ① 법 제44조의 2 제1항에서 "대통령령으로 정하는 박물관 또는 미술관"이란 「박물관 및 미술관 진흥법」 제16조에 따라 등록된 박물관 또는 미술관을 말한다.

② 법 제44조의 2 제2항에서 "대통령령으로 정하는 도서관 또는 과학관"이란 다음 각 호에 따른 도서관 또는 과학관을 말한다.

1. 「도서관법」 제31조 또는 제40조에 따라 등록된 도서관
2. 「과학관의 설립·운영 및 육성에 관한 법률」 제6조에 따라 등록된 과학관 [전문개정 2018.12.31.]

박물관·미술관·도서관·과학관에 대해 지방세 감면 지원을 통해 국민의 정보 접근권과 알권리 보장 및 학술연구와 사회교육 발전에 기여하고자 함에 그 입법취지가 있다. 2016년부터 평생교육시설(법 §44)에서 성격과 운영방식이 상이한 박물관, 미술관, 도서관, 과학관을 분리하여 별개의 조문(법 §44의 2)으로 신설하였다.

관계법령에 따라 등록된 박물관·미술관·도서관·과학관에 사용하기 위해 취득하는 부동산에 대해 취득세를 면제하고 과세기준일 현재 직접 사용하는 부동산에 대해서는 도시지

역분을 포함한 재산세를 면제한다(법 ①, ②). 기존에는 지역자원시설세까지 감면하였으나 2019년부터는 지역자원시설세에 대한 감면을 종료하였다.

예를 들어 도서관의 경우 도서관법에 따른 사립공공도서관도 감면대상으로 규정하고 있어 동네 곳곳에 있는 작은도서관도 여기에 해당한다고 하겠다. 먼저, 직접 사용을 어디까지 인정할 것인지가 쟁점일 수 있다. '직접 사용'이라 함은 부동산이 박물관 등으로 사용되는 것뿐만 아니라 그 사용 주체가 부동산의 소유자일 것을 요건으로 하고 있다고 할 것(대법원 2020두37505, 2020.7.29. 등)인데, 관련 법에 따라 등록된 박물관 등을 감면대상으로 한정하고 있어, 등록되지 아니한 박물관 등은 감면대상이 되지 아니하는 점에서 볼 때, 관련 법상 설립·운영자를 직접 사용의 판단 기준인 사용 주체로 봄이 타당하다. 박물관을 예로 들면, 「박물관 및 미술관 진흥법」 제16조에서 사립박물관을 설립·운영하려는 자는 일정 요건을 갖추어 시·도지사에게 등록할 수 있도록 하고, 제17조의 2 및 제29조에서는 설립자 또는 대표자가 변경된 경우에는 변경 등록을 신청하여야 하고, 변경 등록을 하지 아니한 경우 등록 취소가 가능하도록 규정하고 있는바, 「박물관 및 미술관 진흥법」상 설립·운영자는 그 등록상 설립자 내지 대표자로 봄이 상당하다 할 것이다. 따라서, 「박물관 및 미술관 진흥법」에 따른 설립자 또는 대표자가 아닌 자의 소유 부동산이 박물관으로 사용되는 경우라면 직접 사용에 해당하지 않는 것으로 보아야 한다.

한편, 추징에 대해서는 별도로 규정하고 있지 아니하므로 지방세특례제한법 제178조 제1항에서 규정하고 있는 취득세의 일반적 추징규정을 적용해야 할 것이다. 제178조 제1항에서는 '부동산에 대한 감면을 적용할 때 이 법에서 특별히 규정한 경우를 제외하고는 다음 각 호의 어느 하나에 해당하는 경우 그 해당 부분에 대해서는 감면된 취득세를 추징한다'고 규정하면서, 그 제1호에서는 '정당한 사유 없이 그 취득일부터 1년이 경과할 때까지 해당 용도로 직접 사용하지 아니하는 경우'를, 그 제2호에서는 '해당 용도로 직접 사용한 기간이 2년 미만인 상태에서 매각·증여하거나 다른 용도로 사용하는 경우'를 규정하고 있다. 따라서 박물관을 취득하여 취득세를 감면받은 후 자치단체 문화재 사업추진을 위한 매각요청에 따라 2년 내 자치단체로 매각한 경우에 있어, 2년 내 매각·증여에 '정당한 사유'를 명문으로 두고 있지 않은 이상 그 사유를 불문하고 감면된 취득세는 추징대상이 된다(지방세특례제도과-2391, 2020.10.8.).

◎ 취득시점 이후 감면요건 충족하더라도 소급하여 적용할 수 없음

취득세 감면의 경우 취득세 과세물건을 취득하는 시점에서 감면요건의 충족 여부로 판단하여야 할 것인 바, 부동산을 취득하여 박물관이 아닌 수족관으로 사용승인을 받아 개관하여

운영한 경우라면, 취득시점에 관계법령에 따라 '등록된 박물관이나 박물관으로 설치·운영하기 위한 취득'이라는 위 감면요건을 충족하지 못하였다고 할 것이므로 취득시점 이후에 감면요건을 충족하였다고 하더라도 이를 소급하여 적용할 수 없다 할 것임(지방세운영과-3170, 2011.7.4.).

◎ 재산세 과세기준일 현재 「박물관 및 미술관진흥법」의 규정에 의하여 등록하지 아니한 박물관용 부동산은 재산세 등의 과세면제 대상이 아님(조심 2008지0527, 2009.2.10.).

◎ **지자체의 매각요청에 따라 2년내 매각한 경우에는 추징에 해당**

박물관으로 사용하기 위해 취득하여 취득세를 감면받은 이후 직접 사용한 기간이 2년 미만인 상태에서 매각한 경우에 있어, '정당한 사유'를 명문으로 두고 있지 않은 이상 그 사유를 불문하고 감면된 취득세는 추징 대상이 됨(지방세특례제도과-2391, 2020.10.8.).

※ 해당 사실관계는 지자체의 요청으로 협의 매각한 사안으로, '정당한 사유'가 규정되어 있었다고 하더라도, 지자체의 '강제 수용'이 아닌 '협의 매각'에 해당하여 구체적 사실관계에 따라 다툼의 소지가 있다고 할 것임.

◎ 부동산을 공동명의로 취득한 후 박물관 등록시 취득자가 설립자와 대표자로 달리 등록하여 설립하였다 하더라도, 당해 부동산을 취득한 후 유예기간 내에 박물관의 용도로 사용하는 경우라면 취득세를 면제하는 것이 타당함(지방세특례제도과-1468, 2016.6.27.).

☞ 과세기준일 현재 ① 「박물관 및 미술관 진흥법」(이하 "「박미법」")상 등록된 박물관에 ② 직접 사용 부동산은 재산세 면제하도록 규정하고 있으므로, 감면대상에 해당하기 위해서는 ① 「박미법」상 등록된 박물관을 ② 직접 사용하여야 한다. 한편 직접 사용은 해당 부동산이 박물관으로 사용되는 것뿐 아니라 그 사용 주체가 부동산의 소유자여야 할 것(같은 취지, 대법원 2020두37505 등)이므로, 그 소유자가 박미법상 등록된 설립자 내지 대표자가 되어야 한다.

제45조(학술단체 및 장학법인에 대한 감면) [학술단체 등]

법 제45조(학술단체 및 장학법인에 대한 감면) ① 대통령령으로 정하는 학술단체가 학술연구사업에 직접 사용하기 위하여 취득하는 부동산에 대해서는 취득세를, 과세기준일 현재 학술연구사업에 직접 사용하는 부동산에 대해서는 재산세를 각각 2021년 12월 31일까지 면제한다. 다만, 제45조의 2에 따른 단체는 제외한다. 농비

② 「공익법인의 설립·운영에 관한 법률」에 따라 설립된 장학법인(이하 이 조에서 "장학법인"이라 한다)에 대해서는 다음 각 호에서 정하는 바에 따라 지방세를 2021년 12월 31일까지 감면한다.

1. 장학법인이 장학사업에 직접 사용하기 위하여 취득하는 부동산에 대해서는 취득세를, 과세기

준일 현재 장학사업에 직접 사용하는 부동산에 대해서는 재산세를 각각 면제한다.

2. 장학법인이 장학금을 지급할 목적으로 취득하는 임대용 부동산에 대해서는 취득세의 100분의 80을, 과세기준일 현재 해당 임대용으로 사용하는 부동산에 대해서는 재산세의 100분의 80을 각각 경감한다.

③ 제1항 및 제2항에 따라 취득세를 면제 또는 경감받은 후 다음 각 호의 어느 하나에 해당하는 경우 그 해당 부분에 대해서는 면제 또는 경감된 취득세를 추징한다.

1. 정당한 사유 없이 그 취득일부터 1년이 경과할 때까지 해당 용도로 직접 사용하지 아니하는 경우
2. 해당 용도로 직접 사용한 기간이 2년 미만인 상태에서 매각·증여하거나 다른 용도로 사용하는 경우
3. 취득일부터 3년 이내에 관계 법령에 따라 설립허가가 취소되는 등 대통령령으로 정하는 사유에 해당하는 경우

영 제22조(학술단체의 정의 등) ① 법 제45조 제1항 본문에서 "대통령령으로 정하는 학술단체"란 「학술진흥법」 제2조 제1호에 따른 학술의 연구·발표활동 등을 목적으로 하는 법인 또는 단체로서 다음 각 호의 어느 하나에 해당하는 법인 또는 단체를 말한다. 다만, 해당 법인 또는 단체가 「공공기관의 운영에 관한 법률」 제4조에 따른 공공기관인 경우에는 행정안전부장관이 정하여 고시하는 법인 또는 단체로 한정한다.

1. 「공익법인의 설립·운영에 관한 법률」 제4조에 따라 설립된 공익법인 2. 「민법」 제32조에 따라 설립된 비영리법인 3. 「민법」 및 「상법」 외의 법령에 따라 설립된 법인 4. 「비영리민간단체 지원법」 제4조에 따라 등록된 비영리민간단체

② 법 제45조 제3항 제3호에서 "관계 법령에 따라 설립허가가 취소되는 등 대통령령으로 정하는 사유"란 다음 각 호의 어느 하나에 해당하는 경우를 말한다.

1. 「공익법인의 설립·운영에 관한 법률」 제16조에 따라 공익법인의 설립허가가 취소된 경우
2. 「민법」 제38조에 따라 비영리법인의 설립허가가 취소된 경우
3. 「비영리민간단체 지원법」 제4조의 2에 따라 비영리민간단체의 등록이 말소된 경우

학술연구단체·장학단체·과학기술진흥단체가 그 고유업무에 직접 사용하기 위하여 취득·보유하는 부동산에 대한 세제지원을 규정하고 있다.

1. 학술단체 감면

학술단체(제45조의 2의 기초과학연구원 등 단체는 제외)가 학술연구사업에 직접 사용하기 위해 취득하는 부동산에 대해 취득세 및 재산세를 면제(법 ①)하는데, 공사·공단에 대한 감면정비(25~100%→25%) 기조에 따라 2018년부터 학술연구단체 등의 감면 대상에서 공공기관을 제외토록 개정하였으나, 조세지원 필요성이 높은 기관까지 감면에서 제외되는 문제가 있어 설립 목적, 영리성, 수익구조 등을 종합적으로 검토하여 필요한 경우 감면

대상에 포함시킬 수 있도록 근거를 마련하였다(영 ①). 2020년부터는 학술단체(기존의 학술연구단체, 과학기술단체)의 감면대상 및 추징규정을 재설계하고, 재산세 도시지역분 및 지역자원시설세는 목적세적 성격의 재원으로써 감면 최소화 원칙에 따라 감면을 종료하였다. 또한, 학술은 과학·기술 분야를 포괄하는 개념으로 그간 그 실체나 경계가 모호하였던 관련이 없는 관리·지원 성격은 배제하였다.

구분	개정 전	개정 후
면제 대상자	정부로부터 허가 또는 인가를 받거나 「민법」 외의 법률에 따라 설립되거나 그 적용을 받는 학술연구단체·장학단체·과학기술진흥단체	다음의 어느 하나에 해당하는 학술단체 • 공익법인, 민법상 비영리법인 • 민법 및 상법 외의 법령에 따른 법인 • 비영리단체법상 등록 비영리민간단체
면제 부동산	고유업무에 직접 사용	학술연구사업에 직접 사용

학술단체와 학술연구사업을 어디까지 볼 것인지가 쟁점이다. 먼저, 감면대상 학술단체는 「공익법인의 설립운영에 관한 법률」상 공익법인, 「민법」상 비영리법인, 「민법」 및 「상법」 외의 법령에 따라 설립된 법인, 「비영리민간단체 지원법」상 비영리민간단체 중 어느 하나에 해당하면서 「학술진흥법」 제2조 제1호에 따른 '학술'의 연구·발표를 주된 목적으로 할 것의 요건을 충족해야 한다. 여기서 주된 목적의 판단 기준은 법령·법인등기·정관 등에서 사업목적이 학술과 관련성이 있어야 하고 예산집행 등에서 실질적 수행활동도 학술과 관련성을 갖추어야 한다. 이 요건들은 그간 판례들을 적용요령의 형태로 담은 사항이다. 다음으로 학술연구사업이란 학문의 연구·교류·발표, 학술지 발간, 학술정보 및 자료의 축적·관리, 연구인력 양성, 교육 등 학술연구와 직접 관련된 사업이면서 비영리적 성격의 사업이어야 하는 것이다.

학술연구단체 등의 범위에 대하여는 지방세법령에 구체적으로 명시하고 있지 아니하므로 개별적으로 그 법인이나 단체의 정관상 목적사업, 예산 및 사업실적 등을 고려하여 해당여부를 판단한다. 그리고 학술연구 등의 사업이 부수업무가 되거나 지원업무가 아닌 "주된 사업"이어야 하며, 주된 사업의 판단은 당해 법인이나 단체의 정관상 목적사업과 관련하여 사업실적, 예산의 사용용도 등에 있어 그 비율이 많은 사업을 주된 사업으로 판단하여야 한다(대법원 94누7515, 1995.5.2.). 학술연구단체 등에 해당되는지의 여부는 정관상 목적사업과 사업실적 및 법인장부 등을 사실조사하여 판단할 사항이다(세정과-3841, 2004.1.1.).

면제대상인 '학술단체'의 판단 기준

「공익법인의 설립·운영에 관한 법률」 제4조에 따라 설립된 공익법인, 「민법」 제32조에 따라 설립된 비영리법인, 「민법」 및 「상법」 외의 법령에 따라 설립된 법인, 「비영리민간단체 지원법」 제4조에 따라 등록된 비영리민간단체 중 하나에 해당해야 한다. 그리고 「학술진흥법」 제2조 제1호에 따른 '학술'의 연구 · 발표를 주된 목적으로 해야하며, "학술"이란 학문의 이론과 방법을 탐구하여 지식을 생산 · 발전시키고, 그 생산 · 발전된 지식을 발표하며 전달하는 학문의 모든 분야 및 과정을 말한다. 법령 · 법인등기 · 정관 · 설립허가사항 등에 따른 사업의 목적이 학술과 관련이 높아야하고, 예산집행, 회계결산서, 사업실적 등을 통해 확인되는 실질적 수행 활동이 학문의 조사 · 연구 · 발표 · 발간 등이라야 한다. 수행하는 학술의 연구 · 발표 등이 다른 사업의 부대사업인 경우라면 학술단체로 보지 아니한다.

'학술연구사업'의 판단 기준

학문의 연구 · 교류 · 발표, 학술지 발간, 학술정보 및 자료의 축적 · 관리, 연구인력 양성, 교육 등 학술연구와 직접 관련된 사업이어야 한다. 그리고 비영리적 성격의 사업이어야 하며, 해당 사업에서 수익금이 발생하는 경우로서 해당 수익금이 연구 · 개발 등의 직접대가이거나 실비 성격인 경우 영리성이 없는 것으로 간주한다.

◎ 학술연구단체와 기술진흥단체의 비교

학술연구단체는 학술의 연구와 발표를 그 주된 목적사업으로 하는 단체를 의미하고(대법원 94누7515, 1995.5.23.), 기술진흥단체는 과학기술을 연구 · 개발하여 이를 보급하거나 지원하는 것을 주된 목적으로 하는 단체를 의미하는 것인 바(대법원 2008두1115), 학술연구단체 등의 여부는 정관상 목적사업, 예산 및 사업실적 등을 고려하여 그 비율이 높은 사업을 주된 사업으로 판단하여야 하므로, 청구법인의 정관 목적사업 등에 의하면, 과학 및 산업기술을 연구 · 개발하여 이를 보급하거나 지원하는 것을 주된 사업으로 하고 있고, 예산(지출) 또한 기술개발과 관련된 사업이 대부분이고 순수 학술연구와 관련된 수입(지출)비용은 극히 소액인 점 등을 고려할 때 기술진흥단체에 해당(조심 2010지0859, 2011.11.25.)

◎ 학술연구단체라기보다는 과학기술진흥단체에 해당됨

해당 법인의 경우 「민법」 제32조와 「지식경제부장관 및 그 소속청장의 주관에 속하는 비영리법인의 설립 및 감독에 관한 규칙」 제4조에 의해 설립된 법인으로서 지역소재 기계금속산업체의 시험평가, 기술개발에 대한 체계적인 지원 등을 목적으로 하고 있으며 이를 달성하기 위해 기술혁신사업, 기계소재시험평가사업, 기술정보화 지원 사업, 교육훈련사업, 수탁가공사업, 장비 · 시설 임대 수입사업 등을 추진할 수 있음. 또한, 홈페이지와 홍보자료 등을 통해 최근 기계부품 · 소재시험 평가센터 운영, 메카트로닉스 부품 산업화 센터 구축, 차세대 금형 혁신기반 구축 사업 등을 주요사업으로 추진하고 있는 것을 확인할 수 있음. 따라서 학술 및 연구논문을 연평균 30편 이상 발표한다고 하더라도 학술연구단체라기보다는 과학기술진흥단체에 해당됨(지방세운영과-2543, 2012.8.8.).

◎ ○○○원이 기술진흥단체의 감면 요건을 갖추었다는 사례

산업계, 연구소, 학계 등에 국내·외 산업재산권 및 기술정보 등을 효율적으로 정보화하고 보급함으로써 산업의 국제 경쟁력을 제고하고 기술발전에 기여함을 목적으로 설립된 기술진흥단체 ○○○원이 당해 법인의 정관상 목적사업인 산업계, 연구소, 학계 등에 국내·외 산업재산권 및 기술정보 등을 효율적으로 정보화하고 그 보급 등을 주된 사업으로 운영되고 있다면 감면 요건을 갖추었다고 볼 수 있음(지방세운영과-340, 2008.7.23.).

◎ 도로교통공단은 취득세 감면대상 학술연구단체에 해당되지 않음

공단의 정관상 목적사업은 도로에서의 교통안전에 관한 교육·홍보·연구·기술개발과 운전면허시험의 관리 등으로 TBN교통방송 자체만으로는 학술의 연구나 발표를 주된 사업으로 하는 학술연구단체로 보기는 어렵다고 할 것이며, 공단에서 교통과학연구, 교통안전교육 등의 학술의 연구와 발표를 하는 경우라도 공단의 사업실적, 예산의 사용용도 등에 있어 그 비율이 주된 사업이 아닌 부대사업이나 지원사업에 불과하다면 학술연구단체에 해당되지 아니한다고 할 것임(지방세운영과-1605, 2013.7.24.).

◎ 문화재 발굴조사기관은 학술연구단체로 볼 수 없음

청구법인은 「학술진흥법」상 학술연구단체로 등록한 사실이 없고 문화재 발굴조사기관으로 등록한 점, 청구법인의 경비 지출내역에서 연구와 직접 관련된 비용이 인건비 등에 비하여 상대적으로 적은 점 등에 비추어 청구법인은 학술연구단체에 해당하지 않는다고 보는 것이 타당함(조심 2014지1245, 2014.10.31.).

◎ 기술진흥단체가 쟁점부동산을 유예기간 내에 그 목적사업에 직접 사용하지 못한 사유로서 경상비용절감과 에너지 절약시책 동참 등을 들고 있으나, 이는 법령의 제한이나 행정관청의 사용 금지·제한 등 외부적인 사유에 기인한 것이라기보다는 청구법인의 단순한 내부사정에 불과하여 정당한 사유로 보기 어려움(조심 2011지0509, 2011.10.26.).

◎ 일반음식점, 재활용품 판매점의 경우 학술연구단체로 볼 수 없음

당해 법인이 운영하는 일반음식점 및 재활용품 판매업의 경우 법인 정관 및 등기부등본상에 목적사업으로 기재되어 있지 아니한 점, 또한 법인은 남북한 민족의학 연구 등의 사회적 실천방안의 일환으로 저소득층 건강을 위한 영양사업 및 생태환경 보호를 위한 재활용품 사업을 목적사업으로 정관에 추가하였으나 주무관청(보건복지부장관)의 허가를 받지 못한 점, 점심은 저소득층을 위해 자율적으로 식사대금을 내도록 하고 있다고 하더라도 저녁은 불특정다수인을 상대로 영업하는 일반적인 음식점과 동일하게 운영하고 있는 점 등… 일반음식

점 및 재활용품 판매점의 경우 남북한 민족의학 연구 등을 목적사업으로 하는 학술연구단체의 고유업무로 보기는 어려움(지방세운영과-478, 2012.2.14.).

◎ 법인의 사업목적이 정신문화 창달이라는 무형적인 것이어서 필요시 언제든지 사용할 가능성이 있다는 이유만으로 원고가 현재 비워 놓고 사용하지 않는 이 사건 지층 부분을 그 고유업무에 직접 사용하고 있다고 볼 수 없음(대법원 2009두18820, 2010.1.28.).

◎ **관련법령에 따른 조직변경은 정당한 사유에 해당되지 아니함**

정부의 연구·개발지원기관 통합방침에 따른 「산업기술촉진법」 개정 등 관련법령에서 규정한 조직변경으로 매각하는 경우라면, 이는 법령에 의한 금지·제한 등 그 법인이 마음대로 할 수 없는 외부적인 사유로 유예기간 내에 매각할 수밖에 없는 정당한 사유가 있다(대법원 97누5121, 1998.11.27. 참조)고 할 것이므로 면제된 취득세 등은 추징대상에 해당되지 아니한다고 사료됨(지방세운영과-73, 2009.1.7.).

2. 장학법인의 감면

장학법인이 장학사업에 직접 사용하는 부동산에 대해서 취득세와 재산세를 면제하고 장학금 지급을 목적으로 취득하는 임대용 부동산에 대해서는 취득세 및 재산세를 80% 감면(법 ②)하는데, 2020년부터 장학법인(공익법인) 임대용 부동산에 대한 감면세목(목적세)을 축소하였다.

면제대상인 '장학법인'은 「공익법인의 설립·운영에 관한 법률」 제4조에 따라 설립된 공익법인이어야 하고, 학생 등의 장학을 목적으로 금전 등을 제공하는 사업을 주된 목적으로 하여야 한다. 장학사업이 주된 사업이 아닌 다른 사업의 부대사업인 경우 장학법인으로 보지 아니한다.

구분	개정 전	개정 후
면제 대상자	공익법인법에 따라 설립된 장학법인	(개정 전과 같음)
면제 부동산	장학금 재원 목적 임대용 부동산	(개정 전과 같음) 장학사업에 직접 사용 (신설, 기존 1항)

◎ 장학금에 대한 지원대상을 아동뿐 아니라 대학생 이상에게 지원하는 경우 '장학사업'에 해당된다 하더라도 장학사업을 주된 사업으로 운영하지 않는 경우에는 취득세 감면대상 장학법인에 해당되지 아니함(지방세특례제도과-250, 2020.2.7.).

◎ **임대수입을 얻고 장학금을 지급하지 아니한 경우 재산세 부과는 적법함**

이 사건 부동산이 지방세법 제288조 제5항 소정의 재산세 등의 감경대상에 해당하기 위하여는 취득세·등록세와 마찬가지로 '장학금을 지급할 목적으로 임대용으로 사용하는 부동산'이어야 하고, 임대수익을 얻고 있음에도 장학금을 지급하지 않고 있다면 특별한 사정이 없는 한 장학금을 지급할 목적이 없다고 보아야 함(대법원 2013두26965, 2014.3.27.).

☞ 지방세 과세예고 당시 '추징'이라는 문구를 사용하였다고 하더라도 이는 단순히 미부과하였던 재산세를 부과하였다는 의미에 불과하고, 피고가 2012.7.12. 원고에게 한 2008년도 내지 2010년도 재산세의 각 부과처분(이하 '이 사건 각 처분')은 지방세법 제288조 제5항 단서에 따라 감경하였던 재산세를 추징한 것이 아니라, 구 지방세법(2010.3.31. 이전) 제29조, 지방세기본법 제34조에 근거하여, 감경함으로써 부과하지 아니하였던 재산세를 부과·고지한 것이라고 봄이 타당함.

◎ 장학사업 사용금액 이외의 금액은 감면을 배제하는 것이 타당

감면받은 취득·등록세에 대하여는 사후관리를 통해 추징하도록 규정하고 있는 바, 추징요건인 '그 용도에 사용하지 아니하는 경우'라 함은 임대용부동산에서 발생한 임대소득을 장학사업에 사용하지 아니한 경우(지방세운영과-1187, 2009.3.24.)이므로 장학사업에 사용한 금액 이외의 금액은 감면을 배제하는 것이 타당(지방세운영과-2994, 2011.6.24.).

◎ 관련기관에서 장학단체로 해석하더라도 후생복지사업(67.5%)을 주된 사업으로 볼 수 있으므로 지방세법상 장학단체로 볼 수 없음

해당 법인의 2007년도 결산서상 장학지원금으로 명시되어 있는 학생의료지원기금은 한국과학기술원 학생의 진료비 및 건강진단비 지원 등 복리후생 증진을 도모할 목적으로 설립된 학생의료상조회에 출연한 기금으로서 이를 학생에게 지급하는 학비보조금 또는 연구원에게 지급하는 구비보조금과 유사한 장학금이라 하기에는 무리가 있다고 할 것인 바, 법인의 정관 고유목적사업 중 그 비율이 가장 많은 후생복지사업(67.5%)을 주된 사업으로 보아야하므로, 비록 교육과학기술부장관이 장학단체로 해석하고 있다 할지라도 지방세법상 "장학단체"로 보기는 어려움(지방세운영과-2244, 2008.11.21.).

◎ 장학법인이 부동산 임대수익금액과 다른 이자수입이 있는 경우 이자수입을 제외한 당해 부동산 임대수익금 중 100분의 70 이상을 장학금으로 지출하는 경우에는 장학금 지급을 목적으로 취득한 임대용 부동산은 취득세와 등록세의 경감대상임(지방세정팀-4139, 2006.9.4.).

◎ 취약계층 아동에 대한 생활비 지원을 주된 사업으로 하는 경우 장학단체로 볼 수 없음

정관에서 그 목적사업을 생계비 지원사업과 학자금 지원 사업으로 구분하고 있는데, 비록 부동산임대 수익금으로 ○○군에 거주하는 아동들에게 장학금을 지급하였지만, 정관상의 법인 설립목적 및 사업계획에 따르면 '장학법인'이라기보다는 '자선에 관한 사업을 목적으로 하는 법인'으로 볼 수 있는 점, 오직 예산집행실적만으로 장학법인 여부를 판단할 수는 없는 점, 「청소년복지 지원법 시행령」 제7조 제1항에서 국가 및 지방자치단체가 위기청소년에게

할 수 있는 사회적 · 경제적 지원을 기초생계비와 숙식 제공 등 지원, 건강검진 및 치료비용 지원, 학업을 지속하기 위하여 필요한 교육비용 지원 등으로 구분하고 있음에 비추어 볼 때 청소년에 대한 생활비 등 모든 경제적 지원을 장학 사업으로 보기 어려운 점 … 장학 사업이 부수업무가 되거나 지원업무가 아닌 '주된 사업'인 경우 한하여 감면되므로 당해 단체를 장학단체로 보기곤란(지방세특례제도과-1167, 2018.4.9.).

◎ **설립 초기부터 장학사업에 착수하지 않았다 하더라도 장학단체로 볼 수 있다는 사례**

부동산 취득을 전후로 한 다음과 같은 객관적인 사정 등 비추어 보면… 예산집행실적 중 장학사업의 비중이 약 25.9%로서, 어업인 의료지원 사업에 미치지 못하지만, 설립의 초기단계로서 집행된 예산의 규모가 미미할 뿐만 아니라… 장학사업을 안정적으로 수행하기 위해서는 시간이 다소 필요할 것으로 보이므로, 주무관청의 직접적인 감독을 받게 되는 한국마사회 특별적립금 지원사업과 달리 2013년 원고의 자체예산 사업에서는 장학사업과 어업인 의료지원 사업의 차이는 매우 근소함. 반면 이 사건 부동산의 취득가액은 그 자체로 46억원에 이르는데, 가장 큰 비중을 차지하는 것은 단연 장학사업이라 할 것임…장학사업을 단순한 부대업무로 보기도 어려움(대법원 2016두50037, 2018.11.29.).

3. 추징

정당한 사유없이 취득일부터 1년 이내 직접 미사용시, 직접 사용기간 2년 미만에 매각 · 증여 또는 타용도 사용시, 취득일부터 3년 이내 설립허가가 취소되거나 또는 등록 말소되는 경우에는 감면받은 취득세를 추징한다(법 ③).

구분	개정 전	개정 후
학술단체	법 제178조 적용대상 • 정당한 사유 없이 취득일부터 1년 경과할 때까지 미사용 • 해당 용도로 직접 사용한 기간이 2년 미만인 상태로 매각 · 증여 · 타용도	법 제45조 제3항 신설 학술단체 및 장학법인 공통적용 규정 • 정당한 사유 없이 취득일부터 1년 경과할 때까지 미사용 • 해당 용도로 직접 사용한 기간이 2년 미만인 상태로 매각 · 증여 · 타용도 • 취득일부터 3년 이내에 관계 법령에 따라 설립허가가 취소, 등록 말소 등
장학법인	법 제45조 제2항 추징사유 별도 규정 • 정당한 사유 없이 취득일부터 3년 경과할 때까지 미사용 • 해당 용도로 직접 사용한 기간이 2년 미만인 상태로 매각 · 증여 · 타용도	

제45조의 2(기초과학연구 지원을 위한 연구기관 등에 대한 면제)

법 제45조의 2(기초과학연구 지원을 위한 연구기관 등에 대한 면제) 「국제과학비즈니스벨트 조성 및 지원에 관한 특별법」에 따른 기초과학연구원과 「과학기술분야 정부출연연구기관 등의 설립·운영 및 육성에 관한 법률」에 따른 연구기관이 그 고유업무에 직접 사용하기 위하여 취득하는 부동산에 대해서는 취득세를, 과세기준일 현재 그 고유업무에 직접 사용하는 부동산에 대해서는 재산세를 각각 2023년 12월 31일까지 면제한다.

기초과학연구 및 일자리 창출 지원을 위해 2018년 감면 규정을 신설하였는데, 기초과학연구원과 과학기술분야 정부출연연구기관이 고유업무에 직접 사용하기 위해 취득하는 부동산에 대해 취득세와 재산세를 면제하되 제177조의 2 규정에 따라 최소납부세제는 적용된다. 한편, 기초과학의 안정적인 연구지원을 위해 감면을 2023년까지 연장하되, 목적세적 성격인 재산세 도시지역분의 감면은 2020년을 마지막으로 종료하였다.

제46조(연구개발 지원을 위한 감면)

법 제46조(연구개발 지원을 위한 감면) ① 기업이 대통령령으로 정하는 기업부설연구소(이하 이 조에서 "기업부설연구소"라 한다)에 직접 사용하기 위하여 취득하는 부동산(부속토지는 건축물 바닥면적의 7배 이내인 것으로 한정한다. 이하 이 조에서 같다)에 대해서는 취득세의 100분의 35[대통령령으로 정하는 신성장동력 또는 원천기술 분야를 연구하기 위한 기업부설연구소(이하 이 조에서 "신성장동력·원천기술 관련 기업부설연구소"라 한다)의 경우에는 100분의 45]를, 과세기준일 현재 기업부설연구소에 직접 사용하는 부동산에 대해서는 재산세의 100분의 35(신성장동력·원천기술 관련 기업부설연구소의 경우에는 100분의 45)를 각각 2022년 12월 31일까지 경감한다. 감면분만 농비

② 제1항에도 불구하고 「독점규제 및 공정거래에 관한 법률」 제31조 제1항에 따른 상호출자제한기업집단등이 「수도권정비계획법」 제6조 제1항 제1호에 따른 과밀억제권역 외에 설치하는 기업부설연구소에 직접 사용하기 위하여 취득하는 부동산에 대해서는 취득세의 100분의 35(신성장동력·원천기술 관련 기업부설연구소의 경우에는 100분의 45)를, 과세기준일 현재 기업부설연구소에 직접 사용하는 부동산에 대해서는 재산세의 100분의 35(신성장동력·원천기술 관련 기업부설연구소의 경우에는 100분의 45)를 각각 2022년 12월 31일까지 경감한다. 감면분만 농비

③ 제1항에도 불구하고 「중소기업기본법」 제2조 제1항에 따른 중소기업(이하 이 장에서 "중소기업"이라 한다)이 기업부설연구소에 직접 사용하기 위하여 취득하는 부동산에 대해서는 취득세의

100분의 60(신성장동력·원천기술 관련 기업부설연구소의 경우에는 100분의 70)을, 과세기준일 현재 기업부설연구소에 직접 사용하는 부동산에 대해서는 재산세의 100분의 50(신성장동력·원천기술 관련 기업부설연구소의 경우에는 100분의 60)을 각각 2022년 12월 31일까지 경감한다. 감면분만 농비

④ 제1항부터 제3항까지의 규정을 적용할 때 다음 각 호의 어느 하나에 해당하는 경우 그 해당 부분에 대해서는 경감된 취득세 및 재산세를 추징한다.

1. 토지 또는 건축물을 취득한 후 1년(「건축법」에 따른 신축·증축 또는 대수선을 하는 경우에는 2년) 이내에 「기초연구진흥 및 기술개발지원에 관한 법률」 제14조의 2에 따른 기업부설연구소로 인정받지 못한 경우
2. 기업부설연구소로 인정받은 날부터 3년 이내에 신성장동력·원천기술심의위원회로부터 신성장동력·원천기술에 해당한다는 심의결과를 받지 못한 경우(신성장동력·원천기술 분야 기업부설연구소로 추가 감면된 부분에 한한다)
3. 기업부설연구소 설치 후 4년 이내에 정당한 사유 없이 연구소를 폐쇄하거나 다른 용도로 사용하는 경우

영 제23조(기업부설연구소) ① 법 제46조 제1항에서 "대통령령으로 정하는 기업부설연구소"란 「기초연구진흥 및 기술개발지원에 관한 법률」 제14조의 2 제1항에 따라 인정받은 기업부설연구소를 말한다. 다만, 「독점규제 및 공정거래에 관한 법률」 제14조 제1항에 따른 상호출자제한기업집단등이 「수도권정비계획법」 제6조 제1항 제1호에 따른 과밀억제권역 내에 설치하는 기업부설연구소는 제외한다.

② 법 제46조 제1항에서 "대통령령으로 정하는 신성장동력 또는 원천기술 분야를 연구하기 위한 기업부설연구소"란 제1항에 따른 기업부설연구소로서 다음 각 호의 요건을 모두 갖춘 기업의 부설 연구소를 말한다.

1. 「국가과학기술 경쟁력 강화를 위한 이공계지원 특별법」 제2조 제4호에 따른 연구개발서비스업을 영위하는 국내 소재 기업으로서 「조세특례제한법 시행령」 제9조 제2항 제1호 가목에 따른 신성장·원천기술연구개발업무(이하 이 조에서 "신성장·원천기술연구개발업무"라 한다)를 수행(신성장·원천기술연구개발업무와 그 밖의 연구개발을 모두 수행하는 경우를 포함한다)하는 기업일 것
2. 「기초연구진흥 및 기술개발지원에 관한 법률」 제14조의 2 제1항에 따라 기업부설연구소로 인정받은 날부터 3년 이내에 「조세특례제한법 시행령」 제9조 제12항에 따른 신성장·원천기술심의위원회로부터 해당 기업이 지출한 신성장·원천기술연구개발비의 연구개발 대상 기술이 같은 영 별표 7에 해당된다는 심의 결과를 통지받은 기업일 것

기업의 과학기술 연구를 장려하여 고도의 기술혁신을 위한 연구개발 투자를 확대시키고 이를 지원하기 위하여 기업부설연구소용으로 직접 사용하기 위하여 취득·보유하는 부동산 등에 대한 세제지원을 규정하고 있다.

기업이 기업부설연구소에 직접 사용하기 위해 취득하는 부동산(부속토지는 건축물 바닥면적의 7배 이내 限)에 대한 취득세 및 재산세 감면인데, 중견기업에 대해 취득세와 재산세

를 35% 감면하고(법 ①), 과밀억제권역외의 대기업에 대해 제1항과 동일하게 35%를 감면하며(법 ②), 중소기업에 대해 취득세를 60%, 재산세를 50% 감면한다(법 ③). 또한 신성장동력 · 원천기술 분야에 해당할 경우 각 항의 감면율에 10%p를 가산한다(법 ①, ②, ③). 예를 들어, 어떤 중소기업이 신성장동력 분야에 해당하면 취득세는 70%, 재산세는 60% 감면하는 것이다. 한편 기업부설연구소용에 직접 사용하는 취득세 감면대상 부동산의 범위는 '「기초연구진흥 및 기술개발지원에 관한 법률」 제14조 제1항 제2호의 규정에 의한 기준을 갖춘 연구소로서 미래창조과학부장관의 인정을 받은 것'을 한도로 한다(예규 지특법 46-2).

2017년에는 대기업의 과밀억제권역 내 기업부설연구소는 감면을 종료하였고, 과밀억제권역 외 기업부설연구소는 감면율을 축소하였다.

2018년에는 기업부설연구소에 대한 정의규정 및 인정기준을 명확히 하였다. 종전 시행령으로 위임하여 규정한 '기업부설연구소'의 정의 규정은 기업부설연구소 감면 규정에 적용되어야 하나 해당 조문에서 동일하게 적용되도록 하는 명확한 규정이 없어 제1항에만 적용되는 것으로 해석될 여지가 있었기 때문에 기업부설연구소 정의 규정을 법 제46조에서 모두 적용할 수 있도록 명확히 하였고, 부동산 취득일로부터 1년(2년) 경과 후 기업부설연구소로 인정받더라도 인정받은 이후 직접 사용되는 부동산에 대한 재산세는 감면을 적용받도록 개선하였다. 조문구성을 보면, '기업부설연구소' 정의를 시행령에 위임하고, 시행령에서는 '부동산 취득일부터 1년(신축 · 증축 또는 대수선은 2년) 이내에 기업부설연구소로 인정받은 것'으로 규정하고 있었기 때문에 1년(또는 2년) 이후 기업부설연구소로 인정을 받고 해당 목적으로 직접 사용하는 경우에도 재산세 감면에서 제외되는 문제가 있었던 것을 1년 이내(신축 · 증축 또는 대수선은 2년)에 인정받도록 하는 내용을 삭제하여 감면 대상 기업부설연구소를 「기초연구진흥 및 기술개발지원에 관한 법률」 제14조의 2 제1항에 따라 인정 받은 것으로 규정하여 2018.1.1. 이후 납세의무가 성립하는 분부터 적용토록 하였다.

2020년에는 기업부설연구소용 부동산[중견기업, 대기업(과밀억제권역 제외), 중소기업]에 대한 감면을 확대(신성장동력 · 원천기술 분야 10%p 추가)하였다. 일본 수출규제로 애로를 겪고 있는 기업의 지원을 위해 소재 · 부품 · 장비 산업을 포함한 신성장동력 · 원천기술 분야(조특법 시행령 별표 7)를 지원하기 위함에 그 취지가 있다. 신성장동력 · 원천기술 관련 기업부설연구소 해당 여부는 기업부설연구소 신청서와 연구개발활동 개요서 등으로 우선 판단하고, 기업부설연구소 인정일부터 3년 이내에 신성장동력 · 원천기술심의위원회(조특법 시행령 §11 ⑪)에 의한 심의 결과로 최종 판단한다. 기업부설연구소 인정일부터 3년을 초과하여 신성장동력 · 원천기술심의위원회에 의해 감면대상 기술이라는 심의 결과를 받은 경우, 신성장동력 · 원천기술 관련 기업부설연구소로서 추가 감면(10%)받은 취득세액 및 재산세액에 대해서만 추징하되, 감면대상 기술에 해당한다는 심의 결과를 받은 이후 납세의무가 성립하는 재산세는 신성장동력·원천기술 관련 기업부설연구소로 감면한다.

사후관리 규정에 대해 살펴보면, 토지 또는 건축물을 취득한 후 1년(신·증축 또는 대수선은 2년) 이내에 기업부설연구소로 인정받지 못한 경우, 기업부설연구소로 인정받은 날부터 3년 이내에 신성장동력원천기술심의결과에 적격 판정을 못받은 경우, 기업부설연구소 설치(인정을 받은 날) 후 4년 이내에 정당한 사유없이 연구소가 폐쇄되거나 타용도 사용하는 경우에는 해당부분에 대해 감면받은 취득세 및 재산세를 추징한다(법 ④). 2015년부터 부동산 취득 후 기업부설연구소로 인정받는 기한이 대폭 축소(4년→1년, 건축법에 따른 신축·증축 또는 대수선의 경우는 2년)되었다. 다만, 2014.12.31. 이전에 부동산을 취득한 경우에는 종전규정(4년)을 적용(대통령령 제25958호 부칙 제2조)받는다. 한편 기업부설연구소의 공용면적이 있는 경우에는 기업부설연구소 부분과 그 외 부분으로의 전용면적 비율로 안분해 적용(지방세특례제도과-4001, 2016.12.29.)하여야 할 것이며, 유예기간 내 기업부설연구소로 인정시에는 취득일 이후에 재산세 납세의무가 성립한 부분도 함께 감면대상에 해당(대법원 2015두39477, 2015.6.23.)하는데, 부속토지의 경우에도 지방세특례제한법시행령 제123조에서 건축중인 경우에는 그 부속토지도 직접 사용하는 것으로 보도록 규정하고 있으므로 동일하게 재산세 감면이 가능하다고 하겠다. 그러나, 토지를 취득한 날부터 2년이 경과한 후에 기업부설연구소로 인정을 받은 경우라면 그 토지분에 대한 취득세 및 재산세 감면은 배제된다고 하겠다. 한편, 신성장동력원천기술심의결과에 적격 판정을 받지 못한 경우에는 추가 감면받았던 10% 부분에 대해서만 추징대상이 된다.

1. 감면 사례

◎ 기업부설연구소 인정취소가 있더라도 연구소로 계속 사용하는 경우 추징할 수 없음

추징 처분은 새로운 부과처분의 형태로 추징하는 것으로, 지방세법 제282조 본문에 해당하지 않을 경우 과세되는 원칙적인 취득세 등 부과처분과는 요건을 달리하는 별개의 처분임. 그 추징 요건인 '연구소 설치 후 4년 이내에 정당한 사유 없이 연구소를 폐쇄하거나 다른 용도로 사용하는 경우'에 해당하는지가 쟁점임. … 연구활동 중단(자진 취소)을 이유로 기업부설연구소 인정이 취소되었더라도 원고의 주장과 같이 연구소(Convergence연구소)로 계속 사용되었다고 보이므로, 이 사건 취득세 등 부과처분은 단서의 추징 요건을 갖추지 못하여 위법(대법원 2019두32283, 2019.5.10.).

☞ 추징요건 보완(2017.12.27.) : 토지 또는 건축물을 취득한 후 1년 이내에 기업부설연구소로 인정받지 못한 경우 추징토록 보완하였음.

◎ 기업부설연구소 설치 이전에 사무실 등 다른 용도로 일시 사용하는 경우 추징대상이 아님

유예기간 4년은 '감면적용 범위'와 '직접 사용'에 대한 감면세액 추징규정으로 '감면적용 범위'에 대한 유예기간은 위 시행령 제23조에서 취득일부터 4년 이내에 기업부설연구소의 요건을 갖추어 교과부장관으로부터 인정을 받은 것을 한도로 규정하고 있는 바(2013년 운영예규 46-2 참조), 기업부설연구소로 인정을 받기까지 4년 이내는 추징대상에서 배제됨이 타당하다고 할 것인 점, '직접 사용'에 대한 유예기간은 위 제46조 ① 본문 단서에서 '연구소 설치 후 4년'으로 규정하고 있는 바, 여기서 '설치'란 '인정받은 날'을 의미하므로(2013년 운영예규 46-1 참조) 유예기간 4년의 기산점은 '인정받은 날'의 다음 날이라고 할 것인 점 등을 고려할 때, 기업부설연구소 설치 이전에 사무실 등 다른 용도로 일시적 사용은 취득세 추징대상에 해당되지 아니함(지방세운영과-2426, 2013.9.29.).

◎ 공용부분의 경우도 기업부설연구소 전용부분의 비율만큼은 적접사용에 해당됨

원고가 기업부설연구소로 인정받은 전용부분의 정상적인 이용을 위해서는 공용부분의 이용이 필수적이라고 보이므로, 공용부분 중 '이 사건 건축물의 전체 전용면적에서 기업부설연구소용으로 인정받은 전용면적이 차지하는 비율'에 해당하는 면적 역시 기업부설연구소용에 직접 사용되고 있다고 보는 것이 타당(대법원 2015두39477, 2015.6.23.)

◎ 4년 이내 기업부설연구소용으로 추가 인정부분도 감면대상에 해당됨

감면규정 단서로 연구소 설치 후 4년 이내에 연구소를 폐쇄하거나 다른 용도로 사용한 경우에 한하여 기 면제받은 세액을 추징한다고 규정하고 있을 뿐, 추가로 연구소로 인정받은 부분에 대하여는 별도로 규정하고 있지 아니하므로 귀 A법인이 연구소용에 직접 사용할 목적으로 취득한 부대시설 중 사실상 연구소 전용으로 사용하던 시설(연구기자재 보관 창고 등)과 사실상 연구소 인원이 주로 사용하던 시설(일부 주차장, 회의실 등)을 연구소 전용으로 명확히 구분하여 당해 부동산 취득일부터 4년 이내에 추가로 인정을 받은 경우라면, 그 추가로 인정받은 부분도 면제대상에 해당(지방세운영과-1311, 2012.4.30.)

◎ 사후적 감면 적용 가능 여부

지방세법상 기한내 감면신청 규정은 납세자로 하여금 과세표준 및 세액의 결정에 필요한 서류를 과세기관에 제출하도록 하는 협력의무에 불과한 것이지 기한내 감면신청이 없다고 하여 감면요건이 충족되어 당연히 감면대상인 것을 감면대상에서 배제한다는 것은 아니므로(대법원 2003두773, 2004.11.12.), 해당 토지 취득 이후 30일(현행 60일) 이내 기업부설연구소로 사용하겠다는 감면신청이 없었다고 하더라도 이 건 해당 토지 취득 후 4년(현행 1년) 이내 기업부설연구소를 설립한 경우라면 감면대상에 해당(지방세운영과-2335, 2010.6.30.)

2. 추징 사례

◎ 추징대상인 경우 부과제척기간 기산일은 유예기간이 경료한 신고납부기한의 다음날

기업부설연구소용에 직접 사용하는 부동산이란 부동산을 취득하여 기업부설연구소를 설치하기 위한 일련의 절차를 거쳐 감면 유예기간(4년) 내에 기업부설연구소로 인정을 받은 후 당해 용도에 직접 사용하는 부동산을 의미한다고 할 것인 점, 본점과 공동으로 사용하는 공용부분이라도 연구소용으로 안분하여 직접 사용하는 부분은 4년 이내에는 언제든지 연구소 전용으로 구분하여 인정(또는 추가 인정)받을 수 있는 점(지방세운영과-1311, 2012.4.30.), … 감면 유예기간(4년)까지 기업부설연구소로 인정받을 것이라는 사후 감면요건을 충족하지 못하여 추징대상이 되는 경우의 부과제척기간 기산일은 감면 유예기간이 경료한 그 신고납부기한(30일)의 다음날로 봄이 타당(지방세운영과-279, 2013.4.12.)

◎ 연구원의 복리후생 증진 등을 위한 체육시설 등으로 이용하고 있는 부분은 추징대상이 아님

쟁점토지 중 운동장 부지는 계열사의 공동 연구소 단지 내에 위치하면서 연구원의 복리후생 증진 등을 위한 체육시설로 이용하고 있고, 도시계획상 도로예정부지의 경우도 공동 연구단지와 연접한 토지로서 도로시설이 아닌 옹벽(법면) 및 조경시설로 이용하고 있는 사실이 확인되는 이상 쟁점토지는 연구소의 부속토지로 보아야 할 것이므로 쟁점토지를 기업부설연구소용에 직접 사용하지 아니하고 다른 용도로 사용하는 것으로 보아 기 감면한 취득세 등을 추징한 것은 잘못임(조심 2011지0337, 2012.2.9.).

◎ 4년 이내 연구소 폐쇄 등은 추징대상에 해당

기업부설연구소용에 직접 사용하기 위하여 취득하는 부동산에 대하여는 취득세 등을 면제하되, 연구소 설치 후 4년 이내에 정당한 사유없이 연구소를 폐쇄하거나 다른 용도에 사용하는 경우에는 면제된 취득세 등을 추징하는 것인 바, 청구법인은 2006.9.22. 이 건 부동산을 취득하여 취득세 등을 감면받은 후, 이로부터 4년 이내인 2009.11.19. 이 건 부동산의 쟁점토지를 매각한 사실이 입증되므로 기 과세면제한 취득세 등을 추징한 것은 적법함(조심 2010지0647, 2011.9.1.).

◎ 기업부설연구소 신축부지로 취득 후 경기도와의 합의에 의하여 매매계약을 해지한 경우라도 납세의무가 성립된 이상 사후감면요건 미비에 따른 추징은 적법

원고들이 2008.9.10. 경기도에 이 사건 토지에 대한 매매대금의 지급을 완료하여 이 사건 토지를 사실상 취득함으로써 그에 따른 취득세 납세의무가 성립한 이상 그 후 원고들이 경기도와의 합의에 의하여 토지에 대한 매매계약을 해제하였다고 하더라도 이미 성립한 조세채권의 행사에 영향을 줄 수 없음(대법원 2011두27551, 2013.11.28.).

3. 재산세 추징

◎ 취득 이후 4년 이내 기업부설연구소로 인정받으면 재산세도 취득 이후부터 감면함이 타당함

이 사건 시행령 조항 중 '토지 또는 건축물을 취득한 후 4년 이내에 교육과학기술부장관의 인정을 받을 것'이라는 부분은 취득세 및 등록세에 한하여 적용되는 것이라고 해석할 수 없고, 재산세에 관하여도 적용되는 것이라고 해석하여야 함. 이에 원고로서는 이 사건 시행령 조항이 규정하는 바와 같이 '토지 또는 건축물을 취득한 후 4년 이내'에 기업부설연구소 인정을 받았으므로, 기업부설연구소용으로 이 사건 건축물을 취득한 이후의 재산세에 대하여 면제를 받아야 한다고 해석함이 타당(대법원 2015두39477, 2015.6.23.)

◎ 다른 지역으로 이전하기 위해 건축 중인 경우 재산세 감면대상이 아님

교육과학기술부장관의 인정을 받은 기업부설연구소가 과세기준일 현재 다른 지역으로 이전하기 위하여 건축 중인 경우는 「기술개발촉진법」 제7조 제1항 제2호의 규정에 의한 교육과학기술부장관의 인정을 받은 경우에 해당되지 않으므로, 재산세 과세기준일(6.1.) 현재 교육과학기술부장관의 인정을 받고 기업부설연구소용에 직접 사용하는 부동산으로 볼 수 없어 재산세 면제대상에 해당되지 아니함(지방세운영과-910, 2008.9.1.).

제47조(한국환경공단 등에 대한 감면)

법 제47조(한국환경공단 등에 대한 감면) 「한국환경공단법」에 따라 설립된 한국환경공단이 같은 법 제17조 제1항의 사업에 직접 사용하기 위하여 취득하는 부동산(임대용 부동산은 제외한다. 이하 이 조에서 같다)에 대해서는 다음 각 호에서 정하는 바에 따라 취득세를 2022년 12월 31일까지 경감하고, 과세기준일 현재 그 사업에 직접 사용하는 부동산에 대해서는 재산세의 100분의 25를 2022년 12월 31일까지 경감한다.

1. 「한국환경공단법」 제17조 제1항 제2호 및 제5호의 사업을 위한 부동산 : 취득세의 100분의 25
2. 「한국환경공단법」 제17조 제1항 제11호 · 제15호 및 제16호의 사업을 위한 부동산 : 취득세의 100분의 25 [전문개정 2014.12.31.]

한국환경공단이 공단사업에 직접 사용하기 위하여 취득 · 보유하는 부동산에 대하여 지방세를 감면한다. 한편, 2015.1.1. 시행, 지방세특례제한법 개정(법률 제12955호)으로 종전 제47조 규정 중 한국환경공단만 본조에 남겨두고 친환경녹색인증건축물은 제47조의 2로, 신재생에너지인증건축물은 제47조의 3으로 각각 분조하였다.

2017.1.1. 시행, 지방세특례제한법 개정으로 한국환경공단 등에 대한 취득세·재산세 감면기한을 2019.12.31.까지 3년간 연장하고(1·2호), 재활용시설 및 폐기물 처리시설사업 등에 대한 취득세 감면율을 재산세 수준으로 축소(75%→25%)하였다(2호).

2020.1.15. 시행, 지방세특례제한법 개정으로 한국환경공단의 환경복합시설 및 폐기물 처리시설 등에 대한 감면(§47. 1), 재활용시설·환경영향평가·석면안전관리에 대한 감면(§47. 1)을 3년간 연장(2022.12.31.)하였다.

환경오염방지, 환경개선, 자원순환 촉진 등을 위해 설립한 한국환경공단에 대한 지방세 세제 지원을 통해 환경친화적 국가발전에 기여하기 위함에 그 취지가 있다.

한국환경공단이 재활용 가능자원 관련 물류시설 등의 사업에 직접 사용하기 위해 취득하는 부동산(임대용 제외)에 대해 취득세 및 재산세를 25% 감면한다. 2015년에는 종전 제47조 규정 중 한국환경공단만 본조에 남겨두고 친환경녹색인증건축물은 제47조의 2로, 신재생에너지인증건축물은 제47조의 3으로 각각 분조하였다. 2017년에는 재활용시설 및 폐기물 처리시설사업 등(2호)에 대한 취득세 감면율을 재산세 수준으로 축소(75%→25%)하였다.

감면대상 사업의 범위는 한국환경공단법에서 규정하고 있는데 아래를 참고하기 바란다.

- ✓ 재활용 가능자원 관련 물류시설, 폐기물에너지화시설, 폐기물재활용단지 및 연구시설 등 환경복합시설의 설치·운영
- ✓ 폐기물의 발생 억제, 부산물·폐기물의 순환이용(재사용·재생이용·재활용 등), 폐기물의 친환경적 처리를 위한 사업
- ✓ 재활용산업의 육성지원, 재활용제품의 수요촉진, 제품의 자원순환성 평가 및 개발사업의 자원순환성 고려의 지원 등 자원순환 촉진을 위한 사업
- ✓ 「사회기반시설에 대한 민간투자법」에 따른 환경분야 사업의 평가·협상, 총사업비 검증 및 이에 수반되는 공사비와 설계의 경제성 검토 등 지원(「사회기반시설에 대한 민간투자법」 제23조에 따른 공공투자관리센터 수행사업 제외)
- ✓ 석면안전관리 사업

제47조의 2(녹색건축 인증 건축물에 대한 감면)

법 제47조의 2(녹색건축 인증 건축물에 대한 감면) ① 신축(증축 또는 개축을 포함한다. 이하 이 조에서 같다)하는 건축물(「건축법」 제2조 제1항 제2호에 따른 건축물 부분으로 한정한다. 이하 이 조에서 같다)로서 다음 각 호의 요건을 모두 갖춘 건축물(취득일부터 70일 이내에 다음 각 호의 요건을 모두 갖춘 건축물을 포함한다)에 대해서는 대통령령으로 정하는 바에 따라 취득세를 100분의 3부터 100분의 10까지의 범위에서 대통령령으로 정하는 바에 따라 2023년 12월 31일까지 경감한다.

1. 「녹색건축물 조성 지원법」 제16조에 따른 녹색건축의 인증(이하 이 조에서 "녹색건축의 인증"이라 한다) 등급이 대통령령으로 정하는 기준 이상일 것
2. 「녹색건축물 조성 지원법」 제17조에 따라 인증받은 건축물 에너지효율등급(이하 이 조에서 "에너지효율등급"이라 한다)이 대통령령으로 정하는 기준 이상일 것

② 신축하는 건축물로서 「녹색건축물 조성 지원법」 제17조에 따라 제로에너지건축물 인증(이하 이 조에서 "제로에너지건축물 인증"이라 한다)을 받은 건축물(취득일부터 100일 이내에 제로에너지건축물 인증을 받는 건축물을 포함한다)에 대해서는 취득세를 100분의 15부터 100분의 20까지의 범위에서 대통령령으로 정하는 바에 따라 2023년 12월 31일까지 경감한다.

③ 신축하는 주거용 건축물로서 대통령령으로 정하는 에너지절약형 친환경주택에 대해서는 취득세의 100분의 10을 2023년 12월 31일까지 경감한다.

④ 제1항 및 제2항에 따라 취득세를 경감받은 건축물 중 다음 각 호의 어느 하나에 해당하는 건축물에 대해서는 경감된 취득세를 추징한다.

1. 취득일부터 70일 이내에 제1항 각 호의 요건을 갖출 것을 요건으로 취득세를 경감받은 경우에는 그 요건을 70일 이내에 갖추지 못한 경우
2. 취득일부터 100일 이내에 제로에너지건축물 인증을 받을 것을 요건으로 취득세를 경감받은 경우에는 100일 이내에 제로에너지건축물 인증을 받지 못한 경우
3. 취득일부터 3년 이내에 녹색건축의 인증, 에너지효율등급 인증 또는 제로에너지건축물 인증이 취소된 경우

⑤ 「녹색건축물 조성 지원법」 제16조에 따라 녹색건축의 인증을 받거나 같은 법 제17조에 따라 에너지효율등급 인증을 받은 건축물로서 대통령령으로 정하는 기준 이상인 건축물인 경우에는 한 차례에 한정하여 2018년 12월 31일까지 그 인증을 받은 날(건축물 준공일 이전에 인증을 받은 경우에는 준공일)부터 5년간 대통령령으로 정하는 바에 따라 재산세를 100분의 3부터 100분의 15까지의 범위에서 경감한다. 다만, 재산세 과세기준일 현재 녹색건축의 인증 또는 에너지효율등급 인증이 취소된 경우는 제외한다.

⑥ 제5항을 적용할 때 녹색건축의 인증을 받은 날과 에너지효율등급 인증을 받은 날이 서로 다른 경우에는 2개의 인증 중 먼저 인증을 받은 날을 기준으로 경감 기간을 산정하며, 그 구체적인 경감세액의 산정방법은 대통령령으로 정한다.

영 제24조(친환경건축물 등의 감면) ① 법 제47조의 2 제1항 각 호 외의 부분에 따른 취득세의 경감률은 다음 각 호와 같다.

1. 「녹색건축물 조성 지원법」 제16조에 따라 인증받은 녹색건축 인증 등급(이하 이 조에서 "녹색건축 인증등급"이라 한다) 최우수 건축물로서 같은 법 제17조에 따라 인증받은 건축물 에너지효율 인증 등급(이하 이 조에서 "에너지효율등급"이라 한다)이 1+등급 이상인 건축물 : 100분의 10
2. 녹색건축 인증등급 우수 건축물로서 에너지효율등급이 1+등급 이상인 건축물 : 100분의 5

② 법 제47조의 2 제1항 제1호에서 "대통령령으로 정하는 기준 이상"이란 녹색건축 인증등급이 우수 등급 이상인 경우를 말한다.

③ 법 제47조의 2 제1항 제2호에서 "대통령령으로 정하는 기준 이상"이란 에너지효율등급이 1+등급 이상인 경우를 말한다.

④ 법 제47조의 2 제2항에 따른 취득세의 경감률은 다음 각 호의 구분에 따른다.

1. 「녹색건축물 조성 지원법」 제17조에 따라 인증받은 제로에너지건축물 인증 등급(이하 이 조에서 "제로에너지건축물 인증등급"이라 한다)이 1등급부터 3등급까지에 해당하는 건축물 : 100분의 20
2. 제로에너지건축물 인증등급이 4등급인 건축물 : 100분의 18
3. 제로에너지건축물 인증등급이 5등급인 건축물 : 100분의 15

⑤ 법 제47조의 2 제3항에서 "대통령령으로 정하는 에너지절약형 친환경주택"이란 「주택건설기준 등에 관한 규정」 제64조에 따른 주택(이하 이 조에서 "친환경 주택"이라 한다) 중 총 에너지절감율 또는 총 이산화탄소 저감율(이하 이 조에서 "에너지 절감율 등"이라 한다)이 65퍼센트 이상임을 「주택법」 제49조에 따른 사용검사권자로부터 확인을 받은 주택을 말한다.

⑥ 법 제47조의 2 제5항 본문에 따른 재산세 경감율은 다음 각 호와 같다.

1. 녹색건축 인증등급이 최우수인 경우
   가. 에너지효율등급이 1+등급 이상인 경우 : 100분의 10.　나. 에너지효율등급이 1등급인 경우 : 100분의 7　다. 삭제
2. 녹색건축 인증등급이 우수인 경우
   가. 에너지효율등급이 1+등급 이상인 경우 : 100분의 7
   나. 에너지효율등급이 1등급인 경우 : 100분의 3
3. 삭제

⑦ 법 제47조의 2 제6항에 따른 주택에 대한 재산세 경감액은 다음의 계산식에 따라 산정한다. 〈신설 2011.12.31, 2014.12.31., 2017.12.29.〉

$$\text{○ 감면액} = \text{산출세액} \times \frac{\text{건물시가표준액}}{\text{건물시가표준액} + \text{토지시가표준액}} \times \text{감면율}$$

※ 산출세액 : 「지방세법」 제104조 제3호에 따른 주택으로서 그 부속토지를 포함한 산출세액

녹색건축 인증, 에너지효율등급 인증, 제로에너지절약형 인증 등에 대한 지방세 감면 지원을 통해 자연친화적 건축물 신축 장려하기 위함에 본 규정의 입법취지가 있다.

1. 녹색건축 및 에너지효율등급 인증 건축물

신축하는 건축물로서 녹색건축 인증등급이 "우수등급" 이상이며, 에너지효율등급이 "1+등급" 이상인 경우에는 취득세를 감면(법 ①)하는데, 감면율을 단계적으로 축소(2018.12.31.까지 취 5~15%, 재 3~15%→2019.1.1.부터 취 3~10%→ 2021.1.1.부터 취 5~10%)하였다.

2019년부터는 취득일부터 70일 이내 요건을 갖춘 경우까지 포함토록 완화했으며, 2021년부터는 에너지효율등급이 1+등급인 경우에 한해(1등급 감면 제외) 감면토록 그 요건을 강화하였다. 한편, 2020년 이전에 녹색건축 인증 및 에너지효율등급 인증을 받은 건축물에 대해서는 2021년 이후에 취득하는 경우에도 종전의 규정에 따라 감면 적용이 가능하다(영 부칙 §3 ①). 감면요건 및 감면율은 아래 표와 같다.

'20년 이전			'21년 이후		
감면대상		취득세 경감률	감면대상		취득세 경감률
녹색인증 최우수	에너지효율 1+등급 이상	10%	녹색인증 최우수	에너지효율 1+등급 이상	10%
	에너지효율 1등급	5%			
녹색인증 우수	에너지효율 1+등급 이상	5%	녹색인증 우수	에너지효율 1+등급 이상	5%
	에너지효율 1등급	3%			

2. 제로에너지 인증 건축물

신축하는 건축물로서 "제로에너지건축물 인증"을 받은 경우에는 취득세를 15%~20% 감면하는데, 이 경우도 취득일부터 100일 이내에 인증을 받은 경우까지 포함한다(법 ②). 이 규정은 2018년에 신설된 조항이며, 2019년에는 인증 소요기간을 고려하여 취득일로부터 일정기간 이내에 인증받는 경우에도 감면이 가능하도록 불합리한 감면요건을 완화하였다. 2020년까지는 인증등급에 관계없이 15%를 감면하였으나, 2021년부터는 등급에 따라 아래와 같이 차등을 두었다. 同사안은 납세자에게 유리한 방향으로 개정된 것이므로, 인증등급이 부여된 시기와 관계없이 2021년 1월 1일부터 인증등급에 따른 차등 감면율 적용하면 된다.

구분		1등급	2등급	3등급	4등급	5등급
경감률	'20년	15%				
	'21년	20%			18%	15%

3. 에너지절약형 친환경 건축물

신축하는 주거용 건축물로서 "에너지절약형 친환경주택(에너지절감률 65%↑)"에 대해 취득세를 10% 감면한다(법 ③). 2018년에 에너지절약형 친환경주택의 감면율을 정비(5~15%→10%)한바 있으며, 2020년까지는 감면요건인 에너지절감률에 대해 55% 이상의 규정을 두었으나, 2021년부터는 65% 이상의 요건을 갖추어야 감면이 가능하도록 강화하였다. 한편 2020년 이전에 에너지절감률 또는 이산화탄소 저감률이 55% 이상임을 확인받은 건축물에 대해서는 2021년 이후에 취득하는 경우에도 종전의 규정에 따라 감면 적용이 가능하다(영 부칙 §3 ②).

4. 기타

제1항부터 제3항까지 규정에서 주택이라는 용어가 없다. 종전에는 주택으로 규정되어 있었는데 그 부속토지까지 감면하여야 하는지에 대한 논란이 있었다. 친환경 건축물 신축하는 것과 토지와는 관련이 없으므로 이를 명확히 하기 위해 2019년에 주거용 건축물 또는 건축물로 개정한 사안이라 하겠다.

사전적으로 경감을 받은 후에 기한 내(①-70일, ②-100일)에 인증을 받지 못한 경우에는 추징되며, 취득일부터 3년 이내에 녹색건축의 인증이나, 에너지효율등급 인증 또는 제로에너지건축물 인증이 취소된 경우에는 경감된 취득세를 추징한다(법 ④).

녹색인증 건축물에 대한 재산세 감면지원(법 ⑤)은 제로에너지건축물과 형평성을 고려하여 2018년까지로 그 일몰을 종료하였다.

한편, 감면대상 인증은 본인증을 말하는 것으로 예비인증만을 받은 경우에는 감면을 적용하지 않는다고 할 것(지방세특례제도과-1807, 2018.5.25.)이다.

2018년에 에너지절약형 친환경주택 감면 축소 및 제로에너지건축물 신설한 개정 주요내용은 아래와 같다.

2018년 시행 개정 주요내용

□ (축소) '17년 일몰도래한 에너지절약형 친환경주택 감면 축소 및 제로에너지건축물 신설에 따라 녹색건축인증 건축물 감면 축소

- 녹색건축인증 건축물 감면(§47의 2 ①)은 '18년 일몰종료 예정이므로, 개정 내용에 대한 시행시기는 '19.1.1.부터 적용

① (에너지절약형 친환경주택) 제로에너지건축물 감면 신설에 따른 녹색건축물 감

면 정비 기조(에너지효율등급 2등급 이상→1등급 이상) 및

- 에너지절약형 친환경주택 의무설계기준 강화 추세를 고려 감면 축소

※ 에너지절감 의무설계기준 : ('09) 15%→('15) 40%→('17) 60%→('25) 100%

| 친환경주택 관련 감면율 조정안 |

에너지사용·이산화탄소 배출절감률	현행	개정
45% 이상	취득세 5%	종료
50% 이상	취득세 10%	종료
55% 이상	취득세 15%	취득세 10%

② (녹색건축인증 건축물) 제로에너지건축물 감면 신설에 따라 지방재정 부담을 고려 '페이고 원칙'에 의거 감면 축소하되

- '18년 일몰종료 예정이므로, 시행시기는 1년 유예(부칙 제1조)

□ (신설) 미세먼지 대책 마련을 위하여 선제적으로 에너지 절감 및 신재생에너지 사용 건축물 촉진 필요성 확대

- 에너지성능이 강화된 제로에너지인증 건축물에 대한 감면 신설
- 제로에너지인증 건축물(1~5등급) 취득 시 취득세 15% 경감

❏ 제로에너지건축물

- 사용에너지와 자체생산에너지의 합이 0이 되는 건물(Net Zero), 현재 기술수준과·경제성 등을 고려 에너지소비를 최소화(90%감축)하는 건축물
- 건축물 에너지효율 등급 1++ 이상인 건축물을 대상으로, 건축물 에너지소비량 중 '신재생에너지 에너지자립률'을 기준으로 5개 등급으로 평가(녹색건축센터 인증)
- 시범사업(11개) KCC 서초사옥, 진천군 제로에너지 시범단지, 공항고등학교 등

◎ 재개발조합원이 재개발사업의 환지계획에 의거 취득하는 주택은 원시취득으로 신축하는 건축물에 해당되므로 '녹색건축 인증 건축물에 대한 감면요건'을 갖춘 경우에는 건축물 부분에 대한 취득세가 감면됨(지방세특례제도과-795, 2020.4.8.).

◎ 예비인증을 받은 경우 이를 녹색인증으로 보아 취득세를 감면할 수 없음

「녹색건축물 조성 지원법」 제16조에 따라 건축물 또는 주택 건축주가 예비인증을 받았다 하더라도 예비인증은 건축물 설계도서에 반영된 내용만을 대상으로 녹색건축 예비인증이 발급되는 것으로 본인증과 구분된다는 점, 「녹색건축 인증에 관한 규칙」 별표 제6호 서식에 따른 예비인증서에서는 본 인증을 받을 경우 그 내용이 달라질 수 있다는 점을 명시하고 있어, 건축 진행과정에서 설계도서의 변경 등에 의하여 변경될 수 있는 가변성이 있다는 점, 예비인증보다 높은 등급으로 본인증을 받은 경우 예비인증 처분에 대한 감면적용에 혼란이 있다

는 점 등을 감안할 때 건축주가 받은 예비인증을 감면대상으로 볼 수 없음(지방세특례제도과－1807, 2018.5.25.).

◎ 친환경 건축물 신축시 인증용역비 등은 취득세 과세표준에 포함됨

법인이 공동주택용 건축물을 신축하는 과정에서 지급한 친환경건축물 인증용역비, 건물에너지효율등급 인증용역비 및 상수도원인자부담금의 경우 건축물을 신축하면서 납부한 법정부담금으로서 건축물의 취득세 과세표준에 포함되어야 함(조심 2014지1316, 2015.4.27.).

◎ 취득세 감면규정 적용요건에 에너지성능점수 산출기관 지정을 규정하고 있지 않으므로, 국토부 비고시 기관의 에너지성능점수도 유효함(대법원 2017두36922, 2017.6.9.).

제47조의 3(신재생에너지 인증 건축물에 대한 감면)

법 제47조의 3(신재생에너지 인증 건축물에 대한 감면) ① 신축하는 업무용 건축물로서 「신에너지 및 재생에너지 개발・이용・보급 촉진법」 제12조의 2 제1항에 따른 신・재생에너지 이용 건축물인증을 받은 건축물에 대해서는 2015년 12월 31일까지 취득세의 100분의 5부터 100분의 15까지의 범위에서 신・재생에너지 공급률 등을 고려하여 대통령령으로 정하는 율을 경감한다.

② 제1항에 따라 취득세를 경감받은 건축물 중 그 취득일부터 3년 이내에 신・재생에너지 이용 건축물 인증이 취소된 건축물에 대해서는 경감된 취득세를 추징한다. [본조신설 2014.12.31.]

영 제24조(친환경건축물 등의 감면) ⑧ 법 제47조의 3 제1항에 따른 취득세 경감율은 다음 각 호와 같다. 〈신설 2011.12.31., 2014.12.31., 2015.6.15.〉

1. 신・재생에너지 공급률(건축물의 총에너지사용량 중 「신에너지 및 재생에너지 개발・이용・보급 촉진법」 제2조 제1호 및 제2호에 따른 신에너지 및 재생에너지를 이용하여 공급되는 에너지의 비율을 말한다. 이하 이 항에서 같다)이 20퍼센트를 초과하는 건축물 : 100분의 15
2. 신・재생에너지 공급률이 20퍼센트 이하이고 15퍼센트를 초과하는 건축물 : 100분의 10
3. 신・재생에너지 공급률이 15퍼센트 이하이고 10퍼센트를 초과하는 건축물 : 100분의 5

신・재생에너지 이용 건축물 인증을 받은 건축물에 대하여 건축물 취득세의 5~15%를 경감한다. 그런데 2015.7월 근거법인 「신재생에너지 개발・이용・보급 촉진법」 개정으로 해당 제도가 폐지되었고, 그에 따라 일몰(2015.12.31.)의 도래로 감면이 폐지되었다.

제47조의 4(내진성능 확보 건축물에 대한 감면)[10]

법 제47조의 4(내진성능 확보 건축물에 대한 감면) ①「건축법」 제48조 제2항에 따른 구조 안전 확인 대상이 아니거나 건축 당시「건축법」상 구조안전 확인 대상이 아니었던 건축물(「건축법」 제2조 제1항 제2호에 따른 건축물 부분으로 한정한다. 이하 이 조에서 같다)로서「지진·화산재해대책법」 제16조의 2에 따라 내진성능 확인을 받은 건축물에 대해서는 다음 각 호에서 정하는 바에 따라 지방세를 2021년 12월 31일까지 경감한다. 다만, 그 건축물을 양도하는 경우에 재산세는 그러하지 아니하다.

1. 「건축법」 제2조 제1항 제8호에 따른 건축을 하는 경우 취득세의 100분의 50을 경감하고, 그 건축물에 대한 재산세의 납세의무가 최초로 성립하는 날부터 5년간 재산세의 100분의 50을 경감한다.
2. 「건축법」 제2조 제1항 제9호에 따른 대수선을 하는 경우 취득세를 면제하고, 그 건축물에 대한 재산세의 납세의무가 최초로 성립하는 날부터 5년간 재산세를 면제한다.

② 제1항을 적용할 때 재산세 경감세액의 산정방법은 제47조의 2 제6항을 준용한다.

③ 신축하는 건축물로서「지진·화산재해대책법」 제16조의 3 제1항에 따라 지진안전 시설물의 인증을 받은 건축물(취득일부터 100일 이내 지진안전 시설물의 인증을 받은 경우를 포함한다)에 대해서는 취득세의 100분의 5부터 100분의 10까지의 범위에서 대통령령으로 정하는 율을 2021년 12월 31일까지 경감한다. 다만, 제1항에 따라 지방세를 감면받은 건축물의 경우에는 본문을 적용하지 아니한다.

영 제24조의 2(지진안전 시설물의 인증을 받은 건축물의 감면) 법 제47조의 4 제3항 본문에서 "대통령령으로 정하는 율"이란 100분의 5를 말한다.

대규모 지진피해가 증가함에 따라 국민의 신체 및 재산을 안전하게 보호하기 위해 내진설계 의무대상이 아닌 건축물을 건축하거나 대수선하는 경우에 지방세 감면을 지원하고자 한 취지로 2013년에 신설되었으며, 2021년에는 지진안전 시설물의 인증을 받은 건축물에 대한 감면지원도 추가하였다.

「건축법」상 구조안전 확인대상이 아니거나, 아니었던 건축물로서「지진화산·재해대책법」에 따라 내진성능 확인을 받은 건축물에 대해 취득세 및 재산세를 감면하는데, 건축시에는 취득세 50%를 감면하고, 재산세를 5년간 50% 감면하며, 대수선시에는 취득세를 면제하고, 재산세도 5년간 면제한다(법 ①). 2016년에 경주에서 지진이 있었던 점을 감안하여 2017년에 감면율을 상향 조정(신축(① 1호) 10% → 50%, 대수선(① 2호) 50% → 100%)한바 있다.

「건축법」 제48조 제2항 및 동법 시행령 제32조 제2항에 따르면, ① 2층 이상의 건물, ②

10) 종전 제92조의 3은 제47조의 4로 이동 〈2014.12.31.〉

연면적 200제곱미터 이상의 건물, ③ 높이가 13미터 이상인 건물 등에 대해서는 내진성능을 의무적으로 확보하도록 규정하고 있다.

한편, 감면시 과세표준액을 건축물 기준으로 할지, 내진보강공사 비용만을 할지에 대해 쟁점이 될 수 있는데 "내진성능 확인"을 받은 "건축물"에 대해 건축이나 대수선으로 취득하는 경우에 취득세를 감면한다고 규정하고 있는바, 감면을 적용받기 위한 요건과 감면대상 목적물은 엄연히 구분하여야 할 것으로, 여기서 "내진성능 확인"은 "감면요건"에 해당하며, "감면대상"은 그 요건을 갖추어 "취득하는 건축물"로 보아야 할 것이므로, 그 건축물의 취득세 과세표준인 직·간접비용 전체에 대해 감면을 적용하여야 할 것(지방세특례제도과-2846, 2020.11.26.)이다.

지진안전 시설물 인증을 받은 신축 건축물에 대해서는 취득세의 5%를 경감한다(법 ③). 법에서는 감면율에 대해 5~10% 중 대통령령으로 위임하고, 대통령령에서 5%로 규정하여 탄력적으로 조정할 수 있도록 여지를 둔 것이다. 신축의 경우 취득세율 2.8%에 5%를 경감하게 되면 실제 부담하는 취득세율이 2.66%가 된다. 여기서 감면대상 건축물은 지진·화산재해대책법 제16조의 3 제1항에 따른 지진안전 시설물의 인증을 받아 신축하는 건축물이며, 취득한 날((임시)사용승인일, 실제 사용일 중 빠른날)부터 100일 이내에 인증을 받은 경우도 감면대상에 포함된다.

〈건축법〉

제48조(구조내력 등) ① 건축물은 고정하중, 적재하중(積載荷重), 적설하중(積雪荷重), 풍압(風壓), 지진, 그 밖의 진동 및 충격 등에 대하여 안전한 구조를 가져야 한다.
② 제11조 제1항에 따른 건축물을 건축하거나 대수선하는 경우에는 대통령령으로 정하는 바에 따라 구조의 안전을 확인하여야 한다.

〈건축법 시행령〉

제32조(구조 안전의 확인) ① 법 제48조 제2항에 따라 다음 각 호의 어느 하나에 해당하는 건축물을 건축하거나 대수선하는 경우 해당 건축물의 설계자는 국토교통부령으로 정하는 구조기준 등에 따라 그 구조의 안전을 확인하여야 한다.
② 제1항에 따라 구조 안전을 확인한 건축물 중 다음 각 호의 어느 하나에 해당하는 건축물의 건축주는 해당 건축물의 설계자로부터 구조 안전의 확인 서류를 받아 법 제21조에 따른 착공신고를 하는 때에 그 확인 서류를 허가권자에게 제출하여야 한다. 다만, 표준설계도서에 따라 건축하는 건축물은 제외한다.

1. 층수가 2층[주요구조부인 기둥과 보를 설치하는 건축물로서 그 기둥과 보가 목재인 목구조 건축물(이하 "목구조 건축물"이라 한다)의 경우에는 3층] 이상인 건축물
2. 연면적이 200제곱미터(목구조 건축물의 경우에는 500제곱미터) 이상인 건축물. 다만, 창고, 축사, 작물 재배사는 제외한다.

3. 높이가 13미터 이상인 건축물
4. 처마높이가 9미터 이상인 건축물
5. 기둥과 기둥 사이의 거리가 10미터 이상인 건축물
6. 건축물의 용도 및 규모를 고려한 중요도가 높은 건축물로서 국토교통부령으로 정하는 건축물
7. 국가적 문화유산으로 보존할 가치가 있는 건축물로서 국토교통부령으로 정하는 것
8. 제2조 제18호 가목 및 다목의 건축물
9. 별표 1 제1호의 단독주택 및 같은 표 제2호의 공동주택

〈지진 · 화산재해대책법〉

제16조의 3(지진안전 시설물의 인증 및 인증의 취소) ① 행정안전부장관은 지진으로부터 시설물의 안전을 증진하고, 국민이 시설물의 안전성을 확인할 수 있도록 하기 위하여 내진성능이 확보된 시설물에 대하여 지진안전 시설물의 인증을 할 수 있다.

〈지진 · 화산재해대책법 시행령〉

제11조의 4(인증의 대상 · 기준 및 절차 등) ① 인증을 할 수 있는 시설물은 다음 각 호와 같다.

1. 「도시철도법」 제2조 제3호에 따른 도시철도시설 중 역사
2. 「의료법」 제3조 제3호에 따른 병원, 요양병원 및 종합병원
3. 「철도건설법」 제2조 제6호에 따른 철도시설 중 역사
4. 「학교시설사업 촉진법」 제2조 제1호 나목에 따른 교사, 체육관, 기숙사 및 급식시설과 같은 법 시행령 제1조의 2 제1호에 따른 강당
5. 「항만법」 제2조 제5호 나목 3)에 따른 여객이용시설
6. 「건축법 시행령」 제32조 제2항 각 호에 해당하는 건축물. 다만, 「국방 · 군사시설 사업에 관한 법률」 제2조 제4호에 따른 군부대주둔지 내의 같은 조 제1호에 따른 국방 · 군사시설은 제외한다.
7. 「공항시설법 시행령」 제3조 제1호 나목에 따른 여객시설 및 화물처리시설

| 참고 _ 내진성능확보 건축물과 지진안전시설물 인증 건축물 비교 |

구분	내진성능확보 건축물	지진안전시설물 인증 건축물
법적근거	건축법 §48 ②	지진 · 화산재해대책법 §16의 3
도입목적	건축물 건축 및 대수선 시 구조안전 확인 목적	지진 · 화재 등 재해로부터 국민의 생명과 재산 보호 목적
지방세 감면 - 감면율	(취득세) 신축 50%, 대수선 100%(1회) (재산세) 신축 50%, 대수선 100%(5년간)	취득세 5~10%(시행령 5%)
지방세 감면 - 근거조문	지방세특례제한법 §47의 4 ①	지방세특례제한법 §47의 4 ③
지방세 감면 - 감면신청 시 제출서류	건축물 내진성능 확인서	지진안전시설물 인증서

구분	내진성능확보 건축물	지진안전시설물 인증 건축물
의무대상 또는 인증대상 건축물	〈의무대상〉 ① 층수가 2층 이상인 건축물 ② 연면적이 200제곱미터 이상인 건축물 (창고, 축사, 작물 재배사는 제외) ③ 높이가 13미터 이상인 건축물 ④ 처마높이가 9미터 이상인 건축물 ⑤ 기둥과 기둥 사이의 거리가 10미터 이상인 건축물 ⑥ 건축물의 용도 및 규모를 고려한 중요도가 높은 건축물로서 국토교통부령으로 정하는 건축물 ⑦ 국가적 문화유산으로 보존할 가치가 있는 건축물로서 국토교통부령으로 정하는 것	〈인증대상〉 ① 도시철도시설 중 역사 ② 병원, 요양병원 및 종합병원 ③ 철도시설 중 역사 ④ 교사, 체육관, 기숙사 및 급식시설과 강당 ⑤ 여객이용시설 ⑥「건축법 시행령」 제32조 제2항 각 호에 해당하는 건축물(국방·군사시설은 제외) ⑦ 여객시설 및 화물처리시설
확인 또는 인증기관	건축구조기술사사무소, 안전진단전문기관, 한국시설안전공단	한국시설안전공단

◎ **건축물이 취득시점 이후에 내진성능의 확인을 받았다 하더라도 감면 대상**

건축물 취득시기와 내진성능 확인시점 사이에 그 내진성능 확보상태에 관한 변동이 발생되었다고 보기는 어렵고, 지특법상 감면요건 중 내진성능 확인 시기는 달리 포함되어 있는 바가 없으므로 내진성능 확보 건축물에 대한 감면 취지를 고려할 때 취득당시 건축물의 상태를 기준으로 감면요건 충족 여부를 판단함이 합리적이므로, 건축물 취득시점 이후에 내진성능의 확인을 받았다 하더라도 건축이나 대수선 등을 통하여 건축법상 구조안전 확인 대상이 아닌 건축물 등의 내진성능을 취득당시 확보하였다면 취득세 감면대상(행안부 지방세특례제도과-2069, 2019.5.28.).

◎ **내진성능 확인 등의 감면요건을 갖춘 건축물에 해당하는 경우라면, 그 건축물의 취득세 과세표준인 직·간접비용 전체에 대해 감면을 적용하여야 할 것임**(지방세특례제도과-2846, 2020.11.26.)

☞ 법 제47조의 4에서 "내진성능 확인"을 받은 "건축물"에 대해 건축이나 대수선으로 취득하는 경우에 취득세를 감면한다고 규정하고 있어 감면을 적용받기 위한 요건과 감면대상 목적물은 엄연히 구분되는데, 즉 "내진성능 확인"은 "감면요건"에 해당하며, "감면대상"은 그 요건을 갖추어 "취득하는 건축물"이다. 또한 입법취지가 내진설계 의무대상이 아닌 건축물에 대해 지방세 감면지원을 통해 내진성능을 확보하도록 유도하기 위한 점임을 고려할 때, "내진성능 확인"을 받는데 소요된 비용에 대해서만 감면 적용할 경우 지원 효과가 미미해지며, 재산세 감면의 경우도 건물 전체를 기준으로 감면 적용하는 점 등을 종합 고려한 사안이다.

취득세 과세표준			⇨	감면대상	
합계	내진비용	그외비용		갑설(건축물)	을설(내진비용)
2억	1억	1억		2억	1억(1억은 과세)

제48조(국립공원관리사업에 대한 감면)

법 제48조(국립공원관리사업에 대한 감면) 「국립공원공단법」에 따른 국립공원공단이 공원시설의 설치·유지·관리 등의 공원관리사업에 직접 사용하기 위하여 취득하는 부동산(임대용 부동산은 제외한다. 이하 이 조에서 같다)에 대해서는 취득세의 100분의 25를, 과세기준일 현재 그 사업에 직접 사용하는 부동산에 대해서는 재산세의 100분의 25를 각각 2022년 12월 31일까지 경감한다.

국립공원의 보전, 공원시설의 설치 관리 등 공원관리사업을 효율적으로 추진하기 위하여 설립된 국립공원관리공단이 직접 사용하기 위하여 취득하는 부동산에 대한 세제지원을 규정하고 있다.

국립공원공단이 공원시설의 설치·유지·관리 등 공원관리사업에 직접 사용하기 위해 취득하는 부동산(임대용 제외)에 대해서는 취득세와 재산세를 25% 감면한다.

제49조(해양오염방제 등에 대한 감면)

법 제49조(해양오염방제 등에 대한 감면) 「해양환경관리법」에 따른 해양환경공단이 같은 법 제97조에 따른 사업에 직접 사용하기 위하여 취득하는 부동산(수익사업용 부동산은 제외한다. 이하 이 조에서 같다)과 해양오염방제용 및 해양환경관리용에 제공하기 위하여 취득하는 선박에 대해서는 다음 각 호에서 정하는 바에 따라 2022년 12월 31일까지 지방세를 경감한다.

1. 「해양환경관리법」 제97조 제1항 제3호 가목 및 나목의 사업을 위한 부동산에 대해서는 취득세의 100분의 25를, 과세기준일 현재 해당 사업에 직접 사용하는 부동산에 대해서는 재산세의 100분의 25를 각각 경감한다.
2. 「해양환경관리법」 제97조 제1항 제2호 나목 및 같은 항 제6호의 사업을 위한 부동산에 대해서는 취득세의 100분의 25를, 과세기준일 현재 해당 사업에 직접 사용하는 부동산에 대해서는 재산세의 100분의 25를 각각 경감한다.
3. 해양오염방제설비를 갖춘 선박에 대해서는 취득세 및 재산세의 100분의 25를 각각 경감한다.

해양환경공단의 해양환경의 보전 · 관리 · 개선을 위한 사업, 해양오염 관련 방제사업 · 기술개발 · 교육훈련 사업 등에 대한 세제지원을 규정하고 있다.

해양환경공단이 해당 사업에 직접 사용하기 위해 취득하는 부동산 및 해양오염방제설비를 갖춘 해양오염방제용 · 해양환경관리용 선박에 대해 취득세와 재산세를 25% 감면하는데, 해당 사업들은 오염 제거, 요염 방지에 관련된 사업, 환경보호를 위한 교육훈련 홍보 등이 있다.

* 오염물질저장시설의 설치 · 운영 및 수탁관리, 해양오염방제업무 및 방제선 등의 배치 · 설치, 해양오염방제에 필요한 자재 · 약재의 비치 및 보관시설의 설치, 해양환경에 대한 교육 · 훈련 및 홍보

2017년 감면율을 여타 공사 · 공단 수준으로 축소(1호 : 취득세 75%, 재산세 25% → 취득 · 재산세 25%, 2호 : 취득 · 재산세 75% → 취득 · 재산세 25%)한바 있다.

◎ **한국해양오염방제조합이 해양관리법 제정으로 해양환경관리공단으로 전환됨에 따른 소유권 이전에는 취득세가 발생하지 않는다고 한 사례**

「해양환경관리법」 부칙(제8260호, 2007.1.19.) 제6조 제4항에서 이 법 시행당시 방재조합의 재산과 권리 · 의무는 공단의 설립과 동시에 이를 승계한다고 규정하고 있는 바, 해양오염방지법에 의하여 설립된 한국해양오염방제조합이 해양관리법 제정에 의거 해양환경관리공단으로 전환하면서 한국해양오염방제조합이 소유하고 있던 재산을 해양환경관리공단으로 이전시 취득세의 납세의무는 발생되지 않는 것이나, 등록세의 경우는 세액을 납부하는 것이 타당하다 할 것임(지방세정팀-1062, 2007.4.6.).

제49조의 2(5세대 이동통신 무선국에 대한 감면)

> **법** 제49조의 2(5세대 이동통신 무선국에 대한 감면) 내국법인이 아이엠티이천이십(IMT-2020, 5세대 이동통신) 서비스 제공을 위하여 과밀억제권역 외의 지역에 개설한 무선국의 면허에 대해서는 등록면허세의 100분의 50을 2023년 12월 31일까지 경감한다.

4차 산업혁명 추진 기반 마련을 위해 2021년 신설한 규정으로, 과밀억제권역 外 지역에 신규 구축한 5G 무선국의 면허에 대한 등록면허세를 50% 감면한다. 2021년 1월 1일 이후 구축한 무선국에 한해 감면을 적용한다.

제4절 문화 및 관광 등에 대한 지원

제50조(종교단체 또는 향교에 대한 면제)

법 제50조(종교단체 또는 향교에 대한 면제) ① 종교단체 또는 향교가 종교행위 또는 제사를 목적으로 하는 사업에 직접 사용하기 위하여 취득하는 부동산에 대해서는 취득세를 면제한다. 다만, 다음 각 호의 어느 하나에 해당하는 경우 그 해당 부분에 대해서는 면제된 취득세를 추징한다. 농비

1. 해당 부동산을 취득한 날부터 5년 이내에 수익사업에 사용하는 경우 2. 정당한 사유 없이 그 취득일부터 3년이 경과할 때까지 해당 용도로 직접 사용하지 아니하는 경우 3. 해당 용도로 직접 사용한 기간이 2년 미만인 상태에서 매각·증여하거나 다른 용도로 사용하는 경우

② 제1항의 종교단체 또는 향교가 과세기준일 현재 해당 사업에 직접 사용(종교단체 또는 향교가 제3자의 부동산을 무상으로 해당 사업에 사용하는 경우를 포함한다)하는 부동산(대통령령으로 정하는 건축물의 부속토지를 포함한다)에 대해서는 재산세(「지방세법」 제112조에 따른 부과액을 포함한다) 및 「지방세법」 제146조 제2항에 따른 지역자원시설세를 각각 면제한다. 다만, 수익사업에 사용하는 경우와 해당 재산이 유료로 사용되는 경우의 그 재산 및 해당 재산의 일부가 그 목적에 직접 사용되지 아니하는 경우의 그 일부 재산에 대해서는 면제하지 아니한다.

③ 제1항의 종교단체 또는 향교가 그 사업에 직접 사용하기 위한 면허에 대해서는 등록면허세를 면제하고, 해당 단체에 대해서는 주민세 사업소분(「지방세법」 제81조 제1항 제2호에 따라 부과되는 세액으로 한정한다. 이하 이 항에서 같다) 및 종업원분을 각각 면제한다. 다만, 수익사업에 관계되는 대통령령으로 정하는 주민세 사업소분 및 종업원분은 면제하지 아니한다.

④ 종교단체 또는 향교에 생산된 전력 등을 무료로 제공하는 경우 그 부분에 대해서는 「지방세법」 제146조 제1항에 따른 지역자원시설세를 면제한다.

⑤ 사찰림(寺刹林)과 「전통사찰의 보존 및 지원에 관한 법률」 제2조 제1호에 따른 전통사찰이 소유하고 있는 경우로서 같은 조 제3호에 따른 전통사찰보존지에 대해서는 재산세(「지방세법」 제112조에 따른 부과액을 포함한다)를 면제한다. 다만, 수익사업에 사용하는 경우와 해당 재산이

유료로 사용되는 경우의 그 재산 및 해당 재산의 일부가 그 목적에 직접 사용되지 아니하는 경우의 그 일부 재산에 대해서는 면제하지 아니한다.

⑥ 법인의 사업장 중 종교의식을 행하는 교회 · 성당 · 사찰 · 불당 · 향교 등에 대해서는 주민세 사업소분(「지방세법」 제81조 제1항 제1호에 따라 부과되는 세액으로 한정한다)을 면제한다.

영 제25조(종교 및 제사를 목적으로 하는 단체에 대한 면제대상 사업의 범위 등) ① 법 제50조 제2항 본문에서 "대통령령으로 정하는 건축물의 부속토지"란 해당 사업에 직접 사용할 건축물을 건축 중인 경우와 건축허가 후 행정기관의 건축규제조치로 건축에 착공하지 못한 경우의 건축 예정 건축물의 부속토지를 말한다.

② 법 제50조 제3항 본문에서 "제1항의 단체가 그 사업에 직접 사용하기 위한 면허"란 법 제50조 제1항에 따른 종교 및 제사를 목적으로 하는 단체가 그 비영리사업의 경영을 위하여 필요한 면허 또는 그 면허로 인한 영업 설비나 행위에서 발생한 수익금의 전액을 그 비영리사업에 사용하는 경우의 면허를 말한다.

③ 법 제50조 제3항 단서에서 "수익사업에 관계되는 대통령령으로 정하는 주민세 사업소분 및 종업원분"이란 수익사업에 직접 제공되고 있는 사업소와 종업원을 기준으로 부과하는 주민세 사업소분(「지방세법」 제81조 제1항 제2호에 따라 부과되는 세액으로 한정한다)과 종업원분을 말한다. 이 경우 면제대상 사업과 수익사업에 건축물이 겸용되거나 종업원이 겸직하는 경우에는 주된 용도 또는 직무에 따른다.

다중의 보편적 문화를 지원하는 차원에서 종교 및 제사를 목적으로 하는 종교단체와 향교에 대한 지방세 감면을 규정하고 있다. 종교목적의 비영리사업자가 고유목적에 직접 사용하는 부동산이라 함은 예배 · 축전 · 종교교육 · 선교활동 등에 직접 사용되는 경우를 의미한다. 이 경우 '직접 사용'이라 함은 원칙적으로 해당 부동산의 소유자가 직접 해당 목적사업에 사용하는 경우를 의미하나, 다만, 재산세에 있어서 종교단체의 경우 그 고유목적사업을 수행함에 있어 종교단체인 부동산의 사용자가 해당 부동산의 소유자로부터 무상으로 제공받아 사용하는 경우에는 직접 사용의 범위에 포함(2014.1.1. 시행 지특법 개정)하고 있다.

종교단체 · 향교가 종교행위 · 제사를 목적으로 하는 사업에 직접 사용하기 위해 취득하는 부동산에 대해 취득세를 면제한다. 또한 5년 이내 수익사업에 사용하거나, 정당한 사유 없이 취득일부터 3년 이내에 해당 사업에 직접 사용하지 않을 경우, 직접 사용한 기간이 2년 미만인 상태에서 매각 · 증여하거나 타용도로 사용하는 경우에는 취득세를 추징한다(법 ①). 2015년까지 취득세 등이 면제되는 종교 및 제사를 목적으로 하는 단체에 향교가 명시되어 있지 않아 해석상 종중까지 포함할 수 있는지에 대해 쟁점이 있었는데 그 대상을 종교단체와 향교로 명확화하는 입법 보완을 한 바 있다. 또한, 2016년까지는 종교단체 등이 취득한 부동산을 수익사업에 사용하는 경우에는 면제된 취득세를 추징하도록 규정되어 있었기 때문에, 추징 유예기간이 명시되어 있지 않아 언제든 추징이 가능하다는 해석 등 혼선이 있었다. 이에 따라 2017년부터는 취득한 날부터 5년 이내 수익사업에 사용하는 경우에만 추징하도록 개선하였다.

종교단체·향교가 과세기준일 현재 해당 사업에 직접 사용하는 부동산에 대해서는 도시지역분을 포함한 재산세(도시지역분 포함)와 지역자원시설세를 면제하는데, 여기서 직접 사용하는 범위에는 종교단체 또는 향교가 제3자의 부동산을 무상으로 해당 사업에 사용하는 경우까지 포함하고 있는바, 예를 들어 한 교인이 본인의 건물을 종교단체에 종교용으로 무상으로 사용토록 제공했다면 그 교인에 대해서도 재산세를 감면할 수 있는 것이다. 한편, 재산세 토지분을 감면할 때에는 직접 사용할 건축물을 건축 중인 경우의 그 부속토지 및 건축허가 후 행정기관의 건축규제조치로 착공하지 못한 경우의 건축 예정 건축물의 부속토지를 포함한다. 다만, 재산세는 수익사업에 사용하는 경우와 해당 재산이 유료로 사용되는 등의 경우에는 면제하지 아니한다(법 ②).

종교를 목적으로 하는 단체가 당해 부동산을 '해당사업에 직접 사용'한다고 함은 현실적으로 당해 부동산의 사용용도가 종교 목적 사업 자체에 직접 사용되는 것을 뜻하고, 그 범위는 당해 종교 목적 단체의 사업목적과 취득목적을 고려하여 그 실제의 사용관계를 기준으로 객관적으로 판단(대법원 2007두20027, 2009.6.11.)하여야 할 것인데, 그 사용이 당해 부동산의 용도에 관한 법적 규제에 위반하거나 무단 건축 등으로 언제든지 철거 또는 시정명령의 대상이 되는 등 임시적·불법적인 경우는 위 규정의 '사용'에 해당한다고 할 수 없다(대법원 2015두58928, 2016.3.10.). 따라서, 종교집회장 건축이 불가한 지역에서 청소년수련관으로 허가를 받아 종교집회용으로 사용하는 경우라면 감면대상에 해당한다고 볼 수 없다(지방세특례제도과-2390, 2020.10.8.). 또한, 종교단체가 해당 종교의식, 종교교육, 선교활동 등에 사용하는 경우가 아니거나 종교활동을 위해 반드시 있어야만 하는 필요불가결한 중추적인 지위에 있는 사람이 주거용으로 사용하는 경우가 아니라면 감면 대상에서 제외되므로(지방세특례제도과-2066, 2019.5.28.) 그 중추적인 역할을 담당하는 담임목사·담임전도사·수녀·선교단체 대표자 등이 아닌, 부목사·전도사·원로목사·은퇴한 신부·교회 임직원 등이 사용하는 경우에는 감면대상에서 제외된다 할 것이다.

종교단체·향교의 면허분 등록면허세와 주민세 사업소분(「지방세법」 §81 ① 2) 및 종업원분을 면제하되 수익사업인 경우에는 감면을 제외하는데, 면제대상사업과 수익사업에 건축물이 겸용되거나, 종업원이 겸직하는 경우에는 주된 용도 또는 주된 직무에 따라 감면 여부를 판단한다(법 ③). 종교단체가 운영하는 유치원에 대해서는 종교용으로 볼 수 없어 제1항과 제2항에 대한 감면은 적용되지 않으나 주민세 사업소분(「지방세법」 §81 ① 2)의 경우 소유자가 종교단체에 해당하는 것으로 족하고 수익사업에 사용하지 않는다면 감면대상에 해당하므로, 유아교육법에 따른 유치원은 법인세법상 수익사업의 범위에서 제외하고 있으므로 감면대상이 된다.

종교단체 · 향교에 생산된 전력 등을 무료로 제공하는 경우에는 그 제공업체에 대해 지역자원시설세를 면제한다(법 ④).

사찰림과 전통사찰보존지에 대해서 도시지역분을 포함한 재산세를 면제하는데, 수익사업 또는 유료로 사용되거나, 목적사업에 직접 사용하지 않는 경우에는 면제를 제외한다(법 ⑤). 2012.2.17. 「전통사찰법」 개정으로 '경내지'를 '전통사찰보존지'로 변경하였으나, 「지방세특례제한법법」상에는 '경내지'로 존속되어, 납세자 혼란이 없도록 「전통사찰법」을 반영하여 2018년에 명확화 한바 있다.

법인의 사업장 중 종교의식을 행하는 교회 · 성당 · 사찰 · 불당 · 향교 등에 대해서는 주민세 사업소분(「지방세법」 §81 ① 1)을 면제한다(법 ⑥).

1. 감면대상 종교단체

○ 사실상 매수자금을 교회가 지급하였음에도 착오로 교회대표자 명의로 부동산을 취득한 경우로서 개인명의로 취득이 이루어진 이상 감면 적용 불가

이 사건 부동산의 매수자금은 재단법인 ○○교회의 개척지원자금과 이 사건 교회의 재정으로 조달되었으나, 원고의 명의로 매각허가결정을 받아 소유권이전등기를 마쳤다는 주장에 의하더라도 매수대금의 부담 여부와는 관계없이 원고가 이 사건 부동산의 소유권을 적법하게 취득한 이상 취득세 납세의무가 성립하고, 이 사건 교회가 예배당으로 사용하기 위하여 교회 명의가 아닌 그 대표자인 원고의 명의로 이 사건 부동산을 취득한 경우에도 종교단체에 대한 취득세 면제를 규정한 지특법 제50조 ①에 해당하는 것으로 확장해석을 하거나 유추해석을 할 수 없음(대법원 2013두15545, 2013.11.14.).

☞ 사실상 매수자금을 교회가 지급하였음에도 착오로 교회대표자 명의로 부동산을 취득한 경교회대표자 개인 명의로 부동산을 취득하여 등기한 후, 착오로 교회 대표자 개인을 등기명의인으로 하였다는 이유로 당해 부동산의 등기명의인을 교회명의로 경정한 경우 종전의 부동산 등기를 한 개인의 취득세 및 등록세의 납세의무는 확정되어 소멸되지 아니하므로 개인이 이미 납부한 취득세 등은 환부대상이 아님(법제처 06-1131, 2006.3.24.).

○ 일반건축물대장에 소유자가 담임목사 개인명의로 등재되어 있는 건축물은 교회가 종교용으로 사용하기 위하여 취득한 부동산으로 볼 수 없음(조심 2009지0091, 2009.5.11.).

○ 청구법인의 경우, 이슬람권과 공산권 국가에서 선교활동을 하기 위해 설립된 법인으로 불가피하게 종교단체 등록을 하지 않았지만, 청구법인의 구성원들 대부분이 교회 목사, 장로, 전

도사 등의 기독교인으로 구성되어 있는 점, 쟁점부동산이 종교목적으로 사용되고 있음에 대해 처분청과 다툼이 없는 점, 예산지출 현황과 주요활동 등 실질적인 측면을 고려할 때, 청구법인은 종교를 목적으로 하는 단체에 해당하고 쟁점부동산을 종교목적에 직접 사용하였음(조심 2012지0815 2014.2.17.).

◎ **매수자금을 교회가 지급하였음에도 착오로 교회대표자 명의로 취득한 경우는 감면 배제**
여러 종단의 종교인들이 모여 생명 및 환경, 사회문제 등을 연구하고 대화와 토론을 통한 사회활동을 하는 단체는 비과세대상 종교단체로 볼 수 없음(행심 2005-467, 2005.10.31.).

◎ YWCA는 종교를 목적으로 하는 단체로 볼 수 없음(세정 13407-아383, 1998.9.4.).

◎ 청구인의 정관에는 말기암 등 말기질환으로 고통받는 이웃들을 예수그리스도 안에 있는 믿음, 소망, 사랑으로 돌보는 일과 이를 수행하는 데 수반되는 보조활동을 통해 죽음을 앞둔 불특정 다수인에게 종교적 구원을 하기 위하여 설립한다고 하고, … 영리적이거나 수익적인 요소가 없는 사정과 선교에 대한 영역이 점차로 증가되어 가는 추세 등 제반사정을 감안하여 보면, 이 사건 건축물을 종교를 목적으로 하는 사업에 직접 사용한 것으로 봄이 타당(행심 2004-26, 2004.1.29.)

◎ **종교단체 토지 위에 담임목사가 신축한 경우 토지분 취득세는 추징 대상임**
종교단체가 토지를 취득한 후 건축물을 담임목사 명의로 신축 취득하여 소유권보존등기를 한 경우, 종교단체가 취득한 토지는 종교단체가 종교용으로 직접 사용할 목적으로 취득한 것으로 보기 어렵다 할 것임(조심 2013지414, 2013.6.19.).

2. 고유목적사업에 직접 사용 여부

1) 교회가 유치원, 비영리 복지시설 등으로 사용하고 있는 경우

◎ **종교집회장 건축이 불가한 지역에서 청소년수련관으로 허가를 받아 종교집회용으로 사용하는 경우라면 "종교를 목적으로 하는 사업에 직접 사용"하는 부동산으로 보기 어려움**(지방세특례제도과-2390, 2020.10.8.)

☞ 해당 사실관계는 체육관, 청소년수련관 등으로 건축 후에 종교집회용으로 사용하는 경우에 감면 대상에 해당하는지에 대한 사안인데, 대법원에서는 직접사용의 판단기준에 대해 ① 해당 용도로 실제사용하여야 할 것뿐 아니라 ② 합법 건축물에 해당하여야 한다고 판시(2015두58928)한 바 있다. 따라서 부동산 용도에 관한 법적 규제에 위반하거나 무단건축 등 언제든 철거·시정명령 대상이 되는 임시적·불법적인 경우 제외된다고 할 것이다. 여성가족부 지침에서 청소년수련관을 종교활동의 장소로 사용 금지토록 규정하고 있어 취득 용도를 종교용이라 보기 어려운 점, 불법 용도변경 사용(청소년수련관→종교집회장)은 「건축법」상 위반 건축

물에 대한 조치 및 이행강제금의 부과 대상에 된다고 할 것인 점, 해당 건축물의 용도변경 사용은 단순한 행정법규상 단순한 절차지연이 아니라 시정이 불가한 임시적・불법적 해당하는 점 등을 고려시 종교집회장 건축이 불가한 지역에서 종교용으로 사용하는 건축물은 "종교 목적 사업에 직접 사용"하는 부동산으로 볼 수 없다고 판단한 사안이다.

◎ **교회가 학교인가를 받지 않은 대안학교 등으로 사용하는 경우 직접 사용으로 볼 수 없음**

「지방세법」 제107조 제1호 … 규정은 종교단체의 종교 활동 자체를 보호하기 위한 것일 뿐 종교단체 자체를 보호하기 위한 입법취지를 갖고 있지 아니한 점 등에 비추어 보면, 제4부동산은 종교 활동과는 별다른 관련성이 없는 교육시설로 사용되고 있고, 이와 같은 교육시설이 종교 사업에 필요불가결한 시설에 해당한다고 볼 수도 없으므로, 종교용도로 직접 사용하고 있다는 주장은 이유 없음. '초・중등교육법에 의한 학교를 경영하는 자'라 함은 초・중등교육법이 정하는 바에 따라 적법한 설립인가(또는 변경인가)를 받은 자를 의미한다고 보아야 할 것임(대법원 2005두2070 등),(대법원 2013두7247, 2013.7.25.).

◎ **종교단체(재단법인)의 정관상 목적사업에 유치원 경영이 포함되어 있더라도 이를 종교단체의 고유업무로 보아 감면을 적용할 수는 없음**

종교단체라는 이유만으로 그 고유의 목적과 직접 관련이 없는 사업에 사용되는 부동산의 취득에까지 취득세 등 비과세 혜택을 주는 것은 타당하지 않고, 유치원 운영이 원고의 본질적 사업이거나 그 사업에 필요불가결하다고 보기 어려우며, 설령 원고가 유치원을 운영하려는 목적 중의 하나가 그 고유의 목적사업인 선교에 있다 하더라도 이 사건 토지의 주된 용도가 교육시설이라는 사실에는 변함이 없고, 위 유치원의 교육이 선교를 목적으로 하지 않는 보통의 유치원과 본질적으로 다르다고 볼 증거가 없는 점 등을 고려하면 이 사건 토지의 취득은 비과세 대상에 해당하지 않음(대법원 2013두529, 2013.4.11.).

◎ **교회가 부동산을 취득한 후 선교를 위해 당해 부동산을 여성노숙자 쉼터인 비영리 복지시설로 사용하고 있는 경우 이를 종교사업에 직접 사용하는 것으로 볼 수 없음**

이 사건 처분 당시 원고가 이 사건 토지 및 건물을 여성노숙자를 위한 쉼터 등으로 사용하기 위하여 취득한 사실은 원고가 자인하고 있는 바, 원고가 현재 선교 목적으로 직접 이 사건 건물을 여성노숙자를 위한 쉼터 등의 시설로 사용하고 있다 하더라도, 여성노숙자를 위한 쉼터 등의 시설 운영이 비영리 복지사업이기는 하지만 그것이 원고의 목적사업인 종교사업에 필요불가결한 것이어서 그 사용을 종교사업 자체에 직접 사용하는 것이라고 하기는 어려운 점 등에 비추어 볼 때, 이 사건 토지 및 건물은 원고가 종교사업에 사용한 것으로 볼 수 없음(대법원 2013두1997, 2013.3.15.).

◎ 종교단체가 종교용으로 취득한 부동산 중 일부를 영어유치원으로 사용하여 해당부분에 대하여 비과세하였던 취득세 등을 추징한 처분은 정당함(조심 2009지1069, 2010.8.16.).

◎ 비록 사회 공익 목적상 필요에 의하여 무상으로 임대하여 아동복지시설로 사용하고 있다고 하더라도 해당 부동산을 종교단체가 종교사업에 직접 사용하는 부동산으로 볼 수 없음(지방세운영과-3772, 2011.8.8.).

◎ 종교단체가 주택을 증여로 취득한 후 알콜·마약중독자, 출소자, 청소년 문제상담 등의 장소로 사용하고 있는 경우 종교용으로 직접 사용한 것으로 볼 수 없어 취득세를 과세한 처분은 정당함(조심 2009지0155, 2009.8.18.).

◎ 종교단체가 증여 취득한 부동산 중 사용료 및 연간 관리비를 받고 불특정 다수인의 유골을 안치하는 납골당으로 사용하는 경우 취득세 등의 과세대상에 해당함(조심 2009지0086, 2009.7.31.).

2) 감면대상 직접 사용 주체에 대한 판단

◎ **종교단체가 직접 사용은 그 부동산 소유자 또는 사실상 취득자의 지위에 있어야 함**

이 사건 면제조항과 추징조항은 종교단체를 대상으로 하여 단체의 해당 사업에 직접 사용하기 위하여 취득하는 부동산에 대하여 취득세를 면제하도록 하면서도 매각·증여와 같이 유상 또는 무상으로 소유권이 이전된 경우를 추징사유의 하나로 규정하고 있는 점 등을 종합하여 보면, 종교단체가 어느 부동산을 '그 용도에 직접 사용'한다고 함은 종교단체가 그 부동산의 소유자 또는 사실상 취득자의 지위에서 현실적으로 이를 종교단체의 업무 자체에 직접 사용하는 것을 의미한다고 봄(대법원 2014두43097, 2015.3.26.).

◎ **제3자가 종교용으로 점유 사용하는 경우 직접 사용으로 볼 수 있는지에 대한 판단**

'직접 사용'에는 해당 재산이 비영리사업자의 공익사업에 직접 사용되는 이상 비영리사업자가 제3자에게 임대 또는 위탁하여 자신의 공익사업에 사용하는 것도 배제되지는 아니함(대법원 84누297, 1984.7.24., 2004두9265, 2006.1.13.). 다만 비영리사업자가 제3자에게 임대 또는 위탁하는 방법으로 공익사업에 부동산을 직접 사용한다고 보기 위해서는 비영리사업자가 해당 부동산을 그 사업수행에 직접 사용하는 것으로 볼 수 있을 정도의 제3자에 대한 지휘, 통제 및 관리 감독의 권한을 가지고 있어야 하며, 비영리사업자가 그 사업에 사용하는 부동산을 제3자에게 임대하였다는 이유만으로 그 부동산을 비과세대상으로 볼 수 없다는 취지의 원심 이유 설시는 다소 적절하지 않으나, 기록상 원고가 이 사건 토지를 점유한 제3자에 대하여 지휘, 통제 및 관리 감독의 권한을 가졌다고 볼 사정이 없는 한 부과처분은 정당함(대법원 2011두20239, 2011.11.13.).

3) 목사 · 수녀의 거주용 주택, 선교사 숙소 등으로 사용하는 경우

◎ **부목사 사택은 종교용 직접 사용으로 볼 수 없음**

종교단체가 해당 사업에 '직접 사용'한다는 의미는 해당 종교단체의 실제의 사용관계를 기준으로 객관적으로 판단하여야 할 것인 바, 종교단체가 해당 종교의식, 종교교육, 선교활동 등에 사용하는 경우가 아니거나 종교활동을 위해 반드시 있어야만 하는 필요불가결한 중추적인 지위에 있는 사람이 주거용으로 사용하는 경우가 아니라면 감면 대상에서 제외된다고 판단됨(지방세특례제도과－2066, 2019.5.28.).

◎ **선교 및 전도 등의 종교행위를 목적으로 하는 단체로서 일부 종교행위를 위한 공간으로 사용되고 있다 하더라도 부수적인 정도에 그쳐 직접 사용으로 볼 수 없다는 사례**

건물 중 2, 3, 4층은 숙소로 사용되고 있고, 5층은 침실과 싱크대 등의 주방시설이 갖춰진 주거용 공간으로 구성되어 있고, 기도실이나 예배실 등 종교 활동을 위한 전용 시설이 별도로 마련되어 있지 않음. 종교행위가 일부 있었던 것으로 보이긴 하나 건물 입주자 명단을 보면, 교육생 등이 입주하여 주로 숙소의 용도로 이용되었던 것으로 보임. 이와 같이 원고의 종교단체로서의 종교행위인 선교활동, 선교사 양성을 위한 교육 등에 직접적으로 또는 일상적으로 사용된다기 보다는 '다민족 선교훈련프로그램' 교육생 등의 기와침식(起臥寢食)을 위한 주거로서 주로 사용되고, 일부 종교행위를 위한 공간으로 사용되고 있더라도 이는 부수적인 정도에 그쳤다고 봄이 타당(대법원 2019두33934, 2019.5.30.)

◎ **원로목사는 교회의 종교활동에 필요불가결한 중추적인 지위에 있다고는 할 수 없음**

쟁점주택에 거주하고 있는 원로목사들이 현재도 설교, 강연, 심방 등의 사목활동을 담당하고 있다 하더라도, 정기적으로 주일에 예배를 집도하고, 교회 공동체 전체를 통솔하면서 교회를 관리 · 책임지고 있는 담임목사와는 달리, 원로목사들은 설교나 전도, 심방 업무 등을 보조하고, 교인들의 신앙생활의 일부분을 지도하는 업무를 수행하는데 불과하므로, 담임목사처럼 교회의 종교활동에 필요불가결한 중추적인 지위에 있다고는 할 수 없음(대법원 2016두47611, 2016.11.24.).

◎ **주임사제의 사목활동을 보좌하는 수녀들의 아파트 사택도 감면대상에 해당됨**

사택이나 숙소의 제공이 단지 구성원에 대한 편의를 도모하기 위한 것이거나 그곳에 체류하는 것이 직무 수행과 크게 관련되지 않는다면 사택이나 숙소는 비영리사업자의 목적사업에 직접 사용되는 것으로 볼 수 없지만, 구성원이 비영리사업자의 사업 활동에 필요불가결한 존재이고 사택이나 숙소에 체류하는 것이 직무 수행의 성격도 겸비한다면 사택이나 숙소는 목적사업에 직접 사용되는 것으로 볼 수 있음 … 성당에 파견되어 종교활동을 직접 담당하는 수녀들은 원고의 원활한 사업수행에 필요불가결한 존재인 점, 파견된 수녀들의 숙소로 제공된 이 사건 아파트는 그곳에서 지역 교우들을 위한 기도모임이나 교리교육, 미사 등의 종교의식이 이루어지는 등 수녀들의 공동 수도생활 및 전도생활의 공간으로 사용되는 점 등을 종합하면, 이 사건 아파트는 원고의 목적사업에 직접 사용되는 부동산에 해당(대법원 2014두557, 2015.9.15.).

◎ 목사가 거주하기 위하여 취득한 주택과 전도활동목적으로 사용하기 위하여 취득한 사무실은 선교활동에 필수적으로 수반되는 부동산이므로 취득세 등을 부과한 것은 부당함(조심 2009지0696, 2010.1.29.).

◎ 담임목사 개인명의로 취득하여 등기한 종교용 건축물은 비과세 대상인 단체가 아닌 개인 소유의 건축물로 보아야 할 것이므로 청구인이 이 건 취득세 등을 신고한 것은 타당함(조심 2009지0979, 2009.12.18.).

◎ 종교단체가 주택을 취득하여 교회임직원 및 선교사들의 숙소로 제공하고 있는 경우 종교단체로서의 본질적 활동인 선교활동, 선교사 양성을 위한 교육 등에 이 건 주택 등이 직접 또는 일상적으로 사용되었다고 보기보다는 국내에 일시 체류하는 동안에 휴식을 취하는 쉼터 등의 부수적인 정도에 그쳤다고 봄이 상당함(조심 2008지0930, 2009.9.15.).

◎ 승려들이나 신도들의 수행공간 겸 숙소로 사용되고 있는 주택이 감면대상라는 사례

구성원이 비영리사업자의 사업 활동에 필요불가결한 존재이고 사택이나 숙소에 체류하는 것이 직무 수행의 성격도 겸비한다면 사택이나 숙소는 목적사업에 직접 사용되는 것으로 볼 수 있음(대법원 2014두557) … 원고는 대○사 인근에 위치한 이 사건 건물을 매수한 뒤, 이를 소속 승려들과 신도들의 각종 법회 등의 개최장소나 수행공간으로 사용하는 한편, 원고 소속으로 대○사의 사찰운영과 종교활동을 지원하기 위하여 매월 파견되는 승려들의 숙소 및 수행공간으로 제공하여 왔음 … 위와 같이 대○사에 파견되어 종교활동을 직접 담당하는 법사승려 등은 원고의 원활한 사업수행에 필요불가결한 존재에 해당하는 점 … 이 사건 건물은 원고의 종교목적 사업에 직접 사용되는 부동산이라고 할 것임(대법원 2017두66275, 2018.2.8.).

◎ 원로목사들이 거주하고 있는 주택이 감면대상이 아니라는 사례

쟁점주택을 목적사업에 직접 사용하고 있는지에 관하여 살피건대, 원고 주장과 같이 이 사건 쟁점주택에 거주하고 있는 원로목사들이 현재도 설교, 강연, 심방 등의 사목활동을 담당하고 있다고 하더라도, 정기적으로 주일에 예배를 집도하고, 교회 공동체 전체를 통솔하면서 교회를 관리·책임지고 있는 담임목사와는 달리, 원로목사들은 설교나 전도, 심방 업무 등을 보조하고, 교인들의 신앙생활의 일부분을 지도하는 업무를 수행하는 데 불과하므로, 담임목사처럼 교회의 종교활동에 필요불가결한 중추적인 지위에 있다고는 할 수 없음. 또한 원고가

주장하는 바와 같이 이 사건 쟁점주택이 원고의 목적사업에 직접 사용되는 것인지에 관한 해석상 혼란이 존재하였다고 하여 그 사정만으로 원고에게 이 사건 쟁점주택을 그 용도에 직접 사용하지 못한 데에 대한 '정당한 사유'가 있었다고도 볼 수 없음(대법원 2016두47611, 2016.11.24.).

4) 사찰의 경내지 등

◎ **전통사찰보존법 제2조 제3호의 경내지가 전통사찰보존지로 개정(2012.8.18.)된 상황에서는 종전과 같이 경내지로 해석함이 타당함**

쟁점 토지가 전통사찰과 직선거리로 약 2㎞ 떨어진 농지로서 전통사찰 경계 안의 토지 또는 그 주변의 토지로 보기 어렵고, 전통사찰과 지리적·공간적으로 밀접한 관련성을 가지고 있다고 보기도 어렵기 때문에 舊 전통사찰보존법 상 경내지로 보는 것은 무리가 있음. 한편, 舊 전통사찰보존법의 "경내지"가 "전통사찰보존지"로 개정되었기 때문에 범위가 경내로만 한정되는 것은 아니라고 주장할 수 있으나, 종전 규정과 현행 규정을 비교하면 "경내지"가 "전통사찰보존지"로 명칭만 바뀌었을 뿐 종전 경내지의 구체적 범위가 동일하고 지특법의 감면 취지가 변경된 것은 아니므로 명칭 변경에도 불구하고 종전처럼 계속 "경내지"로 해석함은 타당(지방세운영과-385, 2014.2.6.)

◎ **"경내지"가 "전통사찰보존지"로 개정되었으나 지특법에 미반영된 경우라도 입법취지상 감면대상으로 봄이 타당함**

「전통사찰의 보존 및 지원에 관한 법률」상 "경내지"라는 용어가 "전통사찰보존지"로 개정되었음에도 불구하고 재산세 면제 대상으로 이를 인용하고 있는 「지방세특례제한법」에 개정사항을 반영하지 않은 경우, 재산세 면제 대상을 판단함에 있어 전통사찰보존지의 하나인 경작지는 「전통사찰의 보존 및 지원에 관한 법률」 개정 전·후에 동일하게 보아야 할 것임(법제처 법령해석 14-0145, 2014.4.8.).

◎ **임야면적 일부에 대웅전을 준공하였다하여 종교목적에 직접 사용되는 토지로 볼 수 없음**

임야 일부를 형질변경하여 그 지상에 대웅전을 신축하였으나 이 건 쟁점임야와 연접하여 위치한 ○○○이 「전통사찰보존법」에 의한 전통사찰의 경내지에 해당하지 아니하는 이상, 쟁점임야를 같은 법에서 규정하고 있는 전통사찰의 경내지에 해당한다고 보기는 어렵다 할 것이고, 쟁점임야가 취득당시와 같이 임야상태로 존치하고 있는 점, 이 건 임야 중 대웅전 부속토지는 별도지번으로 등록전환되고 석축으로 경계되어 쟁점임야와 명확히 구분되는 점을 종합하여 보면, 이 건 임야의 면적 33,058㎡의 일부분에 불과한 766㎡에 대웅전을 준공하였다하여 이 건 쟁점임야를 종교목적에 직접 사용되는 토지라고 보기는 어려움(조심 2009지0772, 2010.5.6.).

◎ 전통사찰보존지 내 토지를 유료로 임대한 경우 재산세 감면 불가

비록 형식적으로 경작자들과 사이에 고용계약을 체결하였으나 실질적으로는 경작자들에게 이 사건 각 토지를 임대하여 토지 사용에 대한 대가로서 쌀 내지 현금을 받고 있는 바, 이 사건 토지는 유료로 사용되고 있고, 불교의 의식, 승려의 수행 및 생활과 신도의 교화의 목적에 직접 사용되지 아니하고 있다고 보이며, 이와 같은 사용은 수익성이 있고 그 규모, 횟수, 태양 등에 비추어 사업활동으로 볼 수 있는 정도의 계속성과 반복성이 있다고 할 것이므로 수익사업에 해당한다고 하겠으므로 이 사건 토지는 지방세특례제한법 제50조 제5항 단서에 의해 재산세 면제 대상에 해당하지 아니한다고 할 것임(대법원 2017두42286, 2017.8.24.).

〈전통사찰의 보존 및 지원에 관한 법률〉

제2조(정의) 이 법에서 사용하는 용어의 뜻은 다음과 같다.

1. "전통사찰"이란 불교 신앙의 대상으로서의 형상(形象)을 봉안(奉安)하고 승려가 수행(修行)하며 신도를 교화하기 위한 시설 및 공간으로서 제4조에 따라 등록된 것을 말한다.
3. "전통사찰보존지"란 불교의 의식(儀式), 승려의 수행 및 생활과 신도의 교화를 위하여 사찰에 속하는 토지로서 다음 각 목의 토지를 말한다.
   가. 사찰 소유의 건조물[건물, 입목(立木), 죽(竹), 그 밖의 지상물(地上物)을 포함한다. 이하 같다]이 정착되어 있는 토지 및 이와 연결된 그 부속 토지 나. 참배로(參拜路)로 사용되는 토지 다. 불교의식 행사를 위하여 사용되는 토지[불공용(佛供用)·수도용(修道用) 토지를 포함한다] 라. 사찰 소유의 정원·산림·경작지 및 초지 마. 사찰의 존엄 또는 풍치(風致)의 보존을 위하여 사용되는 사찰 소유의 토지 바. 역사나 기록 등에 의하여 해당 사찰과 밀접한 연고가 있다고 인정되는 토지로서 그 사찰의 관리에 속하는 토지 사. 사찰 소유의 건조물과 가목부터 바목까지의 규정에 따른 토지의 재해방지를 위하여 사용되는 토지

5) 기타 목적사업에 직접 사용으로 볼 수 있는지 여부

◎ 용도변경 불허가처분에도 종교시설로 사용함은 임시적·불법적인 사용으로 감면제외

오히려 용도변경을 불허가할 공익상의 필요가 있고, 이는 그 불허가로 인하여 원고가 입게 되는 불이익을 정당화할 만큼 중대한 것이어서 피고의 용도변경 불허가처분이 적법하다고 볼 여지가 충분히 있는 점(대법원 2012두27367), 원고는 피고의 불허가처분에 대하여 행정심판이나 행정소송을 제기하여 그 취소를 청구하지도 않은 점 등에 비추어 보면, 원고가 이 사건 건물을 종교시설로 사용하는 것은 건물의 용도에 관한 법적 규제를 위반하여 사용하는 것으로서 언제든지 시정명령의 대상이 되는 임시적·불법적인 사용이라고 할 수밖에 없으므로, 결국 '종교를 목적으로 하는 사업에 직접 사용하는 부동산'에 해당한다고 할 수 없음(대법원 2015두58928, 2016.3.10.).

◎ 설계가 진행 중인 경우는 건축공사에 착수한 것으로 볼 수 없어 직접 사용으로 볼 수 없음

종교의식에 일시 사용되었다는 사정만으로는 이 사건 부동산이 원고의 수도자 양성사업 등 목적사업에 직접 사용되었다고 볼 수 없고, 종교의식에 상시 사용되었다는 점을 인정할 만한 증거는 없음. 나아가 종교용 건물의 설계가 진행 중이었다 하더라도 이를 종교단체가 해당 사업에 직접 사용하고 있었다고 볼 수 없음(대법원 2016두37676, 2016.6.23.).

◎ 간헐적 이용의 자연림은 종교용에 직접 사용으로 볼 수 없다고 한 사례

신도들의 수행을 위한 산책길로 이용하는 임도가 개설되어 있다고 하더라도 임도에 별도의 종교목적의 시설물이 설치되지 아니한 채 간헐적으로 이용되는 순수자연림 상태라면 종교용에 직접 사용되고 있다고 보기 어려움(지방세운영과-5281, 2011.11.17.).

◎ 일시적으로 한자교육 등의 실시장소는 종교용이 아니라고 한 사례

종교목적의 비영리사업자가 고유목적에 직접 사용하는 부동산이라 함은 예배·축전·종교교육·선교활동 등에 직접 사용되는 경우를 의미한다고 볼 수 있으므로, 당해 부동산의 경우 1, 2층은 임대용으로 제공하고 있고, 종교적 성격의 의식행위가 이루어지는 주사무소와 별개의 장소에 위치해 있으며, 여름에 일시적으로 인성교육·한자교육 등을 실시하고 있는 사항 등을 종합할 때, 종교 활동에 필수불가결한 중추적인 지위로는 볼 수 없으므로 비과세 대상 부동산이 아니라고 사료됨(지방세운영과-2433, 2010.6.11.).

◎ 비닐하우스 형태의 시설물의 경우 종교용으로 볼 수 없어 토지분 재산세 면제대상이 아님

현장조사 당시 이 사건 토지에는 비닐하우스 형태의 가건물이 설치되어 있었던 사실, 2009.9.22. 피고 현장조사 당시에는 비닐하우스가 창고용도로 사용되고 있었던 사실, 2010.8.27. 피고 현장조사 당시 간판에 적힌 전화번호는 존재하지 않는 것이었던 사실, 이 사건 토지는 개발제한구역으로서 교회 건축이 불가능한 사실을 인정할 수 있음 … 이 사건 토지는 2011년도 재산세 과세 기준일 무렵에도 교회 등으로 사용되지 않았던 사실이 추단됨. 원고 주장은 받아들이기 어려움(대법원 2013두22994, 2014.2.13.).

◎ 침대, 가구 등 살림살이를 갖추어 놓은 주거용 시설은 종교용으로 보기 어려움

다가구주택 중 쟁점 부동산인 ○○○호에 교회를 설립하고 예배 등에 사용하였다고 주장하고 있으나, 3인이 주민등록을 두고 있으며 부엌과 거실 등에 침대, 가구, 이불장 등 살림살이를 갖추어 놓은 것을 보면 이는 종교시설이 아니라 주택으로 보아야 할 것이므로 비록 청구인이 저녁시간에 쟁점 부동산을 예배장소로 사용하고 있다고 하더라도 쟁점 부동산의 용도는 종교시설이 아니라 주거시설이라 할 것이고 주거시설 이외의 시설을 예배장소 등으로 갖추지 못한 청구인을 종교의식·예배·종교교육·선교 등을 목적으로 하는 종교단체에 해당된다고 보기는 어려움(조심 2010지0664, 2010.12.29.).

◎ 종교단체가 종교용으로 취득하여 청구교회의 야외 예배장소, 각종 수련회, 월례회, 기도회 등의 장소로 사용하였다 하더라도 현실적으로 쟁점토지는 임야 및 잡종지에 불과하여 상시적으로 종교의식 등에 사용되는 종교용 부동산에 직접 사용한 것으로 볼 수 없어 취득세 등을 추징한 처분은 적법함(조심 2012지0460, 2012.9.28.).

◎ 청구인이 취득한 부동산을 다른 종교단체가 사용하고 있는 사실이 확인되고 있으므로 청구인이 종교용으로 직접 사용하지 아니한 것으로 보아 기 비과세한 취득세 등을 추징한 처분은 적법함(조심 2011지0921, 2012.4.30.).

◎ 종교용 건물의 일부를 어린이선교원으로 사용한 경우 종교단체가 목적사업에 직접 사용하는 것으로 보기 어려움(조심 2011지0771, 2011.12.27.).

◎ 이 건 쟁점임야 내에 석탑 1기를 설치하고 참선수행을 위한 명상로 및 등산로 주변에 운동시설과 쉼터 일부를 설치하여 시민들이 사용하고 있다고 하여 이를 종교목적에 직접 사용하는 것으로 보기는 어렵다 할 것임(조심 2009지0499, 2009.11.4.).

◎ 종교단체가 부동산을 취득한 후 도로로 사용하고 있더라도 국가 등과 귀속 또는 기부채납에 관한 약정을 한 사실을 발견할 수 없으므로 취득세를 부과한 처분은 정당함(조심 2008지0928, 2009.8.21.).

◎ 주차장이 교회로부터 437m 거리에 있고, 취득경위, 사용현황상 직접 사용으로 볼 수 없음

이 사건 토지는 원고의 교회로부터 직선거리로 약 437m 떨어져 있어 주차장법 시행령 제7조 ②, ○○시 주차장 조례 제15조에서 정한 부설주차장 설치기준(부설주차장은 시설물 부지의 경계선으로부터 부설주차장의 부지 경계선까지의 직선거리 200m 이내에 설치되어야 한다)에 부합되지 아니할 뿐만 아니라 원고가 이 사건 토지 및 건물을 취득할 당시 취득 목적은 주차장 설치가 아니라 교회당 설치인 점, 이 사건 토지 및 건물을 사실상 매수 당시의 상태 그대로 방치하면서 이 사건 토지 위에 새 건물이 건축되기 전까지 차량의 주차나 체육활동 등의 용도로 임시로 사용하고 있는 것에 불과하다고 보이는 점 등에 비추어 종교사업에 직접 사용하였다고 보기는 어려움(대법원 2016두37430, 2016.7.7.).

◎ 카페를 종교용 직접 사용으로 볼 수 없음

쟁점카페는 종교의식 및 예배 등의 종교목적이 아니라 유료로 커피 등을 판매하는 용도로 사용하는 매장인 점 등에 비추어 처분청이 쟁점카페에 대해 기 면제한 취득세 등을 추징한 처분은 잘못이 없음(조심 2017지938, 2017.11.15.).

◎ 교회 일부를 탁구장 등으로 무료로 사용하게 한 경우 재산세 감면

교회의 교육관 일부를 주중에 인근 주민들에게 방과 후 수업 및 탁구장 등으로 무료로 사용

하게 한 경우, 종교단체의 사업 목적에 직접 사용하였다고 볼 수 있음(서울고법 2015누51585, 2015.12.8.).

3. 2년 내 매각 · 증여하는 경우(취득세 해당)

◎ 종교용도에 계속 사용하더라도 사용 2년 이내에 법인격을 달리한 재단에 증여시 추징대상

구 지방세법(2005.12.31. 법률 제7843호로 개정된 것) 제107조 및 제127조 제1항의 용도구분에 의한 취득세, 등록세 비과세규정에서 '종교단체가 부동산을 그 사업에 직접 사용'한다고 함은 종교단체가 그 부동산의 소유자 또는 사실상 취득자의 지위에서 현실적으로 이를 종교단체의 업무 자체에 직접 사용하는 것을 의미한다고 봄이 타당하다. 앞서 본 인정사실 및 변론 전체의 취지를 종합하면, 원고와 소외 재단은 별도의 정관을 두고, 대표자, 이사회, 소재지도 달리하는 등 독립적인 법인임을 알 수 있고, 이를 앞서 본 법리에 비추어 살펴보면, 원고가 이 사건 부동산을 소외 재단에 증여하여 소유자로서의 지위를 상실한 이후에는 이 사건 부동산의 소유자 또는 사실상 취득자의 지위에서 원고의 해당 사업에 직접 사용하고 있다고 볼 수 없으므로, 원고가 이 사건 부동산을 그 사용일부터 2년 이내에 증여한 이상 이 사건 추징조항에서 정한 추징사유가 발생하였다고 봄이 타당하고, 소외 재단이 이 사건 면제조항에서 정한 취득세 면제대상 법인에 해당한다거나 이 사건 부동산이 소외 재단에 증여된 이후에도 종교집회장인 ○○교 추부교당의 용도로 사용되고 있다고 하여 달리 보기는 어렵다(대법원 2016두34707, 2016.6.10.).

◎ 취득당시 종교목적으로 감면받고 2년 이내 임대하여 추징대상이 되자, 사실상 취득신고 1년 전에 이미 취득한 사실이 입증되어 유예기간 2년 이상 사용하였기에 감면 대상

원계약서 작성 당시 바로 소유권이전등기를 경료할 수 없었던 사정, 원계약서 및 등기용 계약서상의 부동산 취득가액이 차이가 없는 점, 소유권이전등기 신청 당시 원래의 계약서와는 별도로 정형화된 형식의 등기용 계약서를 작성해 이를 등기신청서류로 제출하는 경우가 종종 있는 점, 원고가 장차 취득일로부터 2년 안에 이 사건 부동산을 다른 용도로 전용할 것을 미리 계획하고 있으면서도 취득세 등을 잠탈하고자 면제 신고를 한 것으로는 보이지 않는 점 등 부과처분이 위법(대법원 2015두54773 2016.1.28.)

◎ 종교단체가 2년 이상 공익사업의 용도에 직접 사용하였다면 그 후에 매각하거나 임대 등 다른 용도로 사용하더라도 추징사유에 해당하지 아니함

「지방세법」 제107조 단서 및 제127조 제1항 단서는 비영리사업자가 비과세된 부동산을 공익사업의 용도로 직접 사용하기 시작할 유예기간을 부여하되 유예기간 동안에 수익사업에 사용하는 경우와 그 유예기간 이후에도 정당한 사유 없이 공익사업에 사용을 시작하지 않는

경우 또는 그 사용일부터 일정한 기간 동안 공익사업에 사용하지 않은 경우 등에는 취득세·등록세를 부과하고, 일정한 기간 동안 공익사업의 용도로 사용하면 그 후부터는 취득세·등록세를 부과하지 않겠다는 내용을 규정한 것으로 보는 것이 입법취지나 목적에 부합하는 해석이라고 할 것임(대법원 2012두26678, 2013.3.28.).

◎ 개별종교단체가 소속재단에 증여시 취득세 추징 관련 법령해석 적용

종교단체가 유예기간 내 소속재단에 증여시 추징대상 여부에 대한 질의회신(지방세운영과-2655, 2013.10.18.)을 질의 당사자인 대전광역시에만 회신하지 않고, 전국 각 특별·광역시장, 도지사에게 보낸 이유는 개정된 법령에 따른 해석으로 감면 적용의 혼선을 방지하고 잘못 적용되는 사례가 없도록 전 자치단체에 전파한 것이므로 종교단체가 유예기간 내 소속재단에 증여시 추징대상 여부에 대한 질의회신(지방세운영과-2655, 2013.10.18.)은 지방세특례제한법(2011.12.31. 법률 제11138호로 일부개정된 것) 개정 규정에 대한 해석으로 개정 법률 시행일인 2012.1.1. 이후 최초로 납세의무가 성립되는 분부터 적용되는 것임(지방세운영과-3350, 2013.12.13.).

☞ 부동산을 취득하여 종교용도로 직접 사용한 기간이 2년 미만인 상태에서 소속된 종교유지재단에 증여하여 계속 종교단체가 사용하는 경우 지방세특례제한법 제50조 제1항에 따라 취득세 감면세액의 추징대상에 해당됨(지방세운영과-2655, 2013.10.18. 해석요약).

◎ 종교단체가 부동산 취득 후 교리에 따라 유지재단에 소유권등기이전하였으나 실질적인 소유권은 보유하면서 해당 사업에 계속하는 경우 추징대상 "증여"에 해당하지 아니함

지방세법 제6조에서 무상취득에 해당하는 '증여'는 신탁자가 소유권을 보유하여 이를 관리 수익하면서 공부상의 소유명의만을 수탁자로 하여 두는 것을 일컫는 명의신탁과는 구별되므로, 지특법 제50조 ① 제3호의 추징대상 '증여'의 경우 명의신탁이 포함된다고 보기 어려움. 지교회의 부동산은 유지재단으로 편입·보전이 강제되어있는 바, 교단의 정통성 유지, 가입교회들과의 일체성 확보, 교회분열 방지목적으로 보이고, 등기명의의 변경만을 요구하고 소유권 자체의 양도까지 규정하고 있지는 않은 점, 유지재단 재산으로 편입하였으나 부동산 사용·수익에 아무런 제한을 두지 않아 종전대로 종교시설로 사용해온 점 등을 고려할 때 명의신탁에 해당하고 실질적 소유권은 개별 가입교회들에게 있다(대법원 2010두10501, 2010.10.14.)할 것임(감심 2015-242, 2015.6.25.).

☞ 위 행자부 유권해석과 비교하여 검토해 볼 것

◎ 종교목적으로 계속 사용함으로써 매매계약 해지 후에도 실질소유자로서 지위를 여전히 보유한다면 "직접 사용하지 아니하고 매각"에 해당하지 않으므로 비과세함이 적법(대법원 2009두8144, 2009.8.27.)

◎ 직접 사용기간이 2년 미만이라면 법원 판결로 소유권이 말소 · 이전된 경우도 추징대상

추징대상인 '매각 · 증여'라 함은 유상 · 무상을 불문하고 취득자가 아닌 타인에게 소유권이 이전되는 모든 경우를 의미하는 것이며 … 증여를 통해 적법하게 취득하여 감면을 받은 경우라면 판결에 의하여 가처분에 의한 실효를 원인으로 소유권이 말소되었다 하더라도, 이미 성립된 조세채권에는 아무런 영향을 줄 수 없다 할 것이므로 소유권이 이전된 경우라면 추징대상이라 판단됨(지방세특례제도과-2468, 2016.9.9.).

◎ 직접 사용기간이 2년 미만인 상태에서 같은 종교단체에 증여한 경우에도 추징대상

'직접 사용'이란 당해 부동산을 취득한 소유자가 직접 해당 부동산을 그 사업 또는 업무의 목적이나 용도에 맞게 사용하는 것을 가리키는 것으로 보아야 하고, 이는 지특법이 2014.1.1. 개정되면서 그 제2조 제1항 제8호에서 그와 같은 취지의 확인적 규정을 두고 있는 것에서도 알 수 있음. 이 사건에서 원고는 이 사건 부동산을 2012.5.9. 취득한 후 2013.6.28. 대○불○조○선○ 보○사에 증여한 이상, '직접 사용한 기간이 2년 미만인 상태에서 증여'한 경우에 해당하고, 수증자가 종교단체로서 그 목적에 사용한다고 하여 달리 볼 수 없음(대법원 2017두72423, 2018.3.15.).

4. 정당한 사유에 해당하는지 여부(취득세 해당)

1) 착공(건축중)과 정당한 사유

토지를 취득 후 3년 이내에 정당한 사유없이 사용하지 아니하는 경우 취득세를 추징하게 되는데, 이 경우 종교용 건축물을 건축중에 있는 경우에는 해당 토지를 사용하지 못한데 대한 정당한 사유로 볼 수 있다. 그런데 토지취득 후 3년이 지나도록 착공에도 건축중(착공)에 이르지 아니한 경우라면 해당 토지를 정당한 사유없이 사용하지 아니한 것으로 보아 취득세를 추징하게 된다. 한편 재산세의 경우 직접 사용의 범위에 건축중을 포함하고 있으므로 착공에 이르지 아니한 경우라면 재산세가 과세된다.

◎ 유예기간 내 고유업무에 직접 사용하지 못한데 정당한 사유가 있다는 사례

이 사건 합의의 내용상 원고가 ○○사를 위하여 완충지대를 설정하거나 공원을 설립해 주어야 할 의무가 교회 건물 착공보다 반드시 선이행되어야 하는 것이라고 보기는 어려움에도 불구하고 피고는 원고에게 착공에 앞서 이를 선이행할 것을 요구하였고, 이러한 사정이 원고가 제 때 착공을 하지 못하게 된 원인 중 하나가 된 것으로 보이는 점까지 더하여 본다면, 원심의 판단은 앞서 본 법리와 기록에 비추어 정당한 것으로 수긍할 수 있고, 거기에 상고이유로 주장하는 위 '정당한 사유'에 관한 법리오해 등의 위법이 있다 할 수 없음(대법원 2012두20311, 2013.9.12.).

- 종교법인이 소유한 토지에 건축공사가 6개월 이상 중단된 사실이 확인되고 있을 뿐만 아니라, 공사 중단에 따른 정당한 사유를 인정할 만한 증빙이 달리 확인되지 아니하므로(시공사 교체 등의 사유는 정당한 사유로 보기는 어려움) 쟁점토지를 종합합산과세대상으로 구분하여 재산세를 부과고지한 것은 적법함(조심 2012지0497, 2012.9.13.).
- 청구인은 이러한 인근 사찰의 반대로 인하여 건축허가를 받은 후 비과세 유예기간인 3년이 지난 이 건 부과고지일까지도 종교용 건축물의 착공조차 못하고 있는 점 등을 종합하여 볼 때, 청구인이 이 사건 토지를 유예기간 내에 종교사업에 사용하지 못한 "정당한 사유"가 있는 것으로 보기는 어려움(조심 2010지0896, 2011.8.11.).
- 종교단체가 고유업무에 사용하고자 토지를 증여 취득하였으나 취득 이전부터 존재하고 있던 관계법령에 의한 건축행위제한으로 인해 유예기간을 경과한 경우 정당한 사유가 있는 것으로 볼 수 없음(조심 2008지1091, 2009.3.30.).
- 지역주민의 반대 등은 법령에 의한 금지·제한 등 청구인이 마음대로 할 수 없는 외부적 사유이거나 행정관청에 귀책사유가 있는 것으로 보기도 어려운 점 등을 종합하여 볼 때 청구인이 이 건 토지를 유예기간 내에 종교사업에 사용하지 못한 "정당한 사유"가 있는 것으로 보기는 어렵다 할 것임(조심 2009지0470, 2009.12.1.).
- **처분청의 도시계획도로 미비로 건축이 지체되었다는 주장은 정당한 사유로 볼 수 없음**

  도시계획도로가 개설되지 않으면 진입로가 없어서 사실상 건축물을 신축할 수 없다는 사실을 알고 있는 상태에서 이 건 토지를 취득하였고, 이 건 토지 취득일부터 심판청구일 현재까지 건축허가를 신청한 사실이 없는 점 , 비록 처분청이 이 건 토지 인근에 개설하고자 한 도시계획도로의 착공이 당초 예상보다 지연되고 있다고 하더라도 청구인의 경우 토지 취득 후 유예기간 내에 종교용 건축물을 신축하기 위한 정상적인 노력을 다하지 않은 이상, 처분청의 도시계획도로의 개설 미비가 이 건 토지를 종교용도로 직접 사용하지 못한 정당한 사유에 해당되지 아니함(조심 2011지0710, 2011.12.19.).
- 종교단체가 교회신축을 위하여 취득한 토지가 처분청의 도로개설 계획에 의한 공공용지로 편입됨으로써 잔여 토지가 맹지가 된 경우 토지취득일로부터 3년 이내에 종교용에 직접 사용하지 못한 정당한 사유가 있는 것으로 봄(조심 2009지0600, 2010.2.12.).

2) 임대차계약 승계와 정당한 사유

- **교회가 직접 임대차계약을 체결할 수 있음에도 전 소유자 명의로 임대계약을 체결한 경우 당해 부동산을 수익사업에 사용한 것으로 볼 수 있음**

  매매예약서가 작성될 당시에는 아직 원고 명의로 직접 등기를 마치기 위한 준비작업이 완료되지 않은 관계로 일단 원고 대표 명의로 매매예약서를 작성한 것이나, 위 매매예약과 동시에 쟁점 부동산에 관한 임대차계약 체결 권한은 이미 원고 측으로 이전되었고, 나아가 2007.12.경부터는 원고가 사단법인 ○○의 회원단체로 인정받고, 고유번호를 부여받는 등 비법인사단으로서의 실체를 갖춰 직접 임대차계약을 체결하거나 부동산등기용 등록번호를 부여받을 수 있는 상태에 있었음에도, 비과세 혜택 등을 유지할 목적으로 전 소유자인 ○○○명의로 임대차계약서를 작성하고 원고 대표의 확인인만을 날인해 두었을 뿐, 실제 ○○○와 사이에 임대차계약을 체결한 것은 원고라고 봄이 상당함. 따라서 쟁점 부동산을 수익사업에 사용하였으므로, 3년의 유예기간을 기다릴 필요 없이 바로 취득세 부과대상임(대법원 2013두2693, 2013.3.15.).

- 종교단체가 기존의 임차인이 있는 부동산을 취득한 후 임차기간 만료시점에서 임차인이 명도거부로 인하여 임차기간 만료 이후까지 임대하면서 임대료를 받고 있는 경우 수익사업에 사용하고 있는 부동산으로 보아 취득세 등을 부과한 처분은 적법함(조심 2010지0541, 2011.2.18.).

3) 사용하지 못한 정당한 사유

- 종교단체가 환지예정지를 취득할 때 충분히 예견할 수 있었던 개발사업지연 등의 사유는 특별한 사정이 없는 한 취득한 환지예정지를 유예기간 3년이 경과할 때까지 해당 용도로 직접 사용하지 못한 정당한 사유로 볼 수 없음(지방세특례제도과-794, 2020.4.8.).
- 종교용으로 직접 사용하기 위하여 취득한 부동산을 담임목사의 친모 및 장모의 질병요양 등으로 유예기간 내 미사용시 그 사유는 "정당한 사유"에 해당하지 않으므로 취득세 등을 과세하는 것이 타당함(조심 2010지0684, 2010.11.11.).
- 종교단체가 근저당권설정등기가 되어 있는 부동산을 증여 취득한 후 종교용에 사용하였으나 증여인이 채무를 변제하지 못하여 부동산이 매각된 경우 정당한 사유가 있는 것으로 볼 수 없음(조심 2009지0015, 2009.5.11.).
- 종교법인이 개발제한구역으로 지정되어 건축·형질변경 행위가 금지된다는 사실을 알고도 취득한 부동산을 종교용에 직접 사용하지 못한 경우 개발제한구역으로 지정이라는 법령상 제한은 목적사업에 직접 사용하지 못한 데에 정당한 사유가 될 수 없어 비과세대상이 아니라고 보아 과세한 처분은 적법함(대법원 2009두553, 2009.3.12.).
- 비영리사업자가 용도에 직접 사용한다는 의미는 토지 내에 종교목적의 시설물이 설치되고 종교목적에 상시 공여되는 상태를 의미하나 나대지인 토지에 방문하여 예배·포교 등을 하였다하여 종교목적에 직접 사용으로 보기는 어렵고 정당한 사유가 있다 보기도 어려우므로 가산세 등을 가산하여 고지한 처분은 적법함(조심 2010지0743, 2010.12.29.).

5. 기타 사례

◎ 종교용 토지에 대한 매매계약 체결 이후 고속도로 건설공사 도로구역 결정고시에 따라 쟁점토지가 강제 수용되어 종교용지로 사용할 수 없게 된 경우 쟁점토지에 대한 취득세 등의 부과처분은 부당함(조심 2010지0214, 2011.2.8.).

◎ 개발지구 지정 등 사실상의 사용제한을 알 수 있었던 상황에서 종교단체가 증여취득한 후 협의수용된 경우 비과세한 취득세를 추징한 처분은 정당함(조심 2008지1005, 2009.6.30.).

◎ 종교단체 소유의 부동산이 재산세 과세기준일 현재 주택재개발사업으로 건축물이 철거된 경우 재산세를 부과한 처분은 정당함(조심 2009지0088, 2009.5.25.).

◎ 종교단체가 종교용으로 사용할 목적으로 취득한 부동산을 종교용에 사용하지 않다가 청구법인과 법인격이나 목적사업을 달리하고 있는 사회복지재단에 처분(증여)한 경우 기 비과세한 취득세 등을 추징한 처분이 정당함(조심 2011지0216, 2012.6.8.).

◎ 종교시설이 도시개발사업지구에 편입 · 보상완료되어 재산세 과세기준일(2011.6.1.) 현재 퇴거 및 건물의 멸실신고가 된 경우, 종교목적사업에 직접 사용하는 부동산에 대한 재산세(토지분) 면제대상에 해당되지 않음(조심 2012지0042, 2012.3.8.).

6. 제사에 직접 사용하는 부동산

◎ 「지방세특례제한법」 제50조 제2항의 「제사에 직접 사용하는 부동산」이라 함은 제사에 사용하는 제실 등의 시설이 위치한 부지로서 현실적으로 제사에 직접 사용되고 있는 부동산을 말하며 분묘토지 및 금양림이나 위토로 사용하는 사유만으로는 제사에 직접 사용하는 부동산이라고 볼 수 없다(예규 지특법 50-3).

◎ "종중"은 취득세 감면대상 '종교 및 제사를 목적으로 하는 단체'에 해당되지 아니함

"종중"이라 함은 선조 분묘에 대한 관장, 친목과 상부상조, 종중후생 및 장학사업 등을 목적으로 하는 단체로 정의하고 있는 판례(대법원 90누7487, 1991.2.22.) 등에 비추어 볼 때, 종중소유의 제실 등이 제사목적에 일부 사용된다고 하더라도, 선조의 분묘 수호와 봉제사 및 후손상호간의 친목도모를 목적으로 하는 '종중'은 취득세 감면대상인 '종교 및 제사를 목적으로 하는 단체'에 해당되지 아니함(지방세운영과-2887, 2013.11.12.).

◎ 종중은 비영리공익사업자로 볼 수 없음

선조 분묘에 대한 관장, 친목과 상부상조, 종중후생 및 장학사업 등을 목적으로 하는 종중은 「지방세법」 제107조 제1항 제1호의 종교 및 제사를 목적으로 하는 비영리공익사업자로 볼 수 없다할 것이므로 ○○○의 회칙, ○○○의 이용실태 및 건물용도, ○○○에 대한 소유권

행사 및 관리주체 등을 종합적으로 검토하면 청구인이 서원을 가지고 있는 종중이라 할지라도 청구인을 종교 및 제사를 목적으로 하는 비영리공익사업자로 볼 수 없어 이 건 쟁점토지에 대한 재산세 등의 부과처분은 적법함(조심 2009지1136, 2010.10.8.).

◎ 종중은 감면대상 '제사를 목적으로 하는 단체'에 해당되지 않음

종중이 봉행하는 공동선조의 제사는 조상숭배의 사상에 바탕을 둔 우리의 특유한 관습으로서 보존가치가 있는 전통문화이기는 하지만 주된 기능과 역할이 특정한 범위의 후손들을 위한 것에 그치는 점, 종중은 공동선조의 제사뿐만 아니라 공동선조의 분묘수호와 종중 재산의 보존·관리, 종원 상호간 친목 등 다양한 목적을 위하여 구성되는 자연발생적인 종족집단이므로 제사만을 목적으로 한다고 보기도 어려운 점 등을 종합하면, 종중은 그 목적과 본질에 비추어 일부 제사 시설을 보유하고 선조의 제사를 봉행하더라도 '제사를 목적으로 하는 단체'에 포함되지 아니함(대법원 2015두40958, 2016.2.18.).

☞ 이 사건 감면조항은 특정인이나 특정집단이 아닌 불특정 다수인의 이익을 위하여 다중의 보편적 문화를 지원하는 차원에서 지방세 감면혜택을 부여하는 데에 그 취지가 있는 점, 이 사건 감면조항의 내용이나 체계에 비추어 볼 때 해당 규정의 제사는 불특정 다수인에게 개방된 종교와 유사한 사회적 기능과 역할을 수행하고 그 단체는 그러한 성격의 제사를 주된 목적으로 할 것을 전제한다고 보아야 함.

제51조(신문·통신사업 등에 대한 감면)

법 제51조(신문·통신사업 등에 대한 감면) 「신문 등의 진흥에 관한 법률」을 적용받는 신문·통신 사업을 수행하는 사업소에 대해서는 주민세 사업소분(「지방세법」 제81조 제1항 제2호에 따라 부과되는 세액으로 한정한다) 및 종업원분의 100분의 50을 각각 2021년 12월 31일까지 경감한다.

언론의 자유 신장과 민주적인 여론형성에 기여함을 목적으로 하는 신문사업자 및 뉴스통신사업자에 대한 세제지원을 규정하고 있다. 신문·통신 사업을 수행하는 사업소에 대해서는 주민세 사업소분(「지방세법」 §81 ① 2) 및 종업원분을 50% 감면한다.

제52조(문화·예술 지원을 위한 과세특례)

법 제52조(문화·예술 지원을 위한 과세특례) ① 대통령령으로 정하는 문화예술단체가 문화예술사업에 직접 사용하기 위하여 취득하는 부동산에 대해서는 취득세를, 과세기준일 현재 문화예술사업에 직접 사용하는 부동산에 대해서는 재산세를 각각 2021년 12월 31일까지 면제한다. 농비

② 대통령령으로 정하는 체육단체가 체육진흥사업에 직접 사용하기 위하여 취득하는 부동산에 대해서는 취득세를, 과세기준일 현재 체육진흥사업에 직접 사용하는 부동산에 대해서는 재산세를 각각 2021년 12월 31일까지 면제한다. 농비

③ 제1항 및 제2항에 따라 취득세를 면제받은 후 다음 각 호의 어느 하나에 해당하는 경우 그 해당 부분에 대해서는 면제된 취득세를 추징한다.

1. 정당한 사유 없이 그 취득일부터 1년이 경과할 때까지 해당 용도로 직접 사용하지 아니하는 경우 2. 해당 용도로 직접 사용한 기간이 2년 미만인 상태에서 매각·증여하거나 다른 용도로 사용하는 경우 3. 취득일부터 3년 이내에 관계 법령에 따라 설립허가가 취소되는 등 대통령령으로 정하는 사유에 해당하는 경우

영 제26조(문화예술단체 및 체육단체의 정의 등) ① 법 제52조 제1항에서 "대통령령으로 정하는 문화예술단체"란 「문화예술진흥법」 제2조 제1항 제1호에 따른 문화예술의 창작·진흥활동 등을 목적으로 하는 법인 또는 단체로서 다음 각 호의 어느 하나에 해당하는 법인 또는 단체를 말한다. 다만, 해당 법인 또는 단체가 「공공기관의 운영에 관한 법률」 제4조에 따른 공공기관인 경우에는 행정안전부장관이 정하여 고시하는 법인 또는 단체로 한정한다.

1. 「공익법인의 설립·운영에 관한 법률」 제4조에 따라 설립된 공익법인 2. 「민법」 제32조에 따라 설립된 비영리법인 3. 「민법」 및 「상법」 외의 법령에 따라 설립된 법인 4. 「비영리민간단체 지원법」 제4조에 따라 등록된 비영리민간단체

② 법 제52조 제2항에서 "대통령령으로 정하는 체육단체"란 「국민체육진흥법」 제2조 제1호에 따른 체육에 관한 활동이나 사업을 목적으로 하는 법인 또는 단체로서 제1항 각 호의 어느 하나에 해당하는 법인 또는 단체를 말한다. 다만, 해당 법인 또는 단체가 「공공기관의 운영에 관한 법률」 제4조에 따른 공공기관인 경우에는 행정안전부장관이 정하여 고시하는 법인 또는 단체로 한정한다.

③ 법 제52조 제3항 제3호에서 "관계 법령에 따라 설립허가가 취소되는 등 대통령령으로 정하는 사유"란 다음 각 호의 어느 하나에 해당하는 경우를 말한다.

1. 「공익법인의 설립·운영에 관한 법률」 제16조에 따라 공익법인의 설립허가가 취소된 경우
2. 「민법」 제38조에 따라 비영리법인의 설립허가가 취소된 경우
3. 「비영리민간단체 지원법」 제4조의 2에 따라 비영리민간단체의 등록이 말소된 경우

문화예술 창작·진흥 활동 및 체육 사업 활성화를 위해 문화예술단체 및 체육단체에 대한 세제 지원을 규정하고 있다. 문화예술단체 등을 판단함에 있어 법인의 정관상 목적사업·예산 및 사업실적 등을 고려하여 개별적으로 판단하여야 하고, 문화예술사업이 부수

또는 지원업무가 아닌 주된 사업이어야 하며, 주된 사업의 판단은 당해 법인의 정관상 목적사업과 관련하여 사업실적 및 예산의 사용용도 등에 있어 그 비율이 높은 사업을 주된 사업으로 판단하여야 한다. 2019년까지는 도서관법에 따라 설립된 도서관에 대한 감면을 제2항으로 규정하고 있었으나 다른 조문에서 감면이 가능하였던 점을 고려하여, 2020년부터는 도서관을 동 감면규정에서 삭제하면서 체육단체에 대한 감면을 제1항에서 분리하여 규정하였으며, 재산세 도시지역분 및 지역자원시설세는 목적세적 재원 세목의 감면 최소화 원칙에 따라 감면 종료하였다. 한편, 도서관 중 국·공립도서관은 국가 등 비과세(「지방세법」 §9), 사립학교·대학 도서관은 학교 등에 대한 감면(「지특법」 §41), 사립공공·전문도서관의 경우 박물관 등에 대한 감면(「지특법」 §44의 2, 2020년부터 최소납부제 적용)으로 100% 감면적용이 가능하니 참고하기 바란다.

문화예술단체가 문화예술사업에 직접 사용하기 위해 취득하는 부동산에 대해서는 취득세를, 과세기준일 현재 문화예술사업에 직접 사용하는 부동산에 대해서는 재산세를 면제한다(법 ①). 문화예술사업이란 문학, 미술(응용미술 포함), 음악, 무용, 연극, 영화 등을 말한다.

체육단체가 체육진흥사업에 직접 사용하기 위해 취득하는 부동산에 대해서 제1항과 동일하게 취득세와 재산세를 면제(법 ②)하는데, 여기서 체육이란 체육진흥법에서 운동경기·야외 운동 등 신체 활동을 통하여 건전한 신체와 정신을 기르고 여가를 선용하는 것으로 규정하고 있다.

2017년에는 공공기관 감면정비(25~100%→25%) 기조와의 형평성을 고려하여 감면대상 문화예술단체와 체육단체에서 공공기관을 제외하도록 하였고(영 ①, ②), 다만 그 시행은 2017.12.31.까지 1년간 유예하였다(부칙 §1).

정당한 사유없이 취득일부터 1년 이내 직접 미사용시, 직접 사용한 기간이 2년 미만인 상태에서 매각·증여 또는 타용도 사용시, 취득일부터 3년 이내에 설립허가가 취소되거나 말소되는 경우에는 감면받은 취득세를 추징한다(법 ③). 2016년까지는 수익사업에 사용하는 경우에는 면제된 지방세를 추징하도록 규정되어 있었으나, 추징 유예기간이 명시되어 있지 않아 언제든 추징이 가능하다는 해석 등 혼선이 있어, 2017년부터 취득한 날부터 5년 이내 수익사업에 사용하는 경우에만 추징하도록 개선하였다.

한편, 2020년부터는 문화예술단체, 체육단체의 고유업무 직접 사용 부동산에 대한 면제 적용대상자 및 범위 등을 명확히 재정비하였다.

먼저, 종전 규정의 불명확한 면제 범위에 대해, 비영리민간단체의 공익적 활동 지원이라는 입법취지를 반영하여 법정 개념으로 명확히 하였다.

구분	개정 전	개정 후
면제 대상자	정부로부터 허가 또는 인가를 받거나 「민법」 외의 법률에 따라 설립되거나 그 적용을 받는 문화예술단체 · 체육진흥단체	다음 어느 하나에 해당하는 문화예술 · 체육단체 • 공익법인, 민법상 비영리법인 • 민법 및 상법 외의 법령에 따른 법인 • 비영리단체법상 등록 비영리민간단체
면제 부동산	고유업무에 직접 사용	문화예술 · 체육진흥사업에 직접 사용

다음으로 2019년까지는 별도의 추징규정이 없어 일반적 추징규정(§178)을 적용하였으나, 설립허가 취소 등을 사유로 하는 내용을 담아 개별 추징규정을 신설하였다.

구분	개정 전	개정 후
문화예술단체	법 제178조 적용대상 • 정당한 사유 없이 취득일부터 1년 경과할 때까지 미사용	법 제52조 제3항 신설 • 좌동 +
체육단체	• 해당 용도로 직접 사용한 기간이 2년 미만인 상태로 매각 · 증여 · 타용도	• 취득일부터 3년 이내에 관계 법령에 따라 설립허가가 취소, 등록 말소 등

면제 대상 단체 또는 사업의 판단

관련 법령에서 정한 요건과 실질적 사업의 수행 내용을 기준으로 개별적으로 판단하는 것이 원칙이다. 면제대상인 '문화예술단체' 및 '체육단체'의 일반적인 판단 기준은 다음과 같다. 공익법인의 설립 · 운영에 관한 법률에 따라 설립된 공익법인, 민법에 따라 설립된 비영리법인, 민법 및 상법 외의 법령에 따라 설립된 법인, 비영리민간단체 지원법에 따라 등록된 비영리민간단체 중 어느 하나에 해당하는 법인 또는 단체라야 하고, '문화예술의 창작 · 진흥'(문화예술진흥법 제2조 1호) 및 '체육에 관한 사업 · 활동(국민체육진흥법 제2조 1호)'을 주된 목적으로 하여야 한다.

그리고 법령 · 법인등기 · 정관 · 설립허가사항 등에 따른 사업의 목적이 문화예술 및 체육과 관련이 높고, 예산집행, 회계결산서, 사업실적 등을 통해 확인되는 실질적 수행 사업이 문화예술 · 체육 관련 사업이어야 한다. 문화예술 또는 체육 · 사업이 다른 사업의 부대사업인 경우 해당 단체는 면제대상 단체로 보지 아니한다.

◎ 문화예술단체는 문화예술사업을 주된 사업으로 하여야 함

문화예술단체 등을 판단함에 있어 법인의 정관상 목적사업, 예산 및 사업실적 등을 고려하여 개별적으로 판단하여야 할 것이고, 문화예술사업이 당해 법인의 사업 중 부수 또는 지원업무가 아닌 주된 사업이어야 하는 것이므로, 세중문화재단이 우리의 민속 문화를 발굴, 수집, 전시하고 열악한 환경 속에서 활동하고 있는 작가들을 지원하여 민속예술을 발현, 승화시키는 것을 주된 사업으로 운영하는 법인이라면 문화예술단체의 요건을 갖추었다고 볼 수 있음(지방세정팀-5831, 2006.11.23.).

◎ 문화예술단체의 주된 사업 판단 기준

한국조각문화의 진흥, 발전에 기여할 목적으로 문화관광부장관의 허가를 받아 설립된 ○○○ 기념사업회가 법인의 정관상 목적사업인 조각상의 제정 및 시상, 조각전문지 출간, 조각작품의 국제교류지원 및 전용전시장의 설치 및 운영을 주된 사업으로 운영하는 경우라면 이는 문화예술단체에 해당된다고 할 수 있음(지방세정팀-4647, 2006.9.26.).

◎ 수탁자는 문화예술단체인에 해당되나 위탁자는 감면대상에 해당되지 않음

신탁등기가 병행되지 않고, 위탁자로부터 수탁자에게 재산의 소유권이 이전된 것이 아니라 수탁자 명의로 사용승인을 받고 소유권보존등기를 마친 경우에는 수탁자가 이를 원시취득한 것으로 봄이 타당하므로, 이 건 건축물의 사용승인 당시 그 취득자는 청구법인이지 ○○○이라고 할 수는 없고, 그렇다면 청구법인에게는 그 사용승인일에 건축물 신축 취득에 따른 취득세 납세의무가 성립되었다고 봄이 타당함. 이 건 건축물에 대한 사용승인 당시 원시취득자는 청구법인이지 문화예술단체인 ○○○이라고 볼 수 없으므로, 취득 이후 쟁점건축물을 ○○○이 직접 사용한다고 하여 위 규정에 의한 취득세 등의 면제대상이라고 인정할 수는 없다할 것임(조심 2012지600, 2012.11.13.).

◎ 비영리법인의 목적사업에 직접 사용하지 못한 정당한 사유에 해당하지 않음

원고는 비영리법인으로 안○○ 기념 ○○도서관 건립 및 운영 사업을 목적으로 하고 있음. 이 사건 도서관의 건축 부지 용도로 11.11. 이○○로부터 이 사건 토지를 증여받음. 문화예술단체가 고유업무에 직접 사용하기 위하여 취득하는 부동산(지특법 §52 ①)으로 취득세와 재산세 면제받음. (판단) 토지 취득일부터 2년 8개월이 지나서 건축허가 신청을 하였고, 그로부터 다시 2년 4개월이 지나 과세예고통지를 받고 난 후인 '17.1.에야 착공신고, 나아가 토지 취득일부터 7년이 지난 현재까지도 미완공상태임. 이 사건 도서관 건축사업을 진행하는 과정에서 건축가가 교체되고 여러 차례 설계가 변경되었으며, 시공사 선정 등에 어려움을 겪었다고 하더라도, 이는 모두 건축비용의 부족으로 인한 것으로 보이고, 그 밖에 이 사건 도서관 건축사업이 지연될 만한 특별한 사유는 찾기 어려움(대법원 2019두55910, 2020.1.30.).

제53조(사회단체 등에 대한 감면)

법 제53조(사회단체 등에 대한 감면) 「문화유산과 자연환경자산에 관한 국민신탁법」에 따른 국민신탁법인이 그 고유업무에 직접 사용하기 위하여 취득하는 부동산(임대용 부동산은 제외한다. 이하 이 조에서 같다)에 대해서는 취득세를, 과세기준일 현재 그 고유업무에 직접 사용하는 부동산에 대해서는 재산세(「지방세법」 제112조에 따른 부과액을 포함한다) 및 「지방세법」 제146조 제3항에 따른 지역자원시설세를 각각 2021년 12월 31일까지 면제한다. 농비

문화유산과 자연환경자산을 취득하고 보전·관리하기 위하여 설립된 국민신탁법인에 대한 세제지원으로 민간의 자발적인 보전·관리 활동을 촉진하기 위한 취지이다.

국민신탁법인이 고유업무에 직접 사용 목적 취득 부동산(임대용 제외)에 대한 취득세 및 과세기준일 현재 고유업무에 직접 사용하는 부동산에 대한 재산세(도시지역분 및 지역자원시설세 포함)를 면제하는데, 2019년부터 최소납부세제는 적용된다.

〈문화유산과 자연환경자산에 대한 국민신탁법〉

제2조(정의) 이 법에서 사용하는 용어의 정의는 다음과 같다.

1. "국민신탁"이라 함은 제3조의 규정에 따른 국민신탁법인이 국민·기업·단체 등으로부터 기부·증여를 받거나 위탁받은 재산 및 회비 등을 활용하여 보전가치가 있는 문화유산과 자연환경자산을 취득하고 이를 보전·관리함으로써 현세대는 물론 미래세대의 삶의 질을 높이기 위하여 민간차원에서 자발적으로 추진하는 보전 및 관리 행위를 말한다.

제54조(관광단지 등에 대한 과세특례)

법 제54조(관광단지 등에 대한 과세특례) ① 「관광진흥법」 제55조 제1항에 따른 관광단지개발 사업시행자가 관광단지개발사업을 시행하기 위하여 취득하는 부동산에 대해서는 취득세의 100분의 25를 2022년 12월 31일까지 경감하며, 해당 지역의 관광단지 조성 여건, 재정 여건 등을 고려하여 100분의 25의 범위에서 조례로 정하는 율을 추가로 경감할 수 있다.

② 「관광진흥법」에 따른 호텔업을 경영하는 자가 외국인투숙객 비율 등 대통령령으로 정하는 기준에 해당되는 경우에는 과세기준일 현재 「관광진흥법」 제3조 제1항 제2호 가목에 따른 호텔업에 직접 사용하는 토지(「지방세법」 제106조 제1항 제2호가 적용되는 경우로 한정한다) 및 건축물에

대해서는 2014년 12월 31일까지 재산세의 100분의 50(「관광진흥법」 제19조에 따른 관광숙박업의 등급이 특1등급 및 특2등급인 경우에는 100분의 25)을 경감한다.

③ 「관광진흥법」 제3조 제1항 제2호 가목에 따른 호텔업을 하기 위하여 취득하는 부동산에 대해서는 2014년 12월 31일까지 취득세를 과세할 때에는 제4조 제2항 제1호에도 불구하고 지방자치단체의 조례로 표준세율을 적용하도록 규정하는 경우에 한정하여 「지방세법」 제13조 제1항부터 제4항까지의 세율을 적용하지 아니하며, 법인등기(설립 후 5년 이내에 자본 또는 출자액을 증가하는 경우를 포함한다)에 대하여 2014년 12월 31일까지 등록면허세를 과세할 때에는 제4조 제2항 제1호에도 불구하고 지방자치단체의 조례로 표준세율을 적용하도록 규정하는 경우에 한정하여 「지방세법」 제28조 제2항 및 제3항의 세율을 적용하지 아니한다. 다만, 다음 각 호의 어느 하나에 해당하는 경우 그 해당 부분에 대해서는 경감된 취득세를 추징한다.

1. 정당한 사유 없이 그 취득일부터 3년이 경과할 때까지 해당 용도로 직접 사용하지 아니하는 경우 2. 해당 용도로 직접 사용한 기간이 2년 미만인 상태에서 매각·증여하거나 다른 용도로 사용하는 경우

④ 삭제 〈2014.1.1.〉

⑤ 다음 각 호의 재단, 기업 및 사업시행자가 그 고유업무에 직접 사용하기 위하여 취득하는 부동산에 대해서는 취득세를, 과세기준일 현재 그 고유업무에 직접 사용하는 부동산에 대해서는 재산세(「지방세법」 제112조에 따른 부과액을 포함한다)를 지방자치단체가 조례로 정하는 바에 따라 각각 2019년 12월 31일까지 감면할 수 있다. 이 경우 감면율은 100분의 50(제1호의 경우에는 100분의 100) 범위에서 정하여야 한다. 감면분만 농비

1. 「여수세계박람회 기념 및 사후활용에 관한 특별법」 제4조에 따라 설립된 2012여수세계박람회재단
2. 「여수세계박람회 기념 및 사후활용에 관한 특별법」 제15조 제1항에 따라 지정·고시된 해양박람회특구에서 창업하거나 사업장을 신설(기존 사업장을 이전하는 경우는 제외한다)하는 기업
3. 「여수세계박람회 기념 및 사후활용에 관한 특별법」 제17조에 따른 사업시행자

⑥ 「2018 평창 동계올림픽대회 및 동계패럴림픽대회 지원 등에 관한 특별법」 제2조 제2호 나목에 따른 선수촌에 대해서는 다음 각 호에서 정하는 바에 따라 지방세를 감면한다.

1. 평창군에 위치한 대회직접관련시설 중 선수촌을 건축하여 취득하는 경우에 취득세를 2017년 12월 31일까지 면제한다. 2. 제1호에 해당하는 시설이 대회 이후에 「지방세법」 제13조 제5항 제1호에 해당하는 경우에는 같은 법 제111조 제1항 제3호 가목 및 이 법 제177조에도 불구하고 2022년 12월 31일까지 「지방세법」 제111조 제1항 제3호 나목을 적용한다.

영 제27조(외국인투숙객 비율 등의 범위) 법 제54조 제2항에서 "외국인투숙객 비율 등 대통령령으로 정하는 기준"이란 다음 각 호와 같다.

1. 「부가가치세법」에 따라 신고된 직전 연도 숙박용역 공급가액(객실요금만 해당한다) 중에서 다음 각 목의 요건을 모두 충족하는 용역의 공급가액이 차지하는 비율이 수도권 지역은 100분의 30 이상, 수도권이 아닌 지역은 100분의 20 이상일 것
   가. 「외국인관광객 등에 대한 부가가치세 및 개별소비세 특례 규정」 제2조에 따른 외국인관광객 등(이하 이 조에서 "외국인관광객"이라 한다)에게 공급하는 용역일 것
   나. 숙박인의 성명·국적·여권번호·입국일 및 입국 장소 등이 적힌 외국인 숙박 및 음식매

출 기록표에 의하여 외국인관광객과의 거래임이 표시될 것

다. 대금(代金)이 거주자 또는 내국법인의 부담으로 지급되지 아니할 것

2. 외국인관광객에게 조례로 정하는 객실요금 인하율에 따라 숙박용역을 제공할 것(해당 지방자치단체에서 조례로 그 인하율을 정한 경우만 해당한다)

규칙 제3조(외국인관광객 투숙 실적 신고서) 법 제54조 제2항 및 영 제27조에 따라 재산세를 경감받으려는 자는 별지 제3호 서식의 외국인관광객 투숙 실적 신고서에 다음 각 호의 서류를 첨부하여 관할 시장·군수에게 제출하여야 한다. 〈개정 2014.12.31.〉

1. 부가가치세 확정신고서(부가가치세 확정신고를 하지 아니한 경우에는 부가가치세 예정신고서를 말한다) 1부 2. 영 제27조 제1호 가목에 따른 외국인관광객(이하 "외국인관광객"이라 한다)에 대한 직전 연도 숙박용역 공급가액(객실요금만 해당한다) 1부 3. 별지 제4호 서식의 외국인관광객 숙박 및 음식 매출기록표 1부 4. 외국인관광객에 대한 객실요금 인하율표(해당 지방자치단체에서 조례로 그 인하율을 정한 경우만 해당한다) 1부

서비스산업으로 일자리 창출 효과가 크고, 타 산업과의 연계효과가 큰 관광산업과 여수세계박람회 및 평창동계올림픽의 성공적 개최를 위한 세제 지원을 규정하고 있다.

관광단지개발 사업시행자가 관광단지개발사업 시행을 위해 취득하는 부동산에 대해서는 취득세를 25% 감면하되, 25% 범위 내에서 조례로 추가 감면이 가능하다(법 ①). 2014년까지는 조례를 포함하여 최대 100% 감면이 가능하였으나, 32년간의 장기간 감면 및 타 집적시설과의 형평성을 고려하여 2015년부터는 75%, 2017년부터는 50%까지 감면이 가능하도록 정비하였다.

관광호텔에 대한 재산세 감면(법 ②) 및 중과세 배제(법 ③)에 대하여는 2014년을 마지막으로 그 일몰이 종료되었다.

여수세계박람회재단 등이 그 고유업무에 직접 사용하기 위해 취득하는 부동산에 대한 취득세 및 재산세에 대해 2019년까지 감면을 적용하였는데, 여수세계박람회재단은 100%의 범위에서, 「여수세계박람회 특별법」에 따른 해양박람회특구에서 창업하거나 사업장을 신설하는 기업이나 「여수세계박람회 특별법」에 따른 사업시행자는 50%의 범위에서 조례로 감면이 가능하였다. 2020년부터는 여수세계박람회재단의 고유업무용 부동산에 대한 감면(1호) 및 해양박람회특구 내 창업하거나 사업장을 신설하는 기업의 고유업무용 부동산에 대한 감면(2호)을 조례로 이관하였다.

평창 동계올림픽대회 선수촌을 건축하여 취득하는 경우 2017년까지 취득세를 면제하였고, 대회 종료 이후 별장에 해당하는 경우에도 2022년까지는 주택분 재산세를 일반세율을 적용토록 하였다.

◎ **경제자유구역법에 의해 개발사업 실시계획을 승인받은 경우 관광진흥법상 관광단지 조성계획 승인을 받은 것으로 의제되더라도 지특법상 관광단지개발 사업시행자로 볼 수 없음**

어떠한 법률에서 주된 인·허가가 있으면 다른 법률에 의한 인·허가를 받은 것으로 의제한다는 규정을 둔 경우에는, 주된 인·허가가 있으면 다른 법률에 의한 인·허가가 있는 것으로 보는 데 그치는 것이고, 거기에서 더 나아가 다른 법률에 의하여 인·허가를 받았음을 전제로 한 다른 법률의 모든 규정들까지 적용되는 것은 아님(대법원 2014두2409). 다른 법률에 따른 개발사업 시행자가 조성계획 승인을 받은 것으로 의제되는 경우까지 포함하는 것으로 확장 해석하는 것은 조세법률주의의 엄격해석 원칙에 반함. 관광진흥법과 경제자유구역법의 입법목적이나 취지가 같다고 볼 수 없고, 원고가 시행하는 개발사업이 관광진흥법이 아닌 경제자유구역법의 규율을 받는 점 등을 고려하면, '경제자유구역법에 따른 개발사업 시행자'인 원고를 '관광진흥법에 따른 관광단지개발 사업시행자'라고 볼 수 없음(대법원 2018두38499, 2018.6.28.).

◎ **경제자유구역개발 사업시행자가 관광단지 조성계획 승인을 받은 것으로 의제되는 경우라도 조성계획의 승인을 받은 자가 아닌 이상 감면대상에 해당되지 않음**

지특법 제54조 ①에서 취득세를 경감하는 취지는 관광진흥법 제55조 ①에 따른 관광단지개발 사업시행자에 한정하는 것이지 다른 법률에서 관광단지개발 사업시행자로 의제되는 경우까지를 경감대상으로 하겠다는 것으로 보기는 어려움. 따라서, 경제자유구역개발 사업시행자가 관광진흥법에 따른 조성계획의 승인을 받은 자가 아닌 이상 취득세 감면대상에 해당하지 아니함(지방세특례제도과-3575, 2015.12.30.).

◎ **관광단지개발 사업시행자란 관광단지 지정은 물론 조성계획 승인까지 받은 시행자를 의미**

관광진흥법 제55조 ①은 관광진흥법에서 '사업시행자'라는 용어를 정의하고 있는 유일한 규정으로서, '조성계획의 승인을 받은 자' 또는 '조성계획을 수립한 특별자치도지사'를 사업시행자로 약칭하고 있고, 제55조 제2항도 '사업시행자'가 '조성계획의 승인을 받은 자'임을 전제로 규정하고 있는 점, 반면 관광진흥법상 관광단지의 지정단계에서는 그 사업을 시행하는 자를 지정하는 절차 등에 대하여 전혀 규정하고 있지 아니하므로 관광단지를 개발하려는 민간개발자가 조성계획의 승인을 받기 전까지는 관광진흥법상 어떠한 구체적인 지위나 자격을 부여받은 것으로 볼 수 없음(대법원 2014두125050, 2015.5.28.).

◎ **부동산을 취득한 이후에 사업시행자로 지정된 청구법인의 경우 취득세 면제 요건을 충족한 것으로 보기는 어려움**(조심 2011지0851, 2012.6.21.).

◎ **수탁자가 시행자에 해당되지 않는다면 신탁토지 지목변경은 감면대상으로 볼 수 없음**

신탁법상 '신탁'이라 함은 신탁설정자(위탁자)와 신탁인수자(수탁자)가 특별한 신임관계에 기하여 위탁자의 특정 재산권을 수탁자에게 이전하거나 기타의 처분을 하고 수탁자로 하여금 일정한 자(수익자)의 이익 또는 특정의 목적을 위하여 그 재산권을 관리·처분하게 하는 법률관계를 말하는 것으로서, 이에 따른 신탁재산은 대내외적으로 소유권이 수탁자에게 완전히 귀속되고 위탁자와의 내부관계에 있어서도 그 소유권이 위탁자에게 유보되지 않는 것임(대법원 2007다54276 등). 따라서, 신탁법에 따라 신탁된 토지의 위탁자가 관광진흥법 제55조 ①에 의한 관광단지개발 사업시행자라 하더라도 수탁자가 이에 해당되지 않는다면, 신탁토지의 지목변경 등으로 인한 취득세에 대해서는 지특법 제54조 ①을 적용할 수 없음(지방세운영과-3009, 2013.11.20.).

○ 해당시설을 임대한 경우 직접 호텔업에 사용한 것으로 볼 수 없어 감면대상이 아님

"직접 사용"이라 함은 부동산 소유자가 당해 부동산을 해당 용도로 직접 사용하는 경우를 말하는 것으로(감심 2008-182, 2009-244, 2010-131, 조심 2008지1082 등) 납세의무자가 해당 시설을 임차인에게 임대하였다면 이는 임대사업목적으로 사용한 것이지 직접 호텔업에 사용한 것으로 볼 수 없으므로 감면대상이 아니라 사료됨(지방세운영과-3714, 2011.8.3.).

○ 호텔업 경영과 무관하게 당해 부동산을 임대수익 창출 등 별도의 용도로 사용하는 납세자까지 조세지원의 취지가 있다고는 볼 수 없는 바, 부동산 소유자가 호텔경영자로서 호텔업에 직접 사용하는 경우를 경감대상으로 보는 것이 타당(지방세운영과-3352, 2011.7.13.)

○ 호텔을 경영하는 자가 호텔업에 직접 사용하는 부동산을 경감대상으로 규정함에 있어, "직접 사용"이라 함은 호텔을 경영하는 자가 그 시설의 사용자로서 해당 부동산을 직접 사용하는 경우만을 의미한다고 보아야 할 것임(감심 2008-182, 2008.6.12.).

○ 관광단지개발사업 시행을 위한 부동산에 사용·수익이 개시된 경우는 감면대상이 아님

'관광단지개발사업을 시행하기 위하여 취득하는 부동산'이라 함은 관광단지개발사업의 시행자가 개발계획에 따라 개발사업을 완료할 때까지 취득하는 모든 부동산을 가리키는 것이 아니라, 관광단지의 개발사업을 시행하고 있는 과정에서 취득하는 부동산과 이미 관광시설에 제공된 부동산일 경우 아직 사용·수익이 개시되지 아니한 상태에 있는 부동산만을 의미한다고 봄이 상당하므로, 사용·수익이 개시된 부동산은 감면대상이 아님(대법원 2004두404, 2005.7.14.).

제55조(문화재에 대한 감면)

> **법** 제55조(문화재에 대한 감면) ①「문화재보호법」에 따라 사적지로 지정된 토지(소유자가 사용·수익하는 사적지는 제외한다)에 대해서는 재산세(「지방세법」 제112조에 따른 부과액을 포함한다)를 면제한다. 다만, 수익사업에 사용하는 경우와 해당 재산이 유료로 사용되는 경우의 그 재산 및 해당 재산의 일부가 그 목적에 직접 사용되지 아니하는 경우의 그 일부 재산에 대해서는 면제하지 아니한다.
>
> ②「문화재보호법」에 따른 문화재에 대해서는 다음 각 호에 따라 재산세를 감면한다.
>
> 1.「문화재보호법」 제2조 제2항에 따른 문화재(국가무형문화재는 제외한다)로 지정된 부동산에 대해서는 재산세(「지방세법」 제112조에 따른 부과액을 포함한다. 이하 이 항에서 같다)를 면제하고, 같은 법 제27조에 따라 지정된 보호구역에 있는 부동산에 대해서는 재산세의 100분의 50을 경감한다. 이 경우 지방자치단체의 장이 해당 보호구역의 재정여건 등을 고려하여 100분의 50의 범위에서 조례로 정하는 율을 추가로 경감할 수 있다.
> 2.「문화재보호법」 제53조 제1항에 따른 국가등록 문화재와 그 부속토지에 대해서는 재산세의 100분의 50을 경감한다.

역사적 가치가 있는 문화재보호법에 따라 사적지로 지정된 토지와 지정문화재로 지정된 부동산 및 등록된 문화재 등에 대한 세제지원을 규정하고 있다.

「문화재보호법」에 따라 사적지로 지정된 토지에 대해 재산세(도시지역분 포함)를 면제하는데, 소유자가 사용·수익하는 사적지나 수익사업 또는 유료로 사용하는 경우, 해당 목적에 직접 사용되지 않는 경우에는 재산세를 면제하지 않는다(법 ①).

「문화재보호법」에 따른 문화재(국가무형문화재는 제외한다)로 지정된 부동산에 대해 재산세(도시지역분 포함)를 면제하고, 지정된 보호구역에 있는 부동산에 대해서도 재산세를 50% 감면하는데 조례로 정하는 경우에는 최대 100%까지 감면이 가능하다. 2014년까지는 법에서 100%를 감면하였으나, 2015년부터는 감면율을 50%로 축소하되, 조례를 통해 현행 수준의 100%까지 감면할 수 있도록 한 것이다. 또한, 국가등록 문화재와 그 부속토지에 대해서도 50% 감면한다(법 ②). 한편, 문화재 보호구역의 경계를 둘러싼 "역사문화환경 보존지역"은 사안에 따라 관련법상 건축허가가 일부 제한을 받는다 하더라도 감면대상에 해당하지 않는다는 점에 유의해야 한다.

〈문화재보호법〉

제2조(정의) ② 이 법에서 "지정문화재"란 다음 각 호의 것을 말한다.

1. 국가지정문화재 : 문화재청장이 제23조부터 제26조까지의 규정에 따라 지정한 문화재
2. 시 · 도지정문화재 : 특별시장 · 광역시장 · 도지사 또는 특별자치도지사(이하 "시 · 도지사"라 한다)가 제70조 제1항에 따라 지정한 문화재
3. 문화재자료 : 제1호나 제2호에 따라 지정되지 아니한 문화재 중 시 · 도지사가 제70조 제2항에 따라 지정한 문화재

제27조(보호물 또는 보호구역의 지정) ① 문화재청장은 제23조 · 제25조 또는 제26조에 따른 지정을 할 때 문화재 보호를 위하여 특히 필요하면 이를 위한 보호물 또는 보호구역을 지정할 수 있다.

제53조(문화재의 등록) ① 문화재청장은 문화재위원회의 심의를 거쳐 지정문화재가 아닌 문화재 중에서 보존과 활용을 위한 조치가 특별히 필요한 것을 등록문화재로 등록할 수 있다.

제5절 기업구조 및 재무조정 등에 대한 지원

제56조(기업의 신용보증 지원을 위한 감면)

> **법** 제56조(기업의 신용보증 지원을 위한 감면) ①「신용보증기금법」에 따른 신용보증기금이 같은 법 제23조 제1항 제2호의 신용보증 업무에 직접 사용하기 위하여 취득하는 부동산에 대하여는 2014년 12월 31일까지 취득세의 100분의 50을 경감한다.
>
> ②「기술보증기금법」에 따라 설립된 기술보증기금이 같은 법 제28조 제1항 제2호 및 제3호의 신용보증 업무에 직접 사용하기 위하여 취득하는 부동산에 대하여는 2014년 12월 31일까지 취득세의 100분의 50을 경감한다.
>
> ③「지역신용보증재단법」에 따라 설립된 신용보증재단에 대해서는 다음 각 호에서 정하는 바에 따라 2022년 12월 31일까지 지방세를 경감한다.
>
> 1.「지역신용보증재단법」 제17조 제2호에 따른 신용보증업무(이하 이 조에서 "신용보증업무"라 한다)에 직접 사용하기 위하여 취득하는 부동산에 대해서는 취득세의 100분의 50을 경감한다.
>
> 3. 과세기준일 현재 신용보증업무에 직접 사용하는 부동산에 대해서는 재산세의 100분의 50을 경감한다.

담보력이 부족한 지역 내 소기업, 소상공인 등의 채무를 보증하게 함으로써 자금 융통을 원활하게 하는 신용보증재단 등에 대한 세제 지원을 규정하고 있다.

신용보증기금(법 ①) 및 기술신용보증기금(법 ②)에 대한 감면은 2014년을 마지막으로 그 일몰이 종료되었다.

신용보증재단이 신용보증업무에 직접 사용하는 부동산에 대해 취득세·재산세를 50% 감면하는데, 등록면허세에 대해서는 2016년을 마지막으로 그 감면을 종료한바 있다.

○ 신용보증재단이 기본재산인 출연금으로 이 사건 건물을 취득한 뒤 부득이한 사정으로 남는 부분을 임대한 것이 아니라 처음부터 상당부분을 임대할 목적으로 이 사건 건물을 취득하였고 그 임대수익이 적지 아니하므로 이 사건 건물 중 임대부분은 기본재산의 관리업무나 그에 부수되는 업무에 직접 사용하기 위해 취득한 경우에 해당하지 않음(대법원 2012두11775, 2012.9.27.).

※ 해당 사례는 당시 규정(조례)상 기본재산의 관리 등의 업무까지 감면대상 사업으로 열거하고 있어 임대업이 다툼이 되었으나, 현재는 신용보증업무에 한해 감면대상으로 규정하고 있음.

○ 기술신용보증기금의 연수원으로 사용할 목적으로 부동산을 취득하는 경우라면 기술신용보증, 일반신용보증 업무에 직접 사용되지 아니하므로 취득세 등이 경감되지 아니함(세정-1776, 2003.11.5.).

○ 신용보증기금법에 따라 설립된 ○○○기금이 그 고유의 업무에 직접 사용하기 위하여 취득·등기하는 부동산에 대하여 취득세·등록세를 감면하는 것이나, 당해 법인의 고유업무와 관계없이 운동 경기부를 설치하기 위하여 취득·등기하는 부동산에 대해서는 취득세·등록세를 감면하지 아니함(도세 13421-22, 1993.1.13.).

○ 신용보증재단이 기본재산인 출연금으로 이 사건 건물을 취득한 뒤 부득이한 사정으로 남는 부분을 임대한 것이 아니라 처음부터 상당부분을 임대할 목적으로 이 사건 건물을 취득하였고 그 임대수익이 적지 아니하므로 이 사건 건물 중 임대부분은 기본재산의 관리업무나 그에 부수되는 업무에 직접 사용하기 위하여 취득한 경우에 해당하지 아니함(대법원 2012두11775, 2012.9.27.).

○ 임대업용은 고유업무에 직접 사용하는 것으로 보기 어렵다고 한 사례
청구법인이 임대업 승인을 받은 사실이 있다 할지라도, 그 승인 취지가 재단의 효율적인 재산관리 및 위탁업무의 성실한 수행을 위해 재단업무의 목적에 저촉되지 않는 범위 안에서 승인한다고 하고 있는 점, 청구법인의 경우처럼 비영리 공공법인이 부동산을 취득하여 비영리사업이 아닌 임대업을 영위하는 것까지 고유업무로 인정하여 세제상 혜택을 부여한다면, 동일한 사업(임대업)을 영위하는 다른 경제주체(영리법인 등)와의 불공평을 초래할 수 있는 점, … 청구법인이 주된 고유업무에 직접 사용하는 면적은 35.87%에 불과한 점에서 승인받은 임대업은 주된 수익업무로 볼 수 있는 점 등을 고려할 때, 고유업무에 직접 사용하는 것으로 보기는 어려움(조심 2009지0934, 2010.10.12.).

제57조(기업구조조정 등 지원을 위한 감면) 삭제 〈2014.12.31.〉

농업협동조합 중앙회 사업구조개편 등에 대한 감면은 종료하고, 일부 법인합병 등에 대한 감면은 법 제57조의 2로 이관하였다.

제57조의 2(기업합병·분할 등에 대한 감면)

법 제57조의 2(기업합병·분할 등에 대한 감면) ①「법인세법」 제44조 제2항 또는 제3항에 해당하는 합병으로서 대통령령으로 정하는 합병에 따라 양수(讓受)하는 사업용 재산을 2021년 12월 31일까지 취득하는 경우에는 「지방세법」 제15조 제1항에 따라 산출한 취득세의 100분의 50(법인으로서 「중소기업기본법」에 따른 중소기업 간 합병 및 법인이 대통령령으로 정하는 기술혁신형사업법인과의 합병을 하는 경우에는 취득세의 100분의 60)을 경감하되, 해당 재산이 「지방세법」 제15조 제1항 제3호 단서에 해당하는 경우에는 다음 각 호에서 정하는 금액을 빼고 산출한 취득세를 경감한다. 다만, 합병등기일부터 3년 이내에 「법인세법」 제44조의 3 제3항 각 호의 어느 하나에 해당하는 사유가 발생하는 경우(같은 항 각 호 외의 부분 단서에 해당하는 경우는 제외한다)에는 경감된 취득세를 추징한다. 농비

1. 「지방세법」 제13조 제1항에 따른 취득 재산에 대해서는 같은 조에 따른 중과기준세율(이하 "중과기준세율"이라 한다)의 100분의 300을 적용하여 산정한 금액
2. 「지방세법」 제13조 제5항에 따른 취득 재산에 대해서는 중과기준세율의 100분의 500을 적용하여 산정한 금액

② 다음 각 호에서 정하는 법인이 「법인세법」 제44조 제2항에 따른 합병으로 양수받은 재산에 대해서는 취득세를 2021년 12월 31일까지 면제하고, 합병으로 양수받아 3년 이내에 등기하는 재산에 대해서는 2021년 12월 31일까지 등록면허세의 100분의 50을 경감한다. 다만, 합병등기일부터 3년 이내에 「법인세법」 제44조의 3 제3항 각 호의 어느 하나에 해당하는 사유가 발생하는 경우(같은 항 각 호 외의 부분 단서에 해당하는 경우는 제외한다)에는 면제된 취득세를 추징한다. 감면분만 농비

1. 「농업협동조합법」, 「수산업협동조합법」 및 「산림조합법」에 따라 설립된 조합 간의 합병
2. 「새마을금고법」에 따라 설립된 새마을금고 간의 합병
3. 「신용협동조합법」에 따라 설립된 신용협동조합 간의 합병

③ 다음 각 호의 어느 하나에 해당하는 재산을 2021년 12월 31일까지 취득하는 경우에는 취득세의 100분의 75를 경감한다. 다만, 제1호의 경우 2019년 12월 31일까지는 취득세의 100분의 75를, 2020년 12월 31일까지는 취득세의 100분의 50을, 2021년 12월 31일까지는 취득세의 100분의 25를 각각 경감하고, 제7호의 경우에는 취득세를 면제한다.

1. 「국유재산법」에 따라 현물출자한 재산

2. 「법인세법」 제46조 제2항 각 호(물적분할의 경우에는 같은 법 제47조 제1항을 말한다)의 요건을 갖춘 분할로 인하여 취득하는 재산. 다만, 분할등기일부터 3년 이내에 같은 법 제46조의 3 제3항(물적분할의 경우에는 같은 법 제47조 제3항을 말한다) 각 호의 어느 하나에 해당하는 사유가 발생하는 경우(같은 항 각 호 외의 부분 단서에 해당하는 경우는 제외한다)에는 경감받은 취득세를 추징한다.
3. 「법인세법」 제47조의 2에 따른 현물출자에 따라 취득하는 재산. 다만, 취득일부터 3년 이내에 같은 법 제47조의 2 제3항 각 호의 어느 하나에 해당하는 사유가 발생하는 경우(같은 항 각 호 외의 부분 단서에 해당하는 경우는 제외한다)에는 경감받은 취득세를 추징한다.
4. 「법인세법」 제50조에 따른 자산교환에 따라 취득하는 재산
5. 「조세특례제한법」 제31조에 따른 중소기업 간의 통합에 따라 설립되거나 존속하는 법인이 양수하는 해당 사업용 재산. 다만, 사업용 재산을 취득한 날부터 5년 이내에 같은 조 제7항 각 호의 어느 하나에 해당하는 사유가 발생하는 경우에는 경감받은 취득세를 추징한다.
6. 삭제 〈2018.12.24.〉
7. 특별법에 따라 설립된 법인 중 「공공기관의 운영에 관한 법률」 제2조 제1항에 따른 공공기관이 그 특별법의 개정 또는 폐지로 인하여 「상법」 상의 회사로 조직 변경됨에 따라 취득하는 사업용 재산

④ 「조세특례제한법」 제32조에 따른 현물출자 또는 사업 양도·양수에 따라 2021년 12월 31일까지 취득하는 사업용 고정자산에 대해서는 취득세의 100분의 75를 경감(「통계법」 제22조에 따라 통계청장이 고시하는 한국표준산업분류에 따른 부동산 임대 및 공급업에 대해서는 제외한다)한다. 다만, 취득일부터 5년 이내에 대통령령으로 정하는 정당한 사유 없이 해당 사업을 폐업하거나 해당 재산을 처분(임대를 포함한다) 또는 주식을 처분하는 경우에는 경감받은 취득세를 추징한다.

⑤ 다음 각 호의 어느 하나에 해당하는 경우에는 「지방세법」 제7조 제5항에 따라 과점주주가 해당 법인의 부동산등(같은 조 제1항에 따른 부동산등을 말한다)을 취득한 것으로 보아 부과하는 취득세를 2021년 12월 31일까지 면제한다.

1. 「금융산업의 구조개선에 관한 법률」 제10조에 따른 제3자의 인수, 계약이전에 관한 명령 또는 같은 법 제14조 제2항에 따른 계약이전결정을 받은 부실금융기관으로부터 주식 또는 지분을 취득하는 경우
2. 금융기관이 법인에 대한 대출금을 출자로 전환함에 따라 해당 법인의 주식 또는 지분을 취득하는 경우
3. 「독점규제 및 공정거래에 관한 법률」에 따른 지주회사(「금융지주회사법」에 따른 금융지주회사를 포함하되, 지주회사가 「독점규제 및 공정거래에 관한 법률」 제2조 제3호에 따른 동일한 기업집단 내 계열회사가 아닌 회사의 과점주주인 경우를 제외한다. 이하 이 조에서 "지주회사"라 한다)가 되거나 지주회사가 같은 법 또는 「금융지주회사법」에 따른 자회사의 주식을 취득하는 경우. 다만, 해당 지주회사의 설립·전환일부터 3년 이내에 「독점규제 및 공정거래에 관한 법률」에 따른 지주회사의 요건을 상실하게 되는 경우에는 면제받은 취득세를 추징한다.
4. 「예금자보호법」 제3조에 따른 예금보험공사 또는 같은 법 제36조의 3에 따른 정리금융회사가 같은 법 제36조의 5 제1항 및 제38조에 따라 주식 또는 지분을 취득하는 경우
5. 한국자산관리공사가 「금융회사부실자산 등의 효율적 처리 및 한국자산관리공사의 설립에 관

한 법률」 제26조 제1항 제1호에 따라 인수한 채권을 출자전환함에 따라 주식 또는 지분을 취득하는 경우

6. 「농업협동조합의 구조개선에 관한 법률」에 따른 농업협동조합자산관리회사가 같은 법 제30조 제3호 다목에 따라 인수한 부실자산을 출자전환함에 따라 주식 또는 지분을 취득하는 경우
7. 「조세특례제한법」 제38조 제1항 각 호의 요건을 모두 갖춘 주식의 포괄적 교환·이전으로 완전자회사의 주식을 취득하는 경우. 다만, 같은 법 제38조 제2항에 해당하는 경우(같은 조 제3항에 해당하는 경우는 제외한다)에는 면제받은 취득세를 추징한다.
8. 「자본시장과 금융투자업에 관한 법률」에 따른 증권시장으로서 대통령령으로 정하는 증권시장에 상장한 법인의 주식을 취득한 경우

⑥ 「농업협동조합법」에 따라 설립된 농업협동조합중앙회(이하 이 조에서 "중앙회"라 한다)가 같은 법에 따라 사업구조를 개편하는 경우 제1호 및 제2호의 구분에 따른 등기에 대해서는 2017년 12월 31일까지 등록면허세를 면제하고, 제3호의 경우에는 취득세를 면제한다. 〈개정 2016.12.27.〉

1. 법률 제10522호 농업협동조합법 일부개정법률 부칙 제3조에 따라 자본지원이 이루어지는 경우 그 자본증가에 관한 등기
2. 법률 제10522호 농업협동조합법 일부개정법률 부칙 제6조에 따라 경제사업을 이관하는 경우 다음 각 목의 어느 하나에 해당하는 등기
   가. 중앙회에서 분리되는 경제자회사의 법인설립등기
   나. 「농업협동조합법」 제161조의 2에 따라 설립된 농협경제지주회사가 중앙회로부터 경제사업을 이관(「상법」 제360조의 2에 따른 주식의 포괄적 교환을 포함한다)받아 자본이 증가하는 경우 그 자본증가에 관한 등기
3. 「농업협동조합법」 제134조의 2에 따라 설립된 농협경제지주회사가 이 조 제3항 제3호에 따라 중앙회로부터 경제사업을 이관받아 취득하는 재산

⑦ 법률 제12663호 한국산업은행법 전부개정법률 부칙 제3조 제1항에 따라 한국산업은행이 산은금융지주주식회사 및 「한국정책금융공사법」에 따른 한국정책금융공사와 합병하는 경우 그 자본증가에 관한 등기에 대해서는 2015년 12월 31일까지 등록면허세의 100분의 90을 경감한다.

⑧ 「기업 활력 제고를 위한 특별법」 제4조 제1호에 해당하는 내국법인이 산업 내 과잉공급 해소와 해당 법인의 생산성 향상을 위하여 같은 법 제10조 또는 제12조에 따라 주무부처의 장이 승인 또는 변경승인한 사업재편계획에 의해 합병 등 사업재편을 추진하는 경우 해당 법인에 대한 법인등기에 대하여 등록면허세의 100분의 50을 2021년 12월 31일까지 경감한다. 다만, 같은 법 제13조에 따라 사업재편계획 승인이 취소된 경우에는 경감된 등록면허세를 추징한다.

⑨ 「수산업협동조합법」에 따라 설립된 수산업협동조합중앙회(이하 이 항에서 "중앙회"라 한다)가 대통령령으로 정하는 바에 따라 분할한 경우에는 다음 각 호에서 정하는 바에 따라 지방세를 면제한다. 〈신설 2015.12.29.〉

1. 대통령령으로 정하는 바에 따른 분할로 신설된 자회사(이하 이 항에서 "수협은행"이라 한다)가 그 분리로 인하여 취득하는 재산에 대해서는 취득세를 2016년 12월 31일까지 면제한다.
2. 수협은행의 법인설립등기에 대해서는 등록면허세를 2016년 12월 31일까지 면제한다.

⑩ 「금융산업의 구조개선에 관한 법률」 제4조에 따른 금융위원회의 인가를 받고 「법인세법」 제44조 제2항에 해당하는 금융회사 간의 합병을 하는 경우 금융기관이 합병으로 양수받은 재산에 대

해서는 취득세의 100분의 50을 2021년 12월 31일까지 경감하고, 합병으로 양수받아 3년 이내에 등기하는 재산에 대해서는 2021년 12월 31일까지 등록면허세의 100분의 50을 경감한다. 다만, 합병등기일부터 3년 이내에 「법인세법」 제44조의 3 제3항 각 호의 어느 하나에 해당하는 사유가 발생하는 경우(같은 항 각 호 외의 부분 단서에 해당하는 경우는 제외한다)에는 경감된 취득세를 추징한다. <신설 2018.12.24.>

[본조신설 2014.12.31.]

영 제28조의 2(법인 합병의 범위 등) ① 법 제57조의 2 제1항 각 호 외의 부분 본문에서 "대통령령으로 정하는 합병"이란 합병일 현재 「조세특례제한법 시행령」 제29조 제3항에 따른 소비성서비스업(소비성서비스업과 다른 사업을 겸영하고 있는 경우로서 합병일이 속하는 사업연도의 직전 사업연도의 소비성서비스업의 사업별 수입금액이 가장 큰 경우를 포함하며, 이하 이 항에서 "소비성서비스업"이라 한다)을 제외한 사업을 1년 이상 계속하여 영위한 법인(이하 이 항에서 "합병법인"이라 한다) 간의 합병을 말한다. 이 경우 소비성서비스업을 1년 이상 영위한 법인이 합병으로 인하여 소멸하고 합병법인이 소비성서비스업을 영위하지 아니하는 경우에는 해당 합병을 포함한다.

② 법 제57조의 2 제1항 각 호 외의 부분 본문에서 "대통령령으로 정하는 기술혁신형사업법인"이란 다음 각 호의 어느 하나에 해당하는 법인을 말한다.

1. 합병등기일까지 「벤처기업육성에 관한 특별조치법」 제25조에 따라 벤처기업으로 확인받은 법인
2. 합병등기일까지 「중소기업 기술혁신 촉진법」 제15조와 같은 법 시행령 제13조에 따라 기술혁신형 중소기업으로 선정된 법인
3. 합병등기일이 속하는 사업연도의 직전 사업연도의 「조세특례제한법」 제10조 제1항 각 호 외의 부분 전단에 따른 연구·인력개발비가 매출액의 100분의 5 이상인 중소기업
4. 합병등기일까지 다음 각 목의 어느 하나에 해당하는 인증 등을 받은 중소기업
   가. 「보건의료기술 진흥법」 제8조 제1항에 따른 보건신기술 인증
   나. 「산업기술혁신 촉진법」 제15조의 2 제1항에 따른 신기술 인증
   다. 「산업기술혁신 촉진법」 제16조 제1항에 따른 신제품 인증
   라. 「제약산업 육성 및 지원에 관한 특별법」 제7조 제2항에 따른 혁신형 제약기업 인증
   마. 「중견기업 성장촉진 및 경쟁력 강화에 관한 특별법」 제18조 제1항에 따른 중견기업등의 선정

③ 법 제57조의 2 제4항 단서에서 "대통령령으로 정하는 정당한 사유"란 다음 각 호의 어느 하나에 해당하는 경우를 말한다.

1. 해당 사업용 재산이 「공익사업을 위한 토지 등의 취득 및 보상에 관한 법률」 또는 그 밖의 법률에 따라 수용된 경우
2. 법령에 따른 폐업·이전명령 등에 따라 해당 사업을 폐지하거나 사업용 재산을 처분하는 경우
3. 「조세특례제한법 시행령」 제29조 제7항 각 호의 어느 하나에 해당하는 경우
4. 「조세특례제한법」 제32조 제1항에 따른 법인전환으로 취득한 주식의 100분의 50 미만을 처분하는 경우

④ 법 제57조의 2 제5항 제8호에서 "대통령령으로 정하는 증권시장"이란 대통령령 제24697호 자본시장과 금융투자업에 관한 법률 시행령 일부개정령 부칙 제8조에 따른 코스닥시장을 말한다.

〈개정 2015.12.31.〉 ⑤ 삭제 〈2016.12.30.〉

⑥ 법 제57조의 2 제9항 각 호 외의 부분에서 "대통령령으로 정하는 바에 따라 분할한 경우"란 「수산업협동조합법」 제2조 제5호에 따른 수산업협동조합중앙회가 같은 법 제141조의 4 제1항에 따라 신용사업을 분리하여 수협은행을 설립한 경우를 말한다. 〈신설 2016.11.30.〉

⑦ 법 제57조의 2 제9항 제1호에서 "대통령령으로 정하는 바에 따른 분할로 신설된 자회사"란 「수산업협동조합법」 제141조의 4 제1항에 따라 설립된 수협은행을 말한다. 〈신설 2016.11.30.〉

[본조신설 2014.12.31.]

소비성서비스업을 제외한 사업을 1년 이상 계속하여 영위한 법인간의 합병에 따라 양수(讓受)하는 재산에 대한 취득세 면제, 농업협동조합 등 법인의 합병으로 양수받은 재산에 대한 취득세 면제, 「국유재산법」에 따라 현물출자한 재산 등의 재산에 대한 취득세 면제, 일정한 경우에의 과점주주에 대한 취득세 면제, 농업협동조합중앙회의 사업구조를 개편에 따른 등기에 대한 등록면허세 면제, 한국산업은행이 산은금융지주주식회사 및 한국정책금융공사와 합병하는 경우 그 자본증가에 관한 등기에 대한 등록면허세의 경감 등 기업 합병·분할 등에 대한 세제지원을 규정하고 있다. 이 규정은 법률 제12955호로 개정(2014.12.31.)되기 전의 「지방세특례제한법」 제57조의 기업구조조정 및 농협사업구조개편 감면과 법률 제12853호로 개정(2014.12.23.)되기 전의 「조세특례제한법(§119, §120, §121)」에서 규정하고 있던 법인의 합병·분할과 현물출자 등의 지방세 감면규정을 2015.1.1.부터 본 조로 이관하여 '기업합병·분할 등에 대한 감면'으로 재정비하여 규정한 것으로, 2015년 지방세특례제한법으로 이관된 본 조문의 주요 개정내용은 아래 표를 참고하기 바란다.

| 참고_2015.1.1. 시행 주요개정내용 |

규정		분야	개정전	개정후 15.1.1.	현행 20.1.15.
조특법	지특법				
〈자본 유입 및 수익사업 등〉					
§120 ④ 1	§31의 4	부동산투자회사(리츠) 취득 부동산	취30	종료	
§120 ④ 2	-	부동산집합투자기구(펀드) 취득 부동산	취30		
§120 ④ 3	-	프로젝트금융회사(PFV) 취득 부동산	취50		
§119 ③	§180의 2 ②	투자회사 등 설립등기 중과 배제	(등)중과배제	(등)중과배제	
§119 ① 3	-	유동화전문회사(유동화자산 관리운용처분)	등50	종료	
§120 ① 9	-	유동화전문회사(타 유동화자산회사로부터 취득)	취50		

<table>
<tr><th colspan="2">규정</th><th colspan="2" rowspan="2">분야</th><th rowspan="2">개정전</th><th>개정후</th><th>현행</th></tr>
<tr><th>조특법</th><th>지특법</th><th>15.1.1.</th><th>20.1.15.</th></tr>
<tr><td colspan="7">〈형식적 취득(국유재산 등)〉</td></tr>
<tr><td>§119 ① 1
§120 ① 1</td><td>§57의 2 ③ 1</td><td colspan="2">국유재산법에 따른 현물출자</td><td rowspan="2">취·등
100</td><td rowspan="7">취100</td><td>75→50
→25</td></tr>
<tr><td>§119 ① 2
§120 ① 3</td><td>§57의 2 ③ 7</td><td colspan="2">특별법 개정 등 상법상 주식회사로 조직변경</td><td>면제</td></tr>
<tr><td>§120 ① 5</td><td>§57의 2 ③ 3</td><td colspan="2">법인의 현물출자 재산(법인 §47의 2)</td><td rowspan="5">취100</td><td rowspan="2">75</td></tr>
<tr><td>§120 ① 6</td><td>§57의 2 ③ 2</td><td colspan="2">적격분할 재산(법인 §46 ②)</td></tr>
<tr><td>§120 ① 7</td><td>§57의 2 ③ 4</td><td colspan="2">자산교환 재산(법인 § 50)</td><td rowspan="2">삭제</td></tr>
<tr><td>§120 ① 18</td><td>§57의 2 ③ 6</td><td colspan="2">자산의 포괄적 양도로 취득하는 재산(조특 §37 ①)</td></tr>
<tr><td>§120 ⑤</td><td>§57의 2 ④</td><td colspan="2">거주자 현물출자, 사업양수도 재산(조특 §32)</td><td>75</td></tr>
<tr><td colspan="7">〈법인(조합)등의 합병 구조조정 지원〉</td></tr>
<tr><td>지 §57 ①
1~4</td><td>§57의 2 ②</td><td colspan="2">농·수협·산림조합·새마을금고·신협의 일반합병</td><td>취·등
100</td><td>취100</td><td>면제</td></tr>
<tr><td>§120 ① 2</td><td>§57의 2 ③ 5</td><td colspan="2">중소기업간의 합병</td><td>취100</td><td rowspan="2">취100</td><td>75</td></tr>
<tr><td>§120 ②</td><td>§57의 2 ①</td><td colspan="2">모든 법인합병(서비스업종 제외)</td><td>취100</td><td>50</td></tr>
<tr><td>§119 ① 6</td><td>-</td><td colspan="2">금융지주회사(주식 이전·교환으로 인한 출자 등기)</td><td>등100</td><td>종료</td><td></td></tr>
<tr><td>§120 ⑥ 1</td><td>§57의 2 ⑤ 1</td><td>부실금융기관으로부터 주식 취득</td><td>과점주주
간주취득</td><td>취100</td><td rowspan="7">취100
취100</td><td rowspan="7">면제</td></tr>
<tr><td>§120 ⑥ 2</td><td>§57의 2 ⑤ 2</td><td>금융기관(대출금을 출자전환시 주식취득)</td><td>″</td><td>취100</td></tr>
<tr><td>§120 ⑥ 3</td><td>§57의 2 ⑤ 3</td><td>지주회사, 금융지주회사(자회사 주식취득)</td><td>″</td><td>취100</td></tr>
<tr><td>§120 ⑥ 4</td><td>§57의 2 ⑤ 4</td><td>예금보험공사, 정리금융기관의 주식취득</td><td>″</td><td>취100</td></tr>
<tr><td>§120 ⑥ 5</td><td>§57의 2 ⑤ 5</td><td>자산관리공사(부실채권 추심으로 인수한 채권의 출자전환)</td><td>″</td><td>취100</td></tr>
<tr><td>§120 ⑥ 6</td><td>§57의 2 ⑤ 6</td><td>농협자산관리회사(부실자산 출자전환)</td><td>″</td><td>취100</td></tr>
<tr><td>§120 ⑥ 7</td><td>§57의 2 ⑤ 7</td><td>자산 포괄적 교환(조특 §38 ①, 과점주주)</td><td>″</td><td>취100</td></tr>
<tr><td colspan="7">〈구조조정, 재무구조 개선 등〉</td></tr>
<tr><td>지 §57 ②</td><td>§57의 3 ① 4</td><td colspan="2">부실산림조합 등이 양수하는 재산(적기시정 조치, 계약이전 결정)</td><td>취·등
100</td><td rowspan="3">취100</td><td rowspan="3">면제</td></tr>
<tr><td>§120 ①
13, 15</td><td>§57의 3 ① 2</td><td colspan="2">부실농협조합 등으로부터 양수하는 재산(적기시정조치, 계약이전결정)</td><td>취100</td></tr>
<tr><td>§120 ① 8</td><td>§57의 3 ① 1</td><td colspan="2">자산관리공사 등이 부실금융기관으로부터 양수한 재산(적기시정조치, 계약이전결정)</td><td>취100</td></tr>
</table>

규정		분야	개정전	개정후 15.1.1.	현행 20.1.15.
조특법	지특법				
§119 ① 4	-	예금보험공사(금융산업구조개선에 따른 출자 등기)	등100	종료	
§120 ① 11	-	예금보험공사(부실금융의 정리 등을 위한 재산)	취100		
§119 ① 5	-	주택금융공사(주택저당채권 양수등기)	등100		
§120 ① 10	-	주택금융공사(저당권 실행으로 취득하는 주택)	취100		
§120 ① 12	-	농협조합자산관리회사 취득 재산	취100		
§120 ① 14, 16	-	농협상호금융예금자보호기금 등의 취득 재산	취100		
§120 ① 17	§57의 3 ②	자산관리공사 부실중소기업 회생관련 취득 재산	취50	취50	면제

○ 리츠 · 펀드 · PFV에 대한 감면은 일몰기한(2014.12.31.)이 종료됨에 따라 2015.1.1.부로 효력이 자동 상실되어 감면대상에서 제외

○ 한편, PFV에 대해서는 일몰 종료가 되었음에도 불구하고 다음에 해당하는 경우에는 각각 종전 규정 적용
- 2010년 이전 설립 · 등기한 PFV가 2016.12.31.까지 취득하는 부동산에 대해서는 조세특례제한법(법률 제9921호 2010.1.1. 일부개정) 부칙 제76조 규정에 따라 종전 규정 계속 적용(취득세 · 등록세 50%)
- 2014년 이전 설립 · 등기한 PFV가 2015.12.31.까지 취득하는 부동산에 대해서는 조세특례제한법(법률 제12853호 2014.12.23. 일부개정) 부칙 제72조 규정에 따라 종전 규정 계속 적용(취득세 50%)

○ §57의 2 ② 금융기관간의 합병의 경우 종전 취득세 · 등록면허세 면제에서 취득세 면제, 등록면허세 75%로 축소
- 합병한 날로부터 3년 이내에 양수받는 재산의 등기(근저당권 등)분 등록면허세에 대해 종전 면제에서 75%로 축소
- 감면요건에 따라 합병한 날로부터 3년이 경과한 경우에는 등록면허세 전액 과세전환
- 다만, 2014년 이전에 합병한 금융기관에 대해서는 지방세특례제한법(법률 제12955호 2014.12.31. 일부개정) 부칙 제7조에 따라 2015.12.31.까지 양수 재산분에 대한 등록면허세를 면제함.

| 지방세특례제한법 시행령 정비내용 |

지특법시행령	종전규정	비 고
-	지특령 §28	삭 제
§28의 2 ①	조특령 §116 ⑦	
§28의 2 ②	지특령 §28 ①	산업은행 합병 추가(§28의 2 ② 2)
§28의 2 ③	조특령 §116 ⑧	
§28의 2 ④		코스닥 과점주주 감면 신설
§29의 2 ①	조특령 §5 ④	
§29의 2 ②	조특령 §116 ⑨	

2017년에는 법인합병 감면규정 명확화 및 추징규정 신설(법 ②), 법인분할 · 현물출자 추징유예기간 신설(법 ③ 2, 3), 중소기업 간 통합 추징규정 신설(법 ③ 5), 자산의 포괄적 양도

추징유예기간 신설(법 ③ 6), 농협경제지주회사 취득세 감면 신설(법 ⑥ 3), 사업재편기업 인용규정 및 추징규정 신설(법 ⑧), 코스닥상장 법인이 주식 취득에 대한 감면기한 연장(법 ⑤), 수협은행 분리에 따른 재산 및 법인설립등기에 대한 감면 종료 등 전반적으로 개선·보완이 이루어졌다.

사업용 재산과 재산의 차이

취득세 감면물건에서 사업용 재산을 규정한 것과 재산을 규정한 것의 차이가 있다. 제1항의 합병, 제3항의 중소기업 통합 및 공공기관 조직변경은 사업용 재산으로 규정하고 있고, 제4항은 사업용 고정자산으로 규정하고 있으며, 제2항의 조합합병 및 제3항의 분할 등 기타 규정은 재산으로 규정하고 있음에 유의해야 한다.

법규정	방법	제외업종	감면대상	요건
§57의 2 ①	합병	소비성서비스업	사업용 재산	1년 이상 내국법인 간, 주식·근로자 80% 이상, 해당 사업연도종료일까지 계속사업
§57의 2 ②, ⑩	농협 등, 금융 합병	–	재산	1년 이상 내국법인 간, 주식·근로자 80% 이상, 해당 사업연도종료일까지 계속사업
§57의 2 ③ 1	국유재산 현물출자	–	재산	국유재산법에 따른 정부출자기업체
§57의 2 ③ 2	분할	–	재산	5년 이상 내국법인, 주식 유지, 근로자 80% 이상, 해당 사업연도종료일까지 계속사업
§57의 2 ③ 3	현물출자 (법인)	–	재산	5년 이상 법인, 주식 80% 이상, 해당 사업연도종료일까지 계속사업 등
§57의 2 ③ 4	자산교환	부동산업, 소비성서비스업	재산	2년 이상 사업용 고정자산 직접 사용하던 내국법인간 교환, 해당 사업연도종료일까지 계속사업 등
§57의 2 ③ 5	중소기업 통합	소비성서비스업	사업용 재산	소멸 중소기업자가 출자자일 것, 주식(자본금+잉여금)≧자산시가-부채
§57의 2 ③ 7	공공기관 조직변경	–	사업용 재산	특별법의 개정 또는 폐지에 따라 상법상 회사로 변경
§57의 2 ④	법인 전환 (현물출자, 양수도)	소비성서비스업, 부동산임대공급업	사업용 고정자산	자본금≧자산시가-부채

1. 적격합병에 따라 취득한 재산의 감면(법 제57조의 2 ①~②)

현행 지방세법과 지방세특례제한법은 합병에 관한 특례세율과 면제규정을 각각 두고 있다. 2011년 취득세 세목통합 이전까지 지방세법에서 일반적인 합병에 대해 취득세를 비과세하였고, 조세특례제한법에서는 적격합병에 대한 등록세 면제규정을 두고 있었다. 이후 세목통합으로 등록세라는 명칭이 사라지고, 조세특례제한법의 내용이 지방세특례제한법으로 이관되는 과정을 거치는 등 세법체계가 바뀌었지만 기존의 세부담은 그대로 유지하도록 설계되었다. 이후 지특법에서 면제 및 최소납부세제 적용을 거쳐 '19년부터는 50% 감면을 적용하고 있다.

적격합병[1]으로서 소비성서비스업을 제외[2]한 사업을 1년 이상 계속하여 영위한 법인 간의 합병으로 양수하는 사업용 재산을 취득하는 경우에는 舊등록세 부분에 해당하는 취득세의 50%[3]를 감면한다(법 ①). 舊취득세 부분 2%는 지방세법 제15조인 세율의 특례부분에서 제외하고 있다. 취득 후 대도시 중과나 사치성재산으로 전환되는 경우에는 지방세법 제15조 제1항 제3호 단서에 따라 중과세로 과세한다. 3년 이내에 피합병법인으로부터 승계받은 사업을 폐지하거나, 주식을 처분하거나, 근로자 수가 80% 미만으로 하락하는 경우에는 감면받은 취득세를 추징하되, 법인세법에서 정하는 파산 등 부득이한 사유에 해당하는 경우에는 추징을 제외한다. 합병을 하면서 복리후생용 회원권을 양수한 경우에는 사업용재산에 해당하지 않으므로 감면대상에 해당하지 않으며(지방세특례제도과-1046, 2019.10.24.), 합병하면서 등기대상이 아닌 시설물을 취득하는 경우에는 舊등록세 부분이 없게 되어 舊등록세를 감면하는 지방세특례제한법상 합병 감면의 대상이 되지 아니하므로 최소납부세제 대상 내지는 추징이 발생할 여지가 없다(지방세특례제도과-2261, 2017.12.18.).

2019년부터는 적격합병에 따른 감면율을 축소(100% → 50%)하되, 중소기업법인 및 기술혁신형사업법인간 합병의 감면을 우대(60%)하도록 한 법 개정에 대해, 감면대상 기술혁신형사업 범위를 ① 벤처기업으로 확인받은 법인, 기술혁신형 중소기업으로 선정된 법인, 연구・인력개발비가 매출액의 5% 이상인 중소기업, ② 보건신기술 인증 중소기업, 산업기술혁신 촉진법 신기술 인증 중소기업, 혁신형 제약기업 인증 중소기업, 중견기업 성장촉진 및 경쟁력 강화에 관한 특별법 선정 중견기업으로 한정토록 신설한바 있다(영 ②).

☞ 지방세법 제15조 제1항 제3호와 연계하여 참고할 것

2016.1.1. 기업합병에 대한 감면요건을 강화하였다(법 §57의 2). 법인세법상 적격합병의 요건과 사후관리 규정을 인용하여, 취득세 과세특례 요건 및 사후관리 규정을 신설하였다. 즉, 법인세법 제44조 ②・③의 적격합병 규정 및 같은 법 제44조의 3 ③의 사후관리 규정을 인

용하여, 감면요건에 적격합병 요건을 갖추도록 하고 사후관리 요건을 구비하지 않은 경우 추징할 수 있는 규정을 신설하였다.

2017.1.1. 합병으로 3년 이내에 등기하는 재산에 대해 감면을 적용할 때 3년의 기산점을 합병한 날에서 양수받은 날로 명확히 하고, 사후관리 강화를 위해 추징규정(법인세법 제44조의 3 제3항 각 호의 사유가 발생하는 경우)을 신설하였는데, 합병법인이 피합병법인으로부터 승계받은 사업을 폐지하는 경우(1호), 대통령령으로 정하는 피합병법인의 주주등이 합병법인으로부터 받은 주식등을 처분하는 경우(2호)이다.

1) 적격합병 요건
- (사업목적 합병) 합병등기일 현재 1년 이상 사업을 계속하던 내국법인 간의 합병일 것
- (지분 연속성) 피합병법인 주주등이 받은 합병대가 중 합병법인의 주식이 80% 이상이며 해당 사업연도종료일까지 주식을 보유할 것
- (사업 연속성) 해당 사업연도종료일까지 승계받은 사업을 계속할 것
- (업무 연속성) 합병등기일 1개월 전 피합병법인 근로자의 80% 이상을 승계하여 해당 사업연도 종료일까지 그 비율을 유지할 것

2) 취득세 감면 제외 소비성서비스업
- 호텔업 및 여관업(관광숙박업 제외), 주점업(외국인전용 및 관광 유흥음식점업 제외)
  ※ 겸영시 직전사업연도에 소비성서비스업의 수입금액이 가장 큰 경우라면 소비성서비스업 영위로 간주

3) 중소기업 간 합병하거나 기술혁신형사업법인과 합병하는 경우에는 10%p 추가 감면

| 합병 관련 감면규정 변천 및 비교 |

구분	법인의 합병 (지방세법)	적격 합병 (舊조특법, 지특법)
2010년 이전 (취득세·등록세)	• 舊 취득세 비과세 • 지방세법 §110. 4	• 舊 등록세 면제 • 조특법 §119 ① 2
2011년 분법 이후 (취득세 세목통합)	• 지방세법 §15 • 취득세 세율특례 적용	• 조특법 §120 ② • 지방세법 §15 ① 본문에 따라 산출한 취득세 면제
2015년	상동	• 지특법 이관(§57의 2 ① 1) (조특법 → 지특법)
2016년 이후	• 적격요건 갖춘 경우만 특례세율 적용(합병사업유지·주식처분제한)	• 적격요건 갖춘 경우만 감면적용 (합병사업유지·주식처분제한)

농협 등 특정법인[1]이 적격합병으로 양수받은 재산에 대해서는 취득세를 면제하고, 합병으로 양수받아 3년 이내에 등기하는 재산[2]에 대해서는 등록면허세를 50% 감면한다. 한편, 3년 이내에 피합병법인으로부터 승계받은 사업을 폐지하거나, 주식을 처분하거나, 근로자 수가 80% 미만으로 하락하는 경우에는 감면받은 취득세를 추징하되, 법인세법에서 정하는 파산 등 부득이한 사유에 해당하는 경우에는 추징을 제외한다(법 ②, ⑩). 제2항의 경우 2021년부터는 최소납부세제가 적용됨에 유의해야 한다.

1) 감면대상 법인
- (§57의 2 ②) 농협, 수협, 산림조합 간의 합병, 새마을금고 간의 합병, 신협 간의 합병
- (§57의 2 ⑩) 금융위원회의 인가를 받은 금융회사 간의 합병

2) 근저당 이전 설정 등 재산권에 관한 등기 限 감면
※ 법인 설립시 자본등기 및 자본증자등기는 제외

〈법인세법〉

제44조(합병 시 피합병법인에 대한 과세)

② 제1항을 적용할 때 다음 각 호의 요건을 모두 갖춘 합병의 경우에는 제1항 제1호의 가액을 피합병법인의 합병등기일 현재의 순자산 장부가액으로 보아 양도손익이 없는 것으로 할 수 있다. 다만, 대통령령으로 정하는 부득이한 사유가 있는 경우에는 제2호 또는 제3호의 요건을 갖추지 못한 경우에도 대통령령으로 정하는 바에 따라 양도손익이 없는 것으로 할 수 있다.

1. 합병등기일 현재 1년 이상 사업을 계속하던 내국법인 간의 합병일 것. 다만, 다른 법인과 합병하는 것을 유일한 목적으로 하는 법인으로서 대통령령으로 정하는 법인의 경우는 제외한다.
2. 피합병법인의 주주등이 합병으로 인하여 받은 합병대가의 총합계액 중 합병법인의 주식등의 가액이 100분의 80 이상이거나 합병법인의 모회사의 주식등의 가액이 100분의 80 이상인 경우로서 그 주식등이 대통령령으로 정하는 바에 따라 배정되고, 대통령령으로 정하는 피합병법인의 주주등이 합병등기일이 속하는 사업연도의 종료일까지 그 주식등을 보유할 것
3. 합병법인이 합병등기일이 속하는 사업연도의 종료일까지 피합병법인으로부터 승계받은 사업을 계속할 것

③ 내국법인이 발행주식총수 또는 출자총액을 소유하고 있는 다른 법인을 합병하거나 그 다른 법인에 합병되는 경우에는 제2항에도 불구하고 양도손익이 없는 것으로 할 수 있다.

◎ 복리후생용 회원권을 합병시 양수한 경우 취득세 감면 제외

직원들의 복리후생과 직원교육 및 세미나 등을 위해 사용되고 있는 콘도미니엄회원권은 사업을 영위하는데 필수불가결하여 반드시 취득해야 할 재산으로 보기 어려우며 '회계법인'의

사업과 직접적인 관련이 없어 보이는 점 등을 고려할 때, 사업용 재산에 해당되지 않는다 할 것이므로 합병에 따른 취득세 감면 적용 불가(지방세특례제도과-1046, 2019.10.24.)

◎ 최소납부세제 적용 방법(기존 100% 감면 적용시 쟁점사항)

합병의 경우 지특법 제57조의 2에 의해 산출된 과세표준액에 취득세율 1.5%를 적용하여 산출한 세액에 대해 100분의 85에 해당하는 감면율을 적용(지방세특례제도과-1534, 2016.7.5.)하며, 합병으로 다수 부동산을 취득하더라도 1건의 취득행위로 보아 최소납부세제를 적용(지방세특례제도과-3617, 2018.10.4.)

◎ 지방세법 제15조 제2항에서 규정하고 있는 시설물은 지방세법 제15조 제1항을 적용할 경우 과세할 수 있는 세액이 없으므로 추징사유가 발생하더라도 추가징수 할 수 없고, 최소납부세제 적용대상도 되지 아니함(지방세특례제도과-2261, 2017.12.18.).

◎ 합병으로 양수받은 재산의 등기시 감면적용 여부

지특법 제57조의 2 제2항의 양수받은 재산의 등기에 대해 2015.12.31.까지 등록면허세를 경감하는 규정은 명백히 특혜규정이라 할 것이므로, 금융위원회의 인가를 받은 금융회사 간의 합병으로 합병한 날부터 3년 이내에 양수받은 재산이라 하더라도 그 양수받은 재산 중 2015.12.31.까지 등기하는 재산으로서 등록면허세 납세의무가 성립한 재산에 한정하여 등록면허세를 경감하는 규정으로 해석함이 타당(지방세특례제도과-1088, 2015.4.17.)

2. 적격분할에 따라 취득한 재산의 감면(법 제57조의 2 ③ 2호)

「법인세법」 제46조 제2항 각 호(물적분할의 경우는 제47조 제1항)의 요건을 갖춘 분할로 인하여 취득하는 재산에 대해서는 취득세를 감면(75%)한다. 다만, 분할등기일부터 3년 이내에 같은 법 제46조의 3 제3항(물적분할의 경우에는 제47조 제3항을 말함) 각 호의 어느 하나에 해당하는 사유가 발생하는 경우(같은 항 각 호 외의 부분 단서에 해당하는 경우는 제외)에는 경감받은 취득세를 추징한다.

| 최근 개정법령 _ 2017.1.1. | 물적분할(제3항 제2호)의 경우 국세 수준의 사후관리 강화를 위해 분할등기일부터 3년 이내에 추징사유에 해당하는 경우 취득세를 추징하도록 보완하였다.

◎ 조직형태의 변화가 있을 뿐, 기업의 실질적인 동일성은 계속 유지되어, 법인세법령에 정한 과세이연 요건을 모두 충족하므로 취득세·등록세 면제대상(OCI·DCRE 물적분할)

① '오○아○'의 인천공장 화학제품제조 사업부문과 도시개발 사업부문은 기존의 다른 사업부문에서 독립하여 사업활동의 영위가 충분히 가능한 사업부문임. 이들 사업부문의 내용과 기능적 특성상 기존 사업부문의 종업원들이 일부를 제외하고 분할신설법인인 원고로 옮겨가지

않았다는 점을 들어 독립된 사업부문의 분할이 아니라고 할 수 없음. ② 원고는 폐석회처리공사 관련 채무를 포함하여 분할되는 사업부문에 관련된 권리·의무를 포괄 승계하였음. 인천공장 부지를 담보로 한 차입금 채무는 오○아○의 다른 사업 부문에도 공통적으로 관련된 것이므로, 그 중 회사채 상환, 법인세 납부 등에 사용될 일부를 제외한 나머지만을 물적분할로 신설되는 자회사인 원고에 승계시킨 것을 요건 불비로 보기 어려움. ③ 원고는 승계한 고정자산을 화학제품제조 사업부문과 도시개발 사업부문에 실제 사용하였고, 그 사용 방식에 있어 업무위탁을 하였다고 하여 달리 볼 수 없음. 또한 원고가 승계한 사업을 계속하면서 금융기관 대출채무를 담보하기 위하여 신탁등기를 설정한 것이, 법인세법령상 승계사업의 폐지로 간주되는 고정자산의 처분에 해당한다고 보기도 어려움(대법원 2016두45219, 2018.6.28.).

◎ **분할신설법인이 취득한 토지에 대해 분할등기일이 속하는 사업연도 종료일까지 공사 착수에 이르지 못하는 등 직접 사용으로 볼 수 없음**

분할신설법인인 원고는 분할법인인 화○로부터 폐기물처리사업 등을 승계한 이후 분할등기일이 속하는 사업연도의 종료일인 2009.12.31.에 이르기까지 ○○기술과 사이에 이 사건 토지에 관한 토목설계 및 실시계획인가에 관한 용역계약을 체결하고, 해당 관청에 도시계획시설사업(폐기물처리시설) 사업시행자지정 및 실시계획인가신청서만을 제출하였을 뿐, 그때까지 이 사건 토지에 폐기물매립장을 설치하기 위한 공사에 착수하지 아니하였음은 물론이고 해당 관청으로부터 사업시행자지정 및 실시계획인가도 받지 못하였다는 것인 바, 이러한 사정이라면 분할등기일이 속하는 사업연도의 종료일까지 이 사건 토지를 폐기물처리사업에 직접 사용하였다고 보기 어려움(대법원 2014두36235, 2016.8.18.).

◎ **물적분할시 양도차손이 발생할 경우에도 취득세 면제 대상**

법인세법 제46조 ② 각 호의 외의 부분은, 같은 법 각 호의 요건을 갖춘 분할의 경우에 분할법인이 분할신설법인으로 부터 받은 양도가액을 분할등기일 현재의 순자산 장부가액으로 보아서 양도손익이 없는 것으로 처리 할 수 있도록 하는 등 국세의 세무조정에 대해 규정한 사항이라 할 것이므로, 이는 지특법 제57조의 2 ③ 제2호의 취득세 면제요건에 해당되지 않는 것으로 보는 것이 타당함. 따라서, 분할법인이 물적분할에 의하여 분할신설법인의 주식 등을 취득한 경우로서 법인세법 제46조 ② 각 호의 요건을 갖춘 경우라면, 물적분할 시 양도손익이 발생할 경우에도 지특법 제57조의 2 ③ 제2호에 따라 취득세를 면제(지방세특례제도과-405, 2016.2.23.)

◎ **물적분할로 신설되는 법인에게 종전법인과의 공동차입금을 부채로 승계시킨 경우 감면해당**

「법인세법」 제46조 제2항 제1호 나목 단서 의미는, 분할하는 사업부문의 자산 및 부채가 포괄적으로 승계되어야 하고 다만, 공동으로 사용하던 자산, 채무자의 변경이 불가능한 부채 등 분할하기 어려운 자산과 부채 등은 반드시 포괄 승계되어야 하는 것은 아닌 것으로 보아야 하고, 종전 법인과의 공동 차입금을 분할 신설법인에 승계하더라도 포괄승계 요건을 위반한 것으로 보기는 어려움(지방세특례제도과-2574, 2015.9.23.).

◎ **분할법인으로부터 승계받은 고정자산가액의 2분의 1 이상을 처분하거나 사업에 사용하지 아니한 사실이 나타나지 아니하므로 취득세 등에 대한 추징사유가 발생하지 아니하였음**

「법인세법」 제46조의 3 제3항 각 호는 분할등기일이 속하는 사업연도의 다음 사업연도 개시일부터 3년 이내에 승계받은 사업을 폐지(승계한 고정자산가액의 2분의 1 이상을 처분하거나 사업에 사용하지 아니한 것)하거나 분할법인의 지배주주가 분할신설법인으로부터 받은 주식을 처분하는 경우를 추징사유로 규정하고 있을 뿐 승계한 자산이 비사업용이라는 것을 추징사유로 규정하고 있지 않으며, 청구법인이 승계한 사업을 폐지한 것으로 볼 수 없는 등 취득세 추징사유에 해당하지 아니하는 점, 나아가 청구법인이 적격분할(당초 처분청은 위 「법인세법」 제46조 제2항 제3호를 이유로 분할등기일이 속하는 사업연도 종료일까지 승계받은 사업을 계속하지 않았다는 것을 과세이유로 하였으나 쟁점토지를 사용하지 아니한 것과 승계받은 사업을 계속하지 아니한 것은 무관한 것으로 보인다)이 아닌 분할로 인하여 쟁점토지를 취득하였다는 사실도 입증하지 못한 점 등에 비추어 쟁점토지는 취득세 추징대상이 아님(조심 2014지1257, 2015.9.14.).

◎ **포괄적 승계요건을 충족하여 감면대상에 해당됨**

이 사건 분할은 '분리하여 사업이 가능한 독립된 사업부문을 분할하는 경우', '분할하는 사업부문의 자산 및 부채가 포괄적으로 승계된 경우'에 해당한다고 봄이 상당하므로, 이 사건 분할은 적격분할에 해당한다고 할 것임(인천지법 2013구합11165, 2015.2.13.).[11]

◎ **포괄적 승계요건을 충족하지 못하여 감면 제외됨**

청구법인은 2013.7.18. 설립되면서 분할법인으로부터 토공공사업부문에 해당하는 자산과 부채를 포괄적으로 승계하여야 하나, 분할사업부문의 불용재산 매각대금과 ○○○○○조합출자금 등에 해당하는 금액을 승계하지 아니하였으므로 청구법인이 분할법인의 토공공사업부문의 자산과 부채를 포괄적으로 승계하였다고 보기 어려우므로 법인분할의 요건을 충족하지 못한 상태에서 쟁점부동산을 취득한 것으로 보는 것이 타당함(조심 2015지 293, 2015.7.2.).

〈법인세법〉

제46조(분할 시 분할법인등에 대한 과세) ① 내국법인이 분할로 해산하는 경우[물적분할(物的分割)은 제외한다. 이하 이 조 및 제46조의 2부터 제46조의 4까지에서 같다]에는 그 법인의 자산을 분할신설법인 또는 분할합병의 상대방 법인(이하 "분할신설법인등"이라 한다)에 양도한 것으로 본다. 이 경우 그 양도에 따라 발생하는 양도손익(제1호의 가액에서 제2호의 가액을 뺀 금액을

11) 2016.1.1. 현재 대법원에 계류중인 사안

말한다. 이하 이 조 및 제46조의 3에서 같다)은 분할법인 또는 소멸한 분할합병의 상대방 법인(이하 "분할법인등"이라 한다)이 분할등기일이 속하는 사업연도의 소득금액을 계산할 때 익금 또는 손금에 산입한다.

1. 분할법인등이 분할신설법인등으로부터 받은 양도가액
2. 분할법인등의 분할등기일 현재의 순자산 장부가액

② 제1항을 적용할 때 다음 각 호의 요건을 갖춘 분할의 경우에는 제1항 제1호의 가액을 분할법인등의 분할등기일 현재의 순자산 장부가액으로 보아 양도손익이 없는 것으로 할 수 있다. 다만, 대통령령으로 정하는 부득이한 사유가 있는 경우에는 제2호 또는 제3호의 요건을 갖추지 못한 경우에도 대통령령으로 정하는 바에 따라 양도손익이 없는 것으로 할 수 있다.

1. 분할등기일 현재 5년 이상 사업을 계속하던 내국법인이 다음 각 목의 요건을 모두 갖추어 분할하는 경우일 것(분할합병의 경우에는 소멸한 분할합병의 상대방법인 및 분할합병의 상대방법인이 분할등기일 현재 1년 이상 사업을 계속하던 내국법인일 것)
   가. 분리하여 사업이 가능한 독립된 사업부문을 분할하는 것일 것 나. 분할하는 사업부문의 자산 및 부채가 포괄적으로 승계될 것. 다만, 공동으로 사용하던 자산, 채무자의 변경이 불가능한 부채 등 분할하기 어려운 자산과 부채 등으로서 대통령령으로 정하는 것은 제외한다.
   다. 분할법인등만의 출자에 의하여 분할하는 것일 것
2. 분할법인등의 주주가 분할신설법인등으로부터 받은 분할대가의 전액(분할합병의 경우에는 제44조 제2항 제2호의 비율 이상)이 주식으로서 그 주식이 분할법인등의 주주가 소유하던 주식의 비율에 따라 배정(분할합병의 경우에는 대통령령으로 정하는 바에 따라 배정한 것을 말한다)되고 대통령령으로 정하는 분할법인등의 주주가 분할등기일이 속하는 사업연도의 종료일까지 그 주식을 보유할 것
3. 분할신설법인등이 분할등기일이 속하는 사업연도의 종료일까지 분할법인등으로부터 승계받은 사업을 계속할 것

③ 제1항과 제2항에 따른 양도가액 및 순자산 장부가액의 계산, 분리하여 사업이 가능한 독립된 사업부문 여부에 관한 판정기준, 분할대가의 계산, 승계받은 사업의 계속 여부에 관한 판정기준 등에 관하여 필요한 사항은 대통령령으로 정한다.

제47조(물적분할 시 분할법인에 대한 과세특례) ① 분할법인이 물적분할에 의하여 분할신설법인의 주식등을 취득한 경우로서 제46조 제2항 각 호의 요건(같은 항 제2호의 경우 전액이 주식등이어야 한다)을 갖춘 경우 그 주식등의 가액 중 물적분할로 인하여 발생한 자산의 양도차익에 상당하는 금액은 대통령령으로 정하는 바에 따라 분할등기일이 속하는 사업연도의 소득금액을 계산할 때 손금에 산입할 수 있다. 다만, 대통령령으로 정하는 부득이한 사유가 있는 경우에는 제46조 제2항 제2호 또는 제3호의 요건을 갖추지 못한 경우에도 자산의 양도차익에 상당하는 금액을 대통령령으로 정하는 바에 따라 손금에 산입할 수 있다.

3. 법인의 현물출자 등으로 취득한 재산의 면제(법 제57조의 2 ③ 3호)

「법인세법」 제47조의 2에 따른 현물출자에 따라 취득하는 재산에 대해서는 취득세를 75% 경감한다. 다만, 취득일부터 3년 이내에 같은법 제47조의 2 제3항 각 호의 어느 하나에 해당하는 사유가 발생하는 경우(같은 항 각 호 외의 부분 단서에 해당하는 경우 제외)에는 경감받은 취득세를 추징한다.

| 최근 개정법령_ 2017.1.1.| 현물출자(제3항 제3호) 및 포괄적 양도(제3항 제6호)의 경우 국세 수준의 사후관리 강화를 위해 취득일부터 3년 이내에 추징사유에 해당하는 경우 취득세를 추징하도록 보완하였다.

◎ **조특법 제120조 ① 6호에서 제38조에 의한 현물출자에 따라 취득하는 재산이라 함은 5년 이상 사업을 영위한 내국법인이 현물출자하는 경우 그 신설법인이 취득하는 재산을 의미**

신설법인의 설립등기일 현재 5년 이상 계속하여 사업을 영위한 내국법인이 현물출자한 재산 중 양도차익에 대한 과세이연을 적용받을 수 있는 재산과 그 현물출자한 재산의 취득에 따른 취득세를 면제받을 수 있는 재산을 어느 범위로 정할 것인가는 입법정책에 관한 문제이므로 반드시 그 범위가 일치하여야 하는 것은 아니며, 과세이연 규정인 구 법 제38조에서 정한 자산의 범위에 광업권 등의 무형고정자산이 포함되어 있지 않더라도 구 법 제120조 ① 제6호는 취득세를 면제받을 수 있는 범위를 '재산'이라고만 규정하고 있고, 다만 그 재산의 취득이 구 법 제38조의 규정에 의한 현물출자에 의하여 이루어질 것을 요구하고 있을 뿐이므로, … 이와 달리 현물출자 자산의 양도차익에 대한 과세이연 규정의 적용 대상인 재산에 한정하여 해석할 것은 아님(대법원 2006두13695, 2008.9.25.).

〈법인세법〉

제47조의 2(현물출자 시 과세특례) ① 내국법인(이하 이 조에서 "출자법인"이라 한다)이 다음 각 호의 요건을 갖춘 현물출자를 하는 경우 그 현물출자로 취득한 현물출자를 받은 내국법인(이하 이 조에서 "피출자법인"이라 한다)의 주식가액 중 현물출자로 발생한 자산의 양도차익에 상당하는 금액은 대통령령으로 정하는 바에 따라 현물출자일이 속하는 사업연도의 소득금액을 계산할 때 손금에 산입할 수 있다. 다만, 대통령령으로 정하는 부득이한 사유가 있는 경우에는 제2호 또는 제4호의 요건을 갖추지 못한 경우에도 자산의 양도차익에 상당하는 금액을 대통령령으로 정하는 바에 따라 손금에 산입할 수 있다. 〈개정 2011.12.31., 2015.12.15.〉

1. 출자법인이 현물출자일 현재 5년 이상 사업을 계속한 법인일 것
2. 피출자법인이 그 현물출자일이 속하는 사업연도의 종료일까지 출자법인으로부터 승계받은 사업을 계속할 것

3. 다른 내국인 또는 외국인과 공동으로 출자하는 경우 공동으로 출자한 자가 출자법인의 제52조 제1항에 따른 특수관계인이 아닐 것
4. 출자법인 및 제3호에 따라 출자법인과 공동으로 출자한 자(이하 이 조에서 "출자법인등"이라 한다)가 현물출자일 다음 날 현재 피출자법인의 발행주식총수 또는 출자총액의 100분의 80 이상의 주식등을 보유하고, 현물출자일이 속하는 사업연도의 종료일까지 그 주식등을 보유할 것
5. 출자법인이 분리하여 사업이 가능한 독립된 사업부문을 현물출자를 통하여 피출자법인에 승계할 것

② 출자법인이 제1항에 따라 손금에 산입한 양도차익에 상당하는 금액은 다음 각 호의 어느 하나에 해당하는 사유가 발생하는 사업연도에 해당 주식등과 자산의 처분비율을 고려하여 대통령령으로 정하는 금액만큼 익금에 산입한다. 다만, 피출자법인이 적격합병되거나 적격분할하는 등 대통령령으로 정하는 부득이한 사유가 있는 경우에는 그러하지 아니하다. 〈개정 2011.12.31., 2013.1.1.〉

1. 출자법인이 피출자법인으로부터 받은 주식등을 처분하는 경우
2. 피출자법인이 출자법인등으로부터 승계받은 대통령령으로 정하는 자산을 처분하는 경우. 이 경우 피출자법인은 그 자산의 처분 사실을 처분일부터 1개월 이내에 출자법인에 알려야 한다.

③ 제1항에 따라 양도차익 상당액을 손금에 산입한 출자법인은 현물출자일부터 3년의 범위에서 대통령령으로 정하는 기간 이내에 다음 각 호의 어느 하나에 해당하는 사유가 발생하는 경우에는 제1항에 따라 손금에 산입한 금액 중 제2항에 따라 익금에 산입하고 남은 금액을 그 사유가 발생한 날이 속하는 사업연도의 소득금액을 계산할 때 익금에 산입한다. 다만, 대통령령으로 정하는 부득이한 사유가 있는 경우에는 그러하지 아니하다. 〈개정 2011.12.31., 2016.12.20.〉

1. 피출자법인이 출자법인으로부터 승계받은 사업을 폐지하는 경우
2. 출자법인등이 피출자법인의 발행주식총수 또는 출자총액의 100분의 50 미만으로 주식등을 보유하게 되는 경우

④ 제1항부터 제3항까지의 규정에 따른 손금산입 대상 양도차익의 계산, 승계받은 사업의 계속 및 폐지에 관한 판정기준, 익금산입액의 계산 및 그 산입방법, 분리하여 사업이 가능한 독립된 사업부문에 해당하는지 여부에 대한 판정기준, 현물출자 명세서 제출 등에 관하여 필요한 사항은 대통령령으로 정한다. 〈개정 2015.12.15.〉 [전문개정 2010.12.30.]

4. 중소기업간 통합에 따른 면제(법 제57조의 2 ③ 5호)

「조세특례제한법」 제31조에 따른 중소기업 간의 통합에 따라 설립되거나 존속하는 법인이 양수하는 해당 사업용 재산에 대해서는 취득세를 감면(75%)한다. 다만, 사업용 재산을 취득한 날부터 5년 이내에 같은 조 제7항 각 호의 어느 하나에 해당하는 사유가 발생하는 경우에는 경감받은 취득세를 추징한다.

〈조세특례제한법〉

제31조(중소기업 간의 통합에 대한 양도소득세의 이월과세 등) ① 대통령령으로 정하는 업종을 경영하는 중소기업 간의 통합으로 인하여 소멸되는 중소기업이 대통령령으로 정하는 사업용고정자산(이하 "사업용고정자산"이라 한다)을 통합에 의하여 설립된 법인 또는 통합 후 존속하는 법인(이하 이 조에서 "통합법인"이라 한다)에 양도하는 경우 그 사업용고정자산에 대해서는 이월과세를 적용받을 수 있다.

② 제1항의 적용대상이 되는 중소기업 간 통합의 범위 및 요건에 관하여는 대통령령으로 정한다.

③ 제1항을 적용받으려는 내국인은 대통령령으로 정하는 바에 따라 이월과세 적용신청을 하여야 한다.

④ 제6조 제1항 및 제2항에 따른 창업중소기업 및 창업벤처중소기업 또는 제64조 제1항에 따라 세액감면을 받는 내국인이 제6조 또는 제64조에 따른 감면기간이 지나기 전에 제1항에 따른 통합을 하는 경우 통합법인은 대통령령으로 정하는 바에 따라 남은 감면기간에 대하여 제6조 또는 제64조를 적용받을 수 있다.

⑤ 제63조에 따른 수도권과밀억제권역 밖으로 이전하는 중소기업 또는 제68조에 따른 농업회사법인이 제63조 또는 제68조에 따른 감면기간이 지나기 전에 제1항에 따른 통합을 하는 경우 통합법인은 대통령령으로 정하는 바에 따라 남은 감면기간에 대하여 제63조 또는 제68조를 적용받을 수 있다.

⑥ 제144조에 따른 미공제 세액이 있는 내국인이 제1항에 따른 통합을 하는 경우 통합법인은 대통령령으로 정하는 바에 따라 그 내국인의 미공제 세액을 승계하여 공제받을 수 있다.

⑦ 제1항을 적용받은 내국인이 사업용고정자산을 양도한 날부터 5년 이내에 다음 각 호의 어느 하나에 해당하는 사유가 발생하는 경우에는 해당 내국인은 사유발생일이 속하는 달의 말일부터 2개월 이내에 제1항에 따른 이월과세액(통합법인이 이미 납부한 세액을 제외한 금액을 말한다)을 양도소득세로 납부하여야 한다. 이 경우 사업 폐지의 판단기준 등에 관하여 필요한 사항은 대통령령으로 정한다.

1. 통합법인이 소멸되는 중소기업으로부터 승계받은 사업을 폐지하는 경우
2. 제1항을 적용받은 내국인이 통합으로 취득한 통합법인의 주식 또는 출자지분의 100분의 50 이상을 처분하는 경우

| 최근 개정법령_2017.1.1.| 중소기업간 통합(제3항 제5호)의 경우 국세 수준의 사후관리 강화를 위해 사업용 재산을 취득한 날부터 5년 이내에 「조세특례제한법」 제31조 제7항 각 호(1호 : 통합법인이 소멸되는 중소기업으로부터 승계받은 사업을 폐지하는 경우, 2호 : 내국인이 통합으로 취득한 통합법인의 주식 또는 출자지분의 100분의 50 이상을 처분하는 경우)의 사유가 발생하는 경우 면제받은 취득세를 추징하도록 보완하였다.

◎ 사업용 재산 '취득 후' 발행한 주식이 '통합 대가로 취득하는 주식'으로 볼 수 있다는 사례

소멸하는 사업장의 중소기업자가 통합으로 인하여 취득한 주식의 가액이 소멸하는 사업장의 순자산가액보다 낮아 면제요건을 충족하는지 여부 … '당해 통합으로 인하여 취득하는 주식'은 그 취득시점에 아무런 제한을 두지 않고 있으므로 사업용 재산 취득 이후라도 '통합의 대가로 취득하는 주식'이기만 하면 이에 포함된다고 봄이 타당. 한편 존속기업이 발행하여 소멸기업의 중소기업자가 취득한 주식이 이러한 주식에 해당하는지는 실질과세의 원칙상 당해 계약서의 내용이나 형식과 아울러 당사자의 의사와 계약체결의 경위, 대금의 결정방법, 거래의 경과 등 거래의 전체과정을 실질적으로 파악하여 판단하여야 함(대법원 2018두40188, 2018.7.20.).

◎ 임대용 부동산을 통합 후 일부를 자가로 사용시 추징

조특법 제31조의 "중소기업 간의 통합에 대한 양도소득세의 이월과세 등" 규정은 같은 법 시행령 제28조에 따라 중소기업자가 당해 기업의 사업장별로 그 사업에 관한 주된 자산을 모두 승계하여 사업의 동질성이 유지되는 경우에 적용되는 것으로, 동 규정을 적용함에 있어 임대사업에 사용하던 부동산을 임차인인 통합법인에게 양도한 후 동 부동산을 자가사용 및 일부 임대하는 경우 사업의 동일성이 유지되지 않는 것임(서면법규과-1192, 2013.10.31.).

◎ 중소기업 간 통합에 해당하지 않는 사례

개인이 사업의 일부를 분리해 법인을 설립하고 그 신설법인이 개인의 나머지 사업을 양수하는 경우(직세 1234-1967, 1978.7.4.), 법인이 개인 사업을 매입하는 경우(법인 1264-3168, 1982.9.18.), 통합으로 인해 소멸하는 사업장의 중소기업자가 통합법인의 기존주주의 주식을 취득하는 경우(법인 46012-1418, 1999.4.15.) 등

5. 개인기업의 법인전환에 따라 취득하는 재산의 면제(법 제57조의 2 ④)

「조세특례제한법」 제32조에 따른 현물출자 또는 사업 양도·양수에 따라 2021년 12월 31일까지 취득하는 사업용 고정자산에 대해서는 취득세를 75% 경감한다. 다만, 취득일부터 5년 이내에 대통령령으로 정하는 정당한 사유 없이 해당 사업을 폐업하거나 해당 재산을 처분(임대를 포함한다) 또는 주식을 처분하는 경우에는 경감받은 취득세를 추징한다.

여기서 대통령령으로 정하는 정당한 사유란 관련 법률에 따라 수용된 경우, 법령에 따른 폐업·이전명령 등에 따라 재산을 처분하는 경우, 조특법 시행령 제29조 제7항 각 호의 어느 하나에 해당하는 경우, 법인전환으로 취득한 주식의 50% 미만을 처분하는 경우 등이다.

현물출자 또는 사업양수도에 따라 법인전환시 취득하는 사업용 고정자산에 대해 취득세를 75% 감면하는데, 그 요건으로 소비성서비스업 및 부동산 임대업·공급업은 제외되는바, 소비성서비스업은 조특법에서 제외하고 있으며, 부동산 임대업·공급업은 2020년 7.10. 대

책으로 지특법에서 제외토록 개정하였다(법 ④). 개인기업 법인전환 등 주식의 처분이 추징사유로 확대됨에 따라 감면 후 주식처분 중 추징을 제외하는 정당한 사유로 보는 규정을 2019년부터 아래와 같이 적용하였다(영 ③).

- 사망하거나 파산하여 주식 또는 출자지분을 처분하는 경우
- 「법인세법」 제44조 제2항에 따른 합병이나 같은 법 제46조 제2항에 따른 분할의 방법으로 주식 또는 출자지분을 처분하는 경우
- 「법인세법」 제38조에 따른 주식의 포괄적 교환·이전 또는 「법인세법」 제38조의 2에 따른 주식의 현물출자의 방법으로 과세특례를 적용받으면서 주식 또는 출자지분을 처분하는 경우
- 「채무자 회생 및 파산에 관한 법률」에 따른 회생절차에 따라 법원의 허가를 받아 주식 또는 출자지분을 처분하는 경우
- 법령상 의무이행을 위해 주식 또는 출자지분을 처분하는 경우
- 가업의 승계 목적으로 해당 가업의 주식 또는 출자지분을 증여하는 경우로, 수증자가 증여세 과세특례를 적용받은 경우
- 취득한 주식 및 출자지분의 50% 미만을 처분하는 경우

한편, 자본금이 순자산가액(자산－부채) 이상이어야 한다. 추징은 5년 이내에 정당한 사유 없이 폐업하거나, 재산 처분(임대 포함) 또는 주식을 처분하는 경우에는 감면된 취득세를 추징한다. 여기서 추징하지 아니하는 정당한 사유에는 수용, 법령에 따른 폐업·이전명령 등에 따라 사업 폐지 또는 처분하는 경우 등이 해당한다. 임대용 부동산을 통합 후에도 계속하여 임대용으로 사용하는 경우라면 이는 당초 고유목적 사업에 해당하여 처분으로 볼 수 없다고 할 것(지방세운영과－4434, 2010.9.20.)이나, 2020년 7.10. 대책에 따라 임대업은 감면대상 자체에서 제외되었으므로 개정(2020.8.12.)된 이후 임대를 하는 경우에는 감면대상에서 제외된다고 할 것이다. 즉, 개정 이후에는 고유목적 사업 여부에 관계없이 임대업이 감면대상에서 제외된다. 한편, 법인전환시 자본금이란 기업회계기준에 의한 법인등기부등본상 자본금만을 의미하는 것(행안부 지방세정팀－6413, 2006.12.22.)으로 그 자본금이 순자산가액 이상이면 요건을 충족하는 것이나, 중소기업 통합의 감면 요건은 자본금이 아니라 주식(자본금+잉여금)임에 유의해야 한다.

〈조세특례제한법〉

제32조(법인전환에 대한 양도소득세의 이월과세) ① 거주자가 사업용고정자산을 현물출자하거나 대통령령으로 정하는 사업 양도·양수의 방법에 따라 법인(대통령령으로 정하는 소비성서비스업을 경영하는 법인은 제외한다)으로 전환하는 경우 그 사업용고정자산에 대해서는 이월과세를

적용받을 수 있다.

② 제1항은 새로 설립되는 법인의 자본금이 대통령령으로 정하는 금액 이상인 경우에만 적용한다.

③ 제1항을 적용받으려는 거주자는 대통령령으로 정하는 바에 따라 이월과세 적용신청을 하여야 한다.

④ 제1항에 따라 설립되는 법인에 대해서는 제31조 제4항부터 제6항까지의 규정을 준용한다.

⑤ 제1항에 따라 설립된 법인의 설립등기일부터 5년 이내에 다음 각 호의 어느 하나에 해당하는 사유가 발생하는 경우에는 제1항을 적용받은 거주자가 사유발생일이 속하는 달의 말일부터 2개월 이내에 제1항에 따른 이월과세액(해당 법인이 이미 납부한 세액을 제외한 금액을 말한다)을 양도소득세로 납부하여야 한다. 이 경우 사업 폐지의 판단기준 등에 관하여 필요한 사항은 대통령령으로 정한다.　1. 제1항에 따라 설립된 법인이 제1항을 적용받은 거주자로부터 승계받은 사업을 폐지하는 경우　2. 제1항을 적용받은 거주자가 법인전환으로 취득한 주식 또는 출자지분의 100분의 50 이상을 처분하는 경우

〈조세특례제한법 시행령〉

제29조(법인전환에 대한 양도소득세의 이월과세) ① 삭제 〈2002.12.30.〉

② 법 제32조 제1항에서 "대통령령으로 정하는 사업 양도·양수의 방법"이란 해당 사업을 영위하던 자가 발기인이 되어 제5항에 따른 금액 이상을 출자하여 법인을 설립하고, 그 법인설립일부터 3개월 이내에 해당 법인에게 사업에 관한 모든 권리와 의무를 포괄적으로 양도하는 것을 말한다.

③ 법 제32조 제1항에서 "대통령령으로 정하는 소비성서비스업"이란 다음 각 호의 어느 하나에 해당하는 사업(이하 "소비성서비스업"이라 한다)을 말한다.

1. 호텔업 및 여관업(「관광진흥법」에 따른 관광숙박업은 제외한다)

2. 주점업(일반유흥주점업, 무도유흥주점업 및 「식품위생법 시행령」 제21조에 따른 단란주점 영업만 해당하되, 「관광진흥법」에 따른 외국인전용유흥음식점업 및 관광유흥음식점업은 제외한다)　3. 그 밖에 오락·유흥 등을 목적으로 하는 사업으로서 기획재정부령으로 정하는 사업

④ 법 제32조 제1항의 규정에 의하여 양도소득세의 이월과세를 적용받고자 하는 자는 현물출자 또는 사업양수도를 한 날이 속하는 과세연도의 과세표준신고(예정신고를 포함한다)시 새로이 설립되는 법인과 함께 기획재정부령이 정하는 이월과세적용신청서를 납세지 관할세무서장에게 제출하여야 한다.

⑤ 법 제32조 제2항에서 "대통령령으로 정하는 금액"이란 사업용고정자산을 현물출자하거나 사업양수도하여 법인으로 전환하는 사업장의 순자산가액으로서 제28조 제1항 제2호의 규정을 준용하여 계산한 금액을 말한다.

⑥ 법 제32조 제1항에 따라 설립되는 법인(이하 이 조에서 "전환법인"이라 한다)이 같은 조 제1항에 따른 현물출자 또는 사업 양도·양수의 방법으로 취득한 사업용고정자산의 2분의 1이상을 처분하거나 사업에 사용하지 않는 경우 법 제32조 제5항 제1호에 따른 사업의 폐지로 본다. 다만, 다음 각 호의 어느 하나에 해당하는 경우에는 그러하지 아니한다.

1. 전환법인이 파산하여 승계받은 자산을 처분한 경우　2. 전환법인이 「법인세법」 제44조 제2항에 따른 합병, 같은 법 제46조 제2항에 따른 분할, 같은 법 제47조 제1항에 따른 물적분할, 같은 법 제47조의 2 제1항에 따른 현물출자의 방법으로 자산을 처분한 경우

3. 삭제 〈2018.2.13.〉 4. 전환법인이 「채무자 회생 및 파산에 관한 법률」에 따른 회생절차에 따라 법원의 허가를 받아 승계받은 자산을 처분한 경우

⑦ 법 제32조 제5항 제2호의 처분은 주식 또는 출자지분의 유상이전, 무상이전, 유상감자 및 무상감자(주주 또는 출자자의 소유주식 또는 출자지분 비율에 따라 균등하게 소각하는 경우는 제외한다)를 포함한다. 다만, 다음 각 호의 어느 하나에 해당하는 경우에는 그러하지 아니하다.

1. 법 제32조 제1항을 적용받은 거주자(이하 이 조에서 "해당 거주자"라 한다)가 사망하거나 파산하여 주식 또는 출자지분을 처분하는 경우 2. 해당 거주자가 「법인세법」 제44조 제2항에 따른 합병이나 같은 법 제46조 제2항에 따른 분할의 방법으로 주식 또는 출자지분을 처분하는 경우

3. 해당 거주자가 법 제38조에 따른 주식의 포괄적 교환·이전 또는 법 제38조의 2에 따른 주식의 현물출자의 방법으로 과세특례를 적용받으면서 주식 또는 출자지분을 처분하는 경우

4. 해당 거주자가 「채무자 회생 및 파산에 관한 법률」에 따른 회생절차에 따라 법원의 허가를 받아 주식 또는 출자지분을 처분하는 경우 5. 해당 거주자가 법령상 의무를 이행하기 위하여 주식 또는 출자지분을 처분하는 경우 6. 해당 거주자가 가업의 승계를 목적으로 해당 가업의 주식 또는 출자지분을 증여하는 경우로서 수증자가 법 제30조의 6에 따른 증여세 과세특례를 적용받은 경우

⑧ 제7항 제6호에 해당하는 경우에는 수증자를 해당 거주자로 보아 법 제32조 제5항을 적용하되, 5년의 기간을 계산할 때 증여자가 법인전환으로 취득한 주식 또는 출자지분을 보유한 기간을 포함하여 통산한다.

1) 순자산가액

법인전환시 개인사업체의 출자액이 소멸하는 개인기업의 순자산가액에 미달하는 경우 「조세특례제한법」 제32조에 의한 법인전환의 요건이 충족되었다고 볼 수 없다.

◎ 현물출자 방식의 법인전환에 대한 취득세 감면 관련 순 자산가액 계산 시 자산에서 공제하는 부채에 사업무관 부채는 포함되지 아니함

순자산가액 산정에 관하여는 「조세특례제한법」 시행령 제29조 제5항에 따라 같은 시행령 제28조 제1항 제2호를 준용하도록 하고 있는데, 법인설립 당시의 소멸 사업장의 자산합계액에서 충당금을 포함한 부채의 합계액을 공제하는 것인바, 이 때 부채의 범위는 그 부채를 공제하는 대상인 자산의 범주에 대응하는 것이라 하는 것이 타당하다 할 수 있고, 그 자산은 위 산식을 정한 「조세특례제한법」 시행령 제28조 제1항 제2호가 해당사업에 관한 주된 자산을 모두 승계하는 경우에 적용되는 것(동 시행령 제28조 제1항 본문)이라는 점 등을 고려한다면 사업관련성이 있는 자산을 의미하는 것으로 보는 것이 합리적이라 할 것으로, 그와 같은 범주를 지닌 자산에 대응하는 부채에 관하여도 사업과 관련한 금액으로 새겨야 할 것임(행안부 지방세특례제도과-2712, 2019.7.11.).

◎ 개인기업 법인전환에 소요된 등기비, 미수금된 임대료 등은 법인전환 순자산가액에 포함

개인기업 법인전환 설립시의 취득세 감면요건은 법인 설립 당시를 기준으로 법인의 자본금이 소멸하는 개인기업의 순자산가액 이상이여야 하고, 개인기업 사업장의 순자산가액 계산시 관계회사대여금, 출자금, 미수금을 순자산가액에서 제외할 수 없는 것(국세청 부동산거래-355, 2011.4.26. 법령해석 참조)이므로 소멸하는 개인사업장의 대표이사가 대납한 등기비와 미수금된 임대료가 법인설립 당시의 법인장부에 부채로만 계상되어 있는 경우로서 개인기업 대차대조표상의 자산에서 누락되어 순자산가액이 산출된 경우라면 누락된 등기비 등을 대여금 등으로 자산에 포함하여 순자산가액을 산출함이 타당하다고 할 것임(지방세운영과-1951, 2013.8.20.).

◎ 개인사업자와 특수관계인인 법인간 매매가액은 시가평가액으로 볼 수 없다고 한 사례

개인사업자의 자산인 기계기구 자산가액 67,717,232원 중 50,000,000원이 이 건 개인사업자와 특수관계인인 법인간에 매매를 통하여 이루어진 가액이므로 「상속세 및 증여세법 시행령」 제49조에서 규정하고 있는 시가로 인정할 수 없는 바, 청구법인이 이 건 개인사업자의 사업장의 순자산가액 이상을 출자하여 법인전환 하였다 하더라도 동 순자산가액이 시가로 평가한 자산가액으로 인정하기 어려운 이상, 청구법인은 「조세특례제한법 시행령」 제29조 제2항 및 제5항의 감면요건을 충족하지 못한 상태로 법인전환하였으므로 이 건 부동산을 취득세 과세면제 대상에 해당되지 않음(조심 2010지0858, 2011.11.1.).

◎ 3명이 현물출자의 방법으로 1개 법인으로 전환하는 경우로, 설립되는 법인의 자본금이 소멸하는 사업장의 순자산가액 보다 1주의 액면금액이상 작은 경우 취득세 면제불가

1주의 금액(5,000원)을 초과하여 설립되는 법인의 자본금이 부족한 점, 현물출자뿐만 아니라 현금출자도 가능한 점(지방세운영과-2001, 2008.10.30.), 거주자의 출자금액의 크기(종전 개인사업장의 순자산가액 이상인지 여부)와 상관없이 새로이 설립되는 법인의 자본금이 종전 개인사업장의 순자산가액 이상이면 취득세의 면제대상으로 보고 있는 점(조심 2010지0516, 2011.11.22.), 정관에서도 1만원 미만은 절사하고 출자재산의 평가액을 확인하는 내용이 없는 점 등을 종합적으로 고려할 때 취득세 감면요건을 충족한 것으로 보기는 어려움(지방세운영과-713, 2014.2.27.).

◎ 관계회사대여금, 출자금, 미수금을 순자산에서 제외할 수 없음

「조세특례제한법」 제32조[법인전환에 대한 양도소득세의 이월과세] 및 같은 법 시행령 제29조 제5항을 적용함에 있어 사업용고정자산을 현물출자하거나 사업양수도하여 법인으로 전환하는 사업장의 순자산가액 계산시 관계회사대여금, 출자금, 미수금을 순자산에서 제외할 수 없는 것임(국세청 부동산거래-355, 2011.4.26.).

◎ 개인사업자의 현금출자액도 법인전환되는 법인의 자본금에 포함됨

「조세특례제한법」 제32조 제2항에서 새로이 설립되는 법인의 자본금이 개인사업자의 순자산

가액 이상일 것을 감면요건으로 규정한 것은 개인사업을 법인으로 전환하는 과정에서 법인으로 전환한 당초 개인기업의 규모가 축소되는 것을 방지하기 위한 것이므로, 개인사업자가 법인전환시 투여한 현물출자액 이외 현금출자액도 법인의 자본금에 포함된다고 할 것(지방세운영과-2001, 2008.10.30.)이나, 개인사업자가 직접 투여하지 아니한 다른 주주의 투여지분에 해당하는 출자액은 법인의 자본금에 포함되지 아니한다고 할 것(국심 2005중2993, 2005.11.1.)이며, 「조특법」 제32조 ② 및 시행령 제29조 ④에서 순자산가액을 계산함에 있어 시행령 제28조 ① 제2호를 준용토록 하고 있으므로, 동 규정에 따라 「조특법」 제28조 ① 제2호를 준용하여 산출한 가액을 순자산가액으로 적용하여 「조특법」 제119조 ④ 및 제120조 ⑤에 따른 감면여부를 결정하여야 함(지방세운영과-344, 2010.1.26.).

◎ 종전사업자의 출자액이 순자산가액에 미달시 취득세 면제대상이 아님

사업양수도의 방법으로 설립한 법인이 종전사업자로부터 취득하는 사업용 재산이 취득세 등의 면제대상이 되기 위해서는 종전사업자가 당해 법인의 발기인이 되어야 할 뿐 아니라 그 출자액 또한 종전 사업장의 순자산가액 이상이어야 한다고 보는 것이 「조세법규의 엄격해석원칙」에 비추어 볼 때 타당하다고 할 것으로 사업양수도를 통하여 법인을 설립하는 경우 자본금은 순자산가액을 초과하나 종전사업자의 출자액이 순자산가액에 미달하는 경우 취득세 등 면제 대상이 아님(조심 2010지0598, 2011.3.21.).

◎ 현물출자에 따른 법인전환시 무허가 공장건축물도 순자산가액에 포함됨

「조세특례제한법」 제32조 제1항에서 거주자가 사업용 고정자산을 현물출자하여 법인으로 전환하는 경우 당해 사업용 고정자산에 대하여 이월과세를 받을 수 있다고 규정하고 있고, 제2항에서 제1항의 규정은 새로이 설립되는 법인의 자본금이 대통령령이 정하는 금액 이상인 경우에 적용한다고 규정하고 있으며, 같은 법 시행령 제29조 제4항에서 법 제32조 제2항에서 "대통령령이 정하는 금액"이라 함은 사업용 고정자산을 현물출자 하여 법인으로 전환하는 사업장의 순자산가액을 말한다고 규정하고 있고, 현물출자에 의한 개인기업의 법인전환시 취득세와 등록세가 면제되는 대상은 그 법문내용대로 사업용재산 전부이고 사업용고정자산에 한정된다고 할 수 없다 할 것으로 개인사업자의 사업용고정자산 현물출자에 따른 법인 전환시 무허가 공장건축물도 순자산 가액에 포함됨(조심 2009지0828, 2010.6.21.).

◎ 법인설립 이후 자본금 경정등기시, 소급효로 자본금이 순자산가액 이상이면 면제대상

경정등기는 원시적 착오, 또는 (당초의 등기절차에 신청의 착오나 등기관의 과오가 있어 등기와 실체가 불일치하는 경우)가 있는 경우에 할 수 있고, 등기완료 후에 발생한 사유에 의해서는 할 수 없는 점(경정등기절차에 관한 업무처리지침, 대법원 등기예규 제1148호, 2006.9.15.), 위 사실관계와 같이 2010.2.5. 법인설립 당시에는 자본금이 순자산가액에 미달하였으나,

2010.2.26. 착오신청을 원인으로 경정등기를 신청하여 2010.3.10. 법원의 승인으로 경정등기가 이루어진 점 등을 종합적으로 고려할 때, 경정등기의 소급효로 인해 당해 법인설립일부터 자본금이 순자산가액 이상이 된 경우로서 취득세 등 면제대상에 해당된다고 할 것임(지방세운영과-5089, 2011.11.1.).

◎ 순자산가액에 미달하는 934원은 주식을 발행할 수 없어 부득이하게 단주처리한 것이므로 법인전환 요건 충족에 해당된다고 한 사례

소멸하는 사업장의 중소기업자인 ○○○의 주식 인수가액이 235,725,000원으로 소멸사업장의 순자산가액 235,725,934원에 934원 미달하고 있어 「조세특례제한법」 제32조 제1항 및 제2항의 현물출자방식에 의한 법인전환에 해당된다고 볼 수 없어 감면을 배제하고 있으나, 「상법」 제329조 제3항 및 제330조에 의하면 주식의 금액은 균일하여야 하고, 주식은 액면미달가액으로 발행하지 못한다고 규정되어 있어 전환법인은 ○○○이 현물출자한 순자산가액 235,725,934원 중 주식액면가인 5,000원에 미달하는 934원은 주식을 발행할 수 없어 부득이하게 단주처리하고 주식발행초과금으로 적립한 것이므로 「조세특례제한법」 제32조 제1항 및 제2항의 현물출자방식에 의한 법인전환에 해당됨(조심 2010지0040, 2010.11.19.).

◎ 가지급금은 법인사업체에 승계시킬 자산으로 보기 어려움

사업양도·양수계약서 및 양도양수증에 의한 양도·양수하고자 하는 재산의 표시에 의하면, 청구법인이 이 건 중소기업자로부터 양수하기로 한 자산총액에는 개인사업체의 가지급금이 포함되지 아니한 사실이 확인되고 있으며, 사업양수도에 의하여 법인으로 전환하는 과정에서 소멸하는 사업장의 중소기업자가 취득하는 지분의 가액이 소멸하는 사업장에 대한 법인전환일 현재 시가로 평가한 자산의 합계액에서 부채의 합계액을 공제한 순자산가액 이상인 사실이 나타나고 있는 바, 가지급금은 개인사업체에 대한 채권임과 동시에 개인사업자의 채무로서 법인사업체에 승계시킬 자산으로 보기 어렵다 할 것이므로, 이를 승계대상 자산에서 제외함이 타당함(조심 2010지0138, 2010.11.18.).

◎ 사업양도·양수 방식에 따라 개인기업을 법인으로 전환하는 경우 법인의 순자산 가액 산정 기준일은 법인설립일을 기준으로 판단하여야 함(지방세특례제도과-535, 2020.3.10.)

◎ 법인전환시 요건인 자본금의 의미

새로이 설립되는 법인의 '자본금'이란 기업회계기준에 의한 법인등기부등본상의 자본금, 즉 재무상태표상의 자본금만을 의미하는 것임(지방세정팀-6413, 2006.12.22.).

※ cf) 중소기업 통합 요건 : 주식(자본금+잉여금) ≥ 자산시가-부채

2) 감면대상 사업용 고정자산의 범위

| 최근 개정법령 _ 2016.1.1. | 현물출자, 사업양도 · 양수시 감면 범위 조정(법 제57조의 2 ④)

인용규정인 조세특례제한법상 감면대상을 "사업용 고정자산"으로 규정하고 있어 지방세 감면범위도 '사업용 재산'에서 '사업용 고정자산'으로 일치시켰다.

◎ 공장 구외에 위치한 기숙사는 사업용 재산으로 볼 수 없음

개인사업자가 사업의 포괄양수도 방법에 따라 법인으로 전환하는 과정에서 취득하는 사업용 재산이라 함은 사업을 영위하는데 중추적인 기능을 하는 재산(공장 및 사무실)으로서 당해 사업의 본래의 목적을 수행하기 위한 재산을 말하는 것인 바, 공장 구외에 위치한 기숙사는 단순히 복리후생차원에서 제공하는 것일 뿐 사업을 위하여 중추적인 기능을 제공하는 재산으로서 사업을 영위하는데 반드시 필요한 사업용 재산으로 볼 수 없음(조심 2012지0488, 2012.10.10.).

◎ 현물출자로 취득한 부동산을 임대용으로 사용하는 경우 추징대상 처분으로 보기는 어려움

사업용 재산을 임대해 주는 경우에는 특별한 사정이 없는 한 해당 사업을 법인설립 전에도 계속 영위하였는지 여부로 추징대상을 판단하여야 할 것이며, 임대사업을 고유목적사업으로 영위하면서 당해 임대사업자가 법인전환 후에도 계속 임대사업에 사업용 재산을 제공하는 경우라면, 현물출자라는 법인전환 방식을 통하여 단지 사업의 운영형태만 개인사업자에서 법인으로 변경한 것에 불과하므로 이를 처분으로 볼 수 없다 할 것임(지방세특례제도과-698, 2014.6.20.).

3) 2년 이내 임대 및 처분 등의 추징대상 여부

◎ 개인기업 법인전환 이후 2년 내에 흡수합병된 경우는 추징대상 처분에 해당됨

지방세법은 소유권 이전의 형식에 의한 취득의 모든 경우를 취득세 과세대상으로 파악하여 존속 · 신설법인이 소멸법인의 자산을 이전받는 형식 자체를 취득세의 과세대상인 '취득'으로 파악하는 것으로 보이는 점(대법원 2010두6007, 94다28901 등), 개인사업자인 조○관이 대구미○맘으로 전환된 후 구 조세특례제한법 제120조 ⑤ 단서에서 정한 기간 동안 지속적으로 사업을 영위하지 아니한 채 원고에게 흡수합병된 경우에도 취득세 등 면제 규정을 적용하는 것은 개인사업의 법인전환을 장려하기 위한 제도의 취지에 부합한다고 보기 어려운 점 등을 종합하면, 원고가 흡수합병을 통해 부동산을 이전받은 것은 대구 미○맘이 부동산을 원고에게 처분한 것에 해당함(대법원 2015두50481, 2015.12.10.).

◎ 2년 이내 정당한 사유없이 처분(임대 포함)시는 추징대상에 해당함

개인사업자가 사업용 고정자산을 현물출자하는 과정에서 취득하는 사업용 재산에 대하여는 취득세 등을 과세면제하지만, 취득일부터 2년 이내에 정당한 사유없이 해당 재산을 처분(임대 포함)하는 경우에는 감면받은 세액을 추징하는 것인 바, 청구법인이 쟁점부동산을 직접 사용하지 아니하고 이를 임대하고 있는 이상 감면대상으로 보기는 어려움(조심 2012지0500, 2012.10.10.).

- 구 조세특례제한법상 신설법인 설립을 위한 현물출자로 취득한 재산에 대하여 취득세를 면제하는 규정만 있고 추징규정이 없는 경우, 위 규정에 따라 현물출자한 토지가 그 후에 구 지방세법상 비업무용 부동산에 해당하게 되었다 하더라도 비업무용 부동산에 대한 취득세 중과규정을 근거로 취득세를 중과할 수 없음(대법원 2003두9374, 2005.9.29.).

- 현물출자받아 설립된 법인이 건축물을 철거한 경우에는 해당 재산을 '처분'한 것으로 감면세액 추징대상에 해당(지방세특례제도과-697, 2020.3.26.)

- **법인등기부에 부동산임대업이 계속하여 등록되어 있다면 유예기간 내에 부동산임대업에 사용하지 않고 방치하고 있는 경우라도 추징대상에 해당되지 않음**

  (사실관계) '12.7. 청구법인이 취득한 이 건 부동산에 대하여 개인사업자의 법인전환에 따라 취득하는 사업용 재산으로 보아 취득세 면제신청, 처분청은 '16.1. 취득일부터 2년이 경과하도록 임대업에 사용하지 아니하고 방치하고 있으므로 승계한 사업인 부동산임대업을 사실상 폐업한 것이라고 보아 추징 (판단) 부동산의 취득일부터 2년 이내에 청구법인이 이 건 부동산을 해당 사업인 부동산임대업에 사용하지 않았다고 하더라도 청구법인이 법인등기부의 목적사업에서 부동산임대업을 계속하여 두고 있다면 부동산임대업을 폐업한 것으로 보지 않는 것이 타당(조심 2016지0433, 2016.7.25.)

- 감면세액 추징대상인 처분에 "임대를 포함"하는 취지는 법인전환하면서 취득한 사업용 재산을 고유목적 사업에 사용하지 아니하고 수익 등을 위하여 임대하는 경우 처분에 준하는 추징대상으로 보겠다는 의미라 할 것이므로, 해당 법인이 소비성사업을 영위하지 않고 임대사업을 고유목적사업으로 영위하면서 해당 임대사업자가 법인전환 후에도 계속 임대사업에 사업용 재산을 제공하는 경우라면, 이를 처분으로 볼 수 없음(지방세운영과-4434, 2010.9.20.).

6. 과점주주 간주취득세 면제(법 제57조의 2 ⑤)

2016.1.1. 시행, 지방세특례제한법 개정으로 제57조의 2 제5항(제8호 코스닥상장 법인은 제외)에 해당하는 과점주주 간주취득세 면제가 2018.12.31.까지 3년간 연장되었다.

2017.1.1. 시행, 지방세특례제한법 개정으로 제57조의 2 제5항 제8호에 해당하는 코스닥상장 법인의 과점주주 간주취득세 감면기한(~2016.12.31.)을 종료하였다.

다음의 어느 하나에 해당하는 사유로 주식 또는 지분(이하 "주식"이라 함)을 취득하여 과점주주가 되는 경우에는 간주 취득세를 면제한다(법 ⑤). 이때 국세인 농특세는 과세되며, 2019년부터는 최소납부세제 15%는 과세된다.

1. 관계법령에 따라 부실금융기관으로부터 주식을 취득하는 경우
2. 금융기관이 법인에 대한 대출금을 출자로 전환함에 따라 해당 법인의 주식을 취득하는 경우
3. 지주회사(금융지주회사 포함, 동일 기업집단 내 계열회사가 아닌 경우 과세)가 되거나 지주회사가 자회사의 주식을 취득하는 경우
4. 예금보험공사 또는 정리금융기관이 관계법령에 따라 주식을 취득하는 경우
5. 한국자산관리공사가 관계법령에 의거 인수한 채권을 출자로 전환함에 따라 주식을 취득하는 경우
6. 농업협동조합자산관리회사가 인수한 부실자산을 출자로 전환함에 따라 주식을 취득하는 경우
7. 주식의 포괄적 교환·이전으로 완전자회사의 주식을 취득하는 경우
8. 코스탁 증권시장에 상장한 법인의 주식을 취득하는 경우

과점주주에 대해 취득세를 과세하는 취지는 취득세 과세대상이 되는 자산을 취득하는 대신 법인의 주식을 취득하여 취득세 과세대상이 되는 자산에 대해 실질적인 영향력을 행사하는 것에 대해 과세형평성 차원에서 과세하기 위한 것으로, 과점주주에 해당 여부는 특정주주 1인을 기준으로 특수관계인을 최대로 엮어 그 비율이 전체 주식의 50%가 초과하면 취득세 과세대상이 되는 자산의 합계액에 2%의 단일세율로 과세하며 코스피 상장법인은 지방세기본법에 따라 그 대상에서 제외하며, 지방세특례제한법에서는 위의 8개의 사유로 과점주주가 되는 경우에 간주취득세를 감면한다. 감면대상은 크게 3가지 유형으로 구분할 수 있는데, 첫째, 채권회수 등의 방법으로 불가피하게 과점주주가 되는 제1호·제2호·제4호·제5호·제6호, 둘째, 기업의 구조조정 등을 지원하기 위한 제3호·제7호(추징규정 있음), 셋째, 코스탁 상장법인을 제외하는 제8호로 나뉜다. 제3호의 경우에는 기업집단 내 계열회사가 아닌 제3의 회사를 지배하기 위해 주식을 취득한 경우까지 지주회사 감면으로 보아야 한다는 대법원의 판단에 따라 2018년말에 조문개정을 통해 명확히 한 바 있다. 입법지원 취지가 단순한 수직적 출자구조가 상호 순환출자구조보다 부실기업의 신속한 퇴출과 연쇄도산 등의 위험이 적기 때문에 감면을 지원하려는 것인데 이와 전혀 관계없는 기업의 주식을 사서 지배하는 경우까지 감면대상으로 인정했던 사례이다.

- 공정거래법의 지주회사에 관한 규정이 적용되지 아니하는 사모투자전문회사나 투자목적회사에 대하여는 해당 규정이 적용되지 아니하므로 간주취득세 과세대상

  사모투자전문회사 또는 투자목적회사와 지주회사의 설립목적 및 기능상 차이, 그리고 1999.12.28. 법률 제6045호로 개정된 조세특례제한법에 이 사건 법률조항(당시에는 제120조 제5항 제8호)이 신설될 당시에는 구 간접투자법에 사모투자전문회사나 투자목적회사에 관한 규정이 아직 도입되지 아니하였던 점 등을 종합하면, 공정거래법의 지주회사에 관한 규정이

적용되지 아니하는 구 간접투자법상 사모투자전문회사나 투자목적회사에 대하여는 이 사건 법률조항도 적용되지 아니한다고 해석함이 타당함(대법원 2011두13682, 2014.1.16.).

☞ 지주회사를 간주취득세의 부과대상에서 제외하는 입법취지는 지주회사의 설립이나 지주회사로의 전환에 대하여 세제혜택을 줌으로써 소유와 경영의 합리화를 위한 기업의 구조조정을 지원하려는데 있음.

☞ 사모투자전문회사란 '회사의 재산을 주식 또는 지분 등에 투자하여 경영권 참여, 사업구조 또는 지배구조의 개선 등의 방법으로 투자한 기업의 가치를 높여 그 수익을 사원에게 배분하는 목적으로 설립된 합자회사로서 일정한 요건을 갖춘 회사'를 말하고(구 간접투자법 제2조 제4호의 2), 투자목적회사란 '그 주주 또는 사원의 전부가 사모투자전문회사이고 사모투자전문회사의 재산운용방법과 동일한 내용의 투자를 목적으로 하는 주식회사 또는 유한회사'를 말함(제144조의 9 ① 등 참조)

◎ 한국무역보험공사가 출자전환으로 과점주주가 된 경우 간주취득세 감면대상이 아님

구 조특법 제120조 제6항 제4호가 별도로 '금융기관'에 관한 정의를 하고 있지 않은 이상, '이 법에서 특별히 정하는 경우를 제외하고는 제3조 제1항 제1호부터 제19호까지에 규정된 법률에서 사용하는 용어의 예에 따른다'고 규정한 구 조특법 제2조 제2항에 의하여 '금융기관'의 의미를 파악하여야 한다고 전제한 다음, 제3조 제1항 제16호가 들고 있는 '금융실명거래 및 비밀보장에 관한 법률' 및 그 시행령에 규정된 '금융기관'에는 원고가 포함되어 있지 아니하여 원고를 구 조특법 제120조 제6항 제4호 소정의 '금융기관'으로 볼 수 없음(대법원 2013두18384, 2014.1.16.).

〈조세특례제한법〉

제38조(주식의 포괄적 교환 · 이전에 대한 과세 특례) ① 내국법인이 다음 각 호의 요건을 모두 갖추어 「상법」 제360조의 2에 따른 주식의 포괄적 교환 또는 같은 법 제360조의 15에 따른 주식의 포괄적 이전(이하 이 조에서 "주식의 포괄적 교환등"이라 한다)에 따라 주식의 포괄적 교환등의 상대방 법인의 완전자회사로 되는 경우 그 주식의 포괄적 교환등으로 발생한 완전자회사 주주의 주식양도차익에 상당하는 금액에 대한 양도소득세 또는 법인세에 대해서는 대통령령으로 정하는 바에 따라 완전자회사의 주주가 완전모회사의 주식을 처분할 때까지 과세를 이연받을 수 있다.

1. 주식의 포괄적 교환 · 이전일 현재 1년 이상 계속하여 사업을 하던 내국법인 간의 주식의 포괄적 교환등일 것. 다만, 주식의 포괄적 이전으로 신설되는 완전모회사는 제외한다.
2. 완전자회사의 주주가 완전모회사로부터 교환 · 이전대가를 받은 경우 그 교환 · 이전대가의 총합계액 중 주식의 가액이 100분의 80 이상으로서 그 주식이 대통령령으로 정하는 바에 따라 배정되고, 완전모회사 및 대통령령으로 정하는 완전자회사의 주주가 주식의 포괄적 교환등으로 취득한 주식을 교환 · 이전일이 속하는 사업연도의 종료일까지 보유할 것
3. 완전자회사가 교환 · 이전일이 속하는 사업연도의 종료일까지 사업을 계속할 것

② 완전자회사의 주주가 제1항에 따라 과세를 이연받은 경우 완전모회사는 완전자회사 주식을 장부가액으로 취득하고, 이후 3년 이내의 범위에서 대통령령으로 정하는 기간에 다음 각 호의 어느 하나의 사유가 발생하는 경우 완전모회사는 주식의 포괄적 교환등으로 취득한 완전자회사 주식의 장부가액과 주식의 포괄적 교환·이전일 현재의 시가와의 차액(시가가 장부가액보다 큰 경우만 해당한다)을 대통령령으로 정하는 바에 따라 익금에 산입한다.

1. 완전자회사가 사업을 폐지하는 경우 2. 완전모회사 또는 대통령령으로 정하는 완전자회사의 주주가 주식의 포괄적 교환등으로 취득한 주식을 처분하는 경우

③ 제1항 제2호 및 제3호와 제2항 제1호 및 제2호를 적용할 때 법령에 따라 불가피하게 주식을 처분하는 경우 등 대통령령으로 정하는 부득이한 사유가 있는 경우에는 주식을 보유하거나 사업을 계속하는 것으로 본다.

7. 프로젝트금융투자회사 세제지원(2014.12.31. 감면 종료)

◎ **추징규정 부재로 신탁해도 취득일로 소급하여 감면을 제외할 수 없음**

프로젝트금융투자회사 취득세 감면대상 여부 관련, 프로젝트금융투자회사가 부동산 취득일에 「법인세법」 제51조의 2 제1항 제9호에 해당하는 회사라면, 취득하는 부동산은 2012.12.31.까지 취득세의 감면대상에 해당된다고 할 것이고, 취득 후 직접 사용 여부에 대한 별도의 추징규정이 없으므로 취득일 이후의 신탁회사에 신탁 등의 사정이 있다고 하여 취득일로 소급하여 감면대상 여부를 논하는 것을 부적절하다고 할 것임(지방세운영과-1667, 2012.5.30.).

◎ **추징규정 없어 프로젝트금융투자회사가 부동산을 매각시도 추징할 수 없음**

감면대상을 프로젝트금융투자회사가 취득하는 부동산이라고 규정하고 있을 뿐, 프로젝트금융투자회사가 취득 등기하는 부동산에 대한 추징규정이 없으므로, 프로젝트금융투자회사가 위 규정에 따라 면제받은 부동산을 매각하는 경우라 하더라도 경감된 취득세와 등록세를 추징할 수 없음(대법원 2003두9374, 2005.9.29. 참조).

8. 유동화전문회사 세제지원(2014.12.31. 감면 종료)

◎ 유동화전문회사가 구 조세특례제한법(2010.12.27. 이전) 제120조 제1항 제12호, 제119조 제1항 제13호 규정의 시행 당시 단순히 유동화자산인 부동산 담보부채권을 양수하여 보유하고 있었던 경우에는, 설령 장래의 담보부동산 취득에 대한 취득세 감면을 신뢰하였더라도 이는 단순한 기대에 불과할 뿐 그 신뢰가 마땅히 보호하여야 할 정도에 이르렀다고 볼 수 없으므로, 구 조특법 규정이 적용되지 않고 납세의무의 성립 당시 법령인 개정 조특법 규정이 적용되어 취득세가 감면되지 않는다고 할 것임(대법원 2015두42152, 2015.9.24.).

◎ 신법의 입법과정에서 유동화전문회사의 취득세 감면 혜택의 축소에 관한 부분이 구체적으로 언급되거나 논의되지 않는 등 그 밖에 원고가 드는 사정들이 있다고 하더라도 법률 문언의 통상적 의미를 벗어난 해석을 할 수는 없는 점 등에 비추어 보면, 신법 제120조 제1항 제9호가 경매취득의 경우를 포함하는 것으로 해석할 수 없고, 유동화전문회사가 자산보유자 또는 다른 유동화전문회사로부터 취득한 부동산에 한정된다고 봄이 타당함(대법원 2015두38054, 2015.4.3.).

9. 농업중앙회 세제지원(법 제57조의 2 ⑥)

2018.1.1. 시행, 지방세특례제한법 개정으로 농협중앙회 사업구조개편을 위한 법인설립·자본증자 등기에 대한 등록면허세 면제 및 농협경제지주회사가 중앙회로부터 이관받은 재산에 대한 취득세 면제 규정의 일몰을 종료하였다.

| 최근 개정법령_2017.1.1.| '12년부터 추진되어 온 농협 사업구조개편 지방세 지원의 일환으로 「농업협동조합법」 제134조의 2에 따라 설립된 농협경제지주회사가 중앙회로부터 경제사업을 이관 받아 취득하는 재산에 대하여 취득세 면제규정을 신설하였다(법 제57조의 2 제6항 제3호).

10. 사업재편기업 지원(법 제57조의 2 ⑧)

산업 내 과잉공급 해소와 생산성 향상을 위해 산자부장관이 승인 또는 변경승인한 사업재편계획에 따라 합병 등을 추진하는 경우 법인등기에 대한 등록면허세를 50% 감면하는데, 사업재편계획 승인이 취소되는 경우에는 감면된 등록면허세를 추징한다(법 ⑧).

2016.1.1. 「기업 활력 제고를 위한 특별법」 제9조 및 제10조에 따라 사업재편계획을 추진하는 경우, 그 해당 법인에 대한 법인등기에 대하여 등록면허세의 100분의 50을 2018.12.31.까지 감면하도록 신설하였다(법 제57조의 2 제8항 신설). 이후 2017.1.1. 사업재편계획에 따른 승인이 취소되는 등 당초 감면 취지에 부합하지 않는 사항이 발생하는 경우 경감된 세액을 추징하도록 추징규정을 신설하였다(제8항 본문에 단서 신설).

11. 수협은행 세제지원(법 제57조의 2 ⑨)

2017.1.1. 시행, 지방세특례제한법 개정으로 2016.12월 수협은행이 분리·설립이 완료되어수협은행 분리에 따른 재산 취득 및 법인설립 등기에 대한 취득세·등록면허세의 감면(~2016.12.31.)을 종료하였다.

| 최근 개정법령_2016.1.1.| 수협은행 세제지원 신설(법 제57조의 2 제9항 신설)
수산업협동조합중앙회에서 분리되어 설립되는 수협은행에 대해서는 취득세 및 등록면허세의 100분의 100을 각각 2016.12.31.까지 감면하도록 신설하였다.

12. 기타 감면(舊 조특법)

◎ 집합투자기구가 등록을 마치기 전에 행한 부동산 취득도 감면대상

'자본시장법에 따라 적법하게 설정·설립된 부동산집합투자기구'가 집합투자재산으로 부동산을 취득한 경우라면 부동산집합투자기구가 금융위원회에 등록되었는지 여부와 관계없이 감면이 적용되는지 여부와 관련… 집합투자기구가 등록을 마치기 전에 행한 부동산 취득도 사법상 유효하다고 볼 수 있고, 이 사건 부동산 취득 당시 이 사건 투자신탁계약에 따라 부동산집합투자기구가 설정·설립되어 있었을 뿐만 아니라, 특히 원고가 이 사건 부동산의 취득과 동시에 금융위원회에 등록을 신청한 이후 곧바로 그 등록 신청이 수리되기도 하였던 점 등에 비추어 보면, 이 사건 부동산 취득에 이 사건 감면규정이 적용됨(대법원 2016두30552, 2018.11.29.).

제57조의 3(기업 재무구조 개선 등에 대한 감면)

법 제57조의 3(기업 재무구조 개선 등에 대한 감면) ① 다음 각 호에 해당하는 재산의 취득에 대해서는 취득세를 2021년 12월 31일까지 면제한다.

1. 「금융산업의 구조개선에 관한 법률」 제2조 제1호에 따른 금융기관, 한국자산관리공사, 예금보험공사, 정리금융회사가 같은 법 제10조 제2항에 따른 적기시정조치(영업의 양도 또는 계약이전에 관한 명령으로 한정한다) 또는 같은 법 제14조 제2항에 따른 계약이전결정을 받은 부실금융기관으로부터 양수한 재산
2. 「농업협동조합법」에 따른 조합, 「농업협동조합의 구조개선에 관한 법률」에 따른 상호금융예금자보호기금 및 농업협동조합자산관리회사가 같은 법 제4조에 따른 적기시정조치(사업양도 또는 계약이전에 관한 명령으로 한정한다) 또는 같은 법 제6조 제2항에 따른 계약이전결정을 받은 부실조합으로부터 양수한 재산 농비
3. 「수산업협동조합법」에 따른 조합 및 「수산업협동조합의 부실예방 및 구조개선에 관한 법률」에 따른 상호금융예금자보호기금이 같은 법 제4조의 2에 따른 적기시정조치(사업양도 또는 계약이전에 관한 명령으로 한정한다) 또는 같은 법 제10조 제2항에 따른 계약이전결정을 받은 부실조합으로부터 양수한 재산 농비
4. 「산림조합법」에 따른 조합 및 「산림조합의 구조개선에 관한 법률」에 따른 상호금융예금자보호

기금이 같은 법 제4조에 따른 적기시정조치(사업양도 또는 계약이전에 관한 명령으로 한정한다) 또는 같은 법 제10조 제2항에 따른 계약이전결정을 받은 부실조합으로부터 양수한 재산

5. 「신용협동조합법」에 따른 조합이 같은 법 제86조의 4에 따른 계약이전의 결정을 받은 부실조합으로부터 양수한 재산
6. 「새마을금고법」에 따른 금고가 같은 법 제80조의 2에 따른 계약이전의 결정을 받은 부실금고로부터 양수한 재산

② 한국자산관리공사가 「금융회사부실자산 등의 효율적 처리 및 한국자산관리공사의 설립에 관한 법률」 제26조 제1항 제9호 및 제10호에 따라 취득하는 재산에 대해서는 취득세를 2021년 12월 31일까지 면제한다.

③ 한국자산관리공사가 「금융회사부실자산 등의 효율적 처리 및 한국자산관리공사의 설립에 관한 법률」 제26조 제1항 제7호에 따라 중소기업이 보유한 자산을 취득하는 경우에는 취득세의 100분의 50을 2023년 12월 31일까지 경감한다.

④ 한국자산관리공사가 중소기업의 경영 정상화를 지원하기 위하여 대통령령으로 정하는 요건을 갖추어 중소기업의 자산을 임대조건부로 2023년 12월 31일까지 취득하여 과세기준일 현재 해당 중소기업에 임대중인 자산에 대해서는 해당 자산에 대한 납세의무가 최초로 성립하는 날부터 5년간 재산세의 100분의 50을 경감한다.

영 제28조의 3(한국자산관리공사의 자산매입 및 임대 요건) 법 제57조의 3 제4항에서 "대통령령으로 정하는 요건"이란 다음 각 호의 요건을 모두 갖출 것을 말한다.

1. 해당 중소기업으로부터 금융회사 채무내용 및 상환계획이 포함된 재무구조개선계획을 제출받을 것 2. 해당 중소기업의 보유자산을 매입하면서 해당 중소기업이 그 자산을 계속 사용하는 내용의 임대차계약을 체결할 것 [본조신설 2017.12.29.]

농업협동조합, 새마을금고 등의 합병, 산림조합 등이 적기시정조치 등으로 양수하는 재산 등, 농업협동조합중앙회의 구조개편에 따른 합병 등 구조개편에 따른 세제지원을 규정하고 있다.

금융기관 등[1]이 관련법에 따른 계약이전결정 등[2]을 받은 부실 금융기관등[3]으로부터 양수한 재산에 대해 취득세를 면제한다(법 ①). 2016년에 농협·수협 등과의 형평성 고려, 부실조합(금고)으로부터 계약이전결정에 따라 양수하는 재산에 대한 감면 규정을 추가(법 ① 5·6)한 바 있다. 예를 들어 농협조합·수협조합·산림조합·신협조합 등이 부실 조합의 재산을 취득하는 경우에 취득세를 면제하는데, 그 요건으로 관련법에 따라 계약이전결정 등을 받은 경우로 한정한다. 합병하는 경우에는 제57조의 2 제2항에서 감면하고, 경영상황이 좋지 않아 사업양도 등을 하는 경우에는 해당 규정을 적용받을 수 있는 것이다. 아래 표를 참고하기 바란다.

감면대상(양수자)[1]	양도자[3]	양도자 상황[2]
금융기관, 한국자산관리공사, 예금보험공사, 정리금융기관	부실 금융기관	적기시정조치(영업양도 또는 계약이전 명령限) 또는 계약이전결정
농협조합, 상호금융예금자보호기금, 농협조합자산관리회사	부실 농협조합	적기시정조치(사업양도 또는 계약이전 명령限) 또는 계약이전결정
수협조합, 상호금융예금자보호기금	부실 수협조합	적기시정조치(사업양도 또는 계약이전 명령限) 또는 계약이전결정
산림조합, 상호금융예금자보호기금	부실 산림조합	적기시정조치(사업양도 또는 계약이전 명령限) 또는 계약이전결정
신협조합	부실 신협조합	계약이전결정
새마을금고	부실 금고	계약이전결정

한국자산관리공사가 압류재산 매각 등의 국가 대행사업으로 재산을 취득하는 경우, 구조개선기업의 자산 관리 등을 위해 중소기업이 보유한 자산을 취득하는 경우 등에 대해 취득세나 재산세를 감면한다(법 ②, ③, ④). 재산세 감면(법 ④)에 대해서는 2018년 신설한 것이며, 기타 감면대상 및 감면율 등 자세한 내용은 아래 표를 참조하기 바란다.

법규정	내용	감면율
§57의 3 ②	국가기관으로부터 대행을 의뢰받은 압류재산 매각 등을 위해 취득하는 재산	취득세 100%
§57의 3 ③	구조개선 중소기업의 자산 매각 등을 위해 취득하는 재산	취득세 50%
§57의 3 ④	중소기업의 보유자산을 임대조건부로 취득하여 경영정상화를 위해 해당 중소기업에 임대하는 재산	재산세 50%(5년)

제57조의 4(주거안정 지원에 대한 감면)

법 제57조의 4(주거안정 지원에 대한 감면) 「한국자산관리공사 설립 등에 관한 법률」에 따라 설립된 한국자산관리공사가 주택담보대출 상환을 연체하는 자(이하 이 조에서 "연체자"라 한다)의 채무 상환 및 주거 안정을 지원하기 위하여 해당 연체자가 그 주택에 계속 거주하는 내용의 임대차계약을 체결하는 것을 조건으로 취득하는 해당 연체자의 주택에 대해서는 취득세의 100분의 50을 2023년 12월 31일까지 경감하고, 2021년 1월 1일 이후 취득하는 주택으로서 과세기준일 현재 해당 연체자에게 임대 중인 주택에 대해서는 해당 주택에 대한 재산세 납세의무가 최초로 성립하는 날부터 5년간 재산세의 100분의 50을 경감한다.

자산관리공사가 주택담보대출을 상환하지 못하는 연체자의 채무 상환 및 주거안정을 지원하기 위해 2021년 신설한 규정이다.

한국자산관리공사가 주택담보대출 상환을 연체하는 자의 채무 상환 및 주거 안정을 지원하기 위해 그 연체자가 해당 주택에 계속 거주하는 내용의 임대차계약을 체결하는 조건으로 취득하는 주택에 대해서는 취득세를 50% 감면하고, 재산세에 대해서는 납세의무가 최초로 성립한 날부터 5년간 50%를 감면한다. 2020년 12월 31일 이전에 취득한 주택에 대해서는 재산세 감면대상에 해당하지 않음에 유의해야 한다.

제58조(벤처기업 등에 대한 과세특례)

법 제58조(벤처기업 등에 대한 과세특례) ①「벤처기업육성에 관한 특별조치법」에 따라 지정된 벤처기업집적시설 또는 신기술창업집적지역을 개발·조성하여 분양 또는 임대할 목적으로 취득(「산업집적활성화 및 공장설립에 관한 법률」 제41조에 따른 환수권의 행사로 인한 취득을 포함한다)하는 부동산에 대해서는 취득세 및 재산세의 100분의 50을 각각 2023년 12월 31일까지 경감한다. 다만, 그 취득일부터 3년 이내에 정당한 사유 없이 벤처기업집적시설 또는 신기술창업집적지역을 개발·조성하지 아니하는 경우 또는 부동산의 취득일부터 5년 이내에 벤처기업집적시설 또는 신기술창업집적지역의 지정이 취소되거나 「벤처기업육성에 관한 특별조치법」 제17조의 3 또는 제18조 제2항에 따른 요건을 갖춘 날부터 5년 이내에 부동산을 다른 용도로 사용하는 경우에 해당 부분에 대해서는 경감된 취득세와 재산세를 추징한다.

②「벤처기업육성에 관한 특별조치법」에 따라 지정된 벤처기업집적시설 또는 「산업기술단지 지원에 관한 특례법」에 따라 조성된 산업기술단지에 입주하는 자(벤처기업집적시설에 입주하는 자 중 벤처기업에 해당되지 아니하는 자는 제외한다)에 대하여 취득세, 등록면허세 및 재산세를 과세할 때에는 2023년 12월 31일까지 「지방세법」 제13조 제1항부터 제4항까지, 제28조 제2항·제3항 및 제111조 제2항의 세율을 적용하지 아니한다.

③「벤처기업육성에 관한 특별조치법」 제17조의 2에 따라 지정된 신기술창업집적지역에서 산업용 건축물·연구시설 및 시험생산용 건축물로서 대통령령으로 정하는 건축물(이하 이 조에서 "산업용 건축물등"이라 한다)을 신축하거나 증축하려는 자(대통령령으로 정하는 공장용 부동산을 중소기업자에게 임대하려는 자를 포함한다)가 취득하는 부동산에 대해서는 2023년 12월 31일까지 취득세의 100분의 50을 경감하고, 그 부동산에 대한 재산세의 납세의무가 최초로 성립하는 날부터 3년간 재산세의 100분의 50을 경감한다. 다만, 다음 각 호의 어느 하나에 해당하는 경우 그 해당 부분에 대해서는 경감된 취득세 및 재산세를 추징한다.

1. 정당한 사유 없이 그 취득일부터 3년이 경과할 때까지 해당 용도로 직접 사용하지 아니하는 경우 2. 해당 용도로 직접 사용한 기간이 2년 미만인 상태에서 매각·증여하거나 다른 용도로 사용하는 경우

④ 「벤처기업육성에 관한 특별조치법」에 따른 벤처기업에 대해서는 다음 각 호에서 정하는 바에 따라 지방세를 경감한다.

1. 「벤처기업육성에 관한 특별조치법」 제18조의 4에 따른 벤처기업육성촉진지구에서 그 고유업무에 직접 사용하기 위하여 취득하는 부동산에 대해서는 취득세의 1,000분의 375를 2022년 12월 31일까지 경감한다.
2. 과세기준일 현재 제1호에 따른 벤처기업육성촉진지구에서 그 고유업무에 직접 사용하는 부동산에 대해서는 재산세의 1,000분의 375를 2022년 12월 31일까지 경감한다.

영 제29조(산업용 건축물 등의 범위) ① 법 제58조 제3항 각 호 외의 부분 본문에서 "대통령령으로 정하는 건축물"이란 다음 각 호의 어느 하나에 해당하는 건축물을 말한다.

1. 「도시가스사업법」 제2조 제5호에 따른 가스공급시설용 건축물
2. 「산업기술단지 지원에 관한 특례법」에 따른 연구개발시설 및 시험생산시설용 건축물
3. 「산업입지 및 개발에 관한 법률」 제2조에 따른 공장 · 지식산업 · 문화산업 · 정보통신산업 · 자원비축시설용 건축물과 이와 직접 관련된 교육 · 연구 · 정보처리 · 유통시설용 건축물
4. 「산업집적활성화 및 공장설립에 관한 법률」 제30조 제2항에 따른 관리기관이 산업단지의 관리, 입주기업체 지원 및 근로자의 후생복지를 위하여 설치하는 건축물(수익사업용으로 사용되는 부분은 제외한다)
5. 「집단에너지사업법」 제2조 제6호에 따른 공급시설용 건축물
6. 「산업집적활성화 및 공장설립에 관한 법률 시행령」 제6조 제5항 제1호부터 제5호까지, 제7호 및 제8호에 해당하는 산업용 건축물

② 법 제58조 제3항 각 호 외의 부분 본문에서 "대통령령으로 정하는 공장용 부동산"이란 「산업집적활성화 및 공장설립에 관한 법률」 제2조 제1호에 따른 공장을 말한다.

벤처기업집적시설 또는 신기술창업집적지역을 개발 · 조성하여 분양 또는 임대할 목적으로 취득하는 부동산, 벤처기업집적시설 또는 산업기술단지에 입주하는 벤처기업에 해당하는 자, 신기술창업집적지역에서 산업용 건축물 등을 신축 · 증축하려는 자가 취득하는 부동산, 벤처기업이 벤처기업육성촉진지구에서 그 고유업무에 직접 사용하기 위하여 취득 · 보유하는 부동산 등에 대해 지방세를 감면한다.

신기술창업집적지역, 벤처기업집적시설, 제58조의 2에서 규정하는 지식산업센터 모두 벤처기업을 장려하기 위한 목적에 그 취지가 있다. 가장 큰 차이점은 입지할 수 있는 위치에 있는데, 제58조의 2의 지식산업센터(구 아파트형공장)는 기존 공업지역 내에서만, 신기술창업집적지역은 대학이나 연구소 내, 벤처기업집적시설은 도심 내 상업지역까지도 입지가 가능하다,

벤처기업집적시설 또는 신기술창업집적지역을 개발 · 조성하는 사업시행자가 분양 또는 임대할 목적으로 취득하는 부동산에 대해 취득세 및 재산세를 50% 감면한다(법 ①). 3년

이내 정당한 사유없이 개발·조성하지 않는 경우, 5년 이내 그 집적시설·집적지역의 지정이 취소되는 경우, 지정 요건을 갖춘날부터 5년 이내에 다른 용도로 사용하는 경우에는 해당 부분에 대한 취득세와 재산세를 추징한다. 2014년까지는 취득세를 100% 감면하였으나, 유사성격의 집적시설과의 형평성을 고려하여 2015년부터는 50%로 감면율을 축소하였다. 벤처기업집적시설 또는 산업기술단지(TP, 테크노파크)에 입주하는 자에 대해서는 취득세·등록면허세·재산세를 과세할 때 대도시 중과세율의 적용을 배제한다(법 ②). 여기서 벤처기업집적시설에 입주하는 자는 벤처기업에 해당하는 경우에 한해 중과세를 배제한다는 점에 유의해야 한다.

신기술창업집적지역에서 산업용 건축물등을 신축·증축하려는 자(공장용 부동산을 중소기업자에게 임대하려는 자를 포함)가 취득하는 부동산에 대해 취득세를 50%, 재산세를 3년간 50% 감면(법 ③)하는데, 여기서 산업용 건축물등이란 건축물·연구시설 및 시험생산용 건축물로서 지방세특례제한법 시행령 제29조 제1항에서 규정하는 건축물이며, 중소기업자에게 임대하는 공장용 부동산은 「산업집적법」 제2조 제1호에 따라 건축물 등의 제조시설을 갖추고 제조업을 하기 위한 사업장을 말한다. 정당한 사유없이 3년이 경과할 때까지 직접 미사용시, 직접 사용한 기간이 2년 미만인 상태에서 매각·증여 또는 타용도 사용시에는 해당 부분에 대한 취득세와 재산세를 추징한다. 2014년까지는 취득세를 100% 감면하고, 재산세는 5년간 50% 감면하였으나, 유사성격의 집적시설과의 형평성을 고려하여 2015년부터는 현재의 감면율(취득세 50%, 재산세 3년간)과 같이 축소한 바 있다. 또한, 2018년에는 산업용건축물 중 임대를 허용하는 '공장용 부동산'에 대한 범위에 대해 「산업입지 및 개발에 관한 법률」 제2조에 따른 공장에 해당하는 건축물로 명확히 규정하였다(영 ②).

벤처기업육성촉진지구에서 벤처기업이 고유업무에 직접 사용하기 위해 취득하는 부동산에 대해서는 취득세·재산세를 37.5% 감면한다(법 ④). 여기서 벤처기업육성촉진지구란 벤처기업이 자연적으로 집적되어 있거나 벤처기업이 많이 분포하는 성장잠재력이 큰 지역을 관련법에 따라 한 데 묶은 지역을 말한다.

구분	벤처기업 집적시설	신기술창업 집적지역	지식 산업센터	산업 기술단지	벤처기업 육성촉진지구
지역	상업지역	대학, 연구소	공업지역	테크노파크 (14개소)	자연 집적지역
세제 혜택	시행자 : 감면	시행자 : 감면	설립자 : 감면	–	–
	입주자 : 중과배제	신증축 : 감면	최초분양 입주자 : 감면	입주자 : 중과배제	벤처기업 : 감면

◎ **벤처기업집적시설에 입주한 기업 중 일부가 규모의 확대로 중소기업에 해당하지 않게 되어, 지정요건을 충족하지 못하게 된 경우 이는 다른 용도로 사용하는 경우에 해당**

벤처기업집적시설 요건을 갖춘 날부터 5년 이내에 그 요건을 유지하지 아니하고, 관련법에서 정한 기업이외의 기업에 임대하고 있는 경우라면, 벤처기업집적시설에 해당되지 않는 다른 용도로 사용하는 경우임(지방세특례제도과-768, 2015.3.19.).

◎ **토지 취득 후 벤처기업집적시설 지정을 받은 경우 토지의 취득세 감면을 적용**

원고는 2009.3.25. 벤처기업집적시설을 개발・조성하기 위해 이 사건 토지를 취득하고, 그 후 2011.11.27. 그 지상에 신축 중이던 이 사건 건물에 관해 벤처기업집적시설 지정을 받은 사실 등을 인정하였다. 벤처기업집적시설로 지정되기 전에 취득한 부동산에 대해 취득세 등을 감면받았다 하더라도, 그 취득일부터 3년 이내에 정당한 사유없이 벤처기업집적시설을 개발・조성하지 않는 등의 일정한 사유가 발생하면 과세관청으로서는 그 단서 규정에 따라 감면된 취득세를 추징할 수 있으므로, 벤처기업집적시설의 지정 전에 취득한 부동산을 취득세 등의 감면대상에서 제외할 현실적인 필요성도 크지 않는 점 등을 종합해 보면, 벤처기업집적시설을 개발・조성하기 위해 취득한 부동산인 이상, 벤처기업집적시설로 지정되기 전에 취득한 것도 취득세 등의 감면대상에 해당한다고 봄이 타당함(대법원 2014두35942, 2014.11.13.).

◎ **14개 사업자가 연합체를 구성하여 공동사업시행자로서 사업을 진행하던 중 일부 사업자가 일부지분을 3년 이내에 다른 공동사업시행자에게 매각한 경우 추징대상이 아님**

취득세를 면제받았으면 그 취득일부터 3년 이내에 개발・조성이라는 당초 감면목적에 부합되게 사용하라는 의미라고 할 것이나, 벤처기업집적시설 개발・조성의 주체에 대해서는 명시적으로 규정하고 있지 아니한 점, '매각'에 대해서는 감면세액 추징대상으로 열거하고 있지 아니한 점 등을 고려해 볼 때, 귀 문과 같이 당초 사업시행자가 일부지분을 다른 사업시행자에게 매각한 경우라도 취득자가 당초 공동사업시행자로서의 지위를 계속 유지하면서 벤처기업집적시설을 개발・조성한 경우라면, 3년 이내 벤처기업집적시설 개발・조성이라는 당초 감면목적을 상실하였다고 볼 수 없으므로 감면세액 추징대상에 해당되지 아니한다고 판단됨(지방세운영과-2425, 2013.9.29.).

◎ **개발・조성하여 분양 또는 임대할 목적으로 취득하는 부동산에는 그 부속토지도 포함**

통상적으로 부동산에는 건축물뿐만 아니라 그 부속토지도 포함된다고 보아야 할 것인 점, 그간에도 벤처기업집적시설로 지정된 이후에 취득하는 부동산에 그 부속토지를 감면대상에 포함하여 법령해석(세정-4434, 2006.9.13.)하였던 점, 「벤처기업육성법」 제2조 제4호에서 벤처기업집적시설을 시도지사가 지정하는 건축물로 규정하고 있는 한편, 그 부속토지도 같은 용도에 사용될 것을 전제로 하여 토지등기부등본을 첨부하여 지정 신청하도록 규정[지침(중소기업청고시 제2008-50호, 2008.9.30.) 제3조 제1항]하고 있는 점 등을 고려해 볼 때, 지정된 벤처기업집적시설을 개발·조성하여 분양 또는 임대할 목적으로 취득하는 부동산에는 그 부속토지도 포함(지방세운영과-280, 2013.4.11.)

◎ 벤처기업집적시설의 조성자가 직접 사용하는 경우 해당 부분은 감면대상

벤처기업집적시설의 사업시행자가 부동산을 취득하여 벤처기업집적시설로 지정받은 후 일부는 벤처기업에게 임대하고 일부는 벤처기업인 벤처기업집적시설 조성자가 직접 사용하는 경우뿐만 아니라 전부를 직접 사용하는 경우라도 벤처기업집적시설 외의 다른 용도로 사용하지 아니한 경우라면 해당 부분의 취득세는 감면(세정 13407-610, 2001.11.30.).

◎ 벤처기업집적시설을 취득한 이후에 대수선하는 경우 과세대상에 해당

벤처기업집적시설에 대하여 대수선을 한 경우 건축의 범위에는 대수선이 없더라도 취득의 범위에는 일체의 취득이기 때문에 취득세 납세의무가 있는 것이며, 벤처기업집적시설을 취득한 이후에 대수선하는 경우에는 이미 분양이나 임대가 완료된 후에 대수선한 결과가 되는 것이므로 과세대상에 해당함(세정 13407-11, 2001.7.2.).

◎ 벤처기업직적시설의 감면 적용 사례

• 건축물의 일부가 벤처기업집적시설로 지정되지 않은 부분을 증여받은 후 벤처기업집적시설로 지정받은 경우 그 증여받은 부동산에 대한 취득세는 면제대상이 아니며, 재산세는 6.1. 현재 벤처기업집적시설로 지정되어 있으면 감면대상(세정 13407-525, 2001.5.16.).
• 벤처기업집적시설의 정의 및 벤처기업집적시설로 지정받을 수 있는 건축물은 벤처기업, 지원시설물, 관련시설 등의 면적비율을 각각의 호로 규정하고 있으므로 벤처기업집적시설로 지정받은 건축물의 면적 전체를 감면대상으로 함(세정 13430-234, 1999.11.29.).
• 소프트웨어진흥시설로 지정받아 취득세를 감면받은 부동산을 대기업에 임대하였다 하더라도 그 대기업도 입주적격업체에 해당하는 이상 소프트웨어진흥시설 이외의 다른 용도로 사용한 것으로 보아 취득세를 추징한 것은 잘못임(조심 2012지0478, 2012.10.12.).

제58조의 2(지식산업센터 등에 대한 감면)

법 제58조의 2(지식산업센터 등에 대한 감면) ①「산업집적활성화 및 공장설립에 관한 법률」 제28조의 2에 따라 지식산업센터를 설립하는 자에 대해서는 다음 각 호에서 정하는 바에 따라 2022년 12월 31일까지 지방세를 경감한다. 감면분만 농비

1.「산업집적활성화 및 공장설립에 관한 법률」 제28조의 5 제1항 제1호 및 제2호에 따른 시설용

(이하 이 조에서 "사업시설용"이라 한다)으로 직접 사용하기 위하여 신축 또는 증축하여 취득하는 부동산(신축 또는 증축한 부분에 해당하는 부속토지를 포함한다. 이하 이 조에서 같다)과 사업시설용으로 분양 또는 임대(「중소기업기본법」 제2조에 따른 중소기업을 대상으로 분양 또는 임대하는 경우로 한정한다. 이하 이 조에서 같다)하기 위하여 신축 또는 증축하여 취득하는 부동산에 대해서는 취득세의 100분의 35를 경감한다. 다만, 다음 각 목의 어느 하나에 해당하는 경우 그 해당 부분에 대해서는 경감된 취득세를 추징한다.

가. 정당한 사유 없이 그 취득일부터 1년이 경과할 때까지 착공하지 아니한 경우

나. 그 취득일부터 5년 이내에 매각·증여하거나 다른 용도로 분양·임대하는 경우

2. 과세기준일 현재 사업시설용으로 직접 사용하거나 그 사업시설용으로 분양 또는 임대 업무에 직접 사용하는 부동산에 대해서는 재산세의 1,000분의 375를 경감한다.

② 「산업집적활성화 및 공장설립에 관한 법률」 제28조의 4에 따라 지식산업센터를 신축하거나 증축하여 설립한 자로부터 최초로 해당 지식산업센터를 분양받은 입주자(「중소기업기본법」 제2조에 따른 중소기업을 영위하는 자로 한정한다)에 대해서는 다음 각 호에서 정하는 바에 따라 지방세를 경감한다. 감면분만 농비

1. 2022년 12월 31일까지 사업시설용으로 직접 사용하기 위하여 취득하는 부동산에 대해서는 취득세의 100분의 50을 경감한다. 다만, 다음 각 목의 어느 하나에 해당하는 경우 그 해당 부분에 대해서는 경감된 취득세를 추징한다.

가. 정당한 사유 없이 그 취득일부터 1년이 경과할 때까지 해당 용도로 직접 사용하지 아니하는 경우 나. 그 취득일부터 5년 이내에 매각·증여하거나 다른 용도로 사용하는 경우

2. 과세기준일 현재 사업시설용으로 직접 사용하는 부동산에 대해서는 재산세의 1,000분의 375를 2022년 12월 31일까지 경감한다. [본조신설 2011.12.31.]

지식산업센터의 설립승인을 받은 자와 입주기업에 대한 세제지원으로 산업의 집적(集積)을 활성화하고 공장의 원활한 설립을 지원하기 위한 취지이다.

지식산업센터(舊아파트형 공장)를 설립하는 자가 사업시설용으로 직접 사용하거나 중소기업에 분양·임대하기 위해 신·증축 취득하는 부동산에 대해서 취득세와 재산세를 37.5% 감면(법 ①)하는데, 여기서 감면대상 부동산에는 신·증축한 부분에 해당하는 부속토지가 포함된다. 따라서 승계취득한 토지와 건축물 부분을 증축해 사용한다면, 건축물은 증축한 부분에 대해서만, 토지도 증축에 해당하는 연면적에 해당하는 부분만 감면이 되는 것이다. 한편, 정당한 사유없이 취득일부터 1년 경과시까지 미착공시, 취득일부터 5년 이내에 매각·증여 또는 다른 용도로 분양·임대시에는 감면받은 취득세를 추징한다.

지식산업센터를 신·증축하여 설립한 자로부터 최초로 분양받은 입주자가 사업시설용으로 직접 사용하기 위해 취득하는 부동산에 대해서는 취득세를 50%, 재산세를 37.5% 감면하며, 정당한 사유없이 취득일부터 1년 경과시까지 직접 미사용시, 취득일부터 5년 이내에 매각·증여하거나 다른 용도로 사용시에는 취득세를 추징한다(법 ②).

지식산업센터를 신축하여 사업시설용으로 직접 사용할 자에게 분양하지 아니하고 부동산임대사업자에게 임대하여 사업시설용으로 사용하게 하는 것은 다른 용도로 분양한 것으로 보아 감면대상에 해당하지 않는 것(대법원 2018두50031, 2018.10.25.)이고, 이를 분양받은 수분양자 기준으로 볼 때에도 임대사업자는 직접사용에 저촉되므로 최초분양자라 하더라도 감면대상에 해당하지 않는다고 할 것이다.

1. 사업시행자에 대한 감면 요건

| 최근 개정법령_2017.1.1.| 종전에는 '설립승인을 받은 자'가 부동산을 취득한 경우에만 감면이 가능하였으나 지식산업센터를 '설립하는 자'가 지식산업센터 설립승인 전에 부동산을 취득한 경우에도 취득세·재산세 감면을 받을 수 있도록 하였고, 신축 또는 증축하여 취득하는 건축물에 대한 부속토지를 포함하여 감면하되, 신축 또는 증축한 부분에 해당하는 부속토지로 각각 구분하여 감면할 수 있도록 명확히 하였다(①).

| 최근 개정법령_2017.1.1.| 지식산업센터를 신축 또는 증축하여 사업시설용으로 직접 사용하는 경우와 사업시설용으로 분양 또는 임대하는 경우 취득세·재산세를 감면하되, 중소기업에게 분양 또는 임대하는 경우로 한정토록 하였다(① 2호).

◎ **지식산업센터의 "설립승인을 받은 자"에서 "설립하는 자"로 개정의 의미**

지식산업센터 설립자(위탁자)와 토지관리신탁계약을 체결하고 건축허가사항은 수탁자로 변경하였으나, 설립에 따른 사업시행자 변경은 건축물 사용승인일 이후에 이루어진 경우라 하더라도 설립의 완료신고(사용승인일로부터 최대 2개월) 이전에 그 변경신고가 이루어졌다면 감면대상에 해당한다고 할 것임(지방세특례제도과-1949, 2020.8.20.).

◎ **지식산업센터 설립사업의 마무리 단계에서 신탁된 사정만으로 설립자로서 자격을 상실했다고 봄은 입법취지에 어긋남(감면대상에 해당)**

원고 ○○씨티가 이 사건 토지 상에 아파트형공장을 설립하기 위해 한국산업단지공단과 입주계약을 체결하고, 이 사건 토지를 취득하였음은 앞서 본 바와 같고, 갑 제6호증의 기재에 변론 전체의 취지를 종합하면, 원고 ○○씨티가 2008.12.29. 아파트형공장 신축을 위한 건축허가까지 받은 사실이 인정되는바, 원고 ○○씨티가 지식산업센터 설립사업의 마무리 단계에서 위 지식산업센터의 소유권을 원고 한국자산신탁에 신탁하였다는 사정만으로 지식산업센터의 설립자로서 위 센터에 입주할 자격을 상실한다고 보는 것은 지식산업센터의 원활한 설립을 지원하기 위한 산업집적법의 취지에 어긋나는 해석으로서 허용되지 아니한다. 피고의 위 주장은 이유 없다(대법원 2016두53951, 2017.1.12.).

◎ 지식산업센터 설립승인을 받기 전에 취득한 부동산도 취득세 등의 감면대상에 해당됨

"지식산업센터의 설립승인을 받은 자"의 범위에는 「산업집적활성화 및 공장설립에 관한 법률」 제28조의 2에 따라 지식산업센터의 설립승인을 받은 자는 물론 설립승인을 받기 전이라 하더라도 토지 취득 후 설립승인을 받아 착공을 하려는 자도 포함하는 것으로 봄이 지식산업센터의 원활한 조성을 촉진하고자 하는 감면규정의 입법취지에 부합한다고 보이는 점 등에 비추어 이 건 부동산을 취득하고 지식산업센터 설립승인을 받은 청구법인은 이 건 부동산 취득 당시 "지식산업센터 설립승인을 받은 자"에 해당한다고 보는 것이 타당함(조심 2016지0481, 2016.8.24.).

◎ 토지지번 미확정으로 사업시행자의 소유권보존등기가 불가능한 경우, 사업시행자의 소유권보존등기일을 구 등록세 감면 유예기간 2년의 기산일로 볼 수 있음

위 감면조항은 토지매입비용 등 아파트형 공장 설립을 위한 비용을 낮추어 공장설립을 활성화하기 위하여 마련된 점, 위 감면조항에 등기기한을 정한 것은 아파트형공장을 설립하기 위하여 취득한 부동산이 소유권이전등기가 되지 않은 채 장기간 방치되는 것을 방지하려는 취지라고 할 것인 점(대법원 2013두4989, 2013.7.26.), 이 건 아파트형공장을 분양받은 자의 소유권이전등기 지연은 당초 개발사업단지 외에 위치한 송파재활용단지 편입과 위례신도시 조성사업에 따른 광역교통개선대책 재수립 등 정부정책의 변경으로 사업기간이 수차 연장됨으로 인하여 사업시행자의 소유권보존등기 지연에 기인하고 있는 점 … 등을 고려해 볼 때, 이 건 구 등록세 감면 유예기간 2년의 기산일은 사업시행자의 소유권보존등기일로 봄이 타당(지방세운영과-2589, 2013.10.11.)

◎ 지식산업센터 설립자가 지식산업센터를 당해 용도대로 사용시는 감면대상에 해당됨

위 감면규정은 지식산업센터의 원활한 설립을 지원하려는 것으로서 설립자가 사업시설용으로 제공하는 경우 설립자에게 세제혜택을 주려는 취지가 있는 점(대법원 2009두21963, 2010.8.26. 참조). 지식산업센터 설립자가 당초 감면목적인 사업시설용으로 임대하다가 당해 임대차계약을 승계하는 조건으로 분양하였고 분양 이후에도 여전히 사업시설용으로 사용되고 있는 점, 승계취득과 원시취득은 별개의 취득으로 승계취득자가 임대사업으로 사용한 책임을 원시취득자인 설립자에게까지 전가할 것은 아니라고 할 것인 점(심사 2006-1120, 2006.12.27.) 등을 고려해 볼 때, 설립자는 쟁점 부동산을 당초 감면목적대로 사업시설용에 제공하므로 추징대상이 아님(지방세운영과-3802, 2012.11.23.).

◎ 5년 이내 사업 이외의 용도로 매각시 추징대상

지식산업센터의 설립자가 그 목적에 사용하기 위하여 취득하는 부동산에 대하여는 취득세 등을 면제하되, 건축물의 사용승인서 교부일부터 5년 이내에 지식산업센터에 입주할 수 있는 사업 이외의 용도로 분양·임대하거나 매각하는 경우 그 해당부분에 대하여는 면제된 취

득세를 추징하는 것인 바, 청구법인은 쟁점 건축물을 PF대출금의 분양보증의무 이행을 원인으로 시공사인 ○○건설(주)에 매각한 사실이 확인되는 이상 기 과세면제한 취득세를 추징한 처분은 적법함(조심 2012지0044, 2012.3.5.).

◎ 아파트형공장을 설립할 목적으로 취득한 부동산을 당해 공장용 업무에 직접 사용하다가 법령에 따라 지원시설인 근린생활시설로 용도 변경하였을 경우에는 면제된 취득세 등의 추징대상이 아님(대법원 2009두11184, 2009.11.26.).

◎ 지식산업센터를 신축·분양할 목적으로 토지를 취득하고 취득세를 경감받은 자가 같은 날 신탁을 원인으로 신탁회사로 소유권이전등기를 경료하여, 신탁회사 명의로 지식산업센터를 건축 중인 경우 기 감면한 취득세 추징은 타당(지방세운영과-3492, 2015.12.22.)

2. 직접 사용에 대한 정당한 사유 여부

◎ 아파트형 공장 관련 정당한 사유에 해당하지 않는다는 사례

- 취득한 부동산을 매도자의 명도지연 및 오염토 처리 등으로 지연되어 유예기간(1년) 내 착공하지 못한 경우 정당한 사유에 해당되지 않음(조심 2011지0837, 2012.6.8.).
- 소음, 분진 등을 이유로 펜스만을 설치했다면 착공했다고 볼 수 없으므로 취득세 등을 추징한 것은 적법함(조심 2011지0347, 2011.11.23.).
- 해고근로자의 공사방해로 착공이 지연된 경우 정당한 사유로 보기곤란(조심 2011지0243, 2011.4.4.)
- 토지를 취득하고 건축허가 신청에 앞서 수개월간 용적률 완화 및 공장설립 변경 등을 시도하다가 무산된 경우 정당한 사유라 보기 어려움(조심 2010지0171, 2010.10.28.).

◎ 취득당시의 장애사유는 정당한 사유에 해당되지 아니함

매매계약 체결 당시 잔금지급일을 2008.7.30.로 하면서 재단법인 ○○에 2009.11.30.까지 이를 임대하기로 하는 등의 내용으로 계약서를 작성한 이상, 취득 당시부터 위 감면조례에 의한 취득세 등의 감면요건인 이 건 부동산 취득일부터 1년 내에 아파트형 공장을 설립할 수 없다는 사실상의 장애사유를 알고 있었다 하겠고, 취득 이후에도 이러한 매매조건으로 인해 유예기간 내에 건축공사에 착공하지 아니함으로써 당초 취득목적에 사용하지 못한 이상, 정당한 사유로 볼 수 없음(조심 2009지1006, 2010.10.5.).

◎ 새로운 임대차계약을 맺은 사실 등 건축공사 지연에 대한 정당한 사유로 볼 수 없음

청구법인은 이 건 부동산 취득 후, 이 건 부동산의 명도추진 등 아파트형공장 건축공사에 착공하기 위한 일련의 절차를 추진하였어야 함에도 이 건 부동산 취득과 동시에 이 건 부동산의 종전 소유자인 이 건 쟁점법인과 이 건 부동산의 임대차종료기간을 유예기간 만료일

1개월 전인 2008.10.15.까지로 하여 새로운 임대차계약을 맺은 사실이 부동산 임대차계약서 등에서 입증되는 이상, … 공사 착공을 하지 못한 귀책사유는 청구법인에 있고, 착공을 위한 정상적인 노력을 다하였다고 보기도 어려움(조심 2009지0801, 2010.5.6.).

3. 입주 중소기업에 대한 감면

| 최근 개정법령_2017.1.1. | 2019.12.31.까지 지식산업센터를 분양받은 입주자에 대해서 2019.12.31.까지 취득세 · 재산세를 감면하도록 하였다(②).

| 최근 개정법령_2018.1.1. | '2019년 12월 31일까지 취득하여 과세기준일 현재 고유업무용으로 직접 사용하는 부동산에 대해 경감'한다는 일몰기한에 대한 규정을 타 감면 조문과 동일하게 명확히 규정할 필요가 있어 '과세기준일 현재 사업시설용으로 직접 사용하는 부동산에 대해서는 2019년 12월 31일까지 경감' 하는 것으로 개정하였다(법 ②).

◎ 부동산 임대업자를 통해 간접적으로 분양 · 임대하는 것은 직접 사용으로 볼 수 없음

(사실관계) 원고는 지식산업센터에 입주할 수 있는 시설용으로 직접 분양하거나 임대하지는 않았으나, 그 수분양자들에게 사업시설용으로만 임대하겠다는 취지의 확약서를 징구하였을 뿐만 아니라 실제 위 수분양자들이 사시설용으로만 임대하였음.

(판단) 산업집적법은 지식산업센터를 설립한 자가 해당 지식산업센터에서 직접 제조업 등의 사업을 하는 자에게 이를 분양하거나 임대할 것을 예정하고 있음… 지식산업센터를 신축하였으나 그 취득일부터 5년 이내에 사업시설용으로 직접 사용하지 않을 자에게 분양하거나 임대한 경우에는, 그것을 사업시설용으로 직접 사용할 자에게 분양하거나 임대한 것과 마찬가지로 볼 수 없음(대법원 2018두50031, 2018.10.25.).

◎ 승계취득한 기존공장을 증축하여 사용한 경우 증축한 부분에 대해서만 취득세가 감면됨

지식산업센터의 설립승인을 받아 공장 건축물을 취득하였으나, 기존 공장을 멸실하지 않고, 용도변경 및 일부 건물을 증축한 경우 승계취득한 기존공장은 신축하거나 증축한 부동산에 해당되지 아니하므로, 취득한 기존공장을 멸실하지 않고 용도변경 및 증축하여 사용하는 경우, 지식산업센터 용도로 새로이 증축한 부분에 대해서만 건물분 취득세가 경감됨(지방세특례제도과-1200, 2014.8.1.).

◎ 5년 이내 공장 이외의 용도로의 임대분은 추징대상에 해당됨

신청인의 경우 비록 엔지니어링 서비스업(지식산업)이 아파트형공장에 입주할 수 있는 업종이라고 하더라도 당해 사업에 사용되는 사업장은 「산업집적활성화 및 공장설립에 관한 법률」에 의한 공장의 범위에 포함되지 않아 구 「○○광역시세 감면조례」 제20조 제1항 단서에서

규정하고 있는 공장의 용도로 사용되는 사업장에 해당하지 아니하므로, 사용승인서 교부일부터 5년 이내에 공장 또는 벤처기업 이외의 용도로 임대한 것에 해당되어 면제된 취득·등록세 추징대상에 해당됨(지방세운영과-2822, 2009.7.13.).

◎ 사무실 용도로 사용하는 경우 추징대상에 해당됨

청구법인이 이 건 지식산업센터용부동산을 취득한 후 제조업 등에 사용하지 아니한 채, 사무실 등의 용도로 사용하고 있는 사실이 확인되는 이상 기 과세면제한 취득세 등을 추징한 처분은 달리 잘못이 없음(조심 2012지635, 2012.11.9.).

◎ 공장 또는 사업에 직접 사용하지 못한 정당한 사유 판단

청구법인이 이 건 아파트형공장을 취득한 후, 1년이 경과한 시점까지도 공장등록을 하지 아니한 채, 제조시설도 없이 일부는 사무실로 나머지는 창고로 사용한 이상, 취득한 날부터 1년 이내에 지정한 공장 또는 사업에 직접 사용하지 아니하는 경우에 해당하고, 1년 이내에 지정한 공장 또는 사업에 직접 사용하지 못한 정당한 사유가 있었다고 보이지도 아니함(조심 2010지0864, 2011.9.15.).

◎ 부칙조항 문언 상 구 지특법 제58조의 2 시행 전에 분양한 부동산에 대하여는 그 취득세를 면제하는 것일 뿐, 수분양자 또는 그로부터 전매한 자에 대하여는 적용되지 아니함

부칙조항은 취득세의 면제를 규정한 것으로서 특혜규정이라 할 것이므로, 엄격하게 해석하는 것이 상당하고, 부칙조항은 '지식산업센터의 설립승인을 받은 자'가 구 지특법 시행 전에 분양한 부동산에 대한 취득세 면제에 관하여만 규정하고 있는 것으로 보이고, 원고의 주장과 같이 단지 과세물건만을 규정한 것으로는 보기 어려운 점, 지식산업센터의 설립자 중 위 법 시행 전에 지식산업센터를 분양한 경우에만 그 취득세를 면제하는 것은 입법자의 선택에 따른 것으로 보이는 점, 행자치부의 지방세법령 적용요령에 의하면, 이 사건 부칙조항은 '지식산업센터의 설립승인을 받은 자'에 대한 감면 적용특례로서 수분양자는 적용대상이 아닌 것으로 보이는 점, 구 지특법 제58조의 2를 신설한 입법취지는 종전부터 조례로 지방세를 감면받아 오던 지식산업센터에 대하여 지방재정 건전성 강화 차원에서 그 감면 규모를 축소하기 위한 것으로 보이는 점, 설사 원고들이 이 사건 조례에 의한 조세감면 등을 신뢰하였다 하더라도 이는 단순한 기대에 불과할 뿐 기득권에 갈음하는 것으로서 마땅히 보호되어야 할 정도에 이르는 것으로는 볼 수 없는 점을 고려한 사안(대법원 2015두37709, 2015.5.14.)

☞ 지방세특례제한법 부칙 〈법률 제11138호, 2011.12.31.〉 제6조(지식산업센터 등에 대한 감면 적용특례) 제58조의 2 제1항에 따른 지식산업센터의 설립승인을 받은 자가 「산업집적활성화 및 공장설립에 관한 법률」 제28조의 4에 따라 지식산업센터를 분양 또는 임대하는 경우로서 이 법 시행 전에 분양한 부동산에 대해서는 제58조의 2의 개정규정에도 불구하고 취득세를 면제한다.

4. 지식산업센터의 범위

◎ 아파트형공장에 입주할 수 있는 시설은 제조업 외에도 입주업체의 생산활동을 지원하기 위한 시설도 포함되므로 공장시설을 지원시설로 용도를 변경, 분양·임대하는 등의 경우는 도세감면조례에 의한 추징사유에 해당하지 않는다고 봄이 상당함(대법원 2009두21963, 2010.8.26.).

◎ "경영상담업"을 영위할 목적인 경우 아파트형공장용에 해당됨
처분청이 승인한 입주자 모집공고(안) 등에서 입주업종의 범위에 "시장조사 및 경영상담업"을 열거하고 있음을 볼 때, 동 업종이 특정 산업의 집단화 및 지역경제의 발전을 위하여 아파트형공장에의 입주가 필요하다고 인정한 것으로 봄이 타당하므로, 청구법인이 "경영상담업"을 영위하기 위하여 취득한 이 사건 아파트형공장은 취득세 등의 감면대상에 해당된다 할 것임(조심 2009지0118, 2009.9.9.).

제58조의 3(창업중소기업 등에 대한 감면)

법 제58조의 3(창업중소기업 등에 대한 감면) ① 2023년 12월 31일까지 과밀억제권역 외의 지역에서 창업하는 중소기업(이하 이 조에서 "창업중소기업"이라 한다)이 대통령령으로 정하는 날(이하 이 조에서 "창업일"이라 한다)부터 4년 이내(대통령령으로 정하는 청년창업기업의 경우에는 5년 이내)에 취득하는 부동산에 대해서는 다음 각 호에서 정하는 바에 따라 지방세를 경감한다. 감면분만 농비

1. 창업일 당시 업종의 사업을 계속 영위하기 위하여 취득하는 부동산에 대해서는 취득세의 100분의 75를 경감한다.
2. 창업일 당시 업종의 사업에 과세기준일 현재 직접 사용(임대는 제외한다)하는 부동산(건축물 부속토지인 경우에는 대통령령으로 정하는 공장입지기준면적 이내 또는 대통령령으로 정하는 용도지역별 적용배율 이내의 부분만 해당한다)에 대해서는 창업일부터 3년간 재산세를 면제하고, 그 다음 2년간은 재산세의 100분의 50을 경감한다.

② 2023년 12월 31일까지 창업하는 「벤처기업육성에 관한 특별조치법」 제2조 제1항에 따른 벤처기업 중 대통령령으로 정하는 기업으로서 창업일부터 3년 이내에 같은 법 제25조에 따라 벤처기업으로 확인받은 기업(이하 이 조에서 "창업벤처중소기업"이라 한다)이 최초로 확인받은 날(이하 이 조에서 "확인일"이라 한다)부터 4년 이내(대통령령으로 정하는 청년창업벤처기업의 경우에는 5년 이내)에 취득하는 부동산에 대해서는 다음 각 호에서 정하는 바에 따라 지방세를 경감한다.

1. 창업일 당시 업종의 사업을 계속 영위하기 위하여 취득하는 부동산에 대해서는 취득세의 100분의 75를 경감한다.
2. 창업일 당시 업종의 사업에 과세기준일 현재 직접 사용(임대는 제외한다)하는 부동산(건축물 부속토지인 경우에는 대통령령으로 정하는 공장입지기준면적 이내 또는 대통령령으로 정하는

용도지역별 적용배율 이내의 부분만 해당한다)에 대해서는 확인일부터 3년간 재산세를 면제하고, 그 다음 2년간은 재산세의 100분의 50을 경감한다.

③ 다음 각 호의 어느 하나에 해당하는 등기에 대해서는 등록면허세를 면제한다. 농비

1. 2020년 12월 31일까지 창업하는 창업중소기업의 법인설립 등기(창업일부터 4년 이내에 자본 또는 출자액을 증가하는 경우를 포함한다)
2. 2020년 12월 31일까지 「벤처기업육성에 관한 특별조치법」 제2조의 2 제1항 제2호 다목에 따라 창업 중에 벤처기업으로 확인받은 중소기업이 그 확인일부터 1년 이내에 하는 법인설립 등기

④ 창업중소기업과 창업벤처중소기업의 범위는 다음 각 호의 업종을 경영하는 중소기업으로 한정한다. 이 경우 제1호부터 제8호까지의 규정에 따른 업종은 「통계법」 제22조에 따라 통계청장이 고시하는 한국표준산업분류에 따른 업종으로 한다.

1. 광업 2. 제조업 3. 건설업
4. 정보통신업. 다만 다음 각 목의 어느 하나에 해당하는 업종은 제외한다.
   가. 비디오물 감상실 운영업 나. 뉴스 제공업 다. 「통계법」 제22조에 따라 통계청장이 고시하는 블록체인기술 산업분류에 따른 블록체인 기반 암호화 자산 매매 및 중개업
5. 다음 각 목의 어느 하나에 해당하는 전문, 과학 및 기술 서비스업(대통령령으로 정하는 엔지니어링사업을 포함한다)
   가. 연구개발업 나. 광고업 다. 기타 과학기술서비스업 라. 전문 디자인업 마. 시장조사 및 여론조사업
6. 다음 각 목의 어느 하나에 해당하는 사업시설 관리, 사업지원 및 임대서비스업
   가. 사업시설 관리 및 조경 서비스업 나. 고용알선 및 인력공급업 다. 경비 및 경호 서비스업 라. 보안시스템 서비스업 마. 전시, 컨벤션 및 행사대행업
7. 창작 및 예술관련 서비스업(자영예술가는 제외한다)
8. 수도, 하수 및 폐기물 처리, 원료 재생업
9. 대통령령으로 정하는 물류산업
10. 「학원의 설립·운영 및 과외교습에 관한 법률」에 따른 직업기술 분야를 교습하는 학원을 운영하는 사업 또는 「근로자직업능력 개발법」에 따른 직업능력개발훈련시설을 운영하는 사업(직업능력개발훈련을 주된 사업으로 하는 경우로 한정한다)
11. 「관광진흥법」에 따른 관광숙박업, 국제회의업, 유원시설업 또는 대통령령으로 정하는 관광객 이용시설업
12. 「전시산업발전법」에 따른 전시산업

⑤ 제1항부터 제4항까지의 규정을 적용할 때 창업중소기업으로 지방세를 감면받은 경우에는 창업벤처중소기업에 대한 감면은 적용하지 아니한다.

⑥ 제1항부터 제4항까지의 규정을 적용할 때 다음 각 호의 어느 하나에 해당하는 경우는 창업으로 보지 아니한다.

1. 합병·분할·현물출자 또는 사업의 양수를 통하여 종전의 사업을 승계하거나 종전의 사업에 사용되던 자산을 인수 또는 매입하여 같은 종류의 사업을 하는 경우. 다만, 종전의 사업에 사용되던 자산을 인수하거나 매입하여 같은 종류의 사업을 하는 경우 그 자산가액의 합계가 「부가가치세법」 제5조 제2항에 따른 사업개시 당시 토지·건물 및 기계장치 등 대통령령으로 정하

는 사업용자산의 총가액에서 차지하는 비율이 100분의 50 미만으로서 대통령령으로 정하는 비율 이하인 경우는 제외한다.

2. 거주자가 하던 사업을 법인으로 전환하여 새로운 법인을 설립하는 경우
3. 폐업 후 사업을 다시 개시하여 폐업 전의 사업과 같은 종류의 사업을 하는 경우
4. 사업을 확장하거나 다른 업종을 추가하는 경우 등 새로운 사업을 최초로 개시하는 것으로 보기 곤란한 경우

⑦ 다음 각 호의 어느 하나에 해당하는 경우에는 제1항 제1호 및 제2항 제1호에 따라 경감된 취득세를 추징한다. 다만, 「조세특례제한법」 제31조 제1항에 따른 통합(이하 이 조에서 "중소기업간 통합"이라 한다)을 하는 경우와 같은 법 제32조 제1항에 따른 법인전환(이하 이 조에서 "법인전환"이라 한다)을 하는 경우는 제외한다.

1. 정당한 사유 없이 취득일부터 3년 이내에 그 부동산을 해당 사업에 직접 사용하지 아니하는 경우 2. 취득일부터 3년 이내에 다른 용도로 사용하거나 매각·증여하는 경우
3. 최초 사용일부터 계속하여 2년간 해당 사업에 직접 사용하지 아니하고 다른 용도로 사용하거나 매각·증여하는 경우

⑧ 창업중소기업 및 창업벤처중소기업이 제1항 제2호 및 제2항 제2호에 따른 경감기간이 지나기 전에 중소기업간 통합 또는 법인전환을 하는 경우 그 법인은 대통령령으로 정하는 바에 따라 남은 경감기간에 대하여 제1항 제2호 및 제2항 제2호를 적용받을 수 있다. 다만, 중소기업간 통합 및 법인전환 전에 취득한 사업용재산에 대해서만 적용한다.

⑨ 제1항부터 제4항까지의 규정에 따른 창업중소기업 및 창업벤처중소기업 감면을 적용받으려는 경우에는 행정안전부령으로 정하는 감면신청서를 관할 지방자치단체의 장에게 제출하여야 한다.
[본조신설 2014.12.31.]

영 제29조의 2[12](창업중소기업 등의 범위) ① 법 제58조의 3 제1항 각 호 외의 부분에서 "대통령령으로 정하는 날"이란 다음 각 호의 어느 하나에 해당하는 날을 말한다.

1. 법인이 창업하는 경우 : 설립등기일
2. 개인이 창업하는 경우 : 「부가가치세법」 제8조에 따른 사업자등록일

② 법 제58조의 3 제1항 각 호 외의 부분에서 "대통령령으로 정하는 청년창업기업"이란 같은 항 각 호 외의 부분에 따른 창업중소기업으로서 대표자(「소득세법」 제43조 제1항에 따른 공동사업장의 경우에는 같은 조 제2항에 따른 손익분배비율이 더 큰 사업자를 말한다. 이하 이 조에서 같다)가 다음 각 호의 구분에 따른 요건을 충족하는 기업을 말한다.

1. 개인사업자로 창업하는 경우 : 창업 당시 15세 이상 34세 이하인 사람. 다만, 「조세특례제한법 시행령」 제27조 제1항 제1호 각 목의 어느 하나에 해당하는 병역을 이행한 경우에는 그 기간(6년을 한도로 한다)을 창업 당시 연령에서 빼고 계산한 연령이 34세 이하인 사람을 포함한다.
2. 법인으로 창업하는 경우 : 다음 각 목의 요건을 모두 갖춘 사람
   가. 제1호의 요건을 갖출 것 나. 「법인세법 시행령」 제43조 제7항에 따른 지배주주등으로서 해당 법인의 최대주주 또는 최대출자자일 것

③ 법 제58조의 3 제1항 제2호 및 제2항 제2호에서 "대통령령으로 정하는 공장입지기준면적"이란 각각 「지방세법 시행령」 제102조 제1항 제1호에 따른 공장입지기준면적을 말하고, "대통령령으로 정하는 용도지역별 적용배율"이란 각각 「지방세법 시행령」 제101조 제2항에 따른 용도지

역별 적용배율을 말한다.

④ 법 제58조의 3 제2항 각 호 외의 부분에서 "대통령령으로 정하는 기업"이란 다음 각 호의 어느 하나에 해당하는 기업을 말한다.

1. 「벤처기업육성에 관한 특별조치법」 제2조의 2의 요건을 갖춘 중소기업(같은 조 제1항 제2호 나목에 해당하는 중소기업은 제외한다)
2. 연구개발 및 인력개발을 위한 비용으로서 「조세특례제한법 시행령」 별표 6의 비용이 해당 과세연도의 수입금액의 100분의 5(「벤처기업육성에 관한 특별조치법」 제25조에 따라 벤처기업 해당 여부에 대한 확인을 받은 날이 속하는 과세연도부터 연구개발 및 인력개발을 위한 비용의 비율이 100분의 5 이상을 유지하는 경우로 한정한다) 이상인 중소기업

⑤ 법 제58조의 3 제2항 각 호 외의 부분에서 "대통령령으로 정하는 청년창업벤처기업"이란 같은 항 각 호 외의 부분에 따른 창업벤처중소기업으로서 대표자가 제2항 각 호의 요건을 충족하는 기업을 말한다.

⑥ 법 제58조의 3 제4항 제5호 각 목 외의 부분에서 "대통령령으로 정하는 엔지니어링사업"이란 「조세특례제한법 시행령」 제5조 제9항에 따른 엔지니어링사업을 말한다.

⑦ 법 제58조의 3 제4항 제9호에서 "대통령령으로 정하는 물류산업"이란 「조세특례제한법 시행령」 제5조 제7항에 따른 물류산업을 말한다.

⑧ 법 제58조의 3 제4항 제11호에서 "대통령령으로 정하는 관광객이용시설업"이란 「관광진흥법 시행령」 제2조 제1항 제3호 가목 및 나목에 따른 전문휴양업과 종합휴양업을 말한다.

⑨ 법 제58조의 3 제6항 제1호 단서에서 "토지·건물 및 기계장치 등 대통령령으로 정하는 사업용자산"이란 토지와 「법인세법 시행령」 제24조에 따른 감가상각자산을 말한다.

⑩ 법 제58조의 3 제6항 제1호 단서에서 "대통령령으로 정하는 비율"이란 100분의 30을 말한다.

⑪ 법 제58조의 3 제6항 제1호 및 제3호에 따른 같은 종류의 사업은 「통계법」 제22조에 따라 통계청장이 고시하는 산업에 관한 표준분류(이하 "한국표준산업분류"라 한다)에 따른 세분류가 동일한 사업으로 한다.

[본조신설 2014.12.31.] [종전 제29조의 2는 제29조의 3으로 이동 <2014.12.31.>]

규칙 제3조의 2(창업중소기업 지방세 감면신청) ① 법 제58조의 3 제9항에 따라 창업중소기업 및 창업벤처중소기업이 지방세를 경감받으려는 경우에는 제2조 제1항에도 불구하고 별지 제1호의 4 서식의 창업중소기업 지방세 감면 신청서를 관할 지방자치단체의 장에게 제출해야 한다.

② 제1항에 따라 신청서를 제출받은 관할 지방자치단체의 장은 「전자정부법」 제36조 제1항에 따른 행정정보의 공동이용을 통하여 다음 각 호의 서류를 확인해야 한다. 다만, 제1호 및 제3호의 서류는 신청인이 확인에 동의하지 않는 경우에는 이를 제출하도록 해야 한다.

1. 사업자등록증
2. 법인등기사항증명서
3. 벤처기업확인서(창업벤처중소기업의 경우만 해당한다)

12) 지방세특례제한법(2014.12.31. 대통령령 제25958호로 개정되기 전의 것) 제29조의 2는 제29조의 3으로 이동

창업중소기업 등에 대한 감면 규정은 조문체계가 복잡하게 구성되어 있어 조문의 연혁과 주요내용을 구분하여 살펴보고자 한다.

본 조항은 「조세특례제한법」 개정(법률 제12853호, 2014.12.23. 일부개정)으로 종전까지는 조세특례제한법에서 규정하던 창업중소기업 및 창업벤처중소기업에 대한 감면을 2015.1.1. 지방세특례제한법으로 이관하면서 감면기한을 연장하고 장기간 감면(27년) 등을 고려하여 감면폭을 일부 축소하여 재정비하였다. 당시 지특법에는 지방소득세 독립세 전환이후 창업기업에 대한 지방소득세 감면에 관한 내용을 규정(제100조, 조특법상 창업기업의 감면요건과 동일한 내용)하고 있었는데, 제58조의 3의 취득세 등 지방세 감면 규정에서는 창업의 개념을 별도로 규정하지 않고 창업중소기업의 지방소득세 감면규정을 준용하였다.

2017.1.1. 지특법 제100조 등에서 준용하고 있던 감면대상 창업 업종에 대한 규정 등을 본 조항에 신설하고 취득세 등의 감면기한을 2017.12.31.까지 연장하고 과세요건을 명확히 하는 등 대폭 개편하였다. 즉 지특법 제100조를 준용하지 않고 24개 유형의 감면대상 창업 업종을 직접 규정하고(법 ④), 중소기업 중 창업의 범위에서 배제되는 기업을 본 조항에 신설하여 창업 업종 및 창업의 개념을 명확히 하였다(법 ⑥). 그리고 창업일을 시행령으로 위임하여 구체적으로 규정(법인이 창업하는 경우 설립등기일, 개인이 창업하는 경우 「부가가치세법」 제8조에 따른 사업자등록일)하였는데, '창업벤처중소기업'의 경우에는 벤처기업으로 '확인받은 날'부터 4년간 감면이 가능하도록 명확히 하였다(법 ①). 아울러 창업중소기업으로서 감면을 적용받은 경우에는 창업벤처중소기업으로서 취득세·재산세·등록면허세 감면을 받을 수 없도록 개정하였고(법 ⑤), 중소기업간 통합을 하거나, 법인전환을 한 경우 감면된 취득세를 추징하지 않도록 하고(법 ⑦), 중소기업간 통합의 경우 외에 개인이 법인으로 전환하는 경우에도 남은 감면 기간 동안 재산세를 감면받을 수 있도록 하였다(법 ⑧).

2018.1.1. 창업중소기업(창업벤처중소기업)이 취득하는 부동산에 대한 지방세 감면을 2020.12.31.까지 3년간 연장하면서, 재산세 감면을 확대(50% → 3년간 100%, 2년간 50%)하되, 최소납부세제를 적용토록 하였다.

2019.1.1. 청년이 창업하는 중소·벤처기업의 경우에 한해 창업 후 감면 가능한 기간을 4년에서 5년으로 연장하면서, 청년의 연령기준도 15~29세에서 15~34세로 확대하였다. 벤처기업을 확인받은 날에 대해 최초로 받은 날로 명확히 규정하였고, 암호화 화폐 거래소는 비정상적인 투기과열 현상 등 불법행위가 발생함에 따라 감면대상에서 제외토록 하였다. 특히 창업당시 업종에 대해서만 감면이 되도록 규정하여 창업이후 추가된 업종은 감면대상에서 제외토록 하였다(법 ①).

2021.1.1. 창업중소기업 등에 대한 지방세 감면 조항이 기존에는 세목을 기준(법 ① 취득세,

법 ② 재산세)으로 규정되어 있었으나, 감면대상별(법 ① 창업중소기업, 법 ② 창업벤처중소기업)로 정비하였다. 감면대상에 대한 혼란을 최소화하기 위해 중소기업창업지원법상 '창업'의 개념을 준용하던 문구도 삭제하였다. 또한, 감면대상 업종을 한국표준산업분류의 업종구분상 '대분류'기준으로 통일성 있게 일원화하면서, 사업시설관리 및 조경서비스업, 보안시스템 서비스업(6호), 수도하수 및 폐기물 처리업, 원료재생업(8호) 등 일부 업종을 감면대상으로 추가하였으며 2021.1.1. 이후 창업하는 경우부터 적용한다(부칙 §4). 아울러, 등록면허세에 대한 감면(법 ③)은 2020년을 마지막으로 그 일몰을 종료하였다.

1. 창업중소기업 감면 요건

취득세 감면요건을 살펴보면, 창업한 기업으로서 창업일 당시 업종의 사업을 계속 영위하기 위해 일정기간 이내에 취득하는 부동산에 대해 취득세를 75% 감면한다(법 ①, ②). 여기서 유의할 점은 첫째, 창업일 당시 업종이기 때문에 창업 후에 추가된 업종이 있을 경우 그 추가된 업종을 영위하기 위한 것이라면 감면대상에서 제외된다고 할 것, 둘째, 사업용 재산 전체가 아닌 부동산에 한정해 감면된다는 것, 셋째, 일정기간 이내 즉 창업일 또는 최초 벤처확인일로부터 4년(청년창업기업은 5년) 이내에 취득하는 것에 대해서만 감면대상이 된다는 것이다.

1) 창업일과 취득일(감면기간) 관계

창업일은 법인의 경우 설립등기일이고, 개인의 경우에는 사업자등록일이다. 벤처확인일은 벤처 확인을 최초로 받은 날이므로 창업일부터 2년마다 10번을 받았다 하더라도 창업일 이후에 최초로 확인받은 2년부터 4년에 해당하는 6년까지만 감면이 가능한 것이다. 또한, 청년창업기업의 경우에는 5년간 감면되는데 그 요건은 대표자가 15~34세여야 하고(+군대기간 최대 6년), 법인인 경우에는 대표자가 최대주주일 것의 요건을 두고 있다. 창업 중소기업은 과밀억제권역은 감면대상이 되지 아니하고, 창업일로부터 4년 이내에 취득하는 부동산에 대해서 감면되며, 창업벤처중소기업에 해당하는 경우에는 지역적 제한은 없고 창업일로부터 3년 이내 벤처 확인을 받아야만 감면이 가능하고, 벤처 확인일부터 4년간 취득하는 부동산에 대해 감면된다. 만약 벤처 확인을 창업일 3년에 받았다면 창업일부터 최대 7년까지 감면(벤처 확인 전 창업 감면받은 경우는 창업일부터 4년까지 限)받을 수 있다고 할 것이다.

2) 지역적 요건

창업 중소기업의 지역적 감면요건에 대해 법문상으로는 '수도권과밀억제권역 외의 지역에서 창업한 중소기업'이라고만 규정되어 있어, 창업을 과밀억제권역 외에서 하고 과밀억제권역 내의 부동산을 취득하는 경우에 감면대상에 해당할 수 있는지에 대해 쟁점이 될 수 있는데, 수도권억제권역 외의 지역에서 창업한 중소기업이 과밀억제권역 내의 공장을 사업용 부동산으로 취득하는 경우 감면대상에 해당하지 않는다(지방세특례제도과-725, 2014.6.23.)는 사례가 있으므로 과밀억제권역에서 취득하는 부동산에 대해서는 창업 중소기업 감면을 적용할 수 없다고 할 것이다.

감면 대상	요건	감면 기간	비고
창업 중소기업	과밀억제권역 제외	창업일부터 4년 이내	청년창업기업은 5년 이내
창업벤처	창업 3년 이내 벤처 확인	벤처확인일부터 4년 이내	

감면대상 업종은 광업, 제조업 등으로 별도의 항에서 열거하고 있으며(법 ④), 창업 감면을 받은 경우에는 3년 이내에 벤처확인을 받더라도 창업일부터 4년까지만 감면하도록 감면기간 중복 적용 제외도 규정하고 있다(법 ⑤).

한편, 정당한 사유없이 3년 이내 직접 미사용시, 취득일부터 3년 이내 매각·증여 또는 타용도 사용시, 최초 사용일부터 계속하여 2년간 직접 사용하지 아니하고 매각·증여 또는 타용도 사용시에는 감면받은 취득세를 추징한다. 다만, 중소기업간 통합이나, 법인전환시에는 추징을 제외한다(법 ⑦).

2. 창업에 해당하는지 여부 판단

중소기업의 설립을 촉진하고 중소기업을 설립한 자가 그 기업을 성장·발전시킬 수 있도록 원시적인 사업창출 효과가 있는 경우에 대해 지방세 감면을 지원하기 위한 입법취지가 있기 때문에, 신규 사업자등록이나 법인설립등기만 한다고 해서 무조건 감면대상에 해당하는 것이 아니며, 창업해당여부·업종·지원기간 등의 요건을 갖춘 경우라야 감면적용이 가능하다.

1) 중소기업창업 지원법상 “창업”과의 관계

창업에 해당하지 않는 유형 및 그 예외에 대해서는 2017년부터 지특법 제58조의 3 제6항에서 직접규정하고 있다. 한편 「중소기업창업 지원법」 제2조 제1호에 따른 창업을 한 기업을 전제로 하고 있어 「중소기업창업 지원법」에 따른 창업의 개념도 함께 고려할 수 밖에 없었다. 그런데 창업에서 제외되는 예외규정이 지특법 제6항과 창업지원법 시행령 제2조 제1항의 내용에 차이가 있다. 구체적으로 보면, 창업지원법 시행령에서는 ‘타인 사업의 승계’, ‘법인 전환’, ‘폐업 후 재개’를 창업에 해당되지 않는다고 보면서도, 3가지 경우 모두 기존 사업에 업종을 추가한 경우 중 추가한 업종의 매출액 비율에 따라 창업에 해당될 수 있는 예외를 두고 있다. 반면, 지특법 제6항에서는 '타인 사업의 승계(자산의 인수 포함)', '법인 전환', '폐업 후 재개'를 창업에 해당되지 않는다고 보면서, 그 예외로 '타인 사업의 승계(자산의 인수 포함)'에 한해 자산의 비율을 기준으로 창업에 해당될 수 있는 예외를 두고 있다. 지특법상 창업의 범위를 판단함에 있어 창업지원법상 창업의 개념을 고려해야하지만, 창업지원법을 근거로 면제대상을 확대해서는 안된다고 본 사례(대법원 2019두45432, 2019.9.25. 하급심)가 있었다.

한편 2021.1.1.부터 감면대상에 대한 혼란을 최소화하기 위해 중소기업창업지원법상 '창업'의 개념을 준용하던 문구도 삭제하였다.

◎ **회사 설립(화물운송사업) 후 몇 달 후 자동차부품제조업을 '추가'하여 해당 사업을 개시한 경우 추가한 업종의 매출이 훨씬 크다는 등의 사정만으로 창업중소기업으로 보기 어려움**

(사실관계) '15.1. '화물운송주선업' 등을 목적사업으로 설립. '15.2. ○○물류 및 ***로부터 화물자동차운송·운송주선 사업면허 양수, '15.2. 사업자등록, 해당사업 수행(차량1대 지입계약), '15.8. 사업자등록증에 자동차부품제조업을 추가하면서, 주업종을 '자동차부품제조업'으로 변경. '15.10. 이 사건 부동산 취득, '15.11. 부동산 소재지로 본점 이전(울주군→북구), '15.12. 화물자동차운송·운송주선 사업면허 말소, 매출액은 '16년1분기 화물자동차 운송사업 75만원, '16년 2분기 자동차부품제조업 1.5억원 … (판단) 지특법상(제100조 ⑥ 각호) 창업에서 제외되는 것이 명확하거나 창업지원법상(시행령 제2조 ① 각호) 창업의 범위보다 좁은 경우라면, 창업지원법을 근거로 면제대상을 확대해서는 안됨. 지특법 제100조 제6항 제4호에서는 "다른 업종을 추가하는 경우"를 창업에서 제외하도록 비교적 명확하게 규정하고 있음. 따라서 추가된 업종인 자동차부품제조업의 매출액 비교를 통하여 창업 여부를 판단하기는 곤란(대법원 2019두45432, 2019.9.25. 하급심)

☞ '19년 지특법 개정으로 추가업종에 대해서는 창업으로 보지 않도록 관련 규정을 더욱 명확히함.

◎ **중기부의 유권해석, 즉 중소기업창업지원법상 '창업'에 해당하더라도 지특법상 감면 대상 아님**

원고(2015.11. 설립)는 2015.12. 김해시 소재 이 사건 부동산 취득하고 창업중소기업이 취득한 부동산이라는 이유로 취득세 감면, 피고는 2017.11."원고는 새로운 사업을 개시하였다고 보기 어렵고, 기존 개인사업체인 '○○'(2010.2. 개업)의 사업을 확장한 경우로, 창업으로 볼 수 없다는 이유 추징 … 원고 회사의 대표이사 양○○은 안○○ 개인이 운영하는 소외 회사와 원고 회사의 100% 지분을 소유하고 있었고 전 대표이사였던 안○×(안○○의 여동생)의 모친임. 한편 '○○인터스트리'는 소외 회사와 원고 법인이 동일하게 사용하고 있는 상호인바, 각 회사의 인적구성 및 상호의 외관에서 볼 때, 가족기업이라는 인적 동일성 및 동일한 거래신뢰도를 표방하고 있다고 보임. … 중기부 유권해석의 중소기업창업지원법상 창업에 해당하더라도 지특법상 "사업을 확장하거나 다른 업종을 추가하는 경우 등은 창업중소기업의 범위에서 제외하고 있으므로 감면대상이 아님(대법원 2020두42910, 2020.10.15.).

2) 창업으로 보지 않는 경우

취득세 · 재산세 · 등록면허세 등 감면 여부를 판단하는 "창업의 기준"이 무엇보다 중요하다. 합병 · 분할 · 현물출자 또는 사업 양수를 통해 종전 사업을 승계하는 경우, 종전의 사업에 사용되던 자산을 인수 또는 매입하여 같은 종류의 사업을 영위하는 경우, 거주자가 하던 사업을 법인으로 전환하는 경우, 폐업 후에 같은 종류의 사업을 재개하는 경우, 사업의 확장 또는 다른 업종을 추가하는 등 새로운 사업을 최초로 개시한 것으로 보기 곤란한 경우에는 감면대상 창업으로 보지 아니한다(법 ⑥). 여기서 종전의 사업에 사용되던 자산을 인수하는 경우에서 인수의 범위에는 종전 사업자로부터 사업용 재산을 임차해서 동일한 업종을 영위하는 경우도 포함(대법원 2011두11549, 2014.3.27.)된다고 하겠다. 한편, 인수 또는 매입한 자산가액의 합계가 사업개시 당시의 토지 · 건물 등 감가상각 사업용자산의 30% 미만인 경우에는 창업으로 인정한다. 예를 들어 제조업을 영위하던 사람부터 그 사업용자산을 2억 주고 인수한 경우, 창업당시에 그 외의 사업용 자산이 8억이 있다면 창업으로 인정되는 것이다. 자세한 내용은 사례와 함께 알아보기로 한다.

(1) 사업의 승계 등

합병 · 분할 · 현물출자 또는 사업의 양수를 통하여 종전의 사업을 승계하거나 종전의 사업에 사용되던 자산을 인수 또는 매입하여 같은 종류의 사업을 하는 경우 창업으로 보지 아니한다. 다만, 종전의 사업에 사용되던 자산을 인수하거나 매입하여 같은 종류의 사업을 하는 경우 그 자산가액의 합계가 부가가치세법 제5조 제2항에 따른 사업 개시 당시 토지 · 건물 및 기계장치 등 대통령령으로 정하는 사업용자산의 총가액에서 차지하는 비율이 100분의 50 미만으로서 대통령령으로 정하는 비율 이하인 경우는 제외한다(⑥ 1호).

한편 납세자는 적격합병에 따라 취득한 재산의 감면(50%, 지특법 제57조의 2 ①~②), 적격분할에 따라 취득한 재산의 감면(75%, 지특법 제57조의 2 ③ 2호), 그리고 조특법 제32조에 따른 현물출자 또는 사업 양도 · 양수에 따라 취득하는 사업용 고정자산의 감면(75%, 지특법 제57조의 2 ④) 등과 창업중소기업(비수도권)의 감면을 비교하여 유리한 감면을 적용할 수 있을 것이다.

◎ 종전사업장을 임차한 후 동종사업의 영위는 창업으로 볼 수 없음

청구법인은 사업 개시당시 종전 사업자로부터 임차한 자산만 있을 뿐, 인수·매입한 자산이 없어 조특법 제6조 ④ 1호 단서에 따른 "창업"이라 주장이나, 같은 법 제6조 ④ 1호 단서는 종전 사업에 사용되던 자산의 인수 또는 매입이 전제가 되어 자산이나 매입가액의 산정이 가능해야 할 것인 바, 법인설립시 종전 사업자의 사업장을 임차하여 동종 사업을 영위한 이 건의 경우 법인설립 당시 인수 또는 매입하는 자산이 없어 동 단서규정을 적용하여 창업으로 인정하기는 어렵다 할 것임(조심 2009지0657, 2010.3.9.).

◎ 종전사업에 사용되던 자산을 인수하여 같은 종류의 사업을 하는 경우 창업으로 보기 곤란

부동산의 전소유자와 청구법인의 부가가치세 신고서상 업태와 종목이 서로 유사하며, 청구법인의 정관, 법인등기부등본, 사업자등록증에서 부동산임대업이 목적사업으로 등재되어 있고, 실제로 청구법인은 주식회사 ○○○과 임대차 관계에 있는 주식회사 ○○○의 임대차 관계를 승계한 후 새로운 계약을 체결하여 현재에도 계속해서 임대를 유지하고 있으며, 더 나아가 청구법인은 주식회사 ○○○과 새로운 임대차계약을 체결하여 심판청구일 현재에도 임대차 관계를 유지하고 있는 사실 등에서 청구법인의 설립은 "종전의 사업에 사용되던 자산을 인수 또는 매입하여 같은 종류의 사업을 하는 경우"에 해당한다고 보여지므로 "창업"으로 보기는 어려움(조심 2010지0841, 2011.9.1.).

◎ 화물자동차운송사업허가 양수는 사업양수로 창업이 아님

조특법 제6조 ④ 1호에서 창업으로 보지 아니하는 사업의 양수라 함은 양수인이 양도인의 인적·물적 설비를 인수하여 종전의 사업을 사실상 승계하는 것이면 충분하다고 할 것인 바, 양수인이 양도인의 인적·물적 설비를 전부 양수하여야 한다거나 종전 사업을 그대로 영위하는 것에 한정된다고 할 수는 없다고 할 것이므로 청구법인은 종전회사로부터 화물자동차운송사업허가를 양수하면서 종전 회사 명의의 초장축 카고트럭을 이전 등록한 이상, 이는 종전회사의 물적 설비와 그 종업원을 동시에 인수한 것이라 할 것이고 청구법인 또한 종전회사와 동일한 화물운송업을 영위하고 있으므로 화물자동차운송사업허가 양수는 조특법 제6조 ④ 제1호의 사업의 양수에 해당됨(조심 2010지0432, 2011.3.22.).

◎ 청구법인의 대표이사 배우자(妻)가 운영 중인 개인사업체와 동일한 장소에서 동일한 업종을 영위한 사실이 확인되므로 사실상 개인사업자가 법인으로 전환한 경우에 해당된다고 판단되므로 취득세 등을 부과고지한 처분은 적법함(조심 2011지0584, 2012.9.20.).

◎ 종전의 사업을 승계한 것으로 창업에 해당되지 않음

조특법 제6조 ④ 제1호 단서에서 창업으로 인정한 것은, 종전의 사업에 사용하던 자산을 인수 또는 매입하여 동종의 사업을 영위하는 경우만을 의미하므로, 사업의 양수를 통하여 종전

의 사업을 승계한 경우에는 동 단서의 규정을 적용할 수 없다 할 것(대법원 2008두14838)임. 따라서 화물자동차의 신규공급을 허용하고 있지 아니하여 기존 사업자로부터 그 사업을 양수받았다면, 「화물자동차운수사업법」 제16조 ①·③에 따라 종전의 사업을 승계한 것으로서 조특법 제6조 ④ 제1호 단서의 적용대상에 해당되지 않으므로, 비록 사업개시 당시 인수한 사업용 자산의 비율이 100분의 30 이하라 하더라도 면제대상이 아니라고 판단됨(지방세운영과-4271, 2009.10.9.).

- 조세특례제한법 제6조 제4항 제1호 단서(종전의 사업에 사용하던 사업용 자산이 30% 이하인 경우 창업으로 본다는 규정)는 그 법문의 문언상 '사업의 양수를 통하여 종전의 사업을 승계한 경우'에는 적용되지 않음(대법원 2008두14838, 2008.10.23.).

- 종전 사업체의 유휴설비를 이용하거나 사실상 폐업한 업체의 자산을 이용하여 사업을 개시한 경우, '종전의 사업에 사용되던 자산을 인수 또는 매입한 경우'에 해당

  구 조특법 제6조 ①·④, 각 호의 취지와 문언 내용 등에 비추어 보면, 종전의 사업에 사용되던 자산을 인수 또는 매입하여 동종의 사업을 영위한 경우에는 그것이 종전 사업체의 유휴설비를 이용하거나 사실상 폐업한 업체의 자산을 이용하여 사업을 개시하는 경우에 해당하더라도 원시적인 사업창출의 효과가 없으므로, 조특법 제6조 제4항 제1호 본문이 창업의 범위에서 제외한 '종전의 사업에 사용되던 자산을 인수 또는 매입한 경우'에 해당한다. 그리고 여기에서 말하는 '자산을 인수한 경우'에는 자산을 임차하여 사용하는 경우도 포함됨(대법원 2011두11549, 2014.3.27.).

  ☞ '자산을 인수한 경우'에 자산을 임차하여 사용하는 경우가 포함됨.

(2) 거주자 사업의 법인 전환(⑥ 2호)

- 개인기업의 법인전환의 경우는 창업에 해당되지 않음

  개인기업인(A)은 도소매업을 주업종으로, 청구법인은 제조업을 주업종으로 하여 업종이 다르다고 주장하나, 청구법인의 총매출액 중 상품매출이 99.4%를 차지하고, 제품매출은 0.6% 이하에 불과하여 제조업을 주업종으로 영위한다고 볼 수 없는 점, 도소매업은 창업중소기업으로 볼 수 있는 업종이 아닌 점, A는 청구법인 설립직후 직원(1인)이 퇴사하여 이후 폐업일까지 급여를 지출한 사실이 없고, 매출이 발생한 사실도 없어 청구법인 설립 이후에 사실상 폐업한 것으로 보이는 점, A와 청구법인의 주요 매출처 및 주요 매입처 등이 같은 점, 대차대조표상 청구법인은 기계장치를 보유하지 아니한 점 등에 비추어 볼 때, 청구법인은 거주자가 영위하던 사업을 법인으로 전환하여 새로운 법인을 설립하는 경우 등에 해당하여 창업중소기업으로 볼 수 없음(조심 2010지0091, 2010.9.20.).

- 개인사업자가 임차기간 만료로 사실상 폐업한 후, 개인사업자의 주요 거래처의 약 71%와

종업원 12명 중 6명이 청구법인으로 고용이 승계된 사실이 확인되는 이상, 실질적으로는 법인전환 내지는 사업의 양수를 통하여 개인사업체의 사업을 승계하여 사업을 확장하거나 업종을 추가한 것에 불과하여 새로운 사업을 개시한 것으로 보기는 어렵다 할 것임(조심 2011지335, 2012.3.5.).

◎ 개인사업자 법인전환 설립은 창업으로 볼 수 없음

기존 개인사업장의 대표가 청구법인의 대표이사가 된 점, 직원 대부분이 법인 소속으로 전환된 점, 사업장 소재지가 정확히 일치하지는 않더라도 같은 면 소재지 내의 인접지역에 위치하여 지리적 유사성이 있는 점, 생산공정도 일부 추가된 절차를 제외하고는 거의 동일한 점, 청구법인(설립 직후)과 개인사업체(폐업 직전)의 주요 매출처의 승계사실이 인정되는 점, 개인사업체 폐업일이 속하는 과세기간의 총매출액이 전액 청구법인에게 발생된 점 등에서 청구법인의 설립은 "거주자가 영위하던 사업을 법인으로 전환하여 새로운 법인을 설립하는 경우"에 해당하므로 "창업"으로 보기 곤란(조심 2009지0703, 2010.3.22.).

◎ 사업자가 하던 사업을 거주자 포함 제3자들이 새로운 법인(동종사업)을 설립한 경우

거주자가 하던 사업을 폐업하고 제3자와 법인을 설립하고 인적·물적 설비, 거래처 등을 승계하여 동종사업을 영위한다고 하더라도, 거주자와 법인은 별개의 독립된 법 인격체이므로 거주자가 법인의 최대주주 또는 최대출자자이거나 대표자로서 그 법인을 실질적으로 지배하는 경우가 아니라면 창업으로 보는 것은 타당(지방세특례제도과-664, 2018.3.5.)

(3) 폐업 후 사업 재개(⑥ 3호)

◎ 청구법인은 ○○○의 사업을 승계하여 승계 전의 사업과 동종의 사업을 계속하거나 폐업 후 사업을 다시 개시하여 폐업 전의 사업과 동종의 사업을 영위하는 경우로써 목적사업 중 발포 플라스틱 생산 및 판매업 등이 같으며 공장등록을 위해 제출한 공장등록변경신청서 및 그 승인통보서에 기재된 위 양 업체의 생산품(스치로폼) 및 업종이 일치하는 점 공장업종을 변경한 것은 설립일로부터 약 2년 가까이 경과한 이후인 점 등을 종합하여 볼 때 창업중소기업에 해당하지 아니함(조심 2010지0067, 2010.10.19.).

◎ 폐업 후 사업을 다시 개시하여 폐업 전의 사업과 동종의 사업을 영위하는 경우에는 청구법인의 대표이사 개인이 운영하던 개인사업장을 법인으로 전환하였는지 여부와 관계없이 창업에 해당되지 않는다고 본 것은 타당함(조심 2009지0623, 2010.5.31.).

◎ 휴업·사실상폐업 중인 사업체의 자산을 인수(임차)하여 창업한 경우는 원시적인 사업창출의 효과가 없으므로 감면대상으로 볼 수 없음

종전의 사업에 사용되던 자산을 인수 또는 매입하여 동종의 사업을 영위한 경우에는 그것이

설령 종전 사업체의 유휴설비를 이용하거나 사실상 폐업한 업체의 자산을 이용하여 사업을 개시하는 경우에 해당하더라도 원시적인 사업창출의 효과가 없으므로, 조특법 제6조 제4항 제1호 본문이 창업의 범위에서 제외한 '종전의 사업에 사용되던 자산을 인수 또는 매입한 경우'에 해당한다고 봄이 타당함. 그리고 '자산을 인수한 경우'에는 자산을 임차하여 사용하는 경우도 포함됨(대법원 2011두11549, 2014.3.27.).

- 개인사업자가사 실상 폐업한 후, 개인사업자의 주요 거래처의 약 71%와 종업원 12명 중 6명이 청구법인으로 고용이 승계된 사실이 확인되는 이상 창업중소기업에 해당한지 않음. 이는 실질적으로는 법인전환 내지는 사업의 양수를 통하여 개인사업체의 사업을 승계하여 사업을 확장하거나 업종을 추가한 것에 불과함(조심 2011지0335, 2012.3.5.).

- **실제로는 폐업신고 시점까지 사업을 영위한 사실이 전혀 없이 폐업신고 후 다시 사업자등록증을 재교부받아 사업개시하는 경우 창업에 해당됨**

  법인설립등기 및 사업자등록이 이루어진 상태에서 청구법인이 폐업신고 후 다시 사업자등록증을 재교부받아 사업을 개시한 사실은 있지만, 실제로는 폐업신고 시점까지 사업을 영위한 사실이 전혀 없으므로 같은 법 제6조 ④ 3호의 "폐업 후 사업을 다시 개시하여 폐업 전의 사업과 동종의 사업을 영위하는 경우"에 해당하는 것으로 보기 어려워… 면제대상에 해당(조심 2010지0514, 2011.7.22.)

(4) 사업의 확장 또는 업종의 추가(⑥ 4호)

사업을 확장하거나 다른 업종을 추가하는 경우 등 새로운 사업을 최초로 개시하는 것으로 보기 곤란한 경우 창업으로 볼 수 없다고 규정하고 있다. 행정해석에서도 창업중소기업이 창업 당시 업종 이외의 업종을 영위하기 위하여 4년 이내에 취득하는 부동산은 감면으로부터 제외하고 있다(지방세특례제도과-2444, 2015.9.8.). 그런데 일부 사례에서 추가된 업종에 사용하기 위해 취득하는 부동산도 감면대상이라고 해석하고 있어(조심 2016지536, 2017.3.15.) 세법적용상 혼선이 있었다. 이에 대해 창업 당시 업종에 대해서만 감면되도록 하여 창업 이후 추가된 업종과 관련된 부동산의 취득은 감면대상에서 제외된다는 점을 명확히 하였다(2019.1.1. 개정).

- **추가 업종에 대한 매출액이 정확하게 확인되지 않고, 창업 전후의 식육포장처리업과 육가공제조업은 구한국표준산업분류표상 동일한 세분류에 속하여 창업으로 볼 수 없음**

  구 중소기업창업 지원법 시행령 제2조 ② 후단 · ③에 의하면 추가된 업종의 매출액 또는 총매출액은 추가된 날이 속하는 분기의 다음 2분기 동안의 매출액 또는 총매출액을 말하는 바, 이와 관련해 육가공제조업이 정확히 언제 추가되었는지, 그와 같이 추가된 날이 속하는 분기의 다음 2분기 동안 추가된 업종의 매출액 및 총매출액이 얼마인지를 입증하지 못하고 있음. 나아가 시행령 제2조 ②은 '창업'으로 보지 않는 같은 조 ① 각 호 소정의 '같은 종류의 사업'의 범위와 관련해 '통계법 제22조 ①에 따라 통계청장이 작성·고시하는 한국표준산업분류상의 세분류를 기준으로 한다'고 규정하는 바, 식육포장처리업은 대분류 제조업 중 세분류 '육류 가공 및 저장처리업'에 해당하는 것으로 보이고, 육가공제조업 역시 위와 동일한 세분류에 속하는 것으로 보임(대법원 2016두51559, 2016.12.15.).

◎ 대표이사 및 주주구성이 유사한 경우 별도 법인이라도 창업으로 볼 수 없음

원고와 ○○정공의 지배주주가 모두 부부인 김○○과 홍○○으로서 그 지배주주의 구성이 동일한 점, 원고와 ○○정공의 매출처의 상당부분이 공통되고, 2013년도를 거쳐 2014년도에는 ○○정공의 주요 거래처를 원고가 모두 승계한 것으로 보이는 점 등을 종합해 보면, 원고는 신설법인의 설립과 같은 '창업'의 외형만 갖추었을 뿐 실질적으로는 ○○정공이 영위하던 기존 사업을 확장하거나 기존 사업의 상당부분을 이전받은 것에 불과하여 원시적인 사업 창출의 효과가 있다고 볼 수 없음. 따라서 원고는 구 조세특례제한법 제6조 제6항 제4호의 '사업을 확장하거나 다른 업종을 추가하는 경우 등 새로운 사업을 최초로 개시하는 것으로 보기 곤란한 경우'에 해당(광주지방법 2016구단10858, 2016.8.31.)

☞ '창업중소기업'에 해당하는지 여부는 개별 법인의 설립과 같은 '창업'의 외형뿐만 아니라 그 설립경위, 종전 사업과 신설 중소기업의 실질적인 목적사업의 동일성 여부, 대표이사 및 주주의 구성, 매입처 및 매출처의 승계여부 등을 종합적으로 고려하여 판단하여야 함.

◎ 창업중소기업 동종업종 여부는 사업자등록증 등 형식적 기재에도 불구하고 실제 영위하는 업종의 내용에 따라 판단하여야 함

피고는 원고 회사의 법인등기부와 ○○코리아의 사업자등록증상 업종의 기재가 동일한 점을 고려하면 원고 회사와 ○○코리아가 사실상 동종의 사업을 영위하면서 단지 그 규모만 확장한 것이라고 보아야 한다고 주장하나, 법인등기부의 사업목적이나 사업자등록증의 사업 종목은 실제 영위하고 있는 업종뿐만 아니라 장차 영위하려고 하는 업종까지 망라적으로 기재되는 경우가 많아 그것만 보아서는 당해 회사가 구체적으로 어떠한 업종의 사업을 영위하는지 알기 어려운 바, 그 중 공통되는 일부를 택하여 서로 같은 업종이라고 할 수 없고, 이와 달리 형식적 기준만을 가지고 과세 여부를 결정한다면 이를 악용하여 실질적으로 같은 종류의 사업을 영위하면서도 위 분류만을 다르게 기재하는 경우에 과세하지 못한다는 결론에 이르러 부당함(대법원 2016두30576, 2016.4.15.).

◎ 최초로 영위하는 사업에 다른 업종을 추가하는 경우 추가분은 추징대상에 해당됨

당초 창업 소재지에서 다른 지역으로 이전하여 창업 당시 업종과 추가된 업종에 사용하기 위해 부동산을 취득한 경우라면, 창업중소기업이 신고하는 면적에 따라 해당 사업용 부동산

과 추가한 사업용 부동산으로 구분하여 감면대상 또는 과세대상 부동산으로 구분하는 것이 타당하고, 창업 중소기업이 감면대상으로 신고한 부동산을 신고한 내용에 따라 직접 사용하지 아니하는 경우 감면세액을 추징(지방세특례제도과-2444, 2015.9.8.)

◎ **폐업한 사업장을 포괄임차한 경우 동종업종을 영위한 것에 해당됨**

조특법 제6조 ④ 제2·3·4호에 의하면 "거주자가 영위하던 사업을 법인으로 전환하여 새로운 법인을 설립하는 경우", "폐업 후 사업을 개시하여 폐업 전의 사업과 같은 종류의 사업을 계속하는 경우", "사업을 확장하거나 다른 업종을 추가하는 경우 등 새로운 사업을 최초로 개시하는 것으로 보기 곤란한 경우"에는 창업으로 보지 아니하도록 규정하고 있는 바, 법인설립 후 폐업한 사업장을 포괄 임차하여 기존 사업장과 같은 종류의 사업을 영위하다가 청구인이 기존 업체의 사업장을 경락받을 때의 기계의 감정평가액과 대차대조표상 기계장치 가액이 거의 동일하여 추가적인 기계장치 구입이 없었다는 것을 반증하고 있다는 점, 사업장 현지실사 기록에서도 같은 업종의 사업을 영위하고 있는 것으로 나타나고 있는 점 등을 보아 부과고지한 처분은 적법함(조심 2010지0244, 2010.12.29.).

◎ **창업중소기업이 다른 장소에서 동종업종을 영위하기 위하여 취득하는 부동산을 사업 이전으로 보아 감면을 배제할 것인지 여부**

창업 이후 최초의 사업장을 임차하여 해당사업을 영위하다가 사업의 연속선상에 있는 경우에는 중소기업이 사업장을 단순 이전하여 부동산을 취득한 경우라면 창업일로부터 4년 이내에 취득하는 부동산에 해당한다고 볼 수 있고,창업 당시부터 사업장을 취득할 자금력이 충분한 중소기업에게는 감면혜택을 부여하게 된다는 형평성과 입법취지를 감안할 때, '사업을 확장하거나 다른 업종을 추가하는 경우' 해당하지 않는 것으로 보아 취득세 감면대상으로 보는 것이 타당(지방세특례제도과-69, 2018.1.8.).

◎ **업종추가 관련, '○○온천'과는 업종과 물적, 인적 구성이 전혀 다른 '○○힐호텔' 사업이 개시됨에 따라 원시적인 사업창출의 효과가 있다고 봄이 타당하므로 감면에 해당**

○○온천을 영위하면서 인접필지에 ○○힐호텔을 창업 경우 … ㉠ ○○온천의 사업자는 원고와 이**이고 ○○힐호텔의 사업자는 원고로 사업자가 다름. ㉡ ○○온천은 주된 업태·업종이 서비스업·대중탕이며, ○○힐호텔은 관광숙박업·관광호텔업이며 다른 업종에 해당 ㉢ 기업이 다른 업종의 사업을 개시하는 경우에 원시적인 사업창출의 효과가 있다면 이는 '새로운 사업을 최초로 개시하는 것'으로 볼 여지가 있음. ㉣ 인접하여 있기는 하지만, 원고는 ○○힐호텔 운영을 위하여 별도로 이 사건 건물을 건축하여 서로 다른 물적 시설을 이용하여 운영되고 있음. ㉤ ○○온천과 ○○힐호텔의 인적 구성 또한 상이 … 사업창출 효과가 있음(대법원 2020두41078, 2020.9.24.).

3. 창업 업종(제4항)

종전에는 창업중소기업 등의 업종 및 창업으로 보지 않는 경우 등을 법 제100조를 준용하도록 하였으나, 2017.1.1.부터는 지방세 감면대상 '창업 업종'을 지방세특례제한법에 신설하여 감면대상을 명확히 하고, 일부 업종(음식점업, 노인복지업, 사회복지서비스업)은 감면대상에서 제외하였다(제4항).

한편, 창업 감면 업종을 판단할 때에는 제4항에 열거된 업종을 한국표준산업분류표에 따라 살펴보아야 할 것으로 대분류, 중분류 등을 기준으로 열거된 업종의 하위업종에 해당하는 경우에는 감면업종으로 보아야 한다. 다만, 제6항에서 창업으로 보지 아니하는 동일업종 영위 여부에 대해서는 세분류가 동일한 사업인지를 기준으로 판단(영 ⑪)하여야 하는바, 제1항의 창업일 당시 업종에 해당하는지 여부도 이와 동일하게 세분류 기준으로 판단하여야 한다.

| 참고_ 2021년 개정 전후 감면업종 비교 |

(현행) 감면업종		구분	(개정) 감면업종	
1	광업	현행 유지	1	광업
2	제조업		2	제조업
3	건설업		3	건설업
14	창작 및 예술관련 서비스업 ※ (배제) 자영예술가		7	창작 및 예술관련 서비스업 ※ (배제) 자영예술가
16	물류산업(영 §29의 2 ⑥)		9	물류산업(영 §29의 2 ⑦)
17	학원 또는 직업능력개발훈련시설을 운영하는 사업		10	학원 또는 직업능력개발훈련시설을 운영하는 사업
23	관광숙박업, 국제회의업, 유원시설업 또는 관광객이용시설업(영 §29의 2 ⑦)		11	관광숙박업, 국제회의업, 유원시설업 또는 관광객이용시설업(영 §29의 2 ⑧)
18	전시산업		12	전시산업
4	출판업	업종기준 통·폐합	4	정보통신업(6종→1종) ※ 배제업종 열거(법 §58의 3 ④ 4호 각목)
5	영상오디오기록물 제작 및 배급업			
6	방송업			
7	전기통신업			
8	컴퓨터 프로그래밍, 시스템 통합 및 관리업			
9	정보서비스업 ※ (배제) 비디오감상실 운영업, 뉴스제공업, 블록체인 기반 암호화자산 매매 및 중개업			
10	연구개발업		5	전문, 과학 및 기술서비스업(6종→1종)
11	광고업			

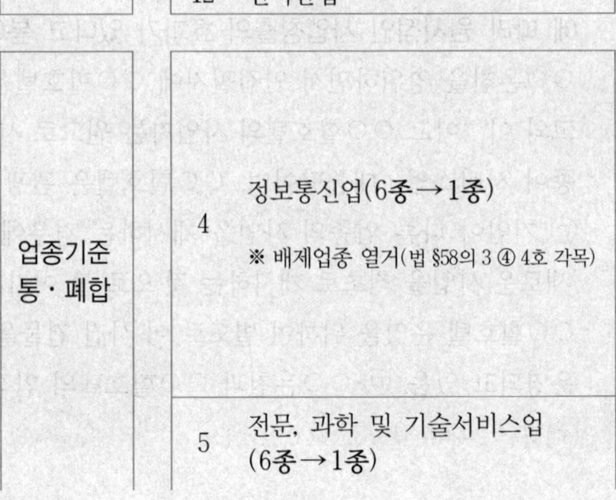

12 전문디자인업 15 엔지니어링사업(영 §29의 2 ⑤) 22 시장조사 및 여론조사업 24 그 밖의 과학기술업			
13 전시 및 행사대행업 19 인력공급 및 고용알선업 (농업노동자 공급업) 20 건물 및 산업설비 청소업 21 경비 및 경호 서비스업	업종기준 통·폐합 및 일부추가	6	사업시설관리, 사업지원 및 임대서비스업(4종→1종) • 사업시설관리 및 조경서비스업 • 고용알선 및 인력공급업 • 경비 및 경호 서비스업 • 보안시스템 서비스업 • 전시, 컨벤션 및 행사대행업
-	추가	8	수도하수 및 폐기물 처리, 원료재생업

◎ 회원제골프장이라도 취득세 감면대상 창업중소기업 업종에 해당함

청구법인은 일반음식점과 골프장을 운영하고 있고, 이는 「관광진흥법」상 전문휴양업에 해당한다 할 것이므로 청구법인은 취득세 감면대상 창업중소기업에 해당한다고 보는 것이 타당함(조심 2015지1226, 2016.10.19.).

☞ 회원제골프장은 창업중소기업에 해당되지 않는다는 아래 행자부 유권해석(지방세운영과-1676, 2012.5.30.)과 상반된 심판임. 이에 따라 2017.1.1.부터 골프장을 창업(벤처)중소기업에서 배제토록 규정(제58조의 3 ④ 신설)

◎ 음식점업은 감면대상 창업중소기업에 해당되지 않음

상시근로자 20명 이상의 법인이 아닌 자가 하는 음식점업은 구 「조세특례제한법」에서 정한 창업중소기업에 해당한다 하더라도 「중소기업창업 지원법」에서 정한 창업중소기업에 해당되지 않는다면 창업중소기업으로서 감면대상에 해당되지 않는 것임(지방세특례제도과-1964, 2015.7.24.).

◎ 건설기계대여업도 지방세 감면대상 창업중소기업에 해당됨

「건설기계관리법」상 건설기계대여업의 등록기준(사무실 및 주기장)을 갖추기 위하여 매월 일정액의 사용료를 지급하기로 하고, 기존 건설기계대여업자의 상호 및 주소지와 동일하게 하여 개인별 사업자등록을 하였음이 확인되고 있는 바, 건설기계대여업이 조특법 제6조 ③에서 정한 업종에 해당하고, 실질적으로 독자적인 사업을 운영하고 있다면 이는 독립된 회사로 사업을 개시한 것으로 볼 수 있으므로 창업중소기업에 해당됨(지방세특례제도과-272, 2014.12.18.).

◎ 영농조합법인도 창업중소기업의 창업 업종에 해당됨

영농조합법인 등 농업법인이라도 중소기업의 범위기준을 충족하는 경우 중소기업으로 보고 있는 점(중소기업청, 2010. 중소기업 범위해설 참조), 당해 자치단체에서 가금류가공 및 저

장처리업으로 중소기업창업 사업계획을 승인받은 점, 가금류 가공 및 저장처리업의 경우 한국표준산업분류표에서 제조업으로 분류하고 있고, 제조업의 경우 조특법 제6조 ③에서 중소기업의 창업 업종으로 구분하고 있는 점, 새로이 설립되는 영농조합법인이 현물출자가 아닌 현금출자 방식으로 설립된 점 등을 고려할 때 창업중소기업의 요건을 충족하였다고 할 것임(지방세운영과-5090, 2011.11.1.).

◎ 선박임가공업은 서비스업인 인력공급업으로 분류한 사례

"선박임가공업"이 한국표준산업분류표에서 별도의 업종으로 구분되어 있지 아니하더라도 선박가공업체의 사실상 운영현황에 따라 공장 내에서 독립적으로 운영되는 제조업체 및 협력업체인 경우는 제조업으로, 자기관리하에 있는 노동자를 계약에 의하여 타인 또는 타사업체에 일정기간 동안 공급하는 산업활동(노동자들은 인력공급업체의 직원이지만 고객 사업체의 지시 및 감독을 받아 업무를 수행)인 경우는 서비스업인 인력공급업으로 각각 분류함이 타당(지방세운영과-1506, 2010.4.13.)

◎ 창업업종(제조업 등)에 직접 사용하지 아니하고 이를 가구 관련 보관창고로 사용하거나 제3자가 사용하고 있는 사실이 제출된 자료에 의하여 확인되는 이상 취득세 등의 감면대상으로 보기는 어려움(조심 2012지0063, 2012.6.29.).

◎ 창업법인과 종전기업이 한국표준산업분류표상 업종 코드가 다르다 할지라도 한국표준산업분류를 세법에 준용함에 있어서는 각 개별세법이 갖는 입법취지 또는 목적에 맞게 합당하게 해석함이 타당하다 할 것으로 법인의 설립이 실질적으로 법인 전환을 통하여 종전기업의 인적·물적 설비를 그대로 승계하여 동일한 사업을 영위한 것으로 볼 수 있는 경우에는 감면대상인 창업이라고 보기는 어려움(조심 2010지0429, 2011.2.14.).

4. 사업용 재산

◎ 고가사다리차 및 고소작업차도 창업중소기업의 사업용재산에 해당됨

적재량이 없는 고가사다리차와 고소작업차는 화물과 인력을 수직으로 이동시키는 장비로서 화물운송 또는 화물운송업에 필요한 장비로 볼 수 있으므로 화물운송업을 영위하는 창업중소기업의 사업용 재산에 해당된다 할 것임(지방세특례제도과-313, 2014.12.24.).

◎ 2년 내 분양목적의 신축주택 부지는 판매목적 재고자산으로서 사업용재산으로 보기 곤란

"사업용 재산"이란 사업을 함에 있어 필요한 재산을 의미하는 것으로서 그 범위는 부동산뿐만 아니라 차량, 기계장비 등도 이에 해당된다고 할 것이나, 창업중소기업의 해당 사업에 직접 공여되는 재산으로 봄이 타당하다고 할 것인 바, 2년 이내에 분양(판매)을 목적으로 신축

주택 부지를 취득하는 경우라면 이는 정상적인 영업과정에서 판매를 목적으로 취득하는 재고자산에 해당된다고 할 것이므로 창업중소기업의 해당 사업에 직접 공여되는 사업용 재산으로 보기는 어렵다고 할 것임(지방세운영과-3623, 2012.11.11.).

◎ 사업의 영위에 사용된다면 승용자동차도 사업용 재산의 범위에 포함됨

취득세 등 면제대상 재산의 범위를 "사업을 영위하기 위하여 취득·등기한 사업용재산"이라고 규정하고 있을 뿐 자동차의 종류나 구입 대수 및 부가가치세 환급 여부 등을 제한하고 있지 아니하므로, 승용자동차를 사업용으로 사용하기 위하여 취득·등기하지 아니하였다는 사실을 객관적으로 입증하지 아니한 이상 단순히 차량 구입 대수나 부가가치세 환급 여부를 기준으로 당초 면제를 배제하기는 어렵다고 판단됨(다만, 면제 추징요건에 해당하는 경우에는 추징 가능)(지방세운영과-4838, 2009.11.13.).

◎ 종업원의 후생복리용이라도 콘도회원권은 사업용 재산에 해당되지 않음

제조시설의 부대시설로서 휴게실·식당 등 종업원 후생복리시설은 사업용 재산에 해당된다고 볼 수 있으나 제조시설의 구외에 소재하는 종업원의 후생복리시설까지 사업용 재산으로 보기 어려운 점등을 종합하여 볼 때, 청구법인이 이 건 콘도회원권을 종업원의 후생복리를 위하여 취득하였다고 하더라도 이러한 사실만으로는 이 건 콘도회원권이 창업벤처중소기업이 "해당 사업을 영위하기 위하여 취득하는 사업용 재산"에 해당된다고 보기는 어려움(조심 2011지0786, 2011.11.28.).

◎ 복리후생 차원에서 제공하는 주택은 사업용 재산으로 볼 수 없음

주택은 직원의 복리후생 차원에서 제공하는 시설이므로 사업상 반드시 취득하여야 할 재산은 아니며, 또한 사업장이 주거 선택의 여지가 없는 오지에 있는 것도 아니고, 주택에 입주하고 있는 직원들은 입주 이전 주소지가 모두 서울특별시로 되어 있어, 청구법인이 직원들에게 숙소를 제공하지 않더라도 사업 수행이 어렵다고 할 수 없으므로 당해 사업과 연관성이 적다고 할 수 있으며, 더욱이 이 사건 주택은 건설업체가 일반인에게 분양한 아파트로서 그 용도가 청구법인의 직원 숙소로만 사용하도록 한정될 수 있는 것도 아니어서 창업벤처기업인 청구법인의 사업을 영위하는 데 필요 불가결한 '사업용 재산'이라 볼 수 없음(감심 2012-131, 2012.9.13.).

5. 직접 사용 여부에 대한 판단

◎ 원고가 협력업체에 임대한 부동산이 창업중소기업 감면 사유에 해당한다는 사례

○○산업은 원고로부터 오로지 철구조물의 작업량에 따라 대금을 지급받았을 뿐, 철구조물의 매출, 제작 등과 관련한 위험을 전혀 부담하지 아니하였음. 원고 소속의 공장장이 상주하면서 ○○산업의 작업자들에게 작업지시를 하고, 매월 협력업체 생산 제품의 품질 등을 평가하

는 등 현장을 관리 · 감독하였음. 한편, 원고와 ○○산업 사이에 임대차계약서가 작성된 사실은 인정되나 ○○산업은 원고에게 임대차보증금을 지급한 사실을 인정할 자료가 없는 등 이는 ○○산업의 사업자등록 등 편의를 위해 형식적으로 작성된 것으로 볼 여지가 많음. … 원고가 ○○산업에 대한 관리 · 감독권을 행사하여 자신의 책임과 계산 하에 제조업을 운영함으로써 그 사업에 직접 사용한 것으로 보는 것이 타당함(대법원 2020두44169, 2020.10.29.).

◎ 취득 후 2년 이내에 처분하였다가(이전등기) 합의 해제된 경우라도 추징사유에 해당

구 조특법 제120조 ③ 단서의 취득세 추징사유로서 사업용 재산의 '처분'은 취득세 면제사유에 대응하는 것으로서 처분 그 자체가 당초 감면목적에 따른 사용이라고 볼 수 없는 것이므로, 소유권이전의 형식에 의한 처분행위 그 자체를 말하는 것이지 그 후 매매계약이 해제되었다거나 사업용 재산을 실질적으로 사용하고 있는지 여부에 의하여 다르게 볼 것은 아님. 원고의 주장은 이유 없음(대법원 2016두38730, 2016.7.7.).

◎ 가공업 용도나 임대한 경우는 직접 사용으로 볼 수 없음

청구법인의 2009년 및 2010년 대차대조표(재무상태표)에 제조업에 필요한 기계장치 등의 자산이 기재되어 있지 아니한 점, 계정별원장에서 제조업에 필요한 경비 등이 나타나지 아니하는 점, 청구법인의 매출이 제조업에서 생산한 제품이 아닌 파이프가공대 및 부품가공대 등의 가공업에서 발생한 것으로 나타나는 점을 종합하여 보면, 쟁점부동산을 창업업종(제조업 등)에 직접 사용하지 아니하고 이를 가공업 용도로 사용하거나 제3자에게 임대한 사실이 확인되므로 창업중소기업용으로 취득한 부동산을 당해 직접 사용한 것으로 볼 수 없음(조심 2012지0451, 2012.9.18.).

◎ 실비수준의 관리비를 받은 경우도 임대용에 해당되므로 직접 사용으로 볼 수 없음

청구법인과 냉동창고의 화주인 (주)○○○ 외 10개 업체간에 체결한 사무실 임대차계약서 등에 의하면, 청구법인은 이 건 건축물의 쟁점건축물을 냉동창고의 화주들에게 임대하고 있는 사실이 확인되고, 2008년 · 2009년도 사업소세(재산할) 신고납부시에도 쟁점건축물을 임대용 건축물로 하여 청구법인의 사용면적에서 제외한 사실이 나타나고 있는 이상, 청구법인이 냉동창고용 건축물의 일부인 쟁점건축물에 대하여 실비수준의 관리비를 받고 화주들의 연락사무소로 제공하고 있다고 하더라도 이를 창업벤처중소기업이 당해 목적사업에 직접 사용하는 부동산으로 보기는 어려움(조심 2010지0761, 2011.3.24.).

◎ 종업원 수 0명 등 인적 · 물적설비가 없는 경우 공장으로 보기 어려움

제조장의 공장등록증명서에서 청구 법인은 이 건 제조장을 취득한 날부터 2년이 경과한 시점에서 비로소 이 건 제조장을 공장으로 등록하였을 뿐 아니라 종업원 수는 0명으로 되어 있고 사업시작일 또한 공란으로 되어 있음을 볼 때, 이 건 제조장은 청구법인이 취득한 후부

터 2년 이내에 인적·물적 설비를 갖추고 계속하여 사무 또는 사업이 행하여지는 장소에 해당되지 않는다 할 것이고, 공장으로 등록하기 이전부터 이 건 제조장을 사실상 공장으로 사용하였다고 보기도 어려움(조심 2010지0183, 2011.2.9.).

◎ 창고업으로 창업을 하였으나 창고를 직접 운영하지 않고 다른 사업자에게 임대하는 경우에는 취득세 추징대상에 해당함(대법원 2008두839, 2008.4.24.).

6. 정당한 사유 여부

일반적으로 '정당한 사유'란 법령에 의한 금지 제한 등 그 법인이 마음대로 할 수 없는 외부적인 사유는 물론 고유 업무에 사용하기 위한 정상적인 노력을 다하였음에도 시간적인 여유가 없어 유예기간을 넘긴 내부적인 사유도 포함되고, 정당한 사유의 유무를 판단함에 있어서는 해당 법인이 영리법인인지 아니면 비영리법인인지 여부, 토지의 취득목적에 비추어 고유목적에 사용하는 데 걸리는 준비기간의 장단, 고유목적에 사용할 수 없는 법령상 및 사실상의 장애사유 및 장애정도, 당해 법인이 토지를 고유 업무에 사용하기 위한 진지한 노력을 다하였는지 여부, 행정관청의 귀책사유가 가미되었는지 여부 등을 아울러 참작하여 구체적인 사안에 따라 개별적으로 판단하여야 한다(대법원 95누5257, 2006두14926 등).

◎ 정당한 사유가 소멸한 날부터 2년의 유예기간을 다시 적용하는 것은 아님

창업중소기업이 부동산을 취득한 날로부터 2년 이내에 고유업무에 직접 사용하지 아니한 데 정당한 사유가 있는 경우라도, 추징을 위한 과세기준일은 부동산 취득일로부터 2년이 경과한 날이 되고, 정당한 사유가 소멸된 날로부터 2년이 경과한 날이 되는 것은 아님(대법원 2006두11781, 2009.3.12.). 직접 사용하지 못한 정당한 사유가 소멸한 날부터 유예기간을 별도로 산정하여 과세기준일을 정할 수는 없음(지방세특례제도과-916, 2015.4.1.).

◎ 창업중소기업이 주민들의 반대, 행정심판, 행정소송 등으로 직접 사용하지 못한 경우 정당한 사유가 있는 경우에 해당하는지 여부의 판단기준

토지 취득 전 공장사업계획승인을 받고 토지 취득 후 부지 조성 공사 및 공장 신축사업 주민설명회를 한 점, 인근 주민의 「공장 설립승인 취소 촉구」 주민 기자회견 및 행정심판 청구를 한 점, 건축허가 신청하였으나 충청북도 행정심판위원회의 재결(사업계획승인 처분 취소) 후 건축허가 신청이 반려된 점, 행정소송 제기(행정심판 재결 취소 청구의 소)하고 현재 행정소송이 진행 중인 점 등 … 과세권자가 사실조사 등을 통하여 판단할 사안(지방세특례제도과-916, 2015.4.1.)

◎ 창업중소기업이 신축한 건축물의 취득시기를 사용승인서 교부일전의 '사실상 사용한 날'로

보아 창업일로부터 2년 내 취득 여부를 판단함은 정당함(대법원 2000두949, 2001.6.15.).

- 추징 유예기간 내에 다른 법인에 흡수합병된 경우 이를 추징요건인 처분으로 볼 수 있으나, 합병 후 기존사업을 계속 유지하고 있는 경우 추징을 배제할 수 있는 정당한 사유에 해당함(대법원 2010두6007, 2010.7.8.).
- 창업중소기업이 취득한 사업용 부동산을 매매계약서 특약사항에 따라 전 소유자가 계속 사용하는 경우 전소유자에게 임대하였다고 하기 보다는 전 소유자의 명도지연으로 보아야 할 것이므로 이 건 부동산을 전 소유자에게 임대한 것으로 보아 기 과세 면제한 취득세, 등록세, 재산세 등을 추징한 것은 잘못으로 판단됨(조심 2008지0803, 2009.6.30.).

정당한 사유로 볼 수 없다는 사례

- 이 사건 매매계약 체결시에 예상할 수 있었던 사정 및 자신의 자금사정 등 내부적인 사유로써 정당한 사유에 해당되지 아니함(대법원 2012두14620, 2013.3.28.).
- 공장 건축물이 당해 목적사업의 "생산공정"과 맞지 않아 일부를 철거한 경우
  감면대상에 해당하는 창업중소기업의 '사업용 재산'이란 당해 목적사업에 직접 공여되는 재산이라고 할 것인 점, 취득하기 이전에 조금만 주의를 기울였더라면 당해 공장 건축물이 창업중소기업의 목적사업용에 부합하지 아니한다는 사실을 인지할 수 있었던 점, 당해 목적사업의 생산공정에 불부합하다는 이유로 사용하지 못함은 법령에 의한 금지·제한 등 기업이 마음대로 할 수 없는 오로지 외부적 사유에 해당된다고 보기는 어려운 점(대법원 2010두6007 등) 등을 고려해 볼 때, 철거 공장의 경우 추징이 제외되는 사용하지 못한 '정당한 사유'에 해당된다고 보기에는 무리가 있음(지방세운영과-108, 2013.4.1.).
- 창업사업계획승인 신청이 승인되지 아니한 경우
  「산지관리법」 등 관계법령에 의하여 공장신축이 제한되거나 불가능하다는 것을 알 수 있었거나 알고 있는 상태에서 이를 취득하였을 뿐만 아니라, 이러한 사유 때문에 처분청의 보완·보정요구를 충족하지 못함에 따라 창업사업계획승인 신청이 불승인되어 공장을 신축하지 못하고 있는 이상 정당한 사유로 보기 어려움(조심 2011지0808, 2012.6.19.).
- 선박제조업체 대외 수주부진은 경영상 문제
  유예기간이 경과하도록 기계설비를 갖추지 아니한채 공실상태로 방치되고 있었으므로 해당사업에 직접 사용되었다고 보기는 어렵고, 해당사업에 직접 사용하지 못한 데에 법령상의 제한과 같은 외부적 장애 사유는 없었던 것으로 보이고 선박제조업체의 대외 수주부진은 경영상의 문제에 해당하는 것으로 보이므로 이를 유예기간 내에 사용하지 못한 정당한 사유에 해당한다고 보기 어려움(조심 2011지0631, 2012.6.15.).

◎ 자금사정과 같은 기업 내부적인 사정은 "정당한 사유"에 해당되지 않음

사업개시 40일만에 화재로 무너진 창업중소기업에게 신규자금을 투입해서 건물을 신축하고 사업을 재개하는 것은 영세 중소기업의 자금여력상 불가능하다고 주장하나, 화재 발생 규모가 이 건 부동산의 건축물 연면적 4,341.1㎡ 중 일부인 803.95㎡(18.5%)이었고, 화재발생 후 사업을 재개하는데 법령상의 장애 등 불가항력적인 장애요인이 없는 상황에서 자금 사정과 같은 기업 내부적인 사정에 의하여 이 건 부동산을 처분한 것은 "정당한 사유"에 해당한다고 보기는 신빙성이 없다고 판단됨(조심 2010지0724, 2010.12.30.).

◎ 신규차량 고장 등의 사유로 인해 사용하지 못한 것은 정당한 사유에 해당되지 아니함

자동차를 신규취득한 후 엔진오일 누수와 관련한 문제는 자동차제작회사와 쌍방간에 해결하여야 할 문제이고, 이 건 자동차를 취득한 후 경제사정이 좋지 않아 화물운송 일거리가 없었고, 청구인 개인의 피의사건에 대한 소송 진행 및 이 건 자동차 취득시 자동차 영업사원에게 취득과 관련한 사항을 위임하여 취득세 등의 면제와 관련한 법규를 알지 못한 문제 등은 청구인 개인의 문제로서 처분청에 귀책사유가 있는 것으로 보기는 어렵다 할 것이므로 "정당한 사유"에 해당되지 않음(조심 2009지0929, 2010.7.6.).

◎ 취득 전에 설정된 근저당권의 실행으로 임의경매된 경우 정당한 사유로 볼 수 없음

원고는 이 사건 매매계약 체결시에 예상할 수 있었던 사정 및 자신의 자금사정 등 내부적인 사유로 인하여 이 사건 부동산을 경매절차에 의하여 처분하게 된 것으로 볼 수 있을 뿐, 정상적인 노력을 하였음에도 불구하고 객관적인 사유로 인하여 부득이하게 이 사건 부동산의 소유권을 상실하였다고 볼 수 없으므로, 그 처분에 정당한 사유가 있다고 할 수 없음(대법원 2012두14620, 2013.3.28.).

7. 재산세 감면

재산세에 대해서는 창업중소기업, 창업벤처중소기업이 해당 사업에 직접 사용하는 부동산에 대해 창업일(또는 확인일)부터 재산세를 3년간 면제하고, 추가 2년간 50%를 감면한다(법 ①, ②). 유의할 점은 감면적용 기간이 부동산 취득일이 아니라는 점이다. 또한 벤처확인 전 취득했다면 벤처확인을 받았더라도 기간 중복은 제외된다.

창업	벤처
2018	2020

⇨

부동산 취득	감면 적용
2019	창업일부터 5년
2022	벤처일부터 5년

한편, 재산세 감면기간 중에 중소기업간 통합하거나 법인전환한 경우에는 감면받던 부동산에 대해서 남은 감면 기간동안 동일하게 감면을 적용한다(법 ⑧).

◎ 「조세특례제한법」 제121조는 재산세나 종합토지세에 대한 감면요건을 규정하고 있을 뿐 별도의 추징규정을 두고 있지 아니하므로 감면한 재산세나 종합토지세를 추징할 수는 없음(대법원 2008두839, 2008.4.24.).

◎ 창업중소기업이 사업용 재산을 과세기준일 이전부터 옥상방수공사, 전기공급 및 수・변전 설비공사를 진행하고 있는 경우 이를 당해 사업에 직접 사용하는 사업용 재산으로 볼 수 없음(세정-3736, 2007.9.12.).

8. 법인 설립등기 등록면허세 감면 등

☞ 조세특례제한법(2014.12.23. 법률 제12853호로 개정되기 전의 것) 제119조 제2항

등록면허세에 대해 살펴보면 창업중소기업의 법인설립 및 창업일부터 4년 이내 증자 등기, 창업벤처중소기업의 확인일부터 1년 이내에 법인설립 등기시에는 등록면허세를 면제한다(법 ③).

◎ **법인이 창업일로부터 3개월이 경과한 후 "관광숙박업"을 목적 사업에 추가하고 자본금을 증자한 경우 등록면허세 감면대상에 해당되지 아니함**

법인설립 등기시 법인의 목적사업에 "관광숙박업"을 기재하지 않고, '부동산 개발 및 공급업'으로 사업자 등록을 한 창업법인이 추후 추진사업 완공 후 관광숙박업을 실제 목적사업으로 운영하기 위하여 자본금을 증자하고 업종을 추가한 것은 새로운 창업으로 볼 수 없음(지방세특례제도과-1089, 2014.7.24.).

◎ **부동산등기가 아닌 지상권설정등기는 등록세 감면대상에 해당되지 아니한다고 한 사례**

조특법 제119조 ⑥ 제3호에서 등록세 감면대상은 2012.12.31.까지 취득하는 부동산에 대한 등기로 보는 것이 타당하다 할 것인 바 이 건 토지에 대한 지상권 설정 등기는 등록세 감면대상에 해당되지 아니하는 것으로 해석됨(조심 2010지0650, 2011.3.10.).

9. 창업벤처중소기업

'중소기업'과 '벤처기업'을 명확히 구분하여, 전자의 경우에는 '창업일로부터 4년간', 후자의 경우에는 '기술보증기금 등 대통령령으로 정하는 기관 등의 장으로부터 벤처기업으로 확인받은 날로부터 4년간' 취득세를 경감하도록 규정하고 있다. 즉 벤처기업의 경우에는 기

술보증기금 등 대통령령으로 정하는 기관 등의 장으로부터 벤처기업으로 확인받은 이후 비로소 취득한 부동산에 대하여만 그 취득세를 경감한다. 아파트형공장을 취득한 이후에 중소기업진흥공단으로부터 벤처기업 확인을 받은 사실이 확인되는 이상 면제요건을 충족한다고 볼 수 없다고 보았다(조심 2011지0594, 2012.9.26.). 한편 예비벤처기업 확인을 받은 경우에도 그 확인을 받은 날부터 4년 이내 취득하는 사업용 재산에 대하여 취득세 등을 감면대상으로 보았다(대법원 2008두15039, 2011.1.27.).

◎ 창업 벤처기업 확인을 여러번 받은 창업기업 감면의 기산일

창업벤처중소기업의 '벤처기업 확인 받은날'은 창업일로 보기보다는 창업벤처기업으로 인증을 받았기 때문에 지방세특례제한법에서 정한 감면대상 요건을 갖추었다고 보는 것이 타당할 것이고, 다만 최초 기업설립 이후 창업중소기업으로 감면받은 사실이 없는 경우에는 벤처기업 확인받은 날부터 4년의 기간 내에 취득하는 부동산에 대하여 감면대상으로 보아야 할 것임 … 창업중소기업이 벤처기업 확인을 여러 번 받은 경우라면 그 감면기산일은 최초로 벤처기업 확인 받은 날로부터 4년의 기간 내에 취득하는 부동산을 감면대상으로 보는 것이 타당(지방세특례제도과-571, 2018.2.22.)

☞ 벤처기업 확인(서)를 최초로 받은 날로 보는지 또는 매 2년마다 발급받은 날로 보는지 쟁점에 대해 감면의 기준일을 벤처기업확인서를 최초로 받은 날로 보완하였다('19.1.1.).

◎ 중소기업으로 창업하여 취득세 등을 감면받고 있던 중 창업벤처중소기업이 되는 경우, 벤처기업 확인받는 날을 새로운 창업일로 보아 추가로 4년간 감면적용은 불가함

감면대상 창업중소기업 여부는 「조특법」 제6조 ①에 따라 판단하여야 하고, 창업벤처중소기업에 해당 여부는 같은 조 제2항에 따라 판단하여야 할 것인 바, 같은 항 단서에서 '제1항을 적용받는 경우는 제외한다'고 규정하고 있는 점, 당해 단서규정의 경우 1999.8.31. 현행 창업벤처기업에 대한 감면규정 같은 조 제2항의 신설 당시에 함께 도입되었던 바, 이는 수도권과 밀억제권역 외의 지역에서 이미 창업중소기업으로서 감면받은 후 창업벤처중소기업이 되는 경우 중복감면을 제외하고자 하는 취지라고 할 것인 점, 창업중소기업으로서 이미 취득세 등을 감면받은 경우라면 이후에 창업벤처중소기업으로 되는 경우라도 추가로 감면적용(4년간)은 불가함(지방세운영과-421, 2013.2.8.).

◎ 사후관리 기간(2년) 내에 벤처기업인증이 연장되지 않았더라도 추징하기는 어려움

벤처기업 확인에 관한 사항은 면제요건에 관한 사항으로서 납세의무성립 당시 면제요건을 모두 구비한 경우라면 일단 면제를 하여야 할 것이고, 동 면제요건에 대하여 사후관리 측면에서 별도의 추징규정을 두고 있지 아니한 이상 기 면제한 취득·등록세를 추징하기는 어려우므로, 창업벤처중소기업이 사업용재산을 취득·등기하면서 조특법 제119조 ③, 제120조

③에 의해 정당하게 취득·등록세를 면제받은 후 당해 사업용재산을 당초 사업의 목적대로 계속 직접 사용하고 있다면, 사후관리 기간(2년) 내에 벤처기업인증 연장이 이루어지지 아니하였더라도 추징하기는 어려움(지방세운영과-4202, 2009.10.5.).

◎ **보증서가 아닌 벤처기업확인서 발급일을 기준으로 그 이후 취득한 경우라야 감면대상**

'18.5.17. 공장용지 취득에 대해 '18.4.13.자 매매를 원인으로 이전등기를 마친후 감면신청, 이후 원고는 '18.6.1. 벤처기업확인서를 발급받음. (판단) 원고가 '18.5.15. 기술보증기금으로부터 보증서를 발급받았고 이때 벤처기업의 요건도 충족한 것으로 평가되었다고 볼 수는 있음. 그러나 지특법상 '벤처기업으로 확인받은 날부터 4년간 취득세를 경감한다'는 법문과 벤처기업육성에 관한 특별조치법상 '벤처기업확인서를 발급하는 방법으로 확인요청기업이 벤처기업에 해당함을 알려야 한다'는 규정에 비추어, 벤처기업확인서를 발급받은 '18.6.1.을 벤처기업으로 확인받은 날로 보는 것이 엄격해석의 원칙에 부합하고, 보증서를 발급받은 '18.5.15.을 원고가 벤처기업으로 확인받은 날이라고 보기는 어려움(대법원 2019두61977, 2020.3.26.).

◎ **창업벤처중소기업이 창업일부터 4년 이내에 자본 또는 출자액을 증가하는 경우 등록면허세 면제대상에 해당되지 아니함**

조특법(2010.12.27. 법률 제10406호로 개정된 것) 제119조 제2항 제1호 괄호 중 창업벤처중소기업에 해당하는 부분은 '창업일'에 대한 규정으로 보아야 하므로 창업벤처중소기업의 증자등기에 대한 등록면허세를 면제할 수 없음(지방세운영과-387, 2014.2.6.).

제59조(중소벤처기업진흥공단 등에 대한 감면)

법 제59조(중소벤처기업진흥공단 등에 대한 감면) ① 「중소기업진흥에 관한 법률」에 따른 중소벤처기업진흥공단이 중소기업 전문기술인력 양성을 위하여 취득하는 교육시설용 부동산에 대해서는 취득세의 100분의 25를 2022년 12월 31일까지 경감한다.

② 「중소기업진흥에 관한 법률」에 따른 중소벤처기업진흥공단이 중소기업자에게 분양 또는 임대할 목적으로 취득하는 부동산에 대해서는 취득세의 100분의 50을, 과세기준일 현재 해당 사업에 직접 사용하는 부동산에 대해서는 재산세의 100분의 50을 각각 2022년 12월 31일까지 경감한다. 다만, 그 취득일부터 5년 이내에 중소기업자에게 분양 또는 임대하지 아니한 경우 그 해당 부분에 대해서는 경감된 취득세를 추징한다.

③ 「중소기업진흥에 관한 법률」 제29조에 따라 협동화실천계획의 승인을 받은 자(과밀억제권역 및 광역시는 「산업집적 활성화 및 공장설립에 관한 법률」에 따른 산업단지에서 승인을 받은 경우로 한정한다)가 해당 사업에 직접 사용하기 위하여 최초로 취득하는 공장용 부동산(이미 해당 사업용으로 사용하던 부동산을 승계하여 취득한 경우 및 과세기준일 현재 60일 이상 휴업하고

> 있는 경우는 제외한다)에 대해서는 취득세의 100분의 50을 2022년 12월 31일까지 경감하고, 그 공장용 부동산을 과세기준일 현재 해당 사업에 직접 사용하는 경우에는 그 공장용 부동산에 대한 재산세의 납세의무가 최초로 성립하는 날부터 3년간 재산세의 100분의 50을 경감한다. 다만, 그 취득일부터 1년 이내에 정당한 사유 없이 공장용으로 직접 사용하지 아니하는 경우 또는 그 취득일부터 5년 이내에 공장용 외의 용도로 양도하거나 다른 용도로 사용하는 경우 해당 부분에 대해서는 감면된 취득세를 추징한다.

중소기업진흥공단이 중소기업제품의 판로 지원사업을 위하여 취득하는 종합유통시설용 부동산과 전문기술인력 양성을 위하여 취득하는 교육시설용 부동산, 중소기업진흥공단이 중소기업자에게 분양 또는 임대할 목적으로 취득하는 부동산, 협동화실천계획의 승인을 받은 자가 해당사업에 직접 사용하거나 분양 또는 임대하기 위하여 최초로 취득하는 부동산 등에 대한 세제지원에 대하여 규정하고 있다.

중소벤처기업진흥공단이 중소기업 전문기술인력 양성을 위해 취득하는 교육시설용 부동산에 대해 취득세를 25% 감면한다(법 ①). 2014년까지 50% 감면하였으나, 2015년부터는 현행 25%로 감면율을 축소한바 있다. 중소벤처기업진흥공단이 취득하는 중소기업 경영자 및 근로자를 위한 연수용 부동산이 감면대상이 된다.

중소벤처기업진흥공단이 중소기업자에게 분양 또는 임대할 목적으로 취득하는 부동산에 대해 취득세를 50% 감면하고, 과세기준일 현재 직접 사용하는 부동산에 대해 재산세를 50% 감면한다(법 ②). 취득일부터 5년 이내에 공장용 외의 용도로 양도하거나 다른 용도로 사용하는 경우에는 감면된 취득세를 추징한다.

협동화실천계획의 승인을 받은 자가 해당 사업에 직접 사용하기 위해 최초로 취득하는 공장용 부동산에 대해 취득세와 3년간의 재산세를 50% 감면한다(법 ③). 2014년까지는 취득세를 면제하였으나, 유사제도간 과세 형평을 위해 취득세 감면율을 단계적으로 축소(2015년 75%, 2018년 50%)하였다. 2020년까지는 직접 사용뿐 아니라 분양·임대 목적 부동산에 대해서도 감면하였으나, 2021년부터는 직접 사용하는 부분에 한해 감면하도록 정비하면서 시행 전 취득한 부분에 대한 재산세 경감에 관해서는 분양·임대에 사용하더라도 감면을 적용하도록 경과조치 규정을 두었다(부칙 §10). 협동화사업이란 3개 이상의 중소기업이 모여 경쟁력을 강화시키키 위해 일정한 지역에 생산시설을 집단화시키는 사업을 말한다. 감면대상은 과밀억제권역이나 광역시에서는 산업단지에서 협동화 승인을 받은 자로 한정하며, 최초로 취득하는 공장용 부동산이기 때문에 해당 사업으로 사용되던 부동산을 승계취득한 경우, 과세기준일 현재 60일 이상 휴업한 경우에는 감면을 제외한다. 또한, 그 취득일부터 1년 이내에 정당한 사유 없이 공장용으로 직접 사용하지 아니하는 경우 또는 그 취득일부터 5년 이내에 공장용 외의 용도로 양도하거나 다른 용도로 사용하는 경우 해당 부분에 대해서는 감면된 취득세를 추징한다.

- 협동화사업계획 미승인자는 취득세 면제대상이 아님

  중소기업협동조합법에 따라 설립된 협동조합이나 사업협동조합이 조합원에게 분양할 목적으로 협동화사업계획 승인을 얻어 일시 취득하는 협동화사업용 부동산의 취득·등기에 대하여는 취득세·등록세가 면제되는 바, 협동화사업계획 승인을 얻지 아니하고 취득한 경우에는 면제대상이 되지 않음(도세 22670-161, 1991.1.17.).

- 협동화실천계획의 승인을 받은 자가 해당 사업에 직접 사용하기 위하여 취득하는 부동산에 대하여 취득세 등을 면제하는 것이므로 부동산을 취득한 이후에 협동화실천계획의 승인을 받은 청구법인의 경우 취득세 면제 요건을 충족한 것으로 보기는 어려움(조심 2012지00309, 2012.8.20.).

제60조(중소기업협동조합 등에 대한 과세특례)

법 제60조(중소기업협동조합 등에 대한 과세특례) ①「중소기업협동조합법」에 따라 설립된 중소기업협동조합(사업협동조합, 연합회 및 중앙회를 포함한다)이 제품의 생산·가공·수주·판매·보관·운송을 위하여 취득하는 공동시설용 부동산에 대해서는 취득세의 100분의 50을 2022년 12월 31일까지 경감한다. 다만, 「전통시장 및 상점가 육성을 위한 특별법」에 따른 전통시장의 상인이 조합원으로서 설립한 협동조합 또는 사업협동조합과 그 밖에 대통령령으로 정하는 사업자가 조합원으로 설립하는 협동조합과 사업협동조합의 경우에는 취득세의 100분의 75를 2022년 12월 31일까지 경감한다.

② 「중소기업협동조합법」에 따라 설립된 중소기업중앙회가 그 중앙회 및 회원 등에게 사용하게 할 목적으로 신축한 건축물의 취득에 대한 취득세는 「지방세법」 제11조 제1항 제3호의 세율에도 불구하고 1천분의 20을 적용하여 2022년 12월 31일까지 과세한다. 다만, 다음 각 호의 어느 하나에 해당하는 경우 그 해당 부분에 대해서는 경감된 취득세를 추징한다.

1. 해당 부동산을 취득한 날부터 5년 이내에 수익사업에 사용하는 경우 2. 정당한 사유 없이 그 등기일부터 1년이 경과할 때까지 해당 용도로 직접 사용하지 아니하는 경우 3. 해당 용도로 직접 사용한 기간이 2년 미만인 상태에서 매각·증여하거나 다른 용도로 사용하는 경우

③ 「중소기업창업 지원법」에 따른 창업보육센터에 대해서는 다음 각 호에서 정하는 바에 따라 지방세를 감면한다.

1. 창업보육센터사업자의 지정을 받은 자가 창업보육센터용으로 직접 사용하기 위하여 취득하는

부동산에 대해서는 취득세의 100분의 75를, 재산세의 100분의 50을 각각 2023년 12월 31일까지 경감한다.

1의 2. 제41조 제1항에 따른 학교등이 창업보육센터사업자의 지정을 받고 창업보육센터용으로 직접 사용하기 위하여 취득하는 부동산(학교등이 취득한 부동산을 「산업교육진흥 및 산학연협력촉진에 관한 법률」에 따른 산학협력단이 운영하는 경우의 부동산을 포함한다)에 대해서는 취득세의 100분의 75를, 재산세(「지방세법」 제112조에 따른 부과액을 포함한다)의 100분의 100을 각각 2023년 12월 31일까지 감면한다.

2. 창업보육센터에 입주하는 자가 해당 창업보육센터용으로 직접 사용하기 위하여 취득하는 부동산에 대하여 취득세, 등록면허세 및 재산세를 과세할 때에는 2023년 12월 31일까지 「지방세법」 제13조 제1항부터 제4항까지, 제28조 제2항 · 제3항 및 제111조 제2항의 세율을 적용하지 아니한다.

④ 특별시장 · 광역시장 · 특별자치시장 · 도지사 또는 특별자치도지사가 「중소기업진흥에 관한 법률」 제2조 제1호의 3에 따른 지방중소기업에 대하여 경영 · 산업기술 · 무역정보의 제공 등 종합적인 지원을 하게 할 목적으로 설치하는 법인으로서 대통령령으로 정하는 법인에 대해서는 다음 각 호에서 정하는 바에 따라 2022년 12월 31일까지 지방세를 경감한다. 감면분만 농비

1. 그 고유업무에 직접 사용하기 위하여 취득하는 부동산에 대해서는 취득세의 100분의 50을 경감한다. 2. 삭제 〈2016.12.27.〉 3. 과세기준일 현재 그 고유업무에 직접 사용하는 부동산에 대해서는 재산세의 100분의 50을 경감한다.

영 제29조의 3(취득세 경감대상 협동조합과 사업협동조합의 범위) 법 제60조 제1항 단서에서 "대통령령으로 정하는 사업자가 조합원으로 설립하는 협동조합과 사업협동조합"이란 한국표준산업분류에 따른 슈퍼마켓 또는 기타 음 · 식료품 위주 종합 소매업의 사업자가 조합원으로서 설립한 협동조합과 사업협동조합을 말한다.

[전문개정 2013.1.1.] [제29조의 2에서 이동, 종전 제29조의 3은 제29조의 4로 이동 〈2014.12.31.〉]

제29조의 4(지방중소기업 육성사업 등에 대한 감면) 법 제60조 제4항 각 호 외의 부분에서 "대통령령으로 정하는 법인"이란 「중소기업진흥에 관한 법률 시행령」 제54조의 31에 따른 지방중소기업 종합지원센터를 말한다.

[본조신설 2011.12.31.] [제29조의 3에서 이동, 종전 제29조의 4는 제29조의 5로 이동 〈2014.12.31.〉]

중소기업협동조합이 제품의 생산 · 가공 등을 위하여 취득하는 공동시설용 부동산, 중소기업중앙회 및 중소기업 창업지원을 위하여 창업보육센터사업자, 지방중소기업지원센타 등에 대한 세제지원을 규정하고 있다.

중소기업협동조합 · 사업협동조합 · 연합회 · 중앙회가 생산 · 가공 · 수주 · 판매 · 보관 · 운송을 위해 취득하는 공동시설용 부동산에 대해 취득세를 50% 감면한다(법 ①). 이 중에서도 전통시장의 상인이나 슈퍼마켓 사업자 또는 기타 음 · 식료품 위주 종합 소매업의 사업자가 조합원으로서 설립한 협동조합 또는 사업협동조합의 경우에는 75%까지 감면한다.

중소기업중앙회가 중앙회 및 회원 등에게 사용하게 할 목적으로 신축한 건축물에 대해서

는 취득세 세율을 0.8%p(2.8%→2%) 감면한다(법 ②). 다만 5년 이내에 수익사업에 사용하거나, 정당한 사유없이 등기일부터 1년 경과시까지 직접 미사용시, 직접 사용 2년 미만인 상태에서 매각·증여 또는 타용도 사용시에는 감면받은 0.8%를 추징한다.

창업보육센터 지정을 받은 자 및 입주자에 대해서도 지방세 감면을 지원한다(법 ③). 먼저, 창업보육센터 지정받은 자는 직접 사용하기 위해 취득한 부동산에 대해 취득세를 75% 감면하고 재산세를 50% 감면하는데, 학교등의 경우에는 직접 사용하기 위해 취득하는 부동산에 대해 취득세를 75% 감면하고, 재산세는 도시분을 포함해 면제한다. 2014년까지는 취득세는 100%, 재산세는 50% 감면하였으나, 취득세의 감면율은 2015년부터 75%로 축소된 반면, 재산세의 감면율은 대학이 운영하는 창업보육센터에 대해서는 100%로 확대된바 있다. 또한, 2017년에는 학교가 창업보육센터로 지정받고 산학협력단이 운영하는 경우에도 직접 사용으로 보아 감면이 적용되도록 완화하였다. 한편, 산학협력단이 취득하는 경우에는 제42조 규정에 따라 취득세 및 재산세가 75% 감면된다.

소유자	사용자	감면 적용 여부	비고
학교	학교	§60 ③ 취득세 75%, 재산세 면제	§41 면제 ×
학교	산학협력단		직접사용 간주
산학협력단	산학협력단	§42 ③ 취·재 75% 감면	-

다음으로, 창업보육센터 입주자가 해당 창업보육센터용으로 직접 사용하기 위해 취득하는 부동산에 대해서는 과밀억제권역에 위치하는 경우에도 취득세·등록면허세·재산세 과세시에 대도시 중과세 적용을 배제한다.

한편, 산업진흥원, 경제진흥원 등으로 불리는 지방중소기업종합지원센터가 고유업무에 직접 사용하기 위해 취득하는 부동산에 대해 취득세를 50% 감면하고 과세기준일 현재 직접 사용하는 부동산에 대해 재산세를 50% 감면한다(법 ④). 재산세 도시지역분과 등록면허세 감면에 대해서는 2016년을 마지막으로 일몰을 종료한바 있다.

◎ 학교의 창업보육 센터는 교육사업에 직접 사용하는 것으로 볼 수 없음

고등교육법 등에 따른 학교는 학생의 선발, 일정기간 동안의 재학, 학위의 취득, 교수 절차 등에 관하여 주무관청으로부터 엄격한 규율을 받고 있고 그러한 학교가 부동산을 교육사업에 직접 사용하는 경우 위와 같이 재산세를 비과세하도록 규정한 것이므로, 고등교육법에 따른 학교가 창업보육센터 사업자로서 학생 등 그 구성원이 아닌 일반인을 대상으로 창업의 성공 가능성을 높일 수 있도록 경영, 기술분야에 대한 지원활동을 하면서 창업자를 위한 시

설과 장소로 그 소유 부동산을 제공하는 경우에는 특별한 사정이 없는 한 교육사업에 직접 사용하는 것으로 볼 수 없음(대법원 2014두45680, 2015.5.14.).

◎ 중소기업지원센터 소유의 청사일부를 유관기관이 임차하여 사용하는 경우 감면대상 제외
"고유업무에 직접 사용"이라 함은 해당 부동산을 취득·등기한 자가 법령에서 개별적으로 규정한 업무와 법인등기부상 목적사업으로 정하여진 업무에 대하여 그 시설의 사용주체로서 직접 사용하는 경우를 의미하는 것임. 따라서 지방중소기업종합지원센터 소유의 청사 일부를 임차한 유관기관이 중소기업지원 업무를 수행하는 경우 부동산 소유자가 아닌 다른 사용주체가 사용하는 것에 해당되어 그 고유업무에 직접 사용하는 부동산'으로 볼 수 없어 재산세 경감대상이 아님(지방세운영과-2889, 2012.9.20.).

◎ 「중소기업창업지원법」 제6조 제1항의 규정에 의거 지정을 받은 창업보육센터 사업자가 창업보육센터로 지정받은 입주기업 보육실을 재산세 과세기준일(6.1.) 현재 창업보육센터 내 입주기업 보육실로 사용하는 경우라면 창업보육센터용에 직접 사용하는 부동산에 해당됨(지방세운영과-243, 2009.1.19.).

◎ 창업보육센터 사업자의 지정을 받은 대학 갑이 창업보육센터용에 직접 사용하기 위하여 갑 소재지가 아닌 타 지역에 소재하고 있는 부동산을 취득하더라도 취득세 등이 감면되나 창업보육센터 설치 후 2년 이내에 폐쇄하거나 창업보유센터 이외의 용도로 사용하는 경우에는 면제된 취득세 등이 추징됨(세정과 13407-556, 2000.4.25.).

◎ 주사무소가 문구공업의 건전한 발전과 조합원 상호간의 복리증진을 도모하기 위해 제품의 계약관련 사무를 수행함으로써 조합원의 자주적인 경제활동을 조장하고 경제적 지위향상을 기하는 등 조합원의 사업조정이나 지원업무에 주로 사용하고 있으므로 공동시설용부동산에 해당하지 아니함(심사 2004-277, 2004.9.23.).

◎ 주택조합과 달리 협동조합의 조합원이 공사도급금액을 부담하더라도 이를 조합이 원시취득하는 것으로 보아 취득세를 과세함은 정당하고 조합원분양분에 대하여는 경감사항이 적용되지 않음(대법원 2008두19468, 2011.1.27.).

제61조(도시가스사업 등에 대한 감면)

법 제61조(도시가스사업 등에 대한 감면) ①「한국가스공사법」에 따라 설립된 한국가스공사 또는 「도시가스사업법」 제3조에 따라 허가를 받은 도시가스사업자가 도시가스사업에 직접 사용하기 위하여 취득하는 가스관에 대해서는 취득세 및 재산세의 100분의 50을 각각 2016년 12월 31일까지 경감한다. 다만, 특별시·광역시에 있는 가스관에 대해서는 경감하지 아니한다.
②「집단에너지사업법」에 따라 설립된 한국지역난방공사 또는「집단에너지사업법」 제9조에 따라 허가를 받은 지역난방사업자가 열공급사업에 직접 사용하기 위하여 취득하는 열수송관에 대해서는 취득세 및 재산세의 100분의 50을 각각 2016년 12월 31일까지 경감한다. 다만, 특별시·광역시에 있는 열수송관에 대해서는 경감하지 아니한다.

한국가스공사 또는 도시가스사업자가 도시가스공급을 위해 취득하는 가스관, 한국지역난방공사 및 지역난방사업자가 열공급사업을 위해 취득하는 열수송관은 감면 대상이었으나, 2016년을 마지막으로 그 일몰을 종료하였다.

◎ 산업단지외의 공유수면 해저에 열수송관을 설치하여 취득한 경우, '지역냉난방사업'의 사업자로 허가받은 사실이 없으므로 감면대상 아님

「집단에너지사업법」상 사업을 하려는 자는 공급구역별로 산업통상자원부장관의 허가를 받아야 하고, "사업"이란 집단에너지를 공급하는 사업으로서 '지역냉난방사업'과 '산업단지집단에너지사업'으로 구분하고, 사업 기준으로 '지역냉난방사업'을 "난방용, 급탕용, 냉방용의 열 또는 열과 전기를 공급하는 … 규정하고 있음. (주)○○에너지는 산업자원부장관으로부터 군산산업단지 7개 업체로 하여 집단에너지사업허가를 받은 사실이 있는 바, 난방용, 급탕용, 냉방용의 열 또는 열과 전기를 공급하는 '지역냉난방사업'의 사업자로 허가받은 사실이 없으므로 지역난방사업자가 열공급 사업에 직접 사용하기 위하여 취득하는 열수송관으로서 볼 수 없음(지방세특례제도과-1350, 2015.5.15.).

※「지특법」 제78조 ③·④에 따른 감면대상 여부에 대한 회신은 해당규정 참조

◎ 리스회사가 취득한 가스관을 도시가스사업자가 이용시 감면대상 판단기준은 리스회사를 기준으로 판단하므로 감면대상이 아님(세정과-2615, 2007.7.6.).

◎ 가스관 매설에 따른 도로복구포장공사비는 가스관 취득에 관한 과세표준에 포함

가스관 매설에 따른 도로복구포장공사비는 시설물 설치공사를 위하여 필수적으로 요구되는 비용으로서 시설물의 취득시기 이전에 지급원인행위가 발생한 것에 해당하므로 취득비용에 당연히 포함되는 것이며 따라서 과세표준에 포함하는 것이 적법함(조심 2010지0074, 2010.10.18.).

제62조(광업 지원을 위한 감면)

법 제62조(광업 지원을 위한 감면) ① 광업권의 설정·변경·이전, 그 밖의 등록에 해당하는 면허로서 면허를 새로 받거나 변경받는 경우에는 면허에 대한 등록면허세를 2021년 12월 31일까지 면제한다.

② 출원에 의하여 취득하는 광업권과 광산용에 사용하기 위하여 취득하는 지상임목에 대해서는 취득세를 2021년 12월 31일까지 면제한다.

③ 「한국광물자원공사법」에 따라 설립된 한국광물자원공사가 과세기준일 현재 석재기능공 훈련시설과 「광산보안법」 제5조 제1항 제5호에 따른 보안관리직원의 위탁교육시설에 직접 사용하는 건축물 및 그 부속토지(건축물 바닥면적의 7배 이내인 것으로 한정한다)에 대해서는 재산세의 100분의 25를 2019년 12월 31일까지 경감한다.

광업지원을 위하여 광업권의 설정·변경·이전 등, 출원에 의하여 취득하는 광업권, 광산용으로 사용하는 임목, 한국광물자원공사의 석재기능공훈련시설 등에 대한 세제지원을 규정하고 있다.

광업권의 설정·변경·이전 등으로 면허를 새로 부여받거나 변경받은 경우에는 면허분 등록면허세를 면제한다(법 ①). 등록분은 감면대상에 해당하지 아니하고, 면허분의 경우에도 정기분의 경우에는 여기에 해당하지 아니한다.

출원에 의해 취득하는 광업권 및 광산용에 사용하기 위해 취득하는 지상임목에 대해 취득세를 면제한다(법 ②). 출원에 의한 광업권은 원시취득의 개념으로 이해하면 된다.

한편, 2010년까지 舊취득세, 舊등록세, 舊면허세로 부과되던 것에 대해, 소유권과 관련된 舊취득세와 舊등록세는 취득세로 통합해서, 소유권과 관련없는 舊등록세와 면허와 관련된 舊면허세는 등록면허세로 통합하여 과세하도록 하였다. 그러나 광업권·어업권·양식업권의 경우에는 세율체계가 복잡(2% + 0천원)해지는 문제 등으로 통합하지 않았음을 참고하기 바란다.

* (지방세법 제23조) 취득을 원인으로 등기·등록하는 경우에는 등록면허세 과세를 제외하되, 광업권 등의 경우에는 과세하도록 규정

한국광물자원공사에 대한 재산세 감면은 공공기관의 감면 감축 기조, 공공기관간 형평성 등을 고려하여 2015년부터 지원을 축소(50% → 25%)하였으며, 결국 2019년을 마지막으로 그 감면을 종료하였다(법 ③).

◎ 취득세 과세표준이 되는 취득가격은 과세대상물건의 취득시기를 기준으로 그 이전에 당해 물건을 취득하기 위하여 거래상대방 또는 제3자에게 지급하였거나 지급하여야 할 일체의 비용을 의미하므로 광업법에 따른 광업권을 취득하기 위하여 지출한 비용에 해당하는 경우라면 영업권으로 계상된 비용은 취득세 과세표준에 포함됨(세정과 13407－587, 2000.5.3.).

제62조의 2(석유판매업 중 주유소에 대한 감면)

법 제62조의 2(석유판매업 중 주유소에 대한 감면) 「석유 및 석유대체연료 사업법」 제10조에 따른 석유판매업 중 주유소가 「한국석유공사법」에 따른 한국석유공사와 석유제품 구매 계약을 체결하고, 한국석유공사로부터 구매하는 석유제품의 의무구매 비율 등 대통령령으로 정하는 조건을 충족하는 경우 석유제품 판매에 직접 사용하는 부동산에 대해서는 2014년 12월 31일까지 재산세의 100분의 50을 경감한다. [본조신설 2013.1.1.]

영 제29조의 5(재산세 경감대상 주유소의 조건) 법 제62조의 2에서 "대통령령으로 정하는 조건을 충족하는 경우"란 다음 각 호의 조건을 모두 충족하는 경우를 말한다.

1. 판매하는 석유제품의 50퍼센트 이상을 「한국석유공사법」에 따른 한국석유공사로부터 의무적으로 구매할 것 2. 알뜰주유소 상표로 영업할 것

[본조신설 2013.1.1.] [제29조의 4에서 이동 〈2014.12.31.〉]

주유소가 한국석유공사로부터 구매비율 등 요건을 충족하는 유류판매업에 직접 사용하는 부동산에 대한 세제지원을 규정하고 있다. 알뜰주유소에 대한 재산세 감면은 2014.12.31. 일몰기한이 종료됨에 따라 효력이 자동 상실되어 감면대상에서 제외하였다.

제 6 절

수송 및 교통에 대한 지원

제63조(철도시설 등에 대한 감면)

법 제63조(철도시설 등에 대한 감면) ①「국가철도공단법」에 따라 설립된 국가철도공단(이하 이 조에서 "국가철도공단"이라 한다)이「철도산업발전기본법」 제3조 제2호에 따른 철도시설(같은 호 마목 및 바목에 따른 시설은 제외하며, 이하 이 항에서 "철도시설"이라 한다)용으로 직접 사용하기 위하여 취득하는 부동산에 대해서는 취득세의 100분의 25를 2022년 12월 31일까지 경감한다. 감면분만 농비

1. 삭제 〈2016.12.27.〉 2. 삭제 〈2016.12.27.〉

② 국가철도공단이 다음 각 호의 어느 하나에 해당하는 재산을 취득하는 경우에는 취득세 및 재산세(「지방세법」 제112조에 따른 부과액을 포함한다)를 각각 2022년 12월 31일까지 면제한다. 농비

1. 국가, 지방자치단체 또는「지방자치법」 제159조 제1항에 따른 지방자치단체조합(이하 "지방자치단체조합"이라 한다)에 귀속 또는 기부채납하는 것을 조건으로 취득하는「철도산업발전기본법」 제3조 제4호에 따른 철도차량
2. 「철도의 건설 및 철도시설 유지관리에 관한 법률」 제17조 제1항 또는 제3항에 따라 국가로 귀속되는 부동산(사업시행자가 국가철도공단인 경우에 한정한다)

③「한국철도공사법」에 따라 설립된 한국철도공사에 대해서는 다음 각 호에서 정하는 바에 따라 2022년 12월 31일까지 지방세를 경감한다.

1. 「한국철도공사법」 제9조 제1항 제1호부터 제3호까지 및 제6호(같은 호의 사업 중 철도역사 개발사업으로 한정한다)의 사업(이하 이 항에서 "해당사업"이라 한다)에 직접 사용하기 위하여 취득하는 부동산에 대해서는 취득세의 100분의 25를, 과세기준일 현재 해당사업에 직접 사용되는 부동산에 대해서는 재산세(「지방세법」 제112조에 따른 부과액을 포함한다)의 100분의 50을 각각 경감한다.
2. 해당사업에 직접 사용하기 위해 취득하는「철도산업발전기본법」 제3조 제4호에 따른 철도차량

에 대해서는 취득세의 100분의 50(「철도사업법」 제4조의 2 제1호에 따른 고속철도차량의 경우에는 취득세의 100분의 25)을 경감한다. 감면분만 농비

④ 철도건설사업으로 인하여 철도건설부지로 편입된 토지의 확정·분할에 따른 토지의 취득에 대해서는 취득세를 면제하고, 분할등기에 대해서는 등록면허세를 면제한다. 농비

⑤ 「지방공기업법」 제49조에 따른 지방공사로서 「도시철도법」 제2조 제4호에 따른 도시철도사업(이하 이 항에서 "도시철도사업"이라 한다)을 수행하는 것을 목적으로 설립된 지방공사(이하 이 조에서 "도시철도공사"라 한다)에 대해서는 다음 각 호에서 정하는 바에 따라 2022년 12월 31일까지 지방세를 감면한다. 감면분만 농비

1. 도시철도공사가 도시철도사업에 직접 사용하기 위하여 취득하는 부동산 및 철도차량에 대해서는 취득세의 100분의 100(100분의 100의 범위에서 조례로 따로 정하는 경우에는 그 율)에 대통령령으로 정하는 지방자치단체 투자비율(이하 이 조에서 "지방자치단체 투자비율"이라 한다)을 곱한 금액을 감면한다. 2. 도시철도공사의 법인등기 및 구분지상권설정등기에 대해서는 등록면허세의 100분의 100(100분의 100의 범위에서 조례로 따로 정하는 경우에는 그 율)에 지방자치단체 투자비율을 곱한 금액을 감면한다. 3. 도시철도공사가 과세기준일 현재 도시철도사업에 직접 사용하는 부동산에 대해서는 재산세(「지방세법」 제112조에 따른 부과액을 포함한다)의 100분의 100(100분의 100의 범위에서 조례로 따로 정하는 경우에는 그 율)에 지방자치단체 투자비율을 곱한 금액을 감면한다.

영 제29조의 6(도시철도공사에 대한 지방자치단체 투자비율) 법 제63조 제5항 제1호에서 "대통령령으로 정하는 지방자치단체 투자비율"이란 「지방공기업법」 제49조에 따른 지방공사로서 「도시철도법」 제2조 제4호에 따른 도시철도사업을 수행하는 것을 목적으로 설립된 지방공사(이하 이 조에서 "도시철도공사"라 한다)의 자본금에 대한 지방자치단체 출자금액(둘 이상의 지방자치단체가 공동으로 설립한 경우에는 각 지방자치단체의 출자금액을 합한 금액)의 비율을 말한다. 다만, 도시철도공사가 「지방공기업법」 제53조 제3항에 따라 주식을 발행한 경우에는 해당 발행주식 총수에 대한 지방자치단체의 소유 주식(같은 조 제4항에 따라 지방자치단체가 출자한 것으로 보는 주식을 포함한다) 수(둘 이상의 지방자치단체가 주식을 소유하고 있는 경우에는 각 지방자치단체의 소유 주식 수를 합한 수)의 비율을 말한다.

국가철도공단(구 한국철도시설공단)이 취득하는 철도차량 및 철도시설용으로 직접 사용하기 위하여 취득하는 부동산, 한국철도공사가 사업에 직접 사용하기 위하여 취득하는 부동산 및 철도차량, 철도건설부지 등에 대한 세제지원을 규정하고 있다.

철도산업과 관련하여 단일체계로 관리·운영되던 철도청에 대해 외국 철도산업의 상하분리 정책 벤치마킹 등을 통해 2004년 한국철도시설공단과 한국철도공사를 설립하여 그 소유와 운영을 분리하게 되었다. 철도망을 구축하고 시설을 관리하는 한국철도시설공단과 열차를 운행하고 역을 관리하는 한국철도공사로 분리하였다. 철도 노선을 결정하고 부지를 매입하는 한국철도시설공단(現 국가철도공단)이 국가로 귀속 또는 기부채납을 위해 취득

하는 부분에 대해 취득세와 재산세를 면제하고, 한국철도공사가 취득하는 부동산이랑 철도차량에 대해서도 지방세 감면을 지원한다. 다만, 한국철도공사가 설립한 코레일유통 등 6개 계열사는 감면대상에 해당하지 않는다. 2020년 대대적으로 감면율이 정비되었는데 철도시설공단의 경우 철도시설용 부동산은 담세력 등을 고려하여 재산세(도시지역분 포함) 감면은 종료하고 취득세 감면은 他공사·공단과의 형평성을 고려 감면율을 25%로 유지하였다. 다만, 국가귀속용 부동산 및 철도차량은 구매를 대행하는 형식적 취득의 성격 고려하여, 비과세에 준하여 감면을 연장하고 관련 규정을 명확히 하였다. 한편, 철도공사의 경우 철도산업의 공공성을 고려하여 감면을 연장하였다. 노선별 수익성 및 공공성을 고려하여 일반·광역철도는 현행 수준으로 취득세를 감면 연장하되, 고속철도는 감면을 축소(50%→25%)하였다. 철도역사 개발사업용 부동산은 他공사 수준으로 취득세에 한해 감면율을 25%로 축소하고, 재산세(도시지역분 포함) 감면은 연장하였다.

한국철도시설공단이 「철도산업발전기본법」 제3조 제2호에 따른 철도시설(교육훈련시설, 시험연구시설 제외)용으로 직접 사용하기 위해 취득하는 부동산에 대해 취득세를 25% 감면한다(법 ①). 2014년까지는 취득세·재산세·주민세를 면제하였으나, 2015년에는 주민세는 주민부담원칙에 따라 감면대상 세목에서 제외하면서 '철도의 운영에 직접 사용되지 아니하는 토지 및 시설' 등은 취득세의 50%만 면제되도록 감면율을 축소하였다. 2017년에는 취득세와 재산세의 감면율을 25%로 축소하였고, 2020년부터는 재산세의 감면을 종료하였다.

한국철도시설공단이 국가 등에 귀속 또는 기부채납하는 것을 조건으로 취득하는 철도차량 및 국가로 귀속되는 부동산(사업시행자가 한국철도시설공단인 경우 限) 취득에 대해 취득세와 도시지역분을 포함한 재산세를 면제한다(법 ②). 2016년까지는 제1항에 단서조항으로 규정하고 있던 것을 2017년부터 제2항으로 이관하여 독립적으로 관리하였다. 제1항의 단서조항으로 규정되어 있던 2015년, 한국철도시설공단이 직접 사용하는 부동산은 취득세, 재산세 50% 경감되고 도시지역분도 함께 경감되고 있었으나, 국가 귀속분은 도시지역분이 과세되고 있어 도시지역분에 대해서도 면제할 수 있도록 입법을 보완한바 있다.

한국철도공사가 해당 사업에 직접 사용하는 부동산에 대해 취득세를 25%, 재산세를 50% 감면한다(법 ③). 또한 직접 사용 위해 취득하는 철도차량에 대해서는 취득세를 50% 감면하되, KTX 고속철도는 25%만 감면한다. 감면대상 사업에는 철도여객사업·화물운송사업·연계운송사업, 철도장비와 용품의 제작·판매·정비 및 임대사업, 철도차량의 정비 및 임대사업, 역사개발사업이 있다. 2014년까지는 취득세를 면제하였으나, 2015년에는 75%, 2017년에는 50%, 2020년부터는 부동산 및 고속철도차량에 대해 25%로 축소하는 등 단계적으로 감면율을 정비해 왔다.

철도건설사업으로 인해 철도건설부지로 편입된 토지의 확정・분할에 따른 취득에 대해 취득세를 면제하고 분할등기에 대해 등록면허세도 면제한다(법 ④).

지방도시철도공사가 도시철도사업에 직접 사용하기 위해 취득하는 부동산에 대해 취득세 및 재산세를, 철도차량에 대해서는 취득세를, 법인등기와 구분지상권설정등기에 대한 등록면허세를 감면하는데, 감면율은 100분의 100을 기준으로 하되, 조례로 따로 정할 때는 그 비율을 기준으로 하고, 그 기준에서 해당 공사의 자본금에 대한 지자체 투자비율을 곱해서 산정한다(법 ⑤). 종전에는 고유업무에 직접 사용 부동산 및 철도차량에 대해 감면하였던 것을 2020년부터는 도시철도의 사업에 직접 사용하는 부동산 및 철도차량으로 명확히 하였다. 도시철도공사가 철도사업 외의 사업을 조례나 정관 등에 따로 규정하여 법인등기 사항에 기재하더라도 해당 감면규정의 적용 대상이 아니다. 다만, 철도사업 외의 사업을 설립 목적과 직접 관계되는 사업으로 보아 지방공사 감면규정을 적용할 수 있다(법 §85의 2 ①). 최소납부세제는 당초 2020년 적용하도록 되어 있었으나, 유예하여 2022년부터 적용된다(2017.12.26. 시행, 지특법 부칙 §7 ③ 개정).

◎ **철도건설사업과 관련하여 취득한 철도시설용 부동산은 준공과 동시에 국가에 귀속되므로 재산세를 면제하면서 도시지역분 재산세도 함께 면제하여야 함**

철도시설은 재산세를 경감할 경우는 도시지역분 재산세도 경감하도록 규정하고 있음에도 국가에 귀속되는 부동산으로 재산세 면제대상으로 규정한 부동산은 재산세를 면제하면서 도시지역분 재산세를 과세하는 것은 형평성과 입법취지에 부합되지 아니한 점 등에 비추어 처분청이 쟁점 ② 토지를 국가에 귀속되는 부동산으로 보아 재산세를 면제하면서 도시지역분 재산세를 부과한 것은 잘못이 있음(조심 2016지0636, 2016.8.31.).

◎ **한국철도공사가 철도차량을 취득하여 00고속철도에 임대하는 경우 직접 사용에 해당**

지특법 제63조 ②에서는 '철도 차량의 정비 및 임대사업'을 감면 대상으로 규정하고 있으므로, 한국철도공사가 철도차량을 취득한 후 제3자에게 임대하여 철도사업에 사용하게 하는 경우 '철도 차량의 정비 및 임대사업'에 직접 사용하지 않는 것으로는 볼 수 없으며, 취득세 경감대상으로 보아야 할 것임(지방세특례제도과-3599, 2015.12.30.).

◎ 한국철도공사의 사업소에 대하여 재산분 주민세 및 종업원분 지방소득세의 100분의 50을 경감함에 있어, 경감대상은 한국철도공사법 제9조 제1항 제1호 내지 제3호 및 제6호의 사업에 직접 사용하는 부동산에 한하는 것(법제처 08-0385호, 2009.1.16. 참조)이라 하겠음(지방세운영과-3354, 2011.7.14.).

◎ 한국철도시설공단은 등록면허세 면제대상에 해당하지 않음

한국철도시설공단 명의로 구분지상권 설정등기를 하는 경우 등록면허세 납세의무자는 국가가 아니 한국철도시설공단이 되는 것이며, 부동산을 취득하지 아니하고 구분지상권을 설정하는 경우에는 해당 부동산을 철도시설용에 사용한다고 하더라도 「지방세특례제한법」 제63조 제1항에서 한국철도시설공단에 대한 등록면허세 감면을 규정하고 있지 아니하므로 등록면허세 면제대상에 해당되지 아니함(지방세운영과-2093, 2011.5.4.).

◎ 한국철도공사가 그 사업에 사용하는 부동산의 범위

한국철도공사가 당해 부동산을 "사업에 사용"한다고 함은 현실적으로 당해 부동산의 사용용도가 「한국철도공사법」 제9조 제1항 제1호부터 제3호까지 및 제6호(철도역사 개발사업)의 사업 자체에 직접 사용되는 것을 뜻하고, '그 사업에 사용'의 범위는 청구법인의 사업목적과 취득목적을 고려하여 그 실제의 사용관계를 기준으로 객관적으로 판단되어야 할 것임(조심 2010지0211, 2011.2.17.).

◎ 종업원 후생 · 교양시설인 연수관은 직접 사용에 해당되지 않음

연수관은 사업소내의 종업원의 후생 · 교양 시설을 의미하는 것인 바 사업장 전체가 철도 경영연수 및 종사자 교육용에 사용되는 연수시설은 이에 해당하지 아니하며 경영연수 및 종사자 교육용에 사용되는 사업장은 철도여객 · 화물운송사업 및 철도와 다른 교통수단과의 연계운송사업을 간접적으로 지원하는 사업장으로서 직접 사용되는 것으로 보기는 어려우므로 부과고지 처분은 적법함(조심 2010지0066, 2010.10.19.).

제64조(해운항만 등 지원을 위한 과세특례)

법 제64조(해운항만 등 지원을 위한 과세특례) ① 「국제선박등록법」에 따른 국제선박으로 등록하기 위하여 취득하는 선박에 대해서는 2021년 12월 31일까지 「지방세법」 제12조 제1항 제1호의 세율에서 1천분의 20을 경감하여 취득세를 과세하고, 과세기준일 현재 국제선박으로 등록되어 있는 선박에 대해서는 재산세의 100분의 50을 2021년 12월 31일까지 경감한다. 다만, 선박의 취득일부터 6개월 이내에 국제선박으로 등록하지 아니하는 경우에는 감면된 취득세를 추징한다. 감면분만 농비

② 연안항로에 취항하기 위하여 취득하는 대통령령으로 정하는 화물운송용 선박과 외국항로에만 취항하기 위하여 취득하는 대통령령으로 정하는 외국항로취항용 선박에 대해서는 2021년 12월 31일까지 「지방세법」 제12조 제1항 제1호의 세율에서 1천분의 10을 경감하여 취득세를 과세하고, 과세기준일 현재 화물운송용에 사용하는 선박에 대해서는 재산세의 100분의 50을 경감하며, 외국

항로취항용에 사용하는 선박에 대해서는 해당 선박의 취득일 이후 해당 선박에 대한 재산세 납세의무가 최초로 성립하는 날부터 5년간 재산세의 100분의 50을 경감한다. 다만, 다음 각 호의 어느 하나에 해당하는 경우 그 해당 부분에 대해서는 경감된 취득세를 추징한다.
1. 정당한 사유 없이 그 취득일부터 1년이 경과할 때까지 해당 용도로 직접 사용하지 아니하는 경우 2. 해당 용도로 직접 사용한 기간이 2년 미만인 상태에서 매각·증여하거나 다른 용도로 사용하는 경우
③ 연안항로에 취항하기 위하여 대통령령으로 정하는 화물운송용 선박 중 천연가스를 연료로 사용하는 선박을 취득하는 경우에는 2022년 12월 31일까지 「지방세법」 제12조 제1항 제1호의 세율에서 1천분의 20을 경감하여 취득세를 과세한다. 다만, 다음 각 호의 어느 하나에 해당하는 경우 그 해당 부분에 대해서는 경감된 취득세를 추징한다.
1. 정당한 사유 없이 그 취득일부터 1년이 경과할 때까지 해당 용도로 직접 사용하지 아니하는 경우 2. 해당 용도로 직접 사용한 기간이 2년 미만인 상태에서 매각·증여하거나 다른 용도로 사용하는 경우

영 제30조(화물운송용 선박 등의 범위 등) ① 법 제64조 제2항 각 호 외의 부분 본문에서 "연안항로에 취항하기 위하여 취득하는 대통령령으로 정하는 화물운송용 선박과 외국항로에만 취항하기 위하여 취득하는 대통령령으로 정하는 외국항로취항용 선박"이란 다음 각 호의 어느 하나에 해당하는 선박을 말한다. 〈개정 2011.12.31.〉
1. 「해운법」 제24조에 따라 내항 화물운송사업을 등록한 자(취득일부터 30일 이내에 내항 화물운송사업을 등록하는 경우를 포함한다) 또는 같은 법 제33조에 따라 선박대여업을 등록한 자(「여신전문금융업법」에 따른 시설대여업자가 선박을 대여하는 경우를 포함하며, 이하 이 항에서 "선박대여업의 등록을 한 자"라 한다)가 취득하는 내항 화물운송용 선박
2. 다음 각 목의 어느 하나에 해당하는 선박으로서 「국제선박등록법」에 따라 등록되지 아니한 선박
   가. 「해운법」 제4조에 따라 외항 여객운송사업의 면허를 받거나 같은 법 제24조에 따라 외항 화물운송사업을 등록한 자가 외국항로에 전용하는 선박
   나. 선박대여업의 등록을 한 자가 외국항로에 전용할 것을 조건으로 대여한 선박
   다. 원양어업선박(취득일부터 3개월 이내에 「원양산업발전법」 제6조에 따라 허가를 받는 경우를 포함한다)
② 법 제64조 제3항에서 "대통령령으로 정하는 화물운송용 선박"이란 제1항 제1호에 따른 선박을 말한다. 〈신설 2016.12.30.〉

국제선박으로 등록하기 위하여 취득하는 선박, 연안항로에 취항하기 위하여 취득하는 화물운송용 선박, 외국항로에만 취항하기 위하여 취득하는 외국항로취항용 선박 등에 대한 감면이다.

국제선박으로 등록하기 위해 취득하는 선박에 대해 취득세 2%p를 감면하고, 국제선박으로 등록된 선박에 대해서는 재산세를 50% 감면한다. 한편, 취득일부터 6개월 이내 국제선박으로 등록하지 않는 경우에는 감면된 취득세를 추징한다(법 ①). 2019년부터 지역자원시

설세에 대한 지원은 종료되었다.

연안항로에 취항하기 위해 취득하는 화물운송용 선박 및 외국항로에만 취항하기 위해 취득하는 외국항로취항용 선박에 대해서는 취득세 1%p와 재산세 50%를 감면하며, 외국항로 취항용 선박에 대해서는 재산세 납세의무가 최초로 성립한 날부터 5년간만 감면한다. 한편, 정당한 사유없이 취득일부터 1년 경과시까지 직접 미사용시, 직접 사용 2년 미만 상태에서 매각·증여 또는 타용도 사용시에는 취득세를 추징한다(법 ②). 2019년부터 재산세 감면 기간을 5년간 한정하였다.

연안항로에 취항하기 위한 화물운송용 선박 중에 천연가스를 연료로 사용하는 선박을 취득하는 경우에는 취득세를 2%p 감면한다. 한편, 추징은 제2항과 동일하게 적용한다(법 ③). 2019년까지는 연안항로 화물운송용 천연가스 선박에 대한 추징규정이 없는 문제가 있어 2020년 신설한 것이다.

- **선박대여업을 등록하지 않은 경우라면 취득세 경감대상이 아님**

  대통령령이 정하는 화물운송용선박과 외국항로취항용 선박이라 함은 「해운법」 제24조에 따라 내항화물운송사업의 등록을 한 자 또는 같은 법 제33조에 따라 선박대여업업의 등록을 한 자가 취득하는 내항화물운송용 선박이라 규정하고 있으므로 내항화물운송용 선박을 취득한 자가 「해운법」 제33조에 따른 선박대여업을 등록하지 않은 경우라면, 비록 선박취득 후 30일 이내 선박대여업 등록을 하더라도 취득세 경감대상이 아님(지방세운영과-3873, 2010.8.25.).

- 외항운송사업자가 국제선박을 임차하여 국제선박등록하고 항행하다가 해당 임차인이 그 국제선박을 취득하고 6개월이 경과한 후에 국제선박 변경등록(소유자 등 변경)을 한 경우 취득일인 최종연부금 지급시점에 국제선박으로 등록되어 있는 이상 취득세 추징대상이 아님(지방세운영과-825, 2010.2.26.).

- 연부취득 선박은 연부대금 완납시점을 기준으로 면제 여부를 판단하므로 완납시점에 이미 국제선박으로 등록되었다면 면제대상에 해당되므로 그 이전에 지급한 연부금은 모두 취득세가 면제됨(세정과-28, 2008.1.3.).

- 해상화물운송용 선박을 취득한 후 당해선박에 대한 제반 비용과 인력을 선박소유자가 관리하면서 타법인에게 승무원을 딸려서 임대한 경우 해상화물운송사업자(선박임대자)가 그 사업에 직접 사용하는 것으로 볼 수 있음(세정과-5003, 2007.11.23.).

- **과점주주 간주취득자는 별개로 납세의무가 성립함**

  청구법인은 이 건 법인의 주식 55% 소유하고 있는 상태에서 2008.8.11. 추가로 이 건 법인의 주식 15%를 다른 주주로부터 취득함에 따라 「지방세법」 제105조 제6항의 규정에 의하여 이

건 법인의 취득세 과세대상물건인 선박과 자동차를 취득한 것으로 간주되어 취득세 납세의무가 성립되는 것임(조심 2008지1036, 2009.8.27.).

◎ 「지방세특례제한법」 제64조 및 같은 법 시행령 제28조 규정에 의하여 「여신전문금융업법」에 의한 시설대여회사가 외국항로에 전용할 조건으로 대여한 선박에 대하여는 취득세를 경감하는 것이며, 이 경우 시설대여회사는 「해운법」에 의한 선박대여업의 면허를 보유하고 있지 않는다 하더라도 취득세 경감대상임(예규 지특법 64-1).

제64조의 2(지능형 해상교통정보서비스 무선국에 대한 감면)

법 제64조의 2(지능형 해상교통정보서비스 무선국에 대한 감면) 선박의 소유자가 「지능형 해상교통정보서비스의 제공 및 이용 활성화에 관한 법률」 제18조 제1항에 따라 같은 법 제2조 제3호에 따른 지능형 해상교통정보서비스를 송신·수신할 수 있는 설비를 선박에 설치하여 무선국을 개설한 경우에 해당 무선국의 면허에 대해서는 등록면허세를 2023년 12월 31일까지 면제한다.

2021년 신설한 규정으로, 선박소유자가 지능형 해상교통정보서비스를 송·수신할 수 있는 설비(e-Nav)를 선박에 설치하여 무선국을 개설한 경우, 해당 무선국의 면허에 대한 등록면허세를 면제한다. 선박(어선 포함)에서 안전운항에 필요한 e-Navigation 서비스를 이용할 수 있도록 e-Nav 선박단말기 탑재를 지원하기 위한 취지다. 해당 규정은 2021년 1월 3일 이후에 전파법 제19조에 따라 허가를 받은 경우부터 적용한다(부칙 §1 단서, §5).

| 참고_등록면허세 감면 여부 |

구분		'21년	'22년 ~ '23년
신규	정기분	×	감면 적용
	신고분	1.30. 이후 허가분	감면 적용
기존	정기분	×	×

제65조(항공운송사업 등에 대한 과세특례)

법 제65조(항공운송사업 등에 대한 과세특례) 「항공사업법」에 따라 면허를 받거나 등록을 한 자가 국내항공운송사업, 국제항공운송사업, 소형항공운송사업 또는 항공기사용사업에 사용하기 위하여 취득하는 항공기에 대해서는 2021년 12월 31일까지 「지방세법」 제12조 제1항 제4호의 세율에서 1천분의 12를 경감하여 취득세를 과세하고, 과세기준일 현재 그 사업에 직접 사용하는 항공기에 대해서는 해당 항공기 취득일 이후 재산세 납세의무가 최초로 성립한 날부터 5년간 재산세의 100분의 50을 경감한다. 다만, 자산총액이 대통령령으로 정하는 금액 이상인 자가 취득하는 항공기는 재산세를 경감하지 아니한다.

영 제30조의 2(항공운송사업 등의 과세특례 제외 기준) 법 제65조 단서에서 "대통령령으로 정하는 금액 이상인 자"란 「자본시장과 금융투자업에 관한 법률」 제159조에 따라 사업보고서를 제출해야 하는 법인으로서 직전사업연도 재무상태표의 자산총액(새로 설립된 회사로서 직전사업연도의 재무상태표가 없는 경우에는 「지방세기본법」 제34조에 따른 납세의무 성립시기의 납입자본금으로 한다)의 합계액이 5조원 이상인 자를 말한다.

항공운송사업 지원을 위하여 국내항공운송사업, 국제항공운송사업, 소형항공운송사업 또는 항공기사용사업에 대한 세제지원을 규정하고 있다.

항공사업법에 따라 면허를 받거나 등록을 한 자가 국내항공운송사업, 국제항공운송사업, 소형항공운송사업 또는 항공기사용사업에 사용하기 위해 취득하는 항공기에 대해 감면한다. 2017년부터 취득세 감면율이 축소(2%p→1.2%p)되었으며, 2019년에는 항공운송사업용 항공기에 대해서는 재산세 감면기간을 5년간으로 한정하고 자산규모가 5조원 이상인 대형 항공사에 대해서는 재산세 감면을 배제토록 한바 있다.

항공기를 임차수입하는 경우에는 대여하기 위한 목적과 직접 사용하기 위한 목적이 있을 수 있는데, 2006년까지는 대여하기 위해 수입하는 경우에만 납세의무가 있다고 규정하고 있었는데, 법원에서는 직접 사용하기 위해 임차하는 경우에는 과세대상이 아니라고 판단(대법원 2006두8860, 2007.7.28.)하였다. 판결 후 「지방세법」을 개정(2007.7.20.)하여 임차하여 수입하는 경우도 과세대상으로 확대하였으므로 그 이후에는 납세의무가 있게 되어 해당 감면규정의 적용대상이 된다.

☞ 지방세법 제7조 제6항 수입항공기 취득세 납세의무 참고

◎ 항공운송사업자(임차인)가 항공기를 등록하고 운송사업에 직접 사용시 재산세 감면

시설대여회사가 항공기를 이용자에게 대여하고 그 이용자인 항공운송사업자가 「항공법」에 의하여 허가받은 정기항공운송사업에만 직접 사용하는 경우에 시설대여회사가 취득하는 항

공기도 취득세 면제하는 점(해석매뉴얼 284-1)을 고려할 때, 항공운송사업자인 최종 임차인이 항공기를 사용할 권리가 있는 자로서 「항공법」에 따라 당해 항공기를 등록하고, 자신의 항공 운송사업에 사용하고 있는 경우라면 '항공운송사업자가 그 사업에 직접 사용하는 항공기'로 보아 재산세 감면 대상임(지방세운영과-4131, 2010.9.7.).

◎ 항공사가 항공기를 사용하기 위하여 외국소재 시설대여업자와 리스계약에 의해 항공기를 수입하는 경우 지방세법상 과세대상이 되는 항공기의 취득으로 볼 수 없으므로 취득세가 면제될 여지가 없으며 농특세 납세의무도 없음(대법원 2006두8860, 2006.7.28.).

제66조(교환자동차 등에 대한 감면) [친환경차 감면]

법 제66조(교환자동차 등에 대한 감면) ① 자동차(기계장비를 포함한다. 이하 이 항에서 "자동차등"이라 한다)의 제작 결함으로 인하여 「소비자기본법」에 따른 소비자분쟁해결기준 또는 「자동차관리법」에 따른 자동차안전·하자심의위원회의 중재에 따라 반납한 자동차등과 같은 종류의 자동차등(자동차의 경우에는 「자동차관리법」 제3조에 따른 같은 종류의 자동차를 말한다)으로 교환받는 자동차등에 대해서는 취득세를 면제한다. 다만, 교환으로 취득하는 자동차등의 가액이 종전의 자동차등의 가액을 초과하는 경우에 그 초과분에 대해서는 취득세를 부과한다. [감면분만 농비]

② 「자동차관리법」 제13조 제7항 또는 「건설기계관리법」 제6조 제1항 제7호에 따라 말소된 자동차 또는 건설기계를 다시 등록하기 위한 등록면허세는 면제한다. [농비]

③ 「환경친화적 자동차의 개발 및 보급촉진에 관한 법률」 제2조 제5호에 따른 하이브리드자동차로서 같은 조 제2호에 따라 고시된 자동차를 취득하는 경우에는 다음 각 호에서 정하는 바에 따라 취득세를 감면한다. [감면분만 농비]

1. 2019년 12월 31일까지는 취득세액이 140만원 이하인 경우 취득세를 면제하고, 취득세액이 140만원을 초과하는 경우 취득세액에서 140만원을 공제한다.
2. 2020년 1월 1일부터 2020년 12월 31일까지는 취득세액이 90만원 이하인 경우 취득세를 면제하고, 취득세액이 90만원을 초과하는 경우 취득세액에서 90만원을 공제한다.
3. 2021년 1월 1일부터 2021년 12월 31일까지는 취득세액이 40만원 이하인 경우 취득세를 면제하고, 취득세액이 40만원을 초과하는 경우 취득세액에서 40만원을 공제한다.

④ 「환경친화적 자동차의 개발 및 보급 촉진에 관한 법률」 제2조 제3호에 따른 전기자동차 또는 같은 조 제6호에 따른 수소전기자동차로서 같은 조 제2호에 따라 고시된 자동차를 취득하는 경우에는 2021년 12월 31일까지 취득세액이 140만원 이하인 경우 취득세를 면제하고, 취득세액이 140만원을 초과하는 경우 취득세액에서 140만원을 공제한다. [감면분만 농비]

제작결함으로 교환받은 자동차, 말소된 자동차 및 기계장비의 재등록, 친환경 하이브리드자동차 및 전기 자동차 취득에 대한 감면을 규정하고 있다.

자동차, 기계장비(이하 "자동차등")의 제작결함으로 인해 소비자분쟁해결기준 또는 자동차안전·하자심의위원회의 중재로 교환받는 자동차등에 대해 취득세를 면제한다(법 ①). 2018년에는 「자동차관리법」 개정으로 2019.1.1.부터 자동차안전·하자심의위원회가 신설되는 바, 제작 결함으로 「소비자기본법」에 따른 소비자분쟁해결기준에 따라 자동차를 반납하고 교환받는 자동차뿐 아니라 '자동차안전·하자심의위원회의 중재'에 따라 교환으로 취득하는 경우까지 교환자동차 감면을 적용받도록 하였다. 감면요건은 반납한 자동차등과 같은 종류의 자동차등이어야 하는데, 「자동차관리법」 제3조에 따른 같은 종류(승용, 승합 등)의 자동차라면 그 요건을 충족하게 된다. 감면 한도는 종전에 취득한 자동차등의 가액이므로, 그 가액의 초과분에 대해서는 과세한다. 7인승 승용차의 제작결함으로 인해 5인승 승용차로 교환받은 경우 동일 차종인 승용차에는 해당하지만 다른 제작사로부터 다른 승용차를 구입하는 경우에는 감면대상이 아니(지방세정팀-3507, 2005.10.31.)라고 할 것이며, 교환받는 자동차의 범위에 자동차회사로부터 금전으로 환급받아 취득하는 자동차는 포함되지 아니한다(예규 법66-1)고 할 것이다.

도난에 따라 말소된 자동차등을 다시 등록하는 경우 등록면허세를 면제한다(법 ②).

하이브리드자동차 취득시에는 2020년 90만원, 2021년 40만원을 한도, 전기자동차 또는 수소전기자동차를 취득시에는 2021년까지 140만원을 한도로 취득세를 공제한다(법 ③, ④). 하이브리드자동차의 경우 보급 활성화('08년 0.1% → '17년 5.5%)로 당초 감면목적이 달성되었으나 국가 구입보조금 재정지원이 축소('19년 종료)되는 점 등을 고려하여, 2019년부터 단계적(140만원('19년) → 90만원('20년) → 40만원('21년))으로 감면 한도가 축소되었고, 전기자동차의 경우 보급활성화를 위해 2017년에 감면지원을 강화(140만원(~'16년)→ 200만원('17년)→140만원('19년~))하면서 수소차에 대해서도 전기차와 동일한 수준으로 감면을 신설하였다.

해당 친환경자동차를 지분으로 취득하는 경우에 있어 감면한도액을 지분 취득시마다 총액을 매번 공제할지, 지분율을 반영한 감면한도액을 적용할 것인지에 대해 혼란이 있었다. 동일한 1대의 자동차를 취득함에도 어떤 방법을 선택하는지에 따라 세부담이 달라지는 경우에는 과세 불형평이 발생하고 법적 안정성이 훼손되며, 명의신탁을 통한 공동명의 취득, 지분쪼개기 등의 편법으로 세액을 면제받으려는 악용을 조장하게 될 뿐 아니라, 감면 한도를 정하고 있는 동 규정이 사문화되고 그 입법취지가 훼손될 수 있는 점을 고려할 때 온전한 1대를 감면한도의 총액으로 보아 각 지분율에 해당하는 감면액을 적용한다(지방세특례제도과-2608, 2020.12.2.).

※ (예시) 5,000만원 전기자동차를 2회에 걸쳐 50%씩 취득시 적용 방법

취득 방법			취득가액	취득세액(7%)	감면세액 (140만원↓)	실제 부담세액
일반 취득			5,000만원	350만원	140만원	210만원
지분 취득	○	合	5,000만원	350만원	140만원	210만원
		1	2,500만원	175만원	70만원(1/2)	105만원
		2	2,500만원	175만원	70만원(1/2)	105만원
	×	合	5,000만원	350만원	280만원	70만원
		1	2,500만원	175만원	140만원	35만원
		2	2,500만원	175만원	140만원	35만원

◎ 제작결함으로 교환한 자동차의 경우 당초 취득가액 범위에서 감면받을 수 있음

「소비자보호법」에 의한 소비자피해보상규정 제3조(품목 및 보상기준) 〈별표 2〉 자동차 부분에서 차령 12개월 이내인 취득차량이 제작결함 등이 발생된 경우 제품을 교환할 수 있도록 하고 있는 바, 상기 규정에 의한 제작결함 등으로 취득한 자동차를 제작사에 반납하고 새로이 교환받는 자동차가 제3자가 취득하였으나 제작결함으로 제작사에 반납한 차량을 말소한 후 수리를 거친 차량으로서 자동차관리법 제3조 규정에 의한 동일한 종류의 차량이라면 당초 취득가액 범위 내에서 감면받을 수 있음(세정-297, 2006.1.24.).

◎ 7인승 승용차의 제작결함으로 인하여 5인승 승용차로 교환받은 경우에는 동일 차종인 승용차에 해당하나 7인승 승용차의 제작결함으로 이를 반납하고 다른 제작사로부터 다른 승용차를 구입하는 경우에는 감면대상에 해당하지 아니함(지방세정팀-3507, 2005.10.31.).

◎ 자동차의 제작결함으로 인하여 금전을 환불받은 후, 타 제조사의 자동차를 취득한 경우 교환에 의한 감면대상 자동차에 해당하지 아니함(조심 2009지0769, 2010.3.19.).

◎ 자동차 매매계약은 엘피지자동차를 대상으로 하였으나, 착오로 휘발유 자동차가 인도되었을 경우 휘발유자동차 수령행위는 취득세 과세대상으로 볼 수 없음(조심 2008지0135, 2008.6.20.).

제66조의 2(노후경유자동차 교체에 대한 취득세 감면)

법 제66조의 2(노후경유자동차 교체에 대한 취득세 감면) ①「자동차관리법」에 따라 2006년 12월 31일 이전에 신규등록된 경유를 원료로 하는 승합자동차 또는 화물자동차(「자동차관리법」에 따라 자동차매매업으로 등록한 자가 매매용으로 취득한 중고자동차는 제외한다. 이하 이 항에서 "노후경유자동차"라 한다)를 2017년 1월 1일 현재 소유(등록일을 기준으로 한다)하고 있는 자가 노후경유자동차를 폐차하고 말소등록한 이후 승합자동차 또는 화물자동차[신조차(新造車)에 한정한다. 이하 이 항에서 "신조차"라 한다]를 2017년 6월 30일까지 본인의 명의로 취득하여 신규등록하는 경우에는 취득세의 100분의 50을 경감한다. 이 경우 노후경유자동차 1대당 신조차 1대만 취득세를 경감한다.

② 제1항에 따른 1대당 취득세 경감액이 100만원 이하인 경우에는 산출세액 전액을, 취득세 경감액이 100만원을 초과하는 경우에는 산출세액에서 100만원을 공제한다. [본조신설 2016.12.27.]

2017.1.1. 시행, 지방세특례제한법을 개정, 미세먼지의 주 배출원인인 노후 경유차의 교체를 촉진하여 국민건강과 밀접한 환경문제에 적극 대응하기 위한 취지로 차량취득세 감면을 도입하였다. 10년 이상 노후한 경유 승합·화물차를 말소등록한 이후에 2017.6.30.까지 신규로 승합·화물차를 구입시 취득세의 50%(최대 100만원 한도) 감면규정을 신설하여 6개월만 한시적으로 운영하였다.

※ (국세, 개별소비세) 노후 경유차 말소등록 이후 신규 승용차 교체시 개별소비세 70%(최대 100만원), 약 7개월간('16.12.5.~'17.6.30.) 감면

제67조(경형자동차 등에 대한 과세특례)

법 제67조(경형자동차 등에 대한 과세특례) ①「자동차관리법」 제3조 제1항에 따른 승용자동차 중 대통령령으로 정하는 규모의 자동차를 대통령령으로 정하는 비영업용 승용자동차로 취득하는 경우에는 다음 각 호에서 정하는 바에 따라 취득세를 2021년 12월 31일까지 감면한다. 다만, 취득일부터 1년 이내에 영업용으로 사용하는 경우에는 면제된 취득세를 추징한다. 농비

1. 취득세액이 50만원 이하인 경우 취득세를 면제한다.
2. 취득세액이 50만원을 초과하는 경우 취득세액에서 50만원을 공제한다.

②「자동차관리법」 제3조 제1항에 따른 승합자동차 또는 화물자동차(같은 법 제3조에 따른 자동차의 유형별 세부기준이 특수용도형 화물자동차로서 피견인형 자동차는 제외한다) 중 대통령령으로 정하는 규모의 자동차를 취득하는 경우에는 취득세를 2021년 12월 31일까지 면제한다.

농비

③ 승차 정원 7명 이상 10명 이하 비영업용 승용자동차로서 행정안전부령으로 정하는 자동차에 대한 자동차세는 「지방세법」 제127조 제1항 제1호에도 불구하고 2021년 12월 31일까지 같은 항 제4호에 따른 소형일반버스 세율을 적용하여 과세한다. 이 경우 2007년 12월 31일 이전에 「자동차관리법」에 따라 신규등록 또는 신규로 신고된 차량으로 한정한다.

영 제31조(비영업용 승용자동차의 구분 등) ① 법 제67조 제1항 및 제2항에서 "대통령령으로 정하는 규모의 자동차"란 각각 배기량 1천시시 미만으로서 길이 3.6미터, 너비 1.6미터, 높이 2.0미터 이하인 승용자동차 · 승합차 및 화물자동차를 말한다. 다만, 동력원으로 전기만 사용하는 자동차의 경우에는 길이 · 너비 및 높이 기준만 적용한다.

② 법 제67조 제1항 각 호 외의 부분에서 "대통령령으로 정하는 비영업용 승용자동차"란 「지방세법 시행령」 제122조 제1항에 따른 비영업용으로 이용되는 승용자동차를 말한다. 〈개정 2018.12. 31.〉

규칙 제4조(전방조종자동차에 대한 과세특례) 법 제67조 제3항 전단에서 "행정안전부령으로 정하는 자동차"란 「자동차 및 자동차부품의 성능과 기준에 관한 규칙」 제2조 제23호에 따른 전방조종자동차를 말한다.

에너지 절약형 자동차인 경형자동차에 대한 세제지원을 규정하고 있다.

비영업용 경형승용차를 취득하는 경우 50만원을 한도로 취득세를 공제한다(법 ①). 2018년까지는 한도없이 최소납부세제만 적용토록 하였으나, 중형차 대비 경차가격의 지속 상승 등으로 고가 경차에 대해서까지 취득세 전액 면제는 과다한 측면을 고려하여 2019년부터는 50만원을 한도로 취득세를 면제하도록 하였다. 비영업 경차는 세율이 4%에 해당하므로 역산으로 취득가격을 계산해보면 취득 당시의 가액이 1,250만원까지는 취득세를 면제한다고 볼 수 있다. 여기서의 감면한도는 제66조의 친환경자동차 감면한도 지침과 동일하게 적용해야 할 것이다. 즉, 지분으로 취득할 경우에는 지분율을 반영한 한도액을 적용하여야 한다. 다만, 1년 이내에 영업용으로 사용하는 경우에는 감면된 취득세를 추징한다. 2017년까지는 단서의 추징규정이 없었는데, 렌터카 업체에서 경형승용자동차를 '비영업용 승용자동차'로 취득하여 취득세 전액을 면제받고, 영업용으로 용도변경하여 취득세를 탈루하는 사례가 발생하여, 2018년부터는 취득일부터 1년 이내에 감면받은 비영업용 승용차량의 용도를 변경(비영업용 → 영업용)하는 경우에는 감면세액을 추징하도록 보완하였다.

또한, 경형승합차 또는 경형화물차(특수형 화물차로서 피견인형 자동차는 제외) 취득시 취득세를 면제한다(법 ②). 제177조의 2에 따른 최소납부세제는 부담하여야 한다.

한편, 2007년 이전에 신규 등록 및 신고된 승차정원 7인 이상 10인 이하의 비영업용 전방조종 승용자동차에 대해 소형일반버스 세율(6.5만원)을 적용하여 자동차세를 과세한다(법 ③).

◎ 자동차등록증에는 경형 화물자동차로서 길이 · 너비 · 높이 등 규모요건은 갖추었으나 배기량이 없는 피견인형의 경우 경형화물자동차로 볼 수 있음

경형 화물자동차에 해당 여부는 자동차관리법에 따라 판단하여야 하는 바, 이 건 피견인형의 경우 자동차등록증 등에 차종은 화물자동차로 규모는 경형으로 구분되어 있는 점, 그간 행정안전부에서도 '전기자동차와 같이 배기량이 없는 경우 배기량을 0cc로 볼 수 있다(지방세운영과-1424, 2010.4.7. 참조)'고 해석하였던 점, 위 「지방세특례제한법」 감면규정과 관련 자동차관리법에 따른 경형화물자동차에서 피견인형을 제외한다는 별도의 규정이 없는 점 등을 종합적으로 고려해 볼 때, 이 건 피견인 차량의 경우 취득세 감면대상 경형자동차에 해당됨(지방세운영과-160, 2013.1.16.).

◎ 경형승용자동차 적용규모 기준

「지방세법」 제268조의 2에서 「자동차관리법」 제3조의 규정에 의한 승용자동차로서 배기량 800cc 미만인 대통령령이 정하는 비영업용승용자동차를 취득하여 등록하는 경우에는 취득세와 등록세를 면제한다고 규정하고 있고, 자동차관리법 제3조와 동법 시행령 제2조 제2항 및 [별표 1]에서 경형승용자동차의 규모별 세부기준은 배기량이 800cc 미만으로서 길이 3.5미터 · 너비 1.5미터 · 높이 2.0미터 이하인 것으로 규정한 후 그 하단 "주" 1에서 "복수의 기준 중 하나가 작은 규모에 해당되고 다른 하나가 큰 규모에 해당된다면 큰 규모로 구분한다" 고 규정하고 있는 바, 귀 시에서 질의한 스마트 차량은 배기량 598cc · 길이 2.59미터 · 높이 1.55미터로서 경형차기준에 해당된다 할 것이나 너비가 자동차관리법 규정상 기준인 1.5미터보다 넓은 1.52미터이므로 경형승용자동차가 아닌 소형승용차에 해당되는 것으로 판단됨(지방세정팀-3292, 2006.7.27.).

◎ 전기자동차는 배기량을 제외한 규격으로만 경차기준 해당 여부를 판단하여 취득 · 등록세를 감면하고 자동차세는 기타 자동차로 과세함(지방세운영과-1424, 2010.4.7.).

◎ 자동차대여업자의 영업용경차 신규등록에 대하여 세무공무원이 취득세 등의 감면대상이 아님에도 착오로 감면된 세액이 기재된 납부서를 교부하고 납세자가 이를 믿고 따랐다 하더라도 추후 과세를 하더라도 신의성실의 원칙이나 조세관행에 위배되는 위법한 처분이라고 할 수 없으나 신고 및 납부불성실가산세 부과는 부당(조심 2010지0579, 2010.7.9.)

◎ 스타렉스 자동차는 「자동차 안전기준에 관한 규칙」 제2조 제23호의 규정에 의한 전방조정자동차가 아닌 일반RV 차량에 해당되므로 감면 조례에 의한 자동차세 경감대상이 아님(조심 2009지0179, 2009.12.4.).

제68조(매매용 및 수출용 중고자동차 등에 대한 감면)

법 제68조(매매용 및 수출용 중고자동차 등에 대한 감면) ① 다음 각 호에 해당하는 자가 매매용으로 취득(「지방세법」 제7조 제4항에 따른 취득은 제외한다. 이하 이 조에서 같다)하는 중고자동차 또는 중고건설기계(이하 이 조에서 "중고자동차등"이라 한다)에 대해서는 취득세와 자동차세를 각각 2021년 12월 31일까지 면제한다. 이 경우 자동차세는 다음 각 호에 해당하는 자의 명의로 등록된 기간에 한정하여 면제한다. 농비

1. 「자동차관리법」 제53조에 따라 자동차매매업을 등록한 자
2. 「건설기계관리법」 제21조 제1항에 따라 건설기계매매업을 등록한 자

② 제1항에 따라 취득한 중고자동차등을 그 취득일부터 2년 이내에 매각하지 아니하거나 수출하지 아니하는 경우에는 면제된 취득세를 추징한다. 다만, 취득일부터 1년이 경과한 중고자동차로서 「자동차관리법」 제43조 제1항 제2호 또는 제4호에 따른 자동차 검사에서 부적합 판정을 받고 「자동차관리법」 제2조 제5호 및 「건설기계관리법」 제2조 제1항 제2호에 따라 폐차 또는 폐기한 경우에는 감면된 취득세를 추징하지 아니한다.

③ 「대외무역법」에 따른 무역을 하는 자가 수출용으로 취득하는 중고선박, 중고기계장비 및 중고항공기에 대해서는 「지방세법」 제12조 제1항 제1호·제3호 및 제4호의 세율에서 각각 1천분의 20을 경감하여 취득세를 2021년 12월 31일까지 과세하고, 「대외무역법」에 따른 무역을 하는 자가 수출용으로 취득하는 중고자동차에 대해서는 취득세를 2021년 12월 31일까지 면제한다.

④ 제3항에 따른 중고선박, 중고기계장비, 중고항공기 및 중고자동차를 취득일부터 2년 이내에 수출하지 아니하는 경우에는 감면된 취득세를 추징한다.

매매용으로 취득하는 중고자동차 및 중고건설기계, 수출용 중고선박, 중고기계장비, 중고항공기 및 중고자동차 등에 대한 세제지원을 규정하고 있다.

자동차 또는 건설기계 매매업을 등록한 자가 매매용으로 취득하는 중고자동차 또는 중고건설기계(이하 "중고자동차등")에 대해 취득세 및 자동차세를 면제하는데, 취득세를 면제할 때 구조변경 취득세는 면제범위에서 제외하고, 자동차세는 매매업 등록자의 명의로 등록된 기간에 한해 감면한다(법 ①). 2017년부터는 중고자동차를 취득 후 구조변경하는 경우 감면이 적용되지 않도록 '매매용으로 취득하는 중고자동차'의 범위에서 「지방세법」 제7조 제4항에 따른 취득(차량 구조변경)을 제외하였다.

중고자동차등을 취득일부터 2년 이내에 매각하지 아니하거나 수출하지 아니하는 경우에는 감면받은 취득세를 추징하나, 1년 경과 이후에 부적합 판정을 받고 폐차·폐기한 경우에는 추징을 제외한다(법 ②).

또한, 무역을 하는 자가 수출용으로 취득하는 중고선박·중고기계장비·중고항공기에 대해 취득세 2%p를 감면하고 수출용으로 취득하는 중고자동차에 대해서는 취득세를 면제

한다(법 ③).

한편, 2년 이내에 수출하지 아니하는 경우에는 취득세를 추징하는데, 제1항과 달리 매각하는 경우에는 추징 예외사유로 규정하고 있지 않음에 유의해야 한다(법 ④). 이는, 2019년부터 신설된 규정으로 그 전에는 수출용 중고자동차는 매매용 중고자동차와 감면 목적·대상 및 지원세목 등이 다름에도 같은 항에서 추징규정을 두고 있었던 바, 수출업자의 경우 수출용으로 감면받고 취득한 중고자동차에 대해 그 목적대로 수출하는 경우에 한하여 목적 내 사용으로 보아 추징을 배제토록 사후관리 규정을 명확히 한 것이다.

소유자가 동일하고 사업자등록번호가 상이한 매매상사(A→B) 간 중고자동차 매매에 대한 등록원부 방식 변경(2020.4.9.)에 따른 적용 요령(지방세특례제도과-886, 2020.4.22.)을 참고할 필요가 있다. 종전에는 동일사업자인 경우에 지방세법 제7조 제2항에 따른 사실상 취득이 재차 발생하지는 않더라도 등록원부상 이전등록을 하여야 하는 문제로 취득세를 납부해야 했다. 그러나, 국토부에서 2020.4.9.자로 변경등록하는 것으로 완화·개선되면서 지방세법 제7조 제1항에 따른 형식적 취득에도 해당되지 않기 때문에 취득세 납세의무가 없는 것으로 변경되었다. 다만, 2년 내 매각해야 하는 그 기산일은 최초 취득일로 적용해야 한다. 한편, 매매상 명의를 대표자 개인명의로 바꾸는 경우에는 아직까지 이전등록을 해야한다. 이 경우, 취득세를 부담하고 이전등록을 한다는 점을 고려해서 매각으로 보아야 할 것이다.

적용대상	종전	변경
자동차등록원부 정리	이전등록	변경등록
지방세 부과세목	취득세	등록면허세
지방세 감면세목	취득세	×
추징유예 기산일	매매상사(B) 취득일	매매상사(A) 당초 취득일

※ (적용시기) 2020.4.9. 이후 등록분부터

◎ **(예규) 지특법 68-1(매매용 중고자동차 등의 범위)** 매매용으로 제시신고를 하고 자동차매매업자 명의로 이전된 차량의 경우 중고자동차에 해당한다.

◎ 국외에서 사용되던 건설기계를 수입한 자로부터 법률행위 또는 법률의 규정에 따라 취득되기 전의 건설기계는 중고 건설기계에 해당되지 아니함(법제처 법령해석 11-0022, 2011.3.17.).

◎ **건설기계매매업 미등록자는 감면대상에 해당하지 않음**

「지방세특례제한법」 제68조 제1항 제2호에서는 「건설기계관리법」 제21조 제1항에 따라 건설기계매매업으로 등록한 자가 매매용으로 취득하는 중고건설기계에 대해서는 취득세를 면제하도록 규정하고 있으므로 납세자가 건설기계매매업으로 등록되어 있지 않다면 전동지게차를 실수요자에게 매매하기 위해 취득하였다고 하더라도 해당 규정에 따른 취득세 면제대상에는 해당되지 않을 것으로 판단됨(지방세운영과-2861, 2012.9.10.).

◎ 유예기간 내 중고자동차를 매매하지 못한 정당한 사유의 판단
자동차 매매업자가 매매용 중고자동차를 취득한 후 자동차를 매각하기 위하여 생활정보지, 인터넷 등에 판매가격을 낮추어 가며 지속적인 매각광고를 하였다고 하더라도 이는 자동차 매매업자의 일반적인 영업행위로서 다른 매매업자와의 차별성이 있는 노력을 다하였다고 볼 여지가 충분하다고는 할 수 없으며, 당초 취득가격보다 판매가격을 높게 제시한 후 하향 조정한 점 등을 볼 때 유예기간(1년) 내에 자동차를 매각하지 못할 정도의 정당한 사유가 있었다고 보기 어려움(조심 2011지0958, 2012.4.16.).

◎ 경기불황 및 신차출고로 인한 수요 감소 등은 이 건 자동차를 유예기간 내에 매각하지 못할 정도의 법령상·사실상의 장애사유로 보기는 어려움(조심 2010지0533, 2011.4.25.).

◎ 1년 내 매각을 위한 노력 등을 고려 정당한 사유 해당 여부 판단
자동차를 매매용으로 보관하면서 시운전 외에는 타 용도로 사용하지 않았고, 또한 자동차를 매각하기 위해 인터넷 및 신문광고, 수출방안 모색 등의 다각적인 노력을 하였다고는 하나, 이는 중고자동차 매매업자가 당해 자동차를 판매하기 위하여 행하는 일반적인 절차에 해당한다 할 것이고, 이 건 자동차를 취득일부터 10개월이 경과한 2009.11.20.에서야 판매광고를 주식회사 ○○○에 최초로 게재한 것이 입증되고 있는 이상, 이 건 자동차를 취득일로부터 1년 이내에 매각하기 위하여 정상적인 노력을 다하였다고 인정하기는 어려움(조심 2010지0926, 2011.1.31.).

◎ 1년 내 매각을 위한 노력 등을 고려 정당한 사유 해당 여부 판단
중고자동차를 매각하기 위해 온라인 광고와 함께 매장을 이전하여 전시한 점, 리무진 특수차량이라는 그 특성상 판매가 원활하지 아니하였을 것으로 보여지고 그 후 유예기간 만료일부터 5월이 경과할 무렵에 실수요자에게 당초 취득가액보다 낮은 가격으로 매각된 점을 볼 때 자동차를 취득일부터 1년 내에 매각하기 위한 진지한 노력을 다하였음에도 부득이하게 유예기간을 경과한 것으로 부과고지한 처분은 부당함(조심 2010지0023, 2010.9.29.).

◎ 신규차량을 개인 명의로 출고하여 등록한 후 수출하는 경우 취득세 등을 개인명의자에게 과세함은 적법함(조심 2009지0479, 2009.9.10.).

제69조(교통안전 등을 위한 감면)

법 제69조(교통안전 등을 위한 감면) 「한국교통안전공단법」에 따라 설립된 한국교통안전공단이 같은 법 제6조 제6호의 사업을 위한 부동산을 취득하는 경우 및 「자동차관리법」 제44조에 따른 지정을 받아 자동차검사업무를 대행하는 자동차검사소용 부동산을 취득하는 경우에는 취득세의 100분의 25를 2022년 12월 31일까지 경감한다.

한국교통안전공단 및 자동차검사업무를 대행하는 자동차검사소에 대한 세제지원을 규정하고 있다.

한국교통안전공단이 자동차의 성능 및 안전도에 관한 시험 · 연구를 위해 부동산을 취득하는 경우 및 자동차검사업무를 대행하는 자동차검사소용 부동산을 취득하는 경우 취득세를 25% 감면한다.

○ 자동차 검사소용으로 사용하는 부동산인지 여부 판단

「지방세법」 제286조 제1항에서 「자동차관리법」 제44조의 규정에 의한 지정을 받아 자동차검사업무를 대행하는 자동차 검사소용 부동산을 취득하는 경우에는 취득세와 등록세의 100분의 50을 경감한다고 규정하고 있고, 「자동차관리법」 제44조 제1항에서 건설교통부장관은 「교통안전공단법」에 의하여 설립된 교통안전공단을 자동차의 검사를 대행하는 자로 지정하여 자동차검사를 대행하게 할 수 있도록 하는 한편, 동조 제2항, 같은 법 시행규칙 제82조 및 제83조에서 자동차검사대행자의 검사시설기준 및 지정신청절차 등을 규정하고 있으므로 지방세법 제286조 소정의 취득 · 등록세의 경감대상이 되는 부동산은 자동차관리법 제44조 제1항, 제2항, 같은 법 시행규칙 제82조 및 제83조에 의한 자동차 검사소용 부동산에 한하는 것이며, 귀문의 경우 귀 공단의 지사용 사무실로 사용되는 부동산은 그 위치가 수도권지역 내외 또는 자동차 검사소 부지 내외를 불문하고 자동차 검사소용으로 사용되는 것이 아니므로 「지방세법」 제286조 제1항의 규정에 의한 취득 · 등록세의 경감대상 부동산으로 볼 수 없는 것이며, 등록세의 세율은 「지방세법」 제138조 제1항의 규정에 의거 제131조 및 제137조에서 규정한 당해 세율의 100분의 300으로 하는 것임(세정-2758, 2004.8.28.).

제70조(운송사업 지원을 위한 감면)

법 제70조(운송사업 지원을 위한 감면) ①「여객자동차 운수사업법」 제4조에 따라 여객자동차운송사업 면허를 받거나 등록을 한 자가 같은 법 제3조에 따른 여객자동차운송사업 중 다음 각 호의 어느 하나에 해당하는 사업에 직접 사용하기 위하여 취득하는 자동차에 대해서는 취득세의 100분의 50을 2021년 12월 31일까지 경감한다.

1. 시내버스운송사업·농어촌버스운송사업·마을버스운송사업 또는 시외버스운송사업
2. 일반택시운송사업 또는 개인택시운송사업

② 삭제 <2014.12.31.>

③「여객자동차 운수사업법」 제4조에 따라 여객자동차운송사업 면허를 받거나 등록을 한 자가 같은 법 제3조에 따른 여객자동차운송사업에 직접 사용하기 위하여 천연가스 버스를 취득하는 경우에는 2020년 12월 31일까지 취득세를 면제하고, 2021년 1월 1일부터 2021년 12월 31일까지 취득세의 100분의 75를 경감한다.

④「여객자동차 운수사업법」 제4조에 따라 여객자동차운송사업 면허를 받거나 등록을 한 자가 같은 법 제3조에 따른 여객자동차운송사업에 직접 사용하기 위하여「환경친화적 자동차의 개발 및 보급 촉진에 관한 법률」 제2조 제3호에 따른 전기자동차 또는 같은 조 제6호에 따른 수소전기자동차로서 같은 조 제2호에 따라 고시된 전기버스 또는 수소전기버스를 취득하는 경우에는 2021년 12월 31일까지 취득세를 면제한다.

시내버스운송사업, 마을버스운송사업, 천연가스를 연료로 사용하는 시내버스 및 마을버스와 여객자동차운송사업 등에 대한 세제지원을 규정하고 있다.

여객자동차운송사업 면허를 받거나 등록을 한 자가 시내·농어촌·마을·시외버스 운송사업 및 일반·개인택시 운송사업에 직접 사용하기 위해 취득하는 자동차에 대해 취득세를 50% 감면한다(법 ①). 2015년까지는 시내버스 등을 할부매입시 저당권 설정을 위한 담보물 등기 등록면허세에 대해서도 75%를 경감하였는데, 융자에 따른 등록면허세는 은행이 부담하는 것으로 거래제도가 변경(2011년 공정위, 대법원 판결)된 점과 감면목적이 달성되었다고 보아 그 일몰을 종료한바 있다.

여객자동차운송사업 면허를 받거나 등록을 한 자가 여객자동차운송사업에 직접 사용하기 위해 취득하는 천연가스버스에 대한 취득세를 2020년까지는 면제, 2021년에는 75% 감면한다(법 ③). 천연가스버스에 대해서는 감면의 일몰이 도래했던 2018년말, 단계적으로 지원을 축소(2020.12.31.까지 100%('19년부터 최소납부세제 적용)→2021.1.1.부터 75%)하도록 한 것이다.

여객자동차운송사업 면허를 받거나 등록을 한 자가 여객자동차운송사업에 직접 사용하

기 위해 취득하는 전기버스 또는 수소전기버스에 대해 취득세를 면제한다(법 ④). 전기 · 수소버스에 대한 취득세 감면은 2020년에 신설된 것으로, CNG 버스에 대하여 취득세를 면제하는 것과 달리 전기 · 수소버스에 대해서는 일반 버스와 동일한 수준의 여객운수사업용으로 보아 취득세 감면 50%를 적용하고 있었다. 이에 대해 미세먼지 등 지역 대기환경 개선 및 수소 등 신기술 육성 등을 위해 전기 · 수소 버스에 대한 규정을 신설하여 취득세 감면율을 100%로 확대한 것으로 이해하면 되겠다. 다만, 2020년부터 최소납부세제(§177의 2)를 적용하며, 유사 친환경 차량 분야 감면과 일몰기한을 일치(2021년)시켰다.

◎ 취득세 감면대상 천연가스 버스를 소유하고 있는 여객자동차 운송사업자(A)의 주식을 취득하여 과점주주(B)가 된 경우, 과점주주 간주취득세는 B가 여객자동차운송사업 면허를 보유하고 있는 여부에 관계없이 감면대상에 해당하지 아니함(지방세특례제도과-1707, 2020.7.20.).

◎ 마을버스운송사업자가 마을버스용으로 천연가스버스를 취득하는 경우는 취득세 면제대상

마을버스운송사업의 경우 2000.8.2.부터 「여객자동차운송사업법」에 따른 '등록대상'이었음에도 불구하고, 2003.1.1. 지방세감면조례상 감면대상에 신설 당시부터 감면주체를 '면허를 받은 자'로 하여 도입되었던 점, 그간 지방자치단체도 여객자동차운송사업에 마을버스운송사업을 포함한 지방세 지원취지와 등록기준을 갖춘 경우에 등록이 가능한 점 등을 감안하여 광의적으로 '면허를 받은 자'의 범주에 마을버스운송사업도 포함하여 감면을 적용하여 왔던 점, 2011.1.1. 「지방세법」 분법에 따른 세목과 세율의 변경 이외 감면내용의 변경 없이 오직 마을버스운송사업이 면허대상이 아니라는 사유만으로 갑자기 감면적용을 배제할 경우 그간 감면적용을 받아 왔고 현행 감면규정이 유지되는 한 감면대상으로 예측하고 있었던 납세자의 신뢰보호를 위반하는 문제가 있는 점 등을 종합적으로 고려해 볼 때, 비록 마을버스운송사업자가 관련법령에 따른 등록대상에 해당된다고 하더라도 종전과 동일하게 '면허를 받은 자'의 범주에 포함하여 천연가스버스 취득에 대해 취득세 면제가 타당함(지방세운영과-546, 2013.2.21.).

◎ 「여신전문금융업법」에 의한 시설대여업자가 여객자동차운수사업법에 의한 시내버스운송사업자에게 대여할 목적으로 천연가스 버스를 취득 · 대여하는 경우에도 취득세가 면제됨(세정과 13407-497, 2002.5.28.).

◎ 여객자동차운수사업법에 의한 시내버스 및 마을버스 운송사업용으로 취득하는 버스로서 천연가스를 연료로 사용하는 것에 대하여는 취득세를 면제한다고 규정하고 있으므로, 시외운송 사업용으로 사용하기 위해 취득한 버스의 경우 취득세 면제대상이 아님(조심 2009지0941, 2010.9.7.).

제71조(물류단지 등에 대한 감면)

법 제71조(물류단지 등에 대한 감면) ① 「물류시설의 개발 및 운영에 관한 법률」 제27조에 따른 물류단지개발사업의 시행자가 같은 법 제22조 제1항에 따라 지정된 물류단지(이하 이 조에서 "물류단지"라 한다)를 개발하기 위하여 취득하는 부동산에 대해서는 취득세의 100분의 35를, 과세기준일 현재 해당 사업에 직접 사용하는 부동산에 대해서는 재산세의 100분의 35를 각각 2022년 12월 31일까지 경감한다.

② 물류단지에서 대통령령으로 정하는 물류사업(이하 이 항에서 "물류사업"이라 한다)을 직접 하려는 자가 물류사업에 직접 사용하기 위해 취득하는 대통령령으로 정하는 물류시설용 부동산(이하 이 항에서 "물류시설용 부동산"이라 한다)에 대해서는 2022년 12월 31일까지 취득세의 100분의 50을 경감하고, 2022년 12월 31일까지 취득하여 과세기준일 현재 물류사업에 직접 사용하는 물류시설용 부동산에 대해서는 그 물류시설용 부동산을 취득한 날부터 5년간 재산세의 100분의 35를 경감한다.

③ 「물류시설의 개발 및 운영에 관한 법률」 제7조에 따라 복합물류터미널사업(「사회기반시설에 대한 민간투자법」 제2조 제5호에 따른 민간투자사업 방식의 사업으로 한정한다. 이하 이 항에서 같다)의 등록을 한 자(이하 이 항에서 "복합물류터미널사업자"라 한다)가 사용하는 부동산에 대해서는 다음 각 호에서 정하는 바에 따라 지방세를 경감한다.

1. 복합물류터미널사업자가 「물류시설의 개발 및 운영에 관한 법률」 제9조 제1항에 따라 인가받은 공사계획을 시행하기 위하여 취득하는 부동산에 대해서는 2022년 12월 31일까지 취득세의 100분의 25를 경감한다. 다만, 그 취득일부터 3년이 경과할 때까지 정당한 사유 없이 그 사업에 직접 사용하지 아니하는 경우에는 경감된 취득세를 추징한다.
2. 복합물류터미널사업자가 과세기준일 현재 복합물류터미널사업에 직접 사용하는 부동산에 대해서는 2022년 12월 31일까지 재산세의 100분의 25를 경감한다.

④ 삭제 〈2016.12.27.〉 ⑤ 삭제 〈2016.12.27.〉

영 제33조(물류사업의 범위 등) ① 법 제71조 제2항에서 "대통령령으로 정하는 물류사업"이란 「물류정책기본법」 제2조 제1항 제2호에 따른 물류사업을 말한다.

② 법 제71조 제2항에서 "대통령령으로 정하는 물류시설용 부동산"이란 「물류시설의 개발 및 운영에 관한 법률」 제2조 제7호에 따른 일반물류단지시설(「유통산업발전법」 제2조 제3호에 따른 대규모점포는 제외한다)을 설치하기 위해 「물류시설의 개발 및 운영에 관한 법률」 제27조에 따른 물류단지개발사업의 시행자로부터 취득하는 토지와 그 토지 취득일부터 5년 이내에 해당 토지에 신축하거나 증축하여 취득하는 건축물(토지 취득일 전에 신축하거나 증축한 건축물을 포함한다)을 말한다.

물류단지개발사업 시행자가 물류단지를 개발하기 위하여 취득하는 부동산(①), 물류사업자가 취득하는 물류시설용 부동산(②), 복합물류터미널 사업시행자가 취득하는 부동산(③) 등에 대한 세제지원을 규정하고 있다.

물류단지개발사업 시행자가, 지정된 일반물류단지(도시첨단물류단지는 제외)를 개발하기 위해 취득하는 부동산에 대한 취득세 및 과세기준일 현재 직접 사용하는 부동산에 대한 재산세를 각각 35% 감면한다(법 ①). 2015년에 감면율을 축소(취100%·재50% → 취·재35%)하였고, 2017년부터는 조례를 통한 추가 경감제도도 종료하였다. 同 규정은 사업시행자에 대한 감면으로 토지를 취득하고 토지 준공이 될 때까지의 토지분 재산세도 직접 사용하는 것으로 감면(지방세특례제한법 시행령 §123)이 가능하고, 준공이 이루어지면 지목변경에 대한 취득세도 감면이 된다.

일반물류단지에서 물류사업을 직접 하려는 자가 물류사업에 직접 사용하기 위해 취득하는 물류시설용 부동산에 대해 취득세를 50% 감면하고, 취득한 날부터 5년간의 재산세를 35% 감면한다(법 ②). 2015년에 감면율을 축소(취100%·재50% → 취50%·재35%)하였고, 2017년부터는 조례를 통한 추가 경감제도도 종료하였다. 여기서 감면대상 물류사업이란, 화주의 수요에 따라 유상으로 물류활동을 영위하는 것을 업으로 하는 것으로서 화물운송업, 물류시설운영업, 물류서비스업, 종합물류서비스업을 말하는데, 대법원에서 자가물류도 감면대상으로 보도록 한 판결이 있었는데 자가물류를 배제하기 위해 개정한 사안이다. 또한, 물류시설용 부동산에 대해 감면대상 토지, 건축물 기준이 개선되었는데, 최초로 취득하는 토지를 기준으로 5년 이내에 취득하는 토지에 대해서만 감면이 되었던 것을, 기간에 관계없이 사업시행자로부터 취득하기만 하면 감면이 되도록 개선하였으며, 건축물도 마찬가지로 각 토지 취득일부터 5년 이내 신증축하는 건축물로 확대되었다. 토지 취득 전에 건축물을 취득할 경우에는 증축까지도 감면을 적용할 수 있도록 확대되었다. 한편, 2020년부터 대규모 점포는 감면대상에서 제외하였으며, 개정 전 대규모점포를 취득하여 5년이 경과하지 않은 경우에는 종전 규정에 따라 재산세 감면을 적용(부칙 §16)한다.

구분	개정 전	개정 후
토　지	최초로 취득하는 토지 및 그로부터 5년 이내 취득하는 사업용 토지(제3자 토지 매수 포함)	사업시행자로부터 취득하는 토지
건 축 물	최초 토지 취득일부터 5년 이내 취득하는 사업용 건축물(기존 건축물 제외, 토지 취득 전 신축 포함)	각 토지 취득일부터 5년 이내 신·증축하여 취득하는 건축물(토지 취득 전 신·증축 포함)
감면대상	대규모 점포 포함	대규모 점포 제외

복합물류터미널사업(민간투자방식 限) 등록을 한 자가 인가받은 공사계획을 시행하기 위해 취득하는 부동산에 대한 취득세 및 복합물류터미널사업에 직접 사용하는 부동산에 대

한 재산세를 각각 25% 감면(법 ③)하는데, 취득일부터 3년이 경과할 때까지 정당한 사유없이 사업에 직접 사용하지 않는 경우에는 추징한다. 2015년에 감면율을 축소(취·재50%→취·재25%)하였고, 2017년부터는 조례를 통한 추가 경감제도도 종료하였다.

참고_2020년 물류단지 감면대상 부동산 및 조문 정비 등 개정사항

〈물류사업자가 취득하는 물류시설용 부동산〉

'물류사업' 및 '물류시설용 부동산'의 정의 등을 입법취지와 기존 해석 등을 고려해 새로 정하고 불명확한 조문 체계 등을 정비하였다.

구분	개정 전	개정 후
물류사업	별도로 규정하지 않음	물류정책기본법 제2조 제1항 제2호에 따른 물류사업으로 규정
감면대상 부동산	물류사업용 부동산 물류단지시설 설치 목적 토지·건물	물류시설용 부동산 일반물류단지시설 목적 토지·건물
	▷최초로 취득하는 토지	▷시행자로부터 취득하는 토지
	▷최초 취득 후 5년 이내 취득 토지	
	▷최초 취득 후 5년 이내 취득 건물(기존 건물 취득하는 경우 제외) ※ 토지 취득일 전에 토지사용을 허락받아 건물을 미리 신축한 경우도 감면대상	▷토지 취득 후 5년 이내 그 토지상에 신·증축하는 건물 ※ 토지 취득일 전에 토지사용을 허락받아 건물을 미리 신·증축한 경우도 감면대상
대규모점포	감면대상	감면배제

물류사업의 정의를 「물류정책기본법」에 따른 물류사업으로 규정하여 감면대상 사업의 성격 및 그 범위 등을 명확히 하였다.

〈물류사업의 범위〉(물류정책기본법 시행령 별표 1)

대분류	세분류
화물운송업	육상화물운송업, 해상화물운송업, 항공화물운송업, 파이프라인운송업
물류시설운영업	창고업(공동집배송센터운영업 포함), 물류터미널운영업
물류서비스업	화물취급업(하역업 포함), 화물주선업, 물류장비임대업, 물류정보처리업, 물류컨설팅업, 해운부대사업, 항만운송관련업, 항만운송사업
종합물류서비스업	종합물류서비스업

한편 물류사업의 정의를 별도 규정함에 따라 종전 '물류사업용 부동산'을 '물류시설용 부동산'으로 개편하여, 감면대상 및 인용법률 등을 정비하였다. 현행 법률상 도시첨단물류단지시설은 감면대상이 아니므로 인용 법률 규정을 바로 잡았다. 즉 종전에 물류시설의 개발 및 운영에 관한 법률 "제2조 제6호의 4에 따른 물류단지시설"에서 "제2조 제7호에 따른 일반물류단지시설"로 개정하였다. 물류단지시설(상류시설) 중 대규모점포는 물류시설용 부동산에서 배제하였다. 유통산업발전법 제2조 제3호에 따른 대규모점포(매장면적 3천㎡ 이상 상시운영 매장)로 대형마트, 전문점, 백화점, 쇼핑센터, 복합쇼핑몰, 그 밖의 대규모점포가 이에 해당한다.

그리고 입법취지를 반영해 감면대상 부동산을 명확히 규정하였다. 토지의 경우 종전에는 물류단지개발사업의 시행자로부터 취득하는 토지를 대상으로 하는데, 사업시행자가 직접 매각하는(최초 분양) 토지는 기간제한 없이 감면하고, 기존 물류시설을 승계하는 경우 해당 부동산은 감면대상이 아님을 명확히 하였다. 건축물의 경우 토지 취득일부터 5년 이내에 해당 토지에 신·증축하여 취득하는 건축물로 한정하였다. 즉 토지 취득 후 그 토지상에 일반물류단지시설로 사용할 목적으로 신축하는 건축물 및 동일한 목적으로 5년 이내에 증축하는 건축물을 감면대상으로 하였다. 토지 취득일 전에 그 사용을 미리 허락 받아 건축하는 건축물은 종전과 동일하게 감면하되, 그 대상은 종전 신축 건물에서 증축 건물까지 확대하였다.

〈복합물류터미널 사업시행자가 취득하는 부동산〉

복합물류터미널사업자에 대한 감면 조문체계, 용어 및 인용법률 등을 실제 법률 체계와 해당 사업의 실질을 고려하여 정비하였다. 감면대상자는 종전에는 "민간투자법에 따라 복합물류터미널사업시행자로 지정된 자"였으나, "물류시설법 제7조에 따라 복합물류터미널 사업 등록을 한 자(민간투자법에 따른 민간투자사업 방식 한정)로 개정하였다. 그리고 종전에는 취득세 및 재산세 감면을 각 호로 분리하여 체계적으로 규정하였다.

◎ 물류창고에서 '임대창고' 내지 '수탁창고' 방식으로 영위한 경우 수탁자를 취득세 감면대상 '물류사업을 직접하려는 자'로 볼 수 있음

원고가 '물류사업을 직접 하려는 자'에 해당하는지 여부는 이 사건 물류창고의 취득자인 원고가 수행하는 업무의 내용에 따라 판단하여야 함. 이 사건 물류창고 중 '임대창고' 방식 외의 부분은 소외 회사가 화주들과 사이에 물품보관계약을 체결하여 '수탁창고' 방식으로 운영하였다고 볼 수 있는데, 원고와 소외 회사 사이에 명시적인 경영위탁계약서가 작성되지 않았더라도, ㉠ 이 사건 물류창고는 원고의 소유이므로 소외 회사가 이 사건 물류창고에서 '수탁창고' 방식의 운영을 하기 위하여는 원고의 권한 부여가 필요하고, ㉡ 원고가 대외적으로 소외 회사가 이 사건 물류창고의 위탁경영업체임을 밝힌 바 있으며, ㉢ … 소외 회사는 원고로부터 이 사건 물류창고의 운영에 관하여 위탁을 받은 것으로 볼 수 있음. 따라서 원고는 이 사건 물류창고 중 '임대창고' 방식 외의 부분을 소외 회사에게 업무를 위탁하여 '수탁창고' 방식으로 운영하였다고 평가할 수 있음(대법원 2016두37232, 2016.7.29.).

◎ 자가물류도 물류사업 감면 대상이 된다고 볼 수 있음

원고이 사건 창고시설에서, 원고는 매입처로부터 완제품 상태로 매입한 철근, 철에이치빔, 철판, 고철 등을 적치하여 두었다가 이를 ○○철강 주식회사 등 매출처에 판매한 후 매출처로 운송하기 위해 상차하는 작업 등 운송작업을 하고, 운송·보관에 필요하거나 매출처의 요구가 있는 일부 경우에 산소절단공구와 같은 절단기계로 철재 등의 길이를 조정하는 작업을 함. 지방세특례제한법에는 '물류사업'의 정의규정이 존재하지 아니하고 있고 이에 관한 준용규정도 마련되어 있지 아니한바, 앞서 든 증거에 변론 전체의 취지를 종합하여 알 수 있는 아래와 같은 사정에 비추어 '물류사업'이란 자기가 보유하거나 관리하는 재화에 대하여 자기의 시설·장비·인력 등을 사용하여 물류활동을 하는 이른바 '자가물류'를 포함하는 개념으로서 원고가 이 사건 부동산에서 영위하고 있는 자가물류사업 역시 이 사건 조항에서 규정하고 있는 물류사업에 해당한다고 봄이 타당함(대법원 2017두45414, 2017.9.14.).

※ 2020년부터 지방세특례제한법상 물류사업의 정의를 '유상으로 물류활동을 영위하는 것을 업으로 하는 것'으로 한정하도록 개정하여, '자가물류'는 감면대상에서 배제

◎ 복합물류터미널사업 등록한 자 소유의 부동산 중 공실부분에 대한 재산세 감면 여부

복합물류터미널사업 등록 조건으로 「물류시설의 개발 및 운영에 관한 법률」에서 정한 등록기준 및 물류터미널의 구조 및 설비를 유지하도록 하고 있고, 변경등록을 하지 아니하고 등록사항을 변경하거나, 등록기준에 맞지 아니하게 된 때에 등록을 취소하거나 사업의 정지를 명할 수 있도록 규정하고 있으므로 공실부분이 등록조건에 적합하고 사업의 휴업·폐업 등을 한 경우가 아니라면 그 사업 또는 업무의 목적이나 용도에 맞게 직접 사용하는 것으로 보는 것이 타당함(지방세특례제도과-1568, 2015.6.12.).

◎ 물류터미널 내 위치한 주유소라도 물류터미널 부대시설로 볼 수 없음

주유소는 비록 이 사건 물류터미널 부지 안에 위치해 있기는 하지만 그 구조, 물류터미널 내에서의 위치 및 접근가능성, 일반 도로에서의 접근가능성 및 독자적인 영업가능성 등의 면에서 이 사건 물류터미널과 구조적·지리적으로 결합 또는 접속되어 있어 밀접한 관계에 있다거나 기능적 보조관계에 있다고 보기는 어려움. 따라서 이 사건 주유소를 물류터미널에 딸린 시설로 볼 수 없고, 다만 물류시설법 제2조 제8호 라목 소정의 지원시설(물류단지의 종사자 및 이용자의 생활과 편의를 위한 시설)에 해당한다고 보일 뿐임(대법원 2015두40514, 2015.7.9.).

◎ 제조업을 주업으로 하는 경우는 물류단지 내 창고를 취득하더라도 감면대상이 아님

지방세특례제한법 제71조 제2항에 따른 지방세 감면대상 부동산에 해당하기 위해서는 물류사업을 직접 하려는 자가 취득하여야 하고, 그 해당 부동산이 물류사업에 직접 사용 되어야 하는 바, 제조업 및 도매업을 주업으로 하는 법인이 물류단지에서 자사의 원자재 및 상품을 수집·보관·운반하기 위하여 창고(하치장)를 취득한 경우, 그 창고는 화주(貨主)의 수요에 따라 유상(有償)으로 물류활동을 영위하는 것을 업(業)으로 하는 물류사업에 사용되는 시설로 볼 수 없음(지방세특례제도과-2385, 2015.9.4.).

◎ 운송사업자가 물류단지 내 물류단지시설(물류창고)을 설치한 후 5년 이내 같은 구역에 주유소를 신축하는 경우 「지방세특례제한법」 제71조 제2항에 따른 취득세 등 면제대상인 "물류사업을 직접 하려는 자가 취득하는 물류사업용 부동산"에 해당되지 아니함(지방세운영과-4021, 2011.8.26.).

◎ 물류사업용 부동산 해당 여부 기준은 물류단지개발 사업시행자가가 최초 토지 취득 후 5년 이내 취득한 토지 및 신축건축물을 의미하므로 기존 건축물을 취득하는 경우에는 취득·등록세 면제대상인 물류사업용 부동산이 아님(지방세운영과-1358, 2009.4.3.).

◎ 물류사업용 토지를 취득한 후 시공사와 도급계약해지로 착공이 늦어지는 경우는 납세자의 내부적인 사정으로 1년 이내에 물류사업용으로 직접 사용하지 못한 정당한 사유에 해당되지 않으므로 감면받은 취득세 추징은 정당함(조심 2012지0046, 2012.6.26.).

◎ 물류단지 내 주차장 부지와 공공용지(녹지)가 재산세 별도합산과세대상인지 여부를 보면 주차장 부지 중 물류단지 내 건축물의 바닥면적에 용도지역별 적용배율을 곱하여 산정한 범위 안의 토지는 별도합산과세대상으로 구분하여 재산세를 과세하는 것이 타당(조심 2010지0039, 2010.12.21.)

◎ 물류사업에 직접 사용하는 부동산의 의미

물류사업용으로 취득한 부동산을 법원의 화해조서에 의하여 채무를 승계하는 조건으로 청구인이 임원으로 참여한 당해 법인에게 취득일로부터 2년 이내에 소유권을 이전한 경우 취득세 추징대상 여부를 판단해 보면, 물류사업을 영위하고자 하는 자가 취득하는 물류사업용 부동산이란 물류사업의 운영주체로서 자기 책임 하에 물류사업을 경영하는 자가 물류사업에 직접 사용하는 부동산을 의미하는 것이므로 임원으로 참여한다는 것은 직접 사용하는 것으로 볼 수 없음(조심 2009지0941, 2010.9.7.).

제72조(별정우체국에 대한 과세특례)

> 법 제72조(별정우체국에 대한 과세특례) ① 「별정우체국법」 제3조에 따라 과학기술정보통신부장관의 지정을 받은 사람(같은 법 제3조의 3에 따라 별정우체국의 지정을 승계한 사람을 포함한다. 이하 이 조에서 "피지정인"이라 한다)이 별정우체국사업에 직접 사용(같은 법 제4조 제2호에 해당하는 사람을 별정우체국의 국장으로 임용하는 경우에도 피지정인이 직접 사용하는 것으로 본다. 이하 이 조에서 같다)하기 위하여 취득하는 부동산에 대한 취득세는 2022년 12월 31일까지 「지방세법」 제11조 제1항의 세율에서 1천분의 20을 경감하여 과세한다. 다만, 다음 각 호의 어느 하나에 해당하는 경우 그 해당 부분에 대해서는 경감된 취득세를 추징한다. 감면분만 농비
> 1. 해당 부동산을 취득한 날부터 5년 이내에 수익사업에 사용하는 경우
> 2. 정당한 사유 없이 그 취득일부터 1년이 경과할 때까지 해당 용도로 직접 사용하지 아니하는 경우 3. 해당 용도로 직접 사용한 기간이 2년 미만인 상태에서 매각·증여하거나 다른 용도로 사용하는 경우
> ② 피지정인이 과세기준일 현재 별정우체국 사업에 직접 사용하는 부동산(「별정우체국법」 제3조의 3에 따라 별정우체국의 지정을 승계한 경우로서 피승계인 명의의 부동산을 무상으로 직접 사용하는 경우를 포함한다)에 대해서는 재산세(「지방세법」 제112조에 따른 부과액을 포함한다)를 2022년 12월 31일까지 면제하고, 별정우체국에 대한 주민세 사업소분(「지방세법」 제81조 제1항 제2호에 따라 부과되는 세액으로 한정한다) 및 종업원분을 2022년 12월 31일까지 각각 면제한다. 다만, 수익사업에 사용하는 경우와 해당 재산이 유료로 사용되는 경우의 그 재산 및 해당 재산의 일부가 그 목적에 직접 사용되지 아니하는 경우의 그 일부 재산에 대해서는 면제하지 아니한다.
> ③ 「별정우체국법」에 따라 설립된 별정우체국 연금관리단이 같은 법 제16조 제1항의 업무에 직접 사용하기 위하여 취득하는 부동산에 대하여는 다음 각 호에서 정하는 바에 따라 2014년 12월 31일까지 지방세를 감면한다.
> 1. 「별정우체국법」 제16조 제1항 제4호의 복리증진사업을 위한 부동산에 대하여는 취득세 및 재산세를 각각 면제한다. 2. 「별정우체국법」 제16조 제1항 제3호 및 제5호의 업무를 위한 부동산에 대하여는 취득세 및 재산세의 100분의 50을 각각 경감한다.

별정우체국에 사용하기 위하여 취득하는 부동산, 별정우체국이 공용 또는 공공용으로 사용하는 부동산, 별정우체국 연금관리단이 업무에 직접 사용하기 위하여 취득하는 부동산 등에 대한 세제지원을 규정하고 있다. 2015년부터 일몰기한을 부여하였고, 별정우체국 연금관리단 복지사업 및 자산운용사업에 대한 감면의 경우 2014.12.31. 일몰기한 도래로 감면대상에서 제외되었다.

그간 별정우체국으로 사용하기만 하면 소유자에 관계없이 감면하도록 규정하고 있었던 것을 2020년부터는 소유자 기준의 감면으로 개선하면서도 현실에 맞도록 직접 사용의 요건을 완화해 주었는데, 여기서 별정우체국이란 과기부장관으로부터 지정을 받아 자기의 부담

으로 청사 등 시설을 갖추고 국가로부터 위임받은 체신업무을 운영하는 우체국(예규 법72-1)을 말한다. 자신의 부담으로 시설을 갖추어야 하기 때문에 취득세와 재산세의 납세자인 부동산 소유자는 개인인 반면, 주민세는 법인으로 보는 단체로 적용이 가능하다 하겠다.

「별정우체국법」에 따른 피지정인이 별정우체국사업에 직접 사용하기 위해 취득하는 부동산에 대해 취득세를 2%p 감면하는데, 여기서 피지정인이라 함은 과기부장관으로부터 지정받은 사람을 말하며 배우자·자녀가 승계받은 경우를 포함하는 개념이며, 직접 사용의 범위에 대해서는 피지정인의 추천으로 별도 국장이 있는 경우에는 그 국장이 관리하더라도 피지정인이 직접 사용하는 것으로 보도록 규정하고 있다(법 ①). 한편, 취득일부터 5년 이내 수익사업에 사용시, 정당한 사유없이 취득일부터 1년 경과시까지 직접 미사용시, 직접 사용 2년 미만인 상태에서 매각·증여 또는 타용도 사용시에는 감면받은 취득세를 추징한다. 2016년까지는 추징 유예기간이 명시되어 있지 않아 언제든 추징이 가능하다는 해석 등 혼선이 있어, 2017년부터는 취득한 날부터 5년 이내 수익사업에 사용하는 경우에만 추징하도록 개선하였다.

피지정인이 별정우체국 사업에 직접 사용하는 부동산에 대해 재산세(도시분 포함)를 면제하며, 별정우체국에 대해서는 주민세 사업소분(「지방세법」 §81 ① 2) 및 종업원분을 면제한다(법 ②). 2020년부터는 법률 제15295호(2017.12.26.) 부칙 제7조 제2호에 따라 2020.1.1.부터 최소납부세제 적용 대상이 되었고, 목적세적 재원의 감면 최소화 원칙에 따라 지역자원시설세 감면은 제외되었다. 재산세에서의 직접 사용은 취득세의 직접 사용뿐 아니라 피승계인 명의의 부동산을 무상으로 사용하는 경우까지 포함하고 있는바, 피지정인의 지위는 승계해주었는데 종전의 피지정인이 부동산을 소유하고 있는 경우까지 감면대상에 포함하고 있다고 보면 이해가 쉬울 것이다. 한편, 수익사업 사용시, 유료 사용시, 목적 미사용시에는 해당 부분에 대해서 재산세 감면을 배제한다.

세목	소유자	사용자	직접사용
취득세	피지정인	국장	해당
재산세	피지정인	국장	해당
	피승계인	국장 또는 피지정인이 무상 사용시	해당

〈별정우체국법〉

제2조(정의) ① 이 법에서 사용하는 용어의 뜻은 다음과 같다.

1. "별정우체국"이란 과학기술정보통신부장관의 지정을 받아 자기의 부담으로 청사(廳舍)와 그 밖의 시설을 갖추고 국가로부터 위임받은 체신(遞信) 업무를 수행하는 우체국을 말한다.

제3조(별정우체국의 지정 등) ① 별정우체국을 설치·운영하려는 사람은 대통령령으로 정하는 바에 따라 과학기술정보통신부장관의 지정을 받아야 한다.

② 제1항에 따른 지정을 받으려는 사람은 제3조의 2에 따른 자격요건을 갖춘 사람으로서 과학기술정보통신부령으로 정하는 시설을 갖출 수 있는 사람이어야 한다.

- 「지방세특례제한법」 제72조의 「별정우체국」이란 「별정우체국법」 제3조에 따라 지식경제부장관으로부터 별정우체국으로 지정을 받아 자기의 부담으로 청사 기타 시설을 갖추고 국가로부터 위임받은 체신업무를 자기 계산 하에 운영하는 우체국을 말한다(예규 지특법 72-1).
- 별정우체국이 공용 또는 공공용으로 사용하기 위하여 취득하는 부동산은 취득세가 비과세된다 할 것이나, 귀 문과 같이 별정우체국 직원이나 국장의 관사로 사용하기 위하여 취득하는 부동산은 위 규정에 의한 취득세 비과세대상에 해당된다고 볼 수는 없음(지방세정팀-1824, 2007.5.18.).
- 「지방세법」 제107조 제5호와 동법 제184조 제5호의 규정에 의하여 별정우체국사업에 사용하기 위한 부동산의 취득에 대하여는 취득세를 감면하고, 별정우체국이 공용 또는 공공용으로 사용하는 건축물에 대하여는 재산세를 감면하는 것이나, 별정우체국장이 본인의 주택용으로 사용하는 건물은 별정우체국용 부동산으로 볼 수 없어 취득세와 재산세가 감면되지 아니함(지방세정팀-1146, 2000.9.26.).

제 7 절

국토 및 지역개발에 대한 지원

제73조(토지수용 등으로 인한 대체취득에 대한 감면)

법 제73조(토지수용 등으로 인한 대체취득에 대한 감면) ① 「공익사업을 위한 토지 등의 취득 및 보상에 관한 법률」, 「국토의 계획 및 이용에 관한 법률」, 「도시개발법」 등 관계 법령에 따라 토지 등을 수용할 수 있는 사업인정을 받은 자(「관광진흥법」 제55조 제1항에 따른 조성계획의 승인을 받은 자 및 「농어촌정비법」 제56조에 따른 농어촌정비사업 시행자를 포함한다)에게 부동산(선박·어업권 및 광업권을 포함한다. 이하 이 조에서 "부동산등"이라 한다)이 매수, 수용 또는 철거된 자(「공익사업을 위한 토지 등의 취득 및 보상에 관한 법률」이 적용되는 공공사업에 필요한 부동산등을 해당 공공사업의 시행자에게 매도한 자 및 같은 법 제78조 제1항부터 제4항까지 및 제81조에 따른 이주대책의 대상이 되는 자를 포함한다)가 계약일 또는 해당 사업인정 고시일(「관광진흥법」에 따른 조성계획 고시일 및 「농어촌정비법」에 따른 개발계획 고시일을 포함한다) 이후에 대체취득할 부동산등에 관한 계약을 체결하거나 건축허가를 받고, 그 보상금을 마지막으로 받은 날(사업인정을 받은 자의 사정으로 대체취득이 불가능한 경우에는 취득이 가능한 날을 말하고, 「공익사업을 위한 토지 등의 취득 및 보상에 관한 법률」 제63조 제1항에 따라 토지로 보상을 받는 경우에는 해당 토지에 대한 취득이 가능한 날을 말하며, 같은 법 제63조 제6항 및 제7항에 따라 보상금을 채권으로 받는 경우에는 채권상환기간 만료일을 말한다)부터 1년 이내(제6조 제1항에 따른 농지의 경우는 2년 이내)에 다음 각 호의 구분에 따른 지역에서 종전의 부동산등을 대체할 부동산등을 취득하였을 때(건축 중인 주택을 분양받는 경우에는 분양계약을 체결한 때를 말한다)에는 그 취득에 대한 취득세를 면제한다. 다만, 새로 취득한 부동산등의 가액 합계액이 종전의 부동산등의 가액 합계액을 초과하는 경우에 그 초과액에 대해서는 취득세를 부과하며, 초과액의 산정 기준과 방법 등은 대통령령으로 정한다. 감면분만 농비

1. 농지 외의 부동산등
   가. 매수·수용·철거된 부동산등이 있는 특별시·광역시·특별자치시·도·특별자치도 내의 지역
   나. 가목 외의 지역으로서 매수·수용·철거된 부동산등이 있는 특별자치시·시·군·구와

잇닿아 있는 특별자치시 · 시 · 군 · 구 내의 지역

다. 매수 · 수용 · 철거된 부동산등이 있는 특별시 · 광역시 · 특별자치시 · 도와 잇닿아 있는 특별시 · 광역시 · 특별자치시 · 도 내의 지역. 다만, 「소득세법」 제104조의 2 제1항에 따른 지정지역은 제외한다.

2. 농지(제6조 제1항에 따른 자경농민이 농지 경작을 위하여 총 보상금액의 100분의 50 미만의 가액으로 취득하는 주택을 포함한다)

가. 제1호에 따른 지역

나. 가목 외의 지역으로서 「소득세법」 제104조의 2 제1항에 따른 지정지역을 제외한 지역

② 제1항에도 불구하고 「지방세법」 제13조 제5항에 따른 과세대상을 취득하는 경우와 대통령령으로 정하는 부재부동산 소유자가 부동산을 대체취득하는 경우에는 취득세를 부과한다. 농비

③ 「공익사업을 위한 토지 등의 취득 및 보상에 관한 법률」에 따른 환매권을 행사하여 매수하는 부동산에 대해서는 취득세를 면제한다. 농비

영 제34조(수용 시의 초과액 산정기준) ① 법 제73조 제1항 각 호 외의 부분 단서에 따른 초과액의 산정 기준과 산정 방법은 다음 각 호와 같다.

1. 법 제73조 제1항 각 호 외의 부분 본문에 따른 부동산등(이하 이 조에서 "부동산등"이라 한다)의 대체취득이 「지방세법」 제10조 제5항 각 호에 따른 취득에 해당하는 경우의 초과액 : 대체취득한 부동산등의 사실상의 취득가격에서 매수 · 수용 · 철거된 부동산등의 보상금액을 뺀 금액
2. 부동산등의 대체취득이 「지방세법」 제10조 제5항 각 호에 따른 취득 외의 취득에 해당하는 경우의 초과액 : 대체취득한 부동산등의 취득세 과세표준(「지방세법」 제10조에 따른 과세표준을 말한다)에서 매수 · 수용 · 철거된 부동산등의 매수 · 수용 · 철거 당시의 보상금액을 뺀 금액

② 법 제73조 제2항에서 "대통령령으로 정하는 부재부동산 소유자"란 「공익사업을 위한 토지 등의 취득 및 보상에 관한 법률」 등 관계 법령에 따른 사업고시지구 내에 매수 · 수용 또는 철거되는 부동산을 소유하는 자로서 다음 각 호에 따른 지역에 계약일(사업인정고시일 전에 체결된 경우로 한정한다) 또는 사업인정고시일 현재 1년 전부터 계속하여 주민등록 또는 사업자등록을 하지 아니하거나 1년 전부터 계속하여 주민등록 또는 사업자등록을 한 경우라도 사실상 거주 또는 사업을 하고 있지 아니한 거주자 또는 사업자(법인을 포함한다)를 말한다. 이 경우 상속으로 부동산을 취득하였을 때에는 상속인과 피상속인의 거주기간을 합한 것을 상속인의 거주기간으로 본다.

1. 매수 또는 수용된 부동산이 농지인 경우 : 그 소재지 시 · 군 · 구 및 그와 잇닿아 있는 시 · 군 · 구 또는 농지의 소재지로부터 30킬로미터 이내의 지역
2. 매수 · 수용 또는 철거된 부동산이 농지가 아닌 경우 : 그 소재지 구[자치구가 아닌 구를 포함하며, 도농복합형태의 시의 경우에는 동(洞) 지역만 해당한다. 이하 이 호에서 같다] · 시(자치구가 아닌 구를 두지 아니한 시를 말하며, 도농복합형태의 시의 경우에는 동 지역만 해당한다. 이하 이 호에서 같다) · 읍 · 면 및 그와 잇닿아 있는 구 · 시 · 읍 · 면 지역

규칙 제5조(부동산등의 수용 등 확인서) 법 제73조 제1항에 따른 부동산등(이하 이 조에서 "부동산등"이라 한다)이 매수, 수용 또는 철거된 자가 종전의 부동산등을 대체할 부동산등을 취득함에 따라 취득세를 면제받으려는 경우에는 별지 제5호 서식의 부동산등 매수, 수용 또는 철거 확인서를 관할 시장 · 군수에게 제출하여야 한다.

국가 또는 지방자치단체에서 시행하는 각종 공익사업 시행으로 인하여 적법한 공권력 행사에 의하여 가해진 경제상의 특별한 손실을 보전하기 위하여 부동산 등 소유자가 토지 등의 수용으로 수령한 보상금으로 대체 취득하는 부동산에 대하여 취득세를 감면한다. 이는 공익사업시행으로 부동산을 수용당한 경우에 대한 생활기반 회복을 지원하기 위한 취지로 이해할 수 있다.

사업인정을 받은 자[1]로부터 부동산등[2]이 매수·수용·철거된 자로서 부재지주가 아닌 자[3]가 일정기간 내[4]에 대체취득 가능지역에서 부동산등을 취득[5]하는 경우 종전 부동산등의 가액[6]을 한도로 취득세를 면제한다(법 ①, ②). 해당 규정의 감면을 적용받기 위해서는 6가지 요건을 충족해야 한다.

1) 수용주체는 「토지보상법」, 「국토계획법」, 「도시개발법」 등 관계법령에 따른 수용할 수 있는 자, 「관광진흥법」에 따라 조성계획 승인을 받은 자, 「농어촌정비법」에 따른 농어촌정비사업 시행자를 말하는데, 이들로부터 수용이 되어야 한다.
2) 감면대상 부동산등은 부동산·선박·어업권·양식업권·광업권을 말하는데, 양식업권은 2019년 어업권에서 분리되어 별도의 취득세 과세대상으로 구분되었다.
3) 부재지주가 아닌 자는 사업인정고시일(그 전 계약한 경우에는 계약일) 현재 1년 전부터 계속하여 종전 부동산등 소재지에 주민등록 또는 사업자등록을 두고, 실제 거주 또는 사업을 한 경우라야 한다. 한편, 대체취득 감면 대상에서 제외되는 '부재부동산 소유자'(영 ②)에 대해 사업인정고시일 외에 '계약일'의 기준을 추가적으로 부여한 것은 원주민이 사업인정고시일 전 수용계약 체결 후 타지역 전출한 경우 사업인정고시일만을 기준으로 하면 원주민이 감면에서 제외되므로 장기간 거주하고도 감면에서 제외되는 문제를 해소하기 위한 것이었으나, 2017년까지는 '계약일'에 대해 사업인정고시 이전·이후인지 규정되어 있지 않아 사업인정고시일 이후 수용계약한 경우도 감면대상으로 오해될 소지가 있어, 2018년 그 취지를 반영하여 '사업인정 고시일 이전의 계약일'로 명확히 개정한바 있다. 한편, 부재지주 요건인 거주 또는 사업을 한 것으로 인정하는 주소지 거리 기준은 2020년까지는 20km였으므로, 2020년 이전에 취득한 부분에 대해서는 20km를 기준으로 판단하여야 한다.
4) 대체취득 기간은 수용의 사실을 안날 이후에 대체취득에 대한 원인행위를 하고 일정기한 내에 취득할 것을 요건으로 두고 있다. 원인행위는 수용되는 계약일 또는 사업인정고시일 이후에 대체취득할 부동산에 대한 원인행위인 계약을 체결하거나 건축허가를 받아야 하고, 취득기한은 최종보상금 수령일(사업인정받은 자의 사정이 있는 경우 취득이 가능한 날, 토지로 받는 경우 토지 취득이 가능한 날, 채권으로 받는 경우 채권상환만료일)로부터 1년 이내(농지는 2년) 취득할 것의 요건을 갖추어야 한다. 여기서 최종보상금 수령일의 예외로 사업인정을 받은 자의 사정이 있는 경우에는 취득이 가능한 날, 토지로 받는 경우에는 토지 취득이 가능한 날, 채권으로 받는 경우에는 채권상환만료일이 그 1년의 시기(始期)가 된다.
5) 대체취득 가능 지역은 농지외의 경우에는 철거된 부동산등이 있는 광역지자체 내의 지역, 그 요건이 안되는 경우에는 특별자치시·시·군·구와 잇닿은 특별자치시·시·군·구, 그 요건도

안되는 경우에는 광역 지자체와 잇닿은 광역지자체(소득세법에 따른 지정지역을 제외)까지 허용한다. 농지인 경우에는 농지외의 허용 지역은 다 해당되고, 그 외에도 소득세법에 따른 지정지역을 제외한 전국이 가능하다. 3) 부재지주와 5) 대체취득 가능 지역은 농지가 더 완화된 요건을 가지고 있다는 점에 유의해야 한다.

6) 부동산등의 가액 초과액은 지방세법 제10조에 따른 취득가격에서 보상금을 빼서 계산하는데, 예전에는 대체취득하는 부동산이 지방세법 제10조 제5항에 해당하는 경우에는 실제거래가액과 보상금액, 그 외의 경우에는 시가표준액과 보상물건에 대한 시가표준액간의 차액으로 계산하였지만, 현재는 단순하게 취득가격에서 보상금을 뺀 가액으로 계산한다.

한편, 「토지보상법」에 따른 환매권을 행사하여 매수하는 부동산에 대해 취득세를 면제(법 ③)하는데, 이는 당초 수용이 되었는데 사업시행자가 장기간 사업을 시행하지 않는 등의 사유로 당초 소유자 명의로 다시 가져올 수 있게 되는 경우에 감면을 지원하기 위한 취지이다.

참고_ 2019년 대체취득 부동산 초과액 산정방법 개정사항(영 ① 2)

수용 등으로 인한 대체취득 감면 시 새로 취득한 부동산의 가액이 종전 부동산의 가액을 초과하는 경우, 그 초과액은 취득세를 과세하는데 산정 방식은 다음과 같다. 지방세법 제10조 제5항 각 호에 따른 취득(사실상 취득가격 적용대상)의 초과액은 사실상의 취득가액에서 수용 등에 따른 보상금액을 뺀 금액이 된다. 그 외의 경우 초과액은 대체취득한 부동산의 시가표준액에서 매수·수용된 부동산 시가표준액을 뺀 금액이 된다.

한편 상가 건물은 실거래신고 검증대상 등 사실 상의 취득금액 적용 대상이 아니므로 상가 건물을 수용 등에 따라 대체 취득하는 경우 초과액은 대체취득한 상가 건물의 시가표준액에서 매수·수용된 부동산 시가표준액을 뺀 금액으로 산정한다. 상가 건물의 시가표준액은 원가방식에 따라 산정되므로 실제 거래가격보다 훨씬 낮게 산정되어 초과액이 상대적으로 과소하게 나타날 수 있다.

| 개정 전·후 초과액 비교 |

구분	매수·수용된 부동산 (주택)	대체취득 부동산 (상가)	초과액	
			현행	개정
보상금/취득가액	10억	15억	5억	5억
시가표준액	8억	9억	1억*	5억**

* (현행) 초과액 = 대체취득 부동산 시가표준액 - 수용 등 당시 시가표준액
= 9억 - 8억 = 1억
** (개정) 초과액 = 취득세 과세표준 - 보상금액 = Max(15억, 9억) - 10억
= 15억 - 10억 = 5억

○ 상가 건물을 수용 등에 따라 대체취득하는 경우 사실상의 취득금액 적용방식 개선
※ (현행) 초과액 = 대체취득 부동산 시가표준액 - 수용 등 당시 시가표준액
(개정) 초과액 = 취득세 과세표준(취득가액과 시가표준액 중 큰 금액) - 보상금액

1. 토지 등을 수용할 수 있는 사업

관계법령에 따라 토지 등을 수용할 수 있는 사업으로 사업인정의 고시를 받은 경우라야 한다. 토지보상법(§20 ①)에 따르면 사업시행자는 토지등을 수용하거나 사용하려면 대통령령으로 정하는 바에 따라 국토교통부장관의 사업인정을 받아야 한다. 사업시행자의 성명, 사업의 종류 및 명칭, 사업예정지, 사업인정을 신청하는 사유를 적어 신청하고, 사업계획서, 수용 또는 사용할 토지의 세목을 적은 서류 등을 제출하여야 하며 사업인정(고시)을 받아야한다. 사업인정 고시시점은 개별법에 따른 사업시행계획인가일 또는 실시계획인가일로 볼 수 있다. 국토계획법에 따른 도시·군 계획시설사업의 실시계획의 고시가 있는 경우에는 토지수용법에 따른 사업인정고시가 있었던 것으로 의제(§96)되며, 도시개발법에 따라 지정권자의 실시계획을 작성하거나 인가하여 고시한 경우에는 토지수용법에 따른 사업인정고시가 있었던 것으로 본다(§22).

토지 등을 수용할 수 있는 정당한 사업인정을 받은 자가 수행하는 사업이라야 하고, 이러한 사업수행으로 인해 그 사업시행자에게 소유하고 있던 부동산이 수용되거나 협의 매수되는 경우라야 한다. 「국토의 계획 및 이용에 관한 법률」, 「도시개발법」 등 관계 법령에서는 사업을 추진하는 경우 지정된 사업시행자는 사업구역내 토지에 대해 수용권을 행사할 수 있다. 또한 「공익사업을 위한 토지 등의 취득 및 보상에 관한 법률」에서는 공익사업에 필요한 토지 등을 협의 또는 수용에 의하여 취득하거나 사용함에 따른 손실의 보상에 관한 사항을 규정하고 있다. 공익사업의 범위에 대해서는 국방·군사에 관한 사업, 택지 및 산업단지 조성사업, 그리고 법률에 따라 토지등을 수용하거나 사용할 수 있는 사업으로 '별표'에서 다양한 사업을 규정하고 있다. 법문대로라면 별표에 규정된 사업도 포함된다고 할 것이다. 따라서 국토계획법, 도시개발법 등을 열거하고 있지만 토지보상법상 별표에서도 이러한 관계 법률을 포함하여 폭넓게 규정하고 있다.

2. 계약일의 의미

감면요건을 요약하면 다음과 같다. 토지 등을 수용할 수 있는 사업인정을 받은 자에게 부동산이 매수, 수용 또는 철거된 자가 '계약일' 또는 해당 사업인정 고시일 이후에 대체취득할 부동산등에 관한 '계약'을 체결하거나 건축허가를 받고, 그 보상금을 마지막으로 받은 날부터 1년 이내에 일정 지역에서 종전의 부동산등을 대체할 부동산등을 취득하는 경우이다.

여기서 계약일은 사업인정고시 전에 사업자에게 토지를 넘겨주는 과정에서 사업시행자와의 계약일을 의미한다. 일반적으로 사업인정고시 이후에는 수용권이 발동될 수 있으므로 그 전에는 협의매수의 방법으로 계약을 체결할 수 있다. 사업인정고시 이후에는 협의에 따라 부동산을 넘겨주고 협의가 어려운 경우에는 수용절차가 진행된다. "계약일"은 1996.1.1.부터 추가되었는데, 1995년까지 구 지방세법(§109 ①)에 따르면 사업인정고시일 이후에 대체취득할 부동산 등의 계약을 체결하는 경우에만 대체취득 요건으로 정하고 있어, 사업인정고시일 전에 그 소유의 부동산 등이 협의취득에 의하여 매수된 자는 비과세대상에 해당하지 않았다. 당시 대법원도 '토지 등을 수용할 수 있는 사업인정을 받은 자에게 부동산 등이 매수된 자'에 있어서 '매수'란 공익사업의 시행자가 사업인정고시일 이후에 수용권을 바탕으로 피수용자와 협의에 의하여 수용목적물을 취득하는 협의취득만을 뜻한다는 이유로, 사업인정고시일 전에 관계법령에 따라 이루어진 협의취득은 이에 해당하지 않는 것으로 해석하였다(대법원 95누4889). 하지만 사업시행에 적극 협조하여 사업인정고시일 전에 협의취득에 응한 경우도 비과세대상에 포함시킬 필요가 있어 '계약일'을 추가하기에 이르렀다.

시행령(§79의 3 ②)도 이에 맞추어 부재부동산 소유자의 비과세 요건과 관련하여 '계약일 또는 사업인정고시일 현재 1년 전부터 계속하여 주민등록 또는 사업자등록을 하지 아니한 자 등'으로 하여 "계약일"을 추가하게 되었다('97.1.1.). 그런데 부재부동산 대체취득 비과세 판단에 있어, 시행령상 계약일의 의미가 사업시행인가 이후 계약한 경우에도 포함하는지 쟁점이 있었다. 만약 당해 사업인정고시일 이후에 부동산이 협의취득으로 매수된 자의 경우에 '계약일'을 기준으로 일정한 기간 동안 사업자등록 등이 되어 있는지를 판단한다면 협의취득에 응하는 시점을 일부러 늦추는 방법으로 부재부동산 소유자의 요건에서 벗어날 수 있게 되어 제도의 취지에 반하게 된다. 따라서 '계약일'은 '당해 사업인정고시일 전의 계약일'만을 뜻하고 '당해 사업인정고시일 이후의 계약일'은 여기에 포함되지 아니한다(2012두27596). 이러한 점을 명확히 하기 위해 2018년부터 "계약일(사업인정고시일 전에 체결된 경우로 한정한다)"로 명확히 하였다.

3. 보상금을 마지막으로 받은 날부터 1년 이내에 취득

수용에 따른 보상금을 수령했으나 너무늦게 대체취득 부동산을 취득하는 경우에는 감면대상에 해당하지 않는다. 법에서는 보상금을 마지막으로 받은 날부터 1년 이내에 취득하는 경우로 한정하고 있다. 사업인정고시 전에 협의매수계약을 하였거나 그 이후에 협의매수계약(또는 수용)을 한 경우 그에 따른 보상금을 마지막으로 받은 날부터 1년 이내에 취득하여야 하는데 이때의 취득은 계약일이 아니라 잔금지급일을 의미한다. 유상거래로 대체취득 부동산을 취득하는 경우 마지막보상금 수령일로부터 1년 이내에 취득의 시기가 도래한 경우라야 감면대상이다. 건축 등 원시취득하는 경우에는 원시취득 시기(준공 또는 사실상 사용일 중 빠른날)가 보상금 받은날로부터 1년 이내라야 한다. 한편 주택을 분양받는 경우에는 마지막 보상금을 받은날로부터 1년 이내에 "분양계약"을 체결한 경우라면 잔금을 지급하지 않았어도 감면대상이다. 이는 분양취득의 성격상 잔금지급일이 장기간 소요되는 점을 고려한 것이다.

◎ 대체취득 감면 기간

대체취득 감면 적용기간은 사업인정고시일(사업인정고시일 이전에 사업인정을 받은 자에게 협의매수된 경우에는 그 협의매수 계약일)이 시기(始期)이고, 마지막 보상금을 받은 날로부터 1년 이내가 종기(終期)임(예규 지특법 73-1).

◎ 수용토지의 보상금 수령 후 그 보상금에 대한 이의재결 및 소송을 제기하여 추가적인 보상금을 수령한 사실이 확인될 경우 추가 보상금 수령일을 기산일로 하여 1년 이내 토지를 취득한 것으로 보아야 함(조심 2010지0506, 2010.12.9.).

◎ 수필지로 분할되어 각각의 매매계약에 의해 별도의 보상이 이루어진 경우 일단의 토지로 보아 "마지막으로 보상받은 필지"를 기준으로 1년 내 대체취득 부동산에 대해 적용

「토지보상법」상 취득하는 토지의 손실보상은 사전보상, 현금보상, 개인별보상, 일괄보상을 원칙으로 하고, 사업시행자는 동일한 사업지역 안에서 보상시기를 달리하는 동일인 소유의 토지 등이 수개 있는 경우 토지소유자 또는 관계인의 요구가 있는 때에는 일괄하여 보상금을 지급하도록 하고 있음. 국가가 토지보상관계법이 정하는 절차에 따라 수용 목적물이 결정되는 판정 기준일인 사업인정고시일 당시 한 필지였던 토지가 사업시행자의 예산부족으로 인하여 토지분할을 요청함에 따라, 토지 등을 수용당하는 당사자의 입장에서 보상금을 가능한 빨리 지급받고자 한 필지의 토지를 수필지로 분할하여 보상금을 수령하였다하여 각각의 토지매수계약을 별 건으로 간주하여 취득세 감면기준을 적용하는 것은 행정행위의 신뢰성 및 입법취지에도 어긋남(지방세운영과-1308, 2011.3.21.).

4. 사업인정을 받은 자의 사정으로 대체취득이 불가능한 경우

보상금을 마지막으로 받은 날부터 1년 이내 대체 부동산 등을 취득하였을 때에는 취득세를 면제하는데 1년이라는 기간에 대한 예외규정을 두고 있다. 사업인정을 받은 자의 사정으로 대체취득이 불가능한 경우에는 취득이 가능한 날 등을 의미한다. 사업인정을 받은 자의 사정이 어떤 의미인지 명확하지 않으나, 천재지변 등으로 사업이 중단되어 보상금 지급이 지체된 경우 등 다양한 사정이 있을 수 있다(사례를 통해 참고).

예를 들어 개발사업지구에서 자신의 토지가 수용됨과 동시에 개발사업시행자로부터 이주자 택지를 공급받는 경우가 있을 수 있다. 이 경우 사업시행자의 공사지연 등으로 대체 부동산을 제때에 공급받을 수 없는 경우가 나타나는데, 이 경우 "사업인정을 받은 자의 사정으로 대체취득이 불가능한 경우"로 보아 그 취득이 가능한 날로부터 1년 이내에 취득하면 감면요건을 충족한다.

◎ 수용된 자의 자유의사에 의하여 공급받지 아니한 경우 사업인정을 받은 자의 사정으로 대체취득이 불가능한 경우에 해당하지 않음(감면대상 아님)

사업시행자가 관련법령에 따라 이주대책을 수립하여 부동산 등이 수용된 자에게 대체취득할 수 있는 토지(쟁점토지)를 우선공급하기로 하였으나, 부동산 등이 수용된 자가 쟁점토지에 기반조성이 되지 않아 토지를 이용할 수 없다는 이유로 우선공급 협의양도를 받지 않은 경우라면 사업시행자는 쟁점토지를 공급할 수 있었음에도 부동산 등이 수용된 자의 경영 판단에 따른 자유의사에 의하여 공급받지 아니한 경우에 해당되어 사업인정을 받은 자의 사정으로 대체취득이 불가능한 경우에 해당한다고 보기 어려움(지방세특례제도과-1088, 2019.3.25.).

◎ 이주자택지의 공급지연이 사업시행자의 사정으로 대체취득이 불가능한 것으로 본 사례

1~3차분까지의 택지 공급량이 이주자택지 공급대상자 수를 초과하였다고 하더라도 이주자택지 공급대상자들이 원하는 택지를 일시에 공급하지 못한 것은 사업시행자의 귀책사유에 해당된다고 할 것인 점, 이주자택지 공급 공고문에 "이주자택지 공급신청기간 내 분양신청을 하였으나 당첨되지 않거나, 금회 분양신청을 하지 않더라도 차회 이주자택지 공급 시 신청 가능합니다"라고 3차분 이후까지 분양신청 할 수 있는 선택권을 부여하고 있는 점, 공급지연이 사업시행자의 귀책사유임에도 불구하고 대체취득 취득세 감면혜택을 받지 못하게 되는 점 등을 고려할 때, 3차 이후 공급되는 이주자택지도 사업시행자의 사정으로 대체취득이 불가능한 경우에 해당(지방세운영과-454, 2013.5.1.)

◎ 이주자택지의 '취득이 가능한 날'의 기산점은 잔금지급일이라는 사례

'사업인정을 받은 자의 사정으로 대체취득이 불가능할 경우'라 함은 사업인정을 받은 자가

수용 또는 철거된 자들을 집단적으로 이주시키기 위하여 단지를 조성하거나, 토지 등을 수용하는 대가로 대체할 토지를 특별분양하기로 약정하여 공사 등이 지연되는 경우 등을 뜻한다고 할 것이므로 사업인정을 받은 자에게 토지를 수용당하여 새로이 조성되는 이주자택지를 공급받는 경우로서 공급약정에 따라 잔금을 지급한 경우라면, 그 '잔금지급일'을 '취득이 가능한 날'로 봄이 타당하다고 할 것(조심 2008지523, 감심 2008-148)이나, '잔금지급일'에 토지사용이 불가능한 경우에는 '잔금지급일'에도 불구하고 당해 토지사용가능시기(일)를 그 '취득이 가능한 날'로 보아야 할 것임(지방세운영과-228, 2011.1.13., 지방세운영과-3924, 2012.12.6.).

◎ 관계법령에 의하여 부동산을 수용할 수 있는 사업인정을 받은 자에 해당되지 않는 처분청에 부동산을 협의 매도 후 취득하는 부동산에 대해서는 토지수용 등으로 인한 대체취득에 해당되지 아니하므로 취득세 비과세 대상 제외(조심 2010지0309, 2011.2.17.)

◎ 수용부동산에 대한 마지막 보상금을 받은 날(사업인정을 받은 자의 사정으로 대체취득이 불가능한 경우에는 취득이 가능한 날)부터 1년 이내에 부동산을 대체취득하는 경우에는 취득세를 비과세하는 것인 바, 국토해양부의 이축 제한으로 이 건 토지의 대체취득이 지연되었다고 하더라도 국토해양부는 이 건 수용토지를 매수하거나 수용한 사업시행자에 해당하지 아니하는 이상 사업인정을 받은 자의 사정으로 대체취득이 불가능한 경우로는 볼 수는 없음(조심 2011지0556, 2012.3.29.).

◎ **'문화재 지정고시 절차' 진행으로 공사가 지연된 경우 '사업인정을 받은 자의 사정'으로 봄**
LH공사가 공익사업법에 따라 이주대책 업무를 위탁받았다면, 수탁자는 위탁받은 범위 내에서 위탁자의 권리·의무를 행사하게 되고 아울러 수탁자의 행위에 대한 권리·의무 또한 위탁자의 행위와 동일한 효력을 발휘하게 된다 할 것인 바, LH공사가 이주택지 공사과정에서 공급예정지역이 '문화재 지정고시 절차'의 진행으로 공사가 지연된 경우, 설사 LH공사가 사업인정을 받은 자가 아니라고 할지라도 이주택지 공사과정에서의 발생한 문화재 지정고시 절차는 지방세특례제한법 제73조 제1항에서 규정하고 있는 '사업인정을 받은 자의 사정'으로 봄이 타당함(지방세특례제도과-975, 2014.7.9.).

5. 지역적 요건

토지수용으로 종전의 부동산 등을 대체하는 경우 감면대상지역 관련 행정구역에 대한 명칭을 정확히 하였다(2017.1.1.). 토지수용에 따른 대체취득 부동산의 감면 적용시 취득하는 부동산이 농지인지 여부, 수용부동산의 위치 및 대체취득부동산의 위치에 따라 아래와 같이 그 요건을 달리하고 있다(지방세정팀-6483, 2006.12.27.).

구분	대체 취득 부동산 등 비과세 지역 판단			
	매수 등 부동산 소재지 시·도(①)	①과 연접 시·군·구 (②)	①과 연접 시·도(③)	(①+②+③) 이외의 지역(④)
농지 이외	감면	감면	감면(투기지역 이외)	제외
			제외(투기지역)	제외
농지	감면	감면	감면(투기지역 이외)	감면(투기지역 이외)
			제외(투기지역)	제외(투기지역)
자경농민의 주택(50% 미만)	감면	감면	감면(투기지역 이외)	감면(투기지역 이외)
			제외(투기지역)	제외(투기지역)

농지의 경우 소재지 시·군·구(자치구) 및 그와 잇닿은 시·군·구 또는 소재지로부터 30km 이내 지역이어야 한다. 예를 들어, 서울 용산구는 자치구니까 용산구와 그 인접 시·군·구 단위까지, 경기 용인시 처인구라면 처인구는 행정구니까 그 윗단인 용인시를 기준으로 인접 시·군·구 단위까지 가능한 것이다. 물론, 농지의 경우에는 인접하지 않더라도 30km 이내인 경우라면 가능하다. 이와 달리 농지외의 경우에는 구(행정구를 포함하고, 도농복합시는 동만 해당)·시(행정구를 두지 않은 시를 말하며, 도농복합시는 동만 해당)·읍·면 및 그와 잇닿은 구·시·읍·면 지역이어야 한다. 예를 들어, 서울 강서구 화곡동은 시단위가 아니고 자치구이기 때문에 강서구와 연접한 시·군·구까지, 용인시 처인구 유림동은 행정구이면서 도농복합시이고 동지역이기 때문에 유림동 단위까지지만, 김포시 걸포동이면 김포시가 도농복합시이므로 걸포동을 기준으로 그와 잇닿은 구·시·읍·면까지만 대상이 된다.

◎ 주택의 지정지역에서 주택 외의 부동산을 대체취득하는 경우는 비과세 대상

주택에 관한 지정지역과 주택 외의 부동산에 관한 지정지역으로 구분하고 있는 점, … 투기적 수요의 우려가 없는 주택 외의 부동산에 대해서까지 지정지역에 있다는 이유만으로 주택의 경우와 동일하게 세제상의 불이익을 가하는 것은 지정지역의 취지에 반하는 점 등을 고려하면, 주택에 관한 지정지역은 그 지역에 소재하는 주택에 관해서만 지정지역으로서 법적 효력을 지니고 그 외의 부동산에 관하여는 그와 같은 법적 효력이 없다고 보아야 하며, 이러한 법리는 지방세법에서 인용하고 있는 지정지역에 관하여도 그대로 적용된다고 할 것이므로, 주택에 관한 지정지역에서 주택 외의 부동산을 대체취득하는 경우는 제109조 ① 1호 다목 단서에 해당하지 아니함(대법원 2009두23082, 2011.8.25.).

◎ 납세의무자의 자유의사에 의한 주소이전이 아닌 단순한 행정구역변경으로 인한 부재부동산

소유자가 된 경우에는 취득세 등의 비과세대상에서 배제되지 아니함

사업인정고시일 현재 수용토지 소재지인 ○○○와 청구인의 주소인 ○○○는 서로 연접되어 있다고 인정하기는 어려우나, 2001.12.24. 처분청의 행정구역변경으로 인해 청구인의 주소가 ○○○으로 변경됨으로써 수용토지 소재지인 ○○○와 연접하게 되었다가 2005.10.31. 다시 처분청의 행정구역변경으로 인해 일반구인 ○○○가 설치됨으로써 수용토지 소재지와 청구인의 주소가 연접되지 아니하게 되면서 사업인정고시일 현재 비과세요건을 충족하지 못하게 되었는바, 자유의사에 의한 주소 이전이 아닌 행정구역변경으로 연접지역에서 벗어나게 됨으로써 부재부동산 소유자가 된 경우까지 배제하는 것은 아님(조심 2009지1135, 2010.10.8.).

6. 부재부동산 소유자에 대한 감면 배제

부동산 등 소유자가 토지수용 등으로 대체취득하는 부동산의 경우 취득세 중과대상인 사치성재산 등에 해당하거나 부재부동산 소유자인 경우는 취득세를 감면 하지 않는다. 이는 수용 등으로 인하여 부득이하게 생활의 기반이나 사업의 기반을 잃게 되는 거주자 또는 사업자를 조세정책적인 차원에서 지원하기 위한 취지이다. 그에 따라 그들이 대체 취득하는 부동산에 대하여 취득세를 비과세하되, 수용 등이 이루어지는 부동산 소재지에서 일정기간 계속하여 주민등록 또는 사업자등록을 하지 아니하거나 주민등록 또는 사업자등록을 한 경우에도 사실상 거주 또는 사업을 하고 있지 않는 경우에는 지원의 필요성이 없기 때문에 이러한 부재부동산 소유자는 비과세 대상에서 제외한다.

◎ **사업시행 '변경'인가 고시일을 기준으로 부재부동산 소유자 해당 여부를 판단할 수 없음**

(사실관계) 2010.9. ○○○재정비촉진구역 주택재개발정비사업조합을 사업시행자로 하는 내용의 주택재개발사업시행계획을 인가·고시, 2012.9. 정비구역 내에 위치한 이 사건 종전 부동산을 경락받고, 그 무렵부터 거주. (판단) 종전 부동산에 대한 최초의 사업인정고시일인 2010.9.을 기준으로 1년 전부터 계속하여 종전 부동산에 거주하였다고 할 수 없음. 나아가 사업시행계획인가의 고시 이후 이 사건 조합의 설립인가처분에 대한 무효확인을 구하는 청구가 인용된 적이 있다는 것만으로는 이 사건 변경인가의 고시일을 기준으로 부재부동산 소유자에 해당하는지 여부를 판단해야 할 특별한 사정이 있다고 볼 수 없음. 따라서 취득세 감면대상에 해당한다고 볼 수 없음(대법원 2019두57084, 2020.2.27.).

◎ **개인사업자 법인전환의 경우 1년 전부터 사실상 사업을 하였다고 볼 수 없음**

법인은 독립된 법인격을 가지고 권리의무의 주체가 되는 것이므로 그 대표자인 개인과 동일시할 수 없는 바, 원고와 이 사건 회사는 별개의 독립된 법인격체이므로 이 사건 회사가 이 사건 토지들에서 사업자등록을 하고 폐지 등을 수집, 가공하는 사업을 한 것을 원고 개인이 사업한 것으로 볼 수는 없고, 원고는 이 사건 토지들에서 개인사업자로서 사업자등록을 하고 사업을 영위하다가 이 사건 회사가 2008.7.15.경 법인 등기 및 사업자등록을 마치고 사업을 개시한 이후인 2008.12.31. 폐업하였고, 이후 2009.8.14. 이 사건 근린공원 조성사업인정고시가 있었으므로 위 사업인정고시일 현재 1년 전부터 사실상 사업을 하고 있지 아니하였다고 할 것임(대법원 2011두14524, 2012.3.15.).

◎ 질병치료를 위해 주민등록을 일시 이전한 경우 주민등록을 이전한 이상 부재지주에 해당함

원고의 주장과 같이 원고의 처와 자녀들이 이 사건 수용부동산에 주민등록을 그대로 유지하면서 거주하였다고 하더라도, 조세법률주의의 원칙상 … 합리적 이유 없이 확장해석하거나 유추해석하는 것은 허용되지 아니하며, … 엄격하게 해석하는 것이 조세공평의 원칙에도 부합하는 바, 앞에서 본 바와 같이 원고의 처와 자녀들은 이 사건 수용부동산의 소유자가 아니므로, 지특법 제73조 ①·②, 시행령 제34조 ②의 취득세 감면 요건에 해당되지 아니하고, 원고의 처와 자녀들의 주민등록을 원고의 주민등록으로 해석하는 것은 법문에 반하므로, '부재부동산 소유자'에 해당(대법원 2013두14528, 2013.11.15.)

◎ 대체취득 부재부동산 소유자의 범위

농지의 소재지로부터 20킬로미터 이내의 지역이라 함은 해당 농지 소재지로부터 농지소유자가 거주하는 시·군·구의 경계선까지의 거리가 아닌 농지소유자의 거주지까지의 거리가 20킬로미터 이내의 지역을 의미함(예규 지특법 73-2).

※ 2021년부터는 30킬로미터로 개선

◎ 종교사업을 1년 전부터 영위한 경우 부재부동산으로 보기 어려워 비과세 대상

택지개발사업으로 수용되는 부동산을 소유하고 있는 종교법인의 소속성당이 당해 부동산 내에 종교시설(성당)을 설치하고 사업인정고시일 현재 1년 전부터 계속하여 사업자등록대상이 아닌 종교사업만을 영위하여 온 경우라면, 이를 부재 부동산 소유자로 보아 취득세 등 비과세를 배제하기는 어렵다고 판단됨(지방세운영과-2497, 2009.6.19.).

◎ 협의매수 계약일이 부재부동산 소유자 판단기준일이 되는 것임

「계약일」과 「사업인정고시일」을 병기한 것은 토지보상법 관련 법령에 의하여 토지 등을 수용할 수 있는 사업인정을 받은 자에게 부동산이 협의매수(수용)된 경우 비록 사업인정고시일 전에 당해 매매계약을 체결하였다 하더라고 「계약일」 이후에 취득한 대체취득 부동산에 대해서도 사업인정고시일 이후에 대체취득한 부동산에 대한 세제혜택과 동일하게 취득세 등을 감면하겠다는 취지(행심 2007-32, 2007.1.29.)라 할 것이므로 사업인정고시일 이후에 부동산을 협의매수(수용)한 경우의 부재부동산 소유자 판단기준일은 사업인정고시일이라 할 것

이지만 예외적으로 사업인정고시일 전에 부동산을 협의매수한 경우의 부재부동산 소유자 판단기준일은 그 협의매수 「계약일」을 기준으로 부재부동산 소유자 해당 여부를 판단(지방세운영과-2195, 2008.11.17.)

○ 공장 등록을 했더라도 사업자등록을 하지 않으면 부재지주에 해당됨

영 제79조의 3 ②의 사업자등록은 부가가치세법 제5조에 의한 사업자등록을 의미한다 할 것이고, 당해 규정에 대한 해석은 법문 그대로 엄격히 해석되어야 할 것인 바, 수용당한 부동산이 위치한 지역에 사업자 등록이 되어 있지 않고 공장등록만 되어 있는 경우에 비록 공장등록을 하고 사업을 영위하고 있다고 하더라도 부재부동산 소유자에 해당되므로 취득세 등의 감면대상에 해당되지 않음(도세-275, 2008.4.1.).

○ '계약일'의 의미 및 사업인정고시일 이후 부동산 등이 협의취득에 의하여 매수된 자가 부재부동산 소유자에 해당하는지 판단하는 기준일

제79조의 3 제2항에 정하여진 '계약일'이 사업인정고시일 이후의 계약일만을 의미하는 것으로 보아 사업인정고시일 이후에 손실보상 협의계약을 체결하여 사업인정을 받은 자에게 부동산이 매수된 경우 1년 전부터 계속하여 사업자등록 등을 하지 아니하였는지를 판단하는 기준일은 사업인정고시일이 됨. 나아가 원고가 이 사건 수용부동산의 사업인정고시일 현재 「지방세법 시행령」 제79조의 3 제2항 각 호에 규정하는 지역에 1년 전부터 계속하여 사업자등록을 하고 있지 아니한 사업자로서 취득세 등의 비과세대상에서 제외되는 부재부동산 소유자에 해당함. 계약일을 기준으로 부재부동산 소유자 여부를 따지는 것이 아님(대법원 2012두27596, 2013.4.11.).

○ 청구법인은 이 건 수용토지에 대한 마지막 보상금을 수령한 날(2004.10.5.)부터 1년이 경과한 2006.7.11. 이 건 토지를 대체취득한 사실이 확인되는 이상 비과세 대상에 해당하지 아니함(조심 2011지0394, 2011.12.1.).

○ 종중은 부재부동산 소유자에 해당됨

종중은 비법인사단으로서 이 사건 시행령 조항의 '사업자'이지만 수용된 토지에 사업자등록을 하지도 아니하고 실제 위 토지에서 사업을 수행하지도 아니한 이상 부재부동산 소유자에 해당한다고 판단한 후, 원고 자신은 법인이 아니어서 시행령상의 '사업자'가 아니므로 부재부동산 소유자가 될 수 없다는 원고의 주장에 대해 원고가 '법인 아닌 사단 · 재단 및 외국인의 부동산등기용 등록번호 부여절차에 관한 규정'에 따라 등록번호를 부여받았으므로 '법인으로 보는 단체'에 해당한다는 이유로 배척하였음. 그런데 부동산등기용 등록번호를 부여받은 것만으로 주무관청에 등록한 것으로 볼 수 없으므로 '법인으로 보는 단체'라고 판단한 부분은 잘못임. 그러나 결국 원고가 시행령조항의 사업자인 부재부동산 소유자에 해당한다고 본 결론은 정당함(대법원 2008두19864, 2010.12.23.).

◎ 종중은 부재부동산 소유자의 해당여부를 판단하는데 있어서 사업자에 해당하므로 종중의 주사무소나 대표자의 주소지가 아닌 사업자등록 및 그 실질적인 사업수행 여부를 기준으로 판단하는 것이 타당하다 할 것임(조심 2019지1823, 2019.12.20.).

◎ 사업시행자가 사업승인고시일 전이라도 공익사업 등 수행을 위해 토지등을 수용하거나 사용할 수 있는 지위에서 부동산등의 매매계약을 체결한 경우라면 '사업인정을 받은 자에게 매수된'이라는 요건을 충족한 것으로 보아야 함(지방세특례제도과-307, 2020.2.14.).

7. 그 밖에 대체취득 부동산 해당 여부 사례

◎ **보상금의 범위에는 토지수용에 따른 토지보상이 포함됨**

토지보상법 제63조 제1항 단서에서는 토지로 보상이 가능한 경우에는 토지소유자가 받을 보상금 중 현금 또는 채권으로 보상받는 금액을 제외한 부분에 대하여 그 공익사업의 시행으로 조성한 토지로 보상할 수 있는 것으로 규정하고 있음. …「지방세특례제한법」 제73조의 "그 보상금을 마지막으로 받은 날"은 대체취득 유예기간 1년의 기산일을 의미하므로 토지로 보상을 받는 경우에는 해당 토지에 대한 취득이 가능한 날 부터 대체취득 유예기간 1년을 기산하여야 할 것이고, 따라서 그 보상금의 범위에는 현금은 물론 토지보상도 포함되는 것으로 보는 것이 타당함(지방세특례제도과-506, 2015.2.27.).

◎ **증여, 유증 등 무상(일방의 의사표시에 대한 승낙)으로 취득하는 부동산은 비과세 제외**

대체취득의 감면요건은 소유 부동산 등이 수용된 자가 그 보상금으로 대체취득하는 것이라 할 것이나, 증여, 유증 등 일방의 의사표시에 대한 승낙으로 무상으로 취득하는 부동산은 비과세의 충족요건을 충족하였다 보기 어려우며, 감면대상인 대체취득 부동산은 보상금으로 취득하는 유상승계취득 또는 원시취득에 한하여 감면대상으로 봄이 타당함(지방세특례제도과-986, 2014.7.10.).

※ 해당 사례는 보상금으로 대체취득하는 경우에 감면을 적용하는 것이므로 무상취득은 여기에 해당하지 아니하므로 제외된다는 취지로, 동 해석 내용만을 토대로 간주취득인 지목변경에까지 제외되는 것으로 확장해석하지 않도록 유의

◎ **공유물 분할등기는 대체취득에 해당되지 않음**

공유물이었던 1필지 토지를 2필지로 분할하여 각 공유자 지분비율로 단독 등기하는 경우로서 등기절차상 필지분할등기를 한 후 공유물 분할등기 과정에서 지분교환 형식으로 이루어진 상대방 지분의 취득은 유상양도가 아닌 공유물의 지분비율에 따라 제한적으로 행사되던 권리를 분할을 통해 특정부분에만 집중・존속시키는 공유물 분할의 한 유형(대법원 95누5653, 1995.9.5. 참조)이라 할 것이어서 지특법 제73조 ①의 취득세 면제대상인 대체취득에 해당되지

아니한다고 할 것임(지방세운영과-2570, 2012.8.9.).

- **A법인 소유 부동산이 수용되어 보상금 일부가 남아있는 상태에서 B법인에게 흡수합병된 경우, B법인이 남아있던 일부 보상금으로 대체취득하는 경우 비과세 대상으로 볼 수 없음**

  대체취득 비과세 요건은 "소유 부동산등이 수용된 자가 그 보상금으로 대체취득하는 것"을 충족요건으로 규정하고 있으므로 대체취득 비과세 대상이 되려면 반드시 소유 부동산등의 수용이 전제되어야 할 것이므로, A법인의 경우 B법인에게 흡수합병될 당시 이미 보상금을 수령한 상태로서 수용된 부동산은 이미 사업시행자의 소유가 된 것이라 할 것인 바, B법인의 경우 A법인 소유의 부동산을 승계한 것이 아니라 A법인이 이미 수령한 보상금을 승계한 것이라고 할 것이므로 수용된 부동산 소유자와 대체취득자가 같아야 하는 바 비과세 요건을 충족하였다고 볼 수 없음(지방세운영과-2339, 2010.6.3.).

- **대체수용 등으로 보상금을 개별적으로 수령한 후, 수용인이 조합을 결성하고 조합명의로 부동산을 대체취득한 경우 비과세 대상자로 볼 수 없음**

  소유 부동산 등이 수용되어 그 보상금으로 다른 부동산 등을 대체취득하는 경우, 수용되기 전 부동산 소유자 명의로 대체취득하는 경우에 한하여 비과세대상이 되는 것이므로, 부동산이 수용되어 수용된 자 명의로 보상금을 수령한 후, 각 수용된 자가 조합을 결성하여 조합명의로 부동산을 대체취득하는 경우라면, 수용된 자와 대체취득한 자 간의 명의를 달리하였다고 할 것이므로 위 규정에 따른 대체취득 취득·등록세 비과세 대상으로 보기는 어렵다고 판단됨(지방세운영과-1505, 2010.4.13.).

- 피상속인이 보상금을 수령하고 사망한 경우에는 상속인이 부동산을 상속받은 것이 아니기 때문에 동 보상금으로 대체부동산을 취득하더라도 비과세 대상에 해당되지 아니함(조심 2009지0689, 2010.3.12.).

- 종전토지를 수용당한 청구인이 사업인정을 받은 자로부터 특별공급받기로 한 배정(당첨)된 택지를 포기하고, 제3자가 분양받은 특별공급택지에 대한 권리·의무를 승계하여 이 건 토지를 취득한 이상 수용으로 인한 대체취득 부동산의 취득으로 볼 수 없음(조심 2012지0469, 2012.9.18.).

제73조의 2(기부채납용 부동산 등에 대한 감면)

법 제73조의 2(기부채납용 부동산 등에 대한 감면) ① 「지방세법」 제9조 제2항에 따른 부동산 및 사회기반시설 중에서 국가, 지방자치단체 또는 지방자치단체조합(이하 이 조에서 "국가등"이라 한다)에 귀속 또는 기부채납(이하 이 조에서 "귀속등"이라 한다)의 반대급부로 국가등이 소유하고 있는 부동산 또는 사회기반시설을 무상으로 양여받거나 기부채납 대상물의 무상사용권을 제공받는 조건으로 취득하는 부동산 또는 사회기반시설에 대해서는 다음 각 호의 구분에 따라 감면한다.

1. 2020년 12월 31일까지 취득세를 면제한다.
2. 2021년 1월 1일부터 2021년 12월 31일까지는 취득세의 100분의 50을 경감한다.

② 제1항의 경우 국가등에 귀속등의 조건을 이행하지 아니하고 타인에게 매각·증여하거나 국가등에 귀속등을 이행하지 아니하는 것으로 조건이 변경된 경우에는 그 감면된 취득세를 추징한다.

2015년까지는 국가 등에 기부채납을 조건으로 취득하는 경우에는 반대급부가 있는지, 실제 기부채납을 이행했는지 등에 관계없이 지방세법 제9조 제2항에 따른 비과세를 적용하였다. 2015년말 기부채납 비과세의 불합리함을 개선하기 위해 반대급부가 있는 경우나 기부채납을 이행하지 않는 경우, 즉 순수 기부채납이 아닌 경우에는 비과세를 배제하도록 지방세법을 개정하면서, 당분간의 급격한 세부담 완화를 위해 무상양여나 무상사용권을 받는 반대급부가 있는 경우는 100% 감면을 유지하되, 기부채납을 이행하지 않게 되면 100%를 추징하도록 특례법을 보완하였다.

국가 등에 귀속 또는 기부채납을 조건으로 취득하는 부동산 및 사회기반시설에 대해서는 취득세를 면제(지방세법 §9 ②)하나, 다음의 경우에는 2020년까지는 100% 감면('19년부터 최소납부세제 적용)하고, 2021년에는 50%를 감면한다(지특법 §73의 2 ①).

1) 국가 등에 귀속 또는 기부채납의 반대급부로 국가등이 소유하고 있는 부동산 또는 사회기반시설을 무상으로 양여받는 조건으로 취득하는 부동산 또는 사회기반시설, 즉 무상으로 양여받는 대가로 기부채납하는 경우는 순수 기부채납에 해당하지 않아 비과세가 아닌 감면으로 적용하겠다는 의미이다.
2) 기부채납의 반대급부로 기부채납 대상물의 무상사용권을 제공받는 조건으로 취득하는 부동산 또는 사회기반시설, 즉 사용수익기부채납 등 기부채납하는 대가로 장기간 무상사용권을 부여받는 경우에도 동일한 취지로 감면을 적용한다.

한편, 국가등에 귀속 또는 기부채납의 조건을 이행하지 않고 타인에게 매각·증여하거나 국가 등에 귀속등을 이행하지 아니하는 것으로 조건이 변경된 경우에는 감면된 취득세를 추징한다. 3년 후가 되었건 30년 후가 되었건 추징사유가 발생하면 사유발생일에 새로운 납세의무가 성립하기 때문에 최초 취득일에 대한 부과제척기간과 관계없이 추징이 가능하다.

제74조(도시개발사업 등에 대한 감면)

법 제74조(도시개발사업 등에 대한 감면) ①「도시개발법」 제2조 제1항 제2호에 따른 도시개발사업(이하 이 조에서 "도시개발사업"이라 한다)과 「도시 및 주거환경정비법」 제2조 제2호나목에 따른 재개발사업(이하 이 조에서 "재개발사업"이라 한다)의 시행으로 해당 사업의 대상이 되는 부동산의 소유자(상속인을 포함한다. 이하 이 조에서 같다)가 환지계획 및 토지상환채권에 따라 취득하는 토지, 관리처분계획에 따라 취득하는 토지 및 건축물(이하 이 항에서 "환지계획 등에 따른 취득부동산"이라 한다)에 대해서는 취득세를 2022년 12월 31일까지 면제한다. 다만, 다음 각 호에 해당하는 부동산에 대해서는 취득세를 부과한다. 농비

1. 환지계획 등에 따른 취득부동산의 가액 합계액이 종전의 부동산 가액의 합계액을 초과하여 「도시 및 주거환경정비법」등 관계 법령에 따라 청산금을 부담하는 경우에는 그 청산금에 상당하는 부동산
2. 환지계획 등에 따른 취득부동산의 가액 합계액이 종전의 부동산 가액 합계액을 초과하는 경우에는 그 초과액에 상당하는 부동산. 이 경우 사업시행인가(승계취득일 현재 취득부동산 소재지가 「소득세법」 제104조의 2 제1항에 따른 지정지역으로 지정된 경우에는 도시개발구역 지정 또는 정비구역 지정) 이후 환지 이전에 부동산을 승계취득한 자로 한정한다.

② 제1항 제2호의 초과액의 산정 기준과 방법 등은 대통령령으로 정한다.

③ 도시개발사업의 사업시행자가 해당 도시개발사업의 시행으로 취득하는 체비지 또는 보류지에 대해서는 취득세의 100분의 75를 2022년 12월 31일까지 경감한다. 농비

④「도시 및 주거환경정비법」 제2조 제2호 가목에 따른 주거환경개선사업(이하 이 조에서 "주거환경개선사업"이라 한다)의 시행에 따라 취득하는 주택에 대해서는 다음 각 호의 구분에 따라 취득세를 2022년 12월 31일까지 감면한다. 다만, 그 취득일부터 5년 이내에 「지방세법」 제13조 제5항 제1호부터 제4호까지의 규정에 해당하는 부동산이 되거나 관계 법령을 위반하여 건축한 경우에는 감면된 취득세를 추징한다.

1. 주거환경개선사업의 시행자가 주거환경개선사업의 대지조성을 위하여 취득하는 주택에 대해서는 취득세의 100분의 75를 경감한다.
2. 주거환경개선사업의 시행자가 「도시 및 주거환경정비법」 제74조에 따라 해당 사업의 시행으로 취득하는 체비지 또는 보류지에 대해서는 취득세의 100분의 75를 경감한다.
3. 「도시 및 주거환경정비법」에 따른 주거환경개선사업의 정비구역지정 고시일 현재 부동산의 소유자가 같은 법 제23조 제1항 제1호에 따라 스스로 개량하는 방법으로 취득하는 주택 또는 같은 항 제4호에 따른 주거환경개선사업의 시행으로 취득하는 전용면적 85제곱미터 이하의 주택에 대해서는 취득세를 면제한다.

⑤ 재개발사업의 시행에 따라 취득하는 부동산에 대해서는 다음 각 호의 구분에 따라 취득세를 2022년 12월 31일까지 경감한다. 다만, 그 취득일부터 5년 이내에 「지방세법」 제13조 제5항 제1호부터 제4호까지의 규정에 해당하는 부동산이 되거나 관계 법령을 위반하여 건축한 경우 및 제3호에 따라 대통령령으로 정하는 일시적 2주택자에 해당하여 취득세를 경감받은 사람이 그 취득일부터 3년 이내에 대통령령으로 정하는 1가구 1주택이 되지 아니한 경우에는 감면된 취득세를 추징

한다.

1. 재개발사업의 시행자가 재개발사업의 대지 조성을 위하여 취득하는 부동산에 대해서는 취득세의 100분의 50을 경감한다.
2. 재개발사업의 시행자가 「도시 및 주거환경정비법」 제74조에 따른 해당 사업의 관리처분계획에 따라 취득하는 주택에 대해서는 취득세의 100분의 50을 경감한다.
3. 「도시 및 주거환경정비법」에 따른 재개발사업의 정비구역지정 고시일 현재 부동산의 소유자가 재개발사업의 시행으로 주택(같은 법에 따라 청산금을 부담하는 경우에는 그 청산금에 상당하는 부동산을 포함한다)을 취득함으로써 대통령령으로 정하는 1가구 1주택이 되는 경우(취득 당시 대통령령으로 정하는 일시적으로 2주택이 되는 경우를 포함한다)에는 다음 각 목에서 정하는 바에 따라 취득세를 경감한다.
   가. 전용면적 60제곱미터 이하의 주택을 취득하는 경우에는 취득세의 100분의 75를 경감한다.
   나. 전용면적 60제곱미터 초과 85제곱미터 이하의 주택을 취득하는 경우에는 취득세의 100분의 50을 경감한다.

영 제35조(환지계획 등에 따른 취득부동산의 초과액 산정기준 등) ① 법 제74조 제1항의 환지계획 등에 따른 취득부동산은 그 토지의 지목이 사실상 변경되는 부동산을 포함한다.

② 법 제74조 제2항에 따른 초과액은 같은 조 제1항의 환지계획 등에 따른 취득부동산의 과세표준(「지방세법」 제10조 제5항에 따른 사실상의 취득가격이 증명되는 경우에는 사실상의 취득가격을 말한다)에서 환지 이전의 부동산의 과세표준(승계취득할 당시의 취득세 과세표준을 말한다)을 뺀 금액으로 한다.

③ 법 제74조 제5항 각 호 외의 부분 단서에서 "대통령령으로 정하는 일시적 2주택자"란 취득일 현재 같은 항 제3호에 따른 재개발사업의 시행으로 취득하는 주택을 포함하여 2개의 주택을 소유한 자를 말한다. 이 경우 주택의 부속토지만을 소유하는 경우에도 주택을 소유한 것으로 보며, 상속으로 인하여 주택의 공유지분을 소유한 경우(주택 부속토지의 공유지분만을 소유하는 경우를 포함한다)에는 주택을 소유한 것으로 보지 않는다.

④ 법 제74조 제5항 각 호 외의 부분 단서 및 같은 항 제3호 각 목 외의 부분에서 "대통령령으로 정하는 1가구 1주택"이란 각각 주택 취득자와 같은 세대별 주민등록표에 기재되어 있는 가족(동거인은 제외한다)으로 구성된 1가구(취득자의 배우자, 취득자의 미혼인 30세 미만의 직계비속은 각각 취득자와 같은 세대별 주민등록표에 기재되어 있지 않더라도 같은 가구에 속한 것으로 본다)가 국내에 1개의 주택을 소유하고, 그 소유한 주택이 「도시 및 주거환경정비법」 제2조 제2호 나목에 따른 재개발사업의 시행에 따라 취득한 주택일 것을 말한다. 이 경우 주택의 부속토지만을 소유하는 경우에도 주택을 소유한 것으로 본다.

⑤ 법 제74조 제5항 제3호 각 목 외의 부분에서 "대통령령으로 정하는 일시적으로 2주택이 되는 경우"란 제3항에 해당하게 되는 경우를 말한다.

2016.1.1. 시행, 도시개발사업 등에 대한 감면을 세분화(법 제74조 ③)하였다. 주택재개발사업 등의 사업시행자가 취득하는 부동산에 대해서는 현행 감면대상을 구체적으로 명시하여 2016.12.31.까지 연장하고, 사업 대상 부동산 소유자가 사업시행자로부터 취득하는 부동산

에 대해서는 감면을 2018년까지 연장하였다. (※ 단순 조문정비 및 기존 운영사안이므로 기존과 동일하게 운영)

2017.1.1. 시행, 지방세특례제한법 개정에 따라 주택재개발사업 및 주거환경개선사업 사업시행자에 대한 취득세의 감면기한을 2019.12.31.까지 3년간 연장하되, 감면율은 축소(100% → 75%, 주거환경개선사업 1년 유예)하였다.

2016.1.1. 시행, 주택재개발 사업 등에서도 조합원 외에 감면대상인 부동산 소유자의 범위에 상속인을 포함하도록 명확히 하였다.

2019.1.1. 시행, 지방세특례제한법 개정에 따라 주택재개발사업 및 주거환경개선사업 지정 고시일 현재 부동산의 소유자에 대한 취득세 면제 규정을 도심 내 노후 불량주택 정비를 통한 서민주거 안정 지원이라는 사업취지를 감안하여 2019.12.31.까지 1년간 연장하였다.

2020.1.15. 시행, 제74조 도시개발사업 등에 대한 감면 규정에 체계적으로 보완되었다. 대상사업(도시개발사업, 도시정비사업), 대상자(사업시행자, 조합원), 감면대상(개발사업으로 취득하는 부동산 등), 감면율이 혼재되어 있었는데 체계적으로 정비하였다. 2020년 개정세법을 중심으로 현행 도시개발사업 등 사업별, 납세의무자별(조합, 조합원) 과세체계를 아래와 같이 정리하였다.

1. 도시개발사업 등 사업별 과세체계 개요

제74조 제1항은 당초 사업시행자와 조합원이 각각 도시개발사업과 재개발사업[13]으로 취득하는 부동산에 대한 취득세 감면을 규정하고 있었는데, '20년 개정 이후부터 조합원(당초 부동산 소유자)에 대한 감면으로 한정하였다. 조합원은 다시 원조합원과 승계조합원으로 구분하여 과세방식에 대해서 규정하고 있다. 특히 원조합원에 대해서는 청산금에 해당하는 부동산에 대해 과세한다고 하면서, 제5항 제3호에서는 이에 대한 감면을 추가로 규정하고 있다. 그리고 사업시행자에 대한 감면(체비지 · 보류지)은 제3항으로 이기하였는데, 도시개발사업의 사업시행자가 취득하는 체비지 · 보류지에 대한 감면을 규정하고 있다. 즉, 도시개발사업으로 한정하고, 재개발사업 시행자의 체비지 성격의 부동산에 대한 감면은 제5항에서 규정하고 있다. 재개발사업에 대한 감면을 규정하고 있는 제5항에서는 사업시행자가 취득하는 '주택'에 대한 감면을 규정하고 있으므로, 주택재개발사업이 아닌 재개발사업(구 도시환경정비사업에 해당, 주로 상업 · 업무시설 건축)의 경우 사업시행자에 대한 감면이 사실상 대폭 축소되었다고 볼 수 있다.

13) '18.2.7. 도시정비법 개정으로 舊 주택재개발 사업과 舊 도시환경정비사업이 통합된 명칭

|도시개발사업 취득세 감면|

구분	감면내용	'19년 이전	'20년 이후
소유자	환지계획 등에 따른 취득하는 부동산	과표 공제(§74 ①)	연장(§74 ①)
시행자	체비지 또는 보류지	100%(§74 ①) 최소납부세제('20년~)	75%(§74 ③)

2. 주거환경개선사업

제4항은 주거환경개선사업에 대한 취득세 감면을 규정하고 있다. 사업시행자에 대해 2개의 감면유형을 규정하고 있는데, 사업구역내 대지조성을 위해 취득하는 부동산(1호)에 대해 75% 감면하고 사업시행으로 취득하는 체비지·보류지(2호)에 대해 75% 감면한다. '19년 이전까지 있었던 "주거환경개선사업의 시행자가 주거환경개선사업의 시행을 위하여 취득하는 주택"(제74조 ③ 3호)에 대한 감면 규정은 삭제하였다.

주거환경개선사업의 정비구역지정 고시일 현재 부동산의 소유자가 취득하는 경우 취득세를 면제하는데(3호), i) 스스로 개량하는 방법으로 취득하는 주택 또는 ii) 주거환경개선사업의 시행으로 관리처분계획(도시정비법 제23조 ① 4호)에 따라 취득하는 주택(전용 85㎡ 이하)에 대해 취득세를 면제한다('19년부터 최소납부세제 적용). 한편 주택재개발사업 조합원의 경우 지특법 제74조 제1항 제1호에서 관리처분계획에 따라 취득하는 부동산에 대해서는 면제하되, 청산금을 부담하는 경우에는 청산금에 해당하는 부동산에 대하여 과세한다(1주택자의 경우 면적에 따라 감면적용)고 규정하고 있다. 그런데 ii)의 경우 주거환경개선사업에서 구역지정 고시일 현재 부동산 소유자가 사업시행으로 취득하는 부동산에 대해서는 과세대상이나 과세표준을 확인할 수 있는 근거가 명확하지는 않다. 하지만 관리처분계획에 따라 취득하는 부동산의 성격을 고려할 때 과세대상은 신축건축물의 원시취득으로 보고, '청산금'에 대한 언급은 없으므로 과세표준은 전체 공사비를 해당 호수의 면적비율로 안분한 가액으로 보는 것이 합리적이라고 판단된다.

구분	감면내용	'19년 이전	'20년 이후
소유자	현지개량주택 또는 85㎡ 이하 주택	100%(§74 ③ 5) 최소납부세제('19년~)	연장(§74 ④ 3) 최소납부세제('19년~)
시행자	대지조성을 위하여 취득하는 주택	75%(§74 ③ 3)	75%(§74 ④ 1)
	체비지 또는 보류지	-	(신설) 75%(§74 ④ 2)

3. 재개발사업

제5항은 재개발사업에 대한 감면을 규정하고 있다. 사업시행자에 대한 감면으로 대지조성을 위해 취득하는 부동산은 50% 감면한다(1호). 그리고 관리처분계획에 따라 취득하는 주택에 대해 50% 감면한다(2호). 관리처분 계획에 따라 취득하는 부동산은 도시개발법상 체비지 성격에 해당하는데, 조합원 이외의 자에게 매각하는 일반분양분뿐 아니라 임대주택용으로 제공되는 부동산도 포함된다. 일반분양분 중 주택이 아닌 상가는 제외된다. 상업지역에서 추진하는 재개발사업(구. 도시환경정비사업)의 경우 주택이 아닌 상업용 건축물을 취득한다면 제5항에 따른 감면에 해당하지 않고, 체비지의 경우 제2항에서 도시개발사업에 한해서만 감면대상으로 규정하고 있으므로 도시환경정비사업에 대한 감면은 제한적으로 축소되었다.

한편 사업시행자가 취득하는 부동산에 대하여 구체적으로 살펴볼 필요가 있다. 도시정비법 제79조 제4항에서 사업시행자는 관리처분계획에 따라 조합원에게 분양하지 아니하는 잔여분을 토지등소유자(조합원) 이외의 자에게 분양할 수 있고, 도시개발법에서는 이를 체비지로 본다. 이러한 일반분양분의 경우 사업시행자를 거쳐 제3자에게 이전되는데 사업시행자는 일반분양분에 대한 취득으로 보아 취득세 과세문제가 발생한다. 이를 건축물과 토지로 구분해서 과세체계를 따져봐야 한다.[14] 먼저 새로운 주택이 신축되었으므로 건축물 부분에 대해 원시취득으로 볼 수 있다. 그리고 부속토지는 사업시행자가 원시취득한 것이 아니다. 원시취득이 아니면 승계취득으로 볼 수 밖에 없는데 그 상대방은 조합원으로 보는 것이 타당하다(일부 제3자로부터 취득하거나 국가 등으로부터 이전받는 용도폐지 기반시설용지도 있을 수 있음). 유사한 사업방식인 주택재건축사업의 일반분양분의 경우 그 부속토지에 대해 과세대상임을 명확히 하고 있으나(지방세법 제7조 ⑧, 영 제20조 ⑦), 재개발사업에서는 과세여부에 대한 언급이 없다. 그렇다고 비과세나 면제대상으로 규정되어 있지도 않다. 따라서 주택재건축사업의 일반분양분 토지와 같은 과세체계로 적용하는 것이 합리적이라 할 것이다.

과세표준도 이에 부합하게 적용할 수 있는데, 재개발사업으로 사업시행자가 일반분양분 건축물을 원시취득했다면 전체 공사비에서 해당비율을 안분하여 계산하는 것이 합당하다. 조합원에 대해 공사비 안분가액이 아닌 청산금을 과세표준으로 하여 과세하는 것과 차이가 있다. 부속토지는 공시지가를 기준으로 무상승계취득으로 보는 것이 합리적이다.

제3호에서 재개발 사업으로 조합원이 85㎡ 이하 주택을 취득하는 경우 감면으로 규정하

14) 이하 명확한 행정해석이나 입법보완이 필요하다고 판단된다.

고 있다. 제1항 제1호에서 조합원이 재개발사업에 따른 환지계획 등(관리처분계획)으로 취득하는 부동산의 가액 합계액이 종전의 부동산 가액의 합계액을 초과하여 청산금을 부담하는 경우에는 그 청산금에 상당하는 부동산에 대해 과세한다고 규정하고 있다. 이 때 청산금에 대해 과세하는 경우[15] 60㎡ 이하는 75% 감면, 60㎡ 초과 85㎡ 이하는 50% 감면하되, 재개발주택을 취득함으로써 1가구 1주택이 되는 경우(취득 당시 일시적 2주택 포함)로 한정한다. '19년 이전까지 전액 면제하던 것을 감면요건을 강화하였다.

1가구 1주택 판단기준은 다음과 같다. 1가구란 세대별 주민등록표에 기재되어 있는 가족(동거인 제외)을 의미하며, 취득자의 배우자, 취득자의 미혼인 30세 미만의 직계비속은 같은 가구에 속한 것으로 간주한다. 1주택 판단시 주택 부속토지만을 소유하고 있는 경우에도 주택을 소유한 것으로 간주하고, 상속으로 공동지분을 보유(주택의 부속 토지 포함)하는 경우에는 주택 수에 포함하지 않는다. 일시적 2주택은 허용되나, 재개발 주택 취득일로부터 3년 이내에 종전 주택을 처분하여야 감면이 적용되며 그렇지 않으면 취득세가 추징된다. 재개발주택 취득일부터 3년 내에 종전 주택을 먼저 처분하지 않으면 추징되고, 재개발주택을 먼저 처분하면 3년 이내라도 추징된다. 취득일부터 3년 내에 종전 주택을 처분한 후 새로이 주택을 추가 취득하여 2주택(개발사업 신축주택 미처분)이 되는 경우라도 이미 1주택 요건을 충족하였으므로 추징대상이 아니다.

구분	감면내용	'19년 이전	'20년 이후
소유자 (조합원)	환지계획 등에 따른 취득하는 부동산	과표 공제(§74 ①)	연장(§74 ①)
	1가구 1주택 60㎡ 이하 주택	100%(§74 ③ 4) 최소납부세제('19년~)	75%(§74 ⑤ 3)
	1가구 1주택 60~85㎡ 이하 주택		50%(§74 ⑤ 3)
시행자	체비지 또는 보류지	100%(§74 ①)	(조문정비, §74 ⑤ 2)
	대지조성을 위하여 취득하는 부동산	75%(§74 ③ 1)	50%(§74 ⑤ 1)
	관리처분계획에 따라 취득하는 주택	75%(§74 ③ 2)	50%(§74 ⑤ 2)

4. 적용시기 및 최소납부세제 적용

2020.1.15. 시행, 지특법 제74조의 개정규정은 경과조치와 적용례를 두고 있다. 2020.1.1.

15) 괄호규정에서 "청산금을 부담하는 경우에는 그 청산금에 상당하는 부동산을 포함한다"라고 규정하고 있는데, 상대적인 의미가 무엇인지 모호하다. 즉 괄호규정은 원조합원(① 1호)에 해당하는데 원조합원 이외의 승계조합원도 포함한다는 의미로 볼 경우 본문에서 구역지정 당시의 소유자(원조합원)를 전제하고 있어 적용될 여지가 없다. 그리고 원조합원의 경우 청산금에 상당하는 부동산에 한해 과세하기 때문에 추가로 과세대상으로 포함될 여지가 없다. 즉 적용대상은 "청산금에 상당하는 부동산에 대해 과세"하는 원조합원에 한정된다고 보는 것이 타당하다.

이전에 도시개발사업의 '실시계획 인가'를 받거나 재개발사업 및 주거환경개선사업의 '사업시행계획 인가'를 받고, 이러한 사업의 시행으로 인해 부동산을 취득하는 경우 그 취득세 감면 및 추징에 대해서는 종전의 규정을 적용(부칙 제17조)한다. 그리고 2020.1.1. 이후 도시개발사업의 '실시계획인가' 또는 재개발사업 및 주거환경개선사업의 '사업시행계획인가'를 받은 사업부터 개정된 규정을 적용(부칙 제5조)한다.

1) 도시개발사업과 재개발사업 시행자

도시개발사업과 재개발사업 시행자가 취득하는 체비지 및 보류지에 대하여 '20년부터 최소납부세제 적용대상에 해당한다. 도시개발사업 시행자가 취득하는 체비지 · 보류지에 대해 '19년까지 면제대상이었으나 '20년부터 75% 감면으로 축소되었다. 재개발사업의 시행자가 취득하는 부동산에 대해서도 면제대상에서 관리처분계획으로 취득하는 주택에 한해 50% 감면으로 그 대상과 감면율이 축소되었다. 따라서 '20년 지특법 개정 이후부터는 최소납부세제 적용을 고려할 필요가 없다. 그러나 '20.1.1. 이전에 도시개발사업의 '실시계획 인가'를 받거나 재개발사업의 '사업시행계획 인가'를 받은 경우에는 종전의 규정(면제)을 적용(부칙 제17조)하기 때문에 사업진행 단계에 따라 최소납부세제 적용 여부를 확인해야 한다.

2) 재개발사업의 조합원(제74조 제1항 본문 청산금을 부담하지 않는 조합원)

도시개발사업과 재개발사업의 시행으로 해당 사업의 대상이 되는 부동산의 소유자(조합원)가 환지계획 등에 따라 취득하는 부동산에 대하여 취득세를 면제(§74 ①)하고 있다. 법문상 청산금을 부담하지 않는 조합원은 전액 면제되는 것으로 해석된다. 이에 대해서는 최소납부세제를 적용하지 않는다. 왜냐하면 청산금을 부담하는 경우에는 그 청산금에 상당하는 부동산에 대해서는 과세한다고 규정하고 있는데 관리처분계획에 따라 취득하는 새로운 주택(부속토지 포함)의 가액에서 청산금이 아닌 부분을 제외하는 과표 공제 성격이 반영되어 있는 점을 고려할 때 최소납부세제 적용대상에 해당하지 않는다('20년 행안부 개정세법 적용요령). 한편 과표공제 방식이라서 최소납부대상이 아니라기보다, 새로 취득하는 주택 전체(부속토지 포함)를 과세대상으로 전제하는 것이 불합리하기 때문에(아래 '청산금에 상당하는 부동산의 성격' 참조) 최소납부세제를 적용할 여지가 없다고 보는 것이 타당하다고 사료된다.

3) 재개발사업으로 주택을 취득하는 조합원(제74조 제1항 제1호 및 제5항 제3호 청산금을 부담하는 조합원)

주택재개발사업 시행자로부터 취득하는 주택(85㎡ 이하)에 대한 면제규정(개정전 법 §74

③ 4)은 '19.1.1.부터 최소납부세제가 적용된다. 그에 따라 비록 2020년부터 75%~50%감면으로 축소(개정후 법 §74 ⑤ 3)되었지만 '20.1.1. 이전에 사업계획시행인가를 받은 경우에는 면제가 적용되므로 이 경우 최소납부세제가 적용된다.

한편 괄호규정에서 "청산금을 부담하는 경우에는 그 청산금에 상당하는 부동산을 포함한다"라고 규정하고 있는데, 전체적인 의미가 무엇인지 모호하다. 즉 괄호규정이 원조합원(§74 ① 1)에 대한 규정이라면 괄호밖은 원조합원 이외의 승계조합원에 대한 규정으로 반대해석할 수 있는데 이 경우 본문에서 구역지정 당시의 소유자(원조합원)를 전제하고 있어 승계조합원은 적용될 여지가 없다. 그리고 원조합원의 경우 당초부터 청산금에 상당하는 부동산에 한해서만 과세대상으로 삼기 때문에 추가로 과세대상으로 포함될 여지가 없다. 즉 괄호부분이 핵심규정으로 "청산금에 상당하는 부동산에 대해 과세하는 원조합원"에 대한 규정으로 보는 것이 타당하다.

5. 재개발사업 조합원의 과세체계와 감면(청산금에 상당하는 부동산의 성격)

지특법상 「도시개발법」에 따른 도시개발사업과 「도시정비법」에 따른 재개발사업의 시행으로 해당 사업의 대상이 되는 부동산의 소유자(조합원)가 환지계획(도시개발법) 및 관리처분계획(도시정비법)에 따라 취득하는 토지 및 건축물에 대해서는 취득세를 면제한다. 다만 환지계획 등에 따른 취득부동산의 가액 합계액이 종전의 부동산 가액의 합계액을 초과하여 관계 법령에 따라 청산금을 부담하는 경우에는 그 청산금에 상당하는 부동산에 대해서는 과세한다고 규정하고 있다(§74 ① 1). 그런데 관리처분계획에 따라 조합원이 취득하는 부동산을 면제한다고 하면서 다시 청산금은 과세한다는 것이 과세체계상 어떤 의미인지(감면인지 또는 과세인지) 살펴볼 필요가 있다. 단순화 시켜 주택재개발사업을 중심으로 살펴본다.

조합원이 기존에 자신의 토지(3억원)를 내놓고 청산금 2억원을 추가 부담하여 새로운 아파트(조합원 분양가액 5억원)를 취득하는 경우를 가정한다. 법문상 조합원은 새로운 아파트를 취득한다는 전제하에 취득세를 면제하되 청산금이 있는 경우는 청산금에 해당하는 부분을 과세한다고 규정하고 있다. 그대로 적용하여 새로운 아파트(부속토지 포함)를 취득대상으로 본다면 조합원은 전체 과세대상 5억원에서 과세분인 청산금 2억원을 제외하면 3억원을 감면받았으므로 60% 감면율이 적용되었다고 볼 수 있다. 이와 같이 취득대상을 새로 취득하는 아파트 전체(부속토지 포함)로 보고, 이를 토대로 조합원이 관리처분계획에 따라 취득하는 아파트 전체에 대해 취득세를 면제한다고 받아들인다면 아래와 같이 불합리한 면이 발생한다.

첫째, 추가 분담금이 없는(0원) 조합원의 경우라면 전체가 면제되고 최소납부제 시행에 따라 15%를 과세받게 된다. 추가분담금이 0원은 아니지만 0원에 가까운 조합원의 경우 추가분담금이 없는 조합원에 비해 15%에 이르는 세부담이 적어지는 모순이 발생하게 된다. 과세대상과 감면체계의 왜곡에 따른 결과이다. 둘째, 조합원이 새로운 주택(부속 토지 포함)을 취득했다고 본다면, 최소한 토지의 경우 원시취득이 있을 수 없으므로 승계 취득했다고 봐야 하고, 그 상대방은 조합으로 봐야 하며, 그러면 조합에 대한 취득세 문제도 짚고 넘어가야 한다. 즉 개별 조합원별로 새로운 과세대상에 대해 건축물과 토지로 구분하고 각각의 과세표준과 세율을, 그리고 조합까지 전반적인 과세체계를 검토해야 하는 등 매우 복잡한 문제가 나타나게 된다. 셋째, 조합원은 당초 토지를 소유하고 있는 상태에서 그 지상에 건축물이 신축된 것이기 때문에 토지를 포함한 전체 부동산을 새롭게 취득한 것으로 보는 것은 애초부터 타당하지 않다. 넷째, 제74조 제5항 제3호는 청산금에 상당하는 부동산의 과세를 전제로 이를 감면한다고 규정하고 있어 조합원이 전체 부동산을 취득하는 것으로 볼 경우 해당 규정과도 일치하지 않는 문제가 발생한다. 즉 감면 적용후 다시 감면을 적용한다는 불합리한 점이 나타난다. 다섯째, 같은 도시정비법에 따라 추진하는 주택재건축조합방식의 경우 조합원이 새로 취득하는 것은 토지가 아닌 신축된 건축물에 한정하고 있다. 마지막으로 건축물의 원시취득으로 과세하는 것이 낮은 세율이 적용되므로 납세자 입장에서 유리하다. 부속토지에 대해 과세할 경우 승계취득 세율이 적용되어 세부담이 커지기 때문이다.[16)]

이와 같이 재개발주택의 취득에서 취득대상을 부속토지를 포함한 전체로 보는 것은 바람직하지 않다. 따라서 제74조 제1항은 일반적인 감면규정이라기 보다 재개발주택의 과세체계에 대한 특례 규정으로 이해하는 것이 합리적이라고 사료된다. 그에 따라 청산금에 상당하는 부동산에 대한 과세에 있어 그 과세대상을 건축물의 원시취득으로 보고 청산금을 과세표준으로 보는 것이 타당하다.

한편 청산금에 상당하는 부동산의 성격(승계조합원에게 과세하는 "그 초과액에 상당하는 부동산" 포함)을 온전히 신축 건축물의 원시취득으로 볼 경우 불합리한 사례도 있을 수 있다. 예를들어 기존에 건축물만 있고 토지가 없는 조합원의 경우도 사업 결과 새로운 부동

16) 극히 예외적인 사례일 수 있지만, 재개발사업(舊 도시환경정비사업)으로 대도시내 법인(조합원)이 새로운 부동산을 취득하는 경우 해당 건축물이 중과대상(본점 사무소용 신축)인 경우라면 납세자 입장에서는 청산금에 상당하는 부분을 온전히 건축물의 원시취득으로 과세하기보다 일부는 토지의 승계취득으로 보는 것이 더 유리할 수 있다.

산(부속토지 포함)을 취득하는 사례가 있다. 이러한 조합원의 입장에서는 새로 취득하는 부동산은 부속토지가 포함되었다고 보는 것이 타당하므로 청산금에 상당하는 부동산에 대해 건축물(원시취득 2.8%)과 부속토지(승계취득 4%)로 이원화해서 과세하는 것이 타당하다. 이 경우 과세표준의 안분과 관련해서는 조합원 분양가 중 건축물 원시취득분을 제외한 나머지는 토지 과표로 과세하는 방안이다. 여기서 원시취득분은 전체공사비 가액을 참고하여 해당 면적으로 안분한 가액을 적용할 수 있다.[17)]

6. 승계조합원의 취득세

재개발사업(주택재개발로 한정하여 살펴봄)에서 관리처분계획에 따라 취득하는 부동산에 대해서는 취득세를 2022년까지 면제한다. 정비구역지정 이후 환지 이전에 부동산을 승계취득한 경우에는 관리처분계획에 따른 취득부동산의 가액 합계액이 종전의 부동산 가액 합계액을 초과하는 경우에는 그 초과액에 상당하는 부동산에 대해서는 과세한다.

승계조합원은 사업시행인가(취득당시 소득세법 제104조의 2 제1항의 투기지역으로 지정된 경우에는 정비구역 지정일을 기준으로 앞당겨 적용) 이후 환지 이전에 부동산을 취득한 경우를 의미한다. 예를 들어 관리처분계획인가 이후 건축물이 멸실된 이후 승계취득한 경우를 가정하자. 조합원 분양신청을 거쳐 향후 새로운 주택에 대한 취득가액이 5억원(관리처분계획에 따라 취득하는 부동산의 가액)으로 확정되어 있고, 기존 소유부동산의 감정평가를 거쳐 권리가액으로 산정된 가액이 3억원이고 그에 따라 향후 추가분담금(청산금)을 2억원 납부하기로 예정된 조합원이라고 가정하자. 이러한 조합원의 소유부동산(멸실이후 건축중에 있으므로 토지를 취득)을 취득하여 승계조합원이 되는 경우 잔금지급일에 토지를 취득한 것으로 보아 3억원을 과세표준으로 4% 취득세율로 과세한다. 이후 재개발주택의 준공 시점에 관리처분계획에 따라 취득하는 주택가격 5억원에서 종전의 부동산가액의 합계액 3억원을 제외한 2억원에 대해 취득세(원조합원과 같이 건축물의 원시취득으로 봄)를 과세한다.

이와 같이 승계조합원의 경우 토지취득 시점과 건축물 준공시점에 취득세를 과세함으로써 2건의 독립적인 취득세 과세요건이 발생한다. 취득의 시기가 다르고 과세대상의 성격이

17) 만약 이러한 부동산을 취득하는 승계조합원이 있다면 승계조합원의 취득시점을 언제로 보고 무엇을 과세대상으로 삼을지 쟁점이 될 수 있다. 나아가 기존의 토지 면적이 새로 취득하는 주택의 부속토지 면적(대지권)보다 적은 경우도 있을 수 있는데, 필자의 의견은 기존에 조금의 토지라도 보유한 상태에서 조합원이 되었다면 새로 취득하는 부동산의 토지(대지권) 면적이 기존 토지면적보다 더 크더라도 청산금에 상당하는 부동산은 건축물의 원시취득으로 보는 것이 합리적이라고 사료된다. 제74조의 명확한 해석이나 추가적인 입법보완이 필요하다.

다르기 때문에 각각 독립적인 취득세 납세의무가 성립한다. 단지 제74조 제1항에 따라 과세표준을 적용함에 있어서는 새로 취득하는 부동산의 가액을 기준으로 토지(승계취득)와 건축물(원시취득)로 안분한다고 보는 것이 합리적이다.

만약 프리미엄을 지불하고 토지를 취득하여 승계조합원이 된 경우 취득세 과세표준은 다음과 같이 적용한다. 취득세 과세표준에는 부동산을 취득하기 위한 일체의 직·간접 비용을 포함하도록 규정(지방세법 §10 ①, 영 §18 ①)하고 있는데, 종전부터 조합원 입주권과는 구분되지만 분양권 프리미엄에 대해서는 취득세 과표에 포함하였다. 그리고 마이너스 프리미엄에 대해서는 취득세 과세표준에서 공제하는 법적 근거를 신설하여 '16년부터 적용하고 있다(지방세법 시행령 §18 ④). 따라서 조합원의 지위를 승계(토지 취득)할 때 종전 토지의 가액에 분양권 프리미엄을 더하여 취득세를 과세하는 것이 타당하다. 이 후 입주할 때(준공으로 인한 원시취득 시기 도래) 분양 가격에 승계취득 당시 프리미엄을 더한 가격에서 토지 취득 당시 취득가액을 차감한 가액을 과세표준(추가분담금)으로 과세한다('19.6.26. 행안부 보도자료). 위의 사례에서 토지 취득당시 프리미엄이 1억원이라면 승계취득시 토지 취득에 대해 과표는 4억원을, 준공시점에 건축물 원시취득에 대해 2억원[6(5+1) - 4(3+1) =2억원]을 과세표준으로 적용한다.

- **주택재개발사업으로 사업시행자가 취득하는 임대주택(도시정비법령 및 조례에 공급이 강제)은 체비지에 해당하지 않으므로 취득세 면제대상이 아님**

  도시정비법상 '도시개발법에 의한 보류지 또는 체비지'로 간주하기 위한 요건을 직접 규정하고 있는바 '분양신청을 받은 후 잔여분이 있는 경우'이어야 하나 임대주택은 '분양신청을 받은 후 잔여분'이라고 할 수 없음. 또한 사업시행자가 취득하는 체비지 또는 보류지는 이 사건 면제규정에 의하여 '면제'되고, 관리처분계획에 따라 취득하는 주택은 '경감'되는 것을 볼 때, 입법자는 사업시행자가 관리처분계획에 따라 취득하는 주택 중 보류지 또는 체비지에 해당되지 않는 것이 있음을 염두에 두고 별도로 이 사건 감경규정을 둔 것으로 이해됨. 아울러 이 사건 관리처분계획에서 이 사건 임대주택의 처분에 대해서는 규정하고 있지 아니하고, 게다가 이 사건 관리처분계획에서 '공동주택은 조합원 및 일반에게 분양하고', '임대주택은 서울특별시장에게 처분한다'고 규정함으로써 일반분양과 이 사건 임대주택의 처분을 달리 취급하고 있음(대법원 2019두53914, 2020.1.16.).

- **주택재개발사업 취득세 감면대상에 해당하는 정비구역지정 고시일 현재 부동산 소유자에 상속인도 포함됨**

  현행 감면규정을 문리적으로만 해석한다면 조합원의 사망으로 부동산을 상속받은 상속인이 연면적 85㎡ 초과 주택을 취득하는 경우에는 감면대상이 되는 반면, 조세지원이 많이 필요한 85㎡ 이하 소규모주택을 취득하는 경우에는 감면대상에서 제외되는 불형평성이 있는 점, 부동산의 상속인이 주택재개발사업 관련 피상속인의 조합원 지위 등을 포괄적으로 승계하고 있는 점 … 등을 종합적으로 고려하여 볼 때 취득세 감면대상에 해당하는 주택재개발사업 정비구역지정 고시일 현재 부동산 소유자에 상속인도 포함된다고 봄이 타당하다고 할 것임(지방세운영과-2224, 2013.9.6.).

◎ 주택재개발사업의 정비구역 지정고시일 현재 부동산을 소유한 자를 청산금에 대한 취득세 면제대상으로 규정하면서도, 「지방세법」 제109조 제3항 본문과는 달리 상속인을 당초 부동산 소유자로 본다는 별도의 규정을 두고 있지 아니하므로 주택재개발사업 시행 인가 후, 종전 부동산을 상속을 원인으로 취득한 청구인을 위 조례에 의한 면제대상에 해당되지 아니하는 것으로 봄이 타당함(조심 2010지0536, 2011.7.4.).

◎ 피상속인이 보상금을 이미 수령한 경우, 상속인을 감면대상으로 볼 수 없음

피상속인이 사망 이전에 수용 부동산에 대하여 보상금을 이미 수령한 경우라면, 상속일 현재 당해 수용 부동산의 소유자는 사업시행자라고 할 것이므로 상속자의 경우 사업시행자가 공급하는 전용면적 85제곱미터 이하의 주거용 부동산에 대한 특별분양대상자로서 지위(특별분양권)를 상속받은 경우에 해당될 뿐이고, 피상속인으로부터 부동산을 상속받은 것은 아니라고 할 것이므로 위 규정 취득세 면제대상인 '정비구역지정 고시일 현재 부동산을 소유하는 자'라고 보기는 어렵다고 할 것임(지방세운영과-2170, 2012.7.10.).

◎ 도시환경정비사업의 일반분양분을 사업시행자가 취득하는 경우 면제대상 체비지에 해당

지특법 제74조 제1항에서 사업시행자가 취득하는 체비지에 대하여 취득세를 감면한다고 규정하고 있을 뿐, 감면요건으로 그 사업시행자가 토지소유자인지 여부는 규정하고 있지 않고, 도정법 제55조 제2항에 따르면 일반에게 분양하는 대지 또는 건축물은 도시개발법 제34조 제1항에 의한 체비지로 본다고 규정하고, 도시개발사업에 필요한 경비에 충당할 수 있는 것을 체비지로 정하여 규정하고 있으므로, 그 일반분양(체비지)분은 지특법 제74조 제1항에서 정한 체비지로서 취득세 면제대상(지방세특례제도과-2772, 2015.10.12.)

◎ 체비지를 원시적으로 취득하지 아니한 이상 면제대상에 해당되지 않음

체비지는 「도시개발법」 제42조 제5항에 따라 환지처분이 공고된 날의 다음 날에 사업시행자가 원시취득한다고 할 것이고, 이는 지방세법 제74조 제1항에 따라 취득세 면제대상이라고 할 것이나 이후 사업시행자(조합)로부터 매수(소유권이전)하는 경우는 승계취득에 해당된다고 할 것이고, 사업시행자로부터 승계취득에 대한 경우에는 별도의 면제규정이 없어 취득세 납세의무가 있다고 할 것이며, 그 승계취득자가 공동시행자이거나 공사비 대가로 취득하

는 경우라 하더라도 체비지를 원시적으로 취득하지 아니한 이상 취득세 면제대상에 해당된다고 보기는 어렵다고 할 것임(지방세운영과-4733, 2011.10.10.).

◎ 사업시행일 이후 환지예정지 승계 취득시의 과세표준

사업시행일 이후 환지예정지 승계 취득자의 경우 실질적으로 사업시행 결과 그 보다 재산적 가치가 증가한 새로운 부동산을 취득하는 것을 목적으로 하고 있어 당초부터 부동산을 소유한 원 조합원과 달리 부동산투기 등을 목적으로 취득한 부재지주로 간주하여 취득세 비과세를 배제하는 입법 및 판례취지 등에 비추어 볼 때, 승계 취득자로서 환지계획 등에 의한 취득부동산가액의 합계액이 종전 부동산 가액의 합계액을 초과한 경우로서 관계법령에 따라 청산금을 부담한 경우, 그 청산금에 대한 취득세 과세와는 별도로 그 초과액 즉, 환지계획 등에 의한 취득부동산의 가액에서 승계 취득할 당시의 취득가액을 공제한 금액을 과표로 하여 취득세를 과세함이 타당(지방세운영과-4861, 2010.10.15.)

◎ 주택재건축사업으로 취득하는 신축아파트는 비과세대상에 해당되지 않음

「지방세법」 제109조 제3항에서 비과세 대상사업을 「도시 및 주거환경 정비법」에 의한 정비사업 중 주택재개발사업 및 도시환경정비사업으로만 한정하고 있는 이상 주택재건축사업은 이에 해당하지 않는다고 할 것이므로, 주택재건축사업의 일환으로 재건축아파트 조합원이 원시취득하는 신축아파트의 경우에는 동 규정에 의한 비과세 대상에 해당하지 않는다고 판단됨(지방세운영과-3997, 2009.9.22.).

◎ 도시개발법에 의한 보류지인 쟁점토지의 경우 청구법인이 한시적으로 관리할 뿐이고 환지처분이 완료되면 지방자치단체에 기부채납된다 하더라도 도시개발사업의 보류지인 쟁점토지의 납세의무자를 동 사업의 시행자인 청구법인으로 하여 이 건 재산세를 부과한 처분은 잘못이 없음(조심 2010지0954, 2011.7.13.).

◎ 사업시행자가 환지예정지를 현금청산한 경우 감면대상에 해당됨

도시개발사업의 환지예정지가 목적사업에 부적합하다는 이유로 사업완료 후 현금청산하기로 합의한 상태에서 대체토지를 취득한 경우, 환지처분은 사업준공 후 확정되는 것이고 사업시행자가 환지예정지를 현금청산한다는 것은 사업시행자가 당초 환지계획을 철회하여 당해 토지를 환지대상에서 제외하고 이에 대한 대가를 금전으로 보상한다는 것이므로 이는 사업시행자가 청구법인의 소유토지를 수용한 것으로 보아 감면대상에 해당됨(조심 2009지0682, 2010.4.16.).

◎ 토지구획정리사업을 하면서 환지를 체비지로, 체비지를 환지로 변경한 다음, 체비지환지매매 교환계약에 의하여 체비지(환지에서 체비지로 변경토지)대장의 소유자를 조합에서 당초 환지소유자로 변경등록한 경우 환지계획에 의하여 취득하는 토지에 해당되지 않으므로 감면

대상에 해당하지 않음(조심 2009지0476, 2009.11.24.).

◎ 피상속인이 「도시 및 주거환경정비법」에 따른 주택재개발사업의 보상금을 수령하지 않은 상태에서 정비구역지정 고시일 이후에 상속이 개시되었다면 비록 상속인이라고 하더라도 해당 사업의 대상이 되는 부동산의 소유자로 본다는 명문의 규정이 없는 이상 당해 상속인은 정비구역지정 고시일 현재 부동산의 소유자가 아니기 때문에 취득세를 감면할 수 없음(감심 2008-106, 2008.4.10. 심사결정).

◎ 도시환경정비사업의 사업시행자가 대지조성을 위하여 취득하는 경우 감면대상이 아님
국민들이 도시 등 정비사업을 알기 쉽게 할 목적으로 개정한 도시 및 주거환경정비법(시행 2018.2.9.)에서, '주택재개발사업과 도시환경정비사업'을 '재개발사업'으로 통합하고 '타법개정'의 형식으로 개정하면서 舊지특법 제74조 제3항과 같은 항 제1호 등에서 차용하고 있는 '주택재개발사업'을 '재개발사업'으로 조정한 것은 무분별한 지방세 감면의 신설이나 확대를 방지하기 위해 거치도록 하고 있는 지방세 특례의 사전·사후관리 절차(지특법 제181조)를 거치지 않은 단순 자구조정에 불과함. 따라서 취득세가 감면되는 재개발사업의 범위는 주택재개발사업으로 제한(지방세특례제도과-2884, 2018.8.22.)

◎ 재개발사업 등의 관리처분계획 인가 당시에 일반분양하는 상가 전체 면적은 확정되어 있었으나 개별 호수별로는 구분되지 아니한 경우라도 소유권이전고시가 분양하는 상가의 개별 호수별로 되었고 그에 따라 개별 호수별로 취득이 이루어졌다면 취득세 면제대상 체비지에 해당함(지방세특례제도과-2362, 2020.10.5.).

◎ 재개발조합이 관리처분계획서상 대지조성용으로 예정된 용도폐지되는 도로를 국가로부터 무상양여받아 준공일에 취득하는 경우 취득세 감면대상 대지조성용 토지에 해당(지방세특례제도과-1948, 2020.8.20.)

제75조(지역개발사업에 대한 감면)

> **법** 제75조(지역개발사업에 대한 감면) 「지역균형개발 및 지방중소기업 육성에 관한 법률」 제9조에 따라 개발촉진지구로 지정된 지역에서 사업시행자로 지정된 자가 같은 법에 따라 고시된 개발사업을 시행하기 위하여 취득하는 부동산에 대하여는 2015년 12월 31일까지 취득세를 면제하고, 그 부동산에 대한 재산세의 납세의무가 최초로 성립하는 날부터 5년간 재산세의 100분의 50을 경감한다. 다만, 그 취득일부터 3년 이내에 정당한 사유 없이 그 사업에 직접 사용하지 아니하거나 매각·증여하는 경우에 해당 부분에 대하여는 감면된 취득세와 재산세를 추징한다.

개발촉진지구의 원활한 사업시행을 위해 사업시행자가 개발사업 시행을 위해 취득하는 부동산에 대한 세제지원을 규정하고 있는데, 2015년을 마지막으로 그 감면의 일몰이 종료되었다.

◎ 개발촉진지구 안에서 사업시행자로 지정된 귀 사가 개발사업(○○하모니리조트 조성사업)을 시행하기 위하여 토지를 취득한 후 지목변경을 하는 경우에는 지목변경도 개발사업을 시행하기 위한 부동산의 취득으로 보아 취득세 면제 대상에 포함됨(지방세정팀-2726, 2006.7.4.).

◎ **사업 진행에 필요한 투자금 조달, 시공사 선정 지연 등 자금사정이나 수익상의 문제로 개발사업을 지체하거나 중단하였기 때문에 정당한 사유로 볼 수 없음**

원고의 개발사업 범위와 규모에 비추어 개발사업에 사용하기 위하여 준비하는데 상당한 시간이 걸릴 것으로 보이고, 실시계획승인을 받기 위하여 관계 기관과의 협의절차를 거치고 사업부지에 대한 조사를 진행하는 등의 준비행위를 한 사실을 인정할 수 있음, 그러나 토지의 최종 취득일로부터 3년 이내에 개발사업에 사용할 수 없는 법령상·사실상의 장애 및 행정관청의 금지나 제한 등의 외부적 사유가 있었다고 볼 수 없고, 개발사업에 지연된 주된 이유는 사업 진행에 필요한 투자금 조달, 시공사 선정 지연 등 자금사정이나 수익상의 문제로 개발사업을 지체·중단되었음 … 정당한 사유가 있다고 보기에 부족(대법원 2014두42919, 2015.2.12. 심리불속행).

◎ **개발촉진지구 내 사치성재산은 취득세 감면대상에서 제외됨**

「지역균형개발 및 지방중소기업 육성에 관한 법률」에 의하여 개발촉진지구로 지정된 지역 안에서 사업시행자로 지정된 자가 개발사업을 시행하기 위하여 취득하는 부동산에 대하여는 취득세를 면제하되, 「지방세법」 제112조의 규정에 의한 사치성재산의 취득에 대하여는 감면대상에서 제외하는 것인 바, 청구인은 개발촉진지구로 지정된 이 건 토지상에 사치성재산에 해당하는 회원제 골프장을 신설한 사실이 확인되는 이상 취득세 등의 감면 제외대상에 해당함(조심 2011지0459, 2012.3.30.).

◎ **개인사업자가 사업시행자로 지정받고 취득한 쟁점토지를 현물출자하여 청구법인을 설립하여 사업시행자가 되었다면 청구법인도 사업시행자로서 감면대상에 해당됨**

쟁점토지의 소유자이면서 개인사업자인 청구법인의 대표이사 ○○○ 등이 이 건 개발촉진지구의 사업시행자로 지정받은 후 개인사업자인 청구법인의 대표이사 등이 쟁점토지를 현물출자하여 청구법인으로 전환한 경우로써, 실질적으로는 동일한 사업주가 사업의 운영형태만 바꾸었을 뿐 법인전환 전·후로 개발사업의 시행내용이 동일하게 유지된 상태에서 사업이 완료된 점 등에 비추어 청구법인은 쟁점토지의 사실상 지목변경일에 개발촉진지구로 지정된 지역에서 사업시행자의 지위에 있었다고 보는 것이 타당함(조심 2014지1104, 2016.7.22.).

제75조의 2(기업도시개발구역 및 지역개발사업구역 내 창업기업 등에 대한 감면)

법 제75조의 2(기업도시개발구역 및 지역개발사업구역 내 창업기업 등에 대한 감면) ① 다음 각 호의 어느 하나에 해당하는 사업을 영위하기 위하여 취득하는 부동산으로서 그 업종, 투자금액 및 고용인원이 대통령령으로 정하는 기준에 해당하는 경우에 대해서는 취득세 및 재산세의 100분의 50의 범위에서 조례로 정하는 경감률을 각각 2022년 12월 31일까지 적용한다.

1. 「기업도시개발 특별법」 제2조 제2호에 따른 기업도시개발구역에 2022년 12월 31일까지 창업하거나 사업장을 신설(기존 사업장을 이전하는 경우는 제외한다)하는 기업이 그 구역의 사업장에서 하는 사업
2. 「기업도시개발 특별법」 제10조에 따라 지정된 사업시행자가 하는 사업으로서 같은 법 제2조 제3호에 따른 기업도시개발사업
3. 「지역 개발 및 지원에 관한 법률」 제11조에 따라 지정된 지역개발사업구역(같은 법 제7조 제1항 제1호에 해당하는 지역개발사업으로 한정한다)에 2022년 12월 31일까지 창업하거나 사업장을 신설(기존 사업장을 이전하는 경우는 제외한다)하는 기업(법률 제12737호 지역 개발 및 지원에 관한 법률 부칙 제4조에 따라 의제된 지역개발사업구역 중 「폐광지역 개발 지원에 관한 특별법」에 따라 지정된 폐광지역진흥지구에 개발사업시행자로 선정되어 입주하는 경우에는 「관광진흥법」에 따른 관광숙박업 및 종합휴양업과 축산업을 경영하는 내국인을 포함한다)이 그 구역 또는 지역의 사업장에서 하는 사업
4. 「지역 개발 및 지원에 관한 법률」 제11조(같은 법 제7조 제1항 제1호에 해당하는 지역개발사업으로 한정한다)에 따른 지역개발사업구역에서 같은 법 제19조에 따라 지정된 사업시행자가 하는 지역개발사업

② 제1항에 따른 지방세 감면세액은 대통령령으로 정하는 바에 따라 추징할 수 있다.
[본조신설 2015.12.29.]

영 제35조의 2(기업도시 및 지역개발사업구역 내 창업기업 등) ① 법 제75조의 2 제1항 각 호 외의 부분 본문에서 "대통령령으로 정하는 기준"이란 다음 각 호의 구분에 따른 기준을 말한다.

1. 법 제75조의 2 제1항 제1호 및 제3호에 따라 취득세 또는 재산세를 감면하는 사업 : 다음 각 목의 어느 하나에 해당하는 사업일 것
   가. 「조세특례제한법 시행령」 제116조의 2 제17항 제1호ㆍ제4호 또는 제5호에 해당하는 사업으로서 투자금액이 20억원 이상이고 상시근로자 수가 30명 이상일 것 나. 「조세특례제한법 시행령」 제116조의 2 제17항 제2호에 해당하는 사업으로서 투자금액이 5억원 이상이고 상시근로자 수가 10명 이상일 것 다. 「조세특례제한법 시행령」 제116조의 2 제17항 제3호에 해당하는 사업으로서 투자금액이 10억원 이상이고 상시근로자 수가 15명 이상일 것
2. 법 제75조의 2 제1항 제2호 및 제4호에 따라 취득세 또는 재산세를 감면하는 사업 : 다음 각 목의 어느 하나에 해당하는 경우로서 총 개발사업비가 500억원 이상인 사업일 것
   가. 「기업도시개발 특별법」 제11조에 따른 기업도시개발계획에 따라 같은 법 제2조 제2호에

따른 기업도시개발구역(이하 이 조에서 "기업도시개발구역"이라 한다)을 개발하는 경우
나. 「지역 개발 및 지원에 관한 법률」 제19조에 따라 지정된 사업시행자가 같은 법 제11조에 따라 지정된 지역개발사업구역(이하 이 조에서 "지역개발사업구역"이라 한다)을 개발하기 위한 지역개발사업을 하는 경우
다. 「지역 개발 및 지원에 관한 법률」 제19조에 따라 지정된 사업시행자가 같은 법 제67조에 따른 지역활성화지역(이하 이 조에서 "지역활성화지역"이라 한다)을 개발하기 위한 지역개발사업을 하는 경우

② 다음 각 호의 어느 하나에 해당하는 경우에는 법 제75조의 2 제2항에 따라 그 감면된 취득세 또는 재산세를 각 호에서 정하는 바에 따라 추징한다.

1. 다음 각 목의 어느 하나에 해당하는 경우에는 그 사유가 발생한 날부터 소급하여 5년 이내에 감면받은 세액 전액을 추징한다.
가. 「기업도시개발 특별법」 제7조에 따라 기업도시개발구역의 지정이 해제된 경우
나. 기업도시개발구역에 창업한 기업이 폐업하거나 신설한 사업장을 폐쇄한 경우
다. 「지역 개발 및 지원에 관한 법률」 제18조에 따라 지역개발사업구역의 지정이 해제되거나 같은 법 제69조에 따라 지역활성화지역의 지정이 해제된 경우
라. 지역개발사업구역과 지역활성화지역에 창업한 기업이 폐업하거나 신설한 사업장을 폐쇄한 경우
2. 다음 각 목의 어느 하나에 해당하는 경우에는 감면받은 세액 전액을 추징한다.
가. 해당 감면대상사업에서 최초로 소득이 발생한 과세연도(사업개시일부터 3년이 되는 날이 속하는 과세연도까지 해당 사업에서 소득이 발생하지 아니한 경우에는 사업개시일부터 3년이 되는 날이 속하는 과세연도를 말한다. 이하 이 목에서 같다)의 종료일부터 2년 이내에 제1항에 따른 감면기준을 충족하는 투자가 이루어지지 아니한 경우 다만, 제1항 제1호 각 목의 기준 중 상시근로자 수의 경우 해당 감면대상사업에서 최초로 소득이 발생한 과세연도의 종료일 이후 2년 이내의 과세연도 종료일까지의 기간 중 하나 이상의 과세연도에 해당 기준을 충족하는 경우에는 추징하지 않는다. 나. 정당한 사유 없이 부동산 취득일부터 3년이 경과할 때까지 취득한 부동산을 해당 용도로 직접 사용하지 아니하거나 해당 용도로 직접 사용한 기간이 2년 미만인 상태에서 그 부동산을 매각·증여하거나 다른 용도로 사용하는 경우

③ 제1항 제1호를 적용할 때 상시근로자의 범위 및 상시근로자 수의 계산에 관하여는 「조세특례제한법 시행령」 제11조의 2 제5항부터 제7항까지의 규정을 준용한다. [본조신설 2015.12.31.]

기업도시개발구역·지역개발사업구역 내 창업·신설 기업에 대한 감면, 해당사업구역의 사업시행자에 대한 감면을 규정하고 있다. 2016년, 지방세 특례의 법령 일원화를 위해 조세특례제한법 상 2015년에 일몰되는 감면 중 기업도시 및 지역개발사업구역에 대한 감면규정(§121의 17)을 지방세특례제한법으로 이관하여 규정하였고, 2017년에는 감면율을 현행과 같이 축소(100%→50%)하면서 급격한 세부담 방지를 위해 2018년부터 적용토록 하였다. 2020년에는 기업도시개발구역·지역개발사업구역 내 창업·신설 기업과 해당사업구역의

사업시행자에 대한 감면 적용시 법인세 감면 규정과 동일하게 적용토록 투자금액 및 고용인원 요건을 신설하였다[조세특례제한법 §121의 17('18.12.24.) 및 시행령 §116의 21('19.2.12.) 시행 참고]. 창업·신설 기업의 경우 상시근로자 범위 및 상시근로자 수의 계산은 조세특례제한법 시행령 제11조의 2 제5항부터 제7항까지의 규정을 준용한다. 상시근로자 수의 경우 해당 감면대상사업에서 최초로 소득이 발생한 과세연도의 종료일 이후 2년 이내의 과세연도 종료일까지의 기간 중 하나 이상의 과세연도에 해당 기준을 충족하는 경우 추징하지 않는다.

다음에 해당하는 사업을 영위하기 위해 취득하는 부동산으로서 업종, 투자금액, 고용인원 등 일정요건을 충족하는 경우에는 취득세와 재산세를 50% 범위에서 조례로 정하는 율로 감면한다(법 ①).

구분	대상	감면 요건
기업도시 개발구역	사업시행자	개발사업비 500억↑, 기업도시개발구역을 개발
	창업 or 사업장 신설[1]	업종제한 및 업종별 투자금액·상시근로자 기준 상이[2]
지역개발 사업구역	사업시행자	개발사업비 500억↑, 지역개발사업구역 또는 지역활성화지역을 개발
	창업 or 사업장 신설[1]	업종제한 및 업종별 투자금액·상시근로자 기준 상이[2]

1) 기존 사업장을 이전하는 경우는 감면대상에서 제외

2)

감면업종	투자금액	상시근로자
제조업 등	20억원 ↑	30명 ↑
연구개발업	5억원 ↑	10명 ↑
복합물류터미널사업 등	10억원 ↑	15명 ↑

2020년부터는 창업기업에 대한 투자금액을 완화하는 대신 종업원 기준을 추가해 요건을 강화하면서, 종전 취득한 부분에 대해서는 종전 규정을 적용하도록 부칙을 두었다. 따라서 2019년에 토지를 취득하고 2020년에 건축물을 취득하였다면, 토지는 2019년 규정에 따라, 건축물은 종업원을 추가한 2020년 규정에 따라 감면을 적용해야 한다. 감면대상 기업도시개발구역과 지역개발사업구역은 각각 사업시행자와 입주기업으로 나누어, 사업시행자는 개발사업비가 500억원 이상이어야 하고 그 지역을 개발하여야 하며, 그 구역에서 창업하거나 사업장을 신설하는 경우에는 특정된 업종에 해당하고 그 업종별로 투자금액이랑 상시근로자 수를 충족하는 경우에 감면을 적용한다. 추징규정에서 알 수 있듯이 해당 규정은 사전적 감면이고 일정기간 내 그 요건을 충족하면 감면대상에 해당한다 하겠다.

아래의 어느 하나에 해당하는 경우에는 취득세 또는 재산세를 추징한다(법 ②). 먼저, 기업도시개발구역·지역개발사업구역·지역활성화지역의 지정이 해제되는 경우, 해당구역·지역에 창업한 기업이 폐업하거나 신설한 사업장을 폐쇄한 경우에는 그 사유발생일부터 소급하여 5년 이내에 감면받은 세액 전액을 추징한다. 다음으로 최초로 소득이 발생한 과세연도(해당 사업에서 지속적으로 소득 미발생시 3년이 되는 날이 속하는 과세연도)의 종료일부터 2년 이내에 제1항의 감면기준을 미충족시(상시근로자 수의 경우는 그 기간 중에 1이상 과세연도에 상시근로 요건을 충족하는 경우라면 추징을 배제), 정당한 사유없이 취득 3년 경과시까지 직접 미사용시, 직접사용 2년 미만 상태에서 매각·증여 또는 타용도 사용시에는 기감면한 세액 전체를 추징한다.

◎ 기업도시 개발사업시행자가 골프장을 건설하여 임대한 경우 직접 사용에 해당하지 않음

지특법 제2조 제1항 제8호의 직접 사용은 개별규정에서 예외를 규정하지 않은 이상, 소유자가 해당 부동산을 자신의 사업수행에 스스로 사용하는 경우를 의미한다고 봄. [위 개정 지방세특례제한법 부칙 제3조는 이 법 시행 후 최초로 과세기간이 시작되어 납세의무가 성립하는 분부터 적용한다고 규정하고 있고, 원고가 이 사건 부동산 등을 취득할 날이 위 시행일 이후로서, 이 법이 시행된 후 원고에게 납세의무가 성립하였으므로, 위 규정이 적용됨] 조특법 제121조의 19 제1항은 취득세 등과는 달리 해당 사업에 직접 사용하지 아니하는 경우를 추징 사유로 규정하고 있지 않아 임대소득에 대해 법인세 등이 감면된다는 사정만으로 취득세 등도 감면된다고 볼 수는 없음. '해당 사업에 직접 사용'이라 함은 원고가 소유자로서 주체가 되어 이 사건 골프장을 조성한 후에 이 사건 부동산 등을 그 용도와 목적에 맞게 스스로 사용하는 것을 의미한다고 봄이 타당. 원고가 이 사건 골프장 조성을 마치고 이 사건 부동산 등을 취득한 후에 그 용도와 목적에 맞게 스스로 사용하지 아니하고, 곧바로 ○○○○○에게 임대하고 운영을 위탁하였으므로 '해당 사업에 직접 사용'에 해당하지 않음(대법원 2018두65996, 2019.4.5.).

◎ '기업도시개발사업 시행자'를 '산업단지 시행자'로 의제되는 경우라도 이를 산업단지시행자로 감면적용을 불가함

어떠한 법률에서 주된 인·허가가 있으면 다른 법률에 의한 인·허가가 있는 것으로 보는 데 그치는 것이고, 더 나아가 다른 법률에 의하여 인·허가를 받았음을 전제로 한 다른 법률의 모든 규정들까지 적용되는 것은 아님(대법원 2013두11338), 또한 지특법 제3조 ①에서는 이 법, 지방세법 및 조세특례제한법에 따르지 아니하고는 지방세법에서 정한 일반과세에 대한 지방세 특례를 정할 수 없도록 규정하고 있으므로, 다른 법률에 따라 산업단지시행자로 의제된다 하여도 산업단지에 대한 감면규정까지 적용할 수 없음(지방세특례제도과-709, 2016.4.7.).

제75조의 3(위기지역 내 중소기업 등에 대한 감면)

법 제75조의 3(위기지역 내 중소기업 등에 대한 감면) ① 다음 각 호의 지역(이하 이 조에서 "위기지역"이라 한다)에서 제58조의 3 제4항 각 호의 업종을 경영하는 중소기업이 위기지역으로 지정된 기간 내에 「중소기업 사업전환 촉진에 관한 특별법」 제2조 제2호에 따른 사업전환을 위하여 같은 법 제8조에 따라 2021년 12월 31일까지 사업전환계획 승인을 받고 사업전환계획 승인일부터 3년 이내에 그 전환한 사업에 직접 사용하기 위하여 취득하는 부동산에 대해서는 취득세의 100분의 50(100분의 50 범위에서 조례로 따로 정하는 경우에는 그 율)을 경감하고, 2021년 12월 31일까지 사업전환계획 승인을 받은 중소기업이 과세기준일 현재 전환한 사업에 직접 사용하는 부동산에 대해서는 사업전환일 이후 재산세 납세의무가 최초로 성립하는 날부터 5년간 재산세의 100분의 50(100분의 50 범위에서 조례로 따로 정하는 경우에는 그 율)을 경감한다.

1. 「고용정책 기본법」 제32조 제1항에 따라 지원할 수 있는 지역으로서 대통령령으로 정하는 지역
2. 「고용정책 기본법」 제32조의 2 제2항에 따라 선포된 고용재난지역 3. 「국가균형발전 특별법」 제17조 제2항에 따라 지정된 산업위기대응특별지역

② 다음 각 호의 어느 하나에 해당하는 경우에는 제1항에 따라 경감된 취득세를 추징한다.

1. 정당한 사유 없이 취득일부터 3년이 지날 때까지 그 부동산을 해당 사업에 직접 사용하지 아니하는 경우 2. 취득일부터 3년 이내에 다른 용도로 사용하거나 매각·증여하는 경우 3. 최초 사용일부터 계속하여 2년 이상 해당 사업에 직접 사용하지 아니하고 매각·증여하거나 다른 용도(임대를 포함한다)로 사용하는 경우

③ 제58조의 3에 따라 감면받은 중소기업이 제1항에 따른 경감 대상에 해당하는 경우에는 제58조의 3 제7항 본문에 따른 추징을 하지 아니한다. [본조신설 2018.12.24.]

영 제35조의 3(고용위기지역의 범위) 법 제75조의 3 제1항 제1호에서 "대통령령으로 정하는 지역"이란 「고용정책 기본법 시행령」 제29조 제1항에 따라 고용노동부장관이 지정·고시하는 지역을 말한다. [본조신설 2018.12.31.]

고용위기지역*, 고용재난지역, 산업위기대응특별지역** 내 기존 중소기업 중 사업전환기업에 대한 지방세 세제지원을 규정하고 있다.

* 전북 군산시, 울산 동구, 거제시, 통영시, 고성군, 창원 진해구, 영암, 목포 등
** 전북 군산시, 울산 동구, 거제시, 통영시, 고성군, 창원 진해구, 영암, 목포, 해남 등

고용위기지역등에서 창업중소기업 감면 업종을 경영하는 중소기업이 위기지역으로 지정된 기간 내에 사업전환을 위해 사업전환승인을 받고 그 승인일부터 3년 이내 전환한 사업에 직접 사용하기 위해 취득하는 부동산에 대한 취득세와 사업전환일 이후 5년간 재산세를 50% 감면하는데, 50% 범위에서 조례로 따로 정하는 경우에는 그 율을 적용하여 감면한다(법 ①).

다만, 정당한 사유없이 취득일부터 3년 경과시까지 직접 미사용시, 취득일부터 3년 이내에 매각·증여 또는 타용도 사용시, 최초사용일부터 계속하여 2년 이상 직접 미사용하고 매각·증여·타용도 사용시에는 감면한 취득세를 추징한다(법 ②).

한편, 창업 중소기업 감면(§58의 3)을 받은 중소기업이 제75조의 3 제1항에 따라 사업전환을 하는 경우에는 제58조의 3 제7항에 따른 추징을 배제한다(법 ③).

제76조(택지개발용 토지 등에 대한 감면)

법 제76조(택지개발용 토지 등에 대한 감면) ① 한국토지주택공사가 국가 또는 지방자치단체의 계획에 따라 제3자에게 공급할 목적으로 대통령령으로 정하는 사업에 사용하기 위하여 일시 취득하는 부동산에 대해서는 취득세의 100분의 20을 2019년 12월 31일까지 경감한다.

감면분만 농비

② 한국토지주택공사가 국가 또는 지방자치단체의 계획에 따라 제3자에게 공급할 목적으로 대통령령으로 정하는 사업에 직접 사용하기 위하여 취득하는 부동산 중 택지개발사업지구 및 단지조성사업지구에 있는 부동산으로서 관계 법령에 따라 국가 또는 지방자치단체에 무상으로 귀속될 공공시설물 및 그 부속토지와 공공시설용지에 대해서는 재산세(「지방세법」 제112조에 따른 부과액을 포함한다)를 2022년 12월 31일까지 면제한다. 이 경우 공공시설물 및 그 부속토지의 범위는 대통령령으로 정한다.

영 제36조(공급목적사업의 범위 등) ① 법 제76조 제1항 및 같은 조 제2항 전단에서 "대통령령으로 정하는 사업"이란 각각 다음 각 호의 어느 하나에 해당하는 사업을 말한다.
1. 「한국토지주택공사법」 제8조 제1항 제1호(국가 또는 지방자치단체가 매입을 지시하거나 의뢰한 것으로 한정한다)에 따른 사업 2. 「한국토지주택공사법」 제8조 제1항 제2호 가목부터 라목까지의 사업 3. 「한국토지주택공사법」 제8조 제1항 제3호·제7호에 따른 사업. 다만, 「주택법」 제2조 제14호 가목에 따른 근린생활시설 또는 같은 호 나목에 따른 공동시설을 건설·개량·매입·비축·공급·임대 및 관리하는 사업은 제외한다. 4. 「한국토지주택공사법」 제8조 제1항 제10호(공공기관으로부터 위탁받은 사업은 제외한다)에 따른 사업 5. 제1호부터 제3호까지의 규정에 따른 사업 및 「한국토지주택공사법」 제8조 제1항 제4호·제5호의 사업에 따라 같은 법 시행령 제11조 각 호의 공공복리시설을 건설·공급하는 사업 6. 「공공토지의 비축에 관한 법률」 제14조 및 제15조에 따른 공공개발용 토지의 비축사업
② 법 제76조 제2항 후단에 따른 공공시설물 및 그 부속토지의 범위는 제6조에 따른다.

국토의 효율적 개발 수행을 위해 설립한 한국토지주택공사의 국가 또는 지자체의 계획에 따른 택지개발 관련 사업에 대한 세제 지원을 규정하고 있다.

한국토지주택공사가 국가 또는 지방자치단체의 계획에 따라 제3자에게 공급할 목적으로

토지의 취득·개발·비축·관리·공급, 토지은행사업 등에 사용하기 위하여 일시 취득하는 부동산에 대해 2019년까지 취득세를 20% 감면한다(법 ①). 同 규정은 수익사업적인 성격 등을 고려하여 그간 지속적으로 취득세의 감면폭을 축소('11년 100%→'13년 75%→'15년 30%→'17년 20%)하다가, 2019년을 마지막으로 그 일몰을 종료하였다. 2018년에는 LH공사의 공동주택 건설사업에 대한 감면은 무주택 서민의 주거안정을 지원할 목적이므로 근린생활시설(상가)은 지원 대상이 아님에도, 사업용 부동산의 범위에 '복리시설'이 포함되고 「주택법」상 '복리시설'에는 '상가'가 포함되므로 '상가'도 감면대상인 것으로 판단한 사례가 있어, LH의 사업용 부동산에서 '근린생활시설'이 제외되도록 이에 대한 명확화 차원에서 입법을 보완하였던바(영 ①) 있었다.

한국토지주택공사가 제1항의 사업에 직접 사용하기 위하여 취득하는 부동산 중 택지개발사업지구 및 단지조성사업지구에 있는 부동산으로서 국가 또는 지방자치단체에 무상으로 귀속될 공공시설물 및 그 부속토지와 공공시설용지에 대해서는 재산세(도시지역분 포함)를 면제한다(법 ②). 2019년에는, 당초부터 목적사업의 범위를 제1항과 제2항에서 각각 시행령으로 위임하고 있었으나 시행령에서는 그 근거를 제1항만 두고 있었던 문제가 있어서 재산세 감면을 규정하는 제2항에도 그 근거가 명확하도록 보완한 바 있다.

◎ **택지개발사업계획에는 학교용지로 지정되었다면 무상귀속계약이 체결되지 아니한 경우라도 재산세 면제대상에 해당됨**

택지개발사업의 시행자가 공공기관이고, 그 시행자가 교육감의 의견을 듣고 학교용지의 조성·개발계획을 포함한 실시계획을 수립하여 지정권자로부터 승인을 받은 경우, 그 실시계획에 포함된 학교용지는 아직 지방자치단체에 학교용지를 무상으로 귀속시킨다는 내용의 수의계약이 체결되지 않았다고 하더라도, 특별한 사정이 없는 한 실시계획에 따라 지방자치단체에 무상으로 귀속될 토지라고 봄이 타당(대법원 2015두56236, 2016.3.24.)

◎ **공공시설용지에는 포함되었지만 실시계획 승인을 받지 않은 경우 감면대상 아님**

대법원에서는 사업시행자가 교육감의 의견을 듣고 학교용지 조성·개발계획을 포함한 실시계획을 수립하여 지정권자로부터 승인을 받은 경우라면 그 학교용지는 특별한 사정이 없는 한 실시계획에 따라 지방자치단체에 무상으로 귀속될 토지라고 봄이 타당하다(대법원 2015두56236)고 판시. 따라서 보금자리 사업지구 내의 당해 학교용지가 공공시설용지 계획에는 포함되었지만 사업의 지정권자로부터 실시계획 승인을 받지 않은 경우라면, 재산세 감면 대상이 아님(지방세특례제도과-572, 2018.2.22.).

◎ '제3자에게 공급 목적'의 공급의 범위에 '임대'는 포함되지 않음

구 지방세법 제289조 제1항은 「한국토지공사법」에 의하여 설립된 한국토지공사와 「대한주택공사법」에 의하여 설립된 대한주택공사가 국가 또는 지방자치단체의 계획에 따라 제3자에게 공급할 목적으로 대통령령이 정하는 사업에 사용하기 위하여 일시 취득하는 부동산에 대하여는 취득세 및 등록세를 면제한다고 규정하고 있는데, 위 조항에서 정한 '제3자에게 공급할 목적으로 일시 취득하는 부동산'에서의 '공급'에는 소유권 처분이 수반되지 않는 '임대'가 포함된다고 볼 수 없다(대법원 2011두7144, 2012.11.29. 및 대법원 2012두27213, 2013.3.28.).

◎ 한국토지주택공사가 분양목적으로 취득하는 60㎡ 초과 공동주택의 경우 「지방세특례제한법」 제76조 제1항 "제3자 공급목적 일시취득 부동산"에 해당

위 규정 취득세 감면대상인 한국토지주택공사가 국가 또는 지방자치단체의 계획에 따라'제3자에게 공급할 목적으로 일시 취득하는 부동산'의 범위에 토지를 제외한다는 규정이 별도로 없고, 한국토지주택공사의 사업범위에 토지뿐만 아니라 주택의 신축・공급 등도 포함하고 있으므로 공동주택의 신축・공급분도 취득세 감면대상에 해당된다고 할 것이고, 그 규모를 60㎡ 이하로 제한한다는 규정도 별도로 없으므로 60㎡ 초과도 포함된다고 할 것임(지방세운영과-1128, 2013.6.20.).

◎ 도시개발사업지구는 '택지개발사업지구 및 단지조성사업지구'에 포함됨

도시개발법에 따른 도시개발사업 사업지구의 경우 도시개발사업이 주거 등의 기능이 있는 단지 또는 시가지를 조성하기 위하여 시행하는 사업으로 정의되고 있는 점과 시・도지사가 도시개발구역의 지정 및 개발계획을 수립하고 사업시행자가 일단의 토지를 활용하여 계획적으로 시행하는 사업인 점으로 보아 지특법 제76조 제2항 소정의 "택지개발사업지구 및 단지조성사업지구"에 포함된다고 보여짐(지방세운영과-2670, 2012.8.22.).

◎ 정부 정책의 일환으로 취득한 토지는 제3자 공급목적 일시취득 부동산에 해당됨

정부에서 발표한 「가계주거 부담완화 및 건설부문 유동성 기원・구조조정 방안(2008.10.21.)」의 일환으로 한국토지공사가 매입・비축하는 토지의 경우, 국가가 주택건설사업자의 부채상환을 위한 유동성지원을 목적으로 정책차원에서 한국토지공사에 요청한 것이므로, 이는 「한국토지공사법」 제9조 ① 제1호의 사업을 위해 국가의 의뢰에 의하여 매입한 토지로 보는 것이 타당하다고 할 것이므로, 「가계주거 부담완화 및 건설부문 유동성 지원・구조조정 방안(2008.10.21.)」의 일환으로 한국토지공사가 취득한 토지는 한국토지공사가 국가의 계획에 따라 제3자에게 공급할 목적으로 일시 취득하는 부동산에 해당하여 취득・등록세 감면대상에 해당한다고 판단됨(지방세운영과-1526, 2009.4.17.).

◎ 관련 법령 개정이 내용변경 없이 호수만 변경된 경우의 법적용 사례

입법취지에 따라 1994.12.22. 지방세법을 개정하여 대한주택공사법 제3조 제5호의 규정에 의한 「대지의 조성 및 공급」용 부동산에 대한 취득세등 감면규정을 신설하였으나, 대한주택공사법이 개정(1997.8.22.)되어 「대지의 조성 및 공급」에 관한 규정이 종전의 제5호에서 제4호로 내용변경없이 호수만 변경된 경우라면 ○○공사의 부동산 공급사업용 부동산에 대하여 취득세 등을 감면하여 부동산 공급사업을 지원하고자 하는 당초 입법취지대로 면제대상으로 하는 것이 타당하다고 판단됨(세정-1228, 2007.4.17.).

◎ 쟁점토지가 지방자치단체인 부산광역시에 무상으로 귀속될 공공시설용 토지에 해당하는 사실에 대하여는 처분청과 청구법인 사이에 다툼이 없는 이상 쟁점토지는 재산세 면제대상으로 보아야 함(조심 2012지0319, 2012.8.31.).

◎ 취득세 등이 면제되는 일시취득할 목적으로 취득하는 복리시설이라 함은 주택단지 입주자 등의 생활복리를 위한 공동시설에 한정되는 것인 바, 청구법인이 분양용으로 건축한 상가는 주택단지 입주자의 생활복리를 위한 공동시설로 보기는 어렵다 할 것임(조심 2011지0421, 2012.3.23.).

◎ 10년 임대 후 분양예정 부동산도 일시취득 부동산에 해당됨

구 지방세법 제289조 제1항의 입법취지에 비추어 그 문언상의 "일시취득"은 소유권 처분시까지의 일시적 취득·보유를 의미하고, 구 지방세법 시행령 제225조에서 인용하는 구 대한주택공사법 제3조 제1항 제3호는 주택의 "공급"을 주택의 "임대"와 구분하고 있으므로, 구 지방세법 제289조 제1항의 "공급"에는 소유권 처분이 수반되지 아니하는 "임대"가 포함된다고 볼 수 없다고 할 것임에도, 이와 달리 원심이 구 지방세법 제289조 제1항의 "공급"에 "임대"가 포함된다고 본 것은 적절하다고 볼 수 없다. 그러나 이 사건 아파트는 그 취득 당시부터 10년의 임대기간 경과 후 분양전환되어 제3자에게 매각될 것이 예정되어 있음을 알 수 있으므로(입주자모집공고에 이러한 취지가 공고되기도 하였다), 이 사건 아파트를 그 매각시까지 일시적으로 취득·보유하는 것이라 할 것이고, 따라서 원고가 취득한 이 사건 아파트가 구 지방세법 제289조 제1항에서 말하는 "제3자에게 공급할 목적으로 일시 취득하는 부동산"에 해당함(대법원 2011두6516, 2011.12.22.).

◎ 공공비축토지의 경우 제3자 공급 일시취득 부동산에 해당됨

노후 청사 교체를 위해 한국토지주택공사에 매입을 의뢰, 이를 「공공토지의 비축에 관한 법률」 제14조 및 제15조에 따른 공공개발용 토지의 비축사업으로 취득된 토지는 공공개발용 토지의 공익사업시행자에 해당하는 공공비축토지에 해당되어 제3자에게 공급할 목적의 일시취득 토지로 감면대상에 해당됨(조심 2010지0466, 2011.3.25.).

◎ 택지개발지구의 사업시행자인 법인이 국가와 교환으로 취득한 택지개발지구 내 토지는 법인

이 제3자에게 공급할 목적으로 일시 취득하는 부동산에 해당되므로 공공사업용 토지로 인정되어 취득세 감면대상이 됨(조심 2010지0404, 2011.2.7.).

◎ 사업지구 밖에 위치한 토지(잔여지)를 매입하여 보유하다 연접토지 소유자에게 수의계약으로 매각한 경우는 구 지방세법 제289조 제1항에서 규정하고 있는 대통령령이 정하는 사업에 사용하기 위한 일시 취득용 부동산으로 보기 어려워 취득세 등의 감면대상에 해당되지 않음(조심 2009지0799, 2010.6.24.).

◎ 무주택세대주에게 5년간 임대 후 분양전환하는 경우는 일시 취득하는 부동산에 해당되어 취득세 등이 감면됨(조심 2009지0006, 2009.4.20.).

◎ **(지침) LH공사 일시취득 부동산 취득세 등 감면적용 통보**(지방세운영과-5856, 2011.12.28.)
최근 대법원 판결(2011두6516, 2011.12.22.)에 따라 LH공사 일시취득 부동산에 대한 취득세 등 감면 적용요령 통보

1) (판결내용) 10년 임대 후 분양전환이 예정된 경우도 구 지방세법 제289조 제1항에서 말하는 '제3자에게 공급할 목적으로 일시 취득하는 부동산'에 해당됨.
2) (적용요령) 판결(2011.12.22.) 전의 경우 신고납부 및 부과고지에 대한 이의신청 등 불복청구가 진행 중인 사안에 대하여는 소 취하 등 부과취소와 환급조치, 판결(2011.12.22.) 이후 납세의무가 새로이 성립되는 분부터 취득세 등 감면적용, 이의신청 등 불복청구기간이 미도래한 경우는 직권 부과취소

제77조(수자원공사의 단지조성용 토지에 대한 감면)

법 제77조(수자원공사의 단지조성용 토지에 대한 감면) ① 「한국수자원공사법」에 따라 설립된 한국수자원공사가 국가 또는 지방자치단체의 계획에 따라 분양의 목적으로 취득하는 단지조성용 토지에 대해서는 취득세의 100분의 30을 2019년 12월 31일까지 경감한다.

② 「한국수자원공사법」에 따라 설립된 한국수자원공사가 국가 또는 지방자치단체의 계획에 따라 분양의 목적으로 취득하는 부동산 중 택지개발사업지구 및 단지조성사업지구에 있는 부동산으로서 관계 법령에 따라 국가 또는 지방자치단체에 무상으로 귀속될 공공시설물 및 그 부속토지와 공공시설용지에 대해서는 재산세(「지방세법」 제112조에 따른 부과액을 포함한다)를 2022년 12월 31일까지 면제한다. 이 경우 공공시설물 및 그 부속토지의 범위는 대통령령으로 정한다.

영 제37조(공공시설물의 범위) 법 제77조 제2항 후단에 따른 공공시설물 및 그 부속토지의 범위는 제6조에 따른다.

다목적 댐관리, 상하수도 건설 등 수자원을 관리하는 한국수자원공사가 국가나 지방자치단체의 계획에 따라 분양의 목적으로 취득하는 단지조성용 토지 등에 대한 세제지원을 규정하고 있다.

한국수자원공사가 국가 또는 지방자치단체의 계획에 따라 분양 목적으로 취득하는 단지조성용 토지에 대해 취득세의 100분의 30을 경감한다(법 ①). 동 규정은 수익사업적인 성격을 가지고 있는 점 등을 고려하여 지속적으로 취득세의 감면폭을 축소('11년 100% → '13년 75% → '15년 30%)하다가, 2019년을 마지막으로 그 일몰을 종료하였다.

한국수자원공사가 국가·지자체의 계획에 따라 분양 목적으로 취득하는 부동산 중 택지개발·단지조성 사업지구에 있는 국가·지자체에 무상귀속될 부동산(무상 귀속될 공공시설물 및 그 부속토지, 공공시설 용지에 限)에 대해 재산세(도시지역분 포함)를 면제한다.

(영 §37) 공공시설물 및 그 부속토지는 공용청사·도서관·박물관·미술관 등의 건축물과 그 부속토지 및 도로·공원 등으로 한다. 이 경우 공공시설용지의 범위는 해당 사업지구의 실시계획 승인 등으로 공공시설용지가 확정된 경우에는 확정된 면적으로 하고, 확정되지 아니한 경우에는 해당 사업지구 총면적의 100분의 45(산업단지조성사업의 경우에는 100분의 35로 한다)에 해당하는 면적으로 함.

제78조(산업단지 등에 대한 감면)

법 제78조(산업단지 등에 대한 감면) ①「산업입지 및 개발에 관한 법률」 제16조에 따른 산업단지개발사업의 시행자 또는 「산업기술단지 지원에 관한 특례법」 제4조에 따른 사업시행자가 산업단지 또는 산업기술단지를 조성하기 위하여 취득하는 부동산에 대해서는 취득세의 100분의 35를, 조성공사가 시행되고 있는 토지에 대해서는 재산세의 100분의 35(수도권 외의 지역에 있는 산업단지의 경우에는 100분의 60)를 각각 2022년 12월 31일까지 경감한다. 다만, 다음 각 호의 어느 하나에 해당하는 경우에는 경감된 취득세 및 재산세를 추징한다.

1. 산업단지 또는 산업기술단지를 조성하기 위하여 취득한 부동산의 취득일부터 3년 이내에 정당한 사유 없이 산업단지 또는 산업기술단지를 조성하지 아니하는 경우에 해당 부분에 대해서는 경감된 취득세를 추징한다.
2. 산업단지 또는 산업기술단지를 조성하기 위하여 취득한 토지의 취득일(「산업입지 및 개발에 관한 법률」 제19조의 2에 따른 실시계획의 승인 고시 이전에 취득한 경우에는 실시계획 승인 고시일)부터 3년 이내에 정당한 사유 없이 산업단지 또는 산업기술단지를 조성하지 아니하는 경우에 해당 부분에 대해서는 경감된 재산세를 추징한다.

② 제1항에 따른 사업시행자가 산업단지 또는 산업기술단지를 개발·조성한 후 대통령령으로 정하는 산업용 건축물등(이하 이 조에서 "산업용 건축물등"이라 한다)의 용도로 분양 또는 임대할 목적으로 취득·보유하는 부동산에 대해서는 다음 각 호에서 정하는 바에 따라 지방세를 경감한다.

1. 제1항에 따른 사업시행자가 신축 또는 증축으로 2022년 12월 31일 취득하는 산업용 건축물등에 대해서는 취득세의 100분의 35를, 그 산업용 건축물등에 대한 재산세의 100분의 35(수도권 외의 지역에 있는 산업단지에 대해서는 100분의 60)를 각각 경감한다. 다만, 그 취득일부터 3년 이내에 정당한 사유 없이 해당 용도로 분양 또는 임대하지 아니하는 경우에 해당 부분에 대해서는 경감된 지방세를 추징한다.
2. 제1항에 따른 사업시행자가 취득하여 보유하는 조성공사가 끝난 토지(사용승인을 받거나 사실상 사용하는 경우를 포함한다)에 대해서는 재산세 납세의무가 최초로 성립하는 날부터 5년간 재산세의 100분의 35(수도권 외의 지역에 있는 산업단지의 경우에는 100분의 60)를 경감한다. 다만, 조성공사가 끝난 날부터 3년 이내에 정당한 사유 없이 해당 용도로 분양 또는 임대하지 아니하는 경우에 해당 부분에 대해서는 경감된 재산세를 추징한다.

③ 제1항에 따른 사업시행자가 산업단지 또는 산업기술단지를 개발·조성한 후 직접 사용하기 위하여 취득·보유하는 부동산에 대해서는 다음 각 호에서 정하는 바에 따라 지방세를 경감한다.

1. 제1항에 따른 사업시행자가 신축 또는 증축으로 2022년 12월 31일까지 취득하는 산업용 건축물등에 대해서는 취득세의 100분의 35를, 그 산업용 건축물등에 대한 재산세의 납세의무가 최초로 성립하는 날부터 5년간 재산세의 100분의 35(수도권 외의 지역에 있는 산업단지의 경우에는 100분의 60)를 각각 경감한다. 다만, 다음 각 목의 어느 하나에 해당하는 경우 그 해당 부분에 대해서는 경감된 지방세를 추징한다.
   가. 정당한 사유 없이 그 취득일부터 3년 이내에 해당 용도로 직접 사용하지 아니하는 경우
   나. 해당 용도로 직접 사용한 기간이 2년 미만인 상태에서 매각·증여하거나 다른 용도로 사용하는 경우
2. 제1항에 따른 사업시행자가 2022년 12월 31일까지 취득하여 보유하는 조성공사가 끝난 토지(사용승인을 받거나 사실상 사용하는 경우를 포함한다)에 대해서는 재산세의 납세의무가 최초로 성립하는 날부터 5년간 재산세의 100분의 35(수도권 외의 지역에 있는 산업단지의 경우에는 100분의 60)를 경감한다. 다만, 다음 각 목의 어느 하나에 해당하는 경우 그 해당 부분에 대해서는 경감된 재산세를 추징한다.
   가. 정당한 사유 없이 그 조성공사가 끝난 날부터 3년 이내에 해당 용도로 직접 사용하지 아니하는 경우
   나. 해당 용도로 직접 사용한 기간이 2년 미만인 상태에서 매각·증여하거나 다른 용도로 사용하는 경우

영 제38조(산업용 건축물 등의 범위) 법 제78조 제2항 각 호 외의 부분에서 "대통령령으로 정하는 산업용 건축물등"이란 제29조 제1항 각 호의 어느 하나에 해당하는 건축물을 말한다. 다만, 제29조 제1항 제3호에 해당하는 공장용 건축물은 행정안전부령으로 정하는 업종 및 면적기준 등을 갖추어야 한다. [전문개정 2016.12.30.]

법 제78조(산업단지 등에 대한 감면) ④ 제1항에 따른 사업시행자 외의 자가 제1호 각 목의 지역(이하 "산업단지등"이라 한다)에서 취득하는 부동산에 대해서는 제2호 각 목에서 정하는 바에 따

라 지방세를 경감한다.

1. 대상 지역
   가. 「산업입지 및 개발에 관한 법률」에 따라 지정된 산업단지
   나. 「산업집적활성화 및 공장설립에 관한 법률」에 따른 유치지역
   다. 「산업기술단지 지원에 관한 특례법」에 따라 조성된 산업기술단지
2. 경감 내용
   가. 산업용 건축물등을 신축하기 위하여 취득하는 토지와 신축 또는 증축하여 취득하는 산업용 건축물등에 대해서는 취득세의 100분의 50을 2022년 12월 31일까지 경감한다. 이 경우 공장용 건축물(「건축법」 제2조 제1항 제2호에 따른 건축물을 말한다)을 신축 또는 증축하여 중소기업자에게 임대하는 경우를 포함한다.
   나. 산업단지등에서 대수선(「건축법」 제2조 제1항 제9호에 해당하는 경우로 한정한다)하여 취득하는 산업용 건축물등에 대해서는 취득세의 100분의 25를 2022년 12월 31일까지 경감한다.
   다. 가목의 부동산에 대해서는 해당 납세의무가 최초로 성립하는 날부터 5년간 재산세의 100분의 35를 경감(수도권 외의 지역에 있는 산업단지의 경우에는 100분의 75를 경감)한다.

⑤ 다음 각 호의 어느 하나에 해당하는 경우 그 해당 부분에 대해서는 제4항에 따라 감면된 취득세 및 재산세를 추징한다.

1. 정당한 사유 없이 그 취득일부터 3년이 경과할 때까지 해당 용도로 직접 사용하지 아니하는 경우
2. 해당 용도로 직접 사용한 기간이 2년 미만인 상태에서 매각(해당 산업단지관리기관 또는 산업기술단지관리기관이 환매하는 경우는 제외한다) · 증여하거나 다른 용도로 사용하는 경우

⑥ 삭제 〈2020.1.15.〉

⑦ 제2항부터 제4항까지의 규정에 따른 공장의 업종 및 그 규모, 감면 등의 적용기준은 행정안전부령으로 정한다.

⑧ 제4항에 따라 취득세를 경감하는 경우 지방자치단체의 장은 해당 지역의 재정여건 등을 고려하여 100분의 25(같은 항 제2호 나목에 따라 취득세를 경감하는 경우에는 100분의 15)의 범위에서 조례로 정하는 율을 추가로 경감할 수 있다. 이 경우 제4조 제1항 각 호 외의 부분, 같은 조 제6항 및 제7항을 적용하지 아니한다.

규칙 제6조(산업단지 등 입주 공장의 범위) 법 제78조 제7항 및 영 제38조 단서에 따른 공장의 범위는 「지방세법 시행규칙」 별표 2에서 규정하는 업종의 공장으로서 생산설비를 갖춘 건축물의 연면적(옥외에 기계장치 또는 저장시설이 있는 경우에는 그 시설물의 수평투영면적을 포함한다)이 200제곱미터 이상인 것을 말한다. 이 경우 건축물의 연면적에는 그 제조시설을 지원하기 위하여 공장 경계구역 안에 설치되는 종업원의 후생복지시설 등 각종 부대시설(수익사업용으로 사용되는 부분은 제외한다)을 포함한다. 〈개정 2014.12.31., 2016.12.30.〉

2015.1.1. 시행, 지방세특례제한법 개정으로 산업단지 사업시행자의 단지 조성용 · 분양임대용 · 직접 사용 부동산에 대한 감면기한은 2016.12.31.까지 2년간 연장하고 그 감면폭은 축소하였다. 한편 산업단지사업시행자 등이 2014.12.31.까지 취득한 부동산에 대한 재산세

는 종전규정에 따라 최대 2019.12.31.까지 감면이 적용된다(부칙 제14조).

2016.1.1. 시행, 그동안 산업단지 감면규정의 용어, 범위, 추징범위, 감면대상자 등 해석상 논란의 여지가 있는 부분을 명확히 하였다. 산업용 건축물에 대한 시행령 위임규정의 중복 부분을 삭제하고, 사업시행자의 분양 또는 임대용 부동산에 대한 추징규정을 명확히 하였다(법 제78조 ①·②). 건축물 등의 범위에 부속토지를 포함하고, 산업단지 입주기업 감면에 대하여는 감면대상자를 명확히 하였다(법 제78조 ③·④).

2017.1.1. 시행, 산업단지 사업시행자 및 한국산업단지공단에 대한 감면율을 일부조정하였고 입주기업에 대한 감면율을 종전대로 '19.12.31.까지 3년간 연장하고, 산업단지 감면규정의 용어, 범위, 추징범위, 감면대상 등을 전반적으로 개선·보완하였다.

2020.1.15. 시행, 지방세특례제한법 개정으로 산업단지·산업기술단지 내 사업시행자의 단지 조성용 부동산에 대한 감면(§78 ①)의 일몰기한을 3년간 연장(2022.12.31.)하였다. 사업시행자의 분양·임대용 산업용건축물에 대한 감면(§78 ② 1), 사업시행자의 조성공사가 끝난 토지의 분양 전 보유 단계에 있는 부동산에 대한 감면(§78 ② 2), 사업시행자의 직접 사용목적의 산업용 건축물에 대한 감면(§78 ③ 1), 사업시행자의 직접 사용 목적의 토지 감면(§78 ③ 2)에 대한 일몰기한을 각각 3년 연장(2022.12.31.)하였다. 그리고 산업단지 내 입주기업의 직접 사용(중소기업 임대용 포함)을 위한 산업용건축물 신축·증축에 대한 감면(§78 ④), 산업용건축물 대수선(§78 ④)의 감면에 대한 일몰기한을 각각 3년 연장(2022.12.31.)하였다.

「경제자유구역의 지정 및 운영에 관한 특별법」 제4조에 의해 산업단지로 지정된 경우 「산업입지 및 개발에 관한 법률」에 의해 지정된 산업단지로 본다(예규 특법 78-1).

| 최근 개정법령_2017.1.1.| 산업단지 사업시행자의 산업단지 조성 및 분양·임대용 부동산 등 제1항부터 제3항까지의 취득세·재산세에 대한 감면은 2019.12.31.까지 3년간 연장하였다.

1. 사업시행자가 산업단지 조성을 위해 취득한 부동산(제1항)

산업단지개발사업의 시행자가 산업단지를 조성하기 위하여 취득하는 부동산에 대해서는 취득세의 35%를, 조성공사가 시행되고 있는 토지에 대해서는 재산세의 35%(수도권 외의 산업단지는 60%)를 경감한다. 산업단지를 조성하기 위하여 취득한 부동산의 취득일부터 3년 이내에 정당한 사유 없이 산업단지를 조성하지 아니하는 경우 경감된 취득세를 추징한다. 그리고 재산세에 대한 추징규정을 두고 있는 점이 특이하다. 산업단지를 조성하기 위하여 취득한 토지의 취득일부터 3년 이내에 정당한 사유 없이 산업단지를 조성하지 아니하는 경우에는 경감된 재산세를 추징한다. 실시계획승인 이전에 이미 보유하여 조성공사가 시행되고 있는 토지의 경우에도 감면대상인데, 이 경우 실시계획승인 고시일부터 3년 기준을 적용한다.

1) 취득세 감면

◎ **사업시행자가 단지조성용으로 토지를 취득하고 사업시행을 공동사업시행으로 변경한 후 토지의 일부를 공동사업시행자에게 매각한 경우 추징대상에 해당됨**

산업단지개발사업 시행자가 산업단지개발사업 시행중에 당초 수분양의사를 밝힌 업체들이 경제적 사유로 수분양의사를 철회함에 따라 대기업과 공동사업으로 진행하기로 하고, 산업단지를 조성하기 위하여 취득한 토지 중 일부를 매각한 경우라면, 이는 법령에 의한 금지·제한 등 그 법인이 마음대로 할 수 없는 외부적 사유가 있는 경우에 해당하지 않는 것으로 보일 뿐만 아니라, 산업단지개발사업에 사용하기 위한 정상적인 노력을 다한 것으로 보기 어렵고, 공동시행자에게 매각한 토지가 산업단지 조성에 사용되고 있다하더라도 그 토지는 당초 시행자가 산업단지 조성사업에 사용하는 것이 아니라 새로운 공동시행자가 사용하는 것이므로 당초 시행자가 '산업단지를 조성하지 아니하는 경우'에 해당하는 것임(지방세특례제도과-2531, 2015.9.15.).

◎ **산업단지개발사업 시행자로 지정되어 산업단지를 조성하던 사업시행자가 신탁법에 따라 신탁회사와 신탁계약 체결, 신탁등기 후 신탁회사로 하여금 당초 취득 목적대로 산업단지 조성공사를 계속 시행하고 있을 경우에는 감면대상에 해당됨**(지방세운영과-33, 2011.1.4., 지방세운영과-356, 2011.1.20.).

◎ **산업단지를 공동으로 조성한 후 분할시 그에 따른 등록세는 면제대상에 해당됨**

여러 사람이 산업단지개발사업을 공동으로 시행하는 경우에는 이를 단독으로 시행하는 경우와 달리 산업단지의 조성을 위하여 공동으로 부동산을 취득하였다가 그 공유 부동산에 대한 분할의 절차가 불가피하게 수반될 수 있으며 이러한 절차에 대하여 등록세 면제혜택을 배제할 합리적 이유가 없는 점 등을 고려하면 산업단지개발사업의 공동시행자들이 산업단지를 조성하는 과정에서 그 부지용 토지를 공동으로 취득하였다가 각자 소유할 토지의 위치와 면적을 특정할 수 있게 되어 그 지상에 산업용 건축물을 신축하거나 그 토지를 분양 또는 임대할 목적으로 그에 관한 공유물분할등기를 마친 경우 그 분할등기도 위 각 규정의 적용대상이 되어 등록세가 면제됨(대법원 2011두26077, 2012.3.15.).

◎ **시행자에 대한 감면(1항)의 경우 조성이후 신·증축하지 않았으므로(3항 단서) 추징불가**

지특법 제78조 제3항 단서규정(2016.12.27. 개정 전)을 통하여 추징하도록 한 '해당 부분'에 대한 취득세 및 재산세는 본문규정에 따라 감면된, 즉 각 호에서 정한 '사업시행자가 직접 사용하기 위하여 신·증축하여 취득한 산업용 건축물 등에 대한 취득세(제1호)', '사업시행자가 취득한 제1호의 산업용 건축물 등 및 조성공사가 끝난 토지에 대한 재산세(제2호)'만 해당한다고 보는 것이 타당함. 위와 같은 해석에 따를 경우 제78조 제3항 본문 제1호에 신·증축된 산업용 건축물 등은 이미 완공이 되어 있어 그에 따라 감면된 취득세는 산업용 건축물 등을 신·증축하지 않았음을 이유로 추징할 수 없게 되고, 그 결과 추징 가능한 "취득세"는 존재하지 않게 되는 문제가 발생하나, 이는 입법의 오류로 생각할 수밖에 없고, 오류가 있다 하여 제78조 제1항 본문에 의해 감면된 지방세를 제3항 단서로 추징할 수 없음(대법원 2018두43590, 2018.8.30.).

2) 조성공사가 시행중인 토지의 재산세 감면

- **산업단지 미조성으로 추징대상이 된 경우 지목변경 취득세분과 당초 감면분도 포함됨**

  산업단지 조성을 위한 부동산 취득에 따른 취득세와 지목변경에 따른 취득세를 감면받은 자가 산업단지 조성 후 정당한 사유 없이 3년 내에 산업용 건축물등을 신축하거나 증축하지 아니하여 취득세 추징요건에 해당되는 경우, 그 추징대상에는 지목변경에 따른 취득세 감면분뿐만 아니라, 산업단지 조성을 위한 부동산 취득에 따른 취득세 감면분도 포함된다고 할 것임(법제처 법령해석 14-0305, 2014.7.10.).

- IMF로 인한 사업시행자의 내부 사정이나 수익상 문제 등으로 인해 산업단지를 조성을 하지 않는 것은 정당한 사유에 포함되지 아니함(대법원 2002두11752, 2004.4.28.).

- **사업시행자의 산업단지 조성용 토지라도 신탁한 경우는 재산세 감면대상에 해당되지 않음**

  산업단지 사업시행자가 산업단지 조성을 위하여 취득한 토지를 신탁하여 그 토지의 소유권을 신탁회사에게 이전등기하였다면, 그 토지는 신탁회사가 소유하는 토지에 해당하고 재산세 납세의무자는 신탁회사가 되는 것이므로 사업시행자가 아닌 신탁회사 소유의 토지에 대한 재산세를 감면하는 것은 타당하지 않음(지방세특례제도과-2729, 2015.10.6.).

- **수탁자는 사업시행자(산업단지 조성)가 아니므로 재산세 감면 대상이 아님**

  △△테크노밸리는 이 사건 토지를 취득한 뒤, '12.8. △△테크노밸리 산업단지 조성사업의 사업시행자로 지정되었음. 원고는 '13.5. △△테크노밸리와 이 사건 토지에 관한 담보신탁계약 체결('13.8. 이전등기), 산업입지법에 따른 사업시행자에 해당되지 않아 15년분 감면세액('16.7.) 추징. (판단) '14.1.1. 지방세법상 신탁재산의 재산세 납부의무자는 수탁자로 변경되면서, 부칙에서 이 법 시행 전 지특법에 따라 감면하였거나 감면하여야 할 재산세는 그 감면기한이 종료될 때까지 개정규정에 따른 수탁자에게 해당 감면규정을 적용한다고 규정하고 있는바, 당시 구 지특법 제78조 제1항은 '14.12.31.까지 면제규정을 두고 있었기 때문에 재산

세 감면규정을 '14.12.31.까지 적용받을 수 있었음. … 지특법 개정(감면 변천) 취지상 산업단지개발사업의 시행자가 취득하여 산업단지조성공사를 시행하고 있는 토지의 재산세를 감경하여 준다는 것을 규정한 것이 명백함(대법원 2019두54221, 2020.1.30.).

☞ 원고는 감면규정이 재산세 감면의 상대방을 한정하고 있지 않은 점, 지방세법상 납세의무자가 위탁자에서 수탁자로 개정된 이후에도 부칙을 통해 수탁자도 기존에 위탁자가 누리던 감면혜택을 계속해서 적용받을 수 있도록 경과규정을 둔 점을 들어 감면대상이라고 주장

2. 사업시행자의 분양·임대 목적의 산업용 건축물의 신·증축 등(제2항)

사업시행자가 산업단지를 조성한 후 분양·임대목적으로 산업용 건축물을 신·증축하는 경우(제2항)와 사업시행자가 직접 사용하기 위하여 산업용 건축물을 신·증축하는 경우(제3항)의 감면으로 구분하고 있다. 2015년 이전 이러한 구분이 모호하여 해석상 논란의 여지가 있었던 부분을 명확히 하였다.

1) 신·증축한 산업용 건축물의 취득세 감면

제2항의 본문에서 "분양 또는 임대할 목적으로 '취득'·보유하는 부동산에 대해서" 다음 각 호에 따라 지방세를 감면한다고 규정하고 있고, 제1호에서 신·증축으로 '취득'하는 산업용 건축물등에 대해 취득세를 감면한다고 규정(전단)하고 있는데, 여기서 '취득'의 경우는 사업시행자가 조성된 토지위에 산업용 건축물을 건축하는 경우 건축물의 원시취득에 대한 취득세 감면으로 이해할 수 있다. 그리고 단서규정에 따라 3년 이내에 정당한 사유없이 해당 용도로 분양·임대하지 아니하는 경우에는 추징한다. 즉 건축물 원시취득 시기 이후 3년 이내에 제3자에게 분양하거나 3년 이내에 임대하지 않으면 취득세를 추징한다.

2) 신·증축한 산업용 건축물의 재산세 감면

제2항의 본문에서 "분양 또는 임대할 목적으로 취득·'보유'하는 부동산에 대해서" 다음 각 호에 따라 지방세를 감면한다고 규정하고 있고, 제1호 후단에서 취득한 그 산업용 건축물등에 대한 재산세를 경감한다고 규정하고 있다. 즉 산업용 건축물을 신·증축 후 보유하는 경우 재산세를 감면한다는 의미이다. 다만, 그 취득일부터 3년 이내에 정당한 사유 없이 해당 용도로 분양 또는 임대하지 아니하는 경우에 해당 부분에 대해서는 경감된 지방세를 추징한다. 그런데 3년 이내에 임대한 토지의 경우 언제까지 감면한다는 규정이 없으므로 3년 이내에 임대개시를 하고 그 이후 매년 재산세 과세기준일 현재 임대가 지속되면 사업시행자에 대한 감면은 계속된다고 할 수 있다.

3) 조성공사가 끝난 토지의 재산세 감면

제2호에 따르면 조성공사가 끝난 토지를 제3자에게 공급되는 기간 동안 사업시행자가 소유하므로 매년 재산세가 과세되는데, 이때 해당 토지가 분양·임대용이면 재산세를 최초 납세의무가 성립한 날로부터 5년간 감면한다고 규정하고 있다. 그런데 제2항 본문에서 산업용건축물을 신·증축하는 부동산이라는 전제를 두고 있으므로, 제2호의 감면대상이 신·증축 건축물의 '부속 토지'를 의미하는 것처럼 보인다.

그런데 단서조항(추징)을 보면 조성공사가 끝난 날부터 3년 이내에 정당한 사유 없이 해당 용도로 분양·임대하지 아니하는 경우에 해당 부분에 대해서는 경감된 재산세를 추징한다고 규정하고 있는데, 신·증축 건축물의 직접적인 부속 토지가 아니라 독립적으로 보는 것이 자연스럽다. 토지조성이 완료되면 무조건 분양·임대용 건축물을 지어야만 감면대상이고, 건축물 신축 없이 토지 자체를 분양·임대하기 위해 소유하는 경우는 감면에서 제외하는 것은 산업단지 감면에 대한 지원취지나 단내 내 다른 부동산에 비해 불합리하다. 그리고 건축물과 부속토지에 대한 감면 적용 시기나 기간, 추징요건 등 일관성이 없이 신·증축에 대한 건축물분 재산세는 원시취득 시기부터 적용하고, 부속토지는 토지조성공사 완료시점부터 바로 적용하여 이로부터 3년 이내에 해당용도로 사용하지 않으면 추징해야 하는 등 일관성이 결여된다. 또한 감면기간도 산업용 건축물과 달리 5년을 적용하는 등 전혀 다른 감면체계를 구성하고 있기 때문이다. 따라서 제2호에 따라 건축물 신·증축과 무관하게 조성공사가 완료된 토지 자체에 대해 분양하거나 임대하기 위해 소유하고 있는 경우 감면 대상으로 보는 것이 타당하다.

한편 제2호를 위와 같이 적용할 경우 신·증축한 산업용 건축물 부속토지에 대한 감면은 근거규정이 명확하지 않다고 볼 수 있는데, 각각의 규정의 의미와 제2항 및 제3항의 사업시행자에 대한 감면취지를 고려하면 신·증축한 산업용 건축물의 부속토지에 대해서도 감면이 가능하다고 봐야 하고, 제2호의 토지에 준해서 감면기간 및 추징요건을 적용하는 것이 타당하다. 따라서 제2호의 의미는 토지조성공사 완료후 토지 자체를 분양·임대용으로 보유하고 있는 경우와 분양·임대용 건축물의 부속토지도 해당한다고 사료된다.[18]

3. 사업시행자의 직접 사용 부동산(제3항)

1) 직접 사용하기 위해 신·증축하는 건축물등의 취득세·재산세 감면(1호)

제3항 본문 및 제1호에 의해 사업시행자가 산업단지를 개발·조성한 후 분양·임대용이

18) 제2항 및 제2호에 대해 관련기관의 명확한 해석이나 입법보완 필요함.

아닌 자신이 직접 사용하기 위하여 취득·보유하는 부동산에 대해서는 지방세를 경감하는데, 산업용 건축물의 신·증축에 대해 취득세를 감면하고, 신·증축한 건축물에 대해 재산세를 5년간 감면한다. 취득하는 "건축물" 취득일부터 3년 이내에 해당 용도로 직접 사용하지 아니하는 경우, 직접 사용한 기간이 2년 미만인 상태에서 매각·증여하거나 다른 용도로 사용하는 경우 경감된 취득세와 재산세를 추징토록하고 있다.

2) 직접 사용하기 위해 보유하고 있는 토지의 재산세 감면

제2호에서 사업시행자가 조성공사가 끝난 토지에 대해서는 재산세 납세의무가 최초로 성립하는 날부터 5년간 35%(비수도권 60%)를 경감한다고 규정하고 있는데, 제2항 제2호와 유사한 구조이지만 제2항 본문과 같은 "산업용 건축물등의 용도로 분양·임대목적으로 취득·보유"라는 전제를 두지 않고 있다. 따라서 직접 사용 예정인 산업용 건축물의 부속토지뿐 아니라 건축물 없이 토지 자체를 직접 사용하는 경우에도 포함된다고 볼 수 있다. 추징조건으로 정당한 사유 없이 그 조성공사가 끝난 날부터 3년 이내에 해당 용도로 직접 사용하지 아니하는 경우, 해당 용도로 직접 사용한 기간이 2년 미만인 상태에서 매각·증여하거나 다른 용도로 사용하는 경우를 두고 있다. 추징요건은 제2항과 동일하다. 조성공사가 끝난 날부터 3년 이내에 해당 용도로 직접 사용하지 아니하는 경우, 해당 용도로 직접 사용한 기간이 2년 미만인 상태에서 매각·증여하거나 다른 용도로 사용하는 경우에는 감면된 재산세를 추징한다.

제2항과 제3항을 종합하면 조성공사가 완료된 후 사업시행자가 소유하고 있는 토지의 경우 향후 i) 분양·임대용 건축물 부속토지가 되는 경우, ii) 자신이 직접 사용할 건축물의 부속토지가 되는 경우, iii) 토지 자체가 분양·임대용으로 제공되거나 iv) 토지 자체를 직접 사용하는 경우 감면대상이다. 그런데 3년간의 유예기간이 있으므로 조성공사 완료 이후 3년 이내에는 특별한 사정(예. 타용도 전용)이 없으면 우선 감면하고 추징요건에 해당하는지를 사후 관리해야한다. 만약 신·증축 건축물 부속토지로 보아 감면한다면 건축기간은 정당한 사유에 해당하므로 해당기간은 제외하고 3년 경과 여부를 따져봐야 할 것이다.

| 최근 개정법령_2017.1.1. | (제2항, 사업시행자 분양 및 임대용 부동산) 감면기한을 '19.12.31.까지 연장하되 조례에 의한 취득세 추가 감면 규정을 삭제하고, 산업용 건축물에 대한 범위를 시행령으로 위임하였으며(시행령 제38조), 사업시행자의 감면대상 부동산의 범위를 산업용 건축물등의 용도로 분양 또는 임대하는 것으로 명확히 하는 한편, 분양 또는 임대하기 위하여 신축·증축한 산업용 건축물을 그 취득일부터 3년 이내에 정당한 사유 없이 해당 용도로 분양 또는 임대하지 아니하는 경우에 추징하도록 하고, 조성공사가 끝난 토지에 대해서는 조성공사

가 끝난 날부터 3년 이내에 정당한 사유 없이 해당 용도로 분양 또는 임대하지 아니하는 경우에 해당 부분에 대해서는 경감된 재산세를 추징하도록 명확히 하였다.

(제3항, 사업시행자 직접 사용 부동산) 감면기한을 '19.12.31.까지 연장하되 조례에 의한 취득세 추가 감면규정을 삭제하고, 사업시행자가 직접 사용하기 위하여 신축 또는 증축하여 취득한 산업용 건축물등과 조성공사가 끝난 토지에 대한 추징규정을 명확히 하였다.

◎ **산업단지 내 물류시설 신축 후 물류업자에게 임대하여 목적대로 사용하게 하는 경우, 물류단지 등에 대한 감면 또는 산업단지 등에 대한 감면에 해당하지 않음**

「지방세특례제한법」 제71조 제2항에 따른 취득세 등 지방세 감면대상은 국토교통부장관이 지정한 일반물류단지 내에서 물류시설을 설치하기 위해 취득하는 토지 등 부동산으로서 그 소유자가 직접 사용하는 경우에 한하는 것임(행안부 지방세특례제도과-2067, 2019.5.28.).

◎ **산업단지외의 공유수면 해저에 열수송관을 설치하여 취득한 경우 감면대상이 아님**

제78조 제3항은 사업시행자가 산업단지 조성공사를 끝내면 산업용 건축물 등의 신축이나 증축으로 취득하는 부동산에 대해서는 취득세를 경감하고, 산업단지 또는 산업기술단지 안에서 신축하거나 증축한 산업용 건축물 등 및 조성공사가 끝난 토지에 대해서는 재산세를 경감하는 것으로 규정하면서 산업단지 조성공사가 끝난 후에 정당한 사유 없이 3년 이내에 산업용 건축물 등을 신축하거나 증축하지 아니하는 경우에 해당 부분에 대해서는 경감된 취득세 및 재산세를 추징하는 것으로 규정하고 있음. 제78조 제4항에서는 산업단지에서 취득하는 부동산에 대해서 지방세를 경감하는 것으로 규정하고 있음 … 제78조 제3항의 전체적 의미를 종합하면 조성공사가 끝난 산업단지 안에서 산업용 건축물 등의 신축이나 증축으로 취득하는 부동산을 의미하는 것으로 보는 것이 타당하고, 제4항에서는 "산업단지에서"라고 명시적으로 규정하고 있으므로 지방세 감면대상은 산업단지 안에서 취득하는 부동산에 한정되는 것이 명백함. 따라서, 산업단지 밖에서 취득하는 열송수관은 제3항 및 제4항의 감면대상에 해당하지 아니함(지방세특례제도과-1350, 2015.5.15.).

☞ 제61조 제2항에 따른 감면대상에 해당 여부와 병행 회신, 해당 규정 참조

4. 산업단지 입주기업의 감면(제4항 · 제5항)

1) 개정 연혁

산업단지, 유치지역 등에서 산업용 건축물을 신 · 증축하고자 하는 입주자에 대해 지방세 감면을 시행하여 산업단지 분양 촉진을 도모하기 위한 세제지원을 규정하고 있다.

2015.1.1. 시행, 지방세특례제한법 개정으로 산업단지 입주기업의 신 · 증축 및 대수선에 대한 감면기한을 2016.12.31.까지 2년간 연장하고 그 감면폭은 축소하였다. 다만, 지방세특례

제한법 부칙(법률 제12955호, 2014.12.31. 일부개정) 제25조에 따라 2015.12.31. 이전에 산업단지사업시행자와 분양계약을 체결한 입주기업 등이 산업용건축물 등을 건축(신축, 증축, 개축, 재축, 대수선 포함)하려는 경우에는 2017.12.31.까지 종전 규정에 따라 감면을 적용[19]한다.

2017.1.1. 시행, 지방세특례제한법 개정으로 감면기한은 종전의 감면율대로 2019.12.31.까지 연장하였다. 그리고 종전의 '산업용 건축물등을 건축하려는 자가 취득하는 부동산'에서 '산업용 건축물등을 신축 또는 증축하여 취득하는 부동산'으로 한정하고, 산업용 건축물등의 부속토지를 포함하여 감면하되, 신축 또는 증축한 부분에 해당하는 부속토지로 각각 구분하여 감면할 수 있도록 명확히 하였다. 2020.1.15. "산업용 건축물등을 신축하기 위하여 취득하는 토지와 신·증축하여 취득하는 산업용 건축물등"으로 다시 보완하였다.

2) 감면 요건

사업시행자 외의 자가 산업단지에서 "산업용 건축물등을 신축하기 위하여 취득하는 토지와 신·증축하여 취득하는 산업용 건축물등"에 대해서는 취득세를 경감한다. 당초 '19년까지 "산업용 건축물등을 신축 또는 증축하여 취득하는 부동산(신축 또는 증축한 부분에 해당하는 부속토지를 포함한다)"으로 규정하던 것을 명확히 한 것이다. 그에 따라 산업용 건축물을 신축하기 위해 취득하는 토지이므로 건축물을 먼저 신축하고 사후에 토지를 취득한다면 토지에 대한 취득세는 감면대상이 아니다. 그리고 산업단지내 기존 소유자가 소유하고 있는 부동산을 승계취득하는 경우에는 감면대상이 아니다. 다만 해당 부동산을 산업용 건축물 신축 목적으로 취득하여 건축물을 멸실하고 산업용 건축물을 신축한다면 해당 토지에 대해서는 감면대상이라 할 것이다. 아울러 건축물은 "신축 또는 증축하여 취득하는 산업용 건축물"이므로 기존 부동산을 승계 취득하여 산업용 건축물을 증축한다면 증축분에 대해서는 감면대상이다.

재산세의 경우 산업단지 내에서 산업용 건축물을 신축 또는 증축하기 위해 토지를 취득하고 해당 토지에 산업용 건축물을 신·증축한 경우에는 토지와 신·증축한 건축물에 대해 재산세를 일정기간(5년) 감면한다. 추징요건은 취득세와 동일하다.

19) 제78조 제4항에 따른 입주기업으로 한정하고 있어 제78조 제3항에 따라 산업단지를 조성하고 직접 입주하는 기업은 감면 대상에서 제외된다. 제78조 제4항에 따른 입주기업의 범위를 별도로 규정하고 있지 않으므로 중소기업(개인 포함) 및 대기업이 사업시행자와 분양계약을 체결하는 경우 모두 감면대상자에 해당된다. 또한 2015년부터 도입된 감면상한제도(제177조의 2) 적용 대상에 해당되지 않는다(세부사항은 제177조의 2 개정규정 설명 참조).

◎ 산업용 건축물 등을 건축하려는 자가 취득하는 부동산의 범위

"산업용 건축물 등을 건축하려는 자가 취득하는 부동산"이란 기존 건물을 취득하여 증축을 하거나 기존 건물을 철거하고 신축을 하거나 건물을 신축하여 취득하는 경우의 건물, 건물이 없는 토지를 취득하여 그 지상에 건물을 신축하거나 기존 건물이 있는 토지를 취득하여 그 건물을 증축하거나 기존 건물을 철거하고 신축하는 경우의 토지를 모두 포함한 것으로 보아야 할 것임(대법원 2007두21341, 2010.1.14.).

◎ 기존건축의 일부만 철거한 후 신·증축하고, 나머지는 그대로 사용하더라도 감면대상

산업단지에서 토지·건축물을 승계취득한 자가 기존 건축물 일부를 철거한 다음, 그 토지상에 산업용 건축물을 신(증)축하는 경우라면, 기존 건축물의 부속토지 및 증축한 건축물의 부속토지 모두 산업용 건축물 등을 건축하려는 자가 취득하는 부동산에 해당(지방세특례제도과-3174, 2015.11.17.)

◎ 분양토지를 승계하여 건축물을 신·증축한 경우 감면대상에 해당

산업단지 안에서 공장용 건축물을 신축하거나 증축하고자 하는 자가 산업단지 안의 토지를 분양받은 자로부터 그 지위를 승계하여 당해 토지에 대한 분양잔금을 지급하고 최초로 그 소유권을 취득하고, 그 지상에 공장용 건축물을 증축한 이상 공장용 건축물에 관한 토지부분을 포함하여 전부가 취득세 감면대상에 해당(대법원 2007두21341, 2010.1.14.)

◎ 산업단지에서 토지를 임차하여 공장을 신축한 자로부터 그 건축물을 승계취득한 다음, 그 토지상에 산업용 건축물을 증축하고 기존 건축물 및 증축한 건축물의 부속토지를 취득하는 경우라면, 비록 토지를 취득하기 전에 건축물을 증축하였다하더라도 기존 건축물 및 증축한 건축물의 부속토지는 산업용 건축물 등을 건축하려는 자가 취득하는 부동산에 해당(지방세특례제도과-915, 2015.4.1.)

◎ 산업단지 입주법인이 산업용 건축물을 신축한 후 법인의 물적분할로 신설 법인에게 그 산업용 건축물을 이전한 경우, 그 산업용 건축물은 재산세 감면대상이 아님

신설법인은 기존법인과 법인격을 달리하므로 신설법인은 「지방세특례제한법」 제78조 제4항 제2호 다목의 '해당 납세의무자'에 해당하지 아니하므로 재산세 감면대상에서 제외됨(지방세특례제도과-96, 2015.1.13.).

◎ 산업단지개발사업 시행자로 지정되기 이전에 취득한 토지는 감면대상으로 볼 수 없음

이러한 입법 취지와 위 규정의 개정 연혁 등에 비추어 보면, 위 규정에 의하여 취득세와 등록세가 면제되는 토지는 이미 산업단지로 조성된 토지를 의미하는 것으로 볼 것이고, 산업단지 개발사업을 시행하려는 자가 그 개발사업의 사업자로 지정되기 전에 취득한 토지는 장차 그 토지가 산업단지개발사업의 완료에 의해 산업단지로 변환된다고 하더라도 위 규정에서 말하

는 '산업단지 안에서 취득하는 부동산'에 해당하지 아니함(대법원 2011두21133, 2011.12.27.).

☞ (입법취지) 구 지방세법(2010.1.1. 이전) 제276조 ①에서 지정된 산업단지 안에서 산업용 건축물 등을 신축하거나 증축하고자 하는 자가 취득하는 부동산에 대하여는 취득세와 등록세를 면제한다고 규정한 것은 산업단지개발사업의 시행자가 조성한 산업단지가 활성화될 수 있도록 시행자 등으로부터 분양받은 토지와 그 위에 신축 또는 증축될 산업용 건축물 등에 지방세 감면 혜택을 주려는 데 그 입법 취지가 있음.

○ **피합병법인이 산업단지 사업시행자로부터 토지를 취득한 후 합병법인이 산업용 건축물등을 신축하는 경우, 부칙에 따른 종전의 감면율을 적용할 수 없음**

'15년 이전까지 산업단지 사업시행자와 분양계약을 체결하고 취득하는 부동산에 대해서는 같은 법 부칙 제25조(법률 제12955호, 2014.12.31.)에 따라 2017.12.31.까지 종전의 감면율을 적용받을 수 있도록 하고 있음. 동 부칙의 입법취지는 산업단지 등에 대한 지방세 감면을 일시에 축소할 경우 입주기업들의 경영악화가 우려되므로 기존 및 2015년까지 분양계약을 체결한 입주 예정기업들이 취득하는 부동산에 대해서는 2017년도까지 종전의 지방세 감면혜택이 유지될 수 있도록 하는데 있다 할 것으로서 동 경감세율의 특례를 적용하기 위해서는 첫째, 산업단지 등의 사업시행자와 2015.12.31.까지 분양계약을 체결하여야 하고, 둘째, '그 분양계약을 체결한 피합병법인으로부터 취득한 토지'로서 '산업단지 사업시행자와 분양계약을 체결하여 취득한 토지'에도 해당되지 아니하는 점 등을 종합할 때 부칙에 따른 종전 감면율을 적용할 수 없음(지방세특례제도과-4042, 2018.10.28.).

○ **사업시행자와 직접 분양계약을 체결하지 않고, 당초 계약자의 분양계약의 권리의무를 승계하여 입주하는 경우, 지특법 부칙 제25조의 적용대상에 해당되지 아니함**

부칙 제25조의 입법취지는 산업단지에 대한 지방세 감면혜택을 일시에 축소할 경우 입주기업들의 세 부담 증가로 경영악화가 우려되므로 기존 또는 2015년도까지 분양계약을 체결한 입주 예정 기업들이 취득하는 산업단지내 부동산에 대해서는 2017년도까지 지방세 감면 혜택이 유지될 수 있도록 하는 데 있음. 따라서, 사업시행자와 직접 분양계약을 체결하지 않고, 당초 계약자의 분양계약의 권리의무를 승계하여 입주하는 경우, 부칙 적용대상에 해당되지 아니함(지방세특례제도과-2471, 2016.9.9.).

☞ 제78조 제1항에 따른 사업시행자와 2015년 12월 31일까지 분양계약을 체결하고 제78조 제4항 제1호의 대상지역에서 산업용 건축물을 건축하고자 하는 자가 제78조 제4항에 따라 취득하는 부동산에 대하여는 이 법 개정에도 불구하고 2017년 12월 31일까지 종전의 법률을 적용한다.

○ **재생사업지구로 지정·고시된 토지의 지방세 감면대상 산업용지에 해당하는지 여부**

입법취지는 산업단지개발사업의 시행자가 '산업단지개발실시계획'을 세워 '지정권자의 승인'을 받아 '조성'한 산업단지가 활성화될 수 있도록 시행자 등으로부터 분양받은 토지에 지방세 감면 혜택을 주고 이를 통해 공장건설 등을 촉진하여 경제발전을 도모하고자 함에 있다 할 것이므로, 취득세와 등록세가 면제되는 토지는 '이미 산업단지로 조성된 토지'를 의미한다 할 것이고, 이러한 취지는 산업입지법 제39조의 11 제1항에 의하여 재생사업지구로 지정·고시되어 산업단지가 지정·고시된 것으로 의제되는 경우에도 마찬가지라 할 것이어서, 재생사업지구로 지정·고시되었지만 '재생사업계획'과 '지정권자의 승인'을 받지 못한 상태에서는 공장용 건물을 신축하기 위해 재생사업지구 내의 토지를 취득하였더라도, 취득세가 면제된다고 할 수 없음(대법원 2015두58881, 2016.3.10.).

◎ 그 밖의 산업용건축물 신·증축 관련 사례

- 산업용건축물이 있는 공장용지(산업단지 내)를 취득하여 철거 후 산업용건축물을 신·증축할 목적으로 취득하였으나, 취득 후 일정기간 동안 전 소유자가 사용함에 따라 기존 건축물 철거 및 산업용 건축물을 신·증축을 하지 못하는 경우 해당 공장용지를 산업용 건축물 신·증축하기 위하여 취득한 것으로 볼 수 없어 지방세 감면대상에 해당되지 않음(지방세운영과-2011, 2010.5.12.).
- 매매계약의 약정에 따라 산업용건축물을 먼저 신축하고, 그 산업용건축물을 담보로 대출을 받아 그 산업용건축물 등의 부속토지(공장용지)를 취득하는 경우에 산업용건축물을 신축하고자 하는 자의 취득으로 보아 감면대상에 해당(지방세운영과-1785, 2010.4.29.).
- 토지를 취득한 후, 유예기간(3년) 내에 건축물을 신축하였으나, 이를 직접 사용하지 아니한 채 멸실한 사실 등이 확인되는 이상 취득세 추징은 타당함(조심 2011지0799, 2012.6.5.).
- 농공단지지정승인을 할 당시 지정고시 내용에서 개발사업시행자로 표시되어 있으나 실제 개발사업시행자 지정서는 그 이후에 교부받은 경우 농공단지지정고시 후 사업시행자 지정서 교부 전에 취득한 사업부지가 취득세 감면대상 해당(조심 2008지0635, 2009.5.14.).

◎ 관할 사무소의 주된 업무를 지휘·감독하면서 기획, 인사, 총무 등 경영활동을 총괄하는 부분은 취득세 감면대상 산업용건축물등에 해당하지 아니함(지방세특례제도과-1947, 2020.8.20.).

◎ 산업용 건축물(연구개발시설)에 대해 산업단지 감면 적용 후 창업기업에 무상임차한 경우 공장용건축물을 임대하는 경우에 해당하지 않으므로 추징대상에 해당(지방세특례제도과-273, 2020.2.11.)

◎ 토지를 임차하여 산업용건축물등을 신축하고 의무임대기간 종료 후 해당 부속토지를 매수하는 경우에도 산업단지에 대한 취득세 감면 적용(지방세특례제도과-914, 2020.4.24.)

3) 정당한 사유 해당 여부 등 추징요건(제5항)

◎ 개인사업자가 산업단지 등에 대한 취득세를 감면받았으나 2년 이내 법인전환(사업양도·양수)

한 경우 매각한 경우로 보아 '직접 사용'으로 볼 수 없어 추징 대상

'직접 사용'은 취득세를 감면받은 자가 그 부동산의 소유자 또는 사실상 취득자의 지위에서 현실적으로 이를 산업용 건축물 등의 용도로 직접 사용하는 것을 의미하는데, 직접 사용을 불가능하게 하는 사유로서 소유자 지위의 변경을 가져오는 이전행위를 전제하는 '매각'에는 상대방에게 재산을 이전하고 그 대가로 대금을 받는 매매뿐만 아니라 어떠한 형태로든 그 대가를 취득하는 특정승계나 '사업양수도와 같은 포괄승계' 등도 모두 포함하는 것(대법원 2018두44920)이며, 해당 법인은 개인사업자와는 별개의 법인격을 갖는 권리주체로서 해당 부동산을 소유하게 되는 것이고 더 이상 개인사업자가 해당 부동산을 '직접 사용'한다 할 수 없으므로 추징대상(행안부 지방세특례제도과-1914, 2019.5.17.).

◎ 유예기간 내에 일부 공사 착수행위만을 하고 장기간 후속 공사가 중단된 경우 추징대상

2013.7.21.까지 어느 정도 터파기 작업을 하였을 뿐 그 이후 예정된 공사가 전혀 이뤄지지 않은 채 약 1년 5개월가량 공사가 중단되어 있었는 바, 원고가 2013.7.21.까지 어느 정도 터파기 작업을 한 것을 공사 착수행위로 보더라도 위와 같이 장기간 후속 공사가 이뤄지지 않고 공사를 중단한 채 토지 취득일로부터 3년 이내에 해당하는 2014.1.26.을 경과한 이상 원고가 유예기간 내에 이 사건 토지상에 공장건축물을 건축 중에 있었다고 보기 어렵고, 따라서 원고가 과세기준일 당시 이 사건 토지를 산업용 건축물 등의 용도로 직접 사용하고 있었다고 볼 수 없음(대법원 2018두35049, 2018.5.15.).

◎ 3년 이내 매각한 것은 3년이 경과할 때까지 해당 용도로 사용하지 아니하는 경우에 해당

추징조항 중 제1호는 정당한 사유 없이 해당 부동산 취득일부터 3년이 경과하기까지 해당 용도에 사용하지 않은 경우를, 제2호는 해당 부동산을 취득일로부터 3년이 경과하기 전에 해당 용도로 사용하기는 하였으나 그 사용 기간이 2년 미만인 상태에서 매각·증여하거나 다른 용도로 사용하여 지방세 감면 목적을 달성하기 어려운 경우를 의미하는 것으로 해석할 수 있고, 이와 같이 해석한다면 위 제1호의 추징사유에는 3년 이내에 정당한 사유 없이 취득한 부동산을 타에 매각처분하는 등으로 3년이 경과할 때까지 이를 해당 용도로 사용하지 아니하게 된 경우도 포함됨. 따라서 원고가 이 사건 토지에 공장을 신축하지 아니한 채 위 토지를 그 취득일부터 3년 이내에 매각하여 해당용도로 사용하지 아니하게 된 것은 3년이 경과할 때까지 위 토지를 해당 용도로 사용하지 아니하는 경우에 해당함(대법원 2017두64903, 2018.1.31.).

◎ 산업단지 입주기업이 산업단지 관리기관의 승인을 거친 경우라도 공동대표 추가 및 개인사업자에서 법인 전환의 경우 추징대상에 해당됨

산업단지 입주기업이 산업단지 관리기관의 승인을 거쳐 처리되었다 하더라도, 당초 분양계약자가 유예기간(2년) 내에 공동대표를 추가하여 법인을 공동소유로 분양변경 계약 체결한

것은 당초 분양계약자가 일부 지분을 매각 · 증여한 것에 해당되고, 또한 개인사업자와 법인은 별개의 권리주체인 바, 당초 개인사업자가 취득세 감면을 받았다 하더라도 유예기간 내에 개인사업자가 법인으로 전환하여 새로운 법인을 설립하는 것은 추징요건인 매각 · 증여에 해당된다 할 것임(지방세특례제도과-2914, 2016.10.10.).

- 증축공장을 합병으로 소유권 이전한 경우는 취득세 추징대상 '매각 · 증여'에 해당

'매각 · 증여'라 함은 유상 · 무상을 불문하고 취득자가 아닌 타인에게 소유권이 이전되는 모든 경우를 의미하는 것이라 할 것인 바, 이와 관련하여 대법원에서도 합병으로 인해 존속 · 신설법인이 소멸법인의 자산을 이전받는 형식 자체를 취득세의 과세대상인 '취득'으로 판단하고 있는 점(대법원 2010두6007 등), 나아가 '정당한 사유'를 명시하고 있지 않아 유예기간 내에 소유권이 이전되는 경우라면 기업의 합병에 의한 것인지 여부는 추징을 판단하는 고려사항이 아님(지방세특례제도과-2200, 2016.8.23.).

- 매도인의 비협조에도 매수노력을 다한 점 등 직접 사용하지 못한 '정당한 사유'가 있음

원고는 여러 차례 서○○측으로부터 이 사건 지분을 매수하기 위한 노력을 하였으나, 서○○의 거부로 협의가 이루어지지 않았고, 이에 수용절차를 통해 이 사건 지분을 취득하고자 수차례에 걸쳐 ○○남도에 환경보전방안검토서를 제출한 끝에 이 사건 사업의 시행자로 지정받았으며, 한편 서○○가 사망한 후에도 매수협의를 지속적으로 시도하여 결국 이 사건 지분을 매수한 점, … 자금사정이나 수익상의 문제에 기인한 것이 아니라, 원고의 협의매수 또는 수용을 위한 노력에도 매도인의 비협조적인 태도나 사업시행자 지정 과정에서의 절차상 문제로 시간적인 여유가 부족하여 부득이 이를 취득하지 못하였던 것으로 보이는 점 등 정당한 사유가 있다고 봄이 상당(대법원 2016두32251, 2016.4.28.)

- 고유업무에 직접 사용하는 부분만 감면대상에 해당됨

건축물의 건축공사는 원칙적으로 토지를 건축물 등의 용도로 직접 사용하는 행위라기보다는 이를 위한 준비행위에 불과하고, 토지를 취득하여 고유업무에 직접 사용하기 위한 건축 등의 공사를 하였다고 하더라도 그것만으로는 그 토지를 고유업무에 직접 사용한 것으로 볼 수 없음(대법원 2008두3319, 2008.5.29.). 다만, 그 고유업무에 직접 사용하지 못한 데 정당한 사유가 있는 것으로 보되, 그 정당한 사유가 있는 범위는 특별한 사정이 없는 한 건축 중인 건물의 연면적 중 고유업무에 직접 사용되는 건물 부분이 차지하는 비율에 해당하는 토지 부분으로 제한된다고 할 것임(대법원 2006두11781, 2009.3.12.).

- 농작물 경작 등은 공장용으로 사용되고 있다고 보기는 어려움

취득세 등 감면 유예기간(3년)이 지나서도 도로나 나무 식재 등으로 그 경계를 명백히 하여 농작물 경작 등 직원들 텃밭으로 그 용도를 달리하여 사용되고 있는 경우라면 공장용 건축물

등의 신축이라는 당초의 용도로 사용되고 있다고 보기는 어렵다고 할 것이므로 감면세액 추징대상에 해당된다고 할 것임(지방세운영과-1911, 2012.6.20.).

◎ IMF 및 정부의 구조조정 요구 등의 매각이라도 정당한 사유로 볼 수 없음

원고가 이 사건 토지를 매각할 당시 IMF 구제금융사태로 인한 경제환경의 변화와 정부의 구조조정 요구 등이 있었다고 하더라도 이는 원고가 당시의 경영환경 변화에 적응하고 경영합리화를 추구하는 과정에서 스스로의 사업판단에 따라 이 사건 토지를 매각하기로 결정한 것으로서 원고의 내부적인 사정에 불과하고, 달리 원고가 이 사건 토지를 취득하여 산업단지를 조성함에 있어서 법령에 의한 금지·제한 등 객관적으로 불가능한 사유가 있었다고 볼 수 없다는 이유로, 원고가 이 사건 토지를 취득일부터 3년 이내에 매각한 데에 정당한 사유가 없다고 판단한 것은 정당함(대법원 2002두11752, 2004.4.28.).

5. 감면대상 산업용 건축물 부속토지 범위 판단

감면대상인 산업용 건축물 부속토지의 범위를 어디까지 한정할 것인지는 사실관계 판단의 문제인데, 일반적인 기준으로써 지상정착물의 부속토지 개념을 참고하여 그 범위를 적용하여야할 것이다. 즉, 지상정착물의 부속토지란 지상정착물의 효용과 편익을 위해 사용되고 있는 토지를 말하고, 부속토지인지 여부는 필지 수나 공부상의 기재와 관계없이 토지의 이용현황에 따라 객관적으로 결정(대법원 1995누3312, 1995.11.21.)하여야 한다. 예를 들어 공장이 도로에 의하여 외형상 분리되어 있지만 취득 목적, 인근 공장용 건축물과의 거리, 토지용도, 실제이용 현황, 경제적 일체성 등을 종합적으로 고려하여 전체가 하나의 유기적인 공장구역을 이루고 있다면 하나의 공장경계구역으로 판단하는 것이 합리적이라 할 것이다. 산업집적활성화 및 공장설립에 관한 법률 제8조 및 공장입지기준고시 제3조 제1항은 공장의 원활한 설립을 지원하기 위하여 공장입지의 기준을 규정한 것에 불과하므로, 위 규정에서 정한 기준공장면적률이 곧바로 구 지특법 상 당해 부동산이 공장의 부속토지로 사용되는 지를 판단하는 근거로 사용될 수 없다(대법원 2014두3389). 토지분 재산세 분리과세대상 공장의 범위와 같은 쟁점이므로 관련 내용을 참고하기 바란다.

◎ 신규로 취득한 토지는 연접한 기존 공장의 부속토지로 볼 수 없다는 사례

쟁점 토지는 ○○반도체공장의 효용과 편익을 위하여 사용된 부속토지라기보다는 별도의 도시형 공장을 신축하기 위한 토지로 보이는 점, 즉 기존토지는 산업입지법상 지방산업단지 내 토지로서 원고가 시행자로서 조성한 토지임에 반해, 택지개발촉진법상 택지지구 내 토지로 도시형 공장 신축을 위해 취득한 토지인 점, 기존공장은 산업단지 등에 대한 감면에 따라

취득세 등이 감면된 토지임에 반해, 도시형 공장 신축을 위해 도세감면조례에 의해 감면된 토지인 점, 지상 일부에 주차장, 경비초소 등이 있으나, 취득 당시 기존 공장의 주차장이 부족하였다고 볼 만한 자료가 없는 점, 가설건축물인 임시경비동 등의 합계면적이 쟁점 토지의 0.18%에 불과한 점, 설치된 주차장도 이 사건 지상의 공장건축허가가 난 후 포장되었고, 그 면적도 전체의 17%에 불과한 점, 환경영향평가 등 공장설립을 위한 절차를 진행하여 건축이 진행되지 않는 상황인 점, 기존 공장은 대부분 보안시설로 출입에 엄격한 통제가 가해지는 반면, 출입에 별다른 통제가 가해지지 않은 점 등을 고려할 대 기존 공장의 부속토지로 볼 수 없음(대법원 2010두11122, 2010.10.15.).

☞ 위 쟁점 토지가 기존 반도체 공장의 부속토지로 보아 분리과세 대상으로 볼 수 있는지 여부 관련, 지방세법상 분리과세대상 토지에 해당하는 공장용 건축물의 부속토지에서 말하는 건축물은 건축법에 따른 허가나 사용승인의 대상이 되는 건축물을 말하는 것(대법원 2002다31018, 2004.6.11.)으로 과세기준일 이전에 축조되었다 하여 공장 부속토지로 사용되었다고 할 수 없은 점, 토지 일부가 주차장, 옥외체육시설(양궁장)로 이용되었다고 주장하나, 분리과세 대상 공장용건축물에 해당하는 주차장, 옥외체육시설이 건축되었다고 볼 수 없고, 단지 위 요건 따른 주차장, 옥외체육시설을 건립하지 않은 상태에서 주차공간, 체육공간으로 사용된 것으로 볼 수 있을 뿐인 점, ○○반도체 공장 자체의 부속토지라는 취지로 주장하나, 공장용 건축물의 개념을 정의한 후 공장용 건축물과 부속토지를 분리과세대상 토지로 보는 위 지방세법 등 관련 법령의 규정에 어긋남.

◎ 산업단지 내에서 도로로 구획된 2개의 산업시설용지를 일괄 취득 후 공장과 부대시설을 각각 설치하는 경우, 하나의 공장경계구역으로 보아 부대시설용지도 감면대상인지 판단관련, 폐기물보관시설의 설치목적, 반도체 제조시설과의 거리, 실제이용 현황, 관계 법령에 따라 설치가 의무화된 시설인지 여부 등을 종합적으로 고려하여 하나의 공장경계구역에 속하는 토지로 볼 수 있는지 여부를 판단(지방세특례제도과-1094, 2015.4.16.)

◎ **산업단지 내 4차선 도로로 분리된 필지라도 전체가 하나의 유기적인 공장구역을 이루고 있다면 하나의 공장경계구역으로 봄이 타당함**

공장이 도로에 의하여 외형상 분리되어 있지만 취득 목적, 인근 공장용 건축물과의 거리, 토지용도, 실제이용 현황, 경제적 일체성 등을 종합적으로 고려하여 전체가 하나의 유기적인 공장구역을 이루고 있다면 하나의 공장경계구역으로 판단하여야 할 것입니다. 즉, 하나의 공장경계구역 안의 토지에 해당된다면 비록 도로에 의해 토지가 분리되고, 각각의 필지가 제조시설과 생산지원시설 등으로 구분되어 사용된다고 하더라도 이는 산업용 건축물 등의 용도에 직접 사용하는 것으로 보아야 한다고 판단됨(지방세운영과-3446, 2013.12.20.).

◎ **산업용 건축물을 승계취득하여 증축하는 경우, 증축 건축물 비율만큼 부속토지 감면**

산업단지 내 입주기업이 토지를 최초로 분양받아 산업용 건축물 등을 신축하는 경우뿐 만 아니라, 이미 건축된 산업용 건축물 등을 승계취득 한 후 이를 멸실하고 신축하거나 증축하는 경우를 포함하는 것이고 이 경우 그 부속토지도 감면 범위에 포함되는 것{지방세특례제도과-598(2017.4.6.)}으로 판단됨. 따라서, 승계하여 취득한 기존의 산업용 건축물 등은 이미 취득세를 감면받아 산업단지 내 공장설립 촉진이라는 입법목적이 달성된 상태로서 제78조 제4항에서 "증축한 부분에 해당하는 부속토지를 포함한다"고 함은 승계하여 취득한 기존의 산업용 건축물 등과 증축한 부분을 포함한 전체 부속토지가 아닌, 증축한 부분만큼의 부속토지를 의미함(지방세특례제도과-4219. 2018.11.8.).

◎ 산업단지내에서 건축물 신축이후 취득한 부속토지는 감면대상이 아니라는 사례

원고가 쟁점 토지를 임차하고, 소유자인 한국토지주택공사로부터 사용승낙을 받아 쟁점 토지 지상에 공장용 건축물을 신축하여 사용하여 오다가 신축한지 약 4년 3개월이 지난 시점에서야 쟁점 토지를 매수하였는 바, 원고는 공장용 건축물이 이미 건축되어 있는 쟁점 토지를 매수한 것이라 할 것이어서, 쟁점 토지의 취득 시점을 기준으로 보면 쟁점 토지는 산업용 건축물 등을 건축하려는 자가 취득하는 부동산에 해당한다고 보기 어렵고, 산업용 건축물 등을 건축하려는 자가 취득하는 부동산에 '산업용 건축물이 건축되어 있는 토지'가 포함된다고 해석하는 것은 합리적 이유 없이 확장해석하거나 유추해석하는 것에 해당하여 조세법률주의 원칙상 허용되지 않음(대법원 2018두33968, 2018.5.15.).

6. 공장의 범위(제7항)

2017.1.1. 산업용 건축물 등의 범위를 명확히 하였다(규칙 제6조). 산업단지내 공장 경계구역 안에 설치되는 종업원의 후생복지시설 등 각종 부대시설 중 '수익사업용으로 사용되는 부분을 제외'하도록 하였다. 산업단지 내 정보통신산업과 직접 관련된 연구시설용 건축물 중 그 일부가 사실상 본점으로 사용되는 경우라면 감면이 배제되는 것이 타당하다(지방세특례제도과-559, 2019.9.10.).

◎ 공부상 '위험물 저장시설 등재 되어있지만, 실제 홍보관으로 사용하는 경우 감면대상 아님

산업단지 토지 위에 신·증축된 건축물 중 취득세 감면대상이 되는 것은 산업단지 내 토지 위에 구「지특법」제29조 각 호에서 규정하고 있는 용도의 건축물을 신·증축하여 산업용 건축물로 사용하거나, 산업용 건축물과 같은 구내의 토지상에 신·증축된 산업용 건축물의 부대시설용 건축물로 한정된다 할 것이고, 이와 달리 불특정 다수인에게 천연가스 및 제조시설의 안정성을 홍보하기 위한 용도로 사용되거나, 동 건축물이 천연가스 제조시설과 동일한 울타리내에 소재하지 아니하여 천연가스 제조시설과 동일한 구내에 소재하는 부대시설용 건

축물로 보기 어려운 경우라면 산업단지 토지 위에 신·증축된 건축물은 취득세 감면대상으로 보기는 어려움(지방세특례제도과-1199, 2018.4.10.).

◎ 산업단지 내 설치한 송전철탑이라도 취득세 감면대상 산업용 건축물 등에 해당됨
20만볼트 이상 송전철탑은 지방세법 제6조 제4호 및 시행령 제5조 ① 제6호의 에너지공급시설에 해당하므로, 전기업을 하는 한국전력공사가 산업단지 내에 설치한 20만볼트 이상 송전철탑은 지특법 제78조 ④ 제2호 가목에서 정한 산업용 건축물 등으로서 감면대상에 해당됨(지방세특례제도과-3598, 2015.12.30.).

◎ 기업형 소매유통업을 주업으로 하는 법인의 산업단지(물류단지) 내 물류시설의 경우 산업용건축물에 해당됨
지방세특례제한법 제78조 제4항 및 같은 법 시행령 제29조에서는 산업용 건축물에 대한 인정가능 범위에 대해서만 명시하고 사용주체에 관하여 아무런 규정을 두고 있지 않으므로, 비록 도·소매업을 주업으로 하는 기업이라 하더라도 국토교통부장관이 고시한 물류단지 내 부동산을 취득하여 물류시설로 사용하는 경우라면 취득세 감면대상인 산업용 건축물에 해당된다 할 것임(지방세특례제도과-707, 2014.6.20.).

◎ 산업단지 사업 시행자가 산업단지를 개발·조성하여 분양 또는 임대할 목적으로 취득하는 부동산에 대하여 취득세 감면 규정이 적용되는 부동산은 산업용 건축물 이외에도 판매시설, 문화시설, 집회시설 등 포괄적으로 해당됨(지방세운영과-2614, 2011.6.5.).

◎ 산업단지개발사업 시행자가 산업단지 조성 후 자동차 수출을 위한 수출전용 부두의 자동차 선적대기 장소가 독립적으로 타용도로 사용되지 않고 관리동, 접안시설, 폰툰, 잔교, 급·배수시설 등을 갖추어 하나의 항만 부두시설의 필수불가결한 기능을 수행하는 자동차 선적장소는 산업용 건축물에 해당되어 감면대상임(지방세운영과-1997, 2010.7.13.).

◎ 산업용건축물 공장용으로 사용부분만 고유업무 직접 사용에 해당됨
제조업을 하기 위한 제조시설과 그 부대시설 등으로 구성되는 '공장'이라 함은 반드시 제조시설을 필요로 한다 할 것이므로 최종적으로는 공장을 건축할 목적이라고 하더라도 제조시설을 설치하지 않고 그 부대시설만을 설치한 경우는 취득세 면제대상 산업용 건축물 등의 하나인 '공장'으로 보기 어려우며, 산업단지 내의 토지 취득일부터 3년 이내에 산업용 건축물에 대한 사용승인 등을 받지 아니한 경우라도 건축물 착공신고를 하고 사실상 건축 중에 있는 경우라면, 해당 용도에 직접 사용하지 못한 '정당한 사유'가 있다고 할 것이며, 그 범위는 특별한 사정이 없는 한 건축 중인 건축물의 연면적 중 고유업무에 직접 사용되는 건물 부분이 차지하는 비율로 봄이 타당함(대법원 2006두11781, 2009.3.12.)고 할 것임(지방세운영과-1476, 2012.5.14.).

◎ 당해 산업단지 외의 생산제품 보관창고는 '유통시설용 건축물'로 볼 수 없음

산업단지에서 볼트 생산 목적으로 공장을 신축하였으나, 당해 산업단지 내 공장이 아닌 타지역 공장(같은 회사)에서 생산한 제품(볼트)을 보관하는 창고용으로만 사용하는 경우, (구) 지방세법(이하 '지방세법'이라 함) 제276조 제1항 및 그 시행령 제224조의 2에 따른 취득·등록세 감면대상인 산업단지 내 "산업용 건축물"의 하나인 '유통시설용 건축물'로 볼 수 없어 감면대상에 해당되지 않음(지방세운영과-4022, 2011.8.26.).

7. 자치단체 조례로 추가 감면(제8항)

산업단지 입주기업의 신·증축 부동산에 대한 취득세 감면(제4항)의 경우 지방자치단체의 장은 해당 지역의 재정여건 등을 고려하여 조례로 정하는 율을 추가로 경감할 수 있다. 이 경우 지자체가 조례로 감면하는 경우 일정률 이상의 감면을 제한(지특법 제4조 제6항, 제7항)하고 있는 "지방세 감면규모"의 범위에 포함되지 않는다. 한편 산업단지 시행자에 대한 조례감면(제1항부터 제3항까지)은 삭제되었다(2017.1.1.).

제78조의 2(한국산업단지공단에 대한 감면)

> **법** 제78조의 2(한국산업단지공단에 대한 감면) 「산업집적활성화 및 공장설립에 관한 법률」에 따른 한국산업단지공단(이하 이 조에서 "한국산업단지공단"이라 한다)이 같은 법 제45조의 21 제1항 제3호 및 제5호의 사업을 위하여 취득하는 부동산(같은 법 제41조에 따른 환수권의 행사로 취득하는 경우를 포함한다)에 대해서는 취득세의 100분의 35, 재산세의 100분의 50을 각각 2022년 12월 31일까지 경감한다. 다만, 취득일부터 3년 이내에 정당한 사유 없이 한국산업단지공단이 「산업집적활성화 및 공장설립에 관한 법률」 제45조의 21 제1항 제3호 및 제5호의 사업에 사용하지 아니하는 경우에 해당 부분에 대해서는 경감된 취득세 및 재산세를 추징한다.

한국산업단지공단이 일정사업을 위해 취득하는 부동산에 대해 취득세를 35%, 재산세를 50% 감면한다. 여기서 감면대상인 일정사업이라 함은 공장·지식산업센터 및 지원시설·산업집적기반시설의 설치·운영, 분양·임대 및 매각 관련사업(입주계약에 의한 용도 미사용시 용지를 환수하는 경우 포함), 입주기업체 근로자의 후생복지·교육사업 및 주택건설사업을 말한다.

제78조의 3(외국인투자에 대한 감면) : 조문 생략

외국인투자기업에 대한 조세감면제도는 외국인투자 유치를 통해 국가경쟁력을 강화하고자 법에서 정하고 있는 감면요건을 충족하는 외국인투자기업에 대하여 취득세, 재산세 등 지방세 감면을 부여하는 것으로 2019.12.31.까지는 「조세특례제한법」 제121조의 2에서 법인세, 소득세 등 국세와 함께 규정하고 있었으나, 지방세 감면을 지방세특례제한법으로 일원화하는 방향에 따라 2020.1.1. 지방세특례제한법에 본 조를 신설하여 이관한 것이며, 2020.1.1. 이후 「조세특례제한법」 제121조의 2 제6항에 따라 감면신청을 하는 경우부터 이 조문을 적용한다(2020.1.1. 시행 개정규정 부칙 §6).

그 간 「조세특례제한법」에서는 외국인 투자로 취득한 부동산에 대한 지방세 감면요건에 취득 · 보유 외 직접 사용의 개념이 없었는데, 2020.1.1. 이관하면서 직접 사용을 감면요건으로 새로 규정하고 미사용 또는 매각 · 증여에 대한 추징규정과 함께 감면을 2022.12.31.로 한정하는 일몰도 도입하였다. 그리고 최소납부세제 적용 대상으로 전환하였다.

1. 외국인투자의 용어

본 법에서 지방세를 감면한다고 할 때 외국인 및 외국인투자 등의 개념은 「외국인투자촉진법」상의 규정에 따르므로 이의 주요 용어를 소개한다(외국인투자촉진법 §2).

1. "외국인"이란 외국의 국적을 가지고 있는 개인, 외국의 법률에 따라 설립된 법인(이하 "외국법인"이라 한다) 및 대통령령으로 정하는 국제경제협력기구를 말한다.
2. "대한민국국민"이란 대한민국의 국적을 가지고 있는 개인을 말한다.
3. "대한민국 법인 또는 기업"이란 대한민국의 법률에 따라 설립된 법인 또는 사업자로 등록된 국내기업을 말한다.
4. "외국인투자"란 다음 각 목의 어느 하나에 해당하는 것을 말한다.
   가. 외국인이 이 법에 따라 대한민국 법인 또는 기업(설립 중인 법인을 포함한다. 이하 이 조에서 같다)의 경영활동에 참여하는 등 그 법인 또는 기업과 지속적인 경제관계를 수립할 목적으로 대통령령으로 정하는 바에 따라 그 법인이나 기업의 주식 또는 지분(이하 "주식등"이라 한다)을 다음 어느 하나의 방법으로 소유하는 것
      1) 대한민국 법인 또는 기업이 새로 발행하는 주식등을 취득하는 것
      2) 대한민국 법인 또는 기업이 이미 발행한 주식 또는 지분(이하 "기존주식등"이라 한다)을 취득하는 것
   나. 다음의 어느 하나에 해당하는 자가 해당 외국인투자기업에 대부하는 5년 이상의 차관(최초의 대부계약 시에 정해진 대부기간을 기준으로 한다)

1) 외국인투자기업의 해외 모기업(母企業)
2) 1)의 기업과 대통령령으로 정하는 자본출자관계가 있는 기업
3) 외국투자가
4) 3)의 투자가와 대통령령으로 정하는 자본출자관계가 있는 기업

다. 외국인이 이 법에 따라 과학기술 분야의 대한민국 법인 또는 기업으로서 연구인력・시설 등에 관하여 대통령령으로 정하는 기준에 해당하는 비영리법인과 지속적인 협력관계를 수립할 목적으로 그 법인에 출연(出捐)하는 것

라. 외국인투자기업이 미처분이익잉여금을 그 기업의 공장시설 신설 또는 증설 등 대통령령으로 정하는 용도에 사용하는 것(이 경우 외국인투자기업은 이 법의 외국인으로 보며 외국인투자 금액은 사용하는 금액에 제5조 제3항에 따른 외국인투자비율을 곱한 금액으로 한다)

마. 그 밖에 외국인의 비영리법인에 대한 출연으로서 비영리법인의 사업내용 등에 관하여 대통령령으로 정하는 기준에 따라 제27조에 따른 외국인투자위원회(이하 "외국인투자위원회"라 한다)가 외국인투자로 인정하는 것

5. "외국투자가"란 이 법에 따라 주식등을 소유하고 있거나 출연을 한 외국인을 말한다.
6. "외국인투자기업이나 출연을 한 비영리법인"이란 외국투자가가 출자한 기업이나 출연을 한 비영리법인을 말한다.

2. 감면의 유형

1) 사업개시일 이후 취득하는 경우(제1항)

외국인투자기업의 외국인투자에 대해서 2022.12.31.까지 조세감면신청을 하여 조세감면결정을 받은 경우에는 다음과 같이 취득세와 재산세를 감면한다. 다만, 지방자치단체가 조례로 정하는 바에 따라 감면기간을 15년까지 연장하거나 감면율을 높인 경우에는 다음에도 불구하고 조례로 정한 기간 및 비율에 따른다.

① 취득세 감면(제1항 제1호)

외국인투자기업이 외국인투자신고사업에 직접 사용하기 위하여 대통령령으로 정하는 사업개시일부터 5년(「조세특례제한법」 제121조의 2 제1항 제2호의 2부터 제2호의 9까지 및 제3호에 따른 감면대상이 되는 사업의 경우 3년) 이내에 취득하는 부동산에 대해서는 「지방세법」에 따른 취득세 산출세액에 대통령령으로 정하는 외국인투자비율을 곱한 세액(감면대상세액)의 100분의 100을 감면하고, 그 다음 2년 이내에 취득하는 부동산에 대해서는 취득세 감면대상세액의 100분의 50을 경감한다.

위의 "대통령령으로 정하는 사업개시일"이란 「부가가치세법」 제8조 제1항에 따른 사업개시일을 말한다(영 §38의 2 ①).

위의 "대통령령으로 정하는 외국인투자비율"이란 「외국인투자 촉진법」 제5조 제3항에 따른 외국인투자비율을 말한다. 다만, 회사정리계획인가를 받은 내국법인의 채권금융기관이 그 회사정리계획에 따라 출자하여 새로 설립한 내국법인(이하 "신설법인")에 대해 「외국인투자 촉진법」 제2조 제1항 제5호에 따른 외국투자가(이하 이 조 및 제38조의 4에서 "외국투자가")가 2002년 12월 31일까지 같은 항 제4호에 따른 외국인투자를 개시하여 해당 기한까지 출자목적물의 납입을 완료한 경우로서 해당 신설법인의 부채가 출자전환(2002년 12월 31일까지 출자전환된 분으로 한정한다)됨으로써 우선주가 발행된 때에는 다음 각 호의 비율 중 높은 비율을 그 신설법인의 외국인투자비율로 한다(영 §38의 2 ②).

1. 우선주를 포함하여 「외국인투자 촉진법」 제5조 제3항에 따라 계산한 외국인투자비율
2. 우선주를 제외하고 「외국인투자 촉진법」 제5조 제3항에 따라 계산한 외국인투자비율

② 재산세 감면(제1항 제2호)

취득세 감면대상이 되는 부동산에 대해서는 사업개시일 이후 최초로 재산세 납세의무가 성립하는 날부터 5년(「조세특례제한법」 제121조의 2 제1항 제2호의 2부터 제2호의 9까지 및 제3호에 따른 감면대상이 되는 사업의 경우 3년) 동안은 「지방세법」에 따른 재산세 산출세액에 외국인투자비율을 곱한 세액(이하 "재산세 감면대상세액")의 100분의 100을 감면하고, 그 다음 2년 동안은 재산세 감면대상세액의 100분의 50을 경감한다.

토지분 재산세의 경우는 토지의 과세표준에 감면율 및 감면비율을 곱하여 산출한 금액을 과세표준으로 하여 납부할 세액을 계산한다(지특법 §179).

◎ 감면대상 사업시설과 기타 사업장이 혼재된 경우 감면비율 산정방법

외국인투자기업에 대한 조세의 감면은 기획재정부장관이 정하는 특정 외국인투자사업에 대해 세제지원을 하는 특례제도임을 비추어볼 때, 재산세의 감면범위는 감면대상이 되는 사업에 한정한다고 해석함이 상당하므로 기획재정부장관이 정하는 외국인투자 사업과 기타사업이 혼재되어 있는 경우에 재산세의 감면대상세액은 감면대상 재산에 대한 산출세액에 외국인투자비율을 곱하여 산정하는 것이 타당함. 또한, 생산시설 등의 사업장은 각 특성에 따라 그 형태를 달리하므로 감면대상 재산부문의 세액산출을 위한 감면비율의 결정 또한 그 사업장의 특성에 따라 결정하는 것이 합리적이며, 감면사업장과 기타사업장의 구분이 가능한 경우의 감면비율은 "감면대상 사업장의 재산세 과표"를 "총 사업장의 재산세 과표"로 나누어 산정하고, 명확한 구분이 어려운 경우에는 법인세의 감면비율 산정방식(감면사업 소득÷법인세 과세표준)에 따라 적용(지방세운영과-4562, 2009.10.28. 참조)하는 것이 합리적임(지방세운영과-3384, 2011.7.14.).

◎ 신고한 사업용 부동산 일부를 임대한 경우는 추징대상에 해당함

조세특례제한법 제121조의 2 제4항에서의 외국인 투자기업이 신고한 사업이라 함은 외국인 투자기업이 조세감면을 위하여 감면신청시 신고한 사업으로서 재정경제부장관으로부터 감면대상사업으로 결정된 사업을 의미한다고 보아야 할 것이고, 청구인의 경우 1999.11.17. 재정경제부장관으로부터 조세감면결정통보를 받은 내용에서 감면대상 사업을 개인휴대통신망의 설계 및 최적화를 위한 무선주파수 설계기술, 고객지원 및 요금관리시스템 기술사업으로 결정하였으므로, 이러한 사업과 관련하여 취득한 재산에 해당되는 경우에 취득세 등을 면제받을 수 있다고 보아야 할 것으로서, 청구인은 이 사건 건축물을 2000.3.22. 신축한 후 일부는 그로부터 3일 후인 2000.3.25.에 청구외 (주)○○○에게 임대하였고, 일부는 3개월이 경과할 무렵인 2000.6.17.(3일 경과)에 청구외 (주)○○○에 임대한 사실을 볼 때, 임대부분은 취득시점부터 신고된 사업을 영위하기 위하여 취득한 재산으로 인정할 수 없다 하겠으므로, 처분청이 이러한 임대부분에 대하여 감면한 취득세 등을 추징한 처분은 잘못이 없음(행자부 행심 2004-0129, 2004.5.31.).

◎ 투자기간 연장승인은 받은 연장기간 내 투자금액 요건 충족시는 추징 제외

청구법인은 2007.6.25. 외국인 투자신고 및 구 ○○○으로부터 외국인투자기업으로 조세감면결정통보를 받고, 외국인투자지역에서 관광호텔업을 영위하기 위하여 쟁점토지와 건축물을 취득하여 취득세 등을 감면받았으나 외국인 투자신고일(2007.6.25.)부터 5년이 경과하기 이전인 2012.5.17. ○○○으로부터 외국인 투자금액의 당초 납입 이행을 2012.11.16.까지로 연장승인을 받고, 당해 연장된 이행기간 이내에 미화 ○○○을 초과하는 금액을 투자한 것으로 나타나는바, 2014.12.23. 개정된 「조세특례제한법」 제121조의 5 제5항 제4호와 그 부칙 제51조의 규정에 의하여 감면한 취득세 등의 추징대상에서 제외됨(조세심판원 조심 2013지0253, 2015.3.4.).

2) 사업개시일 전에 취득하는 경우(제2항)

2022년 12월 31일까지 외국인투자에 대해서 조세감면신청을 하여 조세감면결정을 받은 외국인투자기업이 사업개시일 전에 「조세특례제한법」 제121조의 2 제1항 각 호의 사업에 직접 사용하기 위하여 취득하거나 과세기준일 현재 직접 사용하는 부동산에 대해서는 제1항에도 불구하고 다음 각 호에서 정하는 바에 따라 지방세를 감면한다. 다만, 지방자치단체가 조례로 정하는 바에 따라 감면기간을 15년까지 연장하거나 감면율을 높인 경우에는 제2호에도 불구하고 조례로 정한 기간 및 비율에 따른다.

① 취득세 감면(제1호)

조세감면결정을 받은 날 이후 취득하는 부동산에 대해서는 취득세 감면대상세액의 100분의 100을 감면한다.

② 재산세 감면(제2호)

위 취득세 감면대상 부동산을 취득한 후 최초로 재산세 납세의무가 성립하는 날부터 5년(「조세특례제한법」 제121조의 2 제1항 제2호의 2부터 제2호의 9까지 및 제3호에 따른 감면대상이 되는 사업의 경우 3년) 동안은 재산세 감면대상세액의 100분의 100을 감면하고, 그 다음 2년 동안은 재산세 감면대상세액의 100분의 50을 경감한다.

◎ **사업개시일 전 취득 토지 외투비율은 실제 투자액으로 산정함**

사업개시일 전에 취득한 토지의 조세감면세액을 산정시의 '외국인투자비율'은 외국인투자가가 기획재정부 조세감면결정을 받은 후 그 비율에 따라 결정받은 신고서상의 비율이 아니라 실제로 외국인 투자가 된 때의 비율에 따라 감면을 적용하는 것이 타당함(지방세특례제도과-2078, 2017.7.24.).

3) 사업양수도방식에 따른 외국인 투자(제3항)

외국투자신고사업에 대한 외국인투자 중 사업의 양수 등 대통령령으로 정하는 방식에 해당하는 외국인투자에 대해서는 제1항 및 제2항에도 불구하고 다음 각 호에서 정하는 바에 따라 지방세를 감면한다. 다만, 지방자치단체가 조례로 정하는 바에 따라 감면기간을 10년까지 연장하거나 감면율을 높인 경우에는 다음 각 호에도 불구하고 조례로 정한 기간 및 비율에 따른다.

위의 '사업의 양수 등 대통령령으로 정하는 방식에 해당하는 외국인투자'란 그 사업에 관한 권리와 의무를 포괄적 또는 부분적으로 승계하는 것을 말한다(영 §38의 2 ②).

① 사업개시일 이후(제1호)

2022년 12월 31일까지 조세감면신청을 하여 조세감면결정을 받은 외국인투자기업이 「조세특례제한법」 제121조의 2 제1항 제1호의 사업에 직접 사용하기 위하여 취득하는 부동산 및 과세기준일 현재 해당 사업에 직접 사용하는 부동산에 대해서는 취득세 및 재산세를 감면한다.

취득세의 경우 사업개시일부터 3년 이내에 취득하는 부동산에 대해서는 취득세 감면대상세액의 100분의 50을, 그 다음 2년 이내에 취득하는 부동산에 대해서는 취득세 감면대상

세액의 100분의 30을 경감하며, 재산세의 경우 사업개시일 이후 최초로 재산세 납세의무가 성립하는 날부터 3년 동안은 재산세 감면대상세액의 100분의 50을, 그 다음 2년 동안은 재산세 감면대상세액의 100분의 30을 경감한다.

② 사업개시일 전(제2호)

2022년 12월 31일까지 조세감면신청을 하여 조세감면결정을 받은 외국인투자기업이 사업개시일 전에 「조세특례제한법」 제121조의 2 제1항 제1호의 사업에 직접 사용하기 위하여 취득하는 부동산 및 과세기준일 현재 해당 사업에 직접 사용하는 부동산에 대해서는 취득세와 재산세를 감면한다.

취득세의 경우 조세감면결정을 받은 날 이후 취득하는 부동산에 대해서는 취득세 감면대상세액의 100분의 50을 경감하며, 재산세의 경우 해당 부동산을 취득한 후 최초로 재산세 납세의무가 성립하는 날부터 3년 동안은 재산세 감면대상세액의 100분의 50을, 그 다음 2년 동안은 재산세 감면대상세액의 100분의 30을 경감한다.

3. 감면의 제한(제4항~제6항, 제11항)

① 지방세 감면적용 제외대상

외국투자가가 외국의 증권시장에 상장된 외국법인의 주식이나 외국인투자촉진법 또는 「외국환거래법」에 따라 외국인이 소유하고 있는 주식 등을 소유하기 위하여 출자하는 것과 대한민국 법인 또는 기업이 이미 발행한 주식 또는 지분(이하 "기존주식등")을 취득하는 것과 「자본시장과 금융투자업에 관한 법률」에 따른 주권상장법인이 발행한 기존주식등을 취득하는 경우는 지방세 감면을 적용하지 아니한다(제4항).

② 적용제외 비율

지방세 감면(제1항부터 제3항까지) 규정을 적용할 때 다음 각 호의 어느 하나에 해당하는 외국인투자의 경우 대통령령으로 정하는 바에 따라 계산한 주식 또는 출자지분(이하 "주식등")의 소유비율(소유비율이 100분의 5 미만인 경우에는 100분의 5로 본다) 상당액, 대여금 상당액 또는 외국인투자금액에 대해서는 조세감면대상으로 보지 아니한다(제6항).

1. 외국법인 또는 외국기업(이하 이 항에서 "외국법인등"이라 한다)이 외국인투자를 하는 경우로서 다음 각 목의 어느 하나에 해당하는 경우
   가. 대한민국 국민(외국에 영주하고 있는 사람으로서 거주지국의 영주권을 취득하거나 영주권을 갈음하는 체류허가를 받은 사람은 제외한다) 또는 대한민국 법인(이하 이 항에서 "대한민국국민등"이라 한다)이 해당 외국법인등의 의결권 있는 주식등의 100분의 5 이상을 직접 또는 간접으로 소유하고 있는 경우
   나. 대한민국국민등이 단독으로 또는 다른 주주와의 합의·계약 등에 따라 해당 외국법인등의 대표이사 또는 이사의 과반수를 선임한 주주에 해당하는 경우
2. 다음 각 목의 어느 하나에 해당하는 자가 「외국인투자 촉진법」 제2조 제1항 제5호에 따른 외국투자가(이하 이 조에서 "외국투자가"라 한다)에게 대여한 금액이 있는 경우
   가. 외국인투자기업
   나. 외국인투자기업의 의결권 있는 주식등을 100분의 5 이상 직접 또는 간접으로 소유하고 있는 대한민국국민등
   다. 단독으로 또는 다른 주주와의 합의·계약 등에 따라 외국인투자기업의 대표이사 또는 이사의 과반수를 선임한 주주인 대한민국국민등
3. 외국인이 「국제조세조정에 관한 법률」 제2조 제1항 제7호에 따른 조세조약 또는 투자보장협정을 체결하지 아니한 국가 또는 지역 중 대통령령으로 정하는 국가 또는 지역을 통하여 외국인투자를 하는 경우

위의 "대통령령으로 정하는 국가 또는 지역"이란 「조세특례제한법 시행령」 제116조의 2 제13항에 따른 국가 또는 지역을 말한다.

또한, 위 조세감면대상으로 보지 않는 주식 또는 출자지분(이하 "주식등")의 소유비율 상당액 또는 대여금 상당액은 다음 각 호의 구분에 따라 계산한 금액으로 한다(영 §38의 25 ④).

1. 법 제78조의 3 제6항 제1호에 해당하는 경우 : 외국법인 또는 외국기업(이하 이 조에서 "외국법인등"이라 한다)의 외국인투자금액에 해당 외국법인등의 주식등을 같은 호 가목에 따른 대한민국국민등(이하 이 조 및 제38조의 4에서 "대한민국국민등"이라 한다)이 직접 또는 간접으로 소유하고 있는 비율(그 비율이 100분의 5 미만인 경우에는 100분의 5로 한다)을 곱하여 계산한 금액. 이 경우 주식등의 직접 또는 간접 소유비율은 법 제78조의 3 제1항부터 제3항까지 및 제7항에 따라 지방세 감면 또는 면제의 대상이 되는 해당 지방세의 납세의무 성립일을 기준으로 산출한다.
2. 법 제78조의 3 제6항 제2호에 해당하는 경우 : 외국인투자금액 중 같은 호 각 목의 어느 하나에 해당하는 자가 외국투자가에게 대여한 금액 상당액

위의 계산을 함에 있어 주식등의 간접소유비율은 다음 각 호의 구분에 따라 계산한다. 다만, 외국법인등의 주주 또는 출자자인 법인(이하 "주주법인")이 둘 이상인 경우에는 다음 각 호에 따라 각 주주법인별로 계산한 비율을 더한 비율을 대한민국국민등의 해당 외국법인등에 대한 간접소유비율로 한다(영 §38의 25 ⑤).

1. 대한민국국민등이 외국법인등의 주주법인의 의결권 있는 주식의 100분의 50 이상을 소유하고 있는 경우에는 주주법인이 소유하고 있는 해당 외국법인등의 의결권 있는 주식이 그 외국법인등이 발행한 의결권 있는 주식의 총수에서 차지하는 비율(이하 이 조에서 "주주법인의 주식소유비율"이라 한다)
2. 대한민국국민등이 외국법인등의 주주법인의 의결권 있는 주식의 100분의 50 미만을 소유하고 있는 경우에는 그 소유비율에 주주법인의 주식소유비율을 곱한 비율

위의 외국인투자신고 후 최초의 조세감면결정 통지일부터 3년이 경과한 날까지 최초의 출자(증자를 포함한다)를 하지 아니하는 경우에는 조세감면결정의 효력이 상실되며, 외국인투자신고 후 최초의 조세감면결정 통지일부터 3년 이내에 최초의 출자를 한 경우로서 최초의 조세감면결정 통지일부터 5년이 되는 날까지 사업을 개시하지 아니한 경우에는 최초의 조세감면결정 통지일부터 5년이 되는 날을 그 사업을 개시한 날로 보아 지방세 감면(제1항부터 제3항까지의 규정)을 적용한다(제11항).

4. 증자분에 대한 감면(제7항~제10항)

① 증자감면 적용기준

외국인투자기업이 증자하는 경우에 그 증자분에 대한 취득세 및 재산세 감면에 대해서는 앞서 설명한 부동산 취득 및 보유(제1항부터 제6항까지)의 규정을 준용하며, 이 경우 제1항부터 제3항까지의 규정에 따른 사업개시일은 자본증가에 관한 변경등기를 한 날로 본다. 다만, 대통령령으로 정하는 기준에 해당하는 조세감면신청에 대해서는 「조세특례제한법」 제121조의 2 제8항에 따른 행정안전부장관 또는 지방자치단체의 장과의 협의를 생략할 수 있다(제7항).

위 단서에서 "대통령령으로 정하는 기준"이란 법 제78조의 3 제1항부터 제3항까지의 규정 또는 「조세특례제한법」 제121조의 2에 따라 지방세 감면을 받고 있는 사업을 위하여 증액투자하는 것을 말한다(영 §38의 3 ②).

위의 제7항에 따라 외국인투자기업의 증자분에 대하여 지방세를 감면하는 경우 해당 증

자본과 관계된 감면대상사업과 그 밖의 사업을 구분경리하여 해당 증자분 감면대상 사업을 기준으로 같은 조 제1항 제1호에 따른 외국인투자비율(이하 "외국인투자비율")을 계산한다. 이 경우 구분경리에 관하여는 「조세특례제한법」 제143조를 준용한다(영 §38의 3 ①).

또한, 외국인투자기업의 증자분에 대하여 지방세를 감면하는 경우 외국인투자기업이 유상감자(주식 또는 출자지분의 유상소각, 자본감소액의 반환 등에 따라 실질적으로 자산이 감소되는 경우를 말한다)를 한 후 5년 이내에 증자하여 조세감면신청을 하는 경우에는 그 유상감자 전보다 순증가하는 부분에 대한 외국인투자비율에 대해서만 지방세를 감면한다.(영 §38의 3 ②).

위와 같이 증자분에 대한 지방세의 감면결정을 받은 외국인투자기업이 해당 증자 후 7년 내에 유상감자를 하는 경우에는 해당 유상감자를 하기 직전의 증자분(「외국인투자 촉진법」 제5조 제2항 제2호에 따른 준비금·재평가적립금 및 그 밖의 다른 법령에 따른 적립금의 자본전입으로 인하여 주식이 발행되는 형태의 증자를 제외한다)부터 역순으로 감자한 것으로 보아 감면세액을 계산한다(영 §38의 3 ④).

② 감면액 산출기준

위의 제7항에 따라 외국인투자기업에 대한 취득세 감면대상세액 및 재산세 감면대상세액을 계산하는 경우 다음 각 호의 주식등에 대해서는 그 발생근거가 되는 주식등에 대한 감면의 예에 따라 그 감면기간의 남은 기간과 남은 기간의 감면비율에 따라 감면한다(제8항).

1. 「외국인투자 촉진법」 제5조 제2항 제2호에 따라 준비금·재평가적립금과 그 밖에 다른 법령에 따른 적립금이 자본으로 전입됨으로써 외국투자가가 취득한 주식등
2. 「외국인투자 촉진법」 제5조 제2항 제5호에 따라 외국투자가가 취득한 주식등으로부터 생긴 과실(주식등으로 한정한다)을 출자하여 취득한 주식등

위의 제7항에 따라 외국인투자기업에 대한 취득세 감면대상세액 및 재산세 감면대상세액을 계산하는 경우 제1항부터 제3항까지의 규정에 따른 감면기간이 종료된 사업의 사업용 고정자산을 제7항에 따른 증자분에 대한 조세감면을 받는 사업(이하 "증자분사업")에 계속 사용하는 경우 등 대통령령으로 정하는 사유가 있는 경우에는 다음 계산식에 따라 계산한 금액을 증자분사업에 대한 취득세 감면대상세액 및 재산세 감면대상세액으로 한다(제9항).

$$\text{취득세 감면대상세액 및 재산세 감면대상세액} \times \frac{\text{자본증가에 관한 변경등기를 한 날 이후 새로 취득·설치되는 사업용 고정자산의 가액}}{\text{증자분사업의 사업용 고정자산의 총가액}}$$

위의 "대통령령으로 정하는 사유"란 다음 각 호의 요건을 모두 갖춘 경우를 말한다.

1. 외국인투자기업이 증자 전에 「조세특례제한법」 제121조의 2 제1항 각 호에 따른 사업(이하 이 항에서 "증자전감면사업"이라 한다)에 대해 법 제78조의 3 제1항부터 제3항까지의 규정 또는 「조세특례제한법」 제121조의 2에 따른 지방세 감면을 받고 그 감면기간이 종료된 경우로서 법 제78조의 3 제7항에 따라 증자를 통하여 「조세특례제한법」 제121조의 2 제1항 각 호에 따른 사업(이하 이 항에서 "증자분감면사업"이라 한다)에 대한 감면결정을 받았을 것
2. 법 제78조의 3 제1항부터 제3항까지의 규정 또는 「조세특례제한법」 제121조의 2에 따른 감면기간이 종료된 증자전감면사업의 사업용 고정자산을 증자분감면사업에 계속 사용하는 경우로서 자본증가에 관한 변경등기를 한 날 현재 해당 증자전감면사업의 사업용 고정자산의 가액이 증자분감면사업의 사업용 고정자산의 총가액에서 차지하는 비율이 100분의 30 이상일 것

③ 증자분 감면결정

위의 제7항에도 불구하고 외국인투자신고 후 최초의 조세감면결정 통지일부터 3년이 되는 날 이전에 외국인투자기업이 조세감면결정 시 확인된 외국인투자신고금액의 범위에서 증자하는 경우에는 조세감면신청을 하지 아니하는 경우에도 그 증자분에 대하여 조세감면결정을 받은 것으로 본다(제10항).

◎ **기존 외국인투자후 경제자유구역내 추가 조세감면결정은 새로운 투자에 해당**

기존 외국인투자가 있었던 기업이 기재부로부터 추가로 조세감면 결정을 받은 후에 경제자유구역 내에 「조세특례제한법 시행령」 제116조의 2 제3항 제1호에서 규정한 제조업의 미화 3천만불 이상의 투자가 경제자유구역 내에 이루어져 외국인 투자지역 안에서 새로이 시설을 설치하는 것은 새로운 투자로 보아야 함(지방세특례제도과-2078, 2017.7.24.).

◎ **조특법상의 구분경리 규정은 지방세 감면에도 동일하게 적용됨**

「조세특례제한법 시행령」 제116조의 6 제5항에 따라 같은 법 제143조 제1항에서 정하고 있는 구분경리에 관한 사항은 제5장에서 외국인 투자 등에 대한 법인세, 소득세 이외 취득세 등을 포함한 조세특례에 모두 적용한다고 규정하고 있는 이상 국세와 지방세를 동일하게 적용하는 것이 합리적임(지방세특례제도과-2078, 2017.7.24.).

◎ **신축건물 재산세는 증자 범위 내에서 새로운 사업개시일로 보아 감면 적용**

종전에 외국인투자기업으로 재산세를 감면받던 법인이 새로이 외국인투자지역으로 지정된 지역에 증자를 하고 기획재정부장관으로부터 새로이 조세감면 결정받았다 하더라도 재산세 감면의 적용에 있어서는 종전 외국인투자에 따라 재산세를 감면받았다면 그 부동산은 종전 감면요건에 따라 감면기간을 적용하여야 하고 새로 외국인투자지역으로 지정된 지역에 신축한 부동산에 대해서는 증자 범위 내에서 새로운 사업개시일로 보아 매년 감면율을 적용하는 것이 타당함(지방세특례제도과-4002, 2016.12.29.).

5. 감면세액 추징 및 추징 예외

1) 감면세액 추징(제12항)

지방자치단체의 장은 다음 각 호의 어느 하나에 해당하는 경우에는 제1항부터 제3항까지(외국인투자에 대한 지방세 감면)의 규정에 따라 감면된 취득세 및 재산세를 추징한다. 이 경우 추징할 세액의 범위 및 여러 추징사유에 해당하는 경우의 추징 방법 등 그 밖에 필요한 사항은 대통령령으로 정한다.

1. 사업개시일 이후 외국인 투자(제1항 및 제3항)에 따라 취득세 또는 재산세가 감면된 후 외국투자가가 이 법에 따라 소유하는 주식등을 대한민국 국민 또는 대한민국 법인에 양도하는 경우
2. 사업개시일 전 외국인투자(제2항 및 제3항)에 따라 취득세 또는 재산세가 감면된 후 외국투자가의 주식등의 비율이 감면 당시의 주식등의 비율에 미달하게 된 경우
3. 「외국인투자 촉진법」에 따라 등록이 말소된 경우
4. 해당 외국인투자기업이 폐업하는 경우
5. 외국인투자기업이 외국인투자신고 후 5년(고용 관련 조세감면기준은 3년) 이내에 출자목적물의 납입, 「외국인투자 촉진법」 제2조 제1항 제4호 나목에 따른 장기차관의 도입 또는 고용인원이 「조세특례제한법」 제121조의 2 제1항에 따른 조세감면기준에 미달하는 경우
6. 정당한 사유 없이 그 취득일부터 3년이 경과할 때까지 해당 용도로 직접 사용하지 아니하는 경우
7. 해당 용도로 직접 사용한 기간이 2년 미만인 상태에서 매각·증여하거나 다른 용도로 사용하는 경우

제1호 및 제2호의 경우에는 주식등의 양도일 또는 주식등의 비율의 미달일부터 소급하여 5년 이내에 감면된 취득세 및 재산세의 세액에 그 양도비율 또는 미달비율을 곱하여 산출한 세액을 각각 추징한다(영 §38의 4 ① 1).

제3호 및 제4호의 경우에는 등록 말소일 또는 폐업일(「부가가치세법」 제8조 제6항 및 제7항에 따른 폐업일과 말소일 중 빠른 날을 말한다)부터 소급하여 5년 이내에 감면된 취득

세 및 재산세를 각각 추징한다(영 §38의 4 ① 2).

제5호의 경우에는 외국인투자신고 후 5년(고용과 관련된 조세감면기준에 미달하는 경우에는 3년)이 경과한 날부터 소급하여 5년(고용과 관련된 조세감면기준에 미달하는 경우에는 3년) 이내에 감면된 취득세 및 재산세를 각각 추징한다(영 §38의 4 ① 3).

위의 제6호 및 제7호의 경우에는 해당 추징사유가 발생한 날부터 소급하여 5년 이내에 감면된 취득세 및 재산세의 세액을 각각 추징. 이 경우 추징하는 세액은 해당 추징사유가 발생한 부분으로 한정한다(영 §38의 4 ① 4).

또한 위 제1호부터 제7호까지의 사유가 동시에 발생하는 경우에는 위 각 호에 따라 추징하는 세액이 큰 사유를 적용하고, 순차적으로 발생하는 경우에는 감면받은 세액의 범위에서 발생순서에 따라 먼저 발생한 사유부터 순차적으로 적용한다(영 §38의 4 ②).

2) 추징 예외(제13항)

취득세 및 재산세 감면세액 추징규정에도 불구하고 다음 각 호의 어느 하나에 해당하는 경우에는 대통령령으로 정하는 바에 따라 그 감면된 세액을 추징하지 아니할 수 있다.

1. 외국인투자기업이 합병으로 인하여 해산됨으로써 외국인투자기업의 등록이 말소된 경우
2. 「조세특례제한법」 제121조의 3에 따라 관세 등을 면제받고 도입되어 사용 중인 자본재를 천재지변이나 그 밖의 불가항력적인 사유, 감가상각, 기술의 진보, 그 밖에 경제여건의 변동 등으로 그 본래의 목적에 사용할 수 없게 되어 기획재정부장관의 승인을 받아 본래의 목적 외의 목적에 사용하거나 처분하는 경우
3. 「자본시장과 금융투자업에 관한 법률」에 따라 해당 외국인투자기업을 공개하기 위하여 주식등을 대한민국 국민 또는 대한민국 법인에 양도하는 경우
4. 「외국인투자 촉진법」에 따라 시・도지사가 연장한 이행기간 내에 출자목적물을 납입하여 해당 조세감면기준을 충족한 경우
5. 그 밖에 조세감면의 목적을 달성하였다고 인정되는 경우로서 대통령령으로 정하는 경우

제5호에서 '대통령령으로 정하는 경우'란 다음 각 호의 어느 하나에 해당하는 경우를 말한다(영 §38의 4 ④).

1. 「경제자유구역의 지정 및 운영에 관한 특별법」 제8조의 3 제1항 및 제2항에 따른 개발사업시행자가 같은 법 제2조 제1호에 따른 경제자유구역의 개발사업을 완료한 후 법 제78조의 3 제12항에 따른 취득세 및 재산세의 추징사유가 발생한 경우
2. 「기업도시개발 특별법」 제10조 제1항에 따라 지정된 기업도시 개발사업시행자가 같은 법 제2조

제2호에 따른 기업도시개발구역의 개발사업을 완료한 후 법 제78조의 3 제12항에 따른 취득세 및 재산세의 추징사유가 발생한 경우

3. 「새만금사업 추진 및 지원에 관한 특별법」 제8조 제1항에 따라 지정된 사업시행자가 같은 법 제2조 제1호에 따른 새만금사업지역의 개발사업을 완료한 후 법 제78조의 3 제12항에 따른 취득세 및 재산세의 추징사유가 발생한 경우
4. 「제주특별자치도 설치 및 국제자유도시 조성을 위한 특별법」 제162조에 따라 지정되는 제주투자진흥지구의 개발사업시행자가 제주투자진흥지구의 개발사업을 완료한 후 법 제78조의 3 제12항에 따른 취득세 및 재산세의 추징사유가 발생한 경우
5. 「조세특례제한법」 제121조의 2 제1항 제1호에 따른 신성장동력산업기술을 수반하는 사업에 투자한 외국투자가가 그 감면사업 또는 소유주식등을 대한민국국민등에게 양도한 경우로서 해당 기업이 그 신성장동력산업기술을 수반하는 사업에서 생산되거나 제공되는 제품 또는 서비스를 국내에서 자체적으로 생산하는 데 지장이 없다고 기획재정부장관이 확인하는 경우
6. 외국투자가가 소유하는 주식등을 다른 법령이나 정부의 시책에 따라 대한민국국민등에게 양도한 경우로서 기획재정부장관이 확인하는 경우
7. 외국투자가가 소유하는 주식등을 대한민국국민등에게 양도한 후 양도받은 대한민국 국민등이 7일 이내에 해당 주식등을 다시 다른 외국투자가에게 양도한 경우로서 당초 사업을 계속 이행하는 데 지장이 없다고 기획재정부장관이 확인하는 경우

또한, 조세감면결정을 받은 외국인투자기업이 위 제3호부터 제7호까지의 어느 하나에 해당하는 경우에는 대통령령으로 정하는 바에 따라 해당 과세연도와 남은 감면기간 동안 부동산에 대한 감면(제1항부터 제3항까지)의 규정 및 증자(제7항)에 따른 감면을 적용하지 아니한다(법 제14항). "대통령령으로 정하는 바"란 법 제78조의 3 제14항을 적용할 때 같은 조 제12항 제3호부터 제7호까지의 어느 하나에 해당하는 사유가 발생한 경우 해당 사유가 발생한 날 이후의 남은 감면기간(재산세 과세기준일 이전에 사유가 발생한 경우 해당 과세연도를 포함한다)에 대해서는 같은 조 제1항부터 제3항까지의 규정 및 제7항에 따른 취득세 및 재산세 감면을 적용하지 않는다. 이 경우 법 제78조의 3 제12항 제3호부터 제7호까지의 어느 하나에 해당하는 사유가 발생한 날 이후의 남은 감면기간 중에 같은 조 제1항 및 「조세특례제한법」 제121조의 2 제1항 각 호 외의 부분에 따른 조세감면기준을 다시 충족하는 경우에도 또한 같다(영 §38의 4 ⑥).

6. 감면신청 및 환급(제5항, 제15항)

외국인투자기업이 지방세 감면을 받으려면 그 외국인투자기업의 사업개시일이 속하는 과세연도의 종료일까지 기획재정부장관에게 감면신청을 하여야 한다. 다만, 당초 조세감면

결정을 받은 사업내용을 변경한 경우 그 변경된 사업에 대한 감면을 받으려면 해당 변경사유가 발생한 날부터 2년이 되는 날까지 기획재정부장관에게 조세감면내용 변경신청을 하여야 하며, 이에 따른 조세감면내용 변경결정이 있는 경우 그 변경결정의 내용은 당초 감면기간의 남은 기간에 대해서만 적용된다(지특법 §78의 2 ⑮, 조특법 §121의 2 ⑥, 조특영 §116의 3 ①).

기획재정부장관은 조세감면신청 또는 조세감면내용 변경신청을 받거나 사전확인신청을 받으면 행정안전부장관 및 해당 사업장을 관할하는 지방자치단체의 장과 협의하여 그 감면·감면내용변경·감면대상 해당여부를 20일 이내에 결정하고 이를 신청인에게 알려야 한다(조특법 §121의 2 ⑧, 조특영 §116의 3 ①).

외국인투자기업이 조세감면신청 기한이 지난 후 감면신청을 하여 조세감면결정을 받은 경우에는 조세감면결정을 받은 날 이후의 남은 감면기간에 대해서만 지방세 감면(제1항부터 제3항까지)의 규정을 적용한다. 이 경우 외국인투자기업이 조세감면결정을 받기 이전에 이미 납부한 세액이 있을 때에는 그 세액은 환급하지 아니한다(지특법 §78의 2 ⑤).

제79조(법인의 지방 이전에 대한 감면)

> **법** 제79조(법인의 지방 이전에 대한 감면) ① 과밀억제권역에 본점 또는 주사무소를 설치하여 사업을 직접 하는 법인이 해당 본점 또는 주사무소를 매각하거나 임차를 종료하고 대통령령으로 정하는 대도시(이하 이 절에서 "대도시"라 한다) 외의 지역으로 본점 또는 주사무소를 이전하는 경우에 해당 사업을 직접 하기 위하여 취득하는 부동산에 대해서는 취득세를 2021년 12월 31일까지 면제하고, 재산세의 경우 그 부동산에 대한 재산세의 납세의무가 최초로 성립하는 날부터 5년간 면제하며 그 다음 3년간 재산세의 100분의 50을 경감한다. 다만, 다음 각 호의 어느 하나에 해당하는 경우에는 감면한 취득세 및 재산세를 추징한다. 농비
>
> 1. 법인을 이전하여 5년 이내에 법인이 해산된 경우(합병·분할 또는 분할합병으로 인한 경우는 제외한다)와 법인을 이전하여 과세감면을 받고 있는 기간에 과밀억제권역에서 이전 전에 생산하던 제품을 생산하는 법인을 다시 설치한 경우
> 2. 해당 사업에 직접 사용한 기간이 2년 미만인 상태에서 매각·증여하거나 다른 용도로 사용하는 경우
>
> ② 대도시에 등기되어 있는 법인이 대도시 외의 지역으로 본점 또는 주사무소를 이전하는 경우에 그 이전에 따른 법인등기 및 부동산등기에 대해서는 2021년 12월 31일까지 등록면허세를 면제한다. 농비
>
> ③ 제1항 및 제2항에 따른 대도시 외의 지역으로 이전하는 본점 또는 주사무소의 범위와 감면 등의 적용기준은 행정안전부령으로 정한다.

영 제39조(대도시의 범위) 법 제79조 제1항 본문에서 "대통령령으로 정하는 대도시"란 과밀억제권역(「산업집적활성화 및 공장설립에 관한 법률」을 적용받는 산업단지는 제외한다)을 말한다.

규칙 제7조(대도시 외의 지역으로 이전하는 본점 또는 주사무소에 대한 감면 등의 적용기준) ① 법 제79조 제1항 본문에 따라 대도시(영 제39조에 따른 대도시를 말한다. 이하 같다) 외의 지역으로 본점 또는 주사무소를 이전(移轉)하여 해당 사업을 직접 하기 위하여 취득하는 부동산의 범위는 법인의 본점 또는 주사무소로 사용하는 부동산과 그 부대시설용 부동산으로서 다음 각 호의 요건을 모두 갖춘 것으로 한다.

1. 대도시 외의 지역으로 이전하기 위하여 취득한 본점 또는 주사무소용 부동산으로서 사업을 시작하기 이전에 취득한 것일 것 2. 과밀억제권역 내의 본점 또는 주사무소를 대도시 외의 지역으로 이전하기 위하여 사업을 중단한 날까지 6개월(임차한 경우에는 2년을 말한다) 이상 사업을 한 실적이 있을 것 3. 대도시 외의 지역에서 그 사업을 시작한 날부터 6개월 이내에 과밀억제권역 내에 있는 종전의 본점 또는 주사무소를 폐쇄할 것 4. 대도시 외의 지역에서 본점 또는 주사무소용 부동산을 취득한 날부터 6개월 이내에 건축공사를 시작하거나 직접 그 용도에 사용할 것. 다만, 정당한 사유가 있는 경우에는 6개월 이내에 건축공사를 시작하지 아니하거나 직접 그 용도에 사용하지 아니할 수 있다.

② 제1항에 따른 감면대상이 되는 본점 또는 주사무소용 부동산 가액의 합계액이 이전하기 전의 본점 또는 주사무소용 부동산 가액의 합계액을 초과하는 경우 그 초과액에 대해서는 취득세를 과세한다. 이 경우 그 초과액의 산정방법과 적용기준은 다음 각 호와 같다.

1. 이전한 본점 또는 주사무소용 부동산의 가액과 이전하기 전의 본점 또는 주사무소용 부동산의 가액이 각각 「지방세법」 제10조 제5항에 따른 사실상의 취득가격 및 연부금액으로 증명되는 경우에는 그 차액 2. 제1호 외의 경우에는 이전한 본점 또는 주사무소용 부동산의 시가표준액(「지방세법」 제4조에 따른 시가표준액을 말한다. 이하 같다)과 이전하기 전의 본점 또는 주사무소용 부동산의 시가표준액의 차액

과밀억제권역에 본점 등을 두고 사업을 직접 하는 법인이 대도시 외의 지역으로 본점 등을 이전하여 사업을 직접 하기 위하여 취득하는 부동산 등에 대한 세제지원을 규정하고 있다.

과밀억제권역에 본점(주사무소)을 설치하여 사업을 직접 하는 법인이 본점(주사무소)을 매각 또는 임차 종료한 후에 대도시 외의 지역으로 이전(移轉)하는 경우에 취득세를 면제(초과액은 과세)하고, 재산세에 대해서는 5년간 면제, 그 후 3년간 50%를 감면한다. 여기서 대도시 외의 지역이라 함은 과밀억제권역 내의 산업단지를 포함한다. 한편, 5년 이내에 법인이 해산된 경우(합병 · 분할 제외), 과밀권역에서 이전(移轉) 전에 생산하던 제품을 생산하는 법인을 다시 설치하는 경우, 직접 사용 2년 미만인 상태에서 매각 · 증여 또는 타용도 사용시에는 감면받은 취득세와 재산세를 추징한다(법 ①).

대도시에 등기되어 있는 법인이 대도시 외의 지역으로 본점(주사무소)을 이전하는 경우

에 법인등기 및 부동산등기에 대한 등록면허세를 면제한다(법 ②).

제1항과 제2항의 감면요건에 대해 살펴보면, 감면대상은 법인의 본점(주사무소)용 부동산으로 그 부대시설용 부동산을 포함하는 개념이며, 1) 이전(移轉)을 위해 사업을 중단할 때까지 6개월(임차시 2년) 이상 사업한 실적이 있을 것, 2) 대도시외에서 사업을 시작하기 이전에 취득한 것일 것, 3) 대도시 외의 지역에서 사업을 시작한 날부터 6개월 이내에 종전 본점(주사무소)을 폐쇄할 것, 4) 대도시 외의 지역에서 본점(주사무소)용 부동산을 취득한 날부터 6개월 이내에 건축공사를 시작하거나 직접 사용할 것(정당한 사유가 있는 경우 예외 인정)의 요건을 갖추어야 한다. 또한 초과액 한도에 대해서는 이전(移轉) 전, 후의 부동산이 모두 지방세법 제10조 제5항에 해당하는 경우에는 그 차액, 그 외의 경우에는 시가표준액 간 차액으로 계산한다(법 ③).

◎ 사무실과 공장의 구분이 명확하지 않은 경우 지방 이전 감면대상이라는 사례

1동의 건축물 내에서 상품의 제조와 사무업무를 같이 수행하고 있어 사실상 사무실과 공장의 구분이 명확하지 않은 경우, 법인의 본점과 공장의 구분은 단지 법인등기부 등본상 본점등기 여부를 기준으로 판단할 것이 아니라 그 형식보다는 실질에 의하여 판단하여야 하는 바(대법원 96누2330), 해당 건축물이 실질적으로 공장으로 사용되고 있고, 건축물 내에서 본점용 사무실이 공장과 독립적으로 구분되어 있지 않는 경우라면 본점용 사무실은 공장을 지원하기 위한 사무실로서 공장의 부대시설에 해당된다고 보는 것이 타당함. 따라서 건축물 전체가 공장에 해당된다고 할 것이므로 공장의 지방 이전에 대한 감면요건에 따라 감면여부를 판단하는 것이 타당(지방세특례제도과-3674, 2018.10.8.).

◎ 대도시 외로 이전시 종전 임차한 부동산 가액은 시가표준액을 적용하여 산정함

「수도권정비계획법」에 의한 과밀억제권역 안에서 본점 또는 주사무소용 부동산을 임차하여 사용하다가 임차를 종료하고 대도시 외의 지역으로 본점 또는 주사무소를 이전하는 경우라면, 「지방세법 시행규칙」 제114조의 3의 규정에 의한 범위와 적용기준에 합당하여야 할 것으로, 감면대상이 되는 본점 또는 주사무소용 부동산의 가액의 합계액이 이전 전의 본점 또는 주사무소용 부동산의 가액의 합계액을 초과하는 경우 그 초과액에 대하여 취득세와 등록세를 과세함에 있어서 대도시 외의 지역으로 이전하기 전에 임차하여 사용하고 있는 임대인 소유의 본점 또는 주사무소용 부동산에 대한 시가표준액 또는 「지방세법」 제111조 제5항의 규정에 의해 입증되는 가액과 이전 후의 본점 또는 주사무소용 부동산에 대한 시가표준액 또는 「지방세법」 제111조 제5항의 규정에 의해 입증되는 가액을 비교하여 그 초과액을 산정하여야 할 것으로 판단됨(도세-3, 2008.3.12.).

◎ 대도시 내 법인이 같은 대도시 내의 산업단지로 이전시 등록세율 적용기준
대도시 내에서 설립한 법인이 대도시(과밀억제권역) 외 지방으로 법인의 본점 또는 주사무소를 이전하는 경우 그 이전에 따른 법인등기 및 부동산 등기에 대하여 취득세와 등록세의 면제대상이 되는 것이므로 대도시 내의 법인이 같은 대도시 내에 소재한 산업단지 내로 이전하는 경우라면 상기 규정에 의한 취득세와 등록세의 면제대상이 되지 않는 것이며, 대도시 내에 소재한 법인이 다른 대도시 내의 산업단지로 법인의 본점을 이전하는 경우에는 「지방세법」 제137조 제1항 제4호 규정에 의한 75,000원의 등록세를 납부하는 것이 타당함(세정-167, 2007.2.9.).

◎ 과밀억제권역인 서울특별시 ○○구에 소재하는 법인이 같은 과밀억제권역 내의 산업단지인 서울특별시 △△구로 법인은 이전하는 경우에는 등록세가 면제되지 않음(세정-388, 2004.3.10.).

◎ 이전 전 공장은 대도시에 소재한 공장이 아니라 「산업집적활성화 및 공장설립에 관한 법률」의 적용을 받는 산업단지 내 소재하고 있던 공장으로서 대도시 외 지역으로 이전을 하기 위하여 이전 후 공장을 취득하였다 하더라도 지방이전에 따른 감면대상에 해당되지 않는 것임(조심 2010지0421, 2010.11.17.).

◎ 기존 본점의 임차가 종료되지 않은 등 형식적인 이전은 감면대상이 아님
청구법인의 경우 이 사건 심판청구일 현재 과밀억제권역 내 기존 임차물을 대표이사실 · 기획관리본부 · 영업지원본부 등으로 계속하여 사용하고 있는 점, 청구법인 또한 이 사건 건축물은 창고용도로 허가를 받음에 따라 많은 직원을 수용할 수 있는 사무실을 설치할 수 없기 때문에 과밀억제권역에 영업장 및 사무소가 존재할 수밖에 없다고 인정하고 있는 점으로 볼 때 기존 본점의 임차를 종료하지 아니하였을 뿐 아니라 이 사건 건축물에서 사업을 개시한 2008.12.26.부터 6월 이내에 기존 본점을 폐쇄한 경우에 해당되지 아니하고, 법인등기부상 본점 소재지를 대도시 외 지역으로 이전하였으나 실제로는 물류본부만 이전한 형식적인 이전이므로 지방세 감면대상에 해당되지 않음(조심 2009지0789, 2010.5.6.).

제80조(공장의 지방 이전에 따른 감면)

법 제80조(공장의 지방 이전에 따른 감면) ① 대도시에서 공장시설을 갖추고 사업을 직접 하는 자가 그 공장을 폐쇄하고 대도시 외의 지역으로서 공장 설치가 금지되거나 제한되지 아니한 지역으로 이전한 후 해당 사업을 계속하기 위하여 취득하는 부동산에 대해서는 취득세를 2021년 12월 31일까지 면제하고, 재산세의 경우 그 부동산에 대한 납세의무가 최초로 성립하는 날부터 5년간 면제하고 그 다음 3년간 재산세의 100분의 50을 경감한다. 다만, 다음 각 호의 어느 하나에 해당하

는 경우에는 감면한 취득세 및 재산세를 추징한다. 농비

1. 공장을 이전하여 지방세를 감면받고 있는 기간에 대도시에서 이전 전에 생산하던 제품을 생산하는 공장을 다시 설치한 경우 2. 해당 사업에 직접 사용한 기간이 2년 미만인 상태에서 매각·증여하거나 다른 용도로 사용하는 경우

② 제1항에 따른 공장의 업종 및 그 규모, 감면 등의 적용기준은 행정안전부령으로 정한다.

규칙 제8조(대도시 외의 지역으로 이전하는 공장의 범위와 적용기준) ① 법 제80조 제1항에 따른 공장의 범위는 「지방세법 시행규칙」 별표 2에서 규정하는 업종의 공장으로서 생산설비를 갖춘 건축물의 연면적(옥외에 기계장치 또는 저장시설이 있는 경우에는 그 시설물의 수평투영면적을 포함한다)이 200 제곱미터 이상인 것을 말한다. 이 경우 건축물의 연면적에는 그 제조시설을 지원하기 위하여 공장 경계구역 안에 설치되는 종업원의 후생복지시설 등 각종 부대시설(수익사업용으로 사용되는 부분은 제외한다)을 포함한다.

② 법 제80조 제1항에 따라 감면 대상이 되는 공장용 부동산은 다음 각 호의 요건을 모두 갖춘 것이어야 한다.

1. 이전한 공장의 사업을 시작하기 이전에 취득한 부동산일 것
2. 공장시설(제조장 단위별로 독립된 시설을 말한다. 이하 같다)을 이전하기 위하여 대도시 내에 있는 공장의 조업을 중단한 날까지 6개월(임차한 공장의 경우에는 2년을 말한다) 이상 계속하여 조업한 실적이 있을 것. 이 경우 「물환경보전법」 또는 「대기환경보전법」에 따라 폐수배출시설 또는 대기오염물질배출시설 등의 개선명령·이전명령·조업정지나 그 밖의 처분을 받아 조업을 중단하였을 때의 그 조업 중지기간은 조업한 기간으로 본다.
3. 대도시 외에서 그 사업을 시작한 날부터 6개월(시운전 기간은 제외한다) 이내에 대도시 내에 있는 해당 공장시설을 완전히 철거하거나 폐쇄할 것
4. 토지를 취득하였을 때에는 그 취득일부터 6개월 이내에 공장용 건축물 공사를 시작하여야 하며, 건축물을 취득하거나 토지와 건축물을 동시에 취득하였을 때에는 그 취득일부터 6개월 이내에 사업을 시작할 것. 다만, 정당한 사유가 있을 때에는 6개월 이내에 공장용 건축물 공사를 시작하지 아니하거나 사업을 시작하지 아니할 수 있다.

③ 제2항에 따른 감면대상이 되는 공장용 부동산 가액의 합계액이 이전하기 전의 공장용 부동산 가액의 합계액을 초과하는 경우 그 초과액에 대해서는 취득세를 과세한다. 이 경우 초과액의 산정기준은 다음 각 호와 같다.

1. 이전한 공장용 부동산의 가액과 이전하기 전의 공장용 부동산의 가액이 각각 「지방세법」 제10조 제5항에 따른 사실상의 취득가격 및 연부금액으로 증명되는 경우에는 그 차액
2. 제1호 외의 경우에는 이전한 공장용 부동산의 시가표준액과 이전하기 전의 공장용 부동산의 시가표준액의 차액

④ 제3항에 따른 부동산의 초과액에 대하여 과세하는 경우에는 이전한 공장용 토지와 건축물 가액의 비율로 나누어 계산한 후 각각 과세한다.

⑤ 법 제80조 제1항에 따라 공장의 지방 이전에 따른 지방세 감면을 신청하려는 자는 제2조 제1항에도 불구하고 별지 제6호 서식에 다음 각 호의 서류를 첨부하여 시장·군수·구청장에게 제출해야 한다.

1. 이전하기 전의 공장 규모와 조업실적을 증명할 수 있는 서류

2. 이전하기 전의 공장용 토지의 지목이 둘 이상이거나 그 토지가 두 필지 이상인 경우 또는 건물이 여러 동일 경우에는 그 명세서
3. 이전한 공장용 토지의 지목이 둘 이상이거나 그 토지가 두 필지 이상인 경우 또는 건물이 여러 동일 경우에는 그 명세서

국가균형발전 및 지역경제 활성화 도모를 위해 대도시에서 대도시 외의 지역으로 공장을 이전할 경우 지방세를 감면한다.

대도시에서 공장시설을 갖추고 사업을 직접 하는 자가 공장을 폐쇄하고 대도시 외의 공장설치가 금지・제한되지 않은 지역으로 이전(移轉)하는 경우에 부동산의 취득세를 면제하고, 재산세에 대해서는 5년간 면제, 그 후 3년간 50%를 감면한다. 한편, 대도시에서 이전(移轉) 전 생산하던 제품을 생산하는 공장을 다시 설치시, 직접 사용 2년 미만 중 매각・증여 또는 타용도 사용시에는 감면한 취득세 및 재산세를 추징한다(법 ①).

감면요건에 대해서 살펴보면, 감면대상은 생산설비를 갖춘 연면적[제조시설 지원을 위한 후생복지시설 등 부대시설(수익사업용 제외) 포함] 200㎡ 이상인 건축물로서, 1) 이전(移轉)을 위해 사업을 중단시까지 6개월(임차시 2년) 이상 조업한 실적이 있을 것(조업중지기간 포함), 2) 대도시 외에서 사업을 시작하기 이전에 취득한 것일 것, 3) 대도시 외의 지역에서 사업을 시작한 날부터 6개월 이내(시운전기간 제외)에 종전 공장시설을 완전히 철거 또는 폐쇄할 것, 4) 토지를 취득한 경우 6개월 이내에 공장용 건축물 공사를 시작하고, 토지와 건축물을 동시에 취득한 경우 6개월 이내에 사업을 시작할 것(정당한 사유가 있는 경우 예외 인정)의 요건을 갖추어야 한다. 또한, 초과액 한도에 대해서는 이전(移轉) 전, 후의 부동산이 모두 지방세법 제10조 제5항에 해당하는 경우에는 그 차액, 그 외의 경우에는 시가표준액 간 차액으로 계산하며, 초과액에 대해 과세시에는 이전한 공장용 토지와 건축물 가액의 비율로 나눠서 각각 과세한다(법 ②). 2019년부터는 대도시 외로 이전하는 공장에 대한 감면 범위를 산업단지 등 입주 공장과 동일하게 수익사업으로 사용되는 부분은 제외토록 명확히 하였다(규칙 ①).

◎ 과밀억제권역 내 산업단지의 공장을 대도시 외의 지역으로 이전한 경우 취득세 등 감면대상 공장의 지방이전에 해당하지 아니함(지방세특례제도과-2742, 2020.11.18.).

◎ **대도시 공장을 지방으로 이전하고, 재산세 감면유예기간 5년 이내에 법인으로 전환한 경우 재산세 감면대상에 해당되지 않음**

법인은 독립된 법인격을 가지고 권리의무의 주체가 되는 것이므로 그 대표자인 개인과 동일

시할 수 없음. 김○○은 2007.1.17. 대도시 내에서 개인사업자로서 사업자등록을 하고 사업을 영위하다가 2012.8.17. 대도시 외에 있는 이 사건 토지로 사업자등록을 이전함으로써 구 지특법 제80조 제1항에 의하여 그 이전에 따라 취득한 이 사건 토지 및 건물에 대한 취득세는 면제받았으나 2012.9.27. 원고를 설립한 후 2012.10.11. 위 개인사업을 폐업하였으니, 같은 날 원고가 김○○으로부터 그의 영업 일체를 포괄양수하고 토지 및 건물을 취득하였다 하더라도, 개인 김○○과 법인인 원고는 별개의 독립된 법인격체이므로 김○○이 대도시에서 공장시설을 갖추고 광고물 제작, 가방 및 잡화 제조업 등의 사업을 한 것을 원고가 그 사업을 한 것으로 볼 수는 없음(대법원 2015두51798, 2016.1.14.).

◎ 토지 취득 후 6월 이내 착공해야 감면대상에 해당함

공장의 지방 이전에 따른 감면 적용시 감면대상 부동산의 범위는 공장의 설치가 금지되거나 제한되지 아니한 지역으로 감면대상을 한정하고 있으므로, 건설협약서(MOU)를 체결하여 지방자치단체의 지방이전기업유치에 대한 재정자금 지원금 등 국가보조금을 지원하였다 하더라도 별도 세제감면 규정이 없는 한 대도시 안에서 공장을 영위하는 자가 대도시 외의 지역으로 공장을 이전하면서 토지의 취득일로부터 6월이 경과한 후, 공장용 건축물을 착공한 경우 인・허가권자의 보완요구 등은 정당한 사유에 해당되지 않음(지방세운영과-5118, 2010.10.27.).

◎ 공장시설을 이전하기 전 취득 부동산도 감면대상에 해당함

「지방세법 시행규칙」 제115조 제2항 본문에서 법 제275조 제1항의 규정에 의하여 감면대상이 되는 공장용 부동산은 다음 각 호의 요건을 갖춘 것이어야 한다고 하면서, 그 제1호 내지 제4호에서 이전한 공장의 사업을 개시하기 이전에 취득한 부동산이어야 하고, 공장시설(제조장 단위별로 독립된 시설)을 이전하기 위하여 대도시 내에 있는 공장의 조업을 중단한 날까지 6월(임차공장의 경우에는 2년) 이상 계속하여 조업한 실적이 있어야 하며, 대도시 외에서 그 사업을 개시한 날부터 6월(시운전기간을 제외) 내에 대도시 내에 있는 당해 공장 시설을 완전히 철거하거나 폐쇄하여야 하고, 토지를 취득한 때에는 그 취득일로부터 6월 이내에 공장용 건축물을 착공하여야 하며, 건축물을 취득하거나 토지와 건축물을 동시에 취득한 때에는 그 취득일로부터 6월 내에 사업을 개시하여야 한다고 규정하고 있으므로 위 규정에 의하여 취득세와 등록세가 면제되는 부동산의 범위에 대항해 사업을 계속하기 위하여 공장시설을 이전하기 전에 취득한 부동산도 포함함(지방세정팀-1441, 2007.4.27.).

◎ 대도시 내 기존공장을 폐쇄하고 대도시 외의 건축물을 임차하여 공장을 이전한 후 사업을 개시하여 공장을 신축하였을 경우 취득세 등이 면제되지 않음(조심 2008지0568, 2009.4.17.).

제81조(이전공공기관 등 지방이전에 대한 감면)

법 제81조(이전공공기관 등 지방이전에 대한 감면) ①「혁신도시 조성 및 발전에 관한 특별법」 제2조 제2호에 따른 이전공공기관(이하 이 조에서 "이전공공기관"이라 한다)이 같은 법 제4조에 따라 국토교통부장관의 지방이전계획 승인을 받아 이전할 목적으로 취득하는 부동산에 대해서는 취득세의 100분의 50을 2017년 12월 31일까지 경감하고, 재산세의 경우 그 부동산에 대한 납세의무가 최초로 성립하는 날부터 5년간 재산세의 100분의 50을 경감한다. 감면분만 농비

② 이전공공기관의 법인등기에 대해서는 2016년 12월 31일까지 등록면허세를 면제한다. 농비

③ 제1호 각 목의 자가 해당 지역에 거주할 목적으로 주택을 취득함으로써 대통령령으로 정하는 1가구1주택이 되는 경우에는 제2호 각 목에서 정하는 바에 따라 취득세를 2022년 12월 31일까지 감면한다.

1. 감면 대상자
   가. 이전공공기관을 따라 이주하는 소속 임직원
   나.「신행정수도 후속대책을 위한 연기·공주지역 행정중심복합도시 건설을 위한 특별법」 제16조에 따른 이전계획에 따라 행정중심복합도시로 이전하는 중앙행정기관 및 그 소속기관(이전계획에 포함되어 있지 않은 중앙행정기관의 소속기관으로서 행정중심복합도시로 이전하는 소속기관을 포함하며, 이하 이 조에서 "중앙행정기관등"이라 한다)을 따라 이주하는 공무원(1년 이상 근무한 기간제근로자로서 해당 소속기관이 이전하는 날까지 계약이 유지되는 종사자 및「국가공무원법」 제26조의 4에 따라 수습으로 근무하는 자를 포함한다. 이하 이 조에서 같다)
   다. 행정중심복합도시건설청 소속 공무원(2019년 12월 31일 이전에 소속된 경우로 한정한다)
2. 감면 내용
   가. 전용면적 85제곱미터 이하의 주택 : 면제
   나. 전용면적 85제곱미터 초과 102 제곱미터 이하의 주택 : 1천분의 750을 경감
   다. 전용면적 102 제곱미터 초과 135 제곱미터 이하의 주택 : 1천분의 625를 경감

④ 제3항에 따라 취득세를 감면받은 사람이 사망, 혼인, 해외이주, 정년퇴직, 파견근무 또는 부처교류로 인한 근무지역의 변동 등의 정당한 사유 없이 다음 각 호의 어느 하나에 해당하는 경우에는 감면된 취득세를 추징한다. 〈신설 2011.12.31., 2015.12.29., 2017.12.26.〉

1. 이전공공기관 또는 중앙행정기관등의 이전일(이전공공기관의 경우에는 이전에 따른 등기일 또는 업무개시일 중 빠른 날을 말하며, 중앙행정기관등의 경우에는 업무개시일을 말한다. 이하 이 조에서 같다) 전에 주택을 매각·증여한 경우
2. 다음 각 목의 어느 하나에 해당하는 날부터 2년 이내에 주택을 매각·증여한 경우
   가. 해당 기관의 이전일(이전공공기관 또는 중앙행정기관등에 소속된 임직원 또는 공무원의 경우만 해당한다) 나. 주택의 취득일

⑤ 제3항 제1호에 따른 이전공공기관, 중앙행정기관등, 행정중심복합도시건설청 및 세종청사관리소(이하 이 항에서 "감면대상기관"이라 한다)의 소속 임직원 또는 공무원(소속기관의 장이 인정하여 주택특별공급을 받은 사람을 포함한다)으로서 해당 지역에 거주할 목적으로 주택을 취득하

기 위한 계약을 체결하였으나 취득 시에 인사발령으로 감면대상기관 외의 기관에서 근무하게 되어 제3항에 따른 취득세 감면을 받지 못한 사람이 3년 이내의 근무기간을 종료하고 감면대상기관으로 복귀하였을 때에는 이미 납부한 세액에서 제3항 제2호에 따른 감면을 적용하였을 경우의 납부세액을 뺀 금액을 환급한다. 〈신설 2013.1.1., 2015.12.29.〉 [제목개정 2011.12.31.]

영 제40조(1가구 1주택의 범위) 법 제81조 제3항 각 호 외의 부분에서 "대통령령으로 정하는 1가구 1주택"이란 취득일 현재 취득자와 같은 세대별 주민등록표에 기재되어 있는 가족(동거인은 제외한다)으로 구성된 1가구(취득자의 배우자와 취득자의 미혼인 30세 미만의 직계비속은 각각 취득자와 같은 세대별 주민등록표에 기재되어 있지 아니하더라도 같은 가구에 속한 것으로 본다)가 다음 각 호의 구분에 따른 지역에서 해당 기관에 대한 「신행정수도 후속대책을 위한 연기·공주지역 행정중심복합도시 건설을 위한 특별법」 제16조 제5항에 따른 이전계획의 고시일이나 「혁신도시 조성 및 발전에 관한 특별법」 제4조 제4항에 따른 지방이전계획의 승인일 또는 업무개시일(법 제81조 제3항 제1호 다목의 경우에만 해당한다) 이후 1개의 주택을 최초로 취득하는 것을 말한다. 이 경우 주택의 부속토지만을 소유하는 경우에도 주택을 소유한 것으로 본다.

1. 법 제81조 제3항 제1호 가목의 감면대상자의 경우 : 다음 각 목의 지역
   가. 법 제81조 제1항에 따른 이전공공기관(이하 이 조에서 "이전공공기관"이라 한다)이 「혁신도시 조성 및 발전에 관한 특별법」 제31조에 따른 공동혁신도시로 이전하는 경우 : 그 혁신도시를 공동으로 건설한 광역시·도 또는 특별자치도 내
   나. 가목 외의 경우 : 다음의 구분에 따른 지역
      1) 2012년 6월 30일까지 : 이전공공기관의 소재지 특별시·광역시·도·특별자치도 또는 「신행정수도 후속대책을 위한 연기·공주지역 행정중심복합도시 건설을 위한 특별법」 제2조 제1호에 따른 예정지역(이하 이 조에서 "예정지역"이라 한다) 내
      2) 2012년 7월 1일 이후 : 이전공공기관의 소재지 특별시·광역시·특별자치시·도 또는 특별자치도 내
2. 법 제81조 제3항 제1호 나목 및 다목의 감면대상자의 경우 : 다음 각 목의 구분에 따른 지역
   가. 2012년 6월 30일까지 : 법 제81조 제3항에 따른 중앙행정기관등(이하 이 조에서 "중앙행정기관등"이라 한다)의 소재지 특별시·광역시·도·특별자치도 또는 예정지역 내
   나. 2012년 7월 1일 이후 : 중앙행정기관등의 소재지 특별시·광역시·특별자치시 또는 특별자치도 내내 [전문개정 2011.12.31.] [시행일 2012.7.1.] 제40조 제1호 나목 2), 제40조 제2호 나목

국토의 균형발전을 위해 수도권에서 지방으로 이전하는 공공기관에 대한 이전, 그 임직원 및 중앙부처 공무원에 대한 주거안정 등 세제 지원을 규정하고 있다.

이전공공기관이 국토부장관의 지방이전계획 승인을 받아 이전할 목적으로 취득하는 부동산에 대해서는 2017년까지 취득세를 50% 감면하고, 재산세의 경우 그 부동산에 대한 납세의무가 최초로 성립하는 날부터 5년간 50%를 감면한다(법 ①). 同 규정은 2016년까지는 취득세는 100%, 재산세는 5년간 면제 및 3년간 50% 감면이었으나, 일몰을 1년만 연장하면

서 취득세는 50%, 재산세는 5년간 50%로 축소되었다. 개정(법률 제14477호, 2016.12.27.) 당시 부칙 규정을 잘 살펴보아야 할 것인데, 제14조의 경감세율에 대한 특례와 제21조의 경과조치의 2개의 조문이 여기에 해당한다. 먼저, 부칙 제14조에서는 '제81조 제1항 및 제2항에 따른 이전공공기관이 「공공기관 지방이전에 따른 혁신도시 건설 및 지원에 관한 특별법」 제4조에 따라 국토교통부장관의 지방이전계획 승인을 받아 이전할 목적으로 취득하는 부동산 및 법인등기에 대해서는 이 법 개정규정에도 불구하고 2017년 12월 31일까지 종전의 감면율을 적용한다.'고 규정하고 있는바, 개정된 규정이 적용될 여지 없이 종전의 규정대로 1년간 적용하고 그 일몰을 종료하는 것으로 이해하면 된다. 재산세의 경우에도 취득세와 동일하게 판단하여야 할 것으로 2017년 중에 취득세 납세의무가 성립한 경우에는 종전의 규정대로 5년간 100%, 그 후 3년간 50%의 세율을 적용함이 타당하다고 할 것이다. 다음으로, 부칙 제21조에서는 '이 법 시행 전에 「공공기관 지방이전에 따른 혁신도시 건설 및 지원에 관한 특별법」 제2조 제2호에 따른 이전공공기관이 같은 법 제4조에 따라 국토교통부장관의 지방이전계획 승인을 받아 이전할 목적으로 취득하는 부동산에 대해서는 제81조 제1항의 개정규정에도 불구하고 종전의 규정에 따른다.'고 규정하고 있는바, 2016년까지 이전계획 승인을 받은 경우에는 그 이후에 취득하는 경우에도 종전의 규정을 따르도록 하고 있는 것이다.

이전공공기관의 법인등기에 대해서도 2016년 12월 31일까지 등록면허세를 면제한다(법 ②). 본문에서는 2016년에 일몰을 종료하는 것으로 규정하면서, 부칙 제14조에서 2017년 1년간 종전의 감면을 적용토록 규정하고 있으므로, 그 부칙에 따라 실제 일몰종료는 2017년에 된 것으로 보아야 한다.

다음으로, 수도권에서 지방으로 이전하는 공공기관의 소속 임직원·공무원과 세종시로 이전하는 중앙행정기관 공무원에 대해 취득세를 감면하는데, 전용면적 기준으로 85㎡ 이하는 100%(최소납부세제 적용), 102㎡ 이하는 75%, 135㎡ 이하는 62.5%를 감면한다(법 ③).

감면대상은 1) 「혁신도시법」에 따른 이전공공기관을 따라 이주하는 소속 임직원, 2) 「행복도시법」에 따라 행정중심복합도시로 이전하는 중앙행정기관 및 그 소속기관을 따라 이주하는 공무원, 3) 그 외에도 행정중심복합도시건설청 소속 공무원도 2019년 이전에 소속된 경우에는 여기에 해당된다. 여기서 "기관을 따라 이주하는 공무원"이라 함은 법에는 명확히 규정하고 있지 않지만 "기관을 따라 이주하는"의 의미는 기관의 이전일부터 해당기관에 근무하였었고 그 이전으로 인해 그 기관에서 취득일까지 계속하여 근무하고 있는 자를 말한다고 봄이 타당하다. 따라서 이전(移轉)일 후에 해당 기관으로 신규·전입된 직원의 경우(같은 취지, 지방세특례제도과-177, 2017.1.18.)나, 취득일 전에 퇴사·전출한 직원의 경우

(법 ⑤의 취지)에는 감면대상에 해당하지 않는다고 할 것이다.

다만, 감면대상기관의 소속 임직원 또는 공무원으로서 해당 지역에 거주할 목적으로 주택을 취득하기 위한 계약을 체결하였으나 취득시에 인사발령으로 다른 기관에서 근무하게 된 자가 3년 이내의 근무기간을 종료하고 감면대상기관으로 복귀하였을 때에는 제3항의 감면에 해당하는 것으로 보아 기납부한 취득세를 환급한다(법 ⑤). 예를 들어, 이전일 전에 부동산을 계약했는데 갑작스런 인사발령으로 타지역으로 근무하게 되는 경우에는 취득일 현재에 감면기관에 근무하지 않게 되는 사유로 감면대상이 되지 않는 것이나, 3년 내에 감면기관으로 복귀하는 경우에는 감면이 인정된다 하겠다. 同 규정을 통해서도 취득일 현재 해당기관에 근무하고 있는 경우라야 감면이 가능함을 알 수 있다.

감면요건으로 1가구1주택을 갖추어야 하는데, 이전고시일 이후에 해당 시도내 1개의 주택을 "최초로 취득하는 경우"에 한해 감면된다. 2016년까지는 최초 여부에 상관없이 해당 시도내에서 1가구1주택 요건만 갖추면 감면하였는데, 기관 이전에 따라 거주지 이전이 불가피한 것에 대한 지원이라는 측면을 고려할 때 최초 1회에 한해 감면하는 것으로 충분하기 때문에 2017년부터는 최초 1회에 한해 지원하도록 보완하였다. 이전공공기관의 종사자가 감면받은 주택을 추징기간(2년) 경과 후 제3자에게 양도하고 다시 취득하는 경우에도 감면되는 문제점이 있어, 이전계획의 고시일 등 이후 1개의 주택을 최초로 취득하는 경우에 한하여 감면토록 입법 보완을 한 것이다.

한편, 정당한 사유 없이 기관의 이전일 전에 주택을 매각·증여한 경우나, 기관의 이전일 또는 주택의 취득일 중 늦게 도래하게 되는 날부터 2년 이내에 주택을 매각·증여하는 경우에는 감면된 취득세를 추징하는데, 정당한 사유로는 사망, 혼인, 해외이주, 정년퇴직, 파견근무 또는 부처교류로 인한 근무지역의 변동 등을 규정하고 있다(법 ④).

구분	① 혁신도시법 「혁신도시 조성 및 발전에 관한 특별법」	② 행복도시법 「신행정수도 후속대책을 위한 연기·공주지역 행정중심복합도시 건설을 위한 특별법」
지역	수도권→수도권外	세종시
감면대상	이전 공공기관(중앙행정기관 포함) 임직원 및 공무원	중앙행정기관 공무원 (외교부·통일부·법무부·국방부·여가부 제외)
이전현황	153개(혁신도시 112, 그 외 41)	42개(본부 22, 소속기관 20)

◎ 순환보직에 따른 인사발령으로 매각 시 정당한 사유에 해당하지 아니함

납세자가 정기적인 순환보직을 예측할 수 있는 부처 소속 임직원이라는 점, 납세자가 해당 부동산에 실제 거주하지 않았다는 점 등을 고려하면 납세자가 해당 물건을 2년 이상 보유하기 위해 정상적인 노력을 기울였다고 판단하기 어려우므로 감면받은 취득세를 추징하는 것이 타당(지방세특례제도과-789, 2019.10.1.)

◎ 감면(환급)대상인 3년 이내 복귀하는 경우의 3년의 의미

취득세 감면을 받지 못한 사람이 3년 이내의 근무기간을 종료하고 감면대상기관으로 복귀하였을 때의 '3년 이내 복귀'의 의미는 부동산을 취득한 시점으로부터 3년 이내에 감면대상기관으로 복귀한 것을 의미함(대법원 2017두30450, 2017.4.13.).

※ 감면대상 외의 기관에서 근무한 기간이 아님에 유의

◎ 이전공공기관(본사)의 지방 이전일 후 지사 직원이 본사로 인사발령 난 경우 감면대상

임직원이 이전공공기관의 공고일이나 이전일 당시에는 그 대상기관에 소속되어 있지 않더라도 당사자의 자발적인 의사에 따라 선택할 수 없는 순환보직 등으로 인한 인사발령에 따라 언제든지 그 대상기관에 근무하게 되는 점, 감면 대상자인 '이전공공기관을 따라 이주하는 소속 임직원'에 해당되는 시점을 달리 규정하고 있지 않은 점 등을 고려할 때, 이전공공기관 이전일 당시에는 지사에서 근무하고 있었으나 이후 이전공공기관에 순환보직 등으로 인한 인사발령으로 거주지를 옮기는 경우에도 감면대상(지방세특례제도과-1856, 2019.5.14.).

◎ 자본증가 또는 출자증가 등기의 경우 이전 공공기관의 등록면허세 감면대상

'법인등기'에 관하여 지방세 관계법에서 위와 같은 일반적인 법리와는 다른 별도의 정의 규정을 두고 있지 아니한 이상, 회사의 자본을 늘리는 '자본증가 또는 출자증가'는 자본의 증자인 '변경등기' 사항으로서 이전공공기관의 '법인등기'에 해당한다 할 것이므로 등록면허세를 감면하는 것이 타당(지방세특례제도과-2472, 2016.9.9.)

◎ 이전공공기관 임직원의 파면은 주택 매각의 정당한 사유에 해당됨

「지방세특례제한법」 제81조 제4항은 정당한 사유를 '사망, 혼인, 해외이주, 정년퇴직, 파견근무 또는 부처교류로 인한 근무지역의 변동 등'이라고 규정하고 있어 열거된 경우 외에 이에 준하는 사유도 포함하는 예시적 규정으로 해석되고 정년퇴직과 파면 모두 공무원의 신분상의 변화로 인한 것인 점 등에 비추어 파면에 의한 퇴직으로 거주지를 변경하게 된 것은 정당한 사유에 해당한다 할 것임(조심 2016지0964, 2016.9.30.).

☞ 행자부 유권해석(지방세특례제도과-2199, 2016.8.22.)과 비교되는 심판임.

◎ 이전공공기관 임직원의 명예퇴직은 주택 매각의 정당한 사유에 해당됨

지특법 제81조 제4항은 정당한 사유를 '사망, 혼인, 해외이주, 정년퇴직, 파견근무 또는 부처교

류로 인한 근무지역의 변동 등'이라고 규정하고 있어 열거된 경우 외에 이에 준하는 사유도 포함하는 예시적 규정으로 해석되고 예시된 혼인, 해외이주, 파견근무 등은 공무원 본인의 선택에 의한 것이 일반적이라 청구인이 다른 직종에 재취업하기 위해하는 명예퇴직도 다르지 아니한 것으로 보이므로 청구인이 정당한 사유 없이 쟁점부동산을 취득한 후 2년 내에 매각한 것으로 보아 기 감면한 취득세 등을 추징한 처분은 잘못이 있음(조심 2016지0427, 2016.9.26.).

☞ 행자부 유권해석과(지방세특례제도과-2729, 2015.10.6.) 비교되는 심판임.

◎ 이전공공기관 임직원의 파면은 주택 매각의 정당한 사유로 볼 수 없음

위 조항의 문언과 규정 취지 등을 종합적으로 고려할 때, 파면 후 감면받은 부동산을 유예기간 이내에 매각 하는 것까지 감면 대상에 포함하는 것으로 해석할 수 없으며, 인사발령의 경우 파견근무 또는 부처교류로 인한 근무지역 변동, 감면대상기관 외의 기관으로 근무하여 3년 이내에 복귀하는 인사발령에 한정하여 정당한 사유로 보는 것이 타당하다 할 것임(지방세특례제도과-2199, 2016.8.22.).

◎ 이전공공기관 소속 임직원의 명예퇴직은 부동산 매각의 정당한 사유로 볼 수 없음

지방세특례제한법 제81조 제4항에서는 '정년퇴직'을 정당한 사유로 규정하고 있으나, 명예퇴직은 정당한 사유로 열거하고 있지 않으며, 또한 본인의 자발적 의사에 의해 명예퇴직하는 점을 고려할 때, 명예퇴직을 법령에 의한 금지나 외부적 사유로 보기는 어렵다할 것이므로 명예퇴직 후 주거용 부동산을 매각하는 경우는 정당한 사유로 보는 것은 타당하지 않음(지방세특례제도과-2729, 2015.10.6.).

◎ 이전공공기관의 지방이전 후 소속기관 직원이 이전공공기관으로 인사발령이 난 경우

공무원이 소속기관에 근무하다 본부로 배치되는 인사발령은 조직에 필요한 인원을 확보하여 적절한 자리에 배치하는 행정적인 업무로서 당사자가 자발적인 의사에 의해 선택할 수 없다는 점 … 중앙행정기관 및 그 소속기관을 따라 이주하는 공무원의 범위는 중앙행정기관 이전 당시에 소속기관에 근무하였다 하더라도 소속기관은 중앙행정기관에 소속되어 있는 재직자에 해당되고, 순환보직 등 인사운영 방침에 따라 소속기관에서 중앙행정기관에 인사발령을 받아 근무하면서 해당 지역에 거주할 목적으로 1가구 1주택을 취득하는 경우라면 감면대상으로 보는 것이 타당(지방세특례제도과-2267, 2017.12.18.)

※ 기관 이전 후 신규임용 직원은 감면대상에서 제외(지방세특례제도과-177, 2017.1.18.), 감면대상에 해당되었던 자가 취득시점에 인사발령으로 그 외 기관에 근무 후 3년 이내 복귀시 환급(§81 ⑤)

◎ 토지 취득이후 주택을 신축하여 1주택이 되었다 하더라도 토지취득분은 감면 대상이 아님

행정중심복합도시로 이전하는 행정기관 등을 따라 이주하는 공무원이 해당 지역에 거주하기 위한 주택을 신축할 목적으로 나대지 상태의 토지를 취득하였다 하더라도, 위 토지를 취득할

당시는 주거용으로 사용될 수 있는 건축물의 부속토지를 취득한 것이 아니므로, 위 토지의 취득에 관하여 '주택'의 취득에 관한 이 사건 조항이 적용된다고 볼 수는 없다. 또한 원고들이 이후에 이 사건 주택을 신축하였다는 사정이 이미 성립한 원고들의 이 사건 토지에 관한 취득세 납세의무에 어떠한 영향을 미친다고 볼 수 없으므로, 후발적 경정청구사유에 해당한다고 보기도 어려움(대법원 2018두34428, 2018.6.15.).

◎ 거주목적 이전공공기관 소속 임직원 감면대상 주택에 레지던스호텔은 해당되지 않음

집합건축물대장의 용도가 숙박시설(레지던스호텔)인 건축물은 주택법 및 건축법에서 정하는 주택에 해당하지 않으므로 지방세특례제한법 제81조 제3항의 1가구 1주택 산정에서 제외하는 것이 타당하고, 이전공공기관을 따라 이주하는 소속 임직원이 1가구 1주택 산정에서 제외되는 부동산을 거주할 목적으로 구입하였다 하더라도 해당 규정의 감면대상에 해당하지 아니함(지방세특례제도과-2478, 2015.9.15.).

◎ 정부조직법의 개정으로 소속기관이 이전기관에서 제외된 경우 취득세를 추징할 수 없음

취득 당시에는 중앙행정기관 이전 계획상 이전하는 중앙행정기관에 해당하였으나, 그 후 이전계획 변경으로 이전대상 기관에서 제외된 경우라면, 취득일 당시에 중앙행정기관 등의 이전계획에 따라 행정중심복합도시로 이전하는 공무원이 거주하고자 주거용 건축물과 그 부속토지를 취득한 경우에 해당하므로 면제 또는 경감대상에 해당한다 할 것이고, 취득일 이후에 중앙행정기관 등의 이전계획의 변경으로 행정중심복합도시로 이전하는 공무원에 해당하지 않게 된 경우라도 별도의 추징규정을 두고 있지 않은 이상 적법하게 감면된 취득세를 추징할 수 없음(지방세특례제도과-1089, 2015.4.16.).

◎ 2013.9.12. 국토교통부 소속으로 신설된 새만금개발청은 행정중심복합도시로 이전하는 중앙행정기관 및 그 소속기관으로 볼 수 없음

새만금개발청은 국토교통부가 행복중심복합도시로 이전한 이후에 국토교통부 소속으로 신설되었고, 행안부장관이 고시한 이전대상 중앙행정기관에 포함되지 않은 점 등을 고려할 때 행복도시건설특별법상 이전계획에 따라 행정중심복합도시로 이전하는 중앙행정기관 및 그 소속기관(이전계획에 포함되어 있지 않은 중앙행정기관의 소속기관으로서 행정중심복합도시로 이전하는 소속기관을 포함)으로 볼 수 없음. 다만, 새만금개발청 소속직원이 취득시점에 취득세를 납부하였더라도 인사발령일로부터 3년 이내 이전대상 기관인 종전근무지(국토교통부, 행복중심복합도시로 이주하는 중앙행정기관)로 복귀하는 경우에는 제81조 ⑤에 따라 납부세액을 환부받을 수 있음(지방세운영과-386, 2014.2.6.).

◎ 감면규정의 "업무개시일"은 개청식 행사일 등을 고려한 업무의 본격적 개시일이라는 사례

도세감면조례에서 … 2년 이내 주택을 취득하여 1가구 1주택이 되는 경우 취·등록세

63%~100% 감면 규정하고 있음. 공공기관 이전을 이전에 따른 법인등기일과 더불어 업무개시일로 별도로 규정하고 있음은 이전에 따른 법인등기일보다 업무개시가 빠른 경우, 이를 사실상 이전일로 보겠다는 의미이므로 (구)청사에서 수행하던 업무를 (신)청사에서 새로이 이전하여 개시한다는 사실을 전 국민이 쉽게 알 수 있도록 이전 공공기관은 개청식 행사를 통하여 전 국민에게 업무개시를 알리고 업무를 개시하는 점에 비추어 볼 때 이전 공공기관의 "개청식 행사일" 등을 고려하여 이전 공공기관의 업무가 본격적으로 개시하는 날은 「업무개시일」로 봄이 타당(지방세운영과-3912, 2010.8.27.)

제81조의 2(주한미군 한국인 근로자 평택이주에 대한 감면)

법 제81조의 2(주한미군 한국인 근로자 평택이주에 대한 감면) ① 「대한민국과 미합중국간의 미합중국군대의 서울지역으로부터의 이전에 관한 협정」 및 「대한민국과 미합중국간의 연합토지관리계획협정」에 따른 주한미군기지 이전(평택시 외의 지역에서 평택시로 이전하는 경우로 한정한다)에 따라 제1호 각 목의 자가 평택시에 거주할 목적으로 주택(해당 지역에서 최초로 취득하는 주택으로 한정한다)을 취득함으로써 대통령령으로 정하는 1가구 1주택이 되는 경우에는 제2호 각 목에서 정하는 바에 따라 취득세를 2021년 12월 31일까지 감면한다.

1. 감면대상자
   가. 「대한민국과 아메리카합중국 간의 상호방위조약 제4조에 의한 시설과 구역 및 대한민국에서의 합중국 군대의 지위에 관한 협정」 제17조에 따른 미합중국군대의 민간인 고용원 및 같은 협정 제15조에 따른 법인인 초청 계약자의 민간인 고용원 중 주한미군기지 이전에 따라 평택시로 이주하는 한국인 근로자
   나. 「대한민국과 미합중국간의 한국노무단의 지위에 관한 협정」 제1조에 따른 민간인 고용원 중 주한미군기지를 따라 평택시로 이주하는 한국인 근로자
2. 감면내용
   가. 전용면적 85제곱미터 이하인 주택 : 면제
   나. 전용면적 85제곱미터 초과 102 제곱미터 이하인 주택 : 1천분의 750을 경감
   다. 전용면적 102 제곱미터 초과 135 제곱미터 이하인 주택 : 1천분의 625를 경감

② 제1항에 따라 취득세를 감면받은 사람이 사망, 혼인, 해외이주, 정년퇴직, 파견근무 등의 정당한 사유 없이 주택 취득일부터 2년 이내에 주택을 매각·증여하거나 다른 용도로 사용(임대를 포함한다)하는 경우에는 감면된 취득세를 추징한다. [본조신설 2018.12.24.]

영 제40조의 2(주한미군 한국인 근로자 1가구 1주택의 범위) 법 제81조의 2 제1항 각 호 외의 부분에서 "대통령령으로 정하는 1가구 1주택이 되는 경우"란 취득일 현재 취득자와 같은 세대별 주민등록표에 기재되어 있는 가족(동거인은 제외한다)으로 구성된 1가구(취득자의 배우자, 취득자의 미혼인 30세 미만의 직계비속은 각각 취득자와 같은 세대별 주민등록표에 기재되어 있지

> 않더라도 같은 가구에 속한 것으로 본다)가 평택시에 1개의 주택을 소유하는 경우를 말하며, 주택의 부속토지만을 소유하는 경우에도 주택을 소유한 것으로 본다. [본조신설 2018.12.31.]

주한미군기지 이전에 따라 이주하는 한국인근로자가 취득하는 평택시 내의 1가구1주택에 대한 취득세 세제지원을 규정하고 있다.

2019년에 신설하여 시행(2019.1.1.)된 규정으로, 주택을 취득한 날부터 시행일까지의 기간이 60일 미만이 되는 경우에도 이 감면을 적용받을 수 있도록 부칙(§4)에 적용례를 두었다.

주한미군기지가 평택시로 이전함에 따라 평택시에 거주할 목적으로 평택시에서 최초로 취득하는 주택으로서 평택시에서 1가구1주택이 되는 경우 취득세를 감면하는데, 전용면적 기준으로 85㎡ 이하는 면제(최소납부세제는 적용), 102㎡ 이하는 75%, 135㎡ 이하는 62.5%를 감면한다(법 ①). 감면대상자는 주한미군 및 초청계약자(법인)의 민간인 고용원과 주한미군 한국노무단 소속 민간인 고용원 중에 주한미군기지 이전에 따라 평택시로 이주하는 한국인 근로자를 말한다.

한편, 정당한 사유 없이 주택의 취득일부터 2년 이내에 주택을 매각·증여 또는 타용도 사용(임대 포함)시에는 감면된 취득세를 추징하는데, 정당한 사유로는 사망, 혼인, 해외이주, 정년퇴직, 파견근무 등을 규정하고 있다(법 ②)

제82조(개발제한구역에 있는 주택의 개량에 대한 감면)

> **법** 제82조(개발제한구역에 있는 주택의 개량에 대한 감면) 「개발제한구역의 지정 및 관리에 관한 특별조치법」 제3조에 따른 개발제한구역에 거주하는 사람(과밀억제권역에 거주하는 경우에는 1년 이상 거주한 사실이 「주민등록법」에 따른 세대별 주민등록표 등에 따라 입증되는 사람으로 한정한다) 및 그 가족이 해당 지역에 상시 거주할 목적으로 취득하는 취락지구 지정대상 지역에 있는 주택으로서 취락정비계획에 따라 개량하는 전용면적 100 제곱미터 이하인 주택(그 부속토지는 주거용 건축물 바닥면적의 7배를 초과하지 아니하는 부분으로 한정한다)에 대해서는 2021년 12월 31일까지 주거용 건축물 취득 후 납세의무가 최초로 성립하는 날부터 5년간 재산세를 면제한다.

낙후된 개발제한구역 내에서 주택개량 사업을 추진하는 경우 지방세 감면을 통해 입주민의 정주여건을 개선하기 위한 취지이다.

개발제한구역에 거주하는 사람 및 그 가족이 해당 지역에 상시거주할 목적으로 취득하는 취락지구 지정대상 지역에 있는 주택으로서 취락정비계획에 따라 개량하는 주택에 대해서는 취득 후 납세의무가 최초로 성립한 날부터 5년간 재산세를 면제하는데, 감면대상 개량주택은 전용면적 100㎡ 이하여야 하고, 그 부속토지까지 감면되는데 건축물 바닥면적의 7배 이하를 한도로 감면된다.

제83조(시장정비사업에 대한 감면)

법 제83조(시장정비사업에 대한 감면) ①「전통시장 및 상점가 육성을 위한 특별법」 제37조에 따라 승인된 시장정비구역에서 시장정비사업을 추진하려는 자(이하 이 조에서 "시장정비사업시행자"라 한다)가 해당 사업에 직접 사용하기 위하여 취득하는 부동산에 대해서는 취득세를 2021년 12월 31일까지 면제하고, 그 부동산에 대한 재산세의 납세의무가 최초로 성립하는 날부터 5년간 재산세의 100분의 50을 경감한다. 다만, 토지분 재산세에 대한 감면은 건축공사 착공일부터 적용한다.

② 제1항에 따른 시장정비구역에서 대통령령으로 정하는 자가 시장정비사업시행자로부터 시장정비사업시행에 따른 부동산을 최초로 취득하는 경우 해당 부동산(주택은 제외한다)에 대해서는 취득세를 2021년 12월 31일까지 면제하고, 시장정비사업 시행으로 인하여 취득하는 건축물에 대해서는 재산세의 납세의무가 최초로 성립하는 날부터 5년간 재산세의 100분의 50을 경감한다. 농비

③「전통시장 및 상점가 육성을 위한 특별법」 제38조에 따라 사업추진계획의 승인이 취소되는 경우, 그 취득일부터 3년 이내에 정당한 사유 없이 그 사업에 직접 사용하지 아니하거나 매각·증여하는 경우와 다른 용도에 사용하는 경우에 해당 부분에 대해서는 제1항 및 제2항에 따라 감면된 취득세를 추징한다.

영 제41조(입점한 상인 등 감면대상자) 법 제83조 제2항에서 "대통령령으로 정하는 자"란 시장정비사업 시행인가일 현재 기존의 전통시장(「전통시장 및 상점가 육성을 위한 특별법」 제2조 제1호에 따른 전통시장을 말한다. 이하 이 조에서 같다)에서 3년 전부터 계속하여 입점한 상인 또는 시장정비사업 시행인가일 현재 전통시장에서 부동산을 소유한 자를 말한다.

건물의 노후화, 붕괴위험 등으로 경쟁력이 저하된 전통시장을 활성화하기 위해 시장정비사업의 시행으로 취득하는 시행자 및 상인들에 대한 세제 지원을 규정하고 있다.

시장정비구역에서 시장정비사업을 추진하려는 자(이하 "시장정비사업시행자")가 해당 사업에 직접 사용하기 위해 취득하는 부동산에 대해 취득세를 면제(최소납부세제 적용)하고 재산세를 5년간 50% 감면한다. 이때, 토지분 재산세에 대해서는 건축공사 착공일부터

5년간 감면을 적용하므로, 착공이 들어가기 전에는 감면대상에서 제외된다(법 ①).

시장정비사업시행자로부터 시장정비사업 시행에 따른 부동산을 최초로 취득하는 상인 등에 대해 취득세를 면제(최소납부세제 적용)하고 건축물 재산세에 대해 5년간 50%를 감면한다. 여기서 감면대상 상인 등은 시행인가일 현재 3년 전부터 계속해서 입점하였던 상인이거나 시행인가일 현재 부동산을 소유한 자를 말한다(법 ②).

한편, 사업추진계획의 승인이 취소되는 경우, 그 취득일로부터 3년 이내에 정당한 사유 없이 그 사업에 직접 사용하지 아니하거나, 매각 · 증여 또는 다른 용도로 사용하는 경우에는 감면된 취득세를 추징한다(법 ③).

◎ 토지 취득 당시 시장정비구역으로 지정중에 있고, 시장정비사업에 직접 사용할 계획이라면 시장정비사업을 추진하려는 자로 보아 취득세 감면대상임

「지방세특례제한법」 제83조 제1항에서 감면대상에 대하여 행정관청의 인가 · 승인 등을 득하는 법률요건을 규정하지 않고, 시장정비사업을 추진하려는 자라고 규정하고 있음은 별도 시장사업정비구역 내의 부동산 취득 시까지 사업승인을 받아 시장정비사업시행자의 지위를 받지 못하였다고 하더라도 토지 등 취득으로 사업시행자 승인의 주요 요건을 갖추는 경우라면 시장정비사업을 추진하려는 자로 볼 수 있을 것임 … 해당 토지 등을 취득함에 따라 해당 시장정비구역 토지의 5분의 3 이상을 단독으로 소유하게 되며, 시장정비사업에 직접 사용할 계획이라면 시장정비사업을 추진하려는 자로 보아 취득세 감면대상이라 사료됨(행안부 지방세특례제도과-555, 2019.9.10.).

◎ 시장정비구역의 주거용 부동산은 감면대상 부동산에 해당되지 않음

시장정비대상은 도매업 · 소매업 및 용역업을 영위하는 점포와 상업시설, 편의시설을 포함한 상업기반시설 등이 해당되므로 시장정비구역에서 대통령령이 정하는 자가 취득하는 주거용 부동산을 제외한 도 · 소매업은 물론 용역업이라도 시장 내의 점포에서 영업을 위한 부동산은 감면대상에 해당함(지방세운영과-1227, 2011.3.17.).

◎ '시장정비사업을 추진하려고 하는 자가 취득하는 부동산'의 의미

취득세가 감면되는 시장정비사업을 추진하고자 하는 자라 함은 조합 또는 토지 등의 소유자의 과반수의 동의를 얻어 소정의 요건을 갖춘 자를 말하고, 청구법인은 조합의 조합원 총회에서 참여조합원의 만장일치로 조합의 공동시행자로 지정된 사실과, 청구법인이 공동시행자의 지위에서 제2부동산을 취득한 사실이 확인되는 이상 제2부동산은 시장정비사업을 추진하고자 하는 자가 해당 사업에 직접 사용하기 위하여 취득하는 부동산에 해당한다 할 것임(조심 2011지0553, 2012.7.26.).

◎ 시장재건축 등의 사업시행구역의 선정절차 없이 진행된 시장재건축 등의 사업과 관련하여 취득세 등에 관한 감면대상이 아닌 것으로 본 사례(대법원 2009두18325, 2010.4.29.)

제84조(사권 제한토지 등에 대한 감면)

법 제84조(사권 제한토지 등에 대한 감면) ①「국토의 계획 및 이용에 관한 법률」 제2조 제7호에 따른 도시·군계획시설로서 같은 법 제32조에 따라 지형도면이 고시된 후 10년 이상 장기간 미집행된 토지, 지상건축물, 「지방세법」 제104조 제3호에 따른 주택(각각 그 해당 부분으로 한정한다)에 대해서는 2021년 12월 31일까지 재산세의 100분의 50을 경감하고, 「지방세법」 제112조에 따라 부과되는 세액을 면제한다.

②「국토의 계획 및 이용에 관한 법률」 제2조 제13호에 따른 공공시설을 위한 토지(주택의 부속토지를 포함한다)로서 같은 법 제30조 및 제32조에 따라 도시·군관리계획의 결정 및 도시·군관리계획에 관한 지형도면의 고시가 된 후 과세기준일 현재 미집행된 토지의 경우 해당 부분에 대해서는 재산세의 100분의 50을 2021년 12월 31일까지 경감한다.

③「철도안전법」 제45조에 따라 건축 등이 제한된 토지의 경우 해당 부분에 대해서는 재산세의 100분의 50을 2021년 12월 31일까지 경감한다.

도시계획 등으로 인해 재산권 행사가 불가한 사권제한 토지 등*에 대한 세제지원을 규정하고 있다.

* 도시계획시설(법 ①) : 재산세 50%·도시분 면제, 공공시설용(법 ②)·철도안전법(법 ③) : 재산세 50%

「국토계획법」 제2조 제7호에 따른 도시·군계획시설로서 지형도면이 고시된 후 10년 이상 장기간 미집행된 토지, 지상 건축물, 주택에 대해 재산세 50%를 감면하고 도시지역분은 면제한다. 도시군계획시설이란 기반시설(도로 등 교통시설, 녹지 등 공간시설, 유통공급시설 등) 중 도시·군관리계획으로 결정된 시설을 말한다(법 ①).

「국토계획법」 제2조 제13호에 따른 공공시설을 위한 토지로서 도시·군관리계획의 결정 및 지형도면의 고시가 된 후 과세기준일 현재 미집행된 토지에 대해 재산세를 50% 감면하는데, 여기에는 도로·공원·철도·수도 및 공공용 시설이 해당한다(법 ②). 2016년에는, 주택의 부속토지까지 감면대상에 포함할 수 있도록 구체적으로 명시하였는데, 지방세법상의 부동산은 주택, 토지, 건축물로 구분하고 있고 주택의 경우 부속토지를 포함하고 있기 때문에, 공공시설을 위한 토지의 감면의 경우 주택의 부속토지가 제외되는 문제가 발생할 수 있었다. 2017년에는 지형도면이 고시되어 있었더라도 집행이 완료된 후에는 감면대상에서 제외되도록 "지형도면이 고시된 후 과세기준일 현재 미집행된 토지"에 한정하여 감면하도록 감면대상을 명확히 하였다.

「철도안전법」 제45조에 따라 건축 등이 제한된 토지에 대해서도 재산세를 50% 감면한다. 감면대상은 철도경계선으로부터 일정거리(30m) 이내 토지에 대해 형질변경, 굴착, 건축물 신축 등이다(법 ③).

〈국토의 계획 및 이용에 관한 법률〉

제2조(정의) 이 법에서 사용하는 용어의 뜻은 다음과 같다.

7. "도시·군계획시설"이란 기반시설 중 도시·군관리계획으로 결정된 시설을 말한다.
13. "공공시설"이란 도로·공원·철도·수도, 그 밖에 대통령령으로 정하는 공공용 시설을 말한다.

〈국토의 계획 및 이용에 관한 법률 시행령〉

제4조(공공시설) 법 제2조 제13호에서 "대통령령으로 정하는 공공용시설"이란 다음 각 호의 시설을 말한다.

1. 항만·공항·운하·광장·녹지·공공공지·공동구·하천·유수지·방화설비·방풍설비·방수설비·사방설비·방조설비·하수도·구거
2. 행정청이 설치하는 주차장·운동장·저수지·화장장·공동묘지·봉안시설
3. 「유비쿼터스도시의 건설 등에 관한 법률」 제2조 제3호 나목에 따른 시설

◎ 도시개발사업 진행 중에 국토계획법에 따른 도시·군관리계획 결정 및 지형도면의 고시가 「도시개발법」에 따라 의제된 공공시설 관련 재산세 감면 여부

토지소유자의 토지이용권 제한에 따른 재산권 손실을 보상하는 입법취지를 감안할 때, 사업시행자가 토지소유자에게서 해당 토지를 수용한 이후에 사업시행자까지 감면을 해주는 취지는 아니라고 할 것이므로 토지에 대한 집행 시점은 사업시행자가 수용 등에 따라 토지소유자의 소유권을 이전받아 공공시설 토지로 사용하는 시점부터 집행된 것으로 보는 것이 타당함. 한편, 지방세 감면대상은 도시·군관리계획 결정 및 지형도면이 고시된 후에 "도시·군계획사업"에 따른 공공시설 토지로 사용되는 경우에만 해당된다고 할 것임. 따라서 도시·군관리계획 결정 및 지형도면 고시가 되기 전에 사업 시행자가 토지소유자의 토지를 수용한 경우 해당 토지는 미집행된 공공시설 토지로 보기 어려우므로 재산세 감면대상이 아님(지방세특례제도과-3552, 2018.10.1.).

◎ 고속도로휴게소용 토지는 재산세 경감대상에 해당되지 않음

지특법 제84조 ② 본문에서는 감면대상을 "공공시설을 위한 토지"로 규정하고 있기 때문에,

감면 대상은 공공시설로 예정되었으나 미집행된 경우로 한정하는 것이 타당하다고 보여짐. 따라서, 한국도로공사가 공공시설인 도로에 휴게소를 운영하는 것은 도시관리계획에 따른 사업 집행이 완료된 토지라 할 것이므로 지특법 제84조 ②에 따른 감면대상에서 제외하는 것이 타당함(지방세특례제도과-797, 2016.4.19).

◎ 「도시 및 주거환경정비법」에 따라 고시된 토지는 재산세 경감대상에 해당되지 않음

「국토의 계획 및 이용에 관한 법률」 제2조 제13호의 공공용 시설 중 도로 등으로 결정 및 지형도면에 고시되지 않았다면, 비록 정비구역 내 도로 부지로 지정 및 지형도면이 고시되어 사실상 사용이 제한되는 토지에 해당한다 하더라도 그러한 사실만으로 「지방세특례제한법」 제84조 제2항에서 규정한 재산세 등이 경감되는 '사권제한 토지'에 해당된다고 보기는 어려움(지방세특례제도과-271, 2014.12.18.).

◎ 사권 제한토지인 이상 향후 도시계획시설로 이용 가능성은 고려대상이 아님

1985.9.17. ○○○신도시 도시계획시설로 결정되었고, 1987.9.17. ○○도시계획지적승인을 통하여 지형도면이 고시된 후, 2011년 재산세 과세기준일(6.1.) 현재까지 도시계획시설로 지정된 후 장기간 집행되지 못한 토지에 해당하여 「지방세특례제한법」 제84조 제1항의 요건을 충족하는 이상, 청구법인이 쟁점토지를 취득한 이후 도시계획시설로 이용할 수 있는 가능성이 있었는지 여부 등은 사권 제한토지를 판단함에 있어서 고려대상이 될 수 없다할 것이다. 따라서, 쟁점토지를 사권 제한토지로 보지 않고 재산세 등의 감면을 배제한 처분은 잘못이 있는 것으로 판단된다. 따라서 쟁점토지는 재산세 경감대상으로 보아야 함(조심 2012지0315, 2012.9.19.).

◎ ○○공사가 소유한 도시관리계획의 결정 및 도시관리계획에 관한 지형도면의 고시가 된 토지는 지특법 제84조에 따른 감면대상에 해당됨

공공시설로서 도시관리계획 결정 및 지형도면이 고시된 토지에 대해 재산세를 감면한다고 규정하고 있을 뿐, 사권의 행사가 제한되는 경우에만 한정하여 감면혜택을 주겠다는 취지를 추론할 아무런 근거가 없고, 국토계획법 제64조 ①에서 '도시계획시설로 결정된 지상·수상·공중·수중 또는 지하는 그 도시계획시설이 아닌 건축물의 건축이나 공작물의 설치를 허가하여서는 아니된다'라고 규정하고 있어, 국토계획법 상 공공시설인 '공항'으로 결정된 그 자체에 대해서도 이미 재산권이 제한되고 있다고 볼 수 있음. 따라서 쟁점 토지는 공항시설, 공원시설로서 국토계획법에 따른 공공시설에 해당하고, 도시관리계획 결정·고시(공항 1993.1.6., 공원 2001.8.27.) 및 지형도면이 고시(공항 1994.12.30., 공원 2001.8.27.)된 토지가 명백한 이상 재산세 감면대상에 해당됨(지방세운영과-670, 2014.2.25.).

◎ 행정청이 설치한 주차장(개인이 취득·소유)은 재산세 감면에 해당됨

국토계획법 및 시행령에서 행정청이 설치하는 주차장을 공공시설로 규정하고 있으며 설치

이후에도 계속하여 행정청에서 소유·운영할 것까지 요구하지는 않음. 또한, 노외주차장의 경우 주차장법령에서 시장·군수·구청장이 설치토록 하면서 토지구획정리사업을 시행할 때 그 시행자에게 일정규모 이상의 노외주차장 설치를 의무화하고 있으므로 행정청이 토지구획정리사업을 시행하여 사업을 준공하였다면 사업지구 내 노외주차장은 행정청이 설치한 것으로 보아야 함. 쟁점토지는 1991년 주차장으로 도시관리계획의 결정 및 도시관리계획에 관한 지형도면의 고시가 완료되어 현재에 이르기까지 사권제한 상태가 유지되고 있으므로 재산세 50% 경감대상(지방세운영과-1074, 2012.4.7.)

◎ **사권 제한토지라도 주차장으로 사용시 종합합산대상에 해당됨**

「국토의 계획 및 이용에 관한 법률」 제32조 규정에 의하여 1986.5.15. 주차용지로 지형고시되어 10년이 경과하였고, 관광진흥법에 의한 사업계획 승인시에도 당해 토지가 도시계획시설로 이용에 제한이 있었다면 당해 토지는 「아산시세감면조례」 제18조 제2항에서 규정한 사권제한토지로 보아지며, 당해 토지가 사권 제한토지에 해당한다 하더라도 건물이 없는 주차장으로 사용되고 있다면 아산시 관내에 소유하고 있는 다른 종합합산 토지와 함께 합산하여 과세되어야 함(지방세정팀-4874, 2006.10.10.).

◎ **송전선로용으로써 사용·수익이 불가한 경우 사권 제한토지로 보아야 함**

초고압선 송전선로로 이용되는 임야에 대해서 별도합산 또는 분리과세하여야 할 법령상의 근거가 없으며, 사권 제한대상토지로 보아 세제지원이 가능한지 여부와 관련해서는 "사권제한 관련 개별법에 의해 지정된 지역으로서 토지를 종래의 목적대로 사용할 수 없고 실질적으로 토지를 사용·수익을 할 수 없는 토지" 중 그 제한의 정도가 극히 큰 일부 토지에 대하여만 사권제한 토지로 보아 일부 재산세가 경감되고 있음(지방세정팀-111, 2008.5.27.).

◎ 재산세가 분리과세되는 토지는 "「도로법」에 따라 지정된 접도구역 안의 임야"만이 해당되므로 지목이 대지인 쟁점토지는 해당하지 아니할 뿐만 아니라, 재산세가 감면되는 도시계획시설로서 지형도면이 고시된 후 장기간 미집행된 사권 제한토지에도 해당하지 아니하므로 쟁점토지에 대한 재산세 부과처분은 적법함(조심 2011지0769, 2012.6.13.).

◎ 보류지 중 공공시설용지의 경우 체비지와 달리 수익 없이 부득이 한시적으로 보유할 뿐이고 환지처분이 완료되면 지방자치단체에 무상으로 귀속된다 하더라도 지방세법령에서 동 토지를 별도의 비과세대상 등으로 규정하고 있지 아니한 이상 재산세 과세대상임(조심 2010지0450, 2011.2.22.).

◎ **공유수면매립 토지는 도시계획시설 결정으로 이용권이 제한된 토지가 아니라고 한 사례**

「공유수면매립법」에 의하여 매립한 토지가 도시계획시설로 지정되고 지형도면이 고시된 후 10년 이상 장기간 미집행된 경우 감면대상에 해당하는지 여부를 살펴보면, 공유수면매립법에 의해 매립한 토지로서 매립당시부터 토지의 사용이 제한된 토지로서 도시계획시설 결정으로 인하여 토지 이용권이 제한되는 경우가 아닌 바, 토지소유자의 재산권에 대한 과도한 침해라고 할 수 없으므로 위 조례에서 규정하고 있는 재산세 등의 감면대상에 해당하지 아니함(조심 2010지0151, 2010.5.31.).

◎ 도시계획시설 결정고시된 매립지라면 감면대상에 해당됨

1989.11.8. ○○직할시 고시 제1588호로 위 도시계획시설결정에 따른 지형도면이 고시되었으나, 그 후 피고의 이 사건 재산세 등 부과처분의 과세기준일 당시까지 10년 이상 그 집행이 이루어지지 않고 있었던 사실 등을 인정한 다음, 조세법규에 대한 엄격해석의 원칙상 이 사건 각 감면조항에 정한 감면대상에 해당하는지 여부를 판단하는 데에는 그 토지 등이 도시계획시설로서 10년 이상 장기 미집행된 토지 등에 해당하는지를 따져보는 것만으로 충분하므로, 위 요건을 충족하는 이상 이 사건 토지는 공유수면매립 당시부터 그 조성 목적이 관광위락시설부지로 한정되어 있었다고 하더라도 이 사건 각 감면조항 소정의 감면대상에 해당한다고 판단함(대법원 2007두26599, 2010.1.28.).

제 8 절

공공행정 등에 대한 지원

제85조(한국법무보호복지공단 등에 대한 감면)

> 법 제85조(한국법무보호복지공단 등에 대한 감면) ①「보호관찰 등에 관한 법률」에 따른 한국법무보호복지공단 및 같은 법에 따라 갱생보호사업의 허가를 받은 비영리법인이 갱생보호사업에 직접 사용하기 위하여 취득하는 부동산에 대해서는 취득세를, 과세기준일 현재 그 사업에 직접 사용하는 부동산에 대해서는 재산세를 다음 각 호에서 정하는 바에 따라 각각 감면한다. 농비
> 1. 2020년 12월 31일까지는 취득세 및 재산세(「지방세법」 제112조에 따른 부과액을 포함한다)를 각각 면제한다.
> 2. 2021년 1월 1일부터 2021년 12월 31일까지는 취득세 및 재산세의 100분의 50을 각각 경감한다.
> 3. 2022년 1월 1일부터 2022년 12월 31일까지는 취득세 및 재산세의 100분의 25를 각각 경감한다.
>
> ②「민영교도소 등의 설치·운영에 관한 법률」 제2조 제4호에 따른 민영교도소등을 설치·운영하기 위하여 취득하는 부동산에 대해서는 취득세의 100분의 50을, 과세기준일 현재 민영교도소등에 직접 사용하는 부동산에 대해서는 재산세의 100분의 50을 각각 2014년 12월 31일까지 경감한다.

출소자의 재범 방지와 자립의식을 고취하기 위한 한국법무보호복지공단 등의 갱생보호사업과 민영교도소 등에 대한 세제 지원을 규정하고 있다.

한국법무보호복지공단 및 갱생보호사업의 허가를 받은 비영리법인이 갱생보호사업에 직접 사용하기 위한 부동산에 대한 취득세와 과세기준일 현재 직접 사용하는 부동산에 대한 재산세를 감면하는데, 2020년에는 취득세 및 재산세(도시분 포함) 면제하고, 2021년에는 50% 감면, 2022년에는 25% 감면한다(법 ①).

민영교도소에 대한 취득세 및 재산세 감면은 감면율을 점차 축소('11년 100% → '12년

75%→'14년 50%)하였다가 2014.12.31. 일몰기한이 종료됨에 따라 2015.1.1.부터 효력이 자동 상실되어 감면대상에서 제외되었다(법 ②).

◎ 민영교도소 신축을 위한 건축허가를 받았으나 민영교도소 신축을 위한 준비작업만 하고 신축공사를 하지 않은 경우 재산세를 과세한 처분은 정당함(조심 2008지1050, 2009.8.31.).

제85조의 2(지방공기업 등에 대한 감면)

법 제85조의 2(지방공기업 등에 대한 감면) ①「지방공기업법」 제49조에 따라 설립된 지방공사(이하 이 조에서 "지방공사"라 한다)에 대해서는 다음 각 호에서 정하는 바에 따라 2022년 12월 31일까지 지방세를 감면한다. 감면분만 농비

1. 지방공사가 그 설립 목적과 직접 관계되는 사업(그 사업에 필수적으로 부대되는 사업을 포함한다. 이하 이 조에서 "목적사업"이라 한다)에 직접 사용하기 위하여 취득하는 부동산에 대해서는 취득세의 100분의 50(100분의 50의 범위에서 조례로 따로 정하는 경우에는 그 율)에 대통령령으로 정하는 지방자치단체 투자비율(이하 이 조에서 "지방자치단체 투자비율"이라 한다)을 곱한 금액을 경감한다.

3. 지방공사가 과세기준일 현재 그 목적사업에 직접 사용하는 부동산(「지방공기업법」 제2조 제1항 제7호 및 제8호에 따른 사업용 부동산은 제외한다)에 대해서는 재산세의 100분의 50(100분의 50의 범위에서 조례로 따로 정하는 경우에는 그 율)에 지방자치단체 투자비율을 곱한 금액을 경감한다.

4. 「지방공기업법」 제2조 제1항 제7호 및 제8호에 따른 사업용 부동산 중 택지개발사업지구 및 단지조성사업지구에 있는 부동산으로서 관계 법령에 따라 국가 또는 지방자치단체에 무상으로 귀속될 공공시설물 및 그 부속토지와 공공시설용지에 대해서는 재산세를 2022년 12월 31일까지 면제한다. 이 경우 공공시설물 및 그 부속토지와 공공시설용지의 범위는 대통령령으로 정한다.

②「지방공기업법」 제76조에 따라 설립된 지방공단(이하 이 조에서 "지방공단"이라 한다)에 대해서는 다음 각 호에서 정하는 바에 따라 2022년 12월 31일까지 지방세를 감면한다. 감면분만 농비

1. 지방공단이 그 목적사업에 직접 사용하기 위하여 취득하는 부동산에 대해서는 취득세의 100분의 100(100분의 100의 범위에서 조례로 따로 정하는 경우에는 그 율)을 감면한다.

3. 지방공단이 과세기준일 현재 그 목적사업에 직접 사용하는 부동산에 대해서는 재산세의 100분의 100(100분의 100의 범위에서 조례로 따로 정하는 경우에는 그 율)을 감면한다.

③「지방자치단체 출자·출연 기관의 운영에 관한 법률」 제5조에 따라 지정·고시된 출자·출연기관(이하 이 항에서 "지방출자·출연기관"이라 한다)에 대해서는 다음 각 호에서 정하는 바에 따라 2022년 12월 31일까지 지방세를 경감한다. 감면분만 농비

1. 지방출자·출연기관이 그 목적사업에 직접 사용하기 위하여 취득하는 부동산에 대해서는 취득

세의 100분의 50(100분의 50의 범위에서 조례로 따로 정하는 경우에는 그 율)에 지방자치단체 투자비율을 곱한 금액을 경감한다.

2. 지방출자·출연기관이 과세기준일 현재 그 목적사업에 직접 사용하는 부동산에 대해서는 재산세의 100분의 50(100분의 50의 범위에서 조례로 따로 정하는 경우에는 그 율)에 지방자치단체 투자비율을 곱한 금액을 경감한다.

영 제41조의 2(지방공기업 등에 대한 지방자치단체 투자비율 및 공공시설물의 범위) ① 법 제85조의 2 제1항 제1호에서 "대통령령으로 정하는 지방자치단체 투자비율"이란 다음 각 호의 구분에 따른 비율을 말한다.

1. 「지방공기업법」 제49조에 따라 설립된 지방공사(이하 이 조에서 "지방공사"라 한다)에 대한 투자비율 : 지방공사의 자본금에 대한 지방자치단체의 출자금액(둘 이상의 지방자치단체가 공동으로 설립한 경우에는 각 지방자치단체의 출자금액을 합한 금액)의 비율. 다만, 지방공사가 「지방공기업법」 제53조 제3항에 따라 주식을 발행한 경우에는 해당 발행 주식 총수에 대한 지방자치단체의 소유 주식(같은 조 제4항에 따라 지방자치단체가 출자한 것으로 보는 주식을 포함한다) 수(둘 이상의 지방자치단체가 주식을 소유하고 있는 경우에는 각 지방자치단체의 소유 주식 수를 합한 수)의 비율을 말한다.
2. 「지방자치단체 출자·출연 기관의 운영에 관한 법률」 제5조에 따라 지정·고시된 출자·출연기관(이하 이 조에서 "지방출자·출연기관"이라 한다)에 대한 투자비율 : 지방출자·출연기관의 자본금 또는 출연금에 대한 지방자치단체의 출자·출연금액(같은 법 제4조 제2항에 따라 지방자치단체가 출자하거나 출연한 것으로 보는 금액을 포함하며, 둘 이상의 지방자치단체가 출자·출연한 경우 각 지방자치단체의 출자·출연금액을 합한 금액)의 비율

② 법 제85조의 2 제1항 제4호에 따라 재산세를 면제하는 공공시설물 및 그 부속토지와 공공시설용지의 범위는 제6조에 따른다.

지방공사, 지방공단 및 지방자치단체의 출자·출연법인에 대한 세제지원을 규정하고 있다.

지방공기업 등의 목적사업 여부는 고유성, 공공성, 공익성 등을 기준으로 개별적으로 판단해야 한다. 관계법령이나 조례 등에 설립 목적으로 기재되어 있는지, 지자체로부터 위탁받은 공공사무나 공공시설을 관리하는 것인지, 지역주민의 소득증대나 지역경제 발전에 기여하는 사업인지에 해당하는지 종합적으로 고려해야 한다. 한편, 전체 항에 대해 2019년을 마지막으로 등록면허세에 대한 감면을 종료하였고, 2020년부터는 재산세 중 목적세적 성격의 도시지역분에 대한 감면을 제외하였다.

지방공사가 일정사업에 직접 사용하기 위해 취득하는 부동산에 대해 지방세를 감면(법 ①)한다. 먼저, 목적사업용 부동산에 대해서는 취득세·재산세를 감면하는데, 재산세의 경우 주택사업·토지개발사업용에 대해서는 감면을 제외한다. 지방공사의 감면비율이 축소되면서 특히 택지 조성용 토지에 대한 재산세 세부담(종합합산 대상이 되는 토지)이 증가하였던 터라, 그 조치로 2014년부터 지방공사의 택지·단지조성용 토지에 대해서는 재산세

감면을 배제하고, 대신 종합합산 대상에서 분리과세 대상 토지로 전환하여 세부담이 완화되었다(지방세법 시행령 §102 ⑤ 37 참조). 감면율은 50%를 기준으로 하되, 50%의 범위에서 조례로 따로 정하는 경우에는 그 율로 하고, 해당 율에 지자체 투자비율을 곱하여 계산한다. 다음으로 주택사업 · 택지개발사업 중 택지개발 · 단지조성 사업지구에 있는 부동산으로서 국가 등에 무상귀속될 공공시설물 및 부속토지와 공공시설용지에 대해서는 재산세를 면제한다. 요약하면, 지방공사의 단지조성용 토지 중 국가 · 지방자치단체에 기부채납 예정인 공공시설용 토지에 대해서는 재산세를 면제하고, 단지조성용 토지 이외의 부분에 대해서는 재산세를 50% 감면하는 것이다.

지방공단이 그 목적사업에 직접 사용하기 위해 취득하는 부동산에 대한 취득세 및 과세기준일 현재 직접 사용하는 부동산에 대한 재산세를 100% 감면하되, 100%의 범위에서 조례로 따로 정하는 경우에는 그 율을 적용한다(법 ②)

지방출자 · 출연기관이 그 목적사업에 직접 사용하기 위해 취득하는 부동산에 대한 취득세 및 과세기준일 현재 직접 사용하는 부동산에 대한 재산세를 50% 감면하는데, 50%의 범위에서 조례로 따로 정하는 경우 그 율을 적용한다(법 ③)

한국지역정보개발원이 고유업무에 직접사용하는 부동산에 대해서도 취득세를 감면하도록 2012년 신설되었으나, 감면율이 점차 축소('12년 50% → '15년 25%)되면서 2016년을 마지막으로 그 감면의 일몰이 종료되었다(법 ④).

참고 _ 개정내용(2020.1.15.) 및 감면 개요

감면대상 지방공기업의 범위에 당초 농수산물공사와 도시철도공사를 제외하고 있었는데 해당 규정을 삭제하였다. 감면율이 더 높은 별도 규정 있는 경우 해당 규정을 적용할 수 있기 때문에 예외없이 모든 지방공사로 규정하였다. 법인등기에 대한 등록면허세 감면규정을 삭제하였다. 지자체 출자법인 · 출연법인에 대한 감면의 경우 지방출자출연법에 따라 지정 · 고시된 지방출자 · 출연기관으로 감면주체를 명확히 하고, 감면대상을 고유업무에 직접 사용하는 부동산에서 목적사업(해당 법인의 설립 목적과 직접 관계되는 사업)에 직접 사용하는 부동산으로 명확히 하였다.

지방공기업 및 지방출자 · 출연기관의 설립 목적과 직접 관계되는 사업인지 여부는 고유성, 공공성, 공익성 등을 기준으로 개별적으로 판단해야 한다. 지방공기업 등의 설립 목적과 직접 관계된 사업 여부의 판단 기준은 ⅰ) 관계 법령 및 설치근거 조례 등에 해당 기업의 설립 목적으로 규정되어 있는 사업으로서, 해당 지방자치단체가 그 기업에 부여한 고유사업일 것, ⅱ) 주민 복지증진, 지역개발, 산업 · 교육 · 체육 · 문화 · 예술의 진흥 등 지방자치단체로부터 위탁받은 공공사무에 해당하거나 공공시설을 관리하는 사업일 것, iii) 지역주민의 소득 증대 및 지역경제 발전 촉진 등에 기여하는 사업으로서 해당 지방자치단체의 장이 인정하여 지원하는 사업이어야 한다. 아울러 해당 기업의 설립목적과 직접 관계되는 사업에 필수적으로 부대되는 사업을 포함한다.

지방공사 및 지방출자·출연기관의 감면세액은 해당 산출세액에 법정 감면율을 적용한 후 지방자치단체 투자비율을 곱하여 계산한다.

| 감면세액의 범위 |

구분		현행	개정
지방공사	주식발행無	100%* / 지자체 주식 소유비율	→ 지자체 출자금액 비율
	주식발행有	→ 지자체 주식소유 비율	▪ 조특법 제120조 ② ▪ 지방세법 제15조 ① 본문에 따라 산출한 취득세 면제
지방공단		100%* / 제한 없음	→ 제한 없음
지방출자 출연기관	주식회사	50%* / 지자체 주식소유 비율	→ 지자체 주식소유 비율
	재단법인	50%* / 지자체 출연재산 비율	→ 지자체 출연재산 비율

* 법정 최대 감면율 / 지자체 조례로 별도로 정하는 경우 해당 감면율

지방공사의 출자자가 지자체로만 구성되어 있는 경우에는 납세의무 성립 당시의 공사 자본금에 대한 지자체 출자금액의 비율을, 지자체 외의 출자자가 있는 경우(자본금을 주식으로 분할 발행)에는 납세의무 성립 당시의 총 주식 수에 대한 지자체 소유주식 비율을 적용한다. 지방출자·출연기관 중 「상법」상 주식회사는 해당 기관의 전체 발행주식 수에 대한 지자체 소유주식 수의 비율을, 「민법」상 재단법인은 전체 출연재산 중 지자체 출연재산의 비율을 적용한다.

◎ 지역○○공사는 재산세 등 감면대상인 지자체가 출연하여 설립한 출자법인에 해당됨

이 사건 감면조항에서 규정한 출자법인을 오로지 상법상의 절차에 따라 설립된 주식회사로 해석할 경우에는 공공성이 강한 법인이 이윤의 창출을 추구하는 주식회사보다 불리한 취급을 받게 되어 위 규정의 입법취지에 반하는 점 등을 종합하여 보면, 이 사건 감면조항에서 규정한 출자법인에는 상법 중 주식회사에 관한 규정이 적용되어 상법상 주식회사의 성격을 갖는 법인도 포함된다고 해석함이 타당. 또한 이 사건 감면조항이 출자법인을 지방공기업법에 따라 설립된 법인으로 한정하고 있지 아니하고, 단지 종전에 조례에서 정하였던 지방공기업 등에 대한 지방세 감면을 법률로 정하면서 그 감면한도를 축소한 것으로 보이는 점 등을

고려하면, 이 사건 감면조항에서 규정한 출자법인이 구 지방공기업법에 따라 설립・운영되는 지방공기업으로 한정된다고 할 수도 없음(대법원 2015두44615, 2016.3.24.).

○ 가스공사는 재산세 감면대상 지자체 출연 상법상 주식회사에 해당됨

이 사건 감면조항은 지방자치단체가 출자・출연한 법인의 공익적 성격을 고려하여 재산세 등을 감면함으로써 재정적 부담을 완화하고 지방자치단체의 경제・사회 정책 등에 부응하는 데에 그 취지가 있는 점, 특별법에 의하여 설립되는 법인에 대한 국가나 지방자치단체의 출자・출연 의무는 관련 규정에 따라 미리 확정되고, 다만 실제 출자・출연행위는 관계기관의 업무 협의, 예산 상황 등을 고려하여 법인의 설립과는 별도의 절차에 따라 진행되는 것으로 보이는 점 등을 종합하여 보면, 이 사건 감면조항에서 규정한 출자법인에는 관련 규정에 따라 예정된 지방자치단체의 출자・출연이 설립등기 후에 이루어진 법인도 포함된다고 해석함이 타당. 나아가 출자법인이 상법에 따라 설립되지 아니하더라도 상법 중 주식회사에 관한 규정이 적용되면 주식이 발행되고 주주총회의 의결을 거쳐 이익이 주주에게 배당되는 등 주식회사의 본질적인 성격을 가지게 되는 점, 이 사건 감면조항에서 규정한 출자법인을 오로지 상법상의 절차에 따라 설립된 주식회사로 해석할 경우에는 공공성이 강한 법인이 이윤의 창출을 추구하는 주식회사보다 불리한 취급을 받게 되어 위 규정의 입법취지에 반하는 점 등을 종합하여 보면, 이 사건 감면조항에서 규정한 출자법인에는 상법 중 주식회사에 관한 규정이 적용되어 상법상 주식회사의 성격을 갖는 법인도 포함됨(대법원 2015두47072, 2015.12.24. 외 다수).

○ 고유업무에 직접 사용 및 정당한 사유 여부

지방공사가 공유매립사업에 따른 사업비를 매립토지로 받아 이를 매각하여 회수하였다고 하더라도 이를 업무에 직접 사용하는 것으로 볼 수 있고, 매각을 위한 최종 잔금을 받을 때까지 다른 용도에 사용하지 않고 보유하고 있는 경우에는 고유업무에 직접 사용하지 못한 정당한 사유가 있다고 보아 감면을 적용할 수 있음(대법원 2013두14580, 2013.10.31.).

○ 지방공사가 공동출자방식으로 사업을 진행한 부분은 직접 사용으로 볼 수 없음

원고가 이 사건 토지를 소외 회사에 매각하여 소유자로서의 지위를 상실한 이상 이 사건 토지의 취득일부터 1년 이내에 고유업무에 직접 사용하지 아니한 데 정당한 사유가 있다고 할 수 없으므로 이 사건 감면조례 제13조 제3항에서 정한 추징사유가 발생하였다고 봄이 타당하고, 원고가 일부 지분을 보유하고 있는 소외 회사가 원고의 이 사건 토지 취득일부터 약 1년 4개월 후에 이 사건 토지에 관한 착공신고를 하고 공동주택건설공사를 진행 중이라고 하여 달리 볼 수는 없음(대법원 2015두37037, 2015.6.11.).

○ 지방공사가 취득 후 PFV에 매각하여 사업을 추진하더라도 정당한 사유로 볼 수 없음

취득 당시부터 특수목적회사에 소유권을 이전하여 사업을 추진하도록 계획되어 있어 공사가

취득주체로서 고유업무에 "직접" 사용할 목적으로 취득하는 부동산에 해당되지 아니한 점, 직접 사용 유예기간도 취득일부터 1년 이내까지이나 특수목적회사에 소유권이전하는 1년 2개월이 지날 때까지 공사에 착공 등 직접 사용한 사실이 없는 점, 또한 해당 토지의 특수목적회사에 소유권이전은 취득 당시부터 이미 계획되어 있었던 바, 취득 이후 예측 못한 사정 또는 법령상 장애 사유 등의 '정당한 사유'로 보기도 어렵다는 점 등을 고려할 때, 지방공사가 직접 사용하는 부동산에 해당된다고 보기는 어려움(지방세운영과-1075, 2013.6.17.).

◎ 한국지역난방공사는 「상법」에 따른 주식회사로 볼 수 없음

한국지역난방공사는 집단에너지사업의 합리적 운영, 에너지절약과 국민생활의 편익증진에 이바지하는 등을 목적으로 하는 「집단에너지사업법」 제29조에 근거하여 설립된 공공법인이라고 할 것이고, 「상법」 제2조에 비추어 「집단에너지사업법」은 「상법」의 특별법에 해당된다고 할 것이므로 비록, 지방자치단체의 출자금(10.4%)이 있다고 하더라도 한국지역난방공사의 경우 특별법인 「집단에너지사업법」에 근거한 특별법인이라고 할 것이므로 「상법」에 따른 주식회사로 볼 수 없음(지방세운영과-2308, 2012.7.19.).

◎ 지특법 부칙 제8조 관련, 지방공사가 이 법 시행 전에 분양한 부동산에 대해 재산세를 100% 감면한 이후 분양계약이 해제된 경우라도 추징할 수 없음

지방세특례제한법 부칙(법률 제11138호, 2011.12.31.) 제8조 및 동조 제2호에서는 지방공사가 이 법 시행(2012.1.1.) 전에 분양한 부동산에 대하여는 종전대로 감면율을 유지하도록 규정하고 있을 뿐 별도의 추징에 관한 규정은 두고 있지 않고 재산세 과세기준일 당시 분양계약은 유효하게 성립하였고, 이에 대해서도 매도인과 매수인간에도 다툼이 없었던 것이 명백하므로 제3자인 과세관청이 그 계약을 유효라고 판단함에 있어, 중대하고도 명백한 하자가 있다고 볼 수 없는 이상 종전 규정에 따라 감면한 후 분양계약이 해제되었다 하더라도 이미 적법하게 성립한 당초의 감면처분에는 계약해제에 따른 소급효를 적용할 수 없음(지방세운영과-2982, 2013.11.19.).

◎ 부칙규정의 '분양한'이란 '분양계약을 체결한' 것을 의미함

지방공사의 고유업무 직접 사용 부동산 해당 여부 관련, ○○지방공사는 「지방공기업법」 제49조에 따라 주택사업 또는 토지개발사업을 목적으로 설립된 법인인 점, 주택사업의 하나인 임대주택사업 자체가 임대를 전제로 하고 있는 사업인 점 등을 고려할 때 ○○지방공사가 임대주택을 건설하여 과세기준일 현재 임대용으로 제공하고 있더라도 해당 임대주택은 ○○지방공사가 고유업무에 직접 사용하는 부동산으로 보아야 하며, 부칙조항의 입법 취지 및 「건축물의 분양에 관한 법률」 등을 종합적으로 고려할 때 '분양한'이란 '분양계약을 체결한' 경우로 보는 것이 타당(지방세운영과-1398, 2012.5.4.).

☞「지방세특례제한법」(2011.12.31. 법률 제11138호로 개정되어 2012.1.1. 시행된 것) 부칙 제8조의 "분양한"은 "분양계약을 체결한"을 의미한다고 할 것임(법제처 법령해석 13-0595, 2013.12.31.).

◎ 지방공사가 빌딩일부를 은행 · 사무실로 임대한 부분은 '직접 사용'으로 볼 수 없음

지방공사가 그 고유업무에 직접 사용하기 위하여 취득하는 부동산을 감면대상으로 규정하고 있는 바, 여기서 고유업무에 '직접 사용'이라 함은 부동산을 취득 · 등기한 자가 그 시설의 사용자로서 그 취득 · 등기한 부동산을 직접 사용하는 경우만을 의미한다고 할 것(지방세운영과-1820, 2011.4.19. 해석 참조)이므로, 비록 지방공사의 법인정관 등에 임대사업이 당해 목적사업으로 규정되어 있다고 하더라도, 취득의 주체인 지방공사가 그 시설의 사용주체로서 자신의 목적사업에 사용하지 않은 경우라면 위 규정 고유업무에 '직접 사용'으로 볼 수 없다고 할 것임(지방세운영과-3772, 2011.8.8.).

◎ 단순히 교환용으로 취득한 것은 직접 사용에 해당되지 않음

법인의 고유업무에 직접 사용하기 위하여 취득하는 부동산이라 함은 그 부동산의 취득자가 그 토지의 사용주체로서 자신의 목적사업에 직접 사용하기 위하여 취득하는 것만을 의미한다 할 것이고, 이 건의 경우 청구법인은 쟁점토지를 고유목적사업인 ○○사업지구내의 국유림과 교환하기 위하여 취득한 사실이 확인되는 바, 이는 청구법인이 고유목적사업에 직접 사용하기 위하여 취득한 것이라기보다는 단순히 교환용으로 취득한 것에 불과하므로 취득세 등의 감면대상이 아니므로 청구법인이 토지를 고유업무에 직접 사용할 목적으로 취득한 것이 아니라 하여 취득세 등의 감면을 배제하고 경정청구를 거부한 처분은 정당함(조심 2011지0840, 2012.1.11.).

제86조(주한미군 임대용 주택 등에 대한 감면)

> **법** 제86조(주한미군 임대용 주택 등에 대한 감면) 한국토지주택공사가 주한미군에 임대하기 위하여 취득하는 임대주택용 부동산에 대해서는 취득세를 2016년 12월 31일까지 면제하고, 과세기준일 현재 임대주택용으로 사용되는 부동산에 대해서는 재산세의 100분의 50을 2016년 12월 31일까지 경감한다.

한국토지주택공사가 주한미군에게 임대하기 위하여 취득하는 임대주택용 부동산에 대한 세제지원을 규정하고 있는데, 임대료 수입이 발생하는 영리성이 강한 점을 고려하여 2016년을 마지막으로 그 감면을 종료하였다.

제87조(새마을금고 등에 대한 감면)

> **법** 제87조(새마을금고 등에 대한 감면) ①「신용협동조합법」에 따라 설립된 신용협동조합(중앙회는 제외하며, 이하 제1호 및 제2호에서 "신용협동조합"이라 한다)에 대해서는 다음 각 호에서 정하는 바에 따라 지방세를 각각 감면한다.
>
> 1. 신용협동조합이「신용협동조합법」제39조 제1항 제1호의 업무에 직접 사용하기 위하여 취득하는 부동산에 대해서는 취득세를, 과세기준일 현재 그 업무에 직접 사용하는 부동산에 대해서는 재산세를 각각 2023년 12월 31일까지 면제한다.
> 2. 신용협동조합이「신용협동조합법」제39조 제1항 제2호 및 제4호의 업무에 직접 사용하기 위하여 취득하는 부동산에 대해서는 취득세를, 과세기준일 현재 그 업무에 직접 사용하는 부동산에 대해서는 재산세를 각각 2023년 12월 31일까지 면제한다.
> 3.「신용협동조합법」에 따라 설립된 신용협동조합중앙회가 같은 법 제78조 제1항 제1호 및 제2호의 업무에 직접 사용하기 위하여 취득하는 부동산에 대해서는 취득세의 100분의 25를, 과세기준일 현재 그 사업에 직접 사용하는 부동산에 대해서는 재산세의 100분의 25를 각각 2017년 12월 31일까지 경감한다.
>
> ②「새마을금고법」에 따라 설립된 새마을금고(중앙회는 제외하며, 이하 제1호 및 제2호에서 "새마을금고"라 한다)에 대해서는 다음 각 호에서 정하는 바에 따라 지방세를 각각 감면한다.
>
> 1. 새마을금고가「새마을금고법」제28조 제1항 제1호의 업무에 직접 사용하기 위하여 취득하는 부동산에 대해서는 취득세를, 과세기준일 현재 그 업무에 직접 사용하는 부동산에 대해서는 재산세를 각각 2023년 12월 31일까지 면제한다.
> 2. 새마을금고가「새마을금고법」제28조 제1항 제2호부터 제4호까지의 업무에 직접 사용하기 위하여 취득하는 부동산에 대해서는 취득세를, 과세기준일 현재 그 업무에 직접 사용하는 부동산에 대해서는 재산세를 각각 2023년 12월 31일까지 면제한다.
> 3.「새마을금고법」에 따라 설립된 새마을금고중앙회가 같은 법 제67조 제1항 제1호 및 제2호의 업무에 직접 사용하기 위하여 취득하는 부동산에 대해서는 취득세의 100분의 25를, 과세기준일 현재 그 사업에 직접 사용하는 부동산에 대해서는 재산세의 100분의 25를 각각 2017년 12월 31일까지 경감한다.

「신용협동조합법」에 따라 설립된 신용협동조합 및 신용협동조합중앙회,「새마을금고법」에 따라 설립된 새마을금고 및 새마을금고중앙회에 대한 세제지원을 규정하고 있다.

2015년에는 자생력을 갖춘 조직으로 성장한 점 등을 고려하여 조합의 주민세 감면(50%)을 종료하고, 중앙회의 취득세 감면을 축소(홍보 · 교육 50% → 25%, 신용 25% → 종료)하였다. 2016년에는 농협 · 수협 중앙회가 수행하는 조사연구, 홍보 및 교육사업에 사용하기 위하여 취득하는 부동산에 대한 재산세 감면규정과의 형평성을 고려하여 신협 · 새마을금고 중앙회가 수행하는 유사한 사업에 대해서도 재산세 감면을 신설(25%)하였다. 2018년에는 신용협동조합 및 새마을금고에 대해서는 최소납부세제를 적용하도록 하면서 그 일몰을 연장하였고, 새마을금고중앙회(법 ① 3) 및 신협중앙회(법 ② 3)의 감면규정에 대해서는 그 일몰을 종료하였다.

신협(중앙회 제외)이 신용사업, 복지사업, 조합원의 경제적 · 사회적 지위향상을 위한 교육사업에 직접 사용 부동산에 대해 취득세 및 재산세를 면제한다(법 ①). 종전에는 중앙회에 대해서도 홍보 및 임직원 등을 위한 교육사업은 25%를 감면했으나, 2017년말로 그 일몰을 종료했다.

새마을금고(중앙회 제외)가 신용사업, 문화복지후생사업, 회원에 대한 교육사업, 지역사회 개발사업에 직접 사용 부동산에 대해 취득세 및 재산세 면제한다(법 ②). 이 역시 중앙회에 대해서도 금고사업, 홍보 및 임직원 등을 위한 교육사업은 25%를 감면했으나, 2017년말로 그 일몰을 종료했다.

1. 신용협동조합에 대한 감면

◎ **비조합원에 차별이 확실한 경우 신용협동조합의 직접 사용 부동산에 해당됨**

「신용협동조합법 시행령」에서 비조합원의 이용에 대한 특별한 규정을 두고 있지는 아니하나 당해 가스충전소의 매출액 중 조합원 비중이 전체의 74.7%에 달하고, 조합원에 대한 매출액의 일부를 조합원에게 판매장려금으로 환급하고 있음을 볼 때 비조합원에 대하여 사실상의 가격차별을 하고 있다고 할 수 있으므로, 귀 문의 가스충전소는 「신용협동조합법」 제39조 제1항 제2호에서 규정한 신용협동조합의 복지사업에 직접 사용하는 부동산에 해당한다고 보아 취 · 등록세 면제대상이라고 보는 것이 타당할 것임(세정-2653, 2006.6.27.).

◎ **신용협동조합이 운영하는 예식장을 조합원의 복지사업에 직접 사용하는 것으로 볼 수 없음**

사실상 불특정 다수를 대상으로 하여 운영되고 있고 실제 이용자 중 상당수는 이 사건 예식장의 이용만을 목적으로 조합원 자격을 취득한 것으로 보이며, 조합원과 비조합원 사이의 이용요금이나 이용조건의 차이도 미미하고, 그 이용요금도 인근 예식장과 비슷하며, 주변에 이미 다수의 다른 예식장들이 있어 특별히 조합원들을 위하여 예식장을 설치 · 운영할 필요성이 크다고 할 수도 없으므로, 결국 원고가 이 사건 예식장을 설치 · 운영하는 사업은 그 주된 목적이 조합원의 경제적 · 사회적 지위를 향상시키는 데 있다고 볼 수 없음. 따라서 이 사건 부동산은 신용협동조합법 제39조 ① 제2호의 복지사업에 직접 사용하기 위하여 취득하는 부동산으로 보기 어려움(대법원 2010두23668, 2013.5.9.).

◎ 법인이 주유소를 운영하면서 조합원 · 비조합원 구분없이 불특정 다수인을 상대로 영업을 하

고 있고, 판매가격 또한 조합원과 동일하게 적용하는 경우에는 조합원과 관계없는 사업으로서 조합 자체의 영리를 도모하는 것이라고 보는 것이 상당하고 고유업무(복지사업)에 직접 사용하는 부동산으로 보기는 어려움(조심 2012지0380, 2012.10.10.).

◎ 신용협동조합이 부동산을 취득하였으나 인접부지 추가매입에 따른 자금사정 및 설계변경 등으로 유예기간을 경과하여 공사착공을 한 경우 정당한 사유가 있는 것으로 볼 수 없음(조심 2008지0397, 2008.11.25.).

◎ 일괄공사 필요 등의 사유는 유예기간 내 사용하지 못한 정당한 사유로 볼 수 없음
쟁점부동산 중 쟁점2부동산(건축물 565.53㎡ 및 부속토지 167.18㎡)은 유예기간인 1년 내에 고유업무에 직접 사용하지 아니하였음이 처분청의 복명서에서 확인되고, 임차인의 명도지연으로 인하여 불가피하게 쟁점1부동산을 유예기간 내에 고유업무에 사용하지 못하였다 하더라도 쟁점2부동산은 청구법인이 유예기간 내에 고유업무에 사용하고자 하였다면 가능하였던 것으로 보임에도 업무추진의 비효율성 및 일괄공사 필요 등의 사유로 이를 유예기간 내에 사용하지 아니하였고, 이는 단순한 내부사정에 불과하다고 보이므로 정당한 사유에 해당된다고 인정하기는 어려움(조심 2011지0026, 2012.1.20.).

2. 새마을금고에 대한 감면

◎ 장례식장용 부동산은 고유업무에 직접 사용하기 위한 부동산으로 볼 수 없음
새마을금고가 불특정다수인이 유료로 이용하는 장례식장용 부동산을 취득한 경우라면 장례식장용 부동산은 회원의 문화복지 후생사업용으로 사용하는 것이 아니므로 고유업무에 직접 사용하기 위한 부동산의 취득으로 볼 수 없어 취득세 등의 감면대상에 해당되지 아니함(지방세정담당관-2087, 2003.11.29.).

◎ 새마을금고가 취득한 소매점용 및 금융자동화코너시설용 부동산 감면대상 여부의 판단기준
이 사건 신축건물 중 금융업소 부분의 일부분으로서 원고가 새마을금고의 업무에 직접 사용하기 위하여 취득한 것으로 봄이 타당하므로, 구 「지방세법」 제272조 제3항 본문이 규정하는 취득세와 등록세의 면제 대상에 해당함. 따라서 그 설치비용은 취득세와 등록세의 과세대상인 이 사건 소매점 부분의 사실상 취득가액에 포함될 수 없고, 그 전부가 취득세와 등록세의 면제 대상인 금융업소 부분의 사실상 취득가액에 포함되어야 함(대법원 2011두18441, 2013.6.13.).

◎ 골프연습장으로 사용하는 부동산은 고유업무 직접 사용으로 볼 수 없음
골프연습장의 이용대상이 회원뿐만 아니라 사실상 일반인들도 포함되는 것으로 판단되고, 이용요금 또한 사용시간·조건 및 골프연습장에 구비된 시설의 수준에 따라 달라지는 것인 바,

이 건 골프연습장의 요금이 명백하게 관내의 다른 골프장의 요금보다 저렴하다고 인정하기는 어려울 뿐만 아니라 동 요금을 이 건 골프연습장을 운영하기 위하여 필요한 실비변상적인 비용으로 보기도 어려우므로, 청구법인이 공익적 목적을 위하여 이 건 골프연습장을 운영하였다기보다는 영리도모를 위한 것으로 보아야 할 것임. 따라서 새마을금고가 골프연습장으로 사용하는 부동산을 고유업무에 직접 사용하는 것으로 보기 어려움(조심 2010지0699, 2011.10.18.).

◎ **임차인의 불이행으로 고유업무에 직접 사용하지 못한 것은 정당한 사유로 볼 수 없음**

법인의 업무에 직접 사용하기 위하여 부동산의 종전 소유자와 임대차계약을 체결한 임차인들에게 계약해지를 내용증명으로 통보하고 건물의 명도를 요구하는 등 부동산을 고유업무에 직접 사용하기 위하여 적극적인 노력을 하였으나 임차인의 불이행으로 인하여 이 건 부동산 취득일로부터 1년 이내에 고유 업무에 직접 사용하지 못한 사유 주장(기각)부동산을 유예기간 내에 취득목적대로 사용하기 위한 정상적인 노력을 다하였다고 보기는 어렵다하여 부동산에 대하여 과세면제 한 취득세 등을 추징한 처분은 적법하다고 판단함(조심 2010지0433, 2011.3.29.).

제88조(새마을운동조직 등에 대한 감면)

> **법** 제88조(새마을운동조직 등에 대한 감면) ① 「새마을운동 조직육성법」을 적용받는 새마을운동조직이 그 고유업무에 직접 사용하기 위하여 취득하는 부동산(임대용 부동산은 제외한다. 이하 이 조에서 같다)에 대하여는 취득세를, 과세기준일 현재 그 고유업무에 직접 사용하는 부동산에 대하여는 재산세를 각각 2022년 12월 31일까지 면제한다. 농비
>
> ② 다음 각 호의 법인이 그 고유업무에 직접 사용하기 위하여 취득하는 부동산(임대용 부동산은 제외한다)에 대하여는 취득세를, 과세기준일 현재 그 고유업무에 직접 사용하는 부동산에 대하여는 재산세(「지방세법」 제112조에 따른 부과액을 포함한다)를 각각 2014년 12월 31일까지 면제한다.
>
> 1. 「한국자유총연맹 육성에 관한 법률」에 따른 한국자유총연맹
> 2. 「대한민국재향군인회법」에 따른 대한민국재향군인회

새마을운동조직과 사단법인 한국자유총연맹 등이 고유업무에 직접 사용하기 위하여 취득·보유하는 부동산에 대한 세제지원을 규정하고 있다.

새마을운동조직이 그 고유업무에 직접 사용하기 위해 취득하는 부동산(임대용 제외)에 대한 취득세 및 재산세를 면제한다(법 ①). 2013년에는 지역자원시설세를 감면대상에서 제외하였으며, 2015년부터는 새마을운동조직에 대한 주민세 사업소분(「지방세법」 §81 ① 2)의 감면(50%)을 과세로 전환하였다. 2020년부터는 새마을운동조직의 고유업무용 부동산에

대한 도시지역분(목적세) 감면을 과세로 전환하였다.

한편, 한국자유총연맹 및 대한민국재향군인회가 그 고유업무에 직접 사용하기 위해 취득하는 부동산(임대용 제외)에 대해서도 취득세 및 재산세를 면제(법 ②)하였는데 2014년을 마지막으로 그 일몰을 종료하였다.

제89조(정당에 대한 면제)

법 제89조(정당에 대한 면제) ① 「정당법」에 따라 설립된 정당(이하 이 조에서 "정당"이라 한다)이 해당 사업에 직접 사용하기 위하여 취득하는 부동산에 대해서는 취득세를 2022년 12월 31일까지 면제한다. 다만, 다음 각 호의 어느 하나에 해당하는 경우 그 해당 부분에 대해서는 면제된 취득세를 추징한다. 농비

1. 해당 부동산을 취득한 날부터 5년 이내에 수익사업에 사용하는 경우
2. 정당한 사유 없이 그 취득일부터 3년이 경과할 때까지 해당 용도로 직접 사용하지 아니하는 경우
3. 해당 용도로 직접 사용한 기간이 2년 미만인 상태에서 매각·증여하거나 다른 용도로 사용하는 경우

② 정당이 과세기준일 현재 해당 사업에 직접 사용하는 부동산(대통령령으로 정하는 건축물의 부속토지를 포함한다)에 대해서는 재산세(「지방세법」 제112조에 따른 부과액을 포함한다) 및 「지방세법」 제146조 제2항에 따른 지역자원시설세를 각각 2022년 12월 31일까지 면제한다. 다만, 수익사업에 사용하는 경우와 해당 재산이 유료로 사용되는 경우의 그 재산 및 해당 재산의 일부가 그 목적에 직접 사용되지 아니하는 경우의 그 일부 재산에 대해서는 면제하지 아니한다.

③ 정당이 그 사업에 직접 사용하기 위한 면허에 대해서는 등록면허세를, 정당에 대해서는 주민세 사업소분(「지방세법」 제81조 제1항 제2호에 따라 부과되는 세액으로 한정한다. 이하 이 항에서 같다) 및 종업원분을 각각 2022년 12월 31일까지 면제한다. 다만, 수익사업에 관계되는 대통령령으로 정하는 주민세 사업소분 및 종업원분은 면제하지 아니한다. 농비

④ 정당에 생산된 전력 등을 무료로 제공하는 경우 해당 부분에 대해서는 「지방세법」 제146조 제1항에 따른 지역자원시설세를 2019년 12월 31일까지 면제한다.

영 제42조(정당에 대한 면제대상 사업의 범위 등) ① 법 제89조 제2항 본문에서 "대통령령으로 정하는 건축물의 부속토지"란 해당 사업에 직접 사용할 건축물을 건축 중인 경우와 건축허가 후 행정기관의 건축규제조치로 건축에 착공하지 못한 경우의 건축 예정 건축물의 부속토지를 말한다.

② 법 제89조 제3항 본문에서 "정당이 그 사업에 직접 사용하기 위한 면허"란 법 제89조 제1항에 따른 정당이 그 비영리사업의 경영을 위하여 필요한 면허 또는 그 면허로 인한 영업 설비나 행위에서 발생한 수익금의 전액을 그 비영리사업에 사용하는 경우의 면허를 말한다.

③ 법 제89조 제3항 단서에서 "수익사업에 관계되는 대통령령으로 정하는 주민세 사업소분 및 종업원분"이란 수익사업에 직접 제공되고 있는 사업소와 종업원을 기준으로 부과하는 주민세 사업소분(「지방세법」 제81조 제1항 제2호에 따라 부과되는 세액으로 한정한다)과 종업원분을 말한

> 다. 이 경우 면제대상 사업과 수익사업에 건축물이 겸용되거나 종업원이 겸직하는 경우에는 주된 용도 또는 직무에 따른다.

정당이 해당사업에 직접 사용하기 위해 취득하는 부동산에 대한 취득세와 과세기준일 현재 직접 사용하는 부동산에 대한 재산세(도시지역분과 지역자원시설세 포함)를 100% 감면한다(법 ①, ②). 재산세 감면에 대해서는 직접 사용할 건축물을 건축 중인 경우의 그 부속토지 및 건축허가 후 행정기관의 건축규제조치로 착공하지 못한 경우의 건축 예정 건축물의 부속토지를 포함한다. 한편, 취득세의 경우 5년 이내 수익사업에 사용하거나, 정당한 사유없이 취득일부터 3년이 경과할 때까지 해당 용도로 직접 미사용시, 직접 사용 2년 미만 중 매각·증여 또는 타용도 사용시에는 추징하며, 재산세의 경우에는 수익사업에 사용하는 경우, 유료로 사용되는 경우, 직접 사용되지 않는 경우에는 감면을 배제한다. 2016년까지는 추징 유예기간이 명시되어 있지 않아 언제든 추징이 가능하다는 해석 등 혼선이 있었던 터라, 2017년부터는 취득한 날부터 5년 이내 수익사업에 사용하는 경우에만 추징하도록 개선하였다.

정당이 비영리사업에 직접 사용하기 위한 면허에 대한 등록면허세를 면제하고, 정당에 대해서는 주민세 사업소분(「지방세법」 §81 ① 2)과 종업원분을 면제하되, 수익사업에 제공되고 있는 사업소와 종업원에 대해서는 부과하는데, 면제대상사업과 수익사업에 건축물이 겸용되거나, 종업원이 겸직하는 경우에는 주된 용도 또는 직무에 따라 감면여부를 판단한다(법 ③).

정당에 생산된 전력 등을 무료로 제공하는 경우 해당 부분에 대한 지역자원시설세를 면제(법 ④)하였으나, 2019년을 마지막으로 그 감면의 일몰이 종료되었다.

제90조(마을회 등에 대한 감면)

> **법** 제90조(마을회 등에 대한 감면) ① 대통령령으로 정하는 마을회 등 주민공동체(이하 "마을회 등"이라 한다)의 주민 공동소유를 위한 부동산 및 선박을 취득하는 경우 취득세를 2022년 12월 31일까지 면제한다. 다만, 다음 각 호의 어느 하나에 해당하는 경우 그 해당 부분에 대해서는 면제된 취득세를 추징한다. 농비
>
> 1. 해당 부동산을 취득한 날부터 5년 이내에 수익사업에 사용하는 경우 2. 정당한 사유 없이 그 취득일부터 1년이 경과할 때까지 해당 용도로 직접 사용하지 아니하는 경우
>
> 3. 해당 용도로 직접 사용한 기간이 2년 미만인 상태에서 매각·증여(해당 용도로 사용하기 위하

여 국가나 지방자치단체에 기부채납하는 경우는 제외한다)하거나 다른 용도로 사용하는 경우

② 마을회등이 소유한 부동산에 대해서는 재산세(「지방세법」 제112조에 따른 부과액을 포함한다) 및 「지방세법」 제146조 제2항에 따른 지역자원시설세를, 마을회등에 대해서는 주민세 사업소분(「지방세법」 제81조 제1항 제2호에 따라 부과되는 세액으로 한정한다) 및 종업원분을 2022년 12월 31일까지 각각 면제한다. 다만, 수익사업에 사용하는 경우와 해당 재산이 유료로 사용되는 경우의 그 재산 및 해당 재산의 일부가 그 목적에 직접 사용되지 아니하는 경우의 그 일부 재산에 대해서는 면제하지 아니한다.

영 제43조(마을회등의 정의) 법 제90조 제1항 각 호 외의 부분 본문에서 "대통령령으로 정하는 마을회 등 주민공동체"란 마을주민의 복지증진 등을 도모하기 위하여 마을주민만으로 구성된 조직을 말한다.

마을회 등 주민공동체가 주민의 공동소유를 위해 취득하는 부동산 및 선박, 마을회 등이 소유한 부동산과 임야 등에 대해 세제지원을 규정하고 있다.

2020.1.15. 시행, 지방세특례제한법 개정으로 마을회에 대한 감면을 3년 연장하였다(§90 ①·②).

| 최근 개정법령 _ 2017.1.1.| 마을회등이 취득한 부동산을 수익사업에 사용하는 경우에는 면제받은 취득세를 추징하도록 규정되어 있었으나, 추징 유예기간이 명시되어 있지 않아 언제든 추징이 가능하다는 해석 등 혼선이 있어, 취득한 날부터 5년 이내 수익사업에 사용하는 경우에만 추징하도록 개선하였다.

| 최근 개정법령 _ 2018.1.1.| 경로당 용도로 직접 사용하기 위하여 경로당 취득 후, 국가 또는자치단체에 기부채납하고, 경로당으로 사용하는 경우는 추징을 제외하도록 개선하였다.

마을회등이 주민 공동소유를 위한 부동산 및 선박을 취득하는 경우에는 취득세를 면제하되, 5년 이내 수익사업에 사용시, 정당한 사유없이 취득일부터 1년이 경과할 때까지 직접 미사용시, 직접 사용 2년 미만인 상태에서 매각·증여하거나(국가 등에 기부채납하는 경우 제외) 타용도 사용하는 경우에는 취득세를 추징한다(법 ①). 따라서 매각증여에서 국가 등에 기부채납하는 경우는 추징사유에서 제외되는 것이고, 부동산·선박을 마을회 용도로 사용하는 경우라도 개인소유의 부동산에 대해서는 감면대상이 되지 아니한다고 할 것이다.

마을회등이 소유한 부동산에 대해 재산세(도시분 및 지역자원시설세 포함)를 면제하고, 마을회등에 대해 주민세 사업소분(「지방세법」 §81 ① 2) 및 종업원분을 면제하되, 수익사업에 사용하는 경우, 유료로 사용되는 경우, 직접 사용되지 않는 경우에는 감면을 배제한다(법 ②).

2020년부터는 취득세와 재산세 감면에 대해 지방세특례제한법 제177조의 2에 따른 최소납부세제가 적용됨에 유의하여야 한다.

취득세와 재산세의 감면대상인 '마을회'란 마을주민 전체의 복리증진을 위한 친목적 조직이라 할 것이며, 그 구성원은 전체 주민 대다수가 참여하는 자생적 조직이라 정의(지방세특례제도과-524, 2019.2.18.)할 수 있는바, '마을회 등 주민공동체'에 해당하기 위해서는 i) '마을'이라는 특정지역에 지역적 기반을 두고 있는 마을주민들의 공동체에 해당되어야 하고, ii) 그 구성원도 마을주민이면 누구나 특별한 가입조건이 없이 당연히 구성원으로 참여할 수 있어야 할 것이며, iii) 마을주민들의 복지증진을 도모하는 것이 주민공동체의 주된 목적이어야 할 것이고, iv) 이러한 목적을 위해 공동체 명의로 소유하는 재산에 해당하는 경우라야 할 것이다. 한편, "마을"의 사전적 의미는 "주로 시골에서 여러 집이 이웃하여 살아가는 동네"로 촌락 또는 촌리를 말한다 할 것(조심 2009지0824, 2010.6.11.)인바, 사회통념상 동 단위의 대규모 범위까지 쟁점규정의 "마을회 등"에 포함하는 것은 불가하다.

◎ 체육공원 관리위원회의는 취득세 감면대상 '마을회 등'에 해당되지 않음

마을회란 마을주민 전체의 복리증진을 위한 친목적 성격의 조직이라 할 것이며, 그 구성은 전체 주민 대다수가 참여하는 자생적 조직이라 정의할 수 있는 바, 귀문의 경우, 정관상 목적사업이 감교리체육공원의 조성사업 및 유지, 감교리 주민의 건강증진 및 향우간의 화합을 도모하며 내 고장의 발전에 이바지함을 규정하고 있으며, 건물의 용도가 체육행사 및 주민회의 장소 등 주민공동시설로 사용하고 있는 것으로 확인되나, 전체 마을주민 600여 명 중 30여 명의 특정 초등학교 졸업자를 중심으로 구성되고 그 중 일부가 마을주민에 해당하지 않는 경우라면 지방세특례제한법에서 규정하고 있는 마을 주민만으로 구성된 조직에 해당되지 않음(지방세특례제도과-312, 2014.12.24.).

◎ 마을주민만으로 구성되지 아니한 '향린공영회'를 '마을회 등'으로 볼 수 없음

마을회 등 주민공동체 해당 여부 관련, 「지방세특례제한법」 제90조 및 같은 법 시행령 제43조에 의하면 "마을회 등 주민공동체란 마을 주민의 복지증진 등을 도모하기 위하여 마을주민만으로 구성된 조직"이라고 규정하고 있으므로 '향린공영회'의 정관 및 회의록에 의하면 '향린공영회'의 회원자격을 정관상 향린촌 내에 토지 등을 소유하고 본회에 가입한 회원으로 규정하고 있으므로 '향린공영회'를 마을주민만으로 구성된 조직으로 볼 수는 없는 것으로 보여지며, '향린공영회' 명의로 등기된 부동산은 「지방세특례제한법」 제90조 및 같은 법 시행령 제43조 규정에 의한 재산세 등 면제대상에 해당되지 않은 것으로 판단됨(지방세운영과-395, 2012.2.8.).

◎ 아파트 입주자대표회의가 주민들의 공동이익을 대변하고 복지증진을 목적으로 하는 단체인 마을회 등으로 볼 수 있어 재산세 비과세 대상 토지라 사료됨(지방세운영과-3723, 2010.8.18.).

◎ 마을당사계가 당사신을 모시는 계원간의 친목 및 상부상조를 통하여 지역발전에 기여할 목적으로 조직되었다면 마을주민의 복지증진을 도모하기 위하여 마을주민만으로 구성된 "마을회 등"에 해당한다고 보기 어렵다 할 것임(지방세운영과-933, 2008.9.8.).

◎ 「○○○ 마을회 규약」 제3조 및 「○○○ 복지회관 건립추진위원회 규약」 제3조에서 각각 "본 부락에 거주하는 각 세대원에 의하여 구성된다"고 규정하고 있음을 볼 때 "○○○ 복지회관 건립추진위원회"는 위 규정에 의한 마을회에 해당된다고 봄이 타당하다 하겠으므로, "○○○ 복지회관 건립추진위원회" 명의의 부동산 취득 등기는 취득세와 등록세의 비과세대상임(지방세정팀-3021, 2007.8.2.).

◎ 지역주민의 복지증진과 체육·청소년 지원사업을 통한 지역사회 발전도모를 목적으로 설립된 비영리법인이 주민복지타운 건립을 위하여 취득한 부동산을 마을회 등으로 보아 비과세 주장에 대하여 살펴보면, 마을회 등은 행정구역의 최하단위인 리를 구성하는 지역으로 범위를 제한해서 해석하는 것이 타당함(조심 2009지0824, 2010.6.11.).

◎ 마을전체 47세대 중 10세대만으로 구성된 조직은 "마을회"에 해당되지 않음

건축물은 국고보조금 및 주민공동부담으로 신축하였고, 소유권도 주민공동체인 ○○○으로 되어 있으며, 수익금액도 마을주민의 복지증진 등을 위한 마을공동사업비로 사용하고 있으므로 취득한 건축물은 마을회 등에 해당하는 것으로 보아 비과세 주장에 대하여 살펴보면, 마을회 등이라 함은 마을주민 전체를 말하는 것이나, 청구인은 마을전체를 위한 마을회가 아니고 마을전체 47세대 중 10세대만으로 구성된 특정조직으로서 이 건 건축물을 취득하여 수익사업에 사용하고 있으므로 취득세 등의 비과세 대상이 되는 "마을회"에 해당되지 아니함(조심 2009지1096, 2010.6.7.).

제91조(재외 외교관 자녀 기숙사용 부동산에 대한 과세특례)

> **법** 제91조(재외 외교관 자녀 기숙사용 부동산에 대한 과세특례) 사단법인 한국외교협회의 재외 외교관 자녀 기숙사용 토지 및 건축물에 대한 취득세는 「지방세법」 제11조 제1항의 세율에도 불구하고 2022년 12월 31일까지 1천분의 20을 적용하여 과세하고, 그 부동산의 등기에 대하여는 등록면허세를 2022년 12월 31일까지 면제한다. 다만, 다음 각 호의 어느 하나에 해당하는 경우 그 해당 부분에 대해서는 감면된 취득세 및 등록면허세를 추징한다.

1. 해당 부동산을 취득한 날부터 5년 이내에 수익사업에 사용하는 경우 2. 정당한 사유 없이 그 취득일부터 1년이 경과할 때까지 해당 용도로 직접 사용하지 아니하는 경우 3. 해당 용도로 직접 사용한 기간이 2년 미만인 상태에서 매각·증여하거나 다른 용도로 사용하는 경우

사단법인 한국외교협회의 재외 외교관 자녀 기숙사용 토지 및 건축물에 대한 세제지원을 규정하고 있다.

한국외교협회의 재외 외교관 자녀 기숙사용 토지 및 건축물에 대해서는 취득세를 2% 적용하고, 그 부동산 등기에 대해서도 등록면허세를 면제한다. 여기서 취득세를 2% 적용한다는 의미는 舊등록세를 면제한다는 의미로 이해하면 된다.

한편, 5년 이내 수익사업에 사용시, 정당한 사유없이 취득일부터 1년이 경과할 때까지 직접 미사용시, 직접 사용 2년 미만 중 매각·증여 또는 타용도 사용시에는 감면된 취득세를 추징한다. 2016년까지는 추징 유예기간이 명시되어 있지 않아 언제든 추징이 가능하다는 해석 등 혼선이 있었던 터라, 2017년부터는 취득한 날부터 5년 이내 수익사업에 사용하는 경우에만 추징하도록 개선하였다.

제92조(천재지변 등으로 인한 대체취득에 대한 감면)

법 제92조(천재지변 등으로 인한 대체취득에 대한 감면) ① 천재지변, 그 밖의 불가항력으로 멸실 또는 파손된 건축물·선박·자동차 및 기계장비를 그 멸실일 또는 파손일부터 2년 이내에 다음 각 호의 어느 하나에 해당하는 취득을 하는 경우에는 취득세를 면제한다. 다만, 새로 취득한 건축물의 연면적이 종전의 건축물의 연면적을 초과하거나 새로 건조, 종류 변경 또는 대체취득한 선박의 톤수가 종전의 선박의 톤수를 초과하는 경우 및 새로 취득한 자동차 또는 기계장비의 가액이 종전의 자동차 또는 기계장비의 가액(신제품구입가액을 말한다)을 초과하는 경우에 그 초과부분에 대해서는 취득세를 부과한다. 감면분만 농비

1. 복구를 위하여 건축물을 건축 또는 개수하는 경우 2. 선박을 건조하거나 종류 변경을 하는 경우 3. 건축물·선박·자동차 및 기계장비를 대체취득하는 경우

② 천재지변, 그 밖의 불가항력으로 멸실 또는 파손된 건축물·선박·자동차·기계장비의 말소등기 또는 말소등록과 멸실 또는 파손된 건축물을 복구하기 위하여 그 멸실일 또는 파손일부터 2년 이내에 신축 또는 개축을 위한 건축허가 면허에 대해서는 등록면허세를 면제한다. 농비

③ 천재지변·화재·교통사고 등으로 소멸·멸실 또는 파손되어 해당 자동차를 회수하거나 사용할 수 없는 것으로 시장·군수가 인정하는 자동차에 대해서는 자동차세를 면제한다.

영 제44조 삭제 〈2015.12.31.〉

천재지변 등 불가항력적인 사유로 건축물·선박·자동차 및 기계장비 등이 멸실되어 대체취득하는 경우, 조속한 피해 복구와 생활안정을 도모하기 위한 취지로 지방세 감면규정을 두고 있다.

천재지변, 그 밖의 불가항력으로 멸실 또는 파손된 건축물·선박·자동차·기계장비를 2년 이내에 대체취득하는 경우에는 종전의 한도부분까지 취득세를 면제한다(법 ①). 초과부분에 대한 판단 기준은 1) 건축물은 연면적, 2) 선박은 톤수, 3) 자동차·기계장비는 신제품가액을 기준으로 판단한다. 자동차의 한도액과 관련하여, 공동명의의 종전자동차를 침수 등 천재지변으로 말소등록하고 종전자동차와 지분을 달리하여 대체취득한 경우, 각 공동명의자의 지분별로 초과부분을 산출하여 감면을 적용하여야 할 것(지방세특례제도과-1979, 2020.8.25.)이다. 아래 표의 예시를 참고하기 바란다.

사례	소유 형태	종전자동차	대체취득 자동차	초과액
1	단독→단독	4천(A)	2천(A)	×
2		2천(A)	4천(A)	2천(A)
3	단독→공동	4천(A)	4천(A·B 각 50%)	2천(B)
4	공동→단독	4천(A·B 각 50%)	4천(A)	2천(A)
5	공동→공동	4천(A 10%·B 90%)	4천(A·B 각 50%)	1.6천(A)

천재지변, 그 밖의 불가항력으로 멸실 또는 파손된 건축물·선박·자동차·기계장비의 말소 등기와 2년 이내에 그 복구를 위한 건축허가 면허에 대해 등록면허세를 면제한다(법 ②).

천재지변·화재·교통사고 등으로 소멸·멸실 또는 파손되어 해당 자동차를 회수하거나 사용할 수 없는 것으로 시장·군수가 인정하는 자동차에 대해서는 자동차세를 면제한다.(법 ③). 이 경우 면제대상은 새로 취득하는 자동차가 아닌 소멸·멸실된 자동차임을 유의할 필요가 있다. 이는 자동차세는 자동차등록원부상 등록된 경우에 납세의무를 부여하는데, 원부상으로 존재하더라도 소멸·멸실 등으로 실제로는 소유하지 않은 것으로 인정되는 경우에 과세를 제외할 수 있도록 예외를 두고 있는 것으로 이해하면 되겠다.

◎ 화재로 건물이 소실되어 재축한 경우 불가항력으로 볼 수 없어 감면 대상이 아님

지진, 풍수해, 벼락 등과 같이 자연현상에 의한 것이어서 사람으로서는 어떠한 수단에 의하여서도 회피하거나 방지하기 어려운 천재지변이 아니라 사람의 행위가 개입할 여지가 많은 '소실' 내지 '화재'는 '지진·풍수해·낙뢰'와 같은 수준의 '불가항력적인 소실, 화재'만을 의미하는 것으로 해석함이 상당함. 어떠한 재해가 '불가항력'의 개념에 포섭되기 위해서는 사

람의 행위 지배영역 밖에서 발생하여 예측가능성이나 회피가능성이 없어야 함. 이 사건 화재의 발생원인은 "전기적 요인/미확인단락"인 사실이 인정됨. 그러나 불가항력은 무과실보다 좁은 개념으로서 귀책사유 유무와는 직접적 관련이 없으므로, 이 사건 화재가 사람의 행위 지배영역 밖에서 발생하였다고 보기 부족하고, 달리 이 사건 화재가 불가항력적이라고 인정할 증거가 없음(대법원 2016두50044, 2016.12.15.).

◎ **전기적 요인 화재에 따른 소실은 대체취득 감면대상인 '지진·풍수해·낙뢰'와 같은 수준의 '불가항력적인 소실, 화재'로 보기는 곤란**

어떠한 재해가 '불가항력'의 개념에 포섭되기 위해서는 사람의 행위 지배영역 밖에서 발생하여 예측가능성이나 회피가능성이 없어야 한다. 따라서 구 지특법 제92조 ① 본문 또는 구 지특법 시행령 제44조 ①의 '소실'이나 '화재'는 사람의 행위 지배영역 밖에서 발생한 화재만을 의미하는 것으로 해석함이 상당함. 이 사건 화재의 발생원인은 "전기적 요인/미확인단락"인 사실이 인정된다. 그러나 불가항력은 무과실보다 좁은 개념으로서 귀책사유 유무와는 직접적 관련이 없으므로, 위와 같은 사정만으로는 이 사건 화재가 사람의 행위 지배영역 밖에서 발생하였다고 보기 부족하고, 달리 이 사건 화재가 불가항력적이라고 인정할 증거가 없음(대법원 2016두50044, 2016.12.15.).

◎ **소멸·멸실 또는 파손되어 회수하거나 사용할 수 없는 자동차 판단기준**

소멸·멸실된 자동차로 인정여부에 대하여는 차령이 10년 이상 경과하고 최근 자동차세를 계속해서 4회 이상 체납된 자동차로서 자동차검사를 최근 계속하여 2회 이상 미이행하고 책임보험 미가입기간이 최근 계속하여 2년 초과 차량 중 교통법규 위반사실이 있는지 등을 확인(고질체납차량 자동차세 처리방안, 지방세정팀-39, 2006.1.3.)하여 자동차세 비과세여부를 판단하도록 하고 있으나, 횡령당한 차량으로서 그 차령이 10년이 경과되지 아니한 경우라면 위 고질체납차량 자동차세 처리방안에 의한 비과세 대상 자동차에는 해당되지 아니하는 것임(지방세운영과-707, 2009.2.13.).

◎ **운행 중 화재로 인한 소멸·멸실 등에 따른 대체취득은 감면대상에 해당되지 않음**

감면대상은 지진이나 산불, 낙뢰 등으로 인한 화재와 풍수해, 폭설, 산사태 등으로 인하여 멸실 또는 파손된 자동차의 대체취득 시 감면대상이 된다 할 것이므로 천재·지변 등에 의한 자동차화재나 소실이 아닌 운행 중 화재가 발생하여 새로운 자동차를 취득하는 경우라면 상기 규정에 의한 취득세 등의 감면대상으로 보기는 어렵다 할 것임(지방세정팀-533, 2007.3.21.).

◎ 재해라 함은 「자연재해대책법」 제1조 제1호에서 「재난 및 안전관리기본법」 제3조 제1호의 규정에 의한 재난으로 인하여 발생한 피해를 말한다고 규정하고 있고, 재난 및 안전관리기본법 제3조 제1호 및 같은 법 시행령 제2조에서 재해의 범위를 규정하고 있으므로 동 법령을

기준으로 지방세법상의 대통령령이 정하는 특수사유에 해당하는지 여부를 판단하는 것이 타당함(지방세정팀-38, 2006.1.3.).

◎ 지하주차장 전기합선 화재로 대체취득시는 감면대상으로 보기 어려움

천재 등으로 인한 대체취득에 대한 취득세 비과세 요건은 자연재해 등 불가항력으로 인하여 발생하는 '화재'로 인하여 자동차 등이 멸실되어 새로운 자동차 등을 대체취득한 경우라고 보아야 할 것이다. 그런데 위 인정사실에서 본 바와 같이 2008.8.16. 청구인 거주 아파트 지하 주차장내 천장에서 전기합선으로 화재가 발생하여 청구인 소유 자동차(◇◇◇◇)가 전소되어 같은 해 9.25. 이 사건 자동차를 취득하였다. 따라서 이 사건 자동차는 자연재해 등 불가항력으로 인하여 발생한 화재가 아닌 지하 주차장내 천장에서 전기합선으로 인하여 발생한 화재로 전소되어 새로이 취득하였으므로 취득세 등 비과세 대상이 되는 대체취득에 해당되지 않는다 할 것임(감심 2009-212, 2009.11.5.).

제92조의 2(자동이체 등 납부에 대한 세액공제)

법 제92조의 2(자동이체 등 납부에 대한 세액공제) ① 「지방세기본법」 제35조 제1항 제3호에 따른 지방세(수시로 부과하여 징수하는 지방세는 제외한다)에 대하여 그 납부기한이 속하는 달의 전달 말일까지 같은 법 제30조 제1항에 따른 전자송달 방식(이하 이 조에서 "전자송달 방식"이라 한다) 및 「지방세징수법」 제23조에 따른 신용카드 자동이체 방식 또는 같은 법 제24조에 따른 계좌 자동이체 방식(이하 이 조에서 "자동이체 방식"이라 한다)에 따른 납부를 신청하는 납세의 무자에 대해서는 다음 각 호의 구분에 따른 금액을 「지방세법」에 따라 부과할 해당 지방세의 세액에서 공제한다.

1. 전자송달 방식에 따른 납부만을 신청하거나 자동이체 방식에 따른 납부만을 신청한 경우 : 고지서 1장당 150원부터 500원까지의 범위에서 조례로 정하는 금액
2. 전자송달 방식과 자동이체 방식에 의한 납부를 모두 신청한 경우 : 고지서 1장당 300원부터 1천원까지의 범위에서 조례로 정하는 금액

② 제1항에 따른 세액의 공제는 「지방세법」에 따라 부과할 해당 지방세의 세액에서 같은 법에 따른 지방세의 소액 징수면제 기준금액을 한도로 한다.

③ 제1항에 따라 세액공제를 받은 자가 그 납부기한까지 그 지방세를 납부하지 아니한 경우에는 그 공제받은 세액을 추징한다. [본조신설 2010.12.27.] [제목개정 2017.12.26.]

정기분 지방세에 대한 납부율의 향상과 지방세 징수업무의 효율적인 처리를 위하여 자동계좌이체 및 전자송달 방식에 의한 납부자에 대한 세액공제를 위하여 지방세 감면을 규정하고 있다.

2018년부터는 신용카드 자동이체 또는 계좌 자동이체 방식을 '자동이체 방식'으로 하고 자동이체 또는 전자송달 방식에 의한 납부를 각각 신청한 경우에도 세액공제할 수 있도록 개정하였다.

<table>
<tr><th>개정 전</th><th>개정 후</th></tr>
<tr>
<td>〈자동이체납부 등 세액공제 §92의 2〉
○ (공제액) 법정 범위내에서 조례로 정함
<table>
<tr><th colspan="2">고지서 1장당 공제 가능 범위</th></tr>
<tr><td>자동계좌이체</td><td>150원~500원</td></tr>
<tr><td>전자송달+자동계좌이체</td><td>300원~1000원</td></tr>
</table>
</td>
<td>☞ 신용카드 자동이체 및 전자송달 시 공제 추가
○ (공제액) 법정 범위내에서 조례로 정함
<table>
<tr><th colspan="2">고지서 1장당 공제 가능 범위</th></tr>
<tr><td>자동이체</td><td>150원~500원</td></tr>
<tr><td>전자송달</td><td>150원~500원</td></tr>
<tr><td>전자송달+자동이체</td><td>300원~1000원</td></tr>
</table>
* 자동이체: 신용카드 자동이체 or 계좌 자동이체
</td>
</tr>
</table>

제 3 장

지방세특례제한법

보 칙

제177조(감면 제외대상)

법 제177조(감면 제외대상) 이 법의 감면을 적용할 때 다음 각 호의 어느 하나에 해당하는 부동산 등은 감면대상에서 제외한다. [본조신설 2014.1.1.]

1. 별장 : 주거용 건축물로서 늘 주거용으로 사용하지 아니하고 휴양·피서·놀이 등의 용도로 사용하는 건축물과 그 부속토지(「지방자치법」 제3조 제3항 및 제4항에 따른 읍 또는 면에 있는, 「지방세법 시행령」 제28조 제2항에 따른 범위와 기준에 해당하는 농어촌주택과 그 부속토지는 제외한다). 이 경우 별장의 범위와 적용기준은 「지방세법 시행령」 제28조 제3항에 따른다.
2. 골프장 : 「체육시설의 설치·이용에 관한 법률」에 따른 회원제 골프장용 부동산 중 구분등록의 대상이 되는 토지와 건축물 및 그 토지 상(上)의 입목. 이 경우 등록을 하지 아니하고 사실상 골프장으로 사용하는 부동산을 포함한다.
3. 고급주택 : 주거용 건축물 또는 그 부속토지의 면적과 가액이 「지방세법 시행령」 제28조 제4항에 따른 기준을 초과하거나 해당 건축물에 67제곱미터 이상의 수영장 등 「지방세법 시행령」 제28조 제4항에 따른 부대시설을 설치한 주거용 건축물과 그 부속토지.
4. 고급오락장 : 도박장, 유흥주점영업장, 특수목욕장, 그 밖에 이와 유사한 용도에 사용되는 건축물 중 「지방세법 시행령」 제28조 제5항에 따른 건축물과 그 부속토지.
5. 고급선박 : 비업무용 자가용 선박으로서 「지방세법 시행령」 제28조 제6항에 따른 기준을 초과하는 선박

지특법상 감면을 적용함에 있어 별장, 골프장, 고급주택, 고급오락장, 고급선박 등 사치성 재산에 대하여는 감면을 배제한다.

| 최근 개정법령 _ 2020.1.15. | 감면 제외대상 범위 명확화(법 §177)

'「지방세법」 제13조 제5항에 따른 부동산'에 해당하는 별장 등 사치·향락적 소비시설은 과세형평성 차원에서 지방세 감면 대상에서 제외하고 있다. 그런데 현행 규정상 회원제골프장은 최초로 설치하는 경우에만 중과세 대상으로 규정되어 있어 이후 승계취득하는 회원제골프장(이후 보유시 과세되는 재산세 포함)이 지방세 감면 제외대상인지가 불분명하였다. 이에 대해 '「지방세법」 제13조 제5항에 따른 부동산'을 「지방세법」 제13조 제5항 각 호의 부동산을 원용함으로써 감면 제외대상 범위를 명확히 하였다. 그에 따라 회원제골프장은 취득 원인에 관계없이 지특법 전반의 지방세 감면 대상에서 제외된다.

제177조의 2(지방세 감면 특례의 제한) [최소납부세제]

법 제177조의 2(지방세 감면 특례의 제한) ① 이 법에 따라 취득세 또는 재산세가 면제(지방세 특례 중에서 세액감면율이 100분의 100인 경우와 세율경감률이 「지방세법」에 따른 해당 과세대상에 대한 세율 전부를 감면하는 것을 말한다. 이하 이 조에서 같다)되는 경우에는 이 법에 따른 취득세 또는 재산세의 면제규정에도 불구하고 100분의 85에 해당하는 감면율(「지방세법」 제13조 제1항부터 제4항까지의 세율은 적용하지 아니한 감면율을 말한다)을 적용한다. 다만, 다음 각 호의 어느 하나에 해당하는 경우에는 그러하지 아니하다. 〈개정 2015.12.29., 2016.12.27., 2017.12.26., 2018.12.24.〉

1. 「지방세법」에 따라 산출한 취득세 및 재산세의 세액이 다음 각 목의 어느 하나에 해당하는 경우
   가. 취득세 : 200만원 이하 나. 재산세 : 50만원 이하(「지방세법」 제122조에 따른 세 부담의 상한을 적용하기 이전의 산출액을 말한다)
2. 제7조부터 제9조까지, 제11조 제1항, 제13조 제3항, 제16조, 제17조, 제17조의 2, 제20조 제1호, 제29조, 제30조 제3항, 제33조 제2항, 제35조의 2, 제36조, 제41조 제1항부터 제6항까지, 제50조, 제55조, 제57조의 2 제2항(2020년 12월 31일까지로 한정한다), 제57조의 3 제1항, 제62조, 제63조 제2항·제4항, 제66조, 제73조, 제76조 제2항, 제77조 제2항, 제82조, 제84조 제1항, 제85조의 2 제1항 제4호 및 제92조에 따른 감면

② 제4조에 따라 지방자치단체 감면조례로 취득세 또는 재산세를 면제하는 경우에도 제1항을 따른다. 다만, 「조세특례제한법」의 위임에 따른 감면은 그러하지 아니하다. 〈신설 2016.12.27., 2017.12.26.〉

③ 제2항에도 불구하고 제1항의 적용 여부와 그 적용 시기는 해당 지방자치단체의 감면조례로 정할 수 있다. 〈신설 2016.12.27.〉 [본조신설 2014.12.31.]

취득세 및 재산세는 개별 조항에서 전액 면제하더라도 면제 세액의 15%(국세는 최대 17%)는 최소한 납부하도록 하는 제도이다. 최소납부세제는 적은 금액이라도 헌법상 납세의무에 따른 세금을 납부하여 국민 개세주의, 조세형평성 가치를 실현하기 위해 2015년부터 도입되었다. 납부능력이 없는 경우를 제외하고 지역에서의 경제활동을 통한 지방공공재 사용에 대한 최소한의 비용을 지불하도록 하는 취지에 있다.

2018.1.1. 시행, 지방세특례제한법 개정으로 한국농어촌공사 농업기반시설에 대한 재산세(§13 ② 1의 2호), 농협·수협·산림조합의 고유업무 부동산에 대한 취득세·재산세(§14 ③), 기초과학연구원, 과학기술연구기관에 대한 취득세·재산세(§45의 2), 신협·새마을금고 신용사업 등에 대한 취득세·재산세(§87 ①, ②), 지역아동센터 부동산 취득세·재산세(§19의 2), 창업중소기업 창업 후 3년 재산세(§58의 3)에 대해 최소납부세제 적용이 시행되었다.

2019.1.1. 시행, 지방세특례제한법 개정으로 다자녀 양육자 자동차 취득세(§22의 2), 학생실

험실습차량, 기계장비, 항공기등에 대한 취득세 · 재산세(§42 ②), 평생교육단체에 대한 취득세 · 재산세(§43), 문화유산 자연환경 국민신탁법인의 취득세 · 재산세(§53), 공공기관 상법상 회사 조직변경 취득세(§57의 2 ③ 7), 부실금융기관 등 간주취득세(§57의 2 ⑤), 학교등 창업보육센터용 부동산 재산세(§60 ③ 1의 2호), 여객운송사업용 천연가스버스 취득세(§70 ③), 반대급부 있는 기부채납용 부동산 취득세(§73의 2), 주택재개발사업 시행자로 부터 취득하는 주택(85㎡ 이하) 취득세(§74 ③ 4), 주거환경개선사업 시행자로부터 취득하는 주택(85㎡ 이하) 취득세(§74 ③ 5), 법인의 지방이전에 대한 취득세 · 재산세(§79 ①), 공장의 지방이전에 대한 취득세 · 재산세(§80 ①), 입주상인의 시장정비사업에 대한 취득세(§83 ②), 평택이주 주한미군 한국인근로자에 대한 취득세(§81의 2)에 대해 최소납부세제 적용이 시행되었다.

| 최근 개정법령 _ 2016.1.1. | 최소납부제 규정 개선(법 제177조의 2)

최소납부세제 면세점(취득세 2백만원, 재산세 50만원) 이상의 감면을 받는 경우에는 감면율 상한을 85%로 제한하여 최소한 15% 이상은 지방세 납부토록 규정하고 있는 바, 농어민, 취약계층, 대체취득, 형식적 취득에 대한 면제는 최소납부제 대상에서 제외하였다. 최소납부제는 2015년부터 §19 어린이집 및 유치원 부동산, §21 청소년 단체 등에 대해 최초로 적용하였다.

| 최근 개정법령 _ 2018.1.1. | 「조세특례제한법」에 따라 자치단체 감면조례로 취득세 · 재산세를 100% 면제하는 경우 최소납부세제를 적용하지 않도록 명확히 하였다.

□ 지침 : 재산세 최소납부세액 적용기준 및 운용요령(지방세특례제도과-1661, 2015.6.24.)

2015년부터 최소납부세액 적용대상이 되는 청소년시설, 영유아 어린이집 등에 대한 재산세 세액계산 방식

○ (적용기준) 과세대상(건축물 · 토지 · 주택)별* 산출세액이 50만원 초과시 각각 적용

* (건축물 · 주택) 1구별 세액산출 → 감면조문별 적용
(토지) 과세대상구분별(종합, 별도, 분리) 구분 세액산출 → 감면조문별 적용

[1] 단독소유한 경우

① **(건축물 · 주택)** 1구별 면제세액이 50만원 초과시 면제세액의 15% 부과

【예시】 甲이 건물A, 건물B(면제대상) 보유, A의 산출세액이 40만원, B는 60만원

- 산출세액 : 건물A = 40만원(←최소납부 무관)
  건물B(면제대상) = <u>60만원(최소납부대상)</u>
- 납부세액 : 건물A(40만원) + {건물B(60만원) × 15%} = 49만원

② **(토지)** 대상 토지 면제세액*이 50만원 초과시 면제세액의 15% 부과

【예시】 甲이 별도합산 대상 토지A와 토지B(면제대상)를 모두 보유한 경우

※ 산출세액은 별도합산 누진세율 적용

☞ 토지A의 산출과표가 3억원, 토지B(면제대상)의 산출과표가 2억원인 경우

• 산출세액 : 3억원 + 2억원 = (과표) 5억원 ⇒ (세액) 130만원
  토지B(면제대상)의 안분(2억원 ÷ 5억원 = 40%)세액은
  = 130만원 × 40% = 52만원(최소납부대상)

• 납부세액 : 3억원 + (2억원 × 15%) = (과표) 3억3천만원 ⇒ (세액) 79만원

[2] 공동소유자이며 모두 면제대상자인 경우

① (건축물 · 주택) 해당 부동산의 면제세액이 50만원을 초과하는 경우 보유지분에 따라 안분한 개인별 면제세액의 15% 부과

【예시】 甲과 乙이 건축물A(면제대상)를 50% 지분씩 공동보유한 경우

☞ 건축물A의 산출세액이 60만원인 경우

• 산출세액 : 건축물A(면제대상) : 60만원(← 50만원 초과, 최소납부대상)

• 납부세액 : (甲 · 乙 각각) {건축물A(60만원) × 50%} × 15% = 45,000원

② (토지) 해당 부동산의 면제세액*이 50만원을 초과하는 경우 면제 세액의 15% 부과

【예시】 甲과 乙이 별도합산 대상 토지A를 지분 50%로 보유한 경우

※ 甲은 별도합산 대상 토지B를 추가보유(별도합산 누진세율 적용)

☞ 토지A의 산출과표가 4억원, 토지B의 산출과표가 3억원인 경우

• 산출세액(甲) : 당초과표 = (4억원 × 50%) + 3억원 = 5억원 ⇒ 세액 130만원
  토지A(면제대상)의 안분(2억원÷5억원=40%)세액은 130만원 × 40% = 52만원(최소납부대상)

• 납부세액(甲) : (4억원 × 50%) × 15% + 3억원 = (과표) 3억3천만원 ⇒ (세액) 79만원

• (乙) : 4억원 × 50% = (과표) 2억원 ⇒ 세액 40만원
  토지A의 안분(2억원÷2억원=100%)세액이 40만원(←50만원 이하) ⇒ 0원

[3] 공동소유자이며 일부만 면제대상자인 경우

① (건축물 · 주택) 해당 부동산의 면제세액 중 면제대상자 지분에 따라 안분한 세액이 50만원 초과시 해당 면제세액의 15% 부과

【예시】 면제대상자 甲과 일반대상자 乙이 건물A(일부면제 대상)를 지분 50%씩 공동소유한 경우

☞ 건물의 산출세액이 150만원인 경우

• 산출세액(甲) : 건물A(면제대상) : 150만원 × 50% = 75만원(최소납부대상)

• 납부세액(甲) : 75만원 × 15% = 112,500원

• (乙) : 건물A = 150만원 × 50% = 75만원(←일반과세)

② (토지) 해당 부동산의 면제세액*이 50만원을 초과하는 경우 면제 세액에 15% 부과

【예시】 면제대상자 甲과 일반대상자 乙이 별도합산 대상 토지A를 지분 50%를 보유한 경우

※ 甲은 별도합산 대상 토지B를 추가보유(산출세액은 별도합산 누진세율 적용)

☞ 토지A의 산출과표가 4억원, 토지B의 산출과표가 3억원인 경우

• 산출세액(甲) : 당초과표 = (4억원 × 50%) + 3억원 = 5억원 ⇒ 세액 130만원
  토지A(면제대상)의 안분(2억원 ÷ 5억원 = 40%)세액은
  = 130만원 × 40% = 52만원(최소납부대상)

• 납부세액(甲) : 적용과표 = (4억원 × 50%) × 15% + 3억원 = 3억3천만원 ⇒ 79만원

• (乙) : 당초과표 = 4억원 × 50% = 2억원 ⇒ 세액 40만원 ⇒ 납부세액 40만원

| 최근 개정법령 _ 2021.1.1. | 2021년 기준 최소납부세제 적용대상은 아래 표와 같다.

	감면내용	조문	세목		적용시기
			취	재	
1	어린이집 및 유치원 부동산	§19	○	○	'15.1.1.
2	청소년단체 등에 대한 감면	§21	○	○	
3	한국농어촌공사(경영회생 지원 환매취득)	§13 ② 2	○		'16.1.1.
4	대한법률구조공단, 법률구조법인('20년까지 적용)	§23 ①	○	○	
5	한국소비자원('20년까지 적용)	§23 ②	○	○	
6	노동조합	§26	○	○	
7	임대주택(40㎡ 이하, 60㎡ 이하)	§31 ① 1, ③ 1, ③ 2	○	○	
8	준공공임대주택(40㎡ 이하)	§31의 3 ① 1	○	○	
9	행복기숙사용 부동산	§42 ①	○	○	
10	박물관 · 미술관 · 도서관 · 과학관	§44의 2	○	○	
11	학술연구단체 · 장학단체 · 과학기술진흥단체	§45 ①	○	○	
12	문화예술단체 · 체육진흥단체	§52 ①	○	○	
13	한국자산관리공사 구조조정을 위한 취득	§57의 3 ②	○		
14	경차	§67 ①, ②	○		
15	지방이전 공공기관 직원 주택(85㎡ 이하)	§81 ③ 2	○		
16	시장정비사업 사업시행자	§83 ①	○		
17	한국법무보호복지공단, 갱생보호시설	§85 ①	○	○	
18	내진설계건축물(대수선)	§47의 4 ① 2	○	○	'17.1.1.
19	국제선박	§64 ①, ②, ③	○		

감면내용		조문	세목		적용시기
			취	재	
20	매매용 중고자동차	§68 ①	○		'17.1.1.
21	수출용 중고자동차	§68 ③	○		
22	한국농어촌공사 농업기반시설	§13 ② 1의 2호		○	'18.1.1.
23	농협 · 수협 · 산립조합의 고유업무부동산	§14 ③	○	○	
24	기초과학연구원, 과학기술연구기관	§45의 2	○	○	
25	신협 · 새마을금고 신용사업 부동산 등	§87 ①, ②	○	○	
26	지역아동센터	§19의 2	○	○	
27	창업중소기업(창업후 3년내) 재산세	§58의 3		○	
28	다자녀 양육자 자동차	§22의 2	○		'19.1.1.
29	학생실험실습차량, 기계장비, 항공기등	§42 ②	○	○	
30	문화유산 · 자연환경 국민신탁법인	§53	○	○	
31	공공기관 상법상회사 조직변경	§57의 2 ③ 7	○		
32	부실금융기관 등 간주취득세	§57의 2 ⑤	○		
33	학교등 창업보육센터용 부동산	§60③ 1의 2호		○	
34	여객운송사업용 천연가스버스('20년까지 적용)	§70 ③	○		
35	반대급부 있는 기부채납용 부동산('20년까지 적용)	§73의 2	○		
36	주거환경개선사업시행자로부터 취득하는 주택 (85㎡ 이하)	§74 ③ 3	○		
37	법인의 지방이전	§79 ①	○	○	
38	공장의 지방이전	§80 ①	○	○	
39	시장정비사업(입주상인)	§83 ②	○		
40	평택이주 주한미군 한국인근로자	§81의 2	○		
41	사회복지법인	§22 ①, ②	○	○	'20.1.1.
42	별정우체국	§72 ①, ②		○	
43	지방공단	§85의 2 ②	○	○	
44	새마을운동조직	§88 ①	○	○	
45	정당	§89	○	○	
46	마을회	§90	○	○	
47	수소 · 전기버스	§70 ④	○		
48	장학단체 고유업무 부동산	§45 ② 1	○	○	

	감면내용	조문	세목		적용시기
			취	재	
49	외국인 투자기업 감면(조특법 적용대상은 제외)	§78의 3	○	○	'20.1.1
50	생애 최초 주택	§36의 3 ① 1	○		'20.7.10.
51	전공대학	§44 ②	○	○	'21.1.1.
52	농협 등 조합간 합병	§57의 2 ②	○		
53	지방농수산물공사	§15 ②	○	○	'22.1.1.
54	도시철도공사	§63 ⑤	○	○	

◎ **합병에 따라 취득하는 재산이 부동산, 차량 등으로 다수인 경우 및 과세기관이 다수에 걸쳐 있더라도 취득세 면제 총액을 기준으로 최소납부세제 적용**

「지방세특례제한법」 제57조의 2 제1항 적격합병에 대한 취득세 면제 규정은 원활한 기업구조조정을 지원하기 위하여 도입된 것으로, 합병법인에 대한 세제혜택을 부여하기 위하여, 법인간 합병이라는 원인 행위를 대상으로 취득세 감면 요건 및 감면율 등을 규정하고 있을 뿐, 개별 과세물건별로 세제 혜택을 규정하고 있지 아니함 … 또한, 적격합병으로 다수의 부동산에 대한 취득세 면제가 발생된다 하더라도 이는 동일한 합병계약을 원인으로 하여, 동일한 「지방세특례제한법」 규정에 따라 취득세가 면제된 것에 따른 것이므로, 적격합병에 따라 존속법인이 다수의 재산을 양수 받는 경우라도 일건의 취득 행위로 보아야 할 것임 … 아울러 과세기관이 다수에 걸쳐있거나 과세물건이 다수라는 이유로 과세물건별 또는 과세기간별로 취득세 면제액을 산출하여 최소납부세제 적용 여부를 판단할 사항은 아님(지방세특례제도과-3617. 2018.10.4.).

제178조(감면된 취득세의 추징)

법 제178조(감면된 취득세의 추징) ① 부동산에 대한 감면을 적용할 때 이 법에서 특별히 규정한 경우를 제외하고는 다음 각 호의 어느 하나에 해당하는 경우 그 해당 부분에 대해서는 감면된 취득세를 추징한다.

1. 정당한 사유 없이 그 취득일부터 1년이 경과할 때까지 해당 용도로 직접 사용하지 아니하는 경우 2. 해당 용도로 직접 사용한 기간이 2년 미만인 상태에서 매각·증여하거나 다른 용도로 사용하는 경우

② 이 법에 따라 부동산에 대한 취득세 감면을 받은 자가 제1항 또는 그 밖에 이 법의 각 규정에서

> 정하는 추징 사유에 해당하여 그 해당 부분에 대해서 감면된 세액을 납부하여야 하는 경우에는 대통령령으로 정하는 바에 따라 계산한 이자상당액을 가산하여 납부하여야 하며, 해당 세액은 「지방세법」 제20조에 따라 납부하여야 할 세액으로 본다. 다만, 파산 등 대통령령으로 정하는 부득이한 사유가 있는 경우에는 이자상당액을 가산하지 아니한다. [본조신설 2014.1.1.]
>
> 영 제123조의 2(감면된 취득세의 추징에 관한 이자상당액의 계산 등) ① 법 제178조 제2항 본문에 따라 가산하여 납부해야 하는 이자상당액은 감면된 세액에 제1호의 기간과 제2호의 율을 곱하여 계산한 금액으로 한다.
>
> 1. 당초 감면받은 부동산에 대한 취득세 납부기한의 다음 날부터 추징사유가 발생한 날까지의 기간
> 2. 1일당 10만분의 25
>
> ② 법 제178조 제2항 단서에서 "파산 등 대통령령으로 정하는 부득이한 사유"란 다음 각 호의 어느 하나에 해당하는 사유를 말한다.
>
> 1. 파산선고를 받은 경우 2. 천재지변이나 그 밖에 이에 준하는 불가피한 사유로 해당 부동산을 매각·증여하거나 다른 용도로 사용한 경우

2011.1.1. 분법시 지특법상에 일반적 추징규정(제94조)을 신설하였다. 부동산에 대한 감면을 적용할 때, 이 법에서 특별히 규정한 경우를 제외하고는 일반적인 추징규정을 적용토록 하였다. 기존의 감면세액 추징이 조문마다 달리 규정되어 있어 취득세 추징의 일반화를 위해 별도의 추징조문을 마련한 것이다.

| 최근 개정법령_2020.1.15. | 지방세 이자상당가산액 도입(법 §178 ②, 영 §123의 2)

부동산에 대해 감면받은 취득세 추징 시 기존에는 본세만 추징하였는데, 본세만 추징할 경우 감면기간 동안 이자 및 부동산 시세차익 등을 향유할 수 있어 성실 납세자와의 불형평 초래되었다. 이에 대해 감면제도의 실효성을 확보하고 성실납세자와의 형평성을 제고하기 위해 이자상당가산액을 도입하여 감면의 사전·사후관리를 강화하였다. 그에 따라 추징사유가 발생하여 감면 세액을 추징하는 경우 감면기간 동안 부당하게 향유한 이익에 상당하는 금액을 본세에 부가하여 추징하게 된다. 적용이자율은 1일 10만분의 25(연 9.125%)이고, 가산기간은 당초 감면받은 부동산에 대한 취득세 납부기한의 다음 날부터 추징사유가 발생한 날까지의 기간이다. 추징사유가 발생한 날을 확인할 수 없는 경우에는 세무공무원이 추징사유 발생을 인지한 날을 추징사유가 발생한 날로 간주한다. 다만 파산선고를 받거나 천재지변, 그밖에 이에 준하는 불가피한 사유로 매각·증여하거나 다른 용도로 사용하는 경우에는 가산세를 적용하지 않는다(시행령 §123의 2).

[적용사례] ① 취득당시부터 감면요건을 충족하지 않은 경우(예. 감면대상 법인의 자격 등 취득주체에 대한 요건조차 충족하지 않은 경우) 이자상당액이 발생하는지? ⇒ 당초 취득한 날부터 추징사유가 발생한 것으로 이자상당가산액은 발생하지 않고 가산세 적용대상이다. ② 당초 감면요건을 충족하였으나 사후적으로 매각·증여 등으로 인해 감면요건을 충족하지 않아 추징사

유가 발생하여 「지방세법」 제20조 제3항에 따른 납부기한 내에 세액을 납부한 경우? ⇒ 취득일 납부기한부터 추징사유 발생일까지 이자상당가산액은 적용대상이고, 추징사유 발생일로부터 60일 이내 신고 및 납부하였으므로 신고 및 납부불성실 가산세 적용대상은 아니다. ③ 당초 감면요건을 충족하였으나 사후적으로 매각·증여 등으로 인해 감면요건을 충족하지 않아 추징사유가 발생하여 「지방세법」 제20조 제3항에 따른 납부기한 내 신고하였으나 납부는 하지 못한 경우? ⇒ 취득일 납부기한부터 추징사유 발생일까지 이자상당가산액은 적용대상이다. 추징사유 발생일로부터 60일 이내 신고하여 신고불성실 가산세는 적용대상이 아니며, 납부불성실 가산세[납부기한의 다음날부터 부과결정일(or 자진납부일)의 기간]는 적용대상이다.

◎ 취득세를 감면받은 이후 직접 사용기간이 2년 미만인 상태에서 매각한 경우에 있어, '정당한 사유'를 명문으로 두고 있지 않은 이상 그 사유를 불문하고 감면된 취득세는 추징대상이 된다고 할 것임(지방세특례제도과-2391, 2020.10.8.).

◎ **추징처분은 본래의 부과처분과는 그 요건을 달리하는 별개의 처분이라 할 것임**

추징처분은 일단 감면요건에 해당하면 그 세액을 감면한 후에 당초의 감면취지에 합당한 사용을 하느냐에 대한 사후관리의 측면에서 규정한 것으로서 본래의 부과처분과는 그 요건을 달리하는 별개의 처분이라 할 것이므로, 추징처분이 해당 법에서 규정한 추징요건을 갖추지 못하였다면 그 추징처분은 위법한 처분이 되는 것이고, 감면요건을 갖추지 못하여 본래의 부과처분을 할 사유가 있다고 하더라도 그와 같은 사정이 위법한 추징처분을 적법한 것으로 보아야 할 사유가 될 수는 없다(대법원 97누1846, 1998.8.21.).

☞ 따라서 당초 감면되었다가 유예기간 중에 추징대상이 되는 경우는 추징처분이고, 유예기간 내에 감면요건을 충족하는 조건으로 과세를 유예한 경우로서 유예기간 내에 요건을 갖추지 못한 경우의 부과처분은 추징처분이 아닌 본래의 부과처분에 해당된다는 의미임.

◎ **5년 이후 수익사업 사용시는 부과제척기간 경과로 추징대상이 아님**

부동산 취득 당시 신청인 및 과세관청의 착오로 지방세 비과세 규정을 잘못 적용하였다 하더라도 실체적 내용에 차이가 없고 비과세 목적을 달성한 이상 법률 적용의 오류는 정정으로 치유할 수 있으며, 구 「지방세법」 제290조 제1항(2000.12.29. 개정전)의 단서는 취득일부터 1년 이내에 정당한 사유 없이 그 고유업무에 직접 사용하지 아니하거나, 대통령령이 정하는 수익사업에 사용한 경우 면제된 취득세와 등록세를 추징하도록 규정하였으므로, 그 고유업무에 사용한 날부터 5년이 경과한 후 대통령령이 정하는 수익사업에 사용하는 경우에는 부과제척 기간이 경과하였으므로 면제된 취득세와 등록세는 추징대상이 아님(세정-345, 2005.1.20.).

◎ **직접 사용 유예기간 내 임대 또는 방치한 경우 '다른 용도로 사용한 경우'로 보아 감면된 취득세 등의 추징이 가능하다는 사례**

입주자가 부동산을 취득하여 이를 타인에게 임대하는 경우에는 설령 그 타인이 임차하여 유치대상업종을 영위한다 하더라도 입주자는 임대사업을 하는 것이 되어(임차인의 영업을 입주자의 영업과 동일시할 수 있는 등의 특별한 사정이 없는 한 입주자는 임대업을 영위하거나 임대로 인한 이익을 누리는 것에 불과하고, 간접적으로도 유치대상업종을 영위하는 지위에 있다고 볼 수 없음), 이 사건 조례 제28조 단서 소정의 "다른 용도로 사용하는 경우"에 해당함. 이 사건 조례 제28조 단서의 "다른 용도로 사용한 경우"라 함은 다른 용도로의 적극적 사용뿐만 아니라 유치대상업종에 이용할 수 있는 상태임에도 정당한 사유 없이 소극적으로 방치하는 경우도 포함하는 것으로 해석함이 타당(대법원 2012두25200, 2013.3.14.)

◎ 고유업무에 직접 사용하기 위한 건물을 신축할 목적으로 기존건물과 토지를 취득한 후 기존건물을 철거하고 신축한 경우 1년 이내에 고유업무에 직접 사용하지 아니한 경우

이 사건 토지 위에 건축된 이 사건 신축건물 중 소매점 부분은 그 건축공사가 완료되어 원고가 이를 취득한 날부터 1년이 경과하도록 정당한 사유 없이 업무에 직접 사용하지 아니하였으므로, 이 사건 토지와 기존건물 중 이 사건 신축건물의 연면적에서 소매점 부분이 차지하는 비율에 해당하는 부분은 구 지방세법 제272조 ③ 단서의 취득세와 등록세의 추징대상이 됨(대법원 2011두18441, 2013.6.13.).

◎ 관계법령에 의한 사용의 제한 또는 금지가 해제된 날로부터 1년 이내에 정당한 사유없이 그 사업에 직접 사용하지 아니하고 위 기간이 경과할 때 비로소 과세

등록세를 당초 비과세하였다가 위 규정에 의하여 다시 과세하기 위하여는 등기일로부터 1년 이내에 정당한 사유 없이 사업에 직접 사용하지 아니할 경우에 한한다 할 것이고, 어떤 토지에 대하여 등기 당시부터 관계 법령의 규정에 의한 사용의 제한 또는 금지가 있었던 경우에는 그 제한 또는 금지가 계속되는 한에 있어서는 사업에 직접 사용하지 못함에 정당한 사유가 있다고 할 것이며, 그러한 경우에는 관계 법령에 의한 사용의 제한 또는 금지가 해제된 날로부터 1년 이내에 정당한 사유 없이 그 사업에 직접 사용하지 아니하고 위 기간을 경과할 때 비로소 과세할 수 있음(대법원 91누13281, 1992.6.23.).

◎ 건축공사 중인 것이 재산세는 '직접 사용'에 해당하나 취득세는 직접 사용으로 볼 수 없음

시행령 제230조가 "법 제5장 중 토지에 대한 재산세의 감면규정을 적용함에 있어 직접 사용의 범위에는 당해 법인의 고유업무에 사용할 건축물을 건축 중인 경우를 포함한다"고 규정하고 있으나, … 반대해석상 이러한 규정을 두고 있지 않은 취득세의 경우는 직접 사용의 범위에 건축물을 건축 중인 경우가 포함되지 않는 것으로 해석함이 타당한 점,…공장 신축 목적으로 토지를 취득한 경우 공장에 대한 사용승인을 받은 시점부터 그 토지를 직접 사용하는 것으로 보는 것이 타당(대법원 2014두43752, 2015.2.12.)

◎ "직접 사용 기간" 관련하여 건물준공 이후부터 목적사업에 사용하기 시작한 것임

착공신고를 한 이후 공사를 한 기간은 이 사건 토지를 목적사업에 직접 사용하는 행위라기보다는 이를 위한 준비행위에 지나지 않는 것이므로, 위 기간 동안 이 사건 부동산을 목적사업에 사용하였다고 볼 수도 없음. 이 사건 토지 취득 후 이 사건 건물에 관한 사용승인을 받은 이후에야 이 사건 토지를 목적사업에 사용하기 시작하였다고 봄이 타당(대법원 2014두46560, 2015.4.9.)

제179조(토지에 대한 재산세의 경감율 적용)

법 제179조(토지에 대한 재산세의 경감율 적용) 이 법 또는 다른 법령에서 토지에 대한 재산세의 경감 규정을 둔 경우에는 경감대상 토지의 과세표준액에 해당 경감비율을 곱한 금액을 경감한다.

영 제123조[20](직접 사용의 범위) 법 또는 다른 법령에서의 토지에 대한 재산세의 감면규정을 적용할 때 직접 사용의 범위에는 해당 감면대상 업무에 사용할 건축물 및 주택을 건축 중인 경우를 포함한다. [제45조에서 이동 <2014.3.14.>]

토지에 대한 재산세의 경감규정의 적용은 경감대상 토지의 산출세액이 아니라 과세표준액에 경감비율을 곱하여 산정하도록 하고 있다. 이는 토지분 재산세 과세구분에서 비과세[21] 및 면제·경감 대상 토지의 경우 종합합산대상 및 별도합산대상토지에서 제외하고 있는 점과 연계되어 있다. 즉, 다음과 같은 구조적인 문제를 해소하기 위한 장치로 볼 수 있는데, 일반적인 조세의 과세체계상 세액산출 과정은 면제 및 경감이 있는 경우 과세표준과 세율을 적용하여 산출세액을 도출한 후 면제 및 경감율을 적용하여 최종 납부세액이 계산된다. 그런데 종합합산토지 및 별도합산토지의 경우 과세표준을 합산하고 그 합산한 가액을 기준으로 초과누진세율이 적용되기 때문에 만약 소유자의 토지 중 면제·경감 대상 토지가 있는 경우 사전에 과세표준액의 합산에서 제외하지 않을 경우 합산누진과세체계로 인해 세부담이 크게 증가하게 된다. 따라서 토지분 재산세 과세에 있어 경감대상 토지의 과세표준액 산정단계에서 해당 경감비율을 곱한 금액을 과세표준에서 차감한다.

한편, 토지에 대한 재산세 감면 적용 시 '건축물'을 건축 중인 경우 '직접 사용'으로 보아 감면 적용하는데, 2021년부터는 '주택'을 건축 중인 경우에도 감면을 적용하도록 개선하였다.

---

20) 지방세특례제한법 시행령 개정(대통령령 제25253호, 2014.3.14.) 이전의 제45조가 이 법 개정으로 제123조로 이동되었다.

21) 비과세 대상토지의 경우 감면과 달리 그 속성상 과세구분의 실익이 없다.

* 토지에 대한 재산세 감면 적용 시 임대주택을 건축중인 경우 감면 불가(지방세특례제도과-1712, 2019.12.12.)

| 참고_2021년 개정시 적용대상 감면 조문 |

법	제목	법	제목
§31 ④, ⑥	임대주택 등에 대한 감면	§31의 4 ②	주택임대사업에 투자하는 부동산투자회사에 대한 감면
§31의 3	장기일반민간임대주택 등에 대한 감면	§36	무주택자 주택공급사업 지원을 위한 감면

제180조(중복 감면의 배제)

법 제180조(중복 감면의 배제) 동일한 과세대상에 대하여 지방세를 감면할 때 둘 이상의 감면 규정이 적용되는 경우에는 그 중 감면율이 높은 것 하나만을 적용한다. 다만, 제73조, 제74조, 제92조 및 제92조의 2의 규정과 다른 규정은 두 개의 감면규정(제73조, 제74조 및 제92조 간에 중복되는 경우에는 그 중 감면율이 높은 것 하나만을 적용한다)을 모두 적용할 수 있다.

동일과세대상에 둘 이상의 감면이 중복적용될 경우 감면율이 높은 것 하나만 적용한다. 이는 두 개 이상의 감면규정을 모두 적용할 경우 발생할 수 있는 조세부담의 불공평성을 방지하면서 과다한 조세지원을 조절하여 세수를 확보하고 조세감면의 체계적인 관리를 유지하기 위한 취지이다(대법원 96누1337, 1996.10.11.).

- 부동산투자회사가 현물출자로 취득하는 재산에 대해 지방세특례제한법 제57조의 2 제3항 제3호의 규정에 따른 취득세 감면과 같은 법 제180조의 2 지방세 중과세율 적용 배제가 동시에 해당될 경우에는 같은 법 제180조에 따른 중복감면 배제 대상에 해당되므로 감면율이 높은 감면 규정을 적용함이 타당(지방세특례제도과-249, 2020.2.6.)
- 건축물 및 그 부속토지를 별개의 과세대상으로 보아 각 감면규정을 달리 적용할 수 있다고 볼 것은 아니고 동일 과세대상에 둘 이상의 감면규정이 적용되는 경우로서 그 중 감면율이 높은 것을 적용할 수 있을 뿐인 것임(지방세특례제도과-479, 2020.3.2.).
- 기업부설연구소와 산업단지 감면에 대한 추징요건이 다르게 규정되어 있는 반면 추징시에는 취득세 및 재산세를 동시에 추징하도록 되어 있는 점 등에서 볼 때 세목별로 감면율이 높은

감면규정을 적용할 수는 없다고 할 것임(지방세특례제도과-910, 2020.4.24.).

◎ 하나의 물건에 대하여 중복감면규정에 해당되는 경우에 있어서 감면 및 추징의 판단기준

당초 감면결정의 감면사유가 인정되지 않는다면 거기에서 나아가 그 추징처분의 바탕이 된 감면규정에 정한 감면사유 및 추징사유의 존부를 가려 그 처분의 위법 여부를 판단하여야 할 것임. 그리고 이 경우 그 추징처분이 적법하기 위해서 그 전제가 되는 감면결정이 먼저 있어야 하는지 여부는 해당 법령의 성격 등을 따져서 할 것인 바, 그 감면결정에 당사자의 감면신청이 필요적 요건이 아니라면 따로 감면결정이 없었더라도 곧바로 추징처분을 할 수 있다고 볼 것이며, 이 사건에서 피고가 당초에 한 면제결정의 내용대로 법 제289조[22] 제1항에 정한 면제요건이 충족된다면, 설령 법 제269조[23] 제1항을 전제로 한 제269조 제3항의 추징요건이 충족된다고 하더라도 그 추징처분은 위법한 것이 되고, 반대로 이 사건 면제결정이 법 제289조 제1항에 정한 면제사유에 대한 착오나 법리오해 등으로 잘못 이루어진 것이라면 나아가 법 제269조 제1항과 제3항의 요건에 해당하는지 여부를 심리하여 이 사건 추징처분의 위법 여부를 판단하여야 할 것임. 따라서 이 사건 토지의 취득이 법 제289조 제1항의 면제요건에는 해당하지 않지만 법 제269조 제1항의 면제요건과 제3항의 추징요건에 해당한다면 법 제269조 제1항에 의한 면제결정이 없었다 하더라도 같은 조 제3항에 의한 추징처분을 할 수 있다고 봄이 상당함(대법원 2010두26414, 2012.1.27.).

◎ 어느 하나의 감면규정에 정한 감면요건이 충족되고 그에 따른 추징규정이 없거나 추징사유가 발생하지 아니하였다면 다른 감면규정에 의한 추징처분은 허용되지 아니함

동일한 과세대상에 대하여 조세를 감면할 근거규정이 둘 이상 존재하는 경우에 어느 하나의 감면규정에 정한 감면요건이 충족되고 그 규정에 따른 감면에 대해서는 추징규정이 없거나 추징사유가 발생하지 아니하였다면 나머지 다른 감면규정에 의한 추징처분을 하는 것은 허용되지 아니하는 바, 피고가 감면조례에 따라 이 사건 취득세와 등록세를 감면하였거나 추징한 것이 아니라 하더라도, 원고의 이 사건 토지 취득이 감면조례의 감면요건에 해당하는 한, 구 지방세법 제269조 제3항에 의한 추징처분은 허용되지 아니함(대법원 2012두27213, 2013.3.28.).

◎ 지방세법상 기부채납 비과세의 경우 지특법상 중복감면의 배제 대상에 해당하지 아니함

공사의 경우 동일한 과세대상인 하나의 사업지구 토지에 대하여 두 개의 조문(제31조 및 제85

22) 현행 지특법 제76조 제1항(한국토지주택공사가 국가 또는 지방자치단체의 계획에 따라 제3자에게 공급할 목적으로 대통령령이 정하는 사업에 사용하기 위하여 일시 취득하는 부동산)

23) 현행 지특법 제32조(한국토지주택공사의 소규모 공동주택 취득에 대한 감면 등) ① 한국토지주택공사가 임대를 목적으로 취득하여 소유하는 대통령령으로 정하는 소규모 공동주택용 부동산에 대한 취득세 및 재산세 경감 ③ 제1항 또는 제2항을 적용할 때 토지를 취득한 후 대통령령으로 정하는 기간에 소규모 공동주택의 건축을 착공하지 아니하거나 소규모 공동주택이 아닌 용도에 사용하는 경우 그 해당 부분에 대해서는 감면된 취득세 및 재산세 추징

조의 2)을 선택적으로 중복 적용하는 것은 지특법 제96조의 입법취지 및 조세공평성에 배치되는 것으로 타당하지 않다고 판단됨. 다만, 기부채납에 의한 비과세의 경우 지방세법에서 별도로 규정하고 있어 지방세특례제한법상의 중복감면의 배제 규정 대상에 해당하지 않으므로, 사업지구 전체 토지 면적 중 기부채납 부분에 대하여는 우선적으로 비과세 규정을 적용한 후, 나머지 토지에 대하여는 감면율이 높은 하나의 조항만을 적용함이 타당함(지방세특례제도과-1199, 2014.8.1.).

◎ **임대주택으로 공동주택을 취득하여 취득세를 감면받은 후 유예기간 내에 매각한 경우 주택유상거래에 대한 취득세 감면(100분의 50)을 적용할 수 있음**

취득할 당시 임대주택에 대한 감면을 규정하고 있는 도세감면조례 제12조 ②와 주택유상거래 감면 규정을 모두 충족하였으나, 지방세법 제294조에 따라 감면율이 높은 임대주택에 대한 감면을 적용한 것인 바, 임대주택에 대한 취득세를 감면받은 후에 추징사유가 발생하였다 하더라도 주택유상거래에 대한 감면사유가 존재하는 이상, 주택유상거래에 대한 취득세 감면까지 배제되는 것은 아님(조심 2013지0851, 2014.2.13.).

제180조의 2(지방세 중과세율 적용 배제 특례)

법 제180조의 2(지방세 중과세율 적용 배제 특례) ① 다음 각 호의 어느 하나에 해당하는 부동산의 취득에 대해서는 「지방세법」에 따른 취득세를 과세할 때 2021년 12월 31일까지 같은 법 제13조 제2항 본문 및 같은 조 제3항의 세율을 적용하지 아니한다. 〈개정 2015.12.29., 2018.12.24.〉

1. 「부동산투자회사법」 제2조 제1호에 따른 부동산투자회사가 취득하는 부동산
2. 「자본시장과 금융투자업에 관한 법률」 제229조 제2호에 따른 부동산집합투자기구의 집합투자재산으로 취득하는 부동산
3. 「법인세법」 제51조의 2 제1항 제9호에 해당하는 회사가 취득하는 부동산

② 다음 각 호의 어느 하나에 해당하는 설립등기(설립 후 5년 이내에 자본 또는 출자액을 증가하는 경우를 포함한다)에 대해서는 「지방세법」에 따른 등록면허세를 과세할 때 2021년 12월 31일까지 같은 법 제28조 제2항·제3항의 세율을 적용하지 아니한다. 〈개정 2015.12.29., 2018.12.24.〉

1. 「자본시장과 금융투자업에 관한 법률」 제9조 제18항 제2호, 같은 조 제19항 제1호 및 제249조의 13에 따른 투자회사, 경영참여형 사모집합투자기구 및 투자목적회사
2. 「기업구조조정투자회사법」 제2조 제3호에 따른 기업구조조정투자회사
3. 「부동산투자회사법」 제2조 제1호에 따른 부동산투자회사(같은 호 가목에 따른 자기관리 부동산투자회사는 제외한다) 4. 대통령령으로 정하는 특수 목적 법인 5. 「법인세법」 제51조의 2 제1항 제9호에 해당하는 회사 6. 「문화산업진흥 기본법」 제2조 제21호에 따른 문화산업전문회사
7. 「선박투자회사법」 제3조에 따른 선박투자회사 [본조신설 2014.12.31.]

「부동산투자회사법」 제2조 제1호에 따른 부동산투자회사 등이 취득하는 「부동산과 자본시장과 금융투자업에 관한 법률」에 따른 투자회사, 사모투자전문회사 및 투자목적회사 등의 설립등기 등에 대하여는 지방세법상의 중과세율 적용을 배제하고 있다.

2019.1.1. 시행, 지방세특례제한법 개정으로 중과배제 규정에 대해 부동산 자산운영시장 등 파급효과 등을 고려하여 2021.12.31.까지 3년간 연장하였다.

| 최근 개정법령 _ 2019.1.1. | 법 제180조의 2 제1항 본문에서 각 호의 어느 하나에 해당하는 부동산의 취득에 대하여 중과세율을 적용하지 않는다고 규정하고 있으나, 각 호에서는 이를 재산 또는 회사로 규정하여 혼란이 있던 것을, 재산 또는 회사로 규정된 용어를 부동산으로 통일성 있게 명확화하였다.

◎ 프로젝트투자금융회사 부동산 취득 후 2년 내 주식회사로 전환 한 경우 취득세 중과 대상

명목회사인 프로젝트 투자금융회사가 호텔을 신축하여 일반과세로 신고납부하고, 이후 주식회사로 전환 … 법 제178조에서는 부동산에 대한 감면을 적용할 때 이 법에서 특별히 규정한 경우를 제외하고는 당해조문을 통하여 추징규정을 적용하고 있고, 제2호에서는 해당 용도로 직접 사용한 기간이 2년 미만인 상태에서 매각・증여하거나 다른 용도로 사용하는 경우에는 감면된 취득세를 추징한다고 규정하고 있음 … '증여'는 무상에 의한 모든 이전행위를 의미하고, '증여'와 병렬적으로 규정되어 있는 '매각'은 무상에 의한 모든 이전행위의 대구적 의미, 즉 유상의 모든 이전행위를 의미하는 것(헌법재판소 2015헌바277)임. 따라서 부동산을 취득하고 유예기간 내에 주식회사로 변경한 것은 프로젝트 투자금융회사 법인격이 상실된 것으로 보아야 하고, 유예기간 내에 취득 부동산을 직접 사용하지 않고 주식회사로 변경한 것은 추징대상에 해당(지방세특례제도과－1102, 2018.4.3.)

제181조(지방세 특례의 사전・사후관리)

법 제181조(지방세 특례의 사전・사후관리) ① 행정안전부장관은 매년 2월 말일까지 지방세 특례 및 그 제한에 관한 기본계획을 수립하여 「지방재정법」 제27조의 2에 따른 지방재정부담심의위원회 및 국무회의의 심의를 거쳐 중앙행정기관의 장에게 통보하여야 한다.

② 중앙행정기관의 장은 그 소관 사무로서 지방세를 감면하려는 경우에는 감면이 필요한 사유, 세목 및 세율, 감면기간, 지방세 수입 증감 추계, 관련 사업계획서, 예산서 및 사업 수지 분석서, 감면액을 보충하기 위한 기존 지방세 감면에 대한 축소 또는 폐지방안 및 조세부담능력 등을 적은 지방세 감면건의서(이하 이 조에서 "지방세감면건의서"라 한다)를 매년 3월 31일(제7항에 해

당하는 경우에는 2월 20일)까지 행정안전부장관에게 제출하여야 한다.

③ 대통령령으로 정하는 지방세 특례 사항에 대하여 중앙행정기관의 장은 지방세 감면으로 인한 효과 분석 및 지방세 감면제도의 존치 여부 등에 대한 의견서(이하 이 조에서 "지방세감면평가서"라 한다)를 매년 3월 31일(제6항 후단에 해당하는 경우에는 2월 20일)까지 행정안전부장관에게 제출하여야 한다.

④ 중앙행정기관의 장은 조례에 따른 지방세 감면제도의 신설, 연장 또는 폐지 등을 요청하려는 경우에는 지방세감면건의서 또는 지방세감면평가서를 해당 지방자치단체의 장에게 제출하여야 한다.

⑤ 행정안전부장관은 제2항 및 제3항에 따라 제출받은 지방세감면건의서 및 지방세감면평가서에 대하여 각 지방자치단체의 의견을 들어야 한다.

⑥ 행정안전부장관은 주요 지방세 특례에 대한 평가를 실시할 수 있다. 이 경우 해당 연도에 적용기한이 종료되는 사항으로서 대통령령으로 정하는 지방세 특례에 대해서는 예산의 범위 내에서 조세 관련 조사·연구기관에 의뢰하여 목표달성도, 경제적 효과, 지방재정에 미치는 영향 등에 대하여 평가할 수 있다.

⑦ 행정안전부장관은 예상 감면액이 대통령령으로 정하는 일정금액 이상인 지방세 특례를 신규로 도입하려는 경우에는 조세 관련 조사·연구기관에 의뢰하여 지방세 특례의 필요성 및 적시성, 기대효과, 지방재정에 미치는 영향 및 예상되는 문제점에 대한 타당성 평가를 실시하여야 한다.

⑧ 행정안전부장관은 지방세감면건의서, 지방세감면평가서 및 제6항과 제7항에 따른 평가와 관련하여 전문적인 조사·연구를 수행할 기관을 지정하고 그 운영 등에 필요한 경비를 출연할 수 있다.

⑨ 행정안전부장관은 지방세감면평가서 및 제6항과 제7항에 따른 평가와 관련하여 필요하다고 인정할 때에는 관계 행정기관의 장 등에게 의견 또는 자료의 제출을 요구할 수 있다. 이 경우 관계 행정기관의 장 등은 특별한 사유가 있는 경우를 제외하고는 이에 따라야 한다. 〈신설 2014.12.31, 2017.7.26., 2017.12.26.〉

⑩ 제1항부터 제9항까지의 규정에 따른 지방세 특례 및 그 제한에 관한 기본계획 수립, 지방세감면건의서 및 지방세감면평가서의 제출, 지방자치단체의 의견 청취, 주요 지방세 특례의 범위, 조사·연구기관의 지정과 그 밖에 필요한 사항은 대통령령으로 정한다. 〈신설 2014.12.31., 2017.12.26.〉 [본조신설 2014.1.1]

☞ [시행일 : 2017.1.1.] 제181조 제6항 단서

영 제124조(지방세감면 의견서 제출) ① 법 제181조 제3항에서 "대통령령으로 정하는 지방세 특례 사항"이란 다음 각 호의 어느 하나에 해당하는 사항을 말한다.

1. 해당 과세연도에 기한이 종료되는 지방세 특례 사항
2. 시행 후 2년이 지나지 아니한 지방세 특례 사항
3. 범위를 확대하려는 지방세 특례 사항
4. 법 제181조 제2항에 따른 지방세의 감면과 관련되는 사업계획의 변경 등으로 재검토가 필요한 지방세 특례 사항
5. 행정안전부장관이 다른 중앙행정기관의 장과 협의하여 고시하는 법인 및 단체의 변경 등으로 재검토가 필요한 지방세 특례 사항

② 법 제181조 제6항 후단에서 "대통령령으로 정하는 지방세 특례"란 다음 각 호의 어느 하나에 해당하는 경우를 말한다.

1. 해당 지방세 특례의 적용기한이 종료되는 날이 속하는 해의 직전 3년간(지방세 특례가 신설된 지 3년이 지나지 않은 경우에는 그 기간) 연평균 지방세 감면액이 100억원 이상인 경우
2. 둘 이상의 감면 조문을 분야별로 일괄하여 평가할 필요가 있는 경우
3. 지방세 감면액이 지속적으로 증가할 것으로 예상되어 객관적인 검증을 통해 지방세 지출의 효율화가 필요한 경우
4. 그 밖에 행정안전부장관이 지방세 특례에 대한 평가가 필요하다고 인정하는 경우

③ 법 제181조 제7항에서 "대통령령으로 정하는 일정 금액 이상인 지방세 특례를 신규로 도입하려는 경우"란 해당 특례안의 감면기간 동안 발생할 것으로 예상되는 지방세 감면 추계액이 100억원 이상인 경우(기존 지방세특례의 내용을 변경하는 경우에는 기존 지방세특례 금액에 추가되는 해당 특례안의 감면기간 동안 추가되는 예상 감면액이 100억원 이상인 경우를 말한다)를 말한다. 다만, 경제·사회적 상황에 대응하기 위하여 도입할 필요가 있는 경우로서 행정안전부장관이 인정하는 경우는 제외한다.

④ 법 제181조 제6항 후단 및 같은 조 제7항에서 조세 관련 조사·연구기관은 각각 다음 각 호의 어느 하나에 해당하는 기관으로 한다.

1. 「지방세기본법」 제151조에 따른 지방세연구원
2. 그 밖에 지방세 특례의 타당성에 대한 평가 등과 관련하여 전문 인력과 조사·연구 능력 등을 갖춘 것으로 행정안전부장관이 정하여 고시하는 기관

⑤ 법 제181조 제6항 및 제7항에 따른 지방세 특례에 대한 평가의 세부 기준, 절차 및 그 밖에 필요한 사항은 행정안전부장관이 정한다.

[제46조에서 이동 <2014.3.14.>]

행정안전부장관은 매년 2월 말일까지 지방세 특례 및 그 제한에 관한 기본계획을 수립하여 국무회의의 심의를 거쳐 중앙행정기관의 장에게 통보하도록 규정하고 있다.

중앙 행정기관의 장이 그 소관 사무에 대하여 지방세 감면이 필요한 경우에는 지방세감면건의서 등을 작성하여 행정안전부장관에게 제출하도록 의무화하였으며, 중앙행정기관의 장은 지방세 감면으로 인한 효과 분석 및 지방세 감면제도의 존치 여부 등에 대한 "지방세 감면평가서"를 매년 3월 31일까지 행정안전부장관에게 제출하도록 하고 있다.

행정안전부장관은 중앙행정기관의 장으로부터 제출받은 지방세감면건의서 및 지방세감면평가서에 대하여 각 지방자치단체의 의견을 듣도록 의무화하였다. 이러한 규정들은 정부정책에 따른 지방세 감면이 과다하게 발생하지 않도록 함으로써 지방자치단체의 자주재원을 확충하려는 것으로 이해된다.

| 최근 개정법령_2016.1.1.| 예비타당성 조사제도 도입 신설(법 제181조, 영 제124조)
무분별한 지방세 감면신설을 방지하고 체계적인 감면운영을 위해 연간 예상감면액이 일정금액(100억원) 이상인 감면을 새로이 신설하는 경우, 예비타당성조사제도를 도입하였다. 그에 따라 조세관련 전문적인 조사·연구기관에서 지방세 특례의 필요성 및 적시성, 기대효과, 지방재정에 미치는 영향 및 예상되는 문제점에 대한 타당성 평가를 실시하게 된다(2017년부터 시행). 감면액 100억원 이상의 신규건의 감면은, 감면 필요성 및 기대효과, 지방재정에 미치는 영향 등에 대해 전문연구기관의 평가를 받도록 의무화하였다(영 제124조).

| 최근 개정법령_2017.1.1.| 지방세특례 예비타당성평가 운영기준 근거마련(영 제124조)
2017년부터 일정규모(연평균 지방세 감면 추계액이 100억원 이상) 이상의 지방세특례를 신규로 도입하는 경우 지방세 특례의 타당성에 대한 평가(예비타당성조사)를 실시하도록 의무화하였다.

| 최근 개정법령_2018.1.1.| 일정규모 이상의 신규도입 외에도 기존 감면에 대해서도 수호 성과평가 체계를 강화할 필요가 있어, 감면 기한이 종료되는 사항 중, 연간 감면액이 100억원 이상인 경우, 조세 관련 전문기관에 의뢰하여 목표달성도, 경제적 효과, 지방재정에 미치는 영향 등에 대하여 평가할 수 있도록 근거를 마련하였다.

| 최근 개정법령_2019.1.1.| 사후심층평가 대상 및 평가수행 조세 관련 전문기관을 다음과 같이 확대하였다.
- (사후심층평가 대상) 연간 지방세 감면액이 100억원 이상인 일몰 도래 감면→직전 3년 연평균 지방세 감면액 100억원 이상인 경우, 둘 이상의 감면 조문을 일괄하여 평가할 필요가 있는 경우, 감면액이 지속 증가할 것으로 예상되어 효율화가 필요한 경우, 그 밖에 행정안전부장관이 필요하다고 인정하는 경우
- (평가수행 전문기관) 지방세연구원, 조세관련 기관·법인(법률근거), 행안부장관 고시 기관 등→학교(조세교육 과정 有), 조세관련 학회 등 법인 등, 일정기간 조세경력자(2명 이상)이 속한 법인 등

| 최근 개정법령_2021.1.1.| 지방세 특례 사전·사후관리의 사업수행기관을 지정하고 필요시 경비를 출연 할 수 있는 기관을 개정하여 근거 규정 마련
- (취지) 형식적·반복적으로 진행되는 용역절차를 생략하여 법정 수행과제인 예비타당성조사 및 사후 심층평가 사업의 안정성·효율성 제고

제182조(지방자치단체의 감면율 자율 조정)

법 제182조(지방자치단체의 감면율 자율 조정) ① 지방자치단체는 이 법에 따른 지방세 감면 중 지방세 감면 기한이 연장되는 경우에는 지방자치단체의 재정여건, 감면대상자의 조세부담능력 등을 고려하여 해당 조에 따른 지방세 감면율을 100분의 50의 범위에서 조례로 인하하여 조정할 수 있다. 이 경우 면제는 감면율 100분의 100에 해당하는 것으로 본다.

② 지방자치단체는 제1항에도 불구하고 사회적 취약계층 보호, 공익 목적, 그 밖에 전국적으로 동일한 지방세 감면이 필요한 경우 등으로서 대통령령으로 정하는 사항에 대해서는 지방세 감면율을 인하하여 조정할 수 없다.

영 제125조(지방자치단체의 감면율 조정 제외 대상) 법 제182조 제2항에서 "대통령령으로 정하는 사항"이란 법 제6조, 제17조 및 제29조에 규정된 사항을 말한다. 〈개정 2014.3.14.〉

[본조신설 2010.12.30.] [제46조의 2에서 이동 〈2014.3.14.〉]

지방자치단체 감면율 자율권 보장 등을 위하여 규정하였다.

제183조(감면신청 등)

법 제183조(감면신청 등) ① 지방세의 감면을 받으려는 자는 대통령령으로 정하는 바에 따라 지방세 감면 신청을 하여야 한다. 다만, 지방자치단체의 장이 감면대상을 알 수 있을 때에는 직권으로 감면할 수 있다.

② 제1항에 따른 지방세 감면신청을 받은 지방자치단체의 장은 지방세의 감면을 신청한 자(위임을 받은 자를 포함한다)에게 행정안전부령으로 정하는 바에 따라 지방세 감면 관련 사항을 안내하여야 한다. [본조신설 2014.1.1.]

영 제126조(감면 신청) ① 법 제183조 제1항 본문에 따라 지방세의 감면을 신청하려는 자는 다음 각 호의 구분에 따른 시기에 행정안전부령으로 정하는 감면신청서에 감면받을 사유를 증명하는 서류를 첨부하여 납세지를 관할하는 지방자치단체의 장에게 제출해야 한다.

1. 납세의무자가 과세표준과 세액을 지방자치단체의 장에게 신고납부하는 지방세 : 해당 지방세의 과세표준과 세액을 신고하는 때. 다만, 「지방세기본법」 제50조 제1항 및 제2항에 따라 결정 또는 경정을 청구하는 경우에는 그 결정 또는 경정을 청구하는 때로 한다.
2. 제1호 외의 지방세 : 다음 각 목의 구분에 따른 시기로 한다.
   가. 주민세 개인분, 재산세(「지방세법」 제112조에 따른 부과액을 포함한다) 및 소방분 지역자원시설세 : 과세기준일이 속하는 달의 말일까지
   나. 등록면허세(「지방세법」 제35조 제2항에 따라 보통징수의 방법으로 징수하는 경우로 한정

> 한다), 같은 법 제125조 제1항에 따른 자동차세 및 특정자원분 지역자원시설세(같은 법 제147조 제1항 제1호 단서에 따라 보통징수의 방법으로 징수하는 경우로 한정한다) : 납기가 있는 달의 10일까지
>
> ② 제1항에도 불구하고 자동차에 대한 취득세 및 등록면허세를 감면하려는 경우에는 해당 자동차의 사용본거지를 관할하지 않는 시장 · 군수 · 구청장도 제1항에 따른 업무를 처리할 수 있다. 이 경우 그 업무는 사용본거지를 관할하는 시장 · 군수 · 구청장이 처리한 것으로 본다.
>
> ③ 해당 자동차의 사용본거지를 관할하지 아니하는 시장 · 군수 · 구청장이 제2항에 따른 업무를 처리하였을 때에는 관련 서류 전부를 해당 자동차의 사용본거지를 관할하는 시장 · 군수 · 구청장에게 즉시 이송하여야 한다. 〈개정 2016.12.30.〉 [제47조에서 이동 〈2014.3.14.〉]

지방세감면에 대한 신청 방법, 신청기한 등 절차를 규정하고 있다. 지방세 감면을 받으려는 자는 지방세 감면신청을 하도록 규정하고 있으나, 지방자치단체의 장이 감면대상임을 알 수 있을 때에는 직권으로도 감면할 수 있도록 하고 있다. 납세의무자의 감면 또는 면제신청이 사후 추징과정에서 부과처분의 적법 여부를 판단함에 있어 필요적 요건으로는 볼 수 없다(대법원 2010두26414, 2012.1.27.).

한편, 지방자치단체의 장은 지방세의 감면을 신청한 자에게 지방세 감면 관련 사항을 안내하도록 규정하고 있다.

| 최근 개정법령_2019.1.1.| 납세자 편의 및 송달 효율성 등 고려 납세자 요청이 있는 경우 전자적 방법으로 감면통지 가능하도록 개선하였다.

| 최근 개정법령_2021.1.1.| '지방세 감면 여부 결정' 및 '그 결과 통지'라는 부분을 삭제하여 지자체장이 '처분'을 한 것으로 오해하지 않도록 명확화하고, 지방세 감면 적용 사항 및 의무사항 위반 시 추징사항 등을 신청인에게 안내하도록 개정하였다.

◎ 과세관청이 감면결정을 하고 그 내용을 납세자에게 통지하였다는 점에서 납세자가 납세의무를 이행하지 아니한 정당한 사유가 있다고 보는 것이 타당함

과세관청의 감면결정 통지는 「지방세특례제한법」 제183조 소정의 감면신청, 그에 대한 결정 및 통지의무에 관한 법정절차의 이행이었다는 점에서 비공식적 자문이나 조언 등 단순한 사실행위라고 보기 어렵고, 납세자가 그 구체적 사건에 관하여 한 감면신청에 대하여 감면결정하고 납세자에게 통지하였다는 점에서 일반적인 견해표명에 불과했던 것이라 할 수도 없음. 이 사건 납세자는 해당 감면조항에 대한 부지 자체보다는 처분청의 감면결정 통지사실을 신뢰하여 납세의무를 불이행한 것으로 보는 것이 타당(행안부 지방세특례제도과-2221, 2019.6.11.)

☞ 감면요건 등 감면토지서의 개별 사안에 따라 판단하는 것이 타당하다할 것임.

◎ 당초 감면신청을 한 규정이 아니더라도 사후에 취득당시 감면요건을 갖추고 있었던 경우 감면신청을 하지 않았더라도 감면을 적용받을 수 있음

조례에서 과세면제를 받고자 하는 자는 그 사실을 증명할 수 있는 서류를 갖추어 관할관청에 신청하여야 한다고 규정하고 있더라도, 면제신청에 관한 규정은 면제처리의 편의를 위한 사무처리절차를 규정한 것에 불과할 뿐 그 신청이 면제의 요건이라고 볼 수는 없음(대법원 2001두10639, 2003.6.27. 등 참조). 그리고 어떠한 과세대상이 당초 감면을 받은 규정에 의한 감면대상에 해당하지 않는다 하더라도, 다른 감면규정에 의한 감면대상에 해당하고 그에 관하여 추징사유가 발생하지 아니하였다면 다른 규정에 따른 감면사유가 여전히 존재하는 이상 추징처분을 하는 것은 허용되지 않는다(대법원 2010두26414, 2012.1.27. 참조)고 할 것임(대법원 2013두18582, 2014.2.13.).

◎ 과세권자가 감면대상임을 알 수 있는 때에는 직권감면 가능함

영유아보육시설을 설치·운영하기 위하여 부동산을 취득하여 그 취득일부터 30일 이내에 취득세 등의 감면신청을 하지 않고, 감면신청기간 이후에 감면신청을 한 경우라면, 「지방세법」 제292조 및 같은 법 시행령 제231조 규정에 의해 감면대상 부동산을 취득한 날부터 30일 이내에 지방세 감면신청서를 관할 과세권자에게 제출하여야 하는 것이나, 동 신청기간이 경과하였다 하더라도 같은 법 같은 조 단서규정에 의하여 과세권자가 감면대상임을 알 수 있는 때에는 이를 직권감면할 수 있는 것임(도세-391, 2008.4.10.).

◎ 조례에서 과세면제를 받고자 하는 자는 그 사실을 증명할 수 있는 서류를 갖추어 관할관청에 신청하여야 한다고 규정하고 있더라도 위의 면제신청에 관한 규정은 면제처리의 편의를 위한 사무처리절차를 규정한 것에 불과한 것일 뿐 그 신청이 면제의 요건이라고 볼 수는 없음(대법원 2001두10639, 2003.6.27.).

◎ 지방세감면신청서 및 관련 구비서류만을 제출하고 "취득세 및 등록세 신고서"는 별도로 제출하지 아니한 경우라도 이를 취득세 자진신고를 한 것이라 볼 수 있음

(자경농민 감면관련) 신고납부의 방시의 취득세에서 신고행위에 하자가 당연무효 사유에 해당하지 않는 한, 후행처분인 징수처분에 그대로 승계되지는 않는 것이고, 신고행위의 하자가 중대하고 명백하여 당연무효에 해당하는지 여부는 개별적·합리적으로 판단할 것임(대법원 2005두14394, 2006.9.8.). 지방세감면신청서에는 "신청인"으로 성명, 주민등록번호 등을, "감면대상"으로 감면대상내역 중 종류, 면적(수량), "감면세액"으로 감면세목, 과세연도, 과세표준액, 당초결정세액, 감면을 받고자 하는 세액 등을, 그리고 그 밖의 관계증빙서류 등을 각각 기재하고 관련된 구비서류를 첨부하도록 되어 있는 점, 선행처분이 없는 상태에서의 지방세 감면신청은 취득세의 자진신고를 전제로 하는 것으로서 위 지방세감면신청서의 기재사항 등

으로도 신청인이 자진신고를 하고자 하는 취득세액 등을 확정할 수 있다면, 위 지방세감면신청서 이외에 반드시 별도로 지방세신고서를 제출하도록 할 필요는 없을 것으로 보이는 점 등을 고려할 때 감면신청서를 제출함으로써 신청인의 조세채무가 확정되었다고 할 것임(법제처 08-0003, 2008.4.2.).

◎ 신고납부 당시 다주택자임을 설명하였음에도 공무원이 정확한 안내를 하지 않아 신고납부의무를 이행하지 못한 것은 정당한 사유로 볼 수 없음

취득세는 신고납부방식의 조세로서 납세의무자가 스스로 과세표준과 세액을 정하여 신고하는 행위에 의하여 납세의무가 구체적으로 확정되고 … (대법원 2006다81257, 2009.4.23.). 취득세 감면신청서 양식과 그 사유란에 기재된 내용 등에 비추어 볼 때 피고 담당공무원이 원고에게 취득세 신고·납부와 관련하여 임대주택은 납세자가 소유하는 주택 수에 포함되지 않는다는 취지의 의견을 표명하였다고 보기 어렵고 원고가 조금만 주의를 기울였더라면 이 사건 주택 취득 후 일시적으로 2주택이 되는 경우에 해당하지 않는다는 것을 알 수 있었다고 보임(대법원 2015두46796, 2015.10.29.).

제184조(감면자료의 제출)

> **법** 제184조(감면자료의 제출) 지방세를 감면받은 자는 대통령령으로 정하는 바에 따라 관할 지방자치단체의 장에게 감면에 관한 자료를 제출하여야 한다. [본조신설 2014.1.1.]
>
> **영** 제127조(감면자료의 제출) 법 제184조에 따라 지방세의 감면자료를 제출하여야 하는 자는 해당 연도 1월 1일부터 12월 31일까지의 기간 중에 감면대상 및 감면받은 세액 등을 확인할 수 있는 자료를 행정안전부령으로 정하는 바에 따라 다음 연도 1월 31일까지 과세물건 소재지를 관할하는 시장·군수·구청장에게 제출하여야 한다. 〈개정 2016.12.30.〉 [제48조에서 이동 〈2014.3.14.〉]
>
> **규칙** 제10조(지방세 감면자료의 제출) 영 제127조에 따라 지방세의 감면자료를 제출하려는 자는 세목별로 각각 별지 제7호 서식에 감면받은 세액 등을 확인할 수 있는 서류를 첨부하여 제출하여야 한다. 〈개정 2014.12.31.〉

지방세 감면을 받은 납세자가 지방세 감면 관련 자료를 제출하도록 하고 있다.

부 칙

법 〈법률 제17771호, 2020.12.29.〉

제1조(시행일) 이 법은 2021년 1월 1일부터 시행한다. 다만, 제64조의 2의 개정규정은 2021년 1월 30일부터 시행한다.

제2조(일반적 적용례) 이 법은 이 법 시행 이후 납세의무가 성립하는 분부터 적용한다.

제3조(5세대 이동통신 무선국에 대한 감면에 관한 적용례) 제49조의 2의 개정규정은 이 법 시행 이후 「전파법」 제19조의 2에 따라 신고하는 경우부터 적용한다.

제4조(창업중소기업 등에 대한 감면에 관한 적용례) 제58조의 3 제1항, 제2항 및 제4항의 개정규정은 이 법 시행 이후 창업하는 경우부터 적용한다.

제5조(지능형 해상교통정보서비스 무선국에 대한 감면에 관한 적용례) 제64조의 2의 개정규정은 부칙 제1조 단서에 따른 시행일 이후 「전파법」 제19조에 따라 허가를 받은 경우부터 적용한다.

제6조(귀농인의 농지 등에 대한 감면의 추징에 관한 경과조치) 이 법 시행 전에 감면받은 취득세의 추징에 관하여는 제6조 제4항 제1호의 개정규정에도 불구하고 종전의 규정에 따른다.

제7조(장기임대주택 취득세 감면에 관한 경과조치) 2020년 8월 18일 전에 「민간임대주택에 관한 특별법」 제5조에 따라 등록을 신청한 장기임대주택에 관하여는 제31조 제1항 제2호의 개정규정에도 불구하고 종전의 규정에 따른다.

제8조(전공대학에 대한 감면에 관한 경과조치) ① 이 법 시행 전에 제44조 제1항에 따라 재산세의 감면을 받고 있던 경우에는 같은 조 제2항의 개정규정에도 불구하고 종전의 규정을 적용받을 수 있다.

② 제1항에 따라 재산세의 감면에 관하여 종전의 규정 또는 개정규정의 감면을 적용받는 경우에는 그 중 하나를 선택하여 감면기간 동안 동일한 규정을 계속하여 적용하여야 한다.

제9조(창업중소기업 등에 대한 감면에 관한 경과조치) 이 법 시행 전에 창업한 기업에 대한 지방세의 경감에 관하여는 제58조의 3 제1항, 제2항 및 제4항의 개정규정에도 불구하고 종전의 규정에 따른다.

제10조(중소벤처기업진흥공단 등에 대한 감면에 관한 경과조치) ① 이 법 시행 전에 취득한 공장용 부동산에 대한 재산세의 경감에 관하여는 제59조 제3항 본문의 개정규정에도 불구하고 종전의 규정에 따른다.

② 이 법 시행 전에 감면받은 취득세 및 재산세의 추징에 관하여는 제59조 제2항부터 제4항까지의 개정규정에도 불구하고 종전의 규정에 따른다.

시행령 〈대통령령 제31344호, 2020.12.31.〉

제1조(시행일) 이 영은 2021년 1월 1일부터 시행한다.

제2조(일반적 적용례) 이 영은 이 영 시행 이후 납세의무가 성립하는 분부터 적용한다.

제3조(친환경건축물 등의 감면에 관한 경과조치) ① 이 영 시행 전에 「녹색건축물 조성 지원법」 제16조에 따른 녹색건축 인증 및 같은 법 제17조에 따른 건축물 에너지효율등급 인증을 받은 건축물을 이 영 시행 이후에 취득하는 경우에는 제24조 제1항 및 제3항의 개정규정에도 불구하고 종전

의 규정에 따른다.

② 이 영 시행 전에 총에너지 절감율 또는 총이산화탄소 저감율이 55퍼센트 이상임을 「주택법」 제49조에 따른 사용검사권자로부터 확인받은 건축물을 이 영 시행 이후에 취득하는 경우에는 제24조 제5항의 개정규정에도 불구하고 종전의 규정에 따른다.

법 〈법률 제16865호, 2020.1.15.〉

제5조(도시개발사업 등에 대한 감면에 관한 적용례) ① 제74조 제1항 및 제3항의 개정규정은 「도시개발법」 제2조 제1항 제2호에 따른 도시개발사업 또는 「도시 및 주거환경정비법」 제2조 제2호 나목에 따른 재개발사업으로서 2020년 1월 1일 이후 「도시개발법」 제17조에 따른 실시계획 인가를 받거나 「도시 및 주거환경정비법」 제50조에 따른 사업시행계획 인가를 받는 사업부터 적용한다.

② 제74조 제4항 제1호 및 제3호와 제5항의 개정규정은 「도시 및 주거환경정비법」 제2조 제2호 가목에 따른 주거환경개선사업 또는 같은 호 나목에 따른 재개발사업으로서 2020년 1월 1일 이후 「도시 및 주거환경정비법」 제50조에 따른 사업시행계획 인가를 받는 사업부터 적용한다.

제8조(종전 농업법인에 대한 감면에 관한 특례) 2020년 1월 1일 전에 법인설립등기를 한 농업법인이 영농에 사용하기 위하여 그 법인설립등기일부터 2년 이내에 취득하는 농지, 관계 법령에 따라 농지를 조성하기 위하여 취득하는 임야 및 제6조 제2항 각 호의 어느 하나에 해당하는 시설에 대해서는 제11조 제1항 각 호 외의 부분의 개정규정에도 불구하고 취득세를 면제한다. 이 경우 면제된 취득세의 추징에 관하여는 제11조 제3항을 적용한다.

제10조(일반적 경과조치) 2020년 1월 1일 당시 종전의 규정에 따라 부과 또는 감면하였거나 부과 또는 감면하여야 할 지방세에 대해서는 종전의 규정에 따른다.

제11조(종전 농업법인에 대한 감면에 관한 경과조치) ① 제11조 제1항 각 호의 어느 하나에 해당하는 법인이 영농·유통·가공에 직접 사용하기 위하여 취득하는 부동산과 과세기준일 현재 해당 용도에 직접 사용하는 부동산에 대해서는 제11조 제1항 각 호 외의 부분의 개정규정에도 불구하고 같은 조 제2항에 따라 취득세 및 재산세의 100분의 50을 각각 2020년 12월 31일까지 경감한다. 이 경우 경감된 취득세의 추징에 관하여는 제11조 제3항을 적용한다.

② 제11조 제1항 각 호의 어느 하나에 해당하는 법인의 설립등기에 대해서는 제11조 제1항 각 호 외의 부분의 개정규정에도 불구하고 같은 조 제4항에 따라 등록면허세를 2020년 12월 31일까지 면제한다.

제12조(임대주택 등에 대한 감면의 추징에 관한 경과조치) 2020년 1월 1일 전에 감면받은 재산세의 추징에 관하여는 제31조 제4항의 개정규정에도 불구하고 종전의 규정에 따른다.

제13조(장기일반민간임대주택 등에 대한 감면의 추징에 관한 경과조치) 2020년 1월 1일 전에 감면받은 재산세의 추징에 관하여는 제31조의 3 제2항의 개정규정에도 불구하고 종전의 규정에 따른다.

제14조(학술연구단체 및 장학단체에 대한 감면의 추징에 관한 경과조치) 2020년 1월 1일 전에 감면받은 취득세의 추징에 관하여는 제45조 제3항의 개정규정에도 불구하고 종전의 제45조 제2항에 따른다.

제15조(도서관에 대한 감면의 추징에 관한 경과조치) 2020년 1월 1일 전에 감면받은 취득세 및 등록면허세의 추징에 관하여는 제52조 제2항의 개정규정에도 불구하고 종전의 규정에 따른다.

제16조(물류사업용 부동산에 대한 경감에 관한 경과조치) 2020년 1월 1일 전에 취득한 물류사업용

부동산에 대한 재산세의 경감에 관하여는 제71조 제2항의 개정규정에도 불구하고 종전의 규정에 따른다.

제17조(도시개발사업 등에 대한 감면 및 추징에 관한 경과조치) ① 2020년 1월 1일 전에 「도시개발법」 제17조에 따른 실시계획 인가를 받거나 「도시 및 주거환경정비법」 제50조에 따른 사업시행계획 인가를 받은 사업의 시행으로 2020년 1월 1일 이후 취득하는 부동산에 대한 취득세 감면에 대해서는 제74조 제1항 및 제3항의 개정규정에도 불구하고 종전의 제74조 제1항에 따른다.

② 「도시 및 주거환경정비법」 제2조 제2호 가목에 따른 주거환경개선사업 중 도시저소득 주민이 집단거주하는 지역으로서 정비기반시설이 극히 열악하고 노후·불량건축물이 과도하게 밀집한 지역의 주거환경을 개선하기 위한 사업으로서 2020년 1월 1일 전에 「도시 및 주거환경정비법」 제50조에 따른 사업시행계획 인가를 받은 사업의 시행에 따라 2020년 1월 1일 이후 취득하는 부동산에 대한 취득세 감면 및 추징에 대해서는 제74조 제3항과 제4항 제1호 및 제3호의 개정규정에도 불구하고 종전의 제74조 제3항에 따른다.

③ 「도시 및 주거환경정비법」 제2조 제2호 나목에 따른 재개발사업 중 정비기반시설이 열악하고 노후·불량건축물이 밀집한 지역에서 주거환경을 개선하기 위한 사업으로서 2020년 1월 1일 전에 「도시 및 주거환경정비법」 제50조에 따른 사업시행계획 인가를 받은 사업의 시행에 따라 2020년 1월 1일 이후 취득하는 부동산에 대한 취득세 감면 및 추징에 대해서는 제74조 제3항 및 제5항의 개정규정에도 불구하고 종전의 제74조 제3항에 따른다.

제18조(기업도시개발구역 및 지역개발사업 구역 내 창업기업 등의 감면에 관한 경과조치) 2020년 1월 1일 전 기업도시개발구역 등에 창업하거나 사업장을 신설한 기업과 투자를 개시한 사업시행자가 2020년 1월 1일 전 취득한 부동산에 대한 감면 기준은 제75조의 2의 개정규정에도 불구하고 종전의 규정에 따른다.

제19조(산업단지 등에 대한 감면의 추징에 관한 경과조치) 2020년 1월 1일 전에 감면받은 취득세 및 재산세의 추징에 관하여는 제78조 제1항 및 제6항의 개정규정에도 불구하고 종전의 규정에 따른다.

시행령 〈대통령령 제30355호, 2020.1.15.〉

제1조(시행일) 이 영은 공포한 날부터 시행한다.

제2조(장애인용 자동차의 취득세 및 자동차세 면제에 관한 적용례) 제8조 제3항 및 제4항의 개정규정은 이 영 시행 이후 취득세 및 자동차세의 납세의무가 성립하는 분부터 적용한다.

제3조(국가유공자등의 자동차의 취득세 및 자동차세 면제에 관한 적용례) 제12조의 2 제3항 및 제4항의 개정규정은 이 영 시행 이후 취득세 및 자동차세의 납세의무가 성립하는 분부터 적용한다.

제4조(서민주택의 범위에 관한 적용례) 제15조 제2항의 개정규정은 이 영 시행 이후 취득세의 납세의무가 성립하는 분부터 적용한다.

제5조(다른 법령의 개정) ① 개발이익 환수에 관한 법률 시행령 일부를 다음과 같이 개정한다.

제11조 제5항 제2호 중 "제52조 제1항"을 "제52조 제1항·제2항"으로 한다.

② 농어촌특별세법 시행령 일부를 다음과 같이 개정한다.

제4조 제3항 중 "제74조 제3항"을 "제74조 제4항·제5항"으로 하고, 같은 조 제6항 제5호 중 "제45조 제1항"을 "제45조 제1항, 같은 조 제2항 제1호"로, "제52조"를 "제52조 제1항·제2항"으로, "제74조 제1항"을 "제74조 제1항·제3항"으로 한다.

1. 일반적 경과규정의 의미

개정되는 법령에 대해 적용례나 경과조치를 두어서 적용되는 법령을 명확하게 해주는 것이 필요하다. 적용례는 새로 제정되거나 개정된 법령의 적용관계를 밝히기 위한 것이며, 경과조치는 새로 제정되거나 또는 개정된 법령에 의한 기득권 침해를 방지하기 위한 것이라는 점에서 구분된다. 구법의 적용관계를 밝히는 경과조치도 성격상으로는 적용례에 속하는 것으로 볼 수도 있다. 일반적으로 구법 질서에 따르도록 하는 내용을 경과조치라고 하고, 문안 상 " …에 관하여는 종전의 규정에 의한다"로 표현된다. 신법의 적용이 시작되는 사안을 밝히는 것은 적용례라고 하는데 "이 법은 …에 대하여 적용한다"는 형식으로 표현된다.

◎ 일반적 경과규정은 유리한 종전 규정의 적용에 대한 납세의무자의 신뢰보호 차원임

'이 조례 시행 당시 종전의 규정에 의하여 감면하였거나 감면되어야 할 도세에 대하여는 종전의 규정에 따른다'는 일반적 경과규정은 신 조례의 시행 후에 과세요건이 완성된 경우에도 유리한 종전 규정의 적용에 관한 납세의무자의 정당한 신뢰를 보호하기 위하여 종전 규정을 적용할 수 있다는 의미로 해석됨(대법원 2008두15039, 2011.1.27.).

◎ 부칙의 '일반적 경과조치'에 따라 납세자에게 유리한 종전 법령을 적용하기 위한 요건

조세법령이 납세의무자에게 불리하게 개정된 경우에 개정된 법령의 부칙에서 '이 법 시행 당시 종전의 규정에 따라 부과 또는 감면하여야 할 …세에 대하여는 종전의 예에 의한다'는 취지의 규정을 두고 있다면 이는 납세의무자의 기득권이나 신뢰를 보호하기 위한 것이므로, 여기서 '종전의 규정에 따라 부과 또는 감면하여야 할 조세'에 해당하여 개정 전 법령이 적용되기 위하여는 개정 전 법령의 시행 당시 과세요건이 모두 충족되어 납세의무가 성립하였거나, 비록 과세요건이 모두 충족되지는 않았더라도 납세의무자가 개정 전 법령에 의한 조세감면 등을 신뢰하여 개정 전 법령의 시행 당시에 과세요건의 충족과 밀접하게 관련된 원인행위로 나아감으로써 일정한 법적 지위를 취득하거나 법률관계를 형성하는 등 그 신뢰를 마땅히 보호하여야 할 정도에 이른 경우여야 함(대법원 2015두36652, 2015.10.15., 대법원 93누5666, 98두13713 등).

☞ '구 조특법 규정' 시행 당시 유동화자산인 부동산 담보부 채권을 양수한 후 담보 부동산의 경매절차에서 매수신청을 하고 매각허가결정을 받아 매수신청인 또는 매수인의 지위를 취득하는 등으로 부동산의 취득과 밀접하게 관련된 행위로 나아간 경우에는, 비록 '개정 조특법'이 시행된 후 매각대금을 완납하였다고 하더라도 신뢰보호를 위하여 부칙에 따라 구 조특법 규정이 적용되어 취득세가 감면되나, 이에 이르지 아니한 채 구 조특법 규정의 시행 당시 단순히 유동화자산인 부동산 담보부 채권을 양수하여 보유하고 있었던 경우에는, 설령 장래의 담보 부동산 취득에 대한 취득세 감면을 신뢰하였더라도 이는 단순한 기대에 불과할 뿐 신뢰가 마땅히

보호하여야 할 정도에 이르렀다고 볼 수 없으므로, 구 조특법 규정이 적용되지 않고 납세의무 성립 개정 조특법(제120조 ① 9호)이 적용되어 취득세가 감면되지 아니함.

- 추징 유예기간내에 추징규정이 납세자에게 불리하게 개정된 경우라면, 신법 적용을 배제하고 납세자 기득권 보호차원에서 취득 당시의 법률을 적용할 수 있음(대법원 2003다66271, 2005.5.27.)

- 「지방세법」개정(납세의무자를 위탁자에서 수탁자로 변경) 이후 부동산을 취득하여 신탁하는 경우, 부칙(제12153호, 2014.1.1.)에 따른 재산세 감면대상이 아님(행안부 지방세특례제도과-2799, 2019.7.17.).

- **개정된 추징요건은 그 법률 시행일 이후 납세의무가 성립하는 분부터 적용하므로, 법률 개정 후에 분할법인이 보유주식을 처분하여 구 법상 추징 요건사실이 발생한 것임**

  「지방세특례제한법」(2016.12.27. 개정이전) 제57조의 2 제3항 제2호는 적격물적분할로 분할신설법인이 취득한 자산에 대하여는 취득세를 면제하되, 분할법인이 분할신설법인 주식을 그 총수의 50% 미만으로 보유하게 되는 경우에는 면제받은 취득세를 추징한다고 하였는데, 2016.12.27.자 위 법률 개정으로 위 추징요건에는 '분할등기일로부터 3년 이내'라는 기간 요건이 추가되었는바 이에 따르면 분할등기일로부터 3년이 도과된 후에는 분할법인의 분할신설법인 주식보유비율이 위와 같은 법정비율 미만이 된다고 하더라고 면제받은 세액이 추징되지 아니하게 되었음. 위 개정조항 등은 그 법률 시행일인 2017.1.1. 이후 납세의무가 성립하는 분부터 적용(행안부 지방세특례제도과-2713)

- **개인의 법인전환을 위한 현물출자에 따른 취득으로 감면받은 후 2년 이내 합병한 경우, 취득시기가 개정(추징 예외사유 추가) 이후라면 추징대상**

  법인 합병으로 인하여 소멸법인의 사업용 재산에 대한 소유권이 존속법인에게 이전되는 경우에도 '처분'으로 보아야 하므로(대법원 2010두6007), 법인간의 합병이 이루어지는 경우에도 처분에 해당되어 감면된 취득세가 추징되어야 함. 다만, 합병 등 「조세특례제한법 시행령」 제29조 제7항 각 호의 어느 하나에 해당하는 경우를 「지방세특례제한법」 제57조의 2 제4항 단서에 따라 추징대상에서 제외될 수 있는 정당한 사유에 추가하기 위하여 개정(2018.12.31.) 하면서 … 영 제28조의 2 제3항의 규정은 그 시행일(2019.1.1.) 이후에 납세의무가 성립하는 분부터 적용되는 것인 바, 쟁점 개인의 법인전환을 위한 현물출자에 따른 취득의 시기(2017. 9.18.)가 동 규정의 시행일 이전인 경우에는 추징대상(행안부 지방세특례제도과-1591, 2019.4.24.)

2. 전문 개정

- 법률의 개정시에 종전 법률 부칙의 경과규정을 개정하거나 삭제하는 명시적인 조치가 없다면 개정 법률에 다시 경과규정을 두지 않았다고 하여도 부칙의 경과규정이 당연히 실효되는

것은 아니지만, 개정 법률이 전문 개정인 경우에는 기존 법률을 폐지하고 새로운 법률을 제정하는 것과 마찬가지이어서 종전의 본칙은 물론 부칙 규정도 모두 소멸하는 것으로 보아야 할 것이므로 특별한 사정이 없는 한 종전의 법률 부칙의 경과규정도 모두 실효된다고 보아야 함(대법원 2001두11168, 2002.7.26.)

◎ **종전 취득세를 면제받았던 구지방세법 및 감면조례가 폐지된 바, 당시 감면조례 제12조 제2항 단서의 추징규정도 실효되었다고 봄이 타당함**

지방세특례제한법이 신설되기 전 구 지방세법 제9조는 지방자치단체가 과세면제 등을 하고자 할 때에는 행정안전부장관의 허가를 얻어 당해 지자체의 조례로써 정하도록 규정하였다. 그런데 지방세특례제한법이 제정되면서 종전에 구 지방세법 제9조에 따라 지방자치단체 조례로 감면하도록 되어 있던 규정을 지방세특례제한법에서 규정하게 되었다. 그에 따라 지방세특례제한법은 제정 당시 부칙 제3조에서 일반적 경과조치로 이 법 시행 전에 종전의 지방세법 제9조에 따른 조례에 따라 감면하였거나 부과 또는 감면하여야 할 지방세에 대하여는 종전의 규정에 따른다고 규정하고 있다. 따라서 이 사건은 지방세특례제한법 시행 이후에도 감면조례가 적용되어야 한다. 원고는 감면조례 제12조 제2항에 근거하여 취득세 등을 면제받았다. 감면조례 제12조 제2항 단서에서 면제받은 취득세를 추징할 수 있는 경우를 규정하고 있다. 원고는 감면조례 제12조 제2항 단서에서 정하는 취득일로부터 1년 이내에 정당한 사유 없이 해당 사업에 직접 사용하지 아니하는 경우에 해당하므로 피고가 면제된 취득세를 징수한 것은 적법하다(대법원 2014두43943, 2016.8.29.).

| 집 | 필 | 진 |

■ 김종택

- 서울시립대 세무전문대학원 졸업(세무학 박사)
- 서울시 마포구 세무과 근무
- 행정안전부 지방세정책과, 지방세운영과 근무 (취득세, 재산세 등 지방세 입법 및 법규해석)
- 국세청 개인납세국 소득세과 근무(지방소득세)
- 현) 행정안전부 부동산세제과 근무

■ 공지훈

- 광운대학교 경영학과 졸업
- 경기도 김포시 근무
- 행정안전부 지방세운영과, 지방세정책과, 지방소득소비세제과 근무(취득세 · 등록면허세 · 자동차세 · 지방소득세 개선 및 법규해석)
- 한국지방세연구원, 자치단체 등 강의 출강
- 현) 행정안전부 지방세특례제도과 근무(감면 제도 및 해석)

■ 감수 심영택

- 강원대학교 행정학과 행정학 석사
- 내무부 및 행정자치부 세제과
- 대법원 파견(지방세 입법조사관)
- 행정자치부 지방세운영과장(2011, 부이사관)
- 한국지방세연구원 경영지원본부장(2015)
- 현) 세종시 · 강원도 지방세심의위원
- 현) 한국지방세실무관리협회장

■ 오정의

- 연세대학교 법무대학원 조세법 석사
- 행정자치부 지방세운영과(취득 · 등록세 해석)
- 대통령소속 지방자치발전위원회(재정분권)
- 대법원 조세조사관실(지방세판결지원)
- 행정안전부 지방세정책과(법제도 총괄)
- 현) 행정안전부 지방세특례제도과(감면해석)

2021년판 지방세 4법 해설과 실무사례

2013년 2월 14일 초판 발행
2021년 7월 2일 8판 2쇄 발행

저자 김종택, 오정의, 공지훈
발행인 이희태
발행처 삼일인포마인

저자협의 인지생략

서울특별시 용산구 한강대로 273 용산빌딩 4층
등록번호 : 1995. 6. 26 제3-633호
전 화 : (02) 3489-3100
F A X : (02) 3489-3141

I S B N : 978-89-5942-945-5 93320

♣ 파본은 교환하여 드립니다.

정가 95,000원